Guía para consul

alfeñicarse *p...*
remilgarse. 2 Ad...
JUG. [1] como *sac...*

alfeñique *m.* Pasta de azúcar, estirada en barras delgadas y retorcidas, cocida en aceite de almendras. 2 fig. Persona delicada de cuerpo y complexión. 3 fig. Remilgo, afeite.

Números para separar acepciones

alférez *m.* MIL. Oficial del ejército en el grado y empleo inferior de la carrera: ~ *de navío* o *de fragata,* grados de la marina de guerra, equivalentes al alférez y teniente del ejército respectivamente. 2 *Amér. Merid.* Persona elegida para pagar los gastos en un baile o cualquier otra fiesta.

Construcciones fijas

Americanismo

alfiler *m.* Clavillo, generalmente de metal, con punta en uno de sus extremos y una cabecilla en el otro, que sirve para sujetar partes del vestido, tocado y otros adornos de la persona. 2 Juego de niños que consiste en empujar cada jugador con la uña del dedo pulgar, sobre cualquier superficie plana, un alfiler, que le pertenece, para formar cruz con otro alfiler, que hace suyo si logra formarla. 3 Joya usada para sujetar exteriormente el vestido o por adorno. 4 Pez marino teleósteo, cuyo cuerpo largo y delgado carece de aletas pectorales y caudales; presenta coloración de verde oscuro a verde pálido *(Nerophis ophidion).*

Nombre científico de fauna

alfombrado, -da *m.* Conjunto de alfombras de una casa o salón. 2 Operación de alfombrar. – 3 *adj.* Que tiene dibujos parecidos a los de las alfombras.

Cambio de categoría gramatical

I) alfombrilla *f.* Felpudo (estera). 2 Alfombra pequeña que se pone junto a la bañera.
II) alfombrilla *f.* MED. Enfermedad parecida al sarampión, del cual se distingue por la ausencia de síntomas catarrales.

Distinta entrada para palabras de distinta procedencia

Aclaraciones a la definición

Indicación de especialidad

alfóncigo *m.* Árbol anacardiáceo de fruto en drupa; su almendra, llamada pistacho, es oleaginosa, dulce y comestible *(Pistacia vera).* 2 Fruto de este árbol.

Nombre científico de flora

Guía para consultar este diccionario

DICCIONARIO MANUAL
ILUSTRADO DE LA
LENGUA ESPAÑOLA

DICCIONARIO MANUAL
ILUSTRADO DE LA
LENGUA ESPAÑOLA

Prólogo de D. Manuel Seco,
de la Real Academia Española

Decimocuarta Edición
(Reimpresión)
JULIO 1993

BIBLOGRAF

Calabria, 108
08015 Barcelona

Esta nueva edición, actualizada y ampliada, ha sido realizada bajo la iniciativa y coordinacion general del Editor.

Director de la obra: M. Alvar Ezquerra
Coordinación: E. de Moragas i Maragall

Equipo de redacción del Editor: M.ª José Blanco Rodríguez
Juan Manuel López Guzmán
Fernando Pérez Lagos

Correctores: Alfonso González Cachinero
Juan Luis Jiménez Ruiz
José Martínez García

Asistente de edición: Pilar Fornells i Reyes

Responsable de la Ilustración: Ricard García

Responsable de la informatización: Marino Castillo Cabezas

© BIBLOGRAF, S.A.
Calabria, 108
08015 Barcelona

Impreso en España - Printed in Spain

ISBN 84-7153-175-5
Depósito Legal: B. 14.509-1993

Impreso por PRINTER Industrias Gráfica, S.A.
Ctra. N-II, km. 600
Cuatro Caminos, s/n
08620 SANT VICENÇ DELS HORTS (Barcelona)

Índice General

Prólogo

Galdós, en su prólogo a la tercera edición (1901) de *La Regenta,* de Clarín, después de proclamar el gozo que para él significaba crear mundos imaginarios, reconocía un placer parejo en la contemplación y examen del proceso creador; placer que, en su sentir, aventajaba al primero en estar exento del «desasosiego» que inevitablemente acompaña al esfuerzo propio. Y añadía:

> Esto que digo de visitar talleres ajenos no significa precisamente una labor crítica, que si así fuera yo aborrecería tales visitas en vez de amarlas; es recrearse en las obras ajenas sabiendo cómo se hacen o cómo se intenta su ejecución; es buscar y sorprender las dificultades vencidas, los aciertos fáciles o alcanzados con poderoso esfuerzo; es buscar y satisfacer uno de los pocos placeres que hay en la vida, la admiración, a más de placer, necesidad imperiosa en toda profesión u oficio, pues el admirar entiendo que es la respiración del arte, y el que no admira corre peligro de morir de asfixia.

Con este galdosiano espíritu visitamos el «taller ajeno» en donde se ha fraguado el *Diccionario Manual Ilustrado de la Lengua Española Vox.* Aunque es obra aureolada por muchos años de prestigio, su reaparición profundamente renovada es buena coyuntura para hacer explícitos algunos de los rasgos que conforman su calidad.

Y no está de más hacerlo. La particular entidad del género «diccionario» hace que esta clase de libros sea la más expuesta a la incomprensión general. Es el libro que todo el mundo conoce, porque es la más primaria de las obras de consulta, la que ofrece la clave del sistema de comunicación por excelencia, descifrando los signos que la comunidad ha convenido en utilizar para su relación mutua. Pero, a la vez, al versar sobre determinado tipo de unidades del lenguaje, cae bajo la jurisdicción de la ciencia lingüística. De ahí que todo diccionario esté siempre entre dos fuegos, sometidos al juicio tanto del usuario de la lengua, el hablante de a pie, como del teórico de ella, el lingüista.

La popularidad del género diccionario es un fenómeno perfectamente natural. De los tres niveles —fónico, léxico, gramatical— que constituyen el lenguaje, el que ocupa un lugar más nítido en la conciencia del hablante es el de las palabras, serie ilimitada de signos que analizan y evocan todo el universo sensible y el no sensible, el mundo exterior y el interior. A esto se une que, en el avance incesante del caudaloso río del idioma, es precisamente en el nivel léxico donde más rápida se produce la evolución. Mientras los cambios fonológicos se miden por siglos y los gramaticales por generaciones, los léxicos se pueden tocar a cada paso. Es un hecho de experiencia cotidiana el reconocimiento de lo que ahora dicen los jóvenes, o de lo que ya sólo dicen los viejos. Y así, el hablante común, cuando hojea un diccionario con ánimo de tomarle el pulso, lo somete a la prueba de mirar si trae tal o cual palabra, si recoge «esto que tanto se dice ahora». O bien desafía al diccionario preguntándole por algún neologismo técnico, de cualquiera de las mil especialidades de la actividad humana. El dictamen vulgar sobre los diccionarios —que con frecuencia aflora en las páginas de los periódicos— suele basarse en los aleatorios resultados de estas pesquisas, como si la calidad de estas obras se midiera sin más por su porcentaje de términos recién salidos del cascarón.

Pero no sólo el pueblo llano hace uso, como hablante, de su derecho a enjuiciar estos arsenales de palabras. El lingüista, como estudioso de toda comunicación hablada, tiene algo que decir sobre ellos, «instalándose (en palabras de Alain Rey) como juez sobre el estrado de la teoría». Con frecuencia, las conclusiones de carácter sistemático y metodológico obtenidas por el lingüista son atinadas y merecen ser consideradas con atención por los lexicógrafos. Lo malo viene cuando algunos lingüistas en posesión de la verdad opinan que la lexicografía debe ajustarse al lecho de Procusto de sus teorías y demuestran, con ejemplos elegidos cuidadosamente al azar, que los diccionarios son edificios trazables a escuadra y compás. La lexicografía no es una ciencia, sino un arte, y lo único a que pueden y deben aspirar los lingüistas es que las técnicas con que trabajan sus artesanos se apoyen, *en lo posible*, sobre bases coherentes y sin demasiada discrepancia con los logros de la ciencia del lenguaje.

La crítica, tanto la de procedencia popular como la científica, es siempre beneficiosa para el arte lexicográfico. Pero en este campo, más que en otros, es fuerte el riesgo de incurrir en injusticia. El diccionario está constituido por decenas de miles de pequeñas piezas, y en tan amplio flanco es siempre mucho más fácil descubrir y airear los puntos negativos que los positivos. Se une a esto que, por uno y otro lado, suele pedirse al diccionario más de lo que puede dar. El hablante común olvida que los diccionarios, aun los grandes, son forzosamente selectivos, y es natural dejar fuera formas y contenidos que no hayan superado cierto tiempo de rodaje o no hayan rebasado los límites de un ámbito o una localización reducidos. Por su parte, el lingüista teórico suele ignorar que las condiciones en que generalmente se compila un diccionario, impuestas por exigencias editoriales (en especial de tiempo), no dejan mucho margen para estudiar a fondo los problemas semánticos, sintácticos, sociolingüísticos, históricos de cada una de las unidades registradas.

Todos, en suma, deberían comprender que el diccionario perfecto es una utopía, entre otras importantes razones, por la insuficiencia efectiva de información sobre las palabras del idioma. Esta insuficiencia, en nuestra lengua, es todavía muy sensible. Problemas lexicográficos básicos como el del orden histórico de las acepciones, el de la vigencia de las voces y de cada uno de sus significados, el de su extensión geográfica y social, el de los americanismos, estarían en buena parte resueltos si el español contase con diccionarios históricos como los que tienen aquellas lenguas que —precisamente gracias a ello— son las mejor servidas en el terreno lexicográfico. El *Diccionario histórico de la lengua española*, iniciado por la Academia Española, tardará todavía muchos años en orientar y alimentar a la generalidad de los diccionarios de nuestro idioma.

Esta precariedad de documentación confluye, por otra parte, con el prestigio secular del *Diccionario* común de la Academia, al que, edición tras edición, la comunidad hispanohablante asigna la máxima autoridad léxica. Y el resultado es que, hasta hoy, todos los diccionarios españoles, grandes y chicos, incluso los de más alta calidad, han tomado como punto de arranque el académico. Este tradicionalismo congénito de la lexicografía española tiene el lado favorable de haberse beneficiado de todas las excelencias del repertorio de la Academia, pero se resiente, al mismo tiempo, de la repetición de muchas rutinas y errores de los que la misma Corporación no ha acertado a desprenderse todavía.

En este paisaje lexicográfico nace hoy en el nuevo *Diccionario Manual Ilustrado de la Lengua Española Vox,* heredero de aquel *Manual Ilustrado de la Lengua Española Vox* que, publicado por primera vez en 1954, ha sido en sus numerosas reimpresiones, durante muchos años, la guía léxica de millares y millares de hispanohablantes repartidos en varias generaciones. Aquel diccionario, a su vez, nacía como consecuencia de la magnífica acogida del *Diccionario General Ilustrado de la Lengua Española Vox,* entonces en su segunda edición (1953). Uno y otro iban vinculados al nombre de uno de los más beneméritos miembros de la gran escuela de Menéndez Pidal: el llorado don Samuel Gili Gaya.

Los diccionarios manuales ocupan una franja definida dentro de la lexicografía, si bien su caracterización es un tanto ambigua, ya que el concepto *manual* es susceptible de enfocarse en términos absolutos o en términos relativos. Cuando un diccionario se llama manual es generalmente «con relación a otro»: se trata del hermano menor de un diccionario grande ya publicado por la misma casa. Tal ocurre, por ejemplo, con el que ahora tenemos entre las manos. Pero también clasificamos como manual, aunque no lleve esta palabra en su título, un diccionario, sin hermanos mayores, de un determinado formato más reducido que el de los llamados «grandes». En uno y otro caso, es normal que el tamaño no sea el único rasgo distintivo. Así lo señalaba Gili Gaya en su prólogo al primer *Manual Vox:* «Reducir un diccionario a otro en grado menor no significa sólo disminuir su tamaño material por medio de cortes o supresiones, sino que debe concebirse como una entidad nueva que ha de servir a necesidades diferentes y, por lo tanto, ser planeado orgánicamente con caracteres peculiares. No se trata, pues, de una simple disminución cuantitativa, sino de una adecuada selección cualitativa, dirigida por un pensamiento propio de cada libro e intransferible a los demás diccionarios de la serie». ¿Qué es lo que determina la peculiaridad de los manuales? La peculiaridad de su destinatario. Lo dice don Samuel más adelante: «Este *Diccionario manual* se dirige a un público medio, ni infantil ni literato profesional»; un público amplio cuyo interés se centra en el léxico actual y, dentro de él, en el sector más vivo y más implantado en el uso general.

Esta atención especial al presente tiene en los diccionarios manuales más facilidad para ser cuidada que en los grandes, gracias, por un lado, al menor volumen, y por otro, a la frecuencia de las reediciones consiguiente a la amplitud de sus destinatarios. Esta mayor facilidad de maniobra permite a las versiones manuales de varios grandes diccionarios extranjeros (Oxford, Robert, Merriam-Webster) presentar en sus sucesivas reapariciones valiosas informaciones de vanguardia sobre los neologismos de los respectivos idiomas. Los editores españoles, en general, no han sacado mucho partido de esta interesante oportunidad.

El nuevo *Diccionario Manual Ilustrado de la Lengua Española Vox* no es una reelaboración del anterior *Manual,* sino que se vincula directamente con el nuevo *Diccionario General Ilustrado de la Lengua Española Vox.* Como éste, ha sido redactado bajo la dirección de Manuel Alvar Ezquerra; es decir, cuenta con la misma sólida garantía: la de una de las personas, en España, más intensamente dedicadas, y con mejor preparación, al estudio y al oficio de la lexicografía.

Como perteneciente al género manual, este diccionario prescinde de las voces y acepciones anticuadas o desusadas, de las de difusión geográfica muy limitada y de las restringidas a una especialidad, así como de las etimologías, que son la información más puramente histórica que aparece en los diccionarios comunes. Con ello se consiguen no sólo unas dimensiones materiales más reducidas, sino un mayor relieve concedido a la vertiente vigente del caudal léxico. Y no con ello se pierden las virtudes que han hecho del *Diccionario General* «una de las mejores y más completas obras lexicográficas del español actual» (como escribió, refiriéndose a sus ediciones antiguas, el propio Alvar Ezquerra). Entre ellas hay que destacar la información gramatical, bien dentro de los artículos, orientando sobre la formación de femeninos y plurales, sobre la conjugación de los verbos o sobre construcciones sintácticas, o bien en cuadros fuera de texto en que con nitidez se despliegan de manera sistemática las principales cuestiones morfológicas, sintácticas u ortográficas; la guía normativa sobre los usos que conviene evitar; la indicación, en los nombres de animales y plantas, del nombre científico correspondiente; la presencia de ejemplos destinados a perfilar el sentido y el uso de determinadas acepciones; el empleo de corchetes con objeto de lograr enunciados definidores formalmente más rigurosos; en fin, la ilustración, complemento útil de por sí, que aquí está concebida con fin estrictamente práctico (nunca decorativo, como en tantos diccionarios ilustrados), de tal manera que cumple óptimamente la misión de explicar con la imagen más allá de donde llegan las palabras de la definición, y que, sobre todo, se presenta en grupos temáticos, ayudando a una visión estructurada del correspondiente sector de la realidad material.

He aquí, pues, un instrumento moderno, práctico, bien trazado, para el entendimiento, el conocimiento y el buen uso cotidiano del caudal léxico que la lengua española de hoy pone a nuestra disposición. Un nuevo eslabón en la brillante trayectoria, ya cercana al medio siglo, de los diccionarios Vox. Ojalá el trato amigable y asiduo entre él y el lector redunde en beneficio de uno y otro y, en definitiva, de la lengua que es su lugar de encuentro.

MANUEL SECO

Presentación

Con la publicación en 1987 del *Diccionario General Ilustrado de la Lengua Española* la editorial Biblograf, S.A. daba a la luz el primer resultado de un amplio proyecto de renovación de la colección de diccionarios Vox. Con él, la editorial pretendía poner en manos de los usuarios el mejor medio para el conocimiento de la lengua actual, y crear las bases para la actualización de sus otros diccionarios. Por ello, la aparición de ese diccionario no supuso la culminación de una tarea iniciada varios años antes, más bien al contrario. Se ha seguido trabajando sobre el contenido de la obra e incorporando aquellas innovaciones que se producían en el interior de la lengua, siempre que llegábamos a tener conocimiento de ellas.

Una vez aparecido ese diccionario, resulta urgente poner en manos del público una edición actualizada del *Diccionario Manual* que gozaba de un gran prestigio e implantación entre los usuarios. Hubiese sido fácil caer en la tentación de remozar la obra ya existente, sin otro criterio que la rapidez y facilidad de la acción, pero no fue así. Como se hizo bajo la dirección de don Samuel Gili Gaya, se partió del *Diccionario General Ilustrado de la Lengua Española,* constituido en pieza básica de la renovada serie de diccionarios Vox, para producir el nuevo *Diccionario Manual.*

En el proceso de reducción se han seguido los mismos planteamientos de don Samuel Gili Gaya cuando dio a luz la primera edición del *Diccionario Manual,* de manera que, pese a tratarse de una obra nueva, supusiera la continuidad de la tarea emprendida hace más de cuarenta años. Así se conjugaba la tradición con la modernidad, inseparables en lexicografía, e imprescindibles en una colección de diccionarios. De esta manera, el nuevo *Diccionario Manual Ilustrado de la Lengua Española* no tiene nada que ver con su predecesor, y sin embargo es su más directo heredero y deudor.

El proceso de reducción no ha sido caprichoso, ni se han suprimido artículos o acepciones sin más, ni se han eliminado informaciones porque sí, ni se han cortado las existentes con el fin de que la obra resultante no abultara demasiado. Ha sido un trabajo de selección cuidadosa en el que se ha concedido mayor importancia a la calidad que a la cantidad. Se ha tenido presente en todo momento el público al que va destinado, sus necesidades, y lo que espera de este diccionario. Es más, se ha puesto el máximo cuidado para que en el proceso de reducción no quedasen definiciones con palabras que a su vez no estuviesen definidas dentro del diccionario, lo cual ha obligado a un proceso de análisis y remodelación que ha alterado en muchos lugares el contenido del diccionario que servía de punto de partida. El lector que lo quisiere podrá comprobar la gran cantidad de variaciones que se han efectuado con respecto a lo que ya existía en el *Diccionario General Ilustrado de la Lengua Española.* Tal vez el cambio de mayor alcance lo constituye el de los modelos de la conjugación irregular, que ha afectado a un gran número de artículos: de las 19 posibilidades que se ofrecían en aquel *Diccionario* se ha pasado a 92 en el *Manual,* por la voluntad de proporcionar al usuario un instrumento útil y adecuado a sus necesidades. Otras modificaciones son de cuantía menor, unas fáciles de percibir (como en las nuevas ilustraciones), y otras no tanto (como palabras y acepciones introducidas por vez primera en el *Diccionario Manual*), pero que, sin duda, serán eficaces para que la obra cumpla su cometido.

Manuel Alvar Ezquerra

Índice alfabético de ilustraciones

Abreviaturas utilizadas en este diccionario

A

abs	absoluto.
acep.; aceps.	acepción, acepciones.
adj.	adjetivo.
adj.-f.	adjetivo usado también como substantivo femenino.
adj.-m.	adjetivo usado también como substantivo masculino.
adj.-s.	adjetivo usado también como substantivo.
adv.	adverbio.
adv. c.	adverbio de cantidad.
adv. l.	adverbio de lugar.
adv. m.	adverbio de modo.
adv. neg.	adverbio de negación.
adv. o.	adverbio de orden.
adv. t.	adverbio de tiempo.
AERON.	Aeronáutica.
AGR.	Agricultura.
Ál.	Álava.
Albac.	Albacete.
ALBAÑ.	Albañilería.
Alic.	Alicante.
Alm.	Almería.
alterac.	alteración.
amb.	sustantivo ambiguo.
Amér.	América.
Amér. Central	América Central.
Amér. Merid.	América Meridional.
ANAT.	Anatomía.
And.	Andalucía.
ANGL., ANGLIC.	anglicismo.
ant.	anticuado o antiguo.
Ant.,	Antillas.
antig.	antiguamente.
apl.	aplicado o aplícase.
apóc.	apócope.
Ar.	Aragón.

Argent.	República Argentina.
ARQ.	Arquitectura.
ARQUEOL.	Arqueología.
art.	artículo.
ARTILL.	Artillería.
Ast.	Asturias.
ASTROL.	Astrología.
ASTRON.	Astronomía.
aum.	aumentativo.
Áv.	Ávila.

B

Bad.	Badajoz.
BARB.	barbarismo.
BIB.	Biblia.
bíb.	bíblico.
BIOL.	Biología.
BLAS.	Blasón.
Bol.	Bolivia.
BOT.	Botánica.
Burg.	Burgos.
burl.	burlesco.

C

c.	ciudad.
Các.	Cáceres.
Cád.	Cádiz.
Can.	Canarias.
cap.	capital.
CARP.	Carpintería.
CETR.	Cetrería.
científ.	científico.
CINEM.	Cinematografía.
CIR.	Cirugía.
Colomb.	Colombia.
COM.	Comercio.
com.	substantivo del género común.

com.-adj.	substantivo del género común usado también como adjetivo.
conj.	conjunción.
CONJUG.	conjugación.
CONSTR.	Construcción.
CONTR.	contrario o antónimo.
contrac.	contracción.
Córd.	Córdoba.
C. Real.	Ciudad Real.
C. Rica	Costa Rica.
CRIST.	Cristalografía.
Cuba	Cuba.
Cuen.	Cuenca.

D

dat.	dativo.
def.	defectivo.
dep.	departamento.
DEP.	Deportes.
DER.	Derecho.
der.	derivado.
desp. o despec.	despectivo.
desus.	desusado.
DIAL.	Dialéctica.
dial.	dialectal.
díc.	dícese.
dim.	diminutivo.
dir.	directo.
doble etim.	doble etimológico.

E

ECON.	Economía.
Ecuad.	Ecuador.
ELECTR.	Electricidad, Electrónica.
en gral.	en general.
EQUIT.	Equitación.
ESC.	Escultura.
ESGR.	Esgrima.
esp.	especialmente.
ETNOL.	Etnología.
eufem.	eufemismo o eufemístico.
expr.	expresión.
Extr.	Extremadura.

F

f. o fem.	substantivo femenino.
f.-adj.	substantivo femenino usado también como adjetivo.
FÁB.	Fábula.
fact.	factitivo.
fam.	familiar.
FARM.	Farmacia.
fest.	festivo.
fig.	sentido figurado.

FIL.	Filosofía.
FILOL.	Filología.
Filip.	Filipinas.
FÍS.	Física.
FISIOL.	Fisiología.
FON.	Fonética.
FORT.	fortificación.
FOT.	fotografía.
fr., frs.	francés o frase, frases.
frecuent.	verbo frecuentativo.
fut.	futuro.

G

Gal.	Galicia.
GALIC.	galicismo.
gén.	género (en gramática y en historia natural).
GEOD.	Geodesia.
GEOGR.	Geografía.
GEOL.	Geología.
GEOM.	Geometría.
ger.	gerundio.
germ.	germanía.
GERMA.	germanismo.
gralte.	generalmente.
GR. O GRAM.	Gramática.
Gran.	Granada.
Guadal.	Guadalajara.
Guat.	Guatemala.
Guip.	Guipúzcoa.

H

H. NAT.	Historia Natural.
hol.	holandés.
HOMÓF.	homófono
Hond.	Honduras.
Huelva	Huelva
hum.	humorístico

I

imperat.	imperativo.
imperf.	imperfecto.
impers.	impersonal.
IMPR.	Imprenta.
incoat.	incoativo.
INCOR.	incorrecto.
indef.	indefinido.
indet.	indeterminado.
indic.	indicativo.
inf.	infinitivo.
INFORM.	Informática.
insep.	inseparable.
intens.	intensivo.
interj.	interjección.
interr.	interrogativo.

intr.	verbo intransitivo.
intr.-tr.	verbo intransitivo y transitivo.
intr.-prnl.	verbo intransitivo que se usa también como pronominal.
inus.	inusitado.
irón.	irónico o irónicamente.
irreg.	irregular.
ITALIAN.	italianismo.

L

LING.	Lingüística.
LIT.	Literatura.
lit.	literario.
LITURG.	Liturgia.
loc.	locución.
loc. adj.	locución adjetiva.
loc. adv.	locución adverbial.
loc. conj.	locución conjuntiva.
loc. prep.	locución prepositiva.
loc. lat.	locución latina.
LÓG.	Lógica.
Logr.	Logroño, La Rioja.
La Mancha	La Mancha

M

m. o masc.	substantivo masculino.
m.-adj.	substantivo masculino usado también como adjetivo.
m.-conj.	modo conjuntivo.
m. f.	substantivo masculino o femenino
m. f-adj.	substantivo masculino o femenino usado también como adjetivo.
m. pl.	masculino plural.
m. prep.	modo prepositivo.
Mál.	Málaga.
MAR.	Marina.
MAT.	Matemáticas.
MEC.	Mecánica.
med.	medieval.
MED.	Medicina.
Méj.	Méjico.
METAL.	Metalurgia.
METEOR.	Meteorología.
MÉTR.	Métrica.
MIL.	Milicia.
MIN.	Minería.
MINERAL	Mineralogía.
MIT.	Mitología.
MONT.	Montería.
MOR.	Moral.
Murc.	Murcia.
MÚS.	Música.

N

n.	nombre.
n. pr.	nombre propio.
Nav.	Navarra.
Nicar.	Nicaragua.
NÚM.	números.
NUMIS.	Numismática.

O

obser.	observación u observaciones.
onomat.	onomatopeya.
ÓPT.	Óptica.
orig.	origen.
ORTOGR.	Ortografía.

P

p.	participio.
p. a.	participio activo.
p. anal.	por analogía.
p. ant.	por antonomasia.
p. ej.	por ejemplo.
p. excel.	por excelencia.
p. ext.	por extensión.
p. us.	poco usado.
Pal.	Palencia.
PALEONT.	Paleontología.
Pan.	Panamá.
Parag.	Paraguay.
paras.	parasintético.
partic.	participio.
PAT.	Patología.
pers.	persona o personal.
[pers.]	aplicado a personas.
Perú	Perú.
PERS.	Perspectiva.
PINT.	Pintura.
pl.	plural.
pleb.	plebeyo.
poét.	poética.
POL.	Política.
pos.	posesivo.
pot.	modo potencial.
pp.	participio pasivo.
pralte.	principalmente.
prep.	preposición.
pres.	presente.
pret. indef.	pretérito indefinido.
P. Rico.	Puerto Rico.
priv.	privativo.
prnl.	verbo pronominal.
probl.	probablemente.
proc.	procedente.
pron.	pronombre.
pron. indef.	pronombre indefinido.
pron., relat.	pronombre relativo.
propte.	propiamente.
prov.	provincia.

PSICO.	Psicología.

Q

QUÍM.	Química.

R

R. de la Plata	Río de la Plata.
rec.	verbo recíproco.
reg.	regular o región.
REL.	Vocablos relacionados con el que se define.
relac.	relacionado.
RET.	Retórica.
rúst.	rústico.

S

s.	substantivo.
Sal.	Salamanca.
Salv.	El Salvador.
Sant.	Santander.
S. Dom.	Santo Domingo y República Dominicana.
s. e. d.	sin especie determinada.
Seg.	Segovia.
Sev.	Sevilla.
simplte.	simplemente.
SIN.	Sinonimia.
sing.	singular.
sobren.	sobrenombre.
Sor.	Soria.
subj.	subjuntivo.
superl.	superlativo.

T

TAUROM.	Tauromaquia.
TECN.	Tecnicismo.

TECNOL.	Tecnología.
TEOL.	Teología.
t. f.	terminación femenina.
Tol.	Toledo.
TOPOGR.	Topografía.
tr.	verbo transitivo.
tr.-intr.	verbo transitivo e intransitivo
tr.-prnl.	verbo transitivo que se usa también como pronominal.
TRIG.	Trigonometría.

U

unipers.	unipersonal.
Urug.	Uruguay
ús.	úsase.
us.	usado o usual.

V

v. o V.	véase.
v., vb., vbs.	verbo, verbos.
Val.	Valencia.
Vallad.	Valladolid.
var.	variante.
vasc.	vascuence.
Venez.	Venezuela.
VETER.	Veterinaria.
vulg.	vulgar o vulgarismo.

Z

Zam.	Zamora.
Zar.	Zaragoza.
ZOOL.	Zoología.

**	referencia a ilustración o apéndice gramatical.
~	indica la palabra que encabeza el artículo.

I) A, a *f.* Primera letra del alfabeto español que representa gráficamente a la vocal baja o abierta y central. **2** MAT. Abreviatura de área. ◇ Pl.: *aes.*

II) a *prep.* Expresa en general el movimiento material o figurado. Denota: Dirección: *voy a Madrid; miré al suelo.* **2** Término del movimiento: *llegó a Madrid.* **3** Orientación o exposición: *de cara al norte.* **4** Cercanía, proximidad: *a la lumbre; a la muerte.* **5** Lugar o tiempo en que sucede una cosa, aunque con cierta vaguedad: *le cogieron a la puerta; vino a las doce.* **6** Distancia en el espacio: *se halla a un kilómetro.* **7** Distancia moral: *de Antonia a María.* **8** Manera: *a la española; a obscuras.* **9** Instrumento: *a palos; a cal y canto.* **10** Precio: *a 20 pesetas metro; al 5 por ciento.* **11** Mandato, con infinitivo: *a callar, a saltar las tapias.* **12** Expresa la relación de complemento directo: *busco a mi padre;* indirecto: *escribo una carta a mi padre;* circunstancial: *voy a Madrid.* **13** Se utiliza en substitución de algunas preposiciones y conjunciones que expresan movimiento, dirección, intención, causa, etc.: *a qué me llamas* (para qué); *siempre al norte* (hacia); *con el agua a la rodilla* (hasta); *a instancias mías* (por). ◇ SOLECISMOS: *motores a gas pobre,* por *de gas pobre; criterio a adoptar, fletes a percibir,* por *criterio que se ha de adoptar,* etc.

ababol *m.* Amapola.

abacá *m.* Planta tropical, variedad de plátano, de cuyas hojas se obtiene una fibra textil *(Musa textilis).*

abacería *f.* Establecimiento de abacero.

abacero, -ra *m. f.* Persona que tiene por oficio vender aceite, vinagre, legumbres secas, etc.

abacial *adj.* Perteneciente o relativo al abad, a la abadesa o a la abadía.

ábaco *m.* Cuadro de madera con alambres horizontales y paralelos con unas bolas agujereadas que corren a lo largo de éstos, usado para hacer cálculos aritméticos y para marcar los puntos que ganan los jugadores de billar. **2** Instrumento, artificio o gráfico destinado a resolver determinados problemas matemáticos. **3** Parte superior en forma de tablero que corona el capitel de la columna, aumentando su saliente. **4** Artesa para lavar los minerales. **5** Tablero o plancha en general, especialmente el decorativo en muebles, techos, etc.

abacorar *tr. Can., Ant. y Venez.* Acosar, acometer, sujetar [a alguien].

abad *m.* Superior de un monasterio con facultad de conferir órdenes menores a sus monjes: ~ *mitrado,* el que en ciertas funciones usa de insignias episcopales. **2** Título del superior de algunas colegiatas. **3** El que preside un cabildo durante cierto tiempo.

abadejo *m.* Pez marino teleósteo gadiforme de cuerpo alargado, mandíbula prominente, color pardo oliva y hasta 10 kgs. de peso, parecido al bacalao *(Pollachius pollachius).* **2** Bacalao.

abadengo, -ga *adj.* Perteneciente o relativo a la dignidad o jurisdicción del abad. – **2** *m.* Abadía (territorio). **3** Poseedor de bienes abadengos.

abadesa *f.* Superiora en ciertos monasterios de religiosas.

abadía *f.* Dignidad de abad o de abadesa. **2** Iglesia o monasterio regido por un abad o abadesa. **3** Territorio, jurisdicción y bienes pertenecientes al abad o abadesa.

abajadero *m.* Cuesta (terreno).

abajeño, -ña *adj.-s. Amér.* Que procede de las costas o tierras bajas. **2** *Amér.* Perteneciente o relativo a dichas tierras.

abajera *f.* Rama baja del olivo.

abajo *adv. l.* Hacia el lugar o parte inferior: *echar* ~; *de arriba* ~. **2** En lugar o parte inferior: *está* ~. **3** En lugar posterior o que está después de otro: *del rey* ~, *ninguno.* **4** En dirección a lo que está más bajo (en función de preposición pospuesta): *río* ~.

¡abajo! Interjección con que se denota desaprobación u hostilidad: *¡abajo los capitalistas!*

abalanzar *tr.* Poner la balanza en el fiel. **2** Igualar, equilibrar. **3** Lanzar, impeler violentamente [alguna cosa]. – **4** *prnl.* Arrojarse inconsideradamente: *abalanzarse a los peligros.* **5** Lanzarse, arrojarse en dirección a [alguien o algo]. ◇ ** CONJUG. [4] como *realizar.*

abaldonar *tr.* Ofender, insultar. **2** Hacer vil y abatida [una cosa].

I) abalear *tr.* Separar con escoba [del trigo, cebada, etc.] los granzones, paja, etc., después de aventados.

II) abalear *tr.* *Amér.* Balear.

abaleo *m.* Escoba con que se abalea. 2 Planta dura y espinosa con que se hacen escobas.

abalizar *tr.* Señalar con balizas [algún paraje] en aguas navegables. 2 Señalar con balizas [las pistas de los aeropuertos y aeródromos, o las desviaciones en las carreteras]. ◇ ** CONJUG. [4] como *realizar*.

abalorio *m.* Cuentecilla de vidrio agujereada con que se hacen adornos y labores. 2 Adorno o bisutería hecho con ellas.

abaluartar *tr.* Fortificar [un espacio] con baluartes.

I) aballar *tr.-intr.-prnl.* Mover. – 2 *tr.-intr.* Bajar, abatir. – 3 *tr.* Llevar o conducir [el ganado].

II) aballar *tr.* Esfumar (rebajar).

abancalar *tr.* Trazar bancales [en un terreno].

abanderado *m.* MIL. Oficial que lleva la bandera. 2 El que lleva bandera en las procesiones. 3 Portavoz o representante de una causa, movimiento u organización.

abanderar *tr.* Matricular bajo la bandera de un Estado [un buque extranjero]. 2 Proveer [un buque] de los documentos que acreditan su bandera.

abanderizar *tr.* Dividir [un grupo o colectividad] en banderías. – 2 *prnl.* Adherirse una persona a un partido o bando. ◇ ** CONJUG. [4] como *realizar*.

abandonado, -da *adj.* Descuidado, desidioso. 2 Sucio, desaseado.

abandonar *tr.* Dejar desamparada [a una persona o cosa]: ~ *a sus hijos;* ~ *la nave al viento.* 2 Desistir [de algo] o renunciar [a ello]: ~ *una empresa;* ~ *un cargo.* 3 Prescindir o no hacer caso de [algo o alguien]: ~ *las reglas de cortesía.* – 4 *prnl.* Dejarse dominar por algo o alguien: *desde que perdió a su hijo se ha abandonado a la desesperación.* 5 Descuidar uno sus actos, obligaciones o aseo: *está demasiado gruesa, se ha abandonado por completo.*

abandonismo *m.* Tendencia a abandonar sin lucha algo que poseemos o nos corresponde: ~ *de una colonia por parte de la metrópoli.*

abandono *m.* Acción de abandonar o abandonarse. 2 Efecto de abandonar o abandonarse. 3 Desaliño, negligencia, etc.

abanicar *tr.-prnl.* Hacer aire con el abanico ◇ ** CONJUG. [1] como *sacar.*

****abanico** *m.* Instrumento para hacer o hacerse aire. 2 fig. Conjunto más o menos amplio de asuntos, proposiciones, soluciones, etc., presentadas o propuestas por una persona, autoridad, sector industrial o partido político. 3 DEP. Disposición extendida y escalonada que, durante la carrera, adoptan los ciclistas al intentar que el viento no dificulte su marcha.

abanillo *m.* Abanico (instrumento).

abaniqueo *m.* fig. Acción de mover exageradamente las manos.

abaniquería *f.* Fábrica o tienda de abanicos.

abaniquero, -ra *m. f.* Persona que tiene por oficio hacer o vender abanicos.

abano *m.* Aparato que colgado del techo sirve para hacer aire.

abanto *adj.* [toro] Espantadizo. 2 [pers.] Aturdido, torpe. 3 [pers.] Ansioso y vehemente.

abañar *tr.* Seleccionar [la simiente] sometiéndola a un cribado especial.

abarajar *tr.* *Argent., Parag.* y *Urug.* Parar con el cuchillo [los golpes del adversario]. 2 *Argent., Parag.* y *Urug.* Recoger [una cosa] en el aire.

abaratar *tr.* Disminuir o bajar el precio [de una cosa]: *la competencia abarata los géneros; el pan abarata,* o *se abarata.*

abarca *f.* **Calzado rústico de cuero que se ata con cuerdas o correas y cubre la planta, los dedos o la mayor parte del pie.

abarcar *tr.* Ceñir con los brazos [alguna cosa]. 2 fig. Ceñir, rodear, comprender, contener: *el capítulo abarca tres siglos; las fuerzas abarcan media provincia.* 3 Alcanzar con la vista. 4 Tomar uno a su cargo [muchas cosas a un tiempo]. 5 Rodear [un territorio] para sorprender la caza. 6 *Amér.* Acaparar. ◇ ** CONJUG. [1] como *sacar.*

abaritonado, -da *adj.* [voz humana o sonido de instrumento] Con timbre de barítono.

abarloar *tr.* Situar [un buque] de costado casi en contacto con otro buque o con un muelle.

abarquero, -ra *m. f.* Persona que tiene por oficio hacer o vender abarcas.

abarquillado, -da *adj.* De figura de barquillo.

ABANICO

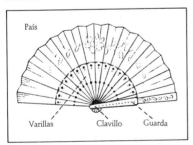

País

Varillas   Clavillo   Guarda

abarquillar *tr.-prnl.* Encorvar [un cuerpo ancho y delgado] a semejanza de un barquillo: *esta tabla se abarquilla.*

abarrajado, -da *adj. Amér.* Desvergonzado, insolente.

abarrancadero *m.* Lugar donde es fácil abarrancarse. 2 fig. Negocio o lance del que no se puede salir fácilmente.

abarrancar *tr.* Hacer barrancos [en un sitio]. – 2 *tr.-prnl.* Meter en un barranco [a alguna persona o cosa]. – 3 *intr.-prnl.* Varar (encallar). – 4 *prnl.* fig. Meterse en lance difícil. ◇ ** CONJUG. [1] como *sacar.*

abarrar *tr.* Arrojar violentamente [alguna cosa]. 2 Varear o sacudir.

abarredera *f.* Red. 2 fig. Cosa que barre y limpia.

abarrisco *adv. m.* A barrisco; v. barrisco.

abarrocado, -da *adj.* Que tiene forma o aspecto barroco.

abarrotado, -da *adj.* Muy lleno: *el salón de actos estaba ~.*

I) abarrotar *tr.* Apretar o fortalecer [alguna cosa] con barrotes.

II) abarrotar *tr.* Atestar de personas o cosas un local. 2 *Amér.* Monopolizar [un artículo]. – 3 *prnl. Amér.* Abaratarse un género, a causa de su abundancia.

abarrotes *m. pl. Amér.* Artículos comestibles: *tienda de ~,* establecimiento en el que se venden artículos alimenticios, bebidas, especias, velas, cigarros, cerillas, etc.

abarrotería *f. Amér. Central.* Ferretería.

abarrotero, -ra *m. f. Amér.* Persona que tiene tienda de abarrotes.

abastar *tr.* Abastecer. 2 Bastar. – 3 *prnl.* Satisfacerse o contentarse.

abastecer *tr.-prnl.* Proveer de bastimentos u otras cosas [a una persona, ciudad, etc.]. ◇ ** CONJUG. [10] como *agradecer.*

abastionar *tr.* Fortificar con bastiones [algún recinto].

abasto *m.* Provisión de bastimentos, y especialmente de víveres: *dar ~,* proveer o disponer de lo necesario: *con estos niños no doy ~.* 2 Abundancia. 3 En los bordados, pieza de poca importancia. ◇ En la primera acepción se usa generalmente en plural: *inspección de abastos.*

abatanado, -da *adj.* Espeso como paño. 2 Diestro, hábil.

abatanar *tr.* Batir [el paño o los tejidos de lana] en el batán. 2 fig. Golpear, maltratar. – 3 *prnl.* Apelmazarse la lana esponjosa de ciertos tejidos al ser lavados.

abate *m.* Clérigo extranjero, especialmente italiano o francés.

abatidero *m.* Cauce de desagüe.

abatido, -da *adj.* [pers.] Que ha perdido el ánimo, las fuerzas. 2 eufem. Abyecto, despreciable. 3 [mercancía o fruto] Que ha caído de su estimación y precio regular.

abatimiento *m.* fig. Postración física o moral de una persona.

abatir *tr.* Derribar, echar por tierra [alguna cosa]: *~ un árbol al suelo.* 2 Hacer que baje [una cosa]: *~ la bandera.* 3 Inclinar, poner tendido [lo que estaba vertical]. – 4 *tr.-prnl.* fig. Humillar. 5 Hacer perder o perder las fuerzas, el ánimo, el vigor: *abatirse por, o en, la enfermedad; abatirse de espíritu; aquella enfermedad le abatió.* – 6 *prnl.* Descender el ave de rapiña: *el gerifalte se abatió.*

abatismo *m.* Poder de los abates; conjunto de abates.

abazón *m.* Buche que, en número de dos, tienen algunos monos en los carrillos, donde guardan los alimentos para masticarlos después.

abdicación *f.* Acción de abdicar. 2 Efecto de abdicar. 3 Documento en que consta la abdicación.

abdicar *tr.* Ceder o renunciar [una dignidad soberana]: *abdicó la corona en su hijo; el rey abdicó, o abdicó en su hijo.* 2 Dejar, abandonar [creencias, opiniones]: *~ los principios.* ◇ Modernamente se usa la acepción 2 como intransitivo: *~ de los principios.* ◇ ** CONJUG. [1] como *sacar.*

abdomen *m.* Vientre (cavidad interna). 2 En los **insectos, **crustáceos, **arácnidos y otros artrópodos, región posterior del cuerpo, a continuación del tórax.

abdominal *adj.* Relativo al abdomen.

abducción *f.* Movimiento por el cual un miembro u órgano cualquiera se aleja del plano medio del cuerpo: *~ del brazo.* 2 QUÍM. Operación que consiste en conducir un gas desde un recipiente a otro que contiene un sólido o líquido para retenerlo.

abductor *adj.-s.* Músculo que sirve para producir abducción. – 2 *m.* QUÍM. Tubo que recoge y canaliza los gases desprendidos en una reacción.

abecé *m.* Abecedario. 2 fig. Rudimentos de una ciencia, facultad, etc.: *no sabe ni el ~ de las matemáticas.*

abecedario *m.* Serie ordenada de las letras de un idioma. 2 Cartel o librito para aprender las letras. 3 Lista en orden alfabético. 4 Abecé (rudimento).

abedul *m.* Árbol betuláceo de las altas montañas, de corteza plateada, ramas flexibles y colgantes, hojas alternas aovadas, y fruto en sámaras (*Betula pendula*). 2 Madera de este árbol.

abeja *f.* **Insecto himenóptero que vive en sociedad y produce la cera y la miel (*Apis mellifera*): *~ reina, machiega, maesa* o *maestra,* hembra fecunda, única en cada colmena; *~ neutra* u *obrera,* hembra infecunda, hay millares en cada colmena y son las que elaboran la cera y la miel. 2 *fig.* Persona laboriosa y ahorradora.

abejaruco *m.* Ave coraciforme de plumaje castaño y amarillo en su parte superior y verde azulado en la inferior, de pico largo y curvado, que se alimenta especialmente de abejas y otros himenópteros *(Merops apiaster)*. 2 *fig.* Persona noticiera y chismosa.

abejear *intr.* Revolar como las abejas.

abejón *m.* Zángano (insecto). 2 Abejorro (insecto himenóptero). 3 Juego en el que uno de los participantes imita con las manos ante la boca el ruido del abejón.

abejorreo *m.* Zumbido de las abejas. 2 *fig.* Rumor confuso de voces o conversaciones.

abejorro *m.* Insecto himenóptero, velludo, con la trompa muy desarrollada; vive en enjambres poco numerosos, y zumba mucho al volar *(Bombus terrestris)*. 2 Insecto coleóptero, que roe las hojas de las plantas cuando adulto, y en estado de larva, sus raíces *(Melolontha vulgaris)*. 3 *fig.* Persona de conversación pesada y molesta. 4 *fig.* Juego de muchachos consistente en golpear a uno en la palma de la mano sin que éste vea al que lo hace para adivinar de quién se trata.

abelmosco *m.* Planta malvácea de tallo velludo y hojas acorazonadas, cuyas semillas, de color almizclado, se emplean en medicina y perfumería *(Hibiscus abelmoschus)*.

abellacar *tr.-prnl.* Hacer bellaco, envilecer [a alguno]. ◇ ** CONJUG. [1] como *sacar*.

abencerraje *f.* Mariposa diurna de pequeño tamaño, de color azul obscuro con amplios bordes negros *(Pseudophilotes abencerragus)*.

abéñula *f.* Cosmético para la higiene y embellecimiento de las pestañas.

aberración *f.* Desviación, especialmente de la verdad, de la rectitud, de lo que parece natural y lógico. 2 Extravío momentáneo de la razón o de los sentidos. 3 Desvío aparente de los astros.

aberrante *adj.* Que se separa de la norma o regla general.

aberrar *intr.* Errar, equivocarse.

abertura *f.* Efecto de abrir o abrirse. 2 Apertura (de un testamento). 3 Hendidura, agujero o grieta. 4 Hueco practicado en las fachadas, como las ventanas, balcones, etc. 5 Terreno ancho y abierto entre dos montañas. 6 Ensenada. 7 *fig.* Franqueza en el trato.

abertzale *adj.-s.* Nacionalista vasco radical, partidario de la independencia.

abestiarse *prnl.* Embrutecerse. ◇ ** CONJUG. [12] como *cambiar*.

abetal *m.* Terreno poblado de abetos.

abetinote *m.* Resina del abeto.

abeto *m.* Árbol abietáceo, propio de la alta montaña, de tronco recto y elevado, copa cónica de ramas horizontales y fruto casi cilíndrico (gén. *Abies);* **gimnospermas. 2 Madera de este árbol.

abicharse *prnl.* *And., Argent.* y *Urug.* Agusanarse la fruta. 2 *And., Argent.* y *Urug.* Criar gusanos las heridas de una persona o de un animal.

abiertamente *adv. m.* Sin reserva, francamente.

abierto, -ta *adj.* Llano, raso: *campo ~.* 2 No murado o cerrado: *ciudad abierta,* fig., ciudad no fortificada ni guarnecida, indefensa. 3 Libre de limitaciones: *puerto ~.* 4 fig. Ingenuo, franco: *rostro ~; con los brazos abiertos,* fig., cordialmente. 5 Claro, indudable. 6 Comprensivo, tolerante. – 7 *adj.-m.* DEP. [prueba, torneo, etc.] Con participación de profesionales y no profesionales.

abietáceo, -a *adj.-f.* Planta de la familia de las abietáceas. – 2 *f. pl.* Familia de plantas coníferas de hojas esparcidas aciculares, flores femeninas de muchos carpelos y fruto en piña; como el abeto y el pino.

abigarrado, -da *adj.* De varios colores mal combinados. 2 Que no presenta uniformidad de color, especialmente los minerales y las hojas de los vegetales. 3 En general, heterogéneo e inconexo: *discurso ~; libro ~.*

abigarramiento *m.* Calidad de abigarrado.

abigarrar *tr.* Poner [a una cosa] varios colores combinados en desorden.

abiogénesis *f.* Generación espontánea. Teoría refutada por Pasteur (1822-1895).

abiología *f.* Ciencia que se ocupa de la vida inorgánica.

abiosis *f.* Suspensión aparente de la vida por sustracción de oxígeno, agua, etc.

abiótico, -ca *adj.* [región] En donde no es posible la vida.

abisal *adj.* [zona del mar profundo] Que se extiende más allá del talud continental y corresponde a profundidades mayores de 2.000 m. 2 Perteneciente o relativo a dicha zona.

abisinio, -nia *adj.-s.* De Abisinia, actual Etiopía. – 2 *m.* Lengua abisinia.

abismal *adj.* Relativo al abismo. 2 Profundo, insondable, incomprensible.

abismar *tr.* Hundir [una cosa] en un abismo. 2 Confundir, abatir: *la grandeza de Dios abisma nuestra inteligencia.* – 3 *prnl.* Entregarse del todo a la contemplación, al dolor, etc., ensimismarse, sumirse: *abismarse en el dolor.* 4 *Amér.* Asombrarse, extrañarse.

abismo *m.* Profundidad grande, imponente y peligrosa. 2 Infierno. 3 fig. Cosa inmensa, insondable o incomprensible: *~ de crueldad.* 4 fig. Gran diferencia u oposición: *entre sus opiniones media un ~; entre tu carácter y el mío hay un ~.*

abjurar *tr.* Retractarse con juramento,

renunciar a una creencia, opinión o estado: *abjuró el calvinismo; ~ el sacerdocio.* ◇ Modernamente se usa como intransitivo: *~ de la poesía.*

ablandar *tr.-prnl.* Poner blanda [una cosa]: *el fuego ablanda la cera; la cera se ablanda.* 2 Mitigar la fiereza o el enojo [de alguno]. 3 Laxar, suavizar: *las ciruelas ablandan el vientre.* – 4 *intr.-prnl.* Ceder en sus rigores o fuerza el frío o el viento: *el invierno ablanda; se ablandó el vendaval.* – 5 *prnl.* Acobardarse.

ablativo *m.* Caso de la declinación indoeuropea que expresa relaciones diversas, clasificables todas ellas como complementos circunstanciales. Habiéndose perdido la declinación latina, el español expresa dichos complementos por medio de las preposiciones *con, de, desde, en, por, sin,* etc., y en ciertos casos *a* y *para*: *~ absoluto,* elemento subordinado, en español puesto en aposición, y en latín formado por un nombre y un participio los dos en ablativo: *limpia la armadura, vistiósela; hablando, le dio una congoja; agraviado, tuvo que defenderse.*

ablución *f.* Lavatorio (acción). 2 Acción de purificarse por medio del agua, según ritos de las religiones judaica, mahometana, etc. 3 Ceremonia de purificar el cáliz y de lavarse los dedos el sacerdote después de consumir. 4 QUÍM. Lavado abundante de un cuerpo para eliminar las sales sobrantes que contenga. – 5 *f. pl.* Vino y agua con que el sacerdote hace la purificación y lavatorio.

ablusado, -da *adj.* [prenda de vestir] Holgado.

abnegación *f.* Sacrificio o renuncia de la voluntad, de los afectos o de los bienes materiales en servicio de Dios, del prójimo, ideales, etc.

abnegar *tr.-prnl.* Renunciar uno voluntariamente [a sus afectos o intereses]. ◇ ** CONJUG. [48] como *regar.*

abobar *tr.-prnl.* Hacer bobo [a alguno]. 2 Embobar.

abobra *f.* Género de plantas cucurbitáceas, trepadoras, de jardín.

abocadear *tr.* Herir o maltratar a bocados [a alguno]. 2 Tomar bocados [de alguna cosa].

abocado *adj.* fig. Próximo, expuesto a. 2 V. vino abocado.

abocar *tr.* Asir con la boca [alguna cosa]. 2 Verter [el contenido de un recipiente] en otro. 3 Acercar, aproximar: *~ la artillería; abocarse las tropas;* fig., *verse abocado a un peligro, a la quiebra.* – 4 *intr.* Comenzar a entrar en un canal, puerto, etc.: *la nave abocó en el estrecho.* – 5 *prnl.* Juntarse una o más personas con otra para tratar un negocio. ◇ ** CONJUG. [1] como *sacar.*

abocardar *tr.* Ensanchar la boca [de un tubo o de un agujero].

I) abocinar *tr.* Dar forma de bocina [a alguna cosa].

II) abocinar *intr.* Caer de bruces. – 2 *prnl.* Marchar una caballería con el cuerpo cargado hacia adelante.

abochornar *tr.-prnl.* Causar bochorno [a uno] el excesivo calor: *el sol nos abochorna.* 2 fig. Sonrojar: *abochornarse de,* o *por, algo o alguien.* – 3 *prnl.* Enfermar las plantas a causa del calor.

abofarse *prnl.* Afofarse, hincharse.

abofetear *tr.* Dar de bofetadas [a uno].

abogacía *f.* Profesión y ejercicio de abogado.

abogado, -da *m. f.* Licenciado en derecho que se dedica a defender en juicio los derechos e intereses de los litigantes y a dar dictamen sobre cuestiones judiciales: *~ de pobres,* el que defiende de oficio; *~ del diablo,* fig., persona que presenta argumentos opuestos a una tesis o a una opinión; el que defiende una mala causa: *monseñor actuó de ~ del diablo; cuando hicimos la propuesta, mi hermana ejerció de ~ del diablo.* 2 fig. Intercesor o mediador. – 3 *f.* Mujer del abogado.

abogar *intr.* Defender en juicio. 2 fig. Interceder, hablar en favor de alguien: *~ por,* o *contra, alguien* o *alguna cosa.* ◇ ** CONJUG. [7] como *llegar.*

abolengo *m.* Ascendencia de abuelos o antepasados. 2 Solera, alcurnia: *es una familia de rancio ~.*

abolición *f.* Acción de abolir: *la ~ de la esclavitud.* 2 Efecto de abolir.

abolicionismo *m.* Doctrina nacida en Inglaterra, en el s. XVIII, que defendía la inmediata abolición de la esclavitud.

abolicionista *adj.-com.* Que procura la abolición de una ley o costumbre, y especialmente partidario del abolicionismo.

abolir *tr.* Derogar, dejar sin vigor [un precepto o costumbre]. ◇ Verbo defectivo; se usa sólo en los tiempos y personas cuya desinencia contiene la vocal *i: abolía, aboliré, aboliendo.*

abolsarse *prnl.* Tomar figura de bolsa, ahuecarse: *las paredes se han abolsado con la humedad.*

abollar *tr.-prnl.* Hacer [a una cosa] uno o varios bollos.

abombar *tr.-prnl.* Dar o adquirir forma convexa [alguna cosa]: *el techo se ha abombado con la lluvia; la presión interior abombó la tapa.* 2 fig. Aturdir: *tanto ruido me abomba la cabeza.* – 3 *intr.* Dar a la bomba. – 4 *prnl. Amér.* Empezar a corromperse una cosa. 5 *Amér.* Achisparse.

abominar *tr.* Condenar, maldecir [a persona o cosa] muy enérgicamente: *~ la mentira; intr., ~ de los libros de caballerías.* 2 Aborrecer (tener aversión).

abonado, -da *m. f.* Persona que ha tomado un abono.

abonanzar *intr.* Calmarse la tormenta o serenarse el tiempo. ◇ ** CONJUG. [4] como *realizar.*

I) abonar *tr.* Acreditar o calificar de bueno [a alguno]. 2 Salir por fiador [de alguno]. 3 Dar por cierta [alguna cosa]. 4 Mejorar la tierra con materias fertilizantes. – 5 *intr.* Abonanzar.

II) abonar *tr.-prnl.* Inscribir [a alguno] mediante pago para que pueda disfrutar de alguna comodidad o servicio: *me aboné al casino.* – 2 *tr.* Pagar; tomar en cuenta, admitir [algo] en parte de pago.

I) abono *m.* Fianza, garantía. 2 Substancia mineral u orgánica que se añade a la tierra para fertilizarla.

II) abono *m.* Derecho que adquiere el que se abona. 2 Asiento en el haber de una cuenta. 3 Lote de entradas o billetes que se compran conjuntamente, y que permiten a una persona el uso periódico o limitado de algún servicio, de alguna instalación deportiva, sanitaria o recreativa, o la asistencia a una serie predeterminada de espectáculos. 4 Documento en que consta el derecho de quien se abona a alguna cosa.

abordable *adj.* Que se puede abordar. 2 fig. Accesible, tratable.

abordaje *m.* Acción de abordar dos embarcaciones: *al ~ (entrar, saltar, tomar,* etc.*), loc. adv.,* pasando la gente del buque abordador al abordado para pelear.

abordar *tr.-intr.* Rozar o chocar una embarcación [con otra]. 2 Atracar una nave [al desembarcadero o muelle]. 3 p. anal. Acercarse [a alguno] para tratar con él de un asunto. 4 p. ext. Emprender o plantear [un asunto o negocio difíciles]. 5 Aportar, tomar puerto: *~ a la isla; ~ la tierra.*

aborigen *adj.* Originario del suelo en que vive. – 2 *adj.-m.* [pers.] Primitivo morador de un país: *los aborígenes de la Galia.* ◇ INCOR.: *aborígena.*

aborrachado, -da *adj.* De color encarnado muy encendido.

aborrascarse *prnl.* Ponerse el tiempo borrascoso. ** CONJUG. [1] como *sacar.*

aborrecer *tr.* Tener aversión [a alguna persona o cosa]: *~ de muerte a uno.* 2 Abandonar las aves [el nido, los huevos, las crías]. ◇ ** CONJUG. [43] como *agradecer.*

aborregarse *prnl.* Cubrirse el cielo de nubes blanquecinas a modo de vellones de lana. 2 Volverse gregaria, estúpida, sin iniciativa ni ideas propias una persona. ◇ ** CONJUG. [7] como *llegar.*

abortar *tr.-intr.* Dar a luz antes de tiempo, ya sea fortuitamente, ya intencionadamente. – 2 *tr.* fig. Producir [alguna cosa] imperfecta o abominable. 3 fig. Interrumpir voluntariamente una acción o proceso en desarrollo: *el piloto abortó el despegue del avión.* 4 *intr.* fig. Fracasar, malograse alguna cosa.

abortista *com.* Partidario de la despenalización del aborto intencionado.

abortivo, -va *adj.* Nacido antes de tiempo. – 2 *adj.-m.* Que hace abortar.

aborto *m.* Acción de abortar. 2 Cosa abortada. 3 fig. Engendro, criatura informe. 4 fig. Fracaso. 5 fam. Persona o cosa desagradable.

abotagarse, abotargarse *prnl.* Hincharse el cuerpo de una persona o de un animal, generalmente por enfermedad. ◇ ** CONJUG. [7] como *llegar.*

abotonador *m.* Instrumento con un gancho o agujero en el extremo, que sirve para abotonar (ajustar).

abotonar *tr.-prnl.* Ajustar [una prenda de vestir] con botones. – 2 *tr.* Adornar un plato con guarniciones o alimentos en forma de botón. – 3 *intr.* Echar botones las plantas. 4 Arrojar el huevo por la cáscara botoncillos de clara cuando se cuece.

abovedar *tr.* Cubrir con bóveda, dar figura de bóveda.

aboyar *tr.* MAR. Poner boyas [en un sitio]. – 2 *intr.* Flotar un objeto en el agua.

abra *f.* Bahía no muy extensa. 2 Abertura entre dos montañas. 3 Grieta en un terreno producida por concusiones sísmicas. 4 *Amér.* Lugar despejado en un bosque. ◇ Para evitar la cacofonía, utiliza la forma masculina del artículo: *el abra,* pero no la del demostrativo: *esta abra.*

abracadabra *m.* Palabra cabalística que se escribía en once renglones, de modo que formasen un triángulo, y a la cual se atribuía la propiedad de curar ciertas enfermedades.

abracadabrante *adj.* hum. Sorprendente, confuso, alegre: *un lío ~; chistes abracadabrantes; una situación ~.*

abracar *tr.-prnl. Can.* y *Amér.* Ceñir, abrazar, abarcar. ◇ ** CONJUG. [1] como *sacar.*

abranquio, -a *adj.* Que carece de branquias.

abrasar *tr.-prnl.* Reducir [alguna cosa] a brasa; quemarla. 2 Secar el excesivo calor o frío [una planta]. 3 Calentar en exceso. – 4 *tr.* Producir una sensación de dolor o picor, la sed o algunas substancias. 5 *prnl.* Sentir un demasiado calor. 6 *tr.-prnl.* fig. Agitar a uno una pasión, consumirse: *se abrasa de amores por ella.* 7 *intr.* Quemar, estar muy caliente.

abrasión *f.* Acción de quitar o arrancar algo por fricción. 2 Desgaste causado a una roca por la acción mecánica del agua cargada con partículas sólidas.

abrasivo, -va *adj.* Relativo a la abrasión o que la produce. – 2 *m.* Material duro que sirve para pulir, cortar o afilar uno más blando que él.

abrazadera *f.* Pieza de metal o madera que sirve para asegurar una cosa a otra: *~ del fusil.*

abrazar *tr.-prnl.* Ceñir con los brazos

[alguna cosa]: ~ *un árbol; abrazarse de,* o *con, un árbol.* 2 esp. Estrechar [a uno] entre los brazos en señal de cariño. 3 fig. Rodear, ceñir: ~ *mucho terreno.* 4 Comprender, contener, incluir: ~ *un período de la historia.* 5 fig. Admitir, seguir: ~ *la religión católica.* 6 Tomar uno a su cargo [algo]: ~ *un negocio.* ◇ ** CONJUG. [4] como *realizar.*

abrazo *m.* Acción de abrazar o abrazarse. 2 Efecto de abrazar o abrazarse.

abrebotellas *m.* Instrumento que sirve para quitar las cápsulas metálicas que cierran las botellas. ◇ Pl.: *abrebotellas.*

abrecartas *m.* Instrumento a manera de cuchillo para abrir cartas o cortar papel. ◇ Pl.: *abrecartas.*

ábrego *m.* Viento sudoeste.

abrelatas *m.* Instrumento para abrir las latas de conservas; **cocina. ◇ Pl.: *abrelatas.*

abrevadero *m.* Lugar donde se abreva el ganado.

abrevar *tr.* Dar de beber [al ganado].

abreviado, -da *adj.* Que es resultado de abreviar: *libro de gramática ~.* 2 Parvo, escaso.

abreviamiento *m.* Reducción del cuerpo fónico de una palabra, generalmente por pérdida de sílabas completas: *cine es ~ de cinematógrafo.*

abreviar *tr.* Acortar, reducir a menos tiempo y espacio: ~ *el camino;* ~ *la partida;* **intr.,** ~ *en irse;* ~ *de razones.* 2 Reducir gráficamente o fónicamente el cuerpo de una palabra, sintagma o enunciado. 3 Acelerar, apresurar: *la ansiedad abreviaba los minutos.* ◇ ** CONJUG. [12] como *cambiar.*

abreviatura *f.* Acortamiento en la escritura de una o varias palabras, representadas con una o varias de sus letras: *admón. es ~ de administración; d.e.p. es ~ de descanse en paz.* 2 Formación resultante de dicho acortamiento.

abridor *m.* Abrebotellas, abrelatas.

abrigar *tr.-prnl.* Defender, proteger, resguardar del viento y, por extensión, de cualquier fenómeno atmosférico: *abrigarse bajo techado* o *en el portal; abrigarse del aguacero;* ~ *con ropa a uno.* 2 fig. Auxiliar, amparar. 3 Guardar [ideas, afectos, etc.]: ~ *proyectos;* ~ *sospechas.* ◇ ** CONJUG. [7] como *llegar.*

abrigo *m.* Defensa contra el frío. 2 Cosa que abriga. 3 Prenda de vestir larga, provista de mangas, que se pone sobre las demás y sirve para abrigar. 4 Paraje defendido de los vientos. 5 Lugar para protegerse en las montañas. 6 fig. Auxilio.

abril *m.* Cuarto mes del año. 2 fig. Primera juventud: *el ~ de la vida.* 3 fig. Cosa grata por su gentileza o color. – 4 *m. pl.* Años de la primera juventud: *tiene quince abriles.*

abrileño, -ña *adj.* Propio del mes de abril.

abrillantador *m.* Instrumento para abrillantar. 2 Producto comercial que se emplea para dar brillo.

abrillantar *tr.* Labrar en facetas como las de los brillantes [una piedra preciosa]. 2 Iluminar o dar brillantez [a alguna cosa]. 3 fig. Dar más valor o lucimiento [a alguna cosa].

abrir *tr.-prnl.* Descubrir [lo que está cerrado u oculto]: ~ *una caja;* ~ *un aposento;* ~ *los ojos.* 2 Separar [las hojas de una puerta o cortina], descorrer [un cerrojo]. Tirar [de un cajón, de una puerta, etc.], para descubrir lo que está cerrado u oculto: *la escotilla abre,* o *se abre, bien.* 3 Extender [lo que está doblado o encogido]: ~ *la mano;* ocupar mayor espacio, extenderse: *el batallón abre sus filas; el batallón se abre;* ~ *un abanico.* 4 Hender, rasgar, dividir: ~ *la tierra; abrirse el techo;* ~ *de arriba abajo;* ~ *en canal.* 5 Salir las flores [los pétalos del capullo]: *la flor abre sus pétalos; la flor se abre.* 6 fig. Confiar una persona a otra su secreto: *se abrió a ella.* – 7 *tr.* fig. Hacer accesible: ~ *la casa a alguno;* ~ *unas tierras a la religión.* 8 Separar en ángulo [lo que está unido por los gonces o habitualmente junto]: ~ *las tenazas;* ~ *los brazos.* 9 Cortar por los dobleces las páginas [de un libro]. Romper o despegar [cartas o paquetes]. 10 Cortar algo que está entero o cerrado: ~ *un melón.* 11 Mover un mecanismo para dar paso a un fluido por un conducto: ~ *un grifo.* 12 Hacer, en expresiones como: ~ *un agujero;* ~ *un canal;* ~ *un camino.* 13 Romper la continuidad en alguna cosa: ~ *una ventana en la fachada.* 14 fig. Vencer, apartar o destruir un obstáculo: ~ *paso.* 15 Ir a la cabeza o delante: ~ *la lista;* ~ *la procesión.* 16 Dar principio [a determinadas tareas] o anunciarlas: ~ *las Cortes;* ~ *un concurso;* ~ *los estudios.* – 17 *prnl.* Relajarse [una parte del cuerpo]. 18 Clarear o serenarse el tiempo. 19 Hablando del vehículo o del conductor que toma una curva, hacerlo por el lado de menor curvatura. 20 *And.* y *Amér.* Irse, apartarse, desviarse, hacerse a un lado, separarse de una compañía o amigo. 21 *Amér.* Desmontar [el monte]. – 22 *intr. Amér.* Huir. ◇ CONJUG.: pp. irreg.: *abierto.*

abrochar *tr.-prnl.* Cerrar o ajustar [una cosa, especialmente prendas de vestir] con broches, corchetes, botones, etc.

abrogar *tr.* Abolir, revocar [una ley, un código, etc.]. ◇ ** CONJUG. [7] como *llegar.*

abrojal *m.* Terreno poblado de abrojos.

abrojo *m.* Planta cigofilácea perjudicial a los sembrados, de hojas paripinnadas y fruto capsular y espinoso (gén. *Tribulus*). 2 Fruto de esta planta.

abroncar *tr.-prnl.* Reprender ásperamente. 2 Manifestar colectiva y ruidosamente desagrado en un espectáculo público. ◇ ** CONJUG. [1] como *sacar.*

abrótano *m.* ~ *macho,* o simplemente ~, planta herbácea compuesta, de hojas finas y blanquecinas, tallos tiernos y flores de olor suave; se emplea como vermífugo (*Artemisia abrotanum*).

abrumar *tr.* Agobiar [a uno] con algún grave peso. 2 *fig.* Causar gran molestia [a uno] prodigándole alabanzas, atenciones, burlas, etc.

abrupto, -ta *adj.* Escarpado. 2 *fig.* Áspero, desapacible.

absceso *m.* Acumulación de pus en un tejido orgánico. ◇ INCOR.: *abceso.*

abscisa *f.* Coordenada horizontal en un plano cartesiano rectangular. 2 Distancia de la proyección del punto al origen medio sobre este eje.

absentismo *m.* Costumbre de residir el propietario fuera de la localidad en que radican sus bienes inmuebles. 2 Costumbre de abandonar el desempeño de funciones y deberes anejos a un cargo. 3 Abstención frecuente o prolongada de acudir al trabajo. 4 Estadística de dicha abstención.

absentista *adj.* Perteneciente o relativo al absentismo. – 2 *com.* Persona que practica el absentismo laboral.

ábside *m.* Parte abovedada y generalmente semicircular que sobresale de la fachada posterior de una iglesia; **basílica; **románico.

absidiola *f.* Capilla levantada en la parte anterior del ábside de las iglesias.

absidiolo *m.* Ábside pequeño o secundario; **románico. 2 Absidiola.

absolución *f.* Acción de absolver. 2 ~ *sacramental,* acto de absolver el confesor al penitente.

absolutismo *m.* Sistema de gobierno en que el soberano o corporación dirigente no tiene limitadas sus facultades por ninguna ley constitucional.

absolutista *adj.-com.* Partidario del absolutismo. – 2 *adj.* Relativo al absolutismo.

absoluto, -ta *adj.* Que excluye toda relación: *verdad absoluta;* **lo** ~, la idea suprema e incondicionada. 2 Sin restricción, limitación o condición: *dominio* ~; *gobierno* ~; *licencia absoluta.* 3 *En* ~, de manera general y terminante; no, de ningún modo. 4 FÍS. [magnitud] Que se mide a partir de su valor cero y que corresponde realmente a la ausencia de la magnitud en cuestión.

absolver *tr.* Dar por libre de algún cargo. 2 Remitir [a un penitente de sus pecados]. 3 DER. Dar por libre [al reo]. ◇ ** CONJUG. [32] como *mover;* pp. irreg.: *absuelto.*

absorbente *adj.-s.* Que absorbe. 2 *fig.* Que ocupa el todo: *trabajo* ~. – 3 *adj.-com.* [pers.] De carácter dominante, que trata de imponer su voluntad a los demás.

absorber *tr.* Retener [gases o líquidos] entre las moléculas de otros cuerpos: *las raíces absorben la humedad.* 2 *fig.* Consumir, anular, acabar por completo [una cosa]: *el color negro absorbe la luz; el juego ha absorbido su fortuna.* 3 Atraer a sí, cautivar: *el orador absorbe la atención del público; los negocios le absorben.*

absorción *f.* Acción de absorber.

absorto, -ta *adj.* Admirado, pasmado. 2 Enfrascado en una meditación, lectura, contemplación, etc., con descuido de cualquier otra cosa.

abstemio, -mia *adj.-s.* Que se abstiene de toda bebida alcohólica.

abstención *f.* Renuncia de los electores al ejercicio del derecho de sufragio, o de un miembro de una asamblea a votar: *la* ~ *en las elecciones ha sido de un cuarenta por ciento.*

abstencionismo *m.* Actitud o criterio de los que se abstienen o propugnan la abstención de participar en alguna actividad, como votar en unas elecciones.

abstencionista *adj.-com.* Partidario del abstencionismo. 2 Que se abstiene de opinar o intervenir en un asunto, especialmente en política.

abstenerse *prnl.* Privarse de alguna cosa: ~ *de lo vedado.* ◇ CONJUG. [86] como *tener.*

abstinencia *f.* Privación total o parcial de algunos apetitos por motivos religiosos, médicos o morales: *día de* ~. 2 Conjunto de síntomas de fenómenos orgánicos y psíquicos producidos por la cesación brusca de un tóxico (alcohol) o droga (morfina, hipnóticos) que se ha venido ingiriendo de modo habitual: *síndrome de* ~.

abstracción *f.* Acción de abstraer o abstraerse. 2 Efecto de abstraer o abstraerse.

abstracto, -ta *adj.* Que de una cualidad se ha excluido el sujeto o lo concreto: *ideas abstractas; ciencia abstracta; en* ~. – 2 *adj.-m.* MAT. V. *número* ~. – 3 *m.* Resumen científico.

abstraer *tr.* Aislar mentalmente o considerar por separado [las cualidades o una cualidad] de un objeto. 2 Considerar [un objeto] en su esencia. – 3 *intr.-prnl.* Prescindir: ~, o *abstraerse, de algo.* – 4 *prnl.* Enajenarse de los objetos sensibles para entregarse a la consideración de lo que se tiene en el pensamiento. ◇ CONJUG. [88] como *traer.*

abstruso *adj.* Recóndito; de difícil comprensión.

absurdo, -da *adj.* Contrario a la razón. – 2 *m.* Dicho o hecho repugnante a la razón.

abubilla *f.* Ave coraciforme insectívora, del tamaño de una tórtola, con el pico largo y delgado y un penacho de plumas eréctiles en la cabeza *(Upupa epops).*

abuchear *tr.* Manifestar ruidosamente el público su desagrado o protesta: *han abucheado al orador; el cantante fue abucheado.*

abucheo *m.* Acción de abuchear.

abuelo, -la *m. f.* Progenitor del padre o de la madre. 2 *fig.* Anciano. – 3 *m. pl.* El abuelo y la abuela. 4 p. ext. Ascendientes.

abuhardillado, -da *adj.* De forma de buhardilla.

abulense *adj.-s.* De Ávila.

abulia *f.* Falta o debilitación notable de la voluntad.

abúlico, -ca *adj.* Que adolece de abulia.

abultado, -da *adj.* Grueso, de mucho bulto.

abultamiento *m.* Hinchazón, prominencia.

abultar *tr.* Aumentar el bulto [de una cosa]: ~ *una columna en mármoles.* 2 Aumentar la cantidad, intensidad [de algo]. 3 *fig.* Ponderar, exagerar: ~ *una noticia.* – 4 *intr.* Tener o hacer bulto: *el paquete abulta.*

abundancia *f.* Copia, gran cantidad.

abundante *adj.* Copioso, en gran cantidad.

abundar *intr.* Haber gran cantidad de una cosa: *el aceite abunda en esta comarca; este país abunda en,* o *de, trigo.* 2 Adherirse a una opinión, parecer, criterio: *hay quien opina que la situación económica mejora, y yo abundo en esta opinión.*

¡abur! *fam.* Interjección ¡Adiós!

aburguesar *tr.-prnl.* Volver burgués.

aburrición *f. Amér.* Antipatía, odio.

aburrido, -da *adj.* Que aburre o cansa. 2 Fastidioso.

aburrimiento *m.* Fastidio, tedio.

aburrir *tr.* Molestar o cansar [a uno]. – 2 *prnl. fig.* Fastidiarse de alguna cosa: *aburrirse con, de,* o *por, todo.* 3 Sufrir un estado del ánimo producido por falta de estímulo, diversiones o distracciones.

abusar *intr.* Usar mal o indebidamente una cosa: ~ *de la amistad.* 2 Hacer objeto de trato deshonesto a una persona de menor experiencia, fuerza, etc.: ~ *de una menor.*

abusivo, -va *adj.* Que se introduce o practica por abuso.

abuso *m.* Acción de abusar: ~ *de confianza;* ~ *de poder,* el cometido por la Administración pública o algunos de sus organismos, al extralimitarse en el ejercicio de las facultades que le son propias, en perjuicio de los particulares. 2 Efecto de abusar.

abyección *f.* Bajeza, envilecimiento.

abyecto *adj.* Despreciable, vil.

acá *adv. l.* Indica lugar cercano, como *aquí,* pero es más indeterminado y admite grados: *ven* ~; *más* ~; *muy* ~. – 2 *adv. t.* Precedido de las preposiciones *de* o *desde* y una expresión de tiempo, denota lo presente: *de ayer* ~; *desde entonces* ~; *de lunes* ~.

acabado, -da *adj.* Perfecto, completo: *virtud acabada.* 2 Destruido, malparado: *su salud está acabada.* – 3 *m.* Perfeccionamiento o último retoque que se da a una obra.

acabar *tr.* Dar fin [a una cosa], terminarla: *acabaremos la tela esta tarde.* 2 Apurar, consumir: ~ *su ruina;* ~ *las provisiones.* 3 Con la preposición *con,* conseguir [una cosa] de alguien: *acabaron con el rey que lo hiciera.* – 4 *intr.* Rematar, finalizar: *la espada acaba en punta; acaba*

con, o *por, la letra* Z. 5 Llegar una cosa a su fin: *al* ~ *Pedro, los pastores se fueron.* 6 Concluir cualquier tipo de relación. 7 Con la preposición *con,* destruir, aniquilar: *los disgustos acabarán con Pedro.* 8 Morir: *acabó en brazos de su padre.* 9 Matar. 10 Con la preposición *de* y un infinitivo, haber ocurrido un suceso un poco antes: *acaba de llegar.* 11 Con un gerundio o con la preposición *por* y un infinitivo, llegar el momento de producirse un suceso: ~ *por despreciarlo;* ~ *despreciándolo.* – 12 *intr.-prnl.* Extinguirse, aniquilarse: *no se acaba del todo el hombre cuando muere.*

acabose *m.* **Ser una cosa el** ~, haber llegado a su último extremo; esp., acabar en ruina o desastre.

acacia *f.* Género de plantas leguminosas mimosáceas, árboles o arbustos con flores en racimos colgantes. De algunas de sus especies se obtiene la goma arábiga. 2 Madera de estos árboles.

academia *f.* Institución oficial cuyos miembros se ocupan de las letras, las artes, las ciencias, etc. 2 Junta de académicos. 3 Lugar en que se reúne. 4 Establecimiento docente de carácter privado.

academicismo *m.* En las Bellas Artes, sujeción al espíritu y técnica de la tradición artística generalmente aceptada, que se simboliza en las academias.

academicista *adj.* Perteneciente o relativo al academicismo. – 2 *com.* Persona que lo practica.

académico, -ca *adj.* Relativo a la academia. 2 [estudio o título] Que causa efectos legales. – 3 *m. f.* Miembro de una academia (sociedad).

acaecer *unipers.* Suceder (realizarse un hecho). ◇ ** CONJUG. [43] como *agradecer.*

acalambrarse *prnl.* Contraerse los músculos a causa del calambre.

acalefo *m.* Medusa. – 2 *m. pl.* Escifozoos.

acalenturarse *prnl.* Empezar a tener calentura.

acaloramiento *m.* Ardor, arrebato de calor. 2 *fig.* Apasionamiento; enardecimiento.

acalorar *tr.* Dar o causar calor. 2 Encender, fatigar con el trabajo o ejercicio: *esta labor me acalora; prnl., me acaloro con esta labor.* 3 *fig.* Fomentar, promover: *acaloran su pretensión.* 4 *fig.* Excitar, alentar, entusiasmar: *acaloraban a los tibios; tales ideas acaloraban la mente.* – 5 *prnl. fig.* Enardecerse uno en la discusión: *acalorarse en, con,* o *por, la discusión.* 6 *fig.* Hacerse viva y ardiente la misma disputa o conversación.

acallar *tr.* Hacer callar. 2 *fig.* Aplacar, aquietar.

acampada *f.* Acción de acampar. 2 Efecto de acampar. 3 Campamento, lugar al aire libre, dispuesto para alojar turistas, viajeros, etc.

acampanado, -da *adj.* De figura de campana.

acampar *intr.-tr.* Detenerse, hacer alto en el campo: *los soldados acamparon; los ingleses se acamparon a la otra orilla; el general acampó a los soldados.* 2 Practicar la acampada o camping.

acanalado, -da *adj.* Que pasa por canal o paraje estrecho: *viento* ~. 2 De figura larga y abarquillada. 3 De figura de estría, o con estrías: *columna acanalada.*

acanaladura *f.* Estría.

acanalar *tr.* Hacer canales o estrías [en alguna cosa]. 2 Dar [a una cosa] la forma de canal.

acanallado, -da *adj.* Que participa de los defectos de la canalla.

acantáceo, -a *adj.* Relativo o parecido al acanto. – 2 *adj.-f.* Planta de la familia de las acantáceas. – 3 *f. pl.* Familia de plantas dicotiledóneas, que incluye arbustos y hierbas, de tallo y ramas nudosos, hojas opuestas, flores gamopétalas, axilares o terminales, y fruto en caja; como el acanto.

acantilado *adj.* [fondo del mar] Que forma escalones o cantiles. – 2 *adj.-m.* **Costa cortada verticalmente. – 3 *m.* Escarpa casi vertical en un terreno.

acanto *m.* Planta acantácea, de hojas grandes, lobuladas, de color verde obscuro, y flores blancas con el labio superior de la corola teñido de violeta o verde *(Acanthus mollis).* 2 ARQ. Ornamento que imita las hojas del acanto; **órdenes.

acantocéfalo *adj.-m.* ZOOL. Gusano del tipo de los acantocéfalos. – 2 *m. pl.* Tipo de gusanos que carecen de aparato digestivo y tienen en el extremo anterior de su cuerpo una trompa armada de ganchos, con los que el animal, que es parásito, se fija a las paredes del intestino de su hospedador (un vertebrado).

acantonamiento *m.* Sitio en que hay tropas acantonadas.

acantonar *tr.-prnl.* Distribuir y alojar [tropas] en diversos lugares o cantones.

acaparar *tr.* Adquirir y retener [de un producto comercial] todo lo que existe en el mercado. 2 Apropiarse [de cosas] en perjuicio de los demás.

acaramelar *tr.* Bañar de caramelo. – 2 *prnl.* fig. Mostrarse uno excesivamente dulce o galante.

acariciar *tr.* Hacer caricias. 2 p. ext. Tratar [a alguno] con ternura. 3 fig. Tocar suavemente [una cosa a otra]: *la brisa le acariciaba el rostro.* 4 fig. Complacerse en pensar en [alguna cosa] con deseo o esperanza de conseguirla o llevarla a cabo: ~ *un proyecto.* ◇ ** CONJUG. [12] como *cambiar.*

acaricida *adj.-s.* Que sirve para matar acáridos y especialmente el arador de la sarna.

acariñar *tr. Amér.* Acariciar.

ácaro *adj.-m.* Arácnido del orden de los ácaros. – 2 *m. pl.* Orden de arácnidos diminutos, de abdomen sentado; muchos de ellos son parásitos de vegetales o animales; como el arador de la sarna.

acarpo, -pa *adj.* BOT. Que no produce fruto.

acarrear *tr.* Transportar en carro; transportar en general: *el agua acarrea arena.* 2 fig. Ocasionar, causar: ~ *una desgracia.*

acarreo *m.* Acción de acarrear: *terreno de* ~, el formado por el arrastre de las aguas.

acartonarse *prnl.* Ponerse como cartón. 2 fig. Quedarse enjuta una persona vieja. 3 *Amér.* Parecer el tísico que no ha tenido tal enfermedad.

acaso *adv. m.* Por casualidad, al azar. – 2 *adv. d.* Quizá, tal vez. 3 *Si* ~ o *por si* ~, *loc. conj.,* en caso de, o en todo caso: *si* ~ *no le gusta, que lo diga; no es mala persona, si* ~, *un poco brusco.*

acatar *tr.* Tributar homenaje de sumisión y respeto [a uno]. 2 Obedecer. 3 *Amér.* Caer en la cuenta, notar.

acatarrarse *prnl.* Contraer catarro.

acaudalado, -da *adj.* Que tiene mucho caudal: *familia acaudalada.*

acaudalar *tr.* Hacer o reunir caudal [de una cosa]: ~ *ciencia; el padre acaudaló mucho dinero.*

acaudillar *tr.* Mandar [gente de guerra] en calidad de jefe. 2 Ser jefe [de un partido o bando]. 3 p. ext. Guiar, conducir. – 4 *prnl.* Elegir caudillo.

acaule *adj.* [planta] Que tiene el **tallo tan corto que parece carecer de él.

acceder *intr.* Consentir en lo que otro solicita o quiere: ~ *a sus caprichos.* 2 Ceder uno en su opinión, conviniendo con un dictamen o una idea de otro. 3 Tener acceso, paso o entrada a un lugar: *por esta puerta se accede al salón.* 4 Tener acceso a una situación, condición o grados superiores, llegar a alcanzarlos: ~ *al poder.*

accesible *adj.* Que tiene acceso: *puerto* ~. 2 fig. De fácil acceso o trato: *jefe* ~. 3 Inteligible: *libro* ~.

accésit *m.* En un certamen, recompensa inmediatamente inferior al premio. ◇ Pl.: *accésits* o *accésis.*

acceso *m.* Acción de llegar o acercarse. 2 Entrada o paso: ~ *prohibido;* fig., ~ *de los campesinos a la propiedad; persona de fácil* ~. 3 Aparición repentina de cierto estado físico o moral: *un* ~ *de tos; un* ~ *de fiebre; un* ~ *de celos.*

accesorio, -ria *adj.-s.* Que depende de lo principal o se le une por accidente. – 2 *adj.* Secundario. – 3 *m.* Herramienta o utensilio auxiliar: *accesorios de automóvil, de pesca.*

accidentado, -da *adj.* Turbado, agitado. 2 fig. Quebrado, fragoso: *terreno* ~. 3 Revuelto, borrascoso: *vidas accidentadas.* – 4 *adj.-s.* Víctima de un accidente.

accidental *adj.* No esencial. 2 Casual, contingente. 3 [pers.] Que desempeña ocasionalmente un cargo: *director, secretario* ~.

accidentar *tr.* Producir accidente [a una persona]. – 2 *prnl.* Sufrir un accidente.

accidente *m.* Lo que no es esencial. 2 Lo que altera el curso regular de las cosas; suceso eventual, especialmente desgraciado: *un ~ automovilístico; por* ~, por casualidad. 3 Indisposición que repentinamente priva de sentido o de movimiento. 4 Lo que altera la uniformidad: *accidentes del terreno.* 5 GRAM. Modificación que sufren en su forma las palabras variables para expresar diversas categorías gramaticales. En español los accidentes gramaticales son: género y número en la flexión nominal; modo, tiempo, número y persona, en el verbo.

acción *f.* Operación de un ser, considerada como producida por este ser y no por una causa exterior: *buena* o *mala* ~; *dejar sin* ~. 2 esp. Ejecución de un acto voluntario: *unir la* ~ *a la palabra.* ~ *de gracias,* expresión o manifestación de agradecimiento. 3 Actividad, dinamismo: *le aburren las películas de* ~; *el país necesita hombres de* ~. 4 Influencia ejercida sobre otro ser: *la* ~ *de la luz sobre los organismos;* ~ *física;* ~ *química.* 5 Hecho de armas, especialmente combate entre fuerzas poco numerosas. 6 En un drama, poema, novela, etc., serie de actos y sucesos determinados por el objeto principal de la obra, y enlazados entre sí. 7 COM. Parte alícuota del capital social de una empresa, generalmente de una sociedad anónima, que proporciona a su propietario una renta variable, dependiendo de los resultados obtenidos por la empresa. 8 Documento en que se refleja la participación económica del socio y la pertenencia de su titular a la sociedad.

accionar *intr.* Hacer movimientos y gestos para dar a entender alguna cosa o para acompañar a la palabra. – 2 *tr.* Poner en marcha [un mecanismo].

accionariado *m.* Conjunto de accionistas de una sociedad anónima.

accionista *com.* En la sociedad anónima, poseedor de una o varias acciones.

acebedo *m.* Terreno poblado de acebos.

acebo *m.* Árbol aquifoliáceo, de hojas grandes, duras y espinosas, flores pequeñas y blancas, y fruto en baya; su madera se usa en ebanistería y tornería *(Ilex aquifolium).* 2 Madera de este árbol.

acebuche *m.* Olivo silvestre, de menor talla que la forma cultivada y con las ramas espinosas *(Olea silvestris).* 2 Madera de este árbol.

acecinar *tr.* Salar [las carnes], y secarlas al aire y al humo para que se conserven.

acechanza *f.* Acecho, espionaje.

acechar *tr.* Observar, aguardar cautelosamente [a una persona o cosa] con algún propósito.

acecho *m.* Acción de acechar: *al,* o *en* ~, observando a escondidas. 2 Lugar desde el cual se acecha.

acedar *tr.* Poner agria [alguna cosa].

acedera *f.* Planta poligonácea, de tallo fistuloso y hojas sagitadas, obtusas y de sabor ácido, que se emplean como condimento *(Rumex acetosa).*

acederilla *f.* Planta poligonácea, parecida a la acedera *(Rumex acetosella).* 2 Planta oxalidácea perenne, con las hojas trifoliadas y pubescentes, y flores blancas en el extremo de pedúnculos *(Oxalis acetosella).*

acefalia *f.* Calidad de acéfalo.

acéfalo, -la *adj.* Falto de cabeza. 2 [feto] Sin cabeza o sin parte considerable de ella.

aceitar *tr.* Untar con aceite.

**aceite *m.* Líquido graso y viscoso, insoluble en el agua, de menor densidad que ella, de origen mineral, vegetal o animal, que sirve para la alimentación y para usos industriales: ~ *de oliva;* ~ *de ballena;* ~ *mineral,* petróleo.

aceitero, -ra *adj.* Relativo al aceite: *molino* ~; *producción aceitera.* – 2 *m. f.* Persona que tiene por oficio vender aceite.

aceitillo *m. Bol., Chile, Ecuad., Perú y P. Rico.* Preparación cosmética de aceite perfumado para tocador.

aceitoso, -sa *adj.* Que tiene aceite, grasiento. 2 Parecido al aceite.

aceituna *f.* Fruto del olivo; **aceite.

aceitunado, -da *adj.* De color de aceituna.

aceitunero, -ra *m. f.* Persona que tiene por oficio coger, acarrear o vender aceitunas.

aceituno *m.* Olivo. 2 *Amér.* Árbol verbenáceo que produce un fruto parecido a la aceituna *(Vitex orinocensis).* – 3 *adj. Amér.* De color de aceituna, aceitunado.

aceleración *f.* Acción de acelerar o acelerarse. 2 Efecto de acelerar o acelerarse.

acelerada *f.* Aumento súbito de la velocidad de un motor.

acelerador, -ra *adj.-m.* Que acelera. – 2 *m.* Mecanismo que regula la entrada de la mezcla explosiva en la cámara de combustión y permite acelerar más o menos el régimen de revoluciones del motor de explosión. 3 Pedal u otro dispositivo con que se acciona dicho mecanismo; **automóvil; **motocicleta.

acelerar *tr.* Hacer más rápido, más vivo [un movimiento, un proceso]. 2 Anticipar (una cosa). 3 Aumentar la velocidad de un vehículo o de un motor. – 4 *prnl.* fig. Azorarse, asustarse; ponerse nervioso.

acelerón *m.* Acción de acelerar de manera rápida o violenta.

acelga *f.* Planta quenopodiácea hortense, de hojas comestibles, radicales, grandes, carnosas y con el nervio medio muy desarrollado *(Beta vulgaris,* variedad *Cicla).*

acémila *f.* Mula o macho de carga. 2 Persona ruda.

acendrado, -da *adj.* Depurado, sin mancha ni defecto.

acendrar *tr.* Purificar [los metales] en la cendra por la acción del fuego. 2 fig. Depurar, dejar sin mancha ni efecto [una cosa].

acento *m.* Rasgo prosódico que permite poner de relieve una unidad lingüística superior al fonema (p. ej. la sílaba) para diferenciarla de otras unidades lingüísticas del mismo nivel (llámase también ~ *prosódico, tónico* o *de intensidad*). 2 Tilde que en ciertos casos se pone sobre la vocal de la sílaba que recibe el acento prosódico, o para indicar otras particularidades de la pronunciación (llámase también ~ *ortográfico*): ~ **agudo,** el único acento ortográfico que hoy se usa en español, cuya forma es ('); ~ **grave,** el que se emplea en algunas lenguas como signo diacrítico sobre las vocales, cuya forma es (`); ~ **circunflejo,** el que se compone de uno agudo y otro grave unidos por arriba (ˆ). 3 Conjunto de particulares inflexiones de pronunciación con que se distingue el modo de hablar de los grupos lingüísticos: *habla el español con* ~ *andaluz.* 4 Sonido, tono, entonación particular que caracteriza determinados estilos de dicción o declamación: ~ *solemne, enfático, persuasivo, suplicante, lloroso, animado,* etc. 5 Énfasis, intensidad. ◇ V. Apéndice gramatical.

acentuación *f.* Acción de acentuar: *reglas de* ~. 2 Efecto de acentuar.

acentuadamente *adv. m.* Con pronunciación acentuada. 2 fig. Señaladamente.

acentuar *tr.* Dar acento prosódico [a las palabras], o ponerles acento ortográfico. 2 fig. Recalcar (con énfasis). 3 Realzar, resaltar. – 4 *prnl.* Tomar cuerpo. ◇ ** CONJUG. [11] como *actuar.*

aceña *f.* Molino harinero de agua situado en el cauce de un río.

acepción *f.* Significado en que se toma una palabra o frase.

aceptabilidad *f.* Calidad de aceptable. 2 Conjunto de caracteres que hacen que una cosa sea aceptable.

aceptación *f.* Acción de aceptar. 2 Efecto de aceptar. 3 Aprobación, aplauso.

aceptar *tr.* Recibir uno voluntariamente [lo que se le da u ofrece]. 2 Aprobar, dar por bueno. 3 Admitir, conformarse: *aceptó sus errores.* 4 Obligarse por escrito a pagar [las letras o libranzas].

acequia *f.* Zanja para conducir agua. 2 *Amér.* Arroyo.

acera *f.* Parte lateral, destinada a los peatones, de una calle o vía pública. 2 p. ext. Fila de casas a cada lado de la calle o plaza.

aceráceo, -a *adj.-f.* Planta de la familia de las aceráceas. – 2 *f. pl.* Familia de plantas dicotiledóneas, árboles o arbustos, de hojas

ACEITE

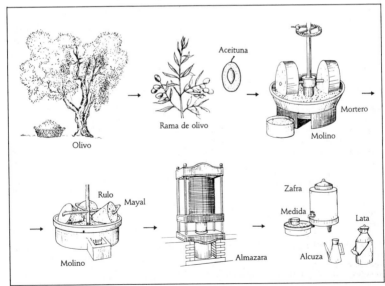

opuestas, flores actinomorfas, generalmente unisexuales, y frutos en doble sámara; como el arce.

acerado, -da *adj.* De acero. 2 Parecido a él. 3 Incisivo, mordaz, penetrante. 4 [órgano animal o vegetal] Cilíndrico, acuminado y punzante.

I) acerar *tr.* Dar [a un hierro] las propiedades del acero; esp., convertir en acero [el corte o las puntas de las armas o herramientas]: ~ *un sable.* – 2 *tr.-prnl.* fig. Fortalecer, vigorizar: *esta penalidad aceró su ánimo; acerarse en la lucha.*

II) acerar *tr.* Poner aceras [a una vía pública o a un muro].

acerbo, -ba *adj.* Áspero al gusto. 2 fig. Cruel, riguroso.

acerca (~ de) *loc. prep.* Sobre la cosa de que se trata; en orden a ella: *hace mil preguntas ~ de Héctor.* ◇ INCOR.: su utilización sin la preposición *de.*

acercar *tr.-prnl.* Poner cerca o a menor distancia, en orden al espacio, tiempo, números, cualidades, etc.: *nos acerca a nuestro propósito; se acercó para saludarle; tu número se acerca a ochenta.* ◇ ** CONJUG. [1] como *sacar.*

acerería *f.* Fábrica de acero.

acerico *m.* Almohada pequeña. 2 Almohadilla para clavar en ella alfileres y agujas.

acero *m.* Hierro combinado con pequeñas cantidades de carbono y que adquiere con el temple gran dureza y elasticidad: ~ *fundido,* el que se obtiene por combustión parcial del carbono del hierro colado; ~ *inoxidable,* el resistente a la corrosión por contener cromo. 2 fig. Arma blanca. – 3 *m. pl.* fig. Ánimo, brío, resolución.

acerola *f.* Fruto del acerolo.

acerolo *m.* Árbol rosáceo, de ramas cortas y frágiles, hojas pubescentes, flores blancas; fruto en pomo, redondo, encarnado o amarillo, y agridulce (*Crataegus azarolus*).

acérrimo, -ma *adj.* fig. Muy fuerte, decidido o tenaz: *partidario ~; creyente ~.*

acertante *adj.-s.* Que acierta.

acertar *tr.* Dar [en el punto previsto o propuesto]. 2 p. anal. Conseguir [el fin adecuado]: *pocos han acertado la historia.* 3 Dar [con lo cierto en lo dudoso u oculto]: *no le acertaban la enfermedad.* – 4 *tr.-intr.* Encontrar, hallar: *acertó la casa,* o *con la casa.* 5 Hacer con acierto [una cosa]: *he acertado en encomendarme a Dios; ~ el empleo.* – 6 *intr.* Con un infinitivo y la preposición *a*, suceder por casualidad: *acertó a ser jueves.* ◇ ** CONJUG. [27].

acertijo *m.* Especie de enigma para entretenerse en acertarlo. 2 fig. Cosa o afirmación muy problemática.

acervo *m.* Montón de cosas menudas, como trigo, legumbres, etc. 2 Haber que pertenece en común a los que forman una pluralidad o colectividad de personas. 3 Conjunto de valores morales, culturales, etc., de una persona o colectividad.

acético, -ca *adj.* Relativo al vinagre; que produce vinagre: *fermentación acética.* 2 *Ácido* ~, el producido por oxidación del alcohol vínico, $CH_3 COOH$.

acetileno *m.* Hidrocarburo gaseoso, utilizado en alumbrado y en soldadura.

acetol *m.* Vinagre común.

acetona *f.* Compuesto orgánico, líquido, incoloro, inflamable, volátil, de olor característico, que se obtiene a partir de la celulosa, y se produce en los organismos como combustión incompleta de las grasas. Se emplea como disolvente de lacas, barnices, pinturas, etc.

acetoso, -sa *adj.* Ácido. 2 Relativo al vinagre. 3 Que sabe a vinagre.

acevía *f.* Pez teleósteo muy parecido al lenguado, de color pardusco o rosáceo (*Microchirus acevia*).

aciago, -ga *adj.* Infausto, de mal agüero.

aciano *m.* Planta compuesta, de tallo erguido y ramoso, de flores singenésicas en cabezuelas grandes y redondas, con receptáculo pajoso (*Centaurea cyanus*).

acíbar *m.* Áloe (planta y su jugo). 2 fig. Amargura, disgusto.

acicalado, -da *adj.* [pers.] Pulcro, bien arreglado. – 2 *m.* Acción de acicalar. 3 Efecto de acicalar.

acicalar *tr.* Limpiar, bruñir [pralte. las armas blancas]. – 2 *tr.-prnl.* p. ext. Adornar, aderezar [a uno].

acicate *m.* Espuela con sólo una punta de hierro. 2 fig. Incentivo, estímulo.

acícula *f.* Hoja de las coníferas. 2 Espina endeble de algunas especies de rosales.

acicular *adj.* De figura de aguja: **hoja* ~. 2 Relativo a la textura de algunos minerales en fibras delgadas.

acidez *f.* Calidad de ácido. 2 Trastorno de la digestión caracterizada por un exceso de secreción clorhídrica: ~ *de estómago.*

acidificar *tr.* Añadir ácido a [una substancia básica o neutra] para darle propiedades ácidas. ◇ ** CONJUG. [1] como *sacar.*

ácido, -da *adj.* Agrio; que tiene sabor parecido al del agraz o el vinagre. 2 fig. Áspero, desabrido. 3 QUÍM. Relativo a un ácido o que tiene sus propiedades. – 4 *m.* Droga alucinógena derivada del ácido lisérgico, que modifica las sensaciones visuales y auditivas (L.S.D.). 5 QUÍM. Cuerpo químico en cuya composición entra el hidrógeno, y es capaz de atacar o corroer a los metales, formando cuerpos llamados sales.

acierto *m.* Acción de acertar. 2 Efecto de acertar. 3 Coincidencia, casualidad. 4 Cordura, tino. 5 fig. Destreza.

acigutre *m.* Hierba escrofulariácea bienal, de hasta 2 m. de altura, con hojas cubiertas de borra grisácea o amarillenta; es venenosa para el ganado *(Verbascum sinnatum)*.

acimut *m.* **ASTRON. Ángulo que forma el meridiano con el círculo vertical que pasa por un punto de la esfera celeste o del globo terráqueo.

ación *f.* Correa de que pende el estribo en la silla de montar.

acipenseriforme *adj.-m.* Pez del orden de los acipenseriformes. – 2 *m. pl.* Orden de peces condrósteos que incluye formas arcaicas, con el esqueleto cartilaginoso y placas óseas cutáneas; como los esturiones.

acirate *m.* Loma que sirve de lindero en las heredades. 2 Caballón. 3 Paseo que separa dos hileras de árboles.

acitrón *m.* Cidra confitada.

aclamación *f.* Acción de aclamar. 2 Efecto de aclamar: *por ~*, sin discusión.

aclamar *tr.* Dar voces la multitud en honor y aplauso [de una persona]: *~ a un orador; ~ por más diestro*. 2 Conferir por voz común algún cargo u honor: *le aclamaron rey*. 3 Llamar [a las aves].

aclaración *f.* Acción de aclarar. 2 Efecto de aclarar. 3 Nota o comentario en un escrito.

aclarado *m.* Acción de aclarar la ropa.

aclarar *tr.-prnl.* Hacer que [algo] sea menos obscuro, más perceptible: *~ el sol las tinieblas; aclararse el día; pastillas para ~ la voz*. 2 Hacer que [algo] sea menos espeso: *~ el bosque*. 3 fig. Poner en claro, manifestar, explicar, dilucidar: *nos aclaró la lección*. – 4 *tr.* Volver a lavar [la ropa] con agua sola; análogamente, lavar por segunda vez [los minerales]. 5 fig. Aguzar [los sentidos y facultades]. – 6 *impers.* Amanecer, clarear; serenarse el tiempo.

aclaratorio, -ria *adj.* Que aclara (explica).

aclimatación *f.* Acción de aclimatar. 2 Efecto de aclimatar. 3 fig. Adaptación a un ambiente humano diferente del que uno procede.

aclimatar *tr.-prnl.* Acostumbrar [a un ser orgánico] a un clima que no le es habitual: *~ los naranjos*. 2 fig. Hacer que [una cosa] medre en lugar distinto de aquel en que tuvo origen: *~ una moda*.

acné *f.* Enfermedad cutánea debida a la obstrucción de los folículos sebáceos de la piel. ◇ INCOR.: el uso como masculino.

acobardar *tr.-prnl.* Amedrentar, poner miedo [a uno]: *~ a los buenos; acobardarse en las empresas*.

acocuyado, -da *adj.* Amér. Merid. Encandilado, alegre por la bebida.

acochambrar *tr.* Amér. Ensuciar, manchar [algo].

acodado, -da *adj.* Doblado en forma de codo. 2 Que se apoya en los codos.

acodar *tr.-prnl.* Apoyar uno el codo sobre alguna parte: *acodó el brazo; se acodó.* – 2 *tr.* Enterrar [el vástago de una planta] en forma de codo y sin separarlo del tronco para que eche raíces. 3 Disponer en ángulo piezas de maquinaria.

acodillar *tr.* Doblar [barras metálicas, tubos, clavos, etc.] formando codo. 2 En ciertos juegos de naipes, dar codillo.

acoger *tr.* Admitir uno en su casa o compañía [a otra persona]. 2 p. ext. Proteger, amparar: *España acoge a los extranjeros*. 3 fig. Dar asenso o admitir [noticias, creencias] como buenas. 4 Recibir con un sentimiento especial la aparición [de personas o hechos]. – 5 *prnl.* Refugiarse, tomar amparo: *se acogieron a la nave*. 6 fig. Valerse de pretextos para esquivar algo: *se acogió a los textos de la ley*. 7 Invocar para sí los beneficios y derechos que conceden una disposición legal, un reglamento, una costumbre, etc. ◇ ** CONJUG. [5] como *proteger*.

acogida *f.* Recibimiento u hospitalidad que ofrece una persona o un lugar. 2 fig. Protección o amparo. 3 fig. Aceptación o aprobación.

acogido, -da *m. f.* Persona mantenida en establecimientos de beneficencia.

acogotar *tr.* Matar [a una persona o animal] con herida o golpe en el cogote. 2 Derribar [a una persona] sujetándola por el cogote. 3 fig. Dominar, vencer.

acojonar *tr.-prnl.* vulg. Asustar, acobardar. 2 vulg. Sorprender, asombrar.

acolchado *m.* Labor que se ejecuta poniendo una capa de guata entre dos telas y pespunteando después. 2 *Argent.* Cobertor relleno de plumón o de otras cosas, que se pone sobre la cama para adorno o abrigo.

acolchar *tr.* Poner lana, algodón, etc., [entre dos telas] y echarle bastas.

acólito *m.* Monaguillo que sirve con sobrepelliz en la iglesia. 2 irón. El que sigue o acompaña constantemente a otro.

acollar *tr.* Cobijar con tierra [el pie de los árboles y otras plantas].

acollarar *tr.* Poner collar [a un animal]. – 2 *prnl.* Amér. Unirse las personas; confabularse, contraer matrimonio.

acomedido, -da *adj.* Amér. Servicial, oficioso.

acomedirse *prnl.* Amér. Prestarse espontánea y graciosamente a hacer un servicio. ◇ ** CONJUG. [34] como *servir*.

acometer *tr.* Embestir [a alguno]: *~ a uno por la espalda*. 2 Emprender, intentar. 3 Venir súbitamente una enfermedad, el sueño, un deseo, etc.: *fue acometido de un accidente*.

acometida *f.* Ataque. 2 Punto donde la línea de conducción de un fluido enlaza con la principal.

acometividad *f.* Propensión a acometer (embestir).

acomodadizo, -za *adj.* Que a todo se aviene fácilmente.

acomodado, -da *adj.* Conveniente, oportuno. 2 Rico, abundante de medios. 3 Amigo de la comodidad. 4 Moderado en el precio.

acomodador, -ra *m. f.* En los espectáculos, persona encargada de indicar a los concurrentes sus asientos.

acomodar *tr.* Ordenar, componer, ajustar [unas cosas con otras]. 2 Aplicar, adaptar: *podemos ~ este ejemplo al Salvador.* 3 Concertar [a los que riñen y pleitean]: *el capitán los acomodó lo mejor que pudo.* 4 Proporcionar ocupación o empleo. 5 Proveer de lo necesario: *acomodarse de dinero, de criados.* – 6 *tr.-prnl.* Poner en sitio conveniente: *acomodó a los visitantes; se acomodaron bien.* – 7 *intr.* Venir a uno bien alguna cosa, convenir: *en estos discursos el estilo florido acomoda.* – 8 *prnl.* Avenirse, conformarse: *acomodarse a, o con, un dictamen.*

acomodaticio, -cia *adj.* Que a todo se aviene fácilmente; aplícase especialmente al que por medrar se adapta a cualquier situación o doctrina.

acomodo *m.* Empleo, ocupación; conveniencia.

acompañamiento *m.* Acción de acompañar o acompañarse. 2 Efecto de acompañar o acompañarse. 3 Gente que acompaña a alguno. 4 Conjunto de personas que en las representaciones teatrales figuran y no hablan. 5 MÚS. Sostén armónico de una melodía principal por uno o más instrumentos o voces.

acompañar *tr.-prnl.* Estar o ir en compañía de otro: *mi padre me acompañaba; acompañarse con, o de, buenos amigos.* 2 Ejecutar el acompañamiento: *acompáñase con el piano.* 3 Juntar, agregar una cosa [a otra]: *un informe acompañaba la carta; ~ un original con, o de, las pruebas.* 4 Compartir [con otro] un afecto o un estado de ánimo: *le acompañé en su dolor.* 5 Existir o hallarse algo en una persona, especialmente fortuna, cualidades, etc.

acompaño *m.* *Amér. Central.* Reunión.

acompasado, -da *adj.* Hecho o puesto a compás. 2 fig. Que habla o anda pausadamente.

acomplejado, -da *adj.-s.* Que tiene complejos psíquicos. 2 Tímido, inhibido.

acomplejar *tr.* Causar [a una persona] un complejo psíquico o inhibición. – 2 *prnl.* Padecer o experimentar un complejo psíquico.

acondicionador *m.* Aparato o dispositivo que se emplea para acondicionar la temperatura y la humedad del aire en un local.

acondicionar *tr.* Dar cierta condición o calidad. 2 Con los adverbios: *bien, mal,* etc., disponer [una cosa] a determinado fin. 3 Dar [al aire de un local] temperatura y humedad agradables según la estación del año. – 4 *prnl.*

Adquirir cierta condición o calidad, especialmente un empleo; colocarse.

acongojar *tr.-prnl.* Oprimir, afligir.

acónito *m.* Planta ranunculácea venenosa, medicinal y de jardín, de flores grandes y raíz fusiforme *(Aconitum napellus).*

aconsejar *tr.* Dar consejo: *los amigos le aconsejaron mal; deja que la razón te aconseje.* 2 Indicar a uno [lo que ha de hacer]: *le aconsejo que venga.* – 3 *prnl.* Tomar consejo: *aconsejarse con, o de, sabios; aconsejarse en lo mejor.*

aconsonantar *tr.* Hacer [en la rima] una palabra consonante de otra. 2 Rimar [los versos] en consonante.

acontecer *unipers.* Suceder (efectuarse un hecho): *~ a todos, o con todos, lo mismo.* ◇ ** CONJUG. [43] como *agradecer.*

acontecimiento *m.* Suceso importante.

acopiar *tr.* Juntar, reunir [generalmente granos, provisiones, etc.]. ◇ ** CONJUG. [12] como *cambiar.*

acopio *m.* Acción de acopiar. 2 Efecto de acopiar.

acoplado *m.* *Argent., Chile, Parag.* y *Urug.* Vehículo destinado a ir remolcado por otro.

acoplamiento *m.* Acción de acoplar o acoplarse. 2 Efecto de acoplar o acoplarse.

acoplar *tr.* Unir [dos piezas u objetos] de modo que ajusten. 2 Ajustar [una pieza] al sitio donde deba colocarse. Combinar [aparatos, piezas, etc.] para obtener un efecto determinado. 3 Parear [dos animales] para yunta o tronco. 4 Encontrar acomodo u ocupación para una persona, emplearla en algún trabajo. – 5 *tr.-prnl.* Aparear. 6 fig. Conciliar [a personas].

acoquinar *tr.-prnl.* fam. Amilanar, acobardar. – 2 *tr.* Apoquinar.

acorazado *m.* Buque de guerra blindado y de grandes dimensiones.

acorazar *tr.* Revestir con planchas de hierro o acero [buques de guerra, fortificaciones, etc.]. – 2 *prnl.* Prepararse para soportar algo, defenderse. ◇ ** CONJUG. [4] como *realizar.*

acorazonado, -da *adj.* De figura de corazón: **hoja acorazonada.*

acorchado, -da *adj.* Fofo y seco como el corcho. 2 [madera] Que hace botar la herramienta al trabajarla.

acorchar *tr.* Recubrir [algo] con corcho. – 2 *prnl.* Ponerse una cosa como el corcho: *esta madera se acorcha.* 3 fig. Embotarse la sensibilidad de alguna parte del cuerpo, o la sensibilidad moral. 4 Perder [las frutas] parte de su zumo.

acordar *tr.* Resolver [algo] varias personas, de común acuerdo o por mayoría de votos. 2 p. anal. Determinar o resolver una sola persona. 3 p. ext. Conciliar, componer: *~ las voluntades, los pareceres.* 4 Templar [las voces o los instrumentos] para que no disuenen: *~ la* *voz con el piano.* – 5 *prnl.* Recordar, traer a la memoria propia: *si mal no me acuerdo; acuérdate (de) que;* si le sigue un substantivo o voz equivalente, precisa la preposición *de: me acordé de la casa; acuérdese de mí.* -6 *tr.* Amér. GALIC. Conceder, otorgar [algo]: ~ *un premio.* ◇ ** CONJUG. [31] como *contar.*

acorde *adj.* Conforme; de un mismo dictamen. 2 Con armonía, en consonancia: *instrumentos acordes; colorido ~.* – 3 *m.* MÚS. Conjunto de tres o más sonidos diferentes combinados armónicamente.

acordelar *tr.* Medir [un terreno] con cuerda. 2 Señalar con cuerdas [líneas o perímetros].

acordeón *m.* Instrumento músico de **viento, compuesto de lengüetas de metal, un pequeño teclado de válvulas y un fuelle.

acordeonista *com.* Músico que toca el acordeón.

acordonar *tr.* Ceñir o sujetar [una cosa] con un cordón. 2 Formar el cordoncillo [en el canto de las monedas]. 3 Incomunicar [un sitio] con un cordón de gente, especialmente de tropa.

acores *m. pl.* Erupción que los niños suelen padecer en la cabeza y la cara.

acornear *tr.* Dar cornadas [a una persona, animal o cosa].

ácoro *m.* Planta arácea, de hojas angostas y puntiagudas, flores hermafroditas y raíz aromática *(Acorus calamus).*

acorralar *tr.* Encerrar [los ganados] en el corral. 2 fig. Tener [a uno] rodeado para que no pueda escaparse. 3 Dejar [a uno] confundido y sin respuesta. 4 Intimidar, acobardar.

acortar *tr.-prnl.* Disminuir la longitud, duración o cantidad de alguna cosa: *acorta el cuento; acortó el camino; el hilo se va cortando.*

acosar *tr.* Perseguir sin darle tregua [a un animal o a una persona]: *huyó acosado de los perros.* 2 fig. Perseguir, importunar [a uno]. 3 Hacer correr [al caballo].

acoso *m.* Acción de acosar: *el ~ de los periodistas.* 2 Efecto de acosar.

acostar *tr.-prnl.* Echar o tender [a uno] para que descanse, especialmente en la cama. 2 Arrimar o acercar [el costado de una embarcación]: *el batelero acostó la barca al muelle;* p. ext., se dice de otras cosas . – 3 *intr.* Llegar a la costa. – 4 *intr.-prnl.* Inclinarse hacia un lado, especialmente los edificios: *los establos quedan acostados y en ladera.* ◇ ** CONJUG. [31] como *contar.*

acostillar *intr.* Amér. Caerse de costilla la bestia que uno monta.

acostumbrar *tr.-prnl.* Hacer adquirir costumbre: *acostumbra a su hijo a decir la verdad; me acostumbro a decir la verdad.* – 2 *intr.* Tener costumbre: *acostumbro (a) decir la verdad.*

acotación *f.* Apuntamiento puesto en la margen de algún escrito o impreso. 2 Nota que en la obra teatral advierte lo relativo a la acción y movimiento de los personajes.

acotamiento *m.* Acción de acotar. 2 Efecto de acotar. 3 En los ferrocarriles, espacio entre los bordes exteriores de los carriles y el exterior de la vía.

I) acotar *tr.* Marcar límites en un terreno, con cotos o cualquier señal, para reservar la caza u otro aprovechamiento de él. 2 Marcar límites a cualquier otra cosa.

II) acotar *tr.* Poner acotaciones [a un escrito].

acotejar *tr.* Can., Colomb., Cuba, Ecuad. y S. Dom. Arreglar, colocar objetos ordenadamente, acomodar. – 2 *prnl.* Can., Cuba, Ecuad. y S. Dom. Acomodarse, ponerse cómodo.

acotiledóneo, -a *adj.* Que no tiene cotiledones.

acracia *f.* Doctrina que niega la necesidad de un poder y autoridad política.

ácrata *adj.-com.* Partidario de la acracia. 2 Anarquista.

I) acre *m.* Medida agraria inglesa, equivalente a 4,046 m², o sea, 40,46 a.

II) acre *adj.* Áspero y picante al gusto y al olfato. 2 fig. Propio del lenguaje o genio áspero y desabrido: ~ *de condición,* o *de condición ~.* ◇ Superl.: *acérrimo.*

acrecentar *tr.-prnl.* Aumentar. ◇ ** CONJUG. [27] como *acertar.*

acrecer *tr.-prnl.* Aumentar. ◇ ** CONJUG. [43] como *agradecer.*

acreditado, -da *adj.* Con crédito o reputación; se aplica especialmente a los diplomáticos con representación exterior: ~ *en,* o *para, su oficio.*

acreditar *tr.-prnl.* Hacer digna de crédito [una cosa]. 2 Dar u obtener crédito, fama o reputación: *Salomón acreditó su gran juicio,* o *se acreditó por su gran juicio; acreditarse con,* o *para con, alguno; acreditarse de necio.* – 3 *tr.* Dar seguridad de que [una persona] lleva facultades para desempeñar una comisión: *el uniforme le acredita;* ~ *a un enviado cerca de un rey.* 4 Abonar (asentar).

acreditativo, -va *adj.* Que acredita: *documento ~.*

acreedor, -ra *adj.-s.* Que tiene derecho a pedir el cumplimiento de una obligación, especialmente de pago. – 2 *adj.* Que tiene mérito para obtener alguna cosa: ~ *a la confianza.*

acrescente *adj.* BOT. [cáliz, corola] Que sigue creciendo después de fecundada la flor.

acribillar *tr.* Abrir muchos agujeros [en alguna cosa]. 2 Hacer muchas heridas o picaduras: *le acribillan las pulgas.* 3 fig. Molestar mucho y con frecuencia: *le acribillan los acreedores.*

acrídido *adj.-s.* ZOOL. Insecto ortóptero saltador, con antenas cortas y sólo tres artejos en los tarsos; como los saltamontes. – 2 *m. pl.* Familia de estos insectos.

acrílico, -ca *adj.-s.* QUÍM. *Ácido ~,* líquido incoloro, de olor sofocante; polimeriza fácilmente, es soluble en agua y alcohol; se usa en pinturas, barnices y en la síntesis de la vitamina B. 2 [fibra, material plástico] Que se obtiene por polimerización del ácido acrílico.

acriminar *tr.* Acusar [a uno] de un crimen o delito. 2 En general, imputar culpa o falta grave. 3 Exagerar [una falta] presentándola como crimen.

acriollarse *prnl.* *Amér.* Contraer un extranjero los usos y costumbres del país.

acrisolado, -da *adj.* [actividad humana] Que puesto a prueba sale mejorado o depurado: *virtud, honradez acrisolada.* 2 [pers.] Intachable, íntegro.

acrisolar *tr.* Depurar [los metales] en el crisol. 2 fig. Purificar, apurar: *~ la virtud.* 3 fig. Aclarar y poner de manifiesto una cualidad moral por medio de pruebas o testimonios: *~ el patriotismo con las penalidades; ~ la verdad.*

acristianar *tr.* Hacer cristiano. 2 Bautizar (bautismo).

acritud *f.* Calidad de acre, picante o áspero de las cosas, especialmente al gusto o al olfato. 2 Agudeza del dolor. 3 fig. Aspereza en las palabras o en el carácter.

acrobacia *f.* Arte o ejercicio del acróbata. 2 Ejercicio que presenta alguna dificultad. 3 Evolución particular que efectúa un aviador en el aire. ◇ INCOR.: *acrobacía.*

acróbata *com.* Persona que ejecuta ejercicios gimnásticos o de habilidad sobre cuerdas, alambres, o pilotando un avión.

acrocefalia *f.* MED. Malformación del cráneo que presenta un desarrollo excesivo de la región parietal, con la frente inclinada hacia adentro, haciendo puntiaguda la cabeza.

acromático, -ca *adj.* [cristal o instrumento óptico] Que presenta las imágenes sin descomponer la luz en los colores del arco iris. 2 En general, sin color.

acromegalia *f.* Enfermedad crónica debida a hipertrofia de la glándula pituitaria, caracterizada por un extraordinario desarrollo de las extremidades.

acromio, -mion *m.* Parte del omóplato que se articula con la clavícula.

acronimia *f.* Abreviamiento de dos palabras, que constituye un solo sintagma o concepto, por la unión de sus extremos opuestos: *autobús* por *auto*móvil óm*nibus.*

acrónimo *m.* Palabra compuesta por acronimia.

acrópolis *f.* En la ciudad griega antigua, el sitio más alto y fortificado. ◇ Pl.: *acrópolis.*

acróstico *adj.-m.* Composición poética en que las letras iniciales, medias o finales de los versos forman, leídas verticalmente, o en otra dirección, un vocablo o una frase.

acrotera *f.* ARQ. Pedestal que sirve de remate a los frontones y sobre el cual se colocaban estatuas o adornos; **romano.

acroterio *m.* Pretil o pequeño muro que se hace sobre los cornisamentos para ocultar la altura del tejado.

acta *f.* Relación escrita de lo tratado o acordado en una junta: *~ notarial,* relación que extiende el notario de uno o más hechos que presencia o autoriza; *levantar ~,* extenderla. 2 Certificación en que consta la elección de una persona: *~ de diputado.* – 3 *f. pl.* Hechos de la vida de un mártir referidos en historia coetánea autorizada. 4 Memorias de algunas sociedades, congresos, reuniones.

actinia *f.* Pólipo de forma cilíndrica, de colores vivos, con numerosos tentáculos alrededor de la boca, que les dan una apariencia de flor *(Actinia* sp.*)*.

actinio *m.* Metal radiactivo de color plateado, que se obtiene artificialmente del uranio y del radio.

actinología *f.* QUÍM. Ciencia de la fotoquímica o de los efectos químicos de la luz.

actinometría *f.* Medida de la intensidad de las radiaciones, especialmente de las solares. 2 Medida de la acción química de la luz.

actinómetro *m.* Instrumento para medir la intensidad de las radiaciones, especialmente las solares. 2 Instrumento para medir la acción química de la luz.

actinomicetáceo, -a *adj.-f.* Bacteria de la familia de las actinomicetáceas. – 2 *f. pl.* Familia de bacterias que se caracterizan por presentar formas alargadas y ramificadas que recuerdan a las hifas de algunos hongos; a esta familia pertenecen bacterias patógenas; otras especies son beneficiosas al ser productoras de antibióticos.

actinomorfo, -fa *adj.* BOT. [organismo u órgano] Que tiene por lo menos dos planos de simetría: **flor actinomorfa.*

actinopterigio *adj.-m.* Pez de la infraclase de los actinopterigios. – 2 *m. pl.* Infraclase de peces osteíctios con la cola homocerca y fecundación externa, a la que pertenecen dos superórdenes: condrósteos y teleósteos.

actitud *f.* Postura del cuerpo. 2 fig. Disposición de ánimo manifestada exteriormente: *~ benévola.*

activación *f.* Acción de activar. 2 Efecto de activar. 3 Acrecentamiento en un cuerpo de sus propiedades biológicas o fisicoquímicas.

activar *tr.-prnl.* Avivar, acelerar, excitar. 2 FÍS. Hacer radiactiva una substancia.

actividad *f.* Calidad de activo, facultad de obrar. 2 Diligencia, prontitud en el obrar. 3 Conjunto de operaciones realizadas por un grupo para conseguir sus objetivos, especialmente cuando éstas parecen altamente organizadas, secretas o ilegales: *las actividades docentes, bancarias.* 4 Tarea; ocupación: *mis numerosas actividades me dejan poco tiempo libre.* 5 FÍS. En una cantidad dada de una substancia radiactiva, número de átomos que se desintegran por unidad de tiempo.

activista *adj.-com.* Miembro de una sociedad o grupo político o social que se dedica a la propaganda y a promover las actividades de los asociados.

activo, -va *adj.* Que obra o tiene virtud de obrar; opuesto a pasivo. 2 Diligente, eficaz. 3 Que produce sin dilación su efecto. 4 Que implica acción; se aplica especialmente al funcionario mientras presta servicio, y, por extensión, a todos los que en un momento dado realizan sus funciones: *estar, hallarse en ~ (*elidido *servicio).* 5 FÍS. [material] De radiactividad media o baja; [laboratorio o dispositivo] donde se manipulan o guardan materiales de radiactividad media o baja. 6 GRAM. *Voz activa,* aquella en que el sujeto hace la acción expresada por el verbo, a diferencia de la *voz pasiva* en que el sujeto es paciente. V. participio y verbo. – 7 *m.* COM. Importe total de los valores, efectos, créditos y derechos que posee una persona o sociedad comercial.

acto *m.* Hecho realizado por el hombre: *~ heroico; ~ continuo, ~ seguido* o *en el ~,* inmediatamente después. 2 Parte que, junto a otras, constituye las obras escénicas, separada de las demás por un intervalo: *drama en tres actos.* 3 Hecho público o solemne. ◇ Es moderno su uso como término general para toda función o fiesta.

actor *m.* El que representa en el teatro o en el cine. 2 Personaje de una acción o de una obra literaria.

actriz *f.* Mujer que representa en el teatro o en el cine.

actuación *f.* Acción de actuar. 2 Efecto de actuar. 3 DER. Autos o diligencias de un procedimiento judicial. 4 LING. Realización de un acto de habla.

actual *adj.* Presente. 2 Que existe o sucede ahora.

actualidad *f.* Tiempo presente. 2 Estado presente o condición de presente: *la ~ de la nación es triste.* ◇ GALIC.: por *oportunidad.*

actualizar *tr.* Convertir [una cosa anticuada o retrasada] en actual o presente; ponerla al día, modernizarla: *~ una enciclopedia.* 2 LING. Hacer que los signos asociados sistemáticamente en la lengua se conviertan en habla, constituyendo mensajes concretos e inteligibles. ◇ ** CONJUG. [4] como *realizar.*

actuar *tr.-prnl.* Poner en acto o acción: *la idea actúa en el entendimiento; la eucaristía actúa la fe; el enfermo actúa la medicina, los alimentos; actuarse en la verdad.* – 2 *intr.* Ejercer una persona o cosa actos propios de su naturaleza: *la medicina actúa regularmente.* 3 Ejercer las funciones propias de un oficio: *~ de secretario.* 4 Representar en el teatro o en el cine. 5 Defender, en las universidades, conclusiones públicas o practicar ejercicios de oposición. ◇ ** CONJUG. [11].

acuadrillar *tr.* Juntar [a algunas personas] en cuadrilla. 2 Mandar una cuadrilla [de hombres].

acuafortista *com.* Persona que graba al agua fuerte.

acuametría *f.* QUÍM. Sistema de medición para identificar un agua mineral.

acuamotor *m.* Aparato en que se utiliza la fuerza de impulsión del caudal de los ríos.

acuarela *f.* Pintura con colores preparados con goma y diluidos en agua. – 2 *f. pl.* Colores con los que se realiza esta pintura.

acuarelista *com.* Pintor de acuarelas.

acuario *m.* Depósito de agua donde se conservan vivos animales o vegetales acuáticos. 2 Edificio destinado a la exhibición de animales acuáticos vivos.

acuartelamiento *m.* Acción de acuartelar. 2 Efecto de acuartelar. 3 Lugar donde se acuartela.

acuartelar *tr.* Poner [la tropa] en cuarteles. 2 Obligar a la tropa a permanecer en el cuartel en previsión de alguna alteración del orden público. 3 Dividir [un terreno] en cuarteles. 4 MAR. Presentar más al viento [una vela de cuchillo].

acuático, -ca, acuátil *adj.* Que vive en el agua. 2 Relativo al agua.

acuciante *adj.* Vehemente: *deseo ~.* 2 Que estimula o da prisa: *trabajo ~.*

acuciar *tr.* Estimular, dar prisa [a una persona]. 2 Desear [una cosa] con vehemencia. ◇ ** CONJUG. [12] como *cambiar.*

acucioso, -sa *adj.* Diligente, presuroso. 2 Movido por deseo vehemente.

acuchillado, -da *adj.* fig. Acostumbrado a conducirse con prudencia. 2 fig. [vestido] Que tiene aberturas semejantes a cuchilladas, por las que se ve una tela distinta de la de aquél. – 3 *m.* Operación consistente en el raspado y alisadura de los suelos de madera con el fin de barnizarlos.

acuchillar *tr.* Dar cuchilladas. 2 Matar a cuchillo. 3 Hablando del aire, henderlo o cortarlo. 4 Raspar el piso de madera. 5 fig. Hacer aberturas o labrados semejantes a cuchilladas [en los vestidos]. – 6 *prnl.* Reñir con espadas o darse de cuchilladas.

acudir *intr.* Ir uno al sitio adonde le conviene o es llamado: *~ a la cita.* 2 Ir en socorro de alguno. 3 Frecuentar un sitio. 4 Recurrir a alguno o valerse de él: *acudamos al rey;* valerse de una cosa para algún fin: *~ al, o con el, remedio.*

acueducto *m.* Conducto artificial subterráneo o elevado sobre arcos para conducir agua; **romano.

acuerdo *m.* Unión, armonía entre dos o más personas: *vivir en perfecto* ~. 2 Resolución tomada en común por varias personas, especialmente por una junta, asamblea o tribunal: *de* ~, de conformidad, unánimemente: *estar, quedar,* o *ponerse, de* ~ . 3 Resolución premeditada de una sola persona. 4 Pacto, tratado: *los litigantes no llegaron a un* ~; *firmar un* ~ *comercial entre España y Portugal;* ~ *marco,* el normativo al que han de ajustarse otros de carácter más concreto. ◇ ANGLIC.: el uso *de* ~ *a por de* ~ *con.*

acuerpar *tr. Amér. Central.* Respaldar, defender.

acuicultivo *m.* ZOOL. Incremento de la fauna acuática.

acuicultura *f.* Técnica de dirigir y fomentar la reproducción de peces, moluscos y algas en agua dulce o salada.

acuidad *f.* Agudeza. 2 Visión clara y distinta de los objetos.

acuífero, -ra *adj.* Que lleva agua.

acuilmarse *prnl. Amér. Central.* Afligirse, acobardarse.

acular *tr.* Hacer que [un animal o un carro] quede arrimado por detrás.

aculatar *tr.* Apoyar adecuadamente la culata de la escopeta en el hombro.

aculeado, -da *adj.* Que tiene pinchos. 2 ZOOL. Provisto de aguijón.

aculeiforme *adj.* Que tiene forma de aguijón.

acullá *adv. l.* En parte alejada del que habla.

acullicar *tr. Argent., Bol., Chile y Perú.* Formar el acullico. ◇ ** CONJUG. [1] como *sacar.*

acullico *m. Amér.* Pasta de coca que se masca.

acuminado, -da, acumíneo, -a *adj.* Que, disminuyendo gradualmente, termina en punta: **hoja acuminada.

acumulador, -ra *adj.-s.* Que acumula. – 2 *m.* FÍS. Pila reversible que almacena energía durante la carga y la restituye parcialmente durante la descarga.

acumular *tr.* Juntar y amontonar.

acumulativo, -va *adj.* Que acumula.

acunar *tr.* Mecer [al niño] en la cuna, y por extensión entre los brazos.

I) acuñar *tr.* Imprimir [monedas, medallas, etc.] por medio de cuño o troquel. 2 Hacer o fabricar [moneda].

II) acuñar *tr.* Meter cuñas. 2 fig. Dar forma a expresiones o conceptos, especialmente cuando logra difusión o permanencia: ~ *un lema.*

acuocultivo *m.* BOT. Cultivo de las plantas sin tierra.

acuoso, -sa *adj.* Abundante en agua. 2 De

agua o relativo a ella. 3 p. ext. De mucho jugo: *fruta acuosa.*

acupuntura *f.* MED. Punción con una aguja. 2 Terapéutica del Extremo Oriente que consiste en hacer punciones con finas agujas dispuestas en puntos especiales del cuerpo.

acurrucarse *prnl.* Encogerse para resguardarse del frío, viento, etc. ◇ ** CONJUG. [1] como *sacar.*

acusación *f.* Acción de acusar (imputar; notar). 2 Escrito o discurso en que se acusa.

acusado, -da *m. f.* Persona a quien se acusa. – 2 *adj.* GALIC. Sobresaliente, que resalta.

acusar *tr.* Imputar [a uno] algún delito o cosa vituperable: *en algunos pasajes te acusarán de dureza; fue acusado de asesinato por el fiscal.* 2 Avisar o notificar [el recibo] de cartas, oficios, etc. 3 En ciertos juegos de naipes, manifestar el jugador que tiene [determinadas cartas] con las que se ganan tantos. 4 DEP. Mostrar un atleta o jugador [inferioridad o falta de preparación física]; reflejar [los efectos de un golpe recibido], etc. – 5 *prnl.* Confesar, declarar uno sus culpas. ◇ GALIC.: revelar, manifestar: *acusa satisfacción.*

acusativo *m.* GRAM. Caso de la declinación en que se pone la palabra que expresa el objeto inmediato de la acción del verbo.

acusatorio, -ria *adj.* Relativo a la acusación: *acto* ~; *delación acusatoria.*

acuse *m.* Acción de acusar (notificar; en el juego): ~ *de recibo.* 2 Efecto de acusar (notificar; en el juego). 3 Carta que en el juego sirve para acusar.

acusetas, -ete *m. Amér.* Acusón, soplón.

acusica, acusique *adj.* Acusón, delator, soplón. Se usa generalmente entre los niños.

acusón, -sona *adj.-s.* fam. Que tiene el vicio de acusar.

acústica *f.* Parte de la física que trata del sonido y de todo lo que a él se refiere. 2 Condiciones acústicas de un local.

acústico, -ca *adj.* Relativo al órgano del oído. 2 Relativo a la acústica. 3 Favorable para la reproducción o propagación del sonido.

acutángulo *adj.* GEOM. V. triángulo acutángulo.

achabacanamiento *m.* Chabacanería (falta de gusto). 2 Proceso por el cual [algo o alguien] se hace chabacano.

achabacanar *tr.-prnl.* Hacer chabacano [algo].

achacar *tr.* Atribuir, imputar [algo] a uno: *me achacan mil mentiras.* ◇ ** CONJUG. [1] como *sacar.*

achacosidad *f.* Predisposición o tendencia a sufrir achaques.

achacoso, -sa *adj.* Que padece achaque (indisposición). 2 Indispuesto, levemente enfermo.

achampañado, -da *adj.* [bebida] Que imita al vino de Champaña: *sidra achampañada.*

achantarse *prnl.* Acobardarse. 2 fam. Conformarse. 3 fam. Callarse. 4 *Amér.* Detenerse, estacionarse en un lugar.

achaparrado, -da *adj.* Relativo a las cosas bajas y extendidas. 2 fig. Rechoncho.

achaque *m.* Indisposición habitual. 2 Excusa o pretexto.

¡achará! *Amér. Central.* Interjección con que se denota lástima.

acharar *tr.-prnl.* Avergonzar, azarar, sobresaltar.

acharolado, -da *adj.* Parecido al charol.

achatar *tr.-prnl.* Poner chata [una cosa].

achicado, -da *adj.* Aniñado. 2 Cobarde.

achicar *tr.-prnl.* Amenguar el tamaño [de una cosa]. 2 fig. Humillar, acobardar. – 3 *tr.* Extraer [el agua] de una mina, embarcación, etc. 4 DEP. Lanzar [un balón, pelota, bola, etc.] lo más lejos posible sin intención de crear jugada. 5 *Amér. Central.* Sujetar o amarrar. ◇ ** CONJUG. [1] como *sacar.*

achicoria *f.* Planta compuesta, de hojas y raíces amargas que se usan como febrífugo y estomacal; esp., la variedad llamada amarga, que se usa también para falsificar el café *(Cichorium intybus).*

achicharradero *m.* Lugar donde hace mucho calor.

achicharrante *adj.* [calor] Muy fuerte, que achicharra.

achicharrar *tr.-prnl.* Freír, asar o tostar [un manjar] hasta que tome sabor a quemado. 2 En general, calentar demasiado: *este sol achicharra.* – 3 *tr.* fig. Molestar con exceso [a uno]. 4 fig. Matar con arma de fuego, acribillar a balazos. 5 *Amér.* Estrujar, aplastar [algo].

achicharronar *tr. Amér. Central.* Achicharrar.

achinado, -da *adj.-s.* Persona que por los rasgos de su rostro se parece a los naturales de China. 2 p. ext. Que tiene semejanza con los usos y caracteres o rasgos chinos. 3 *Amér.* De costumbres vulgares. 4 *Amér.* De tez trigueña y algo cobriza.

achingar *tr. Amér. Central.* Acortar, achicar [vestidos]. ◇ ** CONJUG. [7] como *llegar.*

achira *f. Amér.* Planta alismácea de América meridional, de tallo nudoso y flor colorada *(Sagittaria montevidensis).* 2 *Amér. Merid.* Planta del Perú, cannácea y de raíz comestible *(Canna edulis).*

achispar *tr.-prnl.* Poner casi ebrio [a uno].

acholado, -da *adj. Amér.* Que tiene la tez del mismo color que la del cholo. 2 *Amér.* Avergonzado, corrido.

acholar *tr.-prnl. Amér.* Correr, avergonzar, amilanar [a uno].

achubascarse *prnl.* Cubrirse el cielo de nubarrones que amenazan lluvia. ◇ ** CONJUG. [1] como *sacar.*

achucutar *tr.-prnl. Amér. Central* y *Amér. Merid.* Abatir, humillar, sonrojar.

achuchado, -da *adj.* fam. Complicado, intrincado, difícil. 2 fig. *y* fam. Escaso de dinero: *no voy al cine porque estoy ~.*

achuchar *tr.* fam. Aplastar, estrujar con fuerza [una cosa]. 2 Empujar una persona [a otra].

achucharrar *tr. Amér.* Achuchar, aplastar con la fuerza de algún golpe o peso.

achuchón *m.* fam. Empujón, embestida.

achunchar *tr.-prnl. Bol., Chile, Ecuad.* y *Perú.* Asustar, amedrentar, avergonzar [a uno].

achura *f. Amér. Merid.* Intestino o menudo del animal vacuno, lanar o cabrío.

achurruscar *tr.-prnl. Amér.* Comprimir, apretar. – 2 *prnl. Colomb., Ecuad.* y *Guat.* Encogerse, ensortijarse. ◇ ** CONJUG. [1] como *sacar.*

I) adagio *m.* Sentencia breve y generalmente moral.

II) adagio *m.* MÚS. Movimiento lento del ritmo musical. 2 MÚS. Composición, o parte de ella, en este movimiento: *un ~ cantado.*

adaguar *intr.* Beber el ganado. ◇ ** CONJUG. [22] como *averiguar.*

adalid *m.* Caudillo de gente de guerra. 2 p. ext. Guía; cabeza de algún partido o escuela.

adamantino, -na *adj.* Diamantino.

adamascar *tr.* Labrar [telas] con labores parecidas a las del damasco. ◇ ** CONJUG. [1] como *sacar.*

adán *m.* fig. *y* fam. Hombre desaliñado o haraposo. 2 Hombre apático y descuidado.

adanismo *m.* Hábito de comenzar una actividad cualquiera como si nadie la hubiera ejercitado anteriormente.

adaptable *adj.* Capaz de ser adaptado.

adaptación *f.* Acción de adaptar o adaptarse. 2 Efecto de adaptar o adaptarse. 3 ZOOL. Proceso por el que un animal se acomoda al medio ambiente y a los cambios de éste.

adaptador *m.* Aparato que permite adaptar un mecanismo eléctrico para diversos usos.

adaptar *tr.* Acomodar, ajustar [una cosa] a otra: *~ una cosa al uso; adaptarse al uso.* 2 Hacer que [un objeto o un mecanismo] desempeñe funciones distintas de aquellas para las que fueron construidos. 3 Modificar [una obra científica, literaria, musical, etc.] para que pueda difundirse entre público distinto de aquel al cual iba destinada o por otro procedimiento diferente del original: *obra de teatro adaptada al cine.* – 4 *tr.-prnl.* fig. Acomodarse, avenirse a circunstancias, condiciones, etc.

adarga *f.* Escudo de cuero ovalado o acorazonado; **armadura.

adarme *m.* fig. Porción mínima de una cosa: *por adarmes.*

addenda *m.* Adiciones o complementos de una obra escrita.

adecentar *tr.-prnl.* Poner decente [a alguien o algo]: *adecentarse para salir;* ~ *el salón.*

adecuado, -da *adj.* Proporcionado, acomodado.

adecuar *tr.-prnl.* Proporcionar, acomodar [una cosa] a otra. ◇ ** CONJUG. [10].

adefesiero, -ra *adj. Amér.* Que dice o hace adefesios o despropósitos.

adefesio *m.* fam. Disparate, extravagancia: *dice muchos adefesios.* 2 Traje o adorno ridículo. 3 Persona muy fea o extravagante.

adehala *f.* Lo que se da de gracia o se fija como obligación sobre un precio. 2 Lo que se agrega de gajes a un sueldo.

adelantado, -da *adj.* Precoz. 2 fig. Atrevido, imprudente. 3 *Por* ~, anticipadamente.

adelantamiento *m.* Acción de adelantar o adelantarse. 2 Efecto de adelantar o adelantarse. 3 fig. Medra, mejora.

adelantar *tr.-prnl.* Mover o llevar hacia adelante [una cosa]: *adelantó el regimiento; el regimiento se adelantó* ; ~ *el tiro,* en la caza, disparar con un tiro que resulta largo; hablando del reloj, correr hacia adelante las agujas; tocar el registro para que marche más aprisa; hacer que señale tiempo no llegado todavía; *intr.-prnl.,* andar con más velocidad que la debida. 2 fig. Exceder [a uno], aventajarle: ~ *a los demás; adelantarse de los demás; adelantarse a sí mismo.* – 3 *tr.* Acelerar, apresurar: ~ *el paso.* 4 Anticipar: ~ *el pago.* 5 Hacer progresar [alguna materia]: *Durero adelantó el dibujo.* 6 Sobrepasar un vehículo [a otro que circula en la misma dirección]: *la moto adelantó al camión por la izquierda.* – 7 *intr.* Progresar en estudios, medrar, etc.: *este niño adelanta mucho.* – 8 *tr.* DEP. Enviar un jugador [la pelota, el balón, la bola, etc.] hacia otro de su mismo equipo situado más cerca de la portería contraria.

adelante *adv. l.* Más allá: *no podemos ir* ~; *venía un hombre por el camino* ~; *vamos carretera* ~. – 2 *adv. t.* Con algunas preposiciones o adverbios denota tiempo futuro: *en* ~; *para en* ~; *de aquí* ~.

¡adelante! Interjección con que se autoriza la entrada o se anima a seguir haciendo o emprender algo.

adelanto *m.* Anticipo: *este mes he tenido que pedir un* ~ *al jefe.* 2 Progreso: *los adelantos científicos.*

adelfa *f.* Arbusto de hojas lanceoladas, coriáceas, persistentes y venenosas, flores grandes de varios colores y fruto en folículo *(Nerium oleander).*

adelfilla *f.* Mata timeleácea, de hojas persistentes, flores en racimillos axilares y fruto ovalado *(Daphne laureola).*

adelgazamiento *m.* Acción de adelgazar o

adelgazarse. 2 Efecto de adelgazar o adelgazarse.

adelgazar *tr.-prnl.* Poner delgada [a una persona o cosa]. – 2 *intr.* Enflaquecer. ◇ ** CONJUG. [4] como *realizar.*

ademán *m.* Movimiento o actitud con que se manifiesta un afecto del ánimo: *con triste* ~; *hizo* ~ *de huir.* – 2 *m. pl.* Modales.

además *adv. c.* A más de esto o aquello: ~ *de Platón pueden alegarse otros autores.* 2 También: *dijo* ~ *que no volvería.*

ademe *m.* Madero para entibar. 2 Cubierta de madera con que se aseguran los tiros, pilares, etc., en los trabajos subterráneos.

adensar *tr.-prnl.* Condensar.

adentellar *tr.* Hincar los dientes [en una cosa].

adentrar *intr.* Penetrar con el examen o análisis en lo interior de un asunto. – 2 *prnl.* Penetrar en lo interior de una cosa.

adentro *adv. l.* A o en lo interior: *ven* ~; *se retiraron* ~ *para descansar.* – 2 *m. pl.* Lo interior del ánimo: *en sus adentros piensa de otro modo.*

¡adentro! Interjección con que se autoriza o anima a entrar.

adepto, -ta *adj.-s.* Iniciado en los secretos de la alquimia. 2 Afiliado en alguna secta o asociación. 3 Partidario de alguna persona o idea.

aderezar *tr.-prnl.* Componer, hermosear: ~ *a su hija; aderezarse sin gusto.* – 2 *tr.* Condimentar, sazonar [los manjares]. 3 fig. Acompañar [una acción] con algo que le añade gracia o adorno. ◇ ** CONJUG. [4] como *realizar.*

aderezo *m.* Acción de aderezar o aderezarse. 2 Efecto de aderezar o aderezarse. 3 Aquello con lo que se aderezar. 4 Disposición de lo necesario para una cosa. 5 Juego de joyas con que se adornan las mujeres.

adeudar. *tr.-prnl.* Deber [dinero], endeudarse.

adherencia *f.* Acción y efecto de adherir o adherirse (pegar). 2 Efecto de la fuerza de la adhesión. 3 Rozamiento en la superficie de contacto de dos cuerpos, de forma que uno se desliza sobre otro.

adherente *adj.* Que adhiere o se adhiere.

adherir *intr.-prnl.* Pegarse una cosa con otra: *la hiedra adhiere,* o *se adhiere, al tronco.* 2 Convenir en un dictamen; abrazar una doctrina, partido, etc.: ~, o *adherirse, al dictamen.* ◇ ** CONJUG. [35] como *hervir.* Hoy se usa casi siempre como pronominal; muy raramente como intransitivo.

adhesión *f.* Fuerza molecular de atracción que se manifiesta entre cuerpos en contacto. 2 Apoyo, asenso, consentimiento: *el país ha mostrado una gran* ~ *con los damnificados; el líder comunista ha manifestado públicamente su* ~ *a la República.*

adhesivo, -va *adj.-s.* Capaz de adherirse o pegarse: *esparadrapo* ~. – 2 *m.* Substancia que, interpuesta entre dos cuerpos, sirve para pegarlos.

adicción *f.* Sumisión del individuo a un producto o a una conducta de la que no puede o no es capaz de liberarse. 2 Hábito de quienes se dejan dominar por el consumo de estupefacientes.

adición *f.* Acción de añadir o agregar. 2 Efecto de añadir o agregar. 3 Operación de sumar. 4 Añadidura en alguna obra o escrito. ◇ INCOR.: *adicción.*

adicional *adj.* Que se añade a una cosa.

adicionar *tr.* Hacer o poner adiciones [a una cosa]. 2 Sumar.

adictivo, -va *adj.* Que crea necesidad y hábito en su empleo repetido; se aplica especialmente a las drogas.

adicto, -ta *adj.-s.* Dedicado, apegado. 2 Partidario. 3 Persona dominada por el uso de ciertas drogas y que no puede renunciar a ellas.

adiestrar *tr.-prnl.* Hacer diestro [a uno]: *adiestrarse a esgrimir la espada en la lucha.* 2 En general, enseñar, instruir. – 3 *tr.* fig. Guiar, encaminar.

adinerado, -da *adj.* Que tiene mucho dinero.

adiós *m.* Despedida. ◇ Pl.: *adioses.*

¡adiós! Interjección con que se saluda o despide. 2 Interjección con que se denota asombro o sorpresa: *¡~, qué tortazo!* ◇ La acepción 2 sólo se usa antepuesta a una oración exclamativa.

adiposidad *f.* Calidad de adiposo. 2 Gordura, exceso de tejido adiposo.

adiposis *f.* Obesidad. ◇ Pl.: *adiposis.*

adiposo, -sa *adj.* Grasiento, lleno de gordura; de la naturaleza de la grasa. V. célula adiposa, tejido ~.

aditamento *m.* Añadidura.

aditivo, -va *adj.* Que puede o debe añadirse. 2 [substancia] Que se agrega a otras para aumentar o mejorar sus cualidades.

adivinanza *f.* Acertijo.

adivinar *tr.* Descubrir [las cosas ocultas] por medios sobrenaturales. 2 Descubrir [lo que no se sabe] por conjeturas o sin fundamento lógico. 3 Acertar lo que quiere decir [un enigma].

adivino, -na *m. f.* Persona que adivina.

adjetivación *f.* Acción de adjetivar o adjetivarse. 2 Conjunto de adjetivos o modo de adjetivar peculiar de un escritor, una época, un estilo, etc.

adjetivamente *adv. m.* A manera de adjetivo. 2 Con significación o valor de adjetivo. 3 fig. De modo no esencial.

adjetivar *tr.* GRAM. Aplicar adjetivos [a un substantivo]. 2 p. ext. Calificar, apodar. 3 GRAM. Convertir en adjetivo una palabra o grupo de palabras.

adjetivo, -va *adj.* Que se refiere a una cualidad o accidente; que no tiene existencia independiente: *una cuestión adjetiva.* 2 GRAM. Que pertenece al adjetivo o que participa de su índole o naturaleza. – 3 *m.* Parte de la oración que se aplica a un substantivo para designar una cualidad o limitar su extensión: ~ *calificativo,* el que expresa una cualidad del substantivo: *casa blanca, niño estudioso;* ~ *comparativo,* el que denota comparación como *mayor, mejor,* etc.; ~ *determinativo,* el que señala la extensión en que se toma el substantivo: *este libro, algunos libros.* Pueden ser *numerales, posesivos, demostrativos* e *indefinidos.* V. los artículos correspondientes; ~ *gentilicio,* el que denota la gente o patria de las personas: *español, castellano;* ~ *multiplicativo,* el que multiplica; ~ *numeral,* el que significa número: *dos, segundo, doble;* ~ *cardinal,* el numeral que expresa simplemente número entero: *tres;* ~ *ordinal,* el numeral que sirve para contar por orden: *tercero;* ~ *partitivo,* el numeral que indica una parte del número entero: *tercio;* ~ *múltiplo* o *proporcional,* el numeral que indica el número de veces: *triple;* ~ *positivo,* el de significación absoluta: *grande* respecto de *mayor, máximo,* etc.; ~ *superlativo,* el que denota el sumo grado de la calidad que con él se expresa: *justísimo, celebérrimo.* 4 *Oración adjetiva,* la subordinada introducida por un pronombre relativo o palabra equivalente. 5 *Frase adjetiva,* la equivalente a un adjetivo: *árbol sin hojas* (deshojado)*; amor de madre* (materno)*; café con azúcar* (azucarado). Se forma con substantivo precedido de preposición. ◇ V. aumentativo, comparativo, compuesto, derivado, despectivo, diminutivo, étnico, gentilicio, parasintético, positivo, primitivo, simple, superlativo, verbal. V. Apéndice gramatical.

adjudicar *tr.* Declarar que [una cosa] corresponde a una persona o conferírsela en satisfacción de un derecho. – 2 *prnl.* Apropiarse uno una cosa. 3 fig. En algunas competiciones, obtener, ganar, conquistar. ◇ ** CONJUG. [1] como *sacar.*

adjudicatario, -ria *m. f.* Persona física o jurídica a quien se adjudica algo, especialmente la ejecución de obras o suministros de productos.

adjuntar *tr.* Acompañar o remitir adjunta alguna cosa: *adjunto una muestra.*

adjunto, -ta *adj.* Unido con otra cosa. – 2 *adj.-s.* [pers.] Que acompaña a otra para entender en un trabajo.

adminículo *m.* Objeto que se lleva como prevención en caso de necesidad.

administración *f.* Acción de administrar: ~ *pública,* acción del poder público al aplicar las leyes y cuidar de los intereses públicos; conjunto de órganos de que se sirve. 2 Cargo de administrador y oficina donde ejerce su cargo: ~ *de correos,* casa o dependencia donde se ejecutan las operaciones necesarias para el envío y recepción del correo.

administrado, -da *adj.-s.* Persona sometida a la jurisdicción de una autoridad administrativa.

administrador, -ra *adj.-s.* Que administra. – 2 *m. f.* Persona que administra bienes ajenos.

administrar *tr.* Gobernar, regir: ~ *la república, una propiedad, los bienes.* 2 Servir o ejercer [un empleo]: ~ *la secretaría.* 3 Suministrar, aplicar: *tuvieron que administrarle un calmante; ayer le administraron los sacramentos.* 4 vulg. y irón. Propinar, dar: ~ *una paliza.* – 5 *tr.-prnl.* Graduar o dosificar el uso de alguna cosa, para obtener mayor rendimiento de ella o para que produzca mejor efecto: *tendrás que administrarte durante el curso, si quieres ir en verano de vacaciones.*

administrativo, -va *adj.* Relativo a la administración. – 2 *adj.-s.* [pers.] Que tiene por oficio administrar. 3 Empleado público o privado que trabaja en una oficina, generalmente encargado de la gestión burocrática.

admiración *f.* Acción de admirar o admirarse. 2 Cosa admirable. 3 GRAM. Signo ortográfico [¡ !] usado para expresar admiración, interjección, exclamación, énfasis.

admirador, -ra *adj.-s.* Que admira: ~ *secreto.*

admirar *tr.* Ver o contemplar con sorpresa, placer o entusiasmo [una cosa]: *admirábamos su talento;* ~ *un cuadro;* ~ *a los grandes capitanes.* 2 Causar una cosa sorpresa o placer: *su talento admiraba a todo el mundo.* 3 Tener en singular estima [a una persona o cosa que de algún modo sobresale en su línea]. – 4 *prnl.* Asombrarse: *se admiraban de su talento.*

admirativo, -va *adj.* Capaz de causar admiración. 2 Admirado o maravillado. 3 Que denota admiración.

admisión *f.* Acción de admitir. 2 Recepción.

admitir *tr.* Recibir o dar entrada [a uno]. 2 Aceptar (recibir): ~ *en cuenta.* 3 Permitir o sufrir: *esta causa no admite dilación.* 4 Tener cierta cabida o capacidad.

admonición *f.* Amonestación. 2 Reconvención.

admonitorio, -ria *adj.* Con carácter de admonición: *carta admonitoria.*

adobar *tr.* Poner en adobo [las carnes u otras cosas] para conservarlas. 2 p. ext. Mejorar [los vinos]. 3 Curtir [los pieles].

adobe *m.* Masa de barro moldeada en forma de ladrillo y secada al sol. 2 *Amér. Merid.* fig. Pie muy grande.

adobera *f.* Molde para hacer adobes.

I) adobería *f.* Fábrica de adobes.

II) adobería *f.* Curtiduría, tenería.

adobo *m.* Acción de adobar. 2 Efecto de adobar. 3 Salsa o caldo para sazonar y conservar las carnes y otros manjares. 4 Carne adobada, generalmente la de cerdo.

adocenado, -da *adj.* Vulgar y de muy escaso mérito.

adocenar *tr.* Ordenar por docenas o dividir en docenas. – 2 *tr.-prnl.* Confundir [a uno] entre gentes de calidad inferior.

adoctrinar *tr.* Instruir [a uno], especialmente en lo que debe decir o hacer.

adolecer *intr.* Caer enfermo o padecer alguna enfermedad. 2 fig. Tener algún defecto o vicio: *este discurso adolece de languidez.* ◇ ** CONJUG. [43] como *agradecer.* ◇ INCOR.: por *carecer.*

adolescencia *f.* Edad que sucede a la infancia; transcurre desde que aparecen los primeros indicios de la pubertad hasta el desarrollo completo del cuerpo.

adolescente *adj.-s.* Que está en la adolescencia.

adonde *adv. l.* A qué parte o a la parte que (con verbos de movimiento): *le indicó* ~ *podía dirigirse; fuimos* ~ *me llevó; ¿adónde vas?* 2 Donde.

adondequiera *adv. l.* A cualquier parte. 2 Dondequiera.

adonis *m.* fig. Mancebo hermoso. ◇ Pl.: *adonis.*

adopción *f.* Acción de adoptar.

adoptar *tr.* Prohijar: ~ *a uno por hijo.* 2 Admitir [alguna opinión o doctrina] considerándola como propia. 3 Tomar [resoluciones o acuerdos] con previa deliberación: ~ *una ley.* 4 Adquirir, recibir una configuración determinada.

adoptivo, -va *adj.* [pers.] Adoptado o que adopta: *hijo* ~; *padre* ~. 2 [cosa] Que uno elige por adopción: *hermano* ~; *patria adoptiva.*

adoquín *m.* Piedra labrada en forma de prisma rectangular, para pavimentación y otros usos. 2 Sillar pequeño, sillarejo. 3 fig. Hombre torpe y rudo. 4 Caramelo de gran tamaño y de forma de prisma rectangular.

adoquinado *m.* Pavimento hecho con adoquines. 2 Acción de adoquinar.

adoquinar *tr.* Pavimentar [una vía pública, un espacio] con adoquines.

adorador, -ra *adj.-s.* Que adora. 2 fig. Enamorado, pretendiente de una mujer: *sus adoradores eran muchos.*

adorar *tr.* Reverenciar y honrar [a Dios] con el culto religioso: ~ *en espíritu y en verdad.* 2 p. ext. Reverenciar [a un ser] como cosa divina; esp., prosternarse los cardenales [ante el papa] después de haberle elegido. 3 fig. Amar [a uno] con extremo. 4 fig. Gustar de algo extremadamente. – 5 *intr.* Orar, hacer oración.

adormecer *tr.* Dar o causar sueño [a uno].
2 Calmar, sosegar: *el opio adormece los dolores.*
– 3 *prnl.* Empezar a dormirse. 4 p. ext. Entorpecerse, entumecerse. ◇ ** CONJUG. [43]
como *agradecer.*

adormecimiento *m.* Acción de adormecer
o adormecerse. 2 Efecto de adormecer o adormecerse. 3 Sueño muy pesado, modorra.

adormidera *f.* Planta papaverácea, de hojas
anchas y abrazadoras, flores blancas y terminales y fruto capsular, del cual se extrae el
opio *(Papaver somniferum).* 2 Fruto de esta
planta.

adormilarse *prnl.* Dormirse a medias.

adornar *tr.-prnl.* Engalanar [algo] con adornos: ~ *con,* o *de, tapices.* 2 Servir de adorno una
cosa a [otra]. 3 fig. Concurrir [en una persona]
ciertas prendas o circunstancias favorables: *las
cualidades que adornan a tu amigo.* 4 fig. Dotar
[a un ser] de perfecciones, honrarlo.

adornista *com.* Persona que tiene por oficio
hacer o poner adornos, especialmente en los
edificios.

adorno *m.* Lo que sirve para hermosear a
personas y cosas: *adornos de Navidad.*

adorote *m. Amér. Merid.* Angarillas de
forma ovalada.

adosar *tr.* Arrimar [una cosa] por su espalda
o envés a otra. 2 BLAS. Colocar espalda con
espalda.

adpreso, -sa *adj.* [hoja, pelo, etc.] Aplicado
al eje en que se inserta, no soldado.

adquirir *tr.* Ganar, conseguir, comprar,
empezar a poseer [algo]: ~ *una fortuna, una
enfermedad, una buena reputación, una finca.* ◇
** CONJUG. [30].

adquisición *f.* Acción de adquirir. 2 Cosa
adquirida. 3 fig. Persona cuyos servicios o
ayuda, adquiridos recientemente, se consideran valiosos.

adquisitivo, -va *adj.* Que sirve para adquirir: *título ~; prescripción adquisitiva; poder ~.*

adral *m.* Zarzo o tabla que se pone, con
otros, en el carro para que no se caiga lo que
va en él.

adrede, adredemente *adv. m.* De propósito, con deliberada intención.

adrenalina *f.* Hormona segregada por las
glándulas suprarrenales, que aumenta la presión sanguínea y estimula el sistema nervioso
central.

adriático, -ca *adj.* Perteneciente o relativo
al mar Adriático, o a los territorios que baña:
playas adriáticas.

adrollero *m.* El que compra o vende con
engaño.

adscribir *tr.* Inscribir, atribuir [algo] a una
persona o cosa. 2 Agregar [una persona] al servicio de un cuerpo o entidad. ◇ CONJUG.: pp.
irreg.: *adscrito* o *adscripto.*

adscripción *f.* Acción de adscribir. 2 Efecto
de adscribir.

adsorber *tr.* FÍS. Retener por adsorción.

adsorción *f.* FÍS. Retención o adherencia de
un líquido o gas en la superficie de un cuerpo.

adstrato *m.* LING. Lengua cuyo territorio es
contiguo al de otra, sobre la cual influye; p.
ext., lengua que, compartiendo con otra una
determinada área geográfica, influye sobre
ella; y también la que, en un momento dado,
ejerce su influencia sobre otra, aunque no
exista entre ambas contigüidad territorial. 2
Acción que una lengua ejerce sobre otra terri-
torialmente contigua; o sobre la que comparte
el mismo territorio, o sobre otra a la que, sin
ser vecina, le comunica algunos rasgos en un
momento determinado. 3 Rasgo que una lengua comunica a la que se halla en su territorio
vecino, a la que comparte con ella el mismo
territorio o a la que, sin ser vecina, recibe su
influjo en un momento dado.

aduana *f.* Oficina pública donde se registran
los géneros y mercaderías que se importan o
exportan, y se cobran los derechos que adeudan.

aduanero, -ra *adj.* Relativo a la aduana.
– 2 *m.* Empleado en la aduana.

adúcar *m.* Seda que rodea exteriormente el
capullo del gusano de seda. 2 Tela de adúcar.

aducción *f.* Movimiento por el cual un
miembro o un órgano cualquiera se acerca al
plano medio del cuerpo: ~ *del brazo.*

aducir *tr.* Presentar, alegar [pruebas, razo-
nes]. 2 Añadir (agregar). ◇ ** CONJUG. [46]
como *conducir.* ◇ INCOR.: *aduciste.*

aductor *adj.-s.* Músculo que sirve para producir aducción. 2 Conducto subterráneo de
caños para la distribución del agua, gas, etc.

adueñarse *prnl.* Apoderarse de una cosa.
2 Hacerse dominante algo en una persona o
en un conjunto de personas: *la santidad se
adueñó de Teresa.*

adular *tr.* Halagar [a uno] servilmente, para
ganar su voluntad. 2 Deleitar, agradar.

adulterar *intr.* Cometer adulterio. – 2 *tr.-
prnl.* fig. Desnaturalizar [una cosa] mezclándole una substancia extraña: ~ *el vino.*

adulterino, -na *adj.-s.* Relativo al adulterio. 2 Procedente de él. 3 fig. Falso, falsificado.

adulterio *m.* Ayuntamiento carnal voluntario entre persona casada y otra de distinto
sexo que no sea su cónyuge.

adúltero, -ra *adj.-s.* Que comete adulterio.
– 2 *adj.* fig. Viciado, corrompido.

adultez *f.* Condición de adulto; edad adulta.
2 *Amér. Central.* Virilidad.

adulto, -ta *adj.-s.* [ser vivo] Que ha llegado
a su madurez y puede reproducirse: *persona
adulta; animal ~.* 2 fig. Llegado a su
mayor grado de perfección: *lenguas adultas.*

adustez *f.* Calidad de adusto. 2 Ceño, aspereza, desabrimiento.

adusto, -ta *adj.* fig. Quemado, tostado, ardiente: *terreno ~; región adusta.* 2 fig. Seco, rígido, desabrido en el trato: *hombre de ~ carácter.*

advenedizo, -za *adj.-s.* Extranjero o forastero. 2 desp. [pers.] Que va sin empleo u oficio a establecerse en un lugar. 3 [pers.] De origen humilde que pretende figurar entre gentes de más alta condición social. 4 No natural, adventicio.

advenimiento *m.* Venida. 2 Ascenso de un sumo pontífice o de un soberano al trono.

adventicio, -cia *adj.* Extraño o que sobreviene, a diferencia de lo natural o propio. 2 Unido accidentalmente a un cuerpo. 3 [planta] Que crece en un terreno de cultivo sin haber sido plantada. 4 [órgano animal o vegetal] Que se desarrolla ocasionalmente, o fuera de su lugar habitual: **raíz *adventicia;* ***tallo ~.*

adventista *adj.-s.* Secta americana que espera un nuevo advenimiento de Cristo. – 2 *adj.-com.* Partidario de dicha secta.

adverbial *adj.* Relativo al adverbio o que participa de su índole o naturaleza: *frase, modo, locución ~; oración ~,* la subordinada que desempeña el papel de adverbio de la oración principal.

adverbio *m.* Parte invariable de la oración que modifica la significación del verbo, del adjetivo o de otro adverbio: *~ de cantidad,* el que expresa modificaciones cuantitativas, extensivas o intensivas (*más, menos, casi, mucho,* etc.); *~ de duda,* el que expresa la incertidumbre del hablante ante lo significado por el verbo (*quizás, acaso,* etc.); *~ de afirmación,* el que asevera el significado del verbo o de toda la oración (*sí, cierto, ciertamente, también,* etc.); *~ de tiempo,* el que expresa modificaciones temporales (*ayer, antes, hoy, después,* etc.). ◊ Por su función los adverbios se clasifican en: *interrogativos, demostrativos, relativos* y *correlativos.* V. estos artículos y los siguientes: *comparativo, superlativo, aumentativo* y *diminutivo.* V. Apéndice gramatical.

adversario, -ria *m. f.* Persona o colectividad contraria, enemiga, rival o competidora.

adversativo, -va *adj.-f.* GRAM. *Oración adversativa,* la coordinada que implica o denota oposición o contrariedad de concepto o sentido. 2 GRAM. ***Conjunción adversativa,* la que enlaza oraciones de esta clase.

adversidad *f.* Calidad de adverso. 2 Infortunio.

adverso, -sa *adj.* Contrario, desfavorable: *~ a la patria; hado ~.* 2 Opuesto materialmente a otra cosa.

advertencia *f.* Acción de advertir. 2 Efecto de advertir. 3 Nota o escrito breve en que se advierte algo al lector, especialmente en libros, periódicos, etc.

advertido, -da *adj.* Capaz, experto, avisado.

advertir *tr.-intr.* Fijar [en algo] la atención; reparar: *~ la gala y artificio de un escrito; sólo pude ~ los colores, que eran encarnado y blanco.* – 2 *tr.* Llamar la atención [de uno] sobre algo: *tengo muchas cosas que advertiros.* 3 Aconsejar, avisar: *esta diligencia les advirtió el asturiano.* 4 Atender, tener en cuenta: *~ el daño que sobrevendrá.* – 5 *prnl.* Caer en la cuenta: *les ocuparon las puertas antes de que ellos se advirtiesen.* ◊ ** CONJUG. [35] como *hervir.*

adviento *m.* Tiempo del año litúrgico que comprende las cuatro semanas que preceden a la fiesta de la Natividad de Jesucristo.

advocación *f.* Título que se da a un templo, capilla, altar o imagen: *poner bajo la ~ de la Virgen.*

adyacencia *f.* Contigüidad, proximidad.

adyacente *adj.* Inmediato, próximo: *ángulo ~.*

adyuvante *adj.* Que ayuda.

aeración *f.* Ventilación. 2 Acción terapéutica del aire atmosférico. 3 Introducción de los elementos del aire en las aguas potables o medicinales.

aéreo, -a *adj.* De aire. 2 Relativo al aire. 3 fig. Sutil. 4 fig. Fantástico, sin fundamento. 5 BOT. [órgano] Que no es subterráneo.

aerícola *adj.* [planta y animal] Que vive en el aire.

aerífero *adj.* Que conduce aire: *vías aeríferas; tejido ~,* tejido por el que puede circular el aire por dentro de una planta.

aerificación *f.* QUÍM. Operación consistente en hacer pasar al estado gaseoso un cuerpo sólido o líquido.

aeriforme *adj.* FÍS. Parecido al aire: *fluidos aeriformes.*

aerobic *m.* Gimnasia rítmica acompañada de música y coordinada con el ritmo respiratorio, conducente a la activación de la circulación sanguínea y a reforzar los músculos.

aerobio *adj.* [ser vivo] Que necesita del aire para subsistir. – 2 *m.* Microorganismo, especialmente bacteria, que necesita el oxígeno para desarrollarse.

aerobús *m.* Avión de gran capacidad, de bajo consumo de combustible y poco ruido, para el transporte de pasajeros a cortas y medias distancias.

aerocisto *m.* BOT. Conjunto de órganos huecos, cerrados y llenos de aire, que poseen varias algas, de los cuales se sirven para flotar en el agua.

aeroclub *m.* Centro donde reciben formación los pilotos civiles.

aerodinámica *f.* Parte de la mecánica que estudia el movimiento de los gases sobre los cuerpos estacionados y el comportamiento de los cuerpos que se mueven en el aire.

aerodinámico, -ca *adj.* Relativo a la aerodinámica. 2 [forma] Que reduce al mínimo la resistencia del aire en el desplazamiento de un objeto. – 3 **adj-s.** [vehículo] Que tiene esta forma.

aerodinamismo *m.* Calidad de aerodinámico.

aeródromo *m.* Terreno habilitado para permitir el despegue y aterrizaje de aviones.

aeroelasticidad *f.* Ciencia que estudia reacciones elásticas que se producen en una aeronave por reacción de las fuerzas aerodinámicas.

aeroespacial *adj.* Perteneciente o relativo a la aeronáutica y a la astronáutica, o al aire y al espacio extraterrestre.

aerofagia *f.* Deglución espasmódica del aire que se observa en algunas neurosis.

aerofaro *m.* Luz de ayuda a la navegación aérea, situada en tierra y visible desde todas las direcciones.

aerofotografía *f.* Fotografía del suelo tomada desde un vehículo aéreo.

aerografía *f.* Descripción científica del aire. 2 Dibujo obtenido mediante un aerógrafo.

aerógrafo *m.* Pulverizador de aire a presión que se utiliza para pintar.

aerograma *m.* Envío postal o sobre con el sello impreso, especialmente empleado en el correo aéreo.

aerolínea *f.* Organización o compañía de transporte aéreo.

aerolito *m.* Fragmento de un bólido que cae sobre la Tierra. ◇ INCOR.: *aereolito.*

aerología *f.* Ciencia de las propiedades de la atmósfera.

aeromarítimo, -ma *adj.* Perteneciente o relativo a la aviación y a la marina.

aeromedicina *f.* Rama de la medicina que estudia los cambios fisiológicos y patológicos en la aeronáutica.

aerometría *f.* Ciencia que mide las propiedades físicas del aire, como la gravedad, densidad, elasticidad, etc.

aerómetro *m.* Instrumento para medir la densidad del aire y otros gases.

aeromodelismo *m.* Construcción de aviones de tamaño reducido. 2 Deporte que consiste en hacer volar aviones de este tipo.

aeromodelo *m.* Avión reducido para vuelos deportivos o experimentales.

aeromotor *m.* Motor accionado por aire en movimiento.

aeronauta *com.* Persona que profesa la aeronáutica. ◇ INCOR.: *aereonauta.*

aeronáutica *f.* Navegación aérea. 2 Arte de navegar por el aire. 3 Conjunto de medios (aeronaves, instalaciones, servicios, personal, etc.) destinados al transporte aéreo. ◇ INCOR.: *aereonáutica.*

aeronaval *adj.* Perteneciente o relativo al ejército del aire y a la armada: *las fuerzas aeronavales.*

aeronave *f.* Globo dirigible. 2 Vehículo capaz de navegar por el aire. ◇ INCOR.: *aereonave.*

aeronavegación *f.* Aeronáutica.

aeroplano *m.* Avión. ◇ INCOR.: *aereoplano.*

aeropostal *adj.* Relativo al correo aéreo.

**aeropuerto *m.* Terreno extenso y conjunto de instalaciones donde se realiza el despegue y aterrizaje de aviones, su carga, descarga y mantenimiento, así como el embarque y desembarque de pasajeros.

aeroscopio *m.* FÍS. Instrumento que recoge el polvo del aire para determinar su naturaleza, cantidad y composición.

aerosol *m.* Aparato que desprende a presión partículas sólidas o líquidas que están en sus-

AEROPUERTO

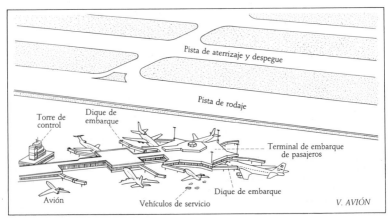

Pista de aterrizaje y despegue

Pista de rodaje

Torre de control

Dique de embarque

Terminal de embarque de pasajeros

Avión

Vehículos de servicio

Dique de embarque

V. AVIÓN

pensión en un gas. 2 Sistema que permite dispersar dicha suspensión.

aerostática *f.* Parte de la mecánica que estudia el equilibrio de los gases. ◇ INCOR.: *aereostática.*

aerostático, -ca *adj.* Relativo a la aerostática. ◇ INCOR.: *aereostático.*

aeróstato, aerostato *m.* Globo aerostático.

aerotaxi *m.* Avión o avioneta de alquiler.

aerotecnia *f.* Arte o ciencia que trata de las aplicaciones del aire a la industria.

aerotermodinámica *f.* Ciencia de los fenómenos caloríficos debidos a los deslizamientos aerodinámicos.

aeroterrestre *adj.* Perteneciente o relativo a los ejércitos de tierra y aire.

aerotransportar *tr.* Transportar por vía aérea.

aerotrén *m.* Vehículo que se desplaza sobre una vía especial en la que se apoya por medio de un colchón de aire.

aerovía *f.* Ruta establecida para el vuelo comercial de los aviones.

afable *adj.* Agradable, suave en la conversación y el trato: ~ *con,* o *para con, todos;* ~ *en el trato.* ◇ Superl.: *afabilísimo.*

áfaca *f.* Planta leguminosa anual trepadora, de hojas transformadas en zarcillos y estípulas en hojas, y flores amarillas *(Lathyrus aphaca).* ◇ Para evitar la cacofonía, utiliza la forma masculina del artículo: *el áfaca,* pero no la del demostrativo: *esta áfaca.*

afamado, -da *adj.* Famoso (con fama).

afamar *tr.* Hacer famoso, dar fama [a uno].

afán *m.* Trabajo excesivo, solícito y penoso. 2 Anhelo vehemente.

afanado, -da *adj.* Lleno de afán, afanoso.

afanar *intr.-prnl.* Entregarse al trabajo con solicitud congojosa: *afanarse en la labor.* 2 Hacer diligencias con anhelo para conseguir una cosa: *afanarse por ganar mucho.* – 3 *tr.* fam. Robar con destreza: *me han afanado el reloj.* – 4 *intr.-prnl. Amér.* Ganar dinero.

afaníptero *adj.-m.* Sifonáptero.

afanoso, -sa *adj.* Muy trabajoso. 2 Que se afana.

afarolarse *prnl. Amér.* Hacer aspavientos.

afasia *f.* Pérdida o dificultad de expresión mediante la palabra por una lesión cerebral, sin alteración de los órganos vocales.

afear *tr.* Hacer o poner fea [una cosa]. 2 fig. Tachar, vituperar: ~ *a uno su conducta.*

afección *f.* Alteración o mudanza que causa una cosa en otra. 2 Afición o inclinación del sentimiento. 3 Enfermedad, alteración de la salud: ~ *cardíaca.*

afectación *f.* Acción de afectar. 2 Falta de naturalidad: *habla y acciona con* ~.

afectado, -da *adj.* Que adolece de afectación: *discurso* ~. 2 Aparente, fingido: *enamo-*

ramiento ~. 3 Aquejado, molestado: ~ *por una dolencia.*

afectar *tr.* Poner demasiado estudio o cuidado [en las palabras, movimientos, adornos, etc.]: ~ *brevedad;* ~ *voces y frases anticuadas.* 2 Fingir: ~ *celo.* 3 Atañer, concernir: *este tema no me afecta.* 4 Tratándose de enfermedades o plagas, producir daño en algún órgano o a algún grupo de seres vivientes, o poderlo producir: *la gripe afectó a la mayor parte de la población infantil.* 5 MED. Producir alteración [en un órgano]: *esta droga afecta al estómago.* – 6 *tr.-prnl.* Hacer impresión, causar sensación una cosa: ~ *la imaginación; afectarse con la noticia.* ◇ GALIC.: ~ *una forma de cono,* por *tomarla.*

afectividad *f.* Propensión a los afectos o emociones.

afecto, -ta *adj.* Que siente aprecio por alguien o algo: ~ *al ministro.* 2 [posesión, renta] Sujeto a cargas u obligaciones. 3 [pers.] Destinado a ejercer funciones o a prestar sus servicios a determinada dependencia: ~ *a esta Dirección General.* – 4 *m.* Pasión del ánimo, especialmente amor o cariño.

afectuoso, -sa *adj.* Amoroso, cariñoso, expresivo.

afeitador, -ra *adj.* Que afeita. – 2 *f.* Máquina de afeitar eléctrica.

afeitar *tr.* Raer con navaja o maquinilla [la barba o el bigote o el pelo en general]. 2 Esquilar [a una caballería las crines y las puntas de la cola]. 3 p. ext. Recortar e igualar [las ramas y hojas de una planta]. 4 fig. *y* fam. Rozar. 5 TAUROM. Cortar los extremos de los cuernos [al toro] a fin de evitar o disminuir la peligrosidad del toreo.

afeite *m.* Aderezo, compostura. 2 Cosmético.

afelio *m.* En la órbita de un planeta, el punto más alejado del **Sol.

afelpado, -da *adj.* Hecho en forma de felpa. 2 Parecido a la felpa. – 3 *m.* Esterilla afelpada o de pleita lisa, felpudo.

afeminado, -da *adj.-s.* Que en su persona, acciones o adornos se parece a las mujeres. – 2 *adj.* Que parece de mujer: *cara afeminada.*

afeminar *tr.-prnl.* Hacer perder [a uno] la energía varonil, o inclinarle a que en sus modales se parezca a las mujeres.

aféresis *f.* Supresión de una o más letras al principio de un vocablo: *noramala* por *enhoramala.* ◇ Pl.: *aféresis.*

aferrado, -da *adj.* Obstinado: ~ *a una idea.*

aferrar *tr.-intr.* Agarrar fuertemente, asegurar: ~ *la pesada maza;* ~ *de la pica;* ~ *en las piedras.* – 2 *intr.-prnl.* Insistir con tenacidad en algún dictamen u opinión: *aferraron,* o *se aferraron, en que era el demonio.* – 3 *prnl.* Asirse una cosa con otra, especialmente las embarcaciones. ◇ CONJUG.: En el Siglo de Oro, podía ser regular o irregular como *acertar* [27]:

aferra y *afierra*. Hoy se emplea sólo como regular: *aferra*.

afestonado, -da *adj.* Labrado en forma de festón. 2 Adornado con festones.

afgano, -na *adj.-s.* De Afganistán, nación de Asia central.

afianzar *tr.* Dar fianza [por alguno]. – 2 *tr.-prnl.* Afirmar, asegurar con puntales, clavos, etc.: ~ *un tablero;* sostener: *afianzarse en,* o *sobre, los estribos.* 3 En lo moral, afirmar, fundamentar: ~ *la monarquía;* ~ *un régimen.* 4 Asir, agarrar: *afianzarse a una cuerda.* ◊ ** CONJUG. [4] como *realizar.*

afición *f.* Inclinación, amor a una persona o cosa. 2 Ahínco. 3 Conjunto de los aficionados a un arte, deporte, etc.: *la ~ se ha llevado un desengaño en la corrida de hoy.*

aficionado, -da *adj.-s.* Que cultiva algún arte sin tenerlo por oficio. 2 Que siente afición por algún arte, espectáculo o deporte y asiste frecuentemente a él. 3 DEP. Deportista no profesional.

aficionar *tr.* Inducir [a uno] a que guste de una persona o cosa: *mis padres me aficionaron a la lectura.* – 2 *prnl.* Prendarse de una persona o cosa: *aficionarse al juego.*

afijación *f.* GRAM. Añadidura de afijos para formar palabras nuevas.

afijo, -ja *adj.-m.* GRAM. Elemento formativo que unido a la raíz de una palabra modifica el sentido y función de ésta. 2 GRAM. Pronombre personal pospuesto y unido al verbo.

afiladera *adj.-f.* Piedra de afilar.

afilador, -ra *adj.* Que afila. – 2 *m.* El que tiene por oficio afilar instrumentos cortantes.

afilamiento *m.* Adelgazamiento de la cara, nariz o dedos.

I) afilar *tr.* Sacar filo [a un arma o instrumento]: ~ *en la piedra;* ~ *con la navaja.* 2 fig. Afinar la voz. – 3 *prnl.* fig. Adelgazarse la cara, nariz o dedos.

II) afilar *tr.* *Argent., Parag.* y *Urug.* Flirtear, enamorar, requebrar.

afiliar *tr.-prnl.* Hacer entrar [a uno] como miembro en una sociedad, corporación, partido político, sindicato, secta, etc. ◊ ** CONJUG. [12] como *cambiar.*

afiligranado, -da *adj.* De filigrana o parecido a ella. 2 p. ext. [pers. o cosa] Pequeño, muy fino y delicado.

afiligranar *tr.* Hacer filigrana [en una cosa]. 2 fig. Pulir, hermosear primorosamente [una cosa].

áfilo, -la *adj.* BOT. Que no tiene hojas.

afín *adj.* Próximo, contiguo. 2 Que tiene afinidad con otra cosa.

afinador, -ra *adj.* Que afina. – 2 *m.* El que tiene por oficio afinar pianos y otros instrumentos músicos. 3 Llave de hierro para afinar algunos instrumentos de cuerda.

afinar *tr.-prnl.* Hacer fino, sutil o delicado: ~ *la vista, las lanas, la segur;* esp., hacer fina o cortés [a una persona]: *afinarse con el trato.* 2 Perfeccionar, dar el último punto [a una cosa]: ~ *la belleza; afinarse con las tribulaciones;* purificar [especialmente los metales]: *la sangre se afina;* ~ *el oro.* – 3 *tr.* Poner en tono [los instrumentos músicos] acordándolos unos con otros; *intr.,* cantar o tocar entonando con perfección los sonidos; *abs., afina mucho.*

afincarse *prnl.* Establecerse. ◊ ** CONJUG. [1] como *sacar.*

afinidad *f.* Analogía o semejanza de una cosa con otra. 2 Parentesco entre un cónyuge y los deudos del otro. 3 Simpatía originada por la similitud de caracteres, gustos y opiniones. 4 QUÍM. Fuerza que mantiene unidos los átomos en las moléculas.

afirmar *tr.-prnl.* Poner firme, dar firmeza: ~ *una pared.* – 2 *tr.* Asegurar o dar por cierta [una cosa]. – 3 *prnl.* Estribar o asegurarse en algo: *afirmarse en los estribos.* 4 Ratificarse alguno en su dicho.

afirmativo, -va *adj.* Que denota o implica afirmación: **oración afirmativa,** la que establece la conformidad del sujeto con el predicado. ◊ INCOR.: su empleo en lugar de *sí.*

afistular *tr.-prnl.* Convertir [una llaga] en fístula.

aflamencado, -da *adj.* Que ha adquirido costumbres o maneras de ser propias de los flamencos, o que parece flamenco.

aflautar *tr.* Tener o adquirir [voz] de flauta.

aflechado, -da *adj.* En figura de punta de flecha: *hoja aflechada.*

aflicción *f.* Efecto de afligir o afligirse.

aflictivo, -va *adj.* Que causa aflicción.

afligir *tr.-prnl.* Causar molestia o sufrimiento físico: *los males que afligen al cuerpo.* 2 Causar molestia o angustia moral: *tus palabras me han afligido; estaba afligido de, con,* o *por, lo que veía; no te aflijas por lo que te he dicho.* ◊ ** CONJUG. [6] como *dirigir.*

aflojar *tr.-prnl.* Disminuir la presión o la tirantez: ~ *un cabo; el cabo se afloja.* – 2 *tr.* fig. Soltar, entregar: ~ *el dinero.* – 3 *intr.* Perder fuerza una cosa: *aflojó la calentura;* esp., flaquear uno en el esfuerzo: ~ *en el estudio, en la devoción.*

aflorar *intr.* Asomar a la superficie de un terreno un filón o capa mineral. 2 fig. Aparecer, surgir, manifestarse una cualidad o estado de ánimo.

afluencia *f.* Acción de afluir. 2 Abundancia. 3 fig. Facundia.

afluente *adj.-m.* Arroyo o **río que desemboca en otro principal.

afluir *intr.* Acudir en abundancia o en gran número a un lugar o sitio. 2 Verter un río o arroyo sus aguas en las de otro, o en un lago o mar. ◊ ** CONJUG. [62] como *huir.*

aflujo *m.* Afluencia excesiva de líquidos a un tejido orgánico.

afluxionarse *prnl. Amér. Central.* Abotagarse; padecer fluxión algún órgano del cuerpo.

afofarse *prnl.* Ponerse fofa alguna cosa.

afonía *f.* MED. Falta de voz.

afónico, -ca *adj.* Falto de voz.

áfono, -na *adj.* Falto de sonido o de sonoridad.

aforar *tr.* Medir la cantidad [de agua que lleva una corriente]; calcular la capacidad [de un receptáculo].

aforismo *m.* Sentencia breve y doctrinal que se propone como regla en alguna ciencia o arte.

aforo *m.* Acción de aforar (valuar o medir). 2 Efecto de aforar (valuar o medir). 3 Capacidad total de las localidades de un teatro, cinematógrafo, etc.

aforrarse *prnl.* Ponerse mucha ropa interior.

afortunado, -da *adj.* Que tiene fortuna o buena suerte. 2 Feliz, que hace feliz: *unión afortunada; mansión afortunada.* 3 Que es resultado de la buena suerte.

afototrópico, -ca *adj.* BOT. [planta] Que crece en sentido contrario a la luz.

afrancesado, -da *adj.-s.* Que imita a los franceses. 2 Partidario de los franceses y, especialmente, los españoles que en la guerra de la Independencia siguieron el partido de Napoleón (1769-1821).

afrancesamiento *m.* Tendencia exagerada a las ideas o costumbres de origen francés.

afrancesar *tr.* Dar carácter francés [a una cosa]. 2 Aficionar [a uno] a las cosas francesas. – 3 *prnl.* Hacerse uno afrancesado.

afrecho *m.* Salvado.

afrenta *f.* Vergüenza y deshonor que resulta de algún dicho o hecho, o de la imposición de una pena, etc. 2 Dicho o hecho afrentoso.

afrentar *tr.-prnl.* Causar afrenta [a una persona]: ~ *con denuestos; afrentarse de su estado.* – 2 *prnl.* Avergonzarse, sonrojarse.

africado, -da *adj.-s.* **Sonido consonante que resulta de combinar una oclusión con una fricación verificadas en el mismo lugar de articulación, con los mismos órganos, y con una duración aproximadamente igual a la de un sonido oclusivo.

africanismo *m.* Influencia de las costumbres y caracteres africanos. 2 Vocablo de origen africano en una lengua que no es africana.

africanista *com.* Persona que se dedica al estudio de los asuntos concernientes a África.

africanizar *tr.* Dar carácter africano [a alguna cosa]. ◇ ** CONJUG. [4] como *realizar.*

africano, -na *adj.-s.* De África, uno de los continentes del mundo.

afrikaans *m.* LING. Flamenco hablado en la República Sudafricana en el que se han incorporado elementos indígenas.

afrikánder *com.* Persona de la República Sudafricana, de raza blanca, descendiente de ingleses.

afro *adj.* [moda] Que imita modelos africanos. 2 [peinado] Con el pelo muy rizado.

afroamericano, -na *adj.-s.* Negro de América. 2 Relativo a los negros de América.

afroasiático, -ca *adj.* Relativo conjuntamente a África y a Asia.

afrocubano, -na *adj.* Relativo o perteneciente al arte o la música de Cuba que tienen influencia negroafricana.

afrodisíaco, -ca, afrodisiaco, -ca *adj.-m.* Substancia o medicamento que excita el apetito venéreo.

afrodita *adj.* BOT. [planta] Que se reproduce de modo sexual.

afronegrismo *m.* Voz o giro del español tomada en préstamo de las lenguas de los negros africanos. 2 Corriente o actitud cultural, artística, etc., que, originada en los negros africanos, tiene vigencia en otras culturas, en especial en la cultura hispánica de las islas antillanas.

afrontar *tr.* Poner [una cosa enfrente de otra]: ~ *dos cuadros.* 2 Carear. 3 Hacer frente al enemigo: *el escuadrón afrontó,* o *se afrontó con, los coraceros.* 4 Arrostrar, desafiar: ~ *peligros.*

afta *f.* Pequeña úlcera blanquecina que se forma en la membrana mucosa de la boca o en la del tubo digestivo. ◇ Para evitar la cacofonía, utiliza la forma masculina del artículo: *el afta,* pero no la del demostrativo: *esta afta.*

afuera *adv. l.* Fuera del sitio en que uno está: *vengo de ~; salgamos ~.* 2 En la parte exterior: ~ *hay un árbol.* – 3 *f. pl.* Alrededores de una población; terreno despejado alrededor de una plaza fuerte. ◇ Solecismo: *los afueras,* por las afueras.

¡afuera! Interjección con que se denota que una o varias personas dejen paso o se retiren de un lugar o cargo.

afuste *m.* Armazón en que se montan las piezas de artillería.

agachadiza *f.* Ave caradriforme pequeña que vuela muy bajo y se esconde en los lugares pantanosos *(Gallinago gallinago).*

agachado, -da *adj. Amér. Central.* Solapado, disimulado.

agachar *tr.* Inclinar hacia abajo o bajar [alguna parte del cuerpo]: ~ *la cabeza.* – 2 *prnl.* Encogerse doblando el cuerpo hacia la tierra. 3 fig. Dejar pasar algún contratiempo sin defenderse ni excusarse. 4 *Amér.* Someterse, ceder.

agalla *f.* Excrecencia redonda que forman en algunos árboles, con la picadura, ciertos insectos y arácnidos al depositar sus huevos. 2 Grupo de branquias, con opérculo o sin él, que forma, a entrambos lados y en el arranque de la cabeza, el aparato **respiratorio de los

**peces. – 3 *f. pl.* Valor, valentía: *tiene muchas agallas*. 4 *Amér.* Astucia, codicia, cicatería.

agallado, -da *adj. Argent., Chile* y *P. Rico.* [pers.] Garboso.

agallegado, -da *adj.* Semejante a lo gallego.

agamí *m.* Ave gruiforme americana del tamaño de la gallina; se domestica fácilmente y sirve como de guardián de las otras aves *(Psophia crepitans).* ◇ Pl.: *agamíes.*

ágamo, -ma *adj.* BOT. [planta] Sin estambres ni pistilos.

agamuzar *tr.* Preparar [las pieles] al estilo de la gamuza. ◇ ** CONJUG. [4] como *realizar.*

ágape *m.* Banquete (agasajo).

agarbanzado, -da *adj.* [papel] De color de garbanzo. 2 Adocenado, vulgar, ramplón, especialmente el estilo literario y las costumbres.

agarbillar *tr.* AGR. Hacer gavillas [de mieses].

agarical *adj.-m.* Hongo del orden de los agaricales. – 2 *m. pl.* Orden de homobasidiomicétidas; comprende las setas verdaderas, las setas típicas provistas de laminillas en la cara inferior del sombrero; la mayoría son carnosas y se descomponen con facilidad.

agárico *m.* Seta agarical comestible, con el sombrero aplanado de color pardo; mide hasta 8 cms. de diámetro *(Agaricus silvaticus).*

agarrada *f.* Altercado, riña.

agarraderas *f. pl.* fam. Influencias, buenas relaciones.

agarradero *m.* Asa o mango. 2 p. ext. Parte de un cuerpo que ofrece proporción para asirlo o asirse de él. 3 fig. Amparo o recurso con que se cuenta para algo.

agarrado, -da *adj.* Avaro, tacaño. – 2 *adj.-m.* fam. Baile en que la pareja va estrechamente enlazada.

agarrador, -ra *m.* Almohadilla para coger las planchas calientes. – 2 *adj. Amér.* [licor] Que embriaga.

agarrar *tr.-prnl.* Asir fuertemente con la mano, y, en general, de cualquier modo: ~ *de, o por, las orejas*. – 2 *tr.* p. ext. Coger, tomar. 3 fig. Conseguir [lo que se desea]: ~ *un destino.* – 4 *intr.-prnl.* Arraigar las plantas, prender los injertos; apoderarse tenazmente una enfermedad: *se le agarró la tos.* – 5 *prnl.* fig. Asirse, reñir. 6 Provocar los manjares o las bebidas ardor en la garganta. 7 Pegarse, hablando de guisos, quemarse.

agarrochar *tr.* Herir [al toro] con garrocha.

agarrón *m.* Acción de agarrar y tirar con fuerza. 2 *Amér.* Agarrada.

agarroso, -sa *adj. Amér. Central.* Astringente, áspero.

agarrotado, -da *adj.* fig. Rígido, tieso. 2 [pieza] Que no funciona por faltarle engrase; [músculo] que se contrae impidiendo su funcionamiento normal.

agarrotar *tr.* Oprimir mucho una cosa [a otra]: *el cuello de la camisa me agarrota.* 2 Estrangular [al reo]. – 3 *prnl.* Ponerse rígidos los miembros del cuerpo humano. 4 Moverse con dificultad una pieza al faltarle engrase.

agasajar *tr.* Tratar [a uno] con atención expresiva y cariñosa. 2 Halagar [a uno] con regalos o con otras muestras de afecto o consideración. 3 Hospedar.

agasajo *m.* Acción de agasajar. 2 Regalo, muestra de afecto o consideración. 3 Convite, fiesta.

ágata *f.* Variedad de cuarzo duro, translúcido, de colores generalmente dispuestos en fajas. ◇ Para evitar la cacofonía, utiliza la forma masculina del artículo: *el ágata,* pero no la del demostrativo: *esta ágata.*

agatas *adv. Amér. Merid.* Apenas, a duras penas, con gran dificultad y apremio.

agateador *m.* Ave paseriforme pequeña, de color pardo por encima y blanco por debajo, pico largo y curvado; se caracteriza por trepar en espiral por el tronco de los árboles con la cola tiesa apretada contra la corteza *(Certhia brachydactyla).*

agaucharse *prnl. Amér. Merid.* Adquirir aspecto o costumbres de gaucho. ◇ ** CONJUG. [17] *causar.*

agaváceo, -a *adj.-f.* Planta de la familia de las agaváceas. – 2 *f. pl.* Familia de plantas monocotiledóneas del orden de las liliales, de hojas estrechas con el borde espinoso, las flores dispuestas en racimos y el fruto en cápsula o baya.

agavilladora *f.* Máquina que siega y agavilla los cereales o la hierba.

agavillar *tr.* Formar gavillas: ~ *los sarmientos, la cebada.*

agazaparse *prnl.* Agacharse (encogerse). 2 Ocultarse, esconderse.

agencia *f.* Empresa dedicada a gestionar asuntos o prestar determinados servicios: ~ *de publicidad;* ~ *de informaciones.* 2 Sucursal de una empresa.

agenciar *tr.-prnl.* Procurar o conseguir [una cosa] con diligencia o maña. – 2 *prnl.* Componérselas, arreglarse con los propios medios: *yo me agenciaré para salir del paso.* ◇ ** CONJUG. [12] como *cambiar.*

agencioso, -sa *adj.* Oficioso, diligente.

agenda *f.* Libro o cuaderno en que se anota lo que se ha de recordar. 2 Relación de temas que deben ser tratados en una reunión. 3 Conjunto de actividades que debe desarrollar una persona en un corto espacio de tiempo.

agente *adj.* Que obra o tiene la virtud de obrar. – 2 *adj.-s.* GRAM. V. persona agente. – 3 *m.* Causa activa, lo que tiene poder para producir un efecto: *agentes físicos, naturales.* – 4 *com.* Persona que obra por otro: *un ~ real;* ~ *de negocios,* el que tiene por oficio gestionar negocios ajenos; ~ **de cambio y bolsa,** funcionario que interviene en las negociaciones de valores públicos; ~ **fiscal,** empleado subalterno de la hacienda pública; ~ **de policía,** empleado subalterno de seguridad y vigilancia; ~ **provocador,** persona que trata de originar actos o movimientos sediciosos para justificar represalias.

agermanado, -da *adj.* Que tiene características germanas o que imita lo germano.

agigantado, -da *adj.* De estatura mucho mayor que lo regular. 2 fig. Grande, sobresaliente, excesivo.

agigantar *tr.* Dar [a una cosa] proporciones gigantescas.

ágil *adj.* Ligero, pronto, expedito en los movimientos.

agilidad *f.* Calidad de ágil.

agilipollado, -da *adj.* vulg. Atontado, abobado.

agilizar *tr.* Hacer ágil [a uno], darle facilidades para ejecutar alguna cosa. ◇ ** CONJUG. [4] como *realizar.*

agitador, -ra *adj.-s.* Que agita. – 2 *m. f.* Persona que provoca agitaciones o conflictos de carácter político o social. – 3 *m.* QUÍM. Instrumento o aparato que sirve para revolver líquidos.

agitanar *tr.-prnl.* Dar aspecto o carácter gitano [a una persona o cosa].

agitar *tr.-prnl.* Mover con frecuencia y violentamente [una cosa]. 2 fig. Inquietar, mover violentamente el ánimo [de uno]. 3 En los laboratorios, revolver un líquido con cierta velocidad para acelerar procesos de mezcla o disolución. 4 fig. Provocar la inquietud política o social.

aglomeración *f.* Acción de aglomerar o aglomerarse. 2 Efecto de aglomerar o aglomerarse. 3 esp. Gentío.

aglomerado *m.* Producto obtenido por aglomeración. 2 Plancha artificial de madera conseguida por la mezcla prensada de diversas maderas trituradas y cola.

aglomerante *adj.-s.* Que aglomera. 2 Material capaz de unir fragmentos de una o varias substancias y dar cohesión al conjunto, por efectos de tipo exclusivamente físico. Son aglomerantes el betún, el barro, la cola, etc.

aglomerar *tr.-prnl.* Amontonar, juntar. 2 Unir fragmentos de una o varias substancias con un aglomerante.

aglosia *f.* ZOOL. Carencia de lengua.

aglutinante *adj.-m.* Que aglutina. 2 Material empleado en pintura para cohesionar los distintos elementos colorantes.

aglutinar *tr.-prnl.* Unir, pegar [una cosa] con otra.

agnación *f.* Parentesco de consanguinidad entre agnados. 2 Orden de suceder en los mayorazgos de varón en varón.

agnado, -da *adj.-s.* Pariente de otro que desciende de un mismo tronco por línea masculina.

agnato *adj.-m.* Animal de la superclase de los agnatos. – 2 *m. pl.* Superclase de animales vertebrados, acuáticos, de cuerpo pisciforme y desprovistos de aletas y mandíbulas; estos vertebrados están representados por una sola clase, los ciclóstomos.

agnosticismo *m.* Doctrina epistemológica y teológica que declara inaccesible al entendimiento humano toda noción de lo absoluto y especialmente la naturaleza y la existencia de Dios, cuya existencia, a diferencia del ateísmo, no niega.

agnóstico, -ca *adj.* Relativo al agnosticismo. – 2 *adj.-s.* Partidario del agnosticismo.

agobiado, -da *adj.* Cargado de espaldas o inclinado hacia adelante. 2 fig. Sofocado, sobrecargado, angustiado.

agobiar *tr.-prnl.* Doblar [la parte superior del cuerpo] hacia el suelo; En gral., hacer que se doble o incline [una cosa] por el mucho peso. 2 fig. Causar gran fatiga: *le agobian los quehaceres, los años,* etc.; *agobiarse con, de,* o *por, los años.* ◇ ** CONJUG. [12] como *cambiar.*

agobio *m.* Acción de agobiar o agobiarse. 2 Efecto de agobiar o agobiarse. 3 Sofocación, angustia.

agolparse *prnl.* Juntarse de golpe muchas personas o animales en un lugar. 2 fig. Venir juntas y de golpe ciertas cosas, como penas, lágrimas, etc.

agometría *f.* FÍS. Parte de la física que tiene por objeto medir la conductividad y resistencia eléctricas de los cuerpos.

agonía *f.* Lucha postrera de la vida contra la muerte. 2 Ansia o deseo vehemente. 3 fig. Pena o aflicción extremada. – 4 *f. pl.* fam. Persona pesimista y quejumbrosa.

agónico, -ca *adj.* Que se halla en la agonía. 2 Propio de la agonía.

agonioso, -sa *adj.* Ansioso, apremiante en el pedir.

agonista *com.* Luchador. 2 Personaje que en la épica, el teatro u otras obras literarias, se opone a otro dentro del conflicto que los enfrenta.

agonizar *intr.* Luchar entre la vida y la muerte. 2 Extinguirse una cosa. 3 fig. Sufrir angustiosamente. ◇ ** CONJUG. [4] como *realizar.*

ágono, -na *adj.* GEOM. Que no tiene ángulos.

ágora *f.* Plaza pública en las antiguas ciudades griegas. 2 Asamblea que en ellas se reunía. ◇ Para evitar la cacofonía, utiliza la forma masculina del artículo: *el ágora,* pero no la del demostrativo: *esta ágora.*

agorar *tr.* Predecir [lo futuro]: ~ *un acontecimiento.* 2 esp. Presentir y anunciar [desdichas] sin fundamento racional para ello. ◇ ** CONJUG. [58]. ◇ En la mayoría de los tiempos suele substituírsele por su sinónimo *augurar*.

agorero, -ra *adj.-s.* Que adivina por agüeros o cree en ellos. 2 Que predice, sin fundamento, males o desdichas. – 3 *adj.* [ave] Que, según la superstición, anuncia algún mal futuro.

agostadero *m.* Terreno donde agosta el ganado. 2 Tiempo en que agosta.

agostador, -ra *adj.* [viento, tiempo, sequía] Que agosta.

agostar *tr.-prnl.* Secar el excesivo calor [las plantas]. – 2 *tr.* Arar o cavar [la tierra] en el mes de agosto. 3 Cavar la tierra para plantar viñas en ella. – 4 *intr.* Pastar el ganado durante el verano en rastrojeras o en dehesas.

agostizo, -za *adj.* Propio del mes de agosto. 2 [animal] Nacido en agosto. 3 Propenso a agostarse o desmedrarse.

agosto *m.* Octavo mes del año. 2 Cosecha: *hacer uno su ~*, lucrarse aprovechando la ocasión.

agotador, -ra *adj.* Que agota: *trabajo ~*.

agotar *tr.* Extraer [todo el líquido que hay en un sitio]: *~ una cisterna; ~ el agua de una cisterna.* 2 Empobrecer. 3 fig. Gastar del todo, consumir: *~ el caudal, las provisiones, la paciencia.* – 4 *prnl.* Extenuarse, debilitarse.

agrá *m.* *Amér. Central.* fig. Disgusto.

agracejina *f.* Fruto del agracejo (arbusto).

I) agracejo *m.* Uva que se queda muy pequeña y no llega a madurar.

II) agracejo *m.* Arbusto berberidáceo, de flores amarillas y bayas comestibles; su madera se usa en ebanistería *(Berberis vulgaris)*.

agraceño *adj.* Agrio como el agraz (uva).

agraciado, -da *adj.* Que tiene gracia o es gracioso. 2 Hermoso, lindo. 3 Recompensado, afortunado en un sorteo.

agraciar *tr.* Dar o aumentar [a una persona o cosa] gracia y buen parecer. 2 Hacer o conceder alguna gracia o merced [a una persona]: *~ con una gran cruz.* 3 Llenar [el alma] de gracia divina. ◇ ** CONJUG. [12] como *cambiar*.

agradable *adj.* Que agrada: *~ al*, o *para el, gusto; ~ con*, o *para con, todos.* 2 Que tiene complacencia o gusto. ◇ Superl.: *agradabilísimo*.

agradar *intr.* Complacer, gustar. – 2 *prnl.* Sentir agrado o gusto: *agradarse de la novedad*.

agradecer *tr.* Corresponder con gratitud [a un favor]. Úsase a menudo en frases verbales: *sentirse, mostrarse, ser* o *estar agradecido.* 2 Corresponder una cosa [al trabajo empleado en conservarla]: *la tierra agradece los desvelos.* ◇ ** CONJUG. [43].

agradecido, -da *adj.-s.* Que agradece: *~ a los beneficios; ~ por los favores.*

agrado *m.* Trato amable o afable. 2 Voluntad, gusto, complacencia.

agrafía *f.* Pérdida de la facultad de escribir, debida a desorden cerebral.

agramadera *f.* Instrumento para agramar.

agramar *tr.* Majar [el cáñamo o el lino] para separar del tallo la fibra. 2 fig. Tundir, golpear [a alguien o algo].

agramatical *adj.* Que no se ajusta a las reglas de la gramática.

agramaticalidad *f.* LING. Calidad de una secuencia oracional que infringe alguna o algunas reglas de la gramática.

agramiza *f.* Caña quebrada que queda como desperdicio después de agramado el cáñamo o el lino.

agrandar *tr.* Hacer más grande [una cosa].

agranujar *tr.* Hacer que [una superficie] tenga granos.

agranujarse *prnl.* Adquirir costumbres o maneras de granuja.

agrario, -ria *adj.* Relativo al campo: *ley agraria.*

agravamiento *m.* Acción de agravar o agravarse. 2 Efecto de agravar o agravarse.

agravante *adj.-m.* Que agrava: *circunstancia ~.*

agravar *tr.* Oprimir con gravámenes o tributos: *~ al pueblo.* 2 Encarecer la gravedad [de una cosa]: *~ un delito.* – 3 *tr.-prnl.* Hacer una cosa más peligrosa o grave: *~ una derrota; ~ la enfermedad; agravarse el enfermo.*

agraviar *tr.* Hacer agravio [a uno]. – 2 *prnl.* Ofenderse, darse por sentido de una cosa: *agraviarse de uno, por una chanza.* ◇ ** CONJUG. [12] como *cambiar*.

agravio *m.* Palabra o acción que hiere a uno en su dignidad, que lo molesta gravemente. 2 DER. Daño o perjuicio que el apelante expone ante el juez superior haberle causado la sentencia del anterior.

agraz *m.* Uva sin madurar. 2 Zumo sacado de ella. 3 fig. Amargura, sinsabor, disgusto. 4 *En ~*, fig., antes de su sazón y tiempo.

agrazada *f.* Bebida compuesta con agraz, agua y azúcar.

agrazar *intr.* Tener gusto agrio, saber a agraz. – 2 *tr.* fig. Disgustar, desazonar. ◇ ** CONJUG. [4] como *realizar*.

agredir *tr.* Acometer [a uno] para hacerle daño. ◇ Verbo defectivo; se usa sólo en los tiempos y personas cuya desinencia contiene la vocal *i: agredía, agrediré, agrediendo.*

agregación *f.* Acción de agregar o agregarse. 2 Efecto de agregar o agregarse. 3 Empleo y ejercicio de profesor agregado.

agregado, -da *adj.* Adjunto o añadido a otra cosa. – 2 *adj.-s.* Empleado adscrito a un servicio del cual no es titular. 3 Profesor de categoría inmediatamente inferior a la de catedrático de instituto de bachillerato. – 4 *m.* Funcionario diplomático que desempeña funciones especiales en las embajadas: *~ comer-*

cial; ~ *militar;* ~ *naval.* 5 Conjunto de cosas homogéneas que forman un cuerpo. 6 Agregación, añadidura, anejo. 7 QUÍM. Grupo de partículas que interaccionan. 8 *Argent., Parag.* y *Urug.* Persona que vive en una finca rústica por concesión del dueño y recibe alojamiento y comida a cambio de pequeños trabajos.

agregaduría *f.* Cargo y oficina de agregado (empleado adscrito a un servicio y funcionario diplomático). 2 Agregación, cargo del profesor agregado.

agregar *tr.-prnl.* Unir [unas persona o cosas] a otras: *agregarse a,* o *con, otros.* – 2 *tr.* Destinar accidentalmente [a un empleado] a un servicio, o asociarlo a otro empleado. 3 Añadir algo a lo ya dicho o escrito. ◇ ** CONJUG. [7] como *llegar.*

agremiar *tr.-prnl.* Reunir en gremio: ~ *a los zapateros.* ◇ CONJUG. [12] como *cambiar.*

agresión *f.* Acción de agredir. 2 Efecto de agredir. 3 Acto contrario al derecho de otro. 4 Ataque armado a otra nación, con violación de derecho. 5 MIL. Ataque rápido y por sorpresa, realizado por el enemigo o considerado injusto.

agresividad *f.* Cualidad de agresivo: *la ~ de nuestra sociedad va en aumento.*

agresivo, -va *adj.* Que constituye o implica una agresión: *movimiento ~.* 2 fig. Que implica provocación o ataque: *discurso ~; palabras agresivas.* 3 Propenso a faltar al respeto, a ofender a los demás. 4 ANGLIC. Audaz, dinámico, emprendedor: *ejecutivo ~.*

agreste *adj.* Áspero, inculto: *paisaje ~.* 2 fig. Rudo, grosero: *modales agrestes.*

agriado, -da *adj.* Ácido.

agriar *tr.-prnl.* Poner agria [una cosa]. 2 fig. Exasperar los ánimos [de uno]. ◇ ** CONJUG. [12] como *cambiar.*

agrícola *adj.* Relativo a la agricultura o al que la ejerce.

agricultor, -ra *m. f.* Persona que tiene por oficio labrar o cultivar la tierra.

agricultura *f.* Cultivo de la tierra. 2 Arte de cultivar la tierra.

agridulce *adj.-s.* Que tiene mezcla de agrio y de dulce. 2 fig. [pers.] Que tiene a la vez carácter agradable y desagradable.

agriera *f. Amér.* Acidez de estómago.

agrietar *tr.-prnl.* Abrir grietas [en una cosa].

agrimensor, -ra *m. f.* Persona perita en agrimensura. V. escuadra de ~.

agrimensura *f.* Arte de medir tierras.

agringarse *prnl. Amér.* Adquirir las costumbres del gringo. ◇ ** CONJUG. [7] como *llegar.*

agrio, -gria *adj.* Ácido: ~ *al gusto;* ~ *de gusto.* 2 Acre (áspero): *respuesta agria.* 3 fig. [castigo, sufrimiento] Difícilmente tolerable. – 4 *m. pl.* Frutas agrias o agridulces, como el limón y la naranja.

agripalma *f.* Planta labiada, indígena de España, de tallo cuadrangular, hojas trilobuladas y flores purpurinas o blancas, en verticilos *(Leonurus cardiaca).*

agrisar *tr.* Dar color gris [a algo].

agro *m.* Campo: *problemas del ~ andaluz.*

agronomía *f.* Conjunto de conocimientos aplicables al cultivo de la tierra.

agrónomo, -ma *m. f.* Persona que por profesión o estudio se dedica a la agronomía.

agropecuario, -ria *adj.* Que tiene relación con la agricultura y la ganadería.

agroquímica *f.* Parte de la química aplicada que trata de la utilización industrial de materias orgánicas procedentes del campo; como aceites, resinas, pulpa de madera, etc.

agrupación *f.* Acción de agrupar o agruparse. 2 Efecto de agrupar o agruparse. 3 Conjunto de personas agrupadas para un fin: ~ *coral.* 4 MIL. Unidad homogénea de importancia semejante a la del regimiento.

agrupar *tr.-prnl.* Reunir en grupo [a personas o cosas]. 2 Constituir una agrupación.

agrura *f.* Sabor acre o ácido de algunas cosas. 2 Conjunto de árboles que producen frutas agrias o agridulces.

agua *f.* Líquido inodoro, insípido e incoloro formado por hidrógeno y oxígeno en una proporción, en volumen, de dos partes del primer elemento por cada parte del segundo: ~ *bendita,* la que bendice el sacerdote; ~ *dulce,* la potable, de poco o ningún sabor; ~ *dura,* la que contiene gran cantidad de sales cálcicas y magnésicas; ~ *llovediza* o *pluvial,* la que cae de las nubes; ~ *mineral,* la que lleva en disolución substancias minerales; ~ *nieve,* lluvia mezclada con nieve o con viento fuerte; ~ *potable,* la que se puede beber; ~ *residual,* la que procede de viviendas, poblaciones o zonas industriales y arrastra suciedad y detritos; ~ *salobre,* aquella cuya proporción de sales la hace impropia para la bebida; ~ *de seltz,* agua carbónica natural o preparada artificialmente; ~ *termal,* la que en todo tiempo brota del manantial con temperatura superior a la media del país. 2 Infusión o destilación de flores, plantas o frutos: ~ *de rosas, de azahar;* ~ *de arroz,* bebida refrescante obtenida del cocimiento del cereal, utilizada también como astringente; ~ *carbónica,* la gaseosa; ~ *de coco,* líquido refrescante que existe en el interior del coco; ~ *de cebada,* bebida refrescante obtenida del cocimiento del cereal; ~ *de Colonia,* perfume compuesto de agua, alcohol y esencias aromáticas. 3 Disolución en agua de ciertos cuerpos químicos: ~ *de cal,* la preparada con cien partes de agua y una de cal; ~ *ferruginosa,* la mineral rica en hierro disuelto en forma de bicarbonato; ~ *fuerte,* ácido nítrico diluido en una pequeña cantidad de agua, que se emplea en el grabado; ~ *oxi-*

genada, la compuesta por partes iguales de oxígeno e hidrógeno, usada como antiséptico. 4 Vertiente de un tejado: *tejado a dos aguas.* – 5 *f. pl.* Manantial de aguas mineromedicinales. 6 Las del mar inmediatas a determinada costa: *en aguas de Cartagena;* **aguas jurisdiccionales,** las que bañan las costas de un estado y están sujetas a su jurisdicción hasta el límite señalado por el derecho internacional. 7 Corrientes del mar: *las aguas van,* o *tiran, hacia tal parte.* 8 Estela o camino que ha seguido un buque: *seguir las aguas de un contrabandista.* 9 Orina: *hacer aguas;* **aguas mayores,** excremento humano. 10 Reflejos de algunas telas, plumas, piedras, etc. ◇ Para evitar la cacofonía, utiliza la forma masculina del artículo: *el agua,* pero no la del demostrativo: *esa agua.*

aguacal *m.* Lechada de cal con yeso que se emplea para enjalbegar.

aguacate *m.* Árbol lauráceo de América, cuyo fruto, una drupa, es parecido a una pera grande, de carne suave y muy apreciada *(Persea gratissima).* 2 Fruto de este árbol.

aguacero *m.* Lluvia repentina, impetuosa y de poca duración. 2 fig. Sucesos y cosas molestas que en gran cantidad caen sobre una persona.

aguacioso *m.* Pez marino teleósteo de pequeño tamaño, cuerpo muy alargado, de color amarillo verdoso que se transforma en azul cuando está muerto *(Ammodytes tobianus).*

aguacha *f.* Agua encharcada y corrompida.

aguachento, -ta *adj. Can.* y *Amér.* Que pierde sus jugos y sales por haber estado impregnado del agua mucho tiempo.

aguachirle *f.* Bebida floja y sin substancia: *este café es una ~.*

aguada *f.* Sitio en que hay agua potable y a propósito para surtirse de ella. 2 Provisión de agua potable. 3 Color diluido en agua sola o con ciertos ingredientes. 4 Pintura o diseño ejecutado con este color. 5 *Amér.* Abrevadero.

aguadera *f.* Pluma que, junto a otras tres, sigue a las remeras del ala de las aves. – 2 *f. pl.* Armazón con divisiones que se coloca sobre las caballerías para llevar cántaros de agua u otras cosas.

aguadero, -ra *adj.* Propio para el agua, hablando de prendas de vestir: *capa aguadera.* – 2 *m.* Abrevadero. 3 Sitio donde se lanzan las maderas a los ríos para conducirlas a flote.

aguado, -da *adj.* Mezclado con agua. 2 Turbado, interrumpido, perturbado. 3 *C. Rica, Ecuad., Guat., Méj.* y *Venez.* Débil, desfallecido. 4 *Colomb., Guat., Nicar.* y *Venez.* Blando y sin consistencia.

aguador, -ra *m. f.* Persona que tiene por oficio llevar o vender agua.

aguaducho *m.* Avenida impetuosa de agua. 2 Puesto para vender agua y otras bebidas.

aguafiestas *com.* Persona que turba una diversión o regocijo. ◇ Pl.: *aguafiestas.*

aguafuerte *amb.* Agua fuerte. 2 Lámina obtenida por el grabado al agua fuerte. 3 Estampa obtenida con esta lámina. ◇ Pl.: *aguafuertes.*

aguafuertista *com.* Persona que graba al agua fuerte.

aguagoma *f.* Disolución de goma arábiga en agua, de que usan los pintores.

aguaitacamino *m.* Ave caprimulgiforme de América, parecida al chotacabras *(Nyctidromus albicollis).*

agualotal *m. Amér. Central.* Aguazal, pantano.

aguamala *f.* Medusa.

aguamanil *m.* Jarro con que se echa agua en la palangana para lavarse las manos. 2 Pila o palangana destinada a lavarse las manos. 3 p. ext. Palanganero.

aguamarina *f.* Variedad de berilo de color verde mar.

aguamiel *f.* Agua mezclada con miel. 2 *Amér.* Agua preparada con caña de azúcar o papelón. ◇ Pl.: *aguamieles.*

aguanoso, -sa *adj.* Lleno de agua o muy húmedo. 2 *Amér.* [fruto] Insípido por ser demasiado acuoso.

aguantar *tr.* Detener, contener: *~ el aliento.* 2 Sostener, resistir: *la viga aguanta el techo.* 3 Sufrir, tolerar: *no aguanto a los malos poetas; no se puede ~ más.* 4 Resistir uno con fortaleza [trabajos, pesos, etc.]: *~ la fatiga; ~ el dolor.* – 5 *prnl.* Callarse, contenerse: *se aguantó largo rato.*

aguante *m.* Sufrimiento, paciencia. 2 Fuerza, vigor.

aguantón, -tona *adj. Amér.* Que tolera o aguanta demasiado.

aguapié *m.* Vino muy bajo. ◇ Pl.: *aguapiés.*

aguar *tr.-prnl.* Mezclar agua [con vino u otro licor]. 2 fig. Turbar o frustrar [una cosa halagüeña]: *nos aguó la fiesta.* 3 fig. Atenuar [lo molesto] con la mezcla de algo agradable. – 4 *tr. Amér.* Abrevar. ◇ ** CONJUG. [22] como *averiguar.* ◇ INCOR.: la forma *agüe.*

aguardar *tr.-intr.* Esperar: *~ el fin de un suceso; ~ a mañana; aguardó que le respondiera,* o *a que le respondiera; aguardo a mi padre,* o *que llegue mi padre.* 2 Haber de ocurrir a una persona, o estarle reservado [algo] para el futuro.

aguardentoso, -sa *adj.* Que contiene aguardiente o se parece a él. 2 [pers.] De voz áspera, bronca.

aguardiente *m.* Bebida alcohólica que por destilación se obtiene del vino o de otras substancias. ◇ Pl.: *aguardientes.*

aguardo *m.* Paraje donde se acecha la caza.

aguarrás *m.* Esencia de trementina. ◇ Pl.: *aguarrases.*

aguatero, -ra *m. f. Amér.* Aguador.

aguatinta *f.* Dibujo o pintura realizado con tinta de un solo color. 2 Aguada (pintura). 3 Variedad de grabado al aguafuerte en el que se trabaja a base de grandes masas y gradaciones, no de líneas. 4 Estampa que se obtiene por este procedimiento.

aguaturma *f.* Planta compuesta, de raíz tuberculosa, feculenta y comestible *(Helianthus tuberosus)*. 2 Raíz de esta planta.

aguaviva *f.* Medusa.

aguaza *f.* Humor que destilan algunas plantas y frutos.

aguazal *m.* Terreno donde se estanca el agua llovediza.

aguazo *m.* Pintura a la aguada sobre lienzo blanco mojado.

agudeza *f.* Cualidad de agudo: *la ~ del filo del cuchillo; me asombra la ~ con que expresa sus opiniones.* 2 fig. Dicho agudo.

agudizar *tr.* Hacer aguda una cosa. – 2 *prnl.* Agravarse, hablando de enfermedades. ◇ ** CONJUG. [4] como *realizar*.

agudo, -da *adj.* [corte, punta de un arma, herramienta, etc.] Afilado, delgado. 2 fig. Sutil, perspicaz: *oído ~; vista aguda; ~ de ingenio.* 3 fig. Vivo, gracioso y oportuno: *~ en sus ocurrencias.* 4 [dolor] Vivo y penetrante; [enfermedad] grave y rápido o repentino. 5 GRAM. [palabra] Cuyo **acento prosódico carga en la última sílaba, como *mamá, papel.* 6 MÚS. [sonido] De tono alto, por contraposición al bajo o grave.

agüera *f.* Zanja para encaminar el agua llovediza a las heredades.

agüero *m.* Presagio o señal de una cosa futura. 2 Pronóstico supersticioso.

aguerrido, -da *adj.* Ejercitado en la guerra: *~ en combates.* 2 fig. Experimentado o diestro en las luchas y trabajos.

aguerrir *tr.-prnl.* Acostumbrar [a los soldados bisoños] a los peligros de la guerra. ◇ Verbo defectivo; se usa sólo en los tiempos y personas cuya desinencia contiene la vocal *i*, y especialmente en el infinitivo y participio.

aguijada *f.* Vara larga con una punta de hierro en un extremo, con que los boyeros pican a la yunta. 2 Vara larga con una paleta de hierro en un extremo con que se separa la tierra pegada a la reja del arado.

aguijar *tr.* Picar con la aguijada [a los bueyes, mulas, etc.]; en gral., avivarlos con la voz o de otro modo. 2 fig. Estimular, incitar: *~ las pasiones; los celos le aguijan.* 3 Apresurar: *~ el paso; ~ los pies; abs., aguija, hijo; aguijan hacia la aldea.*

aguijón *m.* Punta de la aguijada. 2 fig. Estímulo, incitación: *el ~ de la ganancia, del amor propio.* 3 Púa que nace del tejido celular superficial de algunas plantas. 4 Órgano que tienen en la extremidad del abdomen los escorpiones y algunos **insectos, y con el cual pican; **arácnidos.

aguijonada *f.* Punzada de aguijón.

aguijonazo *m.* fig. Estímulo vivo; burla o reproche hiriente.

aguijonear *tr.* Aguijar (avivar, estimular). 2 Picar con el aguijón. 3 fig. Inquietar, atormentar [a alguien].

águila *f.* Ave rapaz falconiforme, de 8 a 9 dms. de altura, de vista perspicaz, fuerte musculatura y vuelo rapidísimo (gén. *Aquila): ~ caudal, caudalosa* o *real,* la de mayor tamaño, de color leonado y cola redondeada *(A. chrysœtus); ~ imperial,* la de color casi negro y cola cuadrada *(A. heliaca).* 2 Nombre de otros falconiformes más o menos parecidos al águila: *~ barbuda,* quebrantahuesos; *~ pescadora,* la que anida cerca del mar, río o lagos; es perjudicial para la industria pesquera, a causa de su régimen alimenticio ictiófago *(Pandion haliaëtus L).* 3 fig. Persona de mucha viveza y perspicacia. 4 Pez marino seláceo parecido a la raya, aunque de cola más larga en la que tiene una espina larga y aguda; es de color pardo y reflejos oliváceos o violáceos *(Myliobatis aquila).* ◇ Para evitar la cacofonía, utiliza la forma masculina del artículo: *el águila,* pero no la del demostrativo: *esta águila.*

aguileña *f.* Planta ranunculácea, medicinal y de jardín *(Aquilegia vulgaris).*

aguileño, -ña *adj.* [rostro] Largo y afilado y [pers.] que así lo tiene. 2 [nariz] Encorvado, semejante al pico de águila. 3 Relativo al águila.

aguilera *f.* Peña en que anida el águila.

aguililla *adj. Amér.* [caballo] Veloz en el paso. – 2 *com. Amér.* Sablista.

aguilón *m.* Brazo de una grúa. 2 Caño cuadrado de barro. 3 Teja o pizarra cortada en ángulo. 4 Ángulo que forma en su parte superior la pared de un edificio cubierto a dos aguas.

aguilucho *m.* Pollo del águila. 2 Ave falconiforme de cabeza pequeña, cuerpo alargado, alas y cola largas, y plumaje de color gris en el macho y ocre en la hembra (gén. *Circus).*

agüilla *f.* Líquido como agua. 2 desp. Bebida insípida.

aguinaldo *m.* Regalo que se da en Navidad o en la Epifanía. 2 p. ext. Retribución extraordinaria. 3 Villancico que se canta por Navidad.

agüista *com.* Persona que concurre a beber aguas minerales.

aguja *f.* Barrita de metal con un extremo terminado en punta y el otro provisto de un ojo por donde se pasa un hilo, cuerda, etc., para coser, bordar, tejer, etc. 2 Barrita, generalmente de metal, de tamaño y formas diversas, con un extremo terminado en punta, y usada diversamente: *~ del grabador; ~ del tocadiscos; ~ de media; las agujas del reloj; la ~ imantada; ~ de gancho,* la que termina en gancho y sirve para hacer labores de punto; *~ de mechar,* instrumento para mechar carnes o pescados; *~ de marear,* compás, brújula para indicar el rumbo de una nave; ~ *magnética,* la imanada pivotante, brújula elemental para indicar el norte magnético. 3 Varilla de metal, concha, etc., usada en el tocado de las mujeres. 4 Riel movible que en los ferrocarriles y tranvías sirve para hacer pasar los carruajes por una vía determinada de las dos que concurren en un punto. 5 Chapitel estrecho y alto de una torre o del techo de una iglesia; **gótico. 6 Pastel largo y angosto de carne picada. 7 Fina lonja de carne. 8 ~ *de pastor,* planta geraniácea, peluda, con hojas pinnadas, flores en umbelas de color púrpura rosado, y cuyo fruto es largo y delgado, en forma de aguja *(Erodium cicutarium).* 9 Pez marino teleósteo beloniforme, de hocico alargado, de color azul verde, muy voraz; caza a sus presas formando grupos *(Belone belone).* 10 Ave caradriforme alta, de pico largo y recto, y plumaje cambiante, pardo en verano y gris en invierno *(Limosa limosa).* – 11 **f. pl.** Costillas que corresponden al cuarto delantero del animal: *carne de agujas; animal alto, o bajo, de agujas.* ◇ INCOR.: vulg. *abuja.*

agujerear *tr.* Hacer uno o más agujeros [a una cosa].

agujero *m.* Abertura más o menos redonda en una cosa. 2 El que tiene por oficio hacer o vender agujas. 3 fig. Falta de dinero sin justificar, o pérdidas de una empresa: *el ~ de la fábrica es de tres millones.* 4 ~ **negro,** cuerpo celeste de gran masa y escaso volumen, resultado de la consunción de una estrella, cuya infinita densidad impide salir la luz, dejándolo sólo visible como una especie de mancha. ◇ INCOR.: vulg. *bujero.*

agujetas *f. pl.* Dolores que se sienten en el cuerpo después de algún ejercicio extraordinario o violento.

agujetero, -ra *m. Amér.* Alfiletero.

aguosidad *f.* Humor parecido al agua que se cría en el cuerpo.

¡agur! Interjección ¡Adiós!

agusanarse *prnl.* Llenarse de gusanos una cosa.

agustino, -na *adj.-s.* Religioso que pertenece a cualquiera de las órdenes que, sin ser fundadas por San Agustín (354-430), siguen una regla observada, según la tradición, por algunos clérigos que vivían con el santo.

aguzado, -da *adj.* Que tiene forma aguda.

aguzadura *f.* Acción de aguzar (sacar punta). 2 Cantidad de hierro y acero empleada en calzar la reja del arado.

aguzanieves *f.* Ave caradriforme insectívora, de plumaje negro, blanco y ceniciento; vive en parajes húmedos *(Motacilla alba).* ◇ Pl.: *aguzanieves.*

aguzar *tr.* Hacer o sacar punta [a una arma u otra cosa]. 2 p. ext. Preparar los animales [los dientes o las garras] para comer o despedazar.

3 fig. Forzar [el entendimiento o algún sentido] para que preste más atención. 4 fig. Aguijar, incitar: ~ *las pasiones, el interés.* ◇ ** CONJUG. [4] como *realizar.*

¡ah! Interjección con que se denota pena, admiración o sorpresa.

ahechar *tr.* Cribar [el trigo u otras semillas].

aherrojar *tr.* Poner [a uno] prisiones de hierro. 2 fig. Oprimir, subyugar.

aherrumbrar *tr.* Dar color o sabor de hierro a [una cosa]. – 2 *prnl.* Tomar una cosa sabor de hierro; especialmente el agua. 3 Cubrirse de herrumbre.

ahí *adv. l.* En ese lugar o a ese lugar: *murió ~; llegó ~;* dando a «lugar» un sentido ideal: ~ *están las razones;* ~ *te envío un vestido verde.* 2 Precedido de la preposición *de,* señala el tiempo de que se acaba de hablar: *de ~ a poco se vio que era un engaño.* 3 Precedido de las preposiciones *de o por,* de esto o de eso: *de ~ (o por ~) se deduce.* ◇ No es recomendable la pronunciación vulgar que acentúa la *a.*

ahijado, -da *m. f.* Persona respecto de sus padrinos. ◇ HOMÓF.: *aijada.*

ahijar *tr.* Prohijar (adoptar). 2 Acoger la oveja u otro animal [al hijo ajeno para criarlo]; poner [a cada cordero u otro animal] con su propia madre o con otra para que lo críe. ◇ ** CONJUG. [15] como *aislar.*

ahilado, -da *adj.* [viento] Suave y continuo. 2 [tipo de voz] Delgado y tenue.

ahilarse *prnl.* Adelgazarse por causa de alguna enfermedad. 2 Desmayarse por falta de alimento. 3 p. ext. Criarse débiles las plantas; esp., crecer altos y limpios de ramas los árboles por estar muy juntos. ◇ ** CONJUG. [15] como *aislar.*

ahincado, -da *adj.* Eficaz, vehemente.

ahincar *tr.* Instar con ahínco, estrechar [a uno]. – 2 *prnl.* Apresurarse. ◇ ** CONJUG. [23].

ahínco *m.* Empeño grande en hacer o solicitar algo.

ahitera *f.* Ahíto grande o de duración.

ahíto, -ta *adj.* Saciado de comer. 2 fig. Fastidiado o enfadado de alguna persona o cosa. – 3 *m.* Indigestión de estómago por haber comido demasiado.

ahocicar *tr.* Castigar [a perros o gatos] mientras se les frota el hocico en el lugar que han ensuciado. – 2 *intr.* Caer tendido con la boca hacia el suelo. ◇ ** CONJUG. [1] como *sacar.*

ahogadillo, -lla *m. f.* Zambullida que se da o otro en broma, manteniendo sumergida su cabeza durante unos instantes.

ahogado, -da *adj.* [sitio] Estrecho y sin ventilación. 2 fig. Sin medios, sin recursos. – 3 *m. f.* Persona que muere por falta de respiración, especialmente en el agua. – 4 *m. Amér.* Rehogado, salsa, ajilimójili.

ahogar *tr.-prnl.* Matar [a una persona o animal] impidiéndole la respiración. 2 Dañar o perjudicar por exceso de líquido: *les echaba tanta agua, que ahogaba las plantas; el motor se ha ahogado.* 3 fig. Oprimir, fatigar: *el peligro nos ahoga; ahogarse con la adversidad;* **ahogarse con poca agua,** fig., acongojarse con poco motivo. – 4 *tr.* Apagar, sofocar [el fuego] con una cosa sobrepuesta. 5 En el juego de ajedrez, hacer que [el rey contrario] no pueda moverse sin quedar en jaque. 6 Poner demasiada cantidad de agua en la cal o cemento. 7 fig. Extinguir, apagar [una actividad o cualidad espiritual]: ~ *las pasiones, el dolor.* – 8 *prnl.* Sentir sofocación: *ahogarse de calor.* – 9 *tr.* And. y Amér. Rehogar. ◇ ** CONJUG. [7] como *llegar.*

ahogo *m.* Opresión y fatiga en el pecho, que impide respirar con libertad. 2 fig. Aprieto, congoja o aflicción grande. 3 fig. Penuria, falta de recursos.

ahombrarse *prnl.* fam. Adquirir la mujer modales masculinos, hacerse hombruna.

ahondar *tr.* Hacer más honda [una cosa]. 2 p. ext. Cavar profundizando. – 3 *tr.-intr.-prnl.* Introducir [una cosa] en otra, más hacia dentro de lo que ya está: *el cáncer va ahondándose; ahondó las raíces; las raíces ahondan en el pedernal.* – 4 *tr.-intr.* Escudriñar lo más recóndito [de un asunto]: ~ *los misterios, o en los misterios.*

ahora *adv. t.* En este momento, en el tiempo actual o presente. 2 Poco tiempo ha: ~ *ha llegado.* 3 fig. Dentro de poco tiempo: ~ *llegará.* – 4 *conj. continuativa.* Sirve para anunciar o introducir un pensamiento: ~, *si cuenta usted los demás gastos, su sueldo no es suficiente.* 5 Distributiva: ~ *hable de ciencias,* ~ *de artes, siempre acierta.* – 6 *loc. adv.* ~ **bien,** esto supuesto o sentado; *por* ~, por de pronto, por lo pronto. – 7 *loc. conj. adversativa.* ~ *que,* pero: *el sueldo es escaso,* ~ *que no hay que trabajar mucho.* ◇ En las acepciones 2 y 3 admite el diminutivo, *ahorita* , muy frecuente en América: *ahorita voy.*

ahorcado, -da *m. f.* Persona ajusticiada en la horca.

ahorcadora *f. Amér. Central.* Especie de avispa grande *(gén. Polistes).*

ahorcajarse *prnl.* Ponerse o montar a horcajadas: ~ *en los hombros.*

ahorcar *tr.-prnl.* Quitar la vida [a uno] por estrangulación, colgándolo con una cuerda pasada alrededor del cuello: *ahorcarse de un árbol.* 2 fig. Dejar [hábitos religiosos, estudios]. – 3 *tr.* En el juego del dominó, impedir que otro jugador pueda colocar una ficha doble. ◇ ** CONJUG. [1] como *sacar.*

ahorita *adv. t.* Poco ha. 2 *Can.* y *Amér.* Dentro de poco. ◇ Con alguna frecuencia se refuerza el sentido diminutivo duplicando el sufijo en la forma *ahoritita.* En el habla familiar se usa también la aféresis *horita.*

ahormar *tr.* Ajustar [una cosa, especialmente el calzado] a su horma o molde. 2 fig. Amoldar, poner en razón [a uno].

ahornagarse *prnl.* Abrasarse la tierra y sus frutos por el excesivo calor. ◇ ** CONJUG. [7] como *llegar.*

ahornar *tr.* Hornear [una cosa]. – 2 *prnl.* Quemarse el pan por fuera sin cocerse bien por dentro.

ahorquillado, -da *adj.* Que tiene forma de horquilla.

ahorquillar *tr.* Afianzar con horquillas [las ramas de los árboles]. 2 Dar [a una cosa] la figura de horquilla.

ahorrado, -da *adj.* Que ahorra (evita, no malgasta).

ahorrar *tr.* Reservar [dinero] separándolo del gasto ordinario; reducir el consumo o gasto: *actualmente, la gente no ahorra; hay que ahorrar energía.* 2 Evitar, excusar algún trabajo, riesgo, dificultad: *si quedamos ahora, me ahorraré el tener que llamarte; no te lo dije, por ahorrarte el disgusto.* – 3 *prnl.* Can. y Amér. Malograrse.

ahorrativo, -va *adj.* Ahorrador. 2 Que ahorra de su gasto más de lo debido.

ahorro *m.* Lo que se ahorra.

ahuate *m. Amér. Central y Méj.* Espina muy pequeña y delgada, que a modo de vello, tienen algunas plantas.

I) ahuchar *tr.* Guardar en hucha: ~ *dinero.* 2 fig. Guardar en sitio seguro [el dinero o cosas ahorradas]. ◇ ** CONJUG. [16] como *aunar.*

II) ahuchar *tr.* Llamar al halcón con el grito repetido de ¡hucho! 2 Azuzar, oxear. ◇ ** CONJUG. [16] como *aunar.*

ahuecador *m.* Herramienta de acero semejante al formón, acodillada hacia la punta, que usan los torneros para ahuecar las piezas de madera.

ahuecamiento *m.* Acción de ahuecarse. 2 Efecto de ahuecarse. 3 fig. Engreimiento, envanecimiento.

ahuecar *tr.* Poner hueca o cóncava [una cosa]. 2 fig. Dicho [de la voz], hablar con afectación en tono más grave que el natural. 3 Mullir, hacer menos compacta [una cosa]: ~ *la tierra, la lana.* – 4 *prnl.* fam. Hincharse; engreírse. ◇ ** CONJUG. [1] como *sacar.*

ahuevar *tr.-prnl.* Colomb., Nicar., Pan. y Perú. Atontar, azorar, acobardar.

ahulado *m. Amér.* Tela impermeable por estar untada con hule o goma. 2 *Amér. Central.* Chanclo.

ahumado, -da *adj.* [cuerpo transparente] Que tiene color sombrío: *cristal* ~. – 2 *m.* Alimento conservado mediante el humo, o utilizado éste para darles un peculiar sabor. 3

Vino con ligero aroma de madera quemada.

ahumar *tr.* Poner al humo [una cosa]. 2 Llenar de humo: ~ *una colmena.* – 3 *intr.* Echar o despedir humo lo que se quema. – 4 *prnl.* Tomar los guisos el sabor con el humo. 5 Ennegrecerse una cosa con el humo. ◇ ** CONJUG. [16] como *aunar.*

ahusado, -da *adj.* De figura de huso.

ahusar *tr.* Dar [a algo] forma de huso. – 2 *prnl.* Irse adelgazando alguna cosa en figura de huso. ◇ ** CONJUG. [16] como *aunar.*

ahuyentar *tr.* Hacer huir: ~ *los lobos.* 2 fig. Desechar de sí [una cosa que molesta]: ~ *los malos pensamientos.* – 3 *prnl.* Alejarse huyendo (intensivo de *huir*).

aimara, aimará *adj.-com.* Individuo de la raza de los indios que habita la región del lago Titicaca, del cual se supone descendía la dinastía de los Incas. 2 Relativo a esta raza. – 3 *m.* Lengua aimara.

aindiado *adj.-s. Amér.* Que se parece a los indios en las facciones y el color.

airada *adj.* [vida] Desordenada y viciosa.

airar *tr.-prnl.* Irritar, hacer sentir ira: *airarse de, o por, lo que se oye.* 2 Agitar, alterar violentamente. ◇ ** CONJUG. [15] como *aislar.*

aire *m.* Fluido transparente, inodoro e insípido que rodea la Tierra. Es una mezcla de varios gases, principalmente oxígeno y nitrógeno: ~ *acondicionado,* sistema de ventilación en que se regula la temperatura y humedad del aire; ~ *comprimido,* aire cuyo volumen ha sido disminuido por compresión para utilizarlo al expandirse. 2 Atmósfera (masa de aire). 3 Viento (corriente de aire). 4 fig. Apariencia, aspecto de una persona o cosa: *tener ~ de salud; ~ de suficiencia; darse aires de sabio, valiente,* echárselas de sabio, etc. 5 fig. Modo peculiar de hacer las cosas, especialmente con primor y gracia; garbo y gallardía en el andar. 6 MÚS. Movimiento de presteza o lentitud con que se ejecuta una obra musical. 7 MÚS. Canción (música de una composición).

aireación *f.* Ventilación.

airear *tr.* Poner al aire o ventilar [una cosa]. 2 fig. Contar algo, hacer que se sepa públicamente. – 3 *prnl.* Resfriarse, contraer resfriado. 4 Ponerse o estar al aire para refrescarse.

airón *m.* Penacho de plumas que tienen en la cabeza algunas aves. 2 Penacho de plumas puesto como adorno en cascos, sombreros, etc.; **armadura.

airoso, -sa *adj.* [tiempo o sitio] En que hace mucho aire. 2 fig. Garboso o gallardo. 3 fig. Que lleva a cabo una empresa con honor, felicidad o lucimiento: *quedó ~ en la lucha; salió ~ del negocio.*

aisa *f. Argent., Bol.* y *Perú.* Derrumbe en el interior de una mina. ◇ Para evitar la caco-

fonía, utiliza la forma masculina del artículo: *el aisa,* pero no la del demostrativo: *esta aisa.*

aislacionismo *m.* Tendencia opuesta al intervencionismo en los asuntos internacionales.

aislacionista *adj.* Que procura apartar a la nación de toda suerte de alianzas, pactos y conflictos internacionales: *política ~.*

aislado, -da *adj.* Solo, suelto, singular, señero: *un caso ~.*

aislador, -ra *adj.* Aislante. – 2 *m.* Aparato de cristal o porcelana con que se aíslan de sus soportes los alambres conductores de corriente eléctrica.

aislamiento *m.* fig. Incomunicación, desamparo.

aislante *adj.-s.* Cuerpo mal conductor del calor y la electricidad. 2 Material que protege de los posibles efectos perjudiciales del medio ambiente.

aislar *tr.-prnl.* Dejar [a una persona o cosa] sola y separada de las otras: ~ *a un enfermo;* fig., separar [a una persona o colectividad] del trato de las demás : ~ *a Austria; aislarse de los amigos.* – 2 *tr.* FÍS. Evitar el contacto [de un cuerpo] con otros que son buenos conductores de la electricidad o del calor. 3 QUÍM. Separar [un elemento] de aquellos con los cuales estaba combinado. ◇ ** CONJUG. [15].

aizoáceo, -a *adj.-f.* BOT. Planta de la familia de las aizoáceas. – 2 *f. pl.* BOT. Familia de plantas angiospermas dicotiledóneas, herbáceas o leñosas.

¡ajá! Interjección con que se denota complacencia y aprobación.

ajabea *f.* Flauta morisca.

ajadizo, -za *adj.* Que se aja con facilidad.

ajambado, -da *adj. Amér. Central.* Glotón, comilón.

ajamonarse *prnl.* Hacerse jamona una mujer.

ajar *tr.* Maltratar o deslucir [una cosa]. – 2 *prnl.* Deslucirse [alguien o algo] por la vejez o enfermedad.

ajarafe *m.* Terreno alto y extenso.

ajardinar *tr.* Convertir en jardín un terreno.

ajedrea *f.* Planta labiada de jardín, de hojas estrechas y vellosas, y flores blancas o rosadas muy olorosas *(Satureia montana).*

ajedrecista *com.* Persona diestra en el ajedrez.

ajedrez *m.* Juego entre dos personas, cada una de las cuales dispone de 16 piezas que mueve según ciertas reglas sobre un tablero dividido en 64 escaques blancos y negros puestos en disposición alternada. 2 Conjunto de piezas que sirven para este juego.

ajedrezado, -da *adj.* Que forma cuadros de dos colores, como los escaques del ajedrez.

ajenjo *m.* Planta compuesta, erecta, muy aromática, con hojas pinnatífidas y cabezuelas florales, colgantes, de color amarillo *(Artemisia absinthium).* 2 Bebida alcohólica preparada con esencia de ajenjo y otras hierbas.

ajeno, -na *adj.* Que pertenece a otro. 2 Impropio, no correspondiente: ~ *a su calidad.* 3 Libre de alguna cosa: ~ *de preocupaciones.* 4 Extraño (de distinta nación, profesión, familia). 5 Diverso (de distinta naturaleza).

ajete *m.* Ajo tierno que aún no ha echado cepa o cabeza. 2 Salsa que tiene ajo.

ajetrearse *prnl.* Fatigarse con algún trabajo o yendo y viniendo de una parte a otra.

ají *m. Amér.* Pimiento (planta o fruto).

ajiaceite *m.* Salsa de ajos machacados y aceite.

ajicomino *m.* Salsa en que entran como ingredientes el ajo y el comino.

ajigolones *m. pl. Guat., Méj. y Salv.* Aprietos, ahogos.

ajilimoje *m.* fam. Pebre para los guisados. 2 fig. Revoltijo, confusión de cosas mezcladas. – 3 *m. pl.* fig. Agregados, adherentes de una cosa.

ajilimójili *m.* Ajilimoje.

ajillo *m.* Guiso que lleva mucho ajo como condimento: *pollo al ~.*

ajimez *m.* ARQ. **Ventana arqueada dividida en el centro por una columna.

ajipuerro *m.* Cebollino (planta liliácea).

ajo *m.* Planta liliácea, hortense, de flores pequeñas y blancas cuyo bulbo, dividido, blanco y de olor característico, se usa como condimento *(Allium sativum).* 2 Bulbo secundario en que está dividido el bulbo del ajo. 3 ~ *blanco,* condimento hecho con ajos machacados, miga de pan, sal, aceite, vinagre y agua o salsa; especie de gazpacho blanco hecho con miga de pan, ajo, almendra, agua, aceite y vinagre. 4 Asunto o negocio, generalmente secreto, en el que intervienen varios: *andar en el ~; estar en el ~.* 5 Palabrota: *echar ajos.*

ajoarriero *m.* Guiso hecho a base de bacalao, aceite y huevos que se condimenta con ajos.

ajolín *m.* Insecto hemíptero, especie de chinche de color negro (gén. *Lygaeus).*

ajolote *m.* Anfibio urodelo propio de las aguas dulces de Méjico *(Ambystoma* sp.).

ajonjolí *m.* Planta sesámea, de fruto elipsoidal, con cuatro cápsulas y muchas semillas, amarillentas, oleaginosas y comestibles *(Sesamum indicum).* 2 Simiente de esta planta. ◇ Pl.: *ajonjolíes.*

ajonuez *m.* Salsa de ajo y nuez moscada. ◇ Pl.: *ajonueces.*

ajoqueso *m.* Guisado en que entran el ajo y el queso. ◇ Pl.: *ajoquesos.*

ajornalar *tr.* Contratar [a uno] para que trabaje a jornal.

ajorrar *tr.* Remolcar, arrastrar. 2 Llevar por fuerza [gente o ganado] de una parte a otra.

ajotar *tr. León, Sal., Amér. Central y P. Rico.* Hostigar, azuzar.

ajuar *m.* Conjunto de muebles y ropas de uso común en las casas. 2 Conjunto de muebles, alhajas y ropa que aporta la mujer al matrimonio. 3 Equipo de los niños recién nacidos.

ajudiado, -da *adj.* Propio de judíos o parecido a ellos.

ajuga *f.* Pinillo (planta labiada).

ajuglarar *tr.-prnl.* Hacer que uno proceda como juglar. – 2 *intr.* Tener las condiciones de lo juglar.

ajuntar *tr.* En el lenguaje infantil, ser amigo [de alguien]: *ahora no te ajunto; ¿me ajuntas?* – 2 *prnl.* Unirse en matrimonio. 3 Amancebarse.

ajustado, -da *adj.* Justo, recto.

ajustador, -ra *m.* Anillo, generalmente liso, con que se impide que se salga una sortija que viene ancha al dedo. 2 Operario que trabaja piezas de metal concluidas para ajustarlas.

ajustamiento *m.* Papel en que consta el ajuste de una cuenta.

ajustar *tr.-prnl.* Proporcionar y adaptar [una cosa] de modo que venga justa con otra: ~ *el sastre un vestido.* 2 Encajar [una cosa] con otra: ~ *el cajón a la mesa.* 3 Acomodar [una cosa] con otra: *ajusté mi voluntad a la suya; ajustarse a la razón.* 4 Arreglar, moderar: ~ *el gobierno, las pasiones.* 5 Contratar [a una persona] para algún servicio: ~ *un criado; ajustarse con el amo.* – 6 *tr.* Concertar: ~ *un casamiento, la paz;* p. ext., reconciliar [a los enemistados]; concertar el precio [de una cosa]. 7 Comprobar [una cuenta] y liquidarla. – 8 *prnl.* Ponerse de acuerdo unas personas con otras en algún ajuste. 9 *tr. Amér.* Acometer [a alguien] una enfermedad. 10 *Colomb., C. Rica, Méj. y Nicar.* Cumplir, completar: *Juan ajustó veinte años.* 11 *Colomb., C. Rica, Cuba y Nicar.* Contratar a destajo.

ajuste *m.* Medida proporcionada de las partes de una cosa para el efecto de ajustar o cerrar. 2 fig. ~ *de cuentas,* venganza que alguien toma para saldar un agravio anterior.

ajusticiado, -da *m. f.* Reo en quien se ha ejecutado la pena de muerte.

ajusticiar *tr.* Ejecutar la pena de muerte [en el reo]. ◇ ** CONJUG. [17] como *cambiar.*

ajustón *m. Ecuad., Guat. y Hond.* Ajuste, castigo, mal trato.

al Contracción de la preposición *a* y el artículo *el: al padre* por *a el padre.*

ala *f.* Extremidad torácica de las **aves y apéndice lateral de los insectos, que les sirven para volar. 2 Expansión foliácea o membranosa de ciertos frutos u órganos de las plantas. 3 Parte de una cosa que por su forma o posición se parezca a un ala: ~ *de la* ***nariz;* ~ *del hígado;* ~ *del sombrero;* ~ *del* ***avión;* ~ **delta,**

planeador ligero para practicar el vuelo libre, compuesto de un ala de forma triangular y un trapecio en su parte inferior al que se sujeta el piloto. 4 Parte de un edificio que se extiende a los lados del cuerpo principal. 5 Tendencia de un partido, organización o asamblea, especialmente de posiciones extremas. − 6 f. AERON. Parte de los planos de sustentación de un aparato, a derecha e izquierda del eje de simetría; **avión. 7 DEP. Flanco de un equipo, o de un terreno de juego. 8 MIL. Tropa formada en cada uno de los extremos de un orden de batalla. − 9 f. pl. fig. Osadía, engreimiento; aliento o medios para hacer una cosa: *tomar uno alas; dar alas a uno; cortarle las alas;* **caérsele a uno las alas,** o **las alas del corazón,** faltarle el ánimo; **del ∼,** consabido: *pagué las cien del ∼.*

alabandina f. Mineral raro, de color negro y brillo metálico, formado por el sulfuro de manganeso. 2 Granate de color rojo intenso.

alabanza f. Expresión o conjunto de expresiones con que se alaba.

alabar tr. Celebrar con palabras [a una persona o hecho]. − 2 prnl. Jactarse: *alabarse de valiente.* ◇ HOMÓF.: *halaban* (v. *halar*).

alabarda f. **Arma formada por un asta de madera y una moharra con cuchilla transversal, aguda por un lado y en figura de media luna por el otro.

alabardado, -da adj. De figura de alabarda: *hoja alabardada.*

alabardero m. Soldado armado de alabarda. 2 fig. Miembro de la claque.

alabastrino, -na adj. De alabastro. − 2 f. Alabastro yesoso en láminas delgadas que suele usarse en las claraboyas de los templos.

alabastro m. Piedra blanca, translúcida, generalmente con visos de colores, formada por sulfato cálcico. 2 ∼ **yesoso,** aljez compacto y translúcido.

álabe m. Rama de árbol combada hacia la tierra. 2 MEC. Paleta curva de la rueda hidráulica.

alabear tr. Dar [a una superficie] forma combada. − 2 prnl. Torcerse o combarse una pieza de madera.

alabeo m. Vicio que toma una pieza de madera u otra superficie al alabearse. 2 p. ext. Comba de cualquier superficie que presenta la misma forma de una pieza de madera alabeada.

alacena f. Hueco en la pared a manera de armario con anaqueles. 2 Armario hecho aprovechando el ángulo formado por dos paredes de una habitación, colocándole una puerta en chaflán.

alaco m. Amér. Central. Persona viciosa y perdida. 2 Amér. Central. Harapo, guiñapo. 3 Amér. Central. Trasto, cosa inservible.

alacrán m. **Arácnido pulmonado, de pedipalpos prensiles, con la parte posterior del abdomen en forma de cola, terminada por una uña venenosa *(Buthus occitanus).*

alada f. Movimiento que hacen las aves subiendo y bajando las alas. ◇ HOMÓF.: *halada* (v. *halar*).

aladar m. Porción de cabellos que caen sobre cada una de las sienes: *los sedosos aladares.*

aladierna, aladierno f. m. Arbusto ramnáceo empleado en medicina y tintorería, cuyo fruto es una baya pequeña, negra y jugosa *(Rhamnus catharticus).*

alado, -da adj. Que tiene alas. 2 fig. Ligero, veloz. 3 BOT. De figura de ala.

alagartado, -da adj. Semejante, por la variedad de colores, a la piel del lagarto. 2 Amér. Central. Usurero, tacaño.

alagartarse prnl. Amér. Central. Hacerse avaro u obrar con avaricia.

alajú m. Pasta de almendras, nueces o piñones, pan rallado y tostado, especias y miel. ◇ Pl.: *alajúes.*

¡alalau! Bol., Ecuad. y Perú. Interjección con que se denota la sensación de frío intenso.

alamar m. Presilla y botón, u ojal sobrepuesto, que se cose a la orilla del vestido o capa.

alambicado, -da adj. fig. Dado con escasez y poco a poco. 2 fig. Sutil.

alambicar tr. Destilar. 2 Examinar atentamente [una cosa] para desentrañar su significado o sus cualidades. 3 p. ext. Sutilizar excesivamente [el estilo o los conceptos]. 4 fig. Reducir la ganancia todo lo posible. ◇ ** CONJUG. [1] como *sacar.*

alambique m. Aparato para destilar líquidos; consta de una caldera donde se calienta la substancia a vapor y un serpentín en el que se condensan los gases.

alambrado, -da adj. Cercado con alambres. − 2 f. Cerco de alambres afianzado en postes.

alambre m. Hilo tirado de cualquier metal.

alambrecarril m. Cable o alambre resistente, tendido a bastante altura entre torres, del que van colgadas unas vagonetas.

alambrera f. Red de alambre que se pone en las ventanas y en otras partes para resguardar los cristales. 2 Cobertera de red de alambre que se pone sobre los braseros. 3 Cobertera de red de alambre para preservar los manjares.

alambrista com. Funámbulo, equilibrista.

alameda f. Terreno poblado de álamos. 2 Paseo con álamos. 3 p. ext. Paseo con árboles en general.

álamo m. Árbol salicáceo, propio de lugares húmedos, de tronco alto y bien poblado de ramas, y madera blanca y ligera, muy resistente al agua *(gén. Populus).* 2 Madera de este árbol.

alancear *tr.* Dar lanzadas, herir con lanza: ~ *un toro.* 2 Zaherir.

alandida *adj.-f.* ZOOL. Ave generalmente terrícola que se caracteriza por tener los tarsos revestidos de placas córneas.

alandrearse *prnl.* Ponerse los gusanos de seda secos, tiesos y blancos.

alangieo, -a *adj.-f.* Planta de la familia de las alangieas. – 2 *f. pl.* Familia de plantas dicotiledóneas o árboles, de hojas alternas y enteras, flores axilares o amanojadas en las axilas, y fruto en drupa ovalada.

alano, -na *adj.-s.* Pueblo nómada que, procedente del Cáucaso, invadió España; fueron vencidos por los visigodos.

alarde *m.* fig. Ostentación y gala que se hace de una cosa.

alardear *intr.* Hacer alarde.

alargadera *f.* Tubo que se adapta al cuello de las retortas para ciertas operaciones destilatorias. 2 Pieza que sirve para alargar, como la que se emplea para las piernas del compás. 3 Cable que sirve para enlazar un enchufe con algún aparato eléctrico.

alargador, -ra *adj.* Que alarga. – 2 *m.* Pieza, instrumento o dispositivo que sirve para alargar.

alargamiento *m.* Acción de alargar o alargarse. 2 Prolongación.

alargar *tr.-prnl.* Dar más longitud [a una cosa]: ~ *una mesa; alargarse un camino;* p. ext., apresurar: ~ *el paso, el vuelo;* esp., extenderse en lo que se habla o escribe: ~ *un tema; alargarse en el discurso.* 2 Prolongar [una cosa]; hacer que dure más tiempo: ~ *el día, la vida, las jornadas;* ~ *una sílaba, una vocal.* – 3 *tr.* Hablando de las extremidades o de ciertos sentidos, extender: ~ *el brazo, la vista;* p. ext., coger [algo] y darlo a otro: *alárgame el libro.* 4 Dar [cuerda] o ir soltando poco a poco [un cabo]: ~ *las escotas, la rienda;* fig., condescender, aflojar: ~ *la conciencia, la licencia;* ~ *en blandura.* 5 Aumentar en cantidad: ~ *el salario, la ración.* 6 Alejar, apartar: *las olas me alargaron de la nave; alargarse a la mar;* esp., hacer que adelante o avance [alguna gente]. ◇ ** CONJUG. [7] como *llegar.*

alarido *m.* Grito lastimero de dolor o espanto.

alarma *f.* MIL. Señal dada en un ejército o plaza para que se prepare inmediatamente a la defensa o al combate. 2 Fig. Inquietud, sobresalto repentino. 3 fig. Voz o señal producida por mecanismo que avisa de un peligro inminente. 4 fig. Aviso, en general: *ha saltado la* ~ *de los indicadores económicos.*

alarmar *tr.* Dar alarma [a un ejército o plaza]. – 2 *tr.-prnl.* Inquietar, asustar [a uno].

alarmismo *m.* Inclinación natural a alarmarse o a causar alarma a otros.

alarmista *adj.* Que produce alarma. – 2 *com.* Persona que hace cundir noticias alarmantes.

alauita *adj.* Propio o relativo a la dinastía reinante en Marruecos.

alavense, alavés, -vesa *adj.-s.* De Álava.

alazán, -zana, -zano *adj.-s.* Color muy parecido al de la canela, con variaciones de pálido, dorado, vinoso, etc. 2 esp. Caballo o yegua de este color.

alba *f.* Tiempo durante el cual amanece: *romper el* ~, amanecer. 2 Primera luz del día, antes de salir el Sol. 3 Vestidura de lienzo blanco que baja hasta los pies; la usan los sacerdotes. ◇ Para evitar la cacofonía, utiliza la forma masculina del artículo: *el alba,* pero no la del demostrativo: *esta alba.*

albacara, albácara *f.* Recinto cercado, generalmente por un muro, fuera de las murallas de la ciudad, destinado a guardar el ganado. 2 Torreón saliente de las antiguas fortalezas.

albacea *com.* DER. Persona nombrada por el testador para asegurar el cumplimiento de su última voluntad.

albacetense, -teño, -ña *adj.-s.* De Albacete.

albada *f.* Composición poética o musical, destinada a cantar la mañana.

albahaca *f.* Planta labiada, muy olorosa, de hojas pequeñas y muy verdes, y flores blancas, algo purpúreas *(Ocimun basilicum).*

albaicín *m.* Barrio en repecho, pendiente.

albanega *f.* Cofia o red para el pelo. 2 Manga cónica usada para cazar conejos y otros animales cuando salen de la madriguera. 3 ARQ. Enjuta de arco de forma triangular; **islámico (arte).

albanés, -nesa, albano, -na *adj.-s.* De Albania, nación del sudeste de Europa.

albañal *m.* Canal o conducto que da salida a las aguas inmundas. 2 Depósito de inmundicias. 3 fig. Lo repugnante o inmundo.

albañalero *m.* El que tiene por oficio construir o limpiar albañales.

albañil *m.* Maestro u oficial de albañilería.

albañilear *intr.* Ocuparse por entretenimiento en tareas de albañilería.

albañilería *f.* Arte de construir edificios u obras en que se empleen piedra, ladrillo, cal, etc. 2 Obra de albañilería.

albaquía *f.* Residuo o resto de alguna cuenta o renta que queda sin pagar.

albar *adj.* Blanco (color): *tomillo* ~; *conejo* ~. – 2 *adj.-s.* Terreno de secano y especialmente tierra blanquecina en altos y lomas.

albarán *m.* Papel que se pone en las puertas, balcones o ventanas, como señal de que la casa se alquila. 2 COM. Relación duplicada de mercancías que, generalmente, se da al entregar éstas al cliente, el cual devuelve un ejemplar con su conformidad o reparos a la recepción.

albarda *f.* Pieza principal del aparejo de las

caballerías de carga, compuesta de dos a manera de almohadas rellenas generalmente de paja, y unidas por la parte que cae sobre el lomo del animal. 2 *Amér. Central.* Silla de montar de cuero crudo, que usan los campesinos.

albardado, -da *adj.* fig. [animal] Que tiene el pelo del lomo de diferente color que el resto del cuerpo.

albardar *tr.* Envolver aves, pescados, etc., en una loncha de tocino gordo para asarlos.

albardear *tr. Amér. Central.* Molestar, fastidiar. 2 *Amér. Central y Méj.* Domar caballos salvajes.

albardero, -ra *m. f.* Persona que tiene por oficio hacer o vender albardas.

albardilla *f.* Silla para domar potros. 2 Caballete o lomo de barro que se produce en los caminos al transitar por ellos después de haber llovido. 3 Fullería en el juego. 4 Lonja de tocino gordo que se pone por encima a las aves, pescados, etc., para asarlos. 5 Mezcla de huevos batidos, harina, dulce, etc., para rebozar ciertos manjares. 6 Pieza pequeña de pan blanco. 7 ARQ. Caballete o tejadillo que se pone sobre los muros.

albardón *m.* Aparejo más alto y hueco que la albarda, que se pone a las caballerías para montar en ellas. 2 *Argent., Bol., Parag. y Urug.* Loma o faja de tierra que sobresale en las costas explayadas o entre lagunas o charcos.

albarelo *m.* Bote de cerámica usado en las farmacias, de boca ancha y forma cilíndrica, estrechada en la parte central. 2 Seta comestible que nace en los castaños y álamos blancos.

albaricoque *m.* Fruto del albaricoquero. 2 Albaricoquero.

albaricoquero *m.* Árbol rosáceo, de hojas brillantes, acorazonadas; flores grandes de corola blanca y cáliz rojo; y fruto en drupa casi redonda con un surco, de color entre amarillento y encarnado y sabor agradable *(Prunus armeniaca)*.

I) albarillo *m.* Tañido de movimiento vivo que se toca en la guitarra para acompañar a ciertos bailes y canciones.

II) albarillo *m.* Variedad de albaricoquero cuyo fruto tiene la piel y la carne casi blancas. 2 Este mismo fruto.

albariño *m.* Vino blanco afrutado gallego.

albarrada *f.* Pared de piedra seca. 2 Parata sostenida por ella. 3 Cerca o vallado de tierra. 4 Reparo para defenderse en la guerra.

albarranilla *f.* Cebolla silvestre, de hojas estrechas y largas y flores azules o blanquecinas dispuestas en espiga *(gén. Urginea).*

albarsa *f.* Cesta en que lleva el pescador sus ropas y utensilios del oficio.

albatros *m.* Ave procelariforme del océano Pacífico, mayor que el ganso; tiene el plumaje blanco y el aspecto parecido al del vellón del carnero *(Diomedea exulans).* ◇ Pl.: *albatros.*

albayalde *m.* Carbonato de plomo, de color blanco, empleado en la pintura.

albazano, -na *adj.* De color castaño obscuro.

albazo *m. Amér.* Alborada (acción de guerra y toque militar).

albear *intr.* Tirar a blanco.

albedrío *m.* Potestad de obrar por reflexión y elección: *libre* ~. 2 Apetito, antojo, capricho.

alberca *f.* Depósito artificial de agua con muros de fábrica.

albérchiga *f.* Fruto del alberchiguero.

albérchigo *m.* Albérchiga. 2 Alberchiguero. 3 Albaricoquero.

alberchiguero *m.* Variedad del melocotonero cuyo fruto es de carne recia, jugosa y de color amarillo muy subido.

albergar *tr.* Dar albergue [a una persona]: *los albergamos en casa hasta que encontraron un piso.* − 2 *intr.-prnl.* Tomar albergue: *me albergué en el mejor hotel de la ciudad* ◇ ** CONJUG. [7] como *llegar.*

albergue *m.* Lugar en que una persona halla hospedaje o resguardo. 2 Residencia juvenil donde se practican diversas actividades, especialmente las deportivas: ~ *de juventud.* 3 Pequeña construcción en descampado o montaña donde pueden detenerse viajeros o excursionistas. 4 Cueva en que se recogen los animales, especialmente las fieras.

alberquero, -ra *m. f.* Persona que cuida de las albercas (depósitos).

albertita *f.* MIN. Betún de color negro brillante que se encuentra en capas en los estratos que contienen petróleo.

albica *f.* Clase de arcilla blanca.

albicante *adj.* Que albea.

albín *m.* Carmesí obscuro usado para pintar al fresco.

albina *f.* Estero o laguna formado con las aguas del mar. 2 Sal que queda en estas lagunas.

albinismo *m.* Anomalía congénita caracterizada por una falta del pigmento que, en el hombre y en algunos animales, hace aparecer más o menos blancas ciertas partes del cuerpo; como el cabello, los ojos, la piel, las plumas, etc.

albino, -na *adj.-s.* Que padece albinismo. − 2 *adj.* Relativo a los seres albinos. 3 BOT. [planta] Que en lugar de su color, lo tiene blanquecino. ◇ HOMÓF.: *alvino.*

albita *f.* Feldespato, generalmente blanco, constituyente del granito y otras rocas ígneas.

albo, -ba *adj.* poét. Blanco.

albogue *m.* Especie de dulzaina. 2 Rústico instrumento músico de viento, compuesto de dos cañas paralelas con agujeros.

alboguero, -ra *m. f.* Tocador o constructor de albogues.

albóndiga *f.* Bolita de carne o pescado picado y trabado con ralladuras de pan, huevos y especias, que se come frita o guisada.

albor *m.* Luz del alba. 2 fig. Comienzo o principio de una cosa.

alborada *f.* Tiempo de amanecer. 2 Toque o música militar al alborear. 3 Batalla o acción de guerra que tiene lugar al alba. 4 Cerca, vallado, tapia. 5 Composición poética o musical destinada a cantar la mañana.

alborear *impers.* Amanecer, apuntar el día.

albornoz *m.* Tela de estambre muy torcido y fuerte. 2 Especie de capa o capote con capucha. 3 Bata amplia que se usa después del baño.

alboronia *f.* Guisado de berenjenas, tomate, calabaza y pimiento.

alborotadizo, -za *adj.* Que se alborota fácilmente.

alborotado, -da *adj.* Que obra precipitada e irreflexivamente. 2 [pelo] Revuelto y enmarañado. 3 Inquieto, díscolo, revoltoso.

alborotar *tr.-prnl.* Inquietar: *alborotóse el alma;* perturbar: ~ *la casa;* amotinar, sublevar: ~ *el vecindario.* – 2 *intr.* Causar alboroto: *los niños alborotaban.* – 3 *prnl.* Encresparse el mar. 4 Alarmarse, asustarse.

alboroto *m.* Griterío o estrépito. 2 Desorden, asonada, motín. 3 Sobresalto, inquietud. – 4 *m. pl. Amér. Central.* Rosetas de maíz o maicillo tostadas con miel.

alborozado, -da *adj.* Regocijado, alegre.

alborozar *tr.-prnl.* Causar alborozo [a uno]. ◇ ** CONJUG. [4] como *realizar.*

alborozo *m.* Extraordinario regocijo, placer o alegría.

albricias *f. pl.* Regalo que se da al primero que trae una buena noticia. 2 Regalo que se da o pide por motivo de un fausto suceso.

¡albricias! Interjección con que se denota júbilo.

albufera *f.* Laguna formada por un golfo o entrada de mar cuya boca ha sido cerrada por un banco de arena.

albugíneo, -a *adj.* Enteramente blanco.

albugo *m.* MED. Mancha blanca de la córnea o de las uñas.

álbum *m.* Libro en blanco para escribir en sus hojas poesías, sentencias, piezas de música, etc., o coleccionar firmas, fotografías, grabados, etc. 2 Carpeta con dos o más discos fonográficos. ◇ Pl.: *álbumes.*

albumen *m.* BOT. Tejido de reserva que en algunas semillas acompaña al embrión y está destinado a servirle de primer alimento. ◇ Pl.: *albúmenes.*

albúmina *f.* Substancia blanquecina y viscosa que forma la clara de huevo y se halla en disposición en el suero de la sangre.

albuminoideo, -a *adj.* Que participa de la naturaleza, aspecto o propiedades de la albúmina.

albuminosa *f.* Materia en que se transforman las substancias albuminosas, una vez digeridas.

albuminoide *m.* Conjunto de los aminoácidos de alto peso molecular y constitución compleja que constituyen la parte principal de las células animales y vegetales. 2 Substancia que, como ciertas proteínas, en disolución presenta el aspecto y las propiedades de la clara de huevo, de las gelatinas o de la cola de pescado.

albur *m.* fig. Contingencia, azar a que se fía el resultado de una empresa.

albura *f.* lit. Blancura perfecta. 2 Clara del huevo. 3 Capa blanda, blanquecina, que se halla inmediatamente debajo de la corteza en los **tallos leñosos o troncos de los vegetales dicotiledóneos.

alca *f.* Ave caradriforme buceadora marina, carnívora, de plumaje blanco y negro y pico aplastado *(Alca torda).* ◇ Para evitar la cacofonía, utiliza la forma masculina del artículo: *el alca,* pero no la del demostrativo: *esta alca.*

alcachofa *f.* Planta hortense compuesta, de tallo estriado y hojas algo espinosas; su cabezuela está cubierta de brácteas carnosas, que forman una especie de piña y son comestibles en parte antes de desarrollarse la flor *(Cynara scolymus).* 2 Esta misma piña y también la del cardo y otras semejantes. 3 Pieza agujereada por donde sale el agua de la regadera o de la ducha.

alcachofar *tr.-prnl.* Abrir como una alcachofa; hinchar, esponjar. 2 fig. Engreír, vanagloriar, envanecer.

alcachofero, -ra *m. f.* Persona que vende alcachofas.

alcadafe *m.* Lebrillo que se pone debajo del grifo de las botas.

alcahuete, -ta *m. f.* Persona que procura, encubre o facilita un amor ilícito. 2 p. ext. Persona o cosa que sirve para encubrir lo que se quiere ocultar. – 3 *m.* Telón usado para indicar que el entreacto será muy corto.

alcahuetear *intr.* Hacer oficios de alcahuete. – 2 *tr.* Solicitar o inducir a una mujer para trato lascivo con un hombre.

alcahuetería *f.* Acción de alcahuetear. 2 fig. *y* fam. Acción de ocultar o encubrir a una persona para que ejecute lo que no quiere que se sepa. 3 fig. *y* fam. Medio artero de que se vale una persona para engañar o seducir.

alcaide *m.* El que en las cárceles custodiaba a los presos.

alcaldada *f.* Abuso en el ejercicio de una autoridad o cargo. 2 Dicho o sentencia necia.

alcalde *m.* Presidente del ayuntamiento de cada municipio, y, en su grado jerárquico, delegado del gobierno en el orden administrativo: ~ *pedáneo,* el de un lugar o aldea que sólo puede entender en asuntos de escasa cuantía.

alcaldesa *f.* Mujer que ejerce el cargo de alcalde.

alcaldía *f.* Empleo de alcalde. 2 Oficina del alcalde. 3 Territorio de su jurisdicción.

álcali *m.* Parte soluble de las cenizas de ciertas plantas. 2 Nombre dado a los óxidos metálicos solubles en agua que tienen reacción básica. ◇ INCOR.: *alcalí.*

alcalimetría *f.* Método de análisis volumétrico para determinar la cantidad de álcali que contiene una substancia.

alcalímetro *m.* QUÍM. Instrumento usado para apreciar la cantidad de álcali contenido en los carbonatos de sosa o de potasa.

alcalinizar *tr.* Adicionar álcali o alguna substancia para dar las propiedades de los álcalis [a un líquido]. ◇ ** CONJUG. [4] como *realizar.*

alcalino, -na *adj.* De álcali. 2 Que tiene álcali o las propiedades de un álcali: *tierras alcalinas,* óxidos de calcio, bario y estroncio; *metales alcalinos,* potasio, sodio, litio, rubidio y cesio. – 3 *m.* Medicina que tiene álcali.

alcaloide *m.* Substancia orgánica nitrogenada de carácter alcalino o básico que se encuentra en ciertos vegetales; gralte., son sólidos y cristalinos y actúan como venenos.

alcalometría *f.* QUÍM. Determinación del contenido de alcaloides en una solución.

alcallería *f.* Conjunto de vasijas de barro.

alcamonías *f. pl.* Semillas que se emplean en condimento; como anís, cominos, etc.

alcance *m.* Seguimiento, persecución. 2 Distancia a que llega el brazo de una persona. 3 Distancia a que se alcanza con un arma blanca, o que alcanza el tiro de las arrojadizas y las de fuego: *cañón de largo ~.* 4 Trascendencia o importancia: *discurso de poco ~; el encuentro de las dos superpotencias es un acontecimiento de ~ mundial.* 5 fig. En los periódicos, noticia o noticias recibidas a última hora. 6 fig. Capacidad o talento: *persona de pocos alcances.*

alcancía *f.* Vasija cerrada, con una hendidura por donde se echan monedas para guardarlas. 2 *Amér.* Cepillo en que se echan las limosnas.

alcanfor *m.* Substancia sólida, blanca, cristalina, volátil, de olor característico, extraída del alcanforero y otras lauráceas; se emplea en medicina y en la industria.

alcanforar *tr.* Componer o mezclar [una cosa] con alcanfor. – 2 *prnl. Amér.* Disiparse, evaporarse, desaparecer.

alcanforero *m.* Árbol lauráceo de Oriente, de hojas alternas y coriáceas; flores pequeñas y blancas, y fruto en baya negra, del tamaño del guisante. De sus ramas y raíces se extrae el alcanfor *(Cinnamomum camphora).*

alcantarilla *f.* Conducto subterráneo para recoger las aguas llovedizas o inmundas y darles paso.

alcantarillado *m.* Conjunto de alcantarillas.

alcantarillar *tr.* Hacer o poner alcantarillas: *~ una carretera.*

alcanzado, -da *adj.* Falto, escaso, necesitado.

alcanzar *tr.* Llegar a juntarse [con una persona o cosa] que va delante. 2 fig. Llegar a igualarse [con otro]: *el menor alcanzará pronto al mediano.* 3 Llegar a tocar [algo], especialmente con la mano. 4 p. ext. Coger [una cosa] con la mano para tomarla: *~ el libro.* 5 Llegar a percibir con la vista, el oído o el olfato: *no alcanzo el buque.* 6 Entender, comprender: *no alcanzo este problema.* 7 Haber uno vivido al mismo tiempo que [otra persona o en determinado momento]: *alcancé a Moratín; alcanzó la época de las casacas bordadas.* 8 Llegar a poseer [lo que se busca o solicita]; conseguir: *~ un empleo; ~ del rey una gracia; ~ con porfía una cosa.* 9 p. anal. Tener poder o fuerza [para una cosa]: *no alcanzó el remedio a curar la enfermedad.* 10 Llegar hasta cierto término: *~ hasta la cumbre; ~ el techo.* 11 En las armas arrojadizas y en las de fuego, llegar el tiro a cierta distancia: *~ el blanco.* 12 Tocar o caber a uno alguna cosa o parte de ella: *la desgracia a todos alcanza.* 13 p. ext. Ser suficiente una cosa para algún fin: *el dinero alcanzará para todo.* ◇ ** CONJUG. [4] como *realizar.*

alcaparra *f.* Arbusto caparidáceo, de tallos hendidos y espinosos, hojas alternas, flores axilares, grandes y blancas, y fruto en baya carnosa, parecida a un higo pequeño *(Capparis spinosa).* 2 Botón de la flor de esta planta, que se usa como condimento.

alcaparrón *m.* Fruto de la alcaparra, que se come encurtido.

alcaraván *m.* Ave caradriforme de plumaje pardo rayado de blanco, que vive de insectos y pequeños vertebrados, a los cuales caza de noche *(Œdicnemus œdicnemus).*

alcaravea *f.* Planta umbelífera, de flores blancas, cuyas semillas, pequeñas, oblongas, estriadas por una parte y planas por la otra, tienen propiedades estomacales y carminativas, y se emplean como condimento *(Carum carvi).*

alcarracero, -ra *m. f.* Persona que tiene por oficio hacer o vender alcarrazas. – 2 *m.* Vasar en que se ponen las alcarrazas.

alcarraza *f.* Vasija de arcilla porosa que deja rezumar cierta cantidad de agua, cuya evaporación enfría de dentro la de entro.

alcarreño, -ña *adj.-s.* De la Alcarria, comarca de Castilla-La Mancha.

alcarria *f.* Terreno alto, generalmente raso y de poca hierba.

alcatifa *f.* Tapete, alfombra fina. 2 Broza o relleno que se echa en el suelo antes de enlosarlo o enladrillarlo.

alcatraz *m.* Ave pelecaniforme de gran tamaño, de color blanco con parte de las alas y de la cola negra *(Sula bassana)*.

alcaudón *m.* Ave paseriforme carnívora, de alas y cola negras, que se usó en cetrería *(Lanius* sp.*)*.

alcayata *f.* Escarpia.

alcazaba *f.* Recinto fortificado dentro de una población murada.

alcázar *m.* Fortaleza (recinto). 2 Palacio real.

alce *m.* Mamífero rumiante cérvido, muy corpulento, de cuello corto, cabeza grande y astas en forma de pala *(Alces alces)*.

álcido, -da *adj.-m.* Ave de la familia de los álcidos. – 2 *m. pl.* Familia de aves caradriformes, de tamaño pequeño o mediano y pico comprimido y alto, similar al de los loros; son buenas buceadoras; como el alca y el arao.

alción *m.* Celentéreo alcionario, de polípero carnoso de forma digitada y fijo por una base estrecha *(Alcyonum palmatum)*.

alcionario *adj.-m.* Octocoralario.

alcista *com.* Persona que juega al alza en la bolsa. – 2 *adj.* [precio] Que tiende al alza.

alcoba *f.* Aposento destinado para dormir. 2 Conjunto de muebles que hay en dicho aposento.

alcohol *m.* Compuesto químico que se obtiene a partir de la oxidación de un hidrocarburo; se emplea como combustible, en la industria farmacéutica y en la del vino.

alcoholato *m.* Compuesto formado por la substitución del hidrógeno de un alcohol por un metal.

alcoholemia *f.* Presencia de alcohol en la sangre.

alcoholera *f.* Establecimiento donde se fabrica alcohol.

alcoholero, -ra *adj.* Relativo a la producción y comercio del alcohol.

alcohólico, -ca *adj.* Que contiene alcohol. 2 Relativo al alcohol, o producido por él. – 3 *adj.-s.* Alcoholizado.

alcoholímetro *m.* Aparato que sirve para apreciar la cantidad de alcohol contenido en un líquido o gas.

alcoholismo *m.* Abuso de las bebidas alcohólicas. 2 Enfermedad, generalmente crónica, ocasionada por tal abuso.

alcoholizado, -da *adj.* [pers.] Que padece alcoholismo (enfermedad).

alcoholizar *tr.* Hacer alcohólico [un líquido] por la adición de alcohol. – 2 *prnl.* Contraer alcoholismo. ◊ ** CONJUG. [4] como *realizar*.

alcohotest *m.* Instrumento para determinar el grado de alcohol en el aire espirado, mediante la reacción del alcohol con unos cristales de sales de bicromato a los que hace cambiar su normal coloración amarilla por el verde.

alcor *m.* Colina.

Alcorán *m.* Libro fundamental de la religión musulmana, que contiene las revelaciones que Mahoma (h. 570-632) afirmó haber recibido de Dios por medio del Arcángel Gabriel.

alcornocal *m.* Terreno poblado de alcornoques.

alcornoque *m.* Árbol cupulífero de hoja persistente, fruto en bellota, y madera muy dura, cuya corteza gruesa y fofa constituye el corcho *(Quercus suber)*. – 2 *adj.-com.* fig. Estúpido, necio.

alcorque *m.* Hoyo hecho al pie de las plantas para detener el agua de los riegos.

alcotán *m.* Ave rapaz falconiforme diurna, parecida al halcón *(Falco subbuteo)*.

alcotana *f.* Herramienta de albañil, con dos bocas, una en forma de azuela y otra en forma de hacha, con un anillo en medio donde se asegura el mango.

alcucero, -ra *m. f.* Persona que hace o vende alcuzas. – 2 *adj.* fig. Aficionado a las golosinas.

alcurnia *f.* Ascendencia, linaje.

alcuza *f.* **Vasija de forma cónica, en que se tiene el **aceite para el uso diario. 2 *Amér.* Vinagreras, jarrillos para el aceite y vinagre del servicio de mesa.

alcuzcuz *m.* Pasta de harina y miel, reducida a granitos redondos y cocida al baño de María, que los moros guisan de varias maneras.

aldaba *f.* Pieza de hierro o bronce que se pone en las puertas para llamar; **cerradura. 2 Pieza, generalmente de hierro, fija en la pared para atar en ella una caballería. 3 Barreta de metal o travesaño de madera con que se aseguran, después de cerrados, los postigos o las puertas; **cerradura.

aldabada *f.* Golpe dado en la puerta con la aldaba. 2 fig. Sobresalto, temor repentino.

aldabazo *m.* Aldabada recia.

aldabilla *f.* Pieza de hierro que entrando en una armella o hembrilla sirve para cerrar puertas, ventanas, etc.; **cerradura.

aldabón *m.* Aldaba (para llamar). 2 Asa grande de cofre, arca, etc.

aldabonazo *m.* Aldabada (golpe). 2 Aldabazo.

aldea *f.* Pueblo de corto vecindario, generalmente sin jurisdicción propia.

aldeanismo *m.* Vocablo o giro propio de los aldeanos. 2 Mentalidad rústica.

aldeano, -na *adj.-s.* [pers.] De una aldea. – 2 *adj.* fig. Inculto, rústico.

aldehído *m.* Compuesto químico que resulta de la oxidación de un alcohol.

¡ale! Interjección con que se denota el deseo de animar o excitar.

aleación *f.* Producto homogéneo de propiedades metálicas, compuesto de dos o más elementos; uno de los cuales, al menos, debe ser un metal; como el bronce y el latón.

I) alear *intr.* Mover las alas. 2 p. anal. Mover los brazos a modo de alas, especialmente los niños. 3 fig. Cobrar fuerzas el convaleciente o el que se repara de algún afán. 4 fig. Aspirar a una cosa o dirigirse con afán hacia ella.

II) alear *tr.* Mezclar [dos o más metales] fundiéndolos.

aleatorio, -ria *adj.* Dependiente de algún suceso casual: *distribución aleatoria.*

alebrestado *adj. Amér. Central y Colomb.* Mujeriego.

alebrestarse *prnl.* Pegarse al suelo como una liebre. 2 fig. Acobardarse. 3 *Amér.* Alarmarse, alborotarse. ◇ ** CONJUG. [27] como *acertar.*

aleccionar *tr.* Instruir, amaestrar, enseñar.

aledaño, -ña *adj.* Confinante, colindante. – 2 *m.* Campo, tierra, etc., considerado como parte accesoria del pueblo, campo o tierra con que linda: *los aledaños del lugar tienen pastos.* 3 Confín, término: *los aledaños de la región.*

alegador, -ra *adj. Amér.* Discutidor, amigo de disputas.

alegar *tr.* Citar, traer uno a favor de su propósito como prueba, disculpa o defensa [un hecho, dicho, ejemplo, razón, etc.]. 2 *Can. y Amér.* Disputar, altercar. ◇ ** CONJUG. [7] como *llegar.*

alegato *m.* DER. Escrito en que el abogado expone los fundamentos del derecho de su cliente e impugna los del adversario. 2 p. ext. Razonamiento o exposición, generalmente amplios, en defensa de alguien o algo. 3 *Can. y Amér.* Disputa, altercado.

alegatorio, -ria *adj.* Relativo a la alegación.

alegoría *f.* Ficción en virtud de la cual una cosa representa o significa otra distinta. 2 Composición literaria o artística de sentido alegórico. 3 PINT. y ESC. Representación simbólica de ideas abstractas por medio de figuras.

alegórico, -ca *adj.* Relativo a la alegoría.

alegorizar *tr.* Interpretar alegóricamente [una cosa]; darle un sentido alegórico. ◇ ** CONJUG. [4] como *realizar.*

alegrar *tr.* Causar alegría [a uno]. 2 Avivar, hermosear [las cosas inanimadas]; esp., avivar [la luz o el fuego]. – 3 *prnl.* Recibir o sentir alegría; esp., ponerse, uno alegre por haber bebido: *alegrarse con, de, o por, algo.*

alegre *adj.* Que siente alegría: *estoy ~.* 2 Propenso a ella: *ser hombre ~.* 3 Que denota alegría: *cara ~.* 4 Pasado o hecho con alegría: *cena ~.* 5 Que ocasiona o es capaz de infundir alegría: *noticia ~; cielo ~; casa ~.* 6 fig. [color] Vivo, como el rojo y el amarillo. 7 fig. Excitado alegremente por la bebida. 8 fig. Ligero, arriscado: *ser muy ~ en los negocios, en el juego.* 9 fig. *y* eufem. [mujer] Pública.

alegreto *adj. adv.* [movimiento del ritmo musical] Menos vivo que el alegro. – 2 *m.* Composición musical, o parte de ella, en este movimiento.

alegría *f.* Sentimiento de placer originado, generalmente, por una grata y viva satisfacción del alma y que, por lo común, se manifiesta con signos exteriores. 2 Irresponsabilidad, ligereza.

alegro *adj. adv.* [movimiento del ritmo musical] Moderadamente vivo. – 2 *m.* Composición musical, o parte de ella, en este movimiento.

alegrón *m.* fam. Alegría intensa y repentina. 2 fig. Breve llamarada de fuego.

alegrona *adj. Amér.* [mujer] De vida alegre.

alejamiento *m.* Distancia.

I) alejandrino, -na *adj.-s.* [pers.] De Alejandría, ciudad de Egipto. 2 Relativo a esta ciudad o a la época de su florecimiento: *filosofía alejandrina.*

II) alejandrino, -na *adj.* Perteneciente o relativo a Alejandro Magno (356-323 a. C.). – 2 *adj.-m.* Verso de catorce sílabas, dividido en dos hemistiquios.

alejar *tr.-prnl.* Poner lejos o más lejos [a una persona o cosa].

alela *f. Amér. Central.* Patudo, de pie grande. En el sentido de pie, úsase más en plural.

alelado, -da *adj.* Embobado, atontado, turulato.

alelar *tr.-prnl.* Poner lelo [a uno].

aleluya. Voz de júbilo usada por la Iglesia, especialmente en tiempo de Pascua. 2 *f.* Estampita que se arroja al pueblo al paso de las procesiones. 3 p. ext. Estampita contenida en un pliego de papel con la explicación de un asunto, generalmente en versos pareados de arte menor. 4 fig. *y* fam. Pintura despreciable. 5 Pareado de versos octosílabos, generalmente de carácter popular o vulgar. 6 *Amér.* Excusa frívola, marrullería.

¡aleluya! Interjección con que se denota júbilo.

alemán, -mana *adj.-s.* De Alemania, antigua nación de Europa central: ~ **oriental** o simplemente ~, de la República Democrática Alemana, nación del este resultante de la división de la antigua Alemania; ~ **occidental** o simplemente ~, de la República Federal de Alemania, nación del oeste resultante de la división de la antigua Alemania. – 2 *m.* Idioma alemán.

alentado, -da *adj.* Animoso, valiente. 2 Altanero, valentón. 3 *Amér.* Sano, robusto. 4 *Amér.* Enfermo mejorado de una enfermedad, convaleciente.

alentar *intr.* Respirar. – 2 *tr.-prnl.* fig. Animar, infundir aliento, dar vigor: ~ *con la esperanza.* 3 Restablecerse, reponerse de una enfermedad, mejorar. – 4 *prnl. Amér. Central y Colomb.* Dar a luz la mujer. ◇ ** CONJUG. [27] como *acertar.*

alerce *m.* Árbol conífero, de tronco derecho y alisado, ramas abiertas y hojas blandas; su fruto es una piña menor que la del pino *(gén. Larix).*

alergia *f.* Conjunto de fenómenos respiratorios, nerviosos o eruptivos, producidos por la absorción o contacto de ciertas substancias que dan al organismo una sensibilidad especial ante una nueva acción de tales substancias, aun en cantidades mínimas: ~ *al polen.* 2 p. ext. Sensibilidad extremada y contraria respecto a ciertos temas, personas o cosas: *tener* ~ *a los cambios.*

alérgico, -ca *adj.-s.* Relativo a la alergia. 2 [pers.] Que padece alergia o es propensa a ella.

alergista *adj.-com.* Médico especializado en el estudio o tratamiento de las alergias.

alero *m.* Parte inferior del tejado, que sale fuera de la pared; **cubierta.

alerón *m.* AERON. Aleta giratoria que se monta en la parte posterior de las alas de un **avión y que tiene por objeto hacer variar la inclinación del aparato y facilitar otras maniobras.

alerta *adv. m.* Con vigilancia y atención: *estáte* ~. – 2 *f.* Situación de vigilancia o atención: ~ *roja,* la que se declara en los momentos de gran peligro, especialmente ante catástrofes naturales. – 3 *m.* Señal que previene de algún peligro: *el centinela dio el* ~.

¡alerta! Interjección con que se previene de algún peligro o se incita a la vigilancia.

alertar *tr.* Poner alerta [a una persona]; dar, transmitir señales u órdenes de ponerse alerta: ~ *a los aeródromos, a la policía.*

alesnado, -da *adj.* Puntiagudo: **hoja alesnada.*

aleta *f.* Ala de la nariz. 2 Membrana que se adapta a los pies para facilitar la natación; **submarinismo. 3 Apéndice dérmico, de forma laminar, que tienen los **peces y de que éstos se sirven para moverse en el agua. Por su situación puede ser: *pectoral, abdominal, caudal, dorsal* y *anal.* 4 Parte saliente, lateral y plana, de diversos objetos. 5 Guardabarros que sobresale a ambos lados de la caja en algunos automóviles.

aletargar *tr.* Causar letargo [a una persona o animal]. – 2 *prnl.* Padecer letargo. ◇ ** CONJUG. [7] como *llegar.*

aletear *intr.* Mover las aves frecuentemente las alas, sin echar a volar. 2 Mover los peces frecuentemente las aletas cuando se les saca del agua.

aleteo *m.* Acción de aletear. 2 fig. Palpitación violenta del corazón.

alevín, alevino *m.* Pescado menudo que se echa en los ríos o estanques para poblarlos. 2 fig. Joven principiante que se inicia en una disciplina o profesión.

alevosía *f.* Cautela con que el delincuente comete un delito, para evitar la defensa de la víctima o no ser descubierto.

alevoso, -sa *adj.-s.* Que comete alevosía. 2 Que implica alevosía o se hace con ella.

alexia *f.* Imposibilidad de leer, debida a desorden cerebral.

alfa *f.* Primera letra del alfabeto griego. 2 *Rayos* ~, radiaciones emitidas por ciertas transformaciones radiactivas, como el radio. ◇ Para evitar la cacofonía, utiliza la forma masculina del artículo: *el alfa,* pero no la del demostrativo: *esta alfa.*

alfabético, -ca *adj.* Relativo al alfabeto.

alfabetizado, -da *adj.-s.* Persona que ha aprendido a leer y escribir.

alfabetizar *tr.* Poner por orden alfabético [un índice, fichas, documentos, etc.]. 2 Enseñar a leer y escribir. ◇ ** CONJUG. [4] como *realizar.*

alfabeto *m.* Abecedario. 2 Conjunto de signos con los que se puede transmitir una comunicación: ~ *Braille,* el que usan los ciegos; ~ *Morse,* el que se utiliza en telegrafía.

alfaguara *f.* Manantial copioso.

alfaida *f.* Crecida del río por el flujo de la pleamar.

alfajor *m.* Alajú. 2 Rosquillas de alajú. 3 *Amér.* Nombre que se da a distintas clases de golosinas. 4 *Argent., Chile* y *Parag.* Golosina compuesta de dos piezas pequeñas de masa unidas con manjar blanco u otra especie de dulce. 5 *Amér. Merid.* Daga o cuchillo.

alfalfa *f.* Planta leguminosa con racimos florales de color púrpura o lila, que se utiliza como forraje *(Medicago sativa).*

alfaneque *m.* Ave rapaz falconiforme, de plumaje oscuro, con la cola listada de gris claro *(Buteo luteo).*

alfanje *m.* Especie de sable ancho y curvo, usado por los orientales; **armas.

alfanumérico, -ca *adj.* Compuesto conjuntamente por elementos del alfabeto y de la numeración.

alfaque *m.* Banco de arena, generalmente en la desembocadura de un río: *los alfaques de Tortosa.*

alfar *m.* Alfarería (obrador). 2 Arcilla.

alfarería *f.* Arte de fabricar vasijas de barro. 2 Obrador donde se fabrican. 3 Tienda o puesto donde se venden.

alfarero *m.* El que tiene por oficio hacer vasijas de barro.

I) alfarje *m.* Artefacto que en los molinos de aceite sirve para moler la aceituna antes de exprimirla. 2 Lugar donde está el alfarje.

II) alfarje *m.* Techo plano de madera, generalmente decorado, consistente en un tablado sobre vigas transversales, que, en algunos casos, puede estar dispuesto para servir de suelo a la planta superior.

alfarjía *f.* Vigas de madera de un alfarje.

alféizar *m.* Vuelta o derrame que hace la pared en el corte de una puerta o **ventana. 2 Rebajo en ángulo recto que forma el telar de una puerta o ventana con el derrame, donde encajan las hojas de la puerta con que se cierra.

alfeñicarse *prnl.* fig. Afectar delicadeza, remilgarse. 2 Adelgazarse mucho. ◇ ** CONJUG. [1] como *sacar*.

alfeñique *m.* Pasta de azúcar, estirada en barras delgadas y retorcidas, cocida en aceite de almendras. 2 fig. Persona delicada de cuerpo y complexión. 3 fig. Remilgo, afeite.

alférez *m.* MIL. Oficial del ejército en el grado y empleo inferior de la carrera: ~ *de navío* o *de fragata*, grados de la marina de guerra, equivalentes al de alférez y teniente del ejército respectivamente. 2 *Amér. Merid.* Persona elegida para pagar los gastos en un baile o cualquier otra fiesta.

alfil *m.* En el juego del ajedrez, pieza que, en número de dos por bando, se mueve diagonalmente, pudiendo recorrer de una vez todas las casas que halle libres en una dirección. ◇ Pl.: *alfiles*.

alfiler *m.* Clavillo, generalmente de metal, con punta en uno de sus extremos y una cabecilla en el otro, que sirve para sujetar partes del vestido, tocado y otros adornos de la persona. 2 Juego de niños que consiste en empujar cada jugador con la uña del dedo pulgar, sobre cualquier superficie plana, un alfiler, que le pertenece, para formar cruz con otro alfiler, que hace suyo si logra formarla. 3 Joya usada para sujetar exteriormente el vestido o por adorno. 4 Pez marino teleósteo, cuyo cuerpo largo y delgado carece de aletas pectorales y caudales; presenta coloración de verde oscuro a verde pálido (*Nerophis ophidion*).

alfilerazo *m.* Punzada de alfiler. 2 fig. Dicho que zahiere, pulla.

alfiletero *m.* Cañuto pequeño para guardar en él alfileres y agujas. 2 Acerico, almohadilla.

alfiz *m.* Recuadro del arco árabe que envuelve las albanegas y arranca, bien desde las impostas, bien desde el suelo; **islámico (arte).

alfombra *f.* Tejido con que se cubre el piso de las habitaciones y escaleras. 2 fig. Conjunto de cosas que cubren el suelo: ~ *de flores*.

alfombrado, -da *m.* Conjunto de alfombras de una casa o salón. 2 Operación de alfombrar. – 3 *adj.* Que tiene dibujos parecidos a los de las alfombras.

alfombrar *tr.* Cubrir [el suelo de una habitación, etc.] con alfombra.

I) alfombrilla *f.* Felpudo (estera). 2 Alfombra pequeña que se pone junto a la bañera.

II) alfombrilla *f.* MED. Enfermedad parecida al sarampión, del cual se distingue por la ausencia de síntomas catarrales.

alfóncigo *m.* Árbol anacardiáceo de fruto en drupa; su almendra, llamada pistacho, es oleaginosa, dulce y comestible (*Pistacia vera*). 2 Fruto de este árbol.

alfonsí *adj.* Relativo a alguno de los reyes españoles llamados Alfonso. ◇ Pl.: *alfonsíes* y *alfonsinos*.

alforfón *m.* Planta poligonácea de fruto negruzco y triangular con el cual se hace un pan de mala calidad (*Fagopyrum esculentum*). 2 Semilla de esta planta.

alforjas *f. pl.* Especie de talega, abierta por el centro y cerrada por los extremos, formando dos bolsas grandes y cuadradas, donde se pone lo que se quiere llevar de una parte a otra. 2 Provisión de los comestibles necesarios para el camino.

alforza *f.* Pliegue horizontal en la parte inferior de una ropa talar. 2 fig. Costurón, cicatriz, chirlo.

alga *f.* Planta del grupo de las algas. – 2 *f. pl.* Grupo de plantas talofitas provistas de clorofila y generalmente acuáticas. ◇ Para evitar la cacofonía, utiliza la forma masculina del artículo: *el alga*, pero no la del demostrativo: *esta alga*.

algaida *f.* Bosque o terreno lleno de maleza.

algalia *f.* Substancia untuosa, de color fuerte y sabor acre, que se extrae de una bolsa que tiene cerca del ano el gato de algalia. – 2 *m.* Gato de algalia.

algar *m.* Mancha grande de algas en el fondo del mar.

algarabía *f.* Lengua árabe. 2 fig. Lengua o escritura ininteligible. 3 Manera de hablar atropelladamente. 4 Griterío confuso.

algarada *f.* Vocería grande; tumulto, motín.

algarrada *f.* Fiesta en la que se echa al campo un toro para correrlo con vara larga.

algarroba *f.* Planta leguminosa, de tallos inclinados, cuya semilla, seca, se da de comer a las palomas y a los bueyes y caballerías (*Vicia monantha*). 2 Semilla de esta planta. 3 Fruto del algarrobo.

algarrobo *m.* Árbol leguminoso papilionáceo, propio de las regiones marítimas templadas, de hojas persistentes, cuyo fruto es una vaina azucarada y comestible con semillas pequeñas y duras (*Ceratonia siliqua*).

algazara *f.* Ruido, griterío de la voz o voces de una o muchas personas.

álgebra *f.* Parte de las matemáticas que trata de la cantidad en general, valiéndose para representarla de letras u otros símbolos. ◇ Para evitar la cacofonía, utiliza la forma masculina del artículo: *el álgebra*, pero no la del demostrativo: *esta álgebra*.

algebraico, -ca *adj.* Relativo al álgebra.

algecireño, -ña *adj.-s.* De Algeciras, ciudad de Cádiz.

algidez *f.* Frialdad glacial.

álgido, -da *adj.* Muy frío. 2 fig. Propio o relativo al momento o período crítico o culminante de algunos procesos orgánicos, físicos, políticos, sociales, etc.

algo *pron. indef.* Expresa el concepto general de cosa en contraposición a *nada*: *leeré ~ mientras vuelves;* enfáticamente puede significar cosa de consideración: *creo haber dicho ~.* 2 Denota cantidad indeterminada: *apostemos ~;* enfáticamente puede significar cantidad importante: *aún falta ~ para llegar;* con la preposición *de* significa parte o porción: *~ de buen sentido; ~ de bueno.* – 3 *adv. c.* Un poco, no del todo, hasta cierto punto: *anda ~ escaso de dinero; escribe ~.* ◇ No se pueden usar indistintamente *algo, alguna cosa, una cosa.* En las dos últimas expresiones hay cierta determinación implícita.

**algodón *m.* Substancia fibrosa, blanca y suave, que recubre la semilla de varias plantas malváceas, especialmente la del algodonero. 2 Hilado o tejido hecho de esta substancia.

algodonero, -ra *adj.* Relativo al algodón. – 2 *m. f.* Persona que trata en algodón. – 3 *m.* Arbusto malváceo, de flores amarillas con manchas encarnadas; su fruto es una cápsula con muchas semillas envueltas en algodón (substancia fibrosa) *(Gosipyum herbaceum).*

algodonita *f.* Arseniuro de cobre argentífero, hallado en las minas de Chile.

algorín *m.* Departamento del molino de aceite en que se deposita por separado la aceituna de cada cosechero.

algoritmia *f.* Ciencia del cálculo aritmético y algebraico.

alguacil *m.* Oficial inferior de justicia, que ejecuta las órdenes de un tribunal: *~ de ayuntamiento,* el que ejecuta los mandatos de los alcaldes y tenientes de alcalde.

alguacilillo *m.* Jinete vestido de alguacil del siglo XVII, que en las plazas de toros sale al frente de la cuadrilla y recibe del presidente la llave del toril.

alguien *pron. indef.* Una persona cualquiera sin ninguna determinación: *si pasa ~ me avisas.* – 2 *m.* Enfáticamente, persona importante: *en su pueblo era ~; con este vestido me tomarán por ~.* ◇ INCOR.: *~ de los asistentes,* por *alguno de los asistentes.*

algún *adj. indef.* Apócope de *alguno* . No se emplea sino antepuesto a nombres masculinos: *~ hombre.*

alguno, -na *adj. indef.* Se aplica a persona o cosa indeterminada: *compraré algún libro; se ve algún niño;* persona o cosa indeterminada con respecto a varias o a lo general: *algún puerto de España; algunos hombres son malos.* 2 Ni poco ni mucho, bastante: *de alguna duración; algunos años después; alguna esperanza más; alguna mayor esperanza.* 3 Se pospone al substantivo con la significación de ninguno, especialmente en frases negativas: *partió sin decir cosa alguna;* en frases positivas tiene fuerza negativa por sí mismo: *en parte alguna estoy mejor que aquí.* 4 Antepuesto al nombre en frase interrogativa tiene algunas veces sentido negativo: *¿cuándo te he dado algún motivo de sospecha?* – 5 *pron. indef.* Absoluto: *algunos heredaron los trofeos;* refiriéndose a un substantivo próximo: *libros, tengo algunos;* en calidad de partitivo con la preposición *de* o *entre: algunos de entre,* o *entre ellos; alguna de estas cosas;* alguien: *¿ha venido ~?* – 6 *loc. ~ que otro,* unos cuantos pocos de un conjunto. ◇ Opuesto a *alguien,* es menos indeterminado.

alhaja *f.* Joya (adorno): *se atavió con todas sus alhajas.* 2 fig. Cosa de mucho valer y estima: *los libros son sus mejores alhajas.* 3 fig. Persona o animal de excelentes cualidades: *mi nuevo ayudante es una verdadera ~.* 4 irón. Persona despreciable, pícara o astuta: *vaya una ~ nos han puesto de jefe.*

alhajar *tr.* Adornar con alhajas [a uno]. 2 Amueblar.

alharaca *f.* Demostración excesiva, por ligero motivo, de la vehemencia de algún sentimiento: *hacer alharacas.*

alharma, alharmega *f.* Planta cigofilácea perenne, de hojas laciniadas y flores blancas, muy olorosas, cuyas semillas se comen tostadas *(Peganum harmala).*

alhelí *m.* Planta crucífera de jardín, de flores sencillas o dobles, de varios colores y agradable olor; existen muchas variedades de ella (gén. *Matthiolai; Cheiranthus*). ◇ Pl.: *alhelíes.*

alheña *f.* Arbusto oleáceo, de flores pequeñas y olorosas, cuyas hojas reducidas a polvo

ALGODÓN

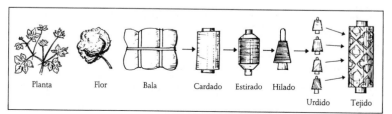

Planta   Flor   Bala   Cardado   Estirado   Hilado   Urdido   Tejido

se usan para teñir *(Ligustrum vulgaris)*. 2 Este mismo polvo. 3 Flor de este arbusto.

alholva *f.* Planta leguminosa, de semillas amarillentas, duras y de olor desagradable *(Trigonella foenum-graecum)*. 2 Semilla de esta planta; se usa como especia, para condimentar las carnes.

alhóndiga *f.* Local público para la venta, compra y depósito de granos y otros comestibles.

alhorre *m.* Excremento de los niños recién nacidos. 2 Erupción de la piel de los recién nacidos.

alhuceña *f.* Planta crucífera, de hojas hendidas y vellosas, flores blancas y fruto comestible.

aliáceo, -a *adj.* Relativo al ajo, que tiene su olor o sabor.

aliado, -da *adj.-s.* Persona o país unido o coligado con otro u otros.

alianza *f.* Acción de aliarse. 2 Conexión o parentesco contraído por casamiento. 3 Anillo matrimonial o de esponsales. 4 fig. Unión de cosas que concurren a un mismo fin.

aliar *prnl.* Unirse o coligarse [los estados o soberanos] unos con otros; en gral., unirse o coligarse con otro. ◇ ** CONJUG. [13] como *desviar.*

alias *adv.* De otro modo, por otro nombre: *Alonso de Madrigal, ~ el Tostado.* – 2 *m.* Apodo.

alicaído, -da *adj.* Caído de alas. 2 fig. Débil (físicamente). 3 Triste, desanimado.

alicantino, -na *adj.-s.* De Alicante.

alicatado *m.* Obra de azulejos, generalmente de estilo árabe.

alicatar *tr.* Revestir de azulejos. 2 Cortar los azulejos para darles la forma conveniente.

alicate *m.* Tenacillas de acero de puntas fuertes, planas o cónicas, empleadas en varios oficios. ◇ Usado más en plural.

aliciente *m.* Atractivo, incentivo: *~ a, de, o para, las grandes acciones.*

alicorear *tr.-prnl. Amér. Central.* Adornar; componerse.

alicorto, -ta *adj.* Que tiene las alas cortas o cortadas. 2 fig. De escasa imaginación o modestas aspiraciones.

alicrejo *m. Amér. Central.* Caballo viejo y flaco. 2 *Amér. Central.* Persona, animal o cosa fea y de mal aspecto.

alícuota *adj.* Proporcional.

alidada *f.* Regla con una pínula en cada extremo que sirve para dirigir visuales; forma parte de ciertos instrumentos de topografía.

alienación *f.* Acción de alienar. 2 Efecto de alienar. 3 Proceso mediante el cual el hombre o una colectividad transforman su conciencia hasta hacerla contradictoria con lo que debía esperarse de su condición. 4 Estado de ánimo, individual o colectivo, en que el hombre se siente ajeno a su trabajo o a su vida auténtica.

5 MED. Trastorno intelectual, sea temporal o permanente.

alienado, -da *adj.-s.* Loco, demente.

alienante *adj.* Que produce alienación, transformación de la conciencia.

alienar *tr.-prnl.* Enajenar. – 2 *tr.* Producir la transformación de la conciencia. 3 Privar [a una persona o grupo] del ejercicio de su libre voluntad.

alienígeno, -na *adj.-com.* Extranjero. 2 Extraño, no natural.

aliento *m.* Acción de alentar. 2 Respiración (aire). 3 fig. Vigor del ánimo, esfuerzo, valor.

aligator *m.* Caimán.

aligerar *tr.* Hacer ligero o menos pesado: *~ la carga; ~ el navío.* 2 fig. Abreviar: *~ una obra;* acelerar: *~ una remesa;* aliviar, moderar: *~ la pena; ~ los tributos* o *~ al pueblo de tributos;* atenuar: *~ las culpas.*

aligote *m.* Pez marino teleósteo perciforme, parecido al besugo, de cuerpo ovoide, boca ínfera, ojos grandes, y carne muy apreciada *(Pagellus bogaraveo).*

alijar *tr.* Aligerar [la carga de una embarcación], o desembarcarla toda. 2 Transbordar o echar en tierra [géneros de contrabando]. 3 Separar [en el algodón] la borra de la simiente.

alijo *m.* Conjunto de géneros de contrabando.

alimaña *f.* Animal perjudicial a la caza menor o a la ganadería: *la zorra y el milano son alimañas.*

alimañero *m.* Guarda de caza empleado en la destrucción de alimañas.

alimentación *f.* Acción de alimentar o alimentarse. 2 Efecto de alimentar o alimentarse. 3 Conjunto de lo que se toma o se proporciona como alimento.

alimentar *tr.-prnl.* Dar alimento: *la madre alimenta a su hijo; la tierra alimenta los árboles;* **abs.,** *hay manjares que no alimentan; ~ a uno con,* o *de, frutas; alimentarse con,* o *de, frutas.* 2 p. ext. Sustentar: *con su trabajo alimenta a toda su familia.* – 3 *tr.* p. ext. Suministrar [a una máquina] la materia que necesita para seguir funcionando. 4 fig. Fomentar [las pasiones, sentimientos, costumbres, etc.]: *el dinero alimenta el ocio.*

alimentario, -a *adj.* Relativo a la alimentación, especialmente en su aspecto público: *problema ~; leyes alimentarias.*

alimenticio, -cia *adj.* Que alimenta o tiene la propiedad de alimentar: *régimen ~.*

alimento *m.* Substancia que sirve para nutrir. 2 fig. Lo que sirve para mantener algunas cosas que, como el fuego, necesitan de pábulo. 3 Tratándose de virtudes, vicios, etc., sostén, fomento, pábulo.

alimoche *m.* Ave rapaz falconiforme, más pequeña que el buitre, de plumaje blanco con las remeras negras *(Aegypius monachus).*

alimón (al ~) *loc. adv.* fam. Conjuntamente, hecho entre dos personas que se turnan.

alinderar *tr.* Amér. Deslindar, amojonar, lindar.

alineación *f.* Acción de alinear o alinearse. 2 Efecto de alinear o alinearse. 3 Conjunto de menhires o bloques de piedra colocados en líneas paralelas; **prehistoria. 4 Formación de un equipo deportivo.

alineado, -da *adj.* Que pertenece a alguno de los bloques militares.

alinear *tr.-prnl.* Situar [a varias persona o cosas] en línea recta. 2 Formar un equipo deportivo o incluir a un jugador en él. – 3 *prnl.* Unirse, adaptarse, imitar: *los indecisos se alinearon con los más numerosos.*

aliñar *tr.* Aderezar, condimentar.

aliño *m.* Acción de aliñar o aliñarse. 2 Efecto de aliñar o aliñarse. 3 Aquello con que se aliña. 4 Condimento, adobo. 5 Disposición y aparato para hacer algo. 6 Aseo, buen orden en la limpieza de cosas y lugares, y en el atuendo de las personas.

alioli *m.* Ajiaceite.

alipegarse *prnl.* Amér. Central. Pegarse a otro, agregarse. ◇ ** CONJUG. [7] como *llegar.*

alipego *m.* Amér. Central. Adehala que se da al comprador.

alisar *tr.* Poner lisa [una cosa]. 2 Arreglar ligeramente [el cabello] con el peine. 3 Planchar ligeramente [la ropa].

alisios *adj.-m. pl.* V. vientos alisios.

alisma *f.* Planta alismácea que crece en lugares pantanosos *(Alisma ranunculoides).*

alismáceo, -a *adj.-f.* Planta de la familia de las alismáceas. – 2 *f. pl.* Familia de plantas monocotiledóneas, acuáticas, de rizoma feculento y frutos secos; como la alisma.

aliso *m.* Árbol betuláceo, de tronco limpio y grueso, copa redonda, hojas alternas algo viscosas, flores en corimbo, frutos comprimidos y madera muy dura *(Alnus glutinosa).* 2 Madera de este árbol.

alistamiento *m.* Conjunto de mozos alistados anualmente para el servicio militar.

alistar *tr.* Sentar o escribir en lista [a uno]. – 2 *prnl.* Sentar plaza en la milicia.

alitán *m.* Pez marino seláceo escualiforme, muy parecido a la pintarroja, aunque de mayor tamaño, con el cuerpo recubierto de manchitas lenticulares *(Scylliorhinus stellaris).*

aliteración *f.* Repetición de una o unas mismas letras en un enunciado: *con el ala aleve del leve abanico.*

aliviadero *m.* Vertedero de aguas sobrantes embalsadas o canalizadas.

alivianar *tr.* Amér. Aliviar, aligerar.

aliviar *tr.* Aligerar, hacer menos pesada [una cosa]: *~ la carga; ~ el peso de la cruz;* quitar [a una persona o cosa] parte del peso que sobre ella carga: *~ a uno de un peso; ~ las ramas del fruto.* 2 fig. Disminuir [las fatigas o aflicciones]; mitigar, endulzar: *~ los trabajos, los dolores; ~ al marido de, o en, los trabajos; ~ a los vencidos de sus tributos;* esp., mitigar [la enfermedad] o dar mejoría [al enfermo]. 3 Acelerar el paso, alargarlo: *alivia el paso;* **abs.,** *alivia un poco;* p. ext., aligerar, apresurar cualquier obra. ◇ ** CONJUG. [12] como *cambiar.*

alivio *m.* Acción de aliviar o aliviarse. 2 Efecto de aliviar o aliviarse.

aljaba *f.* Caja portátil para flechas o saetas que se llevaba pendiente de una correa colgada al hombro.

aljamía *f.* Lengua castellana transcrita en caracteres árabes.

aljamiado, -da *adj.* Escrito en aljamía.

aljibe *m.* Depósito subterráneo donde se recoge y conserva el agua. 2 Barco en cuya bodega se lleva el agua a las embarcaciones, y por extensión, el destinado a transportar petróleo, llamado también *cisterna* o *petrolero.* 3 Caja de chapa de hierro en que se tiene el agua a bordo.

alma *f.* Substancia espiritual e inmortal que informa el cuerpo humano, y con él constituye la esencia del hombre. 2 p. ext. Principio sensible de los animales y vegetativo de las plantas. 3 Parte moral y emocional del hombre en oposición a parte intelectiva. 4 Persona que da vida, aliento, fuerza o alegría a una situación: *era el ~ de la reunión.* 5 fig. Ser humano, individuo: *no se veía un ~; este pueblo cuenta con dos mil almas.* 6 Hueco interior de algunos objetos, especialmente el cañón de las armas de fuego. ◇ Para evitar la cacofonía, utiliza la forma masculina del artículo: *el alma,* pero no la del demostrativo: *esta alma.*

almacén *m.* Casa o edificio donde se guardan por junto géneros de cualquier clase. 2 Local donde se venden al por mayor. 3 Establecimiento importante donde se venden al por menor géneros por lo común de varias clases. 4 Hueco en la caja del fusil moderno donde se aloja el cargador. 5 Argent., Parag., S. Dom. y Urug. Tienda de comestibles y objetos de uso doméstico.

almacenamiento *m.* Acción de almacenar. 2 Efecto de almacenar. 3 Conjunto de mercancías almacenadas. 4 Dispositivo o método para guardar una información.

almacenar *tr.* Poner [una cosa] en almacén. 2 Reunir o guardar [muchas cosas]: *~ objetos antiguos.* 3 Concentrar [información] en un dispositivo informático.

almacenista *com.* Dueño de un almacén. 2 Persona que tiene por oficio vender en un almacén.

almacería *f.* Almáciga cubierta para preservar las plantas de la intemperie.

I) almáciga *f.* Resina amarillenta y aromática que se extrae de una variedad de lentisco.

II) almáciga *f.* Lugar donde se siembran las semillas de las plantas para transplantarlas depués.

almádana, almádena *f.* Mazo de hierro con un mango largo para romper piedras.

almadraba *f.* Pesca de atunes. 2 Lugar donde se hace esta pesca. 3 Red o cerco de redes con que se pescan los atunes. – 4 *f. pl.* Tiempo en que se pesca.

almadreña *f.* Zueco (zapato de madera).

almagre *m.* Óxido rojo de hierro que se encuentra en estado nativo y suele usarse en la pintura.

almagrero, -ra *adj.* [terreno] Abundante en almagre.

almanaque *m.* Registro o catálogo impreso en una hoja suelta o formando libro, que comprende todos los días del año distribuidos por meses; puede contener indicaciones astronómicas, meteorológicas y otras relativas a festividades religiosas, actos civiles, etc.

almarcha *f.* Población situada en vega o tierra baja.

almazara *f.* Molino de **aceite. 2 Depósito de aceite.

almeja *f.* Molusco lamelibranquio marino, con valvas casi ovales, mates o poco lustrosas por fuera, con surcos concéntricos y estrías radiadas muy finas; en su interior son blanquecinas y algo nacaradas. Su carne es comestible y muy apreciada (gén. *Tapes; Venus; Mytilus).*

almena *f.* Espacio intermedio en el coronamiento de un muro dentado de fortificación. 2 Prisma, generalmente rectangular, que corona el muro de una fortificación; **castillo.

almenaje *m.* Conjunto de almenas.

almenara *f.* Fuego hecho en las atalayas para dar aviso de algo. 2 Candelero con muchas mechas para alumbrar todo el aposento.

almendra *f.* Fruto del almendro. 2 Semilla contenida en este fruto. 3 Semilla carnosa de cualquier fruto con hueso.

almendrada *f.* Bebida de leche de almendras y azúcar.

almendrado, -da *adj.* De figura de almendra. – 2 *m.* Pasta de almendras, harina y miel o azúcar.

almendrino *m.* Pastelillo seco elaborado a base de almendras tostadas y molidas.

almendro *m.* Árbol rosáceo, de hojas lanceoladas, flores blancas o rosadas y fruto en drupa alargada *(Prunus amygdalus).*

almendruco *m.* Fruto tierno del almendro con el endocarpio aún blando y la semilla a medio cuajarse.

almeriense *adj.-s.* De Almería.

almete *m.* Pieza de la **armadura antigua que cubría y encerraba toda la cabeza.

almez *m.* Árbol ulmáceo, de hasta 25 m. de altura, de hojas lanceoladas, flores solitarias y fruto en drupa comestible, redonda, negra por fuera y amarilla por dentro *(Celtis australis).* 2 Madera de este árbol.

almeza *f.* Fruto del almez.

almiar *m.* Pajar al descubierto, con un palo largo alrededor del cual se va apretando la paja. 2 Montón así formado para conservarlo todo el año.

almíbar *m.* Azúcar disuelto en agua y espesado a fuego lento. 2 Dulce de almíbar.

almibarado, -da *adj.* fig. Meloso, excesivamente halagüeño y dulce: *lenguaje ~; persona almibarada.*

almibarar *tr.* Bañar o cubrir [una cosa] con almíbar. 2 fig. Suavizar [las palabras] de uno para ganarse la voluntad de otro.

almidón *m.* Substancia hidrocarbonada, blanca, inodora, insípida, granular o pulverulenta, que abunda en las plantas; esp., la que se obtiene de los cereales.

almidonado, -da *adj.* Preparado con almidón. 2 fig. *y* fam. [pers.] Compuesto o ataviado con excesiva pulcritud.

almidonar *tr.* Impregnar [la ropa blanca] de almidón desleído en agua.

alminar *m.* Torre de una mezquita.

almirantazgo *m.* Alto tribunal o consejo de la armada. 2 Dignidad de almirante. 3 Término de su jurisdicción. 4 Juzgado particular del almirante. 5 Conjunto de los almirantes de una marina.

almirante *m.* El que tiene el cargo superior de la armada; equivale al de teniente general en los ejércitos de tierra.

almirez *m.* Mortero de metal.

almizcle *m.* Substancia odorífera, untuosa al tacto, de sabor amargo y color pardo rojizo; se extrae de una bolsa que el almizclero tiene en el vientre. 2 Hierba escrofulariácea erecta, perenne, provista de glándulas que segregan una substancia viscosa con olor a almizcle de almizclero; las flores son amarillas *(Mimulus moschatus).* 3 *Colomb., C. Rica, Hond., Méj., Nicar., Salv., S. Dom. y Venez.* Substancia grasa que algunas aves tienen en una especie de bolsa, junto a la cola y con la cual se untan las plumas.

almizclero *m.* Mamífero rumiante, sin cuernos, del tamaño de una cabra; tiene en el vientre una especie de bolsa ovalada en que segrega el almizcle *(Moschus moschiferus).*

almocafre *m.* Instrumento para escardar y limpiar la tierra y para transplantar; **jardinería.

almodrote *m.* Salsa de aceite, ajos, queso y otras cosas. 2 fig. Mezcla confusa de varias cosas.

almófar *m.* Especie de cofia de malla, sobre la cual se pone el capacete; **armadura.

almofrej, almofrez *m. Amér.* Funda de la cama de camino.

almogávar *m.* Soldado de una tropa escogida y muy diestra, que hacía correrías en campo enemigo.

almohada *f.* Colchoncillo para reclinar la cabeza en la **cama o para sentarse. 2 Funda de lienzo blanco para la almohada de la cama.

almohade *adj.-s.* Individuo perteneciente a una dinastía beréber que destronó a los almorávides en Andalucía: *los almohades causaron la ruina de los almorávides.*

almohadilla *f.* Almohada pequeña para distintos usos. 2 Cojincillo, generalmente unido a la caja de costura, sobre el cual cosen las mujeres. 3 Tampón (caja). 4 Resalto de aristas, generalmente achaflanadas, labrado en un sillar. 5 Cojincillo que se coloca sobre los asientos duros, como los de las plazas de toros, campos de fútbol, etc., donde suele alquilarse.

almohadillar *tr.* Acolchar, henchir, rellenar. 2 Labrar [los sillares] en almohadillas.

almohadillero, -ra *m. f.* Persona que hace o vende almohadillas. 2 Persona que alquila almohadillas a los asistentes a ciertos espectáculos (toros, fútbol, etc.).

almohadón *m.* Colchoncillo a manera de almohada para sentarse, recostarse o apoyar los pies en él.

almoneda *f.* Venta pública de bienes muebles con licitación y puja. 2 p. ext. Venta de géneros que se anuncian a bajo precio. 3 Local donde se realiza esta venta.

almorávide *adj.-s.* Individuo de una de las tribus del norte de África que llegó a dominar toda España entre los siglos XI y XII: *los almorávides fueron vencidos por los almohades.*

almorrana *f.* Tumorcillo sanguíneo que se forma en la parte exterior del ano o en la extremidad del intestino recto.

almorta *f.* Planta leguminosa papilionácea, anual, de flores blancas, azules o lilas y fruto con semillas, en forma de muela, comestibles *(Lathyrus sativus).* 2 Semilla de esta planta.

almorzar *intr.* Tomar almuerzo. – 2 *tr.* Comer en el almuerzo [algún manjar]: *~ chuletas.* ◇ ** CONJUG. [50] como *forzar.*

almuecín, almuédano *m.* Musulmán que desde el alminar convoca al pueblo a la oración.

almuerzo *m.* Comida del mediodía o primeras horas de la tarde.

alocado, -da *adj.* Que tiene cosas de loco. 2 Que parece loco. 3 [pers.] Que tiene poca sensatez o poco juicio. Aplícase también a los actos imprudentes: *velocidad alocada.*

alocroíta *f.* Granate de color verdoso.

alocución *f.* Discurso generalmente breve, dirigido por un superior a sus inferiores o súbditos.

áloe, áloes *m.* Planta liliácea, de hojas largas y carnosas, de las cuales se extrae un jugo amargo y resinoso usado en medicina *(Aloë barbadensis).* 2 Jugo de esta planta.

alojamiento *m.* Casa o lugar en que uno está alojado: *el ~ de un militar; el ~ de la tropa en el campo.*

alojar *tr.-prnl.* Hospedar: *~ un viajero; se alojó, o alojó, en la venta; vamos en busca de un castillo donde alojarnos.* 2 Introducir, acoplar una cosa dentro de otra: *~ una bala en el cuerpo.* 3 Situarse las tropas en algún punto.

alómero, -ra *adj.-s.* QUÍM. Substancia que tiene la misma estructura cristalina que otra, pero distinta composición química.

alomorfo, -fa *adj.-s.* QUÍM. Substancia que tiene la misma composición química que otra, pero distinta estructura cristalina. – 2 *m.* LING. Variante de un morfema en función del contexto.

I) alón *m.* Ala entera de cualquier ave, quitadas las plumas.

II) alón, -na *adj.* *C. Rica, Cuba y Chile.* Aludo, de grandes alas.

alondra *f.* Ave paseriforme insectívora, de color pardo fuertemente listado de negruzco por el dorso y blanco ocráceo en las partes inferiores, cola más bien larga, blanca en las plumas rectrices externas y con una cresta corta y redondeada *(Alauda arvensis).*

alópata *adj.-com.* Que se dedica a la alopatía.

alopatía *f.* Sistema terapéutico cuyos medicamentos producen en el estado sano fenómenos distintos de los que caracterizan la enfermedad que combaten.

alopecia *f.* Caída del cabello por enfermedad de la piel.

alotropía *f.* Diferencia que en sus propiedades físicas y químicas puede presentar un mismo cuerpo simple.

alotrópico, -ca *adj.* Relativo a la alotropía: *estado ~ del azufre.*

I) alpaca *f.* Mamífero rumiante camélido, propio de la América meridional, parecido a la llama y que se utiliza como ésta *(Auchemia pacos).* 2 Pelo de este animal. 3 Tejido hecho con este pelo. 4 Tela gruesa de algodón abrillantado.

II) alpaca *f.* Metal blanco, aleación de cobre, zinc y níquel.

alpargata *f.* Calzado de cáñamo en forma de sandalia. 2 **Calzado de tela, con suela de cáñamo o de caucho, y que se asegura por simple ajuste o con cintas.

alpargatería *f.* Taller donde se hacen alpargatas. 2 Tienda donde se venden.

alpargatero, -ra *m. f.* Persona que tiene por oficio hacer o vender alpargatas.

alpax *m.* Aleación de aluminio y silicio, que se emplea para piezas fundidas.

alpechín *m.* Líquido fétido que sale de las aceitunas apiladas antes de la molienda y cuando, al extraer el aceite, se las exprime con el auxilio del agua hirviendo.

alpestre *adj.* Alpino. 2 fig. Montañoso, áspero, silvestre. 3 BOT. [planta] Que vive a grandes altitudes.

alpinismo *m.* Deporte consistente en la ascensión a altas montañas.

alpinista *com.* Persona que practica el alpinismo.

alpino, -na *adj.* Relativo a los Alpes, y por extensión a las altas montañas en general: *vegetación alpina.* 2 [unidad militar de infantería] De montaña: *batallón ~.*

alpiste *m.* Planta graminácea que sirve para forraje, cuyas semillas, muy pequeñas, se dan de comer a los pájaros *(Phalaris canariensis).* 2 Semilla de esta planta.

alpujarreño, -ña *adj.-s.* De las Alpujarras, comarca de Andalucía.

alquería, *f* Casa de campo para la labranza. 2 Conjunto de estas casas de campo. 3 Casa de campo para el recreo.

alquilar *tr.* Dar a otro [una cosa] por tiempo determinado, con ciertas condiciones y por un precio convenido. – 2 *prnl.* Ponerse a servir a otro por cierto estipendio.

alquiler *m.* Acción de alquilar. 2 Precio en que se alquila alguna cosa: *los alquileres de los pisos están muy altos.*

alquimia *f.* Química de los antiguos, que pretendía conseguir la transmutación de los metales, la piedra filosofal y la panacea universal.

alquímico, -ca *adj.* Relativo a la alquimia.

alquimista *m.* El que profesaba la alquimia.

alquitrán *m.* Substancia untuosa, de color oscuro, olor fuerte y sabor amargo, que se obtiene como residuo de la destilación en vasos cerrados de la madera o de la hulla, y se usa en medicina y para calafatear buques.

alrededor *adv. l.* Denota la situación de lo que rodea alguna cosa o de lo que se mueve en torno a la misma. – 2 *adv. c.* Cerca, sobre poco más o menos: *~ de un kilómetro.* – 3 *m. pl.* Contorno: *los alrededores de Granada.*

alrevesado, -da *adj.* Amér. Revesado.

alsaciano, -na *adj.-s.* De Alsacia, región del nordeste de Francia. – 2 *m.* Dialecto germano hablado en ella.

alta *f.* Entrada en servicio activo de un militar destinado a un cuerpo o vuelto a él después de haber sido dado de baja. 2 Documento que la acredita. 3 Orden que se comunica al enfermo a quien se da por curado, para que deje el hospital: *dar de ~,* o *el ~,* considerar el médico que el enfermo ya puede incorporarse al trabajo. 4 Acto en que el contribuyente declara a la Hacienda el ejercicio de industria o profesión sujeta a impuesto. 5 Entrada de una persona en un cuerpo, profesión, etc.: *está de ~ en la empresa desde hace un*

mes. ◇ Para evitar la cacofonía, utiliza la forma masculina del artículo: *el alta,* pero no la del demostrativo: *esta alta.*

altanería *f.* fig. Altivez, soberbia.

altanero, -ra *adj.* fig. Altivo, soberbio.

altar *m.* Monumento dispuesto para inmolar la víctima y ofrecer el sacrificio. 2 En el culto católico, ara (piedra); p. ext., lugar levantado, en forma de mesa rectangular, donde se coloca el ara; **basílica.** ◇ Dim.: *altarcillo* o *altarillo.*

altavoz *m.* Aparato que transforma las oscilaciones eléctricas en ondas sonoras y eleva la intensidad del sonido.

alteración *f.* Acción de alterar o alterarse: *la ~ del vino.* 2 Sobresalto, movimiento de una pasión. 3 Altercado, disputa. 4 Desarreglo, desorden: *~ del orden público.*

alterar *tr.-prnl.* Cambiar la esencia, forma o cualidades [de una cosa]: *~ la verdad; alterarse la leche.* 2 Perturbar, inquietar, trastornar: *por nada se altera.*

altercado *m.* Disputa violenta.

altercar *intr.* Disputar, porfiar. ◇ ** CONJUG. [1] como *sacar.*

alteridad *f.* Condición de ser otro.

alternador *m.* Dinamo generadora de corriente alterna.

alternancia *f.* Sucesión alternativa de hechos, fenómenos, etc. 2 FÍS. Cambio de sentido de la corriente alterna. 3 ZOOL. Tipo de reproducción de algunos animales que alternan la generación sexual con la asexual.

alternar *tr.* Hacer [cosas diversas] por turnos y sucesivamente: *~ los ejercicios; ~ los placeres con el estudio;* **intr.,** *~ entre la fatiga y el descanso.* 2 MAT. Cambiar de lugar [los términos de una proporción]. – 3 *intr.* Sucederse varias personas en un cargo o en alguna realización: *~ de cuatro en cuatro meses; ~ en las ocupaciones.* 4 Sucederse unas cosas a otras repetidamente: *~ los días claros con los lluviosos.* 5 Tener trato las personas entre sí: *~ con los sabios.* 6 En ciertas salas de fiestas o lugares similares, tratar las mujeres contratadas para ello con los clientes, para estimularlos a hacer gasto en su compañía.

alternativo, -va *adj.* Que se dice, hace o sucede con alternación. – 2 *f.* Derecho para ejecutar alguna cosa o gozar de ella alternando con otra. 3 Opción entre dos cosas. 4 Servicio en que se turnan dos o más personas. 5 Solución de repuesto. No implica la elección entre dos cosas. 6 TAUROM. Acto por el cual un matador de toros eleva a un matador de novillos a su misma categoría.

alterne *m.* fam. Acción de alternar (tener trato las personas y tratar las mujeres). 2 fig. Copeo.

alterno, -na *adj.* Alternativo. 2 [hoja u otro órgano vegetal] Que, en número vario, se halla a diferente nivel en el tallo de manera que cada uno ocupa en su lado la parte correspondiente a la que queda libre en el lado opuesto. 3 Que ocurre o se hace cada dos días.

alteza *f.* Elevación, sublimidad, excelencia: ~ *de miras.* 2 Tratamiento dado a los príncipes e infantes de España.

altibajos *m. pl.* Desigualdades de un terreno. 2 Alternativas de sucesos prósperos y adversos.

altillo *m.* Cerrillo o lugar algo elevado. 2 Construcción en alto, generalmente de madera, sostenida por pilares o vigas, que se hace en el interior de una tienda, taller o almacén, para servir de oficina, depósito, etc. 3 Parte alta de un local destinado a almacén. 4 Armario de pequeña altura empotrado en la parte alta de una pared o situado sobre otro armario.

altímetro *m.* Instrumento para medir alturas.

altiplanicie *f.* Meseta de mucha extensión y a gran altitud.

altiplano *m.* Altiplanicie.

altisonancia *f.* Calidad de altisonante.

altisonante *adj.* [lenguaje, estilo] Elevado afectadamente.

altísono, -na *adj.* Altamente sonoro, de alto sonido, elevado: *escritor* ~; *estilo* ~.

altitud *f.* Altura de un punto de la tierra con relación al nivel del mar.

altivez, -za *f.* Orgullo, soberbia.

altivo, -va *adj.* Orgulloso, soberbio.

I) alto, -ta *adj.* De altura considerable sobre la tierra o cualquier otro término de comparación: *calle alta; piso* ~; *país* ~. 2 De gran estatura: *hombre* ~; *montaña alta.* 3 Que pasa del nivel ordinario; superior en su línea; de mayor alcance, avanzado: *alta tradición; altos estudios; precio* ~; *clases altas de la sociedad; altas horas de la noche.* – 4 *m.* Sitio elevado en el campo. – 5 *adv. l.* En lugar o parte superior: *el avión pasa muy* ~. – 6 *adv. m.* En voz fuerte: *no hables tan* ~. – 7 *m.* Amér. Montón: *un* ~ *de libros.* – 8 *m. pl.* Amér. El piso o los pisos altos de una casa, por contraposición a la planta baja.

II) alto *m.* Detención o parada: *hagamos un* ~ *para descansar.*

¡alto! Interjección que denota el mandato de detener o suspender una acción, especialmente militar, ejercicios atléticos, trabajos, etc.

altorrelieve *m.* Relieve en que el motivo escultórico sobresale más de la mitad de su grosor sobre la superficie del fondo.

altozano *m.* Monte de poca altura en terreno llano. 2 Lugar más alto y ventilado de ciertas poblaciones. 3 Amér. Atrio de una iglesia.

altramuz *m.* Planta leguminosa, de flores en espigas terminales, agrupadas alrededor de un eje, y semillas duras, redondas y achatadas, que se comen después de remojadas en agua *(Lupinus albus).* 2 Fruto de esta planta.

altruismo *m.* Amor desinteresado al prójimo.

altruista *adj.-com.* [pers.] Que tiene la virtud del altruismo, o que profesa el altruismo.

altura *f.* Elevación que tiene un cuerpo sobre la superficie de la tierra. 2 Cumbre de los montes o parajes altos del campo. 3 Región elevada del aire. 4 Dimensión de los cuerpos perpendicular a su base. 5 Dimensión de una figura plana o de un cuerpo representada por una línea que desde su parte más elevada baje perpendicularmente a su base; **triángulo; **sólidos. 6 GEOM. En una figura plana o en un cuerpo, segmento de la perpendicular trazada desde un vértice al lado o cara opuestos, comprendido entre ellos y dicho vértice. – 10 *f. pl.* Cielo: *ascendió a las alturas.*

alubia *f.* Judía.

alucinación *f.* Sensación subjetiva que no obedece a impresión en los sentidos.

alucinado, -da *adj.-s.* [pers.] Que constantemente sufre alucinaciones. 2 fam. Asombrado, deslumbrado.

alucinante *adj.* Que alucina. 2 fig. *y* fam. Impresionante, asombroso, increíble.

alucinar *tr.-prnl.* Producir sensaciones o percepciones imaginarias. 2 Cautivar irresistiblemente. 3 Atraer una cosa la atención poderosamente, de modo que no se pueda desviar de ella, a la vez que impresiona muy fuertemente. 4 Equivocarse.

alucinógeno, -na *adj.-m.* Substancia química que causa alucinaciones, estados eufóricos, etc.

alud *m.* Masa de nieve que se derrumba de los montes con violencia. 2 fig. Lo que se desborda y precipita impetuosamente.

aluda *f.* Hormiga con alas.

aludir *tr.* Referirse a una persona o cosa sin nombrarla: ~ *a las costumbres de los romanos.* 2 p. ext. Nombrar un orador a una persona o referirse a sus hechos, doctrinas u opiniones.

aludo, -da *adj.* De grandes alas.

alujar *tr.* Amér. Central. Lujar, abrillantar.

álula *f.* ZOOL. Conjunto de las plumas que se insertan sobre el pulgar o primer dedo de las **aves. ◇ Para evitar la cacofonía, utiliza la forma masculina del artículo: *el álula,* pero no la del demostrativo: *esta álula.*

alumbrado *m.* Conjunto de luces que iluminan alguna población o lugar; **estadio.

alumbramiento *m.* fig. *y* eufem. Parto.

alumbrar *tr.* Llenar de luz: *el Sol alumbra a la Tierra;* **abs.,** *el Sol alumbra.* 2 Poner luz o luces [en un lugar]: ~ *un salón.* 3 Acompañar con luz [a otro]: *alúmbrale por la escalera.* 4 fig. Dar vista [a los ciegos]. 5 Disipar el error, hacer que las facultades se ejerciten acertadamente, enseñar, ilustrar: *Jesucristo alumbra el mundo;* ~ *el entendimiento, la voluntad,* etc.*;* ~ *al que va errado.* – 6 *intr.* Dar a luz la mujer. – 7 *prnl.* fam. Embriagarse. – 8 *tr. Amér.* Examinar [un huevo] al trasluz.

alumbre *m.* Sulfato doble de alúmina y potasio, de color blanco, que se emplea en medicina y en la industria.

alúmina *f.* Óxido de aluminio que se halla en la naturaleza, ya puro y cristalizado, ya formando con otros cuerpos los feldespatos y las arcillas.

aluminífero, -ra *adj.* Que tiene alúmina o alumbre.

aluminio *m.* Metal de color parecido al de la plata, muy maleable, dúctil y sonoro, notable por su ligereza y por su resistencia a la oxidación. Su símbolo es *Al.*

aluminita *f.* Roca formada por un sulfato de alúmina básico. 2 Variedad de porcelana.

aluminografía *f.* Procedimiento de grabado litográfico sobre planchas de aluminio para reproducir un dibujo o escrito.

aluminosilicatos *m. pl.* QUÍM. Compuestos formados por alúmina, silicatos y bases, y que constituyen el grupo formado por las arcillas, mica, vidrio, porcelana, etc.

aluminoso, -sa *adj.* Que contiene alúmina o tiene sus propiedades.

alumnado *m.* Conjunto de los alumnos de un centro de enseñanza. 2 Colegio, internado.

alumno, -na *m. f.* Persona, respecto del que le educó desde su niñez. 2 Discípulo, respecto de su maestro, de la materia que aprende, de la escuela donde estudia, etc.

alunizaje *m.* Acción de alunizar.

alunizar *intr.* Descender y posarse en el suelo de la Luna un vehículo astronáutico. ◇ ** CONJUG. [4] como *realizar.*

alusión *f.* Acción de aludir.

alusivo, -va *adj.* Que alude.

aluvial *adj.* De aluvión.

aluvión *m.* Avenida fuerte de agua; inundación. 2 *De* ~, relativo a los terrenos o depósitos de tierra formados por la acción mecánica de las corrientes de agua. 3 fig. Cantidad grande de una cosa.

aluzar *tr. Amér.* Alumbrar, llenar de luz y claridad. ◇ ** CONJUG. [4] como *realizar.*

alveario *m.* Conducto auditivo externo.

álveo *m.* Madre de un río o arroyo.

alveolar *adj.* ZOOL. Relativo o semejante a los alvéolos. 2 GRAM. [consonante] Que se articula tocando la lengua en los alvéolos; en español: *n, l, r, s.*

alveolo, alvéolo *m.* Cavidad en la que está engastado cada uno de los dientes de los hombres y de los animales. 2 Celdilla en que terminan las últimas ramificaciones de los tubos bronquiales que forman los pulmones de los mamíferos; **respiración.

alverja, -jana *f. Amér.* Guisante.

alza *f.* Pedazo de vaqueta con que se aumenta la horma del zapato. 2 Aumento de precio que toma alguna cosa. 3 Regla graduada fija en el cañón de las armas de fuego, para precisar la puntería. 4 Madero que con otros iguales forma una presa movible. ◇ Para evitar la cacofonía, utiliza la forma masculina del artículo: *el alza,* pero no la del demostrativo: *esta alza.*

alzacola *m.* Ave paseriforme insectívora, de color pardo rojizo, vientre blancuzco y larga cola en abanico *(Cercotrichas galactotes).*

alzacuello *m.* Tira de tela endurecida que, ceñida al cuello, obliga a llevarlo erguido. 2 Especie de corbatín, usado por los eclesiásticos.

alzado, -da *adj.* [pers.] Que quiebra fraudulentamente. 2 [ajuste o precio] Fijado en determinada cantidad. – 3 *m.* Diseño de la fachada de un edificio. 4 Robo, hurto. 5 Diseño de un edificio, máquina, etc., en su proyección geométrica y vertical. – 6 *f.* Estatura del caballo. 7 DER. Recurso de apelación en lo gubernativo. – 8 *adj. Amér.* [animal doméstico] Que se torna bravío. 9 *Amér.* Engreído, insolente. 10 *Amér. Merid.* [animal] Que anda en celo.

alzamiento *m.* Acción de alzar o alzarse. 2 Efecto de alzar o alzarse. 3 Puja hecha en una subasta. 4 Levantamiento. 5 Quiebra fraudulenta.

alzapaño *m.* Pieza fijada en la pared, a los lados de una cortina, para tenerla recogida. 2 Tira suelta de los alzapaños para recoger las cortinas.

alzapié *m.* Trampa o lazo para prender y cazar por el pie cuadrúpedos y aves.

alzaprima *f.* Palanca (barra). 2 Cuña empleada para realizar alguna cosa.

alzar *tr.* Levantar: ~ *los ojos al cielo;* ~ *algo del suelo;* ~ *a uno por caudillo;* alzarse a mayores. 2 En el santo oficio de la misa, elevar [la hostia y el cáliz] después de la consagración: *abs., ya han alzado.* 3 Levantar, construir, edificar. 4 Quitar o llevarse [una cosa]: ~ *los manteles.* 5 En los juegos de naipes, cortar la baraja. – 6 *prnl.* Levantarse. 7 Sublevarse: *alzarse en rebelión.* 8 Quebrar el mercader fraudulentamente: *alzarse uno con alguna cosa,* apoderarse de ella con usurpación e injusticia. 9 Apelar, recurrir a un juez o tribunal superior. 10 Retirarse el jugador del juego con la ganancia sin esperar que los otros se desquiten. 11 *Amér.* Fugarse y hacerse montaraz el animal doméstico. ◇ ** CONJUG. [4] como *realizar.*

alzo *m.* C. Rica, Guat., Hond., Nicar. y Salv. Alzado, hurto o robo.

allá *adv. l.* Indica lugar alejado del que habla: ~ *en América; el más* ~, el otro mundo. – 2 *adv. t.* Denota tiempo pasado o futuro: ~ *en* *nuestras mocedades; sin hacer provisiones ~ para el invierno.*

allanar *tr.-intr.-prnl.* Poner llana [una cosa]: *~ unas cercas; ~ piedra; ~ un monte; el terreno allana,* o *se allana.* 2 Superar [una dificultad]. 3 Pacificar, sujetar: *~ con las armas una tierra; ~ la revuelta.* 4 Entrar a la fuerza en casa ajena: *~ un domicilio.* – 5 *prnl.* fig. Sujetarse, avenirse a alguna cosa: *allanarse a las condiciones.* 6 Igualarse el que es de clase distinguida con alguno del estado llano.

allegadera *f.* Apero que se usa en las eras para recoger las porciones de mies que dejan la rastra y el bieldo; **trillo.

allegado, -da *adj.* Cercano, próximo. 2 Reunido, recogido, agrupado. – 3 *adj.-s.* Pariente.

allegar *tr.-prnl.* Recoger, juntar: *~ a las gentes; allegó cien ducados;* esp., recoger [la parva] después de trillada. 2 Agregar, añadir: *~ la prudencia; allega la fama.* – 3 *prnl.* Adherirse o convenir con un dictamen o idea: *allegarse a una secta.* ◇ ** CONJUG. [7] como *llegar.*

allende *adv. l.* lit. De la parte de allá: *de ~ los mares.*

allí *adv. l.* En aquel lugar preciso: *¿ves aquella polvareda que ~ se levanta?* 2. A aquel lugar: *lleváronle ~ su asno.* 3 En correlación con *aquí,* suele designar sitio o paraje indeterminado: *se veían hermosas flores; aquí rosas y dalias, ~ jacintos y claveles.* – 4 *adv. t.* Entonces, en tal ocasión: *~ fue el reír de la gente.* ◇ V. *allá.*

ama *f.* Cabeza o señora de la casa o familia. 2 Poseedora de alguna cosa. 3 La que tiene uno o más criados, respecto de ellos. 4 Criada principal de una casa: *~ de un clérigo;* **~ de gobierno,** o **de llaves,** la encargada de las llaves y economía de la casa. 5 Mujer que amamanta una criatura ajena, llamada especialmente *~ de cría* o *de leche* . 6 *Amér. Central, Colomb.* y *P. Rico.* **~ de brazos,** niñera.

amable *adj.* Afable, complaciente, afectuoso: *~ a, para,* o *para con, todos; ~ de genio; ~ en el trato.* ◇ Superl.: *amabilísimo.*

amacayo *m. Amér.* Flor de lis, planta amarilidácea (*Amarylis formosisima*).

amacigado, -da *adj.* De color amarillo o de almáciga.

amacizar *tr. Amér. Central y Colomb.* Macizar, rellenar, abarrotar. 2 *Colomb.* y *Méj.* Apretar, afianzar. ◇ ** CONJUG. [4] como *realizar.*

amachimbrarse *prnl. Amér.* Amancebarse.

amachinarse *prnl. Can.* y *Amér.* Amancebarse.

amacho *adj.-m. Amér. Central.* Sobresaliente en su género, expresando vigor, fortaleza.

amachorrarse *prnl. Amér.* Volverse machorra una hembra.

amado, -da *adj.-s.* Persona amada.

amadrinar *tr.* Unir [dos caballerías] con la correa llamada madrina. 2 Ser madrina una mujer. 3 *Amér. Merid.* Acostumbrar al ganado caballar a que vaya en tropilla detrás de la yegua madrina.

amaestrar *tr.* Adiestrar. 2 Domar, enseñar a los animales.

amagamiento *m. Amér.* Quebrada honda y estrecha.

amagar *intr.-tr.* Dejar ver la intención de ejecutar próximamente alguna cosa: *~ a darle dinero; el enemigo amagaba a atacar; amaga una sonrisa.* 2 Amenazar: *le amaga un gran daño.* – 3 *intr.* Estar una cosa próxima a sobrevenir: *~ una tempestad, un motín;* esp., manifestarse los primeros síntomas de una enfermedad : *~ la terciana, el ataque.* – 4 *tr.* Fingir que se va a hacer o decir alguna cosa: *~ una retirada.* ◇ ** CONJUG. [7] como *llegar.*

amago *m.* Señal, indicio de algo: *los amagos de la enfermedad.* 2 Ataque fingido.

amainar *intr.* Aflojar, perder su fuerza el viento. 2 fig. Aflojar en algún deseo o empeño: *~ a uno la furia; ~ uno en su furia; ~,* o *amainarse, la admiración.*

amalgama *f.* Aleación de mercurio con otro metal. 2 Mineral compuesto de mercurio y plata. 3 fig. Mezcla de elementos heterogéneos.

amalgamar *tr.-prnl.* Alear el mercurio [con otro metal]. 2 fig. Unir o mezclar [cosas heterogéneas].

amalhayar *tr. Amér. Central y Colomb.* Anhelar, codiciar.

amamantar *tr.* Dar de mamar.

amancay *m. Argent., Chile, Ecuad.* y *Perú.* Planta amarilidácea, especie de narciso amarillo (*Amaryllis aurea*).

amancebarse *prnl.* Unirse en concubinato.

amancillar *tr.* Manchar. 2 Deslucir, afear, ajar.

I) amanecer *m.* Tiempo durante el cual amanece: *al ~ ,* al tiempo de estar amaneciendo.

II) amanecer *impers.* Apuntar el día. – 2 *intr.* p. ext. Estar en un paraje o condición determinados al apuntar el día: *~ en Madrid;* aparecer o manifestarse alguna cosa al rayar el alba : *amanecieron las calles llenas de pancartas.* 3 Empezar a manifestarse alguna cosa: *~ razón, el valor.* ◇ ** CONJUG. [43] como *agradecer.*

amanerado, -da *adj.* Que adolece de amaneramiento: *lenguaje ~.* 2 Afeminado: *gestos amanerados.*

amaneramiento *m.* Falta de naturalidad. 2 Afeminamiento.

amanerar *tr.-prnl.* Dar cierta monotonía y afectación [a las obras, lenguaje, ademanes, vestido, etc.]: *~ uno el estilo; amanerarse un escritor, un artista; sus ademanes se amaneran.* 2 Contraer una persona vicio semejante en el modo de accionar, de hablar, etc. – 3 *prnl.* Afeminarse.

amanita *f.* Hongo muy semejante al agárico, algunas de cuyas especies son muy venenosas. La especie *A. phalloides* es mortal (gén. *Amanita*).

amansador *m. Amér.* Picador, domador de caballos.

amansar *tr.-prnl.* Hacer manso [a un animal], domesticarlo. 2 p. ext. *y* fig. Domar el carácter violento [de una persona]. 3 fig. Sosegar, apaciguar, mitigar: *amansarse las pasiones.* – 4 *intr.* Ablandarse una persona en su carácter.

amante *adj.-s.* Que ama. – 2 *com. pl.* Hombre y mujer que se aman.

amanuense *com.* Persona que escribe al dictado. 2 Escribiente.

amañado, -da *adj.* Mañoso, hábil. 2 Falsificado, alterado para obtener algún efecto: *baraja amañada; un telegrama ~.*

amañar *tr.* Componer mañosamente [una cosa], falsearla. – 2 *prnl.* Darse maña, acomodarse fácilmente a hacer una cosa.

amaño *m.* Disposición para hacer con maña alguna cosa. 2 fig. Traza o artificio para conseguir algo: *lo obtendremos con amaños.* – 3 *m. pl.* Instrumentos a propósito para alguna maniobra.

amapola *f.* Hierba papaverácea anual erecta, de flores rojas y semilla negruzca, que con frecuencia abunda en los sembrados *(Papaver rhœas).*

amar *tr.* Tener amor [a personas, animales o cosas]: *~ de corazón.* 2 Tener amor a seres sobrenaturales. 3 Desear, aspirar al conocimiento y disfrute del ser amado. ◇ GALIC.: *amo la música*, por *soy aficionado a la música; el naranjo ama los países cálidos*, por *prospera en.*

amaraje *m.* Acción de amarar.

amarantáceo, -a *adj.-f.* Planta de la familia de las amarantáceas. – 2 *f. pl.* Familia de plantas dicotiledóneas apétalas, de hojas alternas u opuestas, flores pequeñas, de cáliz persistente, dispuestas en espigas o cabezuelas terminales, y fruto en núcula; como el amaranto.

amaranto *m.* Planta amarantácea, de hojas alternas, flores en espiga densa y fruto de muchas semillas negras y relucientes *(Amaranthus caudatus).* – 2 *adj.-m.* De color carmesí.

amarar, *intr.* Posarse en el agua [un hidroavión, una nave espacial, etc.].

amarchantarse *prnl. Amér.* Hacerse marchante o parroquiano de una tienda.

amargado, -da *adj.* Relativo a la persona malhumorada, resentida, pesimista.

amargar *intr.-prnl.* Tener alguna cosa sabor parecido al de la hiel, el acíbar, etc.: *este*

pan amarga; amargarse la fruta. 2 fig. Causar aflicción o disgusto: *no me amargues con tus desgracias.* – 3 *tr.* Comunicar sabor o gusto desagradable [a una cosa]: *este condimento amarga la comida;* fig., *los disgustos le amargan la existencia.* – 4 *prnl.* Experimentar una persona resentimiento por frustraciones, fracasos, disgustos, etc. ◇ ** CONJUG. [7] como *llegar.*

amargo, -ga *adj.* Que amarga: *~ al gusto; ~ de sabor.* 2 fig. Que causa aflicción o disgusto. 3 fig. Que está afligido o disgustado. 4 fig. De genio desabrido, desapacible en el trato.

amargor *m.* Gusto amargo.

amargura *f.* Aflicción, disgusto.

amariconado, -da *adj.* Afeminado.

amarilidáceo, -a *adj.-f.* Planta de la familia de las amarilidáceas. – 2 *f. pl.* Familia de plantas monocotiledóneas de caracteres generales muy parecidos a los de las liliáceas, de las cuales se distinguen por tener el ovario ínfero; como la amarilis.

amarilis *f.* Planta amarilidácea, con flores de colores muy vivos y de suave olor *(Amaryllis belladonna).* ◇ Pl.: *amarilis.*

amarillear *intr.* Mostrar una cosa la amarillez que en sí tiene. 2 Tirar a amarillo. 3 Palidecer.

amarillecer *intr.* Ponerse amarillo. ◇ ** CONJUG. [43] como *agradecer.*

amarillento, -ta *adj.* Que tira a amarillo.

amarillo, -lla *adj.-m.* Color parecido al del oro, el limón, etc.; es el tercero del espectro solar. – 2 *adj.* De color amarillo.

amarilloso, -sa *adj. Amér.* Amarillento.

amariposado, -da *adj.* De figura de mariposa. 2 fig. Afeminado.

amaro *m.* Planta labiada bienal de hasta 1,2 m. de altura, pegajosa y de olor fuerte, de cuyas hojas se extrae un aceite usado en perfumería *(Salvia sclarea).*

amarra *f.* MAR. Cabo para asegurar la embarcación en el paraje donde da fondo: *soltar las amarras.* – 2 *f. pl.* fig. Protección, apoyo: *tiene buenas amarras para conseguir el ascenso.*

amarradero *m.* Poste, argolla donde se amarra algo.

amarrar *tr.* Atar, asegurar [una cosa] por medio de cuerdas, cadenas, etc., especialmente sujetar [una embarcación] en el puerto o fondeadero. – 2 *prnl.* fam. Asegurarse. 3 *Amér. Central y Colomb.* Emborracharse.

amarrete *adj. Amér.* Cicatero.

amartelamiento *m.* Exceso de rendimiento amoroso.

amartelar *tr.-prnl.* Atormentar [a uno], especialmente con celos. – 2 *tr.* Enamorar: *su hermosura amartela los corazones.* – 3 *prnl.* Enamorarse de una persona. ◇ En la acepción *3,* se usa especialmente con el participio: *andar dos novios muy amartelados.*

amartillar *tr.* Poner el disparador de un arma de fuego en posición de disparar. 2 fig. Asegurar.

amasadera *f.* Artesa en que se amasa. 2 Aparato mecánico que sirve para heñir o trabajar la masa en las **panaderías.

amasandería *f.* Amér. Tahona o panadería.

amasar *tr.* Formar o hacer masa mezclando [harina, yeso, etc.]. 2 fig. Combinar, reunir, juntar: *en diez años amasaron una fortuna.* 3 fig. Disponer con astucia [las cosas] para el logro de lo que se intenta: *en aquellas juntas se amasaba la política local.*

amasijo *m.* Acción de amasar. 2 Porción de harina amasada. 3 Porción de masa hecha con yeso, tierra, etc., y agua u otro líquido. 4 fig. Mezcla confusa de cosas o ideas diferentes.

amateur *adj.* DEP. Aficionado, no profesional.

amateurismo *m.* Práctica ocasional del arte. 2 DEP. Espíritu y condición del jugador amateur.

amatista *f.* Variedad de cuarzo cristalizado de color violeta que se usa en joyería.

amatorio, -ria *adj.* Relativo al amor: *poesía amatoria.* 2 Que induce a amar.

amazacotado, -da *adj.* Pesado, hecho a manera de mazacote. 2 fig. Relativo a obras literarias o artísticas pesadas, confusas, desproporcionadas, etc.

amazona *f.* Mujer de una antigua raza de guerreras, las cuales no admitían ningún hombre entre ellas. 2 Mujer que monta a caballo. 3 Traje de falda larga, usado por las mujeres para montar a caballo. 4 Papagayo de América, de colores verdosos *(Amazona oestiva; A. festiva).*

amazónico, -ca *adj.* Perteneciente o relativo al río Amazonas, o a los territorios situados a sus orillas. 2 Perteneciente o relativo a las amazonas.

ambages *m. pl.* fig. Rodeos de palabras o circunloquios; más usado en la locución *sin ~: habla sin ~.*

ámbar *m.* Resina fósil, amarillenta, translúcida, electrizable por fricción y susceptible de pulimento, de que se hacen boquillas, collares, etc. – 2 *adj.-m.* De color amarillo anaranjado, como el ámbar: *cruzar con el semáforo en ~.*

ambarina *f.* Amér. Escabiosa.

ambarino, -na *adj.* Relativo al ámbar, o que tiene su color y aspecto.

ambición *f.* Pasión por conseguir poder, dignidades, fama, etc.: *le falta ~ para llegar a ser jefe.*

ambicionar *tr.* Tener ambición [por una cosa]: *~ el poder.*

ambicioso, -sa *adj.-s.* Que tiene ambición. – 2 *adj.* [cosa] En que se manifiesta la ambición: *un proyecto ~; una construcción ambi-*

ciosa. 3 fig. [planta] Que se abraza con tenacidad a los árboles u objetos por los que trepa.

ambidextro, -tra *adj.* Que usa igualmente de la mano izquierda que de la derecha.

ambientación *f.* Presentación de una obra, artística o literaria, de acuerdo con las circunstancias peculiares de la época en que se desarrolla la acción.

ambiental *adj.* Relativo al ambiente.

ambientar *tr.* En las bellas artes, y especialmente en Literatura, rodear [a un personaje, situación, tema, etc.] de notas evocadoras de algún medio social, época o lugar determinados. 2 Proporcionar a un lugar un ambiente adecuado, mediante decoración, luces, objetos, etc. – 3 *tr.-prnl.* Adaptar o acostumbrar a una persona a un medio desconocido o guiarla u orientarla en él.

ambiente *adj.* [fluido] Que rodea un cuerpo. – 2 *m.* Lo que rodea a las personas o cosas, especialmente el aire: *el ~ irrespirable del salón;* fig., *vivía en un ~ de crímenes.*

ambigüedad *f.* Calidad de ambiguo.

ambiguo, -gua *adj.* Que puede admitir distintas interpretaciones: *usó un lenguaje ~.* 2 p. ext. Incierto, dudoso. 3 Que participa de dos maneras de ser distintas.

ámbito *m.* Contorno de un espacio comprendido dentro de límites determinados. 2 Espacio comprendido en él: *proyecto de ~ nacional.* 3 Campo de actividades, influencias o intereses comunes: *en el ~ del cine es muy conocido.*

ambivalencia *f.* Condición de lo que se presta a dos interpretaciones opuestas.

ambivalente *adj.* Que presenta ambivalencia.

ambón *m.* Púlpito que hay en algunas iglesias a ambos lados del altar mayor; **basílica.

ambos, -bas *adj. pron.* el y otro; los dos: *salimos de viaje el 12 y el 13, y ~ días llovió; se lo dijo sólo a uno de los dos, pero ~ ya lo sabían.*

ambrosía *f.* fig. Manjar o bebida de gusto suave y delicado. 2 fig. Cosa deliciosa. 3 Planta compuesta de hojas vellosas y flores amarillas de olor suave *(gén. Ambrosia).*

ambulacral *adj.* Relativo al ambulacro (en los animales): *pie ~,* vesícula locomotriz de los equinodermos.

ambulacro *f.* En los animales equinodermos, área, o tubo dispuesto radialmente, por donde circula el agua y cuyas paredes se proyectan a través de los orificios de una placa caliza, formando pequeñas vesículas locomotrices.

ambulancia *f.* Hospital ambulante que sigue los movimientos de las tropas en campaña. 2 Automóvil con camilla e instrumental de primeros auxilios para transportar heridos y enfermos.

ambulanciero, -ra *m. f.* Persona que tiene por oficio cuidar de una ambulancia.

ambulante *adj.* Que va de un lugar a otro sin tener asiento fijo: *vendedor ~*.

ambulatorio, -ria *adj.* Que sirve para andar: *tentáculo ~*. 2 MED. [tratamiento médico o quirúrgico] Que no exige que el enfermo guarde cama o se hospitalice. – 3 *m.* Dispensario donde se atiende a estos enfermos.

ameba *f.* **Protozoo rizópodo parásito que vive en las aguas estancadas y en las tierras húmedas, o bien parásito de otros animales *(Amoeba)*.

amébido *adj.-m.* Animal del orden de los amébidos. 2 *m. pl.* Orden de **protozoos rizópodos, que emiten seudópodos cortos, gruesos y poco numerosos, como las amebas.

ameboideo, -a *adj.* Semejante a las amebas. 2 Propio de las amebas: *movimiento ~*.

amedrentar *tr.* Infundir miedo, atemorizar.

amelar *intr.* Fabricar las abejas su miel.

amelcochado, -da *adj. Amér.* De color rubio. .

amelcochar *tr.-prnl. Amér.* Dar a un dulce el punto espeso de la melcocha. – 2 *prnl. Bol., C. Rica, Ecuad., Hond., Méj. y Parag.* Reblandecerse.

amelga *f.* Faja de terreno señalada para sembrarla con igualdad.

amelgador, -ra *m. f.* Obrero que amelga.

amelgar *tr.* Hacer surcos regularmente distanciados [en un terreno] para sembrarlo con igualdad. ◇ ** CONJUG. [7] como *llegar*.

I) amén *m.* Voz que se dice al fin de las oraciones. 2 Voz que se usa para manifestar deseo de que tenga efecto lo que se dice. ◇ Pl.: *amenes*.

II) amén *adv. m.* Excepto, a excepción: *~ de tu padre, nadie había llegado a tiempo.* – 2 *adv. c.* A más, además: *~ de lo dicho.*

amenaza *f.* Dicho o hecho con que se amenaza: *~ de muerte.*

amenazar *tr.-intr.* Dar a entender [a uno] la intención de hacerle algún mal: *~ a alguien al pecho; ~ con la espada; ~ de muerte.* 2 Dar indicios de estar inminente [una cosa mala o desagradable]: *el edificio amenaza ruina.* ◇ ** CONJUG. [4] como *realizar.*

amenizar *tr.* Hacer ameno [un sitio o una cosa]: *~ una tertulia; ~ un discurso.* ◇ ** CONJUG. [4] como *realizar.*

ameno, -na *adj.* Grato, deleitable, placentero: *paisaje ~; escritor ~; conversación amena.*

amenorrea *f.* Supresión morbosa del flujo menstrual.

amento *m.* BOT. **Inflorescencia formada por muchas flores masculinas dispuestas como en la espiga.

americana *f.* Prenda de vestir semejante a la chaqueta.

americanismo *m.* Calidad o condición de americano. 2 Carácter genuinamente americano. 3 Exaltación y fomento del espíritu, carácter y tradición de América. 4 Dedicación al estudio de las cosas de América, especialmente las antiguas. 5 Vocablo, giro, rasgo fonético, gramatical o semántico, que pertenece a alguna lengua indígena de América o proviene de ella. 6 Vocablo, giro, rasgo fonético, gramatical o semántico, peculiar o procedente del español hablado en algún país de América.

americanista *adj.* Relativo a las cosas de América. – 2 *com.* Persona que cultiva y estudia la lengua y las culturas de América.

americanizar *tr.* Dar carácter americano [a persona o cosas]: *el cine y la televisión han contribuido a ~ Europa.* – 2 *tr.-prnl.* Aficionar [a uno] a las cosas americanas: *en los últimos años los jóvenes se han americanizado de forma alarmante.* ◇ ** CONJUG. [4] como *realizar.*

americano, -na *adj.-s.* De América, uno de los continentes del mundo.

americio *m.* Metal radiactivo, de color blanco argénteo, que se obtiene a partir del uranio.

amerindio, -dia *adj.-s.* Indio de América. – 2 *adj.* Perteneciente o relativo a los indios de América.

ameritado, -da *adj. Amér.* Benemérito.

ameritar *intr.* Merecer, contraer méritos. 2 *Amér.* Otorgar mérito.

amerizaje *m.* Acción de amerizar. 2 Efecto de amerizar.

amerizar *intr.* Amarar. ◇ ** CONJUG. [4] como *realizar.*

ametrallador, -ra *adj.* [arma] Que dispara los proyectiles a ráfagas. – 2 *f.* Especie de fusil que puede disparar sucesiva y rápidamente gran número de proyectiles; **armas.

ametrallar *tr.* Disparar con una ametralladora o con una metralleta [contra alguien]. 2 Disparar con automaticidad y frecuencia. 3 fig. Acosar verbalmente [a uno].

amétrope *adj.* [pers.] Que padece ametropía.

ametropía *f.* Defecto de refracción en el ojo que impide que las imágenes se enfoquen sobre la retina, debido básicamente a modificación de la longitud del eje ocular.

amianto *m.* Mineral de fibras flexibles y brillantes, de que se hacen tejidos incombustibles.

amida *f.* QUÍM. Compuesto orgánico que formalmente resulta al substituir un acilo en un átomo de hidrógeno unido al nitrógeno, en el amoniaco o en las aminas.

amigable *adj.* Que obra como amigo. 2 Afable, que convida a la amistad. 3 fig. Que tiene unión o conformidad con otra cosa.

amígdala *f.* Cuerpo glanduloso de color

rojo que el hombre y algunos animales tienen a uno y otro lado de la faringe; **boca.

amigdalitis *f.* Inflamación de las amígdalas. ◇ Pl.: *amigdalitis*.

amigo, -ga *adj.-s.* Que tiene amistad. 2 Amistoso. 3 Aficionado o inclinado a algo: ~ *de hacer favores.* – 4 *m. f.* Novio. 5 Persona amancebada. 6 Tratamiento afectuoso, aunque no haya verdadera amistad. ◇ Superl.: *amicísimo.*

amiguero, -ra *adj. Amér.* Que fácilmente se hace amigos.

amiguismo *m.* Tendencia a favorecer a los amigos, ofreciéndoles cargos públicos y prebendas, sin reparar en su escasa valía.

amiláceo, -a *adj.* De la naturaleza del almidón. 2 Que contiene almidón. 3 Que parece almidón.

amilanado, -da *adj.* Cobarde, perezoso, flojo.

amilanar *tr.* fig. Causar tal miedo [a uno], que quede aturdido y sin acción. – 2 *prnl.* Abatirse, caer de ánimo.

amilasa *f.* Diastasa que produce la sacarificación del almidón. Se halla contenida en varios jugos orgánicos y en las semillas de muchas plantas.

amileno *m.* Hidrocarburo formado por 5 átomos de carbono y 10 de hidrógeno.

amillarar *tr.* Evaluar [los capitales y utilidades] de los vecinos de un pueblo, para repartir entre ellos las contribuciones.

amina *f.* QUÍM. Compuesto orgánico que formalmente resulta al substituir por un radical alcohólico uno o más átomos de hidrógeno del amoniaco.

amino *m.* QUÍM. Radical monovalente formado por un átomo de nitrógeno y dos de hidrógeno, que constituye el grupo funcional de las aminas y otros compuestos orgánicos.

aminoácido *m.* QUÍM. Compuesto químico que posee simultáneamente las funciones de ácido y amina, y que es uno de los principales constituyentes de la materia viva.

aminorar *tr.* Disminuir, reducir a menos [una cosa].

amiotrofia *f.* MED. Atrofia de los músculos.

amistad *f.* Afecto personal, puro y desinteresado. 2 fig. Conexión, afinidad. – 3 *f. pl.* Personas con las que se tiene amistad.

amistoso, -sa *adj.* Propio de amigos. 2 DEP. No competitivo: *partido ~ de fútbol.*

amito *m.* Vestidura de lienzo blanco, con una cruz en medio, que el sacerdote se pone antes del alba (vestidura) alrededor del cuello y sobre la espalda.

amnesia *f.* Pérdida o debilidad notable de la memoria.

amnésico, -ca *adj.-s.* Que padece amnesia, que ha perdido la memoria.

amnícola *adj.* H. NAT. Que crece en las márgenes de los ríos.

amnios *m.* Membrana más interna de las que envuelven el embrión de los mamíferos, aves y reptiles. 2 BOT. Cubierta gelatinosa del saco embrionario que rodea el embrión de las semillas jóvenes. ◇ Pl.: *amnios.*

amniótico, -ca *adj.* Perteneciente o relativo al amnios: *líquido ~,* el que se encuentra en el interior del saco que forma el amnios y en el que está sumergido el feto, con lo que se protege de traumatismos y presiones.

amnistía *f.* Perdón general; esp., acto del poder soberano que otorga el total olvido de una determinada clase de delitos.

amnistiar *tr.* Conceder amnistía [a alguien]. ◇ ** CONJUG. [13] como *desviar.*

amo *m.* Cabeza o señor de la casa o familia. 2 Poseedor de alguna cosa. 3 El que tiene uno o más criados, respecto de ellos. 4 Persona que tiene predominio o ascendiente sobre otra u otras.

amodorrado, -da *adj.* Soñoliento, adormecido o que tiene modorra.

amodorrar *tr.* Causar modorra. – 2 *prnl.* Caer en modorra.

amófilo, -la *adj.* H. NAT. Que nace y habita en sitios arenosos.

amogotado, -da *adj.* De figura de mogote.

amohinar *tr.* Causar mohína [a uno]. ◇ ** CONJUG. [20].

amohosarse *prnl. And. y Amér.* Enmohecerse.

amojamar *tr.* Hacer cecina [de atún]. – 2 *prnl.* Acecinarse.

amojonamiento *m.* Conjunto de mojones.

amojonar *tr.* Señalar con mojones los linderos [de una propiedad o de un término jurisdiccional].

amojosarse *prnl. Amér. Merid.* Enmohecerse.

amoladera *adj.-f.* V. piedra amoladera.

amolar *tr.* Afilar en la muela. 2 fig. y fam. Fastidiar, molestar con pertinacia. – 3 *prnl.* Aguantarse, soportar algo que resulta desagradable. ◇ ** CONJUG. [31] como *contar.*

amoldar *tr.-prnl.* Ajustar [una cosa] al molde. 2 Arreglar la conducta [de uno] a una pauta determinada.

amollar *intr.* Ceder, aflojar, desistir: *los interesados no amollan;* ablandar o hacer muelle [una cosa].

amolletado, -da *adj.* De figura de mollete.

amomo *m.* Planta cingiberácea tropical, de flores en espiga y frutos capsulares con muchas semillas aromáticas, usadas en medicina (*Amomum cardamomum*). 2 Semilla de esta planta.

amonal *m.* QUÍM. Mezcla explosiva compuesta de nitrato amónico, aluminio en polvo fino y carbón.

amonarse *prnl.* Embriagarse.

amonedar *tr.* Reducir a moneda [un metal].

amonestar *tr.* Advertir, prevenir alguna cosa [a uno] para que la considere, procure o evite; reprender: *amonestó a los soldados que allí era preciso vencer o morir; amonestóle en sueños del peligro; si alguno, amonestado una vez o dos, no se enmendare.* 2 Publicar en la iglesia los nombres [de los que quieren contraer matrimonio].

amoniacal *adj.* Que contiene amoníaco o sus compuestos.

amoniaco, amoníaco *m.* Gas incoloro, de olor penetrante, compuesto de nitrógeno e hidrógeno.

amónico, -ca *adj.* Amoniacal.

amonio *m.* QUÍM. Radical compuesto de un átomo de nitrógeno y cuatro de hidrógeno.

amonita *f.* Mezcla explosiva cuyo principal componente es el nitrato amónico.

amontillado *adj.-m.* Vino hecho a imitación del de Montilla.

amontonar *tr.-prnl.* Poner [unas cosas sobre otras], sin orden ni concierto: ~ *los libros;* tratándose de personas, apiñar: *amontonarse el público.* – 2 *tr.* fig. Juntar y mezclar [varias cosas] sin orden ni elección: ~ *textos, sentencias;* ~ *alabanzas sobre uno.* 3 Juntar, reunir, [cosas] en abundancia. – 4 *prnl.* Sobrevenir muchos sucesos en poco tiempo.

amor *m.* Vivo afecto o inclinación hacia una persona o cosa: ~ *a los padres;* ~ *propio,* orgullo, dignidad. 2 Blandura, suavidad: *los padres castigan a los hijos con* ~. 3 Apasionado afecto hacia una persona: *el* ~ *que sentía por ella le impedía ver sus defectos.* 4 Persona amada: ~ *mío.* 5 ~ *de hortelano,* hierba rubiácea anual, de hasta 1 m. de altura, con el tallo con pelos ganchudos, al igual que las hojas, las flores blancas y el fruto globoso *(Galium aparine).* – 6 *m. pl.* Amor entre personas de distinto sexo. 7 Expresiones de amor, caricias, requiebros.

amoragar *tr.* Asar con fuego de leña al aire libre [sardinas y otros peces o moluscos]. ◇ ** CONJUG. [7] como *llegar.*

amoral *adj.* [pers.] Desprovisto de sentido moral. 2 Relativo a las obras y acciones no susceptibles de calificación moral.

amoralidad *f.* Calidad de amoral.

amoratarse *prnl.* Ponerse morado.

amorcillo *m.* Figura de niño con que se representa a Cupido.

amordazar *tr.* Poner mordaza [a un forajido]. 2 fig. Impedir [a alguien] que hable o escriba. ◇ ** CONJUG. [4] como *realizar.*

amorfía *f.* Calidad de amorfo. 2 Deformidad orgánica.

amorfismo *m.* Amorfía (calidad de amorfo).

amorfo, -fa *adj.* Sin forma determinada. 2 No cristalizado: *mineral* ~. 3 fig. y fam. Falto de iniciativa, decisión o personalidad.

amorgar *tr.* Dar morga [a los peces] para atontarlos o matarlos. ◇ ** CONJUG. [7] como *llegar.*

amorío *m.* fam. Enamoramiento. 2 Relación amorosa que se considera superficial y pasajera.

amoroso, -sa *adj.* Que siente amor. 2 Que denota o manifiesta amor. 3 fig. Templado, apacible.

amorrar *intr.-prnl.* Bajar o inclinar la cabeza; esp. *y* fam., bajar la cabeza obstinándose en no hablar. 2 Aplicar lo labios o morros directamente a una fuente o a una masa de líquido, para beber.

amorriñarse *prnl.* Padecer morriña (comalia) un animal. 2 Sentir nostalgia, entristecerse una persona.

amortajar *tr.* Poner la mortaja [a un difunto].

amortiguador, -ra *adj.* Que amortigua. – 2 *m.* Resorte o mecanismo destinado a compensar o disminuir el efecto de los choques o sacudidas bruscas; **motocicleta.

amortiguamiento *m.* Disminución progresiva, en el tiempo, de la intensidad de un fenómeno periódico.

amortiguar *tr.-prnl.* fig. Moderar, hacer menos violenta [una cosa]: ~ *un golpe; amortiguarse el fuego.* – 2 *tr.* Templar, amenguar la viveza de los colores. ◇ ** CONJUG. [22] como *averiguar.*

amortizar *tr.* Redimir, pagar [el capital de un censo o préstamo]. 2 Recuperar o compensar los fondos invertidos en alguna empresa. 3 Suprimir [empleos o plazas] en un cuerpo u oficina. ◇ ** CONJUG. [4] como *realizar.*

amoscarse *prnl.* fam. Enfadarse. ◇ CONJUG. [1] como *sacar.*

amotinado, -da *adj.-s.* [pers.] Que toma parte en un motín.

amotinar *tr.-prnl.* Alzar en motín [a una multitud].

amovible *adj.* [cargo o beneficio] Del que puede ser libremente separado el que lo ocupa.

amparar *tr.* Favorecer: ~ *al desvalido;* proteger, defender: ~ *a uno de la persecución;* ~ *a uno en la posesión de alguna cosa; ampararse con, o de, algo; ampararse en un fuerte; ampararse contra el enemigo.* – 2 *prnl.* Acogerse al favor o protección de alguien. 3 Guarnecerse, defenderse.

amparo *m.* Acción de amparar o ampararse. 2 Efecto de amparar o ampararse. 3 Abrigo, defensa.

ampelita *f.* Pizarra blanda, aluminosa, de la que se hacen lápices para carpintero.

amperaje *m.* Intensidad en amperios de una corriente eléctrica.

amperímetro *m.* Aparato para medir la intensidad de una corriente eléctrica.

amperio *m.* Unidad de intensidad de la corriente eléctrica, equivalente al paso de un culombio por segundo.

ampliación *f.* Acción de ampliar. 2 Efecto de ampliar. 3 Fotografía ampliada.

ampliador, -ra *adj.-s.* Que amplía. – 2 *f.* Aparato o máquina para sacar copias fotográficas ampliadas.

ampliar *tr.* Hacer más extensa [una cosa]. 2 Reproducir [una fotografía] en tamaño mayor del que tenía. ◇ ** CONJUG. [13] como *desviar.*

amplificador, -ra *adj.-s.* Que amplifica. – 2 *m.* FÍS. Aparato o sistema mediante el cual, utilizando energía externa, se aumenta la amplitud o intensidad de un fenómeno físico.

amplificar *tr.* Aumentar la amplitud o intensidad de un fenómeno físico mediante un dispositivo o aparato. ◇ ** CONJUG. [1] como *sacar.*

amplio, -plia *adj.* Dilatado, espacioso. ◇ Superl.: *amplísimo.*

amplitud *f.* Extensión; calidad de amplio. 2 fig. Capacidad de comprensión intelectual o moral: ~ *de miras, de criterio.*

ampolla *f.* Vejiga formada por la elevación de la epidermis. 2 Burbuja formada en el agua cuando hierve o cuando llueve con fuerza. 3 Vasija de vidrio o cristal, de cuello largo y angosto y cuerpo ancho y redondo. 4 Tubito de vidrio o cristal soldado por un extremo, o por los dos, que contiene un líquido inyectable.

ampuloso, -sa *adj.* Hinchado y redundante: *lenguaje* ~; *estilo* ~; *orador* ~.

ampurdanés, -nesa *adj.-s.* Del Ampurdán, comarca de Cataluña.

amputar *tr.* CIR. Cortar y separar enteramente del cuerpo [un miembro o porción de él]. 2 CIR. Cortar en derredor o quitar del todo. 3 fig. Quitar, suprimir una parte de un todo.

amuchar *tr. Amér.* Aumentar, multiplicar [algo].

amueblar *tr.* Dotar de muebles [un edificio, habitación, etc.]: ~ *con lujo;* ~ *de nuevo.*

amuelar *tr.* Recoger [el trigo ya limpio] en la era.

amuermar *intr.* fam. Aburrir. 2 Estar bajo el sopor que produce el consumo de drogas.

amulatado, -da *adj.* Parecido a los mulatos.

amuleto *m.* Objeto portátil al que supersticiosamente se atribuye alguna virtud sobrenatural.

amura *f.* Parte de los costados del buque donde éste se estrecha para formar la proa. 2 Cabo que hay en cada puño de las velas de cruz para llevarlo hacia la proa.

amurallar *tr.* Cercar, proteger con murallas.

amurriarse *prnl.* Amorrarse, amohinarse, entristecerse. ◇ ** CONJUG. [12] como *cambiar.*

amustiar *tr.* Enmustiar. ◇ ** CONJUG. [12] como *cambiar.*

anabaptismo *m.* Doctrina protestante, nacida en Alemania en el s. XVI, que consideraba ineficaz el bautismo administrado antes de llegar al uso de razón.

anabaptista *adj.-com.* Partidario del anabaptismo.

anabólico, -ca *adj.* Relativo al anabolismo.

anabolismo *m.* Parte del proceso del metabolismo en la cual se forma la substancia de los seres vivos.

anacardiáceo, -a *adj.-f.* Planta de la familia de las anacardiáceas. – 2 *f. pl.* Familia de plantas dicotiledóneas, árboles y arbustos de hojas alternas y estipuladas, flores generalmente dioicas en racimos o panículas, y fruto drupáceo; como el anacardo.

anacardo *m.* Árbol anacardiáceo de pequeño tamaño, cuyo pedúnculo se hincha en forma de pera comestible; de la almendra, también comestible, se extrae aceite para usos industriales *(Anacardium occidentale).* 2 Fruto de esta planta.

anacoluto *m.* GRAM. Inconsecuencia o falta de ilación en la construcción de una frase, oración o cláusula, o en el sentido general de la elocución.

anaconda *f. Amér. Merid.* Serpiente acuática de las selvas tropicales de Sudamérica, de unos 6 m. de longitud; las escamas son de color gris oliváceo o castaño, con manchas obscuras *(Eunectes murina).*

anacoreta *com.* Religioso que vive en lugar solitario, entregado a la contemplación y a la penitencia.

anacrónico, -ca *adj.* Que adolece de anacronismo.

anacronismo *m.* Error consistente en atribuir a sucesos, costumbres, vestidos, etc., una fecha o época que no les corresponde. 2 Cosa impropia de las costumbres de una época.

ánade *m.* Pato. 2 p. ext. Ave que tiene manifiestas analogías con el pato.

anaerobio, -a *adj.-s.* Ser capaz de vivir y desarrollarse en ausencia del oxígeno del aire.

anáfora *f.* Repetición.

anaforesis *f.* QUÍM. Movimiento de partículas en suspensión hacia el ánodo, debido a un campo eléctrico.

anagnórisis *f.* Reconocimiento de una persona en una obra dramática.

anagrama *m.* Transformación de una palabra o sentencia en otra por la transposición de sus letras: de *amor, Roma.* 2 Palabra o sentencia que resulta de esta transposición.

anal *adj.* Relativo al ano: *músculo* ~; *aleta* ~; ** pez.

anales *m. pl.* Relaciones de sucesos por años. 2 fig. Relato histórico, crónica.

analfabetismo *m.* Falta de instrucción elemental de un país. 2 Estado de analfabeto.

analfabeto, -ta *adj.-s.* Que no sabe leer. 2

fig. Ignorante, desconocedor de saberes elementales.

analgesia *f.* Ausencia, natural o provocada, de toda sensación dolorosa.

analgésico, -ca *adj.-s.* Medicamento que produce analgesia.

análisis *m.* Distinción y separación de las partes de un todo hasta llegar a conocer los principios o elementos de éste. 2 GRAM. Distinción de las oraciones que componen un discurso; de las categorías, accidentes y otras propiedades gramaticales de las palabras. 3 MAT. Parte de las matemáticas puras que estudia las materias no comprendidas en la aritmética, geometría y álgebra. 4 MED. Examen químico o bacteriológico de los humores, secreciones o tejidos, con un fin diagnóstico. 5 QUÍM. Estudio de la naturaleza y proporción de las substancias presentes en una muestra. ◇ Pl.: *análisis*.

analista *com.* Persona que hace análisis: *el oculista me ha mandado al ~ para que me analice la sangre; este periodista es el mejor ~ político*.

analítico, -ca *adj.* Relativo al análisis. 2 Que procede por vía de análisis.

analizar *tr.* Hacer el análisis [de una cosa]. ◇ ** CONJUG. [4] como *realizar*.

analogía *f.* Relación de semejanza entre cosas distintas.

analógico, -ca *adj.* [dispositivo] Que mide una magnitud representándola por medio de otra magnitud a la cual va asociada por una relación de analogía.

análogo, -ga *adj.* Semejante.

ananá, -nás *m.* Planta bromeliácea, de hojas espinosas y largas, y fruto en forma de piña carnosa, comestible y terminada en una corona de hojas *(Ananas sativus)*. 2 Fruto de esta planta. ◇ Pl.: *ananaes* y *ananases*.

anaquel *m.* Tabla puesta horizontalmente en los muros, armarios, etc.

anaranjado, -da *adj.-m.* Color parecido al de la naranja; es el segundo del espectro solar, y se puede obtener mezclando el rojo y el amarillo. – 2 *adj.* De color anaranjado.

anarco, -ca *adj.-s.* fam. Anarquista.

anarquía *f.* Falta de todo gobierno en un estado. 2 Perturbación de la vida pública por ausencia o relajación de la autoridad. 3 fig. Desorden, confusión.

anarquismo *m.* Doctrina política que preconiza la completa libertad del individuo, la supresión de la propiedad privada y la abolición del Estado.

anarquizar *tr.* Propagar el anarquismo [en un país]. ◇ ** CONJUG. [4] como *realizar*.

anástrofe *f.* GRAM. Inversión violenta en el orden de las palabras de una oración.

anatema *amb.* Excomunión. 2 Maldición, imprecación.

anatematizar *tr.* Pronunciar un anatema [contra uno]. 2 Maldecir [a uno]. 3 fig. Reprobar. ◇ ** CONJUG. [4] como *realizar*.

anatomía *f.* Disección o separación artificiosa de las partes de un cuerpo orgánico, especialmente del humano. 2 Ciencia que trata del número, estructura, situación y relaciones de las diferentes partes de los cuerpos orgánicos. 3 Estructura u organización de un animal o planta.

anatómico, -ca *adj.* Relativo a la anatomía. 2 Construido para que se adapte o ajuste perfectamente al cuerpo humano o a alguna de sus partes: *silla anatómica*.

anca *f.* Mitad lateral de la parte posterior de las **caballerías y otros animales. 2 Parte posterior y superior de las caballerías. ◇ Para evitar la cacofonía, utiliza la forma masculina del artículo: *el anca*, pero no la del demostrativo: *esta anca*.

ancestral *adj.* Relativo a los antepasados remotos o procedente de ellos: *tendencias, predisposiciones ancestrales.* 2 Tradicional y de origen remoto.

ANCLA

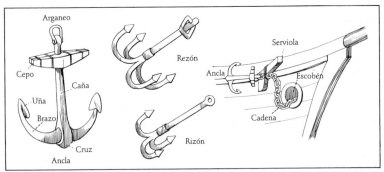

Arganeo · Cepo · Caña · Uña · Brazo · Cruz · Ancla · Rezón · Serviola · Ancla · Escobén · Cadena · Rizón

ancianidad *f.* Último período de la vida ordinaria del hombre.

anciano, -na *adj.-s.* [pers.] Que tiene muchos años. Añade a la idea de *viejo* la actitud respetuosa por parte del que habla.

**ancla *f.* Instrumento de hierro, en forma de arpón o anzuelo doble, que, pendiente de una cadena, se echa al mar para que se aferre a su fondo y sujete la nave. ◇ Para evitar la cacofonía, utiliza la forma masculina del artículo: *el ancla*, pero no la del demostrativo: *esta ancla.*

anclar *intr.* MAR. Echar anclas. – 2 *tr.* fig. Sujetar [algo] firmemente [a otra cosa].

áncora *f.* Ancla. 2 Pieza que regula el movimiento en cierta clase de **relojes.

ancho, cha *adj.* Que tiene más o menos anchura o la tiene excesiva. 2 Holgado, amplio en demasía: ~ *de boca.* 3 Orgulloso, satisfecho, ufano: *estar más ~ que largo.* – 4 *m.* anchura.

anchoa *f.* Boquerón curado en salmuera con parte de su sangre.

anchura *f.* Latitud (dimensión). 2 Extensión. 3 Holgura, espacio suficiente para que pase, quepa o se mueva dentro de una cosa otra.

anchuroso, -sa *adj.* Muy ancho o espacioso.

andaderas *f. pl.* Aparato para que el niño aprenda a andar sin caerse.

andado, -da *adj.* Común y ordinario. 2 Usado o algo gastado: *ropas muy andadas.* – 3 *m. Amér. Central.* Modo de andar: *conocer a uno en el ~.*

andador, -ra *adj.-s.* Que anda mucho o con velocidad. – 2 *m. pl.* Tirantes para sostener al niño cuando aprende a andar.

andalón, -na *adj. Amér. Central.* Andariego.

andalucismo *m.* Vocablo, giro o modo de expresión propio de los andaluces. 2 Amor o apego a las cosas características de Andalucía.

andalusí *adj.* Relativo al Ándalus o España musulmana. ◇ Pl.: *andalusíes.* ◇ Es errónea la identificación con *andaluz.*

andaluz, -za *adj.-s.* De Andalucía, región de España. – 2 *m.* Conjunto de las variedades dialectales del español de Andalucía.

andamiaje *m.* Conjunto de andamios.

andamiar *tr.* Poner andamios [en edificios o paredes]. ◇ ** CONJUG. [12] como *cambiar.*

andamio *m.* Armazón de tablones para colocarse encima de ella y trabajar en la construcción o reparación de edificios, pintar paredes, etc. 2 Tablado puesto en sitios públicos para ver desde él alguna fiesta, o con otro objeto.

andana *f.* Orden de algunas cosas puestas en línea.

andanada *f.* Descarga cerrada de toda una batería de uno de los costados de un buque. 2 Localidad superior, cubierta y con gradas, en las plazas de **toros. 3 fig. Reprensión agria y severa.

andancia *f. Amér.* Andanza. 2 *Amér. Central.* Éxito, fortuna.

¡andando! Interjección con que se denota sorpresa o voluntad para recalcar un mandato.

andante *m.* MÚS. Movimiento del ritmo musical moderadamente lento, entre el adagio y el alegro. 2 Composición musical, o parte de ella, en este movimiento.

andanza *f.* Caso, suceso. – 2 *f. pl.* Vicisitudes que se experimentan en un lugar, en un viaje o en un tiempo dados.

I) andar *m.* Manera de proceder. – 2 *m. pl.* Manera de andar, garbo: *¡vaya unos andares!*

II) andar *intr.* Trasladarse o moverse de un lugar a otro un ser animado: *este hombre anda despacio; un gusano anda.* 2 Trasladarse o moverse lo inanimado: ~ *un coche, una nave, los astros.* 3 fig. Funcionar un mecanismo cualquiera: *el reloj anda.* ◇ ** CONJUG. [64].

andariego, -ga *adj.-s.* Que anda o viaja mucho.

andarín, -rina *adj.-s.* Persona andadora.

andarivel *m.* Maroma tendida entre las dos orillas de un río para guiar una barca o balsa. 2 Cesta o cajón para pasar ríos y hondonadas que, pendiente de dos argollas, corre por una maroma atirantada.

andas *f. pl.* Tablero sostenido por dos barras horizontales y paralelas para llevar personas o cosas, especialmente imágenes en las procesiones.

andén *m.* Corredor, acera o sitio destinado para andar, a lo largo de una calle, un muelle, la vía de un ferrocarril, etc. 2 Acera de un puente.

andesina *f.* Feldespato de alúmina, sosa y cal, que forma parte de algunas rocas eruptivas.

andinismo *m.* Deporte que consiste en la ascensión a los Andes.

andinista *com.* Persona que practica el andinismo.

andino, -na *adj.* Relativo a la cordillera de los Andes.

andorrano, -na *adj.-s.* De Andorra, nación situada en los Pirineos.

andorrero, -ra *adj.-s.* Amigo de callejear.

andrajo *m.* Pedazo, jirón de ropa muy usada. 2 fig. Persona o cosa muy despreciable.

andrajoso, -sa *adj.* Cubierto de andrajos.

androceo *m.* Verticilo **floral formado por los estambres.

androginismo *m.* Hermafroditismo masculino con apariencia femenina.

andrógino, -na *adj.* Hermafrodita. 2 [animal] Que, aun cuando reúne los dos sexos, no puede ser fecundo aisladamente.

androide *m.* Autómata que se comporta como hombre.

andrología *f.* Parte de la medicina que estudia la fertilidad y la esterilidad del hombre.

andrómina *f.* Embuste, enredo: *no cuentes andróminas.*

andromorfo, -fa *adj.* Que tiene forma humana.

andropausia *f.* Período de la vida caracterizado por la involución y cese de la actividad testicular en el varón.

andullo *m.* Hoja larga de tabaco arrollada. 2 Manojo de hojas de tabaco. 3 *Amér. Merid.* Hoja grande destinada a envolver.

andurrial *m.* Paraje extraviado o fuera de camino: *vagar por los andurriales.*

anea *f.* Planta tifácea, propia de los lugares pantanosos, cuyas hojas se emplean para hacer asientos de sillas, ruedos, etc. *(Typha latifolia).*

anécdota *f.* Relación breve de algún rasgo o suceso particular y curioso.

anecdótico, -ca *adj.* Que tiene carácter de anécdota.

anegadizo, -za *adj.-m.* Que frecuentemente se anega (inunda).

anegar *tr.-prnl.* Ahogar [a uno] sumergiéndole en el agua: ~ *todo un ejército; anegarse en un estanque;* fig., ~ *en sangre;* ~ *la libertad.* 2 Inundar (cubrir el agua): ~ *los campos; anegarse las mieses;* fig., ~ *el alma de alegría.* ◇ ** CONJUG. [7] como *llegar.*

anejo, -ja *adj.* Anexo. 2 Propio, inherente, concerniente: *el puesto de funcionario lleva anejas muchas prebendas.*

anélido *adj.-m.* Gusano del tipo de los anélidos. – 2 *m. pl.* Tipo de gusanos celomados cuyo cuerpo cilíndrico o aplanado está dividido en anillos; incluye tres clases: poliquetos, oligoquetos e hirudíneos.

anemia *f.* Deficiencia de la sangre, ya sea en su masa o en sus componentes; esp., disminución de los glóbulos rojos o de la hemoglobina.

anémico, -ca *adj.* Relativo a la anemia. – 2 *adj.-s.* Que padece anemia.

anemófilo, -la *adj.* [planta] En que la polinización se verifica por medio del viento.

anemómetro *m.* Instrumento para medir la velocidad o fuerza del viento.

anémona, anemona *f.* Planta ranunculácea medicinal, de hasta 50 cms. de altura, con las hojas profundamente divididas y las flores blancas *(Anemone pulsatilla).* 2 ~ **de mar,** v. actinia.

anestesia *f.* Privación parcial o total de la sensibilidad, debida a una enfermedad, al hipnotismo o a la absorción de ciertas substancias.

anestesiar *tr.* Insensibilizar por medio de un anestésico: ~ *un brazo;* ~ *a una mujer parturienta.* ◇ ** CONJUG. [12] como *cambiar.*

anestésico, -ca *adj.* Relativo a la anestesia. – 2 *adj.-m.* Que produce anestesia.

anestesista *com.* Especialista en aplicar la anestesia.

aneurisma *amb.* Dilatación localizada en una arteria o vena.

anexionar *tr.* Unir [una cosa] a otra con dependencia de ella: ~ *una provincia.*

anexo, -xa *adj.-s.* Unido a otra cosa con dependencia de ella: *vivía en una casa anexa al edificio principal.*

anfetamina *f.* Fármaco del grupo de las aminas, estimulante del sistema nervioso.

****anfibio, -bia** *adj.* Que puede vivir dentro del agua y fuera de ella. 2 fig. Que se desarrolla o tiene lugar en tierra y en mar: *operación militar anfibia.* 3 [aparato] Que funciona igualmente en tierra, en el agua o en el aire. – 4 *adj.-m.* Animal de la clase de los anfibios. – 5 *m. pl.* Clase de animales vertebrados, ovíparos, poiquilotermos, con respiración pulmonar, y piel desnuda con glándulas mucosas; pasan en su desarrollo por un estado de larva acuática provista de branquias; está formado por tres órdenes: ápodos, urodelos y anuros.

anfíbol *m.* Silicato natural de calcio y magnesio, y hierro, caracterizado por tener dos direcciones de exfoliación que se cortan en ángulo de 124°.

anfibolita *f.* Roca de color verde obscuro compuesta de anfíbol y algo de feldespato, cuarzo o mica.

ANFIBIOS

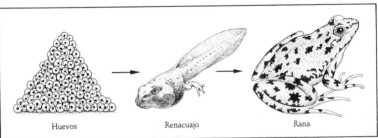

Huevos   Renacuajo   Rana

anfibología *f.* GRAM. Vicio de dicción por el que las frases o palabras pueden tener más de un sentido o interpretación.

anfípodo *adj.-m.* Crustáceo del orden de los anfípodos. – 2 *m. pl.* Orden de crustáceos malacostráceos acuáticos, de pequeño tamaño, casi siempre marinos, cuerpo comprimido lateralmente, antenas largas y siete pares de patas torácicas.

anfiteatro *m.* Edificio de figura redonda, con gradas alrededor, en el cual se celebraban varios espectáculos; **romano. 2 Conjunto de asientos en semicírculo que suele haber en las aulas y en los **teatros.

anfitrión, -triona *m. f.* Persona que tiene convidados y los regala con esplendidez.

ánfora *f.* Cántaro alto y estrecho, de cuello largo, usado por lo griegos y romanos. – 2 *f. pl.* Jarras en que el obispo consagra los óleos el Jueves Santo.

anfractuosidad *f.* Sinuosidad, desigualdad de una montaña. 2 Escabrosidad de un terreno. 3 Depresión y elevación de varias formas que se repiten en la superficie de algunos cuerpos: *anfractuosidades cerebrales*.

angarillas *f. pl.* Andas pequeñas para llevar a mano materiales de construcción y otras cosas.

ángel *m.* Espíritu celeste creado por Dios para su ministerio. 2 Espíritu celeste que pertenece al último de los nueve coros de la jerarquía angélica. 3 fig. Expresión, gracia: *tener* ~. 4 fig. Persona muy afable. 5 *Amér.* Micrófono que se sostiene con la mano mientras se habla.

angélica *f.* Planta umbelífera, de umbelas terminales con flores verdosas, y hojas pinnadas que se usan como condimento *(Angelica archangelica)*.

angelical *adj.* Relativo a los ángeles. 2 fig. Parecido a ellos en hermosura, candor o inocencia. 3 fig. Que parece de ángel: *voz* ~.

angelote *m.* Figura grande de ángel. 2 fig. Niño muy gordo y de condición apacible. 3 Persona muy sencilla y apacible.

ángelus *m.* Oración en honor del misterio de la Encarnación, que comienza con las palabras *Angelus Domini*, y se recita tres veces al día. 2 Toque de campana para esta oración. ◇ Pl.: *ángelus*.

angina *f.* Inflamación de las amígdalas y de las regiones contiguas a ellas. 2 ~ *de pecho*, afección que se caracteriza por una constricción detrás del esternón, dolores precordiales y sensación de muerte inminente.

angioma *m.* MED. Antojo (lunares).

angiospermo, -ma *adj.-f.* BOT. Planta del grupo de de las angiospermas. – 2 *f. pl.* Grupo sin categoría taxonómica que incluye plantas cuya semillas están envueltas por un pericarpio.

anglicanismo *m.* Conjunto de las doctrinas de la Iglesia oficial inglesa.

anglicano, -na *adj.-s.* Que profesa el anglicanismo. – 2 *adj.* Relativo a él.

anglicismo *m.* Idiotismo o modo de hablar propio de la lengua inglesa. 2 Vocablo, giro o modo de expresión propio de esta lengua empleado en otra. 3 Amor o apego a las cosas características de Inglaterra.

anglicista *com.* Persona que suele incurrir en anglicismos. 2 Aficionado a lo propio de Inglaterra. 3 Persona versada en la lengua y la literatura inglesa.

angloamericano, -na *adj.* Relativo a ingleses y americanos. 2 [individuo] De origen inglés y nacido en América.

angloárabe *adj.-s.* Caballo mestizo de raza inglesa y árabe.

anglófilo, -la *adj.-s.* Que simpatiza con los ingleses.

anglófobo, -ba *adj.-s.* Desafecto a Inglaterra y a los ingleses.

anglófono, -na *adj.-s.* [pers.] Que tiene como lengua materna el inglés.

anglomanía *f.* Afección desmedida en imitar las costumbres inglesas. 2 Afectación en emplear anglicismos.

anglosajón, -jona *adj.-s.* Procedente de los pueblos germanos que en el siglo v invadieron Inglaterra. – 2 *m.* Lengua germánica de los antiguos anglosajones, de la cual procede el inglés. 3 De lengua y civilización inglesas: *Australia es un continente* ~.

angoleño, -ña *adj.-s.* De Angola, nación del sudoeste de África.

angora *adj.-s.* Gato, conejo o cabra originarios de Angora, actual Ankaza, y notables por su pelo sedoso y largo *(gén. Felis)*.

angosto, -ta *adj.* Estrecho, reducido.

angostura *f.* Estrechura, paso estrecho. 2 fig. Estrechez intelectual o moral.

anguiforme *adj.* Que tiene forma de serpiente.

anguila *f.* Pez teleósteo anguiliforme comestible, de cuerpo en forma de serpiente, cubierto de una substancia viscosa; remonta los ríos, pero desciende al mar para criar *(Anguilla anguilla)*.

anguiliforme *adj.-m.* Pez del orden de los anguiliformes. – 2 *m. pl.* Orden de peces teleósteos de cuerpo serpentiforme, con aletas blandas y piel mucosa; como la anguila, el congrio y la morena.

anguilla *f. Amér.* Anguila (pez).

angula *f.* Cría de la anguila.

angular *adj.* Relativo al ángulo. 2 De figura de ángulo.

**ángulo *m.* GEOM. Porción indefinida de plano limitado por dos líneas que parten de un mismo punto: ~ *agudo*, el menor de 90 grados; **triángulo; ~ *obtuso*, el mayor de 90 grados; ~ *recto,* el de 90 grados; ~ *semirrecto,* el de 45 grados; ~ *complementario,* el que sumado con otro completa un recto; ~ *suplementario,* el que sumado con otro da un total de dos rectos; ~ *plano,* el de 180 grados; ~ *oblicuo,* el que no es recto; ~ *curvilíneo,* el que forman dos líneas curvas; ~ *mixto,* el que forman una recta y una curva; *ángulos adyacentes,* los dos que a un mismo lado de una línea recta forman con ella otra que la corta; *ángulos opuestos por el vértice,* los que tienen el vértice común y los lados de cada uno en prolongación de los del otro; ~ *de mira,* el que forma la línea de mira con el eje de la pieza; ~ *de tiro,* el que forma la línea horizontal con el eje de la pieza. 2 GEOM. ~ *diedro,* porción indefinida de espacio limitada por dos planos que se cortan. 3 GEOM. ~ *poliedro* o *sólido,* porción indefinida de espacio comprendida entre tres o más planos que concurren en un punto, cortándose cada dos contiguos. 4 GEOM. ~ *triedro,* el poliedro de tres caras. 5 GEOM. ~ *entrante,* aquel cuyo vértice, cúspide o arista entra en la figura o cuerpo de que forma parte; **polígonos. 6 GEOM. ~ *saliente,* aquel cuyo vértice, cúspide o arista sobresale de la figura o cuerpo de que forma parte; **polígonos.

anguloso, -sa *adj.* Que tiene ángulos o esquinas.

angustia *f.* Aflicción, congoja. 2 Temor opresivo sin causa precisa.

angustiado, -da *adj.* Acongojado, afligido, oprimido. 2 fig. Codicioso, apocado, miserable.

angustiar *tr.* Causar angustia [a uno]. ◇ ** CONJUG. [12] como *cambiar.*

angustioso, -sa *adj.* Lleno de angustia. 2 Que la causa o la padece.

anhelante *adj.* Que anhela.

anhelar *intr.-tr.* Tener anhelo de conseguir una cosa: ~ *empleo, dignidades;* ~ *por mayor fortuna.*

anhelo *m.* Deseo vehemente.

anheloso, -sa *adj.* [respiración] Fatigoso y corto. 2 Que respira de este modo. 3 Que tiene, siente o causa anhelo.

anhídrido *m.* Óxido capaz de formar un ácido al combinarse con los elementos del agua: ~ *arsenioso,* óxido de arsénico, poco soluble en el agua y muy venenoso; ~ *carbónico,* gas asfixiante que se produce en las combustiones y en algunas fermentaciones; ~ *sulfúrico,* óxido de azufre, sólido, muy ávido de agua, al combinarse con la cual produce ácido sulfúrico; ~ *sulfuroso,* óxido de azufre, gas incoloro de olor fuerte e irritante, que resulta de la combustión del azufre.

anhidro, -da *adj.* [cuerpo] Que carece de agua en su composición o que la ha perdido si la tenía.

anidar *intr.-prnl.* Hacer nido las aves o vivir en él. – 2 *intr.* Encontrarse algo dentro de una persona o cosa: *el odio y deseo de venganza anidaron en su corazón.*

anilina *f.* Compuesto orgánico nitrogenado que se extrae de la hulla; se emplea como colorante.

anilla *f.* Anillo para colocar colgaduras y cortinas. 2 Anillo que, por medio de un cordón o correa, sujeta un objeto. 3 Faja de papel que se coloca a cada cigarro puro. – 4 *f. pl.* En **gimnasia, aros pendientes de cuerdas o cintas en los que se hacen diferentes ejercicios.

anillar *tr.* Dar forma de anillo [a una cosa]. 2 Sujetar [una cosa] con anillos. 3 Poner anillas en las patas de las aves para su posible identificación: ~ *palomas mensajeras.*

anillo *m.* Aro pequeño. 2 Aro, generalmente de metal, que se lleva en los dedos de la mano.

ÁNGULO

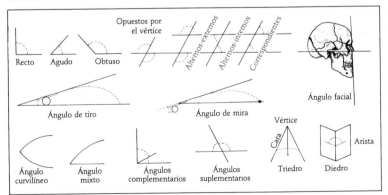

Recto Agudo Obtuso

Opuestos por el vértice

Alternos-externos Alternos-internos Correspondientes

Ángulo de tiro Ángulo de mira

Ángulo facial

Vértice

Cara Arista

Ángulo curvilíneo Ángulo mixto Ángulos complementarios Ángulos suplementarios Triedro Diedro

3 Rizo del cabello. 4 Cerco de las ruedas hidráulicas compuesto por una serie de camones. 5 ARQ. Moldura que rodea el fuste de una columna. 6 MAT. Conjunto de elementos entre los que se definen dos reglas de composición, una asimilable a la adición y otra al producto. 7 QUÍM. Estructura molecular formada por una cadena cerrada de átomos. 8 ZOOL. Segmento en que se divide el cuerpo de algunos animales.

ánima *f.* Alma que pena en el purgatorio. 2 fig. En las piezas de artillería y en toda arma de fuego, en general, hueco del cañón. – 3 *f. pl.* Toque de las campanas a cierta hora de la noche, con que se invita a orar a Dios por las ánimas del purgatorio. ◇ Para evitar la cacofonía, utiliza la forma masculina del artículo: *el ánima,* pero no la del demostrativo: *esta ánima.*

animación *f.* Acción de animar o animarse. 2 Efecto de animar o animarse. 3 Viveza en las acciones, palabras o movimientos: *la ~ de sus rasgos eran parte de su atractivo.* 4 Concurso de gente en un lugar: *la fiesta estuvo muy concurrida y llena de ~.* 5 Técnica de dar impresión de movimiento a los dibujos en el cine.

animado, -da *adj.* Dotado de alma. 2 Alegre, divertido, concurrido.

animador, -ra *m. f.* En los bailes públicos, persona que con sus cantos, gritos y gestos anima a los bailarines. 2 Persona que anima a grupos de personas. 3 Persona que hace dibujos animados.

animadversión *f.* Enemistad, ojeriza.

I) animal *m.* Ser viviente del reino de los animales: *~ racional,* el hombre; *~ irracional,* cualquiera que no es el hombre. 2 Reino constituido por organismos pluricelulares, heterótrofos y diploides que se desarrollan por anisogamia. 3 Animal irracional (en oposición a hombre).

II) animal *adj.* Relativo al animal. 2 Relativo a lo sensitivo, a diferencia de lo racional o espiritual. – 3 *adj.-s.* [pers.] Incapaz, grosero o muy ignorante.

animalario *m.* En los centros científicos de investigación, recinto acondicionado para albergar a los animales de experimentación.

animalizar *tr.* Transformar [algo] en ser animal. – 2 *prnl.* Embrutecerse. ◇ ** CONJUG. [4] como *realizar.*

animalucho *m.* desp. Animal de figura desagradable.

animar *tr.* Infundir el alma: *animó al hombre que formara;* **abs.,** *lo que anima, que es el alma, es inmortal.* 2 Infundir ánimo y energía: *~ al ejército.* 3 Infundir vigor y actividad [a cosas inanimadas]: *~ el comercio, las llamas, el diálogo.* 4 Dotar de movimiento [a cosas inanimadas]. 5 Dar movimiento y alegría [a un concurso de gente]: *~ el certamen; animarse el paseo;* esp.,

tr., dar variedad [a un pasaje], hacerlo agradable: *~ una fachada, una página, un paisaje.* 6 Ejecutar dibujos animados. – 7 *prnl.* Cobrar ánimo y esfuerzo: *animarse a hablar.* 8 Atreverse: *no me animo a salir con este catarro.*

anímico, -ca *adj.* Psíquico: *su estado ~ es excelente.*

animismo *m.* Creencia en la actividad voluntaria de los seres orgánicos e inorgánicos y de los fenómenos de la naturaleza, que se suponen animados por un alma antropomórfica. 2 En los pueblos primitivos, culto a los espíritus.

animista *com.* Partidario del animismo (doctrina).

ánimo *m.* Alma o espíritu, en cuanto es principio de la actividad humana. 2 Valor, energía. 3 Intención, voluntad. 4 Atención o pensamiento.

¡ánimo! Interjección con que se anima o incita a emprender, hacer o proseguir algo.

animosidad *f.* Animadversión (enemistad).

animoso, -sa *adj.* Que tiene ánimo (valor).

aniñado, -da *adj.* Que se parece a los niños. 2 Propio de niños.

anión *m.* Ion cargado negativamente.

aniquilar *tr.-prnl.* Reducir [a una persona o cosa] a la nada; en gral., destruir, deteriorar o arruinar enteramente: *~ a un ejército; su ponerse aniquiló; ~ un país.* 2 Anonadar, humillar, abatir: *este último fracaso lo ha aniquilado para siempre.*

anís *m.* Planta umbelífera de flores pequeñas, y semillas menudas, aromáticas y de sabor agradable *(Pimpinella anisum).* 2 Semilla de esta planta. 3 Grano de anís con baño de azúcar. 4 Confitura menuda. 5 Aguardiente aromatizado con esta semilla. ◇ Pl.: *anises.*

anisete *m.* Licor compuesto de aguardiente, azúcar y anís.

anisogamia *f.* Formación de gametos de tamaño y morfología diferentes.

anisótropo, -pa *adj.* FÍS. [cuerpo] Que ofrece distintas propiedades cuando se examina o ensaya en direcciones diferentes.

aniversario *m.* Día en que se cumplen años de algún suceso.

ano *m.* Orificio del conducto **digestivo por el cual se expele el excremento; **crustáceos; **moluscos.

anoche *adv. t.* En la noche de ayer.

I) anochecer *m.* Tiempo durante el cual anochece: *al ~,* al acercarse la noche.

II) anochecer *impers.* Empezar a faltar la luz del día, venir la noche: *anochecía cuando llegó.* – 2 *intr.* Hallarse en determinado lugar, condición o estado al empezar la noche: *anochecen en Berbería y amanecen en las costas de España.* ◇ ** CONJUG. [43] como *agradecer.*

anodino, -na *adj.-m.* [medicamento] Que mitiga o calma el dolor. – 2 *adj.* fig. Ineficaz, insubstancial, insignificante: *persona anodina.* 3 fig. Insípido, sin gracia, soso: *sonrisa anodina.*

ánodo *m.* Electrodo positivo por donde entra la corriente eléctrica en el electrólito. 2 Polo positivo de una pila eléctrica.

anofeles *m.* Género de mosquitos culícidos, con larga probóscide y palpos tan largos como ella, cuyas hembras inoculan el germen del paludismo (gén. *Anopheles*). ◇ Pl.: *anofeles.*

anomalía *f.* Irregularidad: *detectaron ciertas anomalías en el mecanismo.*

anómalo, -la *adj.* Irregular, extraño: *comportamiento ~.*

anomuro *adj.-m.* Crustáceo del grupo de los anomuros. – 2 *m. pl.* Grupo de crustáceos malacostráceos decápodos, caracterizados por tener el abdomen blando y vejigoso.

anona *f.* Arbolito anonáceo de hojas grandes, alternas y lanceoladas, flores blancas y solitarias y fruto carnoso cubierto de escamas (*Annona muricata*). 2 Fruto de esta planta. 3 *Amér. Central.* Simpleza, tontería. – 4 *adj. Amér. Central.* Tonto, boto.

anonáceo, -a *adj.-f.* Planta de la familia de las anonáceas. – 2 *f. pl.* Familia de plantas dicotiledóneas, árboles o arbustos tropicales, de hojas alternas, flores axilares, solitarias o en manojos, y fruto seco o carnoso con pepitas duras y frágiles; como la anona.

anonadar *tr.-prnl.* Aniquilar: *el susto le dejó anonadado.* 2 fig. Apocar: *se anonadó al ver tanta gente concentrada.*

anonimato *m.* Estado o condición de anónimo: *los autores del atentado quedaron en el ~.*

anonimista *com. Amér.* Autor de un escrito anónimo.

anónimo, -ma *adj.-m.* Obra o escrito sin el nombre de su autor: *retrato ~.* 2 Autor de nombre desconocido. – 3 *m.* Carta o papel sin firma en que, generalmente, se dice algo ofensivo o desagradable: *recibir un ~.* 4 Secreto del que oculta su nombre: *mantener el ~.*

anopluro *adj.-m.* Insecto del orden de los anopluros. – 2 *m. pl.* Orden de insectos hemípteros, ápteros, con boca de tipo chupador, que carecen de metamorfosis y viven parásitos del hombre o de los animales; como el piojo.

anorak *m.* Chaqueta impermeable y con capucha que se usa principalmente en invierno y en las excursiones por la montaña.

anorexia *f.* PAT. Inapetencia.

anormal *adj.* No normal: *situación, comportamiento ~.* – 2 *com.* Persona privada de alguno de los sentidos corporales, o de desarrollo mental imperfecto: *escuela de anormales.*

anormalidad *f.* Calidad de anormal. 2 Anomalía, irregularidad.

anostráceo *adj.-m.* Crustáceo del orden de los anostráceos. – 2 *m. pl.* Orden de crustáceos entomostráceos, desprovistos de capa-

razón pero con las antenas muy desarrolladas.

anotar *tr.* Poner notas [en un escrito, cuenta, libro, etc.]. 2 Apuntar (tomar notas).

anovelado, -da *adj.* Que participa de los caracteres de la novela: *historia anovelada.*

anovulación *f.* Suspensión o cesación de la ovulación.

anovulatorio, -ria *adj.-m.* MED. Que impide la ovulación femenina.

anquilosarse *prnl.* Producirse anquilosis en una articulación. 2 fig. Envejecer, inmovilizarse lo inmaterial: *ideas anquilosadas.*

anquilosis *f.* Imposibilidad de movimiento en una articulación normalmente móvil. ◇ Pl.: *anquilosis.*

ánsar *m.* Ganso (ave). 2 Ave anseriforme de unos 80 cms. de longitud y coloración parda obscura (*Anser fabalis*).

anseriforme *adj.-m.* Ave del orden de los anseriformes. – 2 *m. pl.* Orden de aves corpulentas con las patas palmeadas y cortas y el cuello largo; como los patos, ocas, gansos, etc.

ansarino, -na *adj.* Relativo al ánsar. – 2 *m.* Pollo del ánsar.

ansia *f.* Congoja o fatiga que causan en el cuerpo inquietud o agitación violenta: *las aglomeraciones le producen ~.* 2 Angustia o aflicción del ánimo: *esperaba con ~ la decisión del tribunal.* 3 Anhelo: *ansias de vivir.* – 4 *f. pl.* Náuseas. ◇ Para evitar la cacofonía, utiliza la forma masculina del artículo: *el ansia,* pero no la del demostrativo: *esta ansia.*

ansiar *tr.* Desear con ansia [una cosa]: *~ la libertad.* ◇ ** CONJUG. [13] como *desviar.*

ansiedad *f.* Estado de inquietud del ánimo. 2 Angustia que acompaña a muchas enfermedades.

ansiolítico, -ca *adj.-m.* Fármaco que sirve para reducir y curar los estados de ansiedad.

ansioso, -sa *adj.* Acompañado de ansias (congoja o angustia). 2 Que tiene ansias (anhelo). 3 Codicioso.

antagónico, -ca *adj.* Que denota o implica antagonismo.

antagonismo *m.* Oposición en doctrinas y opiniones. 2 Estado de lucha o rivalidad.

antagonista *com.* Persona o cosa opuesta o contraria a otra. 2 Personaje que se opone al protagonista en el conflicto esencial de una obra literaria, cinematográfica, etc. – 3 *adj.* Que obra en sentido opuesto: *músculo ~.*

antaño *adv. t.* En tiempo antiguo.

antártico, -ca *adj.* V. polo antártico. 2 Cercano o relativo al polo sur o antártico.

I) ante *m.* Alce. 2 Piel de algunos animales, especialmente el ante, adobada y curtida.

II) ante *prep.* En presencia de, delante de: *se hincó de rodillas ~ el rey; una sílaba breve ~ otra larga;* precediendo a corta distancia : *iba ~ ellos iluminándolos.* 2 En comparación de, respecto de: *no puedo opinar ~ este asunto.*

III) ante *m.* *Amér. Central* y *Méj.* Almíbar hecho con harina de garbanzos, frijoles, etc.

anteanoche *adv. t.* En la noche de anteayer.

anteayer *adv. t.* El día inmediatamente anterior a ayer.

antebrazo *m.* Parte del brazo desde el codo hasta la muñeca; **cuerpo humano. 2 Brazuelo de los cuadrúpedos.

antecámara *f.* Pieza delante de la sala principal de una casa grande. 2 Vestíbulo en el que se abren una o varias habitaciones.

antecedente *adj.* Que antecede o precede. – 2 *m.* Acción, dicho o circunstancia anterior, que sirve para juzgar hechos posteriores. 3 GRAM. Término o elemento de la oración a que se refieren los pronombres y adverbios relativos. – 4 *m. pl.* DER. Constancia jurídica de delitos que, en caso de recaída, originan la agravante de reincidencia o reiteración, según los casos.

anteceder *tr.* Preceder.

antecesor, -ra *adj.* Anterior en tiempo. – 2 *m. f.* Persona que precedió a otra en una dignidad, empleo, obra o cargo. – 3 *m.* Antepasado (individuo).

anteco, -ca *adj.-s.* Morador de la **tierra que está bajo un mismo meridiano y a igual distancia del ecuador, pero en distinto hemisferio: *los antecos tienen la mismas horas del día pero estaciones distintas.*

antecocina *f.* Pieza que se encuentra antes de la cocina.

antedicho, -cha, *adj.* Dicho con anterioridad.

antediluviano, -na *adj.* Antiquísimo. ◇ INCOR.: *antidiluviano.*

antefirma *f.* Denominación del empleo, dignidad o representación del firmante de un documento, puesta antes de la firma.

antelación *f.* Anticipación con que, en orden al tiempo, sucede una cosa respecto a otra.

antemano (de ~) *loc. adv.* con anticipación.

antemeridiano, -na *adj.* Anterior al mediodía.

antemural *m.* Fortaleza, roca o montaña que sirve de reparo o defensa.

antena *f.* Conjunto de elementos metálicos utilizado para emitir o recibir ondas radioeléctricas; **casa; **avión: ~ *de televisión;* ~ *colectiva,* la que recoge ondas de televisión y las sirve a todos los televisores de un mismo inmueble; ~ *parabólica,* la que consta de un reflector y una guía de ondas, especialmente utilizada para la recepción de programas de televisión a través de satélite. 2 ZOOL. Apéndice segmentado y móvil, órgano del tacto, que tienen en la cabeza casi todos los artrópodos; **crustáceos; **insectos. – 4 *f. pl.* fig. Orejas.

anténula *f.* ZOOL. Antena pequeña; **crustáceos.

anteojera *f.* Caja para guardar los anteojos. 2 Pieza de vaqueta que tapan lateralmente los ojos del caballo.

anteojo *m.* Instrumento óptico para ver objetos lejanos, compuesto esencialmente de dos lentes, una colectora de la luz y la otra amplificadora de la imagen formada por la primera. 2 Pieza de vaqueta con un agujero en el centro, que se pone delante de los ojos de los caballos espantadizos. – 3 *m. pl.* Instrumento óptico compuesto de dos cristales o lentes montados en una armadura que permite tenerlos sujetos ante los ojos.

antepalco *m.* Pieza que da ingreso a un palco.

antepasado, -da *adj.* Relativo al tiempo anterior a otro tiempo ya pasado. – 2 *m.* Respecto de un individuo, miembro de su línea familiar anterior a él: *los antepasados de mi amigo eran nobles.*

antepecho *m.* ARQ. Pretil (vallado). 2 Reborde de ventana colocado a suficiente altura para que se puedan apoyar los codos en él.

antepenúltimo, -ma *adj.* Inmediatamente anterior al penúltimo.

anteponer *tr.* Poner delante: ~ *el artículo al nombre;* poner inmediatamente antes : *anteponerse un gran nublado.* 2 Preferir (dar preferencia): ~ *un parecer a otro.* ◇ ** CONJUG . [78] como *poner;* pp. irreg.: *antepuesto.*

anteportada *f.* Hoja que precede a la portada de un **libro, y en la que sólo se pone el título de la obra.

anteproyecto *m.* Conjunto de trabajos para redactar un proyecto de arquitectura, ingeniería o legislación: ~ *de ley.*

antera *f.* BOT. Parte superior del estambre que contiene el polen; **flor; **inflorescencia.

anteridio *m.* Órgano en que se desarrollan los anterozoides en la mayoría de las plantas criptógamas; **helecho.

anterior *adj.* Que precede en lugar o tiempo. 2 GRAM. Tiempo del verbo que expresa una acción pasada o futura terminada antes que otra también pasada o futura: *pretérito* ~ (hube cantado); *futuro* ~ (habré cantado). ◇ V. uso de los tiempos, en ** VERBO.

anterioridad *f.* Precedencia temporal o espacial de una cosa con respecto a otra.

anterozoide *m.* Gameto masculino de los vegetales.

antes *adv. t.* Denota prioridad de tiempo: ~ *vivía en otra casa; lo he dicho* ~; ~ *de leer;* ~ *del día;* ~ *de anoche;* ~ *de ayer;* ~ *que llegase;* ~ *que hables.* – 3 *adv. l.* Expresa prioridad en el espacio o en la colocación: ~ *de la puerta;* ~ *de,* o *que, los marqueses van los duques.* – 4 *adv. o.* Denota preferencia o prioridad, y se construye con *que*: ~ *morir que pecar; pelo negro ~ que castaño*. – 5 *adj*. Anterior: *la noche ~; años ~*. – 6 *conj. advers*. Denota contrariedad o preferencia en el sentido de una oración respecto de otra: *no se acobardó, ~ se encaró con su enemigo*. 7 ~ *(de) que, conj. subordinante temporal*, denota prioridad de tiempo en el sentido de una oración respecto de otra: ~ *(de) que sospechen de ti, vete*.

antesacristía *f*. Pieza que da entrada a la sacristía.

antesala *f*. Pieza delante de la sala.

antever *tr*. Ver [algo] antes que otro. 2 Prever. ◇ ** CONJUG. [91] como *ver*; pp. irreg.: *antevisto*.

antevíspera *f*. Día inmediatamente anterior al de la víspera.

antiabortista *com*. Contrario a la despenalización del aborto.

antiacadémico, -ca *adj*. Que va contra la autoridad o influencia de las Academias, o contra el academicismo.

antiácido, -da *adj.-m*. Substancia que se opone o que resiste la acción de los ácidos. – 2 *m*. Substancia que neutraliza el exceso de acidez anormal en ciertas partes del organismo.

antiaéreo, -a *adj*. Relativo a la defensa contra los aviones.

antialcalino, -na *adj*. [substancia] Que se opone o que resiste a la acción de los álcalis.

antialcohólico, -ca *adj*. Contrario al alcoholismo: *medicamento ~; propaganda, sociedad antialcohólica*.

antialcoholismo *m*. Lucha contra el abuso de las bebidas alcohólicas.

antiartrítico, -ca *adj.-m*. Que sirve para curar la artritis.

antiasmático, -ca *adj.-m*. Que sirve para combatir el asma.

antiatómico, -ca *adj*. Opuesto a los efectos de una radiación atómica. 2 Opuesto al empleo de armas y proyectiles atómicos.

antibiótico *adj.-m*. MED. Medicamento que destruye los microorganismos patógenos o detiene su reproducción.

anticanceroso, -sa *adj*. Que sirve para combatir el cáncer.

anticarro *adj.-m*. Antitanque.

anticatarral *adj*. Que combate el catarro.

anticiclón *m*. Área en que la presión barométrica es mucho mayor que en las circundantes.

anticipación *f*. Acción de anticipar: *pagar con ~*. 2 Efecto de anticipar. 3 RET. Figura que consiste en refutar de antemano las objeciones que se pudieran hacer.

anticipado, -da *adj*. Adelantado, prematuro, precoz. 2 *Por ~*, de antemano, con anticipación.

anticipar *tr*. Hacer que ocurra [alguna cosa] antes del tiempo regular o señalado: ~ *los exá-*

menes. 2 esp. Entregar [dinero] antes del tiempo señalado; en gral., prestarlo. 3 Con respecto a plazos y fechas, adelantar, fijar antes: ~ *el día de la partida*. – 4 *prnl*. Adelantarse una persona a otra en la ejecución de alguna cosa. 5 Ocurrir una cosa antes del tiempo regular o señalado: *anticiparse las lluvias*.

anticipo *m*. Dinero anticipado.

anticlerical *adj.-s*. Partidario del anticlericalismo. 2 Contrario al clero.

anticlericalismo *m*. Sistema opuesto al clericalismo. 2 Animosidad contra todo lo que se relaciona con el clero.

anticlímax *m*. Parte de una narración que se halla después del clímax.

anticlinal *m*. Pliegue del terreno parecido a un arco.

anticoagulante *adj.-m*. Que sirve para impedir la coagulación de la sangre.

anticombustible *adj.-m*. Opuesto a la combustión.

anticomunismo *m*. Tendencia política opuesta al comunismo.

anticonceptivo, -va *adj.-m*. Producto o método empleado para impedir la fecundación.

anticonformismo *m*. Disconformidad con las costumbres, leyes, etc., establecidas.

anticonformista *adj.-com*. Disconforme con las costumbres, leyes, etc., establecidas.

anticongelante *adj*. Que impide la congelación. – 2 *m*. Producto que se mezcla al agua del radiador de un motor con el fin de evitar su congelación.

anticonstitucional *adj*. Contrario a la constitución política.

anticorrosivo, -va *adj.-m*. Substancia que cubre y protege una superficie evitando su corrosión.

anticristo *m*. Enemigo de Cristo o de su Iglesia; esp., el que al fin del mundo se levantará con gran poder para seducir a los hombres.

anticuado, -da *adj*. Que no está de moda o no se usa ya: *viste siempre de una forma muy anticuada*.

anticuario *m*. El que comercia en antigüedades. 2 El que las colecciona.

anticuarse *prnl*. Hacerse antiguo. ◇ ** CONJUG. [10] como *adecuar*.

anticucho *m. Argent., Bol., Chile y Perú*. Pedacito de carne asada o frita que se vende ensartado en una caña o palito.

anticuerpo *m*. Substancia defensiva creada por el organismo y que se opone a la acción de las bacterias, toxinas, etc.

antidemocrático, -ca *adj*. Contrario a la democracia.

antideportivo, -va *adj*. DEP. Contrario al espíritu deportivo.

antidepresivo, -va *adj.-m.* MED. [medicamento] Que sirve para anular los estados depresivos patológicos.

antideslizante *adj.* Que impide deslizarse. – 2 *m.* Dispositivo en los neumáticos que impide que el coche patine.

antideslumbrante *adj.-m.* Medio utilizado para impedir el deslumbramiento que producen en carretera los focos de los coches que circulan en dirección contraria.

antidetonante *adj.* Que impide la explosión o detonación. – 2 *m.* Producto que se mezcla con la gasolina con el fin de impedir la explosión de la mezcla antes de tiempo.

antidiabético, -ca *adj.-m.* Medicamento del régimen dietético empleados para el tratamiento de la diabetes.

antidiftérico, -ca *adj.-s.* Medicamento que se emplea contra la difteria.

antidóping *adj.-m.* Conjunto de medidas adoptadas por las autoridades deportivas para descubrir e impedir el consumo de substancias excitantes o estimulantes por parte de los deportistas.

antídoto *m.* Contraveneno. 2 p. ext. Medio para no incurrir en un vicio o falta.

antidroga *adj.* Que se opone o lucha contra la difusión de la droga: *campaña ~.*

antieconómico, -ca *adj.* Opuesto a los principios que rigen la economía. 2 Muy caro.

antiesclavista *adj.-com.* Adversario del sistema social que admite la esclavitud.

antiespasmódico, -ca *adj.-m.* Que sirve para evitar o calmar los espasmos o convulsiones.

antiestático, -ca *adj.* Que impide la formación de electricidad estática.

antiestético, -ca *adj.* Contrario a la estética; p. ext., feo.

antifascista *adj.-com.* Contrario al fascismo.

antifaz *m.* Velo o máscara con que se cubre la cara.

antifebril *adj.* Febrífugo.

antifederal *adj.-com.* Enemigo del federalismo.

antifeminismo *m.* Tendencia contraria al feminismo.

antifeminista *adj.-com.* Contrario al feminismo.

antífona *f.* Versículo, o parte de él, que en las horas canónicas se canta o reza antes de un salmo.

antífono *m.* Instrumento que se adapta a la oreja y protege el oído de los ruidos intensos, como disparos de artillería, pruebas de motores, etc.

antigás *adj.* Que se emplea para prevenir los efectos de los gases tóxicos: *careta, equipo, batallón ~.*

antígeno, -na *adj.-m.* MED. Substancia

que, introducida en el organismo, estimula la formación de anticuerpos.

antigripal *adj.-m.* Que sirve para combatir la gripe.

antigualla *f.* Obra u objeto de antigüedad remota. 2 desp. Mueble, adorno, etc., que ya no está de moda.

antigubernamental *adj.* Contrario al gobierno constituido.

antigüedad *f.* Calidad de antiguo: *la ~ de una ciudad.* 2 Tiempo antiguo, especialmente el que se refiere a la Edad Antigua. 3 Lo que sucedió en tiempo antiguo: *un erudito de la ~ egipcia.* 4 Los hombres que vivieron en lo antiguo. 5 Tiempo transcurrido desde el día en que se obtiene un empleo. – 6 *f. pl.* Objetos antiguos: *colección de antigüedades.*

antiguo, -gua *adj.* Que existe desde hace mucho tiempo. 2 Que existió o sucedió en tiempo remoto. – 3 *m.* Veterano en un empleo o cargo. – 4 *m. pl.* Los que vivieron en siglos remotos. ◇ Superl.: *antiquísimo.*

antihemorroidal *adj.-m.* Que cura las almorranas.

antihéroe *m.* Personaje que posee las características contrarias al héroe tradicional.

antihigiénico, -ca *adj.* Contrario a los preceptos de la higiene.

antihistoricismo *m.* Tendencia intelectual que niega la preponderancia de la historia (exposición) en la explicación de los hechos.

antihistórico, -ca *adj.* Perteneciente o relativo al antihistoricismo. – 2 *adj.-s.* [pers.] Partidario de esta tendencia intelectual.

antiimperialismo *m.* Movimiento político que trata de liberar a un país de la sujeción política o económica de otro país.

antiinflamatorio, -ria *adj.-m.* Que se emplea para disminuir o eliminar la inflamación.

antilogaritmo *m.* MAT. Número que corresponde a un logaritmo determinado.

antílope *m.* Mamífero rumiante bóvido del grupo de los antilopinos: *~ americano,* de 1,5 m. de longitud, el pelaje es de color castaño, amarillento y blanco, y los cuernos huecos y bifurcados (*Antilocapra americana*).

antilopino *adj.-m.* Mamífero del grupo de los antilopinos. – 2 *m. pl.* Grupo de rumiantes bóvidos, con aspecto de ciervos, con la cornamenta alta y dirigida hacia atrás; como la gacela y el búfalo.

antillano, -na *adj.-s.* De las Antillas, archipiélago del Atlántico, a la entrada del golfo de Méjico.

antimagnético, -ca *adj.* FÍS. Que no es afectado o que se opone a la influencia magnética.

antimeridiano *m.* Meridiano diametralmente opuesto a otro, con relación a éste.

antimicrobiano, -na *adj.* Que impide la

formación o el desarrollo de los microorganismos.

antimilitarismo *m.* Doctrina contraria a los ejércitos permanentes y obligatorios. 2 Oposición al militarismo.

antimilitarista *adj.-com.* Partidario del antimilitarismo.

antimonárquico, -ca *adj.* Contrario a la monarquía.

antimonio *m.* Metal blanco azulado, brillante y quebradizo, que aleado con plomo y estaño sirve para fabricar los caracteres de imprenta. Su símbolo es *Sb*.

antinatural *adj.* Contranatural.

antiniebla *adj.* Que hace posible la visión a través de la niebla: *faros ~.*

antinomia *f.* Contradicción entre dos leyes o principios en su aplicación práctica a un caso particular.

antinuclear *adj.-s.* Que es contrario o se opone a lo nuclear.

antioxidante *adj.-m.* QUÍM. Substancia que se opone a la formación de óxidos.

antipalúdico, -ca *adj.* Que sirve para combatir el paludismo.

antipapa *m.* Papa cismático elegido en oposición al legítimo.

antiparasitario, -ria *adj.-m.* En televisión y radiodifusión, que se opone a las perturbaciones que afectan la recepción. – 2 *adj.* Que elimina, destruye o reduce los parásitos.

antiparlamentario, -ria *adj.* Contrario a los usos y prácticas parlamentarias. – 2 *m. f.* Adversario del Parlamento y del parlamentarismo como sistema político.

antipartícula *f.* Partícula elemental que tiene propiedades contrarias a las de los átomos de los elementos químicos.

antipatía *f.* Repugnancia instintiva hacia alguien o algo.

antipático, -ca *adj.* Que causa antipatía.

antipatriota *com.* El que va contra su patria.

antipatriótico, -ca *adj.* Contrario al patriotismo.

antipedagógico, -ca *adj.* Contrario a la pedagogía.

antipirético, -ca *adj.-m.* Febrífugo.

antípoda *adj.-com.* Habitante de la **tierra con respecto a otro que more en lugar diametralmente opuesto: *los antípodas de Madrid se encuentran en Nueva Zelanda.* – 2 *adj.-amb.* Punto de la tierra situado en posición diametralmente opuesto a la de otro y con relación a este otro. – 3 *adj.-f.* Lo enteramente contrario. ◇ Se usa más en plural.

antipolilla *adj.-m.* Insecticida contra la polilla.

antiprogresista *adj.com.* Que se opone al progreso, especialmente en materia política o social.

antiprotón *m.* Partícula elemental de igual masa que el protón y con carga eléctrica negativa.

antirrábico, -ca *adj.* Que sirve para combatir la rabia.

antirradar *adj.* Que impide el uso normal del radar.

antirraquítico, -ca *adj.* Que cura o corrige el raquitismo.

antirreglamentario *adj.* Que se hace o se dice contra lo que dispone el reglamento.

antirrepublicano, -na *adj.-s.* Opuesto a la república.

antirreumático, -ca *adj.-m.* Que sirve para curar el reuma.

antirrevolucionario, -ria *adj.-s.* Enemigo de la revolución.

antirrobo *adj.-m.* Dispositivo o instalación que evita o previene el robo.

antisemita *adj.-com.* Partidario del antisemitismo.

antisemitismo *m.* Oposición a los judíos.

antisepsia *f.* Prevención de las enfermedades infecciosas por destrucción de los gérmenes que las producen.

antiséptico, -ca *adj.-m.* Desinfectante.

antisísmico, -ca *adj.* [construcción] A prueba de terremotos.

antisocial *adj.-s.* Contrario a la sociedad, a la convivencia social: *comportamiento ~.*

antisubmarino, -na *adj.* Que se emplea para combatir a los submarinos.

antitanque *adj.* MIL. [arma o proyectil] Destinado a destruir tanques de guerra y otros vehículos semejantes.

antítesis *f.* RET. Figura que consiste en contraponer dos palabras o frases de significación contraria: *los libros están sin doctor y el doctor sin libros* (Gracián) . 2 fig. Cosa opuesta en sus condiciones a otro. ◇ Pl.: *antítesis.*

antitetánico, -ca *adj.* Que sirve para curar el tétanos.

antitético, -ca *adj.* Que denota o implica antítesis.

antitóxico, -ca *adj.* Que neutraliza el efecto de un tóxico.

antitoxina *f.* Anticuerpo que destruye los efectos de las toxinas.

antitrago *m.* Prominencia de la oreja situada en la parte inferior del pabellón; **oído.

antituberculoso, -sa *adj.* [procedimiento o institución] Que combate la tuberculosis.

antivirus *m.* Fármaco que produce la destrucción viral o detiene su desarrollo.

antófitos *m. pl.* División de plantas que comprende las clases dicotiledóneas y monocotiledóneas; presentan fecundación doble y óvulos cerrados en carpelos (angiospermas).

antojadizo, -za *adj.* Que tiene antojos con frecuencia.

antojarse *prnl.* Hacerse objeto de vehemente deseo una cosa. 2 Ofrecerse a la consideración como probable una cosa. ◇ Es verbo impersonal, y se usa sólo con alguno de los pronombres *me, te, le, nos, os: se me antoja ir a paseo; se me antoja que no vendrá.*

antojo *m.* Deseo vivo y pasajero de algo; especialmente el que suelen tener las mujeres durante el embarazo. 2 Juicio hecho de alguna cosa sin bastante examen. – 3 *m. pl.* Lunares, manchas, etc., que suelen presentarse en la piel.

antología *f.* Colección de fragmentos escogidos de poesía y prosa.

antónimo, -ma *adj.-s.* Palabra que expresa idea opuesta a contraria [a otra palabra]: *virtud y vicio; claro y obscuro.* ◇ V. sinónimo.

antonomasia *f.* RET. Figura que consiste en poner el nombre apelativo por el propio, o viceversa: *el Apóstol,* por San Pablo; *un Rafael.*

antorcha *f.* Hacha (vela). 2 fig. Lo que sirve de guía para el entendimiento o la conducta.

antozoo *adj.-m.* ZOOL. Animal de la clase de los antozoos. – 2 *m. pl.* Clase de cnidarios que viven fijos en el fondo del mar y están constituidos ya por un solo pólipo, ya por una colonia de ellos; como la actinia y el coral.

antraceno *m.* Hidrocarburo cristalino, obtenido por destilación del alquitrán.

antracita *f.* Carbón de piedra, poco bituminoso, que arde con dificultad y sin conglutinarse.

ántrax *m.* PAT. Inflamación circunscrita, dura y dolorosa del tejido subcutáneo, que se acompaña de trastornos generales gravísimos: ~ *maligno,* carbunco. ◇ Pl.: *ántrax.*

antro *m.* Caverna. 2 fig. Lugar que produce temor o repulsión. 3 fig. Local de mal aspecto o reputación.

antropocentrismo *m.* FIL. Doctrina o teoría que supone que el hombre es el centro de todas las cosas, el fin absoluto de la naturaleza.

antropofagia *f.* Costumbre de algunos salvajes de comer carne humana.

antropófago, -ga *adj.-s.* Que practica la antropofagia.

antropogenia *f.* Estudio de la evolución y desarrollo del hombre.

antropografía *f.* Parte de la antropología que describe las razas humanas y sus variedades.

antropoide *adj.-m.* Primate del suborden de los antropoides. – 2 *m. pl.* Suborden de primates evolucionados que presentan el hocico reducido y los ojos en posición frontal; comprende dos infraórdenes: platirrinos y catarrinos.

antropología *f.* Parte de la historia natural que trata del hombre.

antropólogo, -ga *m. f.* Persona que por profesión o estudio se dedica a la antropología.

antropomorfo, -fa *adj.* De forma parecida a la del hombre. – 2 *adj.-m.* Póngido.

antroponimia *f.* Estudio del origen y significación de los nombres propios de persona.

antropónimo *m.* Nombre propio de persona.

anual *adj.* Que se repite cada año. 2 Que dura un año.

anualidad *f.* Calidad de anual. 2 Importe anual de una renta o carga.

anuario *m.* Libro publicado de año en año, especialmente el que contiene las informaciones correspondientes al año: ~ *de ciencias médicas;* ~ *de bolsillo.*

anublar *tr.-prnl.* Ocultar las nubes [el azul del cielo o la luz del Sol o la Luna].

anudar *tr.* Hacer nudos: *anuda el roto nudo; abs., estoy anudando.* 2 esp. Juntar, unir o asegurar mediante nudos [cuerdas, hilos o cosas semejantes]: ~ *la venda;* ~ *las trenzas.* 3 p. ext. Juntar, unir: ~ *la amistad; anudarse los corazones.* 4 Embargar el uso de la palabra: ~ *la voz; anudarse la lengua.*

I) anular *adj.* De figura de anillo. – 2 *adj.-m.* Dedo anular; **mano.

II) anular *tr.* Dar por nula [alguna disposición]. 2 fig. Incapacitar, desautorizar [a uno]. – 3 *prnl.* Humillarse, postergarse.

ánulo *m.* ARQ. Anillo o gradecilla; esp., el astrágalo de los capiteles dóricos formado por tres líneas entrantes.

anunciar *tr.* Dar noticia [de una cosa]; proclamar, hacer saber [una cosa]: ~ *la llegada del nuevo director.* 2 Hacer publicidad: ~ *un producto en la televisión.* 3 Pronosticar: ~ *lluvias.* ◇ ** CONJUG. [12] como *cambiar.*

anuncio *m.* Conjunto de palabras o signos con que se anuncia algo. 2 Pronóstico (señal).

anuro, -ra *adj.* Sin cola. – 2 *adj.-m.* Anfibio del orden de los anuros. – 3 *m. pl.* Orden de anfibios desprovistos de cola en el estado adulto; como la rana y el sapo.

anverso *m.* Lado de una moneda o medalla que lleva la imagen o inscripción principal.

anzuelo *m.* Arponcillo de metal que, pendiente de un sedal y puesto en él algún cebo, sirve para pescar. 2 fig. Atractivo, aliciente.

añadido *m.* Postizo. 2 Añadidura.

añadidura *f.* Lo que se añade a alguna cosa.

añadir *tr.* Agregar [una cosa] a otra. 2 Aumentar, ampliar.

añagaza *f.* Señuelo (para aves). 2 fig. Artificio para atraer con engaño.

añal *adj.* Anual. – 2 *adj.-s.* Cordero, becerro o cabrito que tiene un año cumplido.

añejo, -ja *adj.* Que tiene mucho tiempo: *vino* ~.

añicos *m. pl.* Pedacitos en que se divide alguna cosa al romperse: *el jarrón se hizo* ~.

añil *m.* Arbusto leguminoso, de hojas compuestas y flores en racimos o espigas, y legumbres con granillos lustrosos y muy duros, de cuyos tallos y hojas se saca una substancia colorante azul obscuro *(Indigofera anil)*. 2 Esta misma substancia. – 3 *adj.-m.* Color parecido al del añil (substancia); es el sexto del espectro solar. – 4 *adj.* De color añil.

año *m.* Tiempo invertido por la Tierra en su revolución periódica alrededor del Sol: ~ *bisiesto,* el civil de 366 días; ~ *luz,* unidad empleada en astronomía que equivale a 9,4 × 10^{12} kms. 2 Período de tiempo de 365 días aproximadamente de duración, divididos en doce meses: ~ *académico* o *escolar,* período de un año que comienza con la apertura del curso después de las vacaciones del anterior. – 3 *m. pl.* Día en que alguno cumple años. ◇ Es moderno el uso: *año 1500* por *año de 1500,* preferido en la lengua clásica.

añojo, -ja *m. f.* Becerro o cordero de un año cumplido.

añoranza *f.* Acción de añorar, nostalgia.

añorar *tr.* Recordar con pena la ausencia, privación o pérdida [de una persona o cosa]. – 2 *intr.* Padecer añoranza.

añublo *m.* Enfermedad de los cereales producida por el tizón o la roya.

aojar *tr.* Hacer mal de ojo [a uno].

aorta *f.* Arteria principal, tronco del sistema arterial, que arranca del ventrículo izquierdo del corazón y lleva la sangre a todas las partes del cuerpo, excepto a los pulmones; **circulación.

aovado, -da *adj.* De figura de huevo.

aovillarse *prnl.* fig. Encogerse mucho, hacerse un ovillo.

apabullar *tr.* Dejar [a uno] confuso, avergonzado.

apacentar *tr.* Dar pasto al ganado. 2 fig. Instruir, enseñar, dar pasto espiritual: *con este ejercicio se apacienta el entendimiento.* 3 fig. Cebar los deseos o placeres: ~ *los sentidos.* – 4 *prnl.* Pacer el ganado. ◇ ** CONJUG. [27] como *acertar;* es verbo factitivo.

apacible *adj.* Dulce, agradable en la condición y el trato. 2 Bonancible, agradable: *tiempo ~.* ◇ Superl.: *apacibilísimo.*

apaciguar *tr.* Poner en paz, aquietar: ~ *los ánimos.* ◇ ** CONJUG. [22] como *averiguar.*

apache *adj.com.* Individuo de una tribu india de Texas, Nuevo México y Arizona.

apacheta *f. Amér. Merid.* Montón de piedras colocadas por los indios en las mesetas de los Andes, como signo de devoción a la divinidad.

apachurrar *tr.* Despachurrar. 2 *Amér.* Achaparrar.

apadrinar *tr.-prnl.* Acompañar como padrino [a uno]. 2 fig. Patrocinar, proteger: ~ *el desorden;* ~ *a un candidato.*

apagadizo, -za *adj.* [materia] Que arde muy difícilmente.

apagado, -da *adj.* De genio muy sosegado y apocado. 2 [color, brillo, etc.] Amortiguado.

apagar *tr.* Extinguir [el fuego o la luz]; especialmente, echar agua [a la cal viva]. 2 Aplacar, extinguir: ~ *los rencores, un afecto.* 3 PINT. Rebajar [el color demasiado vivo], o templar [el tono de la luz]. – 4 *tr.-prnl.* Interrumpir el funcionamiento de un aparato, desconectándolo de su fuente de energía. – 5 *prnl.* Morirse dulcemente. ◇ ** CONJUG. [7] como *llegar.*

apagón *m.* Apagamiento súbito de las luces de una habitación, casa, barriada, etc.

apaisado, -da *adj.* Que es más ancho que alto.

apalabrar *tr.* Concertar de palabra dos o más personas [una cosa].

apalancado, -da *adj.* Acomodado en un lugar o posición.

apalancar *tr.* Levantar, mover [una cosa] con palanca. 2 Guardar, esconder. – 3 *prnl.* Acomodarse [en un lugar], quedarse [en un sitio]: *apalancarse en un sofá delante de la televisión.* ◇ ** CONJUG. [1] como *sacar.*

apalastrarse *prnl. Amér. Central y Colomb.* Desvanecerse, extenuarse.

apalear *tr.* Dar golpes [a una persona o cosa] con un palo o cosa semejante.

apangado, -da *adj. Amér. Central.* Lelo, zopenco.

apangarse *prnl. Amér. Central.* Agarbarse, agacharse.

apaniguarse *prnl. Amér.* Paniaguarse, confabularse para fines censurables o ilícitos. ◇ ** CONJUG. [22] como *averiguar.*

apantanar *tr.-prnl.* Llenar de agua [un terreno].

apañado, -da *adj.* fig. Hábil, mañoso. 2 Adecuado para el uso a que se destina. 3 irón. Arreglado.

apañar *tr.* Recoger y guardar [una cosa]. 2 p. ext. Apoderarse [de una cosa] ilícitamente. 3 Aderezar, ataviar. 4 Remendar [lo que está roto]. – 5 *prnl.* fam. Darse maña para hacer alguna cosa. – 6 *tr. Argent., Bol., Nicar. y Perú.* Amparar, disculpar, encubrir [a una persona] para librarla de un castigo.

apaño *m.* Compostura, remiendo. 2 Maña, habilidad. 3 fam. Lío amoroso.

aparador *m.* Mueble para guardar lo necesario al servicio de la mesa. 2 Escaparate.

aparato *m.* Instrumento o conjunto de instrumentos que sirven para determinado objeto: ~ *de televisión;* ~ *ortopédico.* 2 fig. Pompa, ostentación: *le gusta rodearse de mucho* ~. 3 fig. Exageración, encomio excesivo. 4 Órganos y servicios administrativos: *el* ~ *del estado.* 5 H. NAT. Conjunto de órganos que concurren a una misma función: ~ *digestivo,* el que efectúa la absorción y digestión de los alimentos en los animales; **ave.

aparatoso, -sa *adj.* Pomposo, ostentoso. 2 Espectacular, digno de admiración: *fue un choque muy ~.*

aparcamiento *m.* Acción de aparcar. 2 Efecto de aparcar. 3 Lugar donde se aparca.

aparcar *tr.* Colocar transitoriamente en un lugar público señalado al efecto [cualquier vehículo]. 2 fig. Dejar a un lado [una cuestión mientras se resuelve otra más importante]. ◇ ** CONJUG. [1] como *sacar.*

aparcería *f.* Trato de los que van a la parte en una granjería.

aparcero, -ra *m. f.* Persona que tiene aparcería con otra u otras.

aparear *tr.* Juntar [las hembras de los animales con los machos] para que críen.

aparecer *intr.-prnl.* Manifestarse, dejarse ver, por lo común repentinamente. 2 Estar, hallarse: *su nombre no aparece en la lista.* ◇ ** CONJUG. [43] como *agradecer.* ◇ GALIC.: ~ *un libro,* por *salir a la luz; aparecerse una idea,* por *ocurrirse; la religión aparece cada día más perseguida,* por *se ve cada día.*

aparecido *m.* Espectro de un difunto.

aparejado, -da *adj.* Apto, idóneo.

aparejador, -ra *adj.-s.* Que apareja. – 2 *m. f.* Oficial que prepara y dispone los materiales que han de entrar en una obra. 3 Perito que ayuda a un arquitecto.

aparejar *tr.* Preparar convenientemente [una cosa]: ~ *las armas; ~ el corazón; aparejarse al,* o *para el, trabajo.* 2 Poner el aparejo [a las caballerías]. 3 Poner [a un buque] su aparejo. 4 Vestir con esmero, adornar. – 5 *prnl. Amér. Central.* Emparejarse.

aparejo *m.* Preparación, disposición para una cosa. 2 Conjunto de instrumentos y cosas necesarias para un oficio o maniobra: *el ~ de la mula; los aparejos del barco; aparejos de pesca.* 3 Conjunto de palos, vergas, jarcias y velas de un buque: ~ *mixto,* el formado por velas de cruz y velas de cuchillo. 4 Sistema de poleas compuesto de un grupo fijo y otro móvil.

aparentar *tr.* Manifestar o dar a entender [lo que no es o no hay]: *aparenta indiferencia pero no puede vivir sin ella.* 2 Hablando de la edad de una persona, tener ésta el aspecto correspondiente a dicha edad: *aparenta tener veinte años, pero pasa de los treinta.* 3 Fingir, disimular, afectar una persona un nivel social más alto del que le corresponde: *a los nuevos ricos les gusta ~.*

aparente *adj.* Que parece y no es: *su sabiduría es sólo ~.* 2 Conveniente, oportuno: *siempre encuentra las palabras más aparentes.* 3 Que aparece y se muestra a la vista. 4 Que tiene tal o cual aspecto o apariencia. 5 Evidente, manifiesto: *se marchó sin ningún motivo ~.*

aparición *f.* Visión de un ser sobrenatural o fantástico.

apariencia *f.* Aspecto exterior de una persona o cosa. 2 Cosa aparente (que parece). 3 Verosimilitud, probabilidad.

aparragarse *prnl. Amér.* Achaparrarse.

apartado, -da *adj.* Retirado, remoto. 2 Diferente, diverso. – 3 *m.* Correspondencia que se aparta en el correo para que los interesados la recojan. 4 Lugar de la oficina de correos destinado a este servicio. 5 Párrafo o conjunto de párrafos de una ley, decreto, etc.

apartamento *m.* Vivienda más pequeña que el piso, compuesta de uno o pocos más aposentos, generalmente con cocina y servicios higiénicos, situada en un edificio donde existen otras viviendas análogas.

apartar *tr.-prnl.* Dividir [un grupo de cosas o persona] escogiendo o separando entre ellas: ~ *a los que van cansados;* llevar aparte [a uno]: *apartó a Sancho entre los árboles; se apartaron silenciosamente.* 2 Alejar [una persona u objeto] de otro: *apartarse los hijos de los padres; ~ de sí un mal pensamiento; la tormenta apartó los bajeles.* 3 Quitar [a una persona o cosa] del lugar donde estaba, dejándolo desembarazado: ~ *los cabellos de la frente; apartarse de en medio.* 4 Establecer o existir una separación o distancia [entre las cosas]: *un río nos aparta de los vecinos.* 5 fig. Disuadir, distraer [a uno] de una cosa: ~ *de los negocios; ~ de un mal pensamiento.* – 6 *prnl.* Desviarse, retirarse, especialmente a hacer vida solitaria: *apartarse en un monasterio.*

aparte *adv. l.* En otro lugar: *poner ~ una cosa;* en lugar retirado: *hablar ~.* 2 A distancia, desde lejos: *yo estaré ~ observando.* – 3 *loc. adj.* Separadamente, con distinción: *les dieron cuarto ~.* 4 Con omisión: *esto ~,* o ~ *esto.* – 5 *adj.* Diferente, distinto: *eso es un caso ~.* 6 *Tirada ~,* tirada especial de algún artículo o estudio, separada de la revista o publicación de que forma parte. – 7 *m.* Lo que en las representaciones escénicas dice un personaje cualquiera como hablando para sí o con otro u otros, y suponiendo que no lo oyen los demás. 8 Reflexión que hace uno para sí mismo. 9 Párrafo (división).

apartheid *m.* Segregación racial, especialmente la de la República Sudafricana.

apartotel *m.* Complejo de apartamentos con servicios hoteleros.

aparvar *tr.* Disponer [la mies] para trillarla. 2 Recoger la mies después de trillarla.

apasionado, -da *adj.* Poseído de alguna pasión. 2 Partidario de alguien.

apasionante *adj.* Que apasiona: *novela ~.*

apasionar *tr.* Causar, excitar alguna pasión [a uno]: *las artes le apasionan.* – 2 *prnl.* Llenarse de pasión: *los espectadores se apasionan.* 3 Aficionarse con exceso por una persona o cosa: *apasionarse de,* o *por, lo mejor.*

apaste *m. Amér. Central* y *Méj.* Lebrillo hondo de barro y con asas.

apatanado, -da *adj.* Rústico, tosco, patán.

apatía *f.* Impasibilidad del ánimo. 2 Dejadez, falta de vigor o energía.

apático, -ca *adj.* Que adolece de apatía.

apatita *f.* Fosfato de cal nativo, cuyas variedades cristalinas son generalmente verdes y translúcidas.

apátrida *adj.-com.* Persona que no tiene patria, bien por haber perdido la nacionalidad, bien por profesar ideas internacionalistas. También estas ideas.

apeadero *m.* Poyo o sillar en los zaguanes o a la puerta de las casas, para montar en las caballerías. 2 Estación secundaria del ferrocarril, destinada sólo a viajeros.

apear *tr.-prnl.* Bajar [a uno] de una caballería o carruaje: ~ *a uno del caballo; apearse a, o en, una casa;* p. ext., bajar, derribar, echar abajo: ~ *un árbol.* – 2 *tr.* fig. Quitar [a uno] de su empleo o destino. 3 fam. Disuadir: *no puede apearle de su empeño.* 4 *Amér. Central.* Reprender, censurar.

apechugar *intr.* Aceptar una cosa, venciendo la repugnancia que causa: ~ *con todo.* 2 *Amér.* Apañar, apoderarse de una cosa ajena. ** CONJUG. [7] como *llegar.*

apedrear *tr.* Tirar piedras [a una persona o cosa]. 2 p. ext. Matar a pedradas. 3 *impers.* Granizar. – 4 *prnl.* Padecer daño con el granizo los árboles, las mieses y especialmente las viñas.

apegarse *prnl.* fig. Cobrar apego. ◇ ** CONJUG. [7] como *llegar.*

apego *m.* fig. Afición o inclinación particular. 2 p. ext. Cariño, amor, pasión.

apelar *intr.* DER. Recurrir al juez o tribunal superior para que enmiende o anule la sentencia dada por el inferior: ~ *de la sentencia;* ~ *a, para,* o *ante, el tribunal superior.* 2 fig. Recurrir [a una persona o cosa] para hallar favor o remedio: ~ *a los pies para salvarse.*

apelativo *m.* Apodo. 2 Nombre o adjetivo con que se llama a una persona dirigiéndose a ella, sin ser su nombre propio, o bien una deformación de éste. 3 *Amér.* Apellido (nombre de familia).

apelmazado, -da *adj.* fig. Dicho de obras literarias, amazacotado, falto de amenidad.

apelmazar *tr.-prnl.* Hacer que [una cosa] esté menos esponjosa de lo requerido. ◇ ** CONJUG. [4] como *realizar.*

apelotonar *tr.-prnl.* Formar pelotones: *la gente se apelotonaba a la salida del teatro para ver a los famosos.*

apellidar *tr.* Nombrar, llamar: ~ *inicua una sentencia.* – 2 *prnl.* Tener tal nombre o apellido: *se apellida Guzmán.*

apellido *m.* Nombre de familia con que se distinguen las personas.

apenar *tr.* Causar pena [a uno]. – 2 *prnl. Amér.* Avergonzarse, ruborizarse.

apenas *adv. m.* y *c.* Penosamente: *el caballo sube* ~ *la cuesta.* 2 Casi no, con dificultad: ~ *los quiso admitir.* 3 Escasamente, a lo más: *tardará dos meses* ~. – 4 *adv. t.* Denota la inmediata sucesión de dos acciones: ~ *reunida la asamblea, acabó con el ministro; había* ~ *acabado y llega otro a visitarle;* ~ *pisé el puerto cuando olvidé el peligro;* puede reforzarse con *aun: aun* ~ *lo había acabado de decir, cuando se abalanza.* ◇ Es moderna, pero muy usual, la locución conjuntiva *apenas si: apenas si se oía* por *se oía apenas.*

apencar *intr.* fam. Apechugar. ◇ ** CONJUG. [1] como *sacar.*

apéndice *m.* Cosa adjunta a otra de la cual es como prolongamiento o parte accesoria; esp., los tomos o capítulos adicionales de los libros. 2 H. NAT. Órgano o miembro subordinado o accesorio: ~ *cecal, vermicular* o *vermiforme,* prolongación delgada y hueca que se halla en la parte inferior del intestino ciego; **digestivo (aparato). ◇ INCOR.: el uso como femenino: *la apéndice.*

apendicitis *f.* Inflamación del apéndice vermicular. ◇ Pl.: *apendicitis.*

apensionar *prnl. Argent., Colomb., Chile* y *Méj.* Entristecerse, apesadumbrarse.

aperador *m.* El que tiene por oficio cuidar de una hacienda del campo y de los aperos de labranza. 2 Capataz de una mina.

aperar *tr. Amér.* Aparejar una caballería. 2 *Amér.* Proveer, abastecer [esp. una hacienda en el campo].

apercibimiento *m.* Aviso, advertencia de una autoridad.

apercibir *tr.-prnl.* Disponer, preparar lo necesario: *cena os quiero* ~; *apercibirse a,* o *para, la batalla; apercibirse de armas, contra la guerra.* 2 Percibir, observar, caer en la cuenta: *no se apercibieron del error hasta que ya no había remedio.* – 3 *tr.* Preparar el ánimo: ~ *uno para que no se asuste;* amonestar, advertir : ~ *a uno como merece.* 4 DER. Hacer saber [a la persona requerida las sanciones a que está expuesta].

apercollar *Argent.* Arrinconar [a alguien] sin dejar salida. ◇ ** CONJUG. [31] como *contar.*

apergaminado, -da *adj.* Parecido al pergamino. 2 fig. [pers.] Muy flaco y enjuto.

apergaminarse *prnl.* fig. Acartonarse.

aperiódico, -ca *adj.* [fenómeno] Que no guarda período regular alguno: *movimiento* ~; *vibraciones aperiódicas.*

aperitivo *m.* Bebida que se toma antes de las comidas. 2 Comida que suele acompañar a esta bebida.

apero *m.* Conjunto de instrumentos de cualquier oficio, especialmente de labranza. 2 Conjunto de animales destinados en una hacienda a las faenas agrícolas.

aperreado, -da *adj.* Trabajoso, molesto.

aperrear *prnl.* Llevar una vida llena de trabajos, fatigas y dificultades.

apertura *f.* Acción de abrir. 2 Acto de dar o volver a dar principio a las funciones de una asamblea, teatro, escuela, etc. 3 Acto solemne de sacar de su pliego y dar publicidad a un testamento cerrado. 4 Combinación de ciertas jugadas con que se inicia el juego de ajedrez. 5 fig. Abandono de una actitud de hostilidad, ostracismo o intransigencia económica, social o política.

apesadumbrar *tr.-prnl.* Causar pesadumbre [a uno]: *no quisiera apesadumbrarte; apesadumbrarse con, por, o de, la noticia.*

apestar *tr.-prnl.* Causar o comunicar la peste. 2 fig. Corromper, viciar: *sus costumbres apestaron a todos.* 3 fig. Causar hastío. – 4 *intr.* Arrojar mal olor: *la calle apesta.*

apestoso, -sa *adj.* Que apesta.

apétalo, -la *adj.* Que carece de pétalos.

apetecer *tr.* Tener gana de comer o beber [algo]; fig., desear: ~ *la fama, la amistad.* – 2 *intr.* Agradar, gustar. ◇ ** CONJUG. [43] como *agradecer.*

apetencia *f.* Movimiento natural que inclina al hombre a desear alguna cosa.

apetito *m.* Tendencia a satisfacer las necesidades orgánicas. 2 Gana de comer: *tengo buen* ~. 3 fig. Lo que excita el deseo de alguna cosa.

apetitoso, -sa *adj.* Que excita el apetito. 2 Sabroso.

api *m. Argent. y Bol.* Mazamorra de maíz, trigo o arroz.

apiadar *tr.* Causar piedad. – 2 *prnl.* Tener piedad [de uno o de algo].

apical *adj.* Relativo al ápice (punta). – 2 *adj.-s.* GRAM. Sonido en que uno de los órganos productores es la punta de la lengua: *una s* ~.

ápice *m.* Extremo superior o punta de una cosa: ~ *de una **hoja.* 2 fig. Parte pequeñísima, nonada.

apicultor, -ra *m. f.* Persona que se dedica a la apicultura.

apicultura *f.* Técnica de criar las abejas y aprovechar sus productos.

apilar *tr.* Poner una sobre otra [varias cosas] formando pila.

apilonar *tr. Ant., Colomb., Méj. y Parag.* Apilar.

apiñar *tr.-prnl.* Juntar o agrupar estrechamente [pers. o cosas].

apio *m.* Planta hortense de raíz y tallo comestibles, hojas divididas y flores blancas en umbelas (*Apium graveolens*).

apiolar *tr.* Atar los pies [de un animal muerto en la caza] para colgarlo. 2 Matar.

apiri *m. Amér. Merid.* Operario que transporta mineral en las minas. 2 *Amer. Merid.* p. ext. Mozo de cuerda.

apisonador, -ra *adj.-s.* Que sirve para apisonar. – 2 *f.* Máquina locomóvil, montada sobre rodillos muy pesados, que se emplea para apisonar carreteras.

apisonar *tr.* Apretar o allanar la tierra o la grava por medio de rodillos pesados.

apizarrado, -da *adj.* De color negro azulado.

aplacar *tr.* Amansar, mitigar. ◇ ** CONJUG. [1] como *sacar.*

aplacóforo *adj.-m.* Molusco de la clase de los aplacóforos. – 2 *m. pl.* Clase de moluscos primitivos desprovistos de concha y con aspecto vermiforme; viven en el mar a grandes profundidades.

aplanacalles *com. Amér.* Azotacalles. ◇ Pl.: *aplanacalles.*

aplanadera *f.* Instrumento para aplanar el suelo, el terreno, etc.

aplanador, -ra *adj.-s.* Que aplana. – 2 *f. Amér.* Apisonadora.

aplanar *tr.* Allanar (poner llano). – 2 *prnl.* Perder uno el valor, desalentarse.

aplastante *adj.* Que apabulla: *salió elegido por una mayoría* ~; *sus teorías son de una lógica* ~.

aplastar *tr.-prnl.* Deformar [una cosa] disminuyendo su grueso. 2 Dejar [a uno] confuso y sin saber qué hablar. 3 fig. Aniquilar, vencer.

aplatanarse *prnl.* fam. Ser o volverse indolente y apático.

aplaudir *tr.* Celebrar [a una persona o cosa] palmoteando: ~ *a un actor;* ~ *un drama;* palmotear en señal de aprobación: *todo el mundo aplaudía.* 2 p. ext. Celebrar con palabras u otras demostraciones [a una persona o cosa]: *aplaudo tu decisión.*

aplauso *m.* Acción de aplaudir. 2 Efecto de aplaudir. 3 fig. Elogio, alabanza.

aplazado, -da *adj.-s. Argent., Nicar., Parag., Salv. y Urug.* Suspenso, dicho de un examen.

aplazar *tr.* Diferir (retardar). 2 *Colomb., C. Rica, Chile, Nicar., R. de la Plata y Salv.* Suspender [a un examinando]. ◇ ** CONJUG. [4] como *realizar.*

aplicación *f.* Asiduidad con que se hace alguna cosa. 2 Detalle de ornamentación sobrepuesto.

aplicado, -da *adj.* fig. Que tiene aplicación o asiduidad.

aplicar *tr.* Poner [una cosa] sobre otra o en contacto con otra: ~ *la boca a la flauta.* 2 fig. Hacer uso [de una cosa] o poner en práctica [los procedimientos adecuados] para conseguir un fin: ~ *un instrumento;* ~ *unas reglas, un tratamiento.* 3 Destinar, adjudicar: *aplicó cien hombres a,* o *para, cada bergantín;* *prnl., se aplica todos los frutos.* 4 Referir a un individuo o a un caso particular [lo que se ha dicho en general o de otro individuo]: ~ *una conseja.* 5 Atribuir o imputar: ~ *un delito.* – 6 *tr.-prnl.* fig. Hablando de profesiones, ejercicios, etc., dedicar o destinar a ellos [a una persona]: ~ *un hijo* *a las letras; aplicarse a la teología;* esp., poner esmero en ejecutar una cosa: *se aplica a estudiar, a ganar la voluntad de todos.* ◇ ** CONJUG. [1] como *sacar.*

aplique *m.* Aparato de luz fijo a una pared.

aplomo *m.* Gravedad, serenidad, circunspección.

apocado, -da *adj.* De poco ánimo.

apocalíptico, -ca *adj.* Relativo al Apocalipsis. 2 Terrorífico, espantoso.

apocamiento *m.* fig. Cortedad de ánimo. 2 fig. Abatimiento.

apocar *tr.-prnl.* fig. Humillar, tener en poco. ◇ ** CONJUG. [1] como *sacar.*

apocárpico, -ca *adj.* [gineceo de la **flor] Que tiene los carpelos separados.

apocináceo, -a *adj.-f.* Planta de la familia de las apocináceas. – 2 *f. pl.* Familia de plantas dicotiledóneas, lactíferas, de hojas persistentes, flores regulares de corola monopétala y fruto en cápsula o folículo; como la adelfa.

apocino *m.* Planta apocinácea perenne, de cuyo látex se obtiene chicle *(Apocynum cannabinum).*

apocopar *tr.* GRAM. Hacer apócope [en una palabra].

apócope *f.* GRAM. Supresión de uno o más sonidos al fin de un vocablo: *algún* por *alguno, mi* por *mío.*

apócrifo, -fa *adj.* Fabuloso, superpuesto, fingido: *documento ~; autor ~.*

apodar *tr.-prnl.* Poner apodo [a uno] o ser conocido por él.

apoderado, -da *adj.-s.* Persona que tiene poderes de otro para representarle y proceder en su nombre.

apoderar *tr.* Dar poder una persona [a otra] para que la represente. – 2 *prnl.* Hacerse dueño [de una persona o cosa] violentamente: *apoderarse de una ciudad;* fig., dominar completamente: *apoderarse de un mercado; el miedo se apoderó de él.*

apodiforme *adj.-m.* Ave del orden de los apodiformes. – 2 *m. pl.* Orden de aves con las patas cortísimas y las alas muy largas, lo que les permite volar a gran velocidad; como los vencejos y colibríes.

apodo *m.* Nombre que se da a una persona en vez del suyo propio, tomado de sus defectos o de otra circunstancia.

ápodo, -da *adj.* ZOOL. Falto de pies. – 2 *adj.-m.* Anfibio del orden de los ápodos. – 3 *m. pl.* Orden de anfibios que, cuando son adultos, carecen de extremidades y tienen muy corta la cola.

apódosis *f.* En las oraciones condicionales, proposición subordinada en que se completa el sentido que queda pendiente en la primera: *si quieres* (prótasis) *iré al cine* (apódosis). ◇ Pl.: *apódosis.*

apófisis *f.* Parte saliente de un hueso que sirve para la articulación o para la inserción muscular; **cabeza. ◇ Pl.: *apófisis.*

apogeo *m.* En la órbita de la Luna, el punto más distante de la Tierra. 2 Grado superior que puede alcanzar alguna cosa; como el poder, la gloria, etc.

apolillado, -da *adj.* Comido o deteriorado por la polilla. 2 fig. Rancio, anticuado, carente de actualidad: *obra de teatro apolillada.*

apolilladura *f.* Agujero que hace la polilla.

apolillar *tr.-prnl.* Roer la polilla [una cosa, especialmente ropas].

apolismar *tr. Amér.* Magullar, estropear. – 2 *prnl. Amér. Central.* Quedarse pequeño, raquítico.

apoliticismo *m.* Condición del apolítico. 2 Carencia de carácter o significación política.

apolítico, -ca *adj.* Ajeno a la política.

apolo *m.* Mariposa diurna de gran tamaño, de color blanco con lunares negros en las alas anteriores y ocelos rojos en las posteriores; su larva es negra con puntos rojos *(Parnasius apollo).*

apología *f.* Discurso o escrito en justificación, defensa o alabanza de personas o cosas: *fue acusado de hacer ~ del terrorismo.* 2 fam. Elogio, panegírico.

apologista *com.* Persona que hace alguna apología.

apólogo *m.* Fábula (composición literaria).

apoltronarse *prnl.* Hacerse poltrón. 2 Arrellanarse.

aponer *tr.* GRAM. Adjuntar un nombre o una construcción nominal [a un substantivo o a un pronombre] de modo que formen aposición.

aponeurosis *f.* Prolongación laminar del perimisio, que sirve para la inserción de los **músculos planos. ◇ Pl.: *aponeurosis.*

apoplejía *f.* Parálisis cerebral producida por derrames sanguíneos en el encéfalo o las meninges.

apoquinar *intr.* fam. Pagar, dar dinero.

aporcar *tr.* Cubrir con tierra [ciertas hortalizas] para que se pongan más tiernas y blancas. ◇ ** CONJUG. [1] como *sacar.*

aporrear *tr.-prnl.* Golpear [a una persona o cosa], especialmente con porra.

aporretado *adj.* [dedo de la mano] Corto y con más grosor del proporcionado a su longitud.

aporrillarse *prnl.* Hincharse las articulaciones con abscesos que dificultan el movimiento.

aportación *f.* Acción de aportar. 2 Efecto de aportar. 3 Conjunto de bienes aportados: *~ desinteresada.*

aportadera *f.* Caja colocada sobre el aparejo de las caballerías para transportar algo. 2 Recipiente de madera para transportar uva.

I) aportar *intr.* Arribar a puerto.

II) aportar *tr.* Dar o proporcionar: *~ argu-*

mentos, datos. **2** Llevar cada cual [la parte que le corresponde] a la sociedad de que es miembro: ~ *el cincuenta por ciento del capital inicial.*

aporte *m.* Aportación, bienes aportados. **2** fig. Contribución, participación, ayuda.

aposento *m.* Cuarto o pieza de una casa. **2** Hospedaje.

aposición *f.* GRAM. Construcción que consiste en aclarar o determinar a un substantivo por medio de otro substantivo yuxtapuesto: *el león, rey de los animales; Madrid, capital de España; el rey soldado.*

apósito *m.* Remedio aplicado exteriormente, sujetándolo con paños, vendas, etc.

aposta *adv. m.* Adrede: *lo he dicho ~ para que reacciones.*

apostador, -ra *adj.-s.* Aficionado a las apuestas o que las hace a menudo.

apostante *adj.-com.* Que apuesta.

I) apostar *tr.* Pactar entre sí los que tienen alguna disputa [cierta cantidad o cosa determinada de antemano]. **2** Arriesgar [cierta cantidad de dinero] en la creencia de que algún juego, contienda deportiva, carrera de animales, etc., tendrá un resultado determinado. **– 3** *intr.* Competir, rivalizar: ~ *en actos de piedad unos con otros;* **prnl.,** *apostárselas en punto a sutilezas al,* o *con, el mismo Escoto.* ◇ ** CONJUG. [31] como *contar.*

II) apostar *tr.-prnl.* Poner [una o más personas en determinado paraje] para algún fin: ~ *unos guardias; apostarse el cazador en una cañada.*

apostasía *f.* Acción de abandonar públicamente la religión que se profesa.

apóstata *com.* Persona que comete apostasía.

apostatar *intr.* Abandonar la religión que se profesa. **2** p. ext. Abandonar un partido para entrar en otro.

apostilla *f.* Acotación que interpreta, aclara o completa un texto.

apóstol *m.* Uno de los doce primeros discípulos de Jesucristo. **2** El que propaga la fe cristiana: *S. Cirilo fue el ~ de los eslavos.* **3** fig. Propagador de una doctrina: *un ~ de la paz universal.*

apostólico, -ca *adj.* Relativo a los apóstoles. **2** Relativo al Papa o que dimana de su autoridad: *bendición apostólica.*

apostrofar *tr.* Dirigir apóstrofes [a uno].

apóstrofe *amb.* Interpelación brusca y poco amable. **2** fig. Dicterio.

apóstrofo *m.* Signo ortográfico ['] que indica la elisión de una vocal; **puntuación.

apostura *f.* Cualidad de apuesto. **2** Aspecto, apariencia.

apotecio *m.* Aparato esporífero de los hongos y los líquenes.

apoteconimia *f.* Estudio del origen y significación de los nombres y rótulos de los locales comerciales.

apotegma *m.* Sentencia breve, instructiva, especialmente la atribuida a una persona ilustre.

apotema *f.* Perpendicular trazada desde el centro de un **polígono regular, a cualquiera de sus lados. **2** Altura de las caras triangulares de una pirámide regular. ◇ INCOR.: *el apotema.*

apoteósico, -ca *adj.* Con caracteres o cualidades de apoteosis: *recibimiento ~; ovación apoteósica.*

apoteosis *f.* fig. Glorificación, ensalzamiento de una persona por una muchedumbre, colectividad, etc. **2** fig. Final brillante, especialmente de un espectáculo. ◇ Pl.: *apoteosis.*

apoyar *tr.* Hacer que [una cosa] descanse sobre otra: ~ *el codo en la mesa;* **prnl.,** *tener que apoyarse en la lanza; la columna se apoya sobre el pedestal.* **2** fig. Servir de apoyo: *mi brazo os apoya.* **3** Basar, fundar. **4** Confirmar, sostener [una opinión]: *San Agustín apoya esta sentencia;* ~ *con citas;* ~ *en autoridades.* **5** Favorecer, ayudar: ~ *una facción; un príncipe me apoya.*

apoyo *m.* Lo que sirve para sostener. **2** fig. Protección, auxilio. **3** fig. Fundamento, confirmación o prueba de una opinión o doctrina.

apreciable *adj.* Capaz de ser apreciado o tasado. **2** fig. Digno de aprecio o estima. **3** ANGLIC. Considerable, cuantioso.

apreciación *f.* Aumento del valor de una moneda en el mercado libre de dinero. **2** Juicio formado acerca de algo.

apreciar *tr.* Poner precio [a las cosas vendibles]. **2** fig. Estimar [el mérito de las personas o de las cosas]: ~ *en mucho;* ~ *por sus prendas.* **3** Formar juicio [de la magnitud, intensidad o importancia de las cosas]: ~ *la magnitud de un local;* ~ *uno claramente los sonidos.* ◇ ** CONJUG. [12] como *cambiar.*

apreciativo, -va *adj.* Relativo al aprecio hecho de alguna persona o cosa.

aprecio *m.* Estima.

aprehender *tr.* Coger, prender [a una persona o cosa, especialmente si es de contrabando]. ◇ GALIC.: por *temer, sentir aprensión: aprehendo sus quejas.*

aprehensión *f.* Captura.

apremiar *tr.* Dar prisa, compeler [a uno] a que haga prontamente alguna cosa. **2** Imponer apremio o recargo. ◇ ** CONJUG. [12] como *cambiar.*

apremio *m.* Urgencia, prisa. **2** DER. Procedimiento judicial brevísimo: *vía de ~.* **3** DER. Recargo de contribuciones o impuestos por causa de demora en el pago.

aprender *tr.* Adquirir el conocimiento [de una cosa] por medio del estudio, ejercicio o experiencia: ~ *una lengua;* ~ *con fulano;* ~ *por* *sus principios un oficio; ~ a escribir, a bailar, a manejar un aparato.* 2 Tomar [algo] en la memoria: *~ una poesía.*

aprendiz, -za *m. f.* Persona que aprende algún arte u oficio. 2 Persona que, a efectos laborales, se halla en el primer grado de una profesión manual, antes de pasar a oficial.

aprendizaje *m.* Acción de aprender algún arte u oficio. 2 Tiempo que en ello se emplea.

aprensar *tr.* Prensar. 2 fig. Oprimir, angustiar.

aprensión *f.* Temor, escrúpulo, miramiento excesivo. 2 Opinión infundada o extraña: *es hombre de muchas aprensiones.*

aprensivo, -va *adj.-s.* Que exagera la gravedad de sus dolencias.

apresar *tr.* Asir, hacer presa [de una cosa] con las garras o colmillos. 2 Tomar por fuerza [una nave, un convoy, etc.].

apreso, -sa *adj.* [árbol] Que ha arraigado.

aprestar *tr.-prnl.* Preparar, disponer [lo necesario] para una cosa. – 2 *tr.* Aderezar los tejidos.

apresto *m.* Prevención, preparación para una cosa. 2 Ingrediente para aprestar los tejidos.

apresurar *tr.-prnl.* Dar prisa [a uno].

apretado, -da *adj.* Comprimido, estrecho: *esa camiseta te está muy apretada; la gente va apretada en el metro.* 2 fig. Arduo, peligroso. 3 Intenso, lleno de actividades: *el ministro tiene hoy una jornada muy apretada de trabajo.*

apretadura *f.* Acción de apretar. 2 Efecto de apretar.

apretar *tr.* Estrechar con fuerza: *~ contra el pecho; ~ el brazo; el pantalón me aprieta.* 2 Poner más tirante: *aprieta más la cuerda.* 3 Comprimir: *aprieta la ropa para poder cerrar la maleta.* 4 Activar: *~ el paso.* 5 Acosar [a uno]; tratar con rigor: *cuanto más le aprietes, más se rebelará.* – 6 *tr.-prnl.* Apiñar estrechamente. – 7 *intr.* Intensificar: *como no aprietes en los estudios, no aprobarás.* ◇ ** CONJUG. [27] como *acertar.*

apretón *m.* Apretadura muy fuerte y rápida: *~ de manos.* 2 Apretura causada por la excesiva concurrencia de gente. 3 Acción de obrar con mayor esfuerzo que de ordinario. 4 Acometida violenta. 5 fig. Ahogo, conflicto. 6 Carrera violenta y corta.

apretujar *tr.* fam. Apretar mucho o reiteradamente. – 2 *prnl.* Oprimirse varias personas en un recinto demasiado estrecho para contenerlas.

apretura *f.* Opresión causada por la excesiva concurrencia de gente. 2 fig. Aprieto. 3 Sitio estrecho. 4 Escasez, especialmente de víveres.

aprevenir *tr. And.* y *Amér.* Prevenir. ◇ ** CONJUG. [90] como *venir.*

aprieto *m.* Conflicto, apuro.

aprisa *adv. m.* Con celeridad o prontitud.

aprisco *m.* Paraje donde se recoge el ganado.

aprisionar *tr.* Poner [a uno] en prisión. 2 fig. Atar, sujetar, asir.

aprobación *f.* Acción de aprobar. 2 Efecto de aprobar.

aprobado *m.* En la calificación de exámenes, nota de aptitud inmediatamente inferior a la de notable.

aprobar *tr.* Calificar o dar por buena [una acción]: *~ la elección; ~ por mayoría;* dar por buena [una cosa] producto de la acción: *~ las cuentas.* 2 Asentir a [una opinión, doctrina, etc.]: *~ un refrán.* 3 Declarar apto, adecuado: *~ unos exámenes, un libro, un estudiante;* esp., calificar de competente: *~ de cirujano; ~ en teología.* 4 *Amér.* Probar o probar bien. ◇ ** CONJUG. [31] como *contar.*

aprontar *tr.* Prevenir, disponer [una cosa] con prontitud. 2 Entregar [una cosa, especialmente dinero] sin dilación.

apropiado, -da *adj.* Adecuado para el fin a que se destina.

apropiar *tr.* Aplicar a cada cosa [lo que es más propio]: *~ una palabra a la idea;* esp., aplicar, acomodar [un ejemplo o moralidad] al caso de que se trata : *~ una fábula a uno,* o *a una cosa.* – 2 *prnl.* Tomar para sí alguna cosa haciéndose dueño de ella: *apropiarse (de) unos bienes; el favor (de) que te apropias.* ◇ ** CONJUG. [12] como *cambiar.*

aprovechado, -da *adj.* [pers.] Que saca provecho de todo. 2 Aplicado, diligente. – 3 *adj.-s.* [pers.] Que saca beneficio de las circunstancias que se le presentan favorables, normalmente sin escrúpulos.

aprovechar *intr.* Servir de provecho una cosa: *poco aprovechan estas diligencias.* 2 Adelantar, mejorar en virtudes, estudios, etc. – 3 *tr.* Emplear útilmente [una cosa]: *~ la tela.* – 4 *prnl.* Servirse o sacar partido de alguna cosa: *aprovecharse de la ocasión.*

aprovisionar *tr.* Abastecer.

aproximación *f.* Acción de aproximar o aproximarse. 2 Efecto de aproximar o aproximarse. 3 En la lotería nacional, premio concedido a los números anterior y posterior y a los de la centena de los primeros premios de un sorteo. 4 Estimación aproximada. 5 Lo que no ofrece una exactitud rigurosa. 6 Primer contacto [con un problema, cuestión, etc.].

aproximado, -da *adj.* Aproximativo, que se acerca más o menos a lo exacto: *su valor ~ es de dos mil pesetas.*

aproximar *tr.-prnl.* Acercar.

aproximativo, -va *adj.* Que se aproxima.

aprudenciado, -da *adj. Amér.* Prudente.

aprudenciarse *prnl. Amér.* Prudenciarse.

ápside *m.* En la órbita de un astro, extremo del eje mayor.

apterigotas *m. pl.* Subclase de insectos

ápteros de pequeño tamaño, que viven en el suelo y entre la vegetación en descomposición; comprende cuatro órdenes: colémbolos, dipluros, proturos y tisanuros.

áptero, -ra *adj.* Que carece de alas: *insectos ápteros.* 2 [templo] Carente de pórticos laterales.

aptitud *f.* Cualidad que hace que un objeto sea apropiado para un fin. 2 Idoneidad para el buen desempeño de alguna cosa: ~ *para los negocios;* ~ *para un cargo.*

apto, -ta *adj.* Que tiene aptitud: ~ *para maestro;* ~ *en varios oficios.*

apuesta *f.* Acción de apostar. 2 Efecto de apostar. 3 Cosa que se apuesta: *perder la* ~.

apuesto, -ta *adj.* Ataviado, adornado. 2 Gallardo.

apulismarse *prnl. Amér. Central.* No crecer, desmedrarse.

apunarse *prnl. Amér. Merid.* Padecer puna o soroche.

apuntado, -da *adj.* Que hace puntas por las extremidades.

apuntador, -ra *m. f.* El que en el teatro va apuntando a los actores lo que han de decir.

apuntalamiento *m.* Acción de apuntalar. 2 Efecto de apuntalar.

apuntalar *tr.* Poner puntales [a una cosa]. 2 fig. Sostener, afirmar.

apuntar *tr.* Tomar nota breve por escrito [de una cosa]. 2 Hacer un apunte o dibujo ligero. 3 Fijar o sujetar algo provisionalmente: ~ *una tabla, un lienzo.* 4 Hilvanar; en gral., remendar, zurcir. 5 En el obraje de paños, pasar con hilo bramante los dobleces. 6 Asestar [una arma arrojadiza o de fuego]. 7 Señalar hacia sitio u objeto determinado. 8 fig. Señalar o indicar: *ya sé a quién apuntan tus quejas.* 9 Insinuar o tocar ligeramente [una especie]: *apuntaron que se valdrían de armas y fuerza.* 10 En las representaciones teatrales, ir el apuntador leyendo [lo que se ha de recitar]; p. anal., entre estudiantes, decir en voz baja [al compañero] la lección o el tema de examen a que éste debe contestar. 11 Sacar punta [a un arma u otro objeto]. – 12 *tr.-prnl.* Inscribir [a alguien] en algún sitio: ~ *al niño en el colegio.* – 13 *intr.* Empezar a manifestarse una cosa: ~ *el día, el bozo.* – 14 *prnl.* Empezar a tener punto de agrio el vino.

apunte *m.* Nota que se toma por escrito. 2 Bosquejo, dibujo o pintura hecha rápidamente con pocas líneas o pinceladas. 3 Persona que causa extrañeza por alguna razón o singularidad. – 4 *m. pl.* Extracto de las explicaciones de un profesor que toman los alumnos para sí, y que a veces se reproduce para uso de los demás.

apuñalar *tr.* Dar de puñaladas.

apurado, -da *adj.* Pobre, necesitado. 2 Dificultoso, peligroso. 3 Exacto.

apurar *tr.* Purificar [una cosa]: ~ *el oro;* fig., ~ *la intención.* 2 fig. Averiguar [una cosa] con todo pormenor y separando lo que puede obscurecerla: ~ *una historia.* 3 Extremar, llevar hasta el cabo: ~ *la firmeza de una fuerza;* p. ext., acabar, agotar: ~ *las botellas;* fig., ~ *la paciencia.* 4 fig. Apremiar, dar prisa. 5 Rasurarse la barba mucho. – 6 *prnl.* Afligirse, acongojarse: *apurarse en los contratiempos; apurarse por poco.*

apuro *m.* Escasez grande. 2 Aflicción, conflicto. 3 Embarazo, vergüenza. 4 *Amér.* Prisa, urgencia.

apurruñar *tr. Amér.* Manosear. 2 *Amér. Merid. y Cuba.* Apiñar, apretar.

apusurarse *prnl. Amér. Central.* Apolillarse.

aquaplaning *m.* ANGLIC. Derrapaje de un automóvil provocado por la película de agua que se adhiere a los neumáticos cuando el suelo está mojado.

aquejar *tr.* fig. Acongojar. 2 fig. Hablando de las enfermedades, vicios, defectos, etc., afectar a una persona o cosa, causarles daño.

aquejoso, -sa *adj.* Afligido, acongojado.

aquel, aquella *adj. dem.* Designa la persona o cosa que físicamente está lejos del que habla y del que escucha. Se usan antepuestas al substantivo que determinan: ~ *día, aquellas horas;* se posponen cuando el substantivo lleva además el artículo: *el día* ~; *los tiempos aquellos.* ◇ Pl.: *aquellos, aquellas.*

aquél, aquélla, aquello *pron. dem.* Designa la persona o cosa que físicamente está lejos del que habla y del que escucha: ~ *está lejos.* – 2 *m.* fam. Gracia, donaire: *tiene mucho* ~. ◇ 1 Pueden escribirse sin acento cuando no haya ambigüedad. Esta resolución de la Academia Española se funda en que todos los demostrativos son tónicos en su pronunciación, tanto en su uso adjetivo (v. el artículo anterior) como en su uso pronominal. ◇ Pl.: *aquéllos, aquéllas.*

aquelarre *m.* Reunión nocturna de brujos.

aquello *pron. dem.* Forma neutra del pronombre *aquél.*

aquende *adv. l.* De la parte de acá.

aquenio *m.* **Fruto seco indehiscente, cuyo pericarpio no está soldado con el grano.

aquerenciarse *prnl.* Tomar querencia a un lugar. ◇ ** CONJUG. [12] como *cambiar.*

aquí *adv. l.* Señala el lugar en que se halla el que habla, o próximo a él, de un modo preciso, a diferencia de la vaguedad de *acá.* 2 A este lugar: *¿quién os ha traído* ~? 3 Toma carácter pronominal demostrativo, especialmente precedido de preposición: *de* ~ *tuvo origen su desgracia; por* ~ *no se pasa.* – 4 *adv. t.* Ahora, entonces: *hasta* ~ *nos ha sustentado;* ~ *no se pudo contener Don Quijote.* 5 En correlación con *allí,* u otros adverbios de lugar, adquiere valor coordinante distributivo: ~ *rosas y dalias, allí jacintos y claveles;* en este caso la determinación de un lugar se debilita mucho, hasta el punto de que la frase adverbial *aquí* y *allí* denota indeterminadamente varios lugares.

aquiescencia *f.* Consentimiento.

aquietar *tr.-prnl.* Apaciguar.

aquifoliáceo, -a *adj.-f.* Planta de la familia de las aquifoliáceas. – 2 *f. pl.* Familia de plantas que incluye árboles y arbustos angiospermos dicotiledóneos, de hojas generalmente coriáceas, flores actinomorfas y fruto en drupa; como el acebo.

aquilatar *tr.* Examinar y graduar los quilates [del oro, perlas o piedras preciosas]. 2 fig. Apreciar debidamente el mérito [de una persona] o la verdad [de una cosa].

aquilón *m.* Norte (viento y Polo ártico).

aquinesia *f.* Privación de movimiento. 2 Intervalo que, en cada pulsación, separa la sístole de la diástole.

ara *f.* Altar (monumento). 2 Piedra consagrada, con una cavidad que contiene generalmente reliquias de mártires, sobre la cual extiende el sacerdote los corporales para celebrar la misa.

árabe *adj.-s.* De Arabia, región del sudoeste de Asia. – 2 *m.* Idioma árabe.

arabesco, -ca *adj.* Arábigo. – 2 *m.* PINT. ESC. Dibujo de adorno compuesto de tracerías, follajes, volutas, etc.

arábigo, -ga *adj.* Árabe. – 2 *m.* Idioma árabe.

arabismo *m.* Giro o modo de expresión propio de la lengua árabe. 2 Vocablo o giro del árabe empleado en otra lengua.

arabista *com.* Persona que cultiva la lengua y literatura árabes.

ARÁCNIDOS

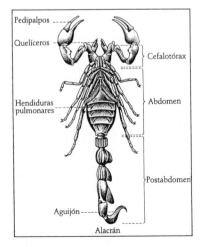

Pedipalpos
Quelíceros
Cefalotórax
Hendiduras pulmonares
Abdomen
Postabdomen
Aguijón
Alacrán

arabizar *tr.* Dar [a un pueblo, a una persona] el carácter, las costumbres y la cultura árabes. – 2 *intr.* Imitar la lengua, estilo o costumbres árabes. ◇ ** CONJUG. [4] como *realizar*.

aráceo, -a *adj.-f.* Planta de la familia de las aráceas. – 2 *f. pl.* Familia de plantas monocotiledóneas, herbáceas o leñosas, de hojas alternas acorazonadas o sagitadas que envuelven un bohordo con flores en espádice; como el aro.

****arácnido** *adj.-m.* Artrópodo de la clase de los arácnidos. – 2 *m. pl.* Clase de artrópodos quelicerados, con un par de pedipalpos y cuatro pares de patas.

aracnoides *f.* Meninge situada entre la duramadre y la piamadre, formada por un tejido claro y seroso; **cerebro. ◇ Pl.: *aracnoides*.

arada *f.* Acción de arar. 2 Tierra labrada con el arado. 3 Porción de tierra arada en un día por una yunta. 4 Cultivo del campo. 5 Temporada en que se aran los campos.

****arado** *m.* Instrumento para arar: ~ *de vertedera;* ~ *romano;* ~ *giratorio.* 2 Reja (labor).

arador, -ra *adj.-s.* Que ara. – 2 *m.* Ácaro parásito y casi microscópico que produce la sarna *(Sarcoptes scabiei).*

aragonés, -nesa *adj.-s.* De Aragón, región o antiguo reino. 2 Dialecto romance llamado también navarroaragonés.

aragonesismo *m.* Amor o apego a las cosas características de Aragón. 2 Vocablo, giro o modo de expresión propio de Aragón.

arahuaco, -ca *adj.-s.* Individuo de un pueblo indio que se extendió desde las Grandes Antillas por muchos territorios de América del sur. – 2 *m.* Lengua hablada por esos pueblos.

araliáceo, -a *adj.-f.* Planta de la familia de las araliáceas. – 2 *f. pl.* Familia de plantas dicotiledóneas, generalmente tropicales, de flores en umbela o cabezuela, con el cáliz soldado al ovario y fruto en baya; como la hiedra.

arameo, -a *adj.-s.* [pers.] De un pueblo bíblico descendiente de Aram, hijo de Sem: *los arameos habitaron el Mediterráneo al Tigris.* – 2 *m.* Grupo de lenguas semíticas.

arancel *m.* Tarifa oficial que determina los derechos que se han de pagar en varios ramos, como el de costas judiciales, aduanas, etc. 2 Tasa, valoración, norma, ley.

arancelar *tr. Amér. Central.* Abonar, pagar.

arancelario, -ria *adj.* Relativo al arancel, especialmente el de aduanas.

arándano *m.* Arbusto muy ramificado de flores rosadas solitarias, y fruto en baya, dulce y comestible, de color negro azulado *(Vaccinium myrtillus).* 2 Fruto de esta planta.

arandela *f.* Disco de metal en la empuñadura de la lanza para defensa de la mano;

armas. 2 Anillo metálico usado en las máquinas para evitar el roce entre dos piezas. **3** Anilla de papel o de substancia plastificada que sirve de refuerzo a las hojas de ciertos cuadernos. **4** *Amér. Merid.* Chorrera y vueltas de la camisola.

arandillo *m.* Ave paseriforme insectívora que habita en los cañaverales de las regiones pantanosas *(Acrocephalus aquatica).*

araneido *adj.-m.* Arácnido del orden de los araneidos. – **2** *m. pl.* Orden de arácnidos con el abdomen muy desarrollado y globoso y que presentan glándulas productoras de seda; los quelíceros están conectados a glándulas venenosas; como la araña.

aranero, -ra *adj.-s.* Embustero, estafador.

aranés, -nesa *adj.-s.* Del Valle de Arán, comarca de Lérida. – **2** *adj.-m.* Dialecto gascón hablado en el valle de Arán. Tiene influencias del catalán y del castellano.

araña *f.* Animal del orden de los araneidos. **2** fig. Persona muy aprovechada y vividora. **3** Pez marino teleósteo de color gris pardusco, con la parte superior del cuerpo pinteada y con espinas venenosas; vive enterrado en los fondos arenosos *(Trachinus araneus).* **4** Lámpara colgante con varios brazos, que puede estar adornado con cristales.

arañar *tr.* Rasgar ligeramente [el cutis] con las uñas, un alfiler, etc.: ~ *el rostro.* **2** Hacer rayas [en una superficie lisa]. **3** fig. Recoger poco a poco y de varias partes [lo necesario para algún fin].

arañazo *m.* Herida superficial hecha con las uñas, un alfiler, etc.

arao *m.* Ave caradriforme de unos 45 cms. de longitud. La parte superior del cuerpo es negra, excepto una banda alar blanca; la parte inferior es blanca *(Uria aalge).*

arar *tr.* Abrir surcos [en la tierra] con el arado.

arasá *m.* *Argent., Brasil, Parag. y Urug.* Árbol con la copa ancha y frondosa, madera consistente y flexible, y fruto amarillo dorado, comestible *(Psidium guajaba).* **2** Fruto de este árbol del que se hacen confituras. ◇ Pl.: *arasaes.*

araucanismo *m.* Voz de origen araucano.

araucano, -na *adj.-s.* De Arauco, provincia de Chile. – **2** *m.* Idioma de los araucanos.

araucaria *f.* Árbol conífero de gran talla y hojas perennes; se cultiva en los jardines *(Araucaria araucana).*

arbitán *m.* Pez marino teleósteo, de cuerpo muy alargado, de color variable, y con las escamas pequeñas *(Molva macrophthalma).*

arbitraje *m.* Mediación en un litigio del árbitro. **2** Remisión de las dos partes de un litigio a una tercera, cuya decisión se comprometen a aceptar. **3** Procedimiento para resolver pacíficamente conflictos internacionales,

sometiéndolos al fallo de una tercera potencia.

arbitrar *tr.* Proceder uno con arreglo a su libre albedrío: *el hombre arbitra sus acciones.* **2** Allegar, disponer, reunir: ~ *recursos, medios.* **3** Ejercer de árbitro en los deportes. **4** dep. Hacer cumplir las reglas de un juego o deporte. **5** DER. Juzgar como árbitro. – **6** *prnl.* Ingeniarse.

arbitrariedad *f.* Acto injusto o ilegal, especialmente si lo comete persona constituida en autoridad.

arbitrario, -ria *adj.* Que depende del arbitrio. **2** Que incluye arbitrariedad. **3** Arbitral.

arbitrio *m.* Facultad de resolver o decidir. **2** Voluntad gobernada no por la razón, sino por el apetito o capricho. **3** Medio que se propone para el logro de algún fin. – **4** *m. pl.* Derechos o impuestos para gastos públicos: *arbitrios municipales.*

arbitrista *com.* Persona que propone planes disparatados para aliviar la hacienda pública o el país en general.

árbitro, -tra *adj.-s.* Que puede obrar por sí solo, con toda independencia. – **2** *m. f.* Juez árbitro. **3** Persona que tiene mucha influencia sobre los demás: ~ *de la moda.* **4** Persona influyente en general: ~ *de la política;* ~ *de los negocios.* **5** DEP. Persona que cuida de la aplicación del reglamento en ciertas contiendas deportivas.

árbol *m.* Planta perenne, de tronco leñoso que se ramifica a cierta altura del suelo: ~ **genealógico,** p. ext. cuadro descriptivo, generalmente en forma de árbol, de los parentescos de una familia. **2** Pie derecho, fijo o giratorio, que sirve de eje de una máquina.

arbolado, -da *adj.* [terreno] Poblado de árboles. – **2** *m.* Conjunto de árboles.

arboladura *f.* Conjunto de árboles y vergas de un buque.

arboleda *f.* Terreno poblado de árboles.

arboledo *m.* Conjunto de árboles.

arborecer *intr.* Hacerse árbol. ◇ ** CONJUG. [43] como *agradecer.*

arbóreo, -a *adj.* Relativo al árbol. **2** Parecido al árbol.

arborescente *adj.* Que parece un árbol. **2** Que crece como un árbol. **3** Que forma ramificaciones análogas a las ramas de un árbol.

arboricida *adj.-m.* Que destruye los árboles.

arborícola *adj.-s.* Que vive en los árboles.

arboricultura *f.* Cultivo de los árboles. **2** Enseñanza relativa al modo de cultivarlos.

arboriforme *adj.* De figura de árbol.

arborizar *tr.* Poblar de árboles un terreno. **2** Plantar árboles en determinado paraje. ◇ ** CONJUG. [4] como *realizar.*

arbotante *m.* Arco por tranquil o rampante que transmite los empujes de la bóveda a un contrafuerte; **gótico.

arbustivo, -va *adj.* Que tiene la naturaleza o cualidades del arbusto.

arbusto *m.* Planta leñosa de poca altura ramificada desde la base.

arca *f.* Caja, generalmente de madera, sin forrar y con tapa llana: por extensión ~ *de agua,* depósito para recibir el agua y distribuirla. 2 Caja de caudales. – 3 *f. pl.* Pieza donde se guarda el dinero en las tesorerías. ◇ Para evitar la cacofonía, se utiliza la forma masculina del artículo: *el arca,* pero no la del demostrativo: *esta arca.*

arcabuz *m.* Antigua arma de fuego, parecida al fusil.

arcada *f.* Serie de arcos: *las arcadas de un puente.* 2 Vano cerrado por un arco. 3 Movimiento del estómago que excita a vómito.

arcaduz *m.* Caño por donde se conduce el agua.

arcaico, -ca *adj.* Anticuado.

arcaísmo *m.* Voz o frase anticuadas. 2 Empleo de estas voces o frases. 3 Imitación de lo antiguo.

arcaizante *adj.* Que usa arcaísmos o propende a ellos: *estilo ~; gusto ~; comarca ~.*

arcángel *m.* Espíritu angélico perteneciente al coro inmediatamente superior al de los ángeles.

arcano, -na *adj.* Secreto, recóndito. – 2 *m.* Secreto reservado y de importancia. 3 Misterio, cosa oculta y muy difícil de conocer.

arce *m.* Árbol de madera muy dura, hojas sencillas, flores en corimbo o en racimo, y fruto en doble sámara *(gén. Acer).*

arcediano *m.* Dignidad en el cabildo catedral.

arcén *m.* Margen u orilla. 2 En una **carretera, margen reservado a un lado y otro de la calzada para uso de peatones, tránsito de vehículos no automóviles, etc.; **carretera.

arcilla *f.* Silicato alumínico hidratado natural, que empapado con agua se hace muy plástico y que por la calcinación se contrae y endurece.

arcipreste *m.* Dignidad en el cabildo catedral. 2 Presbítero que por nombramiento episcopal ejerce ciertas atribuciones sobre las parroquias e iglesias de un territorio determinado.

arco *m.* GEOM. Porción de una línea curva: ~ *complementario,* el que sumado con otro da uno de 90°; ~ *suplementario,* el que sumado a otro da uno de 180°. 2 ARQ. Fábrica en forma de arco geométrico que cubre un vano entre dos pilares o puntos fijos: ~ *abocinado* o *abocardado,* el de más luz en un paramento que en el opuesto; ~ *adintelado* o *degenerado,* el que degenera en línea recta; ~ *angular* o *en mitra,* el que tiene el intradós formando un ángulo, pero con despiece radial de las dovelas; ~ *apainelado* o *carpanel,* el que consta de varios arcos de circunferencia tangentes entre sí y trazados desde distintos centros; ~ *apuntado* u *ojival,* el que consta de dos porciones de curva que forman ángulo en la clave; **gótico; ~ *conopial,* el que tiene

ARCO

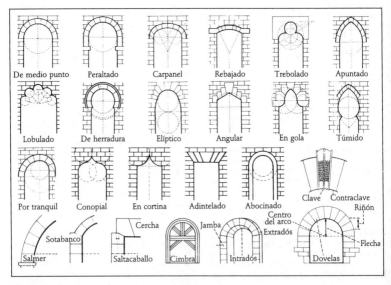

De medio punto · Peraltado · Carpanel · Rebajado · Trebolado · Apuntado

Lobulado · De herradura · Elíptico · Angular · En gola · Túmido

Por tranquil · Conopial · En cortina · Adintelado · Abocinado · Clave · Contraclave

Cercha · Jamba · Centro del arco · Extradós · Riñón

Sotabanco · Salmer · Saltacaballo · Cimbra · Intradós · Dovelas · Flecha

forma de quilla invertida, de cuatro centros, dos interiores para las ramas bajas y dos exteriores para las altas; ~ *cortinado* o *en cortina,* el formado por dos arcos menores yuxtapuestos; ~ *de herradura,* el formado por más de medio punto; ~ *de medio punto,* el que tiene forma de circunferencia; **románico; ~ *de todo punto,* el apuntado cuyos centros están en el punto de arranque; ~ *elíptico,* el formado por una porción de elipse; ~ *en gola,* el que tiene sus ramas formadas por golas; ~ *lobulado,* el formado por lóbulos yuxtapuestos; **islámico (arte); ~ *peraltado,* el formado por una semicircunferencia continuada en cada extremo por una parte recta; ~ *por tranquil* o *rampante,* el que tiene sus arranques a distinta altura uno de otro; ~ *rebajado,* aquel cuya altura es menor que la mitad de su luz; ~ *trebolado,* el formado por tres arcos o lóbulos; ~ *túmido* o *de herradura apuntado,* el formado al cruzarse dos arcos de herradura; **bóveda. 3 Monumento o decoración en forma de arco: ~ *de triunfo,* el elevado en honor de algún personaje, o en memoria de algún suceso; **romano. 4 Varilla arqueada en cuyos extremos se fijan unas cerdas con que hieren las cuerdas del violín y otros instrumentos llamados de **arco. 5 Arma que sirve para disparar flechas. 6 Aro que mantiene unidas las duelas de los toneles, barricas, etc. 7 ~ *iris* o *de San Martín,* arco luminoso, debido a la refracción y reflexión de la luz solar en las gotas de la lluvia o de las pulverizaciones de agua, que presenta en bandas concéntricas los colores del espectro y aparece algunas veces a la vista del espectador colocado de espaldas al sol. 8 ~ *voltaico,* o simplemente ~, flujo de chispas en forma de arco originado al saltar la corriente eléctrica entre dos carbones muy próximos uno de otro; aparato para dar luz valiéndose del arco voltaico. 9 ZOOL. pieza esquelética, cartilaginosa u ósea que sostiene la boca y las branquias de los peces; **respiración.

archibebe *m.* Ave caradriforme limícola, insectívora, de 27 cms. de longitud, plumaje color castaño con manchas negras, patas largas de color rojo, y pico largo también de color rojo *(Tringa totanus).*

archicofrade *com.* Individuo de una archicofradía.

archicofradía *f.* Cofradía más antigua o importante que otras.

archidiácono *m.* Arcediano.

archidiócesis *f.* Diócesis arzobispal. ◇ Pl.: *archidiócesis.*

archifonema *m.* FILOL. Conjunto de las características distintivas que son comunes a dos fonemas cuya oposición es neutralizable.

archilexema *m.* FILOL. Lexema cuyo contenido es idéntico al de todo un campo léxico.

archimillonario, -ria *adj.-s.* Multimillonario.

archipiélago *m.* Parte del mar poblada de islas. 2 p. ext. Conjunto de islas.

archivador, -ra *m. f.* El que archiva. – 2 *m.* Mueble o caja destinados a guardar documentos o fichas en una oficina. 3 Carpeta convenientemente dispuesta para tales fines.

archivar *tr.* Poner y guardar [papeles o

ARCO (INSTRUMENTOS DE)

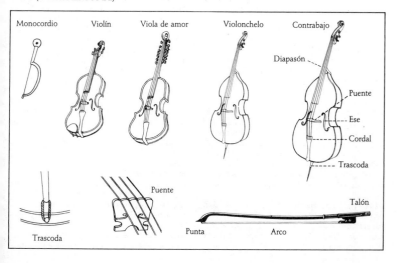

documentos] en el archivo. 2 Dejar de lado [una cosa] o arrinconarla por resultar ya inútil o desusada. 3 fig. *y* fam. Guardar, en general.

archivero, -ra *m. f.* El que tiene por oficio cuidar de un archivo.

archivístico, -ca *adj.* Relativo a los archivos. – 2 *f.* Técnica de conservación y catalogación de archivos.

archivo *m.* Local o mueble en que se custodian documentos. 2 Conjunto de estos documentos. 3 fig. Persona o lugar reservados o secretos. 4 fig. Persona de grandes conocimientos.

arder *intr.* Estar encendido: *arde la llama en el aire.* 2 Abrasar (quemar). 3 fig. Resplandecer: *arde el acero en su diestra.* 4 fig. Estar uno muy agitado por una pasión: ~ *de,* o *en, amor, odio,* etc. ; ~, o *arderse, de cólera; prnl.,* estar un país muy agitado: ~ *en guerras.*

ardid *m.* Artificio empleado para el logro de algún intento.

ardido, -da *adj. Amér.* Irritado, enojado.

ardiente *adj.* Que arde. 2 Que causa ardor. 3 Vehemente, apasionado. 4 fig. Fervoroso, activo, eficaz. ◇ Superl.: *ardentísimo.*

ardilla *f.* Mamífero roedor de 20 cms. de largo, arborícola; cola muy larga y peluda, y patas posteriores muy fuertes y mayores que las anteriores *(Sciurus vulgaris).* – 2 *adj.-s.* fig. Avispado.

ardivieja *f.* Hierba cistácea, de hojas pequeñas y grisáceas por el envés y flores amarillas *(Helianthenum ledifolium).*

ardor *m.* Calor grande. 2 fig. Brillo, resplandor. 3 fig. Encendimiento, enardecimiento de los afectos y pasiones. 4 Valor, intrepidez. 5 Sensación de ardor desde el estómago hasta la faringe. 6 Quemazón que producen algunas heridas.

ardoroso, -sa *adj.* Que tiene ardor. 2 fig. Vigoroso.

arduo, -dua *adj.* Muy difícil.

área *f.* Espacio de tierra que ocupa un edificio, campo, etc. 2 Medida agraria equivalenta a 1 dm². 3 Ámbito que se considera de manera unitaria por tener una característica común (geográfica, cultural, lingüística, etc.) o ser escenario de un mismo acontecimiento. 4 En educación, conjunto de materias que tienen relación entre ellas. 5 En determinados juegos, zona marcada delante de la meta, dentro de la cual son castigadas con sanciones especiales las faltas cometidas por el equipo que defiende aquella meta. 6 GEOM. Superficie comprendida dentro de un perímetro: ~ *de un polígono.*

areca *f.* Palma de tronco más abultado por arriba que por la base, cuyo fruto, que es una especie de nuez fibrosa con almendra dura, sirve para hacer betel *(Areca cathecu).* 2 Fruto de esta planta.

arena *f.* Conjunto de partículas, generalmente de cuarzo, desagregadas de las rocas: ~ *movediza,* la que, por su poca consistencia, se desplaza por la acción del viento; la que, por la humedad y la forma de sus granos, constituye una masa en que pueden hundirse los cuerpos de algún peso hasta sumergirse en ella. 2 Lugar del combate o la lucha; **romano. 3 Redondel (toros). 4 Metal o mineral reducido a partes muy pequeñas. 5 V. reloj de arena.

arenal *m.* Suelo de arena movediza. 2 Extensión grande de terreno arenoso.

arenaria *f.* Hierba cariofilácea tendida, anual o perenne, de hojas lineares y flores rosáceas *(Spergularia rubra).*

arenga *f.* Discurso solemne y enardecedor. 2 fig. Razonamiento largo e impertinente.

arenífero, -ra *adj.* Que lleva arena.

arenilla *f.* Arena menuda que se echa en los escritos para secarlos. – 2 *f. pl.* Cálculos urinarios o biliares pequeños.

arenisca *f.* Roca formada por granillos de cuarzo unidos por un cemento silíceo, arcilloso, calizo o ferruginoso.

arenque *m.* Pez marino teleósteo clupeiforme, de unos 25 cms. de largo, boca protráctil, con mandíbulas sobresalientes y coloración azul, que se come fresco, salado o desecado al humo *(Clupea arengus).*

aréola *f.* Círculo rojizo que limita ciertas pústulas. 2 Círculo algo moreno que rodea el pezón (protuberancia); **cuerpo humano.

areómetro *m.* Instrumento que sirve para determinar las densidades de los cuerpos, especialmente de los líquidos.

arepa *f.* Pan de maíz, huevos y manteca.

arestín *m.* Planta umbelífera, toda ella de color azulado, con las hojas partidas en tres gajos y llenas de púas en los bordes, así como el cáliz de la flor. 2 fig. Desazón, molestia.

arete *m.* Arillo de metal que, por adorno, llevan las mujeres en cada oreja. 2 Pez marino teleósteo, de rostro afilado con tres espinas a cada lado, cuerpo ahusado hacia la cola y coloración rojiza *(Trigla cucculus).*

argali *m.* Mamífero rumiante parecido a una cabra, pero de mayor tamaño; los cuernos del macho adquieren un extraordinario desarrollo *(Ovis ammon).*

argamasa *f.* Mezcla hecha de cal, arena y agua, que se emplea en las obras de albañilería.

arganeo *m.* Argolla de la caña del **ancla.

argelino, -na *adj.-s.* De Argel o de Argelia, capital y nación del norte de África.

argentado, -da *adj.* Plateado.

argentán *m.* Aleación de cobre, cinc y níquel.

argénteo, -a *adj.* De plata. 2 Dado o bañado de plata. 3 fig. Semejante a la plata.

argentífero, -ra *adj.* Que contiene plata.

argentina *f.* Piedra de cal carbonatada. 2 Planta rosácea, de flores divididas en cinco gajos con el envés cubierto de vello plateado *(Cynodon dactylon).* 3 Pez marino teleósteo, de cuerpo alargado y cubierto de grandes escamas, ojos laterales y color plateado *(Argentina sphyraena).*

argentinismo *m.* Giro o modo de hablar propio de los argentinos.

argentino, -na *adj.* [voz] Claro y sonoro. 2 Que suena como la plata o de manera semejante. – 3 *adj.-s.* De Argentina, nación de América del sur. – 4 *m.* Moneda de oro argentina, equivalente a cinco pesos de oro.

argentita *f.* MINER. Sulfuro de plata cristalizado en el sistema regular.

argirismo *m.* MED. Enfermedad profesional ocasionada por el manejo de sales de plata.

argolla *f.* Aro grueso de metal; **cerradura. 2 fig. Algo que sujeta a uno a la voluntad de otro. 3 Juego que consiste en hacer pasar unas bolas de madera por una argolla clavada en tierra. 4 *Amér.* Anillo de matrimonio.

argón *m.* Cuerpo simple gaseoso, incoloro e inodoro, existente en el aire en una proporción del 1 % y del que no se conoce ningún compuesto.

argonauta *m.* Héroe griego que fue a la conquista del vellocino de oro, mandado por Jasón. 2 Molusco cefalópodo marino, de cuerpo comprimido, con ocho tentáculos, dos de ellos muy ensanchados en los extremos; presenta una concha en espiral y estriada *(Argonauta argo).*

argot *m.* Jerga, jerigonza. 2 Lenguaje especial entre personas de un mismo oficio o actividad. ◇ Pl.: *argots.*

argucia *f.* Sutileza, sofisma.

argüir *tr.* Sacar en claro [una cosa]; deducirla como consecuencia natural: *de los medios arguyo la excelencia del fin.* 2 Descubrir, probar, dejar ver con claridad: *la venganza pensada arguye crueldad.* 3 Echar en cara [una cosa]: *les argüía su avaricia;* en gral., acusar : ~ *a uno de avaricia; me argüían con furor.* – 4 *intr.* Disputar impugnando la opinión ajena: ~ *de falso;* poner argumentos contra alguna opinión: ~ *con la autoridad y la costumbre contra alguno.* ◇ ** CONJUG. [63].

argumentación *f.* Argumento (razonamiento).

argumentar *tr.* Argüir (sacar en claro) – 2 *intr.-prnl.* Argüir (disputar).

argumento *m.* Razonamiento empleado para demostrar una proposición. 2 Asunto de que se trata en una obra; explicación sumaria del mismo.

aria *f.* Composición musical de carácter melódico, generalmente vocal con acompañamiento de uno o más instrumentos.

aridez *f.* Calidad de árido.

árido, -da *adj.* Seco, estéril. 2 fig. Falto de amenidad. – 3 *m. pl.* Granos, legumbres y otras cosas sólidas a que se aplican medidas de capacidad.

ariete *m.* Antigua máquina para abatir murallas. 2 DEP. En el juego del fútbol, delantero centro de un equipo.

arilo *m.* Envoltura exterior de ciertas semillas, procedente del desarrollo del funículo después de la fecundación.

arimez *m.* Resalto de algunos edificios, a modo de refuerzo o adorno.

ario, -ria *adj.-s.* De un pueblo primitivo de Asia central del que proceden los indoeuropeos. 2 Según las doctrinas racistas, de una raza pura surgida de este pueblo.

arísaro *m.* Planta arácea, viscosa, de olor desagradable, cuya raíz se come cocida *(Arisarum vulgare).*

arisco, -ca *adj.* [pers., animal] Áspero, intratable, huidizo.

arista *f.* Filamento áspero del cascabillo que envuelve el grano del trigo y de otras gramináceas. 2 GEOM. Línea de intersección de dos planos; **ángulos; **sólidos.

aristocracia *f.* Forma de gobierno en que el poder se halla en manos de las clases altas de la sociedad. 2 Clase noble de un país. 3 p. ext. Clase que sobresale entre las demás por alguna circunstancia: *la ~ del saber; la ~ del dinero.*

aristócrata *com.* Individuo de la aristocracia.

aristocrático, -ca *adj.* Relativo a la aristocracia. 2 Distinguido, elegante, selecto en sus maneras, gustos, conducta, etc.

aristoloquia *f.* Género de plantas aristoloquiáceas medicinales, de raíz fibrosa, hojas acorazonadas, flores amarillas y fruto esférico y coriáceo *(Aristolochia).*

aristoloquiáceo, -a *adj.-f.* Planta de la familia de las aristoloquiáceas. – 2 *f. pl.* Familia de plantas dicotiledóneas que incluye hierbas, matas o arbustos de tallo nudoso, hojas alternas, flores axilares, generalmente solitarias y fruto en cápsula, o raras veces, en baya.

aristotélico, -ca *adj.* Relativo a Aristóteles (384-322 a. C.) o a su doctrina. – 2 *adj.-s.* Partidario del aristotelismo.

aristotelismo *m.* Sistema filosófico de Aristóteles (384-322 a. C.) y de sus seguidores, especialmente medievales.

aritmética *f.* Parte de las matemáticas que estudia la composición y descomposición de la cantidad representada por números. 2 Libro que trata esta parte de las matemáticas.

aritmómetro *m.* Instrumento para ejecutar mecánicamente las operaciones aritméticas.

arito *m.* *Colomb., Filip., Guat. y Hond.* Pendiente, zarcillo, arete en general.

arlequín *m.* Personaje cómico de la antigua comedia italiana; llevaba mascarilla negra y traje de cuadros de distintos colores. 2 fig. Persona informal y ridícula. 3 Mariposa diurna de vivo colorido, con manchas transversales negras y lunarejos rojos sobre fondo amarillo pálido *(Zerynthia rumina).*

**arma *f.* Instrumento para atacar o defenderse: ~ *ofensiva;* ~ *defensiva;* ~ *aérea,* la que se maneja desde un avión de guerra; ~ *arrojadiza,* la ofensiva que se arroja; ~ *de fuego,* la que se carga con pólvora; ~ *automática,* la que, hecho el primer disparo, descarga mecánicamente y con rapidez una serie de proyectiles; ~ *blanca,* la ofensiva de hoja de acero; ~ *nuclear,* la que produce sus efectos mediante una explosión nuclear. 2 Cuerpo militar que forma el ejército combatiente: *el ~ de artillería, de infantería, de caballería;* ~ *antiaérea,* la destinada a derribar aviones; ~ *naval,* la que se utiliza a bordo de una nave de guerra, o para desembarcar. – 3 *f. pl.* Defensas naturales de los animales. 4 fig. Medios para conseguir una cosa. 5 Tropas de un estado. 6 Milicia o profesión militar: *seguir la carrera de las armas; dejar las armas.* ◇ Para evitar la cacofonía, se utiliza la forma masculina del artículo: *el arma,* pero no la del demostrativo: *esta arma.*

armada *f.* Conjunto de fuerzas navales, material y personal que sostiene un estado para llevar a cabo la guerra en el mar. 2 Escuadra (de buques). 3 MONT. Línea de cazadores que acechan a las reses en la batida. 4 *Amér. Merid.* Forma en que se dispone el lazo para lanzarlo.

armadillo *m.* Mamífero edentado de América, cuyo dorso y cola están protegidos por placas córneas articuladas de manera que le permiten arrollarse en bola (gén. *Dasypus).*

I) armado *m.* Pez marino teleósteo, de cabeza amplia y cuerpo ahusado cubierto completamente de escudos dérmicos osificados; se halla hasta grandes profundidades *(Agonus cataphractus; Peristedion a.).*

II) armado, -da *adj.* Que lleva una armadura metálica en su interior.

armador, -ra *m. f.* Persona que por su cuenta arma una embarcación.

**armadura *f.* Conjunto de armas defensivas que protegían el cuerpo de los combatientes. 2 Armazón (pieza o piezas). 3 Pieza o conjunto de piezas que sostiene o protege una máquina.

armamentista *adj.* Perteneciente o relativo a la industria de armas de guerra. – 2 *com.* Partidario de la política de armamentos. 3 Fabricante de armas. – 4 *adj.-s. Amér. Central.* Militarista.

armamento *m.* MIL. Prevención de todo lo necesario para la guerra. 2 Conjunto de armas al servicio del ejército, de un cuerpo armado o de un individuo.

armañac *m.* Aguardiente francés de 40°, muy parecido al coñac, aunque más seco y recio.

armar *tr.-prnl.* Proveer de armas; apercibir para la guerra: *armarse una nación.* – 2 *tr.* Disponer y preparar las partes [de un arma] para usarla: ~ *una ballesta.* 3 Juntar entre sí y concertar las varias piezas [de una cosa], especialmente la armadura interna: ~ *una casa, una tienda, un mueble, una trampa.* 4 Sentar, fundar [una cosa] sobre otra: ~ *una casa sobre sus cimientos;* fig., ~ *sobre la humildad el edificio de las virtudes.* 5 MAR. Aprestar una embarcación. 6 fig. Proveer [a uno] de lo que necesita para algún fin. 7 Organizar: ~ *un baile.* 8 Causar, provocar: ~ *un pleito, un alboroto.* – 9 *prnl.* fig. Disponer el ánimo para lograr algún fin o resistir una contrariedad: *armarse de paciencia.* 10 Estallar, producirse: *armarse una tempestad.* 11 *Amér. Central* y *Méj.* Plantarse un animal; aplic. a personas, negarse, obstinarse.

armario *m.* Mueble con puertas y anaqueles: ~ *de cocina;* ~ *de baño;* ~ *empotrado,* el que se construye en el espesor de un muro, o hueco de una pared.

armatoste *m.* Máquina o mueble tosco, pesado y mal hecho. 2 fig. Persona corpulenta que para nada sirve.

armazón *f.* Pieza o conjunto de piezas sobre las que se arma una cosa; esp. la que sostiene la cubierta de un edificio. – 2 *m. Amér.* Anaquel o estantería de los comercios. ◇ INCOR.: el uso masculino en la primera acepción.

armella *f.* Anillo de metal con una espiga o tornillo para clavarlo en parte sólida; **cerradura.

armenio, -nia *adj.-s.* De Armenia, región del sudeste de Asia.

armería *f.* Museo de armas. 2 Arte de fabricar armas. 3 Establecimiento en que se venden.

armero *m.* El que tiene por oficio fabricar o vender armas. 2 El que está encargado de custodiarlas y conservarlas. 3 Aparato para tener las armas.

armilaria *f.* Seta agarical con el sombrero amarillento con finas escamas de color de miel; crece sobre troncos de árboles, a los que perjudica gravemente *(Armillaria mellea).*

armiñado, -da *adj.* Guarnecido de armiños. 2 Blanco como el armiño.

armiño *m.* Mamífero carnívoro mustélido, de piel parda en verano y blanca en invierno *(Mustela erminea).* 2 Piel de este animal.

armisticio *m.* MIL. Suspensión de hostilidades.

armón *m.* ARTILL. Juego delantero de la cureña del cañón de campaña.

ARMADURA

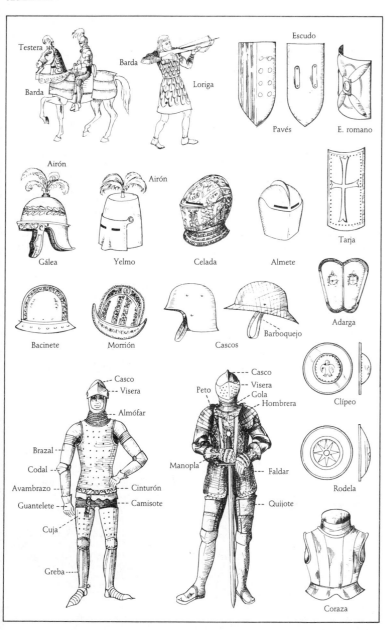

Testera

Barda

Barda

Loriga

Escudo

Pavés

E. romano

Airón

Airón

Gálea

Yelmo

Celada

Almete

Tarja

Bacinete

Morrión

Cascos

Barboquejo

Adarga

Casco
Visera
Almófar
Brazal
Codal
Avambrazo
Guantelete
Cuja
Greba

Cinturón
Camisote

Peto
Manopla

Casco
Visera
Gola
Hombrera
Faldar
Quijote

Clípeo

Rodela

Coraza

ARMAS

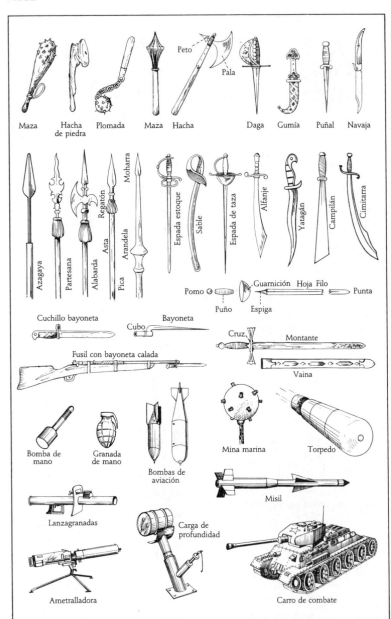

Maza   Hacha de piedra   Plomada   Maza   Hacha   Peto   Pala   Daga   Gumía   Puñal   Navaja

Azagaya   Partesana   Alabarda   Regatón   Asta   Moharra   Arandela   Pica   Espada estoque   Sable   Espada de taza   Alfanje   Yatagán   Campilán   Cimitarra

Pomo   Guarnición   Hoja   Filo   Punta   Puño   Espiga

Cuchillo bayoneta

Cubo   Bayoneta

Cruz   Montante

Fusil con bayoneta calada

Vaina

Bomba de mano   Granada de mano   Bombas de aviación   Mina marina   Torpedo

Misil

Lanzagranadas

Carga de profundidad

Ametralladora   Carro de combate

armonía *f.* Arte que trata de la formación, sucesión y modulación de los acordes musicales. 2 Conjunto de sonidos agradables al oído; p. ext., en el lenguaje hablado, combinación de sonidos, cadencias y acentos que resulta grata al oído: *la ~ del canto; ~ imitativa; la ~ de un verso.* 3 fig. Conveniente proporción y concordancia de unas cosas con otras: *la ~ del cuerpo humano.* 4 fig. Amistad y buena correspondencia: *vivir en buena ~.*

armónica *f.* **Instrumento músico de viento compuesto por una serie de lengüetas colocadas entre dos placas metálicas y que suenan al soplar o aspirar.

armónico, -ca *adj.* Relativo a la armonía. – 2 *m.* MÚS. Sonido agudo, concomitante, producido por la resonancia de otro fundamental.

armonio *m.* MÚS. Órgano pequeño al cual se da el aire por medio de un fuelle movido con los pies.

armonioso, -sa *adj.* Sonoro y agradable al oído. 2 fig. Que tiene armonía.

armonizar *tr.* fig. Poner en armonía [unas cosas] con otras. 2 MÚS. Componer [los acordes] que han de acompañar a una melodía. – 3 *intr.* fig. Guardar armonía unas cosas con otras. ◇ ** CONJUG. [4] como *realizar.*

armuelle *f.* Hierba quenopodiácea erecta y anual, de hojas triangulares, lobuladas y carnosas que se consumen como verdura. Su semilla es dura y negra *(Atriplex hortensis).*

arnadí *m.* Dulce hecho al horno, con calabaza y boniato y relleno de piñones, almendras, nueces, etc. ◇ Pl.: *arnadíes.*

arnés *m.* Armadura (conjunto de armas). – 2 *m. pl.* Guarniciones de las caballerías. 3 fig. y fam. Cosas necesarias para algún fin: *llevaba todos los arneses para cazar.*

árnica *f.* Planta compuesta medicinal, de cabezuela amarilla, cuyas flores y raíz tienen un sabor acre y olor fuerte *(Arnica montana).* 2 Tintura hecha con esta planta. ◇ Para evitar la cacofonía, utiliza la forma masculina del artículo: *el árnica*, pero no la del demostrativo: *esta árnica.*

arnicina *f.* Substancia alcalina que se extrae de las flores del árnica.

I) aro *m.* Pieza en figura de circunferencia. 2 Argolla para el juego de este nombre. 3 Juguete en forma de circunferencia. 4 Servilletero. 5 *Amér.* Sortija.

II) aro *m.* Planta arácea de raíz tuberculosa y rica en féculas *(Arum maculatum).*

¡aro! *Argent., Bol., Chile* y *Perú.* Interjección con que se presenta una copa de licor al que habla, canta o baila.

arola *f.* Molusco lamelibranquio marino, de concha de gran tamaño, oval y de color verde pardusco, que vive sobre los fondos blandos *(Lutraria lutraria).*

aroma *f.* Flor del aromo. – 2 *m.* Perfume,

olor muy agradable. 3 Perfume característico de alimentos o bebidas.

aromático, -ca *adj.* Que tiene aroma (perfume).

aromatizar *tr.* Dar o comunicar aroma [a una cosa]. ◇ ** CONJUG. [4] como *realizar.*

aromo *m.* Árbol leguminoso, variedad de acacia, de ramas espinosas y flores amarillas muy olorosas *(Acacia farnesiana).*

arpa *f.* Instrumento músico con **cuerdas colocadas verticalmente, que se hieren directamente con los dedos de ambas manos. ◇ Para evitar la cacofonía, utiliza la forma masculina del artículo: *el arpa*, pero no la del demostrativo: *esta arpa.*

arpado, -da *adj.* Que remata en dientecillos como de sierra.

arpegio *m.* MÚS. Sucesión de los sonidos de un acorde.

arpeo *m.* Instrumento de hierro con garfios, usado para rastrear o para abordarse dos embarcaciones.

arpía *f.* Monstruo fabuloso con el rostro de doncella y el cuerpo de ave de rapiña. 2 fig. Mujer perversa, o muy fea y flaca. 3 ZOOL. Especie de águila de América que vive en los grandes bosques; sus principales víctimas son los monos y perezosos *(Harpya harpya).*

arpillera *f.* Tejido de yute o de estopa de cáñamo, para hacer sacos y cubiertas.

arpista *com.* Músico que toca el arpa.

arpón *m.* Astil de madera armado con una punta de hierro para herir y otras dos para hacer presa.

arponar, -near *tr.* Cazar o pescar con arpón: *~ una ballena.* – 2 *intr.* Manejar el arpón con destreza.

arponero *m.* El que tiene por oficio hacer arpones. 2 El que pesca o caza con ellos.

I) arquear *tr.* Dar [a una cosa] figura de arco.

II) arquear *tr.* Medir la cabida [de una embarcación].

arquegonio *m.* Órgano femenino de las algas, musgos y **helechos.

I) arqueo *m.* Cabida de una embarcación.

II) arqueo *m.* Reconocimiento de los caudales que existen en la caja.

arqueolítico, -ca *adj.* Relativo a la Edad de Piedra.

arqueología *f.* Ciencia que estudia lo antiguo, especialmente por medio de los monumentos, objetos de arte, utensilios, etc.

arqueólogo, -ga *m. f.* Persona que por profesión o estudio se dedica a la arqueología.

arqueopterigiforme *adj.-m.* Ave del orden de los arqueopterigiformes. – 2 *m. pl.* Orden de aves fósiles que incluye el género *Archaeopteryx*, cuya características representan el puente de unión entre los reptiles y las aves.

arquero *m.* Soldado armado con arco y flechas. 2 El que tiene por oficio hacer arcos (toneles). 3 DEP. El que practica el deporte de tirar con arco. 4 DEP. En algunos deportes, como el fútbol, portero.

arqueta *f.* Cofre pequeño. 2 Recipiente para el agua de un sifón de desagüe.

arquetípico, -ca *adj.* Relativo al arquetipo. 2 Que tiene carácter o cualidades de arquetipo.

arquetipo *m.* Modelo original y primario en el arte u otra cosa.

arquibanco *m.* Banco largo con uno o más cajones cuyas tapas sirven de asiento.

arquiclamídeo, -a *adj.-f.* Planta de la subclase de las arquiclamídeas. – 2 *f. pl.* Subclase de plantas dicotiledóneas, de flores apétalas o dialipétalas.

arquimesa *f.* Mueble con tablero de mesa y varios compartimientos.

arquimiceto *adj.-m.* Hongo de la familia de los arquimicetos. – 2 *m. pl.* Familia de hongos de estructura muy sencilla, que se reproducen por zoosporas.

arquíptero *adj.-m.* Insecto del orden de los arquípteros. – 2 *m. pl.* Orden de insectos pterigotas con la boca de tipo masticador, de metamorfosis sencilla, y con dos pares de alas membranosas; como la libélula.

arquitecto, -ta *m. f.* Persona que ejerce la arquitectura.

arquitectónico, -ca *adj.* Relativo a la arquitectura.

arquitectura *f.* Arte de proyectar y construir edificios. 2 Método o estilo de construir caracterizado por ciertas particularidades: ~ *gótica.* 3 ~ *naval,* arte de proyectar y construir barcos. 4 fig. Estructura, forma. – 5 *f. pl.* Conjunto de diseños, proyectos y edificaciones de un mismo arquitecto, de una área geográfica determinada, de un momento histórico concreto, o con una misma función.

arquitrabe *m.* Parte inferior de un entablamento, o elemento horizontal donde descansa el friso y que se apoya directamente sobre columnas u otros elementos sustentantes; **órdenes.

arquivolta *f.* Cara frontal de un arco cuando está decorada. – 2 *f. pl.* ARQ. Conjunto de arcos inscritos unos en otros y que forman una portada abocinada; **románico.

arrabal *m.* Barrio fuera del recinto de la población. 2 Sitio extremo de una población. 3 Población anexa a otra mayor.

arrabalero, -ra *adj.-s.* Habitante de un arrabal. 2 fig. *y* fam. Persona de porte y lenguaje groseros.

arrabiatar *tr. Amér.* Rabiatar, atar un animal a la cola de otro. – 2 *prnl. Amér.* Someterse servilmente a la opinión de otro.

arracacha *f.* Planta umbelífera de América Meridional, semejante a la chirivía *(Arracacia xanthorrhiza).*

arracada *f.* Arete con adorno colgante.

arracimado, -da *adj.* En racimo.

arracimarse *prnl.* Unirse en forma de racimo.

arraclán *m.* Árbol ramnáceo, de hojas ovales, flores hermafroditas y madera flexible que da un carbón muy ligero *(Rhamnus frangula).*

arraigar *intr.-prnl.* Echar raíces: ~, o *arraigarse, una planta.* 2 fig. Hacerse muy firme una virtud, vicio, costumbre, etc.: ~, o *arraigarse, la maldad, la calentura.* – 3 *tr.* Establecer y afirmar [una cosa]: *San Pablo arraigó la fe.* – 4 *tr.-prnl.* fig. Establecer o afirmar [a uno] en una virtud, costumbre, etc.: *San Pablo nos arraiga en la fe; arraigarse en la esperanza.* – 5 *prnl.* Establecerse en un sitio, avecindarse. ◇ ** CONJUG. [7] como *llegar.*

arraigo *m.* Acción de arraigar o arraigarse. 2 Efecto de arraigar o arraigarse. 3 Bienes raíces.

arramblar *tr.* Dejar un río o torrente cubierto de arena [el suelo por donde pasa]. 2 fig. Arrastrarlo [todo], llevárselo: *arrambló el dinero y se fue.* 3 Recoger y llevarse codiciosamente todo lo que hay en algún lugar. – 4 *prnl.* Cubrirse el suelo de arena a causa de una avenida.

arrancaclavos *m.* Palanca de uña hendida. ◇ Pl.: *arrancaclavos.*

arrancada *f.* Empuje de un buque, automóvil, caballo, etc., al emprender la marcha, o aumento repentino de su velocidad. 2 Acometida, embestida. 3 MAR. La velocidad de un buque cuando es notable.

arrancador, -ra *adj.-s.* Que arranca. – 2 *f.* Máquina agrícola para arrancar raíces.

arrancamoños *m.* Fruto del cadillo (planta). ◇ Pl.: *arrancamoños.*

arrancar *tr.* Sacar de raíz: ~ *la broza al,* o *del, suelo;* ~ *de raíz las opiniones falsas;* fig., en general, sacar con violencia [lo que está asegurado en su lugar]: ~ *una muela, un clavo, un pedazo del traje.* 2 Quitar con violencia: ~ *el acero;* ~ *la victoria;* fig., obtener [algo] de una persona con trabajo, violencia o astucia: ~ *un consentimiento;* consentir [algo] en fuerza del entusiasmo, o del afecto que se inspira: ~ *la adhesión, la piedad.* 3 Separar con violencia [a uno] de una parte: *arrancóle de tan feliz morada;* esp., separarle de las costumbres, vicios, etc: ~ *de la indolencia.* – 4 *intr.* Empezar a andar: *el tren arrancó;* partir de carrera: ~ *con furia;* en gral., partir o salir de alguna parte: *es duro* ~ *de aquí.* 5 fig. Provenir, traer origen: ~ *de una mala interpretación.* 6 ARQ. Principiar el arco o la bóveda. ◇ ** CONJUG. [1] como *sacar.*

arranchar *tr.* MAR. Contornear [la costa, un banco, etc.]. 2 *Amér.* Arrebatar, quitar algo a otro con violencia.

arrancharse *prnl.-intr.* Juntarse en ranchos.

arranque *m.* Acción de arrancar. 2 Efecto de arrancar. 3 fig. Ímpetu de cólera, piedad, amor. 4 Prontitud demasiada en una acción. 5 Ocurrencia viva o inesperada. 6 Principio de un arco o bóveda. 7 Comienzo de un miembro o parte de un animal o vegetal. 8 Mecanismo que pone en marcha un motor o un vehículo. 9 *Amér. Central.* Pobreza.

arranquera *f. Amér.* Falta de dinero, pobreza, miseria.

arrapiezo *m.* Persona de corta edad o humilde condición.

arras *f. pl.* Lo que se da como prenda en algún contrato. 2 Las trece monedas que, al celebrarse el matrimonio, entrega el desposado a la desposada.

arrasar *tr.* Allanar la superficie [de una cosa]: ~ *un campo.* 2 Echar por tierra, destruir: ~ *los muros.* – 3 *tr.-prnl.* Llenarse los ojos de lágrimas.

arrastradera *f.* En los globos aerostáticos, cuerda guía.

arrastradero *m.* Camino por donde se hace el arrastre de maderas. 2 Sitio por donde se sacan de la plaza de toros los animales muertos.

arrastrado, -da *adj.* fig. Pobre, desastrado, fatigoso: *una vida arrastrada.*

arrastrar *tr.* Llevar [a una persona o cosa] por el suelo tirando de ella: *arrastraban a las mujeres por los cabellos;* ~ *los troncos por la vertiente.* 2 fig. Llevar uno tras sí: ~ *en su caída;* traer [a uno] a su dictamen o voluntad : ~ *tras sí la afición de los pueblos.* 3 fig. Impulsar un poder o fuerza irresistible: ~ *a la corrupción.* 4 fig. Llevar adelante o soportar [algo] penosamente. – 5 *intr.-prnl.* Trasladarse rozando el cuerpo con el suelo, los animales que no tienen patas: *lo que arrastra, o se arrastra, por el suelo; las serpientes se arrastran.* – 6 *prnl.* Humillarse servilmente.

arrastre *m.* Acción de arrastrar cosas que se llevan así de una parte a otra. 2 Cantidad que se paga por el acarreo de una mercancía.

arrastrero, -ra *adj.* De arrastre: *barco* ~.

arrayán *m.* Arbusto mirtáceo, de hojas opuestas y persistentes, flores axilares, pequeñas, blancas y muy olorosas, y fruto en baya de color negro azulado *(Myrtus communis).*

¡arre! Interjección que se usa para arrear a las bestias.

¡arrea! Interjección que se usa para dar prisa. 2 Interjección con que se denota sorpresa o desaprobación de lo que dice o hace otro.

arreada *f. Argent., Chile, Méj. y Urug.* Robo de ganado.

arrear *tr.* Estimular [a las bestias] para que echen a andar o para que aviven el paso. 2 Dar prisa, estimular. 3 Llevarse [algo] de manera violenta, robar. 4 Pegar o dar [un golpe o un tiro]. – 5 *intr.* Ir, caminar de prisa. – 6 *tr.*

Argent., Bol., Cuba, Chile, Guat. y Méj. Llevarse violenta o furtivamente [ganado ajeno].

arrebañaderas *f. pl.* Ganchos de hierro destinados a sacar los objetos que se caen a los pozos.

arrebatado, -da *adj.* Precipitado e impetuoso. 2 fig. Inconsiderado y violento. 3 De rostro muy encendido.

arrebatar *tr.* Quitar con violencia: ~ *la espada a uno;* en gral., coger [las cosas] con precipitación : *le arrebató la carta.* 2 fig. Atraer [alguna cosa, como la vista, la atención, etc.]: ~ *el ánimo;* llevar consigo o tras sí con fuerza irresistible: ~ *al pueblo; la corriente arrebata los cuerpos.* – 3 *tr.-prnl.* Agostarse [las mieses] por el calor. – 4 *prnl.* Enfurecerse, dejarse llevar de la pasión. 5 Cocerse mal un manjar por exceso de fuego. – 6 *tr. Amér. Merid. y Guat.* Atropellar.

arrebato *m.* Furor, enajenamiento. 2 Éxtasis.

arrebol *m.* Color rojo de las nubes heridas por los rayos del Sol. 2 Colorete. 3 Rubor, vergüenza. – 4 *m. pl.* Arrebolada.

arrebolada *f.* Conjunto de nubes enrojecidas por los rayos del Sol.

arrebolar *tr.-prnl.* Poner de color de arrebol: *arrebolarse el rostro.*

arrebujar *tr.* Coger mal y sin orden [una cosa flexible]: ~ *la ropa.* – 2 *prnl.* Cubrirse bien y envolverse con la ropa de la cama, o con la capa, mantón, etc.

arreciar *intr.-prnl.* Hacerse cada vez más recia o violenta una cosa: ~ *el temporal, la calentura.* – 2 *prnl.* Fortalecerse, cobrar fuerzas. ◊ ** CONJUG. [12] como *cambiar.*

arrecife *m.* Banco o bajío casi a flor de agua.

arrecirse *prnl.* Entorpecer o entumecerse por exceso de frío. ◊ Verbo defectivo; se usa sólo en los tiempos y personas que contienen la vocal *i: arrecía, arreciré, arreciendo.*

arrecloques *m. pl. Amér. Central.* Perifollos. 2 *Amér. Central.* p. ext. Rodeos, ambages.

arrechucho *m.* fam. Arranque (ímpetu, prontitud). 2 fam. Indisposición repentina y pasajera.

arredrar *tr.-prnl.* Retraer, amedrentar, asustar: *arredrarse ante una culebra; las huelgas no arredran al gobierno.* 2 fig. Amedrentar, asustar: *no me arredran vuestras calumnias.*

arreglar *tr.-prnl.* Ajustar o conformar a regla, a la costumbre, a la ley: ~ *la conducta a las buenas doctrinas; arreglarse a la razón.* 2 Ordenar: ~ *el aposento.* 3 Concertar: *arreglarse con el acreedor.* 4 Componer, reparar: ~ *una máquina; arreglarse el pelo.* 5 fam. En frases que envuelven amenaza, corregir o castigar: *ya te arreglaré yo.* 6 Solucionar, resolver: *el tiempo lo arregla todo.* 7 Embellecer: ~ *el salón para la fiesta; arreglarse para ir al teatro.* 8 Enmendar: *este país no hay quien lo arregle.* 9 Adaptar, ajustar: ~ *los cronómetros.* – 10 **tr.** *Amér.* Castrar, capar.

arreglo *m.* Acción de arreglar o arreglarse. 2 Regla, orden, coordinación, conciliación. 3 Concubinato. 4 Transformación de una obra musical para poder interpretarla con instrumentos o voces distintos a los originales.

arrejuntarse *prnl.* vulg. Amancebarse.

arrellanarse *prnl.* Extenderse en el asiento con toda comodidad. ◇ INCOR.: *arrellenarse.*

arremangar *tr.-prnl.* Recoger hacia arriba [las mangas o la ropa]. ◇ ** CONJUG. [7] como *llegar.*

arremansar *intr.* *Amér. Central.* Estancarse, remansarse.

arremeter *intr.* Arrojarse con presteza: ~ *al, con, contra,* o *para el, enemigo;* **abs.**, *arremetía como un león.*

arremolinarse *prnl.* fig. Amontonarse desordenadamente las gentes. 2 Formar remolinos las aguas, el viento, etc.

arrendador, -ra *m. f.* Persona que da en arrendamiento alguna cosa. 2 Arrendatario.

arrendajo *m.* Pájaro paseriforme de 34 cms. de longitud, que se caracteriza por la facilidad con que imita el canto de otras aves; el plumaje es de color rosado con la cola y las alas negras *(Garrulus glandarius).*

arrendamiento *m.* Acción de arrendar (alquilar). 2 Contrato por el que una de las partes se obliga a dar a la otra el goce o uso temporal de una cosa, mueble o inmueble, por cierto precio. 3 Contrato por el que una de las partes se obliga a ejecutar una obra o prestar un servicio a la otra por cierto precio. 4 Precio en que se arrienda.

arrendar *tr.* Ceder o adquirir por precio el aprovechamiento temporal [de inmuebles, granjerías, etc.]. ◇ ** CONJUG. [27] como *acertar.*

arrendatario, -ria *adj.-s.* Que toma en arrendamiento una cosa: *compañía arrendataria.*

arrenquín *m.* *Amér.* Bestia que sirve de guía. 2 *Amér.* Persona que no se separa de otra.

arreo *m.* Atavío, adorno. – 2 *m. pl.* Guarniciones (correas). 3 Cosas menudas que pertenecen a otra principal, o se usan con ella. – 4 *m. Amér.* Recua.

arrepentimiento *m.* Pesar de haber hecho alguna cosa.

arrepentirse *prnl.* Pesarle a uno haber hecho o haber dejado de hacer alguna cosa: ~ *del pecado.* 2 Desdecirse, echarse atrás, corregirse en una opinión o no ser consecuente con un compromiso. ◇ ** CONJUG. [35] como *hervir.*

arrepollar *intr.* *Amér. Central.* Ponerse en cuclillas.

arrequintar *tr.* *Amér.* Apretar fuertemente con cuerda o vendaje.

arrestar *tr.* Poner preso: ~ *a un soldado.*

arresto *m.* Reclusión por un tiempo breve. 2 Arrojo, atrevimiento, especialmente en pl.: *tener arrestos.*

arrianismo *m.* Doctrina herética de Arrio, que niega la divinidad del verbo.

arriano, -na *adj.-s.* Partidario del arrianismo. – 2 *adj.* Relativo a él.

I) arriar *tr.* Bajar [una vela o bandera que estaba izada]. ◇ ** CONJUG. [13] como *desviar.*

II) arriar *tr.* Inundar, arroyar. – 2 *prnl.* Inundarse por una avenida algún paraje. ◇ ** CONJUG. [13] como *desviar.*

arriate *m.* Era estrecha para plantas de adorno junto a las paredes de los jardines y patios.

arriba *adv. l.* A lo alto, hacia lo alto: *ir ~,* o *allá ~; subir por el prado ~;* indicando dirección : *calle ~; de la cintura ~.* 2 En lo alto, en la parte alta: *en el piso de ~; los de ~ tiraban a los de abajo;* en gral., en lugar anterior, denotando superioridad : *el amor quiere estar ~;* esp. en los escritos, antes o antecedentemente : *reanudar la narración de más ~.* 3 Con voces expresivas de cantidad, denota exceso indeterminado: *tiene de diez años ~.*

¡arriba! Interjección con que se denota estímulo, aliento, ánimo, para levantar o levantarse.

arribar *intr.* Llegar la nave al puerto. 2 Llegar por tierra a cualquier paraje: ~ *las cartas, la nueva.*

arribeño, -ña *adj.-s.* *Amér.* Aplícase por los habitantes de las costas al que procede de las tierras altas.

arribismo *m.* Cualidad de arribista.

arribista *adj.-com.* Persona que progresa en la vida por medios rápidos y sin escrúpulos. 2 Advenedizo (que pretende figurar).

arribo *m.* Llegada.

arriendo *m.* Arrendamiento.

arriero *m.* El que tiene por oficio trajinar con bestias de carga.

arriesgado, -da *adj.* Aventurado, peligroso. 2 Osado, temerario.

arriesgar *tr.* Poner a riesgo [a una persona o cosa]. ◇ ** CONJUG. [7] como *llegar.*

arrimadero *m.* Cosa en que se puede estribar o a que uno puede arrimarse.

arrimado, -da *m. f.* *Amér.* Persona que vive en casa ajena, a costa o al amparo de su dueño. 2 *Amér.* Amancebado.

arrimador *m.* Tronco que se pone en las chimeneas para apoyar en él otros.

arrimar *tr.* Acercar: ~ *las máquinas a la muralla; arrimarse un barco a la costa;* poner en contacto: ~ *la escala a la pared.* 2 Dar [golpes, palos, etc.]: ~ *un espolazo,* o *las espuelas.* – 3 *prnl.* Apoyarse sobre una cosa o acercarse a ella: *arrimarse a la pared;* TAUROM., acercarse mucho al toro. 4 Juntarse, agregarse a otros:

arrimarse los bandos. 5 fig. Acogerse a la protección de uno: *arrimarse al más fuerte.*

arrinconado, -da *adj.* Retirado, distante del centro. 2 fig. Desatendido, olvidado.

arrinconar *tr.* Poner [una cosa] en un rincón; especialmente, retirarla del uso: ~ *un mueble.* 2 Perseguir [a uno]; estrecharlo hasta que no pueda huir: ~ *a los enemigos.* 3 fig. Privar [a uno] del favor que gozaba, dejarle por inútil: ~ *a los viejos.* 4 fig. Dejar, abandonar: ~ *los libros.* – 5 *prnl.* fig. Retirarse del trato de las gentes.

arriñonado, -da *adj.* De figura de riñón: ***hoja arriñonada.*

arriscado, -da *adj.* Lleno de riscos. 2 Atrevido, resuelto. 3 Ágil, gallardo.

arritmia *f.* Falta de ritmo regular. 2 Irregularidad de pulso.

arrizofito, -ta *adj.* [planta] Que no tiene raíces.

arroba *f.* Unidad de peso, equivalente a 11,502 kgs. o veinticinco libras.

arrobamiento *m.* Éxtasis.

arrobar *tr.* Embelesar. – 2 *prnl.* Enajenarse, quedar fuera de sí.

arrobo *m.* Éxtasis, embelesamiento.

arrocero, -ra *adj.* Relativo al arroz. – 2 *m. f.* Cultivador de arroz. 3 Que vende arroz.

arrodajarse *prnl. Amér. Central.* Sentarse con las piernas cruzadas.

arrodillar *tr.* Hacer que [una persona] apoye una o ambas rodillas en el suelo, etc. – 2 *intr.-prnl.* Ponerse de rodillas. – 3 *prnl.* fig. Humillarse.

arrogancia *f.* Calidad de arrogante.

arrogante *adj.* Orgulloso, soberbio. 2 Valiente, brioso. 3 Gallardo.

arrogar *tr.* Adoptar [a un niño]. – 2 *prnl.* Atribuirse, apropiarse jurisdicción, facultad, etc.: *arrogarse atribuciones excesivas.* ◊ ** CONJUG. [7] como *llegar.*

arrojadizo, -za *adj.* Que se puede arrojar o tirar: *arma arrojadiza.*

arrojado, -da *adj.* Resuelto, intrépido.

arrojar *tr.* Lanzar con violencia [una cosa] de modo que recorra cierta distancia: ~ *flores, cañonazos.* 2 Echar, tirar con violencia o ímpetu: ~ *a un intruso;* ~ *una piedra.* 3 Tratándose de cuentas, documentos, etc., dar como consecuencia o resultado: ~ *una suma muy alta.* – 4 *prnl.* Precipitarse con violencia de alto abajo: *arrojarse al mar de,* o *por, una ventana; arrojarse en el estanque.* 5 Ir violentamente hacia una persona o cosa: *se arrojó sobre él.* 6 Resolverse a hacer una cosa sin reparar en dificultades: *arrojarse a pelear.*

arrojo *m.* fig. Osadía, intrepidez.

arrollar *tr.* Envolver [una cosa] en forma de rollo. 2 Llevar rodando la fuerza del viento o del agua [una cosa sólida]: ~ *las piedras.* 3 Llevar rodando [a una persona o cosa], atropellar.

4 fig. Derrotar [al enemigo]. 5 Confundir una persona [a otra] dejándola sin poder replicar. 6 fig. Atropellar, no hacer caso de leyes, respetos ni otros miramientos ni inconvenientes. 7 fig. Vencer, dominar, superar. – 8 *prnl. Amér. Central y Perú.* Recogerse las faldas, remangarse los puños.

arromanzar *tr.* Poner [una obra o un texto] en romance (lengua neolatina). ◊ ** CONJUG. [4] como *realizar.*

arropado, -da *adj.* fig. *y* fam. Protegido.

arropar *tr.- prnl.* Cubrir o abrigar [a uno] con ropa. 2 fig. Cubrir, proteger, amparar.

arrope *m.* Mosto cocido, con consistencia de jarabe, al cual suele añadirse alguna fruta cocida. 2 Almíbar de miel cocida y espumada. 3 Jarabe concentrado. 4 *Amér.* Dulce que se hace del nopal y otras frutas.

arrostrar *tr.* Afrontar, resistir: ~ *el poder del enemigo; intr.:* ~ *con,* o *por, los peligros.*

arroyada *f.* Valle por donde corre un arroyo. 2 Surco producido por el agua corriente. 3 Crecida de un arroyo y la inundación que produce.

arroyamiento *m.* Erosión difusa, producida por las aguas, que no llega a formar una red de ríos o arroyos.

arroyar *tr.* Formar la lluvia arroyadas [en un terreno]: *arroyarse los campos.* 2 Formar la lluvia arroyos.

arroyo *m.* Corriente de agua de escaso caudal y cauce por donde corre. 2 Parte de la calle por donde corren las aguas. 3 fig. Afluencia, corriente de cualquier cosa líquida. 4 *Amér. Merid.* Río, a veces caudaloso y navegable.

arroz *m.* Planta graminácea que se cría generalmente en terrenos muy húmedos y en climas cálidos, cuyo grano, rico en almidón, se come cocido *(Oryza sativa);* **cereales. 2 Fruto de esta planta: ~ *con leche,* postre confeccionado con arroz hervido, leche, canela, azúcar, mantequilla y cáscara de limón.

arrozal *m.* Terreno sembrado de arroz.

arruga *f.* Pliegue que se hace en la piel. 2 Pliegue irregular que se hace en la ropa o en cualquier cosa flexible.

arrugar *tr.-prnl.* Hacer arrugas: ~ *un papel, un vestido; arrugarse la piel.* – 2 *prnl.* Encogerse. ◊ ** CONJUG. [7] como *llegar.*

arruí *m.* Mamífero rumiante parecido a una oveja, pero de mayor tamaño, con el pelaje de color pardo rojizo *(Ammotragus lervia).*

arruinar *tr.* Causar ruina [a una persona o cosa]: *el vicio del juego puede* ~ *al más poderoso.* – 2 *tr.-prnl.* fig. Destruir, ocasionar grave daño: *con las heladas se ha arruinado toda la cosecha.*

arrullar *tr.* Enamorar con arrullo el palomo o el tórtolo [a la hembra], o al contrario. 2 p. ext. Adormecer [al niño] con arrullos.

arrullo *m.* Canto grave y monótono de las

palomas y tórtolas. 2 fig. Cantarcillo para adormecer a los niños.

arrumaco *m.* Demostración de cariño: *hizo muchos arrumacos.*

arrumazón *f.* Conjunto de nubes en el horizonte.

I) arrumbar *tr.* Poner [una cosa] como inútil en lugar excusado. 2 fig. Arrinconar [a uno], no hacerle caso. 3 fig. Arrollar a uno en la conversación.

II) arrumbar *intr.* Fijar el rumbo a que se navega o a que se debe navegar.

arrunflar *tr.-prnl.* En los juegos de naipes, juntar [muchas cartas] de un mismo palo.

arrurrú *m. Amér.* Nana o canción de cuna. ◇ Pl.: *arrurrúes.*

arrurruz *m.* Fécula de la raíz de una planta de la India, que se utiliza para espesar potajes y salsas, y preparar budines y papillas.

arsenal *m.* Establecimiento en que se construyen, reparan y conservan embarcaciones. 2 Almacén general de armas y efectos bélicos. 3 fig. Depósito de noticias, datos, etc.

arseniato *m.* Sal formada por el ácido arsénico con una base.

arsenical *adj.* Relativo al arsénico. 2 Que contiene arsénico.

I) arsénico *m.* Metaloide quebradizo, de color gris y brillo metálico, que se volatiliza sin fundirse a los 300 grados de calor. Su símbolo es *As.*

II) arsénico, -ca *adj.* [ácido] Del arsénico.

arseniuro *m.* Combinación del arsénico con un metal.

arsenobenzol *m.* Compuesto orgánico que contiene arsénico y se usa en medicina.

arte *amb.* Conjunto de procedimientos para producir cierto resultado (en oposición a ciencia, considerada como puro conocimiento independiente de toda aplicación, y a naturaleza, considerada como potencia que produce sin reflexión). 2 Habilidad, destreza para hacer ciertas cosas: *el ~ de vivir.* 3 Cautela, maña, astucia: *hacer uso de malas artes.* 4 Obra humana que expresa simbólicamente, mediante diferentes materias, un aspecto de la realidad entendida estéticamente: *Bellas artes,* las que tienen por objeto la expresión de la belleza. 5 Aparato para pescar, en general.

artefacto *m.* Máquina, aparato. 2 desp. Máquina, mueble y, en general, objeto de cierto tamaño. 3 Carga explosiva; como una mina, un petardo, una granada, etc.

artejo *m.* ZOOL. Pieza que, articulada con otras, forma los apéndices segmentados de los artrópodos; **insecto.

artemisa, -misia *f.* Planta compuesta, aromática, de hojas hendidas y blancuzcas por el envés y flores en panoja, blancas con el centro amarillo (*Artemisia vulgaris*).

arteria *f.* Vaso que conduce la sangre desde el corazón a las diversas partes del cuerpo: ~ *celíaca,* la que saliendo de la aorta, se ramifica dando nacimiento a la hepática, la estomacal y la esplénica; **circulación; **respiración. 2 fig. Calle a la que afluyen muchas otras.

artería *f.* Amaño, astucia.

arterial *adj.* Relativo a las arterias.

arterialización *f.* Transformación de la sangre venosa en arterial.

arteriectomía *f.* CIR. Resección quirúrgica de un fragmento arterial.

arteriopatía *f.* MED. Enfermedad de las arterias, en general.

arteriosclerosis *f.* PAT. Endurecimiento de las paredes de las arterias. ◇ Pl.: *arteriosclerosis.*

arteriosclerótico, -ca *adj.* Relativo a la arteriosclerosis. – 2 *adj.-s.* Que la padece.

arteriostenosis *f.* PAT. Estrechez, obliteración de las arterias. ◇ Pl.: *arteriostenosis.*

artero, -ra *adj.* Mañoso, astuto, malintencionado.

artesa *f.* Cajón cuadrilongo en forma de tronco de pirámide invertido, para amasar **pan y para otros usos.

artesanado *m.* Conjunto de los artesanos, o clase social formada por ellos.

artesanal *adj.* Perteneciente o relativo al artesano o a la artesanía.

artesanía *f.* Calidad de artesano. 2 Arte u obra de artesano.

artesano, -na *m. f.* Persona que ejerce un arte u oficio mecánico. 2 fig. Autor de una cosa.

artesiano, -na *adj.-s.* V. pozo artesiano.

artesón *m.* Casetón.

artesonado, -da *adj.* Adornado con artesones. – 2 *m.* Techo adornado con artesones.

ártico, -ca *adj.* V. polo ártico. 2 Cercano o relativo al polo ártico.

articulación *f.* Acción de articular o articularse. 2 Unión móvil de dos partes o piezas de una máquina o instrumento, y también de dos partes rígidas del cuerpo de un animal. 3 Unión, móvil o fija, de dos huesos. 4 En las plantas, unión de una parte con otra distinta, de la cual puede desgajarse. 5 Separación, división. 6 GRAM. Emisión de sonidos articulados, vocales o consonantes. 7 Pronunciación clara y distinta de las palabras.

articulado, -da *adj.* Que tiene articulaciones: *lenguaje ~* o *fonético,* el que supone una combinación orgánica de elementos de significación, palabras y grupos de palabras, a diferencia de los gritos inarticulados y del lenguaje mímico, escrito, etc. – 2 *m.* Serie de los artículos de un tratado, ley, etc.

I) articular *adj.* Relativo a la articulación o a las articulaciones.

II) articular *tr.* Unir, enlazar [las partes de

un todo] en forma generalmente funcional. 2 Producir [los sonidos de una lengua] disponiendo adecuadamente los órganos de la voz. 3 Pronunciar [las palabras] clara y distintamente. – 4 *prnl.* Agruparse para constituir un conjunto organizado: *el barrio se articula alrededor de la plaza principal.* 5 Organizarse: *su acción se articula en tres principios.*

articulatorio, -ria *adj.* GRAM. Relativo a la articulación de los sonidos del lenguaje: *movimiento* ~.

articulista *com.* Persona que escribe artículos para periódicos.

artículo *m.* Disposición numerada de un tratado, ley, etc.: ~ *adicional;* ~ *de fe,* verdad que debemos creer como revelada por Dios, y propuesta por la Iglesia. 2 División en un diccionario correspondiente a una palabra. 3 Escrito de cierta extensión e importancia inserto en un **"periódico u otras publicaciones análogas: ~ *de fondo.* 4 Cosa comerciable: ~ *de primera necesidad;* ~ *de lujo.* 5 GRAM. Parte de la oración que se antepone como proclítica al substantivo para enunciar su género y su número. El substantivo queda así más determinado que si se usase sin artículo: *comprar libros* y *comprar los libros* . 6 ZOOL. En los insectos, parte comprendida entre dos puntos de una articulación.

artífice *com.* Persona que ejerce un arte manual. 2 fig. Autor (causa). 3 fig. Persona que tiene arte para conseguir lo que desea.

artificial *adj.* Hecho por mano o arte del hombre: *lago* ~. 2 No natural, ficticio: *sonrisa* ~.

artificiero *m.* MIL. Pirotécnico. 2 Especialista en desactivar artefactos explosivos.

artificio *m.* Arte, habilidad con que está hecha alguna cosa. 2 Predominio de la elaboración artística sobre la naturalidad. 3 Máquina o aparato. 4 Artefacto (carga). 5 fig. Disimulo, doblez.

artificioso, -sa *adj.* Hecho con artificio (arte). 2 fig. Disimulado, cauteloso.

artigar *tr.* Roturar [un terreno] quemando antes la maleza que hay en él. ◇ ** CONJUG. [7] como *llegar.*

artilugio *m.* desp. Mecanismo artificioso, pero de poca importancia. 2 Herramienta de un oficio. 3 fig. Trampa, enredo.

artillar *tr.* Armar de artillería [una fortaleza, una nave, etc.]. 2 Colocar en disposición de combate la artillería de [una batería, obra, fortaleza o nave].

artillería *f.* Arte de construir y usar las armas, máquinas y municiones de guerra. 2 Tren de cañones, obuses y otras máquinas de guerra de una plaza, ejército o buque: ~ *ligera;* ~ *de sitio.* 3 Cuerpo militar destinado a este servicio.

artillero, -ra *adj.* Relativo a la artillería. – 2 *m.* Soldado que sirve en la artillería del ejército. 3 El que profesa por principios teóricos la facultad de la artillería.

artimaña *f.* Artificio, astucia.

artiodáctilo *adj.-m.* Mamífero del orden de los artiodáctilos. – 2 *m. pl.* Orden de mamíferos placentarios, con un número par de dedos en cada pata, de los cuales el tercero y el cuarto están más desarrollados al soportar el peso del animal; los demás dedos se reducen o se atrofian.

artista *com.* Persona que ejercita alguna arte bella. 2 Persona dotada de las disposiciones necesarias para el cultivo de una arte bella. 3 Persona que hace una cosa con mucha perfección: *un* ~ *del bisturí.* – 4 *adj.* [pers.] Que tiene gustos artísticos. ◇ INCOR.: por *artesano, obrero.*

artístico, -ca *adj.* Relativo a las bellas artes. 2 Ejecutado con arte.

artocarpáceo, -a *adj.-f.* Planta de la familia de las artocarpáceas. – 2 *f. pl.* Familia de plantas dicotiledóneas que hoy se considera incluida en la de las moráceas.

artolas *f. pl.* Especie de jamugas para transportar a dos personas.

artrítico, -ca *adj.* MED. Relativo a la artritis. 2 Perteneciente o relativo al artritismo. – 3 *m. f.* Persona que sufre artritis o de artritismo.

artritis *f.* MED. Inflamación de las articulaciones. ◇ Pl.: *artritis.*

artritismo *m.* Propensión a las enfermedades originadas por el exceso de ácido úrico en la sangre.

artrópodo *adj.-m.* Animal del tipo de los artrópodos. – 2 *m. pl.* Tipo de animales invertebrados con simetría bilateral, cuerpo segmentado, esqueleto exterior y patas articuladas; a este tipo pertenecen tres subtipos: trilobitomorfos, quelicerados y mandibulados.

artrosis *f.* MED. Alteración patológica de las articulaciones, de carácter degenerativo y no inflamatorio. ◇ Pl.: *artrosis.*

artúrico, -ca *adj.* Relativo al ciclo caballeresco del Rey Arturo (s. VI d. C.).

aruñón *m.* Amér. Amenaza.

arveja *f.* Planta herbácea anual, cultivada para forraje y abono verde *(Vicia sativa).* 2 Semilla de esta planta. 3 Guisante.

arvejo *m.* Guisante.

arvense *adj.* [planta] Que crece en los sembrados.

avicultura *f.* Cultivo de los cereales.

arzobispado *m.* Dignidad de arzobispo. 2 Territorio en el que el arzobispo ejerce jurisdicción. 3 Edificio u oficina donde funciona la curia arzobispal.

arzobispo *m.* Obispo de una iglesia metropolitana, o que tiene honores de tal.

arzolla *f.* Planta compuesta, de tallo y fruto

espinoso, y hojas largas y hendidas *(Centaurea seridis)*.

arzón *m.* Fuste de la silla de montar.

as *m.* Antigua moneda romana de bronce (décima parte del denario). 2 Naipe que lleva el número uno: *ser un* ~, fig., ser el primero en su especie. 3 En los dados, la cara que tiene un solo punto. 4 DEP. Campeón. ◇ Pl.: *ases.*

asa *f.* Asidero que sobresale del cuerpo de una vasija, cesta, etc. ◇ Para evitar la cacofonía, utiliza la forma masculina del artículo: *ese asa,* pero no la del demostrativo: *esta asa.*

asado *m.* Carne asada.

asador *m.* Varilla en que se clava y se pone al fuego lo que se quiere asar. 2 Utensilio para igual fin.

asadura *f.* Conjunto de las entrañas del animal: *las asaduras del buey.* 2 Hígado y bofes. 3 Hígado.

asaetado, -da *adj.* BOT. De figura de flecha.

asaetear *tr.* Disparar saetas [contra uno]; esp., herir o matar con saetas. 2 fig. Importunar [a uno].

asafétida *f.* Planta umbelífera vivaz, con las hojas pinnadas y las flores de color amarillo dispuestas en umbelas *(Ferula assa-foetida).* 2 Gomorresina de olor nauseabundo, usada en medicina como antiespasmódica, que se extrae de dicha planta.

asalariado, -da *adj.-s.* Que percibe salario. 2 [pers.] Que supedita indecorosamente su voluntad a la merced ajena.

asalariar *tr.* Señalar salario [a una persona]. ◇ ** CONJUG. [12] como *cambiar.*

asalmonado, -da *adj.* De color rosa pálido.

asaltar *tr.* Acometer [una plaza o fortaleza] para apoderarse de ella. 2 Acometer repentinamente y por sorpresa [a uno]: ~ *un banco; nos asaltaron a la salida del cine.* 3 fig. Ocurrir de pronto una enfermedad, un pensamiento, etc. [a uno]: *tras hablar con él me asaltó la duda de si había dicho la verdad.*

asalto *m.* Acción de asaltar. 2 Efecto de asaltar. 3 Parte de un combate de boxeo.

asamblea *f.* Reunión numerosa de personas convocadas para algún fin. 2 Cuerpo político deliberante: ~ *de diputados;* ~ *nacional.*

asambleísta *com.* Persona que forma parte de una asamblea.

asar *tr.* Preparar [un manjar, especialmente carnes, pescados y frutas] a la acción directa del fuego o a la del aire caldeado de un horno: ~ *a la lumbre;* ~ *en la parrilla.* 2 fig. Importunar, molestar insistentemente: *me asaba con recomendaciones.* – 3 *prnl.* Sentir extremado ardor o calor: *asarse de calor.*

ásaro *m.* Planta aristoloquiácea de olor fuerte y nauseabundo, y flores terminales de color rojo *(Asarum europœum).*

asaz *adv. c.* Bastante, harto, muy: ~ *gimió*

Iberia; su muerte fue ~ *sentida.* – 2 *adj.* Bastante, mucho: ~ *a veces;* ~ *tiempo;* ~ *utilidad.*

asbesto *m.* Mineral fibroso, flexible e inalterable al fuego, como el amianto.

ascendencia *f.* Serie de ascendientes (antepasados). 2 fig. Influencia, influjo.

ascendente *adj.* Que asciende: *tren* ~. – 2 *m.* ASTROL. Punto de la elíptica en que se inicia la primera casa celeste, al observar el cielo para realizar una predicción.

ascender *intr.* Subir. 2 fig. Adelantar en empleo o dignidad: ~ *en la carrera.* 3 Importar una cuenta. – 4 *tr.* Dar o conceder un ascenso: *le ascendieron al trono.* ◇ ** CONJUG. [28] como *entender.*

ascendiente *adj.* Ascendente. – 2 *com.* Antepasado (individuo). – 3 *m.* Predominio moral o influencia.

ascensión *f.* Acción de ascender; **ASTRON., ~ *recta,* arco de círculo medio sobre el ecuador de oeste a este y comprendido entre el punto equinoccial de primavera y el meridiano de un astro.

ascensional *adj.* [movimiento de un cuerpo] Que asciende; [fuerza] que hace ascender.

ascenso *m.* Subida. 2 fig. Promoción a mayor dignidad o empleo. 3 fig. Grado señalado para el adelanto en una carrera.

ascensor *m.* Aparato elevador para trasladar personas de unos a otros pisos. 2 Montacargas.

ascensorista *adj.-com.* Obrero especializado en la construcción y reparación de ascensores. – 2 *com.* Persona que tiene a su cargo el manejo del ascensor.

asceta *com.* Persona que practica el ascetismo.

ascética *f.* Ascetismo (profesión).

ascético, -ca *adj.* Que se dedica a la práctica y ejercicio de la perfección espiritual. 2 Perteneciente o relativo a este ejercicio y práctica: *libro* ~; *vida ascética.* 3 Que trata de la vida ascética.

ascetismo *m.* Doctrina moral que impone al hombre una vida rigurosamente austera, con la renuncia de todas las cosas terrenas, la mortificación de las tendencias naturales de la sensibilidad y la lucha constante contra los instintos carnales. 2 Profesión de la vida ascética.

ascidia *f.* Animal de un grupo de tunicados que vive fijo en el fondo del mar, y que a veces forma, por gemación, colonias que tienen común el orificio cloacal *(gén. Ascidia; Halocynthia).*

asclepiadáceo, -a *adj.-f.* Planta de la familia de las asclepiadáceas. – 2 *f. pl.* Familia de plantas dicotiledóneas que incluye hierbas, árboles o arbustos, de hojas opuestas, flores hermafroditas regulares, estambres con apéndices nectarios y frutos en folículo apergaminado.

asco *m.* Repugnancia que incita a vómito. 2 fig. Impresión desagradable causada por una cosa que repugna; esta misma cosa: *estar hecho un ~*, estar muy sucio.

ascocarpo *m.* Aparato esporífero de los ascomicetes, cualquiera que sea su forma.

ascolíquenes *m. pl.* Clase de plantas dentro de la división de los líquenes, formadas por la unión simbiótica de un alga clorofícea o cianofícea y un hongo ascomicete.

ascomicete *adj.-m.* Hongo de la clase de los ascomicetes. – 2 *m. pl.* Clase de hongos que tienen las esporas encerradas en saquitos.

ascón *m.* Porífero de organización sencilla formada por un simple saquito, con la boca dirigida hacia arriba.

ascua *f.* Pedazo de cualquier materia que está ardiendo sin dar llama. ◇ Para evitar la cacofonía, utiliza la forma masculina del artículo: *el ascua*, pero no la del demostrativo: *esta ascua*.

aseado, -da *adj.* Limpio, curioso.

asear *tr.* Adornar, componer con aseo [a una persona o cosa]. 2 Limpiar.

asechanza *f.* Engaño o artificio para dañar a otro: *las asechanzas del enemigo.*

asechar *tr.* Armar asechanzas [a uno].

asediar *tr.* Atacar insistentemente [un lugar enemigo cercado]. 2 fig. Importunar [a uno] sin descanso con pretensiones. ◇ ** CONJUG. [12] como *cambiar.*

asedio *m.* Acción de asediar. 2 Efecto de asediar. 3 Conjunto de operaciones desarrolladas por un ejército alrededor de un lugar enemigo para apoderarse de él por la fuerza.

asegurado, -da *adj.-s.* Persona que ha contratado un seguro.

asegurador, -ra *adj.-s.* Que asegura. 2 Persona o empresa que asegura riesgos ajenos.

asegurar *tr.* Establecer, fijar sólidamente [una cosa]: *~ las paredes del edificio;* esp., hacer segura [una cosa]: *~ el acierto; ~ los derechos.* 2 Preservar de daño [a las personas o las cosas]: *~ una plaza; ~ a los niños.* 3 Afirmar la certeza [de lo que se dice]: *le aseguró que la armada llegaría pronto.* – 4 *tr.-prnl.* Dejar seguro de la certeza [de una cosa]: *le aseguré de mi fidelidad; prnl., se aseguró de mis palabras.* 5 Concretar un seguro: *~ un coche; se ha asegurado contra incendios.*

asemejar *tr.* Hacer [una cosa] con semejanza a otra: *el artista asemeja el retrato al original.* – 2 *tr.-prnl.* Representar [una cosa] como semejante a otra; parecer: *el poeta asemeja la vida a los ríos; la vida se asemeja al río; su forma asemejaba una paloma.* – 3 *intr.-prnl.* Mostrarse semejante; semejar: *se asemeja a su padre.*

asentada *f.* Tiempo que está sentada una persona sin interrupción.

asentado, -da *adj.* Sentado, juicioso. 2 fig. Estable, permanente.

asentador, -ra *m. f.* Persona que contrata al por mayor víveres para un mercado público.

asentamiento *m.* Acción de asentar o asentarse. 2 Efecto de asentar o asentarse. 3 fig. Juicio, cordura. 4 Sedimentación. 5 Instalación provisional por la autoridad gubernativa, de colonos o cultivadores, en tierras destinadas a expropiarse.

asentar *tr.* Colocar [a uno] en determinado asiento en señal de posesión de algún empleo: *~ en el trono.* 2 Poner [una cosa] que permanezca firme: *~ una piedra; ~ un campamento; ~ la virtud;* tratándose de pueblos, fundar : *asentó la ciudad de Sevilla;* tratándose de edificios, levantar y [prnl.] hacer asiento : *la fábrica se ha asentado;* en gral., consolidar, establecer: *~ el gobierno.* 3 Tratándose de golpes, darlos con tino y violencia. 4 Aplanar, alisar planchando, apisonando: *~ una costura.* 5 Anotar [una especie] para que conste: *el libro donde asentaba la paja y la cebada.* 6 Afirmar, dar por cierto: *el filósofo asienta sus proposiciones.* – 7 *prnl.* Posarse las aves, los insectos o los líquidos: *el pájaro se asentó sobre una rama.* 8 Establecerse en un lugar: *asentarse en París.* ◇ ** CONJUG. [27] como *acertar.*

asentimiento *m.* Aceptación, aprobación.

asentir *intr.* Admitir como cierta o conveniente una cosa: *~ a la verdad; ~ a la publicación de un libro.* ◇ ** CONJUG. [35] como *hervir.*

aseo *m.* Limpieza. 2 Cuarto de aseo, baño.

asépalo, -la *adj.* Que carece de sépalos.

asepsia *f.* MED. Ausencia de gérmenes infecciosos. 2 MED. Método o procedimiento que se propone evitar el acceso de gérmenes patógenos.

aséptico, -ca *adj.* Perteneciente o relativo a la asepsia. 2 Libre de gérmenes infecciosos. 3 fig. Que no se compromete, sin originalidad, falto de sensibilidad.

asequible *adj.* Que se puede conseguir o alcanzar: *actualmente los electrodomésticos son más asequibles.*

aserción *f.* Acción de afirmar (asegurar). 2 Proposición en que se afirma.

aserradero *m.* Paraje donde se asierra la madera.

aserrado, -da *adj.* Que tiene dientes como la sierra: ***hoja aserrada.*

aserrador, -ra *adj.* Que asierra. – 2 *m.* El que tiene por oficio aserrar. – 3 *f.* Máquina de aserrar. 4 Serrería.

aserrar *tr.* Serrar. ◇ ** CONJUG. [27] como *acertar.*

aserruchar *tr. Amér.* Cortar con serrucho.

aserto *m.* Aserción.

asesinar *tr.* Matar alevosamente, o por precio, o con premeditación [a uno]. 2 fig. Causar viva aflicción o grandes disgustos [a uno].

asesinato *m.* Acción de asesinar. 2 Efecto de asesinar.

asesino, -na *adj.-s.* [pers.] Que asesina.

asesor, -ra *adj.-s.* Que asesora. – 2 *m. f.* Abogado que sirve de consejero a un juez que no entiende en leyes.

asesoramiento *m.* Consejo o informe dado por un experto.

asesorar *tr.* Dar consejo o dictamen [a uno]. – 2 *prnl.* Tomar consejo o informe de un experto: *asesorarse con, o de, letrados.*

asesoría *f.* Oficio de asesor. 2 Oficina del asesor.

asestar *tr.* Dirigir [un arma] hacia el objeto que se quiere ofender con ella; p. ext., dirigir con intención [un objeto]: ~ *el anteojo;* fig., ~ *el amor sus tiros.* 2 Descargar contra un objeto [el proyectil o el golpe de un arma u objeto parecido]: ~ *un tiro, una pedrada.*

aseverar *tr.* Afirmar o asegurar [lo que se dice].

aseverativo, -va *adj.* Que asevera o afirma. 2 GRAM. *Oración aseverativa,* la que afirma la conformidad o disconformidad objetiva del sujeto con el predicado.

asexuado, -da *adj.* Que no tiene sexo.

asexual *adj.* Sin sexo; ambiguo, indeterminado. 2 BIOL. [reproducción] Que se verifica sin intervención de los dos sexos.

asfaltado *m.* Acción de asfaltar. 2 Pavimento hecho con asfalto (mezcla).

asfaltadora *f.* Máquina para asfaltar, integrada por un alimentador, transportador y calentador de betún y alquitrán, con calderas provistas de sistema de mezclado.

asfaltar *tr.* Revestir de asfalto (mezcla): ~ *una calle.*

asfalto *m.* Betún negro, sólido, de origen natural u obtenido artificialmente como residuo de la destilación del petróleo; se usa para pavimentar. 2 Mezcla de asfalto con arena, cal, etc., usada para pavimentar, o como cemento impermeable.

asfixia *f.* Suspensión de las funciones vitales debida a falta de oxígeno en la sangre, interrupción de la respiración, inhalación de gases nocivos, etc. 2 fig. Sensación de agobio producida por el excesivo calor o por el enrarecimiento del aire.

asfixiar *tr.-prnl.* Producir asfixia [a una persona o animal]. ◇ ** CONJUG. [12] como *cambiar.*

así *adv. m.* De esta, o de esa, manera: *ensalza* ~ *a Trajano; por decirlo* ~; se usa en oraciones comparativas y en correlación con *como, según, cuál: como el pobre que el día que no lo gana no lo come,* ~ *quedas en ayuno y flaco;* ~ *como estoy, no estoy conmigo;* ~ *dejaré de irme como volverme turco;* úsase en oraciones desiderativas: ~ *Dios te ayude;* y en oraciones interrogativas o admirativas para denotar extrañeza: *¿~ me aban-*

donas? 2 En tanto grado, de tal manera, tanto. En correlación con la conjunción *que:* ~ *estaba desfigurada que no la conocí;* con *como:* ~ *yo como usted nos interesamos;* reforzado con *bien:* ~ *bien los reyes como las personas particulares.* 3 Precedido generalmente de la conjunción *y* sirve para introducir una consecuencia: *nadie quiso ayudarle y* ~ *tuvo que desistir de su empeño; la plaza estaba apercibida;* ~ *no la pudieron entrar;* reforzado con *pues:* ~ *pues no la pudieron entrar;* significando de suerte que: ~ *es que el romance es la poesía lírica de los españoles.* 4 Equivale a *aunque* en oraciones concesivas: *no dijera una mentira* ~ *la asaetearan.* – 5 *loc. adv.* ~ *como,* ~ *que,* en oraciones temporales, tan luego como, al punto que: ~ *que (o como) entró en la venta conoció a Don Quijote.* 6 ~ ~, tal cual, medianamente. 7 ~ *como* ~, o ~ *que* ~, de cualquier suerte, de todos modos. – 8 *adj.* De esta clase: *un hombre* ~.

asiático, -ca *adj.-s.* De Asia, uno de los continentes del mundo.

asibilar *tr.* Hacer sibilante [el sonido de una letra].

asidero *m.* Parte por donde se ase alguna cosa. 2 fig. Ocasión o pretexto.

asiduidad *f.* Calidad de asiduo.

asiduo, -dua *adj.* Frecuente, puntual, perseverante.

asiento *m.* Mueble destinado para sentarse en él. 2 Lugar que tiene uno en cualquier tribunal o junta; localidad en los espectáculos públicos. 3 Parte inferior de las vasijas, botellas, etc., que sirve de base. 4 Poso (sedimento). 5 fig. Cordura, madurez. 6 Sitio en que está fundado un pueblo o edificio. 7 Descenso de los materiales de un edificio a causa de la presión de los unos sobre los otros. 8 fig. Estado y orden que deben tener las cosas. 9 Capa de argamasa sobre la que se colocan los ladrillos o sillares de un muro o pavimento. 10 Anotación de una cosa, especialmente en los libros de contabilidad.

asignación *f.* Acción de asignar. 2 Efecto de asignar. 3 Sueldo (remuneración).

asignar *tr.* Señalar [lo que corresponde] a una persona o cosa: ~ *premios a los inventores;* en gral., señalar, fijar : ~ *las causas;* ~ *uno por lector.*

asignatario, -ria *m. f.* *Amér.* DER. Persona a quien se asigna la herencia o el legado.

asignatura *f.* Materia que se enseña en un instituto docente, o forma, junto con otras, un plan académico de estudios.

asilado, -da *adj.-s.* [pers.] Que reside en un establecimiento benéfico. 2 ~ *político,* exiliado.

asilar *tr.* Albergar [a uno] en un asilo. 2 Dar asilo político [a un emigrado].

asilo *m.* Lugar privilegiado de refugio para los delincuentes. 2 Establecimiento benéfico en que se recogen los menesterosos. 3 fig. Amparo, favor. 4 ~ *político,* derecho de residencia que se concede a emigrados políticos.

asilvestrado, -da *adj.* [planta silvestre] Que procede de otra cultivada. 2 [animal doméstico o domesticado] Que se hace salvaje.

asimetría *f.* Falta de simetría.

asimétrico, -ca *adj.* Que no guarda simetría.

asimilar *tr.* Asemejar, comparar. 2 Conceder [a los individuos de una clase] derechos u honores iguales a los que tienen los individuos de otra. 3 Aprender algo comprendiéndolo. 4 BOT. y ZOOL. Apropiarse los organismos [las substancias necesarias para su conservación y desarrollo]. 5 GRAM. Transformarse [un sonido] por influencia de otro de la misma palabra: la forma latina *sēmente* debía dar en español *semiente* pero la *e* de la sílaba inicial se ha asimilado a la tónica y ha dado *simiente.* – 6 *prnl.* Parecerse: *los buitres se asimilan a las águilas.* 7 fig. Adoptar, apropiarse.

asimismo *adv. m.* De este o del mismo modo. – 2 *adv. afirm.* También.

asindético, -ca *adj.* [período, cláusula, etc.] Construido sin conjunciones.

asíndeton *m.* RET. y GRAM. Omisión de las conjunciones en la construcción de la cláusula.

asíntota *f.* Línea recta que, prolongada indefinidamente, se acerca de continuo a una **curva sin llegar nunca a encontrarla.

asir *tr.* Tomar, coger con la mano: ~ *a uno de la ropa;* ~ *por los cabellos.* 2 En general, tomar de cualquier otro modo: ~ *los cachorros con la boca;* fig., ~ *la ocasión.* – 3 *intr.* Tratándose de plantas, arraigar. – 4 *prnl.* Agarrarse de alguna cosa: *asirse a las ramas; asirse de la mesa; asirse con el contrario; asirse en una soga.* 5 fig. Tomar pretexto de algo para hacer lo que uno quiere. ◇ ** CONJUG. [65].

asirio, -ria *adj.-s.* De Asiria, antigua región del norte de Mesopotamia. – 2 *m.* Lengua asiria.

asistencia *f.* Presencia. 2 Socorro, ayuda: ~ *social,* organismo y conjunto de medidas que mantienen o crean el bienestar social; ~ *médica,* conjunto de los cuidados médicos prestados a los enfermos. 3 Empleo o cargo de asistente (funcionario). 4 Conjunto de personas que está presente en un acto.

asistencial *adj.* Relativo a la asistencia, ayuda o auxilio; aplícase especialmente a la asistencia sanitaria o social: *servicios asistenciales; institución* ~.

asistenta *f.* Criada de una casa particular que trabaja por horas.

asistente *adj.-com.* Persona que asiste o está presente. 2 Persona que ayuda o auxilia: ~ *social,* la contratada por entidades públicas o privadas para ayudar a solucionar los pro-

blemas sociales. – 3 *m.* Obispo de los dos que ayudan al que consagra a otro. 4 Soldado destinado al servicio personal de un general, jefe u oficial. ◇ En la acepción *2* es incorrecto y anglicado decir *profesor asistente* por *profesor ayudante* o *auxiliar.* Peor todavía es decir: *director* ~ por *subdirector; rector* ~ por *vicerrector; jefe* ~ por *subjefe,* y otros anglicismos semejantes que pugnan por aclimatarse en algunos países de Hispanoamérica.

asistido *m.* *Amér. Merid.* Operario que se contrata en las minas para trabajar por un tiempo determinado.

asistir *intr.* Estar o hallarse presente: *asistió a la batalla de Lepanto;* esp., hallarse presente en una reunión; concurrir con frecuencia a alguna casa: ~ *a la boda;* ~ *de oyente.* – 2 *tr.* Acompañar [a uno] en un acto público: ~ *a los reyes en la guerra;* en gral., prestar determinados servicios eventuales: ~ *a los invitados.* 3 Socorrer, ayudar: ~ *a los sitiados;* esp., cuidar [a los enfermos]: *le asiste un médico famoso;* fig., obrar en defensa las cosas inmateriales: *me asiste la razón.*

asistolia *f.* Insuficiencia de la sístole cardíaca.

asma *f.* Enfermedad que se manifiesta por accesos intermitentes de sofocación, debidos a la contracción espasmódica de los bronquios. ◇ Para evitar la cacofonía, utiliza la forma masculina del artículo: *el asma,* pero no la del demostrativo: *esta asma.*

asmático, -ca *adj.* Relativo al asma. – 2 *adj.-s.* Que la padece.

asnal *adj.* Relativo al asno. 2 fam. Bestial o brutal.

asno, -na *m. f.* Mamífero perisodáctilo équido, más pequeño que el caballo y con las orejas muy largas; se emplea especialmente como bestia de carga *(Equus asinus).* 2 fig. Persona ruda y de muy poco entendimiento.

asociación *f.* Acción de asociar o asociarse. 2 Conjunto de los asociados para un mismo fin. 3 Entidad, que con estructura propia, persigue algún fin común para sus asociados.

asociado, -da *adj.-s.* Persona que acompaña a otra en alguna comisión o encargo. – 2 *m. f.* Persona que forma parte de una asociación.

asociar *tr.* Dar a uno por compañero [persona que le ayude]: ~ *el hombre a la obra de Dios; me asociaré a vuestras tareas;* tomar uno [compañero que le ayude]: *asoció al obispo a sus tareas; se asoció el obispo.* 2 Juntar [una cosa] con otra de suerte que concurran al mismo fin: ~ *las ciencias morales a las bellas artes.* – 3 *prnl.* Reunirse, juntarse para algún fin: *asociarse a, o con, los conjurados.* ◇ ** CONJUG. [12] como *cambiar.*

asocio *m.* *Amér.* Asociación, compañía; úsase en la expresión *en asocio de* .

asolanar *tr.-prnl.* Dañar el viento solano [las frutas, mieses, vino, etc.].

asolapar *tr.* Asentar [una teja, losa, etc.] sobre otra, de modo que sólo cubra parte de ella.

I) asolar *tr.* Poner por el suelo, destruir, arrasar. – 2 *prnl.* Posarse los líquidos. ◇ CONJUG. [31] como *contar*.

II) asolar *tr.-prnl.* Echar a perder el calor, una sequía, etc. [los frutos del campo].

asoleada *f. Amér.* Insolación.

asolear *tr.* Solear. – 2 *prnl.* Acalorarse tomando el sol; ponerse muy moreno por haber tomado el sol. 3 *Amér.* Trabajar.

asomar *intr.* Empezar a mostrarse: ~ *el sol, una montaña;* fig., ~ *el peligro.* – 2 *tr.-prnl.* Sacar o mostrar [alguna cosa] por una abertura o por detrás de alguna parte: ~ *uno la cabeza; asomarse a,* o *por, la ventana;* en gral., dejar entrever: *sólo asomó el tocino en la olla.*

asombrar *tr.* Hacer sombra una cosa [a otra]: ~ *el rostro con unos ramos.* 2 Obscurecer [un color] mezclándolo con otro. – 3 *tr. -prnl.* Causar grande admiración: *no me asombro con,* o *de, esta maravilla.*

asombro *m.* Susto, espanto. 2 Grande admiración. 3 Persona o cosa asombrosa.

asomo *m.* Acción de asomar o asomarse. 2 Amago, indicio o señal de alguna cosa. 3 Sospecha, conjetura.

asonada *f.* Reunión numerosa para conseguir tumultuariamente algún fin.

asonancia *f.* Repetición del mismo sonido. 2 MÉTR. Identidad de sonido en la terminación de dos palabras cuyas vocales son iguales a contar desde la última acentuada, pero diferentes las consonantes; constituye esta consonancia la rima imperfecta.

asonante *adj.-s.* Voz con respecto a otra de la misma asonancia: *fortuna* es asonante de *mucha.*

asordar *tr.* Ensordecer un ruido fuerte [a una persona]; no dejarle oír nada.

asorocharse *prnl. Amér. Merid.* Padecer soroche. 2 *Amér. Merid.* fig. Ruborizarse, avergonzarse, sofocarse.

aspa *f.* Conjunto de dos maderos atravesados en forma de X. 2 Agrupación, figura, representación o signo en forma de X. 3 Pieza en forma de pala de algunos aparatos o máquinas movidos por la fuerza del aire, o que sirven para moverlo: ~ *de ventilador;* ~ *de molino;* **automóvil. 4 *Argent., Bol., Urug.* y *Venez.* Cuerno, asta. ◇ Para evitar la cacofonía, utiliza la forma masculina del artículo: *el aspa,* pero no la del demostrativo: *esta aspa.*

aspar *tr.* Hacer madeja [el hilo] en el aspa. 2 Clavar en un aspa [a uno]. 3 fig. Mortificar o molestar mucho [a uno].

aspaventar *tr.* Atemorizar o espantar. ◇ ** CONJUG. [27] como *acertar.*

aspaventero, -ra *adj.-s.* Que hace aspavientos.

aspavientarse *prnl. Amér. Central.* Atemorizarse. 2 *Amér. Central.* Alarmarse.

aspaviento *m.* Demostración excesiva o afectada de temor, admiración o sentimiento.

aspecto *m.* Manera de aparecer o presentarse una persona o cosa a la vista: *al,* o *a primer,* ~ , a primera vista. 2 Semblante, apariencia. 3 ASTROL. Situación respectiva de dos astros con relación a las casas celestes que ocupan. 4 GRAM. Manera de concebir la acción verbal como perfectiva, imperfectiva, reiterada, etc.

aspereza *f.* Calidad de áspero. 2 Desigualdad del terreno, que lo hace escabroso y difícil para caminar por él. 3 Desabrimiento en el trato.

asperezar *tr. Amér. Central.* Causar aspereza [a algo]. ◇ ** CONJUG. [4] como *realizar.*

asperilla *f.* Planta rubiácea erecta, de hojas lanceoladas, con espinas en los bordes, y flores embudiformes de color blanco *(Asperula odorata).*

asperillo *m.* Gustillo agrio que tiene la fruta no bien madura o, por naturaleza, algún manjar o bebida. 2 Arbusto crucífero de hojas alargadas, todo él cubierto de pelos; las flores son amarillas *(Boleum asperum).*

asperjar *tr.* Hisopear. 2 Rociar (salpicar).

áspero, -ra *adj.* Insuave al tacto. 2 Escabroso. 3 fig. Desapacible: *fruta áspera; voz áspera; estilo ~; tiempo ~.* 4 Desabrido, falto de afabilidad: *genio ~.* ◇ Superl.: *aspérrimo.*

asperón *m.* Arenisca de cemento silíceo o arcilloso, usada generalmente para la construcción o en piedras de amolar.

aspersión *f.* Acción de asperjar. 2 Sistema de riego por medio de aspersor.

aspersor *m.* Aparato que transforma un chorro compacto de agua en una lluvia fina.

áspid, -de *m.* Víbora muy venenosa *(Vipera aspis).*

aspillera *f.* Abertura larga y estrecha en un muro, para disparar por ella.

aspiración *f.* Acción de aspirar. 2 Efecto de aspirar. 3 GRAM. Sonido del lenguaje que resulta del roce del aliento cuando se emite con relativa fuerza, hallándose abierto el canal articulatorio. – 4 *f. pl.* Pretensiones.

aspirador *m.* Instrumento que aspira el polvo de los muebles, suelos, etc. El uso actual vacila entre las formas masculina y femenina.

aspiradora *f.* Aspirador.

aspirante *adj.-s.* Que aspira. – 2 *com.* Persona que ha adquirido derecho a un empleo. 3 Pretendiente.

aspirar *tr.* Atraer [el aire exterior] a los pulmones. 2 Atraer una máquina a su interior [un gas, un líquido, el polvo, etc.]. 3 Originar una corriente de un fluido mediante la producción de una baja de presión. 4 Pretender: ~ *a mayor fortuna*. 5 Pronunciar [ciertos sonidos] con un soplo de aire sordo en la garganta.

aspirina *f.* Preparado farmacéutico compuesto de ácido acetilsalicílico, usado como analgésico y antipirético.

asqueado, -da *adj.* Que siente asco. 2 fig. Fastidiado.

asquear *intr.-tr.* Tener o mostrar asco de una cosa.

asquerosidad *f.* Suciedad asquerosa.

asqueroso, -sa *adj.* Que causa asco. 2 Que tiene asco. 3 Propenso a tenerlo.

asta *f.* Palo de la lanza, pica, venablo, etc.; **armas. 2 Lanza o pica, especialmente la usada por los romanos. 3 Palo en que se iza una bandera; **estadio; *bandera a media* ~, bandera a medio izar, en señal de luto. 4 Mango de brocha o pincel. 5 Cuerno. ◇ Para evitar la cacofonía, utiliza la forma masculina del artículo: *el asta*, pero no la del demostrativo: *esta asta*.

astado, -da *adj.-m.* Que tiene astas; p. ant. el toro.

ástato *m.* QUÍM. Elemento químico radiactivo perteneciente al grupo de los halógenos, que no existe en estado natural y se obtiene al bombardear bismuto con partículas alfa. Su símbolo es *At*.

astenia *f.* MED. Debilidad general.

áster *f.* Conjunto de finísimas estrías radiantes que aparecen rodeando al centrosoma de la **célula.

asteráceo, -a *adj.-f.* Planta de la familia de las asteráceas. – 2 *f. pl.* Familia de plantas compuestas, de flores vistosas, pequeñas y reunidas en gran número formando un capítulo rodeado por un involucro de brácteas; como la artemisa.

asterisco *m.* Signo ortográfico [*] empleado para usos convencionales; **puntuación.

asteroide *adj.* De figura de estrella. – 2 *m.* Pequeño planeta cuya órbita se encuentra entre las de Marte y Júpiter; **solar (sistema).

asteroideo *adj.-m.* Equinodermo de la clase de los asteroideos. – 2 *m. pl.* Clase de equinodermos eleuterozoos de brazos triangulares, soldados por la base unos con otros; como la estrellamar.

astifino *adj.* [toro] De astas delgadas y finas.

astigmatismo *m.* Transtorno de la visión por desigualdad en la curvatura del cristalino. 2 Fís. Defecto de un sistema óptico que le hace reproducir un punto como un segmento lineal.

astil *m.* Mango de las hachas, azadas, picos, etc. 2 Varilla de la saeta. 3 Barra horizontal de cuyos extremos penden los platillos de la balanza. 4 Vara de hierro por donde corre el pilón de la romana. 5 Eje córneo de la pluma de **ave.

astilla *f.* Fragmento que salta de una cosa que se rompe, especialmente si es de madera. 2 *Amér.* Parte de un leño que resulta al abrirlo con hacha o cuña.

astillero *m.* Conjunto de talleres donde se construyen y reparan buques.

astracán *m.* Tejido grueso de lana o de pelo de cabra, que forma rizos en la cara exterior. 2 Piel de cordero nonato o recién nacido, muy fina y con el pelo rizado, que se prepara en la ciudad rusa del mismo nombre.

astracanada *f.* fam. Farsa teatral disparatada y chabacana.

astrágalo *m.* Hueso corto en la parte superior y media del tarso, que se articula con la tibia; **pie. 2 ARQ. Cordón en forma de anillo que abraza la columna.

astral *adj.* Relativo a los astros.

astrancia *f.* Planta umbelífera, de flores blancas, rosadas o en umbelas simples, rodeadas de vistosas brácteas de color rojo *(Astrantia major)*.

astringencia *f.* Calidad de astringente.

astringente *adj.-m.* Que astringe: *medicamento* ~. 2 Que produce en contacto con la lengua una sensación mixta entre sequedad intensa y amargor, como, especialmente, ciertas sales metálicas.

astringir *tr.* MED. Estrechar, contraer una substancia [los tejidos orgánicos]. ◇ ** CONJUG. [6] como *dirigir*.

astro *m.* Cuerpo celeste de forma determinada; como las estrellas, planetas, satélites, cometas y asteroides; **astronomía. 2 fig. Persona sobresaliente en su línea.

astrofísico, -ca *adj.* Relativo a la astrofísica. – 2 *m. f.* Especialista en astrofísica. – 3 *f.* Parte de la astronomía que estudia las leyes de la física aplicadas a la materia interestelar y a los astros.

astrofotometría *f.* ASTRON. Medición de la intensidad lumínica de los astros.

astrografía *f.* Descripción de los cuerpos celestes según su distribución y posición en el firmamento.

astrolabio *m.* Antiguo instrumento para observar la situación y movimientos de los astros.

astrología *f.* Ciencia que pretende conocer y estudiar la influencia de los astros en el destino de los hombres, y pronosticar, por la posición y aspecto de aquéllos, los sucesos terrestres.

astrólogo, -ga *adj.* Astrológico. – 2 *m. f.* Persona que profesa la astrología.

astronauta *com.* Miembro de la tripulación de una nave espacial.

astronáutico, -ca *adj.* Perteneciente o relativo a la astronáutica o a los astronautas: *equipo* ~; *aparato* ~. – 2 *f.* Ciencia y técnica de la navegación espacial.

astronave *f.* Vehículo que se emplea en la navegación espacial.

**astronomía *f.* Ciencia que trata de todo cuanto se refiere a los astros.

astronómico, -ca *adj.* Relativo a la astronomía. 2 fig. Enorme, exagerado, cuantiosísimo; como las cifras que se usan en astronomía: *precios astronómicos; distancias astronómicas.*

astrónomo, -ma *m. f.* Persona que por profesión o estudio se dedica a la astronomía.

astroso, -sa *adj.* Desastrado. 2 fig. Vil, despreciable. 3 Infausto, malhadado, desgraciado.

astucia *f.* Calidad de astuto.

astur *adj.-s.* De un antiguo pueblo que habitaba el noroeste de la España Tarraconense. 2 Asturiano.

asturianismo *m.* Giro o modo de expresión propio de los asturianos.

asturiano, -na *adj.-s.* De Asturias, región del norte de España.

asturleonés, -nesa, astur-leonés, -nesa *adj.-s.* Perteneciente o relativo a Astu-

rias y León. 2 Dialecto romance nacido en Asturias y León como resultado de la peculiar evolución experimentada allí por el latín.

astuto, -ta *adj.* Hábil para engañar o evitar el engaño.

asueto *m.* Vacación por un día o una tarde. 2 Descanso breve, en general.

asumir *tr.* Atraer a sí, tomar para sí: ~ *el mando.* 2 Aceptar: ~ *las responsabilidades.* ◇ GALIC. por *tomar incremento cosas materiales,* en la frase: ~ *grandes proporciones.* ANGLIC. por *presumir o suponer.*

asunción *f.* Acción de asumir. 2 Efecto de asumir. 3 En las artes plásticas, obra que representa la Elevación de la Virgen al cielo. ◇ ANGLIC. por *presunción, suposición* o *hipótesis.*

asuntar *intr. Amér. Central.* Curiosear.

asuntillo *m.* irón. *y* despec. Negocio.

asunto *m.* Materia de que se trata. 2 Argumento de una obra. 3 Lo que representa un cuadro o escultura. 4 Negocio (ocupación).

asustadizo, -za *adj.* Que se asusta con facilidad.

ASTRONOMÍA

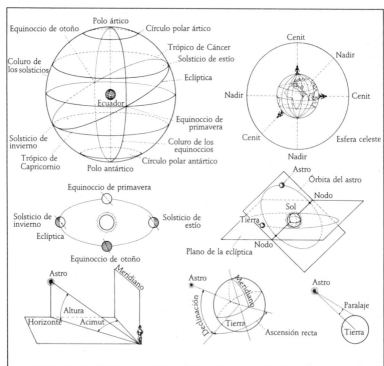

asustar *tr.-prnl.* Dar o causar susto: *asustarse de, con,* o *por, un ruido.* 2 Producir desagrado o escándalo.

asustón, -na *adj. Amér.* Que asusta, asustador.

atabal *m.* Timbal (tambor).

atabe *m.* Abertura que se deja en algunas cañerías para que salga el aire o para reconocerlas.

atacador, -ra *adj.-s.* Que ataca. – 2 *m.* Instrumento para atacar los cañones de artillería.

atacante *adj.-s.* Que ataca. 2 DEP. Jugador, en oposición a su contrario.

atacar *tr.* Meter y apretar el taco [en una arma de fuego, mina o barreno]. 2 Acometer, embestir; fig., impugnar, combatir: ~ *un dictamen;* ~ *el trono.* 3 Afectar dañosamente, irritar. 4 fig. Empezar a producir su efecto [en uno] el sueño, una enfermedad, etc. 5 fig. Estrechar [a uno] sobre alguna pretensión. 6 MÚS. Producir [un sonido] súbitamente de modo que destaque de los demás. 7 QUÍM. Ejercer acción una substancia [sobre otra]. ◇ ** CONJUG. [1] como *sacar.*

atadijo *m.* fam. Lío pequeño y mal hecho.

atado, -da *adj.* fig. Que se embaraza con cualquier cosa. – 2 *m.* Conjunto de cosas atadas. – 3 *f. Argent.* Cajetilla de cigarrillos.

atador, -ra *m. f.* Persona que ata las gavillas. – 2 *f.* Máquina para atar gavillas.

atadura *f.* Cosa con que se ata. 2 fig. Unión o enlace. 3 fig. Traba, impedimento, estorbo.

atafagar *tr.* Sofocar, aturdir [a uno], especialmente con olores fuertes. 2 fig. Molestar [a uno] con insufrible importunidad. – 3 *prnl.* Estar sobrecargado de trabajo. ◇ ** CONJUG. [7] como *llegar.*

ataguía *f.* Macizo para atajar el agua mientras se construye una obra hidráulica.

ataharre *m.* Banda que sujeta la silla o albarda, rodea las ancas de la caballería e impide el aparejo se corra hacia adelante.

atahorma *f.* Ave rapaz falconiforme que se alimenta especialmente de reptiles *(Circætus gallicus).*

atajadizo *m.* Tabique u otra cosa con que se ataja un terreno. 2 Porción menor del terreno atajado.

atajar *intr.* Ir, o tomar, por el atajo. – 2 *tr.* Salir al encuentro [de una persona o animal] por algún atajo; p. anal., impedir el curso [de una cosa]: ~ *un pleito;* esp., interrumpir [a uno en lo que va diciendo]: ~ *a un orador;* ~ *un discurso.* 3 Separar [parte de un terreno o espacio] por medio de un tabique, cancel, etc. 4 Señalar con rayas en un escrito [la parte que se ha de suprimir u omitir].

atajo *m.* Senda por donde se abrevia el camino. 2 fig. Procedimiento o medio rápido: *echar por el* ~. 3 Separación o división de alguna cosa. 4 fig. Conjunto, grupo.

atalaje *m.* Conjunto de guarniciones de las bestias de tiro.

atalaya *f.* Torre para atalayar (observar); **castillo. 2 Altura propia para atalayar (observar). – 3 *m.* Hombre que vigila desde la atalaya. 4 fig. Punto de vista desde el cual se pueden enjuiciar bien los hechos y las ideas.

atalía *f.* Mariposa diurna de color leonado con manchas negras y lúnulas marginales *(Mellicta athalia).*

atañedero, -ra *adj.* Tocante o perteneciente.

atañer *unipers.* Tocar o pertenecer. ◇ ** CONJUG. [38] como *tañer.*

ataque *m.* Acción militar ofensiva ejecutada para apoderarse de una posición enemiga o de un país. 2 Acometimiento de algún accidente de parálisis, apoplejía, etc. 3 fig. Impugnación, disputa.

atar *tr.* Unir o sujetar con ligaduras o nudos: ~ *un animal;* ~ *de pies y manos;* ~ *por la cintura;* fig., *quedan aún muchos cabos por* ~. 2 fig. Impedir o quitar el movimiento: *el miedo le ató los brazos y la voz;* ~ *corto a uno,* reprimirle, sujetarle. – 3 *prnl.* Embarazarse, ponerse en situación difícil: *atarse en las dificultades.* 4 Ceñirse a una cosa o materia determinada: *atarse a una sola opinión.*

atarantado, -da *adj.* Picado de la tarántula. 2 fig. Inquieto y bullicioso. 3 Aturdido o espantado.

atarazana *f.* Arsenal (establecimiento).

I) atardecer *impers.* Tardecer. ◇ ** CONJUG. [43] como *agradecer.*

II) atardecer *m.* Último período de la tarde.

atarear *tr.* Señalar tarea [a uno]. – 2 *prnl.* Entregarse mucho al trabajo: *atarearse a escribir; atarearse con,* o *en, los negocios.*

atarjea *f.* Caja de ladrillo con que se protegen las cañerías. 2 Conducto por donde las aguas de la casa van al sumidero.

atarugar *tr.* Asegurar el carpintero [un ensamblado] con tarugos o clavijas. 2 Tapar [con tarugos los agujeros de los recipientes]. 3 Atestar (henchir). – 4 *tr.-prnl.* fig. Hacer callar [a uno]. 5 Atracar (hartar). – 6 *prnl.* fig. Atragantarse. ◇ ** CONJUG. [7] como *llegar.*

atascadero *m.* Terreno donde se atascan los carruajes o las personas. 2 fig. Impedimento, estorbo.

atascar *tr.* fig. Poner embarazo [en un negocio o dependencia]. – 2 *tr.-prnl.* Obstruir [un conducto]: *atascarse una cañería.* – 3 *prnl.* Quedarse detenido en un terreno cenagoso. 4 fig. Quedarse detenido por cualquier obstáculo; esp., quedarse detenido en un discurso sin poder proseguir. ◇ ** CONJUG. [1] como *sacar.*

atasco *m.* Impedimento que no permite el paso. 2 Obstrucción de un conducto. 3 Congestión de vehículos. 4 Dificultad que retrasa la marcha de un asunto.

ataúd *m.* Caja en que se lleva a enterrar un cadáver.

ataujía *f.* Obra moruna de taracea de metales finos y esmaltes. 2 fig. Labor primorosa, o de difícil combinación o engarce.

ataurique *m.* Decoración de tipo vegetal en la arquitectura islámica.

ataviar *tr.-prnl.* Componer, adornar: *ataviarse con,* o *de, lo ajeno.* ◇ ** CONJUG. [13] como *desviar.*

atávico, -ca *adj.* Relativo al atavismo.

atavío *m.* Compostura y adorno. 2 fig. Vestido. – 3 *m. pl.* Objetos para adorno.

atavismo *m.* Fenómeno de herencia discontinua, por el cual un descendiente presenta caracteres de un antepasado que no se ofrecen en las generaciones intermedias. 2 fig. Tendencia a imitar o a mantener formas de vida, costumbres, etc., arcaicas.

atediar *tr.* Causar tedio [a uno]. ◇ ** CONJUG. [12] como *cambiar.*

ateísmo *m.* Doctrina que niega la existencia de Dios.

atemorizar *tr.* Causar temor [a uno]: *atemorizarse de,* o *por, algo.* ◇ ** CONJUG. [4] como *realizar.*

atemperar *tr.* Moderar, templar. 2 Acomodar [una cosa] a otra.

atenazar *tr.* Arrancar con tenazas pedazos de carne [a uno]. 2 Sujetar fuertemente. 3 Afligir cruelmente [a alguien]: *me atenazan los recuerdos.* ◇ ** CONJUG. [4] como *realizar.*

atención *f.* Aplicación del entendimiento a un objeto. 2 Demostración de respeto u obsequio, cortesía.

atender *intr.-tr.* Aplicar el entendimiento [a un objeto]: ~ *a la voz del maestro; atienden mi voz; es preciso* ~. 2 Cuidar [de una persona o cosa]: *atienda usted a su negocio;* ~ *a un enfermo.* 3 Tener en cuenta alguna cosa: ~ *a las señas que le dan;* ~ *a las circunstancias.* 4 Dar acogida favorable [a una súplica, deseo, etc.]. ◇ ** CONJUG. [28] como *entender.*

atendido, -da *adj. Amér. Merid.* y *Méj.* Atento, considerado.

ateneo *m.* Asociación, especialmente científica o literaria. 2 Local en donde se reúne.

atenerse *prnl.* Acogerse a la protección de una persona o cosa: ~ *a lo mejor.* 2 Ajustarse uno en sus acciones a alguna cosa: ~ *a una orden.* ◇ ** CONJUG. [87] como *tener.*

ateniense *adj.-s.* De Atenas, ciudad de Grecia.

atentado *m.* Agresión al Estado o a una persona constituida en autoridad; desacato grave a los mismos. 2 Agresión contra la vida o la integridad física o moral de una persona. 3 Acción contraria a un principio u orden que se considera recto.

atentar *tr.-intr.* Ejecutar [una cosa] con infracción de lo dispuesto. 2 Cometer atentado: ~ *contra la vida de su amigo;* ~ *a su honor; no quiso* ~ *la menor cosa contra el rey.* ◇ ** CONJUG. [27] como *acertar.*

atento, -ta *adj.* Que tiene fija la atención en alguna cosa. 2 Cortés, comedido.

atenuar *tr.* Poner tenue o delgada [una cosa]. 2 fig. Minorar: ~ *la gravedad de un delito.* ◇ ** CONJUG. [11] como *actuar.*

ateo, -a *adj.* Relativo al ateísmo: *doctrina atea.* – 2 *adj.-s.* [pers.] Que niega la existencia de Dios.

ateperetarse *prnl. Amér. Central.* Atolondrarse, obrar sin tino.

aterirse *prnl.* Pasmarse de frío. ◇ Verbo defectivo; se usa sólo en el infinitivo y participio.

atérmico, -ca *adj.* FÍS. Que difícilmente da paso al calor.

aterramiento *m.* Aumento del depósito de tierras, limo o arena por acarreo natural o voluntario.

I) aterrar *tr.* Derribar, echar [una cosa] al suelo. 2 Cubrir [una cosa] con tierra. ◇ ** CONJUG. [27] como *acertar.*

II) aterrar *tr.-prnl.* Causar o sentir terror: ~ *al enemigo; aterrarse del ruido.*

aterrizaje *m.* Toma de tierra de un avión: ~ *forzoso.*

aterrizar *intr.* Tomar tierra un avión, efectuada la maniobra de descenso. 2 fig. Llegar [a un lugar o destino]: *Juan aterrizó por mi casa a las diez.* ◇ ** CONJUG. [4] como *realizar.*

aterrorizar *tr.-prnl.* Aterrar. ◇ ** CONJUG. [4] como *realizar.*

atesorar *tr.* Reunir y guardar [dinero o cosas de valor]. 2 fig. Tener [virtudes, perfecciones, gracias, etc.].

atestación *f.* Deposición de testigo o de persona que afirma alguna cosa.

atestado *m.* Documento oficial en que se hace constar como cierta alguna cosa.

I) atestar *tr.* Meter o colocar excesivo número de personas o cosas en un lugar. ◇ ** CONJUG. [27] como *acertar* . Suele usarse también como regular.

II) atestar *tr.* DER. Testificar (atestiguar).

atestiguar *tr.* Afirmar como testigo [una cosa]: ~ *con otro;* ~ *de oídas.* 2 Ofrecer indicios ciertos de alguna cosa cuya existencia no estaba establecida u ofrecía duda. ◇ ** CONJUG. [22] como *averiguar.*

atezado, -da *adj.* Que tiene la piel tostada y obscurecida por el Sol. 2 De color negro.

atiborrar *tr.* fig. Atestar de algo un lugar, especialmente de cosas inútiles. – 2 *tr.-prnl.* Llenar la cabeza de lecturas, ideas, etc. – 3 *prnl.* fig. Atracarse (hartarse).

atiburnar *tr. Amér. Central.* Atiborrar.

atiburrar *tr.-prnl. Amér. Central* y *Colomb.* Atiborrar, hartar.

ático, -ca *adj.-s.* De Ática o de Atenas, región y nomarquía del este de Grecia, y capital de esta nación, respectivamente. – 2 *adj.-m.* Dialecto del griego, hablado antiguamente en Ática. – 3 *m.* Último piso de un edificio que cubre el arranque de las techumbres: ~ *de un **teatro*. 4 ARQ. Cuerpo que se coloca por ornato sobre la cornisa de un edificio; **romano.

atildado, -da *adj.* Pulcro, elegante.

atildar *tr.* Poner tildes [a las letras]. 2 fig. Censurar. – 3 *tr.-prnl.* fig. Componer, asear con esmero minucioso.

atilintar *tr. Amér. Central.* Tensar [una cuerda].

atinar *intr.* Hallar por conjetura o por casualidad lo que se busca : ~ *con la casa;* **tr.,** ~ *el camino.* 2 fig. Acertar una cosa por conjeturas: ~ *a la verdad;* ~ *en el punto de la dificultad;* ~ *cómo será una cosa.*

atingencia *f. Amér.* Conexión, relación.

atípico, -ca *adj.* Que por sus caracteres se aparta de los tipos conocidos.

atiplado, -da *adj.* [voz o sonido] Agudo, en tono elevado.

atipujarse *prnl. Amér. Central* y *Méj.* Hartarse.

atirantar *tr.* Poner tirante [una cosa].

atisbar *tr.* Mirar, observar recatadamente.

atisbo *m.* Indicio, sospecha, vislumbre.

¡atiza! Interjección con que se denota admiración o sorpresa.

atizador, -ra *adj.-s.* Que atiza. – 2 *m.* Instrumento para atizar la lumbre.

atizar *tr.* Remover [el fuego], o añadirle combustible. 2 fig. Avivar [pasiones o discordias]. 3 irón. Dar, con sentido intensivo: ~ *un puntapié.* ◇ ** CONJUG. [4] como *realizar.*

atlante *m.* ARQ. Estatua de hombre que sirve como columna.

atlántico, -ca *adj.* Relativo al monte Atlas. – 2 *adj.-s.* Perteneciente o relativo al océano Atlántico, o a los territorios que baña.

atlantismo *m.* Política tendente a realizar la presencia en Europa de la Organización del Tratado del Atlántico Norte (OTAN).

atlantista *adj.* Perteneciente o relativo a la Organización del Tratado del Atlántico Norte (OTAN). – 2 *com.* Partidario del atlantismo.

atlas *m.* Colección de mapas geográficos en uno o varios volúmenes. 2 Primera vértebra de la columna vertebral que se articula inmediatamente con el cráneo. ◇ Pl.: *atlas.*

atleta *com.* Persona que practica el atletismo. 2 fig. *m.* Hombre muy robusto y fuerte.

atlético, -ca *adj.* Relativo al atleta. 2 [constitución física] Que se caracteriza por un mayor desarrollo del sistema muscular.

atletismo *m.* Conjunto de prácticas deportivas basadas en la reproducción competitiva de movimientos básicos. 2 Doctrina acerca de ellos.

atmólisis *f.* FÍS. y QUÍM. Método de separación de dos gases haciéndolos pasar a través de un tabique poroso.

atmología *f.* Tratado de la evaporación de los cuerpos gaseosos.

atmósfera *f.* Masa de aire que rodea la Tierra. 2 Masa gaseosa que rodea un astro cualquiera. 3 fig. Espacio a que se extienden las influencias de una persona o cosa. 4 Prevención favorable o adversa a una persona o cosa. 5 Unidad de presión ejercida sobre una unidad de superficie por una columna de mercurio de 760 mms. ◇ También se pronuncia y escribe *atmosfera,* de acuerdo con la etimología del vocablo.

atol *m. C. Rica, Cuba, Guat., Nicar.* y *Venez.* Atole (bebida).

atole *m.* Bebida que se hace, en Méjico y otras partes de América, con maíz cocido, molido, desleído en agua, quitadas las partes gruesas en un cedazo y hervido hasta darle alguna consistencia.

atolería *f. Amér.* Lugar donde se vende atole.

atolón *m.* Isla de coral formada por un arrecife que rodea a una laguna.

atolondrado, -da *adj.* Aturdido.

atolondramiento *m.* Aturdimiento, falta de serenidad.

atolondrar *tr.-prnl.* Aturdir (aturdimiento).

atolladero *m.* Atascadero en lugar cenagoso. 2 Situación de difícil salida: *estar en un ~.*

atomicidad *f.* Valencia de un átomo o radical. 2 Número de átomos que constituyen la molécula de un cuerpo dado.

atómico, -ca *adj.* Relativo al átomo. 2 [teoría química] Que explica la formación de los cuerpos por los átomos que los componen. 3 Relativo a la desintegración del átomo. 4 [energía] Que procede de la desintegración del átomo. 5 Relacionado con la energía atómica o sus efectos. 6 Que posee armas atómicas: *se reunieron los países atómicos.* – 7 *adj.-m.* MAT. V. número ~.

atomismo *m.* Doctrina que explica la formación del mundo por el concurso fortuito de los átomos. 2 Teoría atómica.

atomista *com.* Partidario del atomismo. 2 Investigador de física atómica.

atomístico, -ca *adj.* Relativo al atomismo. – 2 *f.* Ciencia que estudia los átomos y su constitución.

atomización *f.* Dispersión, fraccionamiento.

atomizador *m.* Aparato pulverizador.

atomizar *tr.* Dividir en partes sumamente pequeñas. 2 Hacer sufrir los efectos de las radiaciones o explosiones atómicas. 3 Destruir mediante armas atómicas. 4 fig. Aniquilar, anular, destruir. – 5 **prnl.** Dispersarse, desperdigarse. ◇ ** CONJUG. [4] como *realizar.*

átomo *m.* Partícula de un cuerpo simple más pequeña, capaz de entrar en las reacciones químicas. 2 Partícula muy pequeña de una cosa. 3 fig. Cosa muy pequeña.

atonal *adj.* MÚS. [composición] En que no existe una tonalidad bien definida.

atonía *f.* Falta de energía. 2 Debilidad de los tejidos orgánicos, especialmente de los contráctiles.

atónito, -ta *adj.* Pasmado de un objeto o suceso raro: ~ *con, de, o por, la desgracia.*

átono, -na *adj.* GRAM. Que carece de acento prosódico: *palabra, sílaba, vocal átona.* 2 Sin fuerza.

atontadamente *adv. m.* Indiscreta o neciamente.

atontado, -da *adj.* [pers.] Tonto, que no sabe cómo conducirse.

atontar *tr.* Aturdir. 2 Volver o volverse tonto.

atontolinado, -da *adj.* fam. Atontado.

atorar *tr.* Atascar, obstruir. – 2 **prnl.** Atragantarse.

atormentar *tr.* Causar dolor: *la gota me atormenta; atormentarse con un cilicio.* 2 fig. Causar aflicción o enfado. 3 Dar tormento [al reo].

atornillar *tr.* Introducir [un tornillo] haciéndolo girar alrededor de su eje. 2 Sujetar [una cosa] con tornillos. – 3 **tr.-prnl.** Mantener obstinadamente [a alguien en un sitio, cargo, trabajo, etc.]. 4 Presionar, obligar a una conducta. – 5 **tr.** *Amér.* fig. Molestar, atosigar [a alguien].

atorradero *m. Amér. Merid.* Sitio donde pernocta el atorrante.

atorrante *adj.-s. Amér. Merid.* Vagabundo, holgazán, haragán.

atortojar *tr. Amér.* Turbar, atortolar.

atosigar *tr.* Emponzoñar, envenenar. 2 fig. Fatigar u oprimir [a uno] dándole prisa para que haga algo. 3 Inquietar, acuciar con exigencias o preocupaciones. ◇ ** CONJUG. [7] como *llegar.*

atrabiliario, -ria *adj.-s.* De genio destemplado; malhumorado.

atracadero *m.* Paraje donde pueden atracar las embarcaciones menores.

atracador, -ra *m. f.* Persona que atraca para robar.

atracar *intr.* MAR. Arrimarse una embarcación a tierra o a otra embarcación: ~ *al navío.* – 2 **tr.** Asaltar con armas para robar. – 3 **prnl.** Hartarse. ◇ ** CONJUG. [1] como *sacar.*

atracción *f.* Cosa que atrae. 2 FÍS. Fuerza que atrae: ~ o ***gravitación universal,*** aquella por la cual todos los cuerpos de la naturaleza se atraen recíprocamente y cuya magnitud está en razón directa con el producto de sus masas e inversa con el cuadrado de las distan-

cias; ~ ***molecular,*** la que ejercen entre sí las moléculas de los cuerpos. – 3 *f. pl.* Espectáculos o diversiones de variedades: *parque de atracciones.*

atraco *m.* Robo.

atracón *m. Amér.* Pelea, contienda.

atractivo, -va *adj.* Que atrae. 2 Que gana o inclina la voluntad. – 3 *m.* Cualidad física o moral de una persona que atrae la voluntad.

atraer *tr.* Traer hacia sí [una cosa]: *el imán atrae el hierro;* hacer venir [a otro] al lugar en que uno se halla, o en que pasa algo : ~ *a los forasteros.* 2 fig. Captar la voluntad de una persona: ~ *los corazones con promesas.* ◇ ** CONJUG. [8] como *traer.*

atrafagar *intr.-prnl.* Fatigarse o afanarse. ◇ ** CONJUG. [7] como *llegar.*

atragantar *tr.* Tragar con dificultad. – 2 **prnl.** No poder tragar algo que se atraviesa en la garganta: *atragantarse con una espina.* 3 fig. Turbarse en la conversación. 4 fig. Causar fastidio o enfado.

atraillar *tr.* Atar [los perros] con traílla. 2 fig. Dominar o sujetar. ◇ ** CONJUG. [15] como *aislar.*

atrancar *tr.-prnl.* Asegurar [la puerta o ventana] con una tranca; p. ext., cerrar fuertemente. 2 Atascar (obstruir). ◇ ** CONJUG. [1] como *sacar.*

atrapamoscas *f.* Dionea; drósera. ◇ Pl.: *atrapamoscas.*

atrapar *tr.* Coger [al que huye]; en gral., coger [una cosa] con maña o astucia. 2 Conseguir [una cosa] de provecho. 3 Engañar, atraer [a uno] con maña. 4 DEP. Detener [el portero] el balón, la pelota, la bola, etc.

atraque *m.* Acción de atracar una embarcación. 2 Muelle donde se atraca.

atrás *adv. l.* Hacia la parte que está a las espaldas de uno: *dar un paso ~;* fig., *volver ~ en la virtud.* 2 Detrás: *quedarse ~; dejar la gente ~.* 3 p. anal. Denota tiempo pasado: *días ~; tenía de ~ aquel cargo;* fig., *volver los ojos ~.* 4 Aplicado al hilo del discurso, anteriormente.

atrasado, -da *adj.-s.* Que adolece de debilidad mental.

atrasar *tr.-prnl.* Retardar. – 2 **tr.** Hacer que retrocedan o anden con menos velocidad las agujas [del reloj]. – 3 **intr.** Señalar el reloj un tiempo que ya ha pasado o no marchar con la debida velocidad. – 4 **prnl.** Llegar tarde a un sitio. 5 Quedarse atrás.

atraso *m.* Falta de desarrollo. – 2 *m. pl.* Pagas o rentas vencidas y no cobradas.

atravesado, -da *adj.* Que es algo bizco. 2 [animal] Cruzado o híbrido. 3 fig. De alma ruin o mala intención.

atravesar *tr.* Poner [una cosa] de una parte a otra para impedir el paso: ~ *un madero en una calle;* en gral., poner [una cosa] delante para que impida el paso o haga caer : ~ *el* *caballo.* 2 Pasar un objeto [sobre otro]; hallarse puesto [sobre él] oblicuamente: *una faja le atraviesa el pecho.* 3 Pasar cruzando de una parte a otra: ~ *la plaza, el monte.* 4 Pasar [un cuerpo] penetrándolo de parte a parte: ~ *con la espada.* – 5 *prnl.* Ponerse una cosa entremedio de otras: *atravesarse el mar.* 6 fig. Mezclarse en algún empeño o lance de otro; esp., interrumpir la conversación mezclándose en ella. 7 No poder sufrir a una persona. 8 Ocurrir alguna cosa que altera el curso de otra: *atravesarse los chismes.* ◇ ** CONJUG. [27] como *acertar.*

atrayente *adj.* Que atrae.

atrenzo *tr. Amér.* Conflicto, apuro, dificultad.

atreverse *prnl.* Determinarse a algo arriesgado: *atreverse a cosas grandes.* 2 Insolentarse, descararse: *atreverse con,* o *contra, todos.*

atrevido, -da *adj.-s.* Que se atreve: *los niños son muy atrevidos.* – 2 *adj.* Hecho o dicho con atrevimiento: *chiste ~.*

atrevimiento *m.* Acción de atreverse. 2 Efecto de atreverse.

atrezo *m.* En el teatro, conjunto de enseres que se emplean en escena.

atribución *f.* Facultad que una persona tiene por razón de su cargo.

atribuir *tr.-prnl.* Aplicar por conjetura [hechos o cualidades] a alguna persona o cosa: ~ *un libro a un autor; atribuirse una virtud.* – 2 *tr.* Achacar, imputar: ~ *a cobardía una acción.* 3 Asignar [una cosa] a alguno como de su competencia: ~ *unas funciones a un consejo.* ◇ ** CONJUG. [62] como *huir.*

atribular *tr.* Causar tribulación. – 2 *prnl.* Padecerla.

atributivo, -va *adj.* Que indica un atributo o cualidad. 2 GRAM. *Oración atributiva,* la del verbo substantivo.

atributo *m.* Propiedad de un ser. 2 Objeto real o convencional de contenido simbólico, que sirve para hacer reconocer a un personaje de una obra artística. 3 Insignias, condecoraciones, trajes, etc., propios de un cargo o autoridad. 4 GRAM. Palabra o frase que se adjunta a un substantivo para calificarlo o especificarlo. Es función esencial de los adjetivos y sus equivalentes.

atrición *f.* Dolor de haber ofendido a Dios por vergüenza del pecado y miedo del castigo eterno. ◇ INCOR.: *atricción.*

atril *m.* Mueble para sostener **libros o papeles abiertos.

atrincheramiento *m.* Conjunto de trincheras.

atrincherar *tr.* MIL. Fortificar [una posición] con atrincheramientos. – 2 *prnl.* Ponerse en trincheras a cubierto del enemigo: *atrincherarse con una tapia; atrincherarse en un repecho.* 3 fig. Obstinarse, aferrarse.

atrio *m.* Patio interior, generalmente cercado de pórticos; **basílica. 2 Espacio cubierto que sirve de acceso a algunos templos o palacios; **romano.

atrípedo, -da *adj.* [animal] Que tiene negros los pies.

atrirrostro, -tra *adj.* [ave] Que tiene negro el pico.

atrocidad *f.* Crueldad grande. 2 Dicho o hecho muy necio o temerario.

atrofia *f.* Disminución del volumen y vitalidad de un órgano o ser por defecto de nutrición. 2 Detención fortuita en el desarrollo de un órgano.

atrofiar *prnl.* Padecer atrofia. – 2 *tr.* Producir atrofia. ◇ ** CONJUG. [12] como *cambiar.*

atronado, -da *adj.* Que obra precipitadamente.

atronador, -ra *adj.* Que ensordece.

atronadura *f.* Hendedura en la madera que penetra en lo interior del tronco del árbol.

atronamiento *m.* Aturdimiento causado por algún golpe.

atronar *tr.* Asordar [a uno] con ruido. 2 Aturdir (aturdimiento); esp., dejar sin sentido [a una res] con un golpe de porra. ◇ ** CONJUG. [31] como *contar.*

atropellado, -da *adj.* Que habla u obra con precipitación.

atropellar *tr.* Pasar precipitadamente por encima [de uno]. 2 Derribar o empujar [a uno] para abrirse paso: ~ *a los que se acercan;* dícese también de las cosas: ~ *las puertas.* 3 Alcanzar violentamente un vehículo a personas o animales, chocando con ellos. 4 fig. Hacer [una cosa] precipitadamente: ~ *una comedia.* 5 Agraviar [a uno] abusando de la fuerza o poder que se tiene: ~ *al pobre;* esp., ultrajar [a uno] de palabra sin darle lugar de hablar: *le atropelló con injurias y amenazas.* 6 fig. Proceder sin miramiento [a leyes o respetos]: ~ *todas las obligaciones.* 7 fig. Oprimir o abatir [a uno] el tiempo, los achaques o las desgracias. – 8 *prnl.* fig. Apresurarse demasiado en las obras o palabras.

atropina *f.* Alcaloide venenoso, usado en medicina; se extrae de la belladona y otras solanáceas.

atroz *adj.* Fiero, inhumano. 2 Enorme, grave. 3 fam. Muy grande. 4 fam. Horrendo, enojoso.

atuendo *m.* Aparato, ostentación. 2 Atavío, vestido.

atufar *tr.-prnl.* fig. Enfadar, enojar [a uno]: *atufarse con, de,* o *por, poco.* – 2 *prnl.* Recibir o tomar tufo: *esta vianda se atufa.* 3 Agriarse los licores, especialmente el vino. 4 Oler mal. 5 Sufrir mareo por causa del olor o del humo.

atufo *m.* Enfado, enojo.

atujar *tr. Amér. Central.* Azuzar (a los perros).

atular *tr. Amér. Central.* Azuzar.

atún *m.* Pez marino teleósteo perciforme, comestible, de dos a tres metros de largo, negro azulado por el dorso y blanquecino por el vientre *(Thunnus thynnus).*

atunero, -ra *adj.-m.* Barco acondicionado para la pesca del atún. – 2 *m. f.* Persona que tiene por oficio comerciar en atún. – 3 *m.* Pescador de atún.

aturdido, -da *adj.* Que procede sin reflexión.

aturdimiento *m.* Perturbación física debida a un golpe, ruido, etc. 2 fig. Perturbación moral causada por una desgracia, mala noticia, etc. 3 Falta de serenidad y reflexión.

aturdir *intr.* Causar aturdimiento. 2 fig. Desconcertar, pasmar.

aturrado, -da *adj. Amér. Central.* Tullido, entumido. 2 *Amér. Central.* Arrugado, rugoso.

aturrullar *tr.-prnl.* Turbar [a uno] dejándole sin saber qué decir o hacer.

atusar *tr.* Recortar o igualar [el pelo]; esp., alisar [el pelo] con la mano o el peine mojados. 2 Igualar los jardineros [el follaje de ciertas plantas]. – 3 *prnl.* fig. Adornarse con afectación y prolijidad. – 4 *tr. Amér.* Cortar o igualar la crin [a las bestias].

atutía *f.* Mezcla de óxido de cinc y otros cuerpos que, en forma de costra dura, se adhiere a la chimenea en los hornos donde se tratan compuestos de cinc. 2 Ungüento medicinal hecho con esta mezcla. 3 fig. Remedio.

audacia *f.* Osadía, atrevimiento.

audaz *adj.* Osado, atrevido.

audible *adj.* Oíble.

audición *f.* Función del sentido auditivo. 2 Concierto, recital o lectura en público: ~ *de cantos populares.* 3 Prueba que se hace a un artista.

audiencia *f.* Acto de oír los soberanos u otras autoridades a las personas que acuden a ellos: *dar* ~; *obtener* ~. 2 Acto de oír a una parte en un pleito. 3 Tribunal de justicia que entiende en los pleitos o causas de determinado territorio. 4 Distrito de su jurisdicción y edificio en que se reúne. 5 Público, auditorio, concurrencia; conjunto de radioyentes o telespectadores.

audífono *m.* Aparato usado por los sordos para oír mejor los sonidos.

audímetro *m.* Aparato que, acoplado a un receptor de radio o de televisión, permite medir la audiencia de los programas emitidos.

audiograma *m.* Grafía que representa la variación de agudeza del oído a distintas frecuencias.

audiometría *f.* Medida de la sensibilidad de los órganos del oído en las diferentes frecuencias del sonido.

audiómetro *m.* Instrumento que mide la agudeza auditiva.

audiovisual *adj.* [método de enseñanza] Basado en la utilización del oído y de la vista.

auditar *tr.* Ejercer la censura de cuentas.

auditivo, -va *adj.* Que tiene virtud para oír. 2 Relativo al órgano del oído.

auditor *m.* Revisor o inspector de cuentas.

auditoría *f.* Empleo de auditor. 2 Tribunal o despacho del auditor. 3 Proceso que recurre al examen de libros, cuentas y registros de una empresa para precisar si es correcto el estado financiero de la misma, y si los comprobantes están debidamente presentados.

auditorio *m.* Concurso de oyentes. 2 Local de gran capacidad destinado a reuniones y espectáculos públicos. 3 Parte del **teatro** destinada al público.

auditórium *m.* Auditorio (local).

auge *m.* Elevación grande en dignidad, fortuna, poder, etc.

augita *f.* Piroxeno que se presenta en cristales monoclínicos de color verde obscuro o negro.

augur *m.* Sacerdote que en la ant. Roma practicaba la auguración. 2 p. ext. Persona que vaticina o adivina.

auguración *f.* Arte supersticiosa de adivinar por el vuelo y el canto de las aves.

augurar *tr.* Agorar, predecir.

augurio *m.* Agüero.

augusto, -ta *adj.* Que infunde respeto y veneración por su majestad y excelencia.

aula *f.* Sala donde se imparten cursos o clases en un centro docente: ~ *magna,* la más grande e importante, generalmente destinada a actos solemnes. ◇ Para evitar la cacofonía, utiliza la forma masculina del artículo: *el aula,* pero no la del demostrativo: *esta aula.*

aulaga *f.* Tojo (arbusto).

aulagar *m.* Terreno poblado de aulagas.

aulario *m.* Conjunto de aulas de un centro de enseñanza. 2 Edificio destinado a aulas en un centro de enseñanza.

áulico, -ca *adj.-s.* [pers.] Relativo a la corte o al palacio.

aulladero *m.* Lugar donde se juntan y aúllan los lobos.

aullador, -ra *adj.* Que aúlla. – 2 *m.* Primate platirrino de aspecto estilizado y cola muy larga, que presenta una cavidad resonadora en el hioides *(Alouatta seniculus).*

aullar *intr.* Dar aullidos. ◇ ** CONJUG. [16] como *aunar.*

aullido, aúllo *m.* Voz triste y prolongada del lobo, el perro y otros animales.

aumentar *tr.* Dar mayor extensión, número o materia [a una cosa]: ~ *el sueldo a los empleados; el precio de las subsistencias aumenta.* 2 Adelantar o mejorar en coveniencias, empleos o riquezas.

aumentativo, -va *adj.-m.* GRAM. Sufijo que aumenta la significación del vocablo al que se une, bien sea en tamaño, bien en intensidad, bien en estimación por parte del que habla. A veces el aumento envuelve desestimación o menosprecio. – 2 *m.* GRAM. Palabra formada con dicho sufijo. ◇ V. diminutivos y despectivos.

aumento *m.* Cantidad que se aumenta. 2 Adelantamiento o medro en conveniencias o empleos: *los aumentos del negocio.* 3 En los instrumentos ópticos, amplificación de la imagen.

aun *adv. m.* Con el significado de *hasta, también, inclusive* (o *siquiera,* con negación), denota la idea de encarecimiento o ponderación: *te daré cien duros y ~ doscientos si quieres; no tengo yo tanto ni ~ la mitad.* – 2 **loc. conj. conces.** ~ *cuando,* aunque; **acentuación. ◇ El mismo sentido concesivo se obtiene con gerundio o participio: *aun llegando tarde, le recibieron bien; escarmentado volvía a las andadas.*

aún *adv. t.* Todavía. 2 Puede usarse en correlación con *cuando:* ~ *no había andado media legua, cuando le deparó la suerte un encuentro feliz;* **acentuación.

aunar *tr.-prnl.* Unir, confederar para algún fin: ~ *los esfuerzos; aunarse para lograr el poder; aunarse con otro.* 2 Poner juntas o armonizar varias cosas. ◇ ** CONJUG. [16].

aunque *conj. conces.* Introduce una objeción real o posible a pesar de la cual puede ser, ocurrir o hacerse una cosa: ~ *estoy malo, no faltaré a la cita;* ~ *severo, es justo.* 2 Puede usarse en correlación con adverbios como *todavía, con todo, donde, entonces,* etc., y alguna vez con *pero, empero y mas:* ~ *muchos refranes no vienen a propósito, todavía dan gusto;* ~ *tienen mal aspecto, son, empero, muy dulces.* 3 Hace algunas veces el oficio de conjunción coordinante adversativa: *no traigo nada de eso,* ~ *traigo otras cosas.* – 4 **loc. conj.** ~ *más,* por mucho que: *pero* ~ *más tendimos la vista, ni poblado ni persona, ni camino descubrimos.* ◇ Vulgarismo: *aunqué.*

¡aúpa! Interjección con que se denota ánimo para levantar [algo] o levantarse.

aupar *tr.* Levantar o subir [a una persona]. 2 fig. Ensalzar, enaltecer. ◇ ** CONJUG. [16] como *aunar.*

I) aura *f.* lit. Viento suave y apacible. 2 fig. Aplauso, aceptación general. 3 Hálito, aliento, soplo. 4 fig. Atmósfera inmaterial que rodea a ciertos seres. ◇ Para evitar la cacofonía, utiliza la forma masculina del artículo: *el aura,* pero no la del demostrativo: *esta aura*

II) aura *f.* Ave rapaz falconiforme diurna de América, de unos 80 cms. de longitud, con la cabeza desnuda en la parte anterior y los tarsos cortos *(Cathartes aura).* ◇ Para evitar la cacofonía, utiliza la forma masculina del artículo: *el aura,* pero no la del demostrativo: *esta aura.*

áureo, -a *adj.* lit. De oro o parecido al oro.

aureola, auréola *f.* Círculo luminoso que suele figurarse detrás de las cabezas de las imágenes santas. 2 fig. Gloria que alcanza una persona por sus méritos o virtudes. 3 Corona que en los eclipses de Sol rodea el disco lunar. 4 Mancha en forma de círculo.

aureolar *tr.* Adornar como con aureola. 2 fig. Glorificar.

aureomicina *f.* Antibiótico que se emplea contra las infecciones pulmonares y como factor de crecimiento. Se extrae de un hongo.

áurico, -ca *adj.* De oro: *cloruro ~.*

aurícula *f.* Oreja (repliegue). 2 Cavidad cardíaca, situada sobre cada uno de los ventrículos, que recibe la sangre de las venas; **circulación.

auricular *adj.* Relativo al oído. 2 Relativo a la aurícula del corazón. – 3 *adj.-m.* Dedo auricular o meñique; **mano. – 4 *m.* En los aparatos telefónicos, dispositivo que se aplica al oído.

aurífero, -ra *adj.* Que lleva o contiene oro.

auriga *m.* poét. Cochero.

aurora *f.* Luz sonrosada que precede inmediatamente a la salida del sol: *despuntar* o *romper la ~,* empezar a amanecer. 2 fig. Canto religioso que se entona al amanecer, antes del rosario, y con el que se da comienzo a la celebración de una festividad de la Iglesia. 3 fig. Principio o primeros tiempos de una cosa. 4 ~ *polar,* **austral** o **boreal,** meteoro luminoso, probablemente de origen eléctrico, visible sólo de noche, que aparece frecuentemente en las regiones árticas y antárticas. 5 Mariposa diurna de color blanco con una extensa área apical de color anaranjado en la cara superior de las alas anteriores, ausente en la hembra *(Anthocharis cardamines).* 6 Planta malvácea anual de hojas enteras o divididas en lóbulos y flores solitarias de color amarillo y con venas purpúreas *(Hibiscus trionum).*

auscultar *tr.* MED. Escuchar, aplicando el oído inmediatamente, o por medio de instrumentos adecuados, los sonidos que se producen en el cuerpo, especialmente en el pecho y en el abdomen. 2 fig. Sondear [el pensamiento de otras personas, el estado de un negocio, la disposición ajena ante un asunto, etc.].

ausencia *f.* Tiempo en que alguno está ausente. 2 Falta o privación de alguna cosa.

ausentar *tr.* Hacer que [uno] se aleje de un lugar. 2 fig. Hacer desaparecer [alguna cosa]. – 3 *prnl.* Alejarse uno, especialmente de la población donde reside.

ausente *adj.-s.* Que está separado de alguna persona o lugar, especialmente de la población en que reside. 2 fig. Distraído, ensimismado.

auspiciar *tr.* Predecir por la observación de

las aves. 2 Proteger, patrocinar. ◇ ** CONJUG. [12] como *cambiar.*

auspicio *m.* Agüero. 2 Protección, favor. – 3 *m. pl.* Señales que en un negocio presagian su resultado. ◇ INCOR.: *bajo tales auspicios,* por *con tales auspicios.*

austeridad *f.* Calidad de austero. 2 Práctica austera.

austero, -ra *adj.* Que obra y vive con rigidez y severidad. 2 Retirado, mortificado, penitente: *llevar una vida austera.* 3 Sobrio, morigerado, sencillo, sin ninguna clase de alardes. 4 Tratándose de cosas, sin adornos ni superfluidades: *una cosa austera; mobiliario ~.*

austral *adj.* Relativo al austro, y, en general, al polo y al hemisferio sur. – 2 *m.* Unidad monetaria de Argentina.

australiano, -na *adj.-s.* De Australia, nación de Oceanía.

australopiteco *m.* Antropomorfo fósil de África del sur, que vivió hace más de un millón de años *(Australopithecus).*

austriaco, -ca, austríaco, -ca *adj.-s.* De Austria, nación del centro de Europa.

austro *m.* Sur (punto cardinal y viento).

I) autarquía *f.* Organización económica que permite a un estado liberarse de las importaciones.

II) autarquía *f.* Autocracia.

I) autárquico, -ca *adj.* Que se basta a sí mismo.

II) autárquico, -ca *adj.* Autocrático.

autenticidad *f.* Calidad de auténtico.

auténtico, -ca *adj.* Acreditado de cierto y positivo. 2 Autorizado o legalizado; que hace fe pública. – 3 *f.* Certificación con que se testifica la identidad y verdad de alguna cosa. 4 Copia autorizada de alguna orden, carta, etc.

autentificar *tr.* Autorizar o legalizar [una cosa]. 2 Dar fama, acreditar. 3 Dar fe de la verdad de un hecho o documento con autoridad legal. ◇ ** CONJUG. [1] como *sacar.*

autentizar *tr.* Autentificar. ◇ ** CONJUG. [4] como *realizar.*

autillo *m.* Ave rapaz estrigiforme, de tamaño y cabeza pequeños, color pardo grisáceo marmóreo, y canto monótono muy característico *(Otus scops).*

autismo *m.* Pérdida de contacto con el mundo exterior y la realidad, y repliegue de la persona sobre sí misma. Es una manifestación precoz de esquizofrenia.

autista *adj.-com.* Individuo afecto de autismo.

I) auto *m.* DER. Forma de resolución judicial, fundada, que decide cuestiones para las que no se requiere sentencia. 2 ~ *de fe,* castigo público de los condenados por el tribunal de la Inquisición. 3 Composición dramática en que generalmente intervienen personajes bíblicos o alegóricos: ~ *sacramental,* el

escrito en loor del misterio de la Eucaristía. – 4 *m. pl.* Conjunto de las actuaciones o piezas de un procedimiento judicial: *constar en autos,* hallarse probada en ellos alguna cosa.

II) auto *m.* Forma abreviada de *automóvil.*

autoadhesivo, -va *adj.-s.* Que tiene la propiedad de adherirse por simple contacto o ligera presión.

autobiografía *f.* Vida de una persona escrita por ella misma.

autobombo *m.* fest. Elogio desmesurado y público que hace uno de sí mismo.

autobús *m.* Ómnibus automóvil. ◇ Pl.: *autobuses.*

autocar *m.* Autobús especialmente para el servicio de carretera. ◇ Pl.: *autocares.*

autocine *m.* Espacio o lugar al aire libre en el que se puede asistir a proyecciones cinematográficas sin salir del automóvil.

autoclave *adj.* Que se cierra por sí mismo. – 2 *f.* Aparato para la esterilización por vapor, bajo presión y a temperaturas elevadas. 3 QUÍM. Cámara utilizada para llevar a cabo reacciones a alta presión y temperatura.

autocontrol *m.* Capacidad de control sobre sí mismo. 2 Método pedagógico en el que el alumno se evalúa a sí mismo.

autocracia *f.* Forma de gobierno en la cual la voluntad de un solo individuo es la suprema ley.

autócrata *com.* Persona que ejerce autoridad ilimitada.

autocrático, -ca *adj.* Relativo al autócrata o a la autocracia.

autocrítica *f.* Crítica de una obra por su autor. 2 Breve noticia crítica de una obra teatral, escrita por el autor de ella para que se publique antes del estreno. 3 Crítica que alguien hace de sí mismo o de una sociedad a la cual pertenece.

autóctono, -na *adj.* Originario del mismo país en que vive.

autodeterminación *f.* Libre disposición de sus actos por parte de un pueblo o estado, sin coacción externa.

autodidacto, -ta *adj.-s.* Que se instruye por sí mismo. ◇ La forma *autodidacta* se emplea tanto en masculino como en femenino.

autodirección *f.* AERON. Procedimiento que permite a un avión sin piloto, cohete, etc., efectuar un vuelo dirigido sin la intervención de ningún operador.

autodominio *m.* Dominio sobre sí mismo.

autódromo *m.* Pista destinada a las carreras de automóviles.

autoescuela *f.* Escuela de conductores de automóvil.

autoestop *m.* Manera de viajar que consiste en parar un coche en la carretera para pedir que éste le desplace gratuitamente.

autofagia *f.* Nutrición de un organismo a expensas de su propia substancia.
autofinanciación *f.* Financiación de una empresa que se hace aplicando parte de los beneficios al acrecentamiento de la misma empresa.
autógeno, -na *adj.* Que se engendra a sí mismo.
autogestión *f.* Método de administración basado en la participación de todos.
autogiro *m.* Tipo de **avión que tiene las alas sustituidas por una hélice que gira alrededor de un eje vertical, lo que permite al aparato aterrizar casi verticalmente.
autogobierno *m.* Sistema de administración de los territorios que gozan de autonomía.
autógrafo, -fa *adj.-m.* Escrito de mano de su mismo autor. – 2 *m.* Firma de una persona famosa o notable.
autoinculpación *f.* Declaración voluntaria de haber cometido un delito que se desconocía.
autoinducción *f.* Producción de una corriente inducida en un circuito, por una variación de corriente en el mismo.
autolesión *f.* Acción de lesionarse a uno mismo.
autólisis *f.* Desintegración de las células debida a enzimas en un organismo muerto.
autómata *m.* Instrumento o aparato que encierra dentro de sí el mecanismo que le imprime determinados movimientos. 2 Máquina que imita la figura y los movimientos de un ser animado. 3 *fig.* Persona que se deja dirigir por otra.
automático, -ca *adj.* Relativo al autómata. 2 *fig.* Maquinal o indeliberado. 3 Que obra o se regula por sí mismo: *freno* ~. 4 Que se produce indefectiblemente en determinadas circunstancias: *cese* ~. 5 Inmediato. – 6 *m.* Botón a modo de corchete. – 7 *f.* Ciencia que estudia la automatización y sus aplicaciones. 8 Lavadora (máquina).
automatismo *m.* Cualidad de automático. 2 Ejecución de actos sin intervención de la voluntad.
automatización *f.* Funcionamiento automático de una máquina, o conjunto de máquinas, encaminado a un fin único, lo cual permite realizar con poca intervención del hombre una serie de trabajos industriales o administrativos o de investigación.
automatizar *tr.* Hacer automático [un mecanismo, un conjunto de máquinas, etc.]. 2 Someter a automatización [un procedimiento industrial o una serie de operaciones administrativas o de investigación]. 3 Convertir en automáticos o indeliberados [determinados movimientos o actos humanos]. ◊ ** CONJUG. [4] como *realizar.*

automoción *f.* ANGLIC. Automovilismo.
automodelismo *m.* Reproducción de automóviles a escala reducida.
automotor, -ra *adj.* [aparato] Que se mueve sin la intervención de una acción exterior. 2 esp. [vehículo] De tracción mecánica. – 3 *m.* Vehículo con motor de explosión o combustión que circula por la vía férrea.
****automóvil** *adj.* Que se mueve por sí mismo. – 2 *m.* Vehículo, movido generalmente por un motor de combustión interna, destinado al transporte por carretera.
automovilismo *m.* Uso deportivo del automóvil. 2 Conjunto de conocimientos referentes a la construcción, funcionamiento y manejo de automóviles.
automutilación *f.* Acción de mutilarse a uno mismo.
autonomía *f.* Facultad de gobernarse por sus propias leyes. 2 Condición del individuo o entidad que de nadie depende en ciertos conceptos. 3 Capacidad máxima de un vehículo, especialmente de un avión, para recorrer un espacio determinado sin repostarse. 4 Territorio español autónomo.
autonomista *adj.-com.* [pers.] Partidario de la autonomía o que la defiende.
autónomo, -ma *adj.* Que goza de autonomía: *comunidad autónoma.*
autopiloto *m.* Aparato que automáticamente gobierna una aeronave para que no se aparte del rumbo fijado.
autopista *f.* **Carretera acondicionada para que los vehículos automóviles puedan circular a gran velocidad y con gran seguridad: ~ *de peaje,* aquella en la que hay que pagar una tasa para poder utilizarla.
autopolinización *f.* BOT. Polinización directa entre dos flores de una misma planta.
autopropulsado, -da *adj.* Movido por autopropulsión.
autopropulsión *f.* Acción de trasladarse hacia adelante una máquina por su propia fuerza motriz.
autopsia *f.* Disección de un cadáver para investigar las causas de la muerte. 2 *fig.* Examen detallado de alguna cosa.
autopullman *m.* Autocar grande y lujoso destinado al turismo.
autor, -ra *m. f.* El que es causa de alguna cosa. 2 DER. En lo criminal, persona que comete el delito, o fuerza o induce a otras a ejecutarlo, o coopera a la ejecución por un acto sin el cual no se hubiera ejecutado. 3 El que ha hecho alguna obra científica, literaria o artística.
autoría *f.* Calidad de autor, especialmente de una obra artística o científica: *los historiadores discuten la* ~ *de este poema.*
autoridad *f.* Derecho o poder de mandar, regir, gobernar, promulgar leyes, etc.: ~

paterna; ~ *del Sumo Pontífice.* 2 Persona revestida de este derecho o poder: *las autoridades locales.* 3 Crédito y fe que se da a una persona en determinada materia: *la* ~ *de un escritor; ser una* ~. 4 Texto que se cita en apoyo de lo que se dice: *diccionario de autoridades.* 5 Ostentación, fausto, aparato.

autoritarismo *m.* Sistema fundado en la sumisión incondicional a la autoridad. 2 Abuso que uno hace de su autoridad.

autorización *f.* Acción de autorizar. 2 Efecto de autorizar.

autorizado, -da *adj.* Digno de respeto o crédito por sus cualidades o circunstancias. 2 [espectáculo] Que está permitido para menores.

autorizar *tr.* Dar [a uno] facultad para hacer alguna cosa. 2 Dar fe el escribano o notario en un documento: ~ *un contrato.* 3 Aprobar o abonar [una cosa]: *la costumbre lo autoriza.* 4 Permitir. 5 Confirmar [una cosa] con autoridad, texto o testimonio: ~ *con su firma;* ~ *con más de veinticinco autores.* 6 Dar importancia y lustre [a una persona o cosa]: *las armas autorizan.* ◇ ** CONJUG. [4] como *realizar.*

autorretrato *m.* Retrato de una persona hecho por ella misma.

autoservicio *m.* Servicio que el cliente ejecuta por sí mismo en restaurantes o almacenes.

autosuficiencia *f.* Estado del que es capaz de satisfacer sus necesidades con sus propios medios. 2 Presunción.

autosuficiente *adj.* Que se basta a sí mismo. 2 Que habla o actúa con suficiencia.

autosugestión *f.* Sugestión que se produce en una persona independientemente de toda influencia extraña.

autovacuna *f.* MED. Vacuna obtenida mediante gérmenes procedentes del mismo paciente.

autovía *m.* Automotor (vehículo). – 2 *f.* Carretera de circulación rápida, con dos carriles en cada dirección, parecida a la autopista, aunque con cruces a nivel.

I) auxiliar *adj.-s.* Que auxilia: *personal* ~; ~ *de vuelo,* persona destinada en los aviones a la atención de los pasajeros y de la tripulación. 2 *Verbo* ~, v. verbo. – 3 *m.* Funcionario subalterno. 4 Profesor que substituía al catedrático o le ayudaba en su labor. 5 Profesional titulado que, siguiendo las instrucciones de un médico, asiste a los enfermos, y que está autorizado para realizar ciertas intervenciones de cirugía menor.

II) auxiliar *tr.* Dar auxilio [a una persona o cosa]. 2 Ayudar a bien morir. ◇ ** CONJUG. [14].

auxilio *m.* Ayuda, socorro, amparo: *prestar* ~; *pedir* ~.

avadar *intr.-prnl.* Hacerse vadeable un río por mengua de su caudal.

aval *m.* Firma puesta al pie de un documento de crédito para responder de su pago en caso de no verificarlo la persona obligada a él. 2 p. ext. Documento firmado que responde de una persona en cualquier sentido.

AUTOMÓVIL

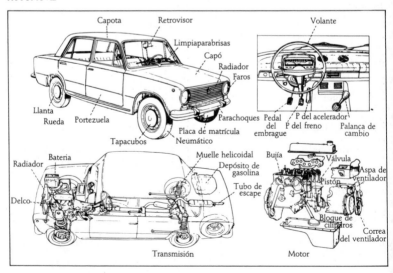

avalancha *f.* Alud. 2 fig. Muchedumbre, multitud. 3 fig. Irrupción, tropel.

avalar *tr.* Garantizar [un documento de crédito] por medio de aval. 2 p. ext. Responder [de una persona] por aval.

avalentonarse *prnl.* Hacer uno el valentón, jactarse.

avalista *com.* Persona que avala.

avambrazo *m.* Pieza de la **armadura que cubre y defiende el antebrazo.

avance *m.* Anticipo de dinero. 2 Fragmentos de un filme que se proyectan para anunciarlo. 3 ~ *informativo,* parte de una información que se adelanta y que tendrá ulterior desarrollo.

avanzada *f.* Partida de soldados destacada para observar al enemigo y precaver sorpresas. 2 Cosa que antecede. 3 Minoría que extrema las tendencias ideológicas, políticas, literarias, artísticas, etc., de un grupo o movimiento más numeroso, o que anticipa las que después irán ganando adeptos.

avanzadilla *f.* MIL. Pequeña participación de soldados destacada para observar al enemigo, más adelantada que la avanzada.

avanzado, -da *adj.* Hablando de edad, que tiene muchos años: *de edad avanzada.* 2 Que se distingue por su audacia o novedad y se anticipa, generalmente en artes, pensamiento, política, etc.: *ideas avanzadas.*

avanzar *intr.-prnl.* Ir hacia adelante, embestir: ~ *a, hacia,* o *hasta, las líneas enemigas;* ~ *por una calle; avanza,* o *se avanza, entre llamas.* 2 Acercarse a su fin un tiempo determinado: *la noche avanzaba; a medida que avanzaban las horas.* 3 Mejorar, hacer progresos. 4

Precipitar, acelerar. ◇ ** CONJUG. [4] como *realizar.*

avaricia *f.* Afán de adquirir y atesorar riquezas.

avaricioso, -sa *adj.* Avariento.

avariento, -ta *adj.-s.* Que tiene avaricia.

avaro, -ra *adj.-s.* Avariento. 2 fig. Que reserva, oculta o escatima alguna cosa.

avasallar *tr.* Sujetar o someter a obediencia. 2 Atropellar, actuar a despecho de los derechos ajenos.

avatar *m.* Cambio, fase, vicisitud. ◇ Úsase más en plural.

****ave** *f.* Animal de la clase de las aves: ~ *de paso,* la que en ciertas estaciones del año se muda de una región a otra; ~ *de rapiña,* rapaz; ~ *fría,* ave caradriforme de color blanco y verde con un moño eréctil de cinco o seis plumas encorvadas *(Vanellus vanellus);* ~ *del Paraíso,* ave paseriforme de cabeza dorada y garganta azul, con dos grupos de plumas largas colgando a ambos lados del cuerpo. 2 ~ *del Paraíso,* planta musácea perenne cuyas flores están rodeadas por una vaina en forma de quilla, y recuerdan, por su forma, un ave en vuelo *(Strelitzia reginae).* – 3 *f. pl.* Clase de vertebrados ovíparos, de sangre caliente, corazón con cuatro cavidades, circulación doble y completa, respiración pulmonar, pico córneo, cuerpo cubierto de plumas y extremidades torácicas en forma de alas. ◇ Para evitar la cacofonía, utiliza la forma masculina del artículo: *el ave,* pero no la del demostrativo: *esta ave.*

avecindar *tr.* Admitir [a uno] en el número

AVE

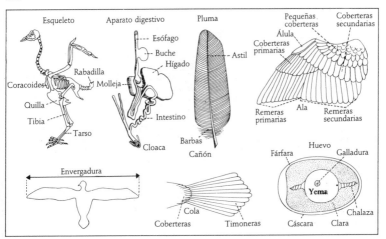

Esqueleto · Aparato digestivo · Pluma · Pequeñas coberteras · Coberteras secundarias · Esófago · Buche · Hígado · Astil · Álula · Coberteras primarias · Rabadilla · Coracoides · Molleja · Quilla · Tibia · Tarso · Intestino · Cloaca · Barbas · Cañón · Remeras primarias · Ala · Remeras secundarias · Envergadura · Cola · Coberteras · Timoneras · Fárfara · Huevo · Galladura · Yema · Cáscara · Clara · Chalaza

de vecinos de un pueblo. – 2 **prnl.** Establecerse en algún pueblo en calidad de vecino.

avechucho *m.* Ave de figura desagradable. 2 fig. *y* fam. Sujeto despreciable.

avejentar *tr.* Poner [a uno] viejo antes de serlo.

avellana *f.* Fruto del avellano.

avellanado, -da *adj.* Que tiene color de avellana. 2 Arrugado, enjuto.

avellanar *tr.* Ensanchar en forma de embudo [los agujeros] para los tornillos, a fin de que la cabeza de éstos quede embutida en la pieza taladrada. – 2 **prnl.** Arrugarse y ponerse enjuta una persona o cosa.

avellano *m.* Arbusto o arbolillo coriáceo, de hojas acorazonadas y aserradas, que crece en los bosques de las regiones templadas y se cultiva por su fruto, que es una nácula de pericarpio leñoso con una semilla redondeada y comestible *(Corylus avellana)*. 2 Madera de este arbusto.

avemaría *f.* Oración que comienza con las palabras con que el arcángel San Gabriel saludó a la Virgen. 2 Cuenta pequeña de rosario.

avena *f.* Planta graminácea, de espigas colgantes, cuyo grano se da como pienso a las caballerías *(Avena sativa);* **cereales. 2 Grano de esta planta. 3 ~ **loca,** ballueca.

avenado, -da *adj.* Que tiene vena de loco.

avenar *tr.* Dar salida al agua [de los terrenos húmedos] por medio de zanjas.

avenencia *f.* Convenio, transacción. 2 Conformidad y unión.

avenida *f.* Creciente impetuosa de un río o arroyo. 2 Concurrencia de varias personas o cosas. 3 Camino que va a un pueblo o paraje determinado. 4 Vía ancha con árboles a los lados.

avenido, -da *adj.* [con los adv. *bien* o *mal*] Concorde o al contrario.

avenir *tr.* Conciliar, ajustar [las partes discordes]: ~ *uno a los adversarios; los adversarios se avinieron.* – 2 **prnl.** Entenderse bien una persona con otra: *me avengo con cualquiera;* esp., ponerse de acuerdo en materia de opiniones o pretensiones: *se avino con el rey de Francia.* 3 Hablándose de cosas, hallarse en armonía o conformidad: *estas costumbres no se avienen con los principios cristianos.* ◇ ** CONJUG. [90] como *venir.*

aventador, -ra *adj.-s.* Que avienta los granos: *máquina aventadora.* – 2 *m.* Ruedo pequeño, generalmente de esparto, para aventar el fuego y otros usos.

aventajado, -da *adj.* Que aventaja [a lo ordinario o común en su línea]: *alumno ~; estatura aventajada.* 2 Provechoso, conveniente.

aventajar *tr.-prnl.* Conceder alguna ventaja o preeminencia: ~ *a los hijos; me veo en los prin-*

cipios de aventajarme. 2 Llevar ventaja, exceder: *aventajaba,* o *se aventajaba, a sus contrincantes.*

aventar *tr.* Dirigir una corriente de aire [a una cosa]. 2 Echar al viento [una cosa, especialmente los granos en la era para limpiarlos]. 3 Impeler el viento [una cosa]. ◇ ** CONJUG. [27] como *acertar.*

aventura *f.* Suceso o lance extraño. 2 Casualidad, contingencia. 3 Riesgo, peligro inopinado; empresa de resultado incierto. 4 Relación sexual esporádica entre una persona casada y un tercero.

aventurar *tr.-prnl.* Arriesgar, poner en peligro: ~ *un capital; me aventuré por aquellos andurriales.* 2 Decir [una cosa atrevida o de la que se duda]: ~ *una suposición.*

aventurero, -ra *adj.-s.* Que busca aventuras, que vive una vida de aventuras. 2 [pers.] Que por medios reprobados trata de conquistar en la sociedad un puesto que no le corresponde.

aventurismo *m.* Tendencia a actuar en política sin la suficiente prudencia.

avergonzar *tr.* Causar vergüenza [a uno]. – 2 **prnl.** Tener o sentir vergüenza: *avergonzarse de pedir; avergonzarse por sus acciones.* ◇ ** CONJUG. [51].

avería *f.* Daño sufrido por un buque o su carga, y, por extensión, el sufrido por cualquier mercadería transportada o almacenada. 2 Desperfecto en un aparato, instalación, vehículo, etc.

averiar *tr.* Producir avería [en una máquina, vehículo, etc.]: *el choque averió el motor.* – 2 **prnl.** Echarse a perder o estropearse una cosa. ◇ ** CONJUG. [13] como *desviar.*

averiguar *tr.* Inquirir, indagar [la verdad de una cosa]: ~ *las causas, las dudas;* ~ *quién sea una persona;* ~ *si sucedió una cosa.* – 2 **intr.** *Amér. Central y Méj.* Discutir, porfiar. ◇ ** CONJUG. [22].

averío *m.* Conjunto de muchas aves domésticas.

averno *m.* Infierno.

aversión *f.* Odio, repugnancia.

avestruz *m.* Ave estruciforme de África y Arabia, la mayor de las conocidas, de patas largas y robustas con sólo dos dedos, y cabeza y cuello casi desnudos, muy largo este último *(Struthio camelus).*

avetorillo *m.* Ave zancuda palustre, de pequeño tamaño, pico amarillento y patas verdes *(Ixobrychus minutus).*

avetoro *m.* Especie de garza que en la época del celo produce un sonido que recuerda el mugido del toro *(Botaurus stellaris).*

avezar *tr.-prnl.* Acostumbrar. ◇ ** CONJUG. [4] como *realizar.*

aviación *f.* Locomoción aérea por medio de aparatos más pesados que el aire. 2 Cuerpo militar que utiliza los aviones para la guerra.

I) aviador, -ra *adj.-m.* [pers.] Que dirige o tripula un aparato de aviación. – 2 *m.* Soldado de aviación (cuerpo militar).

II) aviador, -ra *adj.-s.* Que avía o prepara una cosa. – 2 *m. Amér.* El que costea labores de minas, o presta dinero o efectos a labrador, ganadero o minero.

aviar *tr.* Tratándose de viajes, prevenir o preparar [una cosa] o proveer de lo necesario [a una persona]: ~ *un baúl;* en gral., proporcionar a uno [lo que le hace falta] para algún fin: *le avié de muebles.* 2 *fam.* Arreglar, aprestar: ~ *a una persona; se aviaban con esmero para salir;* ~ *una habitación.* 3 *fam.* **abs.** Despachar, apresurar la ejecución [de lo que se está haciendo]: *prevenidles que avíen.* – 4 *tr. Amér.* Prestar dinero o efectos [a labrador, ganadero o minero]. ◇ ** CONJUG. [13] como *desviar.*

avícola *adj.* Relativo a la avicultura.

avícula *f.* Molusco lamelibranquio, especie de madreperla, que vive a poca profundidad *(Avicula tarentina).*

avicultura *f.* Técnica de criar las aves y aprovechar sus productos.

avidez *f.* Ansia, codicia.

ávido, -da *adj.* Ansioso, codicioso.

aviejar *tr.* Avejentar.

aviento *m.* Instrumento para cargar la paja en los carros.

avieso, -sa *adj.* Torcido, irregular. 2 *fig.* Perverso o mal inclinado.

avifauna *f.* Conjunto de las aves de un país o región.

avilés, -lesa *adj.-s.* De Ávila.

avinagrado, -da *adj. fig.* De condición acre y desabrida.

avinagrar *tr.* Poner agria [una cosa, especialmente el vino]. – 2 *prnl. fig.* Volverse áspero el carácter de una persona: *avinagrarse el genio.*

avinca *f.* Especie de calabaza del Perú *(gén. Cucurbita).*

aviñeira *m.* Molusco lamelibranquio marino, de concha de gran tamaño con la valva superior plana y coloración pardo rojiza *(Peten maximus).*

avío *m.* Prevención, apresto. 2 Provisión que los pastores llevan al hato. – 3 *m. pl.* Utensilios necesarios para algo. 4 Conveniencia, interés o provecho personal. – 5 *m. Amér.* Préstamo en dinero o efectos que se hace a labrador, ganadero o minero.

I) avión *m.* Ave paseriforme parecida a la golondrina, de color negro azulado, con una mancha de color blanco en el obispillo, y también blanco en el vientre *(Delichon urbica).*

II) **avión *m.* Vehículo de transporte aéreo más pesado que el aire: ~ *comercial,* el destinado a transporte de pasaje y carga; ~ *de caza,* el muy veloz y de pequeño tamaño, dedicado principalmente a reconocimientos y

combates aéreos; ~ *de bombardeo,* el dedicado a bombardear objetivos situados en tierra; ~ *de reacción,* el impulsado por motores de reacción. 2 *Amér.* Cometa (armazón).

avioneta *f.* **Avión pequeño, de características especiales. 2 ~ *cigüeña,* avioneta de vuelo lento.

avisacoches *m.* Persona que, mediante una gratificación se encarga de avisar al conductor de un automóvil estacionado cuando el dueño lo requiere. ◇ Pl.: *avisacoches.*

avisar *tr.* Dar noticia [a uno] de algún hecho: ~ *a su criado;* dar noticia [de algún hecho] a uno : *avísame lo que hayas decidido.* 2 Advertir, aconsejar: *avisa a tu hijo cuando sea necesario; te aviso que no digas nada a nadie.* 3 Llamar [a alguien] para que preste un servicio: ~ *al médico.* 4 Prevenir a alguien de alguna cosa: *avisaré a mis padres que no voy a cenar.*

aviso *m.* Noticia o advertencia que se comunica a alguien: ~ *al público.* 2 Advertencia, consejo. 3 Prudencia, discreción: **estar sobre** ~, estar prevenido. 4 Buque de guerra pequeño y muy ligero, para llevar órdenes, la correspondencia, etc. 5 TAUROM. Advertencia que hace la presidencia de la corrida al espada, cuando éste prolonga la faena de matar más tiempo del prescrito. 6 *Amér.* Anuncio.

avispa *f.* Insecto himenóptero de cuerpo amarillo con fajas negras, provisto de un aguijón con que produce picadas muy dolorosas. Como la abeja, vive en sociedad y fabrica panales *(Vespa vulgaris).* 2 *fig.* Persona muy astuta. 3 Maldiciente.

avispado, -da *adj. fig.* Vivo, despierto, agudo.

avispar *tr. fig.* Hacer despierto y avisado [a uno]: *hay que ~ a este muchacho.* – 2 *prnl. fig.* Inquietarse.

avispero *m.* Panal que fabrican las avispas. 2 Lugar en que se halla. 3 Conjunto de avispas. 4 *fig.* Negocio enredado y peligroso.

avistar *tr.* Alcanzar con la vista [una cosa lejana]. – 2 *prnl.* Reunirse una persona con otra para tratar algún negocio.

avitaminosis *f.* Enfermedad producida por la escasez de vitaminas en los alimentos. ◇ Pl.: *avitaminosis.*

avituallar *tr.* Proveer de vituallas: ~ *un ejército.*

avivar *tr.* Dar nueva fuerza y vigor: ~ *la actividad de los miembros.* 2 Excitar, animar: ~ *el ingenio;* ~ *a los pueblos;* esp., atizar [el fuego] o hacer que [la luz artificial] dé más claridad. 3 Dar viveza; esp. *y* fig., poner [los colores más vivos]. 4 *fig.* Encender, acalorar: ~ *la disputa.* – 5 *intr.-prnl.* Cobrar vida y vigor: *avivarse las plantas.*

avocatero *m. Amér.* Aguacate (árbol).

avoceta *f.* Ave caradriforme de cuerpo blanco con manchas negras y pico largo, del-

AVIÓN

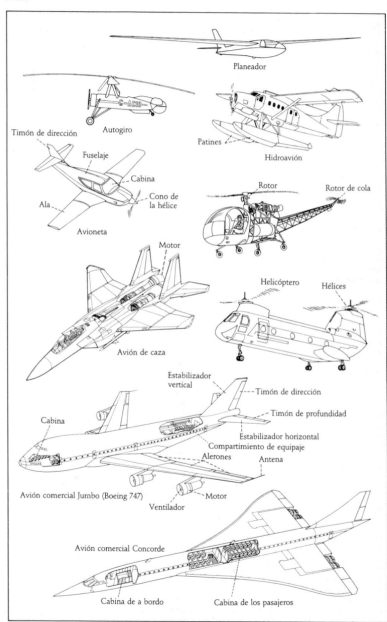

Planeador

Autogiro

Patines

Hidroavión

Timón de dirección

Fuselaje

Cabina

Ala

Cono de la hélice

Avioneta

Rotor

Rotor de cola

Motor

Helicóptero

Hélices

Avión de caza

Estabilizador vertical

Timón de dirección

Timón de profundidad

Cabina

Estabilizador horizontal

Compartimiento de equipaje

Alerones

Antena

Avión comercial Jumbo (Boeing 747)

Motor

Ventilador

Avión comercial Concorde

Cabina de a bordo

Cabina de los pasajeros

gado y encorvado hacia arriba *(Recurvirrostra avosetta)*.

avuguero *m.* Árbol, variedad del peral, que da un fruto pequeño, verde amarillento y de gusto poco agradable.

avutarda *f.* Ave gruiforme, de vuelo bajo, y cuerpo grueso, leonado y rayado de negro *(Otis tarda)*.

axial *adj.* Relativo al eje.

axila *f.* Punto de unión de un órgano o parte de una planta con la rama o tronco que lo sostiene; **brote. 2 Sobaco; **cuerpo humano.

axilar *adj.* Relativo a la axila: *yema* ~*;* **brote; **tallo.

axiología *f.* Disciplina filosófica que estudia los valores.

axioma *m.* Proposición tan evidente, que no necesita demostración.

axiomático, -ca *adj.* Incontrovertible, evidente. – 2 *f.* Conjunto de definiciones, axiomas y postulados en que se basa una teoría científica.

axis *m.* Segunda vértebra del cuello, sobre la cual se efectúa el movimiento de rotación de la cabeza. 2 BOT. Rabillo principal de una inflorescencia. ◇ Pl.: *axis.*

axoideo, -a *adj.* Relativo al axis.

axonomorfo, -fa *adj.* BOT. [raíz] Que tiene un eje preponderante y raíces secundarias poco desarrolladas.

¡ay! Interjección con que se denota aflicción o dolor. 2 Interjección con que se denota pena, temor, conmiseración o amenaza: *¡~ de mí! ¡~ del que me ofenda!*

ay *m.* Suspiro, quejido: *tiernos ayes; estar en un* ~*.* ◇ Pl.: *ayes.*

ayatollah *m.* Superior religioso de la secta chiita.

ayayay *m. Amér.* Canto del campesino cuyas coplas principian con esta interjección repetida.

ayeaye *m.* Prosimio daubéntonido, propio de Madagascar, de orejas grandes, cola larga y gruesa y movimientos lentos y pesados *(Chiromys madagascariensis)*.

ayer *adv. t.* En el día que precedió inmediatamente al de hoy. 2 fig. Poco tiempo ha: *de* ~ *acá, de* ~ *a hoy,* en breve tiempo; de poco tiempo a esta parte. 3 En tiempo pasado. – 4 *m.* Tiempo pasado: *recuerdos del* ~.

ayo, -ya *m. y f.* Persona encargada de la custodia o crianza de un niño.

ayote *m. Amér. Central.* Especie de calabaza pequeña que se come como verdura *(Cucurbita mixta)*.

ayotera *f. Amér. Central.* Calabacera, planta.

ayuda *f.* Acción de ayudar. 2 Efecto de ayudar. 3 Persona o cosa que ayuda. 4 Medicamento líquido que se introduce en el ano. 5 Lavativa (instrumento). – 6 *m.* Subalterno adscrito al jefe de un servicio en el palacio real:

~ *de cámara,* criado que cuida especialmente del vestido de su amo.

ayudante, -ta *adj.* Que ayuda. – 2 *m.* En algunos cuerpos, oficial subalterno. – 3 *com.* Profesor universitario de la categoría inferior. – 4 *m.* MIL. Oficial destinado a las órdenes de un jefe superior: ~ *de plaza;* ~ *de campo.* – 5 *m. f.* Persona que auxilia a los ingenieros en su labor técnica. – 6 *f.* Mujer que realiza trabajos subalternos en oficios manuales.

ayudantía *f.* Empleo de ayudante. 2 Oficina del ayudante.

ayudar *tr.* Prestar cooperación: *ayúdabla su buena amiga Maritornes;* ~ *a vencer;* fig., *los amigos ayudaron sus deseos,* o *le ayudaron en sus deseos;* p. ext., auxiliar, socorrer : ~ *a los pobres;* ~ *a uno en un apuro.* – 2 *prnl.* Valerse de la cooperación o ayuda de otro: *ayudarse de su amistad; ayudarse con las manos.*

ayunar *intr.* Abstenerse total o parcialmente de comer y de beber; esp., guardar el ayuno eclesiástico. 2 fig. Privarse de algún gusto o deleite.

ayuno *m.* Acción de ayunar. 2 Abstinencia que se hace por devoción o por precepto eclesiástico de alguna de las comidas diarias o de ciertos manjares: ~ *natural,* la que se hace de toda bebida y comida desde las doce de la noche antecedente.

ayuntamiento *m.* Acción de ayuntar o ayuntarse. 2 Efecto de ayuntar o ayuntarse. 3 Junta (reunión). 4 Corporación que administra los intereses de un municipio. 5 Casa consistorial. 6 Coito.

ayuntar *tr.* ant. Juntar, reunir.

azabache *m.* Variedad de lignito, de hermoso color negro, muy compacto y susceptible de pulimento. 2 Pájaro insectívoro que tiene la cabeza y las alas negras *(Parus ater)*.

azacanar, azacanear *intr.-prnl.* Trabajar con afán.

****azada** *f.* Instrumento de labrador; consta de una pala de hierro y un mango que forma ángulo oblicuo con ella; **jardinería.

azadón *m.* Azada de pala algo curva y más larga que ancha.

azafata *f.* Empleada que en los aviones, y en algunos trenes, atiende a los pasajeros. 2 Empleada que recibe y atiende a los visitantes, participantes o clientes de ciertas exposiciones, reuniones o establecimientos. 3 Criada que servía a la reina los vestidos y alhajas.

azafate *m.* Canastilla llana y con borde de poca altura.

azafrán *m.* Planta iridácea, de bulbos sólidos, estilos filiformes y estigmas de color rojo anaranjado que se usan como condimento y para teñir de amarillo *(Crocus sativus)*. 2 Estigmas de esta planta.

azafranado, -da *adj.* De color de azafrán.

azagadero, -dor *m.* Vereda para el ganado.

azagaya *f.* Lanza pequeña arrojadiza; **armas.

azahar *m.* Flor del naranjo, del limonero y del cidro, usada en medicina y perfumería. 2 *Agua de ~,* líquido obtenido por destilación de las flores del naranjo.

azalea *f.* Arbusto ericáceo reptante, de hojas pequeñas y coriáceas con los bordes doblados hacia abajo; las flores, que contienen una substancia venenosa, son de color rojo, rosado o blanco, y se reúnen en grupos de dos a cinco; el fruto es una cápsula de color rojo. Se emplea mucho como planta ornamental *(Loiseleuria procumbens).*

azamboa *f.* Naranjo amargo. 2 Fruto del azamboero.

azamboero *m.* Cidro. 2 Naranjo amargo.

azar *m.* Casualidad, caso fortuito. – 2 *loc. adv. Al ~,* sin propósito determinado.

azararse *prnl.* Torcerse un asunto por un caso imprevisto. 2 Perder la serenidad, conturbarse.

azarbe *m.* Cauce adonde van a parar los sobrantes de los riegos.

azararse *prnl. Amér. Central, Bol., Chile, Perú y Urug.* Azararse.

azaroso, -sa *adj.* Que tiene en sí azar o desgracia. 2 Turbado, temeroso.

ázimo *adj.* [pan] Que se amasa sin levadura.

ázoe *m.* Nitrógeno.

azófar *m.* Latón.

I) azogar *tr.* Cubrir con azogue [cristales u otras cosas]. – 2 *prnl.* Contraer la enfermedad producida por la absorción de los vapores del azogue, la cual produce un temblor continuado. 3 fig. Turbarse y agitarse mucho. ◇ ** CONJUG. [7] como *llegar.*

II) azogar *tr.* Apagar [la cal], rociándola con poca agua. ◇ ** CONJUG. [7] como *llegar.*

azogue *m.* Mercurio, metal.

azoláceo, -a *adj.-f.* BOT. Planta de la familia de las azoláceas. – 2 *f. pl.* BOT. Familia de plantas pteridofitas cuyos frutos son esporangios y esporocarpios.

azolar *tr.* Desbastar [la madera] con azuela. ◇ ** CONJUG. [31] como *contar.*

azolvar *tr.* Cegar [un conducto].

azor *m.* Ave rapaz falconiforme de unos 50 cms. de longitud que fue utilizada en cetrería; la parte superior del cuerpo es obscura con una raya blanca, la inferior blanca moteada de pardo *(Accipiter gentilis).*

azorar *tr.-prnl.* Conturbar, sobresaltar.

azorencarse *prnl. Amér. Central.* Atontarse. ◇ ** CONJUG. [1] como *sacar.*

azoro *m. And. y Amér.* Acción de azorar o azorarse. 2 *And. y Amér.* Efecto de azorar o azorarse. 3 *Amér. Central.* Duende, fantasma.

azorrarse *prnl.* Quedarse como adormecido por tener la cabeza muy cargada.

azotaina *f.* fam. Zurra de azotes.

azotalenguas *f.* Planta boraginácea, reptante, pubescente, de hojas oblongas y flores de color púrpura en forma de rueda y con ojo blanco *(Asperugo procumbens).* ◇ Pl.: *azotalenguas.*

azotar *tr.* Dar azotes. 2 Golpear repetida y violentamente: *el mar azota los acantilados.* – 3 *prnl. Amér.* Vagabundear.

azotazo *m.* Golpe fuerte dado con el azote. 2 Manotada en las nalgas.

azote *m.* Instrumento formado con cuerdas anudadas o provistas de puntas, con que se castigaba a los delincuentes. 2 Instrumento para azotar, en general. 3 Azotazo. 4 fig. Calamidad o desgracia grande. 5 Persona que es causa o instrumento de ellas. 6 Golpe repetido de agua o de aire.

azotea *f.* Cubierta llana de un edificio por la cual se puede andar. 2 fam. Cabeza: *está mal de la ~.*

azotera *f. Amér. Merid.* Látigo de varios ramales. 2 Parte del látigo con que se castiga la caballería.

azteca *adj.-s.* De un antiguo pueblo invasor y dominador del territorio de Méjico. – 2 *m.* Idioma azteca.

aztequismo *m.* Palabra o locución tomada del nahua.

azúcar *amb.* Substancia formada por un hidrato de carbono, blanca, sólida, cristalizable, muy dulce, que se encuentra en el jugo de muchas plantas; se extrae especialmente de la caña de azúcar y de la remolacha: ~ *blanco de flor, florete, refino,* el más purificado; ~ *cande* o *candi,* el que mediante cierto procedimiento ha sido reducido a cristales transparentes; ~ *de lustre,* el molido y pasado por cedazo; ~ *glas,* almíbar espeso usado para glasear frutas y otros dulces; ~ *moreno* o *negro,* el de color obscuro, más dulce que el blanco. 2 Hidrato de carbono, soluble, de sabor dulce: *sacarosa, glucosa, lactosa,* etc.

azucarado, -da *adj.* Dulce. 2 Que contiene azúcar. 3 fig. Blando y afable.

azucarar *tr.* Bañar [una cosa] con azúcar; endulzarla con azúcar. 2 fig. Suavizar, endulzar [una cosa]. – 3 *prnl.* Almibarar. 4 *Amér.* Cristalizarse el azúcar de las conservas.

azucarera *f.* Vasija para azúcar. 2 Fábrica de azúcar.

azucarero, -ra *adj.* Relativo al azúcar. – 2 *m.* Maestro de labores en un ingenio de azúcar. 3 Azucarera (vasija).

azucarillo *m.* Terrón de azúcar. 2 Pasta esponjosa de almíbar, clara de huevo y zumo de limón.

azucena *f.* Planta liliácea, de tallo alto y flores terminales grandes, blancas y muy olorosas *(Lilium candidum).* 2 Flor de esta planta. 3 fig. Persona o cosa especialmente calificada por su pureza o blancura.

azuche *m.* Punta de hierro en la extremidad inferior del pilote.

azud *m.* Máquina con que se saca agua de los ríos. 2 Presa en los ríos.

azuela *f.* Herramienta de carpintero, para desbastar.

azufaifa *f.* Fruto del azufaifo.

azufaifo *m.* Árbol ramnáceo, de tronco tortuoso, con las ramas llenas de aguijones; hojas alternas, festoneadas; flores pequeñas y amarillas y fruto en drupa dulce y comestible *(Ziziphus vulgaris).*

azufrado, -da *adj.* Sulfuroso. 2 Parecido en el color al azufre.

azufrador, -ra *adj.-s.* Que azufra. – 2 *m.* Especie de camilla redonda para azufrar o enjugar la ropa. 3 Aparato para azufrar las vides.

azufrar *tr.* Echar azufre [en una cosa]; impregnarla de azufre. 2 Sahumar con él.

azufre *m.* Metaloide amarillo, quebradizo, insípido, que por frotación se electriza fácilmente, dando un olor característico; se funde a temperatura poco elevada y arde con llama azul, desprendiendo anhídrido sulfuroso. Su símbolo es *S.*

azufroso, -sa *adj.* Que contiene azufre.

azul *adj.-m.* Color parecido al cielo sin nubes; es el quinto del espectro solar: ~ *de mar;* ~ *celeste;* ~ *turquí,* el muy obscuro. – 2 *adj.* De color azul. – 3 *m.* Materia colorante azul: ~ *de cobalto,* el producto que resulta de calcinar una mezcla de alúmina y fosfato de cobalto; ~ *de Sajonia,* disolución de índigo en ácido sulfúrico concentrado; ~ *de ultramar,* ultramarino o **ultramaro,** lapislázuli pulverizado. 4 Cielo, el espacio. 5 Azulete.

azulado, -da *adj.* De color azul o que tira a él.

azular *tr.* Dar o teñir de azul.

azulear *intr.* Mostrar una cosa el color azul que en sí tiene. 2 Tirar a azul.

azulejero *m.* El que tiene por oficio hacer azulejos.

I) azulejo – 1 *m.* Abejaruco (ave). 2 Ave paseriforme de unos 17 cms. de longitud, de coloración azul celeste uniforme, algo blanquecino en la región central *(Traupis sayaca).*

II) azulejo *m.* Ladrillo pequeño vidriado, de varios colores.

azulenco, -ca *adj.* Azulado.

azulete *m.* Añil en pasta o polvos que usan las lavanderas para darle un tono azul a la colada. 2 Este mismo tono.

azulgrana *adj.* De color azul y rojo grana.

azulona *f.* Paloma de unos 30 cms., de cabeza y cuello azules con una franja blanca, cuerpo morado y vientre del mismo color, más claro *(Geotrygon caniceps).*

azúmbar *m.* Planta alismácea, de hojas acorazonadas, flores blancas en umbela terminal y fruto en forma de estrella de seis puntas *(Damasonium stellatum).*

azumbre *f.* Medida para líquidos, equivalente a 2,016 l.

azur *adj.-m.* BLAS. Azul obscuro.

azurina *f.* QUÍM. Substancia incolora cuyas disoluciones alcalinas ofrecen una magnífica eflorescencia azul.

azurita *f.* Malaquita azul.

azuzar *tr.* Incitar [a los perros] para que embistan. 2 fig. Irritar, estimular. ◇ ** CONJUG. [4] como *realizar.*

B

B, b *f.* Be, segunda letra del alfabeto español que representa gráficamente a la consonante oclusiva, bilabial y sonora.

baba *f.* Saliva abundante que involuntariamente fluye de la boca. 2 Humor viscoso que segregan algunos animales: ~ *de caracol.* 3 Jugo viscoso de algunas plantas.

babear *intr.* Echar baba. 2 fig. *y* fam. Hacer demostraciones de rendimiento excesivo ante una persona o cosa.

babel *amb.* fig. Lugar en que hay gran confusión. 2 fig. Desorden, confusión.

babélico, -ca *adj.* Enorme, gigantesco. 2 Ininteligible, confuso.

babero *m.* Prenda de tela u otra materia que se pone a los niños en el pecho, sobre el vestido, para que no lo manchen.

babieca *com.-adj.* fam. Persona floja y boba.

babilónico, -ca *adj.* Relativo a Babilonia. 2 fig. Fastuoso.

babilla *f.* En los cuadrúpedos, conjunto de musculatura y tendones que articulan el fémur con la tibia y la rótula; **caballo. 2 Rótula de los cuadrúpedos.

babintonita *f.* MIN. Silicato de hierro, calcio y magnesio. Pertenece al grupo de los piroxenos.

babismo *m.* Sistema religioso fundado en Persia en el s. XIX basado en la fraternidad universal y en el feminismo.

bable *m.* Dialecto de los asturianos.

babor *m.* Lado izquierdo de la embarcación, mirando de popa a proa; **barca.

babosa *f.* Molusco gasterópodo pulmonado, sin concha o de concha rudimentaria, de cuerpo fusiforme, cuya piel segrega abundante baba (gén. *Blennius).* 2 Pez marino teleósteo perciforme, de pequeño tamaño y rostro agudo, con los ojos en posición dorsal (*Blennius* sp.). 3 *Amér. Central* y *Méj.* Bobada, tontería.

babosada *f. Amér. Central* y *Méj.* Sujeto o cosa despreciable.

babosear *tr.* Llenar de babas.

baboso, -sa *adj.-s.* [pers.] Que echa muchas babas. 2 fig. Que no tiene edad o condiciones para lo que hace, dice o intenta. 3

Excesivamente zalamero. 4 fig. *y* fam. Enamoradizo y rendidamente obsequioso con las mujeres. 5 *Amér.* Bobo, tonto.

babucha *f.* Zapato ligero y sin tacón, usado especialmente por los moros; **calzado. 2 *Amér.* Especie de zapato de pala alta, cerrada con un cordón.

babul *m.* Arbusto leguminal mimosáceo, de origen asiático, que se cultiva para obtener la goma arábiga (*Acacia arabica).*

I) baca *f.* Portaequipajes que se coloca sobre el techo del automóvil.

II) baca *f.* Fruto o baya del laurel.

bacaladero, -ra *adj.* Relativo al bacalao, y a su pesca y comercio: *flota bacaladera.*

bacalao *m.* Pez marino teleósteo gadiforme, de tamaño variable, con el cuerpo cilíndrico y la cabeza muy grande. Es comestible y se conserva salado y prensado (*Gadus morrhua).* 2 ~ *de Escocia,* especie de merluza curada en la misma forma que el bacalao común.

bacallar *m.* Hombre rústico.

bacanal *adj.* Perteneciente o relativo al dios Baco. – 2 *f. pl.* Fiestas que celebraban los gentiles en honor de Baco. – 3 *f.* fig. Orgía tumultuosa.

bacante *f.* Mujer movida por la embriaguez o la pasión a transportes desordenados.

bacará, bacarrá *m.* Juego de naipes de origen italiano.

bacaray *m. Amér. Merid.* Ternero nonato.

bacera *f.* Enfermedad carbuncosa de los ganados vacuno, lanar y cabrío, que ataca el bazo.

baceta *f.* Naipes que quedan después de repartir a cada jugador los que le corresponden.

bacía *f.* Vasija (receptáculo). 2 Especie de jofaina, usada por los barberos para remojar la barba.

bacilar *adj.* Relativo o parecido a los bacilos. 2 MINERAL. De textura en fibras gruesas.

baciliforme *adj.* Que tiene forma de bacilo o bastoncillo.

bacilo *m.* Bacteria en forma cilíndrica. 2 ~ *de Koch* , microorganismo causante de la infección tuberculosa, descubierto por el médico alemán Robert Koch (1843-1910) en 1882 (*Mycobacterium tuberculosis*).

bacillar *m.* Parral (conjunto de parras). 2 Viña nueva.

bacín *m.* Orinal alto y cilíndrico. 2 Bacineta para pedir limosna. 3 fig. Hombre despreciable.

bacinada *f.* Inmundicia arrojada del bacín. 2 fig. Acción indigna y despreciable.

bacinete *m.* Pieza de la **armadura, parecida al yelmo, que consistía en un casco ligero sin visera ni gola.

bacisco *m.* Mineral menudo y tierra de la mina con que se hace barro y ladrillos que entran en la carga de hornos con el mineral grueso.

bacon *m.* ANGLIC. Panceta ahumada. ◇ Se pronuncia *beicon.*

baconismo *m.* Doctrina filosófica del inglés Francisco Bacon (1561-1626), basada en el método inductivo.

bacteria *f.* Microorganismo procariota unicelular, caracterizado por carecer de órganos propios de las células eucariotas.

bactericida *adj.-m.* Que destruye las bacterias.

bacteriocito, -ta *adj.* [célula] Que se alimenta de bacterias.

bacteriófago *adj.-s.* Virus que destruye ciertas bacterias.

bacteriología *f.* Parte de la microbiología que estudia las bacterias.

bacterioterapia *f.* Tratamiento de las enfermedades infecciosas por la introducción de bacterias vivas o muertas en el organismo.

báculo *m.* Palo o cayado: ~ *pastoral,* el de oro o plata que, como símbolo de su autoridad, usan los obispos; **gótico. 2 fig. Arrimo, consuelo: *el ~ de la vejez.*

I) bache *m.* Hoyo que se hace en el pavimento de calles o caminos, por el uso u otras causas. 2 Desigualdad de la densidad atmosférica que determina un momentáneo descenso del avión. 3 fig. *y* fam. Momento difícil.

II) bache *m.* Sitio donde se encierra el ganado lanar para que sude, antes de esquilarlo.

bachear *tr.* Arreglar [las vías públicas] rellenando los baches.

bachicha, bachiche *com. Amér.* Italiano. Es apodo.

I) bachiller *com.* Persona que ha obtenido el grado al terminar la enseñanza media.

II) bachiller, -ra *adj.-s.* Que habla mucho e impertinentemente.

bachillerato *m.* Grado de bachiller. 2 Estudios necesarios para obtenerlo.

bachillerear *intr.* Hablar mucho e impertinentemente.

badajada *f.* Golpe dado por el badajo en la campana. 2 fig. Necedad, despropósito.

badajear *intr.* Hablar mucho y neciamente.

badajo *m.* Pieza pendiente en el interior de las **campanas y esquilas, para hacerlas sonar. 2 fig. Persona habladora y necia.

badajocense, badajoceño, -ña *adj.-s.* De Badajoz.

badal *m.* Instrumento que oprime el hocico o una oreja de las bestias para tenerlas sujetas. 2 Balancín que, enganchado a los tirantes de las caballerías, sirve para arrastrar maderos, trillos, etc.

badán *m.* Tronco del cuerpo en el animal.

badana *f.* Piel curtida de carnero u oveja. 2 Tira de este cuero o de otro material, que se cose al borde interior de la copa del sombrero para evitar que se manche con el sudor. − 3 *m.* fam. Persona floja y perezosa.

badea *f.* Sandía. 2 Melón. 3 Pepino (planta). 4 fig. Sandía, melón o pepino de mala calidad.

badén *m.* Zanja que forma en el terreno el paso de las aguas llovedizas. 2 Cauce para dar paso en una carretera a un corto caudal de agua. 3 Bache, hoyo en una calle o camino; **carretera.

badián *m.* Árbol magnoliáceo de Oriente cuyas semillas se emplean en medicina y como condimento (*Illicium verum*).

badil *m.* Paleta de metal para remover la lumbre en las chimeneas y braseros; **chimenea. 2 Recogedor de basuras.

bádminton *m.* Deporte practicado mediante raquetas ligeras y una a modo de pelota, redondeada en un extremo y con plumas en el otro, la cual se ha de hacer pasar por encima de una red situada en medio del campo de juego.

badomía *f.* Despropósito.

badulaque *m.* Afeite antiguo. − 2 *adj.-m.* fig. Persona de poco juicio. − 3 *adj.* Informal, embustero.

baffle *m.* En los altavoces, placa rígida y absorbente del sonido. 2 p. ext. Caja que contiene un altavoz o juego de altavoces.

baga *f.* Cápsula que contiene la linaza.

bagacera *f.* Secadero para el bagazo de la caña de azúcar.

bagaje *m.* Equipaje. 2 fig. Conjunto de conocimientos o noticias de que dispone una persona: ~ *cultural.*

bagar *intr.* Echar el lino baga y semilla: *el lino se ha bagado bien.* ◇ ** CONJUG. [7] como *llegar.*

bagatela *f.* Cosa fútil.

bagazo *m.* Cáscara de la baga, después de separada de ella la linaza. 2 Residuo de las cosas que se exprimen para sacarles el zumo. 3 *Amér. Central.* fig. Persona despreciable.

bagre *m.* Pez abdominal, abundante en los ríos de América (*Pimelodus maculatus*). 2 *Amér.* Sujeto antipático o desagradable, persona fea. 3 *Amér. Central.* Persona muy lista.

bagual *adj. Amér.* Bravo, indómito; esp., el ganado caballar y vacuno. 2 *Amér.* Desmañado, incivil, grosero. – 3 *m. Amér.* Hombre corpulento y de modales toscos.

baguarí *m. Argent., Parag. y Urug.* Especie de cigüeña, de un metro aproximadamente de longitud, cuerpo blanco, y alas y cola negras *(Areda cocoi).* ◇ Pl.: *baguaríes.*

¡bah! Interjección con que se denota incredulidad, desdén.

baharí *m.* Ave rapaz falconiforme diurna, de unos 15 cms. de altura, color gris azulado por encima, colorado obscuro con muchas manchas de diversos tonos en las partes inferiores, y pies rojos *(Falco gentilis).* ◇ Pl.: *baharíes.*

bahía *f.* Entrada de mar en la **costa, generalmente menor que el golfo, que puede servir de abrigo a las embarcaciones.

bahorrina *f.* fam. Conjunto de gente soez y ruin. 2 fam. Suciedad.

baila *f.* Pez marino teleósteo, parecido a la lubina, pero de menor tamaño *(Dicentrarchus punctatus; Morone punctata).*

bailable *adj.* Que se puede bailar: *música ~.*

bailador, -ra *adj.-s.* [pers.] Que baila. – 2 *m. f.* Bailarín o bailarina profesional que ejecuta bailes populares de España.

bailaor, -ra *m. f.* Bailador de flamenco.

bailar *intr.-tr.* Mover el cuerpo, los pies y los brazos en orden y a compás: *~ con arte; ~ a la guitarra; ~ una polca.* 2 Moverse más o menos rápidamente una cosa sin salir de un espacio reducido. 3 Girar rápidamente una cosa en torno a su eje, manteniéndose en equilibrio sobre un extremo del mismo. 4 Moverse [una cosa insuficientemente sujeta]. 5 Cambiar [un número por otro].

I) bailarín, -rina *adj.-s.* Que baila. – 2 *m. f.* Persona que se dedica profesionalmente al baile.

II) bailarín *m.* Pequeño coleóptero acuático. 2 Pájaro arborícola y canoro, agresivo y buen cazador de insectos *(Chiroviphia caudata).*

baile *m.* Acción de bailar. 2 Arte de bailar. 3 Sucesión de mudanzas ejecutadas según un orden y ritmo determinados, que recibe un nombre particular; como vals, rigodón, polca, etc. 4 Reunión de personas para bailar; fiesta en que se baila: *~ de máscaras.* 5 Espectáculo teatral en que se ejecutan varias danzas y se representa una acción por medio de la mímica. 6 *~ de San Vito,* cierta enfermedad convulsiva.

bailongo *m.* Baile pobre y alegre.

baja *f.* Disminución del precio, valor y estimación de una cosa en el mercado: *hoy la bolsa ha ido a la ~; jugar a la ~,* especular con valores públicos o mercantiles contando con su baja. 2 Cese de una persona física o jurídicamente en una sociedad, empresa, agrupación

o registro: *se dio de ~ como empresario; causó ~ en el club.* 3 Documento en el que el médico acredita las causas que imponen el abandono, transitorio o definitivo, en la actividad laboral de una persona: *si no me dan la ~ tendré que ir a trabajar.* 4 Pérdida, muerte en combate.

bajá *m.* En Turquía, el que obtenía mandato superior. Hoy día es título honorífico. 2 *~ de dos colas,* mariposa diurna de color marrón obscuro con anchos bordes marginales leonados; las alas posteriores presentan dos colas *(Charaxes jasius).* ◇ Pl.: *bajaes.*

bajada *f.* Acción de bajar. 2 Camino por donde se baja. 3 Disminución del caudal de un río o de un arroyo.

bajamar *f.* Fin del reflujo del mar. 2 Tiempo que éste dura.

bajante *amb.* Tubería de desagüe. – 2 *f. Amér.* Marea baja.

bajar *intr.* Ir desde un lugar a otro que está más bajo: *bajó a la llanura;* fig., *bajó de león a asno.* 2 Disminuir una cosa: *~ la temperatura.* 3 Estar situado en un lugar bajo: *la falda baja diez centímetros.* – 4 *intr.-tr.-prnl.* Apear (bajar a uno). – 5 *tr.* Recorrer de arriba abajo: *bajó la escalera.* 6 Conducir [una cosa] a un lugar más bajo, o situarla en sitio más bajo: *bajó el rebaño a la llanura; bajó el brazo.* 7 Disminuir la estimación o el valor [de una cosa]: *~ los precios.* 8 Inclinar [una cosa] hacia el suelo. 9 Humillar, abatir [a una persona o cosa]: *le bajaré los bríos; se bajó a ser hombre.* – 10 *prnl.* Inclinarse [uno] hacia el suelo.

bajareque *m. Amér.* Enrejado de palos entretejidos con cañas y barro.

bajel *m.* lit. Buque (barco).

bajelero *m.* Dueño, patrón o fletador de un bajel.

bajera *f. Amér.* Hoja inferior de la planta del tabaco, de peor calidad.

bajero, -ra *adj.* Bajo, situado en lugar inferior. 2 Que se usa o pone debajo de otra cosa: *sábana bajera.*

bajetón, -tona *adj. Ant., Colomb. y Ecuad.* Mediano de cuerpo.

bajeza *f.* Acción vil. 2 Calidad de bajo. 3 fig. Abatimiento, humillación.

bajines, -nis, -ni (por lo ~) *adv.* En voz baja.

bajío *m.* Bajo en los mares, y más comúnmente el de arena. 2 *Amér.* Terreno bajo.

I) bajo, -ja *adj.* De poca altura: *~ de cuerpo.* 2 Situado en un lugar inferior respecto de otras cosas. 3 Inclinado hacia abajo: *ojos bajos.* 4 Cualitativamente, que no llega a un nivel alto: *color ~; oro ~; voz baja.* 5 Refiriéndose al sonido, grave. 6 Corto, poco considerable: *precio ~.* 7 Tosco, vulgar: *~ en su estilo.* 8 fig. Humilde, despreciable.

II) bajo *m.* Sitio o lugar hondo. 2 En los mares y ríos, elevación del fondo que obstruye la navegación. 3 MÚS. La más grave de las voces humanas. 4 MÚS. Instrumento que, entre los de una familia de cuerdas o de viento, produce los sonidos más graves. 5 Persona que tiene aquella voz, o que toca este instrumento: ~ *cantante.* − 6 *m. pl.* Planta baja de un edificio y también las estancias situadas bajo el nivel del suelo.

III) bajo *adv. l.* Abajo. − 2 *adv. m.* En voz baja o que apenas se oiga: *habla* ~. 3 *Por lo* ~, disimuladamente. − 4 *prep.* Debajo de: ~ *techado; acaeció* ~ *el reinado de Isabel II.* ◇ INCOR.: ~ *esta base* , por *sobre esta base;* ~ *este fundamento* , por *esto supuesto;* ~ *este concepto* , por *en este concepto;* ~ *este punto de vista* , por *desde este punto de vista.*

bajón *m.* fig. Notable disminución en el caudal, la salud, las facultades mentales, etc.: *Francisco ha dado un gran* ~.

bajorrelieve *m.* Relieve en el cual las figuras resaltan poco del plano; **románico.

bajuno, -na *adj.* desp. [pers.] Soez.

bala *f.* Proyectil de diversas formas y tamaños, para cargar las armas de fuego: ~ *perdida,* la lanzada al azar; fig., tarambana. 2 Confite redondo, todo de azúcar. 3 Fardo apretado de mercancías: ~ *de* **algodón. 4 Atado de diez resmas de papel. 5 *Amér. Ni a* ~, de ningún modo.

balaca, -cada *f. Amér. Central y Ecuad.* Fanfarronada, baladronada.

balacera *f. Amér.* Baleo, tiroteo.

balada *f.* Composición poética romántica dividida en estrofas en que se refieren hechos legendarios o misteriosos. 2 MÚS. Composición de carácter íntimo y expresivo que cada autor trata libremente y con sentido propio.

baladí *adj.* De poca substancia y aprecio. 2 Propio de la tierra. ◇ Pl.: *baladíes.*

baladrar *intr.* Dar baladros.

baladro *m.* Grito o voz espantosa.

baladrón, -drona *adj.* Fanfarrón que blasona de valiente.

balaj, -je *m.* Rubí de color morado.

balalaika *f.* Instrumento músico de origen ruso, de tres cuerdas y caja sonora triangular.

balance *m.* Movimiento de un cuerpo que se inclina ya a un lado ya a otro. 2 fig. Vacilación, inseguridad. 3 fig. Resultado de un asunto. 4 COM. Cómputo y comparación del activo y el pasivo de un negocio. 5 COM. Libro donde se escriben los créditos y deudas. 6 ELECTR. Equilibrio de nivel entre los dos canales de un amplificador.

balancear *intr.-prnl.* Dar o hacer balances. 2 Mecerse. 3 fig. Dudar: ~ *en la perplejidad; resolver sin* ~.

balancín *m.* Madero paralelo al eje de las ruedas delanteras de un carruaje, fijo en su promedio a la tijera y por los extremos a los del eje mismo. 2 Madero que se cuelga del balancín (madero de carruaje) y a cuyos extremos se enganchan los tirantes de las caballerías. 3 Palo usado por los volatineros para mantener el equilibrio. 4 En jardines, playas, terrazas, etc., asiento colgante cubierto con toldo. 5 ZOOL. Órgano que tienen los dípteros a los dos lados del tórax.

balandra *f.* Velero pequeño con cubierta y sólo un palo.

balandrán *m.* Vestidura talar ancha y con esclavina que suelen usar los eclesiásticos.

balandro *m.* Balandra pequeña.

bálano, balano *m.* Parte extrema del miembro viril. 2 Crustáceo cirrópodo de forma parecida a un casco de asno *(Balanus).*

balanófago, -ga *adj.* [animal] Que se alimenta de bellotas.

balanza *f.* Instrumento para pesar equilibrando con pesos conocidos el del cuerpo que se pesa. 2 fig. Comparación del entendimiento hace de las cosas. 3 ~ *comercial* o *de comercio,* estado comparativo de la importación y exportación de un país. 4 ~ *de pagos,* registro contable de las transacciones entre las personas residentes en un país y las residentes en el extranjero durante un período de tiempo determinado.

balanzario *m.* El que tiene por oficio pesar los metales en las casas de moneda.

balanzón *m.* Vasija usada por los plateros para blanquecer la plata o el oro.

balar *intr.* Dar balidos. 2 fig. Desear ansiosamente alguna cosa.

balarrasa *m.* Aguardiente fuerte. 2 fig. Persona alegre y poco seria.

balasto *m.* Capa de grava que se tiende sobre la explanación de los ferrocarriles.

I) balate *m.* Margen de una parata. 2 Terreno pendiente, lindazo, etc., de muy poca anchura.

II) balate *m.* Equinodermo holoturoideo de carne comestible.

balausta *f.* **Fruto seco, indehiscente, coronado por el cáliz persistente, que encierra numerosísimas semillas, cuya parte externa es carnosa; como la granada.

balaustra *f.* Granado, arbusto o arbolito.

balaustrada *f.* Serie de balaustres; **casa. 2 p. ext. Muro calado de poca altura, o pretil, que tiene la función de barandilla.

balaustre, balaústre *m.* Columna de las barandillas de balcones, azoteas y escaleras. 2 *Amér.* Palustre, llana de albañil.

balay *m. Amér.* Cesta de mimbre o de carrizo.

balazo *m.* Golpe de bala disparado con arma de fuego. 2 Herida causada por una bala.

balboa *m.* Unidad monetaria de Panamá.

balbucear *intr.* Balbucir.

balbucir *intr.* Hablar articulando las palabras de una manera vacilante y confusa, como los niños, por defecto natural o a causa de alguna emoción. ◇ Verbo defectivo; no se usa en la 1ª persona del singular del presente de indicativo, ni en el presente de subjuntivo, en todas sus personas, ni en la 3ª persona del singular y del plural y 1ª del plural del imperativo. Todas estas formas se suplen con las de *balbucear* .

balcánico, -ca *adj.* De los Balcanes, región de Europa.

balcanizar *tr.* fig. Fragmentar [un imperio o un país]. 2 fig. Dispersar, desmigajar. ◇ ** Conjug. [4] como *realizar.*

balcón *m.* Hueco abierto desde el suelo, en la pared exterior de una habitación, con barandilla generalmente saliente. 2 Esta barandilla.

balconada *f.* Balcón corrido.

balconaje *m.* Conjunto de balcones de un edificio.

balconcillo *m.* En los teatros, galería baja delante de la primera fila de palcos.

balda *f.* Anaquel de armario o alacena.

baldaquín, -quino *m.* Especie de dosel de tela de seda. 2 Pabellón que cubre un altar.

baldar *tr.* Impedir una enfermedad o accidente [el uso de los miembros o de alguno de ellos]: ~ *un brazo; baldarse con la humedad; baldarse de un lado.* 2 Producir lesión [a alguno]. 3 fig. Causar [a uno] gran contrariedad o cansancio. – 4 *prnl.* fam. Fatigarse en exceso.

I) balde *m.* Cubo de cuero, lona, madera, etc., usado especialmente en las embarcaciones. 2 Cubo de metal, madera, plástico, etc., generalmente en forma de cono truncado.

II) balde *loc. adv. De* ~, graciosamente; gratis; sin motivo. 2 *En* ~, en vano: *discutir en* ~.

baldés *m.* Badana suave usada especialmente para hacer guantes.

baldío, -a *adj.-s.* Terreno sin labrar y abandonado; erial. – 2 *adj.* Vano, sin fundamento. – 3 *m. Argent., Bol., Parag.* y *Urug.* Solar, terreno urbano sin edificar.

baldón *m.* Oprobio, injuria, palabra ofensiva, vituperio.

baldonar, -near *tr.* Injuriar [a uno] de palabra en su cara.

baldosa *f.* Pieza de mármol, cerámica o piedra, generalmente fina y pulimentada, que se usa para solar o revestir muros.

baldosín *m.* Baldosa pequeña.

baldragas *m.* Hombre flojo, sin energía.

balea *f.* Escobón para barrer las eras.

balear *adj.-s.* De las Baleares, islas del Mediterráneo. – 2 *m.* Variedad de la lengua catalana que se habla en las islas Baleares.

balénido *adj.-m.* Mamífero de la familia de los balénidos. – 2 *m. pl.* Familia de mamíferos cetáceos mistacocetos, cuya boca está provista de láminas córneas con las que retienen los animales que les sirven de alimento; como la ballena.

balido *m.* Voz del carnero, el cordero, la oveja, la cabra, el gamo y el ciervo.

balín *m.* Bala de menor calibre que la de fusil.

balística *f.* Ciencia que estudia el movimiento de los proyectiles.

balita *f. Amér.* Canica para jugar.

balitar, -tear *intr.* Balar con frecuencia.

baliza *f.* Señal fija o flotante para guiar a los navegantes en un paso difícil. 2 Señal indicadora del recorrido de un ferrocarril o de una pista de aviación.

balizador *m.* ~ *aéreo,* artificio que se deja caer desde un avión sobre el agua para crear una zona observable sobre la cual se puede determinar la deriva del aparato.

balizaje *m.* Derechos de puerto. 2 Sistema de balizas de un puerto o de un aeropuerto.

balneario, -ria *adj.* Perteneciente o relativo a baños públicos, especialmente a los medicinales. – 2 *m.* Establecimiento de baños medicinales.

balneoterapia *f.* MED. Tratamiento de enfermedades por medio de baños.

balompié *m.* Fútbol.

balón *m.* Pelota grande de material resistente rellena de aire para diversos juegos y deportes: ~ *medicinal,* el utilizado para adquirir agilidad y soltura; ~ *oval,* el que se usa en el juego de rugby. 2 Fardo grande de mercancías: ~ *de papel,* fardo de 24 resmas. 3 Recipiente flexible para cuerpos gaseosos. 4 Recipiente de vidrio de forma esférica. 5 ~ *de oxígeno,* recipiente que contiene oxígeno; p. ext., respiro o alivio oportuno y momentáneo.

baloncesto *m.* Juego entre dos equipos formados por cinco jugadores cada uno, que consiste en tratar de introducir el balón, valiéndose de las manos, en el cesto contrario, que es una red pendiente de un aro sujeto a un tablero vertical puesto en alto.

balonmano *m.* Juego entre dos equipos que consiste en tratar de introducir el balón, valiéndose de las manos, en la portería contraria; según las modalidades se juega por equipos de once o de siete jugadores.

balonvolea *m.* Juego entre dos equipos formados por seis jugadores cada uno, que consiste en tratar de introducir el balón, valiéndose de las manos, en el campo contrario, lanzándolo por encima de una red puesta en alto.

balopticón *m.* Aparato que sirve para proyectar imágenes de objetos opacos en una pantalla sin necesidad de emplear una transparencia.

balota *f.* Bolilla para votar.

balotada *f.* Salto que da el caballo alzando las patas como si fuese a tirar un par de coces.

I) balsa *f.* Hueco del terreno que se llena de agua. 2 En los molinos de aceite, estanque destinado a recibir los desperdicios.

II) balsa *f.* Conjunto de maderos que, unidos, forman una plataforma flotante.

balsadero *m.* Paraje de un río donde hay balsa en que pasarlo.

balsámico, -ca *adj.* Que tiene bálsamo o cualidades de tal.

balsamina *f.* Planta cucurbitácea anual y trepadora *(Momordica balsamina)*. 2 Planta balsaminácea, perenne, empleada en medicina *(Impatiens balsamina)*. 3 fig. *y* vulg. Necio, tonto.

balsamináceo, -a *adj.-f.* Planta de la familia de las balsamináceas. – 2 *f. pl.* Familia de plantas herbáceas, de tallos translúcidos y hojas simples, flores cigomorfas y fruto dehiscente.

bálsamo *m.* Líquido resinoso y aromático que fluye de ciertos árboles y generalmente se espesa por la acción del aire. 2 FARM. Medicamento de uso externo compuesto de substancias generalmente aromáticas. 3 fig. Consuelo, alivio: *es el ~ de mis penas.*

balso *m.* Lazo grande para suspender pesos o elevar a los marineros a lo alto de los palos.

báltico, -ca *adj.* Perteneciente o relativo al mar Báltico, o a los territorios que baña: *países bálticos.*

baluarte *m.* Obra de fortificación de figura pentagonal. 2 fig. Protección, defensa. 3 *Amér.* Artificio de cañas o masa en forma de embudo para coger peces.

balumba *f.* Conjunto desordenado y excesivo de cosas.

balumbo *m.* Lo que es más embarazoso por su volumen que por su peso.

ballaruga *f.* Molusco gasterópodo marino, de concha pequeña en forma de cono y coloración blancuzca con manchas rojas *(Columbella rustica)*.

ballena *f.* Mamífero cetáceo mistacoceto, sin dientes y con dos orificios nasales, el mayor de los animales conocidos *(Balæna mysticetus)*. 2 Lámina córnea que tiene en la mandíbula superior este mamífero. 3 Tira elástica en que se corta esta lámina, o varilla de metal con su misma forma, empleada en diversos usos.

ballenato *m.* Hijuelo de la ballena.

ballenero, -ra *adj.* Relativo a la pesca de la ballena: *arpón ~; flota ballenera.* – 2 *m.* Barco destinado a la captura de ballenas.

ballesta *f.* Arma portátil antigua para lanzar flechas o bodoques. 2 Trampa para cazar pájaros. 3 Muelle en que descansa la caja de los coches.

ballestería *f.* Arte de la caza mayor.

ballet *m.* Danza escénica que desarrolla un argumento. 2 Música de esta danza. 3 Compañía que interpreta estas danzas. ◊ Pl.: *ballets .* Se pronuncia *balé, balés.*

ballico *m.* Planta graminácea vivaz, buena para pasto y para formar céspedes *(Lolium perenne)*.

ballueca *f.* Especie de avena que crece entre los trigos.

I) bamba *f.* Pastel redondo, consistente en un bollo abierto horizontalmente por la mitad y relleno de crema, nata, etc.

II) bamba *f.* Baile de Cuba. 2 *Amér. Central.* Moneda de un peso.

bambalina *f.* Tira de lienzo o papel pintado que cuelga del telar de un **teatro completando la decoración.

bambalinón *m.* Bambalina grande, que forma como una segunda embocadura, reduciendo el hueco de la escena.

bambarria *adj.-com.* Persona tonta o boba.

bambochada *f.* Cuadro que representa borracheras o banquetes ridículos.

bamboche *m.* Persona rechoncha y de cara abultada y encendida.

bambolear *intr.* Moverse una persona o cosa a un lado u otro sin perder su sitio: ~, o *bambolearse, en la maroma.*

bambolla *f.* Boato aparente, pompa fingida. 2 Ampolla, vejiga. 3 *Amér.* Charla, conversación ligera.

bambú, bambuc *m.* Planta graminácea, originaria de la India, de caña leñosa y muy resistente que se emplea en la construcción de casas y en la fabricación de muebles, armas, etc. *(gén. Bambusa)*. 2 Pértiga semiflexible de los perchistas del circo. ◊ Pl.: *bambúes.*

banal *adj.* Trivial, vulgar, común, insubstancial.

banana *f.* Plátano (planta). 2 Fruto de esta planta.

bananero, -ra *adj.* Relativo a los plátanos o bananas.

banasta *f.* Cesto grande.

banca *f.* Asiento de madera, sin respaldo. 2 Mesa de cuatro pies, puesta en paraje público, y en la que se tienen para la venta frutas y otras cosas. 3 Comercio que consiste en operaciones de giro, cambio y descuento, apertura de créditos, servicio de cuentas corrientes y compraventa de efectos públicos. 4 fig. Conjunto de bancos o banqueros. 5 ~ *de hielo,* icefield.

bancada *f.* Mesa o banco grande. 2 ARQ. Trozo de obra. 3 MAR. Banco de los remeros; **barca. 4 MEC. Basamento firme para una máquina o conjunto de ellas. 5 MIN. Escalón en las galerías subterráneas. 6 *Argent. y Parag.* Conjunto de legisladores de un mismo partido.

bancal *m.* Rellano de tierra en una pendiente, que se aprovecha para cultivo. 2 Pedazo de tierra cuadrilongo, dispuesto para siembra o plantación. 3 Arena amontonada a la orilla del mar. 4 Tapete que se pone sobre un banco.

bancarrota *f.* Quiebra (acción y efecto), especialmente la fraudulenta. 2 fig. Desastre, hundimiento, descrédito de una cosa.

bance *m.* Palo suelto que con otros sirve para **cerrar los portillos de las fincas.

banco *m.* Asiento largo y estrecho para varias personas; **gimnasio. 2 Parte inferior de un retablo, generalmente destinada a completar con escenas narrativas su tema central. 3 Mesa de trabajo que usan ciertos artesanos: ~ *de carpintero.* 4 Establecimiento público de crédito. 5 Conjunto de peces que en gran número van juntos. 6 ~ *de datos,* conjunto de información almacenado generalmente por medios informáticos. 7 ~ *de ojos,* establecimiento oftalmológico donde se conservan córneas para su trasplante. 8 ~ *de sangre,* establecimiento médico donde se conserva sangre para transfusiones.

band *m.* Unidad empleada para medir la velocidad de transmisión de las señales en telegrafía.

I) banda *f.* Faja o lista, especialmente la de color determinado que, atravesando desde un hombro al costado opuesto, usan como distintivo las grandes cruces de algunas órdenes. 2 Tira continua de una substancia o material, especialmente la de papel usada en rotativos y teletipos. 3 Humeral (paño blanco). 4 Lado (parte del espacio): *de la ~ de acá del río.* 5 Zona limitada por cada uno de los dos lados más largos de un campo deportivo y otra línea exterior. 6 Pez marino teleósteo lampridiforme, de hasta 3 m. de largo, alargado y comprimido con aspecto de cinta, plateado y sin escamas *(Trachiterus trachypterus).* 7 ~ *de frecuencia,* en radiodifusión y televisión todas las frecuencias comprendidas entre dos límites definidos de frecuencia. 8 ~ *sonora,* parte de la película en la cual se graba el sonido. 9 FÍS. Intervalo finito en el campo de variación de una magnitud física. 10 *Amér.* Faja o ceñidor usado por los hombres de la clase popular a modo de cinturón.

II) banda *f.* Gente armada que no forma parte de un ejército regular. 2 Partido, facción. 3 Manada, bandada. 4 Conjunto de músicos de instrumentos de viento y percusión: ~ *militar.*

bandada *f.* Muchedumbre de aves que vuelan juntas; p. ext., se aplica también a los peces. 2 Grupo numeroso, banda: *una ~ de muchachos.*

bandazo *m.* Inclinación violenta de la nave sobre una banda. 2 fam. Paseo corto, vuelta. 3 Vaivén violento o caída. 4 fig. Cambio brusco de los que se dan alternativamente en sentidos opuestos en la orientación de algo.

I) bandear *tr.* Mover una cosa a una y otra banda. 2 *And.* y *Amér.* Taladrar. 3 *Amér.* Cruzar un río de una banda a otra. – 4 *prnl.* fig. Saberse ingeniar para vivir o para sortear otras dificultades.

II) bandear *tr. Amér. Central.* Perseguir [a uno]. 2 *Amér. Central.* Herir de gravedad.

bandeja *f.* Pieza plana con bordes de poca altura, para llevar, servir o presentar algo; **cocina. 2 Pieza movible que divide horizontalmente el interior de un baúl o maleta. 3 Cajón de mueble con pared delantera rebajada o sin ella.

bandera *f.* Insignia o señal de tela, generalmente cuadrada o cuadrilonga, asegurada por uno de sus lados a un asta, especialmente la que lleva sus colores o emblemas de una nación, ciudad, partido, asociación, etc. 2 Gente o tropa que milita bajo una misma bandera.

bandería *f.* Bando o parcialidad.

banderilla *f.* Palo adornado y armado de una lengüeta de hierro, que usan los banderilleros. 2 Tapa hincada en un palillo de dientes. 3 *Amér.* Petardo, chasco, sablazo.

banderillear *tr.* Clavar banderillas en el cerviguillo [de los toros].

banderillero *m.* Torero que banderillea.

banderín *m.* Bandera pequeña. 2 Cabo o soldado que sirve de guía a la infantería en sus ejercicios, y lleva al efecto un banderín en la bayoneta del fusil. 3 Depósito para enganchar reclutas, llamado generalmente ~ *de enganche.*

banderita *f.* Pequeña insignia que se ofrece en la calle a los transeúntes para obtener recaudaciones de carácter benéfico en determinadas fechas.

banderola *f.* Bandera pequeña, especialmente la usada en topografía. 2 Adorno de cinta que llevan los soldados de caballería en las lanzas.

bandido, -da *adj.-s.* Fugitivo de la justicia. 2 Bandolero. 3 Persona perversa.

bandín *m.* Banda corta de los condecorados.

I) bando *m.* Edicto publicado de orden superior. 2 Acto de publicarlo. – 3 *m. pl.* Amonestaciones matrimoniales.

II) bando *m.* Facción, parcialidad. 2 Cardumen o banco de peces.

bandola *f.* Instrumento músico pequeño de cuatro **cuerdas parecido a la bandurria.

bandolera *f.* Correa que cruza por el pecho y la espalda desde el hombro izquierdo hasta la cadera derecha y sirve para llevar colgada una arma de fuego.

bandolerismo *m.* Existencia continuada de numerosos bandoleros en una comarca. 2 Desafueros propios de los bandoleros.

bandolero *m.* Salteador de caminos. 2 fig. Bandido, persona perversa.

bandoneón *m.* Instrumento músico parecido al acordeón, pero de mayor tamaño.

bandujo *m.* Tripa grande de cerdo, carnero o vaca, rellena de carne.

bandurria *f.* Instrumento músico parecido a la guitarra, pero de menor tamaño y con doce **cuerdas pareadas; se toca con púa. 2 *Amér.* Ave zancuda ciconiforme, parecida al ibis, de pico largo y curvo *(Ibis melanopis).*

bangioficeas *f. pl.* Clase de algas rodofitas.

banjo *m.* Instrumento músico de **cuerda, de origen africano, compuesto por una caja de resonancia circular y un mástil largo con clavijas.

banqueo *m.* Desmonte de un terreno en planos escalonados.

banquero, -ra *m. f.* Jefe de una casa de banca. 2 Persona que se dedica a operaciones bancarias. 3 En el juego, persona que lleva el naipe.

banqueta *f.* Asiento pequeño y sin respaldo. 2 Banco corrido y guarnecido, sin respaldo. 3 Banquillo para poner los pies.

banquete *m.* Comida a que concurren muchas personas, invitadas o a escote, para agasajar a alguien o celebrar algún suceso. 2 Comida espléndida.

banquillo *m.* Asiento en que se coloca el procesado ante el tribunal. 2 DEP. Lugar donde permanecen sentados el entrenador y los jugadores de reserva durante el partido.

banquisa *f.* Banco de hielo.

bantú *adj.-s.* Perteneciente a la gran familia de tribus negras del África ecuatorial y meridional. – 2 *m.* Lengua que predomina en aquellas regiones. ◇ Pl.: *bantúes.*

banzo *m.* Listón del bastidor para bordar. 2 Larguero paralelo o apareado a otro que afianza un armazón.

bañadero *m.* Charco donde se bañan los animales monteses.

bañado *m.* Bacín (orinal). 2 *Amér.* Terreno húmedo, a trechos cenagoso y a veces inundado por las aguas pluviales o por las de un río o laguna cercanos.

bañador, -ra *adj.-s.* [pers.] Que baña. – 2 *m.* Cajón o vaso para bañar algunas cosas. 3 Traje de baño.

bañar *tr.* Meter [el cuerpo o parte de él] en un líquido para refrescarse, asearse, etc.; p. ext., sumergir [una cosa] en un líquido. 2 Humedecer, empapar [una cosa]: *~ un pañuelo con, de, o en, lágrimas.* 3 Tocar [algún paraje] el agua del mar, de un río, etc. 4 Dejar el zapatero un borde en el contorno [de la suela]. 5 Dar el sol, la luz o el aire [en una cosa].

bañera *f.* Baño, pila para bañarse.

bañero, -ra *m. f.* Persona que cuida de los baños y sirve a los bañistas.

bañista *com.* Persona que concurre a tomar baños.

baño *m.* Acción de bañar o bañarse. 2 Efecto de bañar o bañarse. 3 p. ext. Líquido, vapor o aire comprimido preparados para bañar o bañarse. 4 Bañera o recipiente para bañarse. 5 Cuarto de baño. 6 Líquido en que se introduce una cosa para calentarla, teñirla, cubrirla de una materia extraña, etc. 7 Capa de materia extraña con que queda cubierta la cosa bañada. 8 Aplicación de aire, vapor, etc., con fines medicinales. 9 fig. Acción de deslucir y vencer al adversario. 10 ~ *de María,* o ~ *María,* procedimiento de calentar un líquido contenido en una vasija, no directamente, sino colocándola dentro de un recipiente con agua, que se pone al fuego.

bao *m.* Pieza del armazón de un buque que va de un costado a otro y sostiene la cubierta.

baobab *m.* Árbol tropical bombáceo, de tronco voluminoso, flores grandes y blancas, y frutos alargados comestibles *(Adansonia digitata).* ◇ Pl.: *baobabs.*

baptisterio *m.* Edificio, generalmente exento, de pequeñas dimensiones y planta central, donde se encuentra la pila bautismal y tiene lugar la ceremonia del bautismo. 2 Parte del templo donde se encuentra la pila bautismal y tiene lugar la ceremonia del bautismo.

baque *m.* Golpe de una cosa al caer.

baquear *intr.* Navegar al amor de la corriente de agua cuando ésta es más rápida que el viento.

baquelita *f.* QUÍM. Resina sintética que se obtiene por condensación del fenol con el formol.

baquero, -ra *adj.-s.* [sayo o vestido] Que cubre exteriormente todo el cuerpo y se abrocha por detrás.

baqueta *f.* Varilla o barra delgada, especialmente usada para atacar las armas de fuego y limpiar el interior de su cañón. – 2 *f. pl.* Palillos con que se toca el tambor o la batería.

baqueteado, -da *adj.* fig. Acostumbrado a negocios y trabajos. 2 Maltratado [por una situación o vida difíciles].

baquetear *tr.* Maltratar. 2 Ejercitar, practicar.

baquetón *m.* Columnilla delgada, larga, propia de la arquitectura gótica. 2 Moldura convexa pequeña de sección semicircular.

baquía *f.* Conocimiento práctico de las sendas, atajos, caminos, ríos, etc., de un país. 2 *Amér.* Habilidad y destreza para obras manuales.

I) bar *m.* Establecimiento de bebidas o manjares, que suelen tomarse de pie ante el mostrador.

II) bar *m.* FÍS. Unidad de presión equivalente a un millón de dinas por centímetro cuadrado. ◇ Pl.: *bares.*

barahúnda *f.* Ruido y confusión grandes.

baraja *f.* Conjunto de naipes que sirve para varios juegos. 2 *Amér.* Naipe.

barajar *tr.* Mezclar, en el juego, [unos naipes con otros] antes de repartirlos. 2 fig. Sortear un peligro o dificultad. 3 fig. Considerar o citar [posibilidades para una resolución o personas para un destino]: *se barajaron varias alternativas antes de dar con la solución final.* – 4 *intr.* Reñir, altercar: ~ *con el viento.* – 5 *tr.* *Argent., Chile* y *Urug.* Parar [un golpe], detener [un intento].

barajón *m.* Bastidor de madera para andar por la nieve.

barajustar *intr. Amér.* Irse, escaparse.

baranda *f.* Borde de las mesas de billar. 2 Madero o moldura colocado en un alféizar. 3 Galería cubierta que rodea una casa.

barandal *m.* Listón sobre el que se asientan los balaustres.

barandilla *f.* Antepecho compuesto de balaustres y barandales, que sirve para balcones, escaleras y división de piezas. 2 *Amér.* Adral de carro.

barata *f.* Trueque, cambio.

baratear *tr.* Dar [una cosa] por menos de su precio. 2 Regatear [algo] antes de comprar.

baratija *f.* Cosa menuda y de poco valor: *vender baratijas.*

baratillo *m.* Conjunto de cosas de lance, o de poco precio, que están en venta en paraje público. 2 Tienda o puesto en que se venden.

barato, -ta *adj.* Vendido o comprado a bajo precio: *una casa barata.* – 2 *m.* Venta de efectos a bajo precio. – 3 *adv.* Por poco precio: *comprar ~.*

baraustar *tr.* Asestar (dirigir). 2 Desviar [el golpe] de un arma.

barba *f.* Parte de la cara debajo de la boca. 2 Pelo que nace en ella y en los carrillos. 3 Mechón de pelo pendiente del pellejo que cubre la quijada inferior del ganado cabrío, y por extensión de otros animales; **caballo. 4 Carúnculas de algunas aves. 5 ~ **de ballena,** ballena (lámina). 6 ~ **de cabra,** planta perenne de la familia de las compuestas, con las flores de color amarillo, en capítulos (*Tragopogon pratensis*). 7 ~ **de chivo,** planta anual graminácea (*Carinephorus canescens*). 8 Parte superior de la colmena, donde se ponen las abejas cuando se va formando nuevo enjambre. – 9 *f. pl.* Raíces delgadas de los árboles y plantas. 10 Filamentos sutiles del astil de la pluma de **ave.

barbacana *f.* Obra de fortificación, avanzada y aislada, para defender puertas, cabezas de puente, etc. 2 Muro bajo que bordea la plazuela de algunas iglesias. 3 Elemento de fortificación que consiste en una galería corrida que corona los muros o torres, para permitir la vigilancia del pie de los mismos.

barbacoa, -cuá *f.* Parrilla usada para asar al aire libre carne o pescado. 2 Dicho asado. 3 *Amér.* Zarzo que sirve de camastro. 4 *Amér.* Casita construida sobre árboles o estacas. 5 *Amér.* Tablado en lo alto de las casas, donde se guardan granos, frutos, etc.

barbada *f.* Quijada inferior de las caballerías. 2 Cadenilla o hierro corvo que se pone a éstas por debajo de la barba. 3 Pieza de madera que se adosa al violín para apoyar la barba el que lo toca.

barbado, -da *adj.-s.* [pers.] Que tiene barbas. – 2 *m.* Árbol o sarmiento que se planta con raíces: *plantar de ~.* 3 Renuevo o hijuelo de árbol o arbusto.

barbar *intr.* Echar barbas el hombre. 2 Enjambrar (criar). 3 Echar raíces las plantas.

barbaridad *f.* Calidad de bárbaro. 2 Dicho o hecho muy necio o imprudente. 3 Crueldad grande. 4 Gran cantidad: *acudió una ~ de gente.*

barbarie *f.* Rusticidad, falta de cultura. 2 fig. Fiereza, crueldad.

barbarismo *m.* GRAM. Idiotismo o modo de hablar propio de una lengua extranjera: *galicismos, anglicismos, germanismos, italianismos;* por su carácter básico en la formación de la lengua española, no se califican de barbarismos las voces o locuciones procedentes del griego, el latín o el árabe (*helenismos, latinismos* y *arabismos*).

barbarizar *tr.* Hacer bárbara [a una persona o cosa]. 2 Adulterar [una lengua] con barbarismos. ◇ ** CONJUG. [4] como *realizar.*

bárbaro, -ra *adj.-s.* [pers.] De cualquiera de los pueblos que en el siglo V invadieron el imperio romano. 2 fig. Fiero, cruel. 3 Arrojado, temerario. 4 Inculto, grosero, tosco. 5 fam. Espléndido, muy bueno o grande: *nos dieron una comida bárbara.*

barbear *tr.* Llegar a tocar con la barba [a alguna parte]: *el toro salta todo lo que barbea.* – 2 *prnl.* Tenérselas tiesas con alguno.

barbechar *tr.* Arar [la tierra] para la siembra o para que se meteorice y descanse.

barbechera *f.* Conjunto de varios barbechos. 2 Tiempo en que se barbecha.

barbecho *m.* Tierra labrantía que no se siembra durante uno o más años.

barbería *f.* Tienda y oficio del barbero.

barbero *m.* El que tiene por oficio afeitar la barba, cortar los cabellos, etc. 2 Pez teleósteo perciforme del mar de las Antillas, de color de chocolate y piel muy áspera (gén. *Acanthurus*).

barberol *m* ZOOL. Pieza que, con otras, forma el labio inferior de los insectos masticadores.

barbertonita *f.* Mineral de la clase de los carbonatos que cristaliza en el sistema hexagonal en cristales fibrosos o laminares de color rosado.

barbeta *f.* Trozo de parapeto destinado a que tire la artillería a descubierto.

barbián, -biana *adj.-s.* Desenvuelto, gallardo, arriscado.

barbicelo *m.* ZOOL. Pequeño gancho situado en la cara inferior de las plumas de las aves.

barbilampiño, -ña *adj.* De poca o ninguna barba.

barbilindo, -lucio *adj.* Que presume de guapo.

barbilla *f.* Punta de la barba; **cuerpo humano. 2 Corte dado oblicuamente en la cara de un madero para que encaje en el hueco de otro.

barbillas *m.* Hombre de barba escasa.

barbillera *f.* Rollo de estopa que se pone alrededor de las cubas de vino para escurrir el mosto fermentado. 2 Especie de barboquejo que se pone a los cadáveres para cerrarles la boca.

barbillón *m.* Apéndice cutáneo filamentoso que tienen algunos peces alrededor de la boca.

barbiponiente *adj.* [joven] A quien empieza a salir la barba. 2 fig. Principiante.

barbiquejo *m.* Barboquejo. 2 *Amér.* Pañuelo que a modo de venda se pasa por debajo de la barba y ata por encima de la cabeza.

barbiquiú *m.* *Amér.* Reunión o fiesta campestre en que se come carne asada.

barbitúrico *adj.-m.* Ácido cristalino o derivado que tiene propiedades hipnóticas.

barbo *m.* Pez teleósteo cipriniforme de agua dulce, de hasta 80 cms. de longitud, con la boca rodeada de barbillones *(Barbo barbo)*.

barbón *m.* Hombre barbado. 2 Rama baja del olivo.

barboquejo *m.* Cinta con que se sujeta el sombrero, gorra, etc., por debajo de la barba; **armadura.

barbotina *f.* Pasta cerámica líquida, que se aplica con pincel o por molde con objeto de obtener decoraciones en relieve sobre piezas de alfarería.

barbudo, -da *adj.* Que tiene muchas barbas.

barbullar *intr.* Hablar atropelladamente.

barbullido *m.* Rizado que produce en la superficie del mar el paso de un banco de sardinas.

barbusano *m.* Árbol lauráceo de Canarias de madera muy dura *(Apollonias canariensis).* 2 Madera de este árbol.

****barca** *f.* Embarcación pequeña para pescar o navegar en las costas o en los ríos. 2 Canasto de tablas de madera empleado para envases y transporte de fruta.

barcada *f.* Carga que cada vez transporta una barca. 2 Flete que por él se paga.

barcal *m.* Artesa en que se colocan las vasijas al medir el vino, para recoger el que se derrama.

barcarola *f.* Canción popular de los barqueros italianos, de movimiento ondulatorio. 2 Música de esta canción.

barcaza *f.* Lanchón para la carga y descarga de los buques.

barcelonés, -nesa *adj.-s.* De Barcelona.

barcino, -na *adj.* [animal] De pelo blanco y pardo, y a veces rojizo.

barco *m.* Construcción de madera o metal, dispuesta para flotar y correr por el agua, impulsada por el viento, por remos o por ruedas o hélices movidas por un motor: ~ *cisterna;* ~ *escuela.* 2 Barranco poco profundo.

barchilla *f.* Medida de capacidad para áridos, usada en Alicante, Castellón, Murcia y Valencia.

barda *f.* **Armadura con que se protegía a los caballos en la guerra. 2 Cubierta de ramaje, espino, broza, etc., que se pone sobre las tapias de los corrales y huertas.

bardaguera *f.* Arbusto salicáceo, de cuyos ramos delgados se hacen cestas (gén. *Salix;* especies: *S. viminalis; S. incana; S. purpurea).*

bardero *m.* Leñador que lleva bardas o quejigos para el consumo de los hornos.

bardo *m.* Poeta.

baremo *m.* Cuaderno o tabla de cuentas ajustadas. 2 Conjunto de normas establecidas convencionalmente para evaluar los méritos personales, la solvencia de empresas, etc.

barestesia *f.* Facultad de percibir la diferencia de peso de los objetos.

bargueño *m.* Mueble de madera con muchos cajoncitos y gavetas.

barhidrómetro *m.* FÍS. Instrumento para

BARCA

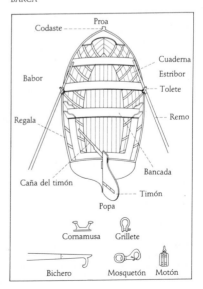

medir la presión ejercida por el agua a diversas profundidades.

baria *f.* En el sistema cegesimal, unidad de presión equivalente a una dina por centímetro cuadrado.

baribal *m.* Oso de América que se diferencia del común por tener las extremidades más cortas y el hocico más largo *(Ursus americanus).*

baricentro *m.* Centro de gravedad de un cuerpo. 2 FÍS. Punto de aplicación de la resultante de un sistema de fuerzas.

barimetría *f.* Medición de la gravedad.

bario *m.* Metal blanco amarillento, dúctil, difícil de fundir y que se oxida rápidamente. Su símbolo es *Ba.*

barisfera *f.* Núcleo sólido, pesado e interior del globo terrestre formado probablemente por hierro y otros metales.

barita *f.* Óxido de bario. 2 Baritina molida que se añade como blanco a la pintura.

baritina *f.* Sulfato de bario nativo, de fórmula BaSO$_4$. Se llama también espato pesado.

baritocalcita *f.* Mineral de la clase de los carbonatos que cristaliza en el sistema monoclínico en cristales prismáticos incoloros o de color amarillo grisáceo.

barítono *m.* Voz media entre la de tenor y la de bajo. 2 Persona que tiene esta voz.

barján *m.* Duna típica en forma de media luna; procede de la fragmentación de dunas transversales de desplazamiento más lento.

barjuleta *f.* Bolsa grande que llevan a la espalda los caminantes con ropa o menesteres.

barloa *f.* Cable con que se sujetan los buques abarloados.

barlovento *m.* MAR. Parte de donde viene el viento.

barman *m.* Encargado o camarero de un bar. ◇ Pl.: *bármanes* , no *bármans* ni menos *barmen.*

barniz *m.* Disolución de una o más resinas en un aceite o líquido volátil, que se aplica a la superficie de un objeto para que al secarse o cocerse forme una capa lustrosa o vitrificada capaz de resistir la acción del aire y de la humedad.

barnizar *tr.* Dar barniz. ◇ ** CONJUG. [4] como *realizar.*

barómetro *m.* Instrumento para determinar la presión atmosférica.

barón *m.* Título nobiliario que sigue en importancia al de vizconde.

baroscopio *m.* Aparato para demostrar la pérdida de peso de los cuerpos en el aire.

baróstato *m.* Dispositivo que regula la presión en las turbinas de gas.

barquear *tr.-intr.* Atravesar [un río, lago, etc.] con la barca.

barqueta *f.* Cestita de madera, de celulosa prensada, o de otros materiales, utilizada principalmente en los autoservicios para la presentación y distribución de algunos alimentos.

barquía *f.* Embarcación pequeña de remo.

barquilla *f.* Molde, a manera de barca, para hacer pasteles. 2 Cesto pendiente del globo aerostático en que van sus tripulantes. 3 Instrumento para medir lo que anda la nave.

barquillo *m.* Hoja delgada de pasta de harina sin levadura, azúcar y una esencia, a la que se da forma convexa o de canuto.

barquín *m.* Fuelle grande usado en las herrerías.

barquinazo *m.* Tumbo recio o vuelco de un carruaje.

barquita *f.* fig. Timbal (pastel relleno) individual de forma alargada. 2 Molusco gasterópodo marino de concha pequeña, cuyo cuerpo alcanza hasta 14 cms. de longitud *(Scaphander lignarius).*

barra *f.* Pieza rígida, prismática o cilíndrica, mucho más larga que gruesa, hecha de cualquier material o substancia: ~ *de labios; ~ de una cortina.* 2 Palanca de hierro. 3 Pieza de la prensa o el torno mediante la que se hace tiro. 4 Rollo de metal, especialmente oro o plata, sin labrar. 5 Pieza de **pan de forma alargada. 6 Barandilla que separa al tribunal del público. 7 Bajío, largo y estrecho, formado en la embocadura de un río. 8 Defecto de algunos tejidos, a modo de lista de distinto color. 9 En los bares, mostrador en que se expenden las consumiciones. 10 DEP. En gimnasia deportiva, aparato sobre el que se efectúan diversos ejercicios, dependiendo de su forma: ~ *fija,* aparato formado por un travesaño cilíndrico de acero, sostenido por dos montantes verticales a 2,40 m. del suelo; ~ *de equilibrios,* el formado por un travesaño de madera rectangular, de 5 m. de largo y 10 cms. de ancho, sostenido en la horizontal por dos montantes fijos; *barras paralelas,* el formado por dos travesaños de madera cilíndricos, paralelos, sostenidos a igual altura del suelo por dos montantes; *barras asimétricas,* aparato formado por dos barras paralelas, pero a diferente altura cada una de ellas; **gimnasio. 11 IMPR. Signo gráfico que sirve para separar diversas construcciones gramaticales. 12 *Amér.* Conjunto de hinchas o aficionados.

barrabasada *f.* Travesura grave, acción atropellada.

barraca *f.* Caseta construida toscamente y con materiales ligeros. 2 Vivienda rústica. 3 ~ *de feria,* construcción provisional desmontable, que se destina a espectáculos, diversiones, etc. 4 *Amér.* Edificio en que se depositan cueros, lanas, cereales u otros efectos destinados al tráfico.

barracón *m.* Edificio de un solo piso, de planta rectangular y sin tabiques, que se construye para albergar tropas.

barragán *m.* Tela de lana, impenetrable al agua. 2 Abrigo de esta tela.

barranco *m.* Quiebra profunda que hacen en la tierra las corrientes de las aguas. 2 Precipicio, despeñadero.

barranquear *tr.* Arrastrar [los troncos de los árboles] por barrancos y arroyos.

barrasco *m.* En la explotación de resinas, costra de miera solidificada que se forma sobre la superficie de la entabladura a lo largo de la campaña y se recoge al final de ésta.

barrear *tr.* Cerrar [cualquier sitio abierto] con maderas o fajinas.

barrena *f.* Barra de acero con la punta en espiral, para taladrar madera, metal, etc. 2 Molusco lamelibranquio marino, de concha de hasta 15 cms. de diámetro, y coloración blanca grisácea *(Pholas dactylus).*

barrenador *m.* Barrenero de minas o canteras. 2 Insecto coleóptero que barrena la madera, alimentándose de la savia y de los hongos que se crían en las galerías *(gén. Xylevorus).*

barrenar *tr.* Abrir agujeros [en algún cuerpo] con barrena o barreno. 2 Dar barreno. 3 Desbaratar [algún plan] a alguien.

barrendero, -ra *m. f.* Persona que tiene por oficio barrer.

barrenillo *m.* Insecto coleóptero provisto de élitros ahuecados en su extremo *(gén. Scolytus).* 2 Enfermedad producida por estos insectos en los árboles.

barreno *m.* Barrena grande. 2 Agujero hecho con barrena. 3 Agujero relleno de materia explosiva, hecho en una roca o en una obra de fábrica, para hacerla volar.

barreño *m.* Vasija grande para fregar y otros usos; **cocina.

barrer *tr.* Limpiar [el suelo] con la escoba. 2 Dejar [un sitio] desembarazado, llevárselo todo: ~ *de nubes;* ~ *de gente.* 3 Enfocar con un haz de luz electrónica una pantalla luminiscente de un tubo catódico. 4 fig. Hacer desaparecer: ~ *las imperfecciones.* 5 fig. Pasar rozando [encima de algo], rozar: *las flámulas barrían el agua.* 6 fig. ~ *hacia dentro,* comportarse interesadamente.

I) barrera *f.* Valla de palos o tablas para atajar un camino, cercar un lugar, impedir el paso, etc.; **carretera. 2 Parapeto para defenderse del enemigo u obstáculo parta dificultar o impedir su avance: ~ *antitanque.* 3 Antepecho de madera que cierra alrededor del redondel en las plazas de **toros. 4 En las mismas plazas, primera fila de asientos. 5 fig. Obstáculo entre una cosa y otra. 6 ~ *del sonido,* conjunto de fenómenos aerodinámicos que se producen cuando un cuerpo se mueve en la atmósfera a una velocidad próxima a la del sonido (340 m. por segundo), y que dificultan sobrepasar esta velocidad. 7 fig. Salvación, amparo, refugio.

II) barrera *f.* Sitio de donde se saca el barro para los alfareros. 2 Alacena para guardar barros. 3 Montón de tierra que queda después de haber sacado el salitre.

barreta *f.* Tira de cuero puesta en lo interior del calzado para reforzar la costura. 2 Especie de piqueta que usan los albañiles, mineros, etc.

barretear *tr.* Afianzar [una cosa, como cofres, baúles, etc.] con barras de hierro.

barretina *f.* Gorro catalán en forma de manga cerrada por un extremo.

barriada *f.* Barrio. 2 Parte de un barrio.

barrica *f.* Especie de tonel mediano.

barricada *f.* Parapeto improvisado para estorbar el paso del enemigo.

barrido *m.* FÍS. Proceso por el que un dispositivo explora sistemática y repetidamente un área o un espacio reconociéndolos punto por punto.

barriga *f.* Vientre (vísceras y cavidad); **cuerpo humano.

barrigudo, -da *adj.* De gran barriga. – 2 *f.* Árbol bombacáceo caducifolio con el tronco muy grueso y en forma de tonel, almacén de agua y nutrientes *(Cavanillesia arborea).*

barril *m.* Cuba para conservar y transportar mercancías, especialmente líquidos. 2 Vaso de barro, de gran vientre y cuello angosto.

barrilete *m.* Instrumento de hierro en figura de siete, con que los carpinteros aseguran sobre el banco los materiales que labran. 2 Pieza del revólver, destinada a colocar los cartuchos, móvil y de forma cilíndrica. 3 Cangrejo de mar, decápodo, cuyas pinzas, una de ellas mucho mayor que la otra, crecen de nuevo cuando se las arranca *(Uca tangeri).*

barrilla *f.* Planta quenopodiácea que crece en terrenos salitrosos y cuya ceniza sirve para preparar la sosa *(Salsola kali).* 2 Estas mismas cenizas.

barrillero, -ra *adj.* Que contiene o puede producir barrilla.

barrio *m.* Parte o sección urbana, de extensión relativamente grande, que contiene un agrupamiento social espontáneo y que tiene un carácter peculiar, físico, social, económico o étnico por el que se identifica: ~ *histórico,* parte antigua de una ciudad. 2 Caserío dependiente de otra población, aunque esté apartado de ella.

barritar *intr.* Berrear el elefante.

barrizal *m.* Sitio lleno de barro o lodo.

I) barro *m.* Masa que resulta de la unión de tierra y agua. 2 Vasija hecha de barro. 3 Arcilla que utilizan los alfareros. 4 *Argent., Parag.* y *Urug.* fig. Desacierto, yerro o acción fea, cometida generalmente por torpeza.

II) barro *m.* Granillo de color rojizo que sale en el rostro. 2 Tumorcillo que sale al ganado mular y vacuno.

barroco, -ca *adj.-s.* Período de la cultura europea que va desde finales del siglo XVI a los primeros decenios del XVIII, con especial influencia en las bellas artes: *literatura barroca.* 2 Extravagante, complicado, enmarañado.

barrón *m.* Planta gramínea perenne con unos tallos reptantes y otros erectos, las hojas grisáceas, espiga cilíndrica y blanquecina *(Ammophila arenaria).*

barroquismo *m.* Calidad de barroco. 2 Tendencia al recargamiento decorativo.

barrote *m.* Barra gruesa.

barrueco *m.* Perla irregular.

barrujo *m.* Acumulación de hojas secas de pino que suele cubrir el suelo de los pinares.

barrumbada *f.* Dicho jactancioso. 2 Gasto excesivo hecho por jactancia. 3 *Amér.* Barbaridad.

barruntar *tr.* Prever, conjeturar, presentir [alguna cosa].

bartola (a la ~) *loc. adv.* Sin ningún cuidado: *tumbarse a la ~.*

bartolillo *m.* Pastelillo relleno de crema o carne.

bártulos *m. pl.* Enseres de uso corriente.

baruca *f.* fam. Enredo o artificio para impedir el efecto de alguna cosa.

barullo *m.* Confusión, desorden.

barzal *m.* Terreno cubierto de zarzas.

barzón *m.* Paseo ocioso.

basa *f.* ARQ. Asiento en que descansa o se sostiene la columna o estatua; **órdenes; **románico.

basada *f.* Aparato armado en la grada debajo del buque, para botarlo al agua.

basal *adj.* Situado en la base.

basalto *m.* Roca volcánica, de color negro verdoso, compuesta generalmente de feldespato y piroxeno.

basamento *m.* Cuerpo que forman la basa y el plinto de una columna. 2 Parte inferior de una edificación.

basar *tr.* Asentar [algo] sobre una base. 2 fig. Fundar, apoyar.

basarisco *m.* Mamífero carnívoro de unos 80 cms. de longitud, cuerpo estilizado, hocico prominente y larga cola *(Bassariscus astutus).*

basca *f.* Ansia, desazón en el estómago cuando se quiere vomitar: *el balanceo le dio bascas.* 2 fig. y fam. Ímpetu colérico o muy precipitado, en una acción o asunto: *Juan obrará según le dé la ~.* 3 fam. Pandilla, grupo de personas.

bascosidad *f.* Inmundicia, suciedad.

báscula *f.* Aparato para medir grandes pesos que, colocados sobre una plataforma y por medio de una combinación de palancas, se equilibran con el pilón de un brazo de romana: *~ de baño; ~ de cocina.*

bascular *intr.* Tener movimiento de vaivén parecido al de la báscula cuando va equilibrando su peso. 2 En algunos vehículos de transporte, inclinarse la caja, mediante un mecanismo adecuado, de modo que la carga resbale hacia fuera por su propio peso.

base *f.* Fundamento o apoyo en que descansa alguna cosa: ~ *de operaciones,* lugar donde se prepara un ejército para la guerra; ~ *de lanzamiento,* lugar para el lanzamiento de naves espaciales. 2 fig. Conjunto de personas que no ostentan cargo o jerarquía dentro de una organización, política, sindical, social, religiosa, etc. 3 Basa de una columna. 4 Parte inferior de un cuerpo. 5 Capa del firme de una carretera sobre la cual se extiende el revestimiento. 6 BOT. Parte de una planta cercana al punto de contacto con otra, por lo general de diferente naturaleza: ~ *de la **hoja.* 7 DEP. Jugador de baloncesto cuya función primordial es la de organizar el juego de su equipo. 8 DEP. Esquina del campo de juego del béisbol que, en número de cuatro, intenta ocupar un jugador mientras defiende otro, para conseguir puntos. 9 GEOM. Línea o superficie en que se supone insiste una figura; **triángulo. 10 MAT. Cantidad fija y distinta de la unidad, que ha de elevarse a una potencia dada, para que resulte un número determinado. 11 QUÍM. Compuesto formado por un metal o radical positivo y el grupo hidroxilo (OH). ◇ Es incorrecta y anglicada la construcción *en base a* por *a base de, basándose en, sobre la base de,* etc.

baseláceo, -a *adj.-f.* Planta de la familia de las baseláceas. – 2 *f. pl.* Familia de plantas angiospermas dicotiledóneas, herbáceas o arbustivas, propias de los países tropicales.

basic *m.* Lenguaje conversacional simbólico sin aplicación específica, empleado en ordenadores.

básico, -ca *adj.* Fundamental. 2 Que sirve de base. 3 [suelo] Rico en calcio o magnesio. 4 QUÍM. Que tiene el carácter de una base.

basidio *m.* Célula madre de los hongos basidiomicetes que origina en su cúspide cuatro esporas exógenas.

basidiolíquenes *m. pl.* Clase de plantas dentro de la división de los líquenes. Están formados por la unión simbiótica de una alga y un hongo de la clase de los basidiomicetes.

basidiomicetes *m. pl.* Clase de hongos dentro de la división de los eumicetes, que producen esporas de origen sexual, pero se originan en los basidios.

**basílica *f.* Edificio que servía a los romanos de tribunal y lugar de reunión y contratación. 2 Iglesia que se considera como la primera de la cristiandad en categoría y que goza de varios privilegios; se subdivide en mayor y menor, según la extensión o significado de sus privilegios.

basilicón *m.* Ungüento compuesto de cera, colofonía, sebo y resina.

basilisco *m.* Animal fabuloso del cual se creía que mataba con la vista. 2 fig. Persona furiosa o dañina: *se puso hecha un ~.*

basipodio *m.* En los vertebrados tetrápodos, muñeca o tobillo.

basitarso *m.* En los insectos, primer segmento del tarso; habitualmente el mayor.

basquilla *f.* Enfermedad del ganado lanar.

basquiña *f.* Saya generalmente negra.

basta *f.* Hilván. 2 Puntada que suele tener a trechos el colchón, para mantener la lana en su lugar.

¡basta! Interjección con que se denota desagrado, u orden de que cese algo.

bastante *adj.* Que basta: *las razones son bastantes para ello.* – 2 *adv. c.* Ni mucho ni poco: *los ejercicios son ~ agradables;* no poco: *son (lo) ~ ricos; ~ bien; ~ escaso.* – 3 *adv. t.* Largo tiempo: *hace ~ que no me escribe.*

bastar *intr.-prnl.* Ser suficiente: *basta con eso; basta de bulla; ~ a, o para, resistir.* 2 Abundar (en cantidad).

bastarda *f.* Lima de cerrajero de grano muy fino. 2 Culebrina de caracteres especiales.

bastardear *intr.* Degenerar de su naturaleza o pureza primitiva.

bastardía *f.* Calidad de bastardo. 2 fig. Dicho o hecho indigno del estado de una persona.

bastardilla *f.* Especie de flauta.

bastardo, -da *adj.* [pers.] Ilegítimo, no reconocido por el padre. 2 Que degenera en su origen o naturaleza; que participa de dos géneros distintos: *estilo ~.*

bastidor *m.* Armazón de madera o metal que sostiene otros elementos: *~ de un lienzo;*

~ para pintar; ~ de una ***puerta.* 2 Conjunto de esta armazón con el motor y las ruedas. 3 Decoración lateral de un teatro.

bastilla *f.* Doblez que se hace y asegura con puntadas a los extremos de la tela para que no se deshilache.

bastimento *m.* Barco (construcción). 2 Provisión para sustento de una ciudad, ejército, etc.

bastión *m.* FORT. Baluarte.

I) basto *m.* Género de albarda. – 2 *m. pl.* Palo de la baraja española. 3 *Amér.* Almohadilla o piezas de cuero sobre que descansa la silla de montar.

II) basto, -ta *adj.* [cosa] Sin pulimentar, de calidad baja. 2 [pers. o acto humano] Grosero, rústico, tosco.

bastón *m.* Vara que sirve para apoyarse al andar. 2 Insignia de mando o de autoridad. 3 Mango del **paraguas.

bastonera *f.* Mueble para poner bastones y paraguas.

basura *f.* Estiércol de las caballerías. 2 Desechos, residuos de comida, papeles y trapos viejos, trozos de cosas rotas y otros desperdicios.

basurero *m.* El que tiene por oficio recoger la basura. 2 Sitio en donde se amontona la basura.

bata *f.* Ropa talar con mangas usada para estar cómodamente en casa, o para el trabajo profesional de clínica, laboratorio, taller, etc.

batacazo *m.* Caída o choque. 2 *Chile, Perú y R. de la Plata.* p. ext. Triunfo o suceso afortunado y sorprendente.

batahola *f.* fam. Bulla, ruido grande.

BASÍLICA

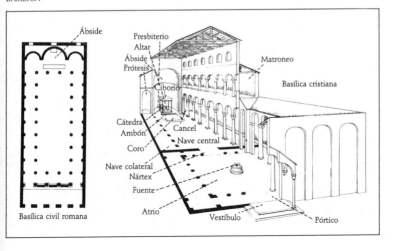

Ábside
Presbiterio
Altar
Ábside
Prótesis
Matroneo
Ciborio
Basílica cristiana
Cátedra
Ambón
Cancel
Coro
Nave central
Nave colateral
Nártex
Fuente
Basílica civil romana
Atrio
Vestíbulo
Pórtico

batalla *f.* Combate o pelea entre dos individuos o ejércitos armados. 2 fig. Agitación e inquietud interior del ánimo.

batallar *intr.* Pelear, reñir con armas: ~ *con el enemigo;* ~ *con,* o *contra, una nación;* fig., ~ *con la enfermedad, con la tentación.* 2 fig. Disputar, altercar, debatir, porfiar.

batallón *m.* Unidad táctica del arma de infantería compuesta de varias compañías.

batán *m.* Máquina compuesta de gruesos mazos de madera para desengrasar y enfurtir los paños. 2 Edificio en que funciona esta máquina. 3 Zurra, azotaina.

batata *f.* Planta vivaz, convolvulácea, de tallo rastrero y tubérculo rico en féculas, azucarado y comestible *(Convolvulus batatas).* 2 Tubérculo de esta planta.

batatazo *m. Amér.* Chiripa, ganancia casual o inesperada en el juego.

bate *m.* En el juego de béisbol, madero cilíndrico con que se pega a la pelota.

batea *f.* Bandeja o azafate de madera pintada, o con pajas sentadas sobre la madera. 2 Embarcación pequeña, de figura de cajón. 3 Vagón descubierto, con los bordes muy bajos.

bateaguas *m.* Canal o ingenio que se coloca para impedir que el agua de lluvia penetre en el edificio o se deslice perjudicialmente. ◇ Pl.: *bateaguas.*

batear *intr.* Usar el bate. – 2 *tr. Amér.* En el juego de pelota, dar [a la pelota] con el bate.

batería *f.* Conjunto de piezas de artillería dispuestas para hacer fuego. 2 Unidad táctica que la maneja. 3 Sistema eléctrico que permite la acumulación de energía y su posterior suministro: ~ *de* ***automóvil.* 4 Pila (aparato). 5 Serie o conjunto de cosas, elementos, etc.: *una* ~ *de decisiones, de proyectos.* 6 ~ o ~ *de cocina,* conjunto de cacerolas y otros utensilios de cocina. 7 MÚS. Conjunto de instrumentos de **percusión en una banda u orquesta. – 8 *m.* MÚS. Persona que toca la batería. – 9 *loc. adj.* o *adv. En* ~, modo de aparcar vehículos colocándolos paralelamente unos a otros.

baticabeza *m.* Coleóptero de cuerpo alargado, que, por la disposición de las piezas de su esternón, puede dar saltos cuando cae de espaldas, hasta colocarse en posición normal.

baticola *f.* Correa sujeta a la silla o a la albardilla, que pasa por debajo de la cola de la caballería.

batida *f.* Acción de batir o explorar una zona en busca de alguien o algo.

batidera *f.* Especie de azadón, de astil muy largo, para mezclar la cal con la arena y el agua al hacer la argamasa.

batido, -da *adj.* [tejido de seda] Que resulta con visos distintos. 2 [camino] Muy andado y trillado. – 3 *m.* Masa de que se hacen hostias y bizcochos. 4 Claras, yemas o huevos batidos. 5 Bebida que se hace batiendo helado,

leche u otros ingredientes. 6 En la danza, salto en el que los pies se entrechocan.

batidor, -ra *adj.* Que bate. 2 *m.* Peine de púas largas y gruesas.

batidora *f.* Instrumento para batir; **cocina.

batiente *adj.* Que bate. – 2 *m.* Parte del cerco o cuadro en que baten las **puertas o ventanas al cerrarse. 3 Hoja de puerta. 4 Parte inferior del vano de una puerta, o piedra que se coloca entre las jambas del mismo. 5 Lugar de una costa o dique cuyo pie es batido por las olas. 6 Listón de madera forrado de paño en el cual baten los macillos del piano e instrumentos análogos.

batifotómetro *m.* Fotómetro para medir la energía luminosa en las profundidades del mar.

batimán *m.* En la danza, movimiento que se efectúa con las piernas. 2 Movimiento rápido de los brazos, accionando al hablar.

batímetro *m.* Aparato que mide la profundidad de las aguas, y se utiliza en lugar de la sonda.

batimiento *m.* FÍS. Variación periódica de la amplitud de una oscilación.

batín *m.* Bata que llega sólo un poco más abajo de la cintura.

batintín *m.* Instrumento músico de **percusión consistente en un disco de metal con los bordes doblados que, suspendido, se toca con una maza.

batipelágico, -ca *adj.* Perteneciente o relativo a las grandes profundidades marinas.

batir *tr.* Dar golpes [sobre algo]. 2 Arruinar, echar por tierra [una pared, edificio, etc.]; hablando de tiendas, toldos, etc., recoger, desarmar; fig., anular, destruir: ~ *la libertad, los privilegios.* 3 Atacar y derruir con la artillería; p. ext., dominar con armas de fuego [un terreno, posición, etc.]. 4 Dar el sol, el aire o el agua [en alguna parte] sin estorbo. 5 Mover o revolver [una cosa] con fuerza: ~ *las alas, las espuelas.* 6 Acuñar o fabricar [moneda]. 7 Ajustar [las resmas de papel] una vez fabricadas. 8 Vencer o superar [a un contrincante, una marca]: ~ *un récord.* 9 Reconocer [un terreno] para descubrir al enemigo, ojear la caza, etc. – 10 *prnl.* Combatir, pelear.

batiscafo *m.* Aparato autónomo de sumersión que permite explorar las profundidades del mar.

batisfera *f.* Aparato usado para investigar la fauna de los mares profundos.

batisismo *m.* Seísmo cuyo hipocentro se halla a gran profundidad (entre 300 y 700 kms.).

batista *f.* Tela muy fina de lino o algodón.

batitermógrafo *m.* Aparato destinado a medir y registrar la temperatura del agua del mar a las distintas profundidades.

bato *m.* Hombre tonto o rústico y de pocos alcances.

batoideo *adj.-m.* Pez del suborden de los batoideos. – 2 *m. pl.* Suborden de peces seláceos, sedentarios, de cuerpo deprimido y ancho, y hendiduras branquiales en posición ventral; como la raya y el torpedo.

batojar *tr.* Varear [los frutos de ciertos árboles] para hacerlos caer.

batolito *m.* GEOL. Masa de rocas magmáticas, de grandes dimensiones, consolidada en la corteza terrestre a gran profundidad.

batología *f.* RET. Repetición de vocablos inmotivada y enojosa.

batracio *adj.-m.* Animal de la clase de los anfibios, especialmente de los anuros.

batuda *f.* Serie de saltos que dan los gimnastas por el trampolín unos tras otros.

batuquear *tr.* *Amér.* Batir, mover con ímpetu [alguna cosa].

baturrillo *m.* Mezcla de cosas que desdicen entre sí: *este guiso es un ~*.

baturro, -rra *adj.-s.* Rústico aragonés.

batuta *f.* Varita con que el director de una orquesta, banda u orfeón marca el compás.

baúl *m.* Cofre o arca, generalmente grande y de mucho fondo. – 2 *Amér.* Maletero del automóvil.

bauprés *m.* Palo grueso, horizontal y algo inclinado, que en la proa de los barcos sirve para asegurar los estayes del trinquete. ◇ Pl.: *baupreses.*

bausán, -sana *m. f.* Figura de hombre, embutida de paja y vestida de armas. – 2 *adj. Amér.* Ocioso, holgazán.

bausano, -na *m. f.* Persona boba, simple, necia.

bautismo *m.* Primero de los sacramentos de la Iglesia católica, que borra el pecado original, da la vida de la gracia y convierte al bautizado en miembro de la Iglesia. 2 ~ *de fuego,* primera vez que un soldado combate; ~ *de aire,* primer vuelo de un aviador o de cualquier persona.

bautizar *tr.* Administrar el sacramento del bautismo. 2 Bendecir [una campana] antes de destinarla al culto. 3 fig. Poner nombre [a una persona o cosa]. ◇ CONJUG. [4] como *realizar.*

bautizo *m.* Acción de bautizar y fiesta con que se solemniza.

bauxita *f.* Roca blanda formada por hidróxidos de aluminio.

bauza *f.* Madero sin labrar, de dos a tres metros de longitud.

baya *f.* **Fruto polispermo de pericarpio pulposo; como la uva, la naranja y el melón.

bayadera *f.* Bailarina y cantora de la India.

bayanismo *m.* Herejía propugnada en el s. XVII por Miguel Bay o Bayo (1513-1589).

bayeta *f.* Tela de lana floja y poco tupida.

bayetón *m.* Tela de lana con mucho pelo usada para abrigo.

bayo, -ya *adj.-s.* Color blanco amarillento.

– 2 *adj.* De color bayo: *caballo ~.* – 3 *m.* Mariposa del gusano de seda usada como cebo para pescar.

bayón *m.* Arbusto santaláceo con las hojas coriáceas, las flores con cuatro tépalos, cuyo fruto es una drupa de color anaranjado *(Asyris quadripartita).*

bayoneta *f.* **Arma blanca, puntiaguda, complementaria del fusil, a cuyo cañón se adapta exteriormente junto a la boca. – 2 *loc. adv. A ~,* manera de sujetar una pieza encajándola a presión en otra.

bayunco, -ca *adj. Amér. Central.* Huraño, mal educado.

bayunquear *intr. Amér. Central.* Tontear.

baza *f.* Número de naipes que en ciertos juegos recoge el que gana la mano. 2 fig. Ocasión, oportunidad, coyuntura.

bazar *m.* En Oriente, mercado público. 2 Tienda en que se venden productos diversos.

bazo, -za *adj.-m.* Color moreno amarillento. – 2 *adj.* De color bazo. – 3 *m.* Víscera vascular situada en el hipocondrio izquierdo entre el colon y las costillas falsas; **digestivo (aparato).

bazofia *f.* Mezcla de heces o desechos de comidas. 2 fig. Comida muy mala. 3 fig. Inmundicia, basura, suciedad. 4 fig. Cosa soez y despreciable.

bazuca *m.* Arma portátil de infantería, que consiste en un tubo metálico que dispara proyectiles de propulsión a chorro.

bazucar, bazuquear *tr.* Revolver [un líquido] moviendo la vasija en que está. ◇ ** CONJUG. [1] como *sacar.*

I) be *f.* Nombre de la letra *b.* ◇ Pl.: *bes.*

II) be Onomatopeya de la voz del carnero, de la oveja y de la cabra. 2 *m.* Balido. ◇ Pl.: *bes.*

bearnesa *f.* Salsa muy fina, elaborada con mantequilla, huevos, vino blanco, perejil, etc., que suele emplearse para acompañar carnes asadas y pescados.

beatificar *tr.* Hacer [a uno] bienaventurado o feliz; hacer venerable [una cosa]. 2 Declarar el Sumo Pontífice que [un siervo de Dios] goza de la eterna bienaventuranza y se le puede dar culto. ◇ ** CONJUG. [1] como *sacar.*

beatitud *f.* Bienaventuranza eterna. 2 fam. Felicidad, dicha.

beato, -ta *adj.* Feliz o bienaventurado. – 2 *adj.-s.* Beatificado por el Sumo Pontífice. 3 Muy devoto o que afecta devoción o virtud. – 4 *m.* El que trae hábito religioso, sin vivir en comunidad ni seguir regla determinada.

bebé *m.* Nene o rorro: ~ *probeta,* el concebido mediante inseminación artificial, o por la fecundación del óvulo fuera de la madre.

bebedero, -ra *adj.* [agua u otro líquido] Que es bueno de beber. – 2 *m.* Vasija con agua que se pone a algunos animales para que

beban. 3 Paraje donde acuden a beber las aves.
4 Pico saliente en el borde de algunas vasijas
para beber más cómodamente. 5 Conducto o
canal de salida del acero líquido o de la fundición.

bebedizo, -za *adj.* Potable. – 2 *m.* Bebida
confeccionada con veneno.

bebedor, -ra *adj.* Que bebe. – 2 *adj.-s.* fig.
Que abusa de las bebidas alcohólicas.

beber *intr.-tr.* Ingerir un líquido: ~ *vino*. 2
fig. Aprender, adquirir [doctrinas, informaciones, etc.]: ~ *la doctrina de una escuela;* ~ *de,* o
en, buenas fuentes. – 3 *intr.* Brindar (al beber):
~ *a,* o *por, la salud.* 4 Hacer por vicio uso frecuente de bebidas alcohólicas: *el que bebe*
merece ser despreciado.

bebida *f.* Líquido que se bebe. 2 Hábito de
beber licores o vino.

bebido, -da *adj.* Casi borracho.

beca *f.* Plaza o prebenda de colegial; ayuda
económica que percibe un estudiante. 2
Embozo de capa.

becabunga *f.* Planta escrofulariácea, carnosa, de hojas ovaladas, romas, ligeramente
dentadas, y flores azules en inflorescencias
poco densas *(Veronica beccabunga).*

becar *tr.* Conceder [a alguien] una beca. ◇
** CONJUG. [1] como *sacar.*

becario, -ria *m. f.* Estudiante o seminarista
que disfruta una beca.

becerra *f.* Vaca de menos de un año.

becerro *m.* Toro de menos de un año. 2 Piel
de ternero o ternera, curtida.

bedano *m.* Escoplo grueso.

bedao *m.* Pez marino teleósteo perciforme,
muy parecido al sargo, pero de mayor tamaño
(Diplodus cervinus).

bedel, -la *m. f.* En las universidades y otros
centros docentes, empleado subalterno que
cuida del orden, anuncia la hora de entrada y
salida de las clases, etc.

bedenita *f.* Silicato del grupo de los inosilicatos que cristaliza, al parecer, en el sistema
rómbico.

beduino, -na *adj.-s.* Árabe nómada que
vive especialmente en los desiertos del África
Septentrional y de Siria.

befa *f.* Burla grosera e insultante.

befo, -fa *adj.-s.* De labios abultados o gruesos.

begardo, -da *m. f.* Hereje de los siglos XIII
y XIV que profesaba doctrinas análogas a las
de los iluminados.

begonia *f.* Planta begoniácea, monoica, de
hojas grandes, acorazonadas y acuminadas de
color obscuro con bordes plateados, y grandes
flores rosadas *(Begonia rex).*

begoniáceo, -a *adj.-f.* Planta de la familia
de las begoniáceas. – 2 *f. pl.* Familia de plantas dicotiledóneas de hojas esparcidas y provistas de pelos, con la facultad de reproducirse

vegetativamente a partir de las hojas o de fragmentos de las hojas.

behaísmo *m.* Cisma del babismo, fundado
en Palestina en el s. XIX .

behaviorismo *m.* PSICOL. Conductismo.

behetría *f.* Antigua población cuyos vecinos, como dueños absolutos de ella, podían
recibir por señor a quien quisiesen.

beidelita *f.* Silicato del grupo de los filosilicatos, que cristaliza en el sistema monoclínico, de color blanco amarillento.

beige *adj.-m.* Color natural de la lana,
pajizo, amarillento. – 2 *adj.* De color beige. ◇
Se pronuncia generalmente *beis.*

béisbol *m.* Juego entre dos equipos formados por nueve jugadores cada uno, que consiste en tratar de recorrer ciertos puestos de un
circuito, en combinación con el lanzamiento
de una pelota desde el centro del circuito.

bejel *m.* Pez marino teleósteo perciforme,
totalmente acorazado por placas óseas, de
cuerpo alargado y hocico prolongado *(Trigla*
lucerna).

bejín *m.* Hongo esférico que encierra un
polvo negro, que se emplea especialmente
para restañar la sangre *(Lycoperdon caelatum).*

bejuco *m.* Nombre de diversas plantas tropicales, sarmentosas, de tallos largos y delgados (gén. *Desmoncus; Cissapelos).*

bejuquillo *m.* Cadenita de oro con que se
adornan el cuello las mujeres.

bel *m.* FÍS. Nombre del belio en la nomenclatura internacional.

belcho *m.* Mata gnetácea, de flores en
amento y frutos en baya de color rojo, que
vive en los arenales *(Ephedra distachya).*

beldad *f.* lit. Belleza, especialmente la de la
mujer. 2 Mujer notable por su belleza.

beldar *tr.* Aventar con el bieldo [las mieses,
legumbres, etc.] para separar el grano. ◇
** CONJUG. [27] como *acertar.*

belduque *m. Amér.* Cuchillo grande de hoja
puntiaguda.

belemnita *f.* Fósil de figura cónica o de
maza procedente de una clase de cefalópodos
(Belennites sp.).

belén *m.* Nacimiento (representación). 2
Confusión, desorden y sitio donde lo hay. 3
Negocio o lance expuesto a contratiempos:
meterse en belenes.

beleño *m.* Planta solanácea, narcótica, de
hojas vellosas, flores amarillas por encima y
rojas por debajo, y fruto capsular (gén. *Hyosc-*
yamus).

belesa *f.* Planta plumbaginácea, de flores
purpúreas, muy pequeñas, en espiga. Tiene
virtudes narcóticas *(Plumbago europaea).*

belfo, -fa *adj.-s.* Que tiene el labio inferior
más grueso que el superior. – 2 *m.* Labio del
caballo y otros animales.

belga *adj.-s.* De Bélgica, nación del oeste de
Europa.

belicismo *m.* Tendencia a provocar la guerra o a tomar parte en ella.

belicista *adj.* Partidario de la guerra: *política ~; prensa ~.*

bélico, -ca *adj.* Relativo a la guerra.

beligerancia *f.* Calidad de beligerante. 2 Derecho de hacer la guerra con iguales garantías internacionales que el enemigo: *reconocer la ~.*

beligerante *adj.-com.* Que está en guerra, especialmente si le ha sido reconocida la beligerancia.

belinógrafo *m.* Aparato para transmitir imágenes o fotografías a distancia.

belio *m.* FÍS. Unidad de intensidad sonora, cuya décima parte es el decibelio.

belita *f.* QUÍM. Substancia explosiva, compuesta de una parte de dinitrobenceno y cuatro de nitrato amónico.

belitre *adj.-com.* fam. Pícaro, de viles costumbres.

beloniforme *adj.-m.* Pez del orden de los beloniformes. – 2 *m. pl.* Orden de peces marinos teleósteos, de cuerpo estilizado con las aletas blandas y frecuentemente tan desarrolladas que pueden planear fuera del agua; como el volador.

bellaco, -ca *adj.-s.* Malo, pícaro, ruin. 2 Astuto, sagaz. – 3 *adj. Amér.* [caballería] Que tiene resabios y es difícil de gobernar.

belladona *f.* Planta solanácea de flores solitarias purpúreas, con el cáliz acrescente y corola acampanada, de acción calmante, narcótica y venenosa *(Atropa belladona).*

bellavista *f.* Hierba escrofulariácea anual, de flores tricolores, blancas, amarillas y violetas *(Linaria tryphylla).*

belleza *f.* Conjunto de cualidades cuya manifestación sensible nos produce un deleite espiritual, un sentimiento de admiración: *la ~ de una mujer, de un paisaje; la ~ de una estatua, de un cuadro; la ~ de una acción.*

bellísima *f. Amér. Central, Colomb., Ecuad., Perú* y *Venez.* Planta trepadora de florecillas rosadas, cultivada en los jardines *(Antigonum guatemalense).*

bello, -lla *adj.* Que tiene belleza. 2 Bueno, excelente.

bellota *f.* **Fruto de las cupulíferas consistente en una aquenio, rodeado en su base por un involucro escamoso. 2 Botón o capullo del clavel sin abrir. 3 Vasija pequeña en que se echan especies aromáticas. 4 Bálano o glande. 5 Extremidad de las capas u hojas córneas de que va desprendiéndose el cuerno del toro con los años, y que queda en forma de dedal en la punta. 6 ~ *de mar*, crustáceo cirrópodo, de caparazón asimétrico con seis placas surcadas dispuestas en cono y coloración generalmente blancuzca *(Chthamalus stellatus).*

bemba *f. Can.* y *Amér.* Boca de labios gruesos y abultados, como suele ser la de los negros.

bemol *adj.-m.* MÚS. Nota cuya entonación es un semitono más baja que la de su sonido natural.

ben *m.* Árbol leguminoso cuyo fruto da un aceite que no se enrancia, usado en relojería y perfumería *(gén. Moringa).* ◇ Pl.: *benes.*

benceno *m.* Hidrocarburo volátil, C_6H_6, inflamable, obtenido en la destilación del carbón mineral o por síntesis.

bencina *f.* Mezcla de varios hidrocarburos, obtenida por destilación del alquitrán de hulla, de los petróleos, de la hulla, etc., que se emplea especialmente como carburante.

bendecir *tr.* Alabar, ensalzar [a uno]. 2 Invocar [en favor de una persona, o sobre una cosa] la protección divina. 3 Formar, el sacerdote, cruces en el aire con la mano extendida [sobre personas o cosas] recitando preces rituales. 4 Consagrar [personas o cosas] al Señor o al culto divino. 5 Conceder la Providencia su protección [sobre una persona o cosa] o colmar [a uno] de bienes. 6 Dar las gracias, agradecer. ◇ ** CONJUG. [79] como *predecir.* El pp. reg. *bendecido* se usa para la conjugación del verbo. El irreg. *bendito,* como adjetivo.

bendición *f.* Acción de bendecir. 2 Efecto de bendecir. – 3 *f. pl.* Ceremonias con que se celebra el sacramento del matrimonio: *bendiciones nupciales.*

bendito, -ta *adj.* Santo o bienaventurado: *se despacharon las localidades como el pan ~.* 2 Feliz, dichoso (que posee dicha). – 3 *adj.-s.* Persona sencilla y de pocos alcances.

benedictino, -na *adj.-s.* Religioso que pertenece a la orden fundada en Subiaco por San Benito de Nursia (¿480?-547) a principios del siglo VI.

benefactor, -ra *adj.* Bienhechor.

beneficencia *f.* Virtud de hacer bien. 2 Conjunto de fundaciones benéficas y de los servicios gubernativos referentes a ellas.

beneficiar *tr.* Hacer bien [a una persona o cosa]. 2 Hacer que [una cosa] produzca más rendimiento o beneficio. 3 Tratar las extracciones de las minas para obtener [el metal]. 4 Conseguir [un empleo] por dinero. – 5 *prnl.* Sacar provecho de algo, aprovecharse. 6 *Amér.* Descuartizar [una res] y venderla al menudeo. ◇ ** CONJUG. [12] como *cambiar.*

beneficiario, -ria *adj.-s.* Persona a quien beneficia un contrato de seguro. – 2 *m. f.* Persona que recibe un beneficio.

beneficio *m.* Bien que se hace o se recibe. 2 Utilidad, provecho, ganancia. 3 Cargo u oficio que la Iglesia confiere canónicamente y al que va aneja una renta. 4 Derecho que compete a uno por ley o privilegio. 5 *Amér. Central.* Ingenio, hacienda.

beneficioso, -sa *adj.* Provechoso, útil.

benéfico, -ca *adj.* Que hace bien: *un hombre* ~; *una institución benéfica;* ~ *con,* o *para con, los desvalidos;* ~ *a,* o *para, la salud.* 2 Relativo a la ayuda gratuita que se presta a los necesitados. ◇ Superl.: *beneficentísimo.*

benemérito, -ta *adj.* Digno de galardón.

beneplácito *m.* Aprobación, permiso, complacencia.

benevolencia *f.* Simpatía y buena voluntad hacia las personas.

bengala *f.* Clase especial de luces pirotécnicas. 2 QUÍM. Mezcla inflamable de laca, azufre, salitre y otras substancias químicas según el color.

bengalina *f.* Tejido compuesto de urdimbre de seda y trama de lana, usado para vestidos femeninos.

benigno, -na *adj.* Que se allana a ser o a mostrarse bueno, afable: ~ *con,* o *para con, los huéspedes.* 2 fig. Templado, apacible: *estación benigna.* 3 Que no reviste gravedad; [tumor] que no es maligno.

benjamín *m.* fig. Hijo menor y preferido de sus padres.

benjuí *m.* Estoraque (árbol y bálsamo). ◇ Pl.: *benjuíes.*

bentónico, -ca *adj.* [animal o planta] Que generalmente vive en contacto con el fondo del mar. 2 Relativo al fondo del mar.

bentonita *f.* Arcilla coloidal que se usa en la industria como emulsionante y detersivo.

bentos *m.* Fauna y flora del fondo del mar y de los ríos y lagos.

benzoico, -ca *adj.* Relativo al benjuí u obtenido de él: *ácido* ~, $C_7H_6O_2$, de color blanco, cristalizado, que se emplea como antiséptico.

benzol *m.* Nombre comercial del benceno crudo.

beodo, -da *adj.-s.* Embriagado o borracho.

beotismo *m.* Idiotez, torpeza, grosería.

beque *m.* Obra exterior de proa.

béquico, -ca *adj.* Eficaz contra la tos.

berberecho *m.* Molusco lamelibranquio, de conchas estriadas, casi circulares *(Cardium edule).*

berberidáceo, -a *adj.-f.* Planta de la familia de las berberidáceas. – 2 *f. pl.* Familia de plantas dicotiledóneas que incluye arbustos y matas de hojas sencillas o compuestas, flores hermafroditas regulares y fruto en bayas secas o carnosas; como el agracejo.

berberisco, -ca *adj.-s.* [pers.] Beréber (de Berbería).

berbiquí *m.* Manubrio semicircular giratorio que lleva encajada en un extremo la espiga de una broca o taladro. ◇ Pl.: *berbiquíes.*

beréber, bereber, -ere *adj.-s.* De Berbería, región de África. – 2 *com.* Individuo de la raza que desde la más remota antigüedad habita el África Septentrional. – 3 *m.* Lengua hablada por los beréberes. – 4 *f.* Mariposa diurna de color pardo obscuro con bandas blancas y grandes ocelos ciegos *(Chazara prieuri).*

berenjena *f.* Planta solanácea hortense, de fruto alargado comestible, morado por fuera y blanco por dentro *(Solanum melongena).* 2 Fruto de esta planta.

berenjenal *m.* Terreno plantado de berenjenas. 2 fig. Asunto de difícil solución: *estamos metidos en un* ~.

bergamota *f.* Variedad de pera muy jugosa y aromática. 2 Variedad de lima muy aromática, cuya esencia se emplea en perfumería.

bergamote, -moto *m.* Limero que produce la bergamota *(Citrus bergamia).* 2 Peral que produce la bergamota *(Pyrus communis).*

bergante *m.* Pícaro, sinvergüenza, bandido.

bergantín *m.* MAR. Velero de dos palos, trinquete y mayor.

berginización *f.* Procedimiento para la obtención de petróleo a partir del carbón.

beriberi *m.* Enfermedad de los países cálidos, caracterizada por parálisis general y edemas múltiples. Se debe a la falta de vitamina B_1.

berilia *f.* Óxido de berilio, substancia aislante de la electricidad, pero conductora del calor.

berilio *m.* Elemento químico muy raro, de propiedades metálicas, color gris acerado y sabor dulce, que se encuentra en el berilo, en la esmeralda, etc. Su símbolo es *Be.*

berilita *f.* Silicato del grupo de los subnesosilicatos que cristaliza en el sistema monoclínico.

berilo *m.* Silicato de alúmina y berilio, variedad de esmeralda, de color verdemar, blanco o azul.

berilonita *f.* Mineral de la clase de los fosfatos que cristaliza en el sistema monoclínico, clase prismática, en cristales blanquecinos, amarillentos o incoloros, con brillo nacarado o vítreo.

berkelio *m.* Elemento químico que se obtiene artificialmente por bombardeo del curio o del americio con partículas de alfa. Su símbolo es *Bk.*

berlina *f.* Vehículo hipomóvil cerrado, de cuatro ruedas con caja suspendida. 2 Automóvil de cuatro puertas.

berlinés, -nesa *adj.-s.* De Berlín, ciudad de Alemania.

berlinga *f.* Pértiga de madera verde, con que se remueve la masa fundida en los hornos metalúrgicos.

berma *f.* Espacio al pie de la muralla para impedir que caigan dentro del foso las piedras que se desprenden de ella.

bermejo, -ja *adj.* Rubio, rojizo, rufo.

bermejuela *f.* Pez teleósteo cipriniforme fluvial, de pequeño tamaño, cuerpo alto y comprimido, de color rojizo, con una línea lateral de color azul verdoso *(Rhodeus amarus)*.

bermellón *m.* Cinabrio reducido a polvo, que toma color rojo vivo.

bermudas *m. pl.* Pantalón estrecho de colores alegres que llega hasta las rodillas.

bernegal *m.* Taza ancha de boca y de figura ondeada.

bernia *f.* Tejido basto de lana, del que se hacían capas de abrigo. 2 Capa hecha de esta tela.

berrea *f.* Acción de berrear. 2 Efecto de berrear. 3 Brama del ciervo y algunos otros animales.

berrear *intr.* Llorar o gritar desaforadamente un niño.

berrera *f.* Planta umbelífera, que se cría en las orillas de las balsas y riachuelos *(Sium angustifolium)*.

berrido *m.* Voz del becerro y otros animales. 2 fig. Grito desaforado de persona, o nota alta y desafinada al cantar.

berrinche *m.* fam. Coraje, enojo grande. 2 Gruñido furioso del jabalí.

berro *m.* Planta crucífera propia de los lugares aguanosos, cuyas hojas, compuestas y de sabor picante, se comen en ensalada *(Nasturtium officinale)*.

berruenda *f.* Pez teleósteo marino de gran tamaño y cuerpo muy alargado cubierto de escamas minúsculas *(Molva molva)*.

bertorella *f.* Pez teleósteo marino, de 25 cms. de longitud, que se distingue por los tres barbillones de su cabeza y por sus largas aletas anal y dorsal *(Gaidropsarus mediterraneus)*.

berza *f.* Col.

berzotas *com.* Tonto, necio.

besamanos *m.* Adoración de una imagen religiosa pasando los fieles uno a uno ante ella para besarla. ◇ Pl.: *besamanos*.

besamel, besamela *f.* Salsa blanca que se hace con harina, crema de leche y manteca.

besana *f.* Labor de arado de surcos paralelos. 2 Primer surco que se abre en la tierra cuando se empieza a arar.

besar *tr.-prnl.* Posar los labios [en alguna persona o cosa] como muestra de afecto, amor, amistad o reverencia: ~ *los ojos;* ~ *la mano;* ~ *los pies.* 2 Oprimir los labios o la boca [en los de otra persona] en señal de amor o deseo sexual. 3 fig. Estar en contacto cosas inanimadas. – 4 *rec.* fam. Tropezarse dos personas dándose en la cara o en la cabeza.

besito *m. Amér.* Panecillo de harina de trigo, coco, etc.

beso *m.* Acción de besar: ~ *de Judas,* el que se da con doblez. 2 fig. Golpe violento que mutuamente se dan dos personas en la cara o en la cabeza, o el que se dan las cosas cuando tropiezan unas con otras.

best seller *adj.-m.* ANGLIC. Libro o disco de mayor venta o de gran éxito. 2 p. ext. Lo que se vende bien o atrae a muchos visitantes o clientes. ◇ Se pronuncia *best séler*.

bestia *f.* Animal cuadrúpedo, especialmente el doméstico de carga. – 2 *com.-adj.* Persona ruda e ignorante.

bestial *adj.* Brutal, irracional: *apetito* ~. 2 fam. Extraordinario, formidable.

bestializar *tr.-prnl.* Hacerse bestial, vivir o proceder como las bestias. ◇ ** CONJUG. [4] como *realizar*.

bestiario *m.* Colección de fábulas de animales, especialmente en la literatura medieval.

besugo *m.* Pez marino teleósteo perciforme, de cuerpo oblongo, de color gris algo rojizo, hocico corto, ojos grandes, y que puede llegar a pesar 6 kgs. Su carne es blanca y delicada al paladar *(Pagellus bogaraveo; P. cantabricus; P. centrodontus)*. 2 fig. y fam. Zoquete, estúpido, bruto.

beta *f.* Segunda letra del alfabeto griego. 2 *Rayos* ~, corrientes de electrones emitidas por una substancia radiactiva, como el radium.

betel *m.* Planta piperácea cultivada en el Extremo Oriente, cuyo fruto contiene una semilla picante y cuyas hojas saben a menta *(Piper melamiris)*. 2 Mixtura de areca, hojas de betel y cal de conchas, que mascan los naturales del Extremo Oriente.

bético, -ca *adj.-s.* De la Bética, antigua región de España, hoy Andalucía.

betijo *m.* Palito que se pone a los chivos atravesado en la boca de modo que les impide mamar, pero no pacer.

betónica *f.* Planta labiada, de hojas y raíces medicinales *(Stachys officinalis; Betonica officinalis)*.

betuláceo, -a *adj.-f.* Planta de la familia de las betuláceas. – 2 *f. pl.* Familia de plantas dicotiledóneas que incluye árboles o arbustos de hojas alternas, flores monoicas en amento, y fruto seco indehiscente; como el abedul.

betún *m.* Substancia compuesta principalmente de carbono e hidrógeno, que arden con llama y olor peculiar. 2 Mezcla de varios ingredientes con que se lustra el calzado.

bezo *m.* Labio grueso. 2 fig. Carne que se levanta alrededor de la herida enconada.

bezoar *m.* Cálculo que se encuentra en las vías digestivas de algunos cuadrúpedos.

bianchita *f.* Mineral de la clase de los sulfatos que cristaliza en el sistema monoclínico y aparece en costras blanquecinas o grisáceas.

bibelot *m.* GALIC. Muñeco, figurilla, chuchería, etc. 2 GALIC. Objeto decorativo de escaso valor, generalmente escultórico, de pequeño tamaño.

biblia *f. Amér. Central.* fig. Viveza, astucia, maña.

Biblia *f.* Conjunto de los libros canónicos del Antiguo y Nuevo Testamento.

bibliobús *m.* Autobús acondicionado como biblioteca pública móvil.

bibliófilo, -la *m. f.* Aficionado a los libros raros o valiosos. 2 en gral. Persona amante de los libros.

bibliografía *f.* Historia o descripción de libros y manuscritos, con datos acerca de sus ediciones, fechas de impresión, etc. 2 Relación o catálogo de libros o escritos referentes a materia determinada.

bibliología *f.* Estudio general del libro en su aspecto histórico y técnico.

biblioteca *f.* Local donde se tienen libros ordenados para la lectura. 2 Conjunto de estos libros. 3 Colección de libros o tratados análogos: ~ *de Jurisprudencia y Legislación.* 4 Obra en que se da cuenta de una colección de libros y de sus autores. 5 Mueble, estantería, etc., donde se colocan libros.

bical *m.* Salmón macho.

bicameral *adj.* [organización del Estado] Que tiene dos cámaras legislativas, a diferencia de *unicameral* .

bicarbonato *m.* Sal que resulta de substi-tuir la mitad del hidrógeno del ácido carbó-nico por un metal monovalente: ~ *sódico*, CO_3HN_a.

bíceps *adj.-m.* De dos cabezas. 2 ANAT. **Músculo cuyo extremo está escindido en dos cabos independientes, y especialmente el músculo flexor del brazo. ◇ Pl.: *bíceps*.

****bicicleta** *f.* Biciclo de dos ruedas iguales: ~ *de carreras;* ~ *de paseo.*

biciclo *m.* Velocípedo de dos ruedas.

bicoca *f.* fig. Cosa de poca estima. 2 fig. y fam. Ganga, cosa apreciable que se adquiere a poca costa.

bicolor *adj.* De dos colores: *bandera* ~.

bicóncavo, -va *adj.* [cuerpo] Que tiene dos superficies cóncavas opuestas: *lente bicóncava.*

biconvexo, -xa *adj.* [cuerpo] Que tiene dos superficies convexas opuestas: *lente bicon-vexa.*

bicoque *m. Amér. Merid.* Golpe dado en la cabeza con los nudillos de los dedos.

bicromato *m.* QUÍM. Sal del ácido di- o bicrómico $Cr_2O_7H_2$. Tiene color rojo y es oxi-dante.

bicha *f.* Culebra. 2 ARQ. Figura fantástica que se emplea como objeto de ornamentación.

BICICLETA

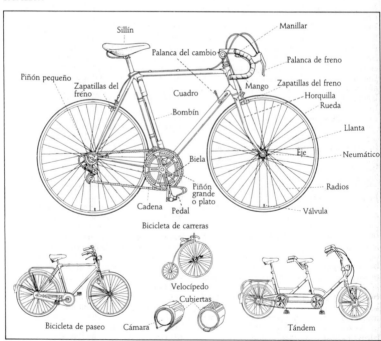

Bicicleta de carreras

Bicicleta de paseo · Cámara · Velocípedo · Cubiertas · Tándem

biche *adj.* *Argent., Colomb.* y *Pan.* [fruta] Verde. 2 *Argent., Colomb.* y *Pan.* [pers.] Canijo y enteco.

bichear *tr.* Espiar, observar a escondidas [a alguien o algo].

bichero *m.* MAR. Asta larga con un hierro de punta y gancho para atracar, desatracar y otros usos diversos; **barca.

bicho *m.* Animal pequeño. 2 Toro de lidia. 3 fig. Persona de figura ridícula o de mal genio.

bichoco, -ca *adj.-s.* *Argent., Chile* y *Urug.* Caballo inútil para las carreras.

bidé *m.* Lavabo para el aseo de los genitales.

bidón *m.* Recipiente de metal, de mayor tamaño que la lata o el bote: *un ~ de gasolina, de carburo, de sosa cáustica.*

biela *f.* Barra que en las máquinas sirve para transformar el movimiento de vaivén en otro de rotación, o viceversa. 2 En la **bicicleta, palanca del pedal.

bieldo, bielgo *m.* Instrumento para beldar, compuesto de un palo largo, en cuyo extremo hay un travesaño con cuatro púas de madera.

I) bien *m.* Objeto que se considera como última perfección de todas las cosas. 2 Lo que es útil y beneficioso o procura bienestar o dicha: *el ~ de la patria; cuando viene el ~ métele en tu casa; contar mil bienes de uno.* – 3 *m. pl.* Hacienda, riqueza, caudal: ***bienes raíces,*** las tierras, edificios, etc., a los cuales atribuye la ley consideración de inmuebles.

II) bien *adv. m.* Como es debido, acertadamente: *Juan se conduce siempre ~;* según se apetece o requiere, felizmente, de una manera adecuada a un fin: *la estratagema salió ~.* 2 Calificativo de la persona o personas distinguidas por su buena posición social, educación u otras cualidades: *gente ~; una muchacha ~;* en esta acepción es invariable en género y número: *personas ~.* 3 Con gusto, sin inconveniente, sin dificultad: *yo ~ accedería a tus súplicas; ~ puedes creerlo.* 4 Bastantemente o mucho: *~ se conoce que eres su amigo.* 5 Aproximadamente: *~ andaríamos quince leguas.* 6 Denota correspondencia o asentimiento: *¿iremos al teatro? ~.*

bienal *adj.* Que dura un bienio. – 2 *f.* Exposición o manifestación artística que se celebra cada dos años.

bienaventurado, -da *adj.-s.* Que goza de la bienaventuranza eterna. – 2 *adj.* Afortunado, feliz.

bienaventuranza *f.* Visión o fruición beatífica, vista y posesión de Dios en el cielo. 2 Prosperidad o felicidad humana.

bienestar *m.* Comodidad (conveniencia). 2 Vida holgada. 3 Buen funcionamiento de los mecanismos físicos y psíquicos de una persona.

biengranada *f.* Planta quenopodiácea, anual, de olor desagradable, hojas ovales y flores dispuestas en inflorescencias espiciformes *(Chenopodium botrys).*

bienio *m.* Período de dos años. 2 Incremento económico de un sueldo o salario correspondiente a cada dos años de servicio activo.

bienmesabe *m.* Dulce de claras de huevo y azúcar. 2 Dulce de composición muy variada. 3 *And., Can., Cuba* y *Venez.* Dulce que se hace con yemas de huevo, almendra molida, azúcar, etc.

bienquistar *tr.* Poner bien [a una o varias personas] con otra u otras.

bienvenida *f.* Parabién que se da a uno por haber llegado con felicidad.

bienvenido, -da *adj.* Recibido con complacencia, llegado en momento oportuno. 2 Interjección que denota con cortesía la alegría al encontrar o recibir a alguien.

bies *m.* Oblicuidad, sesgo. 2 Tira de tela cortada al sesgo, que se cose al borde de las prendas de vestir.

bifásico, -ca *adj.* [sistema] Que tiene dos corrientes eléctricas alternas iguales, procedentes del mismo generador, cuyas fases respectivas se producen a la distancia de un cuarto de período.

bífero, -ra *adj.* Que fructifica dos veces al año.

bífido, -da *adj.* Hendido en dos partes.

bifilar *adj.* Que está formado por dos hilos.

bifocal *adj.* Que tiene dos focos; esp. [lente] que tiene una parte adecuada para la visión a corta distancia, y otra para la lejana.

bifurcación *f.* Lugar en que un camino, vía férrea, etc., se bifurca.

bifurcarse *prnl.* Dividirse en dos ramales, brazos o puntas. ◇ ** CONJUG. [1] como *sacar.*

biga *f.* Carro de dos caballos.

bigamia *f.* Estado anormal e ilegítimo de un hombre casado con dos mujeres a un mismo tiempo, o de la mujer casada con dos hombres.

bígamo, -ma *adj.-s.* Que se casa por segunda vez, viviendo el primer cónyuge.

bígaro *m.* Molusco gasterópodo marino que abunda en las costas del Cantábrico, cuya concha, de hasta 4 cms. de altura, es de color gris obscuro con bandas claras y obscuras *(Littorina littorea).*

big bang *m.* Fase explosiva de una masa compacta que, según algunos, dio origen al universo.

bigeminado, -da *adj.* Que está dividido en dos partes: *ventana bigeminada;* **gótico.

bigenérico, -ca *adj.-s.* Híbrido resultante del cruce de dos especies distintas.

bignonia *f.* Planta bignoniácea de jardín, de flores grandes y encarnadas (gén. *Bignonia).*

bignoniáceo, -a *adj.-f.* Planta de la familia

de las bignoniáceas. – 2 *f. pl.* Familia de plantas de América tropical, de hojas opuestas y flores grandes de cáliz acampanado, axilares, solitarias o reunidas en cortas panículas.

bigornia *f.* Yunque con dos puntas opuestas.

bigote *m.* Pelo que nace sobre el labio superior: *recortar el* ~; *chamuscarse los bigotes.* 2 Infiltraciones del metal en las grietas interiores del horno. 3 Abertura semicircular que tienen grietas interiores del horno. 4 Abertura semicircular que tienen algunos hornos para que salga la escoria fundida.

bigotera *f.* Tira de gamuza u otro tejido con que se cubren los bigotes en casa o en la cama, para que no se descompongan. 2 Espuma que al beber queda en el labio superior: *bigoteras de vino.* 3 Compás pequeño.

bigotudo, -da *adj.* Que tiene mucho bigote. – 2 *m.* Ave paseriforme de cola larga y pequeño tamaño, de color leonado; el macho se distingue por una mancha negra a los lados del pico *(Panurus biarmicus).*

biguán *m. Amér. Central.* Fardo grande.

bigudí *m.* Alfiler o pinza para ondular el cabello. ◇ Pl.: *bigudíes.*

bija *f.* Planta bixácea de hojas alternas, simples y anchas, flores grandes en panícula terminal y fruto en cápsula, de cuya semilla se obtiene un colorante rojo *(Bixa orellana).*

bilabial *adj.* [consonante] Que tiene el punto de articulación en los dos labios, y letra que lo representa; como la *b,* la *p,* la *m.*

bilateral *adj.* Que se refiere a ambas partes o aspectos de una cosa: *contrato* ~.

bilbaíno, -na *adj.-s.* De Bilbao.

biliar *adj.* Relativo a la bilis.

bilingüe *adj.* Que habla dos lenguas. 2 Escrito en dos idiomas.

bilingüismo *m.* Uso habitual de dos lenguas en un país.

bilioso, -sa *adj.* Colérico, intratable, irritable, atrabiliario.

bilirrubina *f.* Pigmento amarillo que se encuentra en la bilis.

bilis *f.* Líquido amargo, de color amarillo verdoso y reacción generalmente alcalina, que, segregado por el hígado, se vierte en el intestino duodeno para contribuir a la digestión.

bilocular *adj.* BOT. [órgano] Que tiene dos cavidades o compartimientos.

billa *f.* Jugada de billar que consiste en hacer que una bola entre en la tronera después de haber chocado con otra bola. 2 Motivo ornamental con aspecto ajedrezado, con escaques rectangulares en relieve sobre un fondo hueco.

billar *m.* Juego que consiste en impulsar, por medio de tacos, bolas de marfil en una mesa rectangular forrada de paño y rodeada de barandas elásticas. 2 Sala pública o privada donde están la mesa o mesas para este juego.

billete *m.* Carta breve. 2 Tarjeta o cédula que da derecho para entrar u ocupar asiento en un local, vehículo, etc. 3 Cédula que acredita participación en una rifa o lotería. 4 Documento al portador que representa cantidades de cierta moneda: ~ *de Banco.*

billetero, -ra *m. f.* Utensilio de bolsillo, generalmente rectangular y de piel, para guardar la documentación, billetes, tarjetas, etc.

billón *m.* Un millón de millones.

billonésimo, -ma *adj.-s.* ** NÚM. Parte que, junto a novecientas noventa y nueve millones novecientas noventa y nueve mil novecientas noventa y nueve iguales, constituye un todo. – 2 *adj.* Que ocupa el último lugar en una serie ordenada de un billón.

bimbalete *m.* Cigoñal para sacar agua de los pozos.

bimembre *adj.* De dos miembros o partes.

bimestre *m.* Período de dos meses. 2 Cantidad que se cobra o paga por cada bimestre.

bimetalismo *m.* Sistema monetario que admite como patrones el oro y la plata, conforme a la relación que la ley establece entre ellos.

bimotor *adj.-s.* Avión propulsado por dos motores.

binar *tr.* Dar segunda reja [a las tierras de labor]. 2 Hacer la segunda cava [en las viñas].

binario, -ria *adj.* Compuesto de dos elementos.

bincha *f. Amér.* Cinta o pañuelo que se lleva atado en la cabeza.

bingo *m.* Juego de lotería en el que cada jugador tacha en un cartón los números impresos según van saliendo en el sorteo. 2 Local público donde se juega.

binocular *adj.* Relativo a los dos ojos. – 2 *adj.-s.* Instrumento óptico que se emplea con los dos ojos.

binóculo *m.* Anteojo con lunetas para ambos ojos.

binodo *m.* FÍS. Tubo termoiónico de tres electrodos, un cátodo y dos ánodos, usado para rectificar ondas.

binógrafo *m.* Combinación de dos imágenes para dar sensación de relieve al mirarla con los dos ojos.

binomio *m.* Expresión algebraica formada por la suma o la diferencia de dos términos. 2 Conjunto de dos nombres.

binza *f.* Película exterior de la cebolla.

bioagricultura *f.* Agricultura en la que no se emplean pesticidas ni abonos químicos, y se respetan los ciclos naturales de las plantas.

biobibliografía *f.* Historia de la vida y obras de un escritor.

biocalcirrudita *f.* Roca calcárea formada por la acumulación de restos esqueléticos.

biocenosis *f.* Conjunto de organismos, vegetales o animales, que viven y se reproducen en determinadas condiciones de un medio o biótopo. ◇ Pl.: *biocenosis.*

biocinética *f.* Ciencia que estudia los movimientos o cambios de posición en los organismos vivientes.

bioclástico, -ca *adj.* [sedimento o roca] Que se ha formado por restos de organismos o productos de su actividad.

bioclimatología *f.* Disciplina que estudia las relaciones existentes entre el clima y los organismos vivos.

biodegradable *adj.* [compuesto orgánico] Que se puede descomponer en compuestos menos o nada contaminantes a través de procesos catalizadores de las enzimas.

biodeterminismo *m.* Ideología que tiende a subrayar el origen biológico de las desigualdades sociales.

biodinámica *f.* Parte de la fisiología que estudia los fenómenos vitales activos de los organismos.

bioelectricidad *f.* Disciplina que estudia la potencia eléctrica de los seres vivos.

bioelemento *m.* Elemento químico indispensable para el desarrollo normal de alguna especie viva.

bioenergética *f.* Conjunto de mecanismos que presiden las transformaciones de la energía en los organismos vivos.

biofísica *f.* Ciencia que estudia los estados físicos de los seres vivos y las leyes que rigen la energía vital.

biogénesis *f.* Teoría según la cual todo ser vivo procede a su vez de otro ser vivo, negando la creación y la generación espontánea. ◇ Pl.: *biogénesis.*

biogeografía *f.* Disciplina que estudia la distribución geográfica de animales y plantas.

biognosia *f.* Estudio o ciencia de la vida.

biografía *f.* Historia de la vida de una persona.

biografiar *tr.* Hacer la biografía [de una persona]. ◇ ** CONJUG. [13] como *desviar.*

bioinformática *f.* Informática aplicada a los procesos biológicos.

bioingeniería *f.* Disciplina que se ocupa de las aplicaciones de la ingeniería a la medicina.

biología *f.* Ciencia de la vida en general o de los seres vivientes.

biologismo *m.* Interpretación de la sociedad como un organismo vivo.

bioluminiscencia *f.* Producción de luz por organismos vivos.

biomasa *f.* Suma total de la materia de los seres que viven en un lugar determinado.

biombo *m.* Mampara plegable compuesta de varios bastidores articulados.

biomecánica *f.* Ciencia que trata de explicar los fenómenos de la vida por medio de la mecánica.

biomedicina *f.* Medicina clínica basada en los principios de las ciencias naturales.

biometría *f.* Aplicación de los métodos estadísticos y el cálculo en el estudio de los seres vivos.

biónica *f.* Disciplina que se ocupa de la aplicación tecnológica de las funciones y estructuras biológicas de los animales.

biopsia *f.* Examen de un trozo de tejido perteneciente a un ser vivo, que generalmente se hace para completar un diagnóstico.

bioquímica *f.* Química biológica.

biorritmo *m.* Manifestación cíclica de un fenómeno vital.

biosfera *f.* Conjunto de los medios donde se desarrollan los seres vivos. 2 Conjunto que forman los seres vivos con el medio en que se desarrollan.

biosíntesis *f.* Formación de una substancia orgánica en el interior de un ser vivo. ◇ Pl.: *biosíntesis.*

biosociología *f.* Disciplina que estudia la relación entre la estructura sociocultural y la biológica de los seres.

biot *m.* FÍS. Unidad de corriente eléctrica, equivalente a diez amperios.

biota *f.* Conjunto de la fauna y flora de una región.

bioterapia *f.* Tratamiento de ciertas afecciones por substancias vivas.

biotipo *m.* Animal o planta que, por la perfección de sus caracteres, puede ser considerado como tipo representativo de su especie, variedad o raza: *un ~ de vaca holandesa.*

biotita *f.* Variedad de mica negra o de color verde obscuro.

biótopo *m.* Espacio vital constituido por todas las condiciones fisicoquímicas del suelo, agua y atmósfera, necesarias para la vida de una biocenosis.

bióxido *m.* Combinación de un radical simple o compuesto con dos átomos de oxígeno.

biozona *f.* Unidad estratigráfica caracterizada por la presencia de un determinado contenido fósil.

bipartito, -ta *adj.* Partido en dos. 2 [reunión, convenio, etc.] En que figuran dos partes contratantes: *conferencia bipartita; pacto ~.*

bípedo, -da *adj.-m.* De dos pies. – 2 *m.* En los animales de cuatro remos, conjunto de dos miembros, especialmente de un mismo costado u opuestos en diagonal.

bipirámide *f.* **CRIST. Cristal en forma de dos pirámides con base común.

biplano *m.* Aeroplano cuyas alas forman dos planos paralelos.

biplaza *adj.-s.* Vehículo deportivo de dos plazas.

bipolarización *f.* Tendencia a agrupar las fuerzas políticas en dos partidos únicamente.

biquini *m.* Traje de baño de dos piezas. 2

fig. Bocadillo caliente de jamón cocido y queso.

biricú *m.* Cinto de que penden el espadín, el sable, etc. ◇ Pl.: *biricúes.*

birlar *tr.* fig. Matar o derribar [a uno] de un golpe. 2 fig. Quitar a uno [algo] por malas artes; hurtar.

birmano, -na *adj.-s.* De Birmania, nación del sudeste de Asia.

birrefracción *f.* Propiedad vectorial óptica que presentan algunos minerales por lo que al mirar a través de ellos se ven dobles las imágenes.

birreta *f.* Solideo encarnado que da el Papa a los cardenales al crearlos.

birrete *m.* Gorro de forma prismática coronado por una borla, que sirve de distintivo en determinados actos a los profesores de las facultades universitarias y a los magistrados, jueces y abogados.

birria *f.* fam. Cosa grotesca, deforme o ridícula. 2 Adefesio, mamarracho.

bis *adv. c.* Indica que una cosa está repetida o debe repetirse. – 2 *m.* Ejecución o declamación repetida, a petición del público, de una obra musical o recitada. ◇ Pl.: *bis.*

bisabuelo, -la *m. f.* Respecto de una persona, el padre o la madre de su abuelo o de su abuela.

bisagra *f.* Herraje de dos piezas unidas o combinadas que, con un eje común y sujetas una a un sostén fijo y otra a la **puerta o tapa, permiten el giro de éstas. 2 fig. Punto de unión o articulación de dos elementos cualesquiera, o elemento que actúa de intermediario entre otros: *surgió un partido ~.*

bisbita *m.* Ave paseriforme de patas largas y gráciles, terminadas en uñas poco curvadas, pico delgado y corto, y plumaje de color pardo con la cola blanquecina *(Anthus pratensis).*

biscote *m.* **Pan especial, cocido dos veces, como pan tostado, y que se puede conservar largo tiempo.

biscuit *m.* Bizcocho. 2 Porcelana mate.

bisecar *tr.* GEOM. Dividir [una figura] en dos partes iguales. ◇ ** CONJUG. [1] como *sacar.*

bisector, -triz *adj.-s.* GEOM. Que divide en dos partes iguales.

bisegmentar *tr.-prnl.* Dividir en dos segmentos [una cosa].

bisel *m.* Corte oblicuo en el borde de una lámina o plancha. 2 Cerco en que se ajustan la esfera y el cristal de reloj.

bisexualidad *f.* Presencia de las cualidades de ambos sexos en un mismo individuo. 2 Afición sexual para ambos sexos.

bisiesto *adj.-m.* Año que excede al común en un día, que se añade al mes de febrero.

bisílabo, -ba *adj.* De dos sílabas.

bismutina *f.* Mineral de la clase de los sulfuros, que cristaliza en el sistema rómbico, de color gris.

bismuto *m.* Metal blanco agrisado, poco maleable, duro y quebradizo. Su símbolo es *Bi.*

bisnieto, -ta *m. f.* Respecto de una persona, hijo o hija de su nieto o de su nieta.

biso *m.* Producto de secreción de una glándula de muchos moluscos lamelibranquios, que se endurece en contacto con el agua y les sirve para fijarse a las rocas; **moluscos.

bisojo, -ja *adj.-s.* [pers.] Que padece estrabismo.

bisonte *m.* Mamífero rumiante bóvido de América, parecido al toro, con la cabeza grande, la cruz alta formando giba, y todo el tercio anterior cubierto de pelo largo y erizado *(Bison bison).*

bisoñé *m.* Peluca que cubre la parte anterior de la cabeza.

bisoño, -ña *adj.-s.* Soldado o tropa nuevos. 2 fig. Nuevo e inexperto.

bisque *f.* Sopa o guisado de gusto exquisito, a base de cangrejos.

bisté, bistec *m.* Lonja de carne de vaca o buey asada. ◇ Pl.: *bistecs.*

bistorta *f.* Planta poligonácea erecta y provista de rizomas, de flores rosadas o blancas dispuestas en inflorescencias espiciformes *(Polygonum bistorta).*

bisturí *m.* Instrumento en forma de cuchillito para hacer incisiones: ~ *eléctrico,* el formado por un mango provisto de un fino electrodo capaz de cortar por coagulación los tejidos. ◇ Pl.: *bisturíes.*

bisulfito *m.* Sal ácida del ácido sulfuroso.

bisulfuro *m.* Combinación de un radical simple o compuesto con dos átomos de azufre.

bisunto, -ta *adj.* Sucio, grasiento.

bisutería *f.* Joyería de imitación. 2 Local o tienda donde se venden dichos objetos.

bit *m.* INFORM. Unidad de medida de la cantidad de información. 2 INFORM. Unidad de medida de la capacidad de memoria.

bita *f.* MAR. Poste de madera o hierro que, asegurado en cubierta, sirve para dar vuelta a los cables del ancla cuando se fondea la nave.

bitácora *f.* Armario cercano al timón, en que se pone la brújula.

bíter *m.* Bebida amarga que se toma como aperitivo.

bitoque *m.* Tarugo de madera con que se cierra el agujero o piquera de los toneles. 2 *Amér.* Cánula de la jeringa.

bituminoso, -sa *adj.* Que tiene betún o semejanza con él.

bivalente *adj.* Que tiene dos valores o doble valor. 2 QUÍM. Que tiene dos valencias.

bivalvo, -va *adj.* Lamelibranquio.

bixáceo, -a *adj.-f.* Planta de la familia de las bixáceas. – 2 *f. pl.* Familia de plantas dicotiledóneas del orden de las bixales, de hojas verdes por el haz y rojas por el envés, flores rosadas y fruto en cápsula, a la que sólo pertenece la bija.

bixales *f. pl.* Orden de plantas dentro de la clase dicotiledóneas; a él pertenecen plantas leñosas y hierbas con flores actinomorfas y pentámeras.

**bizantino, -na *adj.-s.* De Bizancio, antigua ciudad, hoy Constantinopla o Estambul. – 2 *adj.* [discusión] Baldío, o demasiado sutil. 3 fig. Decadente, degenerado.

bizarría *f.* Gallardía, valor. 2 Generosidad, esplendor.

bizarro, -rra *adj.* Valiente. 2 Generoso, espléndido.

bizarrón *m.* Candelero grande, o blandón.

bizco, -ca *adj.-s.* Bisojo. 2 p. ext. [cosa] Que está torcido.

bizcochada *f.* Sopa de bizcochos. 2 Panecillo con una cortadura en medio y a lo largo. 3 Dulce que se hace con bizcochos, huevos y leche.

bizcochar *tr.* Recocer [el pan] para conservarlo mejor.

bizcocho *m.* Pan sin levadura que se cuece dos veces para que se conserve mucho tiempo. 2 Masa compuesta de harina, huevos y azúcar, que se cuece al horno. 3 Objeto de loza o porcelana aún por barnizar, después de la primera cocción.

bizcotela *f.* Bizcocho ligero, con un baño blanco de azúcar.

bizma *f.* Emplasto confortante. 2 Pedazo de lienzo cubierto de emplasto.

bizna *f.* Película que separa los cuatro gajitos de la nuez.

biznaga *f.* Planta umbelífera de tallos lisos, flores blancas y fruto dorado y lampiño *(Amni Visnaga).* 2 Pedúnculo de la flor de esta planta que se emplea como mondadientes. 3 *And.* y *Murc.* Ramillete de jazmines en forma de bola.

bizquear *intr.* Padecer estrabismo o simularlo. – 2 *tr.* Guiñar, cerrar un ojo momentáneamente.

blanca *f.* MÚS. Figura equivalente a la mitad de la redonda.

blancarte *m.* Parte estéril que acompaña a los minerales útiles en el criadero.

I) blanco, -ca *adj.* De color de nieve, esto es, del color de la luz solar que algunos cuerpos reflejan sin descomponerla; como la nieve. 2 p. ext. De color blanco: *vino ~; uvas blancas.* 3 [pers.] De raza europea o caucásica, en oposición al color de las otras razas.

II) blanco *m.* Color blanco: *~ de tez* o *de tez blanca.* 2 Lunar de pelo blanco que tienen algunos animales. 3 Objeto sobre el que se dispara. 4 fig. Fin a que se dirigen nuestros deseos o acciones. 5 Hueco o intermedio entre dos cosas.

BIZANTINO (ARTE)

Interior de iglesia

Mosaico

Icono

Pechinas

Exterior de iglesia

Iconostasio

Trompas

blancura *f.* Calidad de blanco.
blandear *intr.-prnl.* Aflojar, ceder. – 2 *tr.* Hacer que [uno] mude de parecer.
blandengue *adj.* desp. Blando, dócil en exceso.
blandicia *f.* Adulación, halago. 2 Molicie, delicadeza extremada.
blandir *tr.* Mover [un arma u otra cosa] con aire amenazador. – 2 *intr.-prnl.* Moverse una cosa vivamente de un lado a otro. ◇ Verbo defectivo; se usa sólo en los tiempos y personas cuyas desinencias contienen la vocal *i: blandía, blandiré, blandiendo.*
blando, -da *adj.* Tierno, suave, que cede fácilmente a la presión: ~ *al tacto.* 2 fig. Suave, dulce, benigno, apacible: *clima* ~, el templado; ~ *de carácter.* 3 Muelle, afeminado, cobarde.
blandón *m.* Hacha de cera de un pabilo. 2 Candelero en que se ponen estas hachas.
blandura *f.* Calidad de blando: ~ *de un metal;* ~ *de carácter.* 2 Palabra halagüeña o requiebro. 3 Regalo, deleite. 4 Emplasto emoliente. 5 Temple del aire húmedo que deshace los hielos y nieves.
blanquear *tr.* Poner blanca [una cosa]. 2 Dar manos de cal o yeso diluidos en agua [a las paredes o techos]. 3 Dar las abejas cierto betún [a los panales]. – 4 *intr.* Mostrar una cosa la blancura que tiene.
blanquecer *tr.* Limpiar y sacar su color [al oro, plata y otros metales]. ◇ ** CONJUG. [43] como *agradecer.*
blanquita *f.* Mariposa diurna de color blanco y amarillento, extraordinariamente dañina, pues su oruga se alimenta de coles y otras crucíferas *(Pieris rapae).*
blanquiverdosa *f.* Mariposa diurna de color blanco con manchas negras en la cara superior, y de color verde amarillento en la cara inferior *(Pontia daplidice).*
blasfemar *intr.* Decir blasfemia: ~ *contra Dios;* ~ *de la virtud.* 2 fig. Maldecir, vituperar.
blasfemia *f.* Palabra o expresión injuriosa contra Dios o las personas o cosas sagradas. 2 fig. Injuria grave contra una persona.
blasón *m.* Arte de explicar los escudos de armas. 2 Escudo de armas. 3 Figura, señal o pieza de que se compone un escudo. 4 fig. Honor o gloria.
blasonar *tr.* Disponer [el escudo de armas] según las reglas del arte. – 2 *intr.* Hacer ostentación de alguna cosa: ~ *de valiente.*
blastema *m.* Aglomeración celular de la que nacen los elementos anatómicos de los cuerpos orgánicos.
blastocito *m.* Estructura fetal propia de los mamíferos.
blastodermo *m.* Membrana primitiva formada por la segmentación del óvulo fecundado.

blastómero *m.* Célula que se origina en la primera división del óvulo fecundado.
blástula *f.* Esfera hueca formada por el blastodermo en el primer período de desarrollo embrionario.
bledo *m.* Hierba amarantácea erecta y anual, de hojas ovales, tallos estriados y flores dispuestas en inflorescencias de color blanco verdoso *(Amaranthus retroflexus).* 2 fig. Cosa de poca importancia.
blenda *f.* Sulfuro de cinc nativo del cual se extrae este metal.
blenorragia *f.* Inflamación catarral infecciosa de la uretra.
blindado, -da *adj.* Recubierto con blindaje: *vehículo* ~.
blindaje *m.* Conjunto de materiales que se usan para blindar.
blindar *tr.* Proteger exteriormente con planchas de hierro o acero [las cosas o los lugares] contra los efectos de las balas, el fuego, etc.
bloc *m.* Cuaderno, bloque.
blocao *m.* FORT. Fortín, en su origen volante y de madera, que actualmente se construye de materiales diversos.
blocar *tr.* DEP. En el juego del fútbol, detener el balón sujetándolo con las manos. ◇ ** CONJUG. [1] como *sacar.*
blonda *f.* Encaje de seda.
bloque *m.* Trozo grande de piedra o de madera sin labrar. 2 En las poblaciones, manzana o cuadra de casas. 3 Taco de hojas de papel. 4 Pieza de fundición en cuyo interior se ha labrado el cuerpo de uno o varios cilindros y está provista de doble pared para el agua de refrigeración: ~ *de cilindros de un ***automóvil.* 5 Agrupación ocasional de partidos políticos.
bloquear *tr.* Cortar todo género de comunicaciones [al litoral de un país enemigo]. 2 Inmovilizar la autoridad [una cantidad o crédito]: ~ *una cuenta corriente.* 3 Detener [un vehículo] utilizando los frenos. – 4 *prnl.* Quedarse sin capacidad de reacción.
blues *m.* Género poético y musical del folclore negro americano, de tema personal y generalmente melancólico. ◇ Pl.: *blues.* Se pronuncia *blus.*
blusa *f.* Vestidura exterior a manera de túnica holgada y con mangas. 2 Vestidura femenina a modo de jubón ceñido al talle.
blusón *m.* Blusa larga.
boa *f.* Serpiente gigante de América, no venenosa, de gran fuerza y corpulencia, que se alimenta generalmente de animales de sangre caliente *(Boa constrictor).* – 2 *m.* Prenda de piel o pluma, en forma de culebra, para abrigo o adorno del cuello.
boato *m.* Ostentación en el porte exterior.
bobada *f.* Dicho o hecho necio.
bobear *intr.* Hacer o decir bobadas. 2 fig. Emplear el tiempo en cosas vanas.

bobi *m.* Pez marino teleósteo perciforme, de pequeño tamaño, cuerpo robusto y con una característica banda de color anaranjado en la aleta dorsal *(Gobius paganellus)*.

bobillo *m.* Jarro vidriado y barrigudo.

bobina *f.* Carrete para devanar o arrollar en él hilos, alambre, etc. 2 IMPR. Rollo de papel continuo que emplean las rotativas. 3 Componente de los circuitos eléctricos, formado por un hilo conductor aislado y arrollado repetidamente, en forma variable según su uso.

bobinar *tr.* Arrollar o devanar [hilos, alambre, etc.] en una bobina.

bobo, -ba *adj.-s.* De muy corto entendimiento. 2 Extremadamente cándido. – 3 *m.* Gracioso de teatro. 4 *Amér. Central* y *Méj.* Pez de río, de unos 60 cms. de largo y carne blanca y exquisita *(Huro nigricans)*.

**boca *f.* Abertura por la que un animal recibe los alimentos. En el hombre y muchos animales, se acompaña de una cavidad que contiene la lengua y los dientes y va de los labios a la faringe; **cuerpo humano; **digestivo (aparato); **moluscos. 2 Agujero, grieta: ~ *de tierra*. 3 Lugar o abertura que sirve de entrada o salida, o por donde se extrae o introduce algo: ~ *de horno*; ~ *de cañón*; ~ *de una vasija*; ~ *de calle*; ~ *de metro*; ~ *de puerto*; ~, *o bocas, de un río*; ~ *del estómago*; ~ *de riego*; **estadio. 4 fig. Gusto o sabor: *este vino tiene buena* ~. 5 fig. Persona o animal a quien se mantiene. 6 fig. Órgano de la palabra. 7 fig. Parte afilada de ciertas herramientas. – 8 *m.* ~ *a* ~, forma de respiración artificial que consiste en aplicar la boca de uno a la de la persona accidentada para insuflarle aire con un ritmo determinado: *el ahogado se salvó gracias a que practicaron el* ~ *a* ~ *inmediatamente*.

bocabarra *f.* Muesca abierta en el cabestrante, donde se encajan las barras para hacerlo girar; torno.

bocacalle *f.* Entrada de una calle. 2 Calle secundaria que afluye a otra.

bocacaz *m.* Abertura en una presa para dar salida a cierta porción de agua.

bocací *m.* Tela de hilo gruesa y de color. ◇ Pl.: *bocacíes*.

bocadillo *m.* Alimento que se toma entre las comidas. 2 Panecillo relleno con algún manjar apetitoso. 3 Intervención de un actor teatral en el diálogo con unas pocas palabras. 4 Trozo de conversación breve, generalmente envuelta en una línea, que ilustra un dibujo, saliendo de la boca del que habla.

bocadito *m.* Pastel pequeño relleno de nata o crema.

bocado *m.* Porción de comida que naturalmente cabe de una vez en la boca: *un* ~ *de pan*. 2 Un poco de comida: *tomar un* ~. 3 Veneno que se da con el alimento. 4 Parte del freno que entra en la boca de la caballería y, por extensión, el mismo freno. 5 Mordedura hecha con los dientes. 6 Pedazo arrancado de cualquier cosa violentamente. – 7 *m. pl.* Fruta en conserva, partida en pedazos que se dejan a secar.

bocajarro (a ~) *loc. adv.* Tratándose del disparo de un arma de fuego, a quemarropa, desde muy cerca. 2 fig. De improviso, inopinadamente.

BOCA

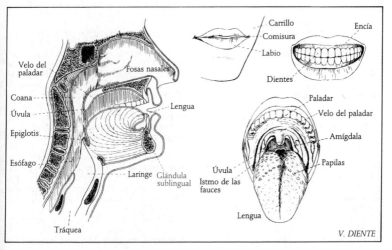

Carrillo
Comisura
Labio
Encía
Dientes
Velo del paladar
Fosas nasales
Coana
Úvula
Epiglotis
Esófago
Lengua
Laringe
Glándula sublingual
Tráquea
Paladar
Velo del paladar
Amígdala
Papilas
Úvula
Istmo de las fauces
Lengua

V. DIENTE

bocal *m.* Jarro de boca ancha y cuello corto para sacar el vino de las tinajas.

bocamanga *f.* Parte de la manga más cercana a la muñeca.

bocana *f.* Paso estrecho de mar, que sirve de entrada a una bahía o fondeadero.

bocanada *f.* Cantidad de líquido que de una vez se toma en la boca o se arroja de ella. 2 Porción de humo que se echa de una vez cuando se fuma.

bocanegra *m.* Pez marino seláceo de color pardo grisáceo con grandes manchas pardas irregulares, y con el interior de la boca negro *(Pristiurus melastomus; Galeus m.).*

bocarrena *f.* Oquedad revestida de cristalizaciones, que se halla en las piedras.

bocata *m.* fam. Bocadillo.

bocateja *f.* Teja primera de cada canal, junto al alero.

bocazas *com.* fig. Persona que habla indiscretamente. ◇ Pl.: *bocazas.*

bocel *m.* Moldura lisa de forma cilíndrica.

bocera *f.* Lo que queda ensuciando los labios después de haber comido o bebido. 2 Boquera, excoriación en la comisura de los labios.

boceras *com.* Bocazas, hablador. 2 Persona despreciable. ◇ Pl.: *boceras.*

boceto *m.* Borrón colorido que, como ensayo, se hace antes de pintar un cuadro. 2 p. ext. Proyecto de obra artística.

bocezar *intr.* Mover los labios las bestias hacia uno y otro lado. ◇ ** CONJUG. [4] como *realizar.*

bocina *f.* Pieza de metal que cubre los extremos del eje del carruaje. 2 Especie de trompeta usada para hablar de lejos. 3 Claxon: *la ~ de un automóvil.*

bocio *m.* Tumor indoloro, enquistado, debido a hipertrofia del tiroides, que se forma en la parte anterior e inferior del cuello.

bocón, -cona *adj.-s.* fam. Fanfarrón, charlatán. 2 Maldiciente, murmurador. – 3 *m.* Pez marino teleósteo, pelágico, de tamaño pequeño, cuerpo alargado y color plateado *(Argentina leioglossa)* .

bocoy *m.* Barril grande para envase. ◇ Pl.: *bocoyes.*

bocha *f.* Bola de madera para jugar a las bochas. – 2 *f. pl.* Juego en que se tiran a cierta distancia unas bolas medianas y otra pequeña, ganando el que arrima más a ésta con las otras.

bochar *tr.* En el juego de bochas, dar con la bola que se tira [a otra bola] y apartarla del sitio. 2 *Argent., Parag., S. Dom. y Urug.* Fracasar en un examen, no aprobar.

boche *m.* Hoyo pequeño que hacen los muchachos en el suelo para ciertos juegos.

bochinche *m.* Tumulto, barullo. 2 Taberna.

bochorno *m.* Aire caliente que sopla en el estío. 2 Calor sofocante. 3 fig. Rubor, vergüenza.

boda *f.* Casamiento y fiesta con que se solemniza: *las bodas de Camacho.*

bodega *f.* Lugar donde se guarda y cría el vino. 2 En los puertos de mar, piezas bajas que sirven de almacén. 3 Espacio interior de los buques desde la cubierta inferior hasta la quilla. 4 Tienda de vinos y licores. 5 *Amér.* Tienda de comestibles.

bodegón *m.* Pintura donde se representan alimentos, vasijas y utensilios domésticos.

bodeguero, -ra *m. f.* Dueño de una bodega. 2 Persona encargada de ella.

bodigo *m.* Panecillo de flor de harina, que se suele llevar a la iglesia por ofrenda.

bodón *m.* Charca que se seca en verano.

bodoque *m.* Relieve de forma redonda que sirve de adorno en algunos bordados. – 2 *adj.-m.* fig. Persona de cortos alcances. – 3 *m.* *C. Rica, Guat. y Salv.* Pelota o pedazo informe de papel, masa, lodo u otro material blando.

bodrio *m.* Guiso mal aderezado. 2 fam. Obra literaria o artística de pésima calidad. 3 fam. Objeto, persona o actividad desagradable o fea.

body *m.* Malla para practicar gimnasia. 2 Prenda interior femenina de una sola pieza que cubre todo el cuerpo excepto las extremidades.

bóer *adj.-s.* Del pueblo comprendido entre el África Austral y el norte de la colonia del Cabo: *los bóers son de origen holandés.*

bofe *m.* Pulmón: *bofes de buey.* – 2 *adj. Amér. Central.* Antipático.

bófeta *f.* Especie de tela de algodón delgada y tiesa.

bofetada *f.* Manotada dada en el carrillo.

bofetón *m.* Bofetada, especialmente la que se da con fuerza.

I) boga *f.* Pez fluvial de tamaño pequeño, hocico prominente, color pardusco, y que se agrupa en cardúmenes *(Chondrostoma polyledis).* 2 Pez marino teleósteo perciforme, de tamaño pequeño, cuerpo fusiforme y color azulado, verdusco o pardusco *(Boops boops).*

II) boga *f.* fig. Buena aceptación, fama o felicidad creciente: *estar en ~.*

bogar *intr.* Remar: *~ al remo; ~ por cuarteles.* 2 Navegar. ◇ ** CONJUG. [7] como *llegar.*

bogavante *m.* Crustáceo decápodo, de gran tamaño, pinzas muy grandes y fuertes, y coloración azul verdosa *(Homarus gammarus).*

bohemio, -mia *adj.-s.* [pers.] Que lleva un tipo de vida libre y poco organizada. – 2 *f.* Este tipo de vida. 3 Conjunto de personas que comparten este estilo de vida, especialmente artistas y literatos.

bohío *m. Amér.* Cabaña hecha de madera y ramas, cañas o paja.

bohordo *m.* Junco de la espadaña. 2 Tallo

herbáceo y sin hojas que sostiene las flores y el fruto de algunas plantas.

boicot *m.* Acción de boicotear. ◇ Pl.: *boicots.*

boicotear *tr.* Privar [a una persona o entidad] de toda relación social o comercial para obligarla a ceder.

boina *f.* Gorra chata y sin visera, generalmente de lana y de una sola pieza.

boj *m.* Arbusto buxáceo de hojas persistentes, flores blanco verdosas, fruto globoso y madera muy dura y compacta *(Buxus sempervirens).* 2 Madera de este árbol. ◇ Pl.: *bojes.*

bojar *tr.* Medir el perímetro [de una isla, cabo, etc.].

bojear *intr.* Navegar a lo largo de una costa.

bojote *m. Amér.* Lío, bulto, envoltorio.

bol *m.* Ponchera. 2 Taza grande y sin asa. ◇ Pl.: *boles.*

bola *f.* Cuerpo esférico de cualquier materia. 2 Betún: *dar ~ al calzado.* 3 fig. Embuste, mentira.

bolacha *f. Amér.* Masa compacta de caucho.

bolado *m. Amér.* Asunto, negocio.

bolchevique *adj.-com.* Afiliado al bolchevismo o partidario de él; comunista. – 2 *adj.* Relativo al bolchevismo.

bolcheviquismo, bolchevismo *m.* Sistema de gobierno comunista implantado en Rusia por la revolución de 1917. 2 Doctrina que lo sustenta.

boldo *m.* Árbol monimiáceo de hojas coriáceas y elípticas, con pelos estrellados en el haz y numerosas glándulas aromáticas *(Peumus boldus).*

boleadoras *f. pl.* Instrumento usado en América para cazar animales, formado por dos o tres bolas atadas a sendas guascas.

I) bolear *intr.* En los juegos de trucos y del billar, jugar por entretenimiento. – 2 *prnl. Amér.* Encabritarse el caballo, volcarse de espaldas.

II) bolear *tr.* Arrojar (lanzar).

boleíta *f.* Mineral de la clase de los cloruros que cristaliza en el sistema tetragonal en cristales pseudorrómbicos de color azul.

I) bolero, -ra *adj.-s.* Que hace novillos. 2 fig. Que miente mucho.

II) bolero *m.* Baile popular español procedente de la seguidilla, de movimiento majestuoso. 2 Música y canto de este baile. 3 Chaquetilla corta de señora. 4 *Amér. Central.* Sombrero.

boleta *f.* Cédula para entrar en alguna parte. 2 Libranza para tomar o cobrar alguna cosa. 3 *Amér.* Cédula para votar a otros usos.

boletín *m.* Publicación periódica sobre una materia determinada: *~ comercial.* 2 Publicación periódica de carácter oficial: *~ oficial del Estado.* 3 *~ informativo* o *de noticias,* conjunto de noticias que, a horas determinadas, transmiten la radio o la televisión.

boleto *m.* Billete de teatro, tren, etc. 2 Impreso que debe rellenar el apostante en ciertos juegos de azar: *el ~ de las quinielas.* 3 Género de setas grandes y de carne gruesa. Se caracteriza por presentar en la cara inferior del sombrero túbulos perpendiculares en vez de laminillas *(gén. Boletus).*

I) boliche *m.* Bola pequeña para el juego de las bochas. 2 Juguete compuesto de una bola taladrada sujeta con un cordón a un palito aguzado. 3 Juego de bolos. 4 Lugar donde se ejecuta este juego. 5 Adorno de forma torneada en que rematan ciertas partes de algunos muebles. 6 Horno para fundir minerales de plomo. 7 *Amér.* Tienda de baratijas, tenducho o figón.

II) boliche *m.* Jábega pequeña. 2 Pescado menudo que se saca con ella.

bólido *m.* Masa mineral en ignición, que atraviesa rápidamente la atmósfera y suele estallar, provocando la caída de aerolitos. 2 fig. Vehículo que corre a gran velocidad, especialmente el automóvil de carreras.

bolígrafo *m.* Instrumento para escribir que tiene en su interior un tubo de tinta especial y en la punta, en lugar de pluma, una bolita metálica que gira libremente.

bolilla *f. Argent., Parag. y Urug.* Bola pequeña numerada que se usa en los sorteos. 2 *Argent., Parag. y Urug.* Tema numerado del programa de una materia para su enseñanza.

bolillero *m. Argent., Parag. y Urug.* Bombo, caja esférica que contiene las bolillas numeradas que se usan en un sorteo.

bolillo *m.* Palito torneado para hacer encajes y pasamanería. 2 Horma para aderezar vuelillos. 3 Hueso a que está unido el casco de las caballerías. – 4 *m. pl.* Barritas de masa dulce.

bolina *f.* Cabo con que se hala hacia proa la relinga de barlovento de una vela. 2 Posición del buque al navegar formando la proa con la dirección del viento el menor ángulo posible: *ir,* o *navegar, de ~,* navegar de modo que la dirección de la quilla forme con la del viento el ángulo menor posible. 3 fig. Alboroto, pendencia.

bolívar *m.* Unidad monetaria de Venezuela.

boliviano, -na *adj.-s.* De Bolivia, nación de América del Sur. – 2 *m.* Moneda boliviana de plata.

bolo *m.* Palo torneado, cónico o cilíndrico, que puede tenerse en pie. 2 *~ alimenticio,* alimento masticado e insalivado que de una vez se deglute. 3 Reunión de pocos y medianos cómicos para dar funciones en distintos pueblos. 4 Píldora más grande que la ordinaria. – 5 *adj.-m.* Hombre ignorante o necio. – 6 *m. pl.* Juego que consiste en poner sobre el suelo nueve bolos derechos y tratar de derribarlos con una bola. – 7 *adj. Amér. Central.* Ebrio, borracho.

bolómetro *m.* Aparato que sirve para medir pequeñísimas variaciones de temperatura.

I) bolsa *f.* Caudal o dinero de una persona. 2 Ayuda económica para realizar determinada actividad no lucrativa: ~ *de estudios;* ~ *de viaje.* 3 Recipiente de materia flexible, para llevar o guardar alguna cosa: *la* ~ *de la compra;* ~ *de basura.* 4 Cavidad llena de pus, linfa, etc. 5 Arruga o seno en un vestido o tela.

II) bolsa *f.* Reunión oficial de los que operan con fondos públicos y privados: *bajar* o *subir la* ~, bajar o subir el precio de los valores cotizados en ella; *jugar a la* ~, especular sobre el alza y la baja de los valores. 2 Local en que se reúne la bolsa. 3 Conjunto de personas que actúan en la bolsa.

bolsear *tr. Amér. Central y Méj.* Quitar [a uno] furtivamente del bolsillo el reloj, dinero, etc.

bolsillo *m.* Saquillo cosido en los vestidos para las cosas más usuales.

bolso *m.* Bolsa de mano, generalmente pequeña, de cuero, tela u otras materias.

bollo *m.* Panecillo de harina amasada con huevos, leche, etc. 2 Convexidad que resulta en una de las caras de una pieza por golpe dado o presión hecha en la cara opuesta. 3 Plegado de tela usado en adornos de vestidos y de tapicería.

I) bomba *f.* Máquina para elevar, trasegar o comprimir fluidos: ~ *aspirante;* ~ *neumática.*

II) bomba *f.* Cantidad de explosivo rodeada de una cubierta de hierro u otro material resistente, provista de mecha o espoleta destinadas a producir la explosión: ~ *de mano;* ~ *de aviación;* **armas. 2 Artefacto explosivo, con independencia de su forma, composición o potencia: ~ *atómica;* ~ H_2; ~ *de hidrógeno* o *termonuclear.* 3 ~ *volcánica,* masa de lava arrojada por un **volcán que, merced al movimiento de rotación que sufre en su recorrido aéreo y gracias a su plasticidad, adopta una forma redondeada. 4 ~ *de cobalto,* aparato de radioterapia que utiliza como emisor radiactivo una fuente de cobalto 60, y que se utiliza para destruir células del organismo humano, como remedio contra ciertas enfermedades y tumores. 5 fig. Noticia inesperada que se anuncia de improviso y causa estupor.

bombáceo, -a *adj.-f.* Planta de la familia de las bombáceas. – 2 *f. pl.* Familia de plantas arbóreas próximas a las malváceas, pero con las hojas palmeadas y el fruto grande y capsular.

bombacho *adj.-s.* Calzón corto, ancho y abierto por un lado, y pantalón cuyas perneras terminan en forma de campana.

bombardear *tr.* Atacar o batir con artillería o con aparatos de aviación [una población o un objetivo cualquiera]. 2 Proyectar [sobre un cuerpo] ciertas radiaciones eléctricas para producir la fisión atómica.

bombardero, -ra *adj.-s.* Buque de guerra equipado con mortero, cañón u obús: *lancha bombardera.* – 2 *m.* Avión de bombardeo. 3 Insecto coleóptero capaz de expulsar un líquido ácido en forma de vapor blanco acompañado de un estruendo *(Brachinus* sp.).

bombardino *m.* Instrumento músico de **viento de sonido grave, con tres pistones.

bombear *tr.* Arrojar o disparar bombas de artillería [contra una cosa]. 2 Dar [a un cuerpo] forma abombada. 3 Elevar [agua u otro líquido] por medio de una bomba. 4 DEP. Lanzar por alto una pelota o balón haciendo que siga una trayectoria parabólica.

bombero *m.* Individuo del cuerpo destinado a extinguir los incendios.

bómbice *m.* Gusano de seda.

bombilla *f.* Ampolla de cristal en cuyo interior, en el que se ha hecho el vacío, hay un filamento adecuado para que al paso de corriente eléctrica se ponga incandescente y ilumine. 2 *Amér.* Caña o tubo delgado que se usa para sorber el mate.

bombillo *m.* Aparato con sifón para evitar la subida del mal olor en los desagües, retretes, etc. 2 Tubo con un ensanche en la parte inferior, para sacar líquidos.

bombín *m.* Sombrero hongo. 2 Bomba pequeña para llenar de aire los neumáticos de **bicicleta.

bombo *m.* Tambor muy grande que se toca con una maza en las orquestas y bandas; **percusión (instrumentos de). 2 Músico que toca el bombo. 3 fig. Elogio exagerado y ruidoso: *dar* ~. 4 Caja redonda y giratoria destinada a contener las bolas, cédulas, etc., de un sorteo. 5 Buque de fondo chato y poco calado.

bombón *m.* Pieza pequeña de chocolate o azúcar. 2 fam. Persona o cosa exquisita, especialmente mujer atractiva.

bombona *f.* Vasija grande de vidrio o loza, de boca estrecha y muy barriguda: ~ *de agua destilada.* 2 Vasija metálica, de forma cilíndrica y cierre hermético.

bombonaje *m.* Planta pandanácea, de hojas alternas que, cortadas en tiras, sirven para fabricar objetos de jipijapa *(Carludovica palmata).*

bombonera *f.* Caja pequeña para bombones. 2 fam. Local de pequeñas dimensiones y de aspecto agradable.

bombote *m. Amér. Central y Venez.* Embarcación pequeña.

bonaerense *adj.-s.* De Buenos Aires, capital de Argentina.

bonancible *adj.* Tranquilo, sereno, suave: *mar, tiempo, viento* ~.

bonanza *f.* Tiempo tranquilo y sereno en el mar. 2 fig. Prosperidad.

bonapartismo *m.* Partido afecto a Napoleón Bonaparte (1769-1821) o a su dinastía.

bondad *f.* Calidad de bueno. 2 Natural inclinación a hacer el bien. 3 Blandura y apacibilidad de genio.

bondadoso, -sa *adj.* Lleno de bondad.

bonete *m.* Especie de gorra, generalmente de cuatro picos, usada por los eclesiásticos, graduados, etc. 2 fig. Clérigo secular. 3 Dulcera de vidrio ancha de boca y angosta de suelo. 4 Seta con el sombrero sinuoso de color pardo y el pie blancuzco *(Gyromitra esculenta).*

bonetero *m.* Arbusto celastráceo caducifolio, de corteza lisa y gris, flores de color verde y fruto de forma parecida al bonete *(Evonymus europæus).*

bonetillo *m.* Adorno de las mujeres sobre el tocado.

bongo *m.* Instrumento músico de percusión, que consta de un tubo de madera cubierto en su extremo superior por un cuero de chivo tenso, y descubierto en la parte inferior. ◇ Pl.: *bongos.*

boniato *m.* Planta convolvulácea, variedad de batata *(Ipomoea batatas).* 2 Tubérculo de esta planta.

bonificación *f.* Aumento de valor o mejora. 2 Descuento que se hace sobre el precio de una mercancía o el importe de una factura.

bonificar *tr.* Hacer bonificación o descuento [en el precio de una mercancía o en el importe de una factura]. ◇ ** CONJUG. [1] como *sacar.*

I) bonito *m.* Pez marino teleósteo perciforme, de cuerpo alargado, con el dorso de color azul obscuro con rayas *(Sarda sarda).*

II) bonito, -ta *adj.* Lindo, agraciado, de cierta proporción y belleza.

bono *m.* Especie de vale que se canjea por artículos de primera necesidad, el cual se da de limosna. 2 Tarjeta de abono que da derecho a la utilización de un servicio durante cierto tiempo o un determinado número de veces. 3 COM. Título de deuda emitido generalmente por una tesorería pública.

bonsai *m.* Técnica de cultivo en macetas pequeñas de algunas especies de plantas y arbustos ornamentales a los que se les cortan brotes y raíces para que no crezcan. 2 Planta o arbusto así cultivado.

bonzo *m.* Sacerdote o monje budista.

boñiga *f.* Excremento del ganado vacuno.

boom *m.* Avance extraordinariamente rápido, eclosión: *el ~ de la literatura hispanoamericana; el ~ turístico.* ◇ Se pronuncia *bum.*

boquear *intr.* Abrir la boca. 2 Estar expirando; p. ext., estar acabándose una cosa. – 3 *tr.* Pronunciar [una palabra o expresión].

boquera *f.* Boca que para el riego se hace en el caz. 2 Ventana del pajar. 3 Excoriación en las comisuras de los labios.

boquerón *m.* Abertura grande. 2 Pez marino teleósteo clupeiforme, de pequeño tamaño, cuerpo muy delgado y color verdoso o azulado *(Engraulis encrasicholus).*

boquete *m.* Entrada o paso angosto. 2 Brecha (en el muro).

boquiabierto, -ta *adj.* Que tiene la boca abierta. 2 fig. Que mira embobado.

boquiblando, -da *adj.* [bestia] Que siente mucho el bocado.

boquidulce *m.* Pez marino seláceo de cuerpo alargado, color gris, hocico alargado, siete aberturas branquiales a cada lado, y hasta 3 m. de longitud y 200 kgs. de peso *(Heptranchias cinereus).*

boquiduro, -ra *adj.* [bestia] Que siente poco el bocado.

boquifresco, -ca *adj.* [caballería] Que tiene la boca muy salivosa y es dócil al freno. 2 [pers.] Que no repara en decir verdades desagradables.

boquijo *m.* Agujero de poca profundidad donde se esconden los conejos.

boquilla *f.* Abrazadera del fusil más próxima a la boca del mismo. 2 Pieza donde se produce la llama en ciertos aparatos de alumbrado. 3 Pieza hueca que se adapta al tubo de varios instrumentos de **viento y sirve para producir el sonido soplando en ella. 4 Pieza hueca, de formas y tamaños variados, que se puede acoplar al extremo de un tubo de ciertos aparatos: *la ~ del aspirador.* 5 Parte de la pipa que se introduce en la boca. 6 Tubo pequeño de ámbar, madera, etc., en uno de cuyos extremos se pone el cigarro para fumarlo por el opuesto. 7 Extremo anterior del cigarro puro, por el cual se enciende. 8 Rollito o tubo de cartulina, paja, corcho, etc., colocado en el extremo de algunos cigarrillos y por el cual se aspira el humo al fumar. 9 Escopleadura que se abre en un madero para meter otro. 10 Mechero de gas, de acetileno.

boquín *m.* Bayeta tosca.

boquirroto, -ta *adj.* fig. Fácil en hablar.

boquirrubio, -bia *adj.* fig. Que sin necesidad ni reserva dice cuanto sabe. 2 fig. Inexperto, candoroso. – 3 *m.* Mozalbete que presume de lindo.

boquizo *m.* Entrada de la guarida de algunas alimañas.

boragináceo, -a *adj.-s.* Planta de la familia de las boragináceas. – 2 *f. pl.* Familia de plantas dicotiledóneas tubifloras que incluye hierbas anuales o perennes, de flores con el cáliz tubular y la corola en forma de embudo; como la borraja.

borato *m.* Sal o éster del ácido bórico.

borbolla *f.* Burbuja de aire que se forma en el interior del agua, producida por la lluvia u otras causas.

borbollón *m.* Erupción que hace el agua elevándose sobre la superficie.

borbonesa *f.* Planta cariofilácea, pilosa, de hojas ovadas y flores de color rojo, en inflorescencia *(Silene dioica).*

borborigmo *m.* Ruido de tripas producido por las flatulencias intestinales.

borbotar, -ear *intr.* Manar o hervir un líquido a borbotones.

borbotón *m.* Borbollón.

borceguí *m.* **Calzado que llega hasta más arriba del tobillo, abierto por delante y que se ajusta por medio de cordones. ◇ Pl.: *borceguíes.*

borda *f.* Vela mayor en las galeras. 2 Canto superior del costado de un buque.

bordada *f.* Camino que hace entre dos viradas el barco que navega voltejeando.

bordadura *f.* Labor de relieve ejecutada en tela o piel con aguja y diversas clases de hilo.

bordar *tr.* Adornar [una tela o piel] con bordadura: ~ *al tambor;* ~ *con,* o *de, plata;* ~ *en cañamazo.* 2 Ejecutar o explicar [una cosa] embelleciéndola con primores.

I) borde *m.* Extremo, orilla: ~ *de una vasija;* ~ *de un abismo;* **campana.

II) borde *adj.* [planta, árbol] No injerto ni cultivado. – 2 *adj.-com.* Nacido fuera de matrimonio. 3 fam. Tosco, torpe.

bordear *tr.* Ir por el borde, o cerca del borde u orilla [de una cosa]. 2 Hablando de una serie o fila de cosas, hallarse en el borde u orilla de otra: *las flores bordean el lago.* 3 Frisar, acercarse mucho [a una cosa].

bordillo *m.* Faja o cinta de piedra que forma el borde de una acera, de un andén, etc.

bordín *m. Amér.* Casa de huéspedes.

bordo *m.* Costado exterior de la nave, desde la superficie del agua hasta la borda.

I) bordón *m.* Bastón con punta de hierro, de mayor altura que la de un hombre.

II) bordón *m.* En los instrumentos de **cuerda, la más gruesa que da los sonidos más graves. 2 Cuerda de tripa atravesada diametralmente en el parche inferior del tambor. 3 Verso quebrado, repetido al fin de cada copla. 4 Muletilla (estribillo).

bordoneo *m.* Sonido ronco del bordón de la guitarra. 2 Zumbido.

bordonete *m. Amér.* Lechino, clavo de hilas que se pone en las llagas.

boreal *adj.* Relativo al bóreas. 2 Septentrional.

bóreas *m.* Viento norte. ◇ Pl.: *bóreas.*

bórico, -ca *adj.* Que contiene ácido bórico: *agua bórica.* 2 **Ácido** ~, cuerpo blanco, en escamas untuosas al tacto, $B(OH)_3$, usado como antiséptico, en la industria vidriera, etc.

borla *f.* Conjunto de hebras o cordoncillos reunidos por uno de sus cabos. 2 Utensilio para empolvar el cutis las mujeres. 3 Insignia de los graduados de doctores y licenciados en las universidades.

borlón *m.* Tela de lino y algodón sembrada de borlitas.

borne *m.* Botón de metal al cual se unen los hilos conductores en un aparato eléctrico. 2 Tornillo en el cual puede sujetarse el extremo de un conductor para poner en comunicación el aparato en que va montado con un circuito independiente de él.

bornear *tr.* Dar vuelta, torcer o ladear [una cosa]. 2 Labrar en contorno [una columna].

bornero, -ra *adj.* [piedra negra] Que sirve para hacer muelas de molino. 2 [trigo] Que se muele con esta muela.

borní *m.* Ave rapaz falcónida *(Circus aeruginosus).* ◇ Pl.: *borníes.*

bornita *f.* Mineral de la clase de los sulfuros, de color bronceado y brillo metálico.

bornizo *adj.* [corcho] Que se obtiene de la primera pela de los alcornoques.

boro *m.* Metaloide que sólo existe combinado en la naturaleza y que se obtiene artificialmente, ya amorfo, ya en cristales duros como el diamante. Su símbolo es B.

borra *f.* Parte más grosera de la lana. 2 Pelo de cabra. 3 Pelo que el tundidor saca del paño con la tijera. 4 Pelusa de la cápsula del algodón. 5 Pelusa polvorienta formada en los bolsillos, rincones, etc. 6 Sedimento que forman la tinta, el aceite, etc. 7 fig. Cosa inútil y sin substancia.

borrachera *f.* Efecto de emborracharse. 2 Orgía (festín). 3 fig. Exaltación extremada. 4 Disparate grande.

borracho, -cha *adj.-s.* Ebrio. 2 Que se embriaga habitualmente. – 3 *adj.* fig. Vivamente poseído de alguna pasión. 4 [fruto y flor] De color morado: *zanahoria borracha.* 5 [pastel, bizcocho, etc.] Empapado en vino, licor o almíbar. – 6 *m.* Pez marino teleósteo, de rostro afilado, con cuatro espinas en la parte superior de la boca, y cuerpo ahusado hacia la cola armado de fuertes espinas *(Trigla gurnardus).*

borrador *m.* Escrito de primera intención, que se copia después de enmendado. 2 Libro en que los comerciantes hacen sus apuntes para arreglar después sus cuentas. 3 Utensilio o goma de borrar. 4 Cartera que los niños llevan cuando van a la escuela.

borraja *f.* Hierba boraginácea anual, áspera, recubierta de una abundante pilosidad, y flores de color azul con los estambres de color púrpura obscuro *(Borrago officinalis).*

borrajear *tr.* Escribir [una cosa] sin asunto ni propósito determinado. 2 Trazar [rúbricas y rasgos] por entretenimiento.

borrajo *m.* Rescoldo (brasa). 2 Hojarasca de pinos.

borrar *tr.* Hacer desaparecer por cualquier medio [lo representado con tinta, lápiz, etc.]. 2 fig. Desvanecer, hacer que desaparezca [una cosa]: ~ *la falta cometida; borrarse de la memoria un nombre.*

borrasca *f.* Tempestad fuerte. 2 fig. Peligro o contratiempo que se padece en algún negocio.

borrascoso, -sa *adj.* Que causa borrascas: *tiempo* ~. 2 fig. Desordenado, desenfrenado: *vida borrascosa; diversiones borrascosas.*

borrego, -ga *m. f.* Cordero o cordera de uno o dos años. – 2 *adj.-s.* desp. Persona sencilla o ignorante. 3 desp. Estudiante de primer curso, novato. – 4 *m.* fig. Nubecilla blanca, redondeada. 5 fig. Ola corta y espumosa.

borrico, -ca *m.* Asno. 2 Armazón en la que apoyan los carpinteros la madera que labran. – 3 *adj.-s.* fig. [pers.] Necio.

borro *m.* Cordero que pasa de un año y no llega a dos.

borrón *m.* Mancha de tinta hecha en el papel. 2 fig. Imperfección que desluce o afea. 3 Acción deshonrosa. 4 Borrador (escrito). 5 Proyecto para un cuadro, hecho con colores o de claro y obscuro.

borroso, -sa *adj.* Lleno de borra (sedimento). 2 Confuso, difícil de leer. 3 Que no se distingue con claridad.

bort *m.* Variedad impura de diamante sin valor como gema y que se utiliza como abrasivo.

borujo *m.* Masa del hueso de la aceituna después de molida y prensada.

bósforo *m.* Canal por donde se comunican dos mares.

bosque *m.* Terreno poblado de árboles y matas. 2 fig. Abundancia desordenada de alguna cosa; confusión, cuestión intrincada.

bosquejar *tr.* Trazar los primeros rasgos [de una obra de arte o de ingenio, especialmente en pintura y escultura]. 2 fig. Indicar con vaguedad [una idea].

bosquejo *m.* Acción de bosquejar (trazar). 2 Efecto de bosquejar (trazar). 3 fig. Idea vaga de alguna cosa.

bosquimano, -na *adj.-s.* De un pueblo de raza negroide que habita en la región de Kalahari, en África meridional. – 2 *m.* Lengua hablada por dicho pueblo.

bosta *f.* Excremento del ganado vacuno o del caballar.

bostezar *intr.* Abrir la boca con un movimiento espasmódico y hacer inspiración lenta y después espiración también lenta y prolongada, por efectos del sueño, aburrimiento, etc.: ~ *de hastío.* ◇ ** CONJUG. [4] como *realizar.*

bostezo *m.* Acción de bostezar.

I) bota *f.* Odre pequeño que remata en un cuello con brocal por donde se llena de vino y se bebe. 2 Cuba para líquidos. 3 *Colomb., P. Rico y S. Dom.* Vaina de cuero para cubrir los espolones de los gallos de pelea.

II) bota *f.* **Calzado que sube más arriba del tobillo: ~ *de agua;* ~ *de montar.* 2 **Calzado deportivo rígido para practicar determinados deportes, aunque no suba más arriba del tobillo: *una* ~ *de fútbol.*

botadero *m. Amér.* Lugar del río donde se toma el vado.

botador, -ra *adj.* Que bota. – 2 *m.* Pértiga con que los barqueros hacen fuerza en la arena para mover los barcos. 3 Instrumento de hierro para arrancar clavos, o para embutir sus cabezas.

botafumeiro *m.* fig. *y* fam. Incensario. 2 fig. *y* fam. Adulación.

botagueña *f.* Longaniza de asadura de puerco.

botalón *m.* Palo largo que sale fuera de la embarcación, para varios usos. 2 Bauprés de una embarcación pequeña. 3 Mastelero de un velero grande.

botana *f.* Remiendo que tapa los agujeros de los odres. 2 Taruguito puesto con el mismo objeto en las cubas de vino. 3 *Ant., Colomb., Cuba y Méj.* Vaina de cuero que se pone a los gallos de pelea en los espolones.

botánica *f.* Parte de la historia natural que tiene por objeto el estudio de los vegetales.

botar *tr.* Arrojar o echar fuera con violencia [una cosa]. 2 Echar al agua [un buque]. 3 *intr.* Cambiar de dirección un cuerpo elástico por chocar con otro cuerpo duro. 4 Saltar la pelota después de dar en el suelo. 5 p. ext. Saltar o levantarse de suelo otra cosa cualquiera, como dar botes el caballo. 6 *Amér.* Despedir [a una persona], echarla de algún lugar o empleo.

botarate *adj.-m.* Hombre alborotado y de poco juicio. 2 *Can. y Amér.* Malgastador, manirroto.

botavara *f.* Palo horizontal, apoyado en el coronamiento de la popa, donde se asegura la vela cangreja.

I) bote *m.* Golpe que se da con ciertas armas enastadas: ~ *de pica;* ~ *de lanza.*

II) bote *m.* Vasija pequeña, generalmente cilíndrica. 2 fam. Propina y lugar para colocarla.

III) bote *m.* Embarcación pequeña y sin cubierta que se mueve remando: ~ *salvavidas,* el insumergible y acondicionado para abandono de un buque o salvamento de náufragos.

IV) bote (de ~ en ~) *loc. adj.* [lugar] Que está completamente lleno de gente.

botella *f.* Vasija de cuello angosto, generalmente para líquidos. 2 Líquido que cabe en esta vasija.

botepronto *m.* Acción de dejar caer el balón de las manos y darle con el pie al primer bote.

botica *f.* Establecimiento donde se hacen y venden medicinas.

botijo 158

botijo *m.* Vasija de barro, de vientre abultado, con asa en la parte superior, una boca para llenarla y un pitón para beber.

I) botín *m.* Calzado de cuero o de tela que cubre la parte superior del pie y parte de la pierna.

II) botín *m.* Conjunto de las armas, provisiones y demás efectos de una plaza o de un ejército vencido y de los cuales se apodera el vencedor.

botiquín *m.* Mueble, generalmente portátil, donde se guardan medicinas para casos de urgencia. 2 Conjunto de medicamentos más indispensables, en los lugares donde no hay farmacia.

botito *m.* Bota de hombre que se ciñe al tobillo.

I) boto, -ta *adj.* Romo (obtuso). 2 fig. Rudo, torpe: ~ *de ingenio,* o *de ingenio* ~.

II) boto *m.* Pellejo para vino, aceite, etc.

III) boto *m.* Bota alta que usan los jinetes.

botón *m.* Yema de las plantas. 2 Flor aún cerrada, capullo. 3 Prominencia de la cuerna de los venados. 4 Pieza pequeña, generalmente redonda, para abrochar o adornar los vestidos. 5 Piececilla cilíndrica o esférica que, atornillada en algún objeto, sirve de tirador, asidero, etc.: ~ *de una puerta.* 6 En el timbre eléctrico, pieza que se oprime para hacerlo sonar. 7 Chapita redonda que se pone a la punta de la espada o del florete, para no hacer daño en los asaltos.

botonadura *f.* Juego de botones para un traje o prenda de vestir. 2 Parte de la prenda de vestir que corresponde a los botones y ojales.

botones *m.* Muchacho que, en hoteles y otros establecimientos, sirve para recados y otras comisiones. ◇ Pl.: *botones.*

bototo *m. Amér.* Calabaza para llevar agua.

botulismo *m.* Intoxicación, de síntomas parecidos a los del tifus y el cólera.

bou *m.* Pesca en que dos barcas, apartada la una de la otra, tiran de la red, arrastrándola por el fondo. 2 Barca o vaporcito destinado a este arte de pesca. ◇ Pl.: *bous.*

bourbon *m.* Güisqui estadounidense, elaborado a base de maíz con algo de centeno y cebada. ◇ Se pronuncia *burbon.*

boutique *f.* Tienda especializada donde se

BÓVEDA

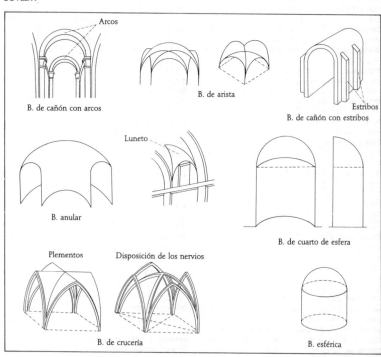

Arcos

B. de cañón con arcos

B. de arista

Estribos
B. de cañón con estribos

Luneto

B. anular

B. de cuarto de esfera

Plementos

Disposición de los nervios

B. de crucería

B. esférica

venden prendas de vestir de moda. 2 p. ext. Tienda selecta de cualquier ramo. ◇ Se pronuncia *butic.*

**bóveda *f.* ARQ. Obra de fábrica que sirve para cubrir el espacio comprendido entre dos muros o varios pilares: ~ *anular,* la de cañón montada sobre muros circulares concéntricos; ~ *de cañón* o *de medio cañón,* la de superficie cilíndrica; ~ *de crucería, de ojiva* o *nervada,* aquella cuya estructura se compone de arcos que se cruzan diagonalmente, llamados nervios, con una clave central común, y cuyo espacio recubre con una plementería; ~ *de arista,* aquella cuyos dos cañones cilíndricos se cortan el uno al otro; ~ *de cuarto de esfera,* la que describe un cuarto de esfera y se emplea para cubrir ábsides; ~ *esférica,* la que describe media esfera; **gótico. 2 Pared superior en forma de bóveda: *la ~ de una **campana;* ~ *craneana,* ANAT., la formada por el conjunto de huesos que protegen el encéfalo. 3 p. ext. ~ *celeste,* ASTRON., espacio infinito en el que se mueven los astros, que aparentemente tiene forma de bóveda.

bóvido *adj.-m.* Mamífero de la familia de los bóvidos. – 2 *m. pl.* Familia de rumiantes caracterizados por tener cuernos óseos permanentes envueltos en una vaina córnea; como el buey, la cabra y el antílope.

bovino, -na *adj.* Relativo al buey o a la vaca. – 2 *adj.-m.* Bóvido de la subfamilia de los bovinos. – 3 *m. pl.* Subfamilia de bóvidos de gran tamaño, de hocico lampiño, y cuernos encorvados hacia afuera; como el buey.

boxeador *m.-adj.* El que se dedica al boxeo o se ejercita en él.

boxear *intr.* Batirse a puñetazos siguiendo las reglas del boxeo.

boxeo *m.* Arte de ejercer el pugilato siguiendo ciertas reglas.

boya *f.* Cuerpo flotante sujeto al fondo del mar, de un lago, etc., que se coloca como señal; **puerto. 2 Corcho que se pone en la red para que no se hunda. 3 Flotador de la caña de pescar.

boyada *f.* Manada de bueyes.

boyante *adj.* Que boya. 2 fig. Que tiene fortuna y felicidad creciente: ~ *en los negocios.*

boyar *intr.* Volver a flotar la embarcación que ha estado en seco.

boyera, -riza *f.* Corral donde se recogen los bueyes.

boza *f.* MAR. Cabo para sujetar o amarrar cualquier cosa.

bozal *m.* Esportilla o aparato que se pone en la boca de los animales para que no coman o muerdan.

bozalejo *m.* Instrumento que se pone a los terneros para evitar que mamen.

bozo *m.* Vello que apunta sobre el labio superior antes de nacer el bigote. 2 Parte exterior de la boca.

brabante *m.* Lienzo fabricado en el territorio de este nombre.

I) braceaje *m.* Trabajo y labor de la moneda.

II) braceaje *m.* Profundidad del mar en determinado paraje.

bracear *intr.* Mover repetidamente los brazos. 2 Nadar volteando los brazos fuera del agua. 3 fig. Esforzarse, forcejear.

bracero *m.* Peón (jornalero).

bráctea *f.* Hoja de cuya axila nace una **flor o un eje floral; **inflorescencias.

bractéola *f.* Hoja situada en el pedúnculo de una **flor. 2 Verticilo de hojas pequeñas situado en la base de umbelas secundarias o parciales.

bradicardia *f.* Lentitud anormal del pulso.

bradilalia *f.* Lentitud en la palabra.

bradisismo *m.* Movimiento sísmico lento y de poca magnitud.

braga *f.* Cuerda con que se ciñe un objeto pesado, para suspenderlo en el aire. – 2 *f. pl.* Prenda interior que usan las mujeres y los niños de corta edad, y que cubre desde la cintura hasta el arranque de las piernas, con aberturas para el paso de éstas. 3 Conjunto de plumas que cubren las patas de las aves calzadas.

bragado, -da *adj.* [animal] Que tiene la bragadura de diferente color que el resto del cuerpo. 2 fig. [pers.] De intención perversa. 3 fig. [pers.] De resolución enérgica y firme.

bragadura *f.* Entrepiernas del hombre o del animal.

bragapañal *m.* Pañal, especie de braguita de celulosa.

braguero *m.* Aparato o vendaje para contener las hernias.

bragueta *f.* Abertura delantera del calzón o pantalón.

brahmán *m.* Individuo de la primera de las cuatro castas en que se halla dividida la población de la India y en la cual se reclutan los sacerdotes y doctores.

brahmanismo *m.* Religión de la India, que adora a Brahma como a dios supremo.

braille *m.* Sistema de escritura y lectura para ciegos por medio de puntos en relieve practicados sobre el papel.

brama *f.* Época de celo en los ciervos y otros animales salvajes.

bramadera *f.* Juguete de niños formado por una tablilla atada al extremo de una cuerda, que se hace girar con fuerza en el aire y produce una especie de bramido. 2 Instrumento de que usan los pastores para llamar al ganado.

bramante *m.-adj.* Cordel delgado hecho de cáñamo.

bramar *intr.* Dar bramidos: ~ *el toro; Juan bramó lleno de coraje;* ~ *el viento.*

bramido *m.* Voz del toro y de otros animales salvajes. 2 p. ext. Grito del hombre cuando está furioso. 3 fig. Estrépito del aire, del agua, etc.

bramuras *f. pl.* Bravatas, muestras de gran enojo.

brancal *m.* Conjunto de las dos gualderas de la armazón de un carruaje o cureña de artillería.

brandi *m.* Bebida alcohólica parecida al coñac. ◇ Pl.: *brandis.*

branquia *f.* Órgano **respiratorio de los animales acuáticos formado por láminas o filamentos membranosos a través de cuyas paredes la sangre absorbe el oxígeno disuelto en el agua; **moluscos.

branquiuro *adj.-m.* Crustáceo de la subclase de los branquiuros. – 2 *m. pl.* Subclase de crustáceos parásitos de peces y anfibios cuyos maxilares están transformados en ventosas para fijarse a sus víctimas.

braña *f.* Pasto de verano donde hay agua y prado.

braquiblasto *m.* Brote corto; ramita muy corta, con las hojas muy juntas.

braquicéfalo, -la *adj.* [individuo] Cuyo cráneo es casi redondo porque su diámetro mayor excede en menos de un cuarto al menor. – 2 *adj.-s.* Persona o raza de cráneo braquicéfalo.

braquícero *adj.-m.* Insecto del suborden de los braquíceros. – 2 *m. pl.* Suborden de insectos dípteros de cuerpo grueso, alas anchas y antenas cortas; como la mosca y el tábano.

braquigrafía *f.* Estudio de las abreviaturas.

braquiópodo *adj.-m.* Animal del tipo de los braquiópodos. – 2 *m. pl.* Tipo de animales lofofóridos marinos, de aspecto similar a los lamelibranquios, pero con las valvas dispuestas una en posición dorsal y otra ventral.

braquíptero, -ra *adj.* [insecto] Que tiene las alas cortas.

braquiuro *adj.-m.* Crustáceo del grupo de los braquiuros. – 2 *m. pl.* Grupo de crustáceos malacostráceos decápodos, de abdomen muy corto y replegado debajo del cefalotórax; como la centolla.

brasa *f.* Leña o carbón encendido y pasado del fuego.

brasca *f.* Mezcla de polvo de carbón y arcilla con que se forma la copela de algunos hornos metalúrgicos.

brasear *tr.* Cocer a fuego lento una vianda.

brasero *m.* Pieza de metal en la cual se echa o hace lumbre para calentarse.

brasil *m.* Árbol leguminoso cuya madera es el palo brasil *(Caesalpinea brasiliensis; C. brevifolia).*

brasileño, -ña *adj.-s.* Del Brasil, nación de América del Sur.

brasmología *f.* Tratado de las mareas.

bravata *f.* Amenaza proferida con arrogancia.

bravío, -a *adj.* Feroz, indómito, salvaje. 2 fig. [planta] Silvestre. 3 Rústico por falta de educación o del trato de gentes.

bravo, -va *adj.* Valiente. 2 Valentón, fanfarrón. 3 Bueno, excelente. 4 [animal] Fiero o indómito. 5 [mar] Embravecido. 6 Enojado, enfadado. 7 fig. De genio áspero.

¡bravo! Interjección con que se denota aplauso o entusiasmo.

bravucón, -cona *adj.-s.* desp. Que presume de valiente sin serlo.

bravuconada *f.* desp. Dicho o hecho propio del bravucón.

bravura *f.* Fiereza de los brutos. 2 Valentía de las personas.

braza *f.* Medida de longitud, equivalente a 1,6718 m. 2 DEP. Modalidad de natación boca abajo que consiste en flexionar y distender, de forma coincidente, piernas y brazos en un movimiento sincronizado.

brazada *f.* En natación, movimiento que se hace con los brazos extendiéndolos y recogiéndolos como cuando se rema.

brazal *m.* Pieza de la **armadura que cubre y defiende el brazo. 2 Asa por donde se sujeta el escudo. 3 Tira de tela que ciñe el brazo izquierdo por encima del codo y que sirve de distintivo o, si es negra, de señal de luto. 4 Sangría que se saca de un río o acequia para regar.

brazalete *m.* Aro que a manera de adorno se lleva alrededor de la muñeca.

brazo *m.* Miembro del **cuerpo que comprende desde el hombro a la extremidad de la mano, especialmente parte del mismo desde el hombro hasta el codo. 2 p. ext. Pata delantera de los cuadrúpedos; **caballo. 3 Parte de una cosa que se extiende en forma de brazo: ~ *de mar,* canal ancho y largo del mar, que entra tierra adentro; ~ *de cruz; los brazos de una silla;* ~ *de **ancla; los brazos de una balanza.* 4 Parte de la **palanca comprendida entre el punto de apoyo y el de aplicación de la potencia o de la resistencia.

brazuelo *m.* Parte de las patas delanteras de los cuadrúpedos entre el codo y la rodilla; **caballo.

brea *f.* Substancia viscosa de color rojo obscuro que se obtiene por destilación de ciertas maderas, del carbón mineral y de otras materias de origen orgánico. 2 Especie de lienzo muy basto y embreado con que se suelen cubrir los fardos de ropas y cajones, para su resguardo en los transportes.

brear *tr.* Maltratar, molestar [a uno]: *me brearon a golpes.* 2 fig. Zumbar, chasquear.

brebaje *m.* Bebida, especialmente la de aspecto o sabor desagradables.

brecina *f.* Arbusto ericáceo de hojas sin pecíolo, de forma triangular, y flores de color púrpura en espigas densas, cuyo fruto es una cápsula *(Calluna vulgaris).*

brécol *m.* Variedad de la col común, de hojas más obscuras y recortadas que las de ésta *(Brassica oleracea italica).*

brecolera *f.* Especie de brécol que echa pellas como la coliflor.

I) brecha *f.* Rotura que hace en la muralla o pared la artillería u otro ingenio: *la artillería logró abrir ~ y dar el asalto.* 2 Abertura hecha en una pared. 3 Herida, especialmente en la cabeza. 4 fig. Impresión que hace en el ánimo alguna cosa.

II) brecha *f.* Masa rocosa consistente constituida por fragmentos de rocas de diferentes formas y tamaños.

bregar *intr.* Luchar, reñir unos con otros. 2 Ajetrearse, trabajar afanosamente: *bregaba noche y día para mi sustento.* 3 fig. Luchar con los riesgos y dificultades: *con las agujas y las planchas brego.* – 4 *tr.* Amasar [la harina, el yeso, etc.] de cierta manera. ◇ ** CONJUG. [7] como *llegar.*

brema *f.* Pez teleósteo cipriniforme de agua dulce, de hasta 70 cms. de longitud, y más de 5 kgs. de peso; el cuerpo es alto y comprimido *(Abramis brama).*

brenca *f.* Fibra, filamento, y especialmente el estigma del azafrán.

breña *f.* Tierra quebrada y poblada de maleza.

breque *m.* *Amér.* Freno del tren. 2 *Amér. Merid.* Vagón de equipaje en los ferrocarriles.

bresca *f.* Panal de miel.

brescar *tr.* Castrar las colmenas. ◇ ** CONJUG. [1] como *sacar.*

brete *m.* Cepo de hierro que se pone a los reos en los pies. 2 fig. Aprieto, dificultad: *estar o andar en un ~.*

bretón, -tona *adj.-s.* De Bretaña, región de Francia. – 2 *m.* Lengua celta hablada principalmente en esta región.

breva *f.* Primer fruto que anualmente da la higuera breval. 2 Bellota temprana. 3 fig. Ventaja, ganga o empleo lucrativo logrados con poco esfuerzo. 4 Cigarro puro algo aplastado.

breve *adj.* De corta extensión o duración: *~ en los razonamientos; ~ de contar.* – 2 *adj.-s.* GRAM. Sílaba o vocal de menor duración relativa que las largas. – 3 *m.* Documento pontificio menos solemne que la bula, usado para llevar la correspondencia política de los papas y dictar resoluciones concernientes al gobierno y disciplina de la Iglesia.

brevedad *f.* Corta extensión o duración. ◇ INCOR.: *a la mayor ~* por *con la mayor ~.*

breviario *m.* Libro que contiene el rezo eclesiástico de todo el año. 2 fig. Libro de lectura habitual. 3 Epítome o compendio.

brezo *m.* Arbusto ericáceo de hojas escamosas, flores en racimos, madera dura y raíces gruesas *(Erica scopatria).*

briba, bribia *f.* Holgazanería picaresca.

bribón, -bona *adj.-s.* Dado a la briba. 2 Bellaco.

bricbarca *m.* Buque de tres palos sin vergas de cruz en la mesana.

bricio *m.* Planta calitricácea acuática con las hojas inferiores sumergidas y elípticas, las superiores, que flotan, se disponen en roseta y son casi circulares *(Callitriche stagnalis).*

bricolaje *m.* Realización artesanal de trabajos de poca importancia o de corta duración, y en especial las reparaciones caseras.

bricolar *intr.* Hacer trabajos de bricolaje.

bricho *m.* Hoja angosta y sutil de plata u oro, que sirve para bordados.

brida *f.* Freno del caballo con las riendas y el correaje para sujetar la cabeza del animal. 2 Pieza metálica que sirve para ensamblar vigas o maderos fijándola con clavos o tornillos. 3 Reborde circular en el extremo de los tubos metálicos para acoplar unos a otros con tornillos o roblones.

bridge *m.* Juego de naipes derivado del whist. ◇ Se pronuncia *bridge.*

brigada *f.* Unidad orgánica de infantería o de caballería, formada por dos regimientos. 2 Agregación de tropa, de número variable: *~ sanitaria.* 3 Conjunto de personas reunidas para trabajos: *~ municipal.* – 4 *m.* MIL. Grado de la jerarquía militar entre el de sargento primero y subteniente. 5 MIL. Individuo del cuerpo de suboficiales que tiene el grado de brigada.

brigadier *m.* Oficial general cuya categoría equivalía a la que hoy tiene el general de brigada en la marina. 2 Sargento mayor de brigada de los antiguos guardias de Corps. 3 Guardia marina que cuida del orden de su sección.

brillante *adj.* Que brilla. 2 fig. Admirable, sobresaliente en su línea, en sus características o en sus propiedades: *una alumna ~.* – 3 *m.* Diamante brillante.

brillanté *m.* Tejido fino de algodón brillante, con cambiantes mate según como incide en él la luz.

brillantina *f.* Percal lustroso para forros de prendas de vestir. 2 Polvo mineral para dar brillo a los metales. 3 Cosmético para dar brillo al cabello.

brillar *intr.* Resplandecer, despedir rayos de luz propia o reflejada. 2 fig. Lucir o sobresalir en alguna cosa.

brillo *m.* Lustre o resplandor. 2 fig. Lucimiento, gloria.

brin *m.* Tela de lino ordinaria y gruesa.

brincar *intr.* Dar brincos o saltos. ◇ ** CONJUG. [1] como *sacar.*

brinco *m.* Movimiento que se hace levantando los pies del suelo con ligereza. 2 Salto.

brindar *intr.* Manifestar, al ir a beber, el bien que se desea a personas o cosas: ~ *al,* o *por el rey.* – 2 *intr.-tr.* Ofrecer voluntariamente [a uno alguna cosa]: ~ *con un título; brindó su amistad al recién llegado.* – 3 *tr.* Ofrecer [el torero la faena a alguien]. – 4 *prnl.* Ofrecerse voluntariamente [a hacer alguna cosa]: *se brindó a cuidar de él durante su enfermedad.*

brindis *m.* Acción de brindar, al beber o al ****torear.** ◇ Pl.: *brindis.*

brío *m.* Pujanza: *hombre de bríos.* 2 Espíritu de resolución: *le faltan bríos para el cargo de director.* 3 Garbo: *andar con* ~.

briófito, -ta *adj.-s.* Planta de la división de los briófitos. – 2 *m. pl.* División de plantas arrizofitas taliformes o con falso tallo y falsas hojas; son las plantas verdes más primitivas; como los musgos.

briol *m.* Cabo que sirve para cargar o recoger las velas.

briología *f.* Estudio de los musgos.

briozoo *adj.-m.* Animal de la clase de los briozoos. – 2 *m. pl.* Clase de forónidos que forman generalmente colonias de aspecto de musgo, que cubren las plantas y rocas marinas.

briqueta *f.* Conglomerado de carbón u otra materia en forma de ladrillo.

I) brisa *f.* Viento del nordeste. 2 Airecillo que en las costas viene de la mar durante el día y de la tierra durante la noche. 3 Viento suave.

II) brisa *f.* Orujo de la uva.

brisca *f.* Juego de naipes, consistente en sumar el mayor número de puntos a través de bazas.

briscado, -da *adj.* [hilo de oro o plata] Tejido con seda. – 2 *m.* Labor hecha con este hilo.

briscar *tr.* Tejer [una tela], o hacer labores [en ella] con hilo briscado. ◇ ** CONJUG. [1] como *sacar.*

bristol *m.* Cartulina compuesta de hojas de papel superpuestas y adheridas entre sí.

británica *f.* Romaza de hojas vellosas.

británico, -ca *adj.* Relativo a la antigua Britania. – 2 *adj.-s.* De Gran Bretaña, nación insular del oeste de Europa.

brizna *f.* Filamento o parte muy delgada de alguna cosa.

broa *f.* Abra o ensenada llena de barras y rompientes.

broca *f.* Carrete que dentro de la lanzadera lleva el hilo para la trama de ciertos tejidos. 2 Barrena sin manija de las máquinas de taladrar.

brocado *m.* Tela de seda entretejida con oro o plata. 2 Tejido fuerte, de seda, con dibujos de distinto color que el del fondo.

brocal *m.* Antepecho alrededor de la boca

de un pozo. 2 Cerco de madera o cuerno que se pone a la boca de la bota para beber por él. 3 Pretil o pasamano.

brocamantón *m.* Joya grande a manera de broche.

brocatel *adj.-s.* Mármol, con manchas y vetas de colores variados. – 2 *m.* Tejido de cáñamo y seda, a modo de damasco.

brocearse *prnl. Amér. Merid.* Esterilizarse una mina. 2 *Amér. Merid.* fig. Estropearse un negocio.

brocha *f.* Escobilla de cerdas usada especialmente para pintar y para afeitarse. 2 *Amér. Central.* Entremetido, adulador.

brochado, -da *adj.* [tejido de seda] Que tiene alguna labor de oro, plata o seda, con el hilo retorcido o levantado.

broche *m.* Conjunto de dos piezas que enganchan o encajan entre sí, especialmente para sujetar los vestidos. 2 fig. ~ *de oro,* final feliz y brillante de un acto público, reunión, discurso, gestión, etc., o de una serie de ellos.

I) broma *f.* Bulla, diversión. 2 Chanza, burla.

II) broma *f.* Molusco lamelibranquio que se introduce en las maderas bañadas por el agua del mar y las destruye *(Teredo navalis).*

bromato *m.* Sal de ácido brómico.

bromatología *f.* Ciencia que estudia los alimentos y las transformaciones que experimentan en el organismo.

bromear *intr.-prnl.* Usar de bromas o chanzas.

bromeliáceo, -a *adj.-f.* Planta de la familia de las bromeliáceas. – 2 *f. pl.* Familia de plantas monocotiledóneas que incluye hierbas y matas de América tropical, con las hojas reunidas en la base y dispuestas en rosetón; flores en espiga, racimo o panoja, y fruto en cápsulas o bayas; como el ananás.

bromhídrico *adj-m. Acido* ~, gas soluble en el agua, BrH, usado en medicina.

brómico, -ca *adj.* Relativo al bromo. 2 *Acido* ~, el líquido, incoloro o amarillo, HBrO₃, inestable y soluble en el agua, que se usa como colorante y en productos farmacéuticos.

bromista *adj.-com.* Aficionado a dar bromas.

bromo *m.* Metaloide líquido a la temperatura ordinaria, que despide vapores rojizos de olor desagradable. Su símbolo es *Br* .

bromuro *m.* Sal del ácido bromhídrico.

bronca *f.* fam. Riña, disputa. 2 Represión áspera y violenta. 3 En los espectáculos, asambleas, protesta ruidosa del público. 4 *Argent., Parag.* y *Urug.* Rabia, odio, tirria.

bronce *m.* Cuerpo metálico que resulta de la aleación del cobre con el estaño y a menudo con otros elementos. 2 fig. Estatua o escultura de bronce.

bronceado, -da *adj.* De color de bronce. – 2 *m.* Acción de broncear o broncearse. 3 Efecto de broncear o broncearse.

bronceador, -ra *adj.* Que broncea. – 2 *adj.-m.* Cosmético que produce o favorece el bronceado de la piel.

broncear *tr.* Dar de color de bronce [a una cosa]. – 2 *prnl.* Tomar color moreno la piel por la acción del sol.

bronco, -ca *adj.* Tosco, sin desbastar: *lustroso de una parte, de otra ~.* 2 fig. De genio y trato áspero y también grosero, inculto: *~ de genio,* o *de genio ~.* 3 [voz, instrumento] Que tiene sonido áspero y desagradable. 4 [metal] Vidrioso, sin elasticidad.

bronconeumonía *f.* Inflamación que de los bronquios se propaga a los alvéolos pulmonares.

broncopatía *f.* MED. Proceso patológico bronquial.

bronquear *tr.* Reprender con dureza, reñir [a alguien].

bronquio *m.* Conducto en que se bifurca la tráquea (caña del pulmón), y que se va subdividiendo a su vez en los pulmones en ramificaciones cada vez más finas; **respiración.

bronquiolo, -quíolo *m.* Última ramificación de los bronquios; **respiración.

bronquitis *f.* Inflamación aguda o crónica de la membrana mucosa de los bronquios. ◇ Pl.: *bronquitis.*

broquelete *m.* Hierba crucífera perenne de hojas de color claro y abundante pilosidad, y flores de color amarillo; sus frutos son silicuas *(Alyssum montanum).*

broqueta *f.* Estaquilla en que se ensartan pajarillos o pedazos de carne para asarlos.

brosmio *m.* Pez marino teleósteo gadiforme, de cuerpo alargado y color gris o pardo con las aletas orladas de negro y blanco, con un barbillón en el mentón, de hasta 10 kgs. de peso *(Brosme brosme).*

brotar *intr.* Nacer o salir la planta de la tierra: *~ el trigo.* 2 en gral. Salir en la planta renuevos: *las hojas brotan;* o echar la planta hojas o renuevos: *los árboles brotan.* 3 Manar el agua de los manantiales: *~ agua de,* o *en, un peñascal.* 4 Tener principio o manifestarse alguna cosa: *~ las sediciones.* – 5 *tr.* Echar la tierra [plantas, hierbas, etc.]; en gral., arrojar, producir: *~ versos por los poros.*

**brote *m.* Pimpollo o renuevo que empieza a desarrollarse. 2 Acción de brotar (principiar).

brótola *f.* Pez marino teleósteo gadiforme, de cuerpo rechoncho y color amarillento o pardo, con las aletas ventrales finas y muy largas, y un barbillón bajo el mentón *(Urophycis blennioides).*

broza *f.* Despojo de las plantas. 2 Desecho de cualquier cosa.

brucelosis *f.* MED. Enfermedad infecciosa del ganado, que se transmite al hombre por la ingestión de sus productos, en especial los derivados lácteos.

bruces *loc. adv.* A o de ~, tendido con la boca hacia el suelo.

brugo *m.* Larva de un lepidóptero que devora las hojas de la encina. 2 Larva de una especie de pulgón.

bruguera *f.* Arbusto ericáceo erecto y ramificado, de flores de color rosa con la corola acampanada *(Erica multiflora).*

bruja *f.* Mujer que, según la superstición popular, tiene un poder sobrenatural o mágico emanado de un pacto con el diablo. 2 fig. Mujer fea y vieja. 3 Pez marino seláceo, de cuerpo alargado y de color gris rojizo *(Scymonodon ringens).* 4 Seta en el sombrero en principio convexo y después casi plano *(Inocybe patovillardii).*

brujería *f.* Superstición y engaños en que, según el vulgo, se ejercitan las brujas. 2 Cosa realizada con un poder sobrenatural maligno.

brujilla *f.* Planta propia de terrenos baldíos y húmedos, con tallo alto y flores plumosas de color amarillo limón *(Bidens pilosa).*

brujo *m.* Hombre que, según la superstición popular, tiene un poder sobrenatural o mágico emanado de un pacto con el diablo.

brújula *f.* Caja de materia no magnética, con una aguja imanada en su centro, puesta en condiciones de girar libremente sobre un

BROTE

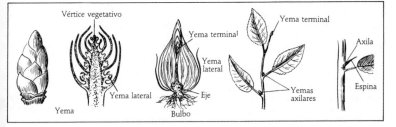

Vértice vegetativo — Yema lateral — Yema — Yema terminal — Yema lateral — Eje — Bulbo — Yema terminal — Yemas axilares — Yema terminal — Axila — Espina

pivote o suspendida de un filamento sin torsión, cuyas extremidades se orientan hacia los polos magnéticos de la tierra. 2 p. ext. Aparato o instrumento de medida electromagnética cuyo órgano principal está constituido por un imán.

brujulear *tr.* fig. Adivinar por indicios o conjeturas [algún suceso o negocio]. 2 fig. Vagar, errar.

bruma *f.* Niebla, especialmente la que se forma sobre el mar.

brumo *m.* Cera blanca para dar el último baño a las hachas y cirios.

brunela *f.* Hierba labiada, perenne, con hojas ovaladas, puntiagudas y flores violetas agrupadas en una cabezuela oblonga *(Prunella vulgaris).*

I) bruno *m.* Ciruela pequeña y muy negra. 2 Árbol que la da.

II) bruno, -na *adj.* De color negro u obscuro.

bruñir *tr.* Sacar lustre [a un metal, piedra, etc.]. 2 fig. Afeitar [el rostro] con ingredientes. 3 *Argent., C. Rica y Guat.* Amolar, fastidiar. ◇ ** CONJUG. [40] como *muñir.*

brusco, -ca *adj.* Áspero, desapacible: *un carácter ~.* 2 Súbito, repentino: *interrupción brusca del comercio; parada brusca de un motor.* – 3 *m.* Arbusto liliáceo denso y de color verde obscuro, con cladodios ovales y rígidos con aspecto de hojas y terminados en una espina *(Ruscus aculeatus).*

brusquedad *f.* Calidad de brusco. 2 Acción o procedimiento brusco.

brutal *adj.* Que imita o semeja a los brutos: *fuerza ~.* 2 fig. Enorme, colosal: *entre sus caracteres había diferencias brutales.* 3 fig. Magnífico, maravilloso: *un paisaje ~.*

brutalidad *f.* Calidad de bruto. 2 Falta de razón o excesivo desorden de los afectos y pasiones. 3 fig. Acción torpe o cruel. 4 fam. Gran cantidad, exceso, enormidad: *comieron una ~ de fruta.*

bruto, -ta *adj.-s.* Necio o que obra como tal, incapaz. – 2 *adj.* Vicioso, torpe, desenfrenado. 3 Tosco y sin pulimento. – 4 *m.* Animal irracional, especialmente cuadrúpedo.

bruza *f.* Cepillo redondo, de cerdas muy espesas y fuertes, para limpiar caballerías, moldes de imprenta, etc.

bubas *f. pl.* Tumores blandos que se presentan de ordinario en la región inguinal y a veces en las axilas y en el cuello.

bubón *m.* Tumor purulento y voluminoso. – 2 *m. pl.* Bubas.

bubónico, -ca *adj.* Relativo al bubón. 2 Que se manifiesta con bubones: *peste bubónica.*

bucal *adj.* Perteneciente o relativo a la boca.

bucanero *m.* Corsario y filibustero que en los siglos XVII y XVIII saqueaba los dominios españoles de ultramar.

búcaro *m.* Florero, recipiente para poner flores.

buceador, -ra *adj.-s.* Que bucea. 2 [pers.] Que practica el submarinismo.

bucear *intr.* Nadar o mantenerse debajo del agua, conteniendo el resuello. 2 Trabajar como buzo. 3 fig. Explorar acerca de algún asunto: *~ en la burocracia.*

bucero, -ra *adj.-s.* Sabueso de hocico negro.

bucinador *adj.-m.* Músculo de la cara que sirve para hinchar los carrillos y soplar.

bucino *m.* Molusco gasterópodo marino, cuya concha, arrollada en una helicoidal, alcanza más de 8 cms. de altura *(Buccinum undatum).*

bucle *m.* Rizo de cabello en forma helicoidal.

bucólica *f.* Género de poesía en que el autor expone asuntos pastoriles o campestres.

bucólico, -ca *adj.* Perteneciente o relativo a la poesía bucólica. – 2 *adj.-s.* Poeta que cultiva la poesía bucólica.

I) buche *m.* Ensanchamiento que presenta el esófago de las **aves donde los alimentos son almacenados antes de pasar a la molleja. 2 En algunos cuadrúpedos, estómago. 3 fam. Estómago del hombre. 4 fig. Pecho, o lugar en que se finge que se guardan los secretos. 5 Porción de líquido que cabe en la boca.

II) buche *m.* Borrico que aún mama. 2 Golfo, pillete.

buchón, -chona *adj.* [palomo o paloma doméstica] Que infla el buche desmesuradamente.

budín *m.* Plato de dulce que se prepara con bizcocho o pan deshecho en leche, azúcar y frutas secas. 2 p. ext. Plato de consistencia pastosa, confeccionado con molde, cuyos ingredientes son carne, pescado, arroz, etc.

budismo *m.* Religión fundamentada por Buda en el siglo VI a. C. y muy extendida por el Asia central y oriental.

buen *adj.* Apócope de *bueno.* ◇ Sólo se utiliza antepuesto al substantivo.

buenaventura *f.* Buena suerte. 2 Adivinación supersticiosa que hacen las gitanas.

bueno, -na *adj.* Que posee bondad o bien moral: *un hombre ~.* 2 p. ext. Que posee bondad lógica o estética: *un buen razonamiento* (exacto, verdadero); *una buena cara* (hermosa, linda); *de buen ver, loc. adv.,* con buena apariencia. 3 p. ext. Que posee un cualidad favorable o grata a nuestro punto de vista: *un buen trozo de pan* (tamaño); *comida buena* (sabor); *buena tela* (calidad); *buen humor* (aptitud), etc. 4 Gustoso, apetecible, divertido. 5 Sano. ◇ Superl.: *bonísimo, buenísimo.*

¡bueno! Interjección con que se denota aprobación, sorpresa, mandato, según el tono con que se pronuncia.

buey *m.* Toro castrado. 2 Crustáceo decápodo braquiuro, provisto de un caparazón oval ligeramente granulado, y de cinco pares de patas, acabando el primer par en unas potentes y robustas pinzas *(Cancer pagurus)*.

bufalaga *f.* Arbusto timeleáceo, denso y piloso, con las hojas estrechas, y flores de color amarillo verdoso *(Thymelaea tinctoria)*.

búfalo *m.* Mamífero rumiante bóvido, mayor que el buey, de cuernos largos, encorvados y anchos en su raíz *(Bubalus bubalus)*. 2 Bisonte de América.

bufanda *f.* Pieza de tela bastante más larga que ancha, con que se abriga el cuello y a veces la boca.

bufar *intr.* Resoplar con ira y furor el toro, y, por extensión, los otros animales. 2 fig. Manifestar el hombre su enojo de un modo análogo: ~ *de coraje.* – 3 *prnl. And., La Mancha* y *Méj.* Emborracharse.

bufé *m.* Comida, compuesta de manjares calientes y fríos, con que se cubre de una vez la mesa. 2 Local donde se sirven y consumen estos manjares.

bufete *m.* Mesa de escribir, con cajones. 2 fig. Despacho de un abogado.

bufido *m.* Voz del animal que bufa. 2 fig. Expresión de enojo o enfado.

bufo, -fa *adj.* Cómico, que raya en grotesco y burdo: *ópera bufa.*

bufón, -fona *m. f.* Truhán que se ocupa en hacer reír.

bugalla *f.* Agalla de ciertos árboles que sirve para hacer tintes o tinta.

buganvilla *f.* Arbusto trepador, de flores rojas o purpúreas, oriundo del Brasil, de la familia de las nictagináceas. El nombre también se aplica a otras especies ornamentales del mismo género *(Bougainvillea spectabilis)*.

bugui-bugui *m.* Baile norteamericano de movimiento muy rápido. 2 Música, derivada del jazz, con que se acompaña este baile.

buharda, -dilla *f.* Ventana que sobresale verticalmente en el tejado de una casa, para dar luz a los desvanes o salir a los tejados; **cubierta. Desván.

buharro *m.* Ave rapaz estrigiforme, parecida al búho, pero más pequeña *(Otus scops)*.

búho *m.* Ave rapaz estrigiforme, la mayor de su orden, de vuelo pausado y silencioso *(Bubo bubo)*. 2 fig. Persona huraña.

buhonería *f.* Baratijas que llevan algunos vendedores ambulantes en un cesto o en una tienda portátil.

buhonero *m.* El que tiene por oficio llevar o vender cosas de buhonería.

buido, -da *adj.* Aguzado, afilado. 2 Acanalado o con estrías.

buitre *m.* Ave rapaz falconiforme, de cuerpo grueso, que vive en sociedad y se alimenta principalmente de animales muertos *(Gyps fulvus)*. 2 fig. *y* fam. Aprovechado, egoísta.

buitrón *m.* Arte de pesca en forma de cono prolongado cuya boca está cerrada por otro más corto, dirigido hacia adentro y abierto por el vértice. 2 Agujero que los ladrones hacen en techos o paredes para robar. 3 Ave paseriforme insectívora, de plumaje pardo obscuro densamente listado, blancuzco por el vientre, y cola corta y redondeada, que vive en marismas y vegas *(Cisticola juncidis)*. 4 Artificio formado con setos de estacas, el cual, estrechándose, remata en una hoya, para que, acosada con el ojeo, la caza venga a caer en ella.

buje *m.* Pieza cilíndrica de metal que guarnece interiormente el cubo de las ruedas de los carruajes.

bujeta *f.* Caja de madera. 2 Pomo para perfumes. 3 Sarcófago o cofre utilizado en ocasiones como motivo decorativo.

bujía *f.* Vela de cera blanca o estearina. 2 Candelero en que se pone. 3 Unidad de intensidad luminosa. 4 En los motores de explosión, el dispositivo donde salta la chispa eléctrica que inflama la mezcla explosiva comprimida; **automóvil. 5 Crustáceo decápodo macruro, marino, de 15 cms. de largo, de ojos prominentes, dos pares de antenas, y color pardo rojizo *(Scyllarus arctus)*.

bula *f.* Documento pontificio relativo a materia de fe o de interés general, concesión de privilegios, etc., expedido con la cancillería apostólica y autorizado con el sello de su nombre.

bulbo *m.* Órgano vegetal, generalmente subterráneo, formado por una yema o **brote en cuyas hojas se acumulan substancias de reserva; como la cebolla. 2 Tubérculo (rizoma) de apariencia de bulbo; como el de la dalia. 3 ANAT. Expansión o protuberancia redondeada que presentan ciertos órganos o partes de ellos: ~ **raquídeo,** protuberancia de la extremidad superior de la médula espinal; **cerebro; **diente.

buldog *adj.-m.* Perro de presa de cara aplastada y pelaje corto blanco y rojizo.

bulerías *f. pl.* Modalidad de baile flamenco en compás de tres tiempos, de movimiento vivo, acompañado de palmas. 2 Música y canto de este baile.

bulevar *m.* Paseo público con andén central. ◇ Pl.: *bulevares.*

búlgaro, -ra *adj.-s.* De Bulgaria, nación del sudeste de Europa.

búlico, -ca *adj. Amér.* [ave galliforme] De color amarillo con pintas blancas.

bulimia *f.* MED. Hambre canina.

bulo *m.* Rumor público falso, mentira que corre de boca en boca.

bulto *m.* Volumen o tamaño de cualquier cosa. 2 Busto o estatua. 3 Fardo, maleta, caja, etc. 4 Elevación causada por cualquier hinchazón. 5 Cuerpo del que sólo se percibe confusamente la forma. 6 *Amér.* Cartapacio, bolsa que usan especialmente los estudiantes para llevar libros, plumas, etc.

bulla *f.* Griterío o ruido de personas. 2 Concurrencia de mucha gente. 3 fig. Prisa.

bulldozer *m.* Máquina automóvil de orugas, movida por un motor potente y provista de una pala frontal con la que se efectúan trabajos de desmonte y nivelación de terrenos.

bullicio *m.* Ruido y rumor que causa la mucha gente. 2 Alboroto, tumulto.

bullicioso, -sa *adj.* Que produce bullicio. 2 [lugar] En que hay bullicio. 3 Inquieto, desasosegado. – 4 *adj.-s.* Sedicioso, alborotador.

bullir *intr.* Hervir el agua u otro líquido; en gral., agitarse una cosa con movimiento parecido al del agua que hierve. 2 fig. Moverse, agitarse: *~ de gusanos; ~ de ranas; fulano bullía más de lo necesario.* 3 Darse una cosa con frecuencia y abundancia: *~ los pensamientos, la risa, las asonadas.* ◊ ** CONJUG. [41] como *mullir.*

bullón *m.* Pieza de metal en figura de cabeza de clavo, para guarnecer las cubiertas de los libros grandes; **encuadernación.

bumerán, bumerang *m.* **Arma arrojadiza peculiar que, tomando dirección hacia atrás, vuelve al lugar de donde ha sido arrojada. 2 fig. Acto de hostilidad que daña a su propio autor.

bungalow *m.* Casa pequeña, de un solo piso y con un portal, corredor o galería, en el frente o alrededor.

bunio *m.* Nabo que se deja crecer para simiente.

búnker *m.* Refugio subterráneo para defenderse de los bombardeos. 2 fig. Conjunto muy cerrado de personas.

bunsen *m.* Mechero utilizado en el laboratorio, que permite obtener una llama obscura y de gran poder calorífico.

buñuelo *m.* Fruta de sartén hecha de masa de harina bien batida y frita en aceite. 2 fig. Cosa hecha mal y atropelladamente.

bupresto *m.* Insecto coleóptero, de cabeza pequeña, patas y antenas cortas y cuerpo prolongado (gén. *Buprestis*).

buque *m.* Casco del barco. 2 Barco con cubierta, adecuado para navegaciones de importancia: *~ de guerra,* el del Estado, construido y armado para usos militares; *~ escuela,* el de la marina de guerra en que completan su instrucción los guardias marinas; *~ factoría,* el que lleva a bordo las instalaciones para transformar las capturas de una flotilla pesquera; *~ de vapor,* el que se mueve a impulso de una o más máquinas de vapor; *~ mercante,* el que sirve para transportar pasajeros y mercancías.

buqué *m.* Aroma o sabor particular de un vino o licor.

burato *m.* Tela de lana o seda para manteos y para vestidos veraniegos de luto. 2 Manto transparente.

burbuja *f.* Glóbulo de aire u otro gas que se forma en el interior de un líquido. 2 fig. Espacio totalmente aislado de su entorno: *el niño está en una ~ aséptica.*

burche *f.* Torre que sirve para defensa.

burdégano *m.* Hijo de caballo y burra.

burdel *adj.* Lujurioso, vicioso. – 2 *m.* Mancebía (casa de rameras). 3 fig. *y* fam. Casa en que se falta al decoro con ruido y confusión.

burdeos *adj.-m.* Color rojo violado. – 2 *adj.* De color burdeos. ◊ Pl.: *burdeos.*

burdo, -da *adj.* Tosco, grosero, basto.

bureo *m.* Entretenimiento, diversión. 2 Vuelta, paseo: *darse un ~.*

bureta *f.* QUÍM. Tubo largo de vidrio graduado, abierto por un extremo y por el otro terminado en una caperuza con llave.

burga *f.* Manantial de agua caliente.

burgado *m.* Caracol terrestre del tamaño de una nuez pequeña (gén. *Helix*).

burgalés, -lesa *adj.-s.* De Burgos.

burgo *m.* Pueblo pequeño que depende de otro.

burgomaestre *m.* Primer magistrado municipal de algunas ciudades alemanas, holandesas, suizas, etc.

burgos *m.* Queso blando, blanco y acuoso, originario de Burgos. ◊ Pl.: *burgos.*

burgueño, -ña *adj.-s.* Natural de un burgo.

burgués, -guesa *adj.-s.* Vulgar, mediocre, carente de afanes espirituales o elevados. – 2 *adj.* Relativo al burgo. 3 Relativo a la burguesía: *la vida burguesa.* – 4 *m. f.* Ciudadano de la clase media acomodada u opulenta.

burguesía *f.* Cuerpo o conjunto de burgueses o ciudadanos de la clase media acomodada.

buriel *adj.-m.* Color rojo, entre negro y leonado. – 2 *adj.* De color buriel.

buril *m.* Instrumento puntiagudo de acero para grabar en metales.

burilar *tr.* Grabar [figuras o adornos] en los metales con el buril: *~ en cobre.*

burillas *f.* Planta liliácea, de hojas lineares, flores acampanadas amarillas y rojas y fruto en cápsula (*Tulipa sylvestris*).

burla *f.* Acción o palabras con que se procura poner en ridículo a personas o cosas. 2 Chanza. 3 Engaño: *~ burlando,* sin advertirlo, disimuladamente.

burladero *m.* Trozo de valla que se pone delante de las barreras de las plazas de **toros para que pueda guarecerse el lidiador. 2 Acera aislada en medio de las calles o plazas anchas para refugio de los peatones.

burlador, -ra *adj.-s.* Que burla. – 2 *m.* Libertino habitual que hace gala de seducir y engañar a las mujeres. – 3 *f.* Planta solanácea, parecida al estramonio, pero con las flores mayores, y de color blanco en tonos rosas *(Datura metel).*

burlar *intr.-prnl.* Chasquear, zumbar: ~ *con la justicia; si vos os burláis, yo no me burlo.* 2 Hacer burla: ~, o *burlarse, de nosotros.* – 3 *tr.* Engañar: *burlaron a mi padre.* 4 Frustrar [la esperanza, deseo de uno]. 5 Esquivar [al que impide el paso]. 6 Seducir con engaño [a una mujer].

burlesco, -ca *adj.* fam. Festivo, jocoso, que implica burla o chanza.

burlete *m.* Tira de tela, con relleno de estopa o algodón que se pone al canto de las hojas de puertas y ventanas, para que una vez cerradas no entre aire en las habitaciones.

burlón, -lona *adj.-s.* Inclinado a decir burlas o a hacerlas. – 2 *adj.* Que implica o denota burla.

buró *m.* Escritorio o tablero para escribir. ◇ Pl.: *burós.*

burocracia *f.* Conjunto de los funcionarios públicos. 2 Administración pública. 3 Influencia excesiva de los funcionarios públicos en los negocios del Estado.

burócrata *com.* Persona que pertenece a la burocracia (funcionario).

burrada *f.* Manada de burros. 2 fam. Acción forzuda. 3 fam. Enormidad, gran cantidad: *una ~ de dinero.* 4 fam. Dicho o hecho necio, torpe o brutal: *no digas burradas.*

burrajo *m.* Estiércol seco de las caballerías.

burro, -rra *m. f.* Asno (mamífero). 2 fig. Persona laboriosa y de mucho aguante: *este criado es un ~ de carga.* 3 fig. Persona necia e ignorante. – 4 *m.* Armazón para sujetar el madero que se ha de aserrar, o el que se ha de poner encima de él para que trabajen albañiles y pintores. 5 Juego de naipes en el que pierde el último jugador que conserve cartas en la mano. 6 fig. Este jugador. 7 Pez marino teleósteo de cuerpo oval, comprimido, cabeza y ojos de gran tamaño, de color gris pardusco *(Parapristipoma mediterraneum).*

bursátil *adj.* COM. Relativo a la bolsa, a las operaciones que en ella se hacen y a los valores cotizables.

burseráceo, -a *adj.-f.* Planta de la familia de las burseráceas. – 2 *f. pl.* Familia de plantas angiospermas dicotiledóneas, semejante a las simarubáceas, de las que difiere especialmente por tener en su corteza conductos que destilan resinas y bálsamos.

burudanga *f. Amér.* Cosa despreciable, trastajo.

burujo *m.* Pella que se forma con varias partes de una cosa que se aglomeran o no se disuelven.

bus *m.* Forma abreviada de autobús. 2 Conjunto de hilos que se utilizan como vía común

de paso para la información procedente de una o varias fuentes con destino a uno o varios puntos de recepción.

búsano *m.* Molusco gasterópodo marino, provisto de una concha univalva arrollada en una helicoidal, robusta y con tubérculos y protuberancias *(Murex trunculus).*

busca *f.* Acción de buscar. 2 Tropa de cazadores y perros que corre el monte para levantar la caza. 3 Selección y recogida de materiales u objetos aprovechables entre escombros, basura o desperdicios. 4 *Cuba, Méj.* y *P. Rico.* Provecho accesorio que se saca de algún empleo o cargo: *ese puesto tiene sus buscas.*

buscador, -ra *adj.-s.* Que busca. – 2 *m.* Anteojo pequeño de mucho campo que forma cuerpo con los telescopios, para facilitar su puntería.

buscapiés *m.* Cohete sin varilla que, encendido, corre por el suelo. ◇ Pl.: *buscapiés.*

buscar *tr.* Hacer diligencias para hallar o encontrar [a una persona o cosa]: ~ *el flanco del enemigo;* ~ *por dónde salir.* 2 Revolver [basuras] para encontrar desperdicios útiles. ◇ ** CONJUG. [1] como *sacar.*

buscarla *f.* Ave paseriforme insectívora de pequeño tamaño y color pardo *(Locustella* sp.*).*

buscavidas *com.* fam. Persona muy curiosa en averiguar las vidas ajenas. 2 fig. Persona diligente en buscarse la subsistencia. ◇ Pl.: *buscavidas.*

busco *m.* Umbral de una puerta de esclusa.

buscón, -cona *adj.-s.* Que busca. 2 Que hurta rateramente o estafa con socaliña. – 3 *f.* Prostituta.

busconear *intr.* Escudriñar, inquirir.

bushido *m.* Código de honor del Japón.

busilis *m.* fam. Punto en que estriba la dificultad del asunto de que se trata: *dar en el ~.* ◇ Pl.: *busilis.*

búsqueda *f.* Busca (acción de buscar). 2 Investigación, rebusco, especialmente en el trabajo científico.

busto *m.* Escultura o pintura de la cabeza y parte superior del tórax. 2 Parte superior del cuerpo humano. 3 Pecho de mujer.

bustrófedon *m.* Escritura de derecha a izquierda y de izquierda a derecha, alternativamente, a semejanza de los surcos que trazan los bueyes arando.

butaca *f.* Silla de brazos con el respaldo inclinado hacia atrás. 2 En los teatros, asiento de patio.

butadieno *m.* Gas incoloro, inodoro e inflamable, que se usa como materia prima para la fabricación del caucho sintético.

butagás *m.* Nombre comercial del butano comprimido.

butanero *m.* Barco destinado al transporte de gas butano.

butano *m.* Hidrocarburo natural, $C_4H_{10}O$,

gas incoloro y estable, que se licua fácilmente por presión, y se utiliza como combustible doméstico e industrial. – 2 *adj.-m.* Color anaranjado de las bombonas que contienen dicho gas. – 3 *adj.* De color butano.

butaque *m. Amér.* Asiento pequeño, con el respaldo echado hacia atrás.

butifarra *f.* Embutido, generalmente de carne de cerdo, que se hace especialmente en Cataluña, Baleares y Valencia. 2 fig. Calza o media muy ancha o que no ajusta bien.

butiondo *adj.* Hediondo, lujurioso.

butírico, *Ácido* ~ *adj.-m.* Líquido oleoso que se encuentra, combinado con glicerina, en la manteca.

butirina *f.* Líquido aceitoso que se halla en la manteca rancia y en el cuerpo de algunos insectos.

butirómetro *m.* Aparato que determina la riqueza de manteca que contiene la leche.

butomáceo, -a *adj.-f.* Planta de la familia de las butomáceas. – 2 *f. pl.* Familia de plantas monocotiledóneas que incluye hierbas de flores en umbela con el perigonio petaloide.

buxáceo, -a *adj.-f.* Planta de la familia de las buxáceas. – 2 *f. pl.* Familia de plantas dicotiledóneas leñosas, de hojas perennes, flores unisexuales, desnudas o con una sola cubierta floral, y fruto capsular; como el boj.

buzarda *f.* Pieza curva con que se liga y fortalece la proa de la embarcación.

buzo *m.* El que tiene por oficio trabajar enteramente sumergido en el agua, provisto o no de una escafandra; **puerto. 2 Mono, traje de faena.

buzón *m.* Conducto artificial por donde desaguan los estanques. 2 Abertura por donde se echan las cartas para el correo, y, por extensión, caja provista de abertura para el mismo fin. 3 Tapón de cualquier agujero para dar entrada o salida a un líquido. 4 fig. *y* fam. Boca grande. 5 fig. Persona que sirve de enlace en una organización clandestina.

byte *m.* INFORM. Conjunto de dígitos binarios que se considera como unidad de información, constituido por un número determinado de bits, generalmente 4, 6 u 8.

C

C, c *f* Ce, tercera letra del alfabeto español que gráficamente representa a la consonante fricativa, interdental y sorda cuando va delante de *e, i : cena, cine;* y a la oclusiva, velar y sorda cuando precede a *a, o, u: casa, copa, cuna.* 2 *C,* cifra romana equivalente a cien.

¡ca! Interjección con que se denota negación.

cabal *adj.* Ajustado a peso o medida. 2 [cosa] Que cabe a cada uno. 3 fig. Completo, acabado, exacto, justo.

cábala *f.* Interpretación mística de la Sagrada Escritura entre los judíos y algunos cristianos medievales. 2 Ciencia oculta, relacionada con esta interpretación. 3 fig. Cálculo supersticioso para adivinar una cosa. 4 Negociación secreta y artificiosa. 5 Conjetura, suposición. ◇ En la acepción 5 suele usarse en plural.

cabalgadura *f.* Bestia para cabalgar, montura. 2 Bestia de carga.

cabalgar *intr.* Subir o montar a caballo: *cabalgó sobre un caballo blanco;* **tr.,** *le cabalgaron fácilmente;* p. ext., andar o pasear a caballo. 2 Mover el caballo los remos cruzando el uno sobre el otro. – 3 *tr.* fig. Poner una cosa sobre otra. 4 Cubrir el caballo u otro animal a su hembra. ◇ ** CONJUG. [7] como *llegar.*

cabalgata *f.* Reunión de personas que cabalgan juntas. 2 Comparsa de jinetes, carrozas y gente de a pie.

cabalístico, -ca *adj.* Relativo a la cábala. 2 Misterioso, oculto: *sentido ~ de un párrafo.*

caballa *f.* Pez marino teleósteo perciforme de color azul verdoso con rayas negras y vientre plateado *(Scomber scombrus).*

caballada *f.* Manada de caballos o de caballos y yeguas.

caballar *adj.* Relativo al caballo: *ganado ~.*

caballeresco, -ca *adj.* Propio de caballero. 2 Relativo a la caballería medieval: *torneos caballerescos.* 3 [libro, composición] Que narra las empresas de los caballeros andantes: *romances caballerescos.*

caballería *f.* Animal équido que sirve para cabalgar en él: *~ mayor,* mula o caballo; *~ menor,* borrico. 2 Cuerpo de soldados que sirven a caballo: *arma de ~.* 3 Conjunto de caballeros que haciendo profesión de las armas se

obligaban a combatir por la fe y la justicia, a proteger a los débiles y a ser leales y corteses; v. *orden de ~; libro de caballerías;* ~ **andante,** profesión del caballero andante. 4 Acción y empresa propia de un caballero. 5 Orden militar española, en general: ~ *de Montesa;* ~ *de Santiago.*

caballeriza *f.* Sitio destinado para los caballos y bestias de carga. 2 Conjunto de caballos o mulas de una caballeriza. 3 Conjunto de personas que la sirven.

caballerizo *m.* El que cuida de la caballeriza y de los que sirven en ella.

caballero, -ra *adj.* Que cabalga: ~ *en su rocín;* ~ *sobre un asno.* 2 fig. Seguido de ciertos nombres regidos por la preposición *en,* obstinado: ~ *en su propósito, empeño, porfía, dictamen, opinión,* etc. – 3 *m.* Hidalgo de nobleza calificada. 4 Individuo de cualquiera de las órdenes de caballería antiguas o modernas: ~ *de Montesa;* ~ *de Santiago;* ~ *de la Orden de Carlos III;* ~ **andante,** el que en los libros de caballerías va en busca de aventuras. 5 El que se porta con nobleza, generosidad y cortesía: *Carlos es todo un ~.* 6 Persona distinguida: ~ *en su porte; ¡Perdone usted, ~!*

caballeroso, -sa *adj.* Propio de caballeros. 2 Que obra como caballero.

caballete *m.* Parte más elevada de un tejado que lo divide en dos vertientes; **cubierta.** 2 Extremo de la chimenea. 3 Elevación que la nariz suele tener en medio. 4 Soporte para guardar las sillas de montar. 5 Madero en que se quebranta el cáñamo o el lino. 6 Especie de bastidor con tres pies, sobre el cual se coloca el cuadro que se ha de pintar.

caballista *com.* Persona que entiende de caballos y monta bien.

caballito *m.* ~ *del diablo,* insecto odonato similar a la libélula, con dos pares iguales de alas (gén. *Agrion; Coenagrion; Platycnemis; Lestes).* 2 ~ *de mar,* hipocampo. – 3 *m. pl.* Juego en que se apuesta a unos caballitos mecánicos que recorren una pista redonda. 4 Tiovivo.

****caballo** *m.* Mamífero ungulado perisodáctilo, de la familia de los équidos, de cuello arqueado, orejas pequeñas, crin larga y cola cubierta de pelos *(Equus caballus).* 2 En el juego del ajedrez, pieza que, en número de dos por bando, se mueve en forma de ele, pudiendo saltar sobre las demás. 3 Naipe que representa un caballo con su jinete. 4 Aparato **gimnástico formado por cuatro patas y un cuerpo superior, muy alargado y terminado en punta por uno de sus extremos. 5 ~ *de vapor* o *de fuerza*, unidad práctica de potencia; la potencia necesaria para hacer un trabajo de 75 kilográmetros en un segundo. 6 En el lenguaje de la droga, heroína.

caballón *m.* Lomo de tierra entre dos surcos. 2 El que se levanta con la azada para formar y dividir las eras de las huertas y para plantar las hortalizas o aporcarlas. 3 El que se dispone para contener o dar dirección a las aguas.

cabaña *f.* Casilla tosca y rústica: *una ~ de pastores.* 2 Número considerable de cabezas de ganado. 3 Conjunto de los ganados de una provincia, región, país, etc. 4 Recua de caballerías empleadas en portear granos.

cabañal *adj.* [camino] Por donde pasan las cabañas. – 2 *m.* Población formada de cabañas.

cabañuelas *f. pl.* Cálculo que, observando ciertas variaciones atmosféricas, forma el vulgo para pronosticar el tiempo de cada uno de los meses del año o del siguiente.

cabaré *m.* Sala de fiestas. ◇ Pl.: *cabarés.*

cabarga *f. Amér. Merid.* Envoltura de cuero

que en vez de herradura se pone al ganado vacuno.

cabasita *f.* Silicato hidratado de aluminio, calcio y potasio, que cristaliza en el sistema trigonal.

cabecear *intr.* Mover la cabeza: *ese caballo cabecea.* 2 esp. Volver la cabeza de un lado a otro en señal de negación; dar cabezadas el que se va durmiendo. 3 Moverse la embarcación bajando y subiendo de proa a popa. 4 Inclinarse lo que debía estar en equilibrio: ~ *la carga de una acémila.* – 5 *tr.* En el juego del fútbol, dar con la cabeza un golpe [a la pelota].

cabecera *f.* Principio, origen de algunas cosas: ~ *de un **río.* 2 Parte principal de algunas cosas, lugar de preferencia: ~ *del tribunal;* ~ *de la mesa.* 3 Población principal de un territorio o distrito. 4 Parte de la **cama donde se ponen las almohadas. 5 Adorno que en los **libros impresos se pone a la cabeza de una página o capítulo. 6 ARQ. Testero de la iglesia o parte en que se halla el altar principal; **románico.

cabecero *m.* Madero horizontal de la parte superior de un cerco de puerta o ventana. 2 Dintel de madera.

cabecilla *com.* fig. Persona de mal porte, mala conducta o poco juicio. – 2 *m.* Jefe de rebeldes. – 3 *f.* Remate de los extremos de un ojal.

cabellera *f.* Pelo de la cabeza, especial-

CABALLO

mente el largo y tendido sobre la espalda. 2 Pelo postizo, peluca. 3 Ráfaga luminosa que rodea al cometa crinito; **solar (sistema).

cabello *m.* Pelo que nace en la cabeza del hombre, y conjunto de todos ellos; **cuerpo humano. 2 ~, o *cabellos de ángel,* dulce de almíbar que se hace con la cidra cayote. – 3 *m. pl.* Barbas de la mazorca del maíz. 4 *Colomb., Méj., P. Rico, R. de la Plata* y *Venez.* Huevos hilados. ◇ Impropiedad: *cabellos blancos,* por canas.

cabelludo, -da *adj.* De mucho cabello. 2 [fruta o planta] Cubierto de hebras largas y vellosas.

caber *intr.* Poder contenerse una cosa dentro de otra: *el libro no cabe en el estuche.* 2 Tener lugar o entrada: *en este local no caben los menores.* 3 Tocarle a uno alguna cosa: *no me cabrá tal suerte.* 4 Seguido de la preposición *a,* corresponder en un reparto o como cociente de una división: *los gastos de la fiesta caben a mil pesetas por persona.* 5 Ser posible o natural: *todo cabe en este chico.* ◇ ** CONJUG. [66].

cabestrar *tr.* Echar cabestros [a las bestias que andan sueltas].

cabestrear *intr.* Seguir sin resistencia la bestia al que la lleva del cabestro. 2 *Amér.* fig. *y* fam. Seguir con docilidad.

cabestrillo *m.* Banda o aparato pendiente del hombro para sostener la mano o el brazo lastimados.

cabestro *m.* Ramal atado a la cabeza de la caballería para llevarla o asegurarla. 2 Buey manso que guía la torada. 3 fig. *y* fam. Hombre obtuso y torpe.

cabete *m.* Herrete (cabo metálico). 2 Pez marino teleósteo, con la cabeza totalmente acorazada por placas, y armado de fuertes espinas en los opérculos y la espalda *(Lepidotrigla cavillone; Trigla aspera).*

cabeza *f.* Parte superior del **cuerpo del hombre, separada del tronco por el cuello, y la superior o anterior del de muchos animales, donde residen los principales centros nerviosos y los órganos de los sentidos; **insecto. 2 Retrato en escultura o pintura. 3 fig. Intelecto, talento, juicio. 4 fig. Persona: *sale a tanto por* ~. 5 Res. 6 Principio o parte extrema de una cosa; esp., la superior: *las cabezas de una jácena, de un puente;* ~ *de una **campana.* 7 ~ *de puente,* posición militar que establece un ejército en la orilla de un río o estrecho, situada en territorio enemigo, para preparar el paso del grueso de las fuerzas. 8 fig. Capital (población): ~ *de partido,* localidad principal de un territorio, que comprende varios pueblos dependientes de ella judicial o gubernativamente. 9 ~ *lectora,* dispositivo o parte de un aparato que sirve para leer, grabar o reproducir sonido o cualquier otro tipo de datos en un medio de almacenamiento. – 10 *m.* Jefe de una comunidad, corporación, etc.: ~ *de familia;* ~ *de un partido político.*

cabezada *f.* Golpe que se da con la cabeza o se recibe en ella. 2 Movimiento de cabeza del que se va durmiendo sin estar acostado: *dar cabezadas.* 3 Sueño corto: *voy a echar una* ~. 4 Inclinación de cabeza, como saludo. 5 Correaje que ciñe y sujeta la cabeza de una caballería. 6 Cordel para coser las cabeceras de los **libros. 7 En las botas, cuero que cubre el pie. 8 *Amér.* Arzón de la silla de montar.

cabezal *m.* Almohada. 2 Colchoncillo angosto para dormir en los escaños junto a la lumbre. 3 MEC. Pieza fija del torno en la que gira el árbol. 4 *Chile* y *Méj.* Cabio de puerta; en gral., todo travesaño sobre el cual descansa un larguero.

cabezazo *m.* Cabezada, golpe dado con la cabeza.

cabezo *m.* Cerro alto o cumbre de un

CABEZA

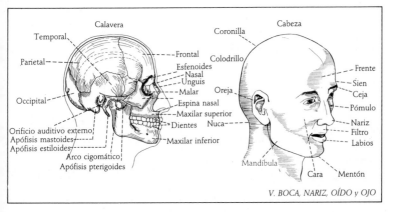

V. BOCA, NARIZ, OÍDO y OJO

monte. 2 Montecillo aislado. 3 Roca o escollo que sobresale del agua. 4 Cabezón de la camisa.

cabezón, -zona *adj.* Cabezudo (terco y de cabeza grande). – 2 *m.* Lista de lienzo doblado que se cose rodeando el cuello de la camisa. 3 Remolino del agua en los ríos al pasar sobre las piedras. 4 Cabezada del caballo. 5 Abertura que tiene cualquier ropaje para sacar la cabeza.

cabezota *com.* fam. Persona de cabeza muy grande. – 2 *com.-adj.* fig. *y* fam. Persona testaruda.

cabezote *m.* *And., Can. y Cuba.* Piedra de figura irregular que se emplea en mampostería.

cabezudo, -da *adj.* Que tiene grande la cabeza. 2 fig. Terco, obstinado. 3 [vino] Muy espiritoso. – 4 *m.* Figura de enano de gran cabeza: *los cabezudos de una procesión.* 5 Pardete.

cabezuela *f.* Harina más gruesa del trigo, después de sacada la flor. 2 **Inflorescencia de flores sentadas sobre un receptáculo común, rodeada por un involucro de brácteas; es propia de la familia de las compuestas. 3 Heces que cría el vino a los dos o tres meses de haberse destilado el mosto. 4 Botón de la rosa que se usa en las boticas para preparar agua de olor.

cabida *f.* Espacio o capacidad que tiene una cosa para contener otra. 2 Extensión superficial de un terreno.

cabildada *f.* fam. Resolución atropellada o imprudente de una comunidad o cabildo.

cabildear *intr.* Procurar con maña ganarse las voluntades de una corporación o cabildo.

cabildo *m.* Comunidad de eclesiásticos capitulares de una iglesia. 2 Ayuntamiento (municipio). 3 Junta celebrada por un cabildo y sala donde se celebra. 4 Capítulo (junta de religiosos). 5 Corporación que representa a los pueblos de cada isla en las Canarias.

cabina *f.* Pequeño departamento, generalmente aislado, para usos muy diversos: ~ *telefónica,* locutorio; ~ *de radio;* **estadio; ~ *del** **avión, del camión, de la máquina del** **ferrocarril,* etc., espacio reservado para el piloto, conductor, personal técnico, etc., y donde están instalados los mandos.

cabio *m.* Listón atravesado a las vigas para formar suelos y techos. 2 Travesaño superior e inferior que con los largueros forman el marco de las puertas o ventanas.

cabizbajo, -ja *adj.* Que tiene la cabeza inclinada hacia abajo, por abatimiento, melancolía, etc.

cable *m.* Maroma gruesa. 2 Cabo grueso que se hace firme en el argáneo de un ancla. 3 fig. Texto informativo recibido por teletipo. 4 Cablegrama. 5 fig. Ayuda que se presta al que está en una situación comprometida: *echar,*

lanzar un ~. 6 ~ *eléctrico,* hacecillo de hilos de cobre, aislados unos de otros, protegido por una cubierta flexible e impermeable.

cableado, -da *adj.* Unido, conectado mediante cables. – 2 *m.* Conjunto de cables.

cablegrafiar *tr.* Transmitir por cablegrama: ~ *un despacho.* ◇ ** CONJUG. [13] como *desviar.*

cablegrama *m.* Telegrama transmitido por cable submarino.

cablevisión *f.* Televisión transmitida por cable.

cabo *m.* Extremo de las cosas. 2 Punta de tierra que penetra en el mar: ~ *de Creus;* **costa. 3 Mango (asidero). 4 Parte pequeña que queda de una cosa: ~ *de cuerda;* ~ *de vela.* 5 fig. Fin (término): ~ *de año.* 6 Cuerda: ~ *suelto,* fig., circunstancia imprevista o que ha quedado sin resolver en algún negocio. 7 Caudillo, jefe. 8 MIL. Individuo de la clase de tropa inmediatamente superior al soldado: ~ *de escuadra.* – 9 *m.* *pl.* Patas, hocico y crines del caballo o yegua: *caballo blanco con cabos negros.* 10 Piezas sueltas que se usan con el vestido: *medias, zapatos, flecos y otros cabos.* 11 fig. Especies varias que se han tocado en algún asunto o discurso: *atar cabos,* reunir especies, premisas o antecedentes para sacar una consecuencia.

cabotaje *m.* Navegación comercial hecha a lo largo de la costa.

cabra *f.* Mamífero rumiante bóvido, de la subfamilia de los ovinos, de cuerpo bastante esbelto, cuernos arqueados hacia atrás, comprimidos transversalmente, y de cola muy corta, especialmente la especie doméstica *(Capra* sp.*):* ~ *montés,* especie salvaje que vive en la vertiente española de los Pirineos *(C. ibex),* y también la que vive en la Sierra Nevada y en la de Gredos *(C. hispanica).* 2, *Amér.* Trampa en el juego de dados o en el dominó.

cabracho *m.* Pez marino teleósteo parecido al rascacio, aunque algo mayor y de color rojizo jaspeado, de hasta 50 cms. de longitud, cubierto de gran cantidad de apéndices y con un opérculo con espina venenosa *(Scorpaena scrofa).*

cabrada *f.* Rebaño de cabras.

cabrahigar *tr.* Colgar sartas de cabrahígos en las ramas [de las higueras], por creerse que así los higos saldrán mejores. ◇ ** CONJUG. [25].

cabrahígo *m.* Higuera silvestre *(Ficus carica).* 2 Fruto de este árbol.

cabrales *m.* Queso de leche de vaca, de pasta blanda y sabor fuerte, procedente de Cabrales, municipio de Asturias.

cabrear *tr.* Meter [ganado cabrío] en un terreno. 2 fig. *y* fam. Enfadar, molestar [a uno]. – 3 *prnl.* fam. Recelar, escamarse, enfadarse.

cabrería *f.* Casa en que se vende leche de cabras. 2 Casa en donde se recogen las cabras por la noche.

cabrero *m.* Pastor de cabras.

cabrestante *m.* Torno vertical para mover grandes pesos.

cabria *f.* Torno en que la cuerda de tracción pasa por una polea suspendida en el punto de unión de las tres vigas inclinadas que forman trípode.

cabrilla *f.* Pez marino teleósteo, parecido al mero, aunque bastante más pequeño, muy voraz, de color amarillo rosado y de carne fofa e insípida *(Serranus cabrilla; Paracentropristis atricanda).* 2 Trípode de madera en que los carpinteros sujetan los maderos grandes. 3 Juego que consiste en tirar piedras planas sobre la superficie del agua, de modo que corran largo trecho rebotando. – 4 *f. pl.* Manchas que se hacen en las piernas por permanecer mucho tiempo cerca del fuego. 5 Pequeñas olas blancas y espumosas que se forman cuando el mar empieza a agitarse.

cabrillona *f. Argent. y Urug.* Cabra de corta edad.

cabrio *m.* Madero colocado paralelamente a los pares de una armadura de tejado para recibir la tablazón.

cabrío, -a *adj.* Relativo a las cabras: *ganado ~.* – 2 *m.* Rebaño de cabras.

cabriola *f.* Brinco que dan los que danzan, cruzando varias veces los pies en el aire. 2 fig. Voltereta (vuelta). 3 Salto que da el caballo, soltando un par de coces mientras se mantiene en el aire.

cabriolé *m.* Coche de caballos, ligero, generalmente de dos ruedas, con capota plegable. 2 Automóvil descapotable. 3 Carro que se mueve sobre cuatro ruedas por unas correderas, para transportar grandes pesos en fábricas o talleres.

cabritilla *f.* Piel curtida de cualquier animal pequeño, como cabrito, cordero, etc.

cabrito *m.* Cría de la cabra. 2 Persona a la cual fastidian y explotan los demás. 3 Cliente de casas de lenocinio. 4 fig. Cabrón, el que consiente el adulterio. 5 vulg. Cabrón, el que hace cabronadas.

cabrón *m.* Macho de la cabra. 2 desp. El que consiente el adulterio de su mujer. 3 fig. El que aguanta cobardemente los agravios o impertinencias de que es objeto. 4 fig. *y* vulg. El que hace cabronadas o malas pasadas a otro. 5 *Amér. Merid.* Proxeneta.

cabronada *f.* vulg. Acción infame que permite alguno contra su honra. 2 Mala pasada, acción malintencionada o indigna contra otro.

cabruza *f.* Pez marino teleósteo perciforme, de cuerpo alargado desprovisto de escamas, de color pardusco o rosado, y con un tentáculo muy ramificado sobre cada ojo *(Blennius gattorugine).*

cabuchino *m.* Pez marino teleósteo perciforme, de pequeño tamaño y cuerpo alargado de color pardo con manchas más obscuras *(Gobius minutus; Pomatoschistus m.).*

cabuchón, cabujón *m.* Piedra preciosa pulimentada y no tallada, de forma convexa.

cábula *f. Amér.* Ardid, maña, traza para lograr algo.

cabuya *f.* Pita (planta). 2 Fibra de la pita, con que se fabrican cuerdas y tejidos.

cabuyera *f.* Conjunto de cuerdas que sostienen la hamaca.

cabuyería *f.* MAR. Conjunto de cabos menudos.

caca *f.* Excremento humano, especialmente el de los niños pequeños. 2 fig. Defecto o vicio: *tapar la ~.* 3 Suciedad, inmundicia. 4 fig. Cosa de poco valor o mal hecha; cosa despreciable, insignificante: *eso es una ~.*

cacahual *m.* Terreno poblado de cacaos.

cacahuete, -huate, -huey *m.* Planta leguminosa, originaria de América, de tallos rastreros y flores amarillas, estériles las superiores y fértiles las inferiores, las cuales alargan el pedúnculo y se introducen en el suelo donde madura el fruto, que es de cáscara coriácea con varias semillas oleaginosas y comestibles *(Arachis hypogea).* 2 Fruto de esta planta. – 3 *adj. Méj.* Picado de viruelas.

cacahuero *m. Amér.* Propietario de huertas de cacao; p. ext., el que comercia en cacao y productos derivados de él.

cacalote *m. Amér. Central.* Roseta de maíz.

cacao *m.* Arbolillo esterculiáceo de los países tropicales, de grandes hojas persistentes; flores encarnadas y fruto en baya con muchas semillas, que se usan como principal ingrediente del chocolate *(Theobroma cacao).* 2 Semilla de este árbol. 3 Bebida hecha de este fruto, inferior al chocolate. 4 fig. *y* fam. Jaleo, alboroto. 5 *Amér.* Chocolate.

cacaraña *f.* Hoyo o señal del rostro de una persona. – 2 *adj. Amér. Central.* [letra] Mal hecha.

cacarear *intr.* Dar voces repetidas el gallo o la gallina. – 2 *tr.* fig. Ponderar excesivamente [las cosas propias].

cacarico, -ca *adj. Amér. Central.* Tullido, entumido.

cacatúa *f.* Ave psitaciforme de Oceanía con el plumaje de vistosos colores *(gén. Probosciger y Cacatua).* 2 fig. *y* fam. Mujer fea, vieja y de aspecto estrafalario.

cacaxtle *m. Amér. Central.* Esqueleto de los vertebrados, principalmente del hombre. 2 *Guat. y Méj.* Armazón de madera de forma variable, para llevar algo a cuestas.

cacera *f.* Zanja por donde se conduce el agua para regar.

cacereño, -ña *adj.-s.* De Cáceres.

cacería *f.* Partida de caza. 2 Conjunto de animales muertos en la caza.

cacerina *f.* Bolsa de cuero para llevar las municiones.

cacerola *f.* Vasija de metal con mango o asas, para guisar; **cocina.

cacicato, -cazgo *m.* Dignidad de cacique. 2 Territorio que posee el cacique. 3 fam. Autoridad o poder del cacique.

cacimba *f.* Hoyo hecho en la playa para buscar agua potable.

cacique *m.* Jefe en algunas tribus de indios de la América Central y del Sur. 2 fig. Persona que en un pueblo o comarca ejerce excesiva influencia en asuntos políticos o administrativos. 3 fig. Déspota, autoritario, mandón. 4 fig. Persona que ocupa un puesto o desempeña una función de cierta importancia. ◇ Fem.: *cacica* en las acepciones *1* y *2*.

caciquismo *m.* Dominación o influencia de los caciques. 2 p. ext. Intromisión abusiva de una persona en determinados asuntos, valiéndose de su autoridad o influencia.

caco *m.* fig. Ladrón muy diestro; ratero.

cacofonía *f.* Vicio de lenguaje que consiste en el encuentro o repetición desagradable de unos mismos sonidos. 2 MÚS. Discordancia de sonidos.

cacografía *f.* Escritura defectuosa, ya sea por el carácter de letra, ya por el mal empleo de letras y signos gráficos.

cacomite *m.* Planta iridácea, oriunda de Méjico, de raíz comestible *(Trigidia pavonia)*.

cacoquimia *f.* Metabolismo anormal.

cacoquimio, -mia *m. f.* Persona que padece tristeza o disgusto que le ocasiona estar pálida y melancólica.

cacosmia *f.* Degeneración del sentido del olfato, que hace agradables los olores repugnantes o fétidos.

cacreco, -ca *adj. Amér. Central.* Vagabundo. 2 *Amér. Central.* [calzado] Viejo; p. ext., [cosa] que no sirve.

cactáceo, -a *adj.-f.* Planta de la familia de las cactáceas. – 2 *f. pl.* Familia de plantas dicotiledóneas de América tropical, xerófilas, de tallo carnoso, con las hojas reducidas a espinas y las flores generalmente grandes, sentadas y colocadas en la axila de un grupo de espinas; como el nopal.

cactales *f. pl.* Orden de plantas dicotiledóneas, integrado por plantas suculentas y con frecuencia muy espinosas. Los sépalos, pétalos y estambres son muy numerosos, el ovario es ínfero y el fruto una baya.

cacto, cactus *m.* Nombre que se da en general a la mayoría de plantas cactáceas y en especial a las del género *Cactus*.

cacumen *m.* fig. *y* fam. Agudeza, perspicacia, caletre.

cacuminal *adj.* FON. [sonido] Que se articula con la lengua elevada hacia los alveolos superiores o el paladar, de modo que los toque con el borde o cara inferiores de su ápice.

cacuy *m. Argent.* Ave caprimulgiforme nocturna, de unos 30 cms. de largo, de color plomizo, pico corto, ojos negros con los párpados ribeteados de amarillo. Su canto se asemeja a un lamento *(Nyctibus griseus)*.

I) cacha *f.* Pieza que junto a otra forma el mango de una navaja o cuchillo. 2 Anca de la caza menor. 3 vulg. Nalga.

II) cacha *f. Amér.* Engaño. 2 *Amér. Central.* Abuso.

cachaco *m. Amér.* Lechuguino, petimetre.

cachada *f.* Golpe seco dado con un trompo en la cabeza de otro trompo. 2 *Amér.* Cornada, golpe dado con el cacho o cuerno. 3 *Argent., Parag. y Urug.* Burla, mofa.

cachafaz, -za *adj. Argent. y Chile.* Pícaro, sinvergüenza.

cachafo *m. Méj.* Colilla de cigarro.

cachalote *m.* Mamífero cetáceo odontoceto de 15 a 20 m. de largo, cuya cabeza alcanza casi la tercera parte de la longitud total del cuerpo y lleva almacenada una enorme cantidad de grasa *(Catodon macrocephalus)*.

I) cachar *tr.* Hacer cachos o pedazos [una cosa]. 2 Rajar [madera] en el sentido de las fibras. 3 Arar una tierra alomada abriendo [los lomos] con la reja. 4 *Amér.* Chasquear, engañar, burlar. 5 *Amér.* Sorprender. 6 *Amér. Central.* Conseguir, obtener [algo].

II) cachar *tr. Amér.* En algunos juegos, coger al vuelo una pelota que un jugador lanza a otro. 2 *Amér.* p. ext. Agarrar cualquier objeto pequeño que una persona arroja por el aire a otra.

cacharpas *f. pl. Amér.* Trastos, trebejos.

cacharrazo *m.* Golpe dado con un cacharro. 2 fig. *y* fam. Trompazo, porrazo, golpe violento. 3 *Amér.* Trago de licor fuerte.

cacharrero, -ra *m. f.* Persona que tiene por oficio vender cacharros o loza ordinaria.

cacharro *m.* Vasija tosca. 2 Pedazo útil de ella. 3 en gral. Vasija o recipiente para usos culinarios. 4 desp. Máquina, automóvil, etc., viejo o que funciona mal, en general. 5 fam. Cosa sin valor. 6 *Amér. Central.* Cárcel.

cachava *f.* Juego de niños que consiste en hacer entrar con un palo una pelota en ciertos hoyuelos abiertos en la tierra. 2 Palo para este juego. 3 Cayado (bastón corvo).

cachaza *f.* Lentitud, sosiego; flema. 2 Aguardiente de melaza.

cachazudo, -da *adj.-s.* [pers.] Que tiene cachaza.

cache *adj. Argent.* Mal arreglado o ataviado.

cachear *tr.* Registrar [a gente sospechosa] para quitarle las armas que pueda llevar ocultas.

cachemir *m.* Tejido muy fino fabricado con la lana de una cabra de Cachemira.

cachera *f.* Ropa de lana tosca y de pelo largo.

cachería *f. Amér.* Comercio o tienda al por menor.

cachet *m.* Carácter distintivo, generalmente de refinamiento o elegancia, que tiene una persona o cosa. 2 Cotización de un artista.

cachete *m.* Golpe dado con la mano en la cabeza o en la cara. 2 Carrillo, especialmente el abultado. 3 Golpe de muñeca que da el pescador al notar la picada para clavar el anzuelo en el pez.

cachetero *m.* Puñal corto y agudo. 2 El que remata al toro con este instrumento. 3 fam. El último en dañar a una misma persona o cosa.

cachetón, -tona *adj. Amér.* Carrilludo. 2 *Méj.* Sinvergüenza, descarado.

cachicán *m.* Capataz (de labranza). – 2 *adj.-m.* fig. *y* fam. Hombre astuto.

cachicuerno, -na *adj.* [arma] Que tiene las cachas de cuerno.

cachifollar *tr.* fam. Dejar [a uno] deslucido y humillado.

cachillada *f.* Cría, hijos de un animal.

cachimba *f.* Pipa para fumar.

cachimbazo *m. Amér. Central.* Balazo; bofetada; trago de licor.

cachipodar *tr.* Podar las ramas pequeñas y encimeras de un árbol.

cachipolla *f.* Insecto efemeróptero de unos dos cms. de largo, de color ceniciento. Habita en las orillas del agua y apenas vive un día (*Ephemera danica*).

cachiporra *f.* Palo con una bola o cabeza abultada en uno de sus extremos.

cachirulo *m.* Vasija para el aguardiente u otros licores. 2 Embarcación pequeña de tres palos. 3 Novio. 4 fam. Sombrero. – 5 *m. pl.* fam. Trastos, chismes.

cachivache *m.* desp. Vasija, utensilio, trasto: *los cachivaches de la cocina.* 2 fam. Hombre ridículo e inútil.

cachiza *f.* Conjunto de cachos o pedazos en que se convierte una cosa que se rompe.

cachizo *adj.-s.* Madero grueso serradizo.

I) cacho *m.* fam. Pedazo pequeño de alguna cosa. 2 Juego de naipes en el que hay que ligar tres cartas de un mismo palo.

II) cacho *m.* Pez teleósteo cipriniforme, de 15 a 20 cms. de largo, de color pardo oliváceo por arriba y plateado por los flancos y región ventral, muy común en los ríos caudalosos de España (*Leuciscus cephalus*).

III) cacho *m. Amér.* Asta o cuerno. 2 *Amér.* Vasija de cuerno. 3 *Amér.* Cuentecillo, anécdota. 4 *Argent. y Chile.* Cubilete de los dados. 5 *Argent., Parag. y Urug.* Racimo muy apiñado de bananas.

I) cachón *m.* Ola que rompe en la playa haciendo espuma. 2 Chorro de agua que cae y rompe formando espuma.

II) cachón, -chona *adj.-s. Amér. Central y Colomb.* Animal de grandes cachos o cuernos.

cachondearse *prnl.* vulg. Burlarse, guasearse.

cachondo, -da *adj.* Dominado del apetito venéreo. 2 fig. *y* vulg. Burlón, jocundo, divertido.

cachorrillo *m.* Pistola pequeña o de bolsillo.

cachorro, -rra *m. f.* Perro de poco tiempo. 2 Cría de otros mamíferos. – 3 *adj. Amér.* Calificativo de desprecio aplicado a personas de baja condición, a quienes se desea ofender.

cachúa *f. Amér. Merid.* Baile de los indios ejecutado por parejas que se mueven en forma de círculo. 2 *Amér. Merid.* Música, muy lenta, de este baile.

cachucha *f.* Bote o lancha pequeña. 2 Especie de gorra. 3 Baile popular de Andalucía, de movimiento moderado. 4 Música de este baile.

cachudo, -da *adj. Amér.* De cuernos o cachos grandes.

cachuela *f.* Guisado hecho de la asadura del puerco.

cachuelo *m.* Pez de río teleósteo cipriniforme, comestible, algo parecido a la boga (gén. *Leuciscus*).

cachunde *f.* Pasta compuesta de almizcle, ámbar y cato, usada para perfumar la boca y como estomacal.

cachupín, -pina *m. f. Amér. Central y Méj.* Mote aplicado al español que se establece en la América Hispana.

cachureco, -ca *adj. Amér. Central.* Conservador en política.

cachurrera *f.* Planta dicotiledónea compuesta, perenne, muy ramificada y espinosa, de hojas verdes, amargas y astringentes, y frutos cubiertos de espinas (*Xanthium spinosum*).

I) cada *m.* Arbusto cupresáceo, parecido al enebro, pero de frutos mayores de color rojizo en la madurez (*Junisperus oxycedrus*).

II) cada *adj.* Sirve para referir a todos los miembros numerables de una colectividad de por sí, lo que se dice del conjunto: ~ *cristiano ha de saberlo; comulgo* ~ *día;* se combina con las voces *uno* y *cual* que hacen las veces de substantivos: ~ *uno alarga el brazo;* ~ *cual acude por su parte.* 2 Tiene significación distributiva antepuesto a nombres en singular o en plural, acompañados éstos de un numeral cardinal: ~ *escuadrón tiene cien caballos;* ~ *tres meses;* ~ *mil hombres.*

cadahalso *m.* Cobertizo o barraca de tablas.

cadalecho *m.* Cama tejida de ramas.

cadalso *m.* Tablado erigido para un acto solemne. 2 El que se erige para patíbulo.

cadañego, -ga *adj.* Que da fruto abundante todos los años.

cadañero, -ra *adj.* Anual. – 2 *adj.-f.* Que pare cada año.

cadarzo *m.* Seda basta de los capullos enredados.

cadáver *m.* Cuerpo muerto.

cadavérico, -ca *adj.* Relativo al cadáver. 2 fig. Pálido y desfigurado como un cadáver.

cadaverina *f.* Substancia tóxica que se forma en la descomposición de los cadáveres. 2 Olor que desprende esta substancia.

cadejo *m.* Parte del cabello muy enredada. 2 Madeja pequeña de hilo o seda. 3 Conjunto de muchos hilos para borlas u otra obra de cordonería.

cadena *f.* Conjunto de muchos eslabones enlazados entre sí por los extremos: ~ *del* ****ancla;** ~ *sin fin,* conjunto de piezas metálicas, iguales, articuladas entre sí, que forman un circuito cerrado; **bicicleta. 2 Bastidor de maderos fuertemente ensamblados, sobre el cual se levanta una fábrica. 3 ~ *de montañas,* cordillera. 4 fig. Continuación de sucesos. 5 fig. Sujeción que causa una pasión vehemente o una obligación. 6 Grupo de empresas o establecimientos comerciales o industriales de una misma clase, pertenecientes a la misma firma o propietario. 7 Conjunto de instalaciones destinadas a la fabricación o montaje de un producto industrial y organizadas para reducir al mínimo el gasto de tiempo y esfuerzo. 8 Conjunto de emisoras de radio o televisión que transmiten simultáneamente el mismo programa. 9 Equipo de alta fidelidad cuyos componentes están permanentemente unidos. 10 Pena aflictiva, de gravedad variable según los códigos: ~ *perpetua,* máxima condena a prisión. 11 QUÍM. Conjunto de átomos enlazados linealmente unos con otros.

cadencia *f.* Repetición regular de sonidos o movimientos. 2 Proporcionada distribución de los acentos, cortes o pausas en la prosa o verso. 3 Efecto de tener un verso la acentuación correspondiente. 4 Medida del sonido, que regula el movimiento de la persona que danza. 5 Resolución armónica de los sonidos con sensación de reposo, al final de una frase musical. 6 Ritmo de un trabajo. 7 FON. Descenso de la entonación al final de un período.

cadeneta *f.* Labor en figura de cadenilla. 2 Labor hecha [por los encuadernadores] en las cabeceras de los libros. 3 Cadena hecha de tiras de papel de colores, que se usa como adorno en verbenas.

cadenilla *f.* Cadena estrecha que adorna las guarniciones.

cadera *f.* Región saliente formada a ambos lados del **cuerpo por los huesos superiores de la pelvis. 2 En las **caballerías y otros cuadrúpedos, parte lateral del anca.

cadetada *f.* fam. Acción irreflexiva impropia de gente formal.

cadete *m.* Alumno de una academia militar. 2 *Argent., Bol. y Parag.* Meritorio o aprendiz de comercio.

cadi *com.* Persona que lleva los palos en el juego del golf.

cadillo *m.* Planta umbelífera, de flores en umbela sin pie, y fruto elipsoidal erizado de espinas (gén. *Caucalis*). – 2 *m. pl.* Primeros hilos de la urdimbre de una tela. – 3 *m. Amér.* Pelusilla volátil de ciertas plantas que se pega a la ropa.

cadmio *m.* Metal blanco, dúctil y maleable, muy parecido al estaño. Su símbolo es *Cd.*

caducar *intr.* Chochear (por la edad). 2 Perder su validez una ley, testamento, etc.; extinguirse un derecho, un plazo, un recurso. 3 fig. Arruinarse o gastarse alguna cosa por el uso o por antigua. ◇ ** CONJUG. [1] como *sacar.*

caduceo *m.* Símbolo de la medicina y el comercio que consiste en una vara lisa, con dos alas a un extremo, rodeada de dos culebras.

caducidad *f.* Acción de caducar (perder validez): *fecha de* ~. 2 Efecto de caducar (perder validez). 3 Calidad de caduco.

caducifolio, -lia *adj.* [árbol y planta] De hoja caduca, que se cae al empezar la estación desfavorable.

caduco, -ca *adj.* Decrépito, muy anciano. 2 Perecedero. 3 Nulo, anulado. 4 BOT. [hoja] Que cae todos los años.

caedizo, -za *adj.* Que cae fácilmente. – 2 *m. Amér.* Saledizo, colgadizo, tejadillo saliente.

caedura *f.* Desperdicios textiles en los telares.

caer *intr.-prnl.* Venir un cuerpo de arriba abajo por la acción de su propio peso: ~ *de, desde, una torre;* ~ *de su puesto;* ~ *de cabeza, de espaldas, de canto, de plano;* ~ *al mar, a la calle.* 2 Inclinarse, pender, colgar: *las ramas se caían por el peso de la fruta; la cabellera cae sobre sus espaldas.* 3 Con los adverbios *bien* o *mal,* reunir o sentar bien, o mal, una cosa: ~ *bien un vestido;* ~ *mal una comida;* tener buena, o mala, acogida una persona: *Ana me cae bien.* 4 Decaer, extinguirse, bajar: ~ *el sol, el día;* ~ *el viento;* ~ *de su grandeza, social, caudal.* 5 Desaparecer, dejar de ser lo que era: ~ *un imperio, un príncipe, un ministro.* 6 Morir: ~ *un soldado en la batalla;* ~ *como chinches.* 7 Hallarse, encontrar: *la tienda cae a la derecha en la calle de Alcalá;* ~ *hacia el norte;* ~ *por mi barrio;* si se trata de tiempo: ~ *por San Juan;* ~ *en jueves, en abril.* 8 Llegar, cumplirse: ~ *el plazo.* – 9 *prnl.* DEP. Dejar de figurar inesperadamente [un jugador titular] en la alineación de su equipo. ◇ Aunque es verbo intransitivo, admite casi siempre construcción pseudorrefleja para señalar la participación del sujeto en la acción, tanto si se trata de seres animados como inanimados: *el hombre se cae* y *las hojas caen* o *se caen en otoño.* Es impropio su empleo transitivo factitivo: *lo caí* por *lo dejé caer, lo tiré.* ◇ ** CONJUG. [67].

café *m.* Cafeto. 2 Semilla del cafeto. 3 Bebida hecha por infusión con esta semilla tostada y molida. – 5 *loc. adv. De mal* ~, de mal humor, de mal talante. – 6 *adj.* De color de café. ◇ Pl.: *cafés.* INCOR.: vulg. *cafeses.*

cafeína *f.* Alcaloide, usado en medicina, que se encuentra en el café, el té, en la nuez de cola, etc.

cafetal *m.* Terreno poblado de cafetos.

cafetería *f.* Establecimiento donde se tuesta, envasa y vende café en grano y en polvo. 2 Establecimiento donde se sirve café y otros artículos de comer y beber.

cafetero, -ra *adj.* Relativo al café. 2 fam. Que le gusta mucho el café. – 3 *m. f.* Persona que en los cafetales coge la simiente. – 4 *f.* Vasija para hacer o servir café: *cafetera eléctrica;* **cocina. 5 fig. Vehículo viejo y destartalado que produce mucho ruido al rodar.

cafeto *m.* Árbol rubiáceo de los países tropicales, de hojas opuestas y persistentes, flores blancas y olorosas y fruto en baya roja de semillas generalmente planocilíndricas con un surco longitudinal en su cara plana *(Coffea arabica).*

caficultor, -ra *adj.* [pers.] Que se dedica al cultivo del café.

cáfila *f.* fam. Conjunto de gentes, animales o cosas.

cafre *adj.-com.* fig. Bárbaro, cruel. 2 fig. Zafio, rústico.

caftán *m.* Especie de túnica usada entre turcos y moros.

cagachín *m.* Insecto díptero, especie de mosquito pequeño *(Culex ciliaris).* 2 Ave paseriforme insectívora más pequeña que el jilguero *(Cisticola cisticola).*

cagada *f.* Excremento que sale cada vez que se evacúa el vientre. 2 fig. Equivocación, error, especialmente en un negocio.

cagado, -da *adj.* fig. *y* fam. De poco espíritu, cobarde; miedoso.

cagafierro *m.* Escoria de hierro.

cagajón *m.* Porción del excremento de las caballerías.

cagalera *f.* fam. Diarrea, cámaras. 2 fig. Miedo.

caganido, caganidos *m.* Pájaro nacido en la pollada en último lugar. 2 fig. Hijo último de una familia. 3 fig. Persona enclenque o raquítica.

cagar *intr.-tr.-prnl.* Evacuar el vientre. – 2 *tr.* fam. Manchar, echar a perder [una cosa]. – 3 *prnl.* Acobardarse. ◇ ** CONJUG. [7] como *llegar.*

cagarruta *f.* Porción del excremento del ganado menor. 2 fig. Hombre insignificante.

cagón, -gona *adj.-s.* [pers.] Que exonera el vientre muchas veces. 2 fig. [pers.] Cobarde; miedoso.

caguama *f.* Tortuga marina mayor que el carey (gén. *Thalassochelys).* 2 Materia córnea de esta tortuga, menos estimada que la del carey.

caguanete *m.* Borra del algodón o de otra materia vegetal.

cagueta, caguetas *com.* Persona apocada, cobarde o miedosa.

caída *f.* Declive de alguna cosa. 2 Hablando de colgaduras, parte de ellas que pende de alto abajo: *la* ~ *de una cortina.* 3 Altura de las velas de cruz, desde el grátil al pujamen, y largo de popa, de las de cuchillo. 4 Parte lateral del frontal (paramento). 5 ~ *de ojos,* expresión agradable de la mirada. – 6 *f. pl.* Lana basta. 7 fig. Dichos oportunos.

caído, -da *adj.* fig. Desfallecido, amilanado. – 2 *adj.-s.* Muerto en la lucha: *funerales por los caídos.* 3 Seguido de la preposición de y el nombre de una parte del cuerpo, se dice de la persona o el animal que tiene demasiado declive en dicha parte: ~ *de hombros.*

caima *adj.* *Amér.* Soso, desabrido.

caimán *m.* Reptil del orden de los cocodrilos que vive en América (gén. *Caiman* y *Alligator).* 2 *Amér.* fig. Persona astuta y disimulada.

cainita *adj.-com.* Fratricida. 2 [pers.] Avieso, cruel.

cairel *m.* Cerco de cabellera postiza. 2 Adorno de pasamanería a modo de fleco. 3 Trozo de cristal de distintas formas, que adorna candelabros, arañas, etc.

caito *m.* *Amér. Merid.* Hilo de lana, basto, con que los indios tejen sus ponchos y frazadas.

caja *f.* Recipiente de materia y forma variables, que se cubre con una tapa suelta o unida a la parte principal y sirve para guardar o transportar en él alguna cosa: *una* ~ *de brasero; una* ~ *de corcho, de tabaco;* ~ *de caudales,* la de hierro o acero destinada a guardar con seguridad dinero y objetos de valor. 2 Parte del vehículo en la cual van sentadas las personas que se sirven de él. 3 Parte exterior de madera que cubre algunos instrumentos, o cuerpo hueco de madera que forma parte principal de los de **cuerda: ~ *del piano;* ~ *del violín.* 4 Hueco en que se introduce alguna cosa: ~ *en que entra la espiga de un madero.* 5 Pieza de la balanza y de la romana en la que entra el fiel cuando el peso está en equilibrio. 6 Pieza o cavidad hueca en que está alojado un mecanismo o un conjunto de órganos: ~ *del tímpano,* ANAT., **oído medio; ~ *torácica.* 7 Armazón de madera de las armas de fuego portátiles. 8 Paredes que limitan el espacio ocupado por la escalera o el ascensor de un edificio. 9 En los escenarios, espacio comprendido entre dos bastidores. 10 Oficina de correos que actúa como centro de distribución. 11 Ventanilla o dependencia de un banco, caja de ahorros, tesorería, etc., donde se realizan cobros y pagos: ~ **de ahorros,** establecimiento destinado a guardar los ahorros de los particulares, proporcionándoles un interés; atiende a sectores sociales que escapan a la actividad de los bancos. 12 ~ **de reclutamiento,** organismo militar encargado de la inscripción, clasificación y destino a cuerpo activo de los reclutamientos. 13 ~ **negra,** aparato que registra los movimientos de un avión, las comunicaciones de su tripulación, etc. 14 ~ **registradora,** la que se usa en el comercio y suma automáticamente el importe de las ventas. 15 IMPR. Cajón con varios cajetines donde se ponen los signos tipográficos.

cajear *tr. Amér. Central.* Zurrar, azotar [a alguien]. 2 *Amér. Central.* Abrir cajas [en la madera].

cajero, -ra *m. f.* Persona que tiene por oficio hacer cajas. 2 Persona que en las tesorerías, bancos, cajas de comercio y en algunas particulares, está encargado de la entrada y salida de caudales: ~ **automático,** máquina que se halla en servicio permanente para realizar pequeñas operaciones bancarias de forma automática mediante una tarjeta especial que tiene asignado un código numérico personal. – 3 *m.* En acequias o canales, parte de talud comprendida entre el nivel ordinario del agua y la superficie del terreno. 4 p. ext. Pared que forma la caja de un acueducto.

cajeta *f. C. Rica, Guat., Méj. y Nicar.* Caja redonda con tapa, que se usa para echar postres y jalea. 2 *Amér. Central y Méj.* Dulce de leche, fruta y huevo, con miel, clavo de olor, anís o canela, batido hasta que cuaja.

cajete *m. Salv., Guat. y Méj.* Vasija honda y gruesa, semiesférica, vidriada por la parte interior.

cajetero, -ra *adj. Amér. Central.* Ridículo, desairado.

cajetilla *f.* Paquete de tabaco picado o de cigarrillos. 2 Cajita de fósforos.

cajetín *m.* Sello de mano con que en determinados papeles se estampan diversas anotaciones. 2 Listón de madera que se cubre con una moldura y tiene dos ranuras en las que se alojan por separado los conductores eléctricos.

cajilla *f.* Cápsula, fruto seco y dehiscente. – 2 *f. pl.* Mandíbulas.

cajista *com.* Persona que compone lo que se ha de imprimir.

cajo *m.* Reborde que forma el **encuadernador en el lomo de un libro sobre las primeras y últimas hojas.

cajón *m.* Caja grande, generalmente de madera, y de base rectangular. 2 En algunos muebles, receptáculo que se puede sacar y meter en ciertos huecos a los que se ajusta. 3 En los estantes, espacio que media entre tabla y tabla. 4 Casilla de madera que sirve de

tienda o de obrador. 5 ~ **de sastre,** fig., conjunto de cosas desordenadas; persona que tiene en su imaginación muchas especies confusas. 6 *Amér.* Ataúd.

cajonera *f.* Conjunto de cajones de una sacristía, para guardar vestiduras sagradas y ropas de altar. 2 Especie de cajón que tienen las mesas escolares para guardar libros y otras cosas.

cake *m.* Especie de bizcocho que contiene frutas.

cal *f.* Óxido de calcio, CaO, substancia blanca, ligera, cáustica y alcalina, que en contacto con el agua se hidrata con desprendimiento de calor.

I) cala *f.* Perforación que se hace en un terreno o en una obra de fábrica para reconocer su profundidad, composición, estructura, etc. 2 Pedazo de una fruta que se corta para probarla. 3 Parte más baja en lo interior de un buque. 4 Paraje distante de la costa, propio para pescar con anzuelo.

II) cala *f.* Ensenada pequeña; **costa.

III) cala *f.* Planta acuática arácea de jardín, de hojas radicales con pecíolos largos, espádice amarillo y espata grande y blanca *(Zantedeschia aethiopica).*

calabacera *f.* Nombre de varias especies de plantas cucurbitáceas de tallos rastreros, hojas anchas y lobuladas, flores amarillas y fruto variado con multitud de semillas (gén. *Cucurbita).*

calabacín *m.* Calabacita cilíndrica, de corteza verde y carne blanca.

calabacinate *m.* Guisado de calabacines.

calabaza *f.* Calabacera con zarcillos ramificados y flores amarillas acampanadas cuyo fruto es muy variable, tanto en su forma como en color y tamaño *(Cucurbita pepo).* 2 Fruto de cualquier calabacera: ~ **confitera, totanera** o **de sidra,** calabazas cuyos frutos son enormes y con los que se fabrica la confitura llamada cabello de ángel *(Cucurbita maxima).* 3 Seta grande, con el sombrero semiesférico con la parte superior de color pardo y el resto amarillo *(Boletus edulis).* 4 fig. Cabeza humana.

calabazate *m.* Dulce seco de calabaza. 2 Cascos de calabaza en miel o arrope.

calabobos *m.* Llovizna menuda y continua. ◇ Pl.: *calabobos.*

I) calabozo *m.* Lugar seguro, generalmente subterráneo, para encerrar presos. 2 Aposento de cárcel para incomunicar a un reo.

II) calabozo *m.* Instrumento de hoja acerada para podar y rozar árboles y matas.

calabriar *tr.* Mezclar, confundir o embrollar [las cosas]. ◇ ** CONJUG. [12] como *cambiar.*

calabrote *m.* Cabo grueso de nueve cordones, colchados en grupos de tres.

calada *f.* Vuelo rápido del ave de rapiña al abatirse o levantarse. 2 Abertura para el paso de la lanzadera que se forma en la urdimbre subiendo unos hilos y bajando otros. 3 Chupada de cigarrillo, puro, etc.

caladero *m.* Lugar a propósito para calar las redes de pesca.

calado *m.* Labor hecha con aguja en una tela, sacando o juntando hilos. 2 Labor hecha en los papeles, maderas, etc., taladrándolos y formando dibujos. 3 Profundidad que alcanza en el agua la parte sumergida de un barco. 4 Altura que alcanza la superficie del agua sobre el fondo.

calador *m.* Hierro con que los calafates introducen las estopas en las costuras de las embarcaciones. 2 *Amér.* Punzón o barrena acanalada para sacar muestras de las mercaderías sin abrir los bultos que las contienen.

calafate *m.* El que tiene por oficio calafatear las embarcaciones. 2 Carpintero que trabaja en obras navales.

calafatear *tr.* Cerrar [las junturas de las maderas de las naves] con estopa y brea para que no entre el agua. 2 p. ext. Cerrar [otras junturas].

calamar *m.* **Molusco cefalópodo decápodo marino, comestible, de cuerpo alargado, con una especie de aleta triangular a cada lado y dos de sus brazos muy prolongados; segrega un líquido negro, llamado tinta, con que enturbia el agua para ocultarse *(Loligo vulgaris).*

calamarín *m.* Molusco cefalópodo decápodo marino, de pequeño tamaño y cuerpo similar al calamar *(Allotenthis subulata).*

calambre *m.* Contracción espasmódica, dolorosa y poco durable de ciertos músculos, especialmente de los de la pantorrilla o los de la túnica muscular del estómago. 2 Temblor e impresión que produce una corriente eléctrica de poca intensidad en el cuerpo de una persona.

calambuco *m.* Árbol gutífero americano, de flores en ramillete, blancas y olorosas, y frutos redondos y carnosos *(Calophyllum cabala).*

calambur *m.* GALIC. Equívoco, retruécano, juego de palabras.

calamento *m.* Planta labiada medicinal, de hojas aovadas y flores purpúreas en racimos *(Calamintha officinalis).*

calamidad *f.* Desgracia o infortunio que alcanza a muchas personas. 2 fig. Persona desdichada por su falta de salud, o insoportable por su torpeza, descuido, etc.: *ser, o estar hecho, una ~.*

calamiforme *adj.* [parte de animal o planta] Que tiene figura de cañón de pluma.

calamina *f.* Silicato hidratado de cinc nativo. 2 Cinc fundido.

calamite *f.* Sapo verde pequeño, de uñas planas y redondas *(Bufo calamita).*

calamitoso, -sa *adj.* Que causa calamidades o es propio de ellas. 2 Infeliz.

cálamo *m.* **Tallo cilíndrico, liso y desprovisto de hojas y ramas, como el del junco. 2 Especie de flauta antigua; **viento (instrumentos de). 3 Eje o parte central de la pluma de ave.

calamocha *f.* Ocre amarillo de color muy bajo. 2 fig. *y* fam. Cabeza de hombre.

I) calamón *m.* Ave gruiforme de cabeza roja y cuerpo verde por encima y violado por el vientre, que vive junto al mar y se alimenta de peces *(Porphyrio porphyrio).* 2 Palo que, junto con otro, sostiene la viga en el lagar o en el molino de aceite.

II) calamón *m.* Parte superior de la balanza, donde se sujeta el vástago del garabato.

calamorra *adj.* [oveja] Que tiene lana en la cara. – 2 *f.* fam. Cabeza de hombre.

calandino *m.* Pez fluvial pequeño que se agrupa en cardúmenes *(Rutilus alburnoides).*

calandra *f.* Rejilla del radiador de un automóvil.

calandraco *m.* *Amér.* Andrajo, trapo viejo. 2 *Amér.* Casquivano, mequetrefe.

calandrajo *m.* Andrajo grande que cuelga del vestido. 2 Trapo viejo. 3 fig. Persona ridícula y despreciable.

calandrar *tr.* Pasar [el papel o la tela] por la calandria.

I) calandria *f.* Ave paseriforme con el plumaje de color gris en la parte superior y blanquecino en la inferior con dos listas transversales en el pecho *(Melanocorypha calandra).* 2 Alondra. – 3 *com.* Persona que se finge enferma para ingresar en un hospital.

II) calandria *f.* Máquina para prensar y satinar ciertas telas o el papel. 2 Máquina para levantar pesos por medio de un torno. 3 Vasija cerrada, con tubos internos formando canales que terminan en el exterior de las paredes, y que permiten la separación entre dos líquidos en su interior.

I) calaña *f.* Abanico ordinario con varillaje de caña.

II) calaña *f.* Muestra, patrón, forma. 2 fig. Índole, calidad, naturaleza.

calapatillo *m.* Insecto hemíptero que se alimenta especialmente de cereales.

calapé *m.* *Amér.* Tortuga asada en su concha.

I) calar *adj.* Calizo. – 2 *m.* Lugar en que abunda la piedra caliza.

II) calar *tr.* Originariamente, arriar o bajar [un objeto: mastelero, verga, etc.] resbalando sobre otro. 2 Sumergir en el agua [las redes, las artes de pesca, etc.]. 3 Alcanzar un buque en el agua [determinada profundidad] por la parte más baja de su casco. 4 Penetrar un líquido [en un cuerpo permeable]. 5 Atravesar un instrumento, como espada, barrena, etc., [otro cuerpo] de una parte a otra. 6 Imitar la labor de la randa o encaje [en las telas] sacando o juntando algunos hilos; o [sobre papel, tela, metal, etc.] haciendo agujeros que formen dibujo. 7 Cortar [de un melón u otras frutas] un pedazo con el fin de probarlas. – 8 *tr.-prnl.* Ponerse [la gorra o el sombrero] haciéndolos entrar mucho en la cabeza; p. anal.: *calarse las gafas.* – 9 *prnl.* Mojarse una persona hasta que el agua llegue al cuerpo: *calarse el agua.* 10 Pararse un vehículo debido a una insuficiente alimentación de mezcla carburada.

calavera *f.* Parte del esqueleto que corresponde a la **cabeza. 2 Mariposa de cuerpo grueso y peludo con antenas prismáticas, alas estrechas y vuelo pesado, acompañado de un sonido especial *(Acherontia atropos).* – 3 *m.* fig. Hombre vicioso, de poco juicio. – 4 *f. Méj.* Gala o regalo que la gente del pueblo pide por el día de difuntos. 5 *Méj.* Luz roja trasera del automóvil.

calboche *m.* Olla de barro agujereada, para cocer castañas.

calbote *m.* Castaña asada.

calcáneo *m.* Hueso del tarso, en la parte posterior del **pie, donde forma el talón.

calcañal, -ñar, -ño *m.* Parte posterior de la planta del **pie; **caballo; **zapatero.

calcañuelo *m.* Enfermedad que padecen las abejas.

calcar *tr.* Sacar copia [de un dibujo, inscripción, etc.] por contacto del original con el papel, tela, etc., a que han de ser trasladados. 2 fig. Imitar o copiar con exactitud o servilmente: ~ *el estilo en el de la Santa Escritura.* ◇ ** CONJUG. [1] como *sacar.*

calcarenitas *f. pl.* Calizas formadas a partir de detritos, de grano similar en tamaño al de las areniscas y de naturaleza calcárea; el cemento asimismo es calcáreo.

calcáreo, -a *adj.* Que tiene cal.

calce *m.* Llanta de una rueda. 2 Hierro o acero que se añade a ciertas herramientas al gastarse. 3 Cuña o alza para ensanchar el espacio entre dos cuerpos. 4 *Amér. Central* y *Méj.* Pie o espacio que queda en la parte inferior del papel, después de terminado un escrito: *el presidente firmó al* ~.

calcedonia *f.* Variedad de cuarzo traslúcida, de brillo céreo y fractura concoidea.

calcemia *f.* Cantidad de calcio en la sangre.

calceolaria *f.* Género de plantas escrofulariáceas, de hojas opuestas y simples, y flores amarillas en corimbo *(Calceolaria).*

calcés *m.* Parte superior de los palos mayores y masteleros de gavia. ◇ Pl.: *calceses.*

calceta *f.* Media (calzado). 2 Tejido de punto: *hacer* ~, hacer labor de punto. 3 fig. Grillete del forzado.

calcetín *m.* Media que sólo llega a la mitad de la pantorrilla.

calcetón *m.* Media para debajo de la bota.

cálcico, -ca *adj.* Relativo al calcio. 2 [compuesto] Cuya base es el calcio.

calcificar *tr.* Producir artificialmente car-

bonatos de cal. 2 Dar a un tejido orgánico propiedades calcáreas mediante la adición de sales de calcio. – 3 *prnl.* Transformarse los tejidos, tumores o paredes de los vasos por depositarse en ellos sales de cal. ◇ ** CONJUG. [1] como *sacar.*

calcillas *f. pl.* Calzas más cortas y estrechas que las ordinarias. – 2 *m.* fig. *y* fam. Hombre tímido o cobarde. 3 fig. *y* fam. Hombre de corta estatura.

calcina *f.* Hormigón. 2 Mezcla de un óxido metálico, arena silícea y carbonato de potasio, que se emplea en la fabricación de esmaltes.

calcinar *tr.* QUÍM. Someter al calor [una materia] para que, descomponiéndose, desprenda toda substancia volátil; esp., reducir a óxido (cal viva) el carbonato de calcio privándole del anhídrido carbónico por el fuego. 2 fig. Carbonizar.

calcio *m.* Metal blanco y blando, que se altera rápidamente en el aire y arde con llama brillante. Su símbolo es *Ca.*

calcirrudita *f.* Caliza constituida, en más de un diez por ciento, por granos calizos mayores de un milímetro.

calcita *f.* Carbonato de cal cristalizado.

calciterapia *f.* Empleo terapéutico de sales de calcio.

calcitonina *f.* Hormona segregada por el tiroides, cuya misión es regular la calcemia cuando está elevada.

calco *m.* Copia que se obtiene calcando. 2 Plagio, imitación o reproducción idéntica, muy próxima al original. 3 LING. Adaptación de una palabra extranjera, traduciendo su significado completo o el de cada uno de sus elementos formantes.

calcófidos *m. pl.* Rocas metamórficas formadas a partir del metamorfismo de la caliza pero que contienen un porcentaje elevado de silicatos.

calcografía *f.* Arte de estampar con láminas metálicas grabadas. 2 Oficina donde se hace esta estampación.

calcomanía *f.* Entretenimiento que consiste en pasar imágenes convenientemente preparadas, de un papel a objetos diversos. 2 Imagen obtenida por este medio. 3 El papel que tiene la figura, antes de transportarla.

calcoquimigrafía *f.* Procedimiento de grabado químico en hueco, en planchas de metal.

calcosquistos *m. pl.* Rocas metamórficas originadas por metamorfismo regional de calizas arcillosas o arcillas calcáreas.

calcotipia *f.* Procedimiento de grabado en cobre para reproducir en planchas una composición tipográfica de caracteres móviles.

calculador, -ra *adj.-s.* Que calcula. – 2 *adj.* Interesado, egoísta. – 3 *f.* Máquina con que se ejecutan operaciones aritméticas por un procedimiento mecánico o electrónico: *calculadora eléctrica, manual, de bolsillo.*

calcular *tr.* Hacer las operaciones necesarias para determinar [el valor de una cantidad] cuya relación con el de otra u otras dadas se conoce. 2 Conjeturar.

cálculo *m.* Acción de calcular: ~ *aritmético;* ~ *algebraico.* 2 Nombre de varias ramas de las matemáticas que implican cálculo: ~ *infinitesimal;* ~ *diferencial;* ~ *integral.* 3 Conjetura. 4 Concreción sólida que se forma en alguna parte del organismo, especialmente en las vías urinarias y biliares. 5 Interés, egoísmo. – 6 *m. pl.* Mal de piedra.

calda *f.* Introducción de combustible en un alto horno. – 2 *f. pl.* Baños de agua minerales calientes.

caldario *m.* Sala donde los romanos tomaban baños de vapor.

caldear *tr.* Calentar mucho: *el sol caldea la habitación; la atmósfera se caldeó pronto.* 2 Poner el hierro al rojo para labrarlo. 3 fig. Animar, excitar: ~ *los ánimos.*

caldeo, -a *adj.-s.* De Caldea, antigua región del Asia. – 2 *m.* Lengua de los caldeos, una de las semíticas.

caldera *f.* Vasija de metal grande y redonda, que sirve para calentar o hacer cocer algo: ~ *de vapor,* recipiente metálico de paredes resistentes donde se hace hervir el agua, cuyo vapor en tensión constituye la fuerza motriz de la máquina. 2 Depresión de grandes dimensiones y con paredes escarpadas, originadas por explosiones o erupciones volcánicas muy intensas. 3 Cráter de un volcán. 4 Caja del timbal, hecha con latón o cobre.

calderada *f.* Lo que cabe de una vez en una caldera. 2 Cantidad que se considera exagerada de alguna substancia, especialmente de comida.

calderería *f.* Oficio de calderero. 2 Tienda o barrio en que se hacen o venden calderas. 3 En los talleres de metalurgia, sección donde se cortan, forjan, entraman y unen barras y planchas de hierro o acero.

caldereta *f.* Pequeña caldera que suministra vapor en las faenas de carga y descarga de buques. 2 Guisado de pescado. 3 Guisado de cordero o cabrito.

calderilla *f.* Caldera pequeña para el agua bendita. 2 Numerario de metal no precioso. 3 p. ext. Conjunto de monedas de poco valor. 4 fig. Conjunto de niños pequeños. 5 Arbustillo grosulariáceo de hojas pequeñas, flores de color amarillo verdoso y bayas rojas carnosas e insípidas *(Ribes alpinum).*

caldero *m.* Caldera pequeña de fondo casi semiesférico. 2 Lo que cabe en esta vasija.

calderón *m.* IMPR. Signo ortográfico [◇] usado antiguamente como el párrafo; actualmente sirve para introducir alguna observación especial. 2 MÚS. Signo que representa la suspensión del compás; colocado sobre una nota o pausa, indica que se puede prolongar a voluntad del ejecutante. 3 MÚS. Esta suspensión.

caldillo *m.* Salsa de algunos guisados. 2 *Méj.* Picadillo de carne con caldo, sazonado con orégano y otras especias.

caldo *m.* Líquido que resulta de cocer en agua la vianda. 2 Aderezo de la ensalada o del gazpacho. 3 Jugo vegetal destinado a la alimentación, como el vino, aceite, sidra, etc. 4 ~ *de cultivo,* BIOL., líquido convenientemente preparado para que proliferen en él determinadas bacterias. 5 p. ext. Disposición o ambiente propicios para el arraigo de algo que se juzga perjudicial.

cale *m.* Apabullo, manotada poco violenta: *dar un* ~.

calé *m.* Gitano.

calefacción *f.* Conjunto de aparatos destinados a calentar un edificio o parte de él: ~ *central,* la procedente de un solo foco que calienta todo un edificio. 2 FÍS. Fenómeno por el cual al caer una gota de agua sobre un hierro candente toma forma globosa debido al vapor que emite.

calefactor *m.* Persona que construye, instala o repara aparatos de calefacción. 2 Electrodoméstico empleado para calentar el aire. 3 ELECTR. Resistencia empleada con el fin expreso de generar calor.

calenda *f.* Lección del martirologio romano, con los nombres y hechos de los santos y las fiestas pertenecientes a cada día. – 2 *f. pl.* fam. Época o tiempo pasado.

calendario *m.* Sistema de división del tiempo por años, meses y días: ~ *juliano,* el que cuenta como bisiestos todos los años, cuyo número de días es divisible por cuatro, aunque terminen siglo; ~ *gregoriano, nuevo* o *reformado,* el que no cuenta como bisiestos los años finales de siglo, excepto los que caen en decena de siglo; ~ *republicano,* el establecido por la revolución francesa desde 1792 a 1799, en el cual, además de otros cambios, se dan nombres nuevos a los meses; ~ *eclesiástico,* distribución del año para el ritual de la Iglesia; ~ *escolar,* el que fijan las autoridades académicas para regir las fiestas y días laborables en la enseñanza; ~ *laboral,* el que fijan las autoridades gubernamentales para regir las fiestas y días laborables en general. 2 Almanaque: ~ *de pared.* 3 fig. Programa de actividades cronológicamente ordenado sobre la base del calendario.

caléndula *f.* Maravilla (planta compuesta). 2 ~ *silvestre,* mala hierba de las viñas, parecida a la anterior *(Calendula arvensis).*

calentador, -ra *adj.* Que calienta. – 2 *m.* Recipiente lleno de brasas, agua caliente, etc., para calentar la cama. 3 Aparato para calentar agua para usos domésticos, siendo la fuente de calor el gas o la electricidad.

calentar *tr.-prnl.* Hacer subir la temperatura [de un cuerpo]. 2 Excitar el apetito sexual. 3 fig. Enardecer, malmeter [a alguien]. – 4 *tr.* fig. Avivar [una cosa] para que se haga con más prontitud. 5 fam. Azotar, dar golpes [a uno]. 6 DEP. Realizar ejercicios preparatorios para el esfuerzo el deportista. – 7 *prnl.* Enfadarse. 8 Estar las bestias rijosas o en celo. 9 fig. Enfervorizarse en la disputa. ◇ ** CONJUG. [27] como *acertar*.

calentura *f.* Elevación de la temperatura del cuerpo (fiebre).

calenturiento, -ta *adj.-s.* Que tiene indicios de calentura.

calepino *m.* fig. Diccionario latino.

calera *f.* Cantera que da la piedra caliza. 2 Horno donde se calcina la piedra caliza.

calero, -ra *adj.* Relativo a la cal, o que participa de ella. – 2 *m. f.* Persona que tiene por oficio sacar la piedra y calcinarla en la calera. 3 Persona que tiene por oficio vender cal.

calesa *f.* Coche de dos o cuatro ruedas con la caja abierta por delante y capota de vaqueta.

caleta *f. Amér.* Barco caletero. 2 *Amér.* Puerto pequeño.

caletero, -ra *adj. Amér.* Embarcación que hace cala en las caletas o puertos pequeños.

caletre *m.* fam. Tino, discernimiento, capacidad.

calibrador *m.* Instrumento para calibrar. 2 Tubo cilíndrico de bronce, por el cual se hace correr el proyectil para apreciar su calibre.

calibrar *tr.* Medir o reconocer el calibre. 2 fig. Medir el talento, ciencia u otras cualidades de una persona. 3 Dar [al alambre, al proyectil o al ánima del arma] el calibre que se desea. 4 Graduar exactamente [un instrumento medidor], basándose en una unidad conocida. 5 Establecer, con la mayor exactitud posible, la correspondencia entre las indicaciones de un instrumento de medida y los valores de la magnitud que se mide con él.

calibre *m.* Diámetro interior del cañón de las armas de fuego. 2 p. ext. Diámetro del proyectil o de un alambre. 3 Instrumento que sirve de regla o escantillón, en general. 4 fig. Tamaño, importancia, clase. 5 Instrumento de precisión para comprobar el diámetro de los taladros.

calicantáceo, -a *adj.-s.* Arbusto de la familia de las calicantáceas. – 2 *f. pl.* Familia de plantas dicotiledóneas dentro del orden de las rosales, de corteza aromática y las hojas enteras y opuestas.

calicanto *m.* Mampostería (obra).

calicata *f.* Exploración de un terreno para saber los minerales que contiene. 2 CONSTR. Exploración que se hace en cimentaciones de edificios, muros, firmes de carreteras, etc., para determinar los materiales empleados.

caliciflora *adj.-f.* Planta de la clase de las calicifloras. – 2 *f. pl.* Clase de plantas cuyos pétalos y estambres parecen insertos en el cáliz.

caliciforme *adj.* Parecido a un cáliz floral, en forma de cáliz.

calicillo *m.* BOT. Verticilo de apéndices foliáceos.

calículo *m.* Verticilo de brácteas que rodea el cáliz de algunas flores.

caliche *m.* Piedrecilla que queda en el barro y que se calcina al cocerlo. 2 Costrilla de cal que se desprende del enlucido de las paredes. 3 En los melones y otras frutas, maca (señal). 4 *Amér.* Mineral que contiene caliza en abundancia.

calidad *f.* Conjunto de cualidades que constituyen la manera de ser de una persona o cosa: *tela de superior ~; persona de noble ~ y honradez a toda prueba.* 2 Superioridad en su línea; nobleza de linaje; importancia o gravedad de alguna cosa: *una mercancía de ~; una dama de ~; asunto de ~.* 3 Consideración social, civil o política; circunstancias personales de un individuo en relación con algún empleo o dignidad: *~ de ciudadano.* 4 PINT. Sensación de realidad táctil de cualquier materia representada en una pintura. ◇ La acepción 4 suele usarse en plural cuando se habla de las calidades de un cuadro.

cálido, -da *adj.* Que da calor o excita ardor en el organismo animal. 2 Caluroso, caliente. 3 [colorido] En que predominan los matices rojizos y dorados.

calidoscopio *m.* Aparato de óptica recreativa consistente en un tubo que encierra dos o tres espejos inclinados con dos láminas de vidrio en un extremo, entre los cuales hay varios fragmentos sueltos de vidrio de color.

calientacamas *m.* Recipiente que contiene brasas o agua caliente para calentar la cama. ◇ Pl.: *calientacamas.*

calientapiés *m.* Braserillo para calentar los pies. ◇ Pl.: *calientapiés.*

calientaplatos *m.* Aparato para mantener calientes los platos. ◇ Pl.: *calientaplatos.*

calientasillas *adj.-com.* Persona que prolonga mucho sus visitas, o que pasa largo tiempo en las antesalas. ◇ Pl.: *calientasillas.*

caliente *adj.* Que tiene calor. 2 fig. Acalorado, fogoso, si se trata de disputas, batallas, etc. 3 fig. Marcado por una agitación violenta y prolongada en la vida política o social: *se avecina un otoño ~.* 4 [pers.] Lujurioso, sensual.

califa *m.* Título de los príncipes sarracenos que, como sucesores de Mahoma, ejercieron potestad religiosa y civil en Asia, África y España.

califato *m.* Dignidad de califa. 2 Tiempo que duraba su gobierno. 3 Territorio de su jurisdicción. 4 Período histórico en que hubo califas.

calificado, -da *adj.* [pers.] De autoridad, mérito y respeto. 2 [cosa] Que tiene todos los requisitos necesarios: *prueba calificada.* 3 Cualificado, [trabajador] especializado.

calificar *tr.* Determinar o expresar las cualidades [de una persona o cosa]. 2 En examen, resolver la nota que se ha de dar al examinando. 3 fig. Ennoblecer, dar lustre [a una persona o cosa]: *glorioso fin califica la vida.* – 4 *tr.-prnl.* Probar uno su nobleza, condición, cualidades: ~ *su persona; calificarse ante los amigos.* ◇ ** CONJUG. [1] como *sacar.*

calificativo, -va *adj.* Que califica. – 2 *adj.-m.* GRAM. Adjetivo y adverbio que expresa cualidades de los substantivos y acciones verbales, respectivamente. 3 GRAM. Frase u oración que desempeña el mismo papel.

californiano, -na *adj.-s.* De California, estado de América del Norte.

californio *m.* Elemento químico de número atómico 98. Su símbolo es *Cf.*

cáliga *f.* Especie de sandalia de los soldados de la antigua Roma; **calzado.

calígine *f.* Niebla, obscuridad. 2 Bochorno.

caligrafía *f.* Arte de escribir con letra correctamente formada. 2 Conjunto de rasgos que caracterizan la escritura de una persona, un documento, etc.

caligrafiar *tr.* Hacer [un escrito] con hermosa letra. ◇ ** CONJUG. [13] como *desviar.*

calígrafo, -fa *m. f.* Persona que escribe a mano con letra excelente. 2 Persona que tiene especiales conocimientos de caligrafía.

caligrama *m.* Composición poética que expresa visualmente, mediante la tipografía, el dibujo, o la idea de base.

calilla *f.* *Amér.* Molestia, pejiguera y, en algunos países, persona molesta o pesada.

calimbo *m.* fig. Calidad, pelaje, marca.

calimocho *m.* fam. Bebida refrescante a base de vino y cola.

calina *f.* Niebla muy tenue que enturbia ligeramente el aire.

caliofilita *f.* Feldespato que cristaliza en el sistema hexagonal, incoloro o de color blanco y con brillo vítreo.

calistenia *f.* Gimnasia conducente al desarrollo de la fuerza y de la gracia en los movimientos.

calitipia *f.* Procedimiento para sacar pruebas fotográficas, empleando un papel sensible que dé imágenes de color sepia o violado.

calitricáceo, -a *adj.-f.* Planta de la familia de las calitricáceas. – 2 *f. pl.* Familia de plantas tubifloras acuáticas con los tallos filiformes y las hojas opuestas y enteras; las flores son pequeñas y carecen de sépalos y pétalos.

cáliz *m.* Vaso sagrado de oro o plata en que el sacerdote consagra el vino en la santa misa. 2 BOT. Verticilo externo del perianto de la flor formado por hojas, generalmente verdes, llamadas sépalos.

caliza *f.* Roca formada en su totalidad, o en su mayor parte, de carbonato de cal.

calma *f.* Estado de la atmósfera cuando no hay viento. 2 fig. Paz, tranquilidad. 3 Cesación o suspensión: ~ *en el dolor; negocio actualmente en* ~.

calmante *adj.* Que calma. – 2 *adj.-m.* Medicamento sedante y narcótico.

calmar *tr.-prnl.* Sosegar, adormecer, templar. – 2 *intr.* Estar en calma o tender a ella.

calmil *m.* *Méj.* Tierra sembrada junto a la casa del labrador.

calmo, -ma *adj.* [terreno o tierra] Erial, sin árboles ni matas.

caló *m.* Lenguaje o dialecto propio de los gitanos. ◇ No suele usarse en plural.

calomelanos *m. pl.* Cloruro mercurioso, $ClHg$, usado en medicina como purgante y vermífugo.

calóptero, -ra *adj.* ZOOL. Que tiene hermosas alas.

calor *m.* Energía, originada probablemente por un movimiento vibratorio, a cuyas variaciones son debidos ciertos fenómenos, especialmente la dilatación y el cambio de estado de los cuerpos: ~ *específico de un cuerpo,* cantidad de calor (expresada en calorías), que se necesita para elevar un grado la temperatura de un gramo de dicho cuerpo. 2 Estado notable de elevación de la temperatura ambiente. 3 Elevación de la temperatura normal del cuerpo. 4 Sensación que experimenta el cuerpo animal cuando recibe calor del exterior. 5 fig. Ardimiento, actividad, viveza. 6 fig. Favor, buena acogida.

calorescencia *f.* FÍS. Absorción por un cuerpo de una radiación y reemisión de otra de longitud de onda menor.

caloría *f.* Unidad de medida térmica, equivalente al calor necesario para elevar un grado centígrado la temperatura de un gramo (*pequeña caloría*) o de un kilogramo de agua (*gran caloría*). 2 FISIOL. Unidad de medida del poder nutritivo de los alimentos.

caloricidad *f.* Propiedad vital, en virtud de la cual los animales conservan casi todos un calor superior al del ambiente en que viven.

calorífero, -ra *adj.* Que conduce y propaga el calor. – 2 *m.* Aparato de calefacción compuesto de un foco único y de un sistema de tubos de distribución: ~ *de aire;* ~ *de vapor.*

calorificación *f.* Producción en el organismo del calor animal.

calorífico, -ca *adj.* Que produce o distribuye calor.

calorífugo, -ga *adj.* Que se opone a la transmisión del calor. 2 Incombustible.

calorimetría *f.* Parte de la física que trata de la medición del calor y de las constantes térmicas.

calorímetro *m.* Aparato para medir cualquier constante térmica, especialmente el calor específico.

calorimotor *m.* Aparato para producir calor por medio de una corriente eléctrica de mucha potencia.

calorina *f. And., Ar.* y *Murc.* Calor fuerte y sofocante, bochorno.

calostro *m.* Primera leche de la hembra después de parida.

calote *m. Argent.* Engaño, estafa.

caloyo *m.* Cordero o cabrito recién nacido.

calta *f.* Planta ranunculácea, de tallos lisos, hojas gruesas y flores grandes y amarillas *(Caltha bicolor).*

caluga *f.* Pez marino teleósteo costero parecido a la lisa aunque de cuerpo menos rechoncho y con el labio superior muy grueso y alto *(Mugil labeo).*

calumnia *f.* Acusación falsa, hecha maliciosamente para causar daño.

calumniar *tr.* Levantar una calumnia o calumnias [contra uno]. ◇ ** CONJUG. [12] como *cambiar.*

caluroso, -sa *adj.* Que tiene o causa calor: *un día* ~. 2 fig. Vivo, ardiente: *adhesión calurosa.*

calva *f.* Parte de la cabeza de la que se ha caído el pelo. 2 Parte calva de una piel, felpa, paño, etc. 3 Sitio calvo en los sembrados, plantíos y arbolados. 4 Juego que consiste en derribar un madero o hito arrojándole piedras.

calvados *m.* Aguardiente francés, seco, elaborado a partir de la sidra de manzana.

calvar *tr.* Engañar [a uno].

calvario *m.* Vía crucis. 2 Lugar elevado donde se ha plantado una cruz. 3 Escena en la que se representa la muerte de Cristo en la Cruz. 4 fig. Sufrimiento prolongado.

calvatrueno *m.* Calva que coge toda la cabeza. 2 fig. Hombre alocado, atronado.

calvero *m.* Calva en el interior de un bosque. 2 Gredal.

calvicie, -vez *f.* Falta de pelo en la cabeza.

calvinismo *m.* Doctrina predicada por Calvino (1509-1564), rama del luteranismo que negaba el libre albedrío y la presencia real de Cristo en la Eucaristía.

calvo, -va *adj.-s.* Que ha perdido el pelo de la cabeza. – 2 *adj.* [piel, felpa, etc.] Que ha perdido el pelo. 3 [terreno] Pelado, sin vegetación.

calza *f.* Prenda de vestir que cubría el muslo y la pierna, o sólo el muslo o la mayor parte de él: *calzas bermejas.* 2 fam. Media. 3 Cuña con que se calza. 4 BLAS. División del escudo inversa a la capa.

calzada *f.* Camino empedrado y ancho. 2 Parte de una calle comprendida entre las dos aceras. 3 Zona dispuesta para la circulación de vehículos en una **carretera.

calzadera *f.* Cuerda delgada de cáñamo para atar las abarcas. 2 Hierro para calzar la rueda de un carruaje.

****calzado, -da** *adj.* [religioso] Que usa zapatos, en contraposición al descalzo. 2 [pájaro] Que tiene pelo o plumas hasta los pies. – 3 *m.* Zapato, abarca, alpargata, etc., que sirve para cubrir y resguardar el pie o la pierna, entendiéndose también medias y ligas.

calzador *m.* Utensilio de forma acanalada para poner el zapato.

calzadura *f.* Acción de calzar los zapatos u otra cosa. 2 Trozo de madera fuerte que, en las ruedas de carros o carretas, substituye a la llanta.

calzar *tr.-prnl.* Poner el calzado [a uno]: *calzarse las botas; ¿qué número calzas?* 2 Poner o llevar puestos [guantes, espuelas, etc.]. – 3 *tr.* Hacer o suministrar el calzado: *visto y calzo a mis criados; el zapatero me calza.* 4 Poner una cuña entre el piso y [la rueda o ruedas de un carruaje o máquina] que los inmovilice; poner una cuña debajo [de cualquier mueble] para que no cojee. 5 Colocar los neumáticos en un vehículo. ◇ ** CONJUG. [4] como *realizar.*

calzo *m.* Calce (cuña). 2 Punto de apoyo de la palanca. – 3 *m. pl.* Extremidades de un caballo o yegua, especialmente cuando son de color distinto del pelo general del cuerpo: *un caballo pío con calzos negros.*

calzón *m.* Prenda de vestir de hombre que cubre desde la cintura hasta las rodillas, dividida en sendas fundas para los muslos: *calzones de paño.* 2 Pantalón.

calzonazos *m.* fig. Hombre muy flojo y condescendiente. ◇ Pl.: *calzonazos.*

calzoncillos *m. pl.* Calzones interiores de punto o de tela de hilo, lana o algodón.

calzonudo, -da *adj. Amér.* Tonto, calzonazos. 2 *Amér. Central.* fest. Hombre. Se emplea entre las mujeres. 3 *Méj.* Enérgico, valiente.

calla *f. Amér. Merid.* Palo puntiagudo usado para sacar plantas con sus raíces y abrir hoyos para sembrar.

¡calla! Interjección con que se denota extrañeza al oír algo o ver un hecho.

calladeras *f. pl.* Cualidad de la persona discreta o que sabe callar a tiempo.

callado, -da *adj.* [pers.] Silencioso, reservado, taciturno. 2 [cosa] Omitido, tácito.

callampa *f. Amér. Merid.* Seta, hongo.

callana *f. Amér. Merid.* Vasija tosca que usan los indios para tostar maíz, trigo, etc. 2 *Amér. Merid.* Escoria metalífera que puede beneficiarse. 3 *Amér. Merid.* Crisol para ensayar metales.

callar *intr.-prnl.* No hablar, guardar silencio una persona: *calla, o se calla, como un muerto;* abstenerse de manifestar lo que se siente o se sabe: ~, o *callarse, de,* o *por, miedo.* 2 Cesar de hablar: *cuando esto hubo dicho, calló;* en gral. cesar de llorar, de gritar, de cantar, de meter ruido, etc.; cesar ciertos animales en sus voces; dejar de hacer ruidos el mar, el viento, una máquina; cesar de sonar un instrumento músico. – 3 *tr.* Tener reservada [una cosa], no decirla: ~ *un secreto;* omitir, pasar [algo] en silencio: *ha callado lo principal.*

calle *f.* Camino entre casas o paredes por el que se transita en poblado. 2 En los juegos de tablero, línea direccional. 3 Pasillo que da acceso a los asientos en los locales de espectáculos públicos. 4 Libertad, por oposición a cárcel: *estar en la* ~. 5 fig. Gente, público en general, como conjunto no minoritario, que opina, desea, reclama, etc.: *la opinión de la* ~. 6 DEP. Zona de una pista de atletismo o de una piscina en que el concursante debe mantenerse a lo largo de la carrera.

callejear *intr.* Andar frecuentemente de calle en calle sin necesidad.

callejero, -ra *adj.* Que gusta de callejear. 2 Relativo a la calle: *motín* ~; *lenguaje* ~; *fiesta callejera.* – 3 *m.* Lista de las calles de una ciudad, que se halla en las guías descriptivas de ella.

callejón *m.* Paso estrecho y largo entre paredes, casas o elevaciones del terreno. 2 fig. ~ *sin salida,* negocio o conflicto de muy difícil o de imposible resolución. 3 TAUROM. Espacio existente entre la barrera y el muro en que comienza el tendido de las plazas de **toros.

callialto, -ta *adj.-s.* Herraje o herradura que tiene los callos más gruesos para suplir el defecto de los cascos en las caballerías.

callicida *amb.* Substancia para extirpar los callos.

callista *com.* Persona que tiene por oficio

CALZADO

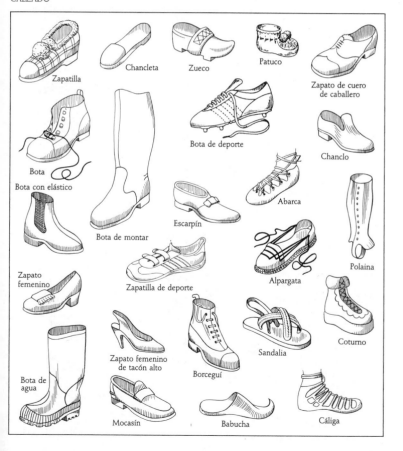

Zapatilla · Chancleta · Zueco · Patuco · Zapato de cuero de caballero · Bota · Bota con elástico · Bota de deporte · Chanclo · Bota de montar · Escarpín · Abarca · Zapato femenino · Zapatilla de deporte · Alpargata · Polaina · Bota de agua · Zapato femenino de tacón alto · Borceguí · Sandalia · Coturno · Mocasín · Babucha · Cáliga

extirpar o curar callos, uñeros y otras dolencias de los pies.

callo *m.* Dureza formada por roce o presión en los pies, manos, codos, etc. 2 Cicatriz formada en la reunión de los fragmentos de un hueso fracturado. 3 Extremo de la herradura. 4 Mujer muy fea. – 5 *m. pl.* Pedazos del estómago de la vaca, ternera o carnero, que se comen guisados.

callosidad *f.* Dureza muy extensa y menos profunda que el callo. – 2 *f. pl.* Durezas en algunas úlceras crónicas.

I) **cama *f.* Armazón en que generalmente se ponen jergón o colchón de muelles, colchones, sábanas, mantas, almohadas, etc., y donde duermen y descansan las personas: ~ *turca,* la que no tiene cabecera, a modo de sofá sin respaldo ni brazos. 2 fig. Plaza para un enfermo en el hospital o sanatorio, o para un alumno interno en un colegio. 3 fig. Sitio donde se echan a descansar los animales: ~ *de lobos.* 4 Suelo o plano de carro o carreta. 5

Parte del melón y de otros frutos que está pegada a la tierra.

II) cama *f.* Barreta del freno, a que van sujetas las riendas. 2 En el arado, pieza encorvada en la que encajan por la parte inferior delantera el dental y la reja, y por detrás la esteva; por el otro extremo se afianza el timón.

camachuelo *m.* Ave paseriforme de vistoso plumaje, con la cabeza, alas y cola negras *(Pyrrhula pyrrhula).*

camada *f.* Todos los hijuelos que paren de una vez ciertos animales: ~ *de conejos.* 2 fig. Cuadrilla de ladrones o de pícaros. 3 Conjunto de cosas numerables extendidas horizontalmente de modo que pueden colocarse otras sobre ellas.

camafeo *m.* Figura tallada de relieve en ónice u otra piedra preciosa. 2 La misma piedra labrada.

camagua *adj. Amér. Central* y *Méj.* [maíz] Que empieza a madurar.

camal *m.* Cabestro o cabezón con que se ata

CAMA

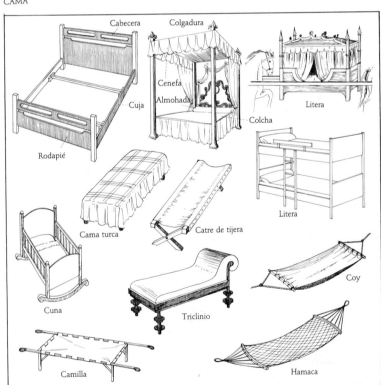

Cabecera · Colgadura · Cenefa · Cuja · Almohada · Colcha · Litera · Rodapié · Cama turca · Catre de tijera · Litera · Cuna · Triclinio · Coy · Camilla · Hamaca

la bestia. 2 Palo grueso del que se suspende por las patas traseras al cerdo muerto.

camaleón *m.* Reptil saurio, de 4 dms. de largo, cuerpo comprimido lateralmente, patas delgadas y redondeadas, dedos opuestos y cola prensil; es notable por los cambios de coloración que puede experimentar su piel *(Chamaeleon chamaeleon)*. 2 fig. *y* fam. Persona que por carácter o interés muda con facilidad de opinión.

camalote *m. Amér.* Planta acuática, ponte-deriácea, de tallo largo y hueco, hoja en forma de plato y flor azul, con vesículas llenas de aire que le permiten flotar *(Eichhornia crasipes)*. 2 *Amér.* Conjunto de estas plantas que, enreda-das con otras de diferente especie, forman como islas flotantes. 3 *Amér. Central, Cuba y Méj.* Planta gramínea acuática que crece hasta unos dos metros de altura y forma intrincadas malezas *(Paspalum paniculatum)*.

camama *f.* vulg. Embuste, falsedad, burla.

camanance *m. Amér. Central.* Hoyuelo que se forma a cada lado de la boca en algunas personas cuando se ríen.

camándula *f.* Rosario de uno o tres dieces. 2 fig. Marrullería, astucia, trastienda: *gasta muchas camándulas.*

camandulear *intr.* Ostentar falsa o exa-gerada devoción. 2 Usar muchas camándulas (marrullerías).

camandulero, -ra *adj.-s.* fam. Hipócrita, embustero, bellaco.

cámara *f.* Sala, pieza principal de una casa; p. ext., aposento que adquiere circunstancial-mente importancia o solemnidad especial: ~ *mortuoria;* ~ *nupcial.* 2 Departamento donde se alojan los generales y capitanes en los buques de guerra, o la oficialidad y pasajeros en los mercantes. 3 En casas de labranza, pieza alta donde se guarda el grano. 4 Órgano colectivo que se ocupa de los asuntos públicos de una comunidad o país: ~ *de comercio, de la propiedad.* 5 Cuerpo cole-gislador de un país: ~ *de los Lores;* ~ *de los Comunes.* 6 Hueco, recinto o compartimiento en determinados mecanismos y construccio-nes: ~ *de humo;* **chimenea; ~ *de aire,* espa-cio hueco que se deja en el interior de los muros o paredes para que sirva de aisla-miento. 7 Anillo tubular de goma que forma parte de los neumáticos y está provisto de una válvula para inyectar aire a presión; **bici-cleta. 8 Espacio que ocupa la carga en las armas de fuego. V. recámara. 9 Espacio hueco, generalmente de reducido tamaño, en un organismo animal o vegetal. 10 Recinto cerrado especialmente proyectado para una determinada función: ~ *acorazada, de gas;* ~ *frigorífica;* **puerto. 11 Aparato para la capta-ción de imágenes, una de cuyas partes es un recinto cerrado: ~ *fotográfica,* aparato que

consta principalmente de un objetivo aplicado a una cámara obscura, en cuyo fondo se coloca una placa o película sensible a los rayos luminosos y en la que queda impresionada la imagen de los objetos exteriores; **fotografía; ~ *cinematográfica;* ~ *de televisión.* – 12 *com.* Persona que maneja la cámara de cine o tele-visión. – 13 *f. pl.* Diarrea.

camarada *com.* Persona que mantiene una relación afectiva con otra. 2 Compañero (miembro). – 3 *f.* Compañía o junta de cama-radas.

camaranchón *m.* Desván donde se suelen guardar trastos viejos.

camarero, -ra *m. f.* Criado que sirve en las fondas, barcos de pasajeros, etc., y cuida de sus aposentos. 2 Mozo de café, horchatería u otro establecimiento semejante. – 3 *f.* Criada distinguida entre las que sirven en las casas principales. 4 En las cofradías o hermandades religiosas, mujer que tiene a su cargo cuidar o vestir a una imagen. 5 Carrito de cocina.

camareta *f.* Cámara de los buques peque-ños.

camarilla *f.* Conjunto de personas que influyen subrepticiamente en los negocios del Estado y, por extensión, en otros actos o deci-siones.

camarín *m.* Capilla pequeña colocada algo detrás de un altar, en la cual se venera alguna imagen. 2 Pieza en que se guardan las alhajas y vestidos de una imagen. 3 Cuarto donde los actores se visten para salir a escena. 4 Pieza retirada para el despacho de los negocios.

camarina *f.* Arbusto ericáceo dioico, con las flores de color rosado y el fruto en drupa *(Corema album).*

camarlengo *m.* Título del cardenal que pre-side la Cámara Apostólica.

cámaro, camarón *m.* Crustáceo decápodo macruro, comestible, de cefalotórax compri-mido lateralmente y antenas muy largas *(gén. Palœmon).*

camarote *m.* Compartimiento reducido que hay en los barcos para poner la cama o literas.

camarroya *f.* Achicoria silvestre.

camastro *m.* Lecho pobre y sin aliño. 2 Tablado donde descansan los soldados en los cuerpos de guardia.

camastrón, -trona *adj.-s.* fam. Persona disimulada y doble, taimada.

cambado, -da *adj. Amér.* De piernas tor-cidas.

cambalache *m.* Trueque de diversos obje-tos.

cámbaro *m.* Cangrejo marino.

cambera *f.* Red pequeña para pescar crus-táceos.

cambiante *adj.* Que cambia. – 2 *m.* Varie-dad de colores o visos de la luz en algunos cuerpos: *los cambiantes del muaré.*

cambiar *tr.-intr.* Dar, tomar o poner [una cosa] por otra: ~ *la esteva por,* o *con, el mosquete;* ~ *de asiento con el vecino;* ~ *saludos, impresiones.* 2 Mudar, variar, alterar: *la doncella cambiaba los manteles; el imperio cambia cada diez años; cambiarse la risa en llanto.* 3 Dar o tomar [moneda, billetes, etc., de una especie] por su equivalente en otra: ~ *cien pesetas en calderilla.* – 4 *intr.-prnl.* Mudar de dirección el viento. – 5 *intr.* Pasar un automóvil de una velocidad a otra. – 6 *prnl.* Mudarse de ropa: *tengo que cambiarme para la cena.* 7 Mudarse de casa: *al precio que están los pisos, no nos cambiaremos nunca.* ◇ ** CONJUG. [12].

cambija *f.* Arca de agua elevada sobre las cañerías de conducción.

cambín *m.* Nasa de junco para pescar.

cambio *m.* Acción de cambiar. 2 Efecto de cambiar. 3 *Libre* ~, comercio internacional libre de derechos aduaneros, y doctrina económica que lo defiende. 4 Dinero que una vez pagado el precio de una mercancía recibe el comprador cuando ha entregado en pago una cantidad superior a dicho precio. 5 Valor relativo de las monedas de países diferentes o de las de distinta especie de un mismo país. 6 Precio de cotización de los valores mercantiles. 7 Tanto que se abona o se cobra, según los casos, sobre el valor de una letra de cambio. 8 Comercio de valores, monedas y billetes. 9 Comisión que cobra el cambista. 10 Mecanismo para dirigir los trenes por unas vías o por otras. 11 Sistema de engranajes para ajustar la velocidad de un vehículo al régimen de revoluciones del motor.

cambista *com.* Persona que cambia (da o toma). 2 Banquero (en operaciones bancarias).

cámbium *m.* BOT. Meristemo existente entre el líber y el leño de los vegetales, que origina el crecimiento en espesor del **tallo. ◇ Pl.: *cámbiums.*

camboyano, -na *adj.-s.* De Camboya, nación indochina.

cambray *m.* Especie de lienzo blanco y sutil. ◇ Pl.: *cambrayes.*

cámbrico, -ca *adj.-m.* Primero de los períodos geológicos en que se divide la era primaria, y terreno a él perteneciente. – 2 *adj.* Perteneciente o relativo a dicho período.

cambrillón *m.* Suela angosta que los zapateros ponen de relleno entre el exterior y la plantilla del calzado para armarlo.

cambrón *m.* Arbusto solanáceo, de ramas torcidas, enmarañadas y espinosas, hojas pequeñas, flores solitarias, blanquecinas, y fruto en baya casi redonda *(Lycium intrincatum).*

cambronera *f.* Arbusto solanáceo de hasta 3 m. de altura, con las ramas espinosas y flores tubulares de color violeta *(Lycium europaeum).*

cambuj *m.* Antifaz o mascarilla. ◇ Pl.: *cambujes.*

cambullón *m. Amér.* Enredo, trampa, confabulación.

cambute *m.* Planta tropical gramínea de unos 40 cms. de largo, hojas algo anchas y agudas; flores en espigas pareadas y divergentes *(Stenotophrum secundatum).*

camedrio, -dris *m.* Planta labiada, de tallos duros y vellosos, hojas pequeñas parecidas a las del roble, y flores purpúreas que se usan como febrífugo *(Teucrium chamædris).*

camedrita *m.* Vino preparado con infusión de camedrio.

camelar *tr.* Galantear, requebrar. 2 Seducir, engañar adulando.

camelear *tr.* fam. Embaucar, engañar mediante falsas apariencias.

camelia *f.* Arbusto cameliáceo de jardín, originario de Oriente, de hojas perennes y lustrosas, y flores grandes, blancas, rojas o rosadas *(Camellia japonica).* 2 Flor de este arbusto.

cameliáceo, -a *adj.-f.* Planta de la familia de las cameliáceas. – 2 *f. pl.* Familia de plantas dicotiledóneas, árbol o arbusto, de hojas alternas y coriáceas, flores axilares, generalmente hermafroditas y fruto capsular; como la camelia y el té.

camélido, -da *adj.-m.* Animal de la familia de los camélidos. – 2 *m. pl.* Familia de mamíferos rumiantes tilópodos propios de los lugares desiertos, sin cuernos, con el cuello vertical y el estómago sin libro; como el camello y la llama.

camelina *f.* Planta crucífera oleaginosa, de flores pequeñas y amarillentas *(Camelina sativa).*

camelo *m.* Galanteo. 2 fam. Chasco, burla, engaño.

camelote *m.* Tejido fuerte e impermeable, hecho antiguamente con pelo de camello y actualmente con lana.

camellera *f.* Hierba común erecta, propia de tierras áridas, a veces utilizada como forraje *(Heliotropium erosum).*

camellero *m.* El que tiene por oficio cuidar o conducir camellos.

camello *m.* Mamífero rumiante camélido, de talla elevada, cuello muy largo, cabeza pequeña, con dos jorobas en el dorso, formadas por una aglomeración de grasa *(Camelus bactrianus).* 2 Mecanismo flotante destinado a suspender un buque o una de sus extremidades, disminuyendo su calado. 3 fig. y fam. Traficante de droga al por menor.

camellón *m.* Artesa cuadrilonga para abrevar el ganado vacuno.

camembert *m.* Queso francés, elaborado con leche de vaca, de pasta blanda y sabor característico. ◇ Se pronuncia *camamber.*

cameraman *com.* Operador de cine.

camerino *m.* Camarín (cuarto).

camilucho, -cha *adj.-s. Amér.* Indio jornalero del campo.

camilla *f.* Cama para estar medio vestido en ella. 2 **Cama angosta y portátil, que se lleva sobre varas o ruedas, para transportar enfermos y heridos. 3 *Mesa* ~, o simplemente ~, la cubierta por un tapete largo de lana, debajo de la cual hay un enrejado y una tarima con un brasero para calentarse.

camillero *m.* El que transporta la camilla (de enfermos o heridos).

caminante *adj.-s.* Que camina a pie; viandante.

caminar *intr.* Ir de viaje: ~ *a,* o *para, Sevilla.* 2 Andar (moverse). 3 fig. Seguir su curso o movimiento las cosas: ~ *la carretera, los ríos, los planetas.* – 4 *tr.* Recorrer [cierta distancia]: *he caminado cinco kilómetros.*

caminata *f.* Paseo largo. 2 Viaje corto por diversión.

camino *m.* Tierra hollada por donde se suele transitar, especialmente tira de terreno más o menos amplia, dispuesta para el mismo fin. 2 fig. Modo de hacer alguna cosa, medio para conseguir algún fin. 3 Viaje (ida): *dos horas de* ~. 4 *Amér. Merid.* Tira larga y estrecha de algodón que se coloca en aparadores y mesas; y tira de estera que se pone en vestíbulos y habitaciones para andar sobre ella.

camión *m.* Vehículo automóvil de cuatro o más ruedas, grande y fuerte, para transportar cargas pesadas: ~ *cisterna,* el que sirve para transportar líquidos; ~ *remolque,* el compuesto por dos o más vehículos acoplados. 2 En algunas partes, autobús.

camionero, -ra *m. f.* Persona que tiene por oficio conducir camiones.

camioneta *f.* Vehículo automóvil menor que el camión y que sirve para transporte de toda clase de mercancías. 2 fig. y fam. Autobús.

camisa *f.* Prenda de vestir de lino, algodón u otra tela, que se pone inmediatamente sobre el cuerpo o sobre la camiseta: ~ *de hombre;* ~ *de mujer;* ~ *de fuerza,* la de lienzo fuerte, abierta por detrás y con mangas cerradas por su extremidad, que sirve para sujetar a los locos furiosos. 2 Piel que en épocas determinadas deja la culebra. 3 Telilla que cubre inmediatamente a algunos frutos y legumbres; como el trigo, la almendra, el guisante, etc. 4 Revestimiento interior de un artefacto o una pieza mecánica, como el de los hornos de fundición, formado por materiales refractarios. 5 Funda reticular e incombustible con que se cubren ciertos aparatos de iluminación para que, poniéndose candente, aumente la fuerza luminosa. 6 Envoltura de papel de un expediente o legajo. 7 Cubierta de un libro.

camisería *f.* Establecimiento donde se hacen o venden camisas.

camiseta *f.* Camisa corta, ajustada y sin cuello, generalmente de punto, que se pone sobre la raíz de la carne.

camisola *f.* Camisa fina de hombre, de la cual destacan especialmente el cuello, puños y pechera. 2 Camiseta deportiva propia de un club.

camisón *m.* Prenda femenina de tejido ligero, usada generalmente para dormir. 2 *Amér.* Vestido, traje de mujer, excepto cuando es de seda negra.

camisote *m.* Cota de mallas con mangas largas; **armadura.

camomila *f.* Manzanilla (hierba y flor).

I) camón *m.* Trono real portátil. 2 Mirador (balcón).

II) camón *m.* Pieza curva de los dos cercos de las ruedas hidráulicas. 2 Armazón de cañas o listones para formar las bóvedas encamonadas. – 3 *m. pl.* Maderos de encina para forrar las pinas de las ruedas de las carretas.

camoncillo *m.* Taburetillo de estrado.

camorra *f.* Riña: *siempre anda buscando* ~.

camorrista, *adj.-com.* Pendenciero.

camote *m. Amér.* Batata. 2 *Amér.* Bulbo. 3 *Amér.* fig. Enamoramiento. 4 *Amér.* fig. Amante, querida. 5 *Amér.* Mentira, bola.

camp *m.* Gusto por lo superfluo, exagerado y extravagante de formas artísticas y literarias pasadas de moda. – 2 *adj.* Que revaloriza lo que está pasado de moda: *moda* ~; *música* ~.

campa *adj.* [tierra] Sin árboles.

campal *adj.* [lid, batalla, etc.] Que ocurre fuera del poblado. 2 fig. [pelea, combate] Encarnizado.

campamento *m.* Acción de acampar o acamparse. 2 Lugar circunscrito donde se establecen temporalmente fuerzas del ejército alo-

CAMPANA

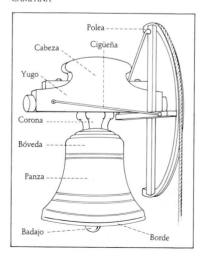

- Polea
- Cabeza
- Cigüeña
- Yugo
- Corona
- Bóveda
- Panza
- Badajo
- Borde

jadas en tiendas o barracas. 3 p. ext. Instalación en terreno abierto, de un grupo de excursionistas, cazadores, turistas, etc. 4 Tropa acampada.

campana *f.* Instrumento músico de metal en forma de copa invertida que suena herido por el badajo o por un martillo exterior: *las campanas de la Catedral; reloj de ~.* 2 fig. Iglesia o parroquia y territorio de su jurisdicción. 3 Cosa de forma semejante a la campana: *~ de vidrio; ~ de una **chimenea;** ~ **de buzo,** aparato dentro del cual descienden los buzos para trabajar; **puerto;** ~ extractora de humos.* 4 *Amér. Central.* Floripondio de grandes flores blancas.

campanada *f.* Golpe que da el badajo en la campana. 2 Sonido que hace. 3 fig. Escándalo o novedad ruidosa: *dio la ~ casándose con la hija de un millonario.*

campanario *m.* Torre o armadura donde se colocan las campanas; **románico.**

campanear *intr.* Tocar las campanas con frecuencia. 2 Girar anormalmente un proyectil durante la trayectoria. 3 Divulgar al instante un suceso real; prepararlo. – 4 *prnl.* Contonearse.

campaniforme *adj.* De forma de campana: *capitel ~; flor ~.*

campanilo *m.* Campanario separado del edificio de la iglesia.

campanilla *f.* Campana manejable y de usos más variados que la grande: *la ~ anuncia el paso del viático; un toque de ~ dio fin al recreo.* 2 Adorno de figura de campana: *cenefa de campanillas.* 3 Flor de corola acampanada. 4 Hierba convolvulácea anual trepadora de hojas acorazonadas y flores azules, violáceas, rosadas o blancas en forma de campana *(Ipomea purpurea).* 5 Úvula.

campanillero *m.* El que toca la campanilla. – 2 *m. pl.* Uno de los cantes flamencos, típicos de Navidad.

campanología *f.* Arte de tocar piezas musicales haciendo sonar campanas o vasos de cristal.

campanudo, -da *adj.* Parecido a la campana en la forma: *botas campanudas.* 2 [vocablo] Muy sonoro y lleno; [lenguaje o estilo] retumbante e hinchado. 3 [escritor u orador] Que lo emplea.

campanuláceo, -a *adj.-f.* Planta de la familia de las campanuláceas. – 2 *f. pl.* Familia de plantas dicotiledóneas, herbáceas, lechosas, de hojas alternas u opuestas, flores regulares acampanadas y fruto capsular; como el farolillo.

campaña *f.* Campo llano sin montes ni aspereza: *tienda de ~; artillería de ~; fortificación de ~.* 2 Expedición militar: *la ~ del Sudán.* 3 Tiempo que están los ejércitos fuera de cuarteles. 4 Conjunto de actos o esfuerzos aplicados a un fin determinado: *~ electoral; ~*

contra el paro. 5 fig. Período en que una persona ejerce un cargo o profesión o se dedica a ocupaciones determinadas: *~ teatral; ~ política.*

campañol *m.* Mamífero roedor de la familia de los múridos *(Microtus arvalis).*

campar *intr.* Sobresalir (descollar). 2 Acampar.

campear *intr.* Salir a pacer los animales domésticos; p. ext., andar por el campo los salvajes. 2 MIL. Sacar el ejército a combatir en campo raso; reconocer con tropas el campo para ver si hay enemigos. 3 *Amér.* Recorrer el campo, especialmente con el propósito de vigilar o revisar el ganado.

campechana *f.* Enjaretado de algunas embarcaciones menores, en la parte exterior de la popa. 2 *Cuba y Méj.* Bebida compuesta de diferentes licores mezclados.

campechano, -na *adj.* fam. Franco, dispuesto para bromas o diversiones. 2 fam. Afable, sencillo; que no muestra interés alguno por las ceremonias y formulismos.

campeche *m.* Árbol leguminoso de América del Sur, de madera dura y rojiza *(Hoematoxylon campechianum).*

campeón, -ona *m. f.* Vencedor en un campeonato. 2 fig. Defensor esforzado de una causa o doctrina. – 3 *adj.-s.* p. ext. Persona o cosa que sobrepasa a los demás en cualquier dominio: *fulano es el ~ de la inoperancia.*

campeonato *m.* Certamen en que se disputa el premio en ciertos juegos o deportes. 2 Primacía obtenida en las luchas deportivas.

campero, -ra *adj.* Descubierto en el campo, abierto a todos los vientos. 2 [ganado u otro animal] Que duerme en el campo y no se recoge a cubierto. 3 [planta] Que tiene las hojas o los tallos tendidos por el suelo u horizontalmente en el aire. 4 *And., Argent., Parag. y Urug.* [pers.] Muy práctico en el campo, así como en las operaciones y usos peculiares de los cortijos o estancias.

campesinado *m.* Conjunto de los campesinos de una comarca, región, etc. 2 Clase social que forman.

campesino, -na *adj.* Relativo al campo. – 2 *m. f.* Persona que vive y trabaja en el campo, labrador.

campestre *adj.* Campesino. 2 [fiesta, reunión, comida, etc.] Que se celebra en el campo.

campilán *m.* Sable recto, con puño de madera y hoja ensanchada hacia la punta; **armas.**

camping *m.* Terreno destinado a la acampada, dotado de un mínimo de servicios. 2 Actividad que consiste en vivir al aire libre, alojándose en tiendas de campaña. ◊ Pl.: *campings.* Se pronuncia *campin.*

campiña *f.* Espacio grande de tierra llana labrantía.

campista *com.* Persona que practica el camping o acampada.

campizal *m.* Terreno corto cubierto a trechos de césped.

campo *m.* Terreno extenso fuera de poblado: *preferir el ~ a la ciudad.* 2 Tierra laborable. 3 Campiña: *el ~ y la sierra.* 4 Sembrados, árboles y demás cultivos: *están perdidos los campos.* 5 Terreno descubierto y llano, especialmente el que se dedica a determinado uso: *~ de fútbol;* **estadio; *~ de maniobras;* ~ *de concentración,* recinto en que por orden de la autoridad se obliga a vivir a cierto número de personas, por razones políticas, sanitarias, militares, etc. 6 ~ *santo,* cementerio católico. 7 Terreno ocupado por un ejército o por fuerzas considerables de él durante las operaciones de guerra y, a veces, el ejército mismo. 8 Superficie total e interior del escudo. 9 ~ *de batalla,* sitio donde combaten dos ejércitos. 10 ~ *visual,* el espacio que abarca la vista estando el ojo inmóvil. 11 fig. Espacio material o imaginario que ocupa una cosa o que abarca un asunto o materia cualquiera: *el ~ de sus hazañas; el ~ de la poesía.* 12 FÍS. Espacio en que se hace sensible una fuerza determinada: ~ *magnético;* ~ *gravitatorio.* 13 LING. ~ *semántico,* sector del vocabulario que comprende términos ligados entre sí por referirse a un mismo orden de realidades o ideas.

campus *m.* Recinto universitario. ◇ Pl.: *campus.*

camueso *m.* Variedad de manzano que da una manzana fragante y sabrosa.

camuflaje *m.* Arte de ocultar material de guerra. 2 fig. Fingimiento, disimulo.

camuflar *tr.* Disfrazar, enmascarar, disimular, encubrir.

can *m.* lit. Perro (mamífero). 2 Cabeza de viga que, sobresaliendo al exterior, sostiene la corona de la cornisa.

I) cana *f.* Cabello blanco: *las canas del abuelo.*

II) cana *f.* Medida de longitud (unas dos varas).

canadiense *adj.-s.* Del Canadá, nación de América Septentrional.

canadio *m.* Metal perteneciente al grupo del platino. En su estado natural es inoxidable, dúctil, maleable y más fusible que la plata.

canal *m.* Porción de mar, relativamente larga y estrecha, que separa dos islas o continentes poniendo en comunicación dos mares, ya naturalmente, ya por obra de la industria humana: ~ *de Azof;* ~ *de Panamá.* – 2 *amb.* Parte más profunda y limpia de la entrada de un puerto. 3 Cauce artificial por donde se conduce el agua para darle salida, para riego o diversos usos: ~ *de Castilla.* 4 Vía por donde las aguas o los gases circulan en el seno de la Tierra. 5 Intervalo o banda de frecuencias en el que se efectúa una emisión de televisión, o

una comunicación radiofónica, telegráfica, etc. 6 En un organismo, conducto por donde circulan substancias líquidas o semilíquidas: ~ *digestivo;* ~ *torácico.* 7 Conducto por donde corren las aguas en los tejados. 8 Teja delgada y muy combada que sirve para formarlos. 9 Llanura larga y estrecha entre dos montañas. 10 Corte delantero y acanalado de un **libro, opuesto al lomo. 11 Res muerta abierta y despojada.

canaladura *f.* ARQ. Moldura hueca en línea vertical; **órdenes.

canaleta *f. Argent., Bol., Chile* y *Parag.* Canalón, conducto que recibe y vierte el agua de los tejados. 2 *Argent.* Arroyo que se forma en la calle.

canalete *m.* Remo de pala muy ancha, con el cual se boga sin escálamo ni chumacera; puede usarse como timón.

canalización *f.* Cañería, conducción. 2 *Amér.* Alcantarillado.

canalizar *tr.* Abrir canales [en un país]: ~ *el Alto Aragón;* regularizar el cauce o la corriente [de un río, arroyo, etc.]: ~ *el Cinca.* 2 Aprovechar por medio de canales para el riego o la navegación [las aguas corrientes o estancadas]: ~ *las aguas del Cinca.* 3 fig. Dirigir, orientar, encauzar [algo] hacia un objetivo: ~ *el ahorro hacia los valores industriales.* ◇ ** CONJUG. [4] como *realizar.*

canalizo *m.* Canal estrecho entre islas o bajos.

canalón *m.* Conducto que recibe y vierte el agua de los tejados; **casa.

canalla *f.* fig. Gente baja, ruin. – 2 *m.* fig. Hombre ruin y despreciable.

canana *f.* Cinto para llevar cartuchos. 2 Estuche, generalmente rectangular, de cuero, para llevar cartuchos, que usan los soldados sujeto al correaje.

canapé *m.* Escaño, generalmente con el asiento y respaldo acolchados, para sentarse o acostarse. 2 Aperitivo consistente en una rebanada de pan sobre la que se extienden o colocan otras viandas. ◇ Pl.: *canapés.*

canaricultura *f.* Crianza y cuidado de canarios para su propagación y venta.

canario, -ria *adj.-s.* De Canarias, archipiélago del Atlántico, al oeste del continente africano. – 2 *m.* Ave paseriforme granívora, cantora, oriunda de Canarias, de alas puntiagudas, cola larga y abarquillada y plumaje amarillo, verdoso, pardo o blanquecino, de la cual existen numerosas variedades domésticas *(Fringilla canaria).* 3 Embarcación pequeña.

canasta *f.* Cesto de mimbre, ancho de boca, generalmente con dos asas. 2 Juego de naipes. 3 DEP. Cesta de baloncesto. 4 DEP. En el juego del baloncesto, tanto.

canastero, -ra *m. f.* Persona que tiene por oficio hacer o vender canastos. – 2 *f.* Ave caradriforme, insectívora, de alas obscuras, largas y puntiagudas, cola ahorquillada y pico corto ligeramente curvado hacia arriba *(Glareola pratincola).*

canastilla *f.* Cestilla de mimbres en que se tienen objetos menudos de uso doméstico. 2 Ropa que se previene para el niño que ha de nacer.

canastillo *m.* Azafate de mimbres. 2 Macizo o conjunto de flores de forma redonda. 3 *Amér.* Canastilla o ajuar para la novia, o para el niño que va a nacer.

canasto *m.* Canasta recogida de boca.

¡canastos! Interjección con que se denota sorpresa, enfado, etc., según el tono.

cáncamo *m.* Especie de armella fija en ciertas partes de los buques, para sujetar motones, amarrar cabos, etc. 2 Hembrilla de metal de pequeño tamaño para sujetar cuadros, marcos, etc.

cancamusa *f.* fam. Artificio con que se deslumbra a alguno para engañarlo fácilmente.

cancán *m.* Baile de origen francés. 2 Enagua o falda interior que tiene muchos volantes.

cancanear *intr.* fam. Errar, vagar o pasear sin objeto determinado. 2 *Amér.* Tener dificultad en explicarse.

cancaneo *m.* Detonación o golpes de un motor a causa del proceso de combustión.

cancel *m.* Contrapuerta, generalmente con una hoja de frente y dos laterales ajustadas a las jambas de una **puerta de entrada, cerrado todo por un techo. 2 Construcción en metal, madera o piedra destinada en las iglesias cristianas a delimitar el altar, el coro o la pila bautismal; **basílica. 3 *Argent.* Cancela, verja.

cancela *f.* Verjilla puesta en el umbral de algunas casas.

cancelar *tr.* Anular [un instrumento público, una inscripción en un registro, una nota o una obligación]. 2 Saldar o extinguir [una deuda]. 3 fig. Borrar de la memoria, abolir, derogar.

cáncer *m.* Tumor maligno, especialmente el que tiene su origen en el tejido epitelial e invade y destruye los tejidos circundantes. 2 fig. Vicio, corrupción y, en general, factor que destruye una sociedad.

cancerar *intr.-prnl.* Padecer de cáncer o degenerar en cancerosa una úlcera. – 2 *tr.* fig. Consumir, destruir. 3 fig. Mortificar, castigar, reprender.

cancerbero *m.* FÁB. Perro de tres cabezas que guardaba la puerta de los infiernos. 2 fig. Portero o guarda severo, incorruptible o de bruscos modales. 3 DEP. fig. Portero de un equipo de fútbol.

cancerígeno, -na *adj.* Que puede producir o favorecer la aparición del cáncer.

cancerología *f.* Parte de la medicina que estudia la fenomenología del cáncer.

canceroso, -sa *adj.* Que tiene cáncer o participa de su naturaleza.

cancilla *f.* Puerta a manera de verja.

canciller *m.* Título que lleva en algunos Estados europeos un alto funcionario que es a veces jefe o presidente del gobierno. 2 Empleado auxiliar en las embajadas, legaciones, consulados, etc. 3 En muchos países, ministro de Asuntos Exteriores.

cancillería *f.* Oficio de canciller. 2 Oficina especial en las embajadas, legaciones, consulados, etc. 3 Alto centro diplomático desde el cual se dirige la política exterior.

canción *f.* Composición en verso para ser cantada. 2 Música de la canción. 3 Composición lírica, generalmente dividida en estancias largas, todas de igual número de endecasílabos, menos la última, que es más breve. 4 fig. Cosa dicha con repetición insistente o pesada. – 5 *f. pl.* fig. Noticias, pretextos, etc.: *no me vengas con canciones.*

cancioneril *adj.* Relativo a los tipos de poesía culta que se observan en los cancioneros del siglo xv , especialmente la escrita en metros menores.

cancionero *m.* Colección de canciones y poesías, generalmente de autores diversos.

cancro *m.* Cáncer. 2 Úlcera de la corteza de los árboles acompañada de la secreción de un líquido acre y rojizo.

I) cancha *f.* Local destinado a juego de pelota, riña de gallos u otros usos análogos. 2 Parte de la explanada del frontón o trinquete en la cual juegan los pelotaris. 3 *Amér.* en gral. Terreno, espacio, local o sitio llano y desembarazado. 4 *Amér.* Corral o cercado espacioso para almacenar: *~ de madera.*

II) cancha *f. Amér. Merid.* Maíz tostado.

canchalagua *f.* Planta gencianácea de tallos delgados y hojas estrechas, usada en medicina *(Centarium chilense; C. canchalagua; Flogera stenophylla).*

canche *adj. Amér. Central.* Rubio, rubicundo.

canchear *intr.* Trepar los canchos (peñascos).

cancho *m.* Peñasco grande.

candado *m.* **Cerradura suelta que por medio de armellas asegura puertas, tapas de cofre, etc. 2 Cláusula de un proyecto de ley, ratificado en ella, que fija o retrotrae su vigencia desde la presentación de tal proyecto. – 3 *m. pl.* Las dos concavidades inmediatas a las ranillas que tienen las **caballerías en los pies.

candanga *m. Amér.* El diablo.

candar *tr.* Cerrar [algo] con llave y, por extensión, de cualquier modo.

candeal *adj.-m.* Especie de trigo aristado, de espiga cuadrada y granos ovales, que da harina y pan blancos y de superior calidad; p. ext., otras variedades de trigo que dan harina abundante y de superior calidad. 2 Pan hecho con trigo candeal. – 3 *m. Amér.* Bebida compuesta de huevo, leche y coñac.

candela *f.* Vela (bujía). 2 Claro que deja el

fiel de la balanza cuando se inclina a la cosa que se pesa. 3 Candelero (utensilio). 4 Lumbre (combustible). 5 Flor del castaño. 6 FÍS. Unidad fotométrica internacional.

candelabro *m.* Candelero de dos o más brazos. 2 ARQ. Remate en forma de balaustre.

candelero *m.* Utensilio para mantener derecha la vela o candela; fig., **en ~**, en puesto, dignidad o ministerio de gran autoridad: *estar, poner en el ~*. 2 Velón. 3 Instrumento para pescar deslumbrando a los peces con teas encendidas. 4 MAR. Puntal de madera o de hierro que sirve para asegurar en él una cuerda, barra, etc.

candente *adj.* [cuerpo, generalmente metal] Enrojecido o blanqueado por la acción del fuego: *cuestión, problema ~*, fig., que acalora los ánimos. 2 Ardiente, que arde o quema.

candidato, -ta *m. f.* Aspirante a alguna dignidad o cargo: *~ a la presidencia*. 2 Persona propuesta para una dignidad o cargo, aunque no lo solicite: *no encuentran candidatos para ocupar el puesto vacante*.

candidatura *f.* Reunión de candidatos. 2 Papeleta en que figura el nombre de uno o varios candidatos. 3 Aspiración a cualquier dignidad o cargo. 4 Propuesta de persona para una dignidad o cargo.

cándido, -da *adj.* lit. Blanco (níveo). 2 Sencillo, sin malicia ni doblez.

candiel *m.* Manjar hecho con vino blanco, yemas de huevo, azúcar y algún otro ingrediente.

candil *m.* Lámpara de aceite formada por dos recipientes de metal superpuestos, cada cual con un pico. – 2 *m. pl.* Planta aristoloquiácea trepadora *(Aristolochia Bœtica)*.

candileja *f.* Recipiente superior del candil. 2 Recipiente pequeño en que se pone aceite u otro combustible para que ardan una o más mechas. 3 Planta umbelífera perenne provista de rizoma; las hojas basales son pinnadas y tomentosas; las flores de color amarillo, reunidas en umbelas *(Thapsia villosa)*. – 4 *f. pl.* Línea de luces en el proscenio del teatro.

candilera *f.* Mata labiada de flores amarillas con el cáliz cubierto de pelos largos; sus hojas se usan como mechas de candil *(Phlomis lychnitis)*.

candilero *m.* Percha de madera para colgar los candiles.

candiletear *intr.* Andar vagando para curiosear lo que ocurre.

candiota *f.* Barril para vino u otro licor. 2 Vasija grande de barro, empegada por dentro, con una espita en la parte inferior; sirve para tener vino.

candombe *m. Amér. Merid.* Baile bullicioso de origen africano, ejecutado por comparsas. 2 *Amér. Merid.* Música de este baile. 3 *Amér Merid.* Casa o sitio donde se ejecuta este baile. 4 *Amér. Merid.* Tambor prolongado, de un solo parche, en que los negros golpean con las manos para acompañar al baile candombe.

candonga *f.* Cancamusa. 2 Chasco o burla hecho de palabra. 3 Mula de tiro.

candongo, -ga *adj.-s.* fam. Zalamero y astuto. 2 fam. Holgazán.

candor *m.* Suma blancura. 2 fig. Sinceridad y pureza de ánimo.

candray *m.* Embarcación pequeña de dos proas usada en el tráfico de algunos puertos. ◇ Pl.: *candrayes*.

caneca *f.* Frasco de barro vidriado para contener licores, cuando es cilíndrico; se usa en algunos lugares para calentar las camas.

canela *f.* Parte interior de la corteza de las ramas del canelo; es aromática, de sabor agradable y se usa como condimento. 2 fam. Cosa muy fina y exquisita.

caneláceo, -a *adj.-f.* Planta de la familia de las caneláceas. – 2 *f. pl.* Familia de plantas angiospermas dicotiledóneas leñosas, propias de países tropicales.

canelina *f.* Substancia cristalizable amarga que se extrae de cierta clase de canela.

canelo, -la *adj.* De color de canela [especialmente perros y caballos]. – 2 *m.* Árbol lauráceo, originario de Ceilán, de corteza aromática y astringente, hojas parecidas a las del laurel, flores agrupadas en racimos de cimas y fruto en drupa ovalada *(Cinnamomum zeylanicum)*.

canelón *m.* Carámbano colgante de un canal. 2 Labor tubular de pasamanería. 3 Confite largo que contiene una raja de canela o de acitrón. 4 Extremo grueso y más retorcido de los ramales de las disciplinas. – 5 *m. pl.* Pasta de harina de trigo, cortada en forma rectangular con la que se envuelve un relleno de carne, pescado, verduras, etc.

caneo *m. Amér.* Cabaña, choza.

canesú *m.* Cuerpo de vestido de mujer corto y sin mangas. 2 Pieza superior de la camisa o blusa. ◇ Pl.: *canesús*.

cangilón *m.* Vaso grande de barro o metal, generalmente en forma de cántaro, para traer o tener líquidos. 2 Vasija de barro o metal atada a la maroma de la noria. 3 Recipiente de formas y tamaños variados de diversos aparatos para el transporte, carga o elevación de materiales, tierras, etc.; **puerto. 4 *Amér.* Carril que forman en los caminos las ruedas de los carruajes y el paso de los ganados.

cangreja *adj.-f.* MAR. Vela de cuchillo de forma trapezoidal que se enverga en un cangrejo.

cangrejo *m.* **Crustáceo decápodo macruro, marino, comestible, de unos 5 cms., con el caparazón de forma cuadrangular y el abdomen reducido y pegado al tórax; el primer par de patas está transformado en pinzas *(Carcinas maenas)*. 2 **~ de río**, **crustáceo decápodo macruro de color pardo azulado *(Potamobius* *astacus).* 3 Barrena que usan los calafates. 4 Carro pequeño con rodillos en lugar de ruedas. 5 MAR. Verga que tiene en uno de sus extremos una boca semicircular por donde se ajusta al palo, y puede correr arriba y abajo de éste o girar a su alrededor.

cangüesto *m.* Pez teleósteo de mar, de color pardo aceitunado con manchas obscuras, cabeza ancha y cola redondeada *(gén. Gobius* y *Blennius).*

canguro *m.* Mamífero marsupial, de Australia y Nueva Guinea, herbívoro, de cabeza pequeña y orejas largas y puntiagudas, con las extremidades torácicas cortas y las abdominales muy largas y robustas, así como la cola *(gén. Macropus).* – 2 *com.* fig. Persona que, retribuida por horas de trabajo, se dedica a cuidar los hijos pequeños de otros, durante la ausencia de los padres de los niños.

caníbal *adj.-s.* Hombre cruel y feroz. 2 Antropófago. 3 ZOOL. Animal que come carne de otros de su misma especie.

canibalismo *m.* Antropofagia atribuida a los caníbales. 2 fig. Ferocidad propia de caníbales.

canica *f.* Juego de niños con bolitas de barro, vidrio u otra materia dura. 2 Bolita de este juego.

canicie *f.* Color cano del pelo.

canícula *f.* Período del año en que son más fuertes los calores (del 24 de julio al 2 de septiembre).

cánido *adj.-m.* Animal de la familia de los cánidos. – 2 *m. pl.* Familia de mamíferos carnívoros digitígrados, de cabeza generalmente pequeña, mandíbulas alargadas, orejas grandes, cuerpo esbelto con el vientre hundido, patas con uñas robustas y obtusas, no retráctiles, y cola más o menos larga; como el perro y el zorro.

canijo, -ja *adj.-s.* Débil y enfermizo.

canilla *f.* Hueso largo de la pierna o del brazo. 2 Cañón pequeño que se pone en la parte inferior de la cuba para sacar el líquido. 3 Carrete metálico para devanar la seda o el hilo en las máquinas de tejer y coser. 4 Grifo, espita. 5 Pierna, pantorrilla.

canillera *f.* Espinillera. 2 *Amér.* Flojera que aqueja a los gallos. 3 *Amér.* Cobardía.

canillita *m. Amér. Merid.* Muchacho vendedor de periódicos.

canina *f.* Excremento de perro.

canino, -na *adj.* Relativo al can. 2 Que parece de perro. – 3 *m.* Colmillo.

caniquí *m.* Tela delgada de algodón procedente de la India. ◇ Pl.: *caniquíes.*

canje *m.* Trueque o substitución: ~ *de prisioneros;* ~ *de valores.*

canjear *tr.* Hacer canje: ~ *prisioneros;* ~ *mercancías.*

canjerana *f.* Árbol meliáceo gigante cuya

madera es de gran belleza y resistencia *(Cedrela canjerana).*

cannabáceo, -a *adj.-f.* Planta de la familia de las cannabáceas. – 2 *f. pl.* Familia de plantas angiospermas dicotiledóneas, herbáceas sin látex, con flores pentámeras y fruto en cariópside; como el cáñamo y el lúpulo.

cannabis *m.* Cáñamo. 2 Polvo obtenido de las flores, hojas y tallos desecados del cáñamo índico, del que se derivan varias drogas, como el hachís, la marihuana y la grifa.

cannabismo *m.* Intoxicación por el abuso de cannabis o hachís. 2 Adicción psicológica de los adictos al cannabis; provoca apatía.

cannáceo, -a *adj.-f.* Planta de la familia de las cannáceas. – 2 *f. pl.* Familia de plantas angiospermas monocotiledóneas con fruto en cápsula.

cannel *m.* Variedad intermedia de carbón, de color gris obscuro con tonos pardos.

cano, -na *adj.* Que tiene canas. 2 fig. Anciano o antiguo.

canoa *f.* Embarcación ligera, de remo o motor, de proa muy aguda y popa recta. 2 Bote ligero de algunos buques, generalmente para uso del capitán o comandante. 3 *Amér.* Especie de artesa o cajón de forma oblonga que sirve para varios usos: recoger mieles en los trapiches, dar de comer a los animales, etc.; canal, de madera o metal, para conducir el agua.

canódromo *m.* Lugar donde se celebran las carreras de galgos.

canon *m.* Regla o precepto. 2 Regla de las proporciones humanas conforme a un determinado ideal; **dibujo. 3 Modelo de características perfectas. 4 Decisión o regla establecida en algún concilio eclesiástico. 5 Parte de la misa. 6 Lista o catálogo. 7 Prestación pecuniaria periódica que grava una concesión del Estado. 8 MÚS. Forma de composición musical en la que sucesivamente van entrando las voces o instrumentos, repitiendo cada una el canto de la que antecede. – 9 *m. pl.* Conjunto de normas o reglas establecidas por la costumbre como propias de cualquier actividad.

canónico, -ca *adj.* Conforme a los cánones y demás disposiciones eclesiásticas. 2 [texto y libro] Que se contiene en el canon (catálogo). 3 Que se ajusta exactamente a las características de un canon de normalidad o perfección.

canóniga *f.* fam. Siesta que se duerme antes de comer.

canónigo *m.* Miembro del cabildo de una catedral o colegiata.

canonizar *tr.* Declarar solemnemente santo y poner el Papa en el catálogo de ellos [a un siervo de Dios], ya beatificado. 2 fig. Dar por buena [a una persona o cosa]: ~ *las malas intenciones;* ~ *la doctrina peripatética.* ◇ ** CONJUG. [4] como *realizar.*

canonjía *f.* Prebenda y dignidad del canónigo. 2 fig. Empleo de poco trabajo y bastante provecho.

canoro, -ra *adj.* [ave] De canto melodioso. 2 Grato y melodioso: *voz canora; poesía canora.*

canotié *m.* Sombrero de paja de copa plana y ala recta. ◇ Pl.: *canotiés.*

cansado, -da *adj.* [cosa] Que declina o decae; degenerado, enervado. 2 [pers.] Que cansa con su trato o conversación. 3 [lámina de grabado] Que se ha desgastado por haberse usado repetidamente para tirada de estampas. 4 [pintura] Que ha perdido su frescura y espontaneidad por haber insistido en ella con exceso el artista.

cansancio *m.* Falta de fuerzas que resulta de haberse fatigado. 2 Aburrimiento o fastidio.

cansar *tr.-prnl.* fact. Causar cansancio: *esta letra cansa la vista; el trabajo me cansa; cansarse con el,* o *del, trabajo; el trabajo cansa; no te canses.* – 2 *tr.* fig. Enfadar, molestar: *me cansan sus voces; cansa el leer, cansa el dormir.* 3 Agotar la fertilidad [de la tierra de labor].

cansino, -na *adj.* Lento, perezoso: *paso ~; vida cansina.* 2 Molesto, fastidioso. 3 Que revela cansancio.

cantable *adj.* Que se puede cantar. – 2 *m.* Parte de los libretos de zarzuela que se escribe en verso adecuado para que se le ponga música. 3 Fragmento musical de carácter expresivo.

cantábrico, -ca *adj.* Relativo a Cantabria.

cántabro, -bra *adj.-s.* De Cantabria, región del norte de España.

cantaclaro *adj.-com.* Persona que dice sin reparo lo que piensa, que no tiene pelos en la lengua.

cantador, -ra *adj.-s.* [pers.] Que canta. – 2 *m. f.* Persona que ejecuta cantos populares de España.

cantalear *intr.* Gorjear, arrullar las palomas.

cantaleta *f.* Ruido, confusión de voces e instrumentos, o canción burlesca con que se hacía mofa de alguien. 2 *And.* y *Amér.* Estribillo, repetición enfadosa.

cantalinoso, -sa *adj.* [terreno] En que abundan los cantos.

cantamañanas *com.* fam. Persona informal, fantasiosa, irresponsable, que no merece crédito. ◇ Pl.: *cantamañanas.*

cantamisa *f. And.* y *Amér.* Acto de cantar su primera misa un sacerdote.

cantante *adj.* Que canta. – 2 *com.* Persona que tiene por oficio cantar.

cantaor, -ra *m. f.* Cantador, especialmente de flamenco.

I) cantar *m.* Copla o breve composición poética puesta en música para cantarse, o adaptable a alguno de los aires populares: ~ *de gesta,* poesía popular medieval de carácter épico.

II) cantar *tr.-intr.* Formar con la voz sonidos modulados: ~ *a libro abierto;* ~ *una canción.* 2 fig. Componer o recitar alguna [poesía]: ~ *como Garcilaso;* ~ *el poeta la guerra de Troya.* 3 fig. Alabar, elogiar, celebrar. 4 fig. Descubrir o confesar lo secreto: ~ *en el tormento.* 5 En ciertos juegos de naipes, decir el punto y palo: ~ *veinte en espadas.* 6 Señalar o decir el rastro de un animal. – 7 *intr.* Producir sonidos estridentes, especialmente los insectos. 8 fig. Oler, despedir mal olor: *le cantan los pies.* 9 fig. Doler, causar malestar [algo].

cántara *f.* Medida para líquidos, equivalente a 16,13 l.

cantarano *m.* Mueble la mitad cómoda y la mitad escritorio.

cantarela *f.* Prima de la guitarra o del violín.

cantarera *f.* Poyo o armazón de madera, para poner los cántaros.

cantárida *f.* Insecto coleóptero, de élitros casi cilíndricos, de color verde metálico, que vive en las ramas de los tilos y los fresnos (*Lytha vesicatoria*).

cantarilla *f.* Vasija de barro parecida a una jarra con la boca redonda.

cantarillos *m. pl.* Planta primulácea anual con tallos áfilos y hojas ovales dispuestas en la base en forma de roseta, de flores blancas en umbela (*Androsacea maxima*).

cantarín, -rina *adj.* fam. Aficionado a cantar.

cántaro *m.* Vasija grande de barro o metal, de boca angosta, barriga ancha y pie estrecho, generalmente con una o dos asas. 2 Líquido que cabe en un cántaro. 3 Medida de vino, de diferente cabida según las varias regiones de España. 4 Vasija en que se echan las bolas para hacer sorteos.

cantata *f.* Composición poética puesta en música, especialmente para ser cantada a varias voces.

cantautor, -ra *m. f.* Cantante que compone sus propias canciones dirigidas hacia un público más o menos selecto.

cante *m.* Acción de cantar. 2 fig. y fam. Error grave. 3 fig. y fam. Regañina. 4 *And.* Canción popular: esp., ~ *hondo, jondo,* el flamenco.

cantear *tr.* Labrar los cantos [de una tabla, piedra u otro material]. 2 Poner de canto [los ladrillos].

cantera *f.* Sitio de donde se saca piedra: ~ *subterránea.* 2 fig. Talento, ingenio, abundancia de algo. 3 fig. Lugar, institución, etc., que proporciona abundantes personas con capacidad específica para una determinada actividad: *los equipos juveniles suelen ser la ~ de jugadores para los equipos profesionales.*

cantería *f.* Arte de labrar las piedras para las construcciones. 2 Obra de piedra labrada. 3 Porción de piedra labrada.

canterio *m.* Viga que se coloca en sentido transversal para formar el techo de un edificio.

cantero *m.* El que tiene por oficio labrar las piedras para las construcciones. 2 Extremo de algunas cosas duras que pueden partirse con facilidad: ~ *de pan.* 3 Trozo de tierra laborable, generalmente largo y estrecho.

cántica *f.* Composición lírica, de carácter popular, en la poesía castellana medieval: *cánticas de serrana.*

cántico *m.* Composición poética de los libros sagrados y litúrgicos en que se dan gracias o tributan alabanzas a Dios: *los cánticos de Moisés, el Tedeum, el Magníficat,* etc. 2 Himno (composición poética): ~ *nupcial.*

cantidad *f.* Todo lo que es capaz de aumento y disminución, y puede, por consiguiente, medirse o numerarse. 2 Porción grande de alguna cosa. 3 Porción determinada o indeterminada de dinero. 4 GRAM. Tiempo que se invierte en la pronunciación de la sílaba o de un sonido cualquiera.

cantiga, cántiga *f.* Antigua composición poética destinada al canto, especialmente en la poesía galaicoportuguesa.

cantil *m.* Lugar con forma escalón en la costa o en el fondo del mar. 2 *Amér.* Borde de un despeñadero.

cantilagua *f.* Hierba linácea, con hojas opuestas oblongas y flores blancas en cimas ahorquilladas *(Linum catharticum).*

cantilena *f.* Cantar hecho generalmente para que se cante. 2 Melodía sentimental de ritmo pausado. 3 fig. Repetición molesta de alguna cosa.

cantillo *m.* Piedrecilla o bola pequeña para jugar. – 2 *m. pl.* Juego de muchachos que consiste en hacer con cinco piedrecitas diversas combinaciones y en lanzarlas a lo alto para recogerlas en el aire al caer.

cantimplora *f.* Sifón (tubo encorvado). 2 Vasija de metal semejante a la garrafa. 3 Frasco aplanado para la bebida, revestido de cuero, paño, paja o bejuco.

cantina *f.* Local anejo a una estación, cuartel, fábrica, etc., donde se sirven comidas y bebidas: *la ~ de la estación.* 2 Caja de madera, metal o corcho, cubierta de cuero y dividida en varios compartimentos, para llevar las provisiones de boca. – 3 *f. pl.* Estuche doble con fiambreras y divisiones a propósito para llevar en los viajes las provisiones planas.

I) canto *m.* Arte de cantar. 2 Parte melódica que caracteriza una pieza musical. 3 Música de canto de carácter determinado: ~ *litúrgico;* ~ *gregoriano* o *llano.* 4 Parte del poema épico: *los veinticuatro cantos de la Odisea.* 5 Poema corto del género heroico: *el ~ de Débora.* 6 Composición lírica, genéricamente hablando. 7 fig. Elogio de lo que es característico o modélico en su género: *ese cuadro es un ~ a la naturaleza.*

II) canto *m.* Extremidad o lado de cualquier parte o sitio. 2 Borde, o punta de alguna cosa: ~ *de mesa;* ~ *de vestido.* 3 Esquina de un edificio. 4 Trozo de piedra. 5 En el cuchillo o en el sable, lado opuesto al filo. 6 Corte del libro opuesto al lomo. 7 Grueso de alguna cosa: *tabla de un dedo de ~.*

cantón *m.* Esquina. 2 BLAS. Ángulo que, con otros tres, puede considerarse en el escudo y sirve para designar el lugar de algunas piezas; una de estas piezas que se coloca a uno u otro lado del jefe. 3 País, región: *los cantones suizos.*

cantonalismo *m.* Sistema político que aspira a dividir el Estado en cantones federados. 2 fig. Desconcierto político caracterizado por una gran relajación del poder soberano en la nación.

cantonear *intr.* Andar vagando ociosamente de esquina en esquina.

cantonera *f.* Pieza puesta en las esquinas de **libros, muebles, etc., para refuerzo o adorno. 2 Mujer pública que anda de esquina en esquina atrayendo a los hombres.

cantonero, -ra *adj.* Que cantonea. – 2 *m.* Instrumento que usan los encuadernadores para dorar los cantos de los libros.

cantor, -ra *adj.-s.* Que canta, especialmente si lo hace por oficio. 2 fig. Poeta, especialmente épico y religioso. – 3 *adj.-m.* Pájaro del grupo de los cantores. – 4 *m. pl.* Grupo de pájaros de patas delgadas, cuyo dedo posterior se mueve independientemente de los demás y en cuya siringe existen musculitos especiales que facilitan la modulación armoniosa del canto.

cantoría *f.* Tribuna destinada al coro infantil en una iglesia, importante en la escultura renacentista.

cantueso *m.* Planta labiada parecida al espliego, de flores olorosas y moradas *(Lavandula stœchas).*

canturriar *intr.* fam. Cantar a media voz. ◇ **CONJUG. [12] como *cambiar.*

cánula *f.* Caña pequeña. 2 Tubo corto que se emplea en operaciones de cirugía o que forma parte de aparatos físicos o quirúrgicos. 3 Tubo terminal de las jeringas.

canutero *m.* Alfiletero. 2 *Amér.* Mango de la pluma de escribir.

canutillo *m.* Bobina de hilo para coser.

canuto *m.* Tubo. 2 En el lenguaje de la droga, porro. 3 *Amér. Central, Méj.* y *Venez.* Mango de la pluma de escribir.

caña *f.* **Tallo, generalmente cilíndrico, de nudos muy aparentes y entrenudos huecos; es propio de las plantas gramináceas. 2 Planta graminácea, propia de los parajes húmedos, leñosa, de hasta 3 ó 4 m. de altura, hojas anchas y flores en panojas terminales *(Arundo donax).* 3 Planta cuyo tallo se asemeja al de la caña: ~ *de azúcar, dulce* o *melar,* graminácea originaria de la India, con el tallo leñoso lleno de un tejido esponjoso y dulce del que se extrae azúcar *(Saccharum officinale)*. 4 Canilla del brazo o de la pierna, y, en general, parte hueca de cualquier hueso largo; **caballo. 5 Parte de la bota que cubre la pierna. 6 Parte de la media que cubre desde la pantorrilla hasta el talón. 7 Parte de la caja del **fusil y otras armas parecidas, en que descansa el cañón. 8 Galería de mina. 9 Parte comprendida entre la cruz y el arganeo del **ancla. 10 Palanca encajada en la cabeza del timón, con la cual se maneja; **barca. 11 Vaso de forma cilíndrica o ligeramente cónica, alto y estrecho, que se usa para beber vino o cerveza. 12 Vaso pequeño de cerveza. 13 Canción popular andaluza, de tono plañidero y melancólico, destinada a acompañar el baile. 14 Instrumento de pesca compuesto de una vara de caña o fibra de vidrio, larga y flexible, y de longitud variable, de la que pende un sedal con un anzuelo en uno de sus extremos.

cañabota *f.* Tiburón de gran tamaño, cabeza aplanada y hocico corto y redondeado *(Hexanchus griseus)*.

cañacoro *m.* Planta cannácea, de grandes hojas puntiagudas, flores encarnadas en espiga y fruto en caja, dividida en tres celdas con muchas semillas globosas, de que se hacen cuentas de rosario *(Canna indica)*.

cañada *f.* Espacio de tierra entre dos alturas poco distantes entre sí. 2 *Amér.* Arroyo o cauce de agua muy pobre y reducido.

cañadilla *f.* Molusco gasterópodo marino comestible, que segrega un líquido colorante con que los antiguos fabricaban la púrpura *(Murex brandaris)*.

cañadón *m.* *Argent., Cuba, Parag. y Urug.* Cañada (arroyo) angosta y profunda.

cañafístola, -fístula *f.* Árbol leguminoso de los países intertropicales, muy frondoso, de hojas compuestas y flores amarillas en racimos colgantes *(Cassia fistula)*. 2 Fruto de este árbol.

cañaheja, -herla *f.* Planta umbelífera, de tallo recto, cilíndrico y hueco, hojas finamente divididas y flores amarillas; por incisión da una especie de gomorresina *(Ferula communis)*.

cañahuate *m.* Árbol originario de Colombia de madera dura y flores amarillas o moradas (gén. *Tecoma)*.

cañahueca *com.* fig. Persona habladora y que no sabe guardar un secreto.

cañal *m.* Cañaveral. 2 Cerco de cañas hecho en los ríos para pescar. 3 Canal pequeño hecho al lado de algún río para que entre la pesca.

cañamazo *m.* Estopa de cáñamo. 2 Tela de tejido ralo, dispuesta para bordar en ella con seda o lana de colores. 3 fig. Proyecto, esbozo.

cañameño, -ña *adj.* Hecho con hilo de cáñamo.

cañamera *f.* Planta malvácea, de hojas superiores divididas en cinco lóbulos y las inferiores enteras y redondeadas, todas con los bordes dentados, y flores de color rosado *(Althaea hirsuta)*.

cáñamo *m.* Planta morácea, de tallo recto, hojas opuestas y divididas, flores masculinas en racimos y femeninas en glomérulos sentados; de su tallo se extrae una fibra textil que sirve especialmente para hacer cuerdas *(Cannabis sativa)*. 2 ~ **índico,** variedad de cultivo del cáñamo común, de menor talla y peor calidad, textil, pero con mucha mayor concentración de alcaloide. Tiene propiedades estupefacientes e hipnóticas *(Cannabis indica)*. 3 Fibra textil obtenida del cáñamo. 4 Lienzo de cáñamo.

cañamón *m.* Simiente del cáñamo.

cañamoncillo *m.* Arena muy fina para mezclas.

cañariego, -ga *adj.* Relativo al pellejo de la res lanar muerta en las cañadas. 2 [hombre, perro y caballería] Que va con los ganados trashumantes.

cañaveral *m.* Terreno poblado de cañas o carrizos.

cañería *f.* Conducto formado de caños por donde se distribuye el agua y el gas.

cañí *adj.-com.* Gitano, o agitanado. ◇ Pl.: *cañís*.

cañizo *m.* Tejido de cañas formando un rectángulo que se emplea para secar frutos. 2 Tejido de cañas y bramante o tomiza para sostén del yeso en los cielos rasos y otros usos.

caño *m.* Tubo de metal, vidrio, barro, etc. 2 Cañón del órgano, por donde entra y sale el aire que produce el sonido. 3 Canal angosto, aunque navegable, de un puerto o bahía. 4 Galería de mina. 5 Chorro (golpe de líquido). 6 Cueva donde se enfría el agua. 7 En las bodegas, subterráneos donde están las cubas. 8 *Argent.* Cañería, tubería.

cañón *m.* Objeto de forma tubular, en general: ~ *de órgano;* ~ *de anteojo.* 2 Tubo por donde sale el proyectil en las armas de fuego: *el* ~ *de la escopeta;* ~ *del fusil.* 3 Pieza de artillería que consta esencialmente de un tubo de acero de gran longitud respecto a su calibre, en el que se coloca el proyectil y la carga explosiva: ~ *de campaña;* ~ *de montaña;* ~ *de plaza;* ~ *antiaéreo, antitanque (o anticarro);* ~ *sin retroceso.* 4 Conducto que sube desde la campana de la **chimenea y da salida al humo. 5 Parte córnea y hueca de la pluma del **ave. 6 Pluma del ave cuando empieza a nacer. 7 Paso áspero y estrecho entre **montañas. 8 Foco potente que se usa en el teatro y centra la figura con un círculo luminoso, destacándola. 9 En el lenguaje de la televisión, teleobjetivo. – 10 *adj.* [pers.] Que tiene buen tipo. – 11 *adv. m.* Muy bien, estupendo: *pasárselo* ~. ◇ GRAM. *10* Se construye en general con el verbo *estar*.

cañonera *f.* Espacio en las baterías para colocar la artillería. 2 Tienda de campaña para soldados.

cañonería *f.* Conjunto de los cañones de un órgano. 2 Conjunto de cañones de artillería.

cañonero, -ra *adj.-s.* [barco o lancha] Que monta algún cañón.

cañota *f.* Planta graminácea de tallo sencillo con nudos vellosos y flores en panoja con ramos verticilados *(Phragmites Loscosii).*

cañuela *f.* Planta graminácea, de hojas anchas y puntiagudas y panojas verdes o violáceas *(Festuca pratensis).*

cañutillo *m.* Tubito sutil de vidrio usado en trabajos de pasamanería. 2 Hilo de oro o de plata rizado para bordar. 3 Trabajo o adorno en algunas telas.

cañuto *m.* En las cañas, sarmientos y demás tallos semejantes, entrenudo. 2 Cañón de palo, metal, etc., corto y no muy grueso, que sirve para diferentes usos.

caoba *f.* Árbol meliáceo, de tronco alto, recto y grueso, hojas alternas, pinnadas, flores pequeñas y blancas y fruto capsular, duro y leñoso; su madera es muy apreciada en ebanistería *(Swietenia mahogani).* 2 Madera de este árbol.

caolín *m.* Arcilla blanca muy pura usada en la fabricación de la porcelana.

caolinización *f.* GEOL. Transformación de los feldespatos y de otros silicatos en caolín por la acción meteorológica.

caos *m.* Estado de confusión de los elementos, anterior a la organización del universo. 2 fig. Confusión, desorden. ◇ Pl.: *caos.*

caótico, -ca *adj.* Relativo al caos.

capa *f.* Ropa larga y suelta, sin mangas, abierta por delante, que se lleva sobre el vestido: ~ *de coro;* ~ *consistorial* o *magna;* ~ *pluvial;* ~ *torera;* la que usan los toreros para su oficio. 2 fig. Pretexto con que se encubre un designio: *so* ~ *de valiente.* 3 Encubridor. 4 Cubierta con que se preserva de daño una cosa. 5 Extensión uniforme de una substancia que cubre alguna cosa: ~ *de pintura.* 6 Zona extendida sobre otra: ~ *de grava;* ~ *de asfalto;* **carretera; *las capas de la atmósfera;* ~ *pigmentaria;* ~ *pilífera;* **raíz. 7 GALIC. Clase: *capas sociales.* 8 Hoja tersa de tabaco que envuelve la tripa formando el cigarro puro.

capacete *m.* Pieza de la armadura, especie de casco sin cresta ni visera.

capacidad *f.* Propiedad de poder contener cantidad de alguna cosa: *medidas de* ~; ~ *de una vasija;* ~ *de diez litros.* 2 fig. Aptitud, idoneidad; esp., aptitud intelectual, inteligencia, talento: ~ *para las matemáticas; persona de mucha* ~. 3 Aptitud legal para ejercer un derecho o una función civil, política o administrativa. 4 Extensión o cabida de un sitio o local: *sala de mucha* ~. 5 Máxima carga que puede

soportar una unidad, estación o sistema, bajo condiciones especificadas y por tiempo indefinido.

capacitar *tr.* Hacer [a uno] apto, habilitarle para alguna cosa.

capacha *f.* Esportilla de palma para frutas y otras cosas menudas.

capacho *m.* Espuerta de juncos o mimbres. 2 Espuerta de cuero o de estopa muy recia, usada en albañilería. 3 En las almazaras, seroncillo de esparto que, lleno de la aceituna ya molida, se apila para que la viga cargue sobre ellos y extraiga el aceite. 4 *Amér. Merid.* Sombrero viejo.

capar *tr.* Extirpar o inutilizar [a una persona o animal] los órganos genitales. 2 fig. y fam. Disminuir o cercenar. 3 *Amér.* Podar.

caparazón *m.* Cubierta que se pone sobre los animales para protegerlos. 2 Cubierta que se pone encima de algunas cosas para su defensa, como el encerado de los coches. 3 Serón que contiene el pienso y se cuelga de la cabeza de las caballerías. 4 Esqueleto del ave, quitados la cabeza, el cuello y las extremidades. 5 Envoltura rígida, calcárea u ósea, que protege todo o parte del cuerpo de algunos animales, como la de la mayoría de los **crustáceos, la de algunos equinodermos y la de los quelonios.

caparidáceo, -a *adj.-f.* Planta de la familia de las caparidáceas. – 2 *f. pl.* Familia de plantas dicotiledóneas, generalmente tropicales, hierbas o arbustos, de hojas alternas, sencillas o palmeadas, flores solitarias en racimos o corimbos y fruto en cápsula, silicua, baya o drupa; como la alcaparra.

caparrosa *f.* Sulfato hidratado.

capataz, -za *m. f.* Persona que tiene por oficio gobernar y vigilar a cierto número de operarios. 2 Persona encargada de la labranza y administración de las haciendas de campo.

capaz *adj.* Que tiene capacidad: ~ *para el cargo;* ~ *para la química; persona muy* ~; DER., ~ *de testar.* 2 Grande o espacioso. ◇ INCOR.: *por es posible: es* ~ *que esté en casa.*

capazo *m.* Espuerta grande.

capcioso, -sa *adj.* Artificioso, engañoso. 2 [pregunta, argumentación, etc.] Que se hace para arrancar al contrincante una respuesta que pueda comprometerlo, o que favorezca propósitos de quien los formula.

capea *f.* Acción de capear. 2 Lidia de becerros o novillos por aficionados.

capear *tr.* Despojar [a uno] de su capa, especialmente en poblado y de noche. 2 Hacer suertes con la capa [al toro o novillo]. 3 fig. y fam. Entretener [a uno] con engaños o evasiones. 4 Eludir mañosamente [un trabajo desagradable]. 5 MAR. Sortear [el mal tiempo] con adecuadas maniobras.

capelán *m.* Pez teleósteo de los mares septentrionales, de color verde obscuro, con las aletas muy grandes *(Mallotus villosus)*.

capelina *f.* Prenda, tanto de hombre como de mujer, para cubrir la cabeza.

capelo *m.* Sombrero rojo, insignia de las dignidades eclesiásticas; timbre del escudo de los prelados. 2 p. ext. Dignidad de cardenal: *obtuvo el ~*. 3 *Amér.* Fanal, campana de cristal para resguardar del polvo.

capellán *m.* Clérigo titular de una capellanía; p. ext., clérigo o sacerdote en general. 2 Sacerdote que dice misa en una capilla u oratorio privados y suele morar en la casa. 3 Sacerdote adscrito al servicio religioso de un establecimiento religioso o seglar. 4 Pez marino teleósteo gadiforme, de pequeño tamaño y cuerpo similar a la faneca; habita alrededor de los muelles y zonas rocosas *(Trisopterus minutus; Gadus capelanus)*.

capellanía *f.* Fundación en la cual ciertos bienes quedan sujetos al cumplimiento de misas y otras cargas pías.

capeón *m.* Novillo que se capea.

caperucear *tr.* Quitarse [el sombrero] para saludar.

caperuza *f.* Bonete que remata en punta inclinada hacia atrás. 2 Pieza que cubre la salida del humo de la chimenea, protegiéndola de la nieve y la lluvia. 3 Pieza que cubre o protege la punta o extremo de algo. 4 Molusco gasterópodo marino, provisto de una concha en forma de bonete y con el ápice vuelto hacia atrás, que vive fijado a otras conchas a las cuales roba el alimento *(Capulus ungaricus)*.

capetonada *f.* Vómito violento que ataca a los europeos que pasan la zona tórrida.

capia *f. Amér.* Especie de maíz que tiene el grano dulce y tierno. 2 *Amér.* Dulce o masita compuesta de maíz y azúcar.

capialzar *tr.* Levantar [un arco o dintel] por uno de sus frentes para formar el derrame volteado sobre una puerta o ventana. ◇ ** CONJUG. [4] como *realizar*.

capicúa *f.* Jugada que consiste en hacer dominó con una ficha que puede colocarse en cualquiera de los dos extremos. – 2 *adj.-m.* Número que es igual leído de izquierda a derecha que de derecha a izquierda: *3.223*.

capichola *f.* Tejido de seda, a manera de burato, que forma un cordoncillo.

capilar *adj.* Relativo al cabello. 2 [fenómeno] Producido por la capilaridad. 3 [tubo] De diámetro comparable al de un cabello. – 4 *adj.-m.* Vaso muy tenue que establece la comunicación entre las últimas ramificaciones de las arterias y las de las venas.

capilaridad *f.* Calidad de capilar. 2 Propiedad en virtud de la cual la superficie libre de un líquido puesto en contacto con un sólido sube o baja en las proximidades de éste, según que el líquido lo moje o no.

capilla *f.* Capucho sujeto al cuello de las capas, gabanes o hábitos. 2 Iglesia pequeña aneja a otra mayor, o parte integrante de ésta, con altar y advocación particular; lugar destinado al culto en una comunidad, palacio, cárcel, etc.: *~ ardiente,* la de la iglesia en que se levanta el túmulo y se celebran honras solemnes por algún difunto. 3 Oratorio. 4 Cuerpo de capellanes, ministros y dependientes de una capilla. 5 Cuerpo de músicos de alguna iglesia. 6 Pliego que se entrega suelto durante la impresión de una obra. 7 fig. y desp. Pequeño grupo de adictos a una persona o a una idea.

capillejo *m.* Madeja de seda para coser.

capillo *m.* Gorrito de lienzo que se pone a los niños de pecho. 2 Vestidura de tela blanca que se pone en la cabeza de los niños al bautizarlos. 3 Capucha de un hábito de fraile. 4 Refuerzo con que se ahueca la punta del zapato, para que no se lastimen los dedos. 5 Red para cazar conejos. 6 FARM. Cápsula de papel o pergamino que se ajusta al cuello de una botella tapada. 7 *Amér.* Recipiente de barro en que se derrite estaño o plomo.

capipardo *m.* Hombre del pueblo bajo, artesano.

capirotada *f.* Aderezo con hierbas, huevos, ajos, etc., para rebozar otros manjares. 2 *Amér.* Plato criollo que se hace con carne, maíz tostado y queso, manteca y especias.

capirotazo *m.* Golpe dado, generalmente en la cabeza, haciendo resbalar con violencia, sobre la yema del pulgar, el envés de la última falange de otro dedo de la misma mano.

capirote *adj.* [res vacuna] Que tiene la cabeza de distinto color que el cuerpo. – 2 *m.* Especie de cucurucho cubierto de tela que usaron las damas en la Edad Media. 3 Cucurucho de cartón cubierto de tela que traen en la cabeza los que van a las procesiones de Semana Santa tocando las trompetas, alumbrando, etc. 4 Muceta con capillo del color respectivo de cada facultad, que usan los doctores en ciertos actos. 5 Caperuza de cuero que se ponía a las aves de cetrería.

capisayo *m.* Especie de capotillo abierto que sirve de capa y sayo. 2 Vestidura común de los obispos.

capitación *f.* Repartimiento de impuestos por cabezas.

capital *adj.* Relativo a la cabeza, especialmente cuando implica su pérdida: *pena ~.* 2 Que constituye el origen, cabeza o parte vital de alguna cosa, principal: *cláusula ~; error ~; enemigo ~.* – 3 *adj.-f.* Población principal de un estado, provincia o distrito. – 4 *m.* Hacienda, caudal valuado en dinero, especialmente por oposición a renta: *posee un ~ de seis millones; agotadas las rentas, hipotecó el ~.* 5 Potencia económica en dinero, crédito, influencia moral, etc., capaz de proporcionar los elementos necesarios para el establecimiento y marcha en una industria, empresa o negocio cualquiera.

capitalismo *m.* Régimen económico fundado en el predominio del capital. 2 Conjunto de capitales o capitalistas, su influencia y poder.

capitalista *adj.* Propio del capital o del capitalismo. – 2 *com.* Persona acaudalada en dinero o valores. 3 Propietario de los medios de producción dentro de un sistema de utilización privada del excedente económico.

capitalizar *tr.* Fijar el capital que corresponde [a determinado rendimiento o interés] según un tipo dado. 2 Agregar al capital [el importe de los intereses devengados]. 3 Ahorrar, atesorar. 4 fig. Convertir en ventaja propia determinadas acciones, aunque sean de otros. ◇ ** CONJUG. [4] como *realizar.*

capitán, -tana *m.* Oficial del ejército que reglamentariamente manda una compañía, escuadrón o batería. 2 ~ **general,** grado supremo de la milicia; jefe superior de una región militar. 3 Genéricamente, caudillo militar: *Alejandro fue uno de los más grandes capitanes del mundo; El Gran Capitán.* 4 El que tiene el mando de un buque mercante. 5 Oficial de la armada de diferente graduación según la determinación específica que lo acompañe: ~ *de corbeta;* ~ *de fragata;* ~ *de navío* o *de alto bordo.* – 6 *m. f.* Jefe de un equipo deportivo o de un grupo de personas en general.

capitana *f.* Nave en que va embarcado y enarbola su insignia el jefe de una escuadra.

capitanear *tr.* Mandar [gente militar o armada] como capitán. 2 fig. Mandar cualquier gente.

capitel *m.* Parte superior de la columna que corona el fuste y sobre el cual descansa el arquitrabe: ~ *campaniforme,* el que tiene forma de campana, utilizado en Egipto; ~ *compuesto,* el que tiene ábaco chaflanado, escotado y decorado, cuarto bocel también decorado, volutas y hojas de acanto; ~ *dórico,* el formado por ábaco liso, equino y ánulos; ~ *hathórico,* el egipcio que representa el rostro de la diosa Hathor, repetido en cada una de sus cuatro caras; ~ *jónico,* el que tiene el ábaco moldurado, tambor adornado con volutas y astrágalo; ~ *lotiforme,* el egipcio que representa un ramillete de flores de loto con las corolas cerradas o abiertas; ~ *palmiforme,* el egipcio formado por estilizaciones de hojas de palmera dispuestas verticalmente; ~ *toscano,* el que tiene ábaco liso, cuarto bocel, collarino también liso y astrágalo; **casa;** **egipcio;** **gótico;** **románico.**

capitoné *m.* Carro dispuesto para llevar muebles por ferrocarril. 2 Camión automóvil para transportarlos por carretera. – 3 *adj.* Acolchado.

capitoso, -sa *adj.* GALIC. Espiritoso, que contiene mucho alcohol.

capitoste *com.* desp. Persona con influencia, mando, etc.

capitulación *f.* Pacto hecho entre dos o más personas sobre algún negocio, generalmente grave. 2 Convenio en que se estipula la rendición de un ejército, plaza o punto fortificado. – 3 *f. pl.* Conciertos que se hacen entre los futuros esposos y se autorizan por escritura pública. 4 Esta misma escritura.

I) capitular *adj.* Relativo a un cabildo secular o eclesiástico o al capítulo de una orden: *disposiciones capitulares; sala* ~. – 2 *m.* Individuo de alguna comunidad eclesiástica o secular, con voto en ella. – 3 *adj.-f.* IMPR. Letra mayúscula, de impresión o manuscrito.

II) capitular *intr.-tr.* Pactar, hacer [algún ajuste o concierto]: ~ *las condiciones;* ~ *con iguales;* fig., ~ *con la conciencia.* – 2 *intr.* Entregarse una plaza de guerra o un ejército reunido. 3 Ceder, transigir. – 4 *tr.* Hacer capítulos de cargos: ~ *a uno de malversación de fondos.*

capítulo *m.* Junta que celebran los religiosos y clérigos seglares para las elecciones de prelados y para otros asuntos. 2 Cabildo eclesiástico o secular. 3 Reunión, junta, asamblea. 4 Inflorescencia densa de flores sésiles dispuestas sobre un pedúnculo aplanado. 5 Cargo que se hace a quien ejerció un empleo: ~ *de culpas.* 6 División que se hace en los libros u otros escritos para el mejor orden de la exposición.

capnomancia, -mancía *f.* Adivinación supersticiosa por medio del humo.

capó *m.* Cubierta del motor de los **automóviles.

capolar *tr.* Despedazar, dividir en trozos.

I) capón *adj.-s.* [pers.] Castrado. – 2 *m.* Pollo que se castra cuando es pequeño y se ceba. 3 Haz de sarmientos.

II) capón *m.* Golpe dado en la cabeza con el nudillo del dedo del corazón.

caponera *f.* Jaula de madera en que se pone a los capones para cebarlos. 2 fig. Prisión, cárcel. 3 fig. Sitio en que se encuentra asistencia y regalo sin gasto alguno.

caporal *m.* El que hace cabeza de alguna gente y la manda. 2 El que tiene a su cargo el ganado de una hacienda.

capororoca *m.* *Argent., Parag.* y *Urug.* Árbol de la familia de los mirtos, de tronco empinado, ramas altas y hojas de color verde obscuro que, arrojadas al fuego, estallan ruidosamente (*Myrsine gardneriana*).

capota *f.* Sombrero femenino sujeto con cintas por debajo de la barba. 2 Cubierta plegadiza de algunos **automóviles y coches de caballos.

capotar *intr.* Dar el avión vuelta de campana por la proa, al despegar o al aterrizar. 2

Volcar un vehículo de tal manera que quede en posición invertida.

capotazo *m.* Suerte del toreo hecha con el capote.

capote *m.* Prenda de abrigo a manera de capa pero con mangas y menos vuelo: ~ *de monte,* manta con una abertura en medio para meter por ella la cabeza. 2 Prenda militar de abrigo ceñida al cuerpo y con largos faldones. 3 Capa corta con esclavina de los toreros: ~ *de brega,* el de color vivo, usado para la lidia; ~ *de paseo,* el de seda, bordado en oro o plata, usado durante el paseíllo; **toros.

capotear *tr.* Capear (al toro). 2 fig. Evadir mañosamente [las dificultades y compromisos]. 3 Representar [una obra teatral] con omisiones, especialmente de escenografía. 4 fig. Entretener [a uno] con engaños.

capotera *f. Amér.* Percha para la ropa.

cappa *f.* Décima letra del alfabeto griego, equivalente a la *k.*

capricho *m.* Idea o propósito que uno forma, comúnmente repentinos y sin motivación aparente. 2 Deseo vehemente, antojo. 3 Persona, animal o cosa que es objeto de tal antojo o deseo. 4 Inestabilidad, irregularidad. 5 Composición musical alegre y fantasiosa. 6 Obra de arte en que el ingenio rompe la observancia de las reglas.

caprichoso, -sa, caprichudo, -da *adj.* Que obra por capricho y lo sigue con tenacidad. 2 Que se hace por capricho. 3 Antojadizo, inconstante.

caprifoliáceo, -a *adj.-f.* Planta de la familia de las caprifoliáceas. – 2 *f. pl.* Familia de plantas dicotiledóneas, matas o arbustos, de hojas opuestas, cáliz adherente al ovario y semillas con albumen carnoso; como el saúco.

caprimulgiforme *adj.-m.* Ave del orden de los caprimulgiformes. – 2 *m. pl.* Orden de aves con la cabeza ancha y el pico muy corto. Tienen la cola muy larga y las patas cortísimas; como el chotacabras.

cápsula *f.* Casquete de estaño u otro metal que se ajusta sobre la boca y el tapón de una botella para cerrarla herméticamente. 2 Cilindro metálico hueco en cuyo fondo está el fulminante que sirve para comunicar el fuego a la carga explosiva en las armas de percusión. 3 Pequeña envoltura insípida y soluble en que se encierran ciertos medicamentos, para que no repugnen al tomarlos. 4 Vasija en forma de casquete esférico achatado usada en los laboratorios, especialmente para evaporar líquidos. 5 Membrana en forma de saco que encierra un órgano o parte de él. 6 Cabina donde se instalaban los astronautas en los primeros viajes espaciales. 7 BOT. **Fruto seco polispermo, dehiscente, unilocular, formado por varios carpelos.

I) capsular *adj.* Relativo o parecido a la cápsula.

II) capsular *tr.* Cerrar [las botellas] poniéndoles la cápsula. 2 FARM. Preparar medicamentos en cápsulas.

captar *tr.-prnl.* Atraer a sí [los afectos] de las personas: ~, o *captarse, la confianza de uno.* – 2 *tr.* Recoger convenientemente [las aguas de un manantial, las ondas radiofónicas, etc.]. 3 En sentido inmaterial, percibir, aprehender [sensaciones, ideas, etc.]: *no pude ~ la intención de sus palabras.*

captura *f.* Acción de capturar. 2 Efecto de capturar. 3 Proceso por el que, debido a la erosión remontante, la parte superior de un río termina por apoderarse de parte de las aguas de otro.

capturar *tr.* Aprehender [a persona que es o se reputa delincuente, un animal que huye, un barco o convoy enemigo, etc.].

capucha *f.* Gorro cónico unido a la manteleta y caído sobre la espalda. 2 ZOOL. Conjunto de plumas que cubre la parte superior de la cabeza de las aves.

capuchina *f.* Planta tropeolácea, trepadora, de hojas alternas y flores en forma de capucha, de color rojo anaranjado *(Tropaeolum maius).* 2 Seta con la parte superior del sombrero casi negro y el resto de color blanquecino-amarillento *(Tricholoma portentosum).*

capuchino, -na *adj.-s.* Religioso que pertenece a una de las ramas de la orden franciscana. – 2 *adj.* Relativo a la orden de los capuchinos. – 3 *m.* Café caliente mezclado con leche que se distingue por su color claro y por la espuma de la leche con que se sirve.

capucho *m.* Pieza del vestido para cubrir la cabeza; remata en punta y puede echarse a la espalda.

capuchón *m.* Dominó corto. 2 Cubierta de la pluma estilográfica, bolígrafo, etc.

capuera *f. Argent., Pan. y Parag.* Terreno desbrozado.

cápulo *m.* Molusco gasterópodo marino de concha en figura de bonete cónico y pie grande y ancho *(Capulus hungaricus).*

capullo *m.* Cubierta protectora, generalmente de forma oval, que las larvas de ciertos insectos, especialmente el gusano de seda, se fabrican con el hilo que segregan, y dentro del cual se encierran antes de pasar al estado de ninfa. 2 Tela basta hecha de seda de capullos. 3 Botón de las flores, especialmente el de la rosa. 4 Cúpula de la bellota. 5 fig. *y* fam. Torpe, inocentón, estúpido, imbécil.

capuz *m.* Capucho. 2 Vestidura larga y holgada, con capucha y una cola.

caquexia *f.* Estado de deterioro orgánico, profundo y progresivo, que se caracteriza por adelgazamiento y debilitamiento muy acentuado. 2 Efecto de descolorarse las partes verdes de las plantas por falta de luz.

I) caqui *m.* Árbol ebenáceo, originario del Japón, cuyo fruto es una baya casi del tamaño de una naranja, de pulpa blanda y muy dulce *(Diospyros kaki)*. 2 Fruto de este árbol.

II) caqui *m.* Tela de algodón o de lana, cuyo color varía, desde el amarillo de ocre al verde gris. − 2 *adj.-m.* Color de esta tela. − 3 *adj.* De color caqui.

cara *f.* Parte anterior de la **cabeza del hombre y, por extensión, de algunos animales: *los músculos de la ~; ~ redonda; ~ ovalada.* 2 Semblante (facciones). 3 Fachada o frente de alguna cosa: *de ~.* 4 fig. *y* fam. Apariencia o aspecto de alguna cosa: *el tiempo tiene mala ~; esa tela tiene ~ de romperse pronto.* 5 Superficie de alguna cosa. 6 Plano de un **ángulo diedro o poliedro.

caraba *f.* Conversación, broma, holgorio.

carabaña *f.* Agua de efectos purgantes.

carabao *m.* Búfalo de color gris azulado y cuernos largos, gachos y comprimidos, propio de la Malasia, donde se emplea como bestia de tiro *(Bubalus bubalis)*.

carabela *f.* Antigua embarcación larga y angosta, con una sola cubierta, tres palos y cofa sólo en el mayor, y entenas en los tres para velas latinas. 2 Molusco lamelibranquio de concha oblonga con los extremos redondeados y valvas iguales de color rosado *(Solenocurtus strigillatus)*.

carábido *adj.-m.* Insecto de la familia de los carábidos. − 2 *m. pl.* Familia de insectos coleópteros, pentámeros, carnívoros, muy voraces y beneficiosos para la agricultura porque destruyen muchas orugas y otros animales perjudiciales.

carabina *f.* Arma de fuego de menor longitud que el fusil. 2 burl. Persona, generalmente mujer, que acompañaba a una señorita en sus paseos, diversiones, etc. 3 p. ext. Persona que se pega a una pareja.

carabinero *m.* Miembro de un cuerpo destinado a la persecución del contrabando. 2 Miembro de la guardia civil de Italia. 3 Crustáceo de carne comestible semejante a la quisquilla, pero de mayor tamaño *(Plesiopenens edwarsianus)*. 4 fam. Persona muy seria y severa.

I) cárabo *m.* Escarabajo de la familia de los carábidos, de color negro y con las antenas filiformes *(Carabus sp.)*.

II) cárabo *m.* Ave rapaz estrigiforme de unos 38 cms. de longitud y plumaje gris con manchas pardas y blancas *(Strix aluco)*.

carabritear *tr.* Perseguir el macho cabrío montés en celo [a la hembra].

caracol *m.* **Molusco gasterópodo de concha en espiral; especialmente los terrestres, pulmonados, propios de los lugares húmedos, de concha débil, algo aplanada por un lado, con el cuerpo prolongado y cuatro tentáculos en la cabeza, dos de ellos más largos que los otros dos *(Helix sp.)*. 2 Concha de caracol. 3 Parte del **oído interno, constituida por un cono hueco arrollado en espiral. 4 Pieza cónica del reloj, con un surco en el cual se enrosca la cuerda. 5 Rizo redondo y aplastado, sostenido por horquillas, que llevan algunas mujeres sobre la sien. 6 Vuelta que el jinete hace dar al caballo. 7 Vueltas que da un camino. − 8 *m. pl.* Cante popular andaluz, de carácter ligero y festivo.

caracola *f.* Caracol marino grande, de forma cónica *(Tritonium nodiferum)*.

caracolear *intr.* Hacer caracoles el caballo.

caracolillo *m.* Planta leguminosa papilionácea de jardín, de hojas romboidales puntiagudas y flores grandes, blancas y azules, aromáticas y enroscadas en figura de caracol *(Dolichos lignosus)*. 2 Flor de esta planta. 3 Clase de café de grano más pequeño y redondo que el común. 4 Variedad de caoba muy veteada.

carácter *m.* Señal o marca que se imprime, pinta o esculpe. 2 Signo de escritura o de imprenta; estilo o forma de las letras y signos: *libro escrito en caracteres góticos; caracteres elzeverianos.* 3 Señal o figura mágica cabalística. 4 Según el dogma católico, señal indeleble impresa en el alma por los sacramentos del bautismo, confirmación y orden. 5 Conjunto de rasgos y de circunstancias que indican la naturaleza esencial de una cosa o la manera de pensar y obrar de una persona o pueblo, y por los que se distingue de los demás: *el ~ de la arquitectura griega; el ~ español; de medio ~,* sin cualidades bien definidas. 6 Modo de ser peculiar y privativo de cada persona por sus cualidades psíquicas: *~ irascible, violento, pacífico.* 7 Individualidad moral, especialmente definida por la energía de la voluntad: *un hombre de ~; ser todo un ~; la educación del ~.* 8 Condición de las personas por sus relaciones naturales, dignidades o estados: *el ~ de padre, de juez.* 9 INFORM. Cifra, letra del alfabeto, signo de puntuación u otro símbolo que pueda leer, conservar o imprimir un ordenador. ◇ Pl.: *caracteres.* ◇ INCOR.: *carácteres.*

característica *f.* Parte entera de un logaritmo; la parte decimal del logaritmo se llama *mantisa* .

característico, -ca *adj.* Relativo al carácter. − 2 *adj.-f.* Cualidad por la que una persona o cosa se distingue de sus semejantes: *las características del arte mozárabe.* − 3 *m. f.* Actor o actriz que representa papeles de personas de edad.

caracterizado, -da *adj.* Distinguido, autorizado por prendas personales, por categoría social o por oficio público: *un ~ político.*

caracterizar *tr.* Determinar [a una persona o cosa] por sus cualidades peculiares: *~ las figuras de una comedia.* 2 Autorizar o enaltecer [a uno] con algún empleo o dignidad. 3 Representar un actor [su papel] con verdad y fuerza de expresión. − 4 *prnl.* Componer el actor su fisonomía o vestirse conforme al tipo que ha de representar. ◇ ** CONJUG. [4] como *realizar*.

caracterología *f.* Rama de la psicología que estudia los caracteres (modos de ser) individuales o colectivos.

caracú *m. Amér.* Tuétano de los animales y hueso que lo contiene. 2 *Bol., Chile* y *R. de la Plata.* Casta de ganado vacuno, de pelo corto y fino y cola delgada, más útil para carne que para el trabajo.

carado, -da *adj.* Con los adverbios *bien* o *mal*, que tiene buena o mala cara.

caradriforme *adj.-m.* Ave del orden de los caradriformes. – 2 *m. pl.* Orden de aves de tamaño y aspecto variado, por lo general buenas voladoras, y propias de las regiones costeras; como las gaviotas, zarapitos y agujas.

caradura *adj.-com.* fam. Sinvergüenza, descarado.

caraísmo *m.* Doctrina judaica que rechaza la tradición y exige una escrupulosa adhesión al texto literal de la Escritura.

carajillo *m.* fam. Bebida caliente a base de café y licor, generalmente coñac o anís.

carajo *m.* vulg. Pene, miembro viril.

¡carajo! vulg. Interjección con que se denota enfado, disgusto, fastidio; admiración, sorpresa, extrañeza, etc.

caramanchel *m.* Cubierta a modo de tejadillo con que se cierran las escotillas de algunos buques. 2 *Argent. y Chile.* Figón, merendero, puesto de bebidas.

¡caramba! Interjección con que se denota extrañeza o enfado.

caramba *f. Amér. Central.* Instrumento músico popular hecho con el epicarpio de algunos frutos.

carámbano *m.* Pedazo de hielo largo y puntiagudo.

carambola *f.* Lance del juego de los trucos o del billar, consistente en hacer que la bola con que se juega toque a las otras dos. 2 fig. Doble resultado que se alcanza con una sola acción. 3 fig. *y* fam. Casualidad, azar, suerte.

carambolo *m.* Árbol oxalidáceo, tropical, de hojas compuestas y aovadas, flores rojas y fruto en baya amarilla, del tamaño de un huevo, que se consume crudo, en ensalada o en compota, y del que se extrae el zumo para la preparación de bebidas refrescantes *(Averrhoa carambola).*

caramel *m.* Variedad de sardina propia del Mediterráneo (gén. *Clupea*).

caramelo *m.* Pasta de azúcar hecho almíbar y endurecido sin cristalizar al enfriarse.

caramillo *m.* Flautilla de caña, madera o hueso, con sonido muy agudo; **viento (instrumentos de). 2 Planta del mismo género y usos que la barrilla, con tallo erguido y hojas agudas *(Salsola vermuculata).* 3 Montón mal hecho. 4 Chisme, enredo: *levantaron un ~ contra su honra.*

caramujo *m.* Especie de caracol pequeño que se pega a los fondos de los buques (gén. *Trochus; Littorina*).

carantamaula *f.* fam. Careta de cartón, de aspecto horrible y feo. 2 fig. Persona mal encarada.

carantoñas *f. pl.* Halagos, caricias y lisonjas para conseguir alguna cosa.

carapacho *m.* Caparazón que cubre las tortugas, los cangrejos y otros animales. 2 *Amér.* Guisado que se hace en la misma concha de los mariscos.

caratea *f.* Enfermedad tuberculosa, propia de los países cálidos y húmedos de América.

carátula *f.* Portada de un libro, revista, disco, etc.

carava *f.* Reunión que celebraban los labradores los días de fiesta para recrearse.

caravana *f.* En Oriente, grupo de viajeros que se juntan para atravesar el desierto o un país. 2 Grupo de vehículos que viajan uno tras otro en la misma dirección, poco distanciados entre sí, y a una velocidad más lenta de lo normal. 3 fig. Gran número de personas reunidas para ir juntas de viaje, especialmente los grupos de gitanos nómadas. 4 Vehículo remolcable que permite hacer la vida en su interior aprovechando al máximo su reducido espacio; automóvil de esas mismas características.

caravaning *m.* Forma de camping practicado en una caravana (vehículo).

caravasar, caravansar *m.* Construcción en los países orientales destinada a alojamiento de los que viajan en caravana.

carballón *m.* Alga feofícea, de color pardo anaranjado y con el borde del fronde conspicuamente aserrado *(Ficus serratus).*

cárbaso *m.* Variedad de lino muy delgado. 2 Vestidura hecha de este lino.

carbinol *m.* Alcohol metílico.

carbolíneo *m.* Substancia líquida y grasa, obtenida de la destilación del alquitrán de la hulla, usada para hacer impermeable la madera.

carboloy *m.* METAL. Aleación muy dura de tungsteno y cobalto, o de carburos de estos metales, inoxidable al aire, resistente a los ácidos, empleada en herramientas de taladro y corte.

carbón *m.* Substancia sólida, ligera, negra y combustible, que resulta de la destilación o de la combustión incompleta de la leña o de otros cuerpos orgánicos. 2 Brasa o ascua, después de apagada. 3 ~ *de piedra*, substancia fósil, dura, bituminosa, de color obscuro o negro, formada en épocas geológicas pasadas por la descomposición parcial de materias vegetales, fuera del acceso del aire y bajo la acción de la humedad, y en muchos casos de un aumento de presión y temperatura.

carbonada *f.* Cantidad grande de carbón que se echa de una vez en la hornilla. 2 Carne cocida, picada y asada. 3 Bocado de leche, huevo y dulce, frito en manteca. 4 *Amér.* Guisado compuesto de pedazos de carne, rebanadas de choclos, zapallo, papas y arroz.

carbonado *m.* Diamante negro.

carbonalla *f.* Mezcla de arena, arcilla y carbón que sirve para construir el suelo de los hornos de reverbero.

carbonar *tr.-prnl.* Hacer carbón.

carbonarismo *m.* Asociación política secreta, doctrinalmente muy afín a la masonería, que actuó especialmente en Italia y Francia a principios del s. xix.

carbonatar *tr.* Convertir [una substancia] en carbonato, o saturarla de ácido carbónico.

carbonato *m.* Sal del ácido carbónico.

carboncillo *m.* Palillo carbonizado que sirve para **dibujar. 2 Dibujo hecho con este palillo y según su técnica. 3 Clase de arena negra por la acción del sol.

carbonear *tr.* Hacer carbón [de leña]. – 2 *intr.* Cargar un buque carbón para su consumo.

carbonera *f.* Pila de leña, cubierta de arcilla para hacerla carbón. 2 Lugar donde se guarda el carbón. 3 Seta con el sombrero de color variable, las láminas y el pie blancos; su carne es excelente *(Russula cyanoxantha).*

carbonero, -ra *adj.* Relativo al carbón. – 2 *m. f.* Persona que tiene por oficio hacer o vender carbón. – 3 *m.* Ave paseriforme, insectívora, de plumaje pardo verdoso en las partes superiores del cuerpo, negro en la cabeza, cuello, cola y lados del abdomen *(Parus major).*

carbónico, -ca *adj.* Relativo al carbono. 2 [mezcla o combinación] En que entra el carbono: *ácido ~*, CO_3H_2, ácido que existe sólo en disolución; con las bases forma carbonatos.

carbónidos *m. pl.* Grupo de substancias que comprenden los cuerpos formados del carbono puro o combinado.

carbonífero, -ra *adj.* [terreno] Que contiene carbón mineral. – 2 *adj.-m.* Período geológico de la era primaria o paleozoica que sigue al devónico y precede al pérmico, y terreno a él correspondiente. – 3 *adj.* Perteneciente o relativo a este período.

carbonilo *m.* Óxido de carbono que actúa como radical.

carbonilla *f.* Carbón menudo, cisco. 2 Residuos de carbón desprendidos de las locomotoras.

carbonita *f.* Especie de coque natural, que se encuentra en algunas minas de carbón de piedra. 2 Substancia explosiva que se emplea con los mismos fines que la dinamita.

carbonizar *tr.* Reducir a carbón [un cuerpo orgánico]. ◇ ** CONJUG. [4] como *realizar.*

carbono *m.* Metaloide tetravalente sólido, insípido e inodoro, que es el constituyente más importante del carbón. Su símbolo es *C.*

carborundo *m.* Carburo de silicio, CSi.

carboxilo *m.* Grupo monovalente formado por carbono, oxígeno e hidrógeno, -COOH, característico de los ácidos orgánicos.

carbunco *m.* Enfermedad virulenta y contagiosa producida por una bacteria específica, que padecen los animales, y que puede transmitirse al hombre, dando origen al ántrax.

carburación *f.* Acto por el que se combinan el carbono y el hierro para producir el acero. 2 En los motores de explosión, paso de la corriente de aire sobre la gasolina para obtener la mezcla inflamable.

carburador *m.* Aparato para carburar; esp. aquel en que se produce la carburación en el motor de explosión.

carburante *adj.-s.* Cuerpo que contiene hidrocarburo. – 2 *m.* Mezcla de hidrocarburos que se emplea en los motores de explosión y de combustión interna.

carburar *tr.* Mezclar los gases o el aire atmosférico con los carburantes gaseosos o con los vapores de los carburantes líquidos para hacerlos explosivos o detonantes. 2 Mezclar [algún cuerpo] con carburo. 3 fam. Funcionar.

carburo *m.* Combinación del carbono con un cuerpo simple. 2 Carburo de calcio, C_2Ca, usado para obtener el acetileno.

I) carca *adj.-com.* fam. Viejo, lleno de prejuicios, extremadamente conservador.

II) carca *f. Amér.* Olla en que se cuece la chicha.

carcaj *m.* Aljaba. 2 *Amér.* Funda de cuero en que se lleva el rifle al arzón de la silla. ◇ Pl.: *carcajes.*

carcajada *f.* Risa impetuosa y ruidosa.

carcajear *intr.-prnl.* Reír a carcajadas.

carcamal *adj.-m.* fam. Persona vieja y achacosa.

carcamán *m.* Buque grande, malo y pesado.

carcasa *f.* Armazón, estructura de un objeto. 2 Bomba incendiaria.

cárcava *f.* Hoya que suelen hacer las avenidas. 2 Zanja o foso.

cárcavo *m.* Hueco en que juega el rodezno de los molinos.

carcavuezo *m.* Hoyo profundo en la tierra.

cárcel *f.* Edificio y local destinado para la custodia y seguridad de los presos. 2 Ranura por donde corren los tablones de una compuerta. 3 Lugar de partida para la carrera de carros en el circo **romano.

carcinógeno, -na *adj.-m.* Substancia o agente que produce el cáncer o favorece su aparición.

carcinología *f.* Parte de la zoología que trata de los crustáceos.

carcinoma *m.* Tumor de naturaleza cancerosa.

cárcola *f.* Pedal del telar (de tejer).

carcoma *f.* Insecto coleóptero muy pequeño, de color obscuro, cuya larva roe y taladra la madera *(Anobium punctatum).* 2 Polvo que produce este insecto después de digerir la madera que ha roído. 3 fig. Cuidado grave y continuo que mortifica y consume al que lo tiene. 4 fig. Persona o cosa que poco a poco va gastando y consumiendo la hacienda.

carcomer *tr.* Roer la carcoma [la madera]. 2 fig. Consumir poco a poco [alguna cosa, como la salud, la virtud]. – 3 *prnl.* Llenarse de carcoma una cosa.

carcón *m.* Correa con argollas en sus extremos en que se afirman las varas de la silla de manos.

carda *f.* Cabeza terminal del tallo de la cardencha. 2 Instrumento para preparar el hilado de la lana. 3 fig. Amonestación, represión.

cardado, -da *adj.* [fibra] Que se ha tratado con la carda: ***algodón* ~. – 2 *f.* Porción de lana que se carda de una vez.

cardador, -ra *m. f.* Persona que tiene por oficio cardar. – 2 *m.* Miriápodo diplópodo de cuerpo cilíndrico (gén. *Julus*).

cardamomo *m.* Planta cingiberácea de la India, de fruto capsular, cuyas semillas se emplean en medicina como aromáticas y carminativas *(Elettaria cardamomum).* 2 Fruto de esta planta.

cardar *tr.* Preparar con la carda [una materia textil] para el hilado. 2 Sacar el pelo con la carda [a los paños y felpas]. 3 Entre peluqueros, tirar con fuerza de los mechones y peinarlos luego en sentido contrario, a fin de que el cabello quede enredado y abulte más.

I) cardenal *m.* Prelado que forma parte del Sacro Colegio o Consejo del Papa y forma, con otros, el cónclave para la elección del Sumo Pontífice. 2 Ave paseriforme americana muy hermosa con un alto penacho rojo al cual debe su nombre *(Richmondena cardinalis).*

II) cardenal *m.* Equimosis.

cardencha *f.* Planta dipsacácea de tallo espinoso, de flores purpúreas terminales, provistas en su base de grandes brácteas espinosas, que se utilizan para cardar los paños y la lana *(Dipsacus sativus).* 2 Carda (instrumento). 3 Motivo decorativo en forma de cardo.

cardenilla *f.* Variedad de uva menuda, tardía y de color amoratado.

cardenillo *m.* Mezcla venenosa de acetatos básicos de cobre, de color verde o azulado, que se forma en la superficie de los objetos de cobre o sus aleaciones. 2 Acetato de cobre que se emplea en pintura. 3 Mariposa diurna de pequeño tamaño, que se distingue de otras especies afines por la coloración de las alas posteriores *(Tomares ballus).* – 4 *adj.-m.* Color verde claro del acetato de cobre. – 5 *adj.* De color cardenillo.

cárdeno, -na *adj.* De color amoratado. 2 [toro] Cuyo pelo tiene mezcla de negro y blanco. 3 [agua] De color opalino.

cardíaco, -ca, cardiaco, -ca *adj.* Relativo al corazón. – 2 *adj.-s.* Que padece del corazón.

cardias *m.* Orificio superior del estómago por el cual comunica con el esófago; **digestivo (aparato). ◇ Pl.: *cardias.*

cardillo *m.* Planta compuesta, de flores amarillentas y hojas rizadas con el margen espinoso *(Scolymus hispanicus).*

cardina *f.* Hoja parecida a las del cardo, usada como ornamentación en el estilo gótico. ◇ Úsase también en plural.

cardinal *adj.* Principal, fundamental: *puntos cardinales; virtudes cardinales.* – 2 *adj.-m.* MAT. V. número ~.

cardiografía *f.* Estudio y descripción del corazón. 2 Registro de los movimientos del corazón por medio del cardiógrafo.

cardiógrafo *m.* Aparato que mide y registra los movimientos del corazón.

cardiología *f.* Tratado del corazón y de sus funciones y enfermedades.

cardiopatía *f.* Enfermedad del corazón.

cardioversión *f.* MED. Método de tratamiento de las alteraciones del ritmo cardíaco o de su paro, consistente en efectuar una descarga eléctrica, de gran intensidad y poca duración, sobre el área cardíaca.

cardo *m.* Planta compuesta, de hojas grandes y espinosas como las de la alcachofa, y cabezuelas azules, redondas, cubiertas de brácteas coriáceas acabadas en apéndice espinoso *(Cynara cardunculus).* 2 Planta más o menos parecida al cardo: ~ **borriquero, lechal, lechero** o **mariano**, compuesta, cubierta de jugo viscoso, empleada para cuajar la leche *(Silybum marianum).* 3 fig. Persona fea o arisca. 4 Escobilla de alambre que se emplea para limpiar limas y diversos objetos de metal.

carducha *f.* Carda gruesa de hierro.

cardume, -men *m.* Banco de peces.

carear *tr.* Confrontar [unas personas] con otras con objeto de apurar la verdad, especialmente con fines policíacos o judiciales. 2 fig. Cotejar [una cosa] con otra: ~ *una copia con el original.* 3 Dirigir [el ganado] hacia alguna parte. – 4 *prnl.* Verse las personas para algún negocio; en gral., ponerse cara a cara dos o más personas para resolver un asunto desagradable. – 5 *tr.* *Amér.* Poner frente a frente [dos gallos] para conocer su modo de pelear.

carecer *intr.* Tener falta de alguna cosa: ~ *de recursos.* ◇ ** CONJUG. [43] como *agradecer.*

carel *m.* Borde superior de una embarcación pequeña donde se fijan los remos que la mueven.

carena *f.* Obra viva, parte normalmente sumergida de la nave. 2 Reparo y compostura hecha en el casco de la nave. 3 fig. Burla y chasco con que se zahiere y reprende: *dar, sufrir, llevar,* o *aguantar,* ~. 4 Carrocería aerodinámica de un vehículo; **motocicleta.

carenar *tr.* Reparar el casco [de una nave]: ~ *de firme un buque,* repararlo completamente. 2 Dar forma aerodinámica [a la carrocería de un vehículo].

carencia *f.* Falta o privación de alguna cosa.

carenóstilo *m.* Insecto de la familia de los carábidos *(gén. Carenostylus).*

carenote *m.* Tablón que se aplica a los lados de la quilla de una embarcación, para que se mantenga derecha cuando se vara en la playa.

carestía *f.* Falta o escasez de alguna cosa; p. ant., de los víveres. 2 Subido precio de las cosas de uso común.

careta *f.* Máscara o mascarilla para cubrir la cara. 2 Parte delantera de la cabeza del cerdo, salada para su conservación.

careto, -ta *adj.* [res caballar o vacuna] De cara blanca con el resto de la cabeza de color obscuro. – 2 *m.* fam. Cara. – 3 *adj. Salv., Hond.* y *Nicar.* [pers.] Que tiene la cara sucia y pringada.

carey *m.* Tortuga carey. 2 Materia córnea translúcida, susceptible de hermoso pulimento, que se obtiene de la concha de la tortuga carey.

carfolita *f.* Mineral del sistema rómbico que se presenta en cristales aciculares de color amarillento o verdoso con brillo sedoso.

carga *f.* Lo que se transporta a hombros, a lomo, o en cualquier vehículo. 2 Unidad de medida de algunos productos forestales. 3 Cantidad de grano; en unas partes es de cuatro fanegas y en otras de tres. 4 Cosa que hace peso sobre otra. 5 Peso sostenido por una estructura. 6 Trabajo útil que suministra un motor en cada unidad de tiempo: ~ *eléctrica.* 7 Obligación aneja a un estado; empleo u oficio. 8 Cuidados y aflicciones del ánimo. 9 Cantidad de explosivo que se echa en el cañón o en las municiones de un arma de fuego, en una mina o en un barreno: ~ *de profundidad,* explosivo cuyo mecanismo le permite explotar a una profundidad determinada dentro del mar; **armas. 10 Resistencia que se ha de vencer por una máquina o motor, en circunstancias dadas. 11 Material que se añade a una composición para darle resistencia y propiedades adecuadas. 12 fig. Tributo, imposición, censo, hipoteca, servidumbre u otras obligaciones que pesan sobre las personas o sobre la propiedad. 13 Ataque de un cuerpo militar o de la fuerza pública: ~ *de caballería; la policía dio una* ~. 14 FÍS. Cantidad de electricidad.

cargadilla *f.* Aumento de una deuda por acumulación de los intereses.

cargado, -da *adj.* [tiempo o atmósfera] Bochornoso. 2 Fuerte, espeso, saturado: *café muy* ~. 3 [oveja, y por extensión otras hembras e incluso mujer] Próxima a parir. 4 fam.

Bebido, borracho. – 5 *m.* Movimiento de la danza española que consiste en poner el pie derecho en el lugar que ocupa el izquierdo.

cargador *m.* El que embarca las mercancías para su transporte. 2 El que tiene por oficio conducir cargas. 3 Bieldo para cargar y encerrar la paja. 4 Pieza o instrumento que contiene varios cartuchos para cargar ciertas armas de fuego. 5 Pala mecánica u otro dispositivo para cargar vagones en galerías. 6 Sirviente que introduce la carga en las piezas de artillería. 7 *Amér.* El que se pone en parajes públicos para ofrecer sus servicios llevando bultos.

cargamento *m.* Conjunto de mercancías que carga una embarcación.

cargar *tr.* Poner o echar [peso, mercancía, etc.] [sobre una persona, bestia o vehículo] para transportarlo: ~ *el saco a,* o *en, hombros;* ~ *leña en el carro;* ~ *el mulo;* ~ *el barco de trigo.* 2 fig. Poner a uno encima muchas cosas: *la cargó de joyas.* 3 Introducir la carga en un arma de fuego: ~ *el fusil.* 4 Proveer a algún utensilio o aparato de aquello que necesita para funcionar: ~ *un acumulador, una pila, una máquina fotográfica.* 5 Aumentar o agravar el peso o la fuerza. 6 Imponer [a personas o cosas] [una carga u obligación]: *le cargó la responsabilidad;* ~ *el peso del gobierno a uno;* esp., imponer tributos: ~ *el reino con,* o *de, impuestos.* 7 Imputar, achacar: ~ *un delito a uno;* ~ *la culpa al mal tiempo.* 8 Acometer con fuerza [al enemigo]; evolucionar la fuerza pública para dispersar [a la multitud]. 9 COM. Anotar en las cuentas [las partidas que correspondan al debe]. – 10 *intr.* Hacer peso, gravitar. 11 Estribar, apoyarse, descansar: *la bóveda carga sobre las columnas.* 12 Tomar o echar a otro una obligación o culpa, especialmente con la preposición *sobre: cargue su sangre sobre nosotros.* 13 Con la preposición *con,* tomar sobre sí algún peso, obligación o responsabilidad: *yo cargaré con eso; yo cargo con todo; su padre cargó con las costas.* 14 Producir las plantas mucho fruto: *este año los olivos han cargado.* 15 Dicho de los pulmones, y en general de cualquier conducto respiratorio, o del ambiente, llenarlos de humo, polvo, mucosidades, etc., que dificultan la respiración normal. 16 GRAM. Recaer el acento sobre una sílaba o vocal: *el acento carga en la penúltima sílaba.* – 17 *intr.-prnl.* Inclinarse una cosa hacia alguna parte: *la tempestad cargó hacia el norte; cargó el viento del sudeste; cargarse de hombros.* – 18 *prnl.* Aglomerarse las nubes: *cargarse el cielo, el horizonte.* 19 Con la preposición *de,* llegar a tener abundancia de algo: *se cargaba de razón, de paciencia, de años.* 20 Incomodar, cansar, enojar: *me carga su impertinencia; este libro le carga.* 21 fig. y fam. Suspender, entre estudiantes: *ese profesor se ha cargado a la mitad de los alumnos.* 22 vulg. y fam. Matar, romper, eliminar: *se lo cargaron de un tiro; se* *cargó el tornillo a fuerza de apretar.* ◇ ** CONJUG. [7] como *llegar.*

cargazón *f.* Cargamento. 2 Pesadez sentida en alguna parte del cuerpo: ~ *de cabeza.* 3 Aglomeración de nubes espesas.

cargo *m.* Carga o peso. 2 fig. Obligación, precisión de hacer o de hacer cumplir una cosa. 3 Gobierno, dirección, custodia: *hacerse uno ~ de una cosa,* fig., encargarse de ella; considerar todas sus circunstancias. 4 Dignidad, empleo, oficio: *le dieron el ~ de director.* 5 Persona que lo desempeña. 6 En las cuentas, conjunto de cantidades de que se debe dar satisfacción. 7 fig. Falta que se imputa a uno en su comportamiento.

cargosear *tr. Argent, Chile y Urug.* Importunar, molestar.

carguero, -ra *adj.* Que lleva carga. – 2 *m.* Buque de carga. 3 *Amér.* Mozo de cordel y bestia de carga.

cariado, -da *adj.* [hueso o diente] Atacado de caries. ◇ INCOR.: vulg. *careado.*

cariadura *f.* Daño producido en el hueso o diente por la caries.

cariaquito *m.* Arbusto vivaz, aromático, que crece hasta poco más de un metro de altura, de hojas recias, dentadas, flores pequeñas y fruto dulce, consistente en una pequeña baya (*gén. Lantane*).

cariar *tr.* Producir caries [en un hueso]. – 2 *prnl.* Padecer caries [en hueso o diente]. ◇ ** CONJUG. [12] como *cambiar.*

cariátide *f.* Estatua de mujer con traje talar. 2 p. ext. Figura humana que en un cuerpo arquitectónico sirve de columna o pilastra.

caribe *adj.-s.* De un pueblo que en otro tiempo dominó una parte de las Antillas. – 2 *m.* fig. Hombre cruel e inhumano, por alusión a los indios de Caribana. 3 Lengua de los caribes.

caribello *adj.* [toro] Que tiene la cabeza obscura y la frente con manchas blancas.

caribú *m.* Reno salvaje del Canadá, cuya carne es comestible (*Rangifer caribou*).

caricáceo, -a *adj.-f.* Planta de la familia de las caricáceas. – 2 *f. pl.* Familia de plantas angiospermas dicotiledóneas, que incluye árboles con tallo poco ramificado y jugoso, flores generalmente unisexuales, de cáliz muy pequeño y corola gamopétala y pentámera.

caricarillo, -lla *adj.* Relativo al hijo o hija de un viudo respecto de los hijos de una viuda con quien ha contraído matrimonio, y viceversa.

caricato *m.* Bajo cantante que en la ópera hace los papeles de bufo. 2 Imitador cómico de algunos personajes, frente al público.

caricatura *f.* Figura ridícula en que se deforman las facciones y el aspecto de una persona; **dibujo. 2 Obra de arte en que se ridiculiza a una persona o cosa. 3 fig. Persona estrafalaria

o ridícula. 4 *Amér.* Cortometraje de dibujos animados.

caricaturizar *tr.* Hacer la caricatura [de una persona o cosa]. 2 Remedar grotescamente la forma de hablar o el estilo literario de alguien. ◇ ** CONJUG. [4] como *realizar.*

caricia *f.* Demostración cariñosa que se hace rozando suavemente con la mano: *hacer caricias a un niño, a un perro,* etc. 2 Halago, demostración amorosa. 3 fig. Roce, sensación, toque suave de una cosa, que produce una impresión agradable, como el sol, la brisa, etc.

caridad *f.* Virtud teologal que consiste en amar a Dios sobre todas las cosas, y al prójimo como a nosotros mismos, por amor de Dios. 2 Virtud cristiana opuesta a la envidia y a la animadversión. 3 Limosna que se da o auxilio que se presta a los necesitados. 4 Tratamiento usado en ciertas órdenes religiosas y en alguna cofradía.

caries *f.* Alteración progresiva de los huesos que conduce a su destrucción. 2 Desintegración del esmalte y de la dentina de los dientes por la acción de ciertas bacterias. 3 Tizón de los cereales. ◇ Pl.: *caries.* ◇ INCOR.: *carie.*

carilla *f.* Plana o página.

carillón *m.* Conjunto de **campanas acordadas. 2 Sonido producido por las mismas. 3 Instrumento de percusión que consiste en una serie de tubos o láminas de acero afinadas en distintos tonos. ◇ INCOR.: *carrillón.*

carimbo *m. Argent., Bol., Perú, P. Rico y Urug.* Hierro para marcar las reses y antiguamente los esclavos.

carincho *m.* Guisado americano, hecho con patatas cocidas enteras, carne de vaca, carnero o gallina y sal con ají.

cariñena *m.* Vino de Cariñena, comarca de Zaragoza, muy dulce y oloroso.

cariño *m.* Inclinación de amor o buen afecto. 2 fig. Expresión y señal de dicho sentimiento. 3 Esmero con que se hace una labor o se trata una cosa. – 4 *m. pl.* Recuerdos, saludos. – 5 *m. Colomb., C. Rica, Chile y Nicar.* Regalo, obsequio.

carioca *adj.-s.* De Río de Janeiro, ciudad de Brasil.

cariocariáceo, -a *adj.-f.* Planta de la familia de las cariocariáceas. – 2 *f. pl.* Familia de plantas angiospermas dicotiledóneas, casi siempre leñosas, con frutos en drupa provistos de una a cuatro semillas y hojas divididas en tres lóbulos.

cariocinesis *f.* BIOL. División indirecta de la célula, precedida de una transformación completa del núcleo. ◇ Pl.: *cariocinesis.*

cariofanales *f. pl.* Orden de bacterias, dentro de la clase esquizomicetes, que forman colonias microscópicas filamentosas constituidas por individuos flagelados.

cariofiláceo, -a *adj.-f.* Planta de la familia de las cariofiláceas. – 2 *f. pl.* Familia de plantas dicotiledóneas, que incluye hierbas o matas, de tallos nudosos articulados, hojas opuestas, estrechas y sencillas, flores hermafroditas regulares y fruto capsular; como el clavel.

cariofilales *f. pl.* Orden de plantas dentro de la clase dicotiledóneas, herbáceas con hojas opuestas o verticiladas y flores actinomorfas y hermafroditas.

cariogamia *f.* BOT. Fusión de núcleos como consecuencia de un proceso sexual.

cariópside *f.* **Fruto seco, monospermo e indehiscente, considerado como un aquenio, de pericarpio adherido a la semilla; como el grano de trigo.

cariotipo *m.* Conjunto cromosómico total de un individuo.

cariparejo, -ja *adj.* fam. [pers.] De cara imperturbable.

cariseto *m.* Tela de lana.

carisma *m.* TEOL. Don gratuito que concede Dios con abundancia a una criatura. 2 Prestigio personal que infunde respeto a los demás.

cariz *m.* Aspecto de la atmósfera. 2 fig. Aspecto que presenta un asunto o negocio.

carlinga *f.* MAR. Hueco, generalmente cuadrado, en que se encaja la mecha (espiga). 2 Cabina del avión, donde se halla el piloto y ayudantes de vuelo.

carlismo *m.* Programa político de los partidarios del príncipe Carlos María Isidro de Borbón (1788-1855) o de sus descendientes que han pretendido el trono de España.

carlota *f.* Torta de leche, huevos, azúcar, cola de pescado y vainilla.

carmelita *adj.-com.* Religioso de la orden del Carmen. – 2 *f.* Flor de la capuchina que se suele echar en las ensaladas. – 3 *f. pl.* Pastelillos muy finos de almendra.

I) carmen *m.* Orden religiosa fundada en el monte Carmelo hacia el siglo XII.

II) carmen *m.* Verso o composición poética, especialmente si está escrita en latín.

carmenar *tr.* Desenredar y limpiar [el cabello, la lana, la seda, etc.]. 2 fig. Quitar [a uno] el dinero o cosas de valor.

carmesí *adj.-m.* Color parecido al de la grana, dado por el quermes animal. – 2 *f.* De color carmesí. – 3 *m.* Polvo de color de la grana quermes. 4 Tela de seda roja. ◊ Pl.: *carmesíes*.

carmesita *f.* Silicato hidratado nativo de hierro y alúmina.

carmín *adj.-m.* Color rojo encendido, sacado especialmente de la cochinilla. – 2 *adj.* De color carmín. – 3 *m.* Materia de este color. 4 Rosal silvestre con flores de color carmín (gén. *Rosa*). 5 Flor de esta planta.

carminativo, -va *adj.* [medicamento] Que favorece la expulsión de los gases existentes en el tubo digestivo.

carnación *f.* Manera de representar la carne, o color con que se representa en la pintura.

carnada *f.* Cebo animal para pescar o cazar. 2 fig. y fam. Añagaza.

carnal *adj.* Relativo a la carne. 2 Lascivo, lujurioso. 3 Relativo a la lujuria. 4 fig. Terrenal, y que sólo mira las cosas del mundo. 5 [pers.] Que es pariente por línea colateral: *primo ~*. – 6 *m.* Tiempo del año que no es cuaresma.

carnalita *f.* Cloruro doble de potasio y magnesio.

carnaval *m.* Los tres días que preceden al miércoles de ceniza. 2 Fiesta popular que se celebra en tales días y consiste en mascaradas, bailes y otros regocijos bulliciosos. 3 fig. y desp. Conjunto de informalidades y fingimientos que se reprochan en una reunión o en el trato de un negocio.

carnaza *f.* Cara de las pieles que ha estado en contacto con la carne. 2 Carnada (cebo). 3 Carne en abundancia y de mala calidad.

carne *f.* Parte del cuerpo de los animales constituida por sus músculos. 2 p. anal. Parte mollar de la fruta. 3 Carne de los animales considerada como alimento. 4 Carne y productos comestibles de los cuadrúpedos y de las aves, en contraposición al pescado, verduras, etc.: *día de abstinencia de ~*. 5 El cuerpo humano en oposición al espíritu: *la resurrección de la ~*. 6 El cuerpo como sustentáculo de la concupiscencia y de la sensualidad.

carné *m.* Tarjeta de identificación personal o de afiliación a alguna asociación, organización, partido, etc. ◊ Pl.: *carnés*. ◊ Sigue en uso la forma *carnet*, pero es preferible esta forma castellanizada, admitida por la Real Academia Española de acuerdo con la pronunciación habitual.

carnear *tr. Amér.* Matar y descuartizar [un animal] para beneficiarlo.

carneiro *m.* Molusco lamelibranquio, provisto de una concha de gran tamaño, de hasta 8 cms., con valvas similares de bordes fuertemente dentados (*Acanthocardia echinata*).

carneola *f.* Roca calcárea impregnada con óxidos de hierro y con fragmentos aislados de dolomita negra.

carnero *m.* Rumiante bóvido de la subfamilia de los ovinos, de siete a ocho decímetros de altura, frente convexa, cuernos divergentes arrollados en espiral, cola larga y lana espesa y flexible; se cría en domesticidad y de él se aprovechan especialmente la lana y la carne (*Ovis aries*). 2 Carne de dicho animal.

carnestolendas *f. pl.* Carnaval (días).

carnet *m.* Carné.

carnicería *f.* Sitio donde se vende por menor la carne. 2 fig. Destrozo y mortandad de gente. 3 p. ext. Herida, lesión, etc., con efusión de sangre.

carnicero, -ra *adj.-s.* Animal que da

muerte a otro para comérselo. – 2 *adj.-m.* Carnívoro (animal). – 3 *adj.* [coto o dehesa] Donde pace el ganado que se destina al abasto público. 4 fam. [pers.] Que come mucha carne. 5 fig. Cruel, sanguinario, inhumano. – 6 *m. f.* Persona que vende carne.

cárnico, -ca *adj.* Perteneciente o relativo a la carne comestible y a sus preparados: *industrias cárnicas.*

carnificación *f.* Alteración morbosa que da a los tejidos de ciertos órganos una consistencia de carne.

carnina *f.* Principio amargo contenido en el extracto de carne.

carnívoro, -ra *adj.-s.* Animal que se alimenta de carne. – 2 *adj.-m.* Animal del orden de los carnívoros. – 3 *m. pl.* Orden de mamíferos placentarios que se alimentan principal o exclusivamente de carne; se caracterizan por tener pequeños los incisivos y grandes los molares, dos de los cuales son cortantes y mayores que los demás. – 4 *adj.* [planta] Que se nutre de ciertos insectos que atrapa por medio de órganos dispuestos para ello.

carniza *f.* Desperdicio de la carne que se mata. 2 Carne muerta.

carnosidad *f.* Carne superflua que crece en una llaga. 2 Carne que sobresale en alguna parte del cuerpo. 3 Gordura extremada.

carnoso, -sa *adj.* De carne. 2 Que tiene muchas carnes. 3 Que tiene consistencia de carne. 4 [órgano vegetal] Formado por tejido parenquimatoso, blando y lleno de jugo.

caro, -ra *adj.* Que excede mucho del valor o estimación regular. 2 Subido de precio. 3 Amado, querido. – 4 *adv. m.* A un precio alto o subido.

caroca *f.* Decoración de lienzos y bastidores con que, en determinadas solemnidades, se adornan calles o plazas. 2 Composición bufa, a semejanza de los antiguos mimos. 3 fig. Dicho o hecho afectadamente cariñoso y lisonjero.

carocho *m.* Pez marino seláceo, de color chocolate, con reflejos violáceos y manchas obscuras *(Scymnorhinus licha).*

carofíceas *f. pl.* Clase de algas del tipo clorófitos, propias de aguas dulces y que alcanzan un elevado grado de complejidad.

carola *f.* Baile medieval, durante el cual los ejecutantes daban vueltas cogidos de un dedo de la mano. 2 Música y canto, alternado con estrofas recitadas, de este baile.

carolina *f.* Hierba leguminosa, con hojas pinnadas y cabezuelas florales globulosas de color rosa y lila *(Coronilla varia).* 2 Pastelito compuesto de un fondo de pasta de hojaldre y de un relleno de crema pastelera recubierto de merengue.

carolingio, -gia *adj.-s.* Relativo a Carlomagno (742-814), a su familia y dinastía, o a su tiempo.

carona *f.* Tela acojinada puesta entre la silla o albarda y el sudadero, para que no se lastimen las caballerías. 2 Parte interior de la albarda. 3 Parte del lomo sobre el cual cae la carona de la albarda.

caroñoso, -sa *adj.* [caballería] Que tiene mataduras.

carosis *f.* Sopor profundo acompañado de insensibilidad completa. ◇ Pl.: *carosis.*

carota *com.* fam. Descarado, caradura.

carótida *f.* Arteria que por uno y otro lado del cuello lleva la sangre a la cabeza; **circulación.

carotina *f.* Pigmento amarillo anaranjado que se encuentra en ciertas células vegetales, y da su color a la zanahoria.

carozo *m.* Raspa de la espiga del maíz.

I) carpa *f.* Pez teleósteo cipriniforme comestible, de agua dulce, verdoso por encima y amarillento por debajo, con la boca pequeña, escamas grandes y una sola aleta dorsal *(gén. Cyprinus).*

II) carpa *f.* Gajo de uvas.

III) carpa *f.* Gran toldo que cubre un circo o cualquier otro recinto. 2 Tenderete de feria. 3 Tienda de campaña.

carpanta *f.* burl. Hambre violenta.

carpazo *m.* Arbusto cistáceo de hoja plana, lanceolada y vellosa por el haz y el envés; las flores son blancas y pentámeras *(Cistus psilosepalus).*

carpe *m.* Árbol coriláceo de hasta 25 m. de altura, con la corteza lisa y gris y ramas muy erguidas; las hojas son ovales, puntiagudas y doblemente aserradas, la madera es fuerte y resistente *(Carpinus betulus).*

carpelo *m.* BOT. Órgano sexual femenino de las plantas fanerógamas, que sostiene y protege los óvulos; **flor; **gimnospermas.

carpeta *f.* Cubierta de badana o tela para mesas o arcas. 2 Par de cubiertas entre las que se guardan papeles, documentos, etc. 3 Cartera grande para escribir sobre ella y guardar papeles. 4 Factura de los valores o efectos públicos o comerciales que se presentan al cobro, al canje o a la amortización.

carpetovetonismo *m.* Defensa de lo español a ultranza, rechazando la influencia exterior.

carpicultura *f.* Técnica de dirigir y fomentar la reproducción de carpas (pez) para su propagación y venta.

carpín *m.* Pez fluvial cipriniforme de extraordinaria adaptación al ambiente por desfavorable que sea *(Carassius carassius).*

carpintería *f.* Establecimiento de carpintero. 2 Oficio de carpintero. 3 Obra o labor del carpintero.

carpintero *m.* El que tiene por oficio trabajar y labrar la madera, generalmente común.

carpir *tr. Amér.* Limpiar o escardar [la tierra].

carpo *m.* Región del esqueleto de la **mano, compuesta de ocho **huesos dispuestos en dos filas, que se articula con el antebrazo y el metacarpo.

carpófago, -ga *adj.* [animal] Que se alimenta generalmente de frutos.

carpología *f.* Parte de la botánica que estudia el fruto de las plantas.

carqueja *f.* Arbusto dioico de 30 a 60 cms. de altura, áfilo *(Baccharis articulata).*

carquesa *f.* Horno para templar objetos de vidrio.

carquexia *f.* Mata leguminosa parecida a la retama *(Pterospartum tridentatum; P. sagittale).*

carra *f.* En los teatros, plataforma deslizante sobre la que va montada una decoración o parte de ella. 2 Planta euforbiácea, monoica y perenne, con la base del tallo leñosa *(Mercurialis tomentosa).*

carraca *f.* Instrumento músico de madera que produce un ruido seco y desapacible. 2 Ave coraciforme de lindo plumaje de tonalidades azules, de costumbres solitarias *(Coracias garrulus).*

carraco, -ca *adj.-s.* Viejo achacoso.

carral *m.* Barril para acarrear vino.

carraleja *f.* Escarabajo de color negro con los élitros blandos y pequeños. Si se ve en peligro desprende una secreción oleosa de color rojizo que es tóxica *(Meloë proscarabeus).*

carrara *m.* Mármol blanco de Carrara, región de Italia.

I) carrasca *f.* Encina generalmente pequeña, o mata de ella.

II) carrasca *f. Amér.* Instrumento músico de origen africano, consistente en un bordón con muescas que se rasga a compás con un palillo.

carrasco *m.* Carrasca (encina). 2 *Amér.* Extensión grande de terreno cubierto de vegetación leñosa.

carraspada *f.* Bebida compuesta de vino tinto aguado, o del pie de este vino, con miel y especias.

carraspear *intr.* Tener carraspera. 2 Mondar la garganta.

carraspera *f.* fam. Aspereza en la garganta, que enronquece la voz.

carraspique *m.* Planta crucífera de jardín, de hojas lanceoladas y flores blancas o moradas en corimbos redondos muy apretados, el fruto es comprimido y casi circular *(Ibers umbellata; Thaspi arvense).*

carrera *f.* Paso rápido del hombre o del animal que corren. 2 fig. Curso de los astros. 3 Curso que sigue uno en sus acciones. 4 fig. Profesión de las armas, letras, ciencias, etc. 5 Duración de la vida humana. 6 Pugna de velocidad: ~ *de automóviles;* ~ *de galgos;* ~ *a pie.* 7 Sitio destinado para correr. 8 Camino real o carretera. 9 Serie de calles que ha de recorrer una comitiva: *los soldados cubrían la* ~. 10 Línea regular de navegación. 11 Recorrido que

hace un vehículo de alquiler. 12 Serie de cosas puestas en orden o hilera. 13 Línea de puntos que se sueltan en la media.

carrerilla *f.* Sucesión rápida ascendente o descendente de sonidos o notas musicales. – 2 *loc. adv.* fam. **De ~**, de memoria y de corrido, sin enterarse mucho de lo que se ha leído o estudiado.

carreta *f.* Carro largo, angosto y más bajo que el ordinario, generalmente de ruedas sin llanta, y con una lanza a la cual se sujeta el yugo.

carretada *f.* Carga que lleva una carreta o un carro. 2 fig. Gran cantidad de cosas.

carretal *m.* Sillar toscamente desbastado.

carrete *m.* Cilindro de madera, metal o plástico taladrado por el eje, con bordes en sus bases, para devanar y mantener arrollados en él hilos, alambres, cintas, etc. 2 Cilindro de la caña de pescar en que se enrolla el sedal. 3 Conductor eléctrico, aislado y arrollado sobre sí mismo, en una o varias capas, a igual que el hilo en un carrete. 4 Cilindro en el que se enrolla la película fotográfica. 5 Película enrollada para obtener **fotografías.

carretela *f.* Coche de cuatro asientos con caja poco profunda y cubierta plegadiza.

**carretera *f.* Camino público, ancho y espacioso, dispuesto para carros y coches.

carretero *m.* El que tiene por oficio hacer carros y carretas. 2 El que guía las caballerías o bueyes que tiran de ellos.

carretilla *f.* Carro pequeño de mano, con una rueda en la parte anterior, o más raramente dos en el centro, y dos varas y pies, con asa, en la posterior; **jardinería. 2 Bastidor de madera con tres ruedas por pies y una manija, de la cual se asen los niños para aprender a andar.

carretón *m.* Carro pequeño, a modo de un cajón abierto, con dos ruedas, que puede ser tirado por una caballería. 2 Armazón con una rueda, en donde lleva el afilador las piedras y un barrilito con agua. 3 Taburete sobre cuatro ruedas en donde se pone a los niños para que aprendan a andar. 4 Pequeña plataforma giratoria con dos pares de ruedas montadas sobre sendos ejes próximos, paralelos y solidarios entre sí, que se utilizan en ambos extremos de los vehículos de gran longitud destinados a circular sobre carriles. 5 *Amér. Central.* Carrete de hilo.

carricerín *m.* Ave paseriforme pequeña insectívora, de plumaje pardo listado, que vive en matorrales palustres *(Acrocephalus schoenobaenus).*

carricero *m.* Ave del género de los carriceros. – 2 *m. pl.* Género de aves paseriformes insectívoras, que se caracterizan por tener el pico largo y deprimido, como los carricerines *(Acrocephalus sp.).*

carricoche *m.* Carro cubierto cuya caja era

como la de un coche. 2 desp. Coche viejo o de mala figura. 3 Tiovivo.

carril *m.* Huella que dejan en el suelo las ruedas del carruaje. 2´ Surco (hendedura). 3 Camino capaz tan sólo para el paso de un carro. 4 En una vía pública, banda longitudinal destinada al tránsito de una sola fila de vehículos: ~ *de aceleración,* el que en una autopista u autovía permite al vehículo alcanzar la velocidad adecuada antes de entrar en la vía principal; **carretera. 5 Guía metálica o de cemento, con el perfil apropiado para que sirva de plano de deslizamiento a los ferrocarriles.

carrillada *f.* Grasa que tiene el puerco a uno y otro lado de la cara. 2 Tiritón que hace temblar y chocar las mandíbulas.

carrillo *m.* Parte carnosa de la cara, desde la mejilla hasta lo bajo de la quijada; **boca.

carriola *f.* Cama baja o tarima con ruedas.

carrizo *m.* Planta graminácea, de raíz larga, rastrera y dulce, tallo alto, hojas anchas y en forma de copa *(Phragmites vulgaris).* 2 Hierba ciperácea, perenne, con las hojas lineares, punzantes y cortantes; las flores están muy reducidas, carecen de perianto y son unisexuales *(Carex* sp.).

carro *m.* Carruaje de dos ruedas, con lanza o varas para enganchar el tiro, y cuya armazón consiste en un bastidor con listones o cuerdas, y varales o tablas en los costados y frentes: ~ *de combate,* tanque; **armas. 2 Carga de un carro. 3 Parte corredera de una máquina que transporta algo de un lugar a otro del mecanismo: *el ~ de una máquina de escribir, de una máquina de imprimir.* 4 *Amér.* Automóvil.

carrocería *f.* Establecimiento en que se construyen, venden y componen carruajes. 2 Caja de un vehículo automóvil o ferroviario.

carrocha *f.* Huevecillos del pulgón o de otros insectos.

carromato *m.* Carro que suele tener bolsas de cuerdas para la carga y un toldo de lienzo y cañas.

carroña *f.* Carne corrompida. – 2 *com.* fig. Persona vil y despreciable.

carroñar *tr.* Infectar con roña [al ganado lanar].

carroñero, -ra *adj.* [animal] Que se alimenta de carroña.

carroza *f.* Coche grande ricamente adornado, usado generalmente para funciones públicas. 2 Armazón cubierta con un toldo, para defender de la intemperie la cámara de

CARRETERA

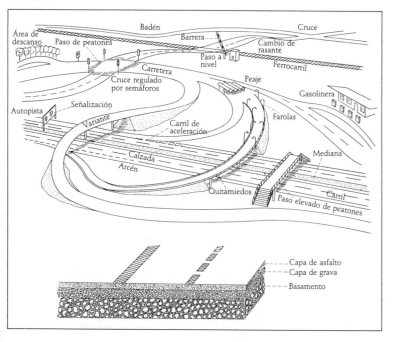

las góndolas y falúas. 3 Coche fúnebre. – 4 **adj.-com.** vulg. Viejo, anticuado.

carruaje *m.* Vehículo formado por una armazón de madera o hierro, montado sobre ruedas. 2 Conjunto de carros y coches que se previene para un viaje.

carruco *m.* Carro pequeño en que el eje da vueltas con las ruedas, que carecen de rayos.

carrucha *f.* Polea.

carrujo *m.* Copa de un árbol.

carrusel *m.* Ejercicio ecuestre. 2 Tiovivo, caballitos. 3 Parada deportiva.

carta *f.* Papel escrito, y generalmente cerrado, dirigido a una persona ausente para comunicarle alguna cosa: ~ **pastoral** o simplemente **pastoral**, escrito que con exhortaciones o instrucciones dirige un prelado a sus diocesanos. 2 Acta, escritura en la que son registrados ciertos títulos, derechos, etc. 3 Constitución escrita o código fundamental de un estado, especialmente la otorgada por el soberano. 4 Naipe. 5 Lista de platos y bebidas de un restaurante, o local donde se expende. 6 ~ **de ajuste,** imagen televisada con líneas, círculos, sombras y colores de diversa intensidad para poder ajustar los receptores. 7 MAR. Mapa.

cartabón *m.* Instrumento en forma de triángulo rectángulo escaleno, usado en el **dibujo lineal. 2 Ángulo que forman en el caballete las dos vertientes de una armadura de tejado. 3 *Amér.* Marca o talla para medir a las personas.

cartagenero, -ra *adj.-s.* De Cartagena, ciudad de Murcia. – 2 *f.* Cierto tipo de canción popular: *el cantador se arrancó por cartageneras.*

cartapacio *m.* Cuaderno para escribir o tomar apuntes. 2 Funda de plástico, hule o cartón en que los muchachos que van a la escuela meten sus libros y papeles. 3 Conjunto de papeles contenidos en una carpeta.

cartapel *m.* Escrito inútil o impertinente.

carteado, -da *adj.-s.* Juego de naipes que no es de envite.

cartear *intr.* Jugar las cartas falsas para tantear el juego. – 2 *prnl.* frecuent. Corresponderse por carta.

cartel *m.* Papel, impreso o manuscrito, que se fija en un paraje público para hacer saber alguna cosa, a veces hecho sólo con fines decorativos, o que sirve en las escuelas para enseñar a leer: **tener** ~, tener fama, buena reputación. 2 Pasquín. 3 Red para pescar sardinas.

cártel *m.* Convenio o asociación de empresas comerciales, para mantener o aumentar los precios de determinadas mercancías. ◇ Puede pronunciarse también *cartel*.

cartela *f.* Pedazo de cartón, madera, etc., a modo de tarjeta, donde se apunta o escribe algo. 2 Ménsula a modo de modillón, de más altura que vuelo; **chimenea. 3 Hierro que, en

número variable, sostiene los balcones cuando no tienen repisa de albañilería. 4 Decoración que enmarca a modo de orla una parte central destinada a recibir emblemas, leyendas, etc.

cartelera *f.* Armazón con superficie adecuada para fijar los carteles. 2 Sección en los periódicos donde se anuncian los espectáculos.

cartelero *m.* El que tiene por oficio fijar carteles. – 2 *adj.* [espectáculo, autor, artista, torero, etc.] Que tiene cartel o atrae al público.

cárter *m.* Cubierta protectora de los órganos de un mecanismo. 2 Pieza de la bicicleta destinada a proteger la cadena de transmisión. 3 Depósito para lubricante, en la parte inferior de un motor de explosión.

cartera *f.* Billetero (utensilio). 2 Bolsa de piel, con tapadera y generalmente con asa, para llevar libros, legajos, etc. 3 fig. Empleo de ministro: *desempeña la ~ de Hacienda.* 4 Ejercicio de ministro: *ministro sin ~.* 5 Valores o efectos comerciales de curso legal que forman parte del activo de un comerciante, banco o sociedad. 6 Cubierta formada por dos hojas de cartón, unidas por uno de sus lados, que sirve para dibujar sobre ella y para guardar estampas o dibujos. 7 Tapa o portezuela de tela que cierra el bolsillo de algunas prendas de vestir. 8 *Amér.* Bolso de las mujeres.

cartería *f.* Empleo de cartero. 2 Oficina inferior de correos, donde se recibe y despacha la correspondencia pública.

carterista *com.* Ladrón de carteras.

cartero, -ra *m. f.* Persona cuyo oficio es repartir las cartas del correo.

cartesianismo *m.* Sistema filosófico de Descartes (1596-1650) y de sus discípulos.

cartilaginoso, -sa *adj.* Relativo a los cartílagos. 2 Semejante al cartílago.

cartílago *m.* Tejido conjuntivo blanquecino, sólido, resistente y elástico, que forma el esqueleto de algunos vertebrados inferiores, y, en los superiores, se añade a ciertos huesos para prolongarlos, o bien forma o contribuye a la forma de ciertos órganos, como en la laringe, la oreja, la **nariz, etc.

cartilla *f.* Libro para aprender las letras del alfabeto. 2 Tratado breve y elemental de un oficio o arte. 3 Cuaderno donde se anotan ciertas substancias o datos referentes a determinada persona: ~ *de ahorros, de racionamiento;* ~ *de trabajo;* ~ *militar.*

cartivana *f.* Tira de papel o tela que se pone en las láminas u hojas sueltas para encuadernarlas; **libro.

cartografía *f.* Arte de trazar cartas geográficas. 2 Ciencia que las estudia.

cartograma *m.* Mapa geográfico o topográfico en el cual las intensidades de un cierto fenómeno cuantitativo se representan con la intensidad o calidad del color o del trazado.

cartomancia, -mancía *f.* Arte supersticioso de adivinar el futuro por medio de los naipes.

cartometría *f.* Medición de las líneas trazadas sobre las cartas geográficas.

cartómetro *m.* Curvímetro que se usa para medir las líneas trazadas sobre las cartas geográficas.

cartón *m.* Hoja gruesa formada de pasta de papel endurecida por compresión de un conjunto de varias hojas de papel sobrepuestas. 2 ~ *piedra,* pasta de papel, yeso y aceite secante, con la que puede hacerse toda clase de figuras. 3 Dibujo en grande que un pintor realiza como modelo para ser ejecutado al fresco, en mosaico, tapicería, etc.: *los cartones de Goya.* 4 Paquete en el que van incluidas normalmente diez cajetillas de tabaco.

cartoné *m.* Encuadernación que se hace con tapas de cartón y forro de papel.

cartuchera *f.* Caja, generalmente forrada de cuero, para llevar cartuchos.

cartuchería *f.* Fábrica de cartuchos. 2 Conjunto o provisión de cartuchos con que se dota a una unidad militar, grupo de cazadores, mina, etc.

cartucho *m.* Cilindro de cartón, de metal, de lienzo, etc., que contiene una cantidad determinada de explosivo, especialmente una carga completa para un arma de fuego: *un ~ de dinamita; un ~ de fusil.* 2 Envoltorio cilíndrico de monedas de una misma clase. 3 Dispositivo intercambiable, de forma, tamaño y material variables, provisto de lo necesario para que funcionen ciertas máquinas, aparatos e instrumentos: *un ~ fotográfico, de una estilográfica, de una impresora láser.*

cartuja *f.* Orden religiosa muy austera y de vida contemplativa, que fundó San Bruno (¿1035?-1101) el año 1086. 2 Monasterio de esta orden.

cartujano, -na *adj.* Relativo a la cartuja. – 2 *adj.-s.* Cartujo. – 3 *adj.* [caballo o yegua] Que ofrece las señales más características de la raza andaluza.

cartujo, -ja *adj.-s.* Religioso de la cartuja. – 2 *m.* fig. Hombre taciturno o muy retraído.

cartulina *f.* Cartón delgado, muy terso.

carúncula *f.* Excrecencia carnosa, especialmente la que presentan algunos animales; como la cresta del gallo.

carura *f.* *Amér. Central, Argent.* y *Ecuad.* Carestía.

carurú *m.* Planta americana de medio metro de altura, que sirve para hacer lejía *(Amaranthus melancholicus).*

CASA

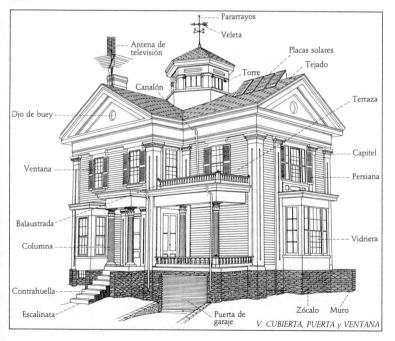

V. CUBIERTA, PUERTA y VENTANA

carvajo, carvallo *m.* Roble.

**casa *f.* Edificio o parte de él destinado para habitación humana: ~ *de labor* o *labranza;* ~ *de huéspedes,* establecimiento de hostelería de similar categoría que la pensión, que no presta servicio de comedor. 2 Familia. 3 Linaje: *la* ~ *de Borbón; la* ~ *de Austria.* 4 Edificio destinado a un uso especial público o privado: ~ *consistorial,* edificio donde está instalada la administración municipal y donde se reúne el ayuntamiento; ~ *de citas, de lenocinio, de prostitución, de tolerancia,* mancebía. 5 Establecimiento industrial o mercantil. 6 Edificio, mobiliario, régimen de vida, etc., de alguien. 7 ~ *celeste,* parte en que se considera dividido el cielo por los círculos del atacir.

casaca *f.* Vestidura ceñida al cuerpo, con mangas hasta las muñecas y con faldones hasta las corvas. 2 Especie de chaqueta o abrigo corto de aspecto generalmente muy deportivo.

casadero, -ra *adj.* Que está en edad de casarse: *tiene una hija ya casadera.*

casal *m.* Casería, casa de campo. 2 Solar o casa solariega. 3 *Can., Argent. y Urug.* Pareja de macho y hembra.

casamata *f.* Bóveda muy resistente para instalar una o más piezas de artillería.

casamentero, -ra *adj.-s.* [pers.] Que con frecuencia propone bodas o interviene en el ajuste de ellas.

casamiento *m.* Ceremonia nupcial. 2 Contrato hecho con las solemnidades legales entre hombre y mujer, para vivir maridablemente.

I) casar *m.* Conjunto de casas que no llegan a formar pueblo.

II) casar *tr.* DER. Anular, abrogar, derogar.

III) casar *intr.-prnl.* Contraer matrimonio: ~, o *casarse, en segundas nupcias;* ~, o *casarse, con su prima; casarse por poderes.* – 2 *tr.* Disponer un padre o superior el casamiento [de persona que está bajo su autoridad]. 3 Unir, juntar [una cosa] con otra: ~ *lo blanco con lo negro.* 4 p. ext. Disponer y ordenar [algunas cosas] de suerte que hagan juego o tengan correspondencia entre sí: ~ *los colores; intr., estos colores no casan.*

casca *f.* Hollejo de la uva pisada y exprimida. 2 Corteza de ciertos árboles usada para curtir las pieles y teñir artes y aparejos de pesca. 3 Rosca de mazapán y cidra o batata, bañada y cubierta con azúcar.

cascabel *m.* Bola de metal, hueca y agujereada, que lleva dentro un pedacito de hierro o latón para que, moviéndolo, suene. 2 fig. Persona alegre o poco juiciosa.

cascabelear *tr.* fig. Alborotar [a uno] con esperanzas vanas para que ejecute alguna cosa. – 2 *intr.* Portarse con ligereza. 3 *Amér.* Hacer ruido de cascabeles.

cascabelero, -ra *adj.-s.* fig. [pers.] De poco juicio. – 2 *m.* Sonajero. – 3 *f.* Hierba rastrera que suele crecer al borde de los caminos y en terrenos arenosos *(Spergularia rubra).*

cascabelillo *m.* Variedad de ciruela pequeña y redonda, de color purpúreo obscuro y sabor dulce.

cascabillo *m.* Cascabel (campanilla). 2 Cascarilla en que se contiene el grano de trigo o cebada. 3 Cúpula de la bellota.

cascada *f.* Despeñadero de agua; **río. 2 Conjunto o serie de varios elementos, aparatos, máquinas, etc., enlazados entre sí.

cascado, -da *adj.* fig. [persona o cosa] Muy trabajada o gastada. 2 fig. [voz] Que carece de sonoridad y entonación.

cascajo *m.* Guijo, fragmentos de piedra y de otras cosas que se quiebran. 2 Conjunto de frutas de cáscara seca. 3 Vasija, trasto o mueble roto e inútil: *estar hecho un* ~.

cascamajar *tr.* Quebrantar [una cosa] machacándola algo.

cascanueces *m.* Utensilio a modo de tenaza, para partir nueces, avellanas, etc. 2 Ave paseriforme de plumaje vinoso salpicado de manchas blancas *(Nucyfraga caryocatactes).* ◊ Pl.: *cascanueces.*

cascapiñones *com.* Persona que saca, rompe y monda los piñones. – 2 *m.* Tenaza para cascar los piñones. ◊ Pl.: *cascapiñones.*

cascar *tr.* Quebrantar o hendir [una cosa quebradiza]. 2 fig. Quebrantar la salud [de uno]. 3 Dar [a uno] golpes; pegarle. – 4 *tr.-prnl.* Estropear, dañar una cosa. – 5 *intr.* fam. Charlar. 6 fig. Hallarse una derrota. 7 fig. y fam. Morir. ◊ ** CONJUG. [1] como *sacar.*

cáscara *f.* Corteza o cubierta de algunas cosas: ~ *de huevo;* **ave; ~ *de almendras.*

cascarilla *f.* Arbusto euforbiáceo de 1,5 m. de altura, cuya corteza tiene propiedades medicinales *(Croton eleuteria).* 2 Laminilla delgada de metal con que se revisten varios objetos. 3 Blanquete hecho de cáscara de huevo. 4 Cáscara de cacao, de cuya infusión se hace una bebida que se toma caliente.

cascarón *m.* Cáscara de huevo de cualquier ave, y especialmente la rota por el pollo al salir de él.

cascarrabias *com.* fam. Persona que fácilmente se irrita. ◊ Pl.: *cascarrabias* .

cascarrón, -rrona *adj.* fam. Bronco, áspero y desapacible.

cascarudo, -da *adj.* Que tiene gruesa la cáscara. – 2 *m.* Insecto coleóptero de antenas dentadas y claramente separadas en su base *(Lasioderma serricorne).*

casco *m.* Cráneo. 2 Pieza de la **armadura que cubre y defiende la cabeza. 3 Pieza de diversos materiales y formas, según su uso, que sirve para proteger la cabeza: *un* ~ *militar; un* ~ *de motorista; un* ~ *de obrero de la construcción.* 4 Conjunto formado por dos auriculares en serie fijados en las orejas por una cinta metálica, que pasa sobre la cabeza. 5 Cáscara dura y carnosa de la cebolla. 6 Cáscara dura de algunos frutos. 7 Copa del sombrero. 8 Uña del pie o de la mano de las bestias **caballares. 9 Cuerpo de la nave, con abstracción del aparejo y las máquinas. 10 Tonel, pipa o botella para contener líquidos. 11 Pedazo de una vasija o vaso rotos: *un ~ de botella.* 12 Conjunto de los edificios agrupados de una población, por oposición a las afueras o al término municipal. 13 Armazón de la silla de montar. – 14 *m. pl.* Cabeza de carnero o de vaca, quitados los sesos y la lengua. 15 Despojos de las reses. – 16 *m. Amér.* Gajo de naranja, granada, etc.

cascote *m.* Fragmento de alguna fábrica de albañilería derribada o arruinada. 2 Conjunto de escombros. 3 Trozo de metralla, o fragmento pequeño de un proyectil hueco de artillería.

caseificar *tr.* Transformar en caseína. 2 Separar o precipitar la caseína [de la leche]. ◇ ** CONJUG. [1] como *sacar.*

caseína *f.* Albuminoide contenido en la leche, que se precipita por la adición de ácidos. 2 Substancia nitrogenada contenida en el gluten vegetal.

caseoso, -sa *adj.* Relativo al queso. 2 Parecido a él.

casería *f.* Casa aislada en el campo, con fincas rústicas dependientes de ella. 2 Gobierno económico interior de una casa, propio de las mujeres. 3 *Amér.* Parroquia o clientela.

caserío *m.* Conjunto de casas. 2 Casería (casa).

caserna *f.* Bóveda, a prueba de bomba, que se construye debajo de los baluartes para alojar soldados y almacenar cosas.

casero, -ra *adj.* Que se hace o cría en casa: *pan ~; palomo ~.* 2 Que se hace entre personas de confianza, sin cumplidos: *función casera.* 3 [pers.] Que está mucho en su casa. 4 [juez deportivo o arbitraje] Que favorece al equipo en cuyo campo se juega. – 5 *m. f.* Dueño de una casa, que la alquila a otro. 6 Administrador de ella. 7 Inquilino. 8 Arrendatario de una casería. 9 *Amér.* Parroquiano.

caserón *m.* Casa muy grande y destartalada.

caseta *f.* Casa pequeña de construcción ligera. 2 Barraca de feria. 3 En los balnearios y playas, casilla o garita donde se desnudan los bañistas. 4 DEP. p. ext. Vestuario, en general. 5 MAR. Cámara o pequeño departamento sobre cubierta para guardar algo u ofrecer abrigo en caso de mal tiempo.

casete *f.* Cajita, generalmente de material plástico, que contiene una cinta magnética para el registro y reproducción del sonido, de imágenes, o de ambos. – 2 *m.* Aparato que sirve para hacer dichos registros y reproducción del sonido.

casetón *m.* Adorno, generalmente con molduras y un florón en el centro, que se pone en los techos y bóvedas; **romano.

casi *adv. c.* Cerca de, poco menos de, aproximadamente, por poco: ~ *cien hombres;* ~ *increíble;* ~ *ocupaba el salón;* ~ *desde esta mañana; roto ~ el navío; mil años o ~.*

casida *f.* Composición poética arábiga y también persa, breve y de asunto generalmente amoroso.

cásida *f.* Insecto coleóptero, de cuerpo redondeado con los élitros brillantes, y de antenas no excesivamente largas (gén. *Cassida*).

casilla *f.* Casa o albergue pequeño y aislado: *la ~ de un paso a nivel.* 2 Compartimiento del casillero, o de algunas cajas, estanterías, etc. 3 División del papel rayado verticalmente o en cuadrículas. 4 Escaque (de ajedrez).

casillero, -ra *m. f.* Persona encargada de un paso a nivel en el ferrocarril, la cual vive en una casilla. – 2 *m.* Mueble con varias divisiones, para tener clasificados papeles u otros objetos.

casimba *f. Amér.* Pozo de agua, manantial; vasija o barril para recoger agua de lluvia o de un manantial.

casina *f.* Arbusto de hojas alternas, pecioladas y simples, y flores axilares hermafroditas; de sus hojas se prepara una infusión estimulante parecida al té (*Ilex vomitaria*).

casinete *m. Amér. Merid.* Tela de calidad inferior al casimir.

casino *m.* Sociedad de los que se juntan en una casa, mediante la cuota que paga cada socio, para conversar, leer, jugar, etc. 2 Edificio en que esta sociedad se reúne.

casiopiri *m.* Arbusto espontáneo en la India y que se cultiva en los jardines europeos por su hermosura y fragancia.

casiterita *f.* Bióxido de estaño nativo, de color pardo y brillo diamantino.

casmodia *f.* Enfermedad que consiste en bostezar con excesiva frecuencia.

caso *m.* Suceso, acontecimiento; lance, ocasión o coyuntura. 2 Enfermo de una enfermedad infecciosa, y p. ext., de cualquier enfermedad: ~ *clínico,* proceso morboso individual, especialmente el no habitual. 3 En las ciencias, observación o experiencia con que se busca inducir una ley general. 4 Asunto de que se trata. 5 GRAM. Función que desempeñan los substantivos, adjetivos y pronombres en la oración en que figuran. Forma que dichas palabras toman en determinadas lenguas para expresar su función sintáctica: ~ *oblicuo,* el que desempeña una función indirecta por medio de una preposición: acusativo, genitivo, dativo y ablativo.

caspa *f.* Escamilla formada en la cabeza a raíz de los cabellos. 2 La que forman las herpes o queda de las hinchazones o llagas.

caspiroleta *f. Amér.* Bebida refrescante, hecha de leche, canela, huevos, azúcar y varios ingredientes aromáticos.

¡cáspita! Interjección con que se denota extrañeza o admiración.

casquero, -ra *m. f.* Persona que vende despojos de las reses. – 2 *m.* Lugar donde se cascan los piñones.

casquete *m.* Cubierta de tela, cuero, etc., que se ajusta al casco de la cabeza. 2 Media peluca que cubre solamente una parte de la cabeza. 3 ~ *esférico,* parte de la superficie de la esfera, cortada por un plano que no pasa por su centro; **sólidos. 4 ~ *polar,* parte de la superficie del globo terráqueo comprendida entre el círculo polar y el polo respectivo.

casquiderramado, -da *adj.* [caballería] Que tiene ancho de palma el casco.

casquijo *m.* Multitud de piedra menuda, que se emplea como grava o para hacer hormigón.

casquillo *m.* Anillo o abrazadera de metal que refuerza la extremidad de una pieza de madera. 2 Hierro de la saeta o flecha. 3 Cartucho metálico vacío. 4 Parte metálica de la bombilla que conecta con el circuito. 5 *Amér.* Herradura.

casquivano, -na *adj.* fam. Alegre de cascos.

casta *f.* Generación o linaje. 2 Parte de los habitantes de un país que forman clase especial. 3 En la América hispánica, grupo de población, racial o étnico, resultante de la mezcla de blanco, indio, negro e incluso amarillo. 4 fig. Especie o calidad de una cosa.

castaña *f.* Fruto del castaño. 2 Especie de moño que con el pelo se hacen las mujeres en la parte posterior de la cabeza.

castañeta *f.* Sonido que resulta de juntar la yema del dedo medio con la del pulgar y hacerla resbalar para que choque en el pulpejo. 2 Pez marino teleósteo, carnívoro, de cuerpo alto muy ovalado y comprimido, hocico muy corto y aleta caudal muy escotada *(Brama brama).*

castañetear *tr.* Tocar las castañuelas: ~ *una seguidilla.* – 2 *intr.* Dar chasquidos con los dedos. 3 Sonarle a uno los dientes dando los de una mandíbula contra los de la otra, por efecto del frío o del miedo.

castaño, -ña *adj.-m.* Color parecido al de la cáscara de la castaña: *pasar una cosa de ~ obscuro.* – 2 *adj.* De color castaño. – 3 *m.* Árbol cupulífero de unos 20 m. de altura, tronco grueso, copa ancha y redonda, hojas grandes, flores masculinas en amentos y las femeninas axilares, y fruto comestible de cáscara correosa de color pardo obscuro, con la cúpula convertida en una envoltura coriácea y espinosa *(Castanea sativa).* 4 Madera de este árbol. 5 ~ *de Indias,* árbol hipocastanáceo de madera blanda y amarillenta, hojas palmea-das, flores en racimos derechos y fruto muy parecido al del castaño común *(Æsculus hippocastanum).*

castañuela *f.* Instrumento músico de **percusión, compuesto de dos piezas cóncavas de madera o de marfil, a modo de conchas. 2 Planta ciperácea, delgada, larga y de raíz tuberculosa *(Bulbocastanum incrassattanum).* 3 Planta umbelífera perenne, con tubérculos ricos en hidratos de carbono y comestibles *(Bunium incrassatum).* 4 Planta compuesta, anual o bienal, de hojas vellosas con una espina en la punta; las flores se disponen en capítulos amarillos *(Pallenis spinosa).* 5 Pez marino teleósteo, de pequeño tamaño y cola ahorquillada; los adultos son de color pardo, mientras que los jóvenes son de color azul brillante *(Chromis chromis).* 6 Pieza de hierro que sirve para elevar sillares con una grúa.

castellana *f.* Copla de cuatro versos de romance octosílabo.

castellanismo *m.* Vocablo, giro o modo de hablar propio de las provincias castellanas, pero diferente del español común. 2 Amor o apego a las cosas características de las provincias castellanas.

castellanizar *tr.* Dar forma castellana [a un vocablo de otro idioma]. 2 Enseñar el castellano [a los que no lo saben]. – 3 *prnl.* Hacerse hablante del castellano. ◇ ** CONJUG. [4] como *realizar.*

castellano, -na *adj.-s.* De Castilla. 2 Español, lengua española. 3 Dialecto románico, nacido en Cantabria, del que tuvo su origen la lengua española. 4 Variedad de la lengua española hablada modernamente en gran parte de Castilla.

castellología *f.* Aspecto de la historia que trata de los castillos, especialmente antiguos.

casticismo *m.* Amor a lo castizo.

casticista *com.* Purista en el uso del idioma.

castidad *f.* Estado, virtud del que se abstiene de todo goce sexual ilícito. 2 Continencia absoluta: *hacer voto de ~.*

castigar *tr.* Ejecutar algún castigo [en un culpado]: *castigarle de,* o *por, sus fechorías.* 2 Mortificar, afligir: ~ *el cuerpo.* 3 Estimular con el látigo o con las espuelas a una cabalgadura para que acelere la marcha. ◇ ** CONJUG. [7] como *llegar.*

castigo *m.* Pena impuesta al que ha cometido un delito o falta: ~ *ejemplar,* el grave y extraordinario, para que sirva de mayor escarmiento. 2 fig. *y* fam. Persona o cosa que da mucho sufrimiento o trabajo.

castillejo *m.* Andamio que se arma para levantar pesos considerables, generalmente en la construcción de edificios.

castillete *m.* Armazón de distintas formas y materias que sirve de sostén.

****castillo** *m.* Edificio o conjunto de edificios, cercados de murallas, baluartes, fosos y otras fortificaciones. 2 Cabida de un carro desde la escalera hasta lo alto de los varales. 3 Parte de la cubierta alta de un buque entre el palo trinquete y la proa.

castizo, -za *adj.* De buen origen y casta. 2 [pers.] Que en su manera de ser y obrar representa bien los caracteres de su raza, país, ciudad, etc.: *madrileño* ~. 3 [lenguaje] Puro y sin mezcla de voces ni giros extraños. 4 p. ext. Puro, típico, genuino: *costumbre, tradición, comida castiza.* 5 Muy prolífico.

casto, -ta *adj.* Que guarda castidad. 2 Que es conforme a la castidad. 3 fig. [cosa] Que conserva en sí aquella pureza y hermosura con que se crió y aleja toda idea de sensualidad en quien la contempla.

castor *m.* Mamífero roedor, de cuerpo grueso, cubierto de pelo muy espeso y fino, pies posteriores palmeados y cola plana y escamosa; es muy apreciado por su piel (*Castor faber*). 2 Paño o fieltro hecho con pelo de castor. 3 Tela de lana de suavidad parecida a la del pelo del castor.

castorcillo *m.* Tela de lana, tejida como la estameña.

castradera *f.* Instrumento de hierro para castrar (las colmenas).

castrapuercas, -cos *m.* Silbato compuesto de varios cañoncillos unidos, de que usan los capadores para anunciarse. ◇ Pl.: *castrapuercas* y *castrapuercos.*

castrar *tr.* Capar (extirpar). 2 Podar. 3 Quitar [a las colmenas] parte de los panales con miel. 4 fig. Debilitar, enervar.

castrense *adj.* Relativo al ejército y al estado o profesión militar.

castrismo *m.* Doctrina política basada en Fidel Castro (n. 1927). 2 Conjunto de partidos que se inspiran en dicha doctrina.

castro *m.* Ciudad céltica situada en una cima rocosa, amurallada y con diversas viviendas de planta circular o elíptica.

castrón *m.* Macho cabrío castrado.

casual *adj.* Que sucede por casualidad. 2 GRAM. Referente a los casos de la declinación: *desinencias casuales.*

casualidad *f.* Suceso imprevisto cuya causa se ignora.

casualismo *m.* Teoría que funda en el acaso el origen de todos los acontecimientos.

casuariforme *adj.-m.* Ave del orden de los casuariformes. – 2 *m. pl.* Orden de aves no voladoras pero buenas corredoras, propias de Asia y Australia; como el casuario y el emú.

casuario *m.* Ave casuariforme de plumaje obscuro con manchas rojas y azules; es capaz de correr a gran velocidad (*Casuaris casuaris*).

casuística *f.* Parte de la teología moral que trata de los casos de conciencia. 2 Consideración de los diversos casos particulares que se pueden prever en determinada materia.

casulla *f.* Vestidura que se pone el sacerdote sobre todas las demás para celebrar la misa.

CASTILLO

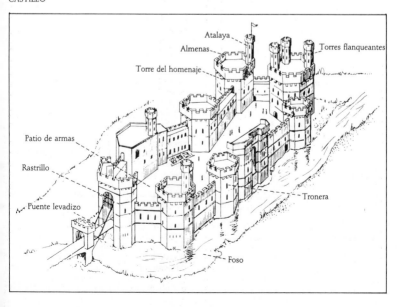

Atalaya
Almenas
Torres flanqueantes
Torre del homenaje
Patio de armas
Rastrillo
Tronera
Puente levadizo
Foso

catabolismo *m.* BIOL. Parte del proceso del metabolismo en la cual se destruye la substancia de los seres vivos.

cataclasis *f.* GEOL. Fragmentación de los distintos componentes de una roca como consecuencia de un proceso tectónico. ◇ Pl.: *cataclasis.*

cataclismo *m.* Trastorno grande del globo terráqueo, producido por el agua. 2 fig. Gran trastorno en el orden social o político. 3 fig. Catástrofe, desastre.

catacresis *f.* RET. Tropo que consiste en dar a una palabra un sentido traslaticio para designar una cosa que carece de nombre especial: *la hoja de una espada.* ◇ Pl.: *catacresis.*

catacumbas *f. pl.* Serie de galerías subterráneas para uso funerario utilizadas en los primeros siglos de nuestra era por judíos y cristianos en Roma. No se emplearon para el culto normal.

catadióptrico, -ca *adj.* Que implica a la vez reflexión y refracción de la luz. 2 [aparato] Compuesto de espejos y lentes.

catador *m.* El que cata. 2 p. ext. El que por experiencia es hábil para apreciar algo: *buen ~ de pintura.*

catadura *f.* Gesto o semblante.

catafalco *m.* Túmulo suntuoso que suele ponerse en los templos para las exequias solemnes.

catáfilo *m.* BOT. Hoja pequeña, escuamiforme, que normalmente tiene función protectora, situada en la base del tallo o sobre cualquier órgano subterráneo.

cataforesis *f.* Desplazamiento de partículas que se hallan en suspensión, bajo la influencia de un campo eléctrico. ◇ Pl.: *cataforesis.*

catalán, -lana *adj.-s.* De Cataluña. – 2 *m.* Lengua hablada en Cataluña y en otras regiones de España, Francia e Italia.

catalanismo *m.* Movimiento político catalán defensor de una autonomía más o menos amplia para Cataluña. 2 Doctrina de dicho movimiento. 3 Vocablo, giro o modo de hablar propio de Cataluña. 4 Amor o apego a las cosas características de Cataluña.

catalasa *f.* Enzima presente en ciertos tejidos animales y vegetales que descompone el agua oxigenada.

catalejo *m.* Anteojo de larga vista.

catalepsia *f.* Suspensión repentina de la sensibilidad y de los movimientos voluntarios, acompañada de una rigidez muscular que hace que los miembros se inmovilicen en cualquier postura en que se los coloque.

catalicores *m.* Pipeta usada para catar vinos y licores. ◇ Pl.: *catalicores.*

catálisis *f.* Aceleración de una reacción química producida por la presencia de una substancia que permanece aparentemente intacta. ◇ Pl.: *catálisis.*

catalizador *m.* Cuerpo capaz de producir la catálisis.

catalizar *tr.* Producir la catálisis. 2 p. ext. Causar o provocar un proceso o una reacción [de cualquier tipo]. 3 fig. Atraer y agrupar [fuerzas, opiniones, sentimientos, etc.]. ◇ ** CONJUG. [4] como *realizar.*

catalogar *tr.* Hacer el catálogo [de los libros, monedas, pinturas, etc.] de una biblioteca, exposición, etc. 2 Incluir [un libro, moneda, etc.] en un catálogo. ◇ ** CONJUG. [7] como *llegar.*

catálogo *m.* Lista ordenada de libros, monedas, pinturas, precios, objetos en venta, etc.: *el ~ de una biblioteca, de una exposición.*

catalpa *f.* Árbol bignoniáceo caducifolio da hasta 12 m. de altura con las hojas grandes y acorazonadas; las flores, dispuestas en inflorescencias piramidales, son acampanadas y de color blanco con manchas púrpuras y dos rayas amarillas *(Catalpa bignonioides).*

catalufa *f.* Tejido de lana tupido y afelpado, para alfombras.

catamarán *m.* Balsa hindú de 3 ó 5 troncos, propulsada a remos o a vela. 2 Embarcación deportiva con dos cascos ahusados a modo de patines y una plataforma, propulsada a vela o a motor. 3 Conjunto de dos flotadores ahusados en un hidroavión.

cataplasma *f.* Composición de consistencia blanda, que se aplica a una parte del cuerpo como emoliente o calmante.

catapulta *f.* Máquina militar antigua para arrojar piedras o saetas. 2 Máquina que en los buques sirve para lanzar aviones.

catapultar *tr.* Disparar o lanzar [piedras, aviones] con catapulta. 2 fig. Promover, promocionar [a una persona] de modo fulgurante y repentino: *su buena imagen le catapultó a la fama.*

catar *tr.* Probar [una cosa] para examinar su sabor. 2 Examinar, registrar, buscar. 3 Castrar las colmenas.

cataraña *f.* Ave ciconiforme, variedad de garza, con el cuerpo blanco y los ojos, el pico y los pies de color verde rojizo *(gén. Ardea).*

catarata *f.* Cascada o salto grande de agua. 2 MED. Opacidad del cristalino o de su cápsula que impide total o parcialmente la visión. – 3 *f. pl.* Nubes cargadas de agua en el momento en que se vierten copiosamente.

cátaros *m. pl.* Herejes de los siglos XI y XII que afirmaban la existencia de los dos principios universales, el bien y el mal.

catarro *m.* Inflamación de una membrana mucosa con aumento de su secreción; esp., inflamación de las mucosas de las vías aéreas. 2 Flujo de las membranas mucosas.

catarsis *f.* Purificación de las pasiones del ánimo mediante las emociones provocadas por la obra de arte. 2 p. ext. Eliminación de recuerdos que perturban la conciencia o el equilibrio nervioso. ◇ Pl.: *catarsis.*

catártico, -ca *adj.* [medicamento] Purgante. 2 Relativo a la catarsis psíquica o determinante de ella.

catastro *m.* Censo estadístico de las fincas rústicas y urbanas.

catástrofe *f.* fig. Suceso infausto que altera gravemente el orden regular de las cosas. 2 fig. Hiperbólicamente, cosa de mala calidad o que resulta mal, está mal hecha, etc.

catastrofismo *m.* Pesimismo extremo. 2 Tendencia a predecir catástrofes. 3 Teoría según la cual la historia de la Tierra habría sufrido grandes catástrofes naturales en momentos determinados que habrían eliminado los organismos vivos de aquellas épocas.

catatermómetro *m.* Instrumento para medir el poder refrigerante del aire ambiente, o sea, la cantidad de calor cedida al mismo por el cuerpo humano.

catatonía *f.* PAT. Conjunto de fenómenos psicomotores, caracterizados por una ausencia total de reacción frente a estímulos exteriores.

catavino *m.* Taza para probar el vino. 2 Tubo o pipeta para sacar vino de un tonel y catarlo. 3 Copa de cristal fino con la que se examinan, huelen y prueban los mostos y los vinos.

cateador, -ra *adj.* Que catea. – 2 *m.* Martillo de punta y mazo que usan los mineros para romper los minerales que van a estudiar.

catear *tr.* Catar, buscar. 2 Entre estudiantes, suspender en los exámenes [a un alumno]. 3 *Amér.* Tantear [el terreno] en busca de alguna veta de mineral. 4 *Amér.* Allanar o registrar la policía [la casa de alguno].

catecismo *m.* Libro que contiene la exposición sucinta de alguna doctrina, ciencia o arte en forma de preguntas y respuestas.

catecumenado *m.* Tiempo durante el cual se preparaba el catecúmeno para recibir el bautismo.

catecúmeno, -na *m. f.* Persona que se está instruyendo en la doctrina católica, con el fin de recibir el bautismo. 2 p. ext. Neófito de una doctrina cualquiera.

cátedra *f.* Asiento elevado desde donde el maestro enseña. 2 En las antiguas **basílicas, asiento destinado al obispo. 3 fig. Capital o matriz donde reside el prelado. 4 Dignidad pontificia o episcopal: ~ *de San Pedro,* dignidad del Sumo Pontífice. 5 fig. Empleo de profesor, el más alto en institutos de bachillerato y universidades. 6 Aula. 7 Asignatura que expone un catedrático.

catedral *adj.-f.* Iglesia principal de una diócesis en que reside el obispo o arzobispo con su capítulo.

catedrático, -ca *m. f.* Persona que ocupa en propiedad una cátedra de enseñanza.

categoría *f.* FIL. En la lógica aristotélica, concepto general que puede decirse y afirmarse de toda cosa. 2 FIL. En la lógica kantiana, modo más general según el cual la razón forma sus juicios. 3 FIL. En los sistemas panteístas, concepto puro o noción a priori con valor trascendental al par lógico y ontológico. 4 Grupo en que se puede clasificar distintos objetos. 5 Condición social de unas personas respecto de las demás. 6 Jerarquía establecida en una profesión o carrera. 7 fig. Elemento de clasificación en las ciencias.

categórico, -ca *adj.* Que afirma o niega de una manera absoluta, sin condición ni alternativa alguna.

categorizar *tr.* Ordenar o clasificar por categorías. ◇ ** CONJUG. [4] como *realizar.*

catenaria *adj.-f.* **Curva formada por una cadena, cuerda, o cosa parecida, suspendida entre dos puntos que no están en la misma vertical. 2 Sistema de suspensión de cable conductor que, teniendo que permanecer en contacto con el dispositivo de toma de corriente de la locomotora o del tranvía eléctrico, está unido a un cable portante por mediación de hilos sustentadores verticales o péndolas.

catenular *adj.* De forma de cadena.

catequesis *f.* Catequismo. ◇ Pl.: *catequesis.*

catequismo *m.* Ejercicio de instruir en cosas relativas a la religión. 2 Arte de instruir por medio de preguntas y respuestas.

catequizar *tr.* Instruir oralmente [a uno], especialmente en la religión católica. 2 Persuadir [a uno] a que ejecute o consienta una cosa que repugnaba.

catéresis *f.* MED. Debilitación producida por un medicamento.

catering *m.* Servicio de suministro o abastecimiento a los aviones.

caterva *f.* desp. Multitud de personas o cosas consideradas en grupo, pero sin concierto, o de poca importancia: *una ~ de pedigüeños.*

catéter *m.* Sonda empleada en medicina para desobstruir o explorar conductos naturales.

I) cateto *m.* Lado que forma el ángulo recto en el **triángulo rectángulo.

II) cateto, -ta *m. f.* desp. Palurdo.

catetómetro *m.* Instrumento para medir pequeñas diferencias de altura.

catilinaria *adj.-f.* Oración pronunciada por Cicerón (106-43 a. C.) contra Catilina (¿109?-62). – 2 *f.* p. ext. Escrito o discurso vehemente dirigido contra alguna persona.

catín *m.* Crisol en que se refina el cobre para obtener las rosetas.

catinga *f. Amér.* Olor fuerte y desagradable que despiden algunos animales y plantas.

catión *m.* FÍS. Átomo o grupo de átomos que, por haber perdido una parte de sus electrones, tiene carga positiva. 2 QUÍM. Ion cargado positivamente.

catite *m.* Piloncillo hecho del azúcar más depurado. 2 Golpe o bofetada dados con poca fuerza.

cato *m.* Árbol índico del género acacia, de cuya corteza se extrae una substancia tintórea y tánica *(Acacia catechu).*

cátodo *m.* Electrodo por donde la corriente eléctrica sale del electrólito. 2 Polo negativo de una pila eléctrica.

catolicismo *m.* Creencia de la Iglesia católica. 2 Comunidad y gremio universal de los que pertenecen a la Iglesia católica.

católico, -ca *adj.* Universal. 2 esp. Dícese de la Santa Iglesia Romana, fundada por Jesucristo, cuya cabeza visible es el Papa. 3 Verdadero, cierto, infalible, de fe divina. – 4 *adj.-s.* [pers.] Que profesa la religión católica.

catolizar *tr.* Hacer que [una persona o cosa] adquiera carácter católico. ◇ ** CONJUG. [4] como *realizar.*

I) catón *m.* fig. Censor severo.

II) catón *m.* Libro compuesto de frases y períodos cortos para ejercitar en la lectura a los principiantes.

catóptrica *f.* Parte de la óptica que trata de la reflexión de la luz.

catoptromancia, -mancía *f.* Adivinación por medio de espejos.

catorce *adj.* Diez más cuatro; **numeración. 2 Decimocuarto. – 3 *m.* Guarismo del número catorce.

catorceavo, -va *adj.-s.* Parte, que junto con otras trece iguales, constituye un todo; **numeración.

catre *m.* **Cama ligera para una sola persona.

catrecillo *m.* Silla pequeña de tijera.

caucásico, -ca *adj.-s.* Raza humana que comprende los principales pueblos de Europa, norte de África y sudoeste de Asia, llamada también raza blanca.

cauce *m.* Lecho de los **ríos y arroyos. 2 Conducto descubierto por donde corren las aguas para los riegos y otros usos. 3 Modo, procedimiento o norma: *la solicitud va por el ~ reglamentario.*

caución *f.* Prevención, cautela.

cauchil *m.* Depósito regulador del abastecimiento de agua, del cual parten las cañerías de la red de distribución.

caucho *m.* Substancia compleja, elástica y tenaz, que se encuentra en el jugo lechoso de gran número de plantas tropicales. 2 *Pan., P. Rico y S. Dom.* Árbol moráceo del que se obtiene esta substancia *(Castilla elastica).*

I) caudal *m.* Cantidad de agua que mana o corre. 2 Hacienda, bienes, dinero. 3 fig. Abundancia de cosas que no sean hacienda o dinero.

II) caudal *adj.* Relativo a la cola: *aleta ~;* **pez.

caudaloso, -sa *adj.* De mucha agua: *río, torrente ~.*

caudillaje *m.* Mando de un caudillo. 2 *Amér.* Caciquismo, tiranía.

caudillo *m.* El que, como cabeza, guía y manda la gente de guerra. 2 El que dirige algún gremio, comunidad o cuerpo.

caudimano, caudímano *adj.* [animal] Que tiene cola prensil, de la cual se sirve como instrumento de trabajo; como el castor.

caujazo *m.* Planta americana, boragínácea, cuya madera se emplea en la construcción *(gén. Cordia).*

caulescente *adj.* [planta] Que tiene el tallo muy bien desarrollado, por lo que se distingue fácilmente de la raíz.

caulículo *m.* Vástago que nace en lo interior de las hojas que adornan el capitel corintio.

caulífero, -ra *adj.* [planta] Que echa la flor sobre el tallo.

cauliforme *adj.* De forma de tallo.

caulinar *adj.* BOT. Que se origina a partir del tallo o pertenece a él.

caulote *m.* *Amér. Central.* Árbol malváceo, semejante al moral en la hoja y fruto *(Heliocarpus americana).*

causa *f.* Aquello por lo que una cosa es antecedente necesario e invariable de un efecto: *se desconocen las causas del accidente.* 2 Motivo o razón para obrar: *la escasez de recursos económicos fue la ~ por la que abandonó el negocio.* 3 Pleito (litigio). 4 Proceso criminal que se instruye de oficio o a instancia de parte: *~ vista para sentencia.* 5 Empresa o doctrina en que se forma interés o partido: *la ~ del pueblo.*

causal *adj.* [relación] De causa entre dos o más seres o hechos: *relación ~; encadenamiento ~.* 2 GRAM. *Oración ~,* la compuesta en que se enuncia una de las oraciones como causa o motivo de la otra: *no salí porque hacía mal tiempo.* 3 **Conjunción ~,* la que sirve de nexo en las oraciones causales, como *porque, ya que, puesto que,* etc.

causalidad *f.* Relación entre causa y efecto.

causar *tr.* Producir una causa [su efecto]: *el agua causa desastres; las olas causaron averías en las naves.* 2 Ser causa o motivo [de una cosa]: *la codicia causa muchos males;* **prnl.**, *de la codicia se causan muchos males.* – 3 *tr.-prnl.* p. ext. Ser ocasión o darla para que una cosa suceda.

causón *m.* Calentura fuerte y de corta duración.

cáustica *f.* Curva que forman los rayos de luz emanados de un foco y refractados o reflejados por una superficie curva.

cáustico, -ca *adj.* Que quema y desorganiza los tejidos animales. 2 fig. Mordaz, agresivo. – 3 *adj.-m.* Medicamento que desorganiza los tejidos produciendo una escara.

cautela *f.* Precaución y reserva con que se procede. 2 Astucia, maña para engañar.

I) cautelar *tr.* Prevenir, precaver. – 2 *prnl.* Precaverse, recelarse.

II) cautelar *adj.* DER. Preventivo, precautorio.

cauteloso, -sa *adj.* [pers.] Que obra con cautela. 2 fig. [cosa] Que parece tener cautela.

cauterio *m.* MED. Medio empleado para convertir los tejidos en una escara: ∼ *actual,* instrumento cuyo extremo se aplica candente para la formación instantánea de una escara; ∼ *potencial,* el que obra, con más o menos lentitud, por sus propiedades químicas. 2 fig. Lo que corrige o ataca eficazmente algún mal.

cauterizar *tr.* Curar [las heridas u otras enfermedades] con el cauterio. 2 fig. Corregir con asperezas o rigor [un vicio]. 3 fig. Tildar [a uno] con alguna nota o censura. ◇ ** CONJUG. [4] como *realizar.*

cautín *m.* Aparato para soldar con estaño.

cautivar *tr.* Rendir, sujetar enteramente: *es preciso ∼ los intereses individuales en servicio de una comunidad.* 2 Atraer, ejercer irresistible influencia [en el ánimo de uno]: ∼ *a uno con beneficios.*

cautiverio *m.* Estado de la persona cautiva. 2 p. ext. Encarcelamiento. 3 Privación de libertad a los animales no domésticos. 4 Estado de vida de estos animales.

cautividad *f.* Cautiverio.

cautivo, -va *adj.-s.* Aprisionado en la guerra: ∼ *de los moros;* fig., ∼ *de su amor.*

cauto, -ta *adj.* Que obra con cautela.

cava *f.* Pieza subterránea donde se conserva el vino y se cría. – 2 *m.* Vino blanco espumoso natural, cuyo proceso de elaboración y crianza, desde la toma de espuma hasta la eliminación de las lías, transcurre en la misma botella en que se ha efectuado el tiraje.

cavacote *m.* Montoncillo de tierra, a modo de mojón.

cavallillo *m.* Reguera o canal entre dos fincas.

cavar *tr.* Levantar o mover [la tierra] con la azada, azadón, etc. – 2 *intr.* Ahondar, profundizar: *la herida cava para adentro.* 3 fig. Meditar profundamente: ∼ *en las verdades y misterios de la fe.*

cávea *f.* Graderío concéntrico o hemiciclo destinado a los espectadores en los teatros, anfiteatros y circos **romanos.

caverna *f.* Concavidad natural profunda, en la tierra o en alguna roca. 2 MED. Excavación creada en un órgano, generalmente en el pulmón, por evacuación de tejidos destruidos.

cavernícola *adj.* Que vive en las cavernas. 2 fig. y fam. Retrógrado en política.

cavernoso, -sa *adj.* Relativo o semejante a la caverna. 2 Sordo y bronco: *voz cavernosa; tos cavernosa; suspiro ∼.* 3 Que tiene muchas cavernas.

caveto *m.* Moldura cóncava cuyo perfil es un cuarto de círculo.

cavia *f.* Especie de alcorque o excavación.

caviar, -al *m.* Manjar de huevas de esturión aderezadas.

cavidad *f.* Espacio hueco de un cuerpo cualquiera.

cavilar *tr.* Fijar tenazmente la consideración [en una cosa] con demasiada insistencia.

cavilosidad *f.* Aprensión, prejuicio infundado.

caviloso, -sa *adj.* Que se deja preocupar por alguna idea. 2 *Amér. Central.* Chismoso.

cavitación *f.* Formación de huecos o cavidades locales en un líquido, como resultado de la reducción de la presión total.

cayadilla *f.* Instrumento que usan los forjadores para agrupar el carbón en el centro del hogar.

cayado *m.* Palo o bastón corvo por la parte superior: ∼ *de pastor.* 2 Báculo pastoral de los obispos.

cayo *m.* Isla rasa, arenosa, frecuentemente anegada y cubierta en gran parte de mangle.

cayuco *m. Amér.* Embarcación india de una pieza, más pequeña que la canoa, con el fondo plano y sin quilla, que se gobierna y mueve con el canalete.

caz *m.* Canal para tomar y conducir el agua. ◇ Pl.: *caces.*

caza *f.* Acción de cazar. 2 Animal salvaje, antes y después de cazado: ∼ *mayor,* jabalíes, lobos, ciervos, etc.; ∼ *menor,* liebres, conejos, perdices, etc. 3 Alcance, seguimiento, persecución: ∼ *de brujas,* persecución debida a prejuicios sociales o políticos. – 4 *m.* Avión de caza.

cazabe *m.* Torta que se hace en varias partes de América con harina de raíz de yuca.

cazabombardero *m.* Avión que sirve tanto para la caza de otros aviones como para el bombardeo ligero.

cazador, -ra *adj.* [animal] Que por instinto caza otros animales. – 2 *adj.-s.* [pers.] Que caza por oficio o por diversión: ∼ *furtivo,* el que caza en terreno vedado, sin autorización.

cazadora *f.* Especie de chaqueta. 2 *Amér. Central.* Camión pequeño, camioneta.

cazadotes *m.* El que trata de casarse con mujer rica. ◇ Pl.: *cazadotes.*

cazalla *f.* Aguardiente fabricado en Cazalla de la Sierra, ciudad de Sevilla.

cazar *tr.* Buscar o perseguir [a las aves, fieras, etc.] para cogerlas o matarlas. 2 fam. Adquirir con destreza [una cosa difícil]. 3 Captarse la voluntad de [uno] con halagos o engaños. 4 Sorprender [a uno] en un descuido o en algo que deseaba ocultar. ◇ ** CONJUG. [4] como *realizar.*

cazatorpedero *m.* Buque de guerra pequeño y bien armado, de marcha muy rápida, destinado a la persecución de los torpederos enemigos.

cazcarria *f.* Lodo que se coge y seca en la parte de la ropa que va cerca del suelo: *estar lleno de cazcarrias.*

cazcorvo, -va *adj.* [caballería] Que tiene las patas corvas.

cazo *m.* Vasija metálica, de porcelana, etc., cilíndrica y con mango largo; **cocina. 2 Cucharón semiesférico con el mango largo y vertical. 3 Cazoleta de la espada. 4 Cuchara de máquina excavadora.

cazoleta *f.* Pieza de metal, debajo del puño de la espada o sable para resguardo de la mano. 2 Pieza redonda de acero, en medio de la parte exterior del broquel, para cubrir su empuñadura. 3 Receptáculo pequeño de algunos objetos: *la ~ de la pipa.*

cazón *m.* Pez marino seláceo escualiforme, de siete a ocho metros de largo, muy voraz y temible, cuya piel se emplea como lija *(Galeorhinus galeus).*

cazonal *m.* Conjunto de arreos y aparejos para pescar cazones. 2 Red de grandes mallas para pescar peces grandes. 3 fig. Negocio muy arduo y sin salida.

cazuela *f.* Vasija redonda, más ancha que honda, para guisar; **cocina. 2 Guisado de legumbres y carne picada. 3 Sitio del teatro a que sólo podían concurrir mujeres.

cazumbrar *tr.* Juntar con cazumbre las duelas y tablas de las cubas de vino.

cazumbre *m.* Cordel de estopa poco torcida con que se unen las tablas y duelas de las cubas de vino.

cazurro, -rra *adj.-s.* desp. De pocas palabras y muy metido en sí. 2 Taimado. 3 Tosco, basto, zafio.

ce *f.* Nombre de la letra *c:* ~ *por be,* o ~ *por* ~, menuda, circunstancialmente. ◇ Pl.: *ces.*

ceba *f.* Cebo dado al ganado para engordar. 2 fig. Acción de cebar (los hornos).

cebada *f.* Planta graminácea parecida al trigo, de espigas formadas por espiguillas uniformes y grano aguzado en los extremos *(Hordeum vulgaris);* **cereales. 2 Grano de cebada.

cebadera *f.* Morral para dar cebada al ganado en el campo. 2 Cajón para la cebada.

I) cebadero *m.* El que tiene por oficio vender cebada. 2 Caballería que va delante en las cabañas del ganado mular, a la cual siguen las otras.

II) cebadero *m.* El que tenía por oficio cebar y adiestrar aves de cetrería. 2 Lugar destinado a cebar animales. 3 Lugar en que se echa el cebo a la caza. 4 Abertura por donde se introduce mineral en el horno.

cebadilla *f.* Especie de cebada de hojas blandas y vellosas que crece espontánea en las paredes y caminos *(Bromus catharticus).* 2 Raíz de vedegambre.

cebado, -da *adj.* Amér. [fiera] Que por

haber probado carne humana es más temible.

cebador, -ra *adj.* Que ceba. – 2 *m.* Interruptor térmico o contacto de bimetal que sirve para el encendido de lámparas de descarga gaseosa, especialmente tubos fluorescentes.

cebar *tr.* Dar o echar cebo [a los animales] para engordarlos o atraerlos: ~ *con bellotas.* 2 fig. Alimentar de combustible [un horno, una lámpara, etc.]. 3 Poner [en las armas, proyectiles, barrenos, etc.] el cebo para inflamarlos; poner cebo [al cohete u otro artificio de pólvora]. 4 Llenar de líquido [un sifón o una bomba], dar empuje al volante [de una máquina, etc.] para que empiece a funcionar. 5 Tocar [la aguja magnética] con un imán para darle fuerza. – 6 *tr.-prnl.* fig. Fomentar [en una persona] un afecto o pasión: ~ *el alma con esperanzas; cebarse en llanto; cebarse de esperanzas.* – 7 *intr.-tr.* fig. Penetrar, agarrar [el clavo] en la madera, [el tornillo] en la tuerca, etc. – 8 *prnl.* fig. Entregarse con mucha diligencia e intención a una cosa: *cebarse en el estudio.* 9 Encarnizarse, ensañarse: *se cebó en su víctima;* producir estragos las cosas materiales: *cebarse la peste.*

cebo *m.* Comida dada a los animales para alimentarlos, engordarlos o atraerlos. 2 Alimentos o artificios que los simulan con que el pescador intenta atraer y coger los peces. 3 fig. Porción de materia explosiva con que en las armas de fuego, proyectiles huecos, barrenos, etc., se provoca la explosión de la carga. 4 Porción de mineral que se echa de una vez para cebar el horno. 5 Fomento o pábulo dado a un afecto o pasión.

cebolla *f.* Planta liliácea hortense, de hojas fistulosas y cilíndricas, flores en umbela esferoidal, y bulbo comestible, blanco o rojizo, globuloso y deprimido, formado por capas tiernas y jugosas de olor fuerte y sabor picante *(Allium cepa).* 2 Bulbo de esta planta. 3 Parte redonda del velón, en la cual se echa el aceite. 4 Pieza esférica de plomo o zinc que se pone en las cañerías para que por ellas no pase la broza.

cebollana *f.* Planta muy parecida a la cebolla, de flores violadas, con uno o varios bulbos pequeños y ovoides *(Allium schoenoprasum).*

cebolleta *f.* Planta muy parecida a la cebolla, con el bulbo pequeño y parte de las hojas comestibles *(Allium fistulosum).* 2 Cebolla común que se come tierna.

cebollino *m.* Sementero de cebollas cuando están en sazón para ser trasplantadas. 2 Simiente de cebolla. 3 Planta liliácea de hojas semicilíndricas y flores encarnadas que se cría en los lugares incultos *(Allium ampeloprasum).*

cebollón *m.* Variedad de cebolla, de figura aovada, menos picante que la común (gén. *Allium).*

cebón, -bona *adj.-s.* Animal que ha sido cebado. – 2 *m.* Cerdo.

cebra *f.* Mamífero équido de África, parecido al asno, de pelaje blanco amarillento con listas transversales, pardas o negras *(Equus zebra).*

cebrado, -da *adj.* [animal] Que tiene manchas como la cebra, generalmente alrededor o debajo de los antebrazos, piernas o corvejones.

cebrión *m.* Insecto coleóptero de cuerpo prolongado y élitros blandos (gén. *Cebrio).*

cebú *m.* Mamífero bovino que se distingue del buey por tener encima de la cruz una o dos jibas grasientas *(Bos indicus).* ◇ Pl.: *cebúes.*

ceca *f.* Casa donde se acuña moneda.

cecear *intr.* Pronunciar la *s* como *c.*

cecial *m.* Merluza u otro pescado parecido a ella, seco y curado al aire.

cecias *m.* Viento del nordeste.

cecidia *f.* Agalla de árbol.

cecina *f.* Carne acecinada.

cecografía *f.* Alfabeto y modo de escribir de los ciegos.

cecógrafo *m.* Aparato con que escriben los ciegos.

cecuciente *adj.-com.* [pers.] Que se está quedando ciego.

cedacillo *m.* Planta graminácea, parecida a la tembladera, pero con las espiguillas acorazonadas y violáceas *(Briza media).*

cedazo *m.* Tela de cerdas, más o menos clara, que cierra la parte inferior de un aro. 2 Red grande para pescar.

ceder *intr.* Disminuirse o cesar la resistencia de una cosa: *las galeras cedían y se inclinaban a huir; el príncipe cedió a todo.* 2 Rendirse, sujetarse: *~ a la desventura, a la autoridad.* 3 Mitigarse, disminuir su fuerza el viento, la calentura, etc. 4 Fallar, romperse o soltarse algo sometido a una fuerza excesiva. 5 Resultar o convertirse una cosa en bien o mal de alguno: *~ en su propia honra, en la estimación de uno.* 6 Renunciar a algún derecho, empeño o pretensión: *~ de sus locas pretensiones.* 7 Ser inferior alguien o algo con respecto a una persona o cosa con que se la compara. – 8 *tr.* Dar, transferir, traspasar a otro [una cosa]:

cedilla *f.* La letra *ce* con una virgulita [ç] de la antigua escritura española, que representaba un sonido interdental sordo, a diferencia de la *z* interdental sonora. 2 La virgulita de esta letra. 3 El mismo signo empleado en algunas lenguas modernas, como el francés y el catalán.

cedizo, -za *adj.* [alimento] Que empieza a corromperse.

cedoaria *f.* Planta cingiberácea de la India de cuya raíz se obtiene el arrurruz *(Curcuma zedoaria).*

cedras *f. pl.* Alforjas de pellejo, de que usan los pastores.

cedrelo *m.* Árbol meliáceo de madera rojiza y olorosa, muy apreciada por su belleza y resistencia *(Cedrela odorata).*

cedria *f.* Goma, resina o licor que destila el cedro.

cedrito *m.* Bebida preparada con vino dulce y resina del cedro.

cedro *m.* Árbol conífero abietáceo, muy alto, de tronco grueso y derecho, ramas horizontales; hojas persistentes, casi punzantes, y madera aromática compacta, incorruptible (gén. *Cedrus).*

cedrón *m. Amér.* Luisa. 2 *Amér. Central.* Planta que produce unas semillas muy amargas, usadas como febrífugo y contra el veneno de las serpientes *(Simaba cedron).*

cédula *f.* Pedazo de papel o pergamino escrito o para escribir en él. 2 Documento en que se reconoce una deuda u otra obligación. 3 *Argent., Chile y Urug. ~ de identidad,* tarjeta de identidad.

cefalalgia *f.* Dolor de cabeza.

cefalea *f.* Cefalalgia violenta y tenaz que afecta ordinariamente a uno de los lados de la cabeza.

cefalocordado *adj.-m.* Animal del subtipo de los cefalocordados. – 2 *m. pl.* Subtipo de animales procordados cuyo notocordio se extiende de un extremo a otro del cuerpo. Sólo está representado por la especie *Branchiostoma lanceolatum,* animal de aspecto de pez, que vive enterrado en la arena.

cefalópodo *adj.-m.* Molusco de la clase de los cefalópodos. – 2 *m. pl.* Clase de moluscos marinos, generalmente sin concha, de cabeza voluminosa rodeada de brazos serpentiformes, provistos de ventosas y con el pie transformado en un embudo; como el pulpo y el calamar.

cefalotáceo, -a *adj.-f.* Planta de la familia de las cefalotáceas. – 2 *f. pl.* Familia de plantas sarraceniales carnívoras que ponen las hojas modificadas en forma de recipiente, donde atrapa a los insectos.

cefalotaxáceo, -a *adj.-f.* Planta de la familia de las cefalotaxáceas. – 2 *f. pl.* Familia de plantas coníferas que incluye árboles o arbustos parecidos a los tejos, de óvulos solitarios y semillas grandes con la capa externa carnosa.

cefalotórax *m.* Región del cuerpo de los **arácnidos y muchos **crustáceos constituida por la fusión de la cabeza con el tórax. ◇ Pl.: *cefalotórax.*

céfiro *m.* Poniente (viento). 2 *poét.* Viento suave y apacible. 3 Tela de algodón, especie de muselina, fina, suave y de colores variados.

cegajoso, -sa *adj.-s.* Que habitualmente tiene cargados y llorosos los ojos.

cegar *intr.* Perder enteramente la vista: *vio el país antes de ~.* – 2 *intr.-prnl.* Quedar momentáneamente ciego a causa de una luz intensa, del fuego, etc. – 3 *tr.* Quitar la vista [a uno]. 4 Disminuir el calado de un canal o puerto impidiendo la navegación por él. 5 fig. Cerrar o tapar [una cosa, puerta, cañería, pozo, etc.]; esp., obstruir conductos, veredas u otros pasos estrechos impidiendo el tránsito por ellos. ◇ ** CONJUG. [48] como *regar*.

cegato, -ta *adj.-s.* Corto o escaso de vista.

ceguedad *f.* Total privación de la vista. 2 fig. Alucinación; afecto que ofusca la razón.

ceguera *f.* Ceguedad. 2 Especie de oftalmía que suele dejar ciego al enfermo.

ceiba *f.* Árbol bombáceo de las regiones tropicales, muy alto, de tronco grueso, hojas palmeadas, flores rojas axilares y fruto cónico con seis semillas envueltas en una especie de algodón *(Ceiba pentandra).* 2 Alga en figura de cinta que se cría en el Océano.

ceibo *m.* Planta leguminosa de adorno y medicinal, originaria de América del Sur *(Erythrina cristagalli).*

ceja *f.* Parte prominente y curvilínea, cubierta de pelo, sobre la cuenca del ojo; **cabeza. 2 Pelo que la cubre. 3 fig. Parte que sobresale en poco en algunas cosas: ~ *de la encuadernación.* 4 En los instrumentos músicos de **cuerda, listón que sobresale, entre el clavijero y el mástil, para apoyo y separación de las cuerdas. 5 fig. Parte superior o cumbre del monte o sierra. 6 *Amér. Merid.* Sección de un bosque cortado por un camino.

cejadero, -dor *m.* Tirante de la guarnición de los carruajes, que sirve para cejar y retroceder.

cejar *intr.* Retroceder, andar hacia atrás, especialmente las caballerías que tiran de un carruaje: *el enemigo comenzó a ~; el cochero no quiso ~.* 2 fig. Aflojar o ceder en un empeño o discusión.

cejialba *f.* Mariposa diurna diminuta, de color pardo en la cara superior y verde en la inferior *(Callophrys rubi).*

cejijunto, -ta *adj.* Que tiene las cejas muy pobladas y casi juntas. 2 fig. Ceñudo.

cejirrubia *f.* Mariposa diurna diminuta de color pardo rojizo, con la frente y los ojos bordeados de rojo *(Callophrys avi).*

I) cejo *m.* Niebla que se levanta sobre los ríos y arroyos después de salir el sol. 2 Ceño.

II) cejo *m.* Atadura de esparto.

cejuela *f.* Pieza suelta que aplicada transversalmente sobre la encordadura de la guitarra, sirve para elevar por igual la entonación del instrumento; **cuerda (instrumentos de).

I) celada *f.* Pieza de la **armadura que cubre y defiende la cabeza.

II) celada *f.* Emboscada de gente de armas. 2 Asechanza dispuesta con disimulo.

celador, -ra *adj.* Que cela o vigila. – 2 *m. f.* Persona destinada por la autoridad para ejercer vigilancia.

celaje *m.* Aspecto del cielo surcado de nubes

tenues y polícromas: *los celajes del crepúsculo.* 2 Conjunto de nubes. 3 Claraboya o abertura en la parte superior de un techo o bóveda por donde se descubre el cielo. 4 fig. Presagio, principio de lo que se espera y desea. 5 PINT. Trozo de cielo pintado en un cuadro. 6 *Perú, P. Rico y S. Dom.* Aparición fantástica de la imagen de una persona.

I) celar *tr.* Procurar con particular cuidado [el cumplimiento de las leyes y toda clase de obligaciones]: ~ *la observancia de un reglamento;* ~ *el honor de la justicia;* **intr.,** ~ *sobre la observancia de una ley, por la santidad de la Iglesia.* 2 Observar [a una persona] por recelo que se tiene de ella: *celo a mi hijo* o *celo la conducta de mi hijo.* 3 Vigilar [a los dependientes e inferiores]; cuidar de que cumplan con sus deberes.

II) celar *tr.* Encubrir, ocultar.

III) celar *tr.* Grabar [en láminas de metal o madera] para sacar estampas. 2 Esculpir o cortar con buril o cinceles [metal, piedra o madera].

celastráceo, -a *adj.-f.* Planta de la familia de las celastráceas. – 2 *f. pl.* Familia de plantas dicotiledóneas que incluye árboles o arbustos, de hojas simples, alternas u opuestas; flores en cimas o racimos axilares, perianto doble y fruto en cápsula o baya.

celda *f.* Aposento pequeño: *la ~ de un religioso, de un colegial, de un preso.* 2 Celdilla (de avispas). 3 Compartimiento de un cuadro estadístico, formado por una columna y una línea horizontal que la corta.

celdilla *f.* Casilla de forma hexagonal que, con otras muchas, compone los panales de las abejas, avispas, etc.: ~ *real,* la amplia e irregular de la reina. 2 fig. Hornacina.

celebérrimo, -ma *adj.* Superlativo de *célebre.*

celebración *f.* Acción de celebrar. 2 Aplauso, aclamación.

celebrante *adj.* Que celebra. – 2 *m.* Sacerdote que dice la misa: *el ~ era un jesuita.*

celebrar *tr.* Hacer solemnemente [una función, ceremonia, junta, contrato o cualquier otro acto jurídico]. 2 Venerar solemnemente con culto público [los misterios de la religión católica y la memoria de sus santos]. 3 Decir misa: **abs.,** *hoy celebra mi hermano;* ~ *de pontifical.* 4 Alabar, aplaudir, festejar [a una persona, cosa o acontecimiento]. – 5 *tr.-prnl.* Realizar una acto, una entrevista, una reunión, un espectáculo, etc.

célebre *adj.* Famoso. 2 Chistoso, festivo. 3 *Amér.* Agraciado, hermoso, aplicado especialmente a las mujeres. ◇ Superl.: *celebérrimo.*

celebridad *f.* Calidad de célebre. 2 Conjunto de festejos con que se solemniza una fiesta o suceso. 3 Persona famosa: *fulano es una ~.*

celemín *m.* Medida para áridos (en Castilla, 4,625 litros; dozava parte de la fanega). 2 Porción de áridos que llena exactamente la medida del celemín.

celentéreo, -a *adj.-m.* Animal del grupo de los celentéreos. – 2 *m. pl.* Grupo sin categoría taxonómica que agrupa a dos tipos de animales metazoos: cnidarios y ctenóforos; se caracterizan por presentar simetría radiada, carecer de cavidad interna y poseer un único poro que hace la función de boca y ano.

celeridad *f.* Prontitud, rapidez, velocidad.

celescopio *m.* Aparato que sirve para iluminar las cavidades de un cuerpo orgánico.

celesta *f.* Instrumento músico de teclado en que los macillos producen el sonido golpeando láminas de acero.

celeste *adj.* Relativo al cielo: *los cuerpos celestes.* – 2 *adj.-m.* Color azul claro. 3 Registro del órgano. – 4 *adj.* De color celeste.

celestial *adj.* Relativo al cielo, como mansión de los bienaventurados. 2 fig. Perfecto, delicioso. 3 irón. Tonto o inepto.

I) celestina *f.* fig. Alcahueta.

II) celestina *f.* Sulfato de estroncio nativo, de color azulado y fractura concoidea.

celíaco, -ca *adj.* Relativo al abdomen o a su contenido: *arteria celíaca* o *tronco* ~.

celibato *m.* Soltería.

célibe *adj.-com.* Soltero.

celidonia *f.* Hierba papaverácea, de tallo ramoso, flores amarillas en umbela y fruto capsular *(Chelidonium maius).*

I) celo *m.* Cuidado y esmero en el cumplimiento de los deberes. 2 Interés ardiente y activo por una causa o persona. 3 Recelo de que lo que uno tiene o desea, llegue a ser alcanzado por otro. 4 Apetito de la generación en los animales irracionales. 5 Época en que los animales irracionales tienen dicho apetito. – 6 *m. pl.* Sospecha de que la persona amada ponga su cariño en otra: *dar celos,* dar una persona motivo para que otra los sienta.

II) celo *m.* Cinta adherente que se pega por contacto. Es nombre comercial.

celofán *m.* Tejido delgado y flexible, a manera de papel transparente, hecho de viscosa solidificada.

celoidina *f.* Producto obtenido por la evaporación incompleta del colodión.

celoma *m.* Cavidad general del cuerpo del animal.

celomado, -da *adj.-s.* Animal dotado de celoma.

celosía *f.* Enrejado de listoncillos que se pone en las ventanas y otros huecos análogos. 2 Panel o paramento de piedra o madera que cumple una función similar.

celoso, -sa *adj.* Que tiene celo o celos. 2 Receloso. 3 *Amér.* [mecanismo] Muy sensible.

celta *adj.-s.* De un pueblo antiguo establecido en el occidente de Europa. – 2 *m.* Idioma de los celtas.

celtibérico, -ca *adj.-s.* De la antigua Cel-

tiberia, territorio de la España Tarraconense.

celtídeo, -a *adj.-f.* Planta de la familia de las celtídeas. – 2 *f. pl.* Familia de plantas dicotiledóneas que incluye árboles o arbustos, con ramitos axilares espinosos, hojas alternas, flores hermafroditas o unisexuales y fruto en drupa carnosa; como el almez.

celtismo *m.* Doctrina que supone ser la lengua céltica origen de la mayoría de las modernas. 2 Amor al estudio de lo relativo al pueblo celta.

**célula *f.* Pequeña celda, cavidad o seno. 2 Elemento anatómico primordial de los seres vivos, consistente en una masa, generalmente microscópica, el protoplasma, provista de núcleo. 3 fig. Grupo político: ~ *comunista.*

celular *adj.* Relativo a las células. 2 Formado por células. 3 [establecimiento carcelario] Donde los reclusos están sistemáticamente incomunicados.

celulita *f.* Pasta muy usada en la industria, que se obtiene machacando la fibra leñosa y mezclándola con substancias minerales, cera y caucho.

celulitis *f.* Inflamación, a veces dolorosa, del tejido celular subcutáneo. ◇ Pl.: *celulitis.*

celuloide *m.* Substancia sólida, casi transparente, elástica y de mucha aplicación en la industria, compuesta esencialmente de pólvora de algodón y alcanfor.

celulosa *f.* Substancia sólida, blanca, amorfa, insoluble en el agua, el alcohol y el éter, que forma la parte esencial de la membrana celular de los vegetales; se usa para fabricar papel, tejidos, explosivos, barnices, etc.

cellisca *f.* Temporal de agua y nieve muy menuda, con fuerte viento.

cello *m.* Aro para sujetar las duelas de las cubas, comportas, pipotes, etc.

cembro *m.* Pino de 20 a 40 m. de altura, de ramas recias y extendidas, y corteza gris rojiza *(Pinus cembra).*

cementar *tr.* Calentar [una pieza de metal] en contacto con otra materia en polvo o en pasta. 2 Obtener [un metal] por precipitación de una solución.

cementerio *m.* Terreno, generalmente cercado, destinado a enterrar cadáveres. 2 Lugar aislado, sombrío, de escasa animación. 3 ~ *de automóviles* o *de coches,* lugar donde se almacenan los automóviles destinados al desguace. 4 ~ *nuclear* o *radiactivo,* emplazamiento preparado para almacenar objetos radiactivos inutilizables.

cemento *m.* Cal hidráulica; en gral., toda clase de substancias pulverulentas capaces de formar con el agua pastas blandas que se endurecen espontáneamente al contacto del aire o del agua, y sirven para formar bloques o para unir los elementos de la construcción. 2 Materia con que se cementa una pieza de metal. **3** Masa mineral que une los fragmentos de que se componen algunas rocas. **4** Tejido óseo que envuelve la raíz de los **dientes.

cena *f.* Comida que se toma por la noche.

cenáculo *m.* Sala en que Jesucristo celebró su última cena. **2** fig. Reunión habitual de literatos, artistas, etc.

cenacho *m.* Espuerta honda y flexible, con una o dos asas, para llevar comestibles.

cenador, -ra *adj.-s.* Que cena. – **2** *m.* Espacio, generalmente redondo, que suele haber en los jardines, cercado y vestido de plantas trepadoras, parras o árboles.

cenagal *m.* Lugar lleno de cieno. **2** fig. Negocio difícil.

cenar *intr.* Tomar la cena. – **2** *tr.* Comer en la cena: ~ *una tortilla.*

cenceño, -ña *adj.* Delgado o enjuto.

cencerrear *intr.* Tocar o sonar insistentemente cencerros. **2** fig. Tocar un instrumento destemplado o tocarlo mal. **3** Hacer ruido los hierros de aldabas, puertas, coches, máquinas, etc., cuando no están bien ajustados.

cencerro *m.* Campanilla cilíndrica, generalmente tosca, hecha con chapa de hierro o de cobre, que se ata al pescuezo de las reses.

cencibel *f.* Especie apreciada de uva que produce vino tinto.

cencido, -da *adj.* [hierba o terreno] Antes de ser hollado.

cencha *f.* Traviesa en que se fijan los pies de las butacas, camas, etc.

cendal *m.* Tela de seda o lino muy delgada y transparente. **2** Barbas de la pluma.

cendra *f.* Pasta de ceniza de huesos, limpia y lavada, con que se preparan las copelas para afinar.

cendradilla *f.* Horno de pequeña afinación para metales ricos.

cenefa *f.* Lista sobrepuesta o tejida en los bordes de las cortinas, doseles, pañuelos, etc.; **cama. **2** Lista que llevan en medio las casullas, generalmente de tela o de color diferente de la de los lados. **3** Dibujo de ornamentación puesto a lo largo de los muros, pavimentos y techos.

cenestesia *f.* Conjunto de sensaciones que percibimos en nuestros órganos internos.

cenia *f.* Azud o máquina simple para elevar el agua y regar terrenos.

cenicero *m.* Espacio debajo de la rejilla del hogar, para recoger la ceniza. **2** Sitio donde se recoge o echa la ceniza. **3** Recipiente donde se echa la ceniza y restos del cigarro.

cenicienta *f.* Persona o cosa injustamente postergada, desconsiderada o despreciada.

ceniciento, -ta *adj.* De color de ceniza.

cenismo *m.* Mezcla de dialectos.

cenit *m.* **ASTRON. Punto del hemisferio celeste superior al horizonte que corresponde a un lugar de la Tierra. ◇ No se usa en plural. ◇ INCOR.: *cénit.*

ceniza *f.* Polvo mineral de color gris claro que queda como residuo de una combustión completa; **volcán. **2** fig. Residuos de un cadáver, restos mortales: *aventar las cenizas de sus mayores.* ◇ Se usa generalmente en plural.

cenizo, -za *adj.* Ceniciento. – **2** *m.* Planta silvestre quenopodiácea, de tallo blanquecino, hojas verdes por el haz y cenicientas por el envés, y flores verdosas en panoja *(Chenopodium album).* – **3** *com.* Persona a la que se le atribuye mala suerte.

cenobio *m.* Monasterio.

cenotafio *m.* Monumento funerario que no contiene el cadáver del personaje a quien se dedica.

censar *tr.-intr.* Hacer el censo o empadronamiento [de los habitantes de algún lugar]. – **2** *tr.* Incluir o registrar en el censo.

censo *m.* Lista oficial de los habitantes de un pueblo o estado, con indicación de sus condiciones sociales, económicas, etc.: ~ *electoral,* el de los individuos con derecho a votar.

CÉLULA

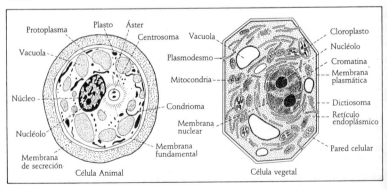

Célula Animal — Célula vegetal

2 Contrato por el cual se sujeta un inmueble al pago de una pensión anual como interés de un capital invertido y reconocimiento de dominio directo que se transmite con el inmueble.

censor *m.* Magistrado que en una corporación o sociedad está encargado de velar por la observancia de los estatutos, reglamentos y acuerdos. 2 El que, en función gubernativa, examina los escritos y noticias destinados a la publicidad, para juzgar si pueden ser publicados, e interviene las comunicaciones postales, telegráficas y telefónicas. 3 El que es propenso a murmurar o criticar las acciones o cualidades de los demás.

censura *f.* Oficio y dignidad de censor (magistrado). 2 Acción de reprobar en los demás su conducta, acciones, etc. 3 Murmuración, detracción. 4 Examen de noticias y escritos hecho por el censor, y dictamen emitido; intervención del censor en las comunicaciones postales, telegráficas y telefónicas. 5 Pena eclesiástica del fuero exterior, impuesta por algún delito con arreglo a los cánones.

censurar *tr.* Examinar y formar juicio el censor [de un texto, doctrina, película, etc.]. 2 Corregir, reprobar: ~ *a uno su conducta.* 3 Murmurar, vituperar: ~ *en uno sus malos hechos.*

centalla *f.* Chispa que salta del carbón de madera cuando se enciende.

centaura, -rea *f.* Planta compuesta, de tallo ramoso, hojas grandes y flores de color pardo purpúreo en corimbo irregular, con involucro escamoso *(Centaurea scabiosa).* 2 ~ *menor,* planta gencianácea, de tallo cuadrangular, hojas radicales lisas y flores róseas o blancas en forma de embudo, dispuestas en ramillete *(Centaurium umbellatum).*

centauro *m.* Monstruo fabuloso, mitad hombre y mitad caballo.

centavo, -va *adj.-m.* NÚM. Centésimo. – 2 *m.* Moneda americana de plata, cobre o níquel (centésima parte de un peso).

centella *f.* METEOR. Rayo, especialmente el de poca intensidad. 2 Chispa que salta del pedernal herido con el eslabón. 3 fig. Persona o cosa muy veloz o breve.

centellear *intr.* Despedir rayos de luz como indecisos o trémulos, o de intensidad y coloración variables. 2 fig. Despedir centellas los ojos de una persona.

centelleo *m.* Efecto molesto que provocan las imágenes de televisión o de cinematografía cuando, por sucederse con insuficiente rapidez, existe entre ellas una pausa perceptible.

centena *f.* Conjunto de cien unidades.

centenar *m.* Centena. 2 Centenario (fiestas).

centenario, -ria *adj.* Relativo a la centena. – 2 *adj.-s.* [pers.]. Que tiene cien años de edad. – 3 *m.* Espacio de cien años. 4 Día en que se cumplen una o más centenas de años

de algún suceso. 5 Fiestas con que se celebra.

I) centeno *m.* Planta graminácea, parecida al trigo, de hojas estrechas y ásperas, espiga larga y delgada y granos oblongos, puntiagudos por un extremo y muy nutritivos *(Secale cereale);* **cereales.** 2 Grano de esta planta.

II) centeno, -na *adj.* Centésimo (lugar).

centesimal *adj.* [número] Del uno al noventa y nueve inclusive. 2 Que está dividido en cien partes.

centésimo, -ma *adj.-s.* Parte que, junto a otras noventa y nueve iguales, constituye un todo; **numeración.** – 2 *adj.* Que ocupa el último lugar en una serie ordenada de ciento.

centiárea *f.* Unidad de superficie, en el sistema métrico decimal, equivalente a la centésima parte del área, o sea, a 1 m².

centibario *m.* Unidad de presión atmosférica equivalente a 7,5 mm. de mercurio.

centígrado, -da *adj.* Que tiene la escala dividida en cien grados: *termómetro* ~.

centigramo *m.* Unidad de masa, en el sistema métrico decimal, equivalente a la centésima parte de un gramo. ◇ INCOR.: *centígramo.*

centilitro *m.* Unidad de capacidad, en el sistema métrico decimal, equivalente a la centésima parte de un litro. ◇ INCOR.: *centílitro.*

centiloquio *m.* Obra que tiene cien partes, tratados o documentos.

centímetro *m.* Unidad de longitud, en el sistema métrico decimal, que tiene la centésima parte de un metro: ~ *cuadrado,* unidad de superficie, en el sistema métrico decimal, correspondiente a un cuadrado que tenga un centímetro de lado; ~ *cúbico,* unidad de volumen, en el sistema métrico decimal, correspondiente a un cubo cuyo lado es un centímetro, y equivale a un gramo de agua destilada.

céntimo, -ma *adj.* NÚM. Centésimo. – 2 *m.* Centésima parte de una unidad monetaria: ~ *de peseta, de escudo.*

centinela *amb.* Soldado armado, que por un tiempo determinado se coloca de guardia en un sitio: *estar de* ~; *hacer de* ~. 2 fig. Persona que está en observación de alguna cosa.

centinodia *f.* Planta poligonácea medicinal, de tallos nudosos y tendidos sobre la tierra y semilla pequeña, de que gustan mucho las aves *(Polygonum aviculare).* 2 Planta poligonácea, de tallo recto con articulaciones muy abultadas, hojas lanceoladas y flores inodoras en espiga terminal (gén. *Polygonum).*

centola, -lla *f.* Crustáceo marino, decápodo, braquiuro, comestible, de caparazón casi redondo cubierto de pelos y tubérculos ganchudos, y patas largas y vellosas *(Maja squinado).*

centollo *m.* Centolla.

centón *m.* Manta hecha de gran número de piececitas de paño o tela de diversos colores.

2 fig. Obra literaria compuesta enteramente, o en la mayor parte, de sentencias y expresiones ajenas.

centonar *tr.* Amontonar [cosas o trozos de ellas] sin el orden debido. **2** fig. Componer obras literarias con retazos y sentencias de otras.

centrado, -da *adj.* [cosa] Cuyo centro se halla en la posición que debe ocupar. **2** fig. [individuo] Que se halla en el ambiente o medio que le corresponde.

central *adj.* Relativo al centro. **2** Que está en el centro: *nave ~;* **basílica. **3** Que ejerce su acción sobre todo un campo o territorio. **4** Esencial, importante. – **5** *f.* Oficina, casa o establecimiento principal: *la ~ de una orden religiosa; ~ de Correos; la ~ y las sucursales de un Banco.* **6** Instalación industrial para la producción de energía eléctrica a partir de otras formas de energía: *~ hidráulica* o *hidroeléctrica; ~ eólica; ~ nuclear.* **7** Local o edificio en el cual están centralizados los elementos, o una parte importante de ellos, de una red de comunicación: *~ telefónica.* – **8** *m.* Ant., Nicar., Perú y Salv. p. ant. Hacienda importante donde se fabrica azúcar.

centralismo *m.* Sistema en el que la acción política y administrativa está concentrada en manos de un gobierno único y central, que absorbe las funciones propias de los organismos locales.

centralita *f.* Aparato que conecta una o varias líneas telefónicas con diversos teléfonos instalados en los locales de una misma entidad.

centralizar *tr.-prnl.* Reunir [varias cosas] en un centro común, o hacerlas depender de un poder central. **2** Asumir el poder público central [facultades atribuidas a organismos locales o regionales]. ◇ ** CONJUG. [4] como *realizar.*

centrar *tr.* Determinar el punto céntrico [de una superficie o de un volumen]. **2** Colocar [una cosa] de manera que su centro coincida con el de otra: *~ un cuadro en la pared.* **3** Colocar [una pieza] de manera que coincida su eje geométrico con el eje de rotación: *~ una barra en un torno.* **4** Hacer que se reúnan en el lugar conveniente los proyectiles de las armas de fuego, los rayos de luz de los focos luminosos, etc. **5** DEP. En el juego del fútbol, lanzar un jugador [el balón] desde un lado del terreno hacia la parte central próxima a la portería contraria. – **6** *tr.-prnl.* fig. Atraer alguien o algo sobre sí la atención, el interés. – **7** *prnl.* fig. Encontrarse conforme una persona en el lugar o ambiente que le corresponde.

céntrico, -ca *adj.* Central; esp., [lugar, inmueble, establecimiento] que está en el centro de una ciudad, o cercano a él: *una calle céntrica.*

centrifugadora *f.* Máquina que aprovecha la fuerza centrífuga para secar ciertas substancias o para separar los componentes de una masa o mezcla. – **2** *f.* Máquina con la cual se puede someter a una persona a aceleraciones tan fuertes como las que se manifiestan a bordo de los aviones más rápidos y de las naves espaciales.

centrifugar *tr.* Someter [una masa, líquido, etc.] a la acción de una centrifugadora. **2** Secar [la ropa] por medio de la acción centrifugadora de la lavadora (máquina). ◇ ** CONJUG. [7] como *llegar.*

centrífugo, -ga *adj.* Que aleja del centro: *fuerza centrífuga.* **2** [producto] Obtenido por la centrifugación: *azúcar ~.*

centrina *f.* Pez marino seláceo, de color grisáceo o rojizo, a veces con manchas negras, con una robusta espina en la primera aleta, de carne poco estimada *(Oxynotus centrina).*

centrípeto, -ta *adj.* Que atrae, dirige o impele hacia el centro: *fuerza centrípeta.*

centrismo *m.* Ideología política de los partidos de centro.

centro *m.* Punto equidistante de todos los de una **circunferencia o de la superficie de una esfera. **2** Punto equidistante de todos los vértices y lados o caras de un **polígono o poliedro. **3** Punto de intersección de todos los diámetros de una línea o superficie **curva. **4** Lo más distante de la periferia de una cosa: *el ~ de España; el ~ de una ciudad,* conjunto de sus calles más concurridas. **5** Lugar de donde parten o a donde convergen acciones particulares coordenadas: *~ fabril; ~ comercial; ~ turístico.* **6** Fin u objeto principal a que se aspira: *el ~ de mis preocupaciones.* **7** Nombre de ciertas sociedades que persiguen un fin cultural, el fomento de cierto orden de actividades, etc.: *~ católico; ~ excursionista.* **8** Tendencia o agrupación política cuya ideología es intermedia entre la de la derecha y la de la izquierda. **9** DEP. En el juego del fútbol, pase largo desde un lado del terreno hacia la parte central próxima a la portería contraria. **10** *~ de gravedad,* punto de aplicación de la resultante de todas las acciones de la gravedad sobre las moléculas de un cuerpo.

centroamericano, -na *adj.-s.* De América central.

centrocampista *com.* DEP. En el juego del fútbol, miembro de un equipo que tiene como misión principal contener los avances del equipo contrario en el centro del campo y ayudar tanto a la defensa como a la delantera del equipo propio.

centroeuropeo, -a *adj.-s.* De Europa central.

centrosoma *m.* Corpúsculo próximo al núcleo de la **célula, que desempeña un papel importante en la cariocinesis.

centuplicar *tr.* Hacer cien veces mayor [una cosa]. **2** Multiplicar [una cantidad] por ciento. ◇ ** CONJUG. [1] como *sacar.*

céntuplo, -pla *adj.-m.* Producto de la multiplicación por ciento de una cantidad.

centuria *f.* Periodo de cien años. 2 En la milicia romana, compañía de cien hombres.

centurión *m.* Jefe de una centuria.

cénzalo *m.* Mosquito (insecto).

ceñideras *f. pl.* Prenda que usan algunos obreros y trabajadores del campo para cubrir los pantalones y evitar su deterioro.

ceñido, -da *adj.* fig. Moderado y reducido en sus gastos. 2 Apretado, ajustado. – 3 *f.* MAR. Navegación a vela contra el viento.

ceñir *tr.* Rodear, ajustar [la cintura o el cuerpo a uno]: *le ciñeron con sogas; le ceñirán la cintura con sogas;* ~ *la frente con,* o *de, flores;* apretar, [una cosa] sobre el cuerpo de uno rodeándolo: *me ciñe cadenas un tirano;* apretar, rodear alguna cosa [el cuerpo de uno] : *un cordón le ciñe los brazos* o *le ciñe.* 2 Cerrar o rodear una cosa [a otra]: ~ *el mar una tierra.* 3 fig. Abreviar [una cosa, especialmente el estilo o la narración]. – 4 *prnl.* Moderarse o reducirse en los gastos, en las palabras, etc. 5 Amoldarse, concretarse a una ocupación o trabajo. ◇ ** CONJUG. [36].

I) ceño *m.* Cerco o aro que ciñe alguna cosa.

II) ceño *m.* Fruncimiento de la frente y cejas en señal de enojo. 2 fig. Aspecto imponente y amenazador que toman ciertas cosas.

ceñudo, -da *adj.* Que tiene ceño.

cepa *f.* Parte del tronco de un árbol o planta que está dentro de tierra y unida a las raíces. 2 Tronco de la vid, y, por extensión, de toda planta. 3 Raíz o principio de alguna cosa, como el de las astas y cola de los animales. 4 Tronco u origen de una familia o linaje.

cepeda *f.* Lugar en que abundan arbustos y matas de cuyas cepas se hace carbón.

cepejón *m.* Raíz gruesa que arranca del tronco del árbol.

cepellón *m.* Pella de tierra que se deja adherida a las raíces de los vegetales para trasplantarlos.

cepilladora *f.* Máquina para trabajar la madera que consta de un cilindro rotatorio con cuchillas, que actúa rebajando el grueso de una pieza de madera en la totalidad de su anchura.

cepillar *tr.* Quitar el polvo [a una cosa] con un cepillo. 2 Alisar con cepillo [la madera o los metales]. 3 Quitar [a alguien] la rusticidad en sus modales, lenguaje, etc. 4 fig. Adular [a uno]. 5 fig. Quitar el dinero, desplumar. – 6 *tr.-prnl.* fig. Matar, asesinar.

cepillo *m.* Instrumento de carpintería formado por un prisma cuadrangular de madera, que lleva embutido en una abertura transversal un hierro acerado con filo, el cual sobresale un poco de la cara que ha de ludir con la madera que se quiere labrar. 2 Instrumento de albañilería hecho con cerdas duras, fibra vegetal o alambre, con el que se limpian paramen-

tos, juntas y elementos metálicos como trabajo de preparación que precede a un acabado. 3 Instrumento formado de cerdas o filamentos de materias diversas, fijos en una montura de forma y materia variable, con o sin mango, y para diferentes usos: ~ *de la ropa;* ~ *de dientes;* ~ *del pelo;* ~ *para barrer.*

cepita *f.* Variedad de ágata formada de conchas o capas concéntricas.

cepo *m.* Gajo o rama de árbol. 2 Madero grueso y vertical en que se asientan la bigornia, yunque, etc. 3 Instrumento, hecho de dos maderos gruesos para sujetar a un reo por la garganta o el pie. 4 Conjunto de dos vigas entre las cuales se sujetan otras piezas de madera. 5 Instrumento para devanar la seda antes de torcerla. 6 Artificio para cazar, de formas variadas. 7 Arquilla, generalmente de madera, con una ranura por donde puede pasar una moneda. 8 Utensilio que sujeta los periódicos, o revistas sin doblarlos en cafés, hoteles, etc. 9 Dispositivo que, aplicado a una rueda de un automóvil, sirve para inmovilizarlo. 10 Tronco de un árbol cortado. 11 Pieza que se adapta a la caña del **ancla cerca del arganeo, en sentido perpendicular a ella y al plano de los brazos.

ceporro *m.* Cepa vieja arrancada para lumbre. 2 fig. Hombre rudo.

cera *f.* Substancia sólida amarillenta, fácilmente fusible y combustible para dar luz, que segregan las abejas para formar las celdillas de los panales. 2 Conjunto de velas o hachas de cera que sirven en alguna función. 3 Substancia parecida a la cera: ~ o *cerilla de los oídos,* humor craso que se cría en el conducto de los oídos. 4 Preparado a base de cera que se usa para dar brillo (*encerar*) a pavimentos, muebles, etc. 5 ZOOL. Membrana que rodea la base del pico de algunas aves, como las rapaces, gallinas y palomas.

cerámica *f.* Arte de fabricar vasijas y otros objetos de barro, loza y porcelana de todas clases y calidades. 2 Estos mismos objetos considerados en conjunto. 3 Conocimiento científico de ellos, desde el punto de vista arqueológico.

ceramista *com.* El que tiene por oficio fabricar objetos de cerámica.

ceramita *f.* Especie de piedra preciosa. 2 Ladrillo de resistencia superior a la del granito.

cerástide *m.* Insecto lepidóptero nocturno, propio de Europa (gén. *Cerastides*).

ceratias *m.* Cometa de dos colas.

ceraunografía *f.* Parte de la meteorología que estudia el rayo y sus fenómenos.

ceraunómetro *m.* Aparato para medir la intensidad de los relámpagos.

cerbatana *f.* Cañuto en que se introducen proyectiles para hacerlos salir violentamente por uno de sus extremos.

cerbero *m.* Cancerbero. 2 Arbusto pequeño

del que hay variedades, alguna con cierto principio o jugo venenoso *(gén. Cerbera)*.

I) cerca *f.* Vallado, tapia o muro con que se rodea algún espacio, heredad o casa.

II) cerca *adv. l. t.* Que denota proximidad, generalmente mediata. La relación de proximidad supone un término mental, tácito o expreso, al cual la referimos. Si es tácito, se usa como abs.: *íbamos ~; el plazo está ~; viven ~.* 2 Si el término de la relación se expresa, lleva la preposición *de: íbamos ~ de ellos; el plazo está ~ de cumplirse; viven ~ de allí, de casa.* – 3 *adv. c.* Aproximadamente, poco menos: *~ de dos mil hombres.* – 4 *prep.* ~ *de,* junto a, ante: *embajador ~ de la Santa Sede.* ◇ Admite el diminutivo *cerquita.*

cercado *m.* Huerto, prado u otro lugar rodeado con una cerca.

cercanía *f.* Calidad de cercano. 2 Contorno (territorio).

cercano, -na *adj.* Próximo, inmediato: ~ *a su fin.*

cercar *tr.* Rodear o circunvalar [un sitio] con vallado, muro, etc., de suerte que quede delimitado y resguardado: ~ *la hacienda;* en gral., poner o estar alrededor delimitando : *unos árboles cercan la plaza.* 2 Rodear mucha gente [a una persona o cosa]: *todos cercaron a César.* 3 MIL. Poner cerco o sitio [a una ciudad o fortaleza]. ◇ ** CONJUG. [1] como *sacar.*

cercenar *tr.* Cortar [las extremidades de una cosa]. 2 Disminuir o acortar: ~ *el gasto.*

cerceta *f.* Ave anseriforme del tamaño de una paloma; es parda, ceniciento y salpicada de lunares más obscuros *(Anas* sp.*).*

cerciorar *tr.-prnl.* Asegurar [a uno] la verdad de una cosa.

cerco *m.* Lo que ciñe o rodea. 2 Aro de cuba, de rueda y de otros objetos. 3 Aureola que a nuestra vista presenta el Sol, y a veces la Luna. 4 Giro o movimiento circular. 5 Asedio de una plaza o ciudad: *alzar el ~; poner ~ a una villa.* 6 Arte de rodeo para la pesca de la sardina, caballa, boga, aguja y otros peces que forman bancos.

cercopitécido *adj.-m.* Primate de la familia de los cercopitécidos. – 2 *m. pl.* Familia de primates catarrinos, básicamente arborícolas y, por lo general, desprovistos de cola; como los babuinos, papiones y mandriles.

cercopiteco *m.* Mono catarrino propio del África, de formas ligeras y graciosas, provisto de abazones y callosidades isquiáticas *(Cercopithecus sabœus).*

cércopo *m.* Insecto hemíptero de cabeza alargada y cuatro alas *(Aphrophora espumaria).*

cercote *m.* Red para cercar los peces.

cercha *f.* Regla delgada y flexible, de madera, para medir superficies cóncavas y convexas. 2 Aro de hierro, de perfil determinado, que tiene diversos usos. 3 CARP. Pieza

de tabla en forma de segmentos de círculo, con que se forma el aro de una mesa redonda, un arco, etc. 4 CONSTR. Conjunto de piezas de madera en forma curva, que formando un armazón sirven de apoyo y guía en la construcción de un **arco.

cerda *f.* Pelo grueso y duro de la cola y crin de las caballerías, y del cuerpo del jabalí, puerco, etc. 2 Mies segada. 3 Tumor carbuncoso que se le forma al cerdo en las partes laterales del cuello. 4 Manojo pequeño de lino sin rastrillar.

cerdada *f.* Charranada, acción malintencionada o indigna.

cerdamen *m.* Manojo de cerdas preparadas para brochas, cepillos, etc.

cerdear *intr.* Flaquear de los brazuelos las caballerías; también los toros cuando están heridos de muerte. 2 Sonar ásperamente las cuerdas de un instrumento. 3 *fig.* Resistirse a hacer algo. 4 *fig.* Comportarse suciamente, en sentido material o moral.

cerdo, -da *m. f.* Mamífero artiodáctilo suido paquidermo, doméstico, derivado probablemente del jabalí, de cuerpo grueso, cerdas fuertes, cabeza grande, orejas caídas, hocico casi cilíndrico, patas cortas y cola corta y delgada *(gén. Sus).* – 2 *adj.-s. fig.* Persona desaliñada y sucia. 3 *fig.* Persona grosera, sin cortesía ni crianza.

**cereal *adj.-m.* Planta gramínea de semillas farináceas, y estas mismas semillas; como el trigo, el centeno, el arroz, etc. – 2 *m. pl.* Productos manufacturados con estas semillas.

cerealina *f.* Fermento nitrogenado contenido en el salvado, que sacarifica el almidón y altera el gluten.

cerealista *adj.* Relativo a la producción y tráfico de los cereales: *Congreso ~.* – 2 *adj.-com.* Persona que se dedica a la producción y tráfico de los cereales.

cerebelo *m.* Porción del encéfalo que ocupa la parte inferior y posterior de la cavidad craneana; **cerebro.

cerebral *adj.* Relativo al cerebro. – 2 *adj.-s.* Intelectual en oposición a emocional, apasionado, vital, etc.; imaginario, en oposición a vivido.

**cerebro *m.* Encéfalo. 2 Parte superior y más voluminosa del encéfalo; es el centro de todo el sistema nervioso y la sede de la inteligencia. 3 Cabeza (intelecto). 4 *fig.* ~ o ~ *gris,* persona que concibe o dirige un plan de acción. 5 *fig.* Persona sobresaliente en actividades culturales, científicas o técnicas. 6 Madreporario colonial que se reproduce asexualmente por bipartición, sin que se separen totalmente los individuos que comparten la boca, los tentáculos, etc. *(gén. Meandrina).*

ceremonia *f.* Acto o serie de actos exteriores arreglados por ley o costumbre, en cele-

bración de una solemnidad. 2 Ademán afectado, en obsequio de una persona o cosa.
ceremonial *adj.* Relativo al uso de las ceremonias. – 2 *m.* Conjunto de formalidades y ceremonias para la celebración de determinada solemnidad. 3 Libro que contiene el ceremonial que se debe observar en cada una de las solemnidades de la Iglesia, de una corporación, etc.
ceremonioso, -sa *adj.* Que observa puntualmente las ceremonias. 2 Que gusta de cumplimientos exagerados.
céreo, -a *adj.* De cera.
ceresina *adj.-f.* Goma que se saca del cerezo, el almendro o el ciruelo.
cerevisina *f.* Levadura de cerveza; se usa como medicina.
cereza *f.* Fruto del cerezo. 2 Color rojo obscuro que ofrecen algunos minerales. 3 Grado de incandescencia de algunos metales que toman un color rojo vivo. 4 *Amér. Central, Colomb., Cuba y P. Rico.* Cáscara del grano de café.
cerezo *m.* Árbol rosáceo, de unos 5 m. de altura, de tronco liso y ramoso, hojas simples y dentadas, flores blancas y fruto en drupa pequeña, globulosa u oblonga, encarnada, jugosa y dulce; su madera se emplea en ebanistería *(Prunus avium).* 2 Madera de este árbol.
ceriflor *f.* Planta boraginácea, de flores amarillentas, de las cuales se supone vulgarmente que sacan la cera con preferencia las abejas *(Cerinthe maior).* 2 Flor de esta planta.
cerilla *f.* Vela de cera, muy delgada y larga. 2 Fósforo (trozo de madera).
cerillero, -ra *m. f.* Persona que vende cerillas y también tabaco, en cafés, bares y locales de este tipo, y en la calle.
cerina *f.* Especie de cera que se extrae del alcornoque. 2 Silicato nativo de cerio, de color pardo rojizo.
cerio *m.* Metal raro, de color gris brillante, muy dúctil y maleable. Su símbolo es *Ce.*
cermeña *f.* Fruto del cermeño.
cermeño *m.* Especie de peral, de hojas acorazonadas, vellosas por el envés, que da una pera pequeña muy aromática y sabrosa. – 2 *adj.-m.* fig. Hombre tosco, sucio, necio.
cerne *m.* Parte más dura y sana del tronco de los árboles.
cernedera *f.* Marco de madera del tamaño de la artesa, sobre el cual se pone uno o dos cedazos para cerner con más facilidad.
cerneja *f.* Mechón de pelo que tienen las **caballerías detrás del menudillo. ◇ Se usa generalmente en plural.
cerner *tr.* Separar con el cedazo [una materia reducida a polvo] de las partes más gruesas, especialmente [la harina] del salvado. 2 fig. Observar, examinar: ~ *el horizonte.* 3 Depurar [los pensamientos y las acciones]: ~ *una teoría.*

– 4 *intr.* Estar fecundándose la flor de las plantas, especialmente el olivo, el trigo y la vid. 5 fig. Llover suave y menudo. – 6 *prnl.* Andar o menearse moviendo el cuerpo a uno y otro lado. 7 Mover las aves sus alas manteniéndose en el aire sin avanzar. 8 fig. Amenazar de cerca algún mal. ◇ ** CONJUG. [28] como *entender.*
cernícalo *m.* Ave rapaz falconiforme, de cabeza abultada y plumaje rojizo manchado de negro *(Falco tinnunculus).* 2 fig. Hombre ignorante y rudo.

CEREALES

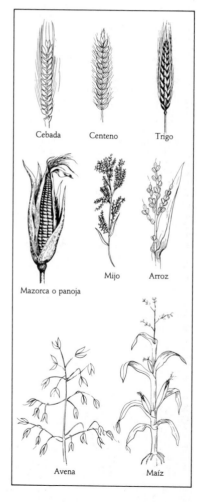

Cebada   Centeno   Trigo

Mazorca o panoja   Mijo   Arroz

Avena   Maíz

cernidillo *m.* Lluvia muy menuda. 2 fig. Paso menudo y con contoneo.

cernir *tr.* Cerner. ◇ ** CONJUG. [29] como *discernir.*

cerno *m.* Corazón de algunas maderas duras.

cero *m.* Signo sin valor propio, que en la numeración arábiga ocupa los lugares donde no ha de haber guarismo; colocado a la derecha de un número entero decuplica su valor.

ceroferario *m.* Acólito que lleva el cirial en la iglesia y procesiones.

cerografía *f.* Método de grabado sobre una plancha metálica recubierta con cera.

ceromático, -ca *adj.* [medicamento] Que en cuya composición entran aceite y cera.

cerón *m.* Residuos de los panales de la cera.

ceroplástica *f.* Técnica escultórica de trabajar con cera.

cerote *m.* Mezcla de pez y cera con que los zapateros enceran los hilos con que cosen.

cerotero *m.* Pedazo de fieltro con que los pirotécnicos untan de pez los cohetes.

cerquillo *m.* Círculo o corona formada de cabello en la cabeza de los religiosos de algunas órdenes. 2 *Argent.* y *Méj.* Fleco, flequillo o pelo recortado sobre la frente.

cerracatín, -tina *m. f.* Tacaño, miserable.

cerrada *f.* Parte de la piel del animal que corresponde al lomo.

cerradero, -ra *adj.-s.* Lugar que se cierra; instrumento con que se ha de cerrar algo. – 2 *m.* Chapa de hierro hueca o agujero en la madera donde entra el pestillo de la **cerradura. 3 Cordones con que se cierran y abren las bolsas o bolsillos.

cerrado, -da *adj.* fig. Incomprensible, oculto y obscuro. 2 Muy cargado de nubes: *cielo ~; atmósfera cerrada.* 3 [pers.] Muy callado, disimulado y silencioso. 4 Torpe, tardo en comprender. 5 [pronunciación o acento] Que tiene muy marcados los rasgos propios del país del hablante: *francés ~.* 6 [barba] Muy poblada.

**cerradura *f.* Mecanismo de metal que se fija en puertas, tapas de cofres, cajones, etc.,

para cerrarlos por medio de uno o más pestillos que se hacen jugar con la llave.

cerraja *f.* Hierba compuesta, de tallo hueco y ramoso y cabezuelas amarillas, sin involucro, en corimbos terminales; es amarga y se usa en medicina *(Sonchus oleraceus).*

cerrajero *m.* Maestro u oficial que tiene por oficio hacer cerraduras y otros instrumentos de hierro.

cerrajón *m.* Cerro alto y escarpado.

cerramiento *m.* Cosa que cierra o tapa cualquier abertura, conducto o paso.

cerrar *tr.* Hacer que [el interior de un edificio, recinto, receptáculo, etc.] no tenga comunicación directa con el exterior: ~ *una caja, una habitación.* 2 Asegurar con cerradura. 3 Hacer entrar de nuevo [los cajones de un mueble] en su hueco. 4 Juntar [una parte del cuerpo del animal o de cosas articuladas] con otra, o unirla al todo de que forman parte: ~ *los ojos o los párpados, la boca o los labios;* ~ *las alas;* ~ *las piernas.* 5 Encoger, doblar, plegar [lo que estaba extendido]: ~ *la mano, un abanico,* etc. 6 Pegar o disponer [una carta, paquete, cubierta, etc.] de modo que no sea posible ver lo que contengan sin despegarlas o romperlas. 7 Poner término [a ciertas actividades]: ~ *un debate, una cuenta.* 8 Dar por firmes y terminados [los ajustes, contratos, etc.]. 9 Ir detrás o en último lugar [un conjunto de personas que camina formando hilera o columna]: ~ *la procesión.* 10 ARQ. Formar la clave de [un arco o bóveda]. – 11 *tr.-intr.* Cesar el funcionamiento de un local o establecimiento: ~ *el bufete.* – 12 *tr.-prnl.* Unir, apiñar: *el batallón cierra sus filas.* 13 Hacer desaparecer [una abertura]: ~ *un agujero, un ojal, una brecha,* etc. 14 Poner fin a las actividades [de una corporación, o establecimiento científico, industrial, etc.]: ~ *las Cortes, la Universidad, una fábrica,* etc. 15 Juntar las flores sus pétalos. 16 FON. Hacer que se aproximen entre sí los órganos articuladores al emitir un sonido estrechando el paso del aire. – 17 *tr.-intr.-prnl.* Cicatrizar una herida. 18 Encajar o asegurar en su marco [la hoja de una puerta o ventana]: *esta puerta no cierra* o *no se cierra.* 19 En el juego del dominó, poner una ficha que impida seguir colocando las demás que aún tengan los jugadores. 20 Embestir, acometer: *los franceses cerraron antes de tiempo.* – 21 *prnl.* fig. Mantenerse firme en el propósito: *cerrarse en callar.* 22 Hablando del vehículo o del conductor que toma una curva, ceñirse al lado de mayor curvatura. ◇ ** CONJUG. [27] como *acertar.*

cerrazón *f.* Obscuridad grande, por cubrirse el cielo de nubes muy negras. 2 fig. Incapacidad de comprender algo por ignorancia o prejuicio. 3 fig. Obstinación, obcecación. 4 FON. Cualidad que adquiere un sonido al cerrarse los órganos articuladores.

CEREBRO

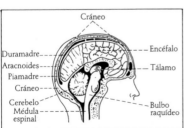

Cráneo
Duramadre
Aracnoides
Piamadre
Cráneo
Cerebelo
Médula espinal
Encéfalo
Tálamo
Bulbo raquídeo

cerrero, -ra *adj.* Que vaga de cerro en cerro, libre y suelto. 2 Cerril. 3 *Amér.* fig. [pers.] Inculto, brusco.

cerril *adj.* [terreno] Escabroso. 2 [caballería y ganado vacuno] Indómito. 3 Que se obstina en una actitud o parecer sin admitir trato ni razonamiento.

cerrillada *f. Amér. Merid.* Cordillera de cerros pequeños.

cerrillar *tr.* Poner el cordoncillo [a las piezas de moneda].

I) cerro *m.* Cuello o pescuezo del animal. 2 Espinazo o lomo. 3 Elevación de tierra aislada menor que el monte.

II) cerro *m.* Manojo de lino o cáñamo después de rastrillado. 2 Tejido fino hecho de esta fibra.

cerrojazo *m.* Acción de echar el cerrojo recia y bruscamente. 2 Clausura o final brusco de cualquier actividad, reunión, charla, etc.: *dar el ~.*

cerrojo *m.* Barreta de hierro con manija que, sostenida por dos armellas y entrando en otra o en un agujero dispuesto al efecto, cierra una puerta o ventana; **cerradura. 2 Mecanismo que cierra la recámara de algunas armas de fuego, como el fusil.

cerrón *m.* Lienzo basto parecido a la estopa.

CERRADURA

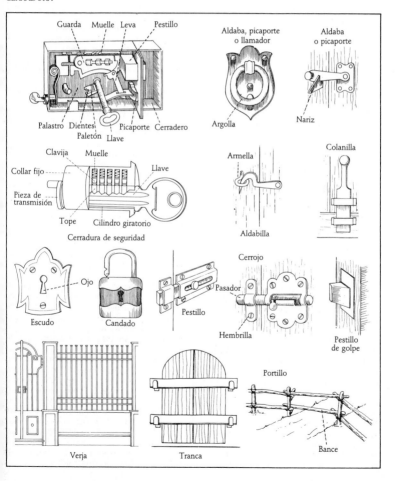

Guarda · Muelle · Leva · Pestillo
Palastro · Dientes · Paletón · Picaporte · Cerradero · Llave
Aldaba, picaporte o llamador
Argolla
Aldaba o picaporte
Nariz

Clavija · Muelle · Llave
Collar fijo
Pieza de transmisión
Tope · Cilindro giratorio
Cerradura de seguridad
Armella
Aldabilla
Colanilla

Ojo
Escudo · Candado
Pasador · Pestillo
Cerrojo
Hembrilla
Pestillo de golpe

Verja
Tranca
Portillo
Bance

certamen *m.* fig. Función literaria, en que se argumenta o diserta sobre algún asunto. 2 Concurso abierto para estimular con premios el cultivo de las ciencias, las letras o las artes.

certero, -ra *adj.* Diestro en tirar. 2 Seguro; acertado. 3 Cierto, sabedor, bien informado.

certeza *f.* Conocimiento seguro, claro y evidente de las cosas. 2 Firme adhesión de la mente a algo conocible, sin temor de errar.

certidumbre *f.* Certeza.

certificación *f.* Documento en que se certifica algo.

certificado, -da *adj.-s.* Carta o paquete que se certifica. – 2 *m.* Certificación.

certificar *tr.* Dejar cierto y libre de duda [a uno]: *me certificó de mi buena suerte;* afirmar [una cosa], darla por cierta: ~ *lo sucedido.* 2 Hacer registrar [un envío por correo], obteniendo un resguardo que acredite el envío. 3 DER. Hacer cierta [una cosa] por medio de un instrumento público. ◊ ** CONJUG. [1] como *sacar.*

cerúleo, -a *adj.-m.* Color azul del cielo despejado, de la alta mar o de los grandes lagos. – 2 *adj.* De color cerúleo.

cerumen *m.* Cera de los oídos.

cerusa *f.* Carbonato de plomo.

cervantes *f.* Mariposa diurna diminuta, de color pardo con puntos marginales blancos *(Erynnis tages).*

cervantino, -na *adj.* Propio y característico de Cervantes (1547-1616) o parecido a cualquiera de sus dotes o calidades.

cervantismo *m.* Influencia de las obras de Cervantes (1547-1616) en la literatura general. 2 Giro o locución cervantina.

cervantita *f.* Mineral de la clase de los óxidos; se presenta en masas aciculares junto a otros minerales de antimonio.

cervato *m.* Ciervo menor de seis meses.

cervecería *f.* Establecimiento del cervecero.

cervecero, -ra *m. f.* Persona que tiene por oficio hacer o vender cerveza. – 2 *adj.* Relativo a la cerveza: *cotización de las acciones cerveceras.* 3 [pers.] Que bebe gran cantidad de cerveza o que es muy aficionado a ella.

cerveza *f.* Bebida preparada con granos de cebada u otros cereales fermentados en agua, y aromatizada con lúpulo.

cervicabra *f.* Pequeño antílope de 1,25 m. de longitud y 80 cms. de alzada, cuyo pelaje es de color castaño rojizo en la parte superior, y blanco en el hocico, pecho y vientre *(Antilope cervicabra).*

cervical *adj.* Relativo a la cerviz: *vértebra* ~.

cérvido *adj.-m.* Mamífero de la familia de los cérvidos. – 2 *m. pl.* Familia de rumiantes cuyo macho, rara vez la hembra, lleva un par de cuernos óseos, macizos y caducos, a veces ramificados, que durante su formación están cubiertos por la piel; como el ciervo y el corzo.

cerviguillo *m.* Parte exterior de la cerviz, especialmente cuando es abultada.

cerviz *f.* Parte posterior del cuello del hombre y de los animales.

cervuno, -na *adj.* [caballería] De color intermedio entre el obscuro y el zaino. 2 De cuero de ciervo: *zapatos cervunos.* – 3 *m.* Planta gramínea, de hojas enrolladas y ásperas, y flores en espigas largas *(Nardus stricta).*

cesalpináceo, -a *adj.-f.* Planta de la familia de las cesalpináceas. – 2 *f. pl.* Familia de plantas leguminosas leñosas, de flores cigomorfas, con los dos pétalos inferiores que cubren a los dos laterales y éstos a su vez al superior; como el algarrobo.

cesante *adj.* Que cesa. – 2 *adj.-com.* Empleado del gobierno a quien se priva de su empleo.

cesar *intr.* Suspenderse o acabarse una cosa: *cesó la disputa.* 2 Dejar de hacer lo que se está haciendo: ~ *de correr;* ~ *en el trabajo.* 3 Dejar de desempeñar algún empleo o cargo. ◊ INCOR.: su uso como transitivo con el significado de *destituir, relevar, deponer.*

césar *m.* Título de algunos emperadores, especialmente los del Imperio Romano.

cesárea *f.* Operación que consiste en extraer un feto viable, practicando una incisión en las paredes del abdomen y del útero de la madre.

cesáreo, -a *adj.* Relativo al imperio o a la majestad imperial.

cesarismo *m.* Sistema de gobierno en el cual una sola persona asume y ejerce todos los poderes públicos.

cese *m.* Acción de cesar en un empleo o cargo. 2 Efecto de cesar en un empleo o cargo.

cesio *m.* Metal alcalino, de color blanco de plata, que se inflama espontáneamente en el aire. Su símbolo es Cs.

cesión *f.* Renuncia de alguna cosa, posesión, acción o derecho que una persona hace a favor de otra.

césped, -de *m.* Hierba menuda y tupida que cubre el suelo. 2 En algunos deportes, como fútbol, rugby, etc., terreno de juego. 3 Corteza que se forma en el corte por donde han sido podados los sarmientos.

cespitoso, -sa *adj.* Que crece en forma de matas espesas.

I) cesta *f.* Recipiente tejido con mimbres, juncos, etc., generalmente redondeado, para recoger o llevar ropa, frutas, etc. 2 Carruaje con caja de mimbre. 3 Equinodermo con el disco de unos 7 cms. de diámetro y los brazos de hasta 16 cms., muy ramificados. Su color es rojizo con manchas claras *(Gorgonocephalus costosus).* 4 DEP. En el juego del baloncesto, aro de metal con una red colgante en el que hay que introducir la pelota para conseguir un tanto. 5 DEP. En el juego del baloncesto, tanto.

II) cesta *f.* Especie de pala, cóncava y en figura de uña, que, sujeta a la mano, sirve para jugar a la pelota.

cestería *f.* Establecimiento del cestero. 2 Arte del cestero.

cestero, -ra *m. f.* Persona que tiene por oficio hacer o vender cestos o cestas.

cesto *m.* Cesta grande, más alta que ancha.

cestodo *adj.-m.* Gusano de la clase de los cestodos. – 2 *m. pl.* Clase de gusanos platelmintos, de cuerpo acintado, que viven parásitos en el interior de otros animales y carecen totalmente de tubo digestivo; como la tenia.

cesura *f.* Separación establecida intencionalmente por el poeta en un lugar determinado del poema. 2 Pausa exigida por el ritmo, que divide los versos largos en dos partes llamadas hemistiquios.

cetáceo *adj.-m.* Mamífero del orden de los cetáceos. – 2 *m. pl.* Orden de mamíferos placentarios adaptados enteramente a la vida acuática, de cuerpo fusiforme, con la cola gruesa y musculosa, y sin otras extremidades que las escápulas, transformadas en aletas; como el delfín y la ballena.

cetaria *f.* Estanque en comunicación con el mar, donde se conservan vivos langostas y crustáceos destinados al consumo.

cetario *m.* Paraje en que la ballena y otros vivíparos marinos suelen fijarse para criar sus hijuelos.

cetina *f.* Esperma de la ballena.

cetme *m.* Fusil de asalto español, similar a la ametralladora, pero de uso individual y menos pesado.

cetonia *f.* Insecto coleóptero con reflejos metálicos que vive en las flores y en los árboles *(Cetonia aurata)*.

cetrería *f.* Arte de criar, amaestrar y cuidar las aves que servían para la caza de volatería. 2 Caza de aves y algunos cuadrúpedos que se hacía con halcones y otras aves rapaces que perseguían la presa hasta herirla o matarla.

cetrino, -na *adj.-m.* Color amarillo verdoso. – 2 *adj.* De color cetrino. 3 Compuesto con cidra, o que participa de sus cualidades. 4 fig. Melancólico y adusto.

cetro *m.* Vara de oro que usan los emperadores y reyes por insignia de su dignidad. 2 fig. Esta misma dignidad. 3 Reinado de un príncipe. 4 Preeminencia en alguna cosa: *el ~ de la elocuencia.* 5 Vara que usan las congregaciones, cofradías o sacramentales, llevándola sus mayordomos o diputados.

ceutí *adj.-s.* De Ceuta, ciudad española del norte de África. 2 Tipo de limón, muy oloroso, oriundo de Ceuta. ◇ Pl.: *ceutíes.*

ceviche *m.* Plato de pescado o marisco crudo cortado en trozos pequeños y preparado en un adobo de jugo de limón o naranja agria, cebolla picada, sal y ají.

cía *f.* Hueso de la cadera.

ciaboga *f.* Maniobra de dar vuelta en redondo a una embarcación de remos, bogando los de una banda y ciando los de otra.

cian *adj.-m.* Color azul verdoso complementario del rojo.

cianhídrico *adj. Ácido ~,* hidrácido de fórmula CNH, combinación de cianógeno e hidrógeno, líquido, incoloro, muy venenoso, que se encuentra especialmente en las almendras amargas.

cianita *f.* Turmalina de color azul.

cianobacterias *f. pl.* Grupo taxonómico, con categoría de división, de organismos procariotas, también llamados algas azules; a esta división pertenece una clase, las cianofíceas.

cianofíceo, -a *adj.-f.* Alga de la clase de las cianofíceas. – 2 *f. pl.* Clase de algas dentro de la división cianobacterias, caracterizadas por la presencia de un pigmento azul o ficocianina.

cianógeno *m.* Gas compuesto de carbono y nitrógeno, $(CN)_2$, venenoso incoloro, inflamable y de olor penetrante; obra en sus combinaciones como radical univalente: CN .

cianosis *f.* Coloración azul, negruzca o lívida de la piel. ◇ Pl.: *cianosis.*

cianotriquita *f.* Mineral de la clase de los sulfatos que cristaliza en el sistema rómbico en cristales de hábito circular y de color azulado.

cianuro *m.* Sal del ácido cianhídrico.

ciar *intr.* Remar hacia atrás. 2 p. ext. Andar hacia atrás, retroceder. 3 fig. Aflojar en un negocio cesando en él. ◇ ** CONJUG. [13] como *desviar.*

ciática *f.* Neuralgia del nervio ciático.

ciático, -ca *adj.* Relativo a la cadera o al isquion: *nervio ~.*

ciatiforme *adj.* De forma de copa.

ciatio *m.* BOT. Inflorescencia que consta de una flor femenina central y cinco grupos de flores masculinas periféricas. Parece una flor única.

cibera *adj.* Que sirve para cebar. – 2 *f.* Porción de trigo que se echa en la tolva del molino para que vaya cebando la rueda. 3 Toda simiente que puede servir para mantenimiento y cebo. 4 Residuo de los frutos después de exprimidos.

cibernética *f.* MED. Ciencia que estudia el funcionamiento de las conexiones nerviosas en los seres vivos. 2 ELECTR. Teoría de los sistemas de control que se sirve de las analogías entre las máquinas y el sistema nervioso de los animales y el hombre.

ciborio *m.* Baldaquino (pabellón) de la **basílica paleocristiana.

cibucán *m. Amér.* Espuerta o serón grande que se utiliza para exprimir la yuca rayada.

cica *f.* Planta cicadal con aspecto de una pequeña palmera de cuyo tronco se obtiene un sagú *(Cycas revoluta);* **gimnospermas.

cicadáceas *f. pl.* Familia de plantas gimnospermas, propias de los países tropicales, semejantes a las palmeras y helechos arborescentes.

cicadal *adj.-f.* Planta de la clase de las cicadales. − 2 *f. pl.* Clase de plantas gimnospermas, dioicas, de tallo inramificado coronado por un penacho de hojas pinnadas; tiene aspecto de palmera y hoy es muy escasa.

cicádido *adj.-m.* Insecto de la familia de los cicádidos. − 2 *m. pl.* Familia de insectos homópteros que producen un sonido estridente; como la cigarra.

cicatero, -ra *adj.-s.* Ruin, mezquino, tacaño. 2 Que da importancia a pequeñas cosas o se ofende por ellas.

cicatriz *f.* Señal que de una herida o llaga queda en los tejidos orgánicos. 2 fig. Impresión que deja en el ánimo algún sentimiento.

cicatrizar *tr.-prnl.* Curar completamente [una herida o llaga] de modo que sólo quede la cicatriz. ◇ ** CONJUG. [4] como *realizar.*

cicca *f.* Gimnosperma dioica, cuyo eje floral no tiene crecimiento limitado. Originario de Asia y Oceanía, el género *Cycas* posee unas 16 especies. La *Cycas revoluta* se cultiva a menudo como planta decorativa.

cícero *m.* IMPR. Unidad de medida usada en tipografía, que tiene 12 puntos y equivale a poco más de 4,5 mm.

cicerone *com.* Persona que enseña y explica las curiosidades de una localidad, edificio, etc.

cicindela *f.* Insecto coleóptero de forma esbelta y coloración metálica, con las antenas insertas en la base de las mandíbulas *(Cicindela campestris).*

ciclamato *m.* Edulcorante sintético usado en terapéutica como substitutivo del azúcar en diabéticos.

ciclamor *m.* Árbol leguminoso de jardín, de tronco y ramas tortuosos, hojas acorazonadas y flores de color carmesí en racimos abundantes *(Cercis siliquastrum).*

ciclán *adj.-s.* [animal] Que tiene un solo testículo.

ciclar *tr.* Bruñir y abrillantar [las piedras preciosas].

cíclico, -ca *adj.* Relativo a un ciclo. 2 [poeta] Que refiere en una obra casos de un ciclo épico o legendario; [poesía épica] que abarca y comprende el ciclo todo o parte de él. 3 Que ocurre en ciclos.

ciclismo *m.* Deporte de los aficionados a la bicicleta o al velocípedo.

ciclista *com.* Persona que practica el ciclismo.

ciclo *m.* Período de tiempo en que se verifican una serie de acontecimientos o fenómenos hasta llegar a uno a partir del cual vuelven a producirse en el mismo orden. 2 En electricidad, evolución completa del valor de una corriente oscilatoria. 3 Serie de estados por los que pasa un cuerpo hasta llegar de nuevo al estado inicial. 4 Serie de actos celebrados dentro de un año académico, un curso, etc. 5 En los planes de estudios, período de tiempo en que se estudian determinadas materias. 6 Serie de conferencias u otros actos de carácter cultural relacionados entre sí, generalmente por el tema. 7 Conjunto de tradiciones épicas concernientes a determinado período, a un grupo de sucesos, o a un personaje heroico: ~ *bretón, carolingio.*

ciclocross *m.* Carrera de bicicletas en terreno accidentado.

cicloide *f.* **Curva plana descrita por un punto de una circunferencia cuando ésta rueda sobre una línea recta.

ciclómetro *m.* Instrumento para medir la velocidad de rotación de un eje.

ciclomotor *m.* Vehículo de dos ruedas provisto de un motor de pequeña cilindrada y poca potencia que no alcanza los 40 kms./h.; **motocicleta.

ciclón *m.* Huracán. 2 Perturbación atmosférica constituida por un área de presión más baja que las circundantes. 3 Aparato estático, que mediante la fuerza centrífuga originada por un fluido en movimiento turbulento, separa las partículas que este lleva en suspensión. 4 fig. Persona llena de ímpetu.

ciclópeo, -a *adj.* [construcción antiquísima] Hecho con enormes piedras sin argamasa. 2 fig. Gigantesco (excesivo).

ciclorama *m.* Panorama (vista pintada). 2 En los teatros, gran tela panorámica de superficie curvada y de color uniforme, situada en el fondo y en los laterales del escenario.

ciclostilo *m.* Aparato que sirve para copiar muchas veces un escrito o dibujo por medio de una tinta especial sobre una plancha gelatinosa.

ciclostoma *m.* Molusco gasterópodo, pulmonado, muy común en España, la abertura de cuya concha es circular *(Ciclostoma elegans).*

ciclóstomo *adj.-m.* Animal de la clase de los ciclóstomos. − 2 *m. pl.* Clase de animales vertebrados agnatos de cuerpo pisciforme y con la boca constituida por una ventosa circular, que incluye dos órdenes: petromizoniformes y mixiniformes.

ciconiforme *adj.-m.* Ave del orden de los ciconiformes. − 2 *m. pl.* Orden de aves piscívoras, por lo general grandes y buenas voladoras; como la cigüeña y la garza.

cicuta *f.* Planta umbelífera de olor desagradable, de tallo ramoso manchado de rojo oscuro, hojas muy divididas y flores blancas en umbela; contiene principios tóxicos muy activos *(Conium maculatum).*

cicutina *f.* Alcaloide venenoso contenido en la cicuta.

cidra *f.* Fruto del cidro. 2 ~ *cayote,* planta, variedad de sandía, cuyo fruto es de corteza lisa y verde con manchas. Su carne es jugosa, blanca y fibrosa, de la cual se hace el dulce llamado *cabello de ángel (Cucurbita ficifolia).* 3 Fruto de esta planta.

cidro *m.* Árbol rutáceo, de tronco liso y ramoso, hojas persistentes, flores encarnadas olorosas y fruto de pulpa agria y corteza gruesa y carnosa, que contiene un aceite esencial *(Citrus medica).*

ciego, -ga *adj.-s.* Privado de la vista. – 2 *adj.* fig. Ofuscado, poseído con vehemencia de alguna pasión: ~ *de amor, de dolor;* ~ *con los celos.* 3 fig. [conducto] Obstruido. 4 fig. [pan o queso] Que no tiene ojos. – 5 *m.* Intestino ciego; **digestivo (aparato).

cielo *m.* Esfera aparente, azul y diáfana que rodea a la Tierra y en la cual parece que se mueven los astros. 2 Clima (atmósfera, temperatura): *el* ~ *benigno de España; bajo el* ~ *de los trópicos.* 3 Según la religión cristiana, mansión en que los ángeles, los santos y los bienaventurados gozan la presencia de Dios: *el reino de los Cielos.* 4 fig. Dios o su providencia: *¡Valedme, cielos!* 5 fig. Parte superior que cubre algunas cosas: ~ *de la cama;* ~ *de la boca;* ~ *raso,* techo de superficie plana y lisa.

¡cielos! Interjección con que se denota susto y sorpresa.

ciempiés *m.* Miriápodo quilópodo con las patas y las antenas muy largas; se alimenta de moscas y polillas *(Scutigera coleoptrata).* ◇ Pl.: *ciempiés.*

cien *adj.* Apócope de *ciento.* ◇ GRAM. Úsase siempre delante de substantivos en plural: ~ *días;* ~ *libros.* Puede interponerse adjetivos: ~ *hermosas doncellas;* ~ *magníficos cuadros.* Cuando le sigue otro numeral, se apocopa si lo multiplica (~ *mil;* ~ *millones*) y no se apocopa si se suma a él (*ciento diez, ciento cuatro*). Frases como *éramos más de cien,* o *español cien por cien,* son incorrectas.

ciénaga *f.* Lugar cenagoso.

ciencia *f.* Conocimiento cierto de las cosas por sus principios y causas. 2 fig. Saber, sabiduría o erudición. 3 Habilidad, maestría. 4 Conjunto sistematizado de conocimientos que constituyen un ramo del saber humano: *la química es una* ~. 5 Conjunto de las ciencias particulares: *los adelantos de la* ~ *moderna.* 6 ~ *ficción,* género narrativo literario o cinematográfico en que se mezcla la previsión del futuro con los descubrimientos científicos.

cieno *m.* Lodo blando que se deposita en el fondo de las lagunas o en sitios bajos y húmedos. 2 fig. Deshonra, descrédito.

cientificidad *f.* Propiedad de lo que es científico.

cientificismo *m.* Tendencia a dar excesivo valor a las nociones más o menos científicas. 2 Confianza plena en los principios y resultados de la investigación científica y práctica rigurosa de sus métodos.

científico, -ca *adj.* Que posee alguna ciencia o ciencias. 2 Relativo a ellas. – 3 *m. f.* Persona que se dedica a la ciencia, sabio.

ciento *adj.* Diez veces diez; **numeración. – 2 *m.* Guarismo del número ciento. 3 Centena.

cierna *f.* Antera de la flor del trigo, de la vid y de otras plantas.

ciernes (en ~) *loc. adv.* En los comienzos: *en este país la investigación tecnológica está en* ~.

cierre *m.* Cerradura. 2 Utensilio o mecanismo que sirve para cerrar: ~ *de seguridad.* 3 Bloque de acero que sirve para obturar la abertura posterior de un arma de fuego.

cierto, -ta *adj.* Fijo, determinado: *déme usted un día* ~. 2 Seguro, que no puede dejar de suceder: *la ruina es cierta.* 3 Que existe en la realidad, que es indubitable: *el hecho es* ~, *la narración exacta y verdadera.* 4 Que tiene conocimiento verdadero o está seguro de la verdad de una cosa: *estoy* ~ *de lo que afirmo.* 5 Precediendo inmediatamente al substantivo, alguno: ~ *día; en* ~ *lugar.* – 6 *adv. afirm.* Con certeza: *supúsose* ~ *que él sería el general; ¿es esa la calle?* - *Cierto.*

ciervo *m.* Mamífero rumiante cérvido, de complexión robusta y formas esbeltas, frente ancha, hocico agudo, patas altas y delgadas y cola corta. El macho está armado de cuernas estriadas y ramosas que llegan a tener diez candiles cada una; la hembra es algo menor y no tiene cuernas *(Cervus elaphus).* 2 ~ *volante,* insecto coleóptero, el de mayor tamaño en Europa; el macho tiene mandíbulas enormes, largas y ramificadas, que recuerdan las astas del ciervo *(Lucanus cervus).*

cierzas *f. pl.* Vástagos de la vid.

cierzo *m.* Viento septentrional.

cifela *m.* Hongo que crece y vive entre el musgo de los tejados (gén. *Cyphella).*

cifra *f.* Número (signo). 2 Sistema de signos convenidos para una escritura secreta. 3 Abreviatura (monograma y abreviaduría); iniciales de los nombres y apellidos de uno, enlazadas o combinadas.

cifrar *tr.* Escribir en cifra. 2 fig. Dicho especialmente del discurso, compendiar, reducir: ~ *las vidas de los santos en un martirologio; en una arca cifró el género humano.* 3 fig. Seguido de la preposición *en,* reducir a persona, cosa o idea determinada [lo que ordinariamente procede de varias causas]: ~ *la esperanza en Dios.*

cigala *f.* Crustáceo decápodo macruro de cuerpo ancho y aplanado, pinzas muy desarrolladas y caparazón duro y rosado *(Scyllarus arctus).*

cigarra *f.* Insecto hemíptero, de color obscuro, cabeza gruesa, ojos salientes, alas membranosas y abdomen cónico, en cuya base poseen los machos un aparato por medio del cual producen un sonido estridente y monótono *(Cicada plebeia).*

cigarrero, -ra *m. f.* Persona que tiene por oficio hacer o vender cigarros. – 2 *f.* Caja o mueblecillo para cigarros puros. 3 Petaca.

cigarrillo *m.* Cigarro pequeño de picadura envuelta en una hoja de papel de fumar.

cigarro *m.* Rollo de hojas de tabaco, que se enciende por un extremo y se fuma por el opuesto: ~ *puro,* cigarro; ~ *de papel,* cigarrillo.

cigarrón *m.* Saltamontes.

cigofiláceo, -a *adj.-f.* Planta de la familia de las cigofiláceas. – 2 *f. pl.* Familia de plantas dicotiledóneas, de hojas paripinnadas y estipuladas, flores regulares y fruto generalmente capsular; como el abrojo.

cigoma *m.* Arco óseo situado en el lado de la cabeza de los mamíferos y que sostiene la parte inferior de la órbita.

cigomático, -ca *adj.* Relativo a la mejilla o pómulo; **músculos; **cabeza.

cigomorfo, -fa *adj.* BOT. [órgano] Que está dividido en dos partes simétricas: *flor cigomorfa.*

cigoñal *m.* Pértiga sostenida en una horquilla, con una vasija atada a un extremo, para sacar agua de pozos someros. 2 Viga que mueve la báscula de un puente levadizo.

cigoñino *m.* Pollo de la cigüeña.

cigoto *m.* BIOL. Huevo (célula germinal femenina).

ciguatera *f. Amér.* Enfermedad que suelen contraer los peces y crustáceos. 2 *Amér.* Intoxicación producida por la ingestión de peces venenosos.

cigüeña *f.* Ave ciconiforme, de un metro de altura, de cuello y pico largos, cuerpo blanco, alas negras y patas largas y rojas; es ave de paso y anida en las torres y árboles elevados *(Ciconia ciconia).* 2 Hierro sujeto a la cabeza de la **campana, donde se asegura la cuerda para tocarla.

cigüeñal *m.* Parte importante de los motores de automóvil y aeroplano consistente en un eje doblado en uno o más codos, en cada uno de los cuales se ajusta una biela cuya cabeza está unida al pistón del émbolo. Sirve para transformar en circular el movimiento rectilíneo de los émbolos.

cigüeñuela *f.* Ave caradriforme, más pequeña que la cigüeña, con plumaje blanco y negro; vive cerca de las lagunas y pantanos; abunda en Gibraltar *(Himantopus himantopus).*

cija *f.* Cuadra para el ganado lanar.

cilanco *m.* Charco formado a orillas de los ríos.

cilantro *m.* Hierba umbelífera medicinal, de tallo lampiño y hojas filiformes, flores rojizas y simiente elipsoidal *(Coriandrum sativum).*

ciliado *adj.-m.* Protozoo del tipo de los ciliados. 2 Tipo de **protozoos provistos de pestañas vibrátiles; abundan en las aguas dulces y aparecen en las infusiones de hojas, por lo que se les llama también infusorios; como el paramecio.

ciliar *adj.* Relativo a las pestañas o parecido a ellas. 2 Órgano del globo del ojo: *músculos ciliares.*

cilicio *m.* Faja de cerdas o de cadenillas de hierro con puntas que se lleva ceñida al cuerpo para mortificación.

cilindrada *f.* En los motores de explosión, capacidad que tienen los cilindros.

cilindrar *tr.* Comprimir con el cilindro o rodillo.

cilindro *m.* Sólido limitado por una superficie curva cerrada y dos planos paralelos que forman sus bases. 2 Pieza de una máquina que tenga forma de cilindro, en general; **cerradura. 3 Caja, generalmente cilíndrica, en que se mueve el émbolo de una bomba, máquina de vapor, etc. 4 Pieza del motor en la que tiene lugar la combustión o explosión de la mezcla carburada dando impulsión al pistón que pone en marcha el árbol motor mediante la biela; **automóvil. 5 Rodillo para comprimir o aplastar. 6 IMPR. Pieza de la máquina que, girando sobre el molde o sobre el papel, si ella tiene los moldes, hace la impresión.

cilindroeje *m.* Prolongación de una célula nerviosa, larga y de contorno liso que da ramas colaterales en ángulo recto.

cilio *m.* BIOL. Filamento protoplasmático delgado y permanente que emerge de los protozoos ciliados y otras células; mediante su movimiento se efectúa la locomoción de las células en un medio líquido.

cima *f.* Tallo del cardo y de otras verduras. 2 **Inflorescencia en que el eje principal es sobrepasado en desarrollo por los ejes secundarios, éstos por los terciarios, etc. 3 Lo más alto de una montaña o de un árbol. 4 fig. Fin o complemento de una obra o cosa. 5 Elemento arquitectónico de perfil curvo, generalmente de remate y en ocasiones sustentante en la cornisa.

cimacio *m.* Gola (moldura). 2 Cuerpo superior de la cornisa; borde cimero de un retablo.

cimarrón, -rrona *adj.* [animal doméstico] Que huye al campo y se hace montaraz. – 2 *adj.* [animal] Salvaje, por oposición al domesticado; [planta] silvestre, por oposición a la cultivada. – 3 *adj.-s. Amér.* Esclavo que huía buscando la libertad.

cimbalaria *f.* Planta escrofulariácea, decorativa, de hojas carnosas parecidas a las de la hiedra y flores purpúreas con una mancha amarilla *(Antirhinum cymbalaria).*

cimbalillo *m.* Campana pequeña.

címbalo *m.* Instrumento músico de **percusión, parecido a los platillos, usado por los griegos y romanos.

cimbel *m.* Cordel atado a la punta del cimillo en que se pone el ave que sirve de señuelo. 2 Ave o figura de ella que se emplea con dicho objeto. 3 fig. Atractivo, aliciente.

cimborio, -rio *m.* Torre o cuerpo saliente al exterior que se levanta sobre el crucero de una iglesia a fin de iluminar su interior.

cimbra *f.* Armazón de madera que se utiliza a manera de plantilla para construir arcos y bóvedas. 2 Curvatura de la superficie interior de un **arco o bóveda.

cimbrar *tr.-prnl.* Imprimir movimiento vibratorio [a una vara larga u otra cosa flexible] asiéndola por un extremo. 2 en gral. Doblar [una cosa elástica]. 3 fig. *y* fam. Dar [a uno] con una vara o palo. 4 fig. Mover con garbo el cuerpo al andar.

cimbre *m.* Galería subterránea.

cimbreante *adj.* Flexible (que se dobla), que se cimbra fácilmente.

cimentar *tr.* Echar o poner los cimientos [de un edificio o fábrica]. 2 Fundar (edificar). 3 fig. Establecer los principios [de algunas cosas espirituales]: ~ *la virtud, la ciencia,* etc.; ~ *la paz en la clemencia.* ◇ ** CONJUG. [27] como *acertar.* ◇ Es verbo de poco uso en el que predominan las formas sin diptongar.

cimérica *f.* GEOL. Fase de la orogenia alpina que transcurrió a finales del jurásico; elevó Sierra Nevada y la zona noroccidental de Alemania.

cimero, -ra *adj.* Que finaliza o remata por lo alto alguna cosa elevada. 2 fig. Insigne, ilustre.

cimiento *m.* Parte del edificio que está debajo de la tierra y sobre el que estriba toda la fábrica. 2 fig. Principio y raíz de una cosa.

cimitarra *f.* Especie de sable usado por turcos y persas; **armas.

cimógeno, -na *adj.-m.* Productor de fermentaciones o de fermentos.

cimoleta *f.* Polvo rico en óxido de hierro que se obtiene al secarse el lodo formado en las cubetas de agua de las muelas de afilar.

cimómetro *m.* Aparato destinado a la determinación de la frecuencia de las corrientes alternas, especialmente de la media y alta frecuencia.

cimoso, -sa *adj.* En forma de cima. 2 **Inflorescencia cimosa,* aquella en que, en oposición a la racimosa, el eje principal es sobrepasado por los secundarios.

cinabrio *m.* Sulfuro nativo de mercurio, muy pesado y de color obscuro, del cual se extrae ordinariamente el mercurio.

cinamomo *m.* Árbol meliáceo de madera dura y aromática, tronco recto, ramas irregu-

lares, hojas bipinnadas; flores blancas en panoja, y fruto parecido a una cereza pequeña, del que se extrae un aceite usado en medicina y en la industria *(Melia azederach).* 2 Árbol eleagnáceo, de hojas parecidas a las del olivo, y flores de olor penetrante *(Elæagnus angustifolia).*

cinc *m.* Metal blanco azulado, de estructura laminosa, quebradizo a bajas temperaturas y a temperaturas superiores a 200°, y que se empaña pronto al contacto del aire. Su símbolo es *Zn.* ◇ Pl.: *cines.*

cincel *m.* Herramienta con boca acerada y recta de doble bisel, usada para labrar a golpe de martillo piedras y metales.

cincelar *tr.* Labrar, grabar con cincel [en piedras o metales]. 2 fig. Hacer incisiones sobre el pescado para facilitar su cocción.

cinco *adj.* Cuatro y uno; **numeración. – 2 *m.* Guarismo del número cinco.

cincoenrama *f.* Hierba rosácea, de hojas compuestas de cinco hojuelas, flores solitarias amarillas y raíz medicinal *(Potentilla reptans).*

cincografía *f.* Arte de dibujar o grabar en una plancha de cinc preparada al efecto.

cincuenta *adj.* Cinco veces diez; **numeración. – 2 *m.* Guarismo del número cincuenta.

cincuentena *f.* Conjunto de cincuenta unidades.

cincuentenario *m.* Conmemoración del día en que se cumplen cincuenta años de algún suceso.

cincuentón, -tona *adj.-s.* [pers.] Que ha cumplido cincuenta años de edad y no ha llegado a los sesenta.

cincha *f.* Faja con que se asegura la silla o albarda sobre la cabalgadura, ciñéndola por debajo de la barriga.

cinchar *tr.* Asegurar [la silla o albarda] apretando las cinchas. 2 Asegurar [un barril, rueda, etc.] con cinchos. 3 fig. Poner hielo picado y sal alrededor de un preparado para su enfriamiento.

cinchera *f.* Parte del cuerpo de las caballerías en que se pone la cincha.

cincho *m.* Faja ancha con que se ciñe y abriga el estómago. 2 Cinturón de vestir. 3 Aro de hierro con que se aseguran los barriles, ruedas, maderos ensamblados, etc. 4 Pleita de esparto que forma el contorno de la encella. 5 Fajo, brazado de maleza.

cine *m.* Abreviación usual de cinematógrafo.

cineasta *com.* Actor o actriz de cinematógrafo. 2 en gral. Persona que se dedica a la producción de películas cinematográficas. 3 Aficionado al cine.

cineclub *m.* Asociación dedicada a la difusión de la cultura cinematográfica. 2 Lugar donde se reúne esta asociación y donde se proyectan y comentan las películas.

cinéfilo, -la *adj.-s.* Apasionado por el cine.

cinegética *f.* Arte de la caza.

cinemascope *m.* Sistema cinematográfico que comprime ópticamente la imagen en las tomas y la descomprime en la proyección en gran pantalla panorámica, y con efectos sonoros estereofónicos.

cinemateca *f.* Lugar donde se guardan películas cinematográficas.

cinemática *f.* Parte de la mecánica que trata del movimiento en sus condiciones de espacio y tiempo.

cinematografía *f.* Arte de representar el movimiento por medio de la fotografía.

cinematografiar *tr.* Impresionar en una película cinematográfica [una escena, acto público, etc.]. ◇ ** CONJUG. [13] como *desviar*.

cinematógrafo *m.* Linterna de proyecciones dispuesta de modo que permita el paso rapidísimo, por delante de la lente, de una película que contiene una serie de imágenes correspondientes a momentos consecutivos de una escena, las cuales, proyectadas sobre una pantalla, producen la ilusión de un cuadro cuyas figuras se mueven. 2 Local público donde se proyectan películas cinematográficas. 3 Arte de representar obras dramáticas para ser reproducidas por medio de la fotografía y el cinematógrafo.

cinematoscopio *m.* Aparato óptico gracias al cual una serie de imágenes de un cuerpo en movimiento se funde en una sola imagen que parece moverse con perfecta naturalidad.

cinemógrafo *m.* Instrumento registrador de la velocidad del viento.

cinemómetro *m.* Instrumento, en general, indicador de velocidad.

cinerama *m.* Cinematógrafo basado en la proyección de tres imágenes que se yuxtaponen para dar la impresión de relieve en la pantalla.

cinerario, -ria *adj.* Destinado a contener cenizas de cadáveres: *urna cineraria*.

cinestesia *f.* RET. Metáfora en la que tienen lugar sensaciones de distinta procedencia.

cinética *f.* Parte de la dinámica que trata del movimiento producido por las fuerzas.

cingalés, -lesa *adj.-s.* De Ceilán, gran isla del océano Índico.

cíngaro, -ra *adj.-s.* Gitano (nómada), especialmente el de Europa central.

cingiberáceo, -a *adj.-f.* Planta de la familia de las cingiberáceas. – 2 *f. pl.* Familia de plantas monocotiledóneas tropicales, de hojas envainadoras y flores cigomorfas con el androceo reducido a un solo estambre fértil.

cinglado *m.* Depuración de las masas metálicas por medio del fuego.

cinglador *m.* Martillo grande usado en las fraguas.

I) cinglar *tr.* Hacer andar [un bote, canoa, etc.] con un solo remo puesto a popa.

II) cinglar *tr.* Forjar [el hierro] para limpiarlo de escorias.

cíngulo *m.* Cordón de lino, cáñamo o seda que ciñe la cintura; esp., el que usa el sacerdote cuando se reviste el alba.

cinismo *m.* Doctrina de los filósofos de la escuela socrática fundada por Antístenes (444-365 a. C.). 2 Impudencia, obscenidad descarada. 3 Desvergüenza en defender o practicar acciones o doctrinas vituperables.

cinoglosa *f.* Hierba boraginácea, de raíz fusiforme, tallo y hojas vellosas y flores violáceas en racimos pequeños *(Cynoglossum officinale)*.

cinomorfo, -fa *adj.* Parecido a un perro. – 2 *adj.-s.* Cercopitécido.

cinomoriáceo, -a *adj.-s.* Planta de la familia de las cinomoriáceas. – 2 *f. pl.* Familia de plantas dicotiledóneas, parásitas, desprovistas de clorofila, que se fijan al hospedador por un rizoma tuberoso. Son de colores variados y tienen aspecto de hongo, con flores pequeñas y numerosas.

cinta *f.* Tejido largo y angosto. 2 p. ext. Tira de papel, celulosa, acero, plástico, etc.: ~ *autoadhesiva;* ~ *cinematográfica;* ~ **métrica**, escala de medición larga y flexible. 3 Dispositivo formado por una banda de material metálico o plástico que, movida automáticamente, traslada mercancías, equipajes, etc. 4 Planta graminácea de adorno, de tallos estriados, hojas anchas, listadas de blanco y verde, y flores en panoja alargada, mezclada de blanco y violeta *(Phalaris arundinacea).* 5 Pez marino teleósteo perciforme, de cuerpo acintado, terminado en látigo y con las aletas dorsal y anal muy largas, unidas a una caudal en un pincel *(Cepola rubescens).* 6 Red para pescar atunes. 7 Maderas que por fuera refuerzan la trabazón del costado de un buque de proa a popa. 8 Hilera de baldosas en un solado, paralela y arrimada a las paredes. 9 Solomillo. 10 Pasta de harina de trigo de forma alargada y estrecha. 11 DEP. En la gimnasia rítmica, aparato compuesto por una banda larga y estrecha unida a un palito con el que se efectúan diversos ejercicios de habilidad y coordinación de movimientos. ◇ INCOR.: *en cinta*, por *encinta*.

cintagorda *f.* Red de cáñamo, de hilos fuertes y gruesos, para la pesca del atún.

cintillo *m.* Cordoncillo de seda para ceñir la copa de los sombreros. 2 Sortija guarnecida de piedras preciosas.

cinto *m.* Faja para ceñir y ajustar la cintura.

cintra *f.* Curvatura de un arco o bóveda.

cintrel *m.* Cuerda o regla que, fija por un extremo en el centro de un arco o bóveda, señala la oblicuidad de las hiladas de la fábrica.

cintura *f.* Parte más estrecha del **cuerpo

humano, por encima de las caderas. 2 Parte de un vestido que corresponde a la cintura.

cinturón *m.* Tira de cuero o de tejido fuerte, con la cual se sujetan y ciñen las prendas de vestir: ~ *de lastre,* el cargado con peso para facilitar la inmersión del **submarinista. 2 Cinto (faja) usado por las mujeres. 3 fig. Serie de cosas que circuyen a otras: ~ *de baluartes.* 4 DEP. En judo y otras artes marciales, categoría según el color del mismo. 5 MIL. Cinto de cuero o paño, que se coloca sobre el uniforme y sirve para sostener el sable, bayoneta, cartucheras, etc.; **armadura.

cipayo *m.* Soldado indio al servicio de una potencia europea.

cipe *adj. Amér. Central.* [niño] Encanijado durante la lactancia.

ciperáceo, -a *adj.-f.* Planta de la familia de las ciperáceas. – 2 *f. pl.* Familia de plantas monocotiledóneas, herbáceas, con rizoma, tallos generalmente triangulares y sin nudos, hojas envainadoras, flores unisexuales y fruto monospermo; como el papiro.

ciperales *f. pl.* Orden de plantas dentro de la clase monocotiledóneas.

cipo *m.* Pilastra o trozo de columna erigido en memoria de alguna persona difunta.

cipote *adj.* Bobo, zonzo. 2 Rechoncho, obeso. – 3 *m.* Porra, cachiporra. 4 Palillo de tambor. 5 vulg. Pene.

ciprés *m.* Árbol conífero cupresáceo, de madera rojiza y olorosa, de tronco derecho, ramas erguidas, copa espesa y cónica, hojas menudas persistentes y flores monoicas; **gimnospermas *(Cupressus sempervirens).* 2 Madera de este árbol. 3 Altar mayor, cuando queda aislado y tiene por sus cuatro lados otros tantos altares o mesas para celebrar.

cipriniforme *adj.-m.* Pez del orden de los cipriniformes. – 2 *m. pl.* Orden de peces teleósteos de agua dulce; como la piraña, el barbo y la carpa.

circo *m.* En la antigua Roma, espacio rectangular destinado a carreras de carros, ejercicios gimnásticos, etc., rodeado de gradas para los espectadores; **romano. 2 En algunas montañas, depresión limitada por una especie de cerco coronado de cimas escarpadas. 3 ~, o ~ *ecuestre,* espectáculo muy variado en el que intervienen atletas, equilibristas, payasos, animales amaestrados, etc. 4 fig. Gran jaleo.

circón *m.* Silicato nativo de circonio, más o menos transparente, que posee en alto grado la doble refracción, de color gris, verde, rojo o incoloro. Es piedra preciosa.

circonio *m.* Cuerpo simple, de color y aspecto metálicos, que se emplea para preparar una pólvora relámpago usada en fotografía. Su símbolo es *Zr.*

circuir *tr.* Rodear, cercar. ◊ ** CONJUG. [62] como *huir.*

circuito *m.* Terreno comprendido dentro de un perímetro cualquiera. 2 Bojeo o contorno. 3 Red de comunicaciones: ~ *de carreteras, de ferrocarriles.* 4 Camino que sigue una corriente eléctrica desde uno al otro polo del generador: *corto* ~, el que se establece cuando la corriente pasa directamente de uno a otro polo del generador; ~ *integrado,* conjunto de conductores y semiconductores integrados en un componente único. 5 Movimiento circular. 6 Vuelta, recorrido circular, previamente fijado para carreras de automóviles, motocicletas, bicicletas, etc.

****circulación** *f.* Ordenación del tránsito por las vías urbanas, ferrocarriles, caminos, etc. 2 En el cuerpo de los animales, movimiento continuo de la sangre, en una dirección determinada, por conductos adecuados y pasando por un centro propulsor o corazón y por los órganos respiratorios, con objeto de llevar a las células los alimentos y el oxígeno que necesitan y recoger los productos destinados a la eliminación. 3 Movimiento total y ordenado de los productos, monedas y, en general, de la riqueza.

I) circular *adj.* De figura de círculo. – 2 *f.* Orden que una autoridad superior dirige a sus subalternos. 3 Carta o aviso igual a otros muchos dirigidos a diversas personas para notificarles algo.

II) circular *intr.* Andar o moverse en derredor; en gral., ir y venir: *los convidados circulan por el jardín; el aire circula por la casa.* 2 Correr o pasar una cosa de unas personas a otras: ~ *una noticia, un escrito.* 3 Partir de un centro órdenes circulares: *el decreto circula por las provincias; tr.,* dirigir uno [órdenes circulares]: *hemos circulado el decreto.* 4 Salir una cosa por una vía y volver por otra al punto de partida.

****círculo** *m.* Porción de un plano comprendida y limitada por la circunferencia. 2 **ASTRON. ~ *polar ártico* y *antártico,* círculos imaginarios menores paralelos al Ecuador, cuya distancia angular a los polos es la misma que la distancia de los trópicos al Ecuador. 3 GEOGR. Los dos que en correspondencia con éstos se consideran en la esfera terrestre; **tierra. 4 Circunferencia. 5 Circuito, distrito, corro. 6 Nombre de varios instrumentos que llevan un círculo graduado: ~ *acimutal,* instrumento náutico portátil con el cual se establece la posición relativa de un objeto exterior para determinar, combinando esta indicación con la de la brújula, el rumbo de una nave. 7 ~ *vicioso,* razonamiento que se basa en una premisa que supone la conclusión que hay que demostrar. 8 Casino, sociedad: ~ *recreativo.*

circumnutación *f.* BOT. Movimiento de crecimiento de los ejes de una planta.

circumpolar *adj.* Que está alrededor del polo.

circuncidar *tr.* Cortar circularmente una porción del prepucio. 2 fig. Cercenar, quitar o moderar [una cosa].

circundar *tr.* Cercar, rodear.

**circunferencia *f.* **Curva plana cerrada, cuyos puntos equidistan de otro llamado centro, situado en el mismo plano. 2 Contorno de una superficie, territorio, mar, etc.

circunferir *tr.* Circunscribir, limitar. ◇ ** CONJUG. [35] como *hervir.*

circunfuso, -sa *adj.* Difundido o extendido en derredor.

circunlocución *f.* RET. Figura que consiste en expresar por un rodeo de palabras algo que hubiera podido decirse con menos: *la lengua de Cervantes,* por la castellana.

circunloquio *m.* Circunlocución.

circunnavegar *tr.* Navegar alrededor: ~ *un continente;* dar un buque la vuelta [al mundo]. ◇ ** CONJUG. [7] como *llegar.*

circunscribir *tr.* Reducir a ciertos límites o términos [una cosa]: *la lucha se circunscribió a las capitales.* 2 GEOM. Trazar una figura que rodee [a otra figura] tocándola en el mayor número de puntos posibles. – 3 *prnl.* Ceñirse, concretarse a una ocupación. ◇ CONJUG.: pp. irreg.: *circunscrito.*

circunscripción *f.* División de un territorio.

circunspección *f.* Prudencia ante las circunstancias, para comportarse comedidamente.

circunspecto, -ta *adj.* Que se conduce con circunspección.

circunstancia *f.* Accidente de tiempo, lugar, modo, etc., que está unido a la substancia de algún hecho o dicho. 2 Conjunto de lo que está en torno a uno; el mundo, en cuanto mundo de alguien. 3 Calidad o requisito.

circunstancial *adj.* Que implica alguna circunstancia o depende de ella. 2 GRAM. **Complemento ~,** v. complemento.

circunvalar *tr.* Cercar, ceñir, rodear [una ciudad o fortaleza].

circunvolar *tr.* Volar alrededor. ◇ ** CONJUG. [31] como *contar.*

circunvolución *f.* Vuelta o rodeo de alguna cosa.

cirial *m.* Candelero alto que llevan los acólitos en algunas funciones de iglesia.

cirílico, -ca *adj.* Perteneciente o relativo al alfabeto usado en ruso y otras lenguas eslavas.

cirio *m.* Vela de cera de un pabilo, larga y gruesa.

I) cirro *m.* Tumor duro, sin dolor continuo y de naturaleza particular, que se forma en diferentes partes del cuerpo.

II) cirro *m.* Zarcillo (hoja). 2 Apéndice filiforme de algunos animales y plantas. 3 Nube, generalmente blanca, de textura fibrosa que se presenta en las regiones superiores de la atmósfera.

cirrocúmulo *m.* Nube blanca, alta, con aspecto de bancos, hojas o capas delgadas.

cirrópodo *adj.-m.* Crustáceo del orden de los cirrópodos. – 2 *m. pl.* Orden de crustáceos entomostráceos, marinos, que viven fijos a las rocas y tienen el cuerpo imperfectamente segmentado, protegido por un caparazón bivalvo reforzado por placas calizas; como el percebe.

CIRCULACIÓN

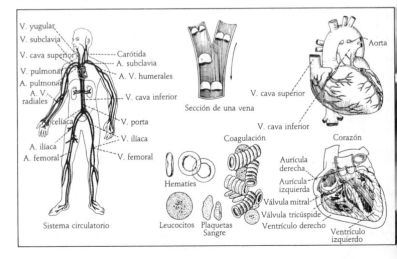

V. yugular
V. subclavia
V. cava superior
V. pulmonar
A. pulmonar
A. V. humerales
A. V. radiales
V. cava inferior
celíaca
V. porta
A. ilíaca
V. ilíaca
A. femoral
V. femoral
Carótida
A. subclavia
Sistema circulatorio

Sección de una vena
V. cava superior
V. cava inferior
Coagulación
Hematíes
Leucocitos
Plaquetas
Sangre

Corazón
Aorta
Aurícula derecha
Aurícula izquierda
Válvula mitral
Válvula tricúspide
Ventrículo derecho
Ventrículo izquierdo

cirrosis *f.* MED. Enfermedad del hígado en que se produce un aumento del tejido fibroso y destrucción de las células hepáticas. ◇ Pl.: *cirrosis.*

cirrostrato *m.* Nube alta en forma de velo nuboso blanquecino y transparente.

ciruela *f.* Fruto del ciruelo.

ciruelo *m.* Árbol **frutal de tronco derecho y robusto, madera flexible y dura, hojas lanceoladas y dentadas, flores blancas y fruto en drupa jugosa, que según las variedades tiene distintos colores, figuras y tamaños *(Prunus domestica).* 2 fig. Hombre muy necio e incapaz.

cirugía *f.* Parte de la medicina que tiene por objeto curar las enfermedades o corregir deformidades, mediante operaciones hechas con la mano o con instrumentos: ~ *plástica,* la que consiste en restablecer, mejorar o embellecer la forma de una parte del cuerpo; ~ *estética,* la que consiste sólo en el embellecimiento.

cirujano, -na *m. f.* Persona que profesa la cirugía.

ciscar *tr.* Ensuciar [una cosa]. ◇ ** CONJUG. [1] como *sacar.*

cisco *m.* Carbón menudo. 2 fig. Bullicio, reyerta; desorden.

ciscón *m.* Restos que quedan en los hornos de carbón.

cisípedo *adj.* Que tiene el pie dividido en dedos.

cisma *amb.* División o separación entre los individuos de un cuerpo o comunidad. 2 Discordia, desavenencia. ◇ En el uso actual es siempre masculino. Su empleo como femenino es anticuado.

cismático, -ca *adj.-s.* [pers.] Que se aparta de su legítima religión. 2 [pers.] Que introduce cisma o discordia en un pueblo o comunidad.

cisne *m.* Ave palmípeda anseriforme, de cuello largo y flexible, patas cortas y alas grandes, con una verruga frontal negra y el pico rojo *(Cygnus olor).*

cisoide *f.* **Curva de tercer grado formada por dos ramas simétricas que parten de un mismo punto y tienen una asíntota común.

cisquero *m.* Muñequilla de lienzo, con carbón molido dentro, que sirve para estarcir.

cistáceo, -a *adj.-f.* Planta de la familia de las cistáceas. – 2 *f. pl.* Familia de plantas dicotiledóneas que incluye matas o arbustos de hojas opuestas, flores en corimbo o panoja y frutos capsulares; como la jara.

cisterciense *adj.-m.* Religioso del Císter. – 2 *adj.* Relativo a la orden religiosa de la regla de San Benito (¿480?-547), fundada por San Roberto (¿1000?-1067) en el s. XI; debió su mayor florecimiento a San Bernardo (1090-1153).

cisterna *f.* Depósito subterráneo donde se recoge y conserva el agua. 2 Depósito de agua de un retrete o urinario. 3 Vehículo que transporta líquidos: *camión* ~; *barco* ~; *vagón* ~.

cisticerco *m.* Larva de la tenia que vive enquistada en los músculos de ciertos mamíferos.

cistina *f.* Aminoácido que contiene azufre, que se halla en muchas proteínas, especialmente en el cabello, lana y piel.

CÍRCULO-CIRCUNFERENCIA

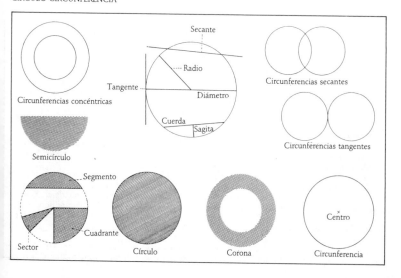

cistitis *f.* MED. Inflamación de la vejiga. ◇ Pl.: *cistitis*.

cisura *f.* Rotura o hendidura sutil. 2 ANAT. Surco largo y profundo que separa los lóbulos pulmonares o divide algunos lóbulos de los hemisferios cerebrales.

cita *f.* Señalamiento de día, hora y lugar para verse y hablarse dos o más personas. 2 Mención o nota que se alega para prueba de lo que se dice o refiere.

citación *f.* Aviso por el que se cita a alguien para una diligencia.

citar *tr.* Avisar a uno señalándole día, hora y lugar para tratar de algún negocio. 2 DER. Notificar [a uno] el emplazamiento o llamamiento del juez. 3 Alegar [textos o lugares] en comprobación de lo que se dice o escribe. 4 TAUROM. Provocar [al toro] para que embista o para que acuda a determinado lugar.

cítara *f.* Pared con sólo el grueso del ancho del ladrillo común.

cítara *f.* Antiguo instrumento músico de **cuerda griego parecido a la lira, pero de mayor y más dulce sonoridad. 2 Instrumento músico de **cuerda, compuesto de una caja armónica, llana, con una serie de cuerdas tendidas horizontalmente que se tocan con una púa.

citarón *m.* Zócalo de albañilería sobre el cual se pone un entramado de madera.

citerior *adj.* Situado en la parte de acá.

citogénesis *f.* Período de desarrollo y división de las células.

citogenética *f.* Rama de la genética que estudia los datos citológicos relativos al patrimonio cromosómico.

citología *f.* Parte de la biología que estudia la célula y sus funciones.

citoplasma *m.* Parte del protoplasma de la célula que rodea al núcleo.

citostoma *m.* En las células provistas de membrana resistente, abertura a modo de boca por donde entran las partículas alimenticias.

cítrico, -ca *adj.* Relativo al limón. 2 *Ácido* ~, el cristalino, de gusto agradable, que se encuentra en el limón y otras frutas. – 3 *m. pl.* Agrios.

citricultura *f.* Cultivo de cítricos.

citrina *f.* Aceite esencial del limón.

citrino, -na *adj.* De color amarillo verdoso.

ciudad *f.* Población grande de mayor preeminencia que las villas. 2 Conjunto de calles y edificios que componen la ciudad. 3 Ayuntamiento o cabildo de cualquier ciudad.

ciudadanía *f.* Calidad y derecho de ciudadano.

ciudadano, -na *adj.-s.* Natural o vecino de una ciudad. – 2 *adj.* Relativo a la ciudad o a los ciudadanos. – 3 *m.* El habitante de las ciudades antiguas o de estados modernos como sujeto de derechos políticos y que interviene, ejercitándolos, en el gobierno del país.

ciudadela *f.* Fortaleza para defender una plaza de armas.

civet *m.* Preparación de carne, generalmente de caza, puesta a macerar con vino tinto, cebolla, zanahoria y especias.

cívico, -ca *adj.* Relativo a la ciudadanía o a los ciudadanos como colectividad política: *corona cívica; manifestación cívica; valor* ~.

civil *adj.* Ciudadano (relativo a la ciudad). 2 Sociable, urbano, atento. 3 [pers.] Que no es militar o eclesiástico. 4 DER. [disposición] Que emana de las potestades laicas, en oposición a las eclesiásticas; [disposición] referente a la generalidad de los ciudadanos, enfrente de la especial que rige la organización militar o las relaciones mercantiles: *matrimonio* ~; *jurisdicción* ~. – 5 *m.* Individuo del cuerpo de la Guardia civil.

civilista *com.* El que por profesión o estudio se dedica al derecho civil. 2 *Amér.* Partidario del poder civil y enemigo del militarismo y de la influencia política del clero.

civilización *f.* Conjunto de ideas, ciencias, artes, costumbres, creencias, etc., de un pueblo o de una raza: ~ *griega.*

civilizar *tr.* Sacar del estado salvaje [a un pueblo o persona]. 2 Educar, ilustrar. ◇ ** CONJUG. [4] como *realizar.*

civismo *m.* Celo por las instituciones e intereses de la patria. 2 Celo y generosidad al servicio de los demás ciudadanos.

cizalla *f.* Instrumento, a modo de tijeras grandes, para cortar en frío planchas de metal. 2 Cortadura o fragmento de cualquier metal. 3 Especie de guillotina que sirve para cortar cartones en pequeñas cantidades y a tamaño reducido. 4 En las casas de moneda, residuo de los rieles de que se ha cortado la moneda.

cizaña *f.* Planta graminácea, de tallo ramoso y espigas anchas y planas, cuyos granos contienen un principio tóxico; crece entre los cereales y es muy difícil de extirpar *(Lolium tremulentum).* 2 fig. Vicio que se mezcla entre las buenas acciones o costumbres. 3 fig. Cosa que daña a otra, maleándola o echándola a perder. 4 fig. Disensión, enemistad: *meter,* o *sembrar,* ~.

clac *m.* Sombrero de copa alta, plegable. 2 Sombrero de tres picos cuyas partes laterales se juntan. ◇ Pl.: *claques.*

cladócero *adj.-m.* Crustáceo del orden de los cladóceros. – 2 *m. pl.* Orden de crustáceos entomostráceos, generalmente de agua dulce, microscópicos, de cuerpo comprimido, caparazón bivalvo que deja libre la cabeza con antenas natatorias y cuatro o seis pares de patas.

cladodio *m.* **Tallo o rama aplanados que se cargan de clorofila y toman aspecto de hoja.

clamar *intr.* Emitir la palabra de manera grave y solemne: *clamando con una voz sonora añadió la postrera palabra;* esp., dar voces lastimosas pidiendo favor y ayuda: ~ *a Dios;* ~ *por la paz;* ~ *contra el jefe.*

clámide *f.* Capa corta y ligera que usaron los griegos y los romanos. 2 Tiburón de cuerpo muy alargado, serpentiforme y coloración gris pardusca *(Chlamydoselachus anguineus).*

clamidobacterias *f. pl.* Orden de vegetales dentro de la clase esquizomicetes. La característica más importante de estas bacterias es la presencia de una vaina o cubierta protectora.

clamor *m.* Conjunto de voces o gritos proferidos con vigor y esfuerzo, especialmente si es colectivo: ~ *popular.* 2 Voces lastimosas. 3 Toque de campanas por los difuntos.

clamorear *tr.* frecuent. Rogar con clamores para conseguir [una cosa]: ~ *una noticia;* **intr.,** ~ *por una reforma.* – 2 *intr.* Doblar (tocar a muerto).

clamoroso, -sa *adj.* [rumor] De las voces o quejas de mucha gente.

clan *m.* En los pueblos celtas, grupo social formado por un número de familias que pretendían descender de un antepasado común y que generalmente reconocían la autoridad de un jefe. 2 p. ext. Grupo de personas unidas por un interés común. ◇ Pl.: *clanes.*

clandestino, -na *adj.* Secreto, oculto, hecho ilícitamente. 2 Escrito sin pie de imprenta y repartido ocultamente.

claque *f.* fig. Conjunto de personas que aplaude en los teatros u otros espectáculos, por asistir de balde u otra recompensa.

claqueta *f.* CINEM. Artilugio que se sitúa delante de la cámara al inicio de cada toma, compuesto de dos planchas de madera unidas mediante una bisagra, una de las cuales lleva una pizarra sobre la que se escriben los datos necesarios para identificar la toma. – 2 *f. pl.* Instrumento musical de percusión.

clara *f.* Citoplasma o materia albuminosa, blanca y transparente, que rodea la yema del huevo; **ave. 2 Raleza de parte del pelo, que deja ver un pedazo de la piel. 3 Espacio corto en el que se suspende el agua en tiempo lluvioso. 4 Monja clarisa. 5 fam. Claridad. 6 Bebida refrescante en la que se mezclan cerveza y gaseosa.

claraboya *f.* Ventana abierta en el techo o en la parte alta de las paredes.

clarea *f.* Bebida hecha con vino, azúcar, canela y otras cosas aromáticas.

clarear *tr.* Dar claridad [a una cosa]. – 2 *impers.* Empezar a amanecer. – 3 *intr.* Irse abriendo y disipando el nublado. – 4 *prnl.* Transparentarse. 5 fig. Descubrir uno involuntariamente sus planes o propósitos.

clarete *adj.-m.* Especie de vino tinto algo claro.

claridad *f.* Calidad de claro: *la* ~ *del día; la* ~ *del agua, de un diamante;* ~ *de estilo, de lenguaje;* ~ *de la vista o de los ojos.* 2 Dote de los cuerpos gloriosos, que consiste en el resplandor y luz que en sí tienen. 3 fig. Palabra o frase con que se le dice a uno, franca o resueltamente, algo desagradable. 4 fig. Buena opinión y fama que resulta del nombre y de los hechos de alguna persona. 5 Distinción con que por medio de los sentidos, y más especialmente de la vista y del oído, percibimos las sensaciones, y por medio de la inteligencia las ideas.

clarificación *f.* Método tradicional para dar nitidez a un vino, mediante la adición de distintas substancias, como clara de huevo, gelatina, etc.

clarificador, -ra *adj.-s.* Que clarifica. 2 Utensilio, procedimiento o substancia que se emplea para clarificar líquidos. – 3 *f. Bol., Cuba y P. Rico.* Vasija en que se clarifica el guarapo del azúcar.

clarificar *tr.* Iluminar, alumbrar [una cosa]. 2 Aclarar [una cosa]: ~ *el bosque.* 3 Poner claro [lo que estaba turbio o lleno de heces, especialmente los licores]. 4 Añadir una o más claras de huevo a un líquido, salsa, mantequilla, etc., para que al coagularse absorban las impurezas. ◇ ** CONJUG. [1] como *sacar.*

clarín *m.* Instrumento músico de **viento, de metal, sin llaves ni pistones. 2 Registro del órgano cuyos sonidos son una octava más agudos que los del registro análogo llamado trompeta. – 3 *com.* Músico que toca el clarín. – 4 *m.* Tela de hilo muy delgada y clara.

clarinete *m.* Instrumento músico de **viento, compuesto de un tubo cilíndrico con agujeros que se tapan con los dedos o con llaves, boquilla en la que se aplica una lengüeta de caña, y pabellón en forma de campana. – 2 *com.* Músico que toca este instrumento.

clarión *m.* Pasta hecha de yeso mate y greda, para escribir en los encerados y otros usos.

clarioncillo *m.* Barra de pasta blanca para pintar al pastel, que se aguza como el lápiz.

clarisa *adj.-f.* Religiosa que pertenece a la segunda orden de San Francisco, fundada por Santa Clara (1193 ó 1194-1253) en el s. XIII.

claristorio *m.* Último piso de la nave central de una iglesia gótica, ocupado por ventanales.

clarividencia *f.* Facultad de comprender y discernir claramente las cosas. 2 Penetración, perspicacia. 3 Supuesta percepción paranormal de realidades visuales.

claro, -ra *adj.* Bañado de luz o brillante, luminoso: *habitación clara; cielo, día* ~. 2 p. ext. [color] Poco subido: *verde* ~. 3 Transparente y terso, límpido: *agua clara; cristal muy ~; diamante ~*. 4 [vino] Blanco. 5 fig. Ilustre, insigne, famoso: *hombre de clara prosapia*. 6 [líquido] No muy espeso. 7 Ralo: *pelo ~; bosque ~*. 8 fig. Capaz de comprender, de discernir, perspicaz, agudo: *inteligencia, vista clara*. 9 Evidente. 10 Que se expresa con lisura, sin rebozo; que no ofrece dudas: *lenguaje ~*. 11 [sonido] Neto y puro; [timbre] agudo. – 12 *m.* Espacio que media entre algunas cosas: *los claros de un escrito, de una procesión, de un sembrado*. 13 Parte de una pintura de tonos poco subidos.

claroscuro *m.* Conveniente distribución de la luz y de las sombras en un cuadro. 2 Diseño o **dibujo que no tiene más que un color sobre el campo en que se pinta. 3 Aspecto que ofrece la escritura mediante la combinación de trazos gruesos, medianos y finos. 4 Combinación de luz y de sombra en la naturaleza. ◇ Pl.: *claroscuros*.

clase *f.* Conjunto de personas de la misma condición social o que ejercen la misma profesión u oficio: *la ~ de los artesanos; ~ media*. 2 Grupo de una división hecho con arreglo a determinadas condiciones o calidades: *vagón de primera ~*. 3 Conjunto de escolares o estudiantes que reciben un mismo grado de enseñanza o estudian la misma asignatura y asisten a las lecciones correspondientes: *~ elemental; ~ de química*. 4 Esta lección: *mañana no habrá ~*. 5 Aula. 6 fig. Distinción, categoría. 7 H. NAT. Grupo de animales o de plantas que forma una categoría de clasificación entre el tipo o subtipo y el orden.

clasicismo *m.* Conformidad con los principios de los escritores grecolatinos, considerados clásicos en el Renacimiento y, posteriormente, con los de todos aquellos que en lo equilibrado, elegante y sereno de la forma se parecían a los antiguos.

clásico, -ca *adj.-s.* Autor u obra que se tiene por modelo digno de imitación en cualquier literatura o arte. 2 Relativo al clasicismo: *estilo ~*. 3 [pers.] Partidario del clasicismo. – 4 *adj.* Principal o notable en algún concepto. 5 [objeto, especialmente vestido] Que por no ajustarse a las modas cambiantes tiene un uso más duradero.

clasificador, -ra *adj.-s.* Que clasifica. – 2 *m.* Mueble con cajoncitos o departamentos para guardar separadamente y con orden los papeles. – 3 *f.* Máquina para clasificar.

clasificar *tr.* Ordenar o disponer por clases: *~ unos documentos; ~ obreros por sus aptitudes*. 2 Determinar la clase o grupo a que corresponde [una cosa]: *~ una planta*. – 3 *prnl.* Obtener determinado puesto en una competición: *se clasificó en tercer lugar*. 4 Conseguir un puesto que permite continuar en una competición o torneo deportivo: *nuestro equipo se*

ha clasificado para jugar la final. ◇ ** CONJUG. [1] como *sacar*.

clasista *adj.* Perteneciente o relativo a una clase social determinada, con exclusión de las demás. – 2 *adj.-com.* Partidario de las diferencias de clase o que se comporta con fuerte conciencia de ellas.

clasto *m.* Fragmento de roca, en general.

claudicar *intr.* fig. Faltar a sus deberes o a sus principios. 2 fig. Ceder, transigir, consentir, rendirse. ◇ ** CONJUG. [1] como *sacar*.

claustro *m.* Galería que cerca el patio principal de una iglesia, convento, etc.; **románico. 2 Estado monástico. 3 Junta formada por el rector y los representantes de todos los estamentos de una Universidad; p. ext., junta de profesores de otros centros docentes.

claustrofobia *f.* Temor morboso a los recintos o espacios limitados.

cláusula *f.* DER. Disposición de un contrato, tratado, testamento o cualquier otro documento análogo, público o particular. 2 GRAM. y RET. Período; conjunto de palabras que forman un sentido psicológico completo.

clausura *f.* En los conventos de religiosos, recinto interior donde no pueden entrar mujeres; y en los de religiosas, aquel donde no pueden entrar hombres ni mujeres seglares. 2 Obligación que tienen las personas religiosas de no salir de cierto recinto, y prohibición a los seglares de entrar en él. 3 Vida religiosa o de clausura. 4 Acto solemne con que se termina o suspenden las deliberaciones de un congreso, tribunal, etc.

clausurar *tr.* Poner fin solemnemente [a una asamblea, exposición, certamen, etc.]. 2 Cerrar [un comercio, salón de espectáculos, etc.] por orden gubernativa.

clava *f.* Palo toscamente labrado, cuyo grueso va en aumento desde la empuñadura hasta el extremo opuesto.

clavadizo, -za *adj.* [puerta, ventana, mueble] Adornado con clavos de bronce o hierro bañado con estaño, muy usado en los pasados siglos.

clavado, -da *adj.* Guarnecido o armado con clavos. 2 Fijo, puntual: *llegó a las siete clavadas*. 3 fig. Pintiparado (a propósito). 4 Muy semejante.

clavadura *f.* Herida que se hace a las caballerías cuando algún clavo de la herradura penetra en la carne.

claval *adj.* [unión o juntura de dos huesos] En que uno entra en el otro como un clavo.

clavar *tr.* Introducir [un clavo u otra cosa aguda] a fuerza de golpes en un cuerpo; en gral., introducir [una cosa puntiaguda]: *~ una daga en el pecho; ~ un punzón por los lomos; prnl., clavarse una espina*. 2 Causar una clavadura [a las caballerías]. 3 En joyería, engastar [las piedras] en el oro o la plata. 4 Sujetar, fijar con clavos [una cosa] en otra: ~ *los made-ros contra el poste.* 5 fig. Fijar, parar: ~ *los ojos, la atención,* etc.*; le dejó clavado en la pared.* 6 fig. Engañar [a uno] perjudicándole: *el tendero me ha clavado; se ha clavado en la compra.* – 7 *intr.* fig. y fam. Cobrar un precio excesivo.

clave *m.* Antiguo instrumento músico de cuerda parecido al clavicordio, cuyas cuerdas eran tañidas con puntas de pluma o con láminas de cobre por medio de un teclado. – 2 *f.* MÚS. Signo puesto en el pentagrama para determinar el nombre de las notas. 3 Explicación de los signos empleados para escribir en cifra. 4 Lo que es preciso conocer para entender una cosa: *la ~ de un enigma.* 5 Lo que tiene una importancia decisiva: *la decisión ~ fue otra.* 6 Lo que ocupa un lugar o ejerce una función determinante: *el hombre ~ es el ministro de economía.* 7 Piedra central con que se cierra un **arco o bóveda.

clavel *m.* Planta cariofilácea de tallos delgados y nudosos, hojas largas y estrechas y flores olorosas, terminales de cáliz gamosépalo, y corola de cinco pétalos *(Dyanthus caryophyllus).* 2 Flor de esta planta.

clavelito *m.* Especie de clavel de tallos rectos y ramosos, con multitud de flores dispuestas en corimbos, que despiden suave olor por la tarde y por la noche *(Dianthus superbus).*

clavelón *m.* Planta compuesta oriunda de Méjico, de tallo y ramas erguidas, hojas recortadas y flores amarillas y fétidas *(Tagetes erecta).*

clavellina *f.* Clavel, especialmente el de flores sencillas. 2 Planta semejante al clavel común, pero de tallos y hojas muy pequeños *(Dianthus monspessulanus).*

claveque *m.* Cristal de roca que se talla imantando el diamante.

clavera *f.* Molde para cabezas de clavos. 2 Agujero por donde se introduce el clavo.

clavero *m.* Árbol mirtáceo tropical, de copa cónica, hojas persistentes, flores blancas de cáliz encarnado, fruto en baya roja; los capullos de sus flores son los clavos de especia *(Caryophyllus aromaticus).*

clavetear *tr.* Guarnecer con clavetes o clavos: ~ *una puerta.* 2 Herretear [las agujas, cordones, etc.]. 3 fig. Terminar [un negocio o asunto] de la manera más completa y definitiva.

clavicémbalo *m.* Clavicordio.

clavicordio *m.* Antiguo instrumento músico de cuerda, precursor del piano, cuyas cuerdas percutidas directamente con macillos por medio de un teclado permitían matices de intensidad.

clavícula *f.* **Hueso largo de los situados transversalmente en uno y otro lado de la parte superior y anterior del tórax y articulados por un extremo con el esternón y por el otro con el acromion del omóplato correspondiente.

claviforme *adj.* Que tiene forma de clava o porra.

clavija *f.* Trozo de metal, madera u otra materia, que se encaja en el taladro de una pieza sólida para sujetar algo, para hacer señales en un tablero, etc.: *las clavijas de una guitarra;* **cuerda (instrumentos de); **cerradura. 2 Terminal de un cable eléctrico que se introduce en el enchufe para establecer una conexión.

clavijero *m.* Pieza larga y angosta, en que se colocan las clavijas de los instrumentos músicos de **cuerda.

clavillo, -to *m.* Pasador que sujeta las varillas de un **abanico o las hojas de unas tijeras. 2 Punta de hierro colocada en el puente y en el secreto del piano, para dar dirección a las cuerdas.

claviórgano *m.* Instrumento músico muy armonioso, que tiene cuerdas como el clave y tubos como el órgano.

clavo *m.* Pieza de metal larga y delgada, con cabeza y punta, que sirve para unir dos cosas, para colgar algo de ella o para fines ornamentales. 2 fig. Dolor agudo o grave congoja. 3 Parte, inferior y superior, de la cámara de cocción, que facilita la colocación de las piezas en el horno de alfarería e impide que el peso de unas aplaste u deforme otras. 4 Callo duro de figura piramidal, generalmente en los dedos de los pies. 5 Tumor en la cuartilla, entre pelo y casco. 6 Tejido muerto que se desprende del divieso. 7 Capullo seco de la flor del clavero. En América se aplica a otras varias plantas aromáticas. 8 Estigma de la rosa del azafrán recién cortado.

claxon *m.* Bocina, aparato avisador de los automóviles. ◇ Pl.: *cláxones.*

cleistogamia *f.* BOT. Proceso por el cual la fecundación de la flor se produce cuando ésta está cerrada.

clemátide *f.* Nombre de varias plantas ranunculáceas del género *Clematis (C. vitalba).*

clematítide *f.* Hierba aristoloquiácea, no trepadora, erecta, perenne, con las hojas ovales, sentadas, y las flores, de color amarillo pardo, en forma de trompeta. Es venenosa *(Aristolochia clematitis).*

clemencia *f.* Virtud que modera el rigor de la justicia.

clementina *f.* Variedad de naranja mandarina de piel más roja, sin pepitas y muy dulce.

cleopatra *f.* Mariposa diurna semejante a la limonera, de color amarillo, más intenso en el macho *(Gonepteryx cleopatra).*

clepsidra *f.* Reloj de agua.

cleptomanía *f.* Propensión morbosa al hurto.

clerecía *f.* Clero. 2 Oficio u ocupación de clérigos.

clergyman *m.* Traje de paisano de los sacerdotes, que se lleva con alzacuello, y que substituye a la sotana.

clericalismo *m.* Influencia del clero en los asuntos políticos. 2 Excesiva sumisión al clero y sus directrices.

clérigo *m.* El que ha recibido las órdenes sagradas. 2 El que tiene la primera tonsura.

clero *m.* Conjunto de los clérigos: ~ *regular,* el que se liga con votos solemnes de pobreza, obediencia y castidad; ~ *secular,* el que no hace dichos votos. 2 Clase sacerdotal en la Iglesia católica.

cletráceo, -a *adj.-f.* Planta de la familia de las cletráceas. – 2 *f. pl.* Familia de plantas dicotiledóneas que incluye arbustos o pequeños árboles de hojas alternas y flores en racimos.

clica *f.* Molusco lamelibranquio marino, con valvas iguales, de forma acorazonada. Es comestible *(Isocardia cor).*

cliché *m.* Clisé de imprenta. 2 Imagen fotográfica negativa obtenida mediante cámara obscura. 3 fig. Lugar común, idea o expresión demasiado repetida o formularia.

clienta *f.* Mujer que compra en una tienda o utiliza los servicios de un profesional o de un establecimiento.

cliente *com.* Persona que está bajo la protección o tutela de otro. 2 Respecto del que ejerce alguna profesión, persona que utiliza sus servicios. 3 Respecto a un comerciante, la persona que habitualmente compra en su establecimiento.

clientela *f.* Protección, amparo con que los poderosos patrocinan a los que se acogen a ellos. 2 Conjunto de los clientes de una persona o establecimiento.

clima *m.* Conjunto de condiciones atmosféricas que caracterizan una región. 2 Temperatura particular y demás condiciones atmosféricas y telúricas de cada país. 3 País, región. 4 Espacio del globo terráqueo, comprendido entre dos paralelos, en los cuales la duración del día mayor del año se diferencia en determinada cantidad. 5 fig. Ambiente o circunstancias de orden moral.

climatérico, -ca *adj.* Relativo a cualquiera de los períodos de la vida considerados como críticos. 2 Tiempo peligroso por alguna circunstancia.

climaterio *m.* Período de la vida que precede y sigue a la extinción de la función genital.

climatizar *tr.* Dar a un espacio limitado, como el interior de un avión, sala, vagón de ferrocarril, etc., las condiciones necesarias para obtener la presión, temperatura y humedad del aire convenientes para la salud o comodidad. ◇ ** CONJUG. [4] como *realizar.*

climatología *f.* Estudio de los climas.

clímax *m.* RET. Gradación. 2 Punto culminante de un argumento o asunto de una obra. 3 Punto más alto y culminante de un proceso. 4 Asociación vegetal que ha alcanzado la madurez y que es el resultado final de una serie de sucesiones. ◇ Pl.: *clímax.*

clina *f.* Gradación cuantitativa de las características de una especie vegetal o animal a través de diferentes partes de su área de dispersión.

clínica *f.* Parte práctica de la enseñanza de la medicina. 2 Departamento de los hospitales destinado a dar esta enseñanza. 3 Hospital privado, generalmente quirúrgico, regido por uno o varios médicos.

clínico, -ca *adj.* Relativo a la clínica: *análisis* ~. – 2 *adj.-s.* Médico experimentado en la práctica clínica.

clinicoterapia *f.* Tratamiento de las enfermedades por descansos en la cama o por una cura de reposo.

clinómetro *m.* Instrumento para medir un ángulo de desviación o comprobar la horizontalidad de un objeto.

clinopodio *m.* Hierba labiada, de raíz rastrera, tallo cuadrangular y velloso, hojas opuestas y flores aromáticas, blancas o purpúreas, en cabezuela terminal *(Calamintha clinopodium).*

clip *m.* Utensilio hecho con una barrita de metal o de plástico, doblada sobre sí misma, que sirve por presión para sujetar papeles. 2 Especie de horquilla, de lados iguales, superpuestos y muy juntos, que sirve para sujetar el pelo. 3 Pendiente que no atraviesa la oreja. ◇ Se usa habitualmente el plural: *clips.*

clípeo *m.* Escudo antiguo de forma circular y abombada; **armadura.

clíper *m.* Buque de vela, fino y ligero. 2 Avión grande para el transporte de pasajeros. ◇ Pl.: *clíperes.*

cliptogénesis *f.* GEOL. Destrucción del relieve por la acción de los agentes geológicos externos. ◇ Pl.: *cliptogénesis.*

clisar *tr.* IMPR. Reproducir con metal vaciado [el molde, sacado de una página compuesta de letras movibles o de un grabado en relieve].

clisé *m.* IMPR. Plancha clisada, y especialmente la que representa algún grabado.

cliserie *f.* Distribución de especies o asociaciones vegetales que se suceden en función de la altura del terreno.

clitelo *m.* Grupo de anillos de la lombriz de tierra que segregan una especie de mucosidad con que el animal envuelve sus huevos.

clitómetro *m.* Instrumento empleado en la medición de las pendientes del terreno.

clítoris *m.* Cuerpo carnoso en la parte más elevada de la vulva. ◇ Pl.: *clítoris.*

clivia *f.* Planta amarilidácea con bulbo del

que salen las hojas cintiformes y las flores de color amarillo o naranja, dispuestas en umbelas *(Clivia miniata).*

cloaca *f.* Conducto, generalmente subterráneo, por donde van las aguas sucias o las inmundicias de los pueblos. 2 Porción terminal del intestino cuando desembocan en ella las aberturas genital y urinaria; como ocurre en las ascidias, en las **aves y en otros vertebrados. 3 fig. Lugar inmundo, cenagal.

clon *m.* Individuo reproducido de una manera perfecta en el aspecto fisiológico y bioquímico a partir de una célula originaria. 2 Grupo de plantas que se han producido a partir de una planta originaria, sin reproducción sexual. ◇ Pl.: *clones.*

cloque *m.* Garfio enastado para enganchar los atunes en las almadrabas.

I) cloquear *intr.* Cacarear la gallina clueca.

II) cloquear *tr.* Enganchar [el atún] con el cloque en las almadrabas.

cloquera *f.* Estado de las aves que quieren empollar.

cloración *f.* Método de potabilización y desinfección de las aguas, en el que se emplea cloro.

cloral *m.* Líquido de olor picante, obtenido por la acción del cloro sobre el alcohol etílico. Es un hipnótico poderoso.

clorar *tr.* Poner cloro [en un líquido].

clorato *m.* Sal del ácido clórico.

clorhídrico *adj.-m.* Ácido gaseoso, ClH, incoloro, muy soluble en el agua, de olor picante, compuesto de cloro e hidrógeno, muy utilizado en la industria.

clórico, -ca *adj.* Relativo al cloro. 2 Que contiene cloro. 3 esp. [compuesto de cloro] En que éste tiene una valencia de cinco o más de cinco.

clorídeas *f. pl.* Familia de plantas gramíneas, caracterizadas por tener flores dispuestas en espiga.

cloro *m.* Elemento gaseoso, de color amarillo verdoso, muy pesado, sofocante y tóxico. Su símbolo es *Cl.*

clorococales *f. pl.* Orden de algas dentro de la clase cloroíceas; son parecidas a las volvocales pero carecen de flagelos y de mancha ocular.

cloroíceo, -a *adj.-f.* Alga de la clase de las cloroíceas. – 2 *f. pl.* Clase de algas dentro de la división cloroítos de aspecto muy variado, desde unicelular e inmóvil hasta pluricelular y de forma cenocítica, generalmente de color verde.

clorofila *f.* Pigmento verde de las plantas que se acumula especialmente en las hojas.

clorofílico, -ca *adj.* Relativo a la clorofila. 2 *Función clorofílica,* la propia de la clorofila, por la cual las plantas verdes transforman en substancia orgánica los alimentos minerales.

cloroítos *m. pl.* Tipo de algas constituido por la clase de las cloroíceas.

cloroformo *m.* Cuerpo compuesto de carbono, hidrógeno y cloro, CHCl$_3$. Es líquido, incoloro, de olor parecido al de la camuesa y se emplea en medicina como anestésico.

cloromonadoíceo *adj.-f.* Alga de la clase de las cloromonadoíceas. – 2 *f. pl.* Clase de algas dentro de la división xantóítos, flageladas unicelulares que poseen, como pigmento, xantofila, aparte de la clorofila.

cloroplasto *m.* Plasto impregnado de clorofila.

cloroquinina *f.* Droga empleada para combatir la malaria.

clorosis *f.* Enfermedad de las adolescentes caracterizada por empobrecimiento de la sangre, palidez del rostro, palpitaciones, etc. 2 Enfermedad de las plantas, debida a la falta de ciertas sales, que produce la pérdida del color verde. ◇ Pl.: *clorosis.*

cloruro *m.* Compuesto de cloro y otro elemento o radical. 2 Sal del ácido clorhídrico.

club *m.* Junta de individuos de una sociedad política, a veces clandestina. 2 Sociedad deportiva o de recreo. 3 Localidad de anfiteatro, la más próxima al escenario; en los cines, localidad del piso superior al patio de butacas. 4 Sala de fiestas con baile y espectáculo. ◇ Pl.: *clubes.*

clueco, -ca *adj.-s.* Ave cuando se echa sobre los huevos para empollarlos. – 2 *adj.* fig. [pers.] Muy débil y casi impedido por la vejez.

cluniacense *adj.-s.* [pers.] Del monasterio o congregación de Cluni, de San Benito, en Borgoña.

clupeiforme *adj.-m.* Pez del orden de los clupeiformes. – 2 *m. pl.* Orden de peces teleósteos primitivos que presentan todas las vértebras iguales y carecen de radios espinosos en las aletas; como la sardina, el arenque, la trucha, etc.

clusa *f.* Nuez pequeña.

cneoráceo, -a *adj.-s.* Planta de la familia de las cneoráceas. – 2 *f. pl.* Familia de plantas angiospermas dicotiledóneas, afín a las cigofiláceas.

cnidario *adj.-m.* Animal del tipo de los cnidarios. – 2 *m. pl.* Tipo de metazoos con simetría radial, provistos de tentáculos y nematocistos; se pueden presentar bajo dos formas: pólipo (sésil) y medusa (pelágica); se dividen en tres clases: hidrozoos, escifozoos y antozoos.

coacción *f.* Fuerza o violencia que se hace a una persona para precisarla a que diga o ejecute alguna cosa.

coactivo, -va *adj.* Que tiene fuerza de apremiar u obligar.

coadjutor, -ra *m. f.* Persona que ayuda y

acompaña a otra en ciertas cosas. – 2 *m.* Eclesiástico que tiene título y disfruta dotación para ayudar al cura párroco en la cura de almas.

coadunar *tr.* Unir, mezclar e incorporar [unas cosas] con otras.

coadyuvar *tr.* Contribuir o ayudar a la consecución [de una cosa]: ~ *a las miras del gobierno;* **intr.,** ~ *a vuestros intentos;* ~ *al bien público.*

coagulación *f.* Acción de coagular o coagularse; **circulación. 2 Efecto de coagular o coagularse; **circulación.

coagular *tr.-prnl.* Hacer que se solidifique [una substancia albuminosa disuelta en un líquido].

coágulo *m.* Coagulación de la sangre. 2 Grumo extraído de un líquido coagulado. 3 Masa coagulada.

coalescencia *f.* Propiedad de las cosas de unirse o fundirse.

coalición *f.* Confederación, liga, alianza.

coana *f.* Orificio posterior de las fosas nasales; **boca.

coanocito *m.* Célula que tapiza las paredes interiores de la esponja, y que con el movimiento de sus flagelos determina la circulación del agua por el cuerpo del animal.

coanoflagelado *m.* Protozoo, flagelado, que vive asociado en colonias fijas en las aguas dulces; posee un pedúnculo y tiene el flagelo rodeado de una especie de collar.

coartada *f.* Hecho de haber estado ausente el presunto reo del paraje en que se cometió el delito al mismo tiempo y hora en que se supone haberse cometido: *probar, preparar la* ~.

coartar *tr.* Limitar, restringir: ~ *la voluntad.*

coautor, -ra *m. f.* Autor con otro u otros.

coaxial *adj.* [objeto] Que tiene un eje común.

coba *f.* fam. Embuste gracioso. 2 Halago o adulación fingidos: *dar* ~.

cobaltina *f.* Mineral de la clase de los sulfuros que cristaliza en el sistema cúbico, de color blanco y brillo metálico.

cobalto *m.* Metal de color blanco rojizo, duro y tan difícil de fundir como el hierro. Entra en la composición de muchas pinturas y esmaltes. Su símbolo es *Co.*

cobarde *adj.-com.* Pusilánime, sin valor ni espíritu: *los cobardes no tienen cabida en una sociedad competitiva.* – 2 *adj.* Hecho con cobardía: *la actitud* ~ *de nuestros representantes nos ha perjudicado a todos.*

cobardía *f.* Falta de ánimo y valor.

cobaya *m.* Mamífero roedor originario de América, del volumen de un conejo pequeño; se emplea especialmente en laboratorios para experimentos de bacteriología *(Cavia cobaya).*

cobertera *f.* Pluma del **ave que cubre la inserción de las remeras y timoneras.

cobertizo *m.* Tejado saledizo para guarecerse de la lluvia. 2 Lugar cubierto, generalmente abierto por uno o más de sus lados, que se apoya en un muro o sobre pies derechos. 3 p. ext. Cubierta ligera o rústica.

cobertor *m.* Colcha. 2 Manta de abrigo para la cama.

cobertura *f.* Cubierta (lo que tapa). 2 Garantía metálica del papel moneda.

cobija *f.* Teja que se pone con la parte cóncava hacia abajo abrazando sus lados dos canales del tejado. 2 Pluma pequeña que cubre el arranque de las penas del ave. 3 Cubierta (lo que tapa). 4 *Amér.* Manta y ropa de cama.

cobijar *tr.* Cubrir o tapar. 2 fig. Albergar (dar albergue).

cobijo *m.* Acción de cobijar o cobijarse. 2 Efecto de cobijar o cobijarse. 3 Hospedaje sin manutención.

cobista *adj.-s.* fam. Persona aduladora, lisonjera.

cobo *m.* Caracol del mar de las Antillas; tiene concha de color nacarado y de unos 25 cms. de diámetro *(Birgus latro).*

cobol *m.* INFORM. Lenguaje simbólico, orientado hacia la programación de problemas de gestión.

I) cobra *f.* Coyunda para uncir bueyes. 2 Serie de yeguas enlazadas y amaestradas para la trilla.

II) cobra *f.* Serpiente muy venenosa de color amarillento o pardo, a veces con manchas, del norte de África y Arabia *(gén. Naja; Ophiophagus).*

cobrador, -ra *m. f.* Persona que tiene por oficio cobrar. – 2 *adj.* [perro de caza] Que cobra la pieza muerta o herida y la trae al cazador.

cobrar *tr.* Recuperar: ~ *las tierras perdidas.* 2 Percibir uno [la cantidad que otro le debe]: ~ *de los deudores;* ~ *en papel.* 3 Tirar [de cuerdas o sogas] e irlas recogiendo. 4 Adquirir: ~ *buena fama, crédito;* ~ *un enemigo.* 5 Tomar o sentir [ciertos efectos o movimientos del ánimo]: ~ *cariño a una persona;* ~ *afición a las letras.* 6 MONT. Recoger [las piezas que se han herido o muerto]. – 7 *prnl.* Recuperarse, volver en sí: *cobrarse del susto.*

cobre *m.* Metal de color rojo pardo, dúctil, maleable, muy tenaz y uno de los mejores conductores del calor y de la electricidad; entra en muchas aleaciones a las cuales comunica su dureza. Su símbolo es *Cu.* 2 Batería de cocina hecha de cobre. 3 Conjunto de los instrumentos metálicos de viento de una orquesta. 4 Pintura sobre cobre. 5 Resultado obtenido mediante un proceso calcográfico. 6 *Amér.* Moneda de cobre que vale un centavo.

cobrizo, -za *adj.* Que contiene cobre. 2 Parecido al cobre en el color.

I) coca *f.* Arbusto eritroxiláceo del Perú, de

hojas alternas, flores blanquecinas y fruto en baya roja. Sus hojas se usan en infusión como estimulante nervioso y proporciona la cocaína *(Erythroxylon cocca).* 2 Hoja de este arbusto. 3 Cocaína.

II) coca *f.* Baya pequeña y redonda.

III) coca *f.* Porción en que suelen dividir el cabello las mujeres. 2 Cabeza (parte del cuerpo). 3 Golpe dado con los nudillos en la cabeza. 4 MAR. Vuelta que toma un cabo por vicio de torsión.

cocacolonización *f.* irón. Imposición de las costumbres norteamericanas.

cocada *f.* Dulce compuesto principalmente de la medula rallada del coco.

cocaína *f.* Alcaloide cristalino, amargo, obtenido de las hojas de la coca, de propiedades anestésicas y vasoconstrictoras, también se usa como droga o estupefaciente.

cocainomanía *f.* Hábito morboso de intoxicarse con cocaína.

cocaví *m. Amér. Merid.* Pequeña provisión de víveres, generalmente de coca, que llevan los que viajan.

coccidio *adj.-m.* Protozoo del orden de los coccidios. – 2 *m. pl.* Orden de protozoos esporozoos que casi siempre viven parásitos dentro de las células de muchos animales donde permanecen hasta la reproducción. Muchos son patógenos.

cóccido *adj.-m.* Insecto de la familia de los cóccidos. – 2 *m. pl.* Familia de insectos hemípteros, parásitos de vegetales. Tienen un gran dimorfismo sexual. Los machos son alados y las hembras ápteras.

coccinélido *adj.-m.* Insecto de la familia de los coccinélidos. – 2 *m. pl.* Familia de insectos coleópteros de pequeño tamaño, colorido vistoso y aspecto esférico; como la mariquita.

cocción *f.* Acción de cocer o cocerse. 2 Efecto de cocer o cocerse.

cóccix *m.* Hueso impar, formado por la fusión de cuatro vértebras rudimentarias que se articula con el sacro y constituye la terminación de la columna vertebral. ◇ Pl.: *cóccix.*

cocear *intr.* Dar o tirar coces. 2 fig. Resistir, no querer convenir en una cosa.

cocer *tr.* Someter [un manjar] en un líquido a la acción del fuego para que se pueda comer; en gral., preparar [un manjar] por medio del fuego. 2 Someter [una cosa] a la acción del calor en un líquido para que comunique a éste ciertas cualidades: ~ *el té.* 3 Someter [ciertas cosas] a la acción del calor para que adquieran determinadas propiedades: ~ *el pan, los ladrillos.* – 4 *intr.* Hervir un líquido: *el chocolate cuece.* 5 Fermentar o hervir sin fuego: *el vino cuece.* – 6 *prnl.* Padecer por largo tiempo un dolor o incomodidad. ◇ ** CONJUG. [54].

cocido *m.* Olla (guiso).

cociente *m.* Resultado que se obtiene dividiendo una cantidad por otra.

**cocina *f.* Pieza de la casa en que se guisa la comida: ~ *de a bordo;* **avión. 2 p. ext. Aparato de calefacción para cocer la comida: ~ *eléctrica;* ~ *económica;* ~ *de butano.* 3 Arte de preparar la comida: ~ *española; libro de* ~.

cocinar *tr.* Guisar (preparar manjares). – 2 *intr.* Meterse uno en cosas que no le tocan.

cocinear *intr.* fam. Andar en cosas de cocina.

cocinero, -ra *m. f.* Persona que tiene por oficio guisar (preparar manjares).

cocineta *f.* Bizcocho compuesto de varias piezas, una encima de otra, de mayor a menor, formando una pirámide, bañado con merengue y adornado con frutas confitadas.

I) cocinilla *m.* fam. Entremetido en cosas domésticas y especialmente en las que son propias de las mujeres.

II) cocinilla, -ta *f.* Aparato, a modo de hornillo portátil, que se utilizan combustibles líquidos o gaseosos. 2 En algunas partes, chimenea para calentarse.

coclearia *f.* Planta crucífera medicinal de hojas abrazadoras, las inferiores de forma de cuchara, flores pequeñas y blancas y silicuas globulosas *(Cochlearia officinalis).*

I) coco *m.* Fruto del cocotero. 2 Segunda cáscara de este fruto. 3 Cocotero.

II) coco *m.* Bacteria de forma redondeada.

III) coco *m.* Larva de diferentes especies que se cría en las semillas, frutas y otras cosas comestibles.

IV) coco *m.* Fantasma que se figura para meter miedo a los niños. 2 Gesto, mueca. 3 fam. Cabeza. 4 Moño, peinado femenino.

cocodrilo *m.* Reptil del orden de los cocodrilos de color verdoso, propio de las regiones intertropicales, muy voraz, con la piel cubierta de escamas durísimas, y dos crestas laterales en la parte superior de la cola (gén. *Crocodilus).* – 2 *m. pl.* Orden de reptiles de gran tamaño, con aspecto de lagartos, pero con el orificio cloacal en disposición longitudinal, los dientes implantados en alvéolos de los huesos maxilares, el corazón con dos ventrículos bien separados y la boca con bóveda palatina; como el cocodrilo y el caimán.

cócora *com.-adj.* fam. Persona molesta e impertinente. – 2 *f. Colomb., Cuba* y *P. Rico.* Cólera, rabia.

cocotero *m.* Árbol palmáceo de los países tropicales, de tallo alto y esbelto y hojas divididas en lacinias; su fruto es una especie de drupa del tamaño de un melón mediano, angulosa, recubierta de un tejido fibroso que da una materia textil, el cual contiene en su interior una pulpa blanca comestible y oleaginosa, bañada en un líquido dulce *(Cocos nucifera).*

cocotudo, -da *adj.* Descocado, desenvuelto.

cóctel

cóctel *m.* Mezcla de varios licores. 2 Reunión de personas en la cual se sirven cócteles. 3 fig. Mezcla de cosas diversas. 4 ~ *molotov,* especie de granada de mano, explosiva o incendiaria, de fabricación casera.

coctelera *f.* Vasija de metal en la cual se mezclan los componentes del cóctel.

cocuyo *m.* Insecto coleóptero de América tropical, de unos 3 cms. de largo, con dos manchas amarillentas a los lados del tórax, por las cuales despide de noche una luz azulada *(Pyrophorus).*

cochambre *amb.* Cosa puerca, grasienta y de mal olor.

cocharro *m.* Vaso o taza de madera o de piedra.

cochastro *m.* Jabato de leche.

coche *m.* Carruaje, generalmente de cuatro ruedas, con una caja, dentro de la cual hay asientos para dos o más personas: ~ *de caballos.* 2 p. ext. Vehículo automóvil: ~ *celular,* vehículo acondicionado para transportar personas detenidas por la autoridad. 3 p. ext. Tranvía o vagón de ferrocarril para pasajeros: ~ *cama,* el que lleva camas para los viajeros.

cochera *f.* Paraje donde se encierran los coches. – 2 *adj.* [puerta] Que es lo suficientemente grande para que puedan pasar [por

COCINA

Licuadora

Abrelatas eléctrico

Freidora

Cafetera eléctrica

Yogurtera

Picadora

Tostador de pan

Batidora eléctrica

Exprimidor eléctrico

Cuchillo eléctrico

Encendedor

Batidora eléctrica de varilla

Sartén

Tijeras

Olla a presión

Olla

Cacerola

Potes

Barreño

Cortahuevos

Bandejas

Tabla de cocina

Cazo

Rodillo

Pala

Rallador

Cazuela de horno

Parrilla

Colador

Mortero

Sopera

Cazuela

Escurridor

Embudo

Molde

ella] los coches o carruajes. ◇ INCOR.: *cochería.*

I) cochero *m.* El que tiene por oficio guiar las caballerías que tiran del coche.

II) cochero, -ra *adj.* Que fácilmente se cuece.

cochevira *f.* Manteca de puerco.

cochifrito *m.* Guisado de cabrito o cordero medio cocido y después frito y condimentado.

cochinería *f.* fig. Porquería, suciedad. 2 fig. Acción indecorosa, ruin, grosera.

cochinero, -ra *adj.* [fruto] Que, por ser de inferior calidad dentro de su clase, se da a los cochinos.

cochinilla *f.* Crustáceo malacostráceo isópodo, terrestre, propio de parajes húmedos, de color gris obscuro, patas cortas y ojos sentados; puede arrollarse en forma de bola (gén. *Armadillium; Porcellio; Oniscus).* 2 ~ **marina**, crustáceo isópodo, malacostráceo, con el cuerpo oval, aplanado y carente de caparazón *(Ligia oceanica).*

cochinillo *m.* Cochino o cerdo de leche.

cochino, -na *m. f.* Cerdo. – 2 *adj.-s.* Persona muy sucia y desaseada. – 3 *adj.* Desagradable, miserable.

cuchitril *m.* Pocilga. 2 fig. Habitación estrecha y desaseada.

cochizo *m.* Parte más rica de una mina.

I) coda *f.* Período adicional con que termina una pieza de música. 2 Reproducción, más o menos extensa, de los motivos más agradables y salientes, al final de alguna pieza bailable. 3 FON. Parte final de una sílaba posterior al núcleo silábico.

II) coda *f.* Prisma pequeño triangular, de madera, que se encola en el ángulo entrante formado por la unión de dos tablas.

codadura *f.* Parte enterrada del sarmiento acodado.

codal *adj.* Que consta de un codo. 2 Que tiene medida o figura de codo. – 3 *m.* Pieza de la **armadura que cubre y defiende el codo. 4 Brazo de un nivel de albañil. 5 Madero atravesado horizontalmente entre las jambas de un vano o entre los hastiales de una excavación. 6 Mugrón o sarmiento acodado de la vid.

codaste *m.* Pieza gruesa de madera o hierro puesta verticalmente sobre el extremo de la quilla inmediato a la popa; **barca.

codazo *m.* Golpe dado con el codo.

codear *intr.* Mover los codos o dar golpes con ellos. – 2 *prnl.* fig. Tratarse de igual a igual una persona con otra. – 3 *intr. Amér. Merid.* Pedir con insistencia.

codeína *f.* Alcaloide menos tóxico que la morfina, que, como ésta, se extrae del opio.

codera *f.* Pieza de adorno o remiendo que se pone en los codos de los chaquetones, chaquetas, etc. 2 Cabo con que se amarra un buque por la popa. 3 Protección de los codos usada en algunos deportes.

codeso *m.* Mata leguminosa de tallo ramoso, hojas compuestas, flores amarillas y semillas arriñonadas *(Adenocarpus hispanicus).*

códice *m.* Libro manuscrito de cierta antigüedad y de importancia histórica o literaria.

codicia *f.* Apetito desordenado de riquezas. 2 fig. Deseo vehemente de algunas cosas buenas: ~ *de saber.*

codiciar *tr.* Desear con ansia [riquezas, etc.]. ◇ ** CONJUG. [12] como *cambiar.*

codicilo *m.* DER. Toda disposición de última voluntad que no contiene la institución de heredero.

codificar *tr.* Reunir [leyes, estatutos] en un código. 2 Poner un texto en un sistema de signos distinto al que posee. ◇ ** CONJUG. [1] como *sacar.*

código *m.* Cuerpo de leyes dispuesto según un plan metódico y sistemático. 2 Recopilación de las leyes o estatutos de un país. 3 Conjunto de símbolos y reglas para transmitir información: ~ **Morse**, sistema telegráfico de señales en que a cada letra, número o signo de puntuación, corresponde una combinación determinada de rayas, puntos o espacios, de sonidos largos o breves o de luces instantáneas o prolongadas. 4 Combinación de letras, de números o de letras y números que sirve como identificación oficial abreviada de organismos, empresas, emisoras de radio y televisión, compañías de aviación, etc. 5 fig. Conjunto de reglas o preceptos sobre cualquier materia.

codillo *m.* En los cuadrúpedos, coyuntura del brazo próxima al pecho, y la parte comprendida entre esta coyuntura y la rodilla; **caballo. 2 Parte de la rama que queda unida al tronco cuando aquélla se corta. 3 Extremo de la quilla, desde el cual arrancan la roda y el codaste.

codo *m.* Parte posterior de la articulación del brazo con el antebrazo; **cuerpo humano. 2 Codillo (en cuadrúpedos). 3 Pieza de tubería formando ángulo. 4 Antigua medida de longitud, equivalente a unos 42 cms., contado desde el codo al extremo de los dedos.

codón *m.* Bolsa de cuero para cubrir la cola del caballo.

codoñate *m.* Dulce de membrillo.

codorniz *f.* Ave galliforme de paso, de unos dos decímetros de largo, con la cabeza, el lomo y las alas de color pardo obscuro, y la parte inferior gris amarillenta *(Coturnix coturnix).*

coeficiente *adj.* Que juntamente con otra cosa produce un efecto. – 2 *m.* MAT. Número que escrito a la izquierda e inmediatamente a un monomio indica las veces que ha de tomarse como sumando. 3 FÍS. Número empleado como factor que expresa el valor de un cambio o efecto bajo determinadas condiciones. 4 Valor relativo de cada una de las pruebas de un examen.

coercer *tr.* Contener, refrenar, sujetar. ◇ ** CONJUG. [2] como *mecer*.

coercitividad *f.* FÍS. Facultad del imán que conserva su imantación, especialmente cuando se halla sometido a la acción de un campo magnético contrario.

coetáneo, -a *adj.-s.* Que es de la misma edad o tiempo.

coexistencia *f.* Presencia simultánea en un mismo lugar de cosas o fenómenos que apenas tienen contactos o influencias entre sí, o carecen de ellos.

coexistir *intr.* Existir una persona o cosa a la vez que otra u otras: ~ *con Homero*.

coextenderse *prnl.* Extenderse simultáneamente. ◇ ** CONJUG. [28] como *entender*.

cofa *f.* MAR. Meseta colocada horizontalmente en el cuello de un palo para afirmar los obenques de la gavia, facilitar la maniobra de las velas altas, etc.

cofia *f.* Red para recoger y sujetar el pelo. 2 Gorro blanco de mujer. 3 BOT. Envoltura resistente que, en forma de dedal, protege la parte terminal de la raíz.

cofrade *com.* Persona que pertenece a una cofradía.

cofradía *f.* Congregación o hermandad que forman algunos devotos. 2 Gremio, compañía o unión de gente para un fin determinado.

cofre *m.* Mueble parecido al arca, generalmente de tapa convexa, cubierto de piel, tela o chapa y forrado de tela o papel. 2 Estuche para joyas, joyero. 3 Caja de una cerradura.

cogedera *f.* Varilla de madera o de hierro con que se coge el esparto. 2 Caja pequeña, ancha de boca, para recoger el enjambre de abejas. 3 Palo largo terminado por varios hierros corvos, para coger del árbol la fruta a que no alcanza la mano.

cogedor, -ra *adj.-s.* Que coge. – 2 *m.* Cajón de madera para recoger la basura, sin cubierta ni tabla por delante y con un mango por detrás. 3 Utensilio de metal, en forma de cucharón, para coger el carbón y la ceniza en las cocinas y chimeneas.

coger *tr.* Asir, tomar con la mano: *cogí los libros; le cogí por el pescuezo*. 2 Apresar, atrapar: ~ *pájaros; ~ al asesino*. 3 Recoger los frutos del campo: ~ *las aceitunas*. 4 Alcanzar: *el toro le ha cogido; le cogí a la media hora, a pocos pasos de su casa*. 5 Tomar: ~ *un empleo*. 6 Apoderarse alguien [de una cosa] de otra persona: *me coge siempre el lápiz*. 7 Hallar, encontrar: *me cogió entre las puertas; ahora le cogeré de buen humor*. 8 Descubrir, confiscar la policía [una cosa] que se intentaba pasar de contrabando: *la policía cogió varios alijos de joyas*. 9 Incorporarse [a un trabajo o actividad ya empezada]: *cogió el curso a la mitad*. 10 Contratar o alquilar: *cogió una chica por horas*. 11 Subirse: ~ *el tren*. 12 Sorprender: *lo cogí de sobresalto; les ha cogido la noche en el bosque*. 13 Contraer una enfermedad: *he cogido la gripe*. 14 Experimentar, tener: ~ *miedo*. 15 Cubrir el macho [a la hembra]. 16 Recibir, absorber: *la tierra no ha cogido bastante agua*. 17 Entender, penetrar: *no pude ~ lo que dijo; lo cogí en seguida*. 18 Contener, abarcar: *la tinaja coge diez arrobas de vino; la alfombra cogía todo el salón*; vulg., caber: *aquí no cogen todos*. – 19 *intr.* Hallarse, encontrarse, estar situado: *la casa coge muy lejos de mi barrio*. ◇ ** CONJUG. [5] como *proteger*.

cogestión *f.* Participación del personal en la administración de la empresa.

cogida *f.* Cosecha de frutos. 2 Acto de esquilmarlos. 3 Acto de coger el toro a un torero.

cogido *m.* Pliegue que se hace en la tela de un vestido, de una cortina, etc.

cognación *f.* Parentesco de consanguinidad por la línea femenina entre los descendientes de un tronco común.

cognomen *m.* Apellido, nombre de familia.

cognoscitivo, -va *adj.* Que es capaz de conocer.

cogollo *m.* Lo interior y más apretado de la lechuga, berza, etc. 2 Brote de los árboles y otras plantas. 3 Parte alta de la copa del pino, que se corta y se deseca al aprovechar el árbol para madera. 4 fig. Lo mejor o más substancioso de alguna cosa: *el ~ de una ciudad, de un negocio*. 5 *Amér.* Punta de la caña de azúcar.

cogota *f.* Fruto de la alcachofa.

cogotazo *m.* Golpe dado en el cogote con la mano abierta.

cogote *m.* Parte superior y posterior del cuello. 2 Penacho que se colocaba en la parte del morrión que corresponde al cogote.

cogotera *f.* Trozo de tela sujeto con botones en la parte posterior de algunas prendas que cubren la cabeza, para resguardar la nuca del sol o de la lluvia. 2 Sombrero que los cocheros ponen a las bestias de tiro cuando han de sufrir un sol muy ardiente.

cogotudo, -da *adj.* [pers.] Que tiene muy grueso el cogote. 2 fig. [pers.] Muy orgulloso. – 3 *m. Amér. Merid.* Plebeyo enriquecido.

cogujada *f.* Ave paseriforme, parecida a la alondra, de plumaje pardo rojizo con un penacho en la cabeza (*Galerida cristata*).

cogujón *m.* Punta de colchón, almohada, serón, etc.

cogulla *f.* Hábito o ropa exterior que visten varios religiosos monacales.

cogullada *f.* Papada del puerco.

cohabitar *intr.* Habitar juntamente con otro u otros. 2 Hacer vida marital el hombre y la mujer. 3 fig. Compartir el poder formaciones políticas, o miembros de ellas, de ideología distinta.

I) cohechar *tr.* DER. Sobornar [a un juez o funcionario público].

II) cohechar *tr.* Dar [a la tierra] la última vuelta antes de sembrarla.

coherencia *f.* Conexión de unas cosas con otras: ~ *de un discurso, de un párrafo.* 2 Resistencia que opone un cuerpo a disgregarse en partículas.

cohesión *f.* Acción de reunirse o adherirse las cosas entre sí o la materia de que están formadas. 2 Efecto de reunirse o adherirse las cosas entre sí o la materia de que están formadas. 3 FÍS. Unión entre las moléculas de un cuerpo. 4 FÍS. Fuerzas de atracción que las mantiene unidas.

cohete *m.* Tubo de papel, caña, lata, etc., lleno de pólvora y otros explosivos y reforzado con muchas vueltas de hilo o de cordel empegado, que se lanza a lo alto dándole fuego por la parte inferior. 2 Elemento de propulsión en los aviones de reacción, en los satélites artificiales y en los proyectiles dirigidos y balísticos.

cohibir *tr.-prnl.* Refrenar, reprimir [a uno] en sentido moral: *tu presencia me cohíbe; la vergüenza cohibía sus palabras.* ◇ ** CONJUG. [21] como *prohibir.*

cohobo *m.* Piel de ciervo.

cohombro *m.* Pepino (planta). 2 Fruta de sartén de la misma masa que el buñuelo, cortada en trozos de figura de cohombro.

cohonestar *tr.* Dar visos de honesta [a una acción indecorosa].

cohorte *f.* Cuerpo de infantería del antiguo ejército romano, compuesto de varias centurias. 2 fig. Conjunto, número, serie.

I) coima *f.* Concubina.

II) coima *f.* *Chile, Perú* y *R. de la Plata.* Dádiva con que se soborna a un empleado o persona influyente.

coincidencia *f.* Acción de coincidir. 2 Efecto de coincidir.

coincidir *intr.* Convenir una persona o cosa con otra: ~ *con el público.* 2 Ajustarse materialmente una cosa con otra: *las dos figuras coinciden.* 3 Ocurrir dos o más cosas al mismo tiempo: *la muerte del rey coincidió con la victoria;* esp., concurrir simultáneamente dos o más personas en un mismo lugar.

coiné *f.* Lengua común de base ática adoptada por los griegos a partir del s. IV. 2 Lengua común que procede de una reducción a unidad, más o menos artificial, de una variedad idiomática.

coinquinar *tr.* Manchar, ensuciar, inficionar.

coirón *m.* *Amér. Merid.* Planta gramínea, de hojas duras y punzantes, que se usa para techar las barracas en el campo *(Andropogon argenteus).*

coito *m.* Ayuntamiento carnal del hombre con la mujer.

cojear *intr.* Andar inclinando el cuerpo más a un lado que a otro por no poder sentar con regularidad ambos pies. 2 p. ext. Moverse una mesa o cualquier otro mueble por falta de estabilidad o por tener mal asiento. 3 fam. Faltar a la rectitud de la conducta. 4 fig. Adolecer de algún vicio o defecto.

cojera *f.* Accidente que impide andar con regularidad.

cojijo *m.* Sabandija, bicho. 2 Disgusto o queja por motivo leve.

cojín *m.* Almohadón (para descansar). 2 ~ **de aire,** capa de aire inyectado debajo de un vehículo de transporte terrestre o marítimo para mantenerlo separado de la superficie.

cojinete *m.* Almohadilla (de coser). 2 Cara lateral del capitel jónico. 3 Pieza de hierro con que se sujetan los carriles a las traviesas del ferrocarril. 4 Pieza movible de acero, con limas o cortes en uno de sus cantos, que sirve en las terrajas para labrar la espiral del tornillo. 5 Pieza de metal o madera, en que descansa y gira cualquier eje de maquinaria: ~ *de bolas.*

cojo, -ja *adj.-s.* [pers.] Que cojea o que carece de un pie o pierna. – 2 *adj.* [animal o mueble] Que cojea o que le falta una pata. 3 fig. [cosa] Que cojea: *razonamiento* ~; *verso* ~. 4 [pie, pierna o pata] De donde proviene el cojear.

cojón *m.* Testículo.

¡cojones! Interjección con que se denota sorpresa, disgusto o enfado.

col *f.* Planta crucífera hortense, de hojas anchas, lobuladas en la base, con pencas gruesas; sus flores son pequeñas, blancas o amarillas *(Brassica oleracea acephala).* 2 ~ **de Bruselas,** variedad de hojas alternas y caracterizada porque en sus axilas aparecen yemas apretadas del tamaño de un huevo *(Brassica oleracea prolifera).*

I) cola *f.* Parte posterior del cuerpo de algunos animales que se diferencia del resto, formando apéndice, y que, en los vertebrados, contiene las últimas vértebras; **caballo. 2 Conjunto de plumas fuertes y más o menos largas que tienen las **aves en la rabadilla. 3 Apéndice, parte de una cosa parecida por su forma, posición o inserción, a la cola de un animal: ~ **de un cometa,** su rastro luminoso; **solar (sistema); ~ **de un vestido,** porción que se arrastra por el suelo. 4 Parte posterior o final de una cosa, por oposición a cabeza o principio: ~ *de un ejército en marcha.* 5 Parte posterior de una explanada, trinchera o cualquier obra de fortificación. 6 Hilera o fila de personas que esperan vez: *hacer, guardar* ~. 7 Peinado que consiste en recogerse el pelo, atándolo con un pasador o goma elástica en la nuca. 8 ~ **de zorra,** planta graminácea, de raíz articulada y flores en tirso cilíndrico con aristas largas y paralelas *(Alopecurus pratensis).*

II) cola *f.* Pasta fuerte, translúcida y pegajosa, hecha generalmente cociendo raeduras y retazos de pieles; disuelta después en agua caliente, sirve para pegar.

III) cola *f.* Árbol esterculiáceo del África tropical cuya semilla es muy estimada por sus cualidades tónicas y reconstituyentes *(Cola vera; C. acuminata).*

colaboración *f.* Parte de una obra realizada por un colaborador.

colaboracionista *adj.-com.* Partidario de la colaboración; esp., en la última guerra mundial, partidario de colaborar con el enemigo en los países ocupados militarmente por él.

colaborador, -ra *m. f.* Persona que colabora.

colaborar *intr.* Trabajar con otras personas, especialmente en obras de ingenio. 2 Tratándose de periódicos, revistas, etc., escribir para ellos sin ser redactor fijo.

colación *f.* Acto de conferir un grado de universidad. 2 Cotejo de una cosa con otra. 3 Territorio o parte de vecindario que pertenece a cada parroquia en particular. 4 Refacción que se acostumbra tomar por la noche en los días de ayuno. 5 Refacción de dulces, pastas y a veces fiambres, con que se obsequia a un huésped o se celebra algún suceso. 6 *Sacar a ~ una persona* o *cosa,* hacer mención, mover a conversación de ellas. 7 *Amér. Merid.* Confite, bombón, grajea.

colactáneo, -a *m. f.* Hermano de leche.

colada *f.* Lavado periódico de la ropa sucia. 2 Lejía en que se cuela la ropa. 3 Ropa colada. 4 Faja de terreno por donde pueden transitar los ganados para ir de unos a otros pastos. 5 Garganta entre montañas muy angosta y de mal suelo. 6 Masa de lava que se desplaza desde el cráter de un **volcán por la zona de mayor pendiente hasta que solidifica. 7 Sangría que se hace en los altos hornos para que salga el hierro fundido. 8 fig. Enredo, lío, asunto.

coladera *f.* Cedacillo para licores. 2 *Amér.* Cloaca o conducto por donde se vierten las aguas.

coladero *m.* Colador (utensilio). 2 Camino o paso estrecho. 3 Lugar por donde es fácil colarse.

colado, -da *adj.* fig. y fam. [pers.] Que está muy enamorado. 2 METAL. [hierro] De segunda fundición tal y como sale del alto horno.

colador *m.* Utensilio en que se cuela un líquido: ~ *de* **cocina.

coladura *f.* fig. Inconveniencia, equivocación, plancha. 2 Residuo de cualquier cosa colada.

colágeno *m.* Constituyente de la substancia fundamental de los tejidos conjuntivo óseo y cartilaginoso, que por el calor se convierte en gelatina.

colanilla *f.* Pasadorcillo con que se cierran puertas y ventanas; **cerradura.

colapsar *tr.* Producir colapso. – 2 *intr.-prnl.* Sufrir colapso o caer en él. 3 Decrecer o disminuir intensamente una actividad cualquiera.

colapso *m.* MED. Postración repentina de las fuerzas vitales, determinadas por debilidad de la influencia necesaria de los centros nerviosos. 2 MED. Disminución anormal del tono de las paredes de una parte orgánica hueca, con decrecimiento o supresión de su luz. 3 MEC. Deformación brusca de un cuerpo por la acción de una fuerza. 4 fig. Destrucción, ruina, de una institución, sistema, etc.

colar *tr.* Pasar [un líquido] por manga, cedazo o paño: ~ *los zumos de las hierbas;* hacer pasar o pasar por un lugar estrecho: ~ *el hueso por el resquicio; intr., el pez cuela por el resquicio.* 2 Blanquear [la ropa] con lejía caliente. – 3 *intr.* fam. Beber vino. 4 Pasar una cosa en virtud de engaño o artificio: *el elogio cuela blandamente; tr.,* ~ *una moneda falsa.* 5 *prnl.* Introducirse a escondidas y sin permiso en alguna parte. 6 Decir inconveniencias o embustes. 7 Equivocarse por inadvertencia. 8 Enamorarse. ◇ ** CONJUG. [31] como *contar.*

colargol *m.* Plata coloidal, utilizada en medicina.

colateral *adj.* [cosa] Que está a uno y otro lado de otra principal: *altar ~, nave ~;* **basílica. – 2 *adj.-com.* Pariente que no lo es por línea recta.

colcótar *m.* Óxido de hierro pulverizado, de color rojo, que se usa en pintura.

colcrén *m.* Pomada hecha con grasa de cetáceo, aceite de almendras dulces y algún aroma, que se emplea para suavizar la piel.

colcha *f.* Cobertura de **cama para adorno y abrigo.

colchón *m.* Especie de saco rectangular, relleno de lana, pluma, cerda, etc., o provisto de muelles, cosido por todos lados, generalmente basteado y de tamaño proporcionado para dormir sobre él.

colchoneta *f.* Cojín largo y delgado que se pone por encima de un sofá, de un banco, etc. 2 Colchón delgado y estrecho; **gimnasio. 3 Colchón hinchable.

coleada *f.* Sacudida que dan con la cola algunos animales. 2 *Amér.* Acto de derribar una res tirándola de la cola.

colear *intr.* Mover la cola. 2 fig. y fam. Perdurar un asunto: *la compra de la nueva sociedad todavía colea a causa del papeleo.* – 3 *tr.* TAUROM. Sujetar [la res] por la cola. 4 *Amér.* Derribar [una res] tirándola de la cola hacia un costado. 5 *Amér. Central* y *P. Rico.* Hablando de personas, frisar en una edad.

colección *f.* Conjunto de cosas, generalmente de una misma clase: ~ *de grabados;* ~ *numismática.*

coleccionar *tr.* Formar colección [de objetos, seres naturales, etc.]: ~ *mariposas.*

colecta *f.* Repartimiento de una contribución que se cobra por vecindario. 2 Recaudación de donativos voluntarios, especialmente para fines benéficos.

colectar *tr.* Recaudar donativos. 2 Reunir en uno o más tomos [obras antes sueltas].

colecticio, -cia *adj.* [cuerpo de tropa] Compuesto de gente nueva y sin disciplina. 2 [tomo] Formado por obras sueltas.

colectivero *m. Argent.* Conductor de un colectivo, autobús de pasajeros.

colectividad *f.* Conjunto de personas reunidas o concertadas para un fin.

colectivismo *m.* Teoría económica según la cual el capital y cualquier medio de producción han de pertenecer al Estado para ser distribuidos al individuo.

colectivizar *tr.* Convertir en colectivo [lo que era individual]: ~ *una explotación agrícola.* 2 Aplicar el colectivismo. – 3 *prnl.* Agruparse, reunirse en sus intereses o trabajo, especialmente agremiarse. ◇ ** CONJUG. [4] como *realizar.*

colectivo, -va *adj.* Que tiene virtud de recoger o reunir. 2 Que afecta a una colectividad: *intereses colectivos; aspiraciones colectivas; caracteres colectivos.* – 3 *m.* Conjunto limitado de personas que tienen algo en común: *el ~ de empleados de banca.* 4 *Argent.* y *Parag.* Autobús de pasajeros.

colector, -ra *adj.* Que recoge. – 2 *m.* Recaudador. 3 Caño o canal que recoge las aguas procedentes de un avenamiento o las sobrantes del riego. 4 Conducto subterráneo en el cual vierten las alcantarillas sus aguas. 5 En la dínamo, cilindro que rodea el extremo del árbol de rotación.

colega *com.* Persona que desempeña la misma función que otra. 2 *fam.* y *pop.* Compañero, amigo.

colegatario *m.* Aquel a quien se le ha legado una cosa juntamente con otro u otros.

colegiado, -da *adj.-s.* Persona que pertenece a una corporación que forma colegio. 2 Cuerpo constituido en colegio. – 3 *m.* En las competiciones deportivas, árbitro.

colegial, -la *adj.* Relativo al colegio. 2 Relativo a un cabildo de canónigos. – 3 *m.* *f.* Persona que tiene beca o plaza en un colegio. 4 Persona que asiste a cualquier colegio particular. 5 *fig.* Joven inexperto y tímido. 6 *Méj.* El que monta mal a caballo.

colegiarse *prnl.* Constituirse, organizarse en colegio los individuos de una profesión o clase. 2 Afiliarse a un colegio constituido. ◇ ** CONJUG. [12] como *cambiar.*

colegiata *f.* Iglesia colegial.

colegio *m.* Comunidad de personas que viven en una misma casa dedicadas al estudio y sometidas a ciertas reglas. 2 Casa del colegio. 3 Establecimiento de enseñanza primaria o secundaria. 4 Corporación de hombres de la misma profesión: ~ *de médicos.* 5 ~ **electoral,** conjunto de electores comprendidos legalmente en un mismo grupo para votar; lugar donde se reúnen para votar.

colegir *tr.* Juntar, unir [cosas sueltas]. 2 Inferir, deducir [una cosa] de otra: ~ *de, o por, los antecedentes.* ◇ ** CONJUG. [55] como *elegir.*

colémbolo *m.* Insecto del orden de los colémbolos. – 2 *m. pl.* Orden de insectos apterigotas saprófitos, de pequeño tamaño y con la boca masticadora y en algunos casos chupadora.

colénquima *f.* Tejido característico de pecíolos y tallos jóvenes, formado por células alargadas con paredes reforzadas de celulosa.

coleóptero, -ra *adj.-m.* Insecto del orden de los coleópteros. – 2 *m. pl.* Orden de insectos apterigotas con la boca de tipo masticador, de metamorfosis complicada, con las alas del primer par convertidas por una espesa capa de quitina, en una especie de estuche bajo el cual se pliegan transversalmente las largas alas membranosas del segundo par; como el escarabajo.

I) cólera *f.* Bilis. 2 *fig.* Ira, enojo, enfado.

II) cólera *m.* Enfermedad contagiosa, epidémica, aguda y muy grave, originaria de la India, y caracterizada por vómitos y evacuaciones parecidas al agua de arroz, calambres, concentración de fuerzas y frío en las extremidades.

colérico, -ca *adj.* Relativo a la cólera o que participa de ella. 2 *fig.* Que fácilmente se deja llevar de la cólera. 3 Relativo a la enfermedad del cólera. – 4 *adj.-s.* Atacado de esta enfermedad.

colerina *f.* Forma benigna de la enfermedad del cólera. 2 Síntomas precursores de esta enfermedad.

colesterina *f.* FISIOL. Substancia grasa que existe normalmente en la sangre, en la bilis y otros humores, y se encuentra cristalizada en los cálculos biliares. También se halla en la yema del huevo.

colesterol *m.* Colesterina.

coleta *f.* Mechón largo de cabello en la parte posterior de la cabeza. 2 Cabello envuelto desde el cogote en una cinta en forma de cola: *la ~ de un peluquín; la ~ de un **torero.* 3 *fig.* Adición breve a lo escrito o hablado.

coletazo *m.* Golpe dado con la cola. 2 Sacudida que dan con la cola los peces moribundos. 3 *fig.* Última manifestación de una actividad próxima a extinguirse.

coleto *m.* *fig.* Interior de una persona: *hablar para su ~.*

coletudo, -da *adj.* Descarado, desvergonzado.

coletuy *m.* Planta leguminosa ornamental de tallo leñoso (gén. *Coronilla*).

colgadero, -ra *adj.* A propósito para colgarse o guardarse: *frutos colgaderos.* – 2 *m.* Garfio o escarpia, que sirve para colgar de él alguna cosa. 3 Asa o anillo que entra en el garfio o escarpia.

colgadizo, -za *adj.* Que sólo tiene uso estando colgado. – 2 *m.* Tejadillo saliente de una pared, sostenido con tornapuntas.

colgado, -da *adj.* fig. [pers.] Burlado en sus esperanzas o deseos. 2 fig. Contingente, incierto. 3 fig. Vivamente atento, anhelosamente pendiente [de algo o alguien]. 4 vulg. [pers.] Colocado por el alcohol o los estupefacientes.

colgador *m.* Especie de percha portátil que se cuelga de una varilla situada en el interior de los armarios roperos.

colgadura *f.* Conjunto de tapices o telas con que se cubren y adornan las paredes, balcones, etc.: ~ *de cama,* cortinas, cenefas y cielo de la **cama.

colgajo *m.* Trapo o cosa despreciable que cuelga. 2 Porción de frutas colgadas para conservarlas.

colgar *tr.* Poner [una cosa] pendiente de otra sin que llegue al suelo: ~ *la fruta de un clavo;* ~ *la ropa en la percha;* esp., revestir o adornar con tapices o colgaduras: ~ *una iglesia, un balcón, las calles.* 2 Ahorcar: ~ *a un reo.* 3 Imputar, achacar: ~ *una fechoría.* 4 Abandonar una profesión o actividad: ~ *los libros.* – 5 *intr.* Estar una cosa en el aire pendiente de otra: *las campanas cuelgan.* 6 Interrumpir una conversación telefónica colocando el auricular sobre el aparato correspondiente. 7 fig. Depender de la voluntad o dictamen de otro. ◇ ** CONJUG. [52].

colias *f.* Especie de mariposa diurna de color amarillo anaranjado que muestra un dimorfismo sexual muy acusado (*Colias crocea*).

colibacilo *m.* Bacilo que hace fermentar la leche.

colibia *f.* Seta pequeña de color grisáceo, comestible (*Collybia butyracea*).

colibrí *m.* Ave apodiforme americana con numerosas especies, algunas de las cuales cuentan con los ejemplares más pequeños de todos los existentes, de pico arqueado o anguloso, que liban el néctar de las flores (gén. *Tronchilus*). ◇ Pl.: *colibríes.*

cólico, -ca *adj.* Relativo al intestino colon. – 2 *m.* Acceso doloroso localizado en los intestinos, producido por la contracción de la túnica muscular. 3 Dolor debido a la obstrucción o distensión de alguna víscera: ~ *nefrítico* o **renal**, el producido por el paso de un cálculo por las vías urinarias superiores; ~ *miserere*, oclusión intestinal aguda, cuyos síntomas predominantes son el dolor y el vómito de excrementos.

colicuar *tr.* Derretir, desleír simultáneamente [dos o más substancias sólidas, especialmente crasas]. ◇ ** CONJUG. [10] como *adecuar.*

colidir *tr.* Chocar, tropezar con una oposición física o moral.

coliflor *f.* Variedad de col, de inflorescencia hipertrofiada, con los brotes transformados en masas carnosas que forman una pella blanca y compacta (*Brassica oleracea botrytis*). ◇ INCOR.: *los coliflores,* por *las coliflores.*

coligallero *m.* Amér. Central. Minero que roba pequeñas cantidades de oro para vender.

coligar *tr.-prnl.* Unirse, confederarse con otro u otros. ◇ ** CONJUG. [7] como *llegar.*

colilla *f.* Punta del cigarro que se tira.

colimar *tr.* Fís. Obtener un haz de rayos paralelos a partir de un foco luminoso.

colimbo *m.* Ave gaviforme de alas cortas que vive en las costas de los países fríos y se alimenta de peces (gén. *Colymbus*).

colín *adj.* [caballo] De poca cola. – 2 *m.* Barrita de **pan larga y del grueso de un dedo. 3 Pequeña cola del vestido. 4 Parte trasera de la carena de una **motocicleta.

I) colina *f.* Elevación natural de terreno, menor que una **montaña.

II) colina *f.* Simiente de coles y berzas. 2 Vivero de coles pequeñas que aún no se han trasplantado.

colinabo *m.* Variedad de col, de raíz carnosa como la del nabo (*Brassica oleracea gongylodes*). 2 Especie de nabo parecido a la remolacha (*Brassica napus napobrassica*).

colindar *intr.* Lindar entre sí dos o más fincas.

colirio *m.* Medicamento que se aplica por instilación a la conjuntiva del ojo.

colirrojo *m.* Ave paseriforme con la cola y sus coberteras dorsales color castaño rojizo (gén. *Phœnicurus*).

coliseo *m.* Teatro o cinematógrafo de alguna importancia.

colisión *f.* Choque de dos cuerpos. 2 Rozadura o herida que se produce al ludir una cosa con otra. 3 fig. Oposición y pugna de ideas, principios o intereses, o de las personas que los representan.

colisionar *intr.* Chocar, producirse una colisión.

colista *com.* El que va último en una competición colectiva.

colmado, -da *adj.* Abundante, completo. – 2 *m.* Establecimiento de venta de comestibles.

colmar *tr.* Llenar [una medida, un cajón, etc.] hasta que el contenido levante más que los bordes. 2 fig. Dar toda la plenitud: ~ *las esperanzas;* dar con abundancia: ~ *de mercedes.*

colmena *f.* Vaso de corcho, paja, madera, etc., que sirve de habitación a un enjambre de abejas. 2 Enjambre de abejas que habita en la colmena. 3 fig. Multitud de personas.

colmenero, -ra *m. f.* Persona que tiene colmenas o cuida de ellas. – 2 *adj.* [oso] Que ataca las colmenas para comerse la miel.

colmenilla *f.* Hongo ascomicetes, comestible, de sombrerete ovalado, consistente y carnoso (gén. *Morchella).*

colmilleja *f.* Pez teleósteo cipriniforme, propio de aguas dulces estancadas, de cabeza muy comprimida, con tres pares de barbillones cortos y una espina móvil debajo de cada ojo *(Cobitis taenia).*

colmillo *m.* **Diente agudo colocado entre el último incisivo y la primera muela. 2 Incisivo prolongado en forma de cuerno que, junto a otro, tienen los elefantes en la mandíbula superior.

I) colmo *m.* Porción de materia pastosa o árida que sobresale por encima de los bordes del vaso que la contiene. 2 fig. Complemento o término de alguna cosa. 3 Techo de paja. 4 Paja que se usa para cubrir cabañas.

II) colmo, -ma *adj.* Que está colmado o tiene colmo: *celemín ~.*

colocación *f.* Situación (disposición). 2 Empleo o destino.

colocado, -da *adj.-s.* [pers.] Que tiene un empleo. 2 fam. [pers.] Que se halla bajo los efectos del alcohol o de los estupefacientes.

colocar *tr.* Poner, instalar, situar [a una persona o cosa] en un lugar determinado. 2 fig. Poner [a uno] en un empleo o condición determinada de vida. 3 Tratándose de capital, invertirlo: *~ el dinero en fincas, en una hipoteca, en obligaciones.* 4 Tratándose de mercancía, venderla, hallarle mercado: *la naranja se coloca bien en Inglaterra.* 5 fam. Seguido de adverbios como *bien, mal,* etc., casar a alguien. – 6 *prnl.* Ponerse a tono con la bebida o con la droga. ◇ En la acepción 1, añade a *poner* un matiz de cuidado, esmero: *~ un cuadro en la pared,* frente a *poner un cuadro en la pared.* ◇ ** CON-JUG. [1] como *sacar.*

colocasia *f.* Planta arácea, originaria de la India, de hojas grandes, aovadas y redondeadas en el margen; su raíz es carnosa y, lo mismo que las hojas, se come cocida *(Colocasia sculenta).*

colocho *m. Amér. Central.* Viruta o doladura de madera. 2 *Amér. Central.* Rizo, tirabuzón.

colodión *m.* Disolución de pólvora de algodón en éter y alcohol; se emplea para la preparación de placas fotográficas, y como aglutinante en cirugía.

colodra *f.* Vasija de madera en forma de barreño, usada por los pastores para ordeñar el ganado.

colodrillo *m.* Parte posterior de la **cabeza.

colofón *m.* Anotación al final de los **libros, para indicar el nombre del impresor y el lugar

y la fecha de la impresión, o alguna otra circunstancia. 2 fig. Frase, actitud, decisión complementaria que pone término a un asunto u obra.

colofonía *f.* Resina sólida, translúcida, pardusca o amarillenta, e inflamable, residuo de la destilación de la trementina.

colofonita *f.* Granate de color verde claro o amarillento rojizo.

coloidal *adj.* Relativo a los coloides. 2 Que tiene consistencia, propiedades o carácter de coloide.

coloide *adj.-m.* Cuerpo que, disgregado en un líquido, aparece como disuelto por la extremada pequeñez de sus partículas, pero que, a diferencia del cristaloide, no se difunde con su disolvente si tiene que atravesar ciertas láminas porosas.

colombianismo *m.* Vocablo, giro o modo de hablar propio de Colombia. 2 Amor o apego a las cosas características de Colombia.

colombiano, -na *adj.-s.* De Colombia, nación de América del Sur.

colombicultura *f.* Cría y fomento de la reproducción de palomas.

colombofilia *f.* Técnica de la cría de palomas, en especial mensajeras. 2 Deporte dedicado a la cría, adiestramiento, etc., de las palomas.

colon *m.* Parte del intestino grueso que se extiende desde el ciego al recto; **digestivo (aparato). 2 GRAM. Parte o miembro significado del período, y el signo ortográfico con que se distingue, generalmente el punto y coma o los dos puntos.

colonato *m.* Sistema de explotación de las tierras por medio de colonos.

colonda *f.* Pie derecho o poste de tabiques, andamios, etc.

I) colonia *f.* Establecimiento fundado por un conjunto de personas que van a poblar un territorio alejado, pero que continúan perteneciendo a su patria: *Ampurias fue una ~ griega.* 2 Este territorio: *las colonias francesas.* 3 Gente que se establece en un lugar despoblado de su propio país para cultivarlo. 4 Conjunto de individuos de un país que viven en otro extranjero: *la ~ española de París.* 5 Agrupación de animales pequeños que viven juntos. 6 Conjunto de viviendas construidas en el ensanche de una población. 7 Residencia veraniega en el campo, habitada por niños que pasan en ella sus vacaciones. 8 Cinta de seda, lisa, de unos dos dedos de ancho.

II) colonia *f.* Agua de Colonia.

coloniaje *m. Amér.* Período histórico en que América formó parte de la nación española, y sistema de gobierno practicado por España en sus colonias.

colonial *adj.* Relativo a la colonia. – 2 *adj.-m.* Ultramarino (comestible).

colonialismo *m.* Tendencia a mantener un territorio bajo dominio político o económico.

colonizar *tr.* Establecer colonia o colonias [en un territorio]. 2 Proceder a la explotación y organización de una colonia. 3 Repoblar y valorar económicamente [un territorio]. ◇ ** CONJUG. [4] como *realizar.*

colono *m.* Habitante de una colonia. 2 Labrador que cultiva una heredad arrendada y suele vivir en ella.

coloquial *adj.* [palabra o giro] Propio de la conversación corriente.

coloquíntida *f.* Planta cucurbitácea, de hojas ásperas y vellosas, hendidas en cinco lóbulos, flores amarillas y fruto amargo, de corteza lisa, con la forma, color y tamaño de una naranja, que se usa en medicina como purgante *(Cucumis colocynthis).* 2 Fruto de esta planta.

coloquio *m.* Conversación o plática entre dos o más personas. 2 Género de composición literaria en forma de diálogo. 3 Reunión de personas donde se expone y discute un tema determinado. 4 Discusión que puede seguir a una disertación, sobre las cuestiones tratadas en ella.

color *m.* Calidad de los fenómenos visuales que depende de la impresión distinta que producen en el ojo las luces de distinta longitud de onda, la ausencia total de luz (~ *negro),* o la suma de todas las luces (~ *blanco):* ~ *rojo;* ~ *de fuego;* ~ *del espectro solar, del iris* o *elemental,* el procedente de la descomposición de la luz del sol (rojo, anaranjado, amarillo, verde, azul, añil y violado). 2 fig. Carácter peculiar o aparente de una cosa: *novela de* ~ *dramático; este período carece de* ~ *político.* 3 Colorido en la pintura. 4 Substancia colorante usada para pintar o teñir.

colorado, -da *adj.* Que tiene color. 2 Que tiene color más o menos rojo. 3 Libre, obsceno. 4 Que se funda en alguna apariencia de razón o de justicia.

colorante *adj.-m.* Que colora: *materias colorantes; colorantes sintéticos.*

colorar *tr.* Dar de color o teñir [una cosa].

colorear *tr.* Colorar. 2 fig. Pretextar algún motivo o razón para hacer [una cosa poco justa]. – 3 *intr.* Mostrar una cosa el color colorado que en sí tiene. 4 Tomar algunos frutos el color encarnado de su madurez.

colorete *m.* Afeite de color encarnado.

colorido *m.* Disposición y grado de intensidad de los diversos colores de una pintura. 2 Arte de combinar los colores. 3 fig. Brillo del estilo en las obras literarias. 4 Color, carácter peculiar de una cosa.

colorimetría *f.* Determinación manifiesta de la intensidad del color de una substancia.

colorín *m.* Jilguero. 2 Color vivo y llamativo: *los colorines de un traje.*

colorir *tr.* Dar color: ~ *una estampa.* 2 fig. Colorear (pretextar). – 3 *intr.* Tener o tomar color una cosa naturalmente. ◇ Verbo defectivo; se usa sólo en los tiempos y personas cuya desinencia contiene la vocal *i: coloría, coloriré, coloriendo.*

colorismo *m.* LIT. Propensión a recargar el estilo con calificativos vigorosos o redundantes. 2 PINT. Tendencia a dar exagerada preferencia al color sobre el dibujo.

colorista *adj.-s.* PINT. Que usa bien el color. – 2 *adj.* [escritor] Que emplea medios de expresión vigorosos para dar relieve a su lenguaje y estilo.

colosal *adj.* Relativo al coloso. 2 fig. De estatura mayor que la natural. 3 fig. Excelente, extraordinario.

coloso *m.* Estatua que excede mucho del tamaño natural: *el* ~ *de Rodas.* 2 fig. Persona o cosa sobresaliente.

cólquico *m.* Hierba liliácea, con tres o cuatro hojas planas, flores de color de rosa y frutos capsulares; su raíz es amarga y medicinal *(Colchicum autumnale).*

colt *m.* Revólver de cilindro giratorio de seis cámaras.

coludo, -da *adj. Amér.* Olvidadizo, que deja sin cerrar la puerta que abre para pasar.

columbario *m.* Conjunto de nichos, en los cementerios de los antiguos romanos, donde colocaban las urnas cinerarias.

columbeta *f.* Voltereta que dan sobre la cabeza los muchachos en sus juegos.

columbiforme *adj.-m.* Ave del orden de los columbiformes. – 2 *m. pl.* Orden de aves con alas largas y afiladas, el pico y las patas cortos y la cabeza pequeña; son monógamas, de costumbres terrícolas y vegetarianas; como las palomas.

columbino, -na *adj.* Relativo a la paloma, o parecido a ella; generalmente se aplica al candor y sencillez del ánimo. – 2 *adj.-m.* Color amoratado de algunos granates. – 3 *adj.* De color columbino.

columbrar *tr.* Ver desde lejos [una cosa], sin distinguirla bien. 2 fig. Rastrear o conjeturar por indicios [una cosa].

columna *f.* Elemento vertical de sostén y apoyo, generalmente de forma cilíndrica, que suele estar formado por base, fuste y capitel. Se emplea como elemento constructivo, aunque, a veces, tiene una función decorativa: ~ *compuesta,* la perteneciente al orden compuesto. Sus proporciones son las de la corintia, y su capitel tiene las hojas de acanto del corintio con las volutas del jónico en lugar de caulículos; ~ *corintia,* la perteneciente al orden corintio. Su altura era antiguamente de nueve y media a diez veces su diámetro inferior, pero después se ha hecho en ocasiones más bajas, y su capitel está adornado con hojas de acanto y caulículos; ~ *dórica,* la perteneciente al orden dórico. Su altura no pasaba de seis veces el diámetro inferior, pero después se ha hecho llegar a siete veces y aún más. Su capitel se compone de un ábaco con un equino o un cuarto bocel; ~ *gótica,* la perteneciente al estilo ojival; consiste en un haz de columnillas y tiene el capitel adornado con hojas muy recortadas, como las de cardo; ~ *jónica,* la perteneciente al orden jónico. Su altura es de ocho a ocho y media veces su diámetro inferior y su capitel está adornado con volutas; ~ *lotiforme,* la egipcia, variante de la papiriforme, con capitel lotiforme; ~ *ojival,* la perteneciente al estilo ojival. Es cilíndrica, delgada y de mucha altura, lleva capitel pequeño y a veces ninguno, y descansa en basamento característico. Ofrécese fasciculada en torno de pilares y machones; ~ *papiriforme,* la egipcia con el fuste lobulado, representando un haz de tallos de papiro. Su capitel se halla formado por la flor de esta planta, y puede representarse abierta o cerrada; ~ *románica,* la perteneciente al estilo románico. Es de poca altura, con capitel de ábaco grueso y tambor ricamente historiado, fuste liso y basa característica o imitada de las clásicas; **casa; **egipcio; **gótico; **órdenes; **románico. 2 Monumento conmemorativo que tiene forma de columna; **romano. 3 fig. Sostén, ayuda, apoyo. 4 Porción de tropa dispuesta en formación de poco frente y mucho fondo. Parte de un ejército en campaña: *la ~ del general N.* 5 Unidad de tropas independiente y constituida provisionalmente, sin sujeción a normas reglamentarias. 6 Pila de cosas colocadas ordenadamente unas sobre otras. 7 ~ *vertebral, espina dorsal, raquis, rosario, espinazo* o *esquena,* elemento característico del esqueleto de los vertebrados, formado por una serie de vértebras, cada una en articulación semifija con la siguiente, y en cuyo interior se aloja la medula espinal; **hueso. 8 FÍS. Porción de fluido contenido en un cilindro vertical: ~ *barométrica.* 9 IMPR. Parte en que se divide de arriba abajo una plana de una composición tipográfica por medio de un espacio blanco o de una línea; **periódico.

columnata *f.* Serie de columnas de un edificio.

columnista *adj.-com.* Persona que tiene a su cargo la redacción de una columna especial en una publicación periodística.

columpiar *tr.-prnl.* Mecer [al que está sentado en un columpio]. – 2 *prnl.* fig. Mover el cuerpo de un lado a otro al andar. ◇ ** CONJUG. [12] como *cambiar.*

columpio *m.* Cuerda fija por ambos extremos a un punto elevado y en cuyo centro se sienta alguna persona y se mece.

coluro *m.* **ASTRON. Círculo máximo de la esfera celeste que pasa por los polos y corta a la eclíptica en los puntos equinocciales.

colutorio *m.* Enjuagatorio medicinal.

coluvión *m.* Depósito acumulado al pie de una pendiente tras un corto recorrido y como consecuencia de la acción erosiva de las aguas de arroyada.

colza *f.* Planta crucífera, variedad de nabo, de cuyas semillas se extrae un **aceite muy empleado en el norte de Europa para la condimentación y el alumbrado *(Brassica napus oleifera).*

I) colla *f.* Arte de pesca compuesto de varias nasas colocadas en fila cuando se calan.

II) colla *f.* Grupo de cargadores o descargadores de barcos.

collada *f.* Duración larga de un mismo viento.

collado *m.* Colina (elevación de terreno). 2 Depresión suave por donde se puede pasar fácilmente de un lado a otro de una sierra.

collalba *f.* Mazo de madera con el cual los jardineros desmenuzan sus terrones.

collar *m.* Cadena, sarta de perlas, etc., que rodea el cuello como adorno o insignia. 2 Aro, generalmente de cuero, que se ciñe al pescuezo de los animales domésticos. 3 En ciertas aves, faja de plumas de distinto color alrededor del cuello. 4 Anillo que abraza una pieza circular de una máquina; **cerradura.

collarín *m.* Alzacuello de los eclesiásticos. 2 Aparato ortopédico que rodea el cuello y que se emplea fundamentalmente para inmovilizar las vértebras cervicales. 3 Etiqueta que se pega en el cuello de las botellas.

collarino *m.* Parte del fuste de la columna dórica, comprendida entre el astrágalo y el capitel.

I) collazo *m.* Mozo de labranza al que se le da alguna tierra para que la labre para sí.

II) collazo *m.* Hermano de leche. 2 Compañero de servicio en una casa. 3 Palo con que se ayuda el que recoge gavillas.

colleja *f.* Hierba cariofilácea, de hojas blanquecinas y suaves, tallos ahorquillados y flores blancas en panojas colgantes *(Silene inflata).*

collera *f.* Collar de cuero o lona, relleno, que se pone al cuello de las caballerías o bueyes. 2 fig. Cadena con que se ata a los presidiarios. 3 *Argent.* y *Chile.* Yunta de animales. – 4 *f. pl. Amér. Merid.* Gemelos de camisa, juego de dos botones u otros objetos iguales.

I) coma *f.* Signo ortográfico [,] que indica la división de las frases o miembros más cortos de la oración o del período; **puntuación; se emplea en aritmética para separar los enteros de las fracciones decimales.

II) coma *m.* Estado morboso debido a causas muy diversas, caracterizado por la abolición de las funciones psíquicas y la inmovilidad, con conservación de la circulación y de la respiración.

comadre *f.* Partera. 2 Madrina de un niño con relación al padrino y a los padres. 3 Madre de un niño con relación a la madrina. 4 Vecina y amiga íntima de una mujer. 5 fam. Alcahueta.

comadrear *intr.* fam. Chismear, murmurar, especialmente las mujeres.

comadreja *f.* Mamífero carnívoro mustélido, de unos 3 dms. de largo, de pelaje pardo por el dorso y blanco por debajo, cuerpo muy alargado y patas cortas *(Mustela nivalis)*.

comadrero, -ra *adj.-s.* Persona holgazana y chismosa.

comadrón *m.* Cirujano que asiste a la mujer en el acto del parto.

comadrona *f.* Partera.

comal *m.* *Amér. Central, Guat.* y *Méj.* Disco bajo y delgado de barro sin vidriar que se usa para cocer las tortillas de maíz y para tostar el café y el cacao.

comalia *f.* Enfermedad de los animales, especialmente del ganado lanar, consistente en una hidropesía general.

comanche *adj.-s.* De una tribu de indios que vivían en Tejas y Nuevo Méjico. – 2 *m.* Lengua de los comanches.

comandancia *f.* Empleo de comandante. 2 Territorio sujeto militarmente a él. 3 Oficina donde despacha.

comandante *m.* Jefe militar de categoría comprendida entre las de capitán y teniente coronel. 2 Militar que ejerce el mando en ocasiones determinadas, aunque no tenga el empleo jerárquico de comandante: ~ *de un avión*, oficial piloto que tiene el mando del mismo.

comandar *tr.* Mandar [un ejército, una flota, etc.]. 2 DEP. Ocupar el primer lugar de una clasificación deportiva.

comanditar *tr.* Aprontar los fondos [para una empresa comercial o industrial de otro], sin contraer obligación mercantil alguna.

comando *m.* Mando militar. 2 Pequeño grupo de tropas de choque, destinado a hacer incursiones ofensivas en terreno enemigo o a realizar operaciones arriesgadas. 3 Grupo armado que emplea la violencia en su propio beneficio. 4 Miembro de un grupo armado.

comarca *f.* División territorial que comprende varias poblaciones.

comarcano, -na *adj.* Cercano, inmediato, contiguo.

comarcar *intr.* Lindar entre sí países o heredades. – 2 *tr.* Plantar [árboles] en líneas rectas y a distancias iguales, de modo que formen calles en todas direcciones. ◇ ** CONJUG. [1] como *sacar*.

comátula *f.* Equinodermo crinoideo que vive cerca de las costas *(Antedon mediterranea)*.

comba *f.* Inflexión que toman algunos cuerpos sólidos cuando se encorvan. 2 Juego de niños que consiste en saltar por encima de una cuerda que se hace pasar por debajo de los pies y sobre la cabeza del que salta. 3 Esta misma cuerda.

combadura *f* Curvatura de una bóveda.

combar *tr.-prnl.* Encorvar, torcer [un objeto de madera, hierro, etc.].

combate *m.* Acción bélica en la que intervienen fuerzas militares de alguna importancia. 2 fig. Lucha o desasosiego interior del ánimo. 3 *Méj.* Ayuda recíproca que se prestan los habitantes de un lugar para hacer sus trabajos.

combatiente *adj.-com.* Que combate. – 2 *m.* Soldado que forma parte de un ejército. 3 Pez de acuario de pequeño tamaño y colores muy vistosos *(Betta splendens)*. 4 Ave caradriforme zancuda de unos 30 cms. de longitud, de plumaje apagado durante el invierno; en primavera, el macho se reviste de un plumaje muy vistoso con una gorguera alrededor de la cabeza *(Philomachus pugnax)*.

combatir *intr.-prnl.* Pelear: ~ o *combatirse con*, o *contra, el enemigo; se combatía en la ciudad*. – 2 *tr.* Acometer, embestir [a una persona o cosa]: ~ *la fortaleza;* ~ *a los enemigos*. 3 fig. Batir, golpear con violencia [las cosas inanimadas]: *las olas combaten el acantilado*. 4 fig. Agitar [el ánimo] los afectos y pasiones: *le combaten mil pensamientos; prnl., las pasiones se combaten en su pecho; pasiva, seguíla, combatido de mil pensamientos; intr., mil sentimientos combatían en su pecho*. 5 fig. Contradecir, impugnar: ~ *las calumnias; la combatían con ruegos*.

combativo, -va *adj.* Inclinado a la lucha, a la contienda o a la polémica; batallador, luchador.

combinación *f.* Plan, traza, artimaña: *se le descubrió la* ~. 2 Unión de dos cosas en un mismo sujeto. 3 Prenda interior femenina que se lleva debajo del vestido.

combinado *m.* Cóctel. 2 DEP. Equipo integrado por jugadores de diferentes equipos.

combinar *tr.* Unir [cosas diversas] de manera que formen un compuesto: ~ *lo dulce con lo útil;* poner de acuerdo [cosas o intenciones] : ~ *las ideas, los movimientos*. 2 Unir o juntar [escuadras o ejércitos] para algún fin. 3 Disponer, trazar [los quehaceres] siguiendo un orden: ~ *un plan*. – 4 *intr.* Armonizar una cosa con otra. – 5 *tr.-prnl.* QUÍM. Unir [dos o más elementos] para formar un compuesto químico. – 6 *prnl.* Ponerse de acuerdo para una acción conjunta.

combo, -ba *adj.* Que está combado.

combretáceo, -a *adj.-f.* Planta de la familia de las combretáceas. – 2 *f. pl.* Familia de plantas, árboles o arbustos tropicales, afines a las mirtáceas, con el ovario unilocular y el fruto monospermo; como el mirobálano.

combustible *adj.* Que puede arder. 2 Que arde con facilidad. – 3 *adj.-s.* QUÍM. Substancia capaz de combinarse con un cuerpo oxidante. – 4 *m.* Leña, carbón y cualquiera otra materia que sirve para hacer lumbre. 5 ~ *nuclear,* materia que se emplea para producir calor mediante reacciones nucleares.

combustión *f.* QUÍM. Reacción de una substancia con el oxígeno con desprendimiento de calor y, a veces, de luz: *motor de ~ interna.*

comecocos *com.* Persona, cosa, institución, doctrina, etc., alienante. ◇ Pl.: *comecocos.*

comecome *m.* Comezón, picazón en el cuerpo. 2 p. ext. Desazón del ánimo, preocupación.

comedero, -ra *adj.* Que se puede comer. – 2 *m.* Vasija donde se echa la comida a algunos animales. 3 Sitio adonde acude a comer el ganado.

comedia *f.* Obra dramática, especialmente la de enredo y desenlace festivos o placenteros: ~ *de enredo,* la de trama ingeniosa y complicada; ~ *de costumbres,* la que tiene por asunto actos comunes de la vida social ordinaria; ~ *de capa y espada,* en el teatro español del s. XVII, la de costumbres caballerescas de aquel tiempo. 2 Género cómico. 3 fig. Suceso de la vida real, capaz de interesar y mover a risa. 4 Farsa o fingimiento. 5 ~ *musical,* obra teatral o cinematográfica en que se declama, se canta y se baila.

comediante, -ta *m. f.* Actor, actriz. 2 fig. Hipócrita.

comedido, -da *adj.* Cortés, moderado. 2 *Amér.* Servicial, complaciente.

comedimiento *m.* Cortesía, moderación.

comedio *m.* Centro de algún territorio o lugar. 2 Espacio de tiempo que media entre dos épocas.

comediógrafo, -fa *m. f.* Persona que escribe comedias.

comedirse *prnl.* Arreglarse, contenerse: ~ *en sus acciones.* 2 *Argent. y Ecuad.* Entremeterse. ◇ ** CONJUG. [34] como *servir.*

comedón *m.* Grano sebáceo con un puntito negro que se forma en la piel del rostro.

comedor, -ra *adj.* Que come mucho. – 2 *m.* Pieza destinada en las casas para comer. 3 p. ext. Mobiliario de este aposento. 4 Establecimiento destinado para servir comidas.

comején *m.* Termes.

comendador *m.* Caballero que tiene encomienda en alguna de las órdenes militares o de caballeros. 2 El que en las órdenes de distinción tiene dignidad superior a la de caballero e inferior a la de maestre.

comendatorio, -ria *adj.* [papel, carta] De recomendación.

comensal *com.* Persona que vive a la mesa

y expensas de otra, en cuya casa habita. 2 Persona que come con otras en una misma mesa.

comensalismo *m.* Asociación externa entre dos organismos que es beneficiosa para ambas.

comentar *tr.* Escribir o hacer comentarios [sobre una obra, una persona, un suceso, etc.].

comentario *m.* Observación hablada o escrita para explicar, ilustrar o criticar el sentido de una obra, discurso, etc. – 2 *m. pl.* Conversación sobre personas o sucesos, generalmente con algo de murmuración. 3 Título que se da a algunas memorias históricas escritas con brevedad.

comentarista *com.* Persona que comenta en general, y especialmente que escribe comentarios.

comenzar *tr.* Empezar (dar principio): *los púgiles comienzan la lucha;* cuando el complemento es un infinitivo, suele introducirse con la preposición *a: comenzó a prevenir y llamar gente; comenzaba a cerrar la noche.* 2 Con el complemento directo implícito, empezar, tener principio una cosa: ~ *por la "Diana" de Montemayor;* ~ *en los campos de Montiel;* ~ *por reñir* (equivale a ~ *riñendo); intr., aventuras y desventuras nunca comienzan por poco.* ◇ ** CONJUG. [47] como *empezar.*

comer *intr.* Tomar alimento: *no se puede vivir sin* ~. 2 Tomar la comida principal del día: *comen a la una.* – 3 *tr.* Mascar y tragar [el alimento]: ~ *fruta.* 4 Corroer, desgastar: *el orín come el hierro.* 5 Gastar, consumir: *la estufa come mucho carbón; comerse la hacienda.* 6 Dejar la luz desvaído [un color]. 7 En los juegos de tablero, ganar [una pieza o peón] al contrario. 8 Sentir comezón física o moral: *la pierna me come; la envidia le come.* – 9 *prnl.* Saltarse letras o palabras al escribir o hablar.

comercial *adj.* Relativo al comercio. 2 Que tiene fácil aceptación en el mercado.

comercialismo *m.* Mentalidad exageradamente comercial.

comercializar *tr.* Dar [a un producto] condiciones y organización adecuadas para su venta. ◇ ** CONJUG. [4] como *realizar.*

comerciante *adj.-com.* [pers.] Que comercia. – 2 *com.* Dueño de un comercio. 3 fig. [pers.] Que antepone el dinero o el interés a todo, o que en sus actos nunca prescinde de ellos.

comerciar *intr.* Comprar y vender o permutar productos naturales o industriales con fin lucrativo: ~ *en frutas.* 2 fig. Tener trato y comunicación unas personas con otras. ◇ ** CONJUG. [12] como *cambiar.*

comercio *m.* Compra y venta de productos naturales o industriales. 2 Conjunto de comerciantes de una población, país, etc. 3 Establecimiento comercial.

comestible *adj.* Que se puede comer. – 2

m. Todo género de artículos alimenticios: *comprar comestibles.*

cometa *m.* Astro generalmente formado por un núcleo poco denso, acompañado de una larga cola o cabellera nebulosa: ~ **barbato,** aquel cuya zona luminosa precede al núcleo; ~ **caudato,** aquel cuya zona luminosa va detrás del núcleo; ~ **corniforme,** el de cola encorvada; ~ **crinito,** el de cola dividida en varios ramales divergentes; **solar (sistema). – 2 *f.* Armazón plana y muy ligera, generalmente de cañas y papel o tela; en la parte inferior se le pone una especie de cola y, sujeta hacia el medio a un bramante muy largo, se arroja al aire, que la va elevando.

cometer *tr.* Incurrir [en alguna culpa o yerro]: ~ *un pecado, un delito.* 2 Emplear [figuras gramaticales o retóricas]: ~ *el hipérbaton.*

cometido *m.* Comisión, encargo. 2 p. ext. Incumbencia, obligación moral.

comezón *f.* Picazón en alguna parte del cuerpo o en todo él. 2 fig. Desazón que ocasiona el deseo de alguna cosa.

cómic *m.* Serie o secuencia de viñetas o representaciones gráficas de finalidad narrativa.

comicial *adj.* Relativo a los comicios.

comicidad *f.* Cualidad de cómico, vis cómica: *la ~ de una escena.*

comicios *m. pl.* Reuniones y actos electorales.

cómico, -ca *adj.* Relativo a la comedia. 2 Capaz de divertir o de excitar la risa. 3 [actor] Que representa papeles jocosos. – 4 *adj.-s.* El que representa comedias: ~ **de la legua,** el que anda representando en poblaciones pequeñas. – 5 *m. f.* Comediante.

comida *f.* Lo que se come; alimento. 2 Alimento que se toma habitualmente en horas determinadas: *hacer tres comidas al día.* 3 Alimento principal que se toma cada día, generalmente al mediodía o a primeras horas de la tarde.

comidilla *f.* fig. Gusto, complacencia especial que uno tiene en cosas de su genio o inclinación: *el deporte es su ~.* 2 fig. Tema preferido en alguna murmuración o conversación satírica.

comienzo *m.* Principio, origen y raíz de una cosa.

comilona *f.* fam. Comida variada y muy abundante.

comillas *f. pl.* Signo ortográfico [«...», "...'' o ''...''] que se pone al principio y al fin de las palabras y frases incluidas como citas o ejemplos en impresos y manuscritos. 2 Signo ortográfico ['...' o '...'] que se usa al principio y al final de una palabra o frase incluidas como cita o puestas de relieve dentro de un texto entrecomillado más extenso; **puntuación.

cominear *intr.* Entremeterse el hombre en menudencias propias de mujeres.

comino *m.* Planta umbelífera de tallo ramoso, flores blancas o rojizas y semillas aromáticas, pequeñas, aovadas, unidas de dos en dos, que se usan en medicina y como condimento *(Cuminum cyminum).* 2 Semilla de esta planta. 3 Cosa de poca importancia: *me importa un ~ lo que haga.* 4 Persona de pequeño tamaño.

comisar *tr.* Declarar que [una cosa] ha caído en comiso.

comisaría *f.* Empleo del comisario. 2 Oficina del comisario. 3 Jurisdicción administrativa del comisario.

comisario *m.* El que tiene poder o facultad de una autoridad superior para ejecutar alguna orden o entender en algún negocio: ~ *de policía;* ~ **político,** delegado del poder civil o de un partido político que, en determinadas colectividades, tiene como misión fundamental la educación y la vigilancia política y social de los miembros de esa colectividad.

comiscar *tr.-intr.* Comer poco y a menudo [de varias cosas]. ◇ ** CONJUG. [1] como *sacar.*

comisión *f.* Encargo que una persona da a otra para que haga alguna cosa. 2 Mandato para realizar ciertas transacciones comerciales y cantidad que se cobra por ello. 3 Conjunto de personas delegadas temporalmente para hacer alguna cosa: *una ~ parlamentaria.*

comisionado, -da *adj.-s.* Encargado de una comisión.

comisionar *tr.* Dar una comisión [a una o más personas].

comiso *m.* DER. Pena de pérdida de la cosa, en que incurre el que comercia en géneros prohibidos o falta a un contrato en que se estipuló esta pena. 2 Cosa comisada.

comisura *f.* Punto de unión de ciertas partes similares del cuerpo: *la ~ de los labios, de los párpados;* **boca. 2 Sutura de los huesos del cráneo por medio de dientecillos a manera de sierra.

comité *m.* Comisión (personas). 2 Junta dirigente de un partido político o de una de sus secciones.

comitiva *f.* Acompañamiento (gente).

comiza *f.* Especie de barbo mayor que el común con el hocico más largo y el lomo más corvo *(Barbus comiza).*

commelináceo, -a *adj.-f.* Planta de la familia de las commelináceas. – 2 *f. pl.* Familia de plantas angiospermas monocotiledóneas, herbáceas, con tallo nudoso.

como *adv. m. relat. comp.* Del modo o la manera que, o a modo o manera de. En este sentido comparativo denota idea de equivalencia, semejanza o igualdad y corresponde con los antecedentes, generalmente implícitos, *así, tal, tanto, manera, modo* y otros: *lleva unos zapatos ~ una barcas; es rubio ~ el oro; se portó ~ un héroe (~ se porta un héroe); nada* *deseaba tanto* ~ *disfrutar de sosiego; tal lo dijo* ~ *lo supo.* **2** Según, conforme: *la caridad,* ~ *dice fray Luis de Granada, ...* **3** En calidad de: *asiste a la boda* ~ *testigo.* – **4 conj.** Con el carácter de conjunción temporal, sola o reforzada con antecedentes, así que: ~ *llegamos a la posada, se dispuso la cena; así* ~ *entró en la venta, conoció a D. Quijote; tan luego* ~ *fue abriendo camino, conoció que se había perdido.* **5** En función de conjunción final, a fin de que, de modo que: *mandamos a nuestros presidentes y oidores que provean* ~ *por culpa de los letrados no se dilaten las causas.* **6** Como conjunción copulativa, que: *sabrás* ~ *hemos llegado buenos.* **7** Hace también oficio de conjunción condicional, equivaliendo a si: ~ *no te enmiendes dejaremos de ser amigos.* **8** Toma también carácter de conjunción causal, sola o seguida de la conjunción *que*, porque: ~ *recibí tarde el aviso no pude llegar a tiempo; lo sé de fijo,* ~ *que el lance ocurrió delante de mí.* **9** En ciertas construcciones del verbo en subjuntivo equivale al gerundio del mismo verbo: ~ *sea la vida del hombre milicia sobre la tierra, es menester vivir armados,* esto es, *siendo la vida del hombre,* etc. ◇ HOMÓF.: *como* (v.).

cómo *adv. m.* **interr.** De qué modo o manera: *¿* ~ *lo has hecho?; no sé* ~ *te encuentras.* **2** Por qué motivo o razón; en virtud de qué: *¿* ~ *no fuiste ayer de paseo?; no sé* ~ *no la mató.* **3** Denota idea de encarecimiento en buen o mal sentido: *¡* ~ *llueve! ¡* ~ *huyó el cobarde!* **4** *¿* ~ *así?*, expresión que se emplea para pedir con extrañeza o enfado explicación de alguna cosa. **5** *¿* ~ *no?*, equivale a *¿* ~ *podría ser de otro modo?: mañana partiré, y ¿* ~ *no? si lo he prometido;* se usa mucho con el valor de la afirmación sí: *¿está usted seguro? -¿* ~ *no?* – **6 m.** Precedido del artículo, modo, manera: *el* ~ *y el cuándo.* ◇ HOMÓF.: *como* (v.).

¡cómo! Interjección con que se denota extrañeza o enfado.

cómoda *f.* Mueble con tablero de mesa y cajones superpuestos que ocupan todo el frente.

comodidad *f.* Calidad de cómodo. **2** Conveniencia, abundancia de las cosas necesarias para vivir a gusto. **3** Buena disposición de las cosas para el uso que se ha de hacer de ellas. **4** Ventaja, oportunidad. **5** Utilidad, interés.

comodín *m.* En algunos juegos de naipes, carta que se puede aplicar a cualquier suerte favorable. **2** fig. Lo que sirve para fines diversos.

cómodo, -da *adj.* Que se presta al uso necesario, sin presentar ningún inconveniente, molestia, etc. **2** Oportuno, fácil, acomodado.

comoquiera *adv. m.* De cualquier manera. – **2** *loc. conj.* Como quiera que.

compacto, -ta *adj.* [cuerpo] De textura apretada y poco porosa: *madera compacta.* **2**

Apretado, apiñado: *escritura, impresión, multitud compacta.* – **3** *m.* Conjunto de componentes de un sistema que están unidos, aunque pudieran ser independientes.

compadecer *tr.-prnl.* Compartir [la desgracia ajena] doliéndose de ella: ~ *a los pobres;* ~ *las desgracias de un pueblo; compadecerse de los pobres.* – **2** *prnl.* Venir bien una cosa con otra: *regalo y oración no se compadecen en uno; el regalo no se compadece con la oración.* **3** Conformarse, ponerse de acuerdo. ◇ ** CONJUG. [43] como *agradecer.*

compadraje *m.* Concierto de varias personas para ayudarse mutuamente. Tómase en mala parte. **2** Compañerismo entre compadres.

compadrar *intr.* Contraer compadrazgo. **2** Hacerse amigo de uno.

compadre *m.* Padrino de un niño con relación a la madrina y a los padres. **2** Padre de un niño con relación al padrino. **3** Con respecto a los padres del confirmado, el padrino en la confirmación. **4** *And.* y *Amér.* Amigo o conocido de uno: *¡Compadre Luis!* – **5** *adj. Argent.* y *Parag.* Fanfarrón, matón, chulo. ◇ En la acepción 5, úsase principalmente en su forma diminutiva *compadrito.*

compadrear *intr. Argent., Parag.* y *Urug.* Hacer ostentación de títulos, riquezas, buenas relaciones.

compaginar *tr.* Poner en buen orden [cosas que tienen alguna relación o conexión mutua]. – **2** *prnl.* fig. Corresponder o conformarse bien una cosa con otra: *esa noticia no se compagina con los informes oficiales.*

companaje *m.* Comida fiambre que se toma con pan.

compañerismo *m.* Vínculo que existe entre compañeros. **2** Concordia y buena correspondencia entre ellos.

compañero, -ra *m. f.* Persona que vive, trabaja, juega, etc., con otra habitual o circunstancialmente: ~ *de estudios;* ~ *de viaje;* ~ *de,* o *en, las fatigas; el perro es el* ~ *del hombre.* **2** Miembro de un mismo partido político o sindicato. **3** fig. Cosa que hace juego o tiene correspondencia con otra u otras.

compañía *f.* Presencia de una persona a la vera de otra para que no esté sola. **2** Persona o personas que acompañan a otra u otras. **3** Sociedad para fines comerciales o industriales: ~ *anónima;* ~ *comanditaria.* **4** Conjunto de personas que constituyen un cuerpo. **5** Unidad orgánica de soldados a las inmediatas órdenes de un capitán. **6** Cuerpo de actores formado para representar en los teatros. **7** *Compañía de Jesús,* orden de los jesuitas.

comparación *f.* Acción de comparar. **2** Efecto de comparar. **3** GRAM. *Grados de* ~, diferente intensidad con que un adjetivo calificativo es aplicado a dos o más substantivos:

este papel es más blanco, o menos blanco, o tan blanco como la nieve.

comparar *tr.* Examinar [dos o más objetos] para descubrir sus relaciones, diferencias o semejanzas: ~ *un vestido con otro;* ~ *el mérito de los trabajos presentados.*

comparatismo *m.* LING. Gramática comparada, y período en que se desarrolla.

comparativo, -va *adj.* Que compara o sirve para comparar: *oración comparativa; juicio* ~. – 2 *adj.-m.* [adjetivo y adverbio] Que expresa comparación. 3 GRAM. **Conjunción comparativa,** la que denota idea de comparación: *como, así como.*

comparecer *intr.* DER. Presentarse uno ante otro, especialmente ante el juez, personalmente o por orden, para un acto formal, en virtud del llamamiento o intimación que se le ha hecho. 2 *irón.* Presentarse, llegar a destiempo: *no compareció hasta el día siguiente; ha comparecido con un sombrero estrafalario.* ◇ ** CONJUG. [43] como *agradecer.*

comparsa *f.* Acompañamiento (en teatro). 2 Conjunto de máscaras vestidas con trajes de una misma clase. – 3 *com.* Persona que forma parte del acompañamiento (teatro).

compartimentar *tr.* Proyectar o efectuar la subdivisión interna de una superficie o un espacio: *se compartimentó el barco.*

compartimiento *m.* Parte que resulta de compartir un todo: ~ *de un coche de ferrocarril;* ~ *de equipaje;* **avión. 2 ~ **estanco,** sección, absolutamente independiente, en que se divide un buque de hierro, para conseguir que flote, aun cuando se haya anegado alguna de ellas.

compartir *tr.* Repartir, dividir, distribuir [una cosa] en partes. 2 Usar, poseer [en común]: ~ *la merienda;* ~ *la opinión de otro.*

compás *m.* Instrumento, para trazar arcos de circunferencia y tomar distancias, formado por dos piernas agudas, unidas en su extremidad superior por un eje o clavillo. 2 Resortes de metal para levantar o bajar la capota de los coches. 3 Brújula compuesta de una caja redonda con dos círculos concéntricos. 4 *fig.* Regla o medida de algunas cosas. 5 MÚS. Período de tiempo igual a otros con que se marca el ritmo de una frase musical, cuya división natural viene indicada en el pentagrama por unas líneas verticales: *marcar el* ~ *con la mano; seguir, perder el* ~; ~ **menor,** el que tiene la duración asignada a cuatro negras.

compasado, -da *adj.* Arreglado, moderado, cuerdo.

compasar *tr.* Medir con el compás: ~ *la madera.* 2 *fig.* Arreglar, proporcionar [las cosas] de modo que no sobren ni falten: ~ *el gasto, el tiempo.* 3 MÚS. Dividir en tiempos iguales las composiciones, formando líneas perpendiculares que cortan el pentagrama.

compasión *f.* Sentimiento de pena o dolor hacia el mal que padece alguno.

compasivo, -va *adj.* Que tiene compasión. 2 Que fácilmente se mueve a compasión.

compatibilidad *f.* Calidad de compatible. 2 Propiedad que poseen dos sistemas de comunicación para ser interconectados sin pérdida de información.

compatibilizar *tr.* Hacer compatible [algo]. ◇ ** CONJUG. [4] como *realizar.*

compatible *adj.* Capaz de unirse o concurrir en un mismo lugar o sujeto.

compatriota *com.* Persona de la misma patria que otra.

compeler *tr.* Obligar [a uno], con fuerza o por autoridad, a que haga una cosa.

compendiar *tr.* Reducir a compendio: ~ *una narración.* ◇ ** CONJUG. [12] como *cambiar.*

compendio *m.* Breve y sumaria exposición de lo más substancial de una materia expuesta latamente.

compenetrarse *rec.* Penetrar las partículas de una substancia entre las de otra. 2 *fig.* Identificarse las personas en ideas y sentimientos. 3 *fig.* Influirse hasta identificarse a veces cosas distintas.

compensación *f.* Acción de compensar. 2 Efecto de compensar. 3 COM. Intercambio de instrumentos de crédito entre bancos y naciones para la liquidación periódica de los créditos y débitos recíprocos.

compensar *tr.* Neutralizar el efecto [de una cosa] con el de otra: *este negociante compensa las pérdidas con las ganancias; las pérdidas se compensan con las ganancias.* 2 Dar o hacer [una cosa] en resarcimiento del daño que se ha causado.

competencia *f.* Disputa o contienda entre dos o más sujetos sobre alguna cosa. 2 Rivalidad (oposición). 3 Incumbencia. 4 Aptitud, idoneidad. 5 FILOL. Sistema de reglas interiorizado por los hablantes y que constituye su saber lingüístico.

competente *adj.* Bastante, oportuno, adecuado: *poder* ~; *edad* ~. 2 [pers.] A quien compete o incumbe alguna cosa. 3 Apto, idóneo especialmente en el trabajo intelectual.

competer *intr.* Pertenecer, tocar o incumbir a uno una cosa.

competición *f.* Competencia (disputa rivalidad), especialmente en deportes, certámenes, etc.

competidor *adj.-s.* Que compite.

competir *intr.-prnl.* Contender dos o más personas para lograr la misma cosa: ~ *con su hermano.* 2 Igualar una cosa a otra en su perfección o propiedades. ◇ ** CONJUG. [34] como *servir.*

competitividad *f.* Capacidad de competir o de soportar la competencia económica o deportiva.

competitivo, -va *adj.* Que puede competir: *precios competitivos.*

compilación *f.* Obra en la que se compilan extractos de libros, documentos, etc.

compilar *tr.* Allegar en un solo cuerpo de obra [extractos de diferentes libros, documentos, etc.].

compinche *com.* fam. *y* desp. Amigo, compañero, especialmente el de fechorías.

complacencia *f.* Sentimiento con que uno se complace en una cosa.

complacer *tr.* Acceder uno a los deseos, gustos, etc. [de otro]. 2 Causar [a otro] satisfacción o placer, agradarle. – 3 *prnl.* Hallar plena satisfacción en una cosa: *complacerse en, de* o *por, una buena noticia.* ◇ ** CONJUG. [42] como *nacer.*

complejo, -ja *adj.* Que se compone de elementos diversos. – 2 *adj.-m.* MAT. V. número ~. – 3 *m.* Conjunto de varias cosas. 4 Conjunto de edificios o instalaciones agrupados en función de una actividad común. 5 Asociación de sentimientos inconscientes que influyen sobre la personalidad: ~ *de inferioridad, de frustración,* etc.

complementar *tr.* Dar complemento [a una cosa].

complemento *m.* Lo que es preciso añadir a una cosa para que sea íntegra o perfecta. 2 Parte que se completa con otra u otras mutuamente. 3 Perfección, colmo de alguna cosa. 4 GRAM. Palabra o grupo de palabras que sirve para completar a otra u otras, bien sea en su significado, bien en su función gramatical. En la oración los complementos pueden ser *del sujeto, del verbo* y *de los complementos* . Los complementos del verbo son: ~ **directo** (también **objeto directo**), el que designa la persona o cosa que recibe directamente la acción del verbo transitivo; ~ **indirecto** (también **objeto indirecto**); el que designa la persona o cosa que recibe daño o provecho de la acción del verbo; ~ **circunstancial**, el que expresa circunstancias de lugar, modo, tiempo, medio o instrumento de la acción verbal.

completar *tr.* Integrar, hacer cabal [una cosa]. 2 Hacer perfecta [una cosa] en su clase.

completivo, -va *adj.* Que completa y llena. 2 Acabado, perfecto.

completo, -ta *adj.* Entero, lleno.

complexión *f.* Constitución fisiológica de una persona o animal.

complicación *f.* Concurrencia de cosas diversas. 2 Embrollo, dificultad. 3 MED. Síntoma que se agrega a los habituales de una enfermedad y que la agrava.

complicado, -da *adj.* Enmarañado, de difícil comprensión. 2 Compuesto de gran número de piezas. 3 [pers.] Cuyo carácter y conducta no son fáciles de entender.

complicar *tr.* Mezclar, unir [cosas entre sí diversas]. 2 Mezclar, comprometer [a alguien] en un asunto. – 3 *prnl.* Embrollarse, enmarañarse. ◇ ** CONJUG. [1] como *sacar.*

cómplice *com.* DER. Persona que, sin ser autora de un delito o falta, coopera a su perpetuación por actos anteriores o simultáneos: *ser ~ de otro.* 2 Participante en un delito o falta imputable a dos o más personas: ~ *con otros;* ~ *en el delito.*

complot *m.* Confabulación entre dos o más personas contra otra u otras. 2 Trama, intriga. 3 Conjuración o conspiración de carácter político o social. ◇ Pl.: *complots.*

compluvio *m.* Abertura cuadrada o rectangular de la techumbre de la antigua casa **romana, para dar luz y recoger las aguas pluviales.

componedor, -ra *m. f.* Persona que compone. – 2 *m.* IMPR. Regla con un borde a lo largo y un tope en uno de los extremos, en el cual se colocan las letras y signos que han de componer un renglón.

componenda *f.* Arreglo o transacción censurable o de carácter inmoral.

componente *adj.-m.* Que compone o entra en la composición de un todo.

componer *tr.* Formar un todo juntando o disponiendo [cosas diversas o partes de una misma cosa]: ~ *una medicina.* 2 Constituir, formar [un cuerpo o agregado de varias personas o cosas]: ~ *una junta; la junta se compone de cinco individuos.* 3 Hacer, producir [obras literarias o musicales]: ~ *un tratado de matemáticas, una poesía,* etc. 4 Adornar [algo]: ~ *la casa, el salón.* 5 Ataviar y engalanar [a alguien]: ~ *la novia; la novia se está componiendo.* 6 Aderezar con ingredientes [el vino u otras bebidas]. 7 Ordenar o reparar [lo desordenado o roto]: ~ *unos cuadros.* 8 Concordar, poner en paz [a los enemistados]: ~ *a las personas con palabras amorosas; componerse con los acreedores.* 9 Cortar [un negocio] por vía de transacción, especialmente acallando [al que puede perjudicar]: *compusieron a los sabinos con los privilegios de ciudadanos; con dineros compuso este negocio.* 10 Moderar, corregir, arreglar: *la música compone los ánimos; ~ las costumbres.* 11 Disponer [el semblante o el exterior de las personas] de modo que muestren modestia o serenidad; esp., en un sentido peyorativo, acomodar una cosa a un fin dañado: ~ *las razones, la expresión,* etc. 12 fam. Reforzar, restablecer: *el vino me ha compuesto el estómago.* 13 GRAM. Formar [un vocablo] combinando otros vocablos o añadiendo un prefijo; en gral., estar formado un vocablo de determinada manera: *la palabra se compone de sílabas.* 14 IMPR. Reproducir [un texto] juntando los caracteres tipográficos y formando palabras, líneas y planas. ◇ ** CONJUG. [78] como *poner;* pp. irreg.: *compuesto.*

comportamiento *m.* Conducta (manera).

comportar *tr.* fig. Sufrir, tolerar: *el beneficio no comporta los gastos de transporte.* – 2 *prnl.* Portarse, conducirse: *el alumno se comporta bien.* 3 GALIC. Acarrear, traer consigo.

composición *f.* Obra científica, literaria o musical. 2 Parte de la música que enseña las reglas para la formación del canto y del acompañamiento. 3 Ejercicio escolar de redacción sobre un tema dado. 4 Ajuste, convenio entre dos o más personas. 5 Naturaleza de los elementos presentes en un compuesto y proporción en que se hallan. 6 Conjunto de los vagones que forman un tren. 7 GRAM. Procedimiento para formar palabras nuevas agrupando dos o más palabras ya existentes en el idioma: *bocamanga, aguardiente, correveidile;* también se llama composición a la prefijación o anteposición de prefijos: *adyacente, contradecir.* 8 IMPR. Acción de juntar los caracteres tipográficos formando palabras, líneas y planas. 9 ESC. y PINT. Arte de agrupar las figuras y accesorios para conseguir el mejor efecto.

compositivo, -va *adj.* [prefijo o palabra] Que forma compuestos.

compositor, -ra *adj.-s.* Que compone. 2 Que hace composiciones musicales. – 3 *m.* *Argent., Parag.* y *Urug.* Que prepara un caballo para la carrera o un gallo para la riña.

compostelano, -na *adj.-s.* De Compostela, hoy Santiago de Compostela, ciudad de Galicia.

compostura *f.* Construcción y hechura de un todo que consta de varias partes. 2 Reparo de una cosa descompuesta. 3 Aseo, adorno, aliño. 4 Mezcla o preparación con que se adultera o falsifica algo. 5 Ajuste, convenio. 6 Modestia, mesura y circunspección.

compota *f.* Dulce de fruta cocida con agua y azúcar.

compra *f.* Conjunto de comestibles comprados para el consumo diario. 2 Objeto comprado, en general.

comprar *tr.* Adquirir [una cosa] a cambio de cierta cantidad de dinero. 2 Sobornar [a uno].

compraventa *f.* Negocio del que se dedica a comprar al público objetos usados para revenderlos: ~ *de libros, de antigüedades.*

comprender *tr.* Contener, incluir en sí [una cosa]: *España comprende muchos reinos y provincias; en el reino de León se comprendían las provincias de Galicia y de Portugal.* 2 Entender, penetrar: *yo no comprendo sus intenciones; sólo el hombre es capaz de ~ la naturaleza.*

comprensible *adj.* Que se puede comprender: ~ *al entendimiento;* ~ *para todos.*

comprensión *f.* Facultad, acto o proceso de comprender (entender) las cosas. 2 Actitud comprensiva o tolerante.

comprensivo, -va *adj.* Que comprende, contiene o incluye: *precio* ~ *de todos los impues-*

tos. 2 Que tiene la facultad de comprender (entender) fácilmente, de comprender muchas cosas: *es un hombre muy* ~.

compresa *f.* Pedazo de lienzo o celulosa que se aplica para usos médicos debajo de la venda o vendaje, y en la higiene femenina.

compresión *f.* Presión que alcanza la mezcla en el cilindro de un motor, antes de que se produzca la explosión.

compresor, -ra *adj.-s.* Que comprime. – 2 *m.* Mecanismo usado para comprimir gases.

comprimido, -da *adj.-s.* Reducido a menor volumen. 2 Aplanado, achatado. 3 ZOOL. Estrechado lateralmente, o sea en el sentido del plano medianero, como ocurre en ciertos peces. – 4 *m.* FARM. Tableta medicinal de pequeño tamaño que se obtiene por compresión de sus ingredientes previamente reducidos polvo.

comprimir *tr.* Apretar, reducir por presión el volumen [de una cosa]. 2 Reprimir, contener.

comprobar *tr.* Verificar, confirmar [una cosa] mediante demostración o pruebas que la acreditan como cierta: ~ *un dato con fechas;* ~ *la firma de un documento.* ◇ ** CONJUG. [31] como *contar.*

comprometer *tr.-prnl.* Poner de común acuerdo en manos de un tercero la solución [de una diferencia, pleito, etc.]: ~ *las diferencias en jueces, árbitros.* 2 Exponer a algún peligro o daño: ~ *los intereses de la nación;* ~ *al príncipe; no querían comprometerse a una guerra civil.* 3 Constituir [a uno] en una obligación: *comprometerle a pagar; comprometerse con otro en una promesa mercantil.* – 4 *prnl.* Establecer [una pareja] relaciones amorosas formales.

comprometido, -da *adj.* Difícil, arriesgado, apurado, apremiante: *situación comprometida.*

compromisario, -ria *adj.-s.* Relativo al compromiso. 2 [pers.] En quien otras delegan para que concierte, resuelva o efectúe alguna cosa. – 3 *m. f.* Persona por quien los electores se hacen representar para una elección.

compromiso *m.* Convenio entre litigantes, por el cual comprometen su litigio en jueces árbitros o amigables componedores. 2 Escritura o instrumento en que las partes otorgan este convenio. 3 Obligación contraída, palabra dada, fe empeñada. 4 Dificultad, embarazo, empeño. – 5 *m. pl. Méj.* Rizos o bucles ensortijados.

compuerta *f.* Portón de gruesos tablones que en los canales o presas fluviales sirve para graduar o cortar el paso del agua. 2 Especie de antepecho que se coloca en una puerta para cerrarla y no impedir la luz del día.

compuesto, -ta *adj.* Formado por varios simples o que consta de varias partes o elementos: *cuerpo* ~; *número* ~; *ojo* ~; **insecto; **flor compuesta; **hoja compuesta; **inflorescencia compuesta. 2 fig. Mesurado, circunspecto. 3 ARQ. V. orden compuesto. – 4 *m.* Agregado de varias cosas que componen un todo. – 5 *adj.-m.* MAT. V. número ~. – 6 *adj.-f.* Planta de la familia de las compuestas. – 7 *f. pl.* Familia de plantas dicotiledóneas, hierbas, arbustos y algunos árboles que se caracterizan por tener las flores compuestas; como la dalia.

compulsa *f.* DER. Copia o traslado de una escritura, instrumento o autos, sacado judicialmente y cotejado con su original.

compulsar *tr.* DER. Sacar compulsa [de una escritura, de un auto, etc.]. 2 Comprobar [un texto adoptado] con el original o el de otras ediciones o copias.

compunción *f.* Sentimiento o dolor de haber pecado. 2 Sentimiento que causa el dolor ajeno. 3 fig. Melancolía, tristeza.

compungido, -da *adj.* Atribulado, afligido.

compungir *tr.* Mover [a uno] a compunción. – 2 *prnl.* Contristarse uno de algún pecado propio o de la aflicción ajena. ◇ ** CONJUG. [6] como *dirigir*.

computador, -ra *adj.-s.* Que computa o calcula. – 2 *m. f.* Calculador o calculadora, aparato o máquina de calcular. 3 Calculador electrónico de elevada potencia equipado de memorias de gran capacidad y aparatos periféricos, que permite solucionar con gran rapidez y sin intervención humana, durante el desarrollo del proceso, problemas lógicos y aritméticos muy complejos.

computadorizar *tr.* Someter [datos] al tratamiento de una computadora. ◇ ** CONJUG. [4] como *realizar*.

computar *tr.* Determinar indirectamente [una cantidad, especialmente el tiempo] por el cálculo de ciertos datos. 2 Tomar en cuenta, ya sea en general, ya de manera determinada: *se computan los años de servicios en otros cuerpos.*

cómputo *m.* Determinación indirecta de una cantidad mediante el cálculo de ciertos datos.

comulgar *tr.* Administrar la sagrada comunión: ~ *a un enfermo.* – 2 *intr.* Recibir la sagrada comunión. 3 fig. Compartir con otro u otros los mismos principios, ideas, sentimientos. ◇ ** CONJUG. [7] como *llegar*.

común *adj.* Que no es privativo de uno, sino compartido por dos o más al mismo tiempo: ~ *a muchos.* 2 Relativo a la mayoría o a todo el mundo: *sentido* ~; *opinión* ~. 3 Ordinario, vulgar, frecuente. 4 Bajo, de inferior clase: *modales muy comunes.* – 5 *m.* Todo el pueblo de un país, provincia o ciudad.

comuna *f.* Conjunto de personas que viven en comunidad económica, a veces sexual, al margen de la sociedad organizada. 2 *Amér.* Municipio, ayuntamiento.

comunal *adj.* Común (no privativo). – 2 *adj.-s.* Común (pueblo). 3 *Amér.* Perteneciente o relativo a la comuna o municipio.

comunero, -ra *adj.* Popular, agradable para con todos. 2 Relativo a las comunidades de Castilla o partidario de ellas.

comunicable *adj.* Que puede comunicarse: *noticia* ~. 2 Sociable, tratable: *persona* ~.

comunicación *f.* Papel escrito en que se comunica alguna cosa oficialmente. 2 Trato o correspondencia entre dos o más personas. 3 Unión que se establece entre ciertas cosas, tales como mares, pueblos, casas o habitaciones mediante pasos, canales, vías, escaleras, crujías, etc. 4 Medio de unión entre dichas cosas. 5 Sonido característico que emite un aparato telefónico y que indica que puede marcarse el número deseado. – 6 *f. pl.* Correos, telégrafos, teléfonos, etc.

comunicado, -da *adj.* [lugar] Ligado a otro, generalmente más importante, por medio del transporte público, o de vías de comunicación: *barrio bien* ~. – 2 *m.* Escrito que, en causa propia y firmado, se dirige a uno o varios periódicos para que lo publiquen. 3 Comunicación (papel escrito).

comunicador, -ra *adj.* Que comunica o sirve para comunicar. – 2 *m.* Dispositivo transmisor del movimiento motor a una máquina.

comunicar *tr.* Hacer a otro partícipe [de lo que uno tiene]: ~ *el talento, las riquezas, la alegría.* 2 Dar parte, hacer saber a uno [una cosa]: *le comuniqué mis más secretos pensamientos.* 3 Transmitir señales mediante un código común al emisor y al receptor. – 4 *intr.* Dar un teléfono, al marcar un número, la señal indicadora de que la línea está ocupada por otra comunicación. – 5 *prnl.* Tratándose de cosas inanimadas, tener correspondencia o paso unas con otras: *los dos lagos se comunican.* ◇ ** CONJUG. [1] como *sacar*.

comunicativo, -va *adj.* [actitud, sentimiento] Que tiende a ganarse a otras personas: *risa comunicativa.* 2 [pers.] Que tiene tendencia a hacer partícipe a los demás de sus ideas o sentimientos.

comunicología *f.* Conjunto de conocimientos, técnicas, etc., que tratan del conocimiento e información entre personas o grupos humanos.

comunidad *f.* Calidad de común (no privativo). 2 *de ideas, de origen.* 2 Común (pueblo). 3 Reunión de personas que viven juntas y bajo ciertas reglas: ~ *de propietarios;* ~ *religiosa.* – 4 *f. pl.* Levantamientos populares, especialmente los de Castilla en tiempos de Carlos I (1500-1558).

comunión *f.* Participación en lo que es común: ~ *de ideas, de afectos.* 2 Participación de los fieles en los bienes espirituales como miembros de un mismo cuerpo: ~ *de la Iglesia* o *de los Santos.* 3 Congregación de los que profesan la misma fe, especialmente religiosa, y están sujetos a la misma disciplina: *la ~ cristiana; las comuniones protestantes.* 4 Participación en el sacramento de la Eucaristía: *recibir la ~; ~ general.*

comunismo *m.* Sistema de organización social en el que se establece la abolición de la propiedad privada y la comunidad de bienes. 2 Sistema político que trata de construir dicha organización social.

comunista *adj.-com.* Partidario del comunismo. – 2 *adj.* Relativo a este sistema.

comunitario, -ria *adj.* Propio o relativo a la comunidad, en especial la Comunidad Económica Europea.

comúnmente *adv. m.* De uso o consentimiento común. 2 Frecuentemente.

comuña *f.* Trigo mezclado con centeno.

con *prep.* Significa el instrumento, medio o modo para hacer una cosa: *se defendió ~ el puñal; gobernaba la patria ~ los consejos; eran agasajados ~ amor; entrar en la ciudad con armas.* 2 Juntamente, en compañía: *se encerró ~ Sancho en su aposento; llegaremos ~ el día; me voy ~ mi padre* (esto es , *donde está mi padre).* 3 Denota contenido o adherencia: *una bolsa ~ dinero; un misal ~ tapas cubiertas de tafilete.* 4 Expresa idea de reciprocidad: *ámense unos ~ otros;* de comparación: *su fuerza no es nada ~ la que profeso yo;* en gral., expresa idea de relación o comunicación con otros: *estar en paz ~ el ventero; hablo ~ todos; es una historia que me pasó ~ una hechicera; tenía escaso influjo ~ el rey;* significando especialmente relación se combina con la preposición *para: su lealtad para ~ el rey es muy grande.* 5 Antepuesta al infinitivo, equivale a gerundio: *~ declarar se eximió el tormento;* o a la conjunción concesiva *aunque: ~ ser tan antiguo le han postergado.* 6 A pesar de: *~ el crédito que tenía no supo mirar por sí.*

conato *m.* Empeño y esfuerzo en la ejecución de una cosa. 2 Propensión, tendencia, propósito; acto que se inicia y no continúa: *~ de incendio.*

concadenar *tr.* fig. Unir estrechamente [unas cosas con otras] como los eslabones de una cadena.

concatenación *f.* RET. Figura que se comete empleando al principio de dos o más cláusulas del período la última voz de la cláusula inmediatamente anterior.

concavidad *f.* Calidad de cóncavo. 2 Parte o sitio cóncavo.

cóncavo, -va *adj.* Que tiene, respecto del que mira, la superficie más deprimida en el centro que por las orillas.

concavoconvexo, -xa *adj.* [cuerpo] Que presenta dos superficies opuestas, una cóncava y otra convexa, de radio mayor la primera que la segunda: *lente concavoconvexa.*

concebir *intr.-tr.* Dar existencia en el seno [a un nuevo ser] por medio de la fecundación: *su esposa ha concebido; concibió un hijo varón.* 2 fig. Formar en la mente [idea o concepto de una cosa]; comprenderla: *concibió el pensamiento de arrojarlos; concibe sin dificultad; no se concibe tanta crueldad.* – 3 *tr.* fig. Comenzar a sentir [una pasión o afecto]: *~ esperanzas.* ◇ ** CONJUG . [34] como *servir* ◇ GALIC. por expresar, redactar, contener: *una carta concebida en los siguientes términos.*

conceder *tr.* Hacer merced y gracia [de una cosa]. 2 Convenir [en lo que uno dice o afirma]: *le concedo que en esto no tengo razón.* 3 Atribuir una cualidad o condición, discutida o no, a una persona o cosa.

concejal, -la *m. f.* Individuo de un concejo o ayuntamiento.

concejero, -ra *adj.* Público, conocido.

concejo *m.* Ayuntamiento (corporación y casa consistorial). 2 Municipio. 3 Sesión celebrada por los individuos de un concejo.

concelebrar *tr.-intr.* Celebrar [una misa] entre varios sacerdotes.

concento *m.* Canto acordado y armonioso de diversas voces.

concentración *f.* Acción de concentrar o concentrarse. 2 Efecto de concentrar o concentrarse.

concentrado, -da *adj.* Internado en el centro de una cosa. 2 fig. Reconcentrado, no comunicativo. – 3 *m.* Salsa espesa de alguna cosa: *~ de tomate, de carne.*

concentrar *tr.-prnl.* fig. Reunir en un centro o punto [lo que estaba separado]: *~ el poder en una mano; el interés se concentra en una escena; el gobierno concentró tropas en la capital.* 2 DEP. Reunir, aislar [a un deportista o a un equipo] en un lugar antes del encuentro. 3 QUÍM. Aumentar la proporción de materia disuelta con relación al disolvente. – 4 *prnl.* Fijar la atención en un solo tema, asunto, etc.: *no consigo concentrarme.*

concéntrico, -ca *adj.* GEOM. [figura o sólido] Que tiene un mismo centro; **circunferencia.

conceptismo *m.* Estilo literario conceptuoso, caracterizado por el abuso del ingenio. Aplícase especialmente a los prosistas y oradores del s. XVII .

concepto *m.* Idea que concibe el entendimiento. 2 Pensamiento expresado con palabras: *un ~ obscuro, claro.* 3 Sentencia, agudeza. 4 Opinión, juicio formado especialmente por vía de observación: *tener buen ~ de uno; en mi ~ ya es tarde.* 5 Aspecto, calidad, título. 6 Argent. y Urug. Utilidad o beneficio que uno tiene, o gasto que hace.

conceptualismo *m.* Doctrina metafísica que trata de mediar entre el nominalismo y el realismo, a base de admitir la realidad de las nociones universales en cuanto son conceptos de la mente, pero negándosela fuera de ésta.

conceptualizar *tr.-intr.* Elaborar un concepto a partir de un elemento. 2 Organizar en conceptos. 3 Exponer o mantener ideas abstractas, sin preocupación por una aplicación práctica. ◇ ** CONJUG. [4] como *realizar.*

conceptuar *tr.* Formar concepto o juicio [de una persona o cosa]: ~ *a uno de inteligente* ◇ ** CONJUG. [11] como *actuar.*

conceptuoso, -sa *adj.* Sentencioso, agudo, lleno de conceptos: *escritor ~; estilo ~.*

concernir *unipers.* Atañer. ◇ ** CONJUG. [29] como *discernir.* Verbo defectivo; se usa sólo en los presentes de indicativo y subjuntivo, en el pretérito imperfecto de indicativo y en las formas no personales.

concertación *f.* Acuerdo en común de las diversas partes que componen un todo: *la ~ social es beneficiosa.*

concertar *tr.-prnl.* Pactar, ajustar, acordar [un negocio]: ~ *la paz entre dos naciones;* ~ *un casamiento; los dos reyes se concertaron; concierta una casa de la ciudad.* 2 Componer, ordenar las partes [de una cosa o varias cosas entre sí]: *le concertaron los dislocados huesos;* ~ *un plan acabado y completo.* 3 Cotejar, concordar [una cosa con otra]: ~ *dos fechas históricas.* 4 Acordar entre sí [voces o instrumentos músicos]. – 5 *intr.-prnl.* Concordar, convenir entre una cosa con otra: *música y gloria conciertan bien; valiente y sabio pocas veces se conciertan.* – 6 *intr.* GRAM. Guardar concordancia las palabras variables de una oración. ◇ ** CONJUG. [27] como *acertar.*

concertina *f.* Especie de acordeón de forma hexagonal; **viento (instrumentos de).

concertino *m.* Músico que toca la parte más destacada de un concierto (composición).

concertista *com.* Persona que dirige un concierto, o canta o toca en él. 2 esp. El que da un concierto, acompañado o no de piano u orquesta.

concesión *f.* DER. Otorgamiento gubernativo a favor de particulares o empresas: *la ~ de una obra pública.*

concesionario, -ria *adj.-s.* Individuo o entidad que tiene la exclusiva de producción o distribución de determinados productos en una zona. – 2 *m. f.* DER. Persona a quien se hace una concesión.

concesivo, -va *adj.* Que se concede o puede concederse. – 2 *adj.-f.* GRAM. *Oración concesiva,* la subordinada que expresa una objeción o dificultad para el cumplimiento de lo que se dice en la oración principal; pero este obstáculo no impide su realización: *aunque haga mal tiempo, saldremos.* 3 **Conjunción concesiva,* la que enlaza oraciones de esta clase: *aunque, por más que,* etc.

conciencia *f.* Conocimiento que el espíritu

humano tiene de su propia existencia, de sus estados y de sus actos: *no tener ~ de sus propios méritos.* 2 Propiedad del espíritu humano de formular juicios normativos espontáneos e inmediatos sobre bondad o maldad de ciertos actos individuales determinados.

concienciar *tr.-prnl.* Hacer que [alguien] tome conciencia de sí mismo. – 2 *prnl.* Adquirir conciencia de algo. ◇ ** CONJUG. [12] como *cambiar.*

concienzudo, -da *adj.* [pers.] Que es de estrecha y recta conciencia. 2 [pers.] Que hace las cosas con gran atención y detenimiento. 3 Hecho a conciencia.

concierto *m.* Buen orden y disposición de las cosas. 2 Convenio entre dos o más personas o entidades sobre un fin común. 3 Sesión en que se ejecutan varias composiciones de canto o de música instrumental. 4 Composición musical en la que uno o más instrumentos se destacan del acompañamiento de la orquesta. 5 Armonía musical de voces o instrumentos.

conciliábulo *m.* Concilio no convocado por autoridad legítima. 2 fig. Junta para intrigar o tratar de una cosa que es o se presume ilícita.

conciliación *f.* Conveniencia o semejanza de una cosa con otra. 2 Favor o protección que uno se granjea.

I) conciliar *adj.* Relativo a los concilios: *decisión, decreto ~.* – 2 *m.* Persona que asiste a un concilio.

II) conciliar *tr.* Concertar, poner de acuerdo [a los que estaban opuestos entre sí]. 2 Conformar [doctrinas aparentemente contrarias]: ~ *lo útil con lo agradable.* – 3 *prnl.* Granjear, atraerse [las voluntades y la benevolencia]: *conciliarse el respeto de todos.* ◇ ** CONJUG. [12] como *cambiar.*

concilio *m.* Junta o congreso, especialmente de eclesiásticos, para deliberar y decidir sobre materias de dogmas y de disciplina: ~ *ecuménico* o **general**, junta de todos los obispos de la Iglesia convocada legítimamente. 2 Colección de los decretos de un concilio.

concisión *f.* Calidad del estilo que consiste en expresar los conceptos con las menos palabras posibles.

conciso, -sa *adj.* Que tiene concisión.

concitar *tr.* Excitar [los sentimientos de uno] contra otro; promover discordias o sediciones: ~ *los ánimos;* ~ *el pueblo contra el gobierno; se concitó el odio de todos.* 2 Reunir, congregar.

conciudadano, -na *m. f.* Ciudadano de una misma ciudad, respecto de los demás. 2 p. ext. Natural de una misma nación, respecto de los demás.

cónclave, conclave *m.* Lugar en donde los cardenales se encierran para elegir Papa. 2

Junta de los cardenales. 3 *fig.* Junta para tratar algún asunto.

concluir *tr.-prnl.* Dar remate [a una cosa]; acabar (dar fin): ~ *un trato; ~ una obra; concluirse la representación.* – 2 *tr.* Decidir, formar juicio [sobre lo que se ha tratado]: *al fin todos concluían que el pastor forastero había llevado la ventaja.* 3 Inferir, deducir [una verdad] de otras: *por donde concluyo que Dios es justo.* 4 Convencer [a uno]; dejarle sin qué responder: *os parece que me concluís con vuestras razones; ~ a uno de ignorante.* – 5 *intr.* Finalizar, rematar: *el primer acto concluye con un monólogo; ~ en vocal una palabra; ~ por las mismas letras.* ◇ ** CONJUG. [62] como *huir.*

conclusión *f.* Deducción, consecuencia, resolución que se toma luego de un largo razonar: *he llegado a la ~ de que es culpable.* 2 Juicio inferido de las premisas de un silogismo.

concoide *f.* Dado, en un plano, un haz de rectas que pasan todas por un punto y son cortadas por una secante común, la **curva formada por los puntos de cada una de ellas que distan una cantidad constante del punto en que cada recta corta la secante común.

concoideo, -a *adj.* Semejante a la concha.

concomerse *prnl. fam.* Mover los hombros y espaldas por causa de alguna comezón o por burla y jocosidad. 2 *fig.* Sentir comezón interior; consumirse de impaciencia, pesar u otro sentimiento.

concomitar *tr.* Acompañar una cosa [a otra] u obrar juntamente con ella.

concordancia *f.* Correspondencia o conformidad de una cosa con otra. 2 GRAM. Relación de dos o más palabras diferentes por la conformidad de accidentes. – 3 *f. pl.* Índice alfabético de todas las palabras de un libro, con todas las citas de los lugares en que se hallan. ◇ V. Apéndice gramatical.

concordar *tr.* Poner de acuerdo [lo que no lo está]: ~ *opiniones.* – 2 *intr.* Convenir una cosa con otra: *la copia concuerda con su original.* 3 GRAM. Guardar concordancia las palabras variables de una oración. ◇ ** CONJUG. [31] como *contar.*

concordato *m.* Tratado o convenio sobre asuntos eclesiásticos entre el gobierno de un estado y la Santa Sede.

concorde *adj.* Conforme, uniforme, de un mismo parecer y sentir.

concordia *f.* Conformidad, unión. 2 Ajuste entre personas que litigan.

concreción *f.* Acumulación de partículas unidas para formar masas: ~ *calcárea.*

concrescente *adj.* [órgano vegetal] Que crece unido a otro formando una sola masa.

concretar *tr.* Combinar, concordar [algunas especies o cosas]. 2 Reducir a lo más esencial [la materia de que se habla o escribe]: ~ *un*

razonamiento. 3 Expresar en forma concreta [las ideas abstractas o las imágenes genéricas]. – 4 *prnl.* Reducirse o tratar de una cosa sola con exclusión de otros asuntos: *me concreto a tus preguntas.*

concreto, -ta *adj.* [objeto] Considerado en sí mismo, con exclusión de cuanto pueda serle extraño o accesorio. 2 Real, particular. – 3 *adj.-m.* MAT. V. número ~.

concubina *f.* Mujer que hace vida marital con un hombre que no es su marido.

concubinato *m.* Trato de un hombre con su concubina.

concúbito *m.* Ayuntamiento carnal.

conculcar *tr.* Quebrantar [una ley, convenio, etc.]. ◇ ** CONJUG. [1] como *sacar.*

concuñado, -da *m. f.* Cónyuge de una persona respecto del cónyuge de otra persona hermana de aquélla.

concupiscencia *f.* Apetito y deseo, generalmente desordenado, de los bienes terrenos, y especialmente de placeres deshonestos.

concurrencia *f.* Reunión en un mismo lugar o tiempo de personas, sucesos o cosas: *la ~ de un teatro; ~ de fuerzas; ~ de circunstancias.* 2 Acción de contribuir con otros a un resultado: *prestar su ~ a uno.* 3 Asistencia, ayuda, influjo. 4 Competencia, rivalidad.

concurrir *intr.* Juntarse en un mismo lugar muchas personas: ~ *a una iglesia.* 2 Coincidir en el tiempo varias cosas: *este año concurre el domingo de Ramos con la festividad de la Encarnación.* 3 Juntarse varias cosas para producir un efecto: *las causas que concurren para adquirir, no asisten para mantener.* 4 Contribuir con una cantidad para determinado fin. 5 Convenir con otro en el parecer o dictamen: *concurrieron todos en el mismo sentir.* 6 Tomar parte con otros [en un concurso]: ~ *al certamen académico.* 7 Competir, rivalizar. 8 GEOM. Pasar varias líneas por un mismo punto.

concursar *tr.* Ordenar que los bienes [de una persona] se pongan en concurso de acreedores. 2 Concurrir o acudir a un concurso: ~ *una cátedra; ~ un empleo.*

concurso *m.* Concurrencia: ~ *de gente; ~ de fenómenos; prestar su ~ a uno.* 2 Competencia abierta entre diversas personas en quienes concurren las mismas condiciones, para escoger la mejor o las mejores: *tomar parte en un ~; abrir un ~ para proveer una cátedra, para construir un edificio.* 3 Competición deportiva. 4 Competición o prueba entre varios contendientes para conseguir un premio: ~ *de belenes.*

concusión *f.* Sacudimiento. 2 Exacción hecha por un funcionario en provecho propio.

concha *f.* Caparazón (envoltura rígida), y también la formación caliza, generalmente externa, segregada por el manto de los braquiópodos y de los **moluscos. 2 Ostra. 3 *fig.* Cosa en figura de concha (caparazón). 4 Mueble colocado en medio del proscenio para ocultar al apuntador y reflejar su voz hacia los actores; **teatro. 5 Seno muy cerrado en la costa del mar. 6 *Amér.* Órgano sexual femenino. 7 *Amér.* Cinismo, descaro.

conchabado, -da *m. f. Amér. Merid.* Sirviente a sueldo.

conchabar *tr.* Unir, juntar, asociar, especialmente mezclar [las diferentes clases de lana] después de esquilada. – 2 *prnl.* fam. Confabularse. – 3 *tr. Amér.* Asalariar, tomar [sirviente] a sueldo.

conchabo *m. Amér.* Contrato de servicio menudo, generalmente doméstico.

conchero *m.* Depósito prehistórico de restos de moluscos y peces que servían de alimento a los hombres de aquellas edades.

conchil *m.* Molusco gasterópodo marino, de gran tamaño; segrega un licor que, como el de la púrpura y el múrice, fue usado antiguamente en tintorería.

concho *m. Amér.* Residuos, sedimentos, borras.

condado *m.* Dignidad honorífica de conde. 2 Territorio o lugar gobernado antiguamente por un conde o condesa.

condal *adj.* Relativo al conde o a su dignidad.

conde *m.* En el régimen feudal, señor de una comarca. 2 En la jerarquía de títulos nobiliarios, el situado después del marqués y antes de vizconde.

condecir *intr.* Convenir, concertar o guardar armonía una cosa con otra. ◇ ** CONJUG. [69] como *decir;* pp. irreg.: *condicho.*

condecoración *f.* Cruz, venera u otra insignia de honor y distinción.

condecorar *tr.* Dar o imponer una condecoración [a uno].

condena *f.* DER. Parte de la sentencia que dicta un juez o tribunal, en la cual se impone la pena al acusado de un delito o falta. 2 Extensión y grado de la pena.

condenado, -da *adj.-s.* Réprobo. 2 fig. Perverso, endemoniado, nocivo.

condenar *tr.* Declarar culpable el juez [al reo] o decretar [contra un litigante], imponiendo la pena o sanción correspondiente: *~ a presidio; ~ con,* o *en, las costas;* en gral., declarar, juzgar culpado: *no condenes a la ligera.* 2 Reprobar la autoridad competente [una doctrina u opinión]; en gral., desaprobar, sentir mal [de una cosa]: *~ la usura, las malas costumbres; ~ por lascivo a un autor.* 3 Tabicar o incomunicar [una habitación]; cerrar o tapiar [pasos, puertas, ventanas, etc.]. 4 Forzar [a uno] a hacer algo penoso. 5 Echar a perder [alguna cosa]. – 6 *prnl.* Culparse a sí mismo.

condensador, -ra *adj.* Que condensa. – 2 *m.* Aparato para reducir los gases a menor volumen. 3 Sistema óptico empleado en las máquinas de proyección para concentrar en una superficie dada los rayos procedentes de un foco luminoso.

condensar *tr.-prnl.* Reducir el volumen [de una cosa], dándole mayor densidad; esp., pasar un gas al estado líquido. – 2 *tr.* fig. Reducir la extensión [de un escrito o discurso] sin quitarle nada de lo esencial.

condesa *f.* Mujer del conde o la que por sí goza de este título.

condescender *intr.* Acomodarse por bondad al gusto y voluntad de otro: *~ a los ruegos de alguien.* ◇ ** CONJUG. [28] como *entender.*

condición *f.* Índole, naturaleza o propiedad de las cosas. 2 Natural, carácter o genio de los hombres: *ser de ~ apacible.* 3 Calidad o circunstancia con que se promete una cosa. 4 Cláusula obligatoria de la que depende la validez de un acto: *las condiciones de la paz; estipular las condiciones de un contrato.* 5 Circunstancia exterior que determina, limita o modifica el estado de una persona o cosa: *trabajar en malas condiciones; las condiciones de la existencia.* 6 Estado social o calidad del nacimiento: *ser de ~ plebeya; la ~ de esclavo; hombre de ~ noble* o simplemente *de ~.*

condicional *adj.* Que incluye una condición. – 2 *adj.-f. Oración ~,* la subordinada que establece una condición (*prótasis*) para que se efectúe la acción expresada por la oración principal (*apódosis*): *si estudiases te aprobarían.* 3 **Conjunción ~,** la que señala la relación en oraciones de esta clase: *si, con, tal que, a condición [de] que,* etc. – 4 *m.* GRAM. En algunas tendencias de la gramática actual, tiempo del modo indicativo. Antes se consideraba como un modo **verbal independiente, el *modo potencial* (v.). ◇ Incor. usar en la prótasis el condicional, p. ej., *si vendría le recibiríamos con gusto,* en lugar de *si viniera o viniese, le recibiríamos con gusto.*

condicionar *tr.* Hacer depender [una cosa] de alguna condición: *~ el trabajo al salario.* 2 Determinar las condiciones [de las materias, especialmente de las fibras textiles] para fines industriales. 3 Acondicionar, disponer.

cóndilo *m.* Eminencia redondeada en la extremidad de un hueso, que forma articulación encajando en el hueco correspondiente de otro hueso.

condimentar *tr.* Sazonar la comida.

condimento *m.* Lo que sirve para sazonar la comida.

condolencia *f.* Participación en el pesar ajeno.

condolerse *prnl.* Dolerse, con otro, del pesar que le aflige, participar en su dolor. ◇ ** CONJUG. [32] como *mover.*

condón *m.* vulg. Preservativo.

condonar *tr.* Remitir [una pena o deuda].

cóndor *m.* Ave rapaz falconiforme, de gran

tamaño, que habita en la cordillera de los Andes; su plumaje es negro con un collar blanco, y tiene blancas también la espalda y la parte superior de las alas *(Sarcorhamphus gryphus)*.

condrila *f.* Planta compuesta de tallo velloso y mimbreño y flores amarillas; es comestible y de su raíz se saca liga *(Chondrilla juncea)*.

condrioma *m.* Conjunto de los condriosomas de una **célula.

condriosoma *m.* Granulación y filamentos existentes en el protoplasma de la célula.

condrografía *f.* Parte de la anatomía que trata de la descripción de los cartílagos.

conducción *f.* Ajuste hecho por precio y salario. 2 Conjunto de conductos dispuestos para el paso de algún líquido o fluido.

conducir *tr.* Dirigir y guiar [a una o más personas] hacia un paraje: *una estrella nos guía, un amigo nos conduce;* **intr.**, *el camino conduce a una casa.* 2 Dirigir y guiar [un negocio]: ~ *la petición al bien del reo;* esp., gobernar y guiar [un vehículo]: ~ *un camión;* **abs.**, *¿quién conduce?* 3 Ser causa de que [una persona o cosa] llegue a cierto estado: *el vicio conduce a la degradación.* 4 Llevar, transportar [cosas] de una parte a otra: ~ *la carga en carreta;* ~ *por mar.* 5 Ajustar, concertar [a uno] por precio o salario: *el capitán condujo y levantó gente.* – 6 **intr.** Ser a propósito para algún fin: *esto no conduce a nada.* – 7 *prnl.* Comportarse, proceder de ésta o la otra manera. ◇ ** CONJUG. [46].

conducta *f.* Manera de conducirse. 2 Gobierno, dirección.

conductancia *f.* FÍS. Propiedad de algunos cuerpos que permiten el paso a su través de los fluidos energéticos como la electricidad, cuando las tensiones son diferentes.

conductismo *m.* Doctrina psicológica exclusivamente basada en la observación del comportamiento objetivo del ser que se estudia.

conductividad *f.* Calidad de conductivo. 2 FÍS. Propiedad natural de los cuerpos que consiste en transmitir el calor o la electricidad.

conducto *m.* Canal, generalmente cubierto, que sirve para dar paso y salida a diferentes materias. 2 Tubo o canal que en los cuerpos organizados para la vida sirve a las funciones fisiológicas: ~ *auditivo externo,* canal óseo, excavado en el temporal, recubierto de tegumento, que va desde el pabellón de la oreja hasta la membrana del tímpano; *conductos semicirculares,* pequeños conductos del oído interno, situados detrás del caracol y encargados de la percepción de las sensaciones que constituyen la base del sentido del equilibrio; **oído. 3 fig. Medio o vía que se sigue en algún negocio. 4 fig. Persona por quien se dirige un negocio o pretensión, o por quien se tiene noticia de alguna cosa.

conductor, -ra *adj.* Que conduce. – 2 *adj.-s.* [pers.] Que gobierna y guía un vehículo: ~ *suicida,* el de un automóvil que circula deliberadamente por el carril de sentido contrario. 3 [cuerpo] Que deja pasar fácilmente a través de su masa el calor o la electricidad. 4 *Amér.* Cobrador de los pasajes de un vehículo.

condumio *m.* Comida en general. 2 *Méj.* Dulce, especie de turrón.

conectar *tr.* Combinar con el movimiento de una máquina [el de un aparato dependiente de ella]. 2 Poner en contacto, unir.

conejera *f.* Madriguera de conejos. 2 fig. Cueva estrecha y larga. 3 fig. Sótano o aposento estrecho donde se recogen muchas personas.

conejo *m.* Mamífero lagomorfo lepórido, de forma que recuerda la de la liebre, pero de menor tamaño *(Lepus cuniculus).* 2 *Amér.* Nombre que reciben diversas especies de roedores. -- 3 *adj. Amér. Central.* Soso, sin azúcar, amargo.

conexión *f.* Trabazón, concatenación de una cosa con otra. – 2 *f. pl.* Amistades.

conexionar *tr.* Enlazar, ligar, conectar.

conexo, -xa *adj.* Que tiene conexión.

confabularse *prnl.* Ponerse secretamente de acuerdo dos o más personas sobre una cuestión que interesa también a un tercero: *se han confabulado con los contrarios para perderme.*

confección *f.* Fabricación en serie de prendas de vestir: *clases de corte y* ~. 2 Fabricación de determinadas cosas, como bebidas, perfumes, etc., generalmente por mezcla o combinación de otras.

confeccionar *tr.* Hacer enteramente [una obra material] combinando sus diversos elementos, ingredientes, etc.: ~ *un traje;* ~ *un plato de cocina.* 2 p. ext. Preparar o hacer obras de entendimiento, como presupuestos, estadísticas, etc.

confederación *f.* Unión, pacto, liga entre algunas personas, naciones o estados para un fin único. 2 Conjunto de personas o de estados confederados: ~ *helvética.*

confederar *tr.* Reunir en confederación [a varias personas, naciones o estados].

conferencia *f.* Reunión de dos o más personas para tratar de un negocio, asunto, etc. 2 Disertación en público sobre una cuestión científica, literaria, doctrinal, etc. 3 ~ *telefónica,* conversación por teléfono entre poblaciones distintas. 4 ~ *de prensa,* reunión en la que los periodistas preguntan a una persona sobre determinados asuntos.

conferenciante *com.* Persona que pronuncia una conferencia (disertación).

conferenciar *intr.* Reunirse dos o más personas para tratar de un negocio, asunto, etc.: *el embajador argentino conferenció con el jefe del gobierno.* ◇ ** CONJUG . [12] como *cambiar.*

conferir *tr.* Conceder a uno [dignidad, empleo o facultades]. 2 Tratar, examinar entre varias personas [un asunto]: ~ *un negocio con,* o *entre, amigos.* 3 Cotejar, comparar [una cosa con otra]: *confería el sueño y,* o *con, la verdad.* 4 Tratándose de órdenes, instrucciones, etc., comunicarlas para su cumplimiento. 5 Atribuir o prestar una cualidad no física a una persona o cosa. ◇ ** CONJUG. [35] como *hervir.*

confesar *tr.-prnl.* Manifestar o decir uno [sus actos, ideas o sentimientos ocultos]. 2 Reconocer uno [lo que no puede negar], por motivos de razón, fe, etc.: ~ *una verdad; el buen ladrón confesó a Cristo.* 3 Declarar [la verdad] obligado por las circunstancias: ~ *su delito; el reo confesó.* 4 Declarar el penitente al confesor [sus pecados]: *confesarse a Dios; confesarse con un padre franciscano;* ~ *sus pecados* o *confesarse de ellos; confiesa y comulga cada mes.* ◇ ** CONJUG. [27] como *acertar;* pp. reg.: *confesado;* irreg.: *confeso.*

confesión *f.* Acción de confesar o confesarse: *hizo* ~ *de sus sentimientos; la* ~ *del reo.* 2 Efecto de confesar o confesarse. 3 Afirmación pública de la fe que uno profesa: *la* ~ *de Augsburgo.* 4 Creencia religiosa y conjunto de personas que tienen esta creencia.

confesional *adj.* Relativo a una confesión religiosa.

confeso, -sa *adj.* [pers.] Que ha confesado su delito o culpa.

confesonario *m.* Mueble dentro del cual se coloca el sacerdote para oír las confesiones sacramentales en las iglesias.

confesor *m.* Sacerdote que, con licencia del ordinario, confiesa a los penitentes.

confeti *m.* Pedacitos de papel de color que se arrojan en las fiestas de carnaval, al paso de las procesiones, etc. ◇ Pl.: *confetis.*

confiado, -da *adj.* Crédulo, imprevisor. 2 Presumido, orgulloso.

confianza *f.* Esperanza firme que se tiene de una persona o cosa. 2 Seguridad que uno tiene en sí mismo. 3 Presunción y vana opinión de sí mismo. 4 Familiaridad en el trato, a veces excesiva. 5 Ánimo, aliento, vigor. 6 Pacto hecho ocultamente, principalmente si son tratantes o del comercio.

confiar *tr.* Depositar en uno sin más seguridad que la buena fe [la hacienda, un secreto, etc.]. 2 p. ext. Poner al cuidado de uno [un negocio]: *le confiaron la dirección de la obra.* 3 Dar confianza o esperanza [a uno]: *tus favores me confían.* – 4 *intr.-prnl.* Esperar con firmeza y seguridad: ~ *en la prosperidad;* ~ *de sí mismo;* ~ *de,* o *en, alguno; yo me confío en usted.* ◇ ** CONJUG. [13] como *desviar.*

confidencia *f.* Confianza. 2 Revelación secreta, noticia reservada.

confidencial *adj.* Que se hace o se dice en confidencia, que contiene una confidencia.

confidente, -ta *adj.* Fiel, seguro, de confianza. – 2 *m. f.* Persona a quien otra fía sus secretos o le encarga la ejecución de cosas reservadas. 3 eufem. Espía. – 4 *m.* Canapé de dos asientos. 5 Silla o sillón auxiliar de despacho.

configuración *f.* Disposición de las partes que componen una cosa y le dan su peculiar figura: ~ *del terreno.*

configurar *tr.* Dar determinada configuración [a una cosa].

confín *adj.* Que confina (linda). – 2 *m.* Término que divide las poblaciones, provincias, etc., y señala los límites de cada uno. 3 Último término a que alcanza la vista.

confinar *intr.* Lindar o estar contiguo: ~ *con Francia.* – 2 *tr.* Desterrar [a uno], asignándole residencia obligatoria: ~ *a,* o *en, tal parte.* – 3 *prnl.* Encerrarse, recluirse: *se confinó en su casa.*

confirmación *f.* Nueva prueba de la verdad y certeza de un suceso, dictamen, etc. 2 Uno de los siete sacramentos, destinado a hacer que descienda el Espíritu Santo sobre el cristiano para confirmarlo en la gracia del bautismo.

confirmar *tr.* Corroborar la verdad o certeza [de una cosa]: ~ *una doctrina.* 2 Corroborar el concepto que merece [una persona]: ~ *a uno por sabio;* ~ *de docto.* 3 Revalidar [lo ya aprobado]: ~ *una sentencia.* 4 Asegurar, dar [a una persona o cosa] mayor firmeza: ~ *a uno en la fe.* 5 Administrar [a uno] el santo sacramento de la confirmación.

confiscar *tr.* Atribuir al fisco [los bienes de una persona]. ◇ ** CONJUG. [1] como *sacar.*

confitar *tr.* Cubrir con baño de azúcar [las frutas o semillas preparadas para este fin]. 2 Cocer [las frutas] en almíbar. 3 fig. Endulzar, suavizar. 4 Conservar [carne comestible] después de frita intensamente en su propia salsa, en tarros, recubierta de grasa.

confite *m.* Pasta de azúcar y algún otro ingrediente, en forma de bolillas.

confitería *f.* Establecimiento del confitero. 2 Arte de fabricar dulces y confituras de todas clases. 3 *Amér.* Café donde se expenden dulces, tabacos, etc., además de bebidas.

confitero, -ra *m. f.* Persona que tiene por oficio hacer o vender dulces y confituras.

confitura *f.* Fruta u otra cosa confitada.

conflagración *f.* Incendio (fuego grande). 2 Perturbación repentina de pueblos o naciones, especialmente a causa de guerra.

conflagrar *tr.* Inflamar, incendiar, quemar [una cosa].

conflictividad *f.* Calidad de conflictivo. 2 Situación de conflicto, especialmente en las relaciones laborales.

conflictivo, -va *adj.* ANGLIC. Que crea conflictos o se encuentra en conflicto: *persona conflictiva; situación conflictiva.*

conflicto *m.* Lo más recio de un combate. 2 Choque, combate prolongado: *el ~ ruso-japonés.* 3 fig. Combate y angustia del ánimo. 4 Apuro, situación desgraciada, de difícil salida. 5 Antagonismo, rivalidad.

confluencia *f.* Lugar donde confluyen los ríos o los caminos.

confluir *intr.* Juntarse dos o más corrientes de agua en un paraje. 2 fig. Juntarse en un punto dos o más caminos. 3 Concurrir en un sitio mucha gente. ◇ ** CONJUG. [62] como *huir.*

conformación *f.* Disposición de las partes que forman una cosa.

conformar *tr.* Dar forma [a alguna cosa]. – 2 *tr.-intr.-prnl.* Ajustar, concordar [una cosa con otra]: *~ las almas divididas; ~ la vida a, o con, la doctrina; la traducción se conforma con el original; las señales y efectos no conforman; conformaba con nuestra regla.* – 3 *intr.-prnl.* Convenir una persona con otra; ser de su mismo dictamen: *sólo conformaba en el lenguaje; se han conformado las partes.* – 4 *prnl.* Sujetarse uno voluntariamente a hacer o sufrir una cosa: *conformarse a, o con, la voluntad de los padres.*

conforme *adj.* De forma igual a otro objeto tomado como modelo. 2 Acorde con otra cosa tomada como término de comparación. 3 Acorde con otro en un mismo dictamen, unido con él para alguna acción o empresa. 4 Asentimiento que se pone al pie de un escrito. 5 Resignado y paciente en las adversidades. – 6 *adv. m.* Denota relación de conformidad, correspondencia o modo, y equivale a con arreglo a, en proporción a, en correspondencia a: *~ a derecho; ~ a soberbia; a tenor de, ajustándose a, de acuerdo con: ~ a lo prescrito; ~ a lo que anoche determinamos;* del mismo modo que, en el mismo grado que, al mismo paso que: *todo queda ~ estaba; se alegraba ~ veía los semblantes de cada uno.* 7 Según, de la misma manera: *todo te lo devuelvo ~ lo recibí.*

conformidad *f.* Semejanza entre dos personas. 2 Calidad de conforme. 3 Simetría y proporción entre las partes que componen un todo. 4 Adhesión total de una persona a otra. 5 Tolerancia y sufrimiento en las adversidades.

conformista *adj.-com.* [pers.] Que está de acuerdo con lo oficialmente establecido en política, religión, orden social, etc. 2 [pers.] Que se adapta fácilmente a cualquier circunstancia de carácter público o privado.

confort *m.* Comodidad, bienestar.

confortable *adj.* Que conforta (anima). 2 Que produce comodidad. 3 Que produce o da la sensación de confort.

confortar *tr.* Dar vigor, espíritu y fuerza. 2 Animar, consolar [al afligido].

confraternal *adj.* Relativo a los amigos y camaradas.

confraternar *intr.* Hermanarse una persona con otra.

confraternizar *intr.* Confraternar. 2 Tratarse con amistad y camaradería. 3 Llegar a establecer trato o amistad personas separadas por alguna diferencia social, de grupo, intereses, etc. ◇ ** CONJUG. [4] como *realizar.*

confrontar *tr.* Carear [a una persona con otra]: *~ dos testigos; ~ a un testigo con el reo.* 2 Cotejar [una cosa con otra], especialmente escritos. – 3 *intr.* Confinar, lindar. – 4 *intr.-prnl.* Estar o ponerse una cosa enfrente de otra: *no confrontan nuestras ideas; confrontarse con un competidor.*

confucianismo *m.* Conjunto de las doctrinas morales, políticas y religiosas predicadas por Confucio (551-479) en el siglo v antes de Cristo.

confulgencia *f.* Brillo simultáneo: *~ de los astros.*

confundir *tr.-prnl.* Mezclar [cosas o personas diversas] de modo que no puedan distinguirse unas de otras: *los dos ríos confunden sus aguas; confundirse en, o entre, la muchedumbre; confundirse con la plebe.* 2 No hacer la distinción debida [entre las cosas]: *~ el lenguaje y, o con, el estilo;* tomar erróneamente una cosa por otra, equivocarse: *confundirse en los juicios; está usted confundido; le confundí con su hermano.* 3 Perturbar, desordenar: *~ todas las leyes divinas y humanas.* 4 fig. Convencer o concluir [a uno] en la disputa: *~ a los herejes.* 5 fig. Turbar [a uno] de manera que no acierte a explicarse: *nos confunde tanta audacia; todos se confundían sospechando que aquello era burla.* 6 fig. Humillar, abatir, avergonzar: *usted me confunde con elogios; confundirse de lo que se ve.* ◇ Pp.: *confundido* y *confuso.*

confusión *f.* Falta de orden, de concierto o de claridad. 2 eufem. Equivocación. 3 Perplejidad, desasosiego, turbación del ánimo. 4 Abatimiento, humillación. 5 Afrenta, ignominia.

confusionismo *m.* Obscuridad en las ideas o en el lenguaje, producida en general deliberadamente.

confuso, -sa *adj.* Mezclado, revuelto. 2 Obscuro, dudoso. 3 Difícil de distinguir, poco perceptible. 4 fig. Turbado, temeroso.

confutar *tr.* Refutar de modo convincente [la opinión contraria].

congelador *m.* Vasija para congelar. 2 En las neveras, compartimiento especial donde se produce hielo. 3 Aparato electrodoméstico que sirve para congelar alimentos y guardarlos congelados.

congelar *tr.-prnl.* Hacer pasar [un cuerpo] del estado líquido al sólido. 2 fig. Someter [una substancia jugosa] a una temperatura lo bastante baja para que se congele el líquido que la embebe: *~ carne.* 3 Mantener provisionalmente inactivos [los saldos, créditos, etc.] de una cuenta, por disposición de la autoridad. 4 fig. Bloquear, inmovilizar, reservar [algo].

congénere *adj.* Del mismo género, de un mismo origen o de la propia derivación.

congeniar *intr.* Avenirse una persona con otra u otras por tener el mismo genio, carácter o inclinaciones. ◊ ** CONJUG. [12] como *cambiar.*

congénito, -ta *adj.* Que se engendra juntamente con otra cosa. 2 Connatural y como nacido con uno.

congestión *f.* Acumulación excesiva de sangre en una parte del cuerpo. 2 fig. Acumulación, aglomeración en general: ~ *del tráfico en una calle;* ~ *de mercancías en una estación.*

congestionar *tr.-prnl.* Producir congestión [en una parte del cuerpo]. – 2 *prnl.* Producirse una concurrencia excesiva de personas, vehículos, etc.

conglobar *tr.* Juntar [cosas] de modo que formen globo o montón.

conglomerado *m.* Aglomerado, especialmente el de madera. 2 GEOL. Masa formada por fragmentos redondeados de diversas rocas o substancias minerales unidas por un cemento.

conglomerante *adj.-s.* Material capaz de unir fragmentos de una o varias substancias y dar cohesión al conjunto; como el cemento, el yeso, la cal, etc.

conglomerar *tr.* Aglomerar. – 2 *prnl.* Agruparse fragmentos o corpúsculos de una misma o de diversas substancias de modo que resulte una masa compacta.

conglutinoso, -sa *adj.* Que tiene virtud para pegar.

congo *m. Amér.* Hueso mayor de las piernas posteriores del cerdo.

congoja *f.* Desmayo, fatiga y aflicción del ánimo.

congoleño, -ña, congolés, -lesa *adj.-s.* Del Congo, antigua región de África ecuatorial, hoy Zaire.

congoña *f.* Planta del orden de las celastrales cuyas hojas poseen una substancia estimulante similar a la cafeína y que se utiliza para preparar infusiones *(Villaresia congoha).*

congosto *m.* Desfiladero entre montañas.

congraciar *tr.-prnl.* Conseguir [la benevolencia o el afecto de uno]: *el marqués los ha congraciado; congraciarse con todos.* ◊ ** CONJUG. [12] como *cambiar.*

congratular *tr.-prnl.* Manifestar [a uno], con expresiones de complacencia, que se comparte su alegría, satisfacción, etc.: *congratularse con los suyos; congratularse de,* o *por, alguna cosa.*

congregación *f.* Junta para tratar de uno o más negocios. 2 Reunión de monasterios de una misma orden bajo la dirección de un superior general. 3 Cuerpo o comunidad de sacerdotes seculares, dedicados al ejercicio de los ministerios eclesiásticos, bajo ciertas constituciones. 4 En el Vaticano, junta compuesta de cardenales, prelados, etc., para el despacho de varios asuntos: ~ *de Ritos, de Propaganda.*

congregar *tr.-prnl.* Juntar, reunir. ◊ ** CONJUG. [7] como *llegar.*

congresista *com.* Miembro de un congreso científico, literario, etc.

congreso *m.* Junta de varias personas para deliberar sobre algún negocio: ~ *de los Diputados,* cuerpo legislativo compuesto de personas nombradas por elección. 2 Edificio donde los diputados a Cortes celebran sus sesiones. 3 En algunos países, asamblea nacional. 4 Conferencia generalmente periódica en que los miembros de una asociación, cuerpo, organismo, profesión, etc., se reúnen para debatir cuestiones previamete fijadas.

congrio *m.* Pez marino teleósteo, anguiliforme, comestible, que habita cerca de las desembocaduras de los ríos *(gén. Conger).*

congruencia *f.* Conveniencia, oportunidad; ilación o conexión de ideas, palabras, etc. 2 Relación existente entre dos números tales que, divididos cada uno por otro número dado (módulo), dan el mismo residuo.

congruente *adj.* Conveniente, oportuno. 2 [número] Que es congruente respecto a un módulo.

cónico, -ca *adj.* Relativo al cono: *secciones cónicas,* la elipse, la hipérbola y la parábola; **curva. 2 De forma de cono.

conidio *m.* En la reproducción asexual de los hongos, espora que nace por gemación en el extremo de una hifa.

conífero, -ra *adj.-f.* Planta del orden de las coníferas. – 2 *f. pl.* Orden de plantas al que pertenecen árboles y arbustos ramificados, de flores unisexuales y semillas en piñas.

conivalvo, -va *adj.* [molusco] De concha cónica.

coniza *f.* Hierba compuesta, medicinal, de tallo muy ramoso, hojas lanceoladas y cabezuelas amarillas *(Inula conyza).*

conjetura *f.* Juicio que se forma de una cosa o acaecimiento por las señales o indicios que de él se tienen.

conjeturar *tr.* Creer [algo] por conjeturas: ~ *la fecha de un monumento por,* o *de, sus motivos ornamentales.*

conjugación *f.* BIOL. Fusión en uno de los núcleos de las células reproductoras de los seres vivos. 2 GRAM. Serie ordenada de todas las formas de un verbo, por medio de las cuales se expresan sus accidentes gramaticales. 3 GRAM. Grupo en que se dividen los verbos de una lengua según la manera como se conjugan. En castellano hay tres conjugaciones: terminados en -*ar* (primera), en -*er* (segunda) y en -*ir* (tercera). ◊ V. Apéndice gramatical.

conjugado, -da *adj.* [líneas o cantidad] Que está enlazada con otra por alguna ley o relación determinada. 2 [nervio] Que concurre a una misma acción. – 3 *adj.-f.* Alga de la clase de las conjugadas. – 4 *f. pl.* Clase de algas verdes, unicelulares o filamentosas que se reproducen por conjugación.

conjugar *tr.-prnl.* Unir, enlazar: *no podía ~ los intereses de todos.* 2 GRAM. Unir sucesivamente las desinencias [de un verbo] a su radical, o establecer las formas compuestas para expresar los accidentes de voz, modo, tiempo, número y persona. 3 GRAM. Poner o decir en serie ordenada todas las formas que puede revestir [un verbo]. ◇ ** CONJUG. [7] como *llegar.*

conjunción *f.* ASTRON. Situación relativa de dos astros cuando tienen la misma longitud. 2 GRAM. Parte de la oración que enlaza las oraciones simples para constituir la oración compuesta o período. ◇ V. Apéndice gramatical.

conjuntar *tr.* Agrupar [varias cosas] de tal modo que formen un conjunto armonioso.

conjuntiva *adj.-f.* Membrana mucosa que cubre la cara posterior de los párpados y la parte anterior del globo del ojo; en esta parte, especialmente delante de la córnea, es transparente.

conjuntivitis *f.* MED. Inflamación de la conjuntiva. ◇ Pl.: *conjuntivitis.*

conjuntivo, -va *adj.* Que junta y une. 2 GRAM. Relativo a la conjunción o que tiene su naturaleza: *modo ~.*

conjunto, -ta *adj.* Unido o contiguo a otra cosa. 2 Mezclado, incorporado con otra cosa diversa. 3 Aliado, unido a otro por parentesco o amistad. – 4 *m.* Agregado de varias cosas. 5 Totalidad de una cosa, considerada sin atender a sus partes o detalles. 6 Grupo de personas que actúan bailando y cantando en espectáculos de variedades. 7 Grupo poco numeroso de músicos que acompañan a un cantante o cantan ellos mismos. 8 Juego de vestir femenino. 9 MAT. Totalidad de entes matemáticos que tienen determinada propiedad.

conjura, conjuración *f.* Acuerdo concertado secretamente contra el estado o el soberano.

conjurado, -da *adj.-s.* Que entra en una conjuración.

conjurar *intr.-prnl.* Ligarse con otro mediante juramento para algún fin. – 2 *intr.* Conspirar las personas o cosas contra uno. – 3 *tr.* Juramentar (tomar juramento). 4 Decir [contra los demonios] los exorcismos dispuestos por la Iglesia. 5 Pedir [a uno] con instancia o con alguna especie de autoridad: *os conjuro a que me contéis los hechos tal como ocurrieron en realidad.* 6 fig. Impedir, evitar [un daño o peligro].

conjuro *m.* Imprecación supersticiosa con la cual cree el vulgo que hacen sus prodigios los hechiceros. 2 Ruego encarecido.

conllevar *tr.* Ayudar a uno a llevar [los trabajos]. 2 Sufrir [a uno] el genio y las impertinencias. 3 Ejercitar la paciencia [en los casos adversos]. 4 Implicar, suponer, acarrear.

conmemoración *f.* Solemnidad, ceremonia religiosa, con que se conmemora una persona o acontecimiento: *la ~ de los difuntos; en ~ de una victoria.*

conmemorar *tr.* Hacer solemnemente memoria o servir para hacer memoria [de una persona o acontecimiento]: *~ a todos los santos; monumento para ~ una victoria.*

conmensurable *adj.* Sujeto a medida o valuación. 2 MAT. [cantidad] Que tiene con otra una medida común.

conmensurar *tr.* Medir con igual o debida proporción.

conmigo Forma especial del **pronombre personal *mí* como término de la preposición *con.*

conminar *tr.* Amenazar [a uno con penas y castigos] el que tiene potestad de hacerlo: *el hado nos conmina con males; conminóle con un castigo.*

conmiseración *f.* Compasión.

conmoción *f.* Movimiento o perturbación violenta del ánimo o del cuerpo. 2 Levantamiento, tumulto, disturbio. 3 Movimiento sísmico muy perceptible. 4 ~ *cerebral,* pérdida del conocimiento ocasionada por un golpe fuerte en la cabeza, o por otras causas.

conmocionar *tr.* Producir conmoción.

conmover *tr.-prnl.* Perturbar, inquietar, mover fuerte o eficazmente. 2 Enternecer (emocionar). ◇ ** CONJUG. [32] como *mover.*

conmutador, -ra *adj.* Que conmuta. – 2 *m.* FÍS. Pieza o aparato eléctrico que sirve para que una corriente cambie de conductor. 3 *Amér.* Centralita telefónica.

conmutar *tr.* Trocar, permutar [una cosa] por otra, especialmente [una pena, una obligación, etc.] por otra más suave: *~ una obligación con, o por, otra; ~ una pena en otra.* 2 Dar validez en un centro, carrera o país a estudios aprobados en otro. 3 Comprar, vender o cambiar comercialmente unas cosas por otras.

conmutativo, -va *adj.* Relativo a la conmutación: *contrato ~.* 2 [justicia] Que debe regular las permutas. 3 MAT. [operación o propiedad de ciertas operaciones] De resultado invariable cambiando el orden de sus términos o elementos.

connatural *adj.* Propio o conforme a la naturaleza del ser viviente.

connaturalizar *tr.* Hacer connatural [una cosa]. – 2 *prnl.* Acostumbrarse uno a una cosa: *~ con el trabajo, con el clima.* ◇ ** CONJUG. [4] como *realizar.*

connivencia *f.* Disimulo o tolerancia del superior para las faltas de sus subordinados.

connivente *adj.* [hoja u otro órgano de una planta] Que, estando más o menos separado [de otro] por la base, se aproxima a él hasta ponerse en contacto por su extremo superior, pero sin llegar a soldarse. 2 Culpable de connivencia.

connotación *f.* Parentesco en grado remoto.

connotar *tr.* Hacer relación. 2 GRAM. Sugerir una palabra [otra significación], además de la primera: la palabra *león* denota el animal de este nombre, y connota «valentía».

connumerar *tr.* Contar [una cosa] o hacer mención [de ella] entre otras.

cono *m.* BOT. Piña (fructificación); **gimnospermas. 2 GEOM. **Sólido limitado por una base plana de periferia curva y la superficie formada por las rectas que unen cada punto de esta base con un punto llamado vértice. 3 GEOM. Superficie cónica. 4 Pieza de dicha forma: *el ~ de la hélice de un **avión.* 5 Montaña o agrupación de lavas, cenizas, etc., de forma cónica; **volcán. 6 Molusco gasterópodo marino, provisto de una concha univalva en forma de cono de hasta 5 cms. de altura; posee un diente hueco con el que inyecta veneno a su presa *(Conus mediterraneus).*

conocedor, -ra *adj.-s.* Avezado a discernir la naturaleza y propiedades de una cosa. 2 Experto, enterado, entendido. – 3 *m.* Mayoral de ganado vacuno.

conocer *tr.* Tener la idea o noción [de una cosa]; llegar a saber, por medio de la inteligencia, [la naturaleza, cualidades y relaciones de las cosas]: *~ el orden de la naturaleza; ~ la estructura de la materia.* 2 Tener idea [del carácter de una persona]: *como te conozco, no hago caso de tus palabras;* p. ext., tener noticia [de una persona]: *le conozco, he oído hablar de él;* tener trato o comunicación [con una persona]: *nos conocemos, nos tratamos; prnl., se conocen de muchos años.* 3 Echar de ver que [una persona o cosa] es la misma de que ya uno tenía idea: *el enfermo conoció su habitación.* 4 Entender, advertir, echar de ver [alguna cosa o circunstancia particular]: *~ el peligro.* 5 Presumir, conjeturar [lo que puede suceder]: *~ que ha de llover.* 6 Entender [en un asunto] con facultad legítima para ello: *~ el juez una causa; intr., ~ de,* o *en, tal asunto; intr.,* ser conocedor: *conozco bien de pinturas.* 7 fig. Tener trato carnal el hombre [con una mujer]. – 8 *prnl.* Juzgar justamente de sí mismo. ◇ ** CONJUG. [44].

conocido, -da *adj.* Distinguido, ilustre. – 2 *m. f.* Persona con quien se tiene trato, pero no amistad.

conocimiento *m.* Entendimiento, inteligencia, razón natural. 2 Conciencia de la propia existencia.

conoide *adj.* De figura parecida a la de un cono. – 2 *m.* Sólido formado por la revolución de una sección cónica alrededor de su eje.

conoideo, -a *adj.* Que tiene figura cónica: *conchas conoideas.*

conopeo *m.* Velo o cortina que se pone sobre el sagrario cubriéndolo completamente.

conque *conj. ilativa* Anuncia una consecuencia natural de lo que acaba de decirse: *te educó, te dio carrera; conque no tienes motivo sino para estarle agradecido;* después de punto final se refiere a lo que se tiene ya sabido o apoya la frase que sigue: *¿~ está usted de enhorabuena? ¿~ nos vamos o nos quedamos? – 2 m.* fam. Condición: *éste es el ~ indispensable para la unión.* ◇ INCOR.: *Conqué.* ◇ Obsérvese la forma *con que* en el sentido *con el cual, la cual,* etc.: *las atribuciones con que he sido investido.* No debe confundirse con la preposición *con* y la conjunción *que*: *con que me quieras tengo bastante.*

conquense *adj.-s.* De Cuenca.

conquián *m. Méj.* Juego de naipes muy común.

conquiliología *f.* Parte de la zoología que trata de los moluscos y especialmente de sus conchas.

conquiolina *f.* Substancia córnea que forma la concha de los moluscos.

conquista *f.* Acción de conquistar. 2 Efecto de conquistar. 3 Cosa o persona conquistada.

conquistador, -ra *adj.-s.* Que conquista.

conquistar *tr.* Adquirir a fuerza de armas [un reino, provincia, ciudad, etc.]. 2 fig. Ganar la voluntad [de uno]. 3 fig. Lograr el amor de una persona.

conrear *tr.* Preparar [una cosa] mediante cierta manipulación; como en el cultivo [de las tierras], dar una segunda reja.

consabido, -da *adj.* Que ya es sabido por cuantos intervienen en un acto de comunicación. 2 Conocido, habitual, característico.

consagrar *tr.* Hacer o declarar sagrada [a una persona o cosa]; dedicarla a cultos sagrados: *~ una iglesia; ~ a un obispo.* 2 Pronunciar el sacerdote las palabras rituales para transformar [el pan y el vino] en el cuerpo y la sangre de Jesucristo: *abs., el sacerdote consagra.* 3 Dedicar, ofrecer a Dios por culto o voto [a una persona o cosa]: *~ una hija a Dios; consagrarse con voto de virginidad.* 4 fig. Erigir un monumento para perpetuar la memoria [de una persona o suceso]; p. ext., dedicar, ofrecer en calidad de homenaje u obsequio: *la Academia consagra sus loores a sus muertos.* 5 Destinar [una palabra] para determinada significación. 6 Sancionar, aprobar [algo] una persona que tiene autoridad para ello. – 7 *tr.-prnl.* Dedicar con suma eficacia y ardor [una cosa] a determinado fin: *~ la vida a la patria; consagrarse al estudio.* 8 Conferir fama [a alguien] en determinada actividad: *esa novela lo consagró.* ◇ Impropio por dedicar, destinar, aplicados a cosas vulgares: *consagraba muchas horas al tocador,* por dedicaba, etc.

consanguinidad *f.* Parentesco de las personas que descienden de un mismo tronco.

consciencia *f.* Conciencia (conocimiento).

consciente *adj.* Que tiene conciencia (conocimiento). 2 Con pleno uso de los sentidos y facultades.

consecución *f.* Acción de conseguir. 2 Efecto de conseguir.

consecuencia *f.* Hecho o acontecimiento que se sigue o resulta necesariamente de otro: *tener consecuencias una cosa.* 2 Proposición que se deduce lógicamente de otra o de un sistema de proposiciones dado.

consecuente *adj.* Que viene inmediatamente después en orden o está situado a continuación. 2 Que es consecuencia (resultado) de una cosa. 3 Conforme a las leyes de la lógica: *razonamiento ~.*

consecutivamente *adv. m.* De manera consecutiva. 2 Uno después de otro.

consecutivo, -va *adj.* Que se sigue a otra cosa inmediatamente. – 2 *adj.-f. Oración consecutiva,* la subordinada que se expresa como una consecuencia de la principal. 3 ****Conjunción consecutiva,** la que enlaza oraciones de esta clase; pueden considerarse *continuativas o ilativas.*

conseguir *tr.* Obtener [lo que se pretende o desea]. ◇ ** CONJUG. [56] como *seguir.*

conseja *f.* Cuento, fábula, patraña. 2 Conciliábulo (conventículo).

consejería *f.* Lugar, establecimiento, oficina, etc., donde funciona un consejo, corporación consultiva, administrativa o de gobierno. 2 Cargo de consejero.

consejero, -ra *m. f.* Persona que aconseja o sirve para aconsejar. 2 fig. Lo que sirve de advertencia para la conducta de la vida: *la envidia es mala consejera.* 3 Persona que forma parte de algún Consejo. 4 Ministro de algunos gobiernos autonómicos de España.

consejo *m.* Parecer o dictamen que se da o toma para hacer o no hacer una cosa. 2 Reunión de personas oficialmente encargadas de aconsejar; cuerpo legislativo o administrativo de un estado, de una corporación, especialmente municipal; reunión destinada a formar un tribunal especial: *el ~ de los ancianos; el ~ de una sociedad anónima.* 3 Lugar donde se reúnen. 4 Acuerdo (resolución de una persona).

consenso *m.* lit. Asenso, consentimiento. 2 Acuerdo conseguido por diferentes grupos políticos.

consensuar *tr.* Llegar a un consenso. 2 Acordar [algo] por mayoría, incluso antes de someterlo a votación: *la ley estaba consensuada cuando se discutió en el Parlamento.* ◇ ** CONJUG. [11] como *actuar.*

consentido, -da *adj.* Mimado con exceso. 2 [marido] Que sufre la infidelidad de su mujer.

consentimiento *m.* Acción de consentir. 2 Efecto de consentir.

consentir *intr.-tr.* Admitir con voluntad determinada [el dictamen ajeno o la sugestión propia]: *~ con las pasiones; ~ en adorar el sol; ~ el mal.* 2 Creer, tener por cierta [una cosa]: *consentí en que me robaban en aquel momento.* – 3 *tr.* Permitir [una cosa], condescender en que se haga: *los ministros consienten el alboroto.* 4 Ser compatible, ofrecer posibilidad: *el puerto consiente barcos de mucho porte;* admitir, permitir: *me consiente delante de sí;* sufrir: *es una obra que no consiente añadidura.* 5 Mimar con exceso [a los hijos]; ser sobrado, indulgente [con los inferiores]. – 6 *intr.* Ceder, aflojarse las piezas que componen un mueble u otra construcción. – 7 *prnl.* Empezar a rajarse o henderse una cosa: *el buque se consintió al varar.* ◇ ** CONJUG. [35] como *hervir.*

conserje *m.* El que tiene por oficio cuidar de la custodia, limpieza y llaves de un edificio o establecimiento público.

conserjería *f.* Oficio del conserje. 2 Habitación del conserje en el edificio que está a su cuidado.

conserva *f.* Carne, pescado, fruta, etc., que en virtud de cierta preparación y a veces envasada herméticamente, se conserva comestible durante mucho tiempo. 2 Compañía que se hacen varias embarcaciones navegando juntas para auxiliarse o defenderse mutuamente: *navegar en ~.*

conservador, -ra *adj.-s.* Que conserva. 2 [pers., opinión o partido político] Que tiende a mantener lo establecido: *diario ~; partido ~.* – 3 *m. f.* Persona que cuida de la conservación de alguna cosa: *~ del museo del Prado.*

conservadurismo *m.* Doctrina de los partidos políticos conservadores. 2 Actitud de los conservadores.

conservante *adj.* Que conserva. – 2 *m.* Substancia que impide o retrasa el deterioro de la calidad de un alimento.

conservar *tr.* Mantener [una cosa] en cierto estado; cuidar de su permanencia: *~ la hacienda;* mantener vivo y sin daño [a uno]; hacer perseverar en cierto estado: *respeta y ama al que te hizo y te conserva con,* o *en, salud.* 2 Hablando [de costumbres, virtudes, etc.], continuar la práctica de ellas. 3 Guardar con cuidado [una cosa]: *~ unos libros en el armario.* 4 Hacer conservas: *~ la fruta.*

conservatorio, -ria *adj.* Que contiene y conserva alguna o algunas cosas. – 2 *m.* Establecimiento oficial para la enseñanza y fomento de ciertas artes: *~ de música; ~ de declamación.* 3 Argent. Academia o colegio particular.

conservero, -ra *m. f.* Persona que tiene por oficio hacer conservas. 2 Propietario de una industria conservera. – 3 *adj.* Relativo a las conservas: *industria conservera.*

considerable *adj.* Digno de consideración. 2 Grande, cuantioso.

consideración *f.* Acción de considerar. 2 Efecto de considerar. 3 Urbanidad, respeto, deferencia.

considerado, -da *adj.* Que obra con reflexión. 2 Que atiende y respeta a los demás, o que es atendido y respetado.

considerar *tr.* Pensar, reflexionar [una cosa] con atención: *considera, hijo mío, lo que me debes.* 2 Tomar en consideración [un asunto, propuesta, etc.]. 3 Juzgar, estimar: *consideras a los hombres demasiado malos; no te consideres feliz; imaginar: se consideraba en un palacio.* 4 Tratar [a uno] con urbanidad y respeto.

consigna *f.* Orden dada al que manda un puesto, a un centinela, guarda, etc. 2 p. ext. Orden dada por un partido a sus afiliados. 3 Depósito de equipajes de una estación de transportes.

consignar *tr.* Destinar [el rédito de una finca o efecto] para el pago de una deuda o renta. 2 Señalar en el presupuesto [una cantidad] para un fin determinado. 3 Designar la tesorería que ha de cumplir [obligaciones determinadas]. 4 Destinar [un sitio] para poner en él una cosa; esp., entregar [una cosa] por vía de depósito. 5 Manifestar por escrito [las opiniones, votos, doctrinas, etc.].

consignatario *m.* El que recibe en depósito, por auto judicial, el dinero que otro consigna. 2 Persona que en los puertos de mar representa al armador de un buque para entender en los asuntos administrativos relacionados con su carga y pasaje.

consigo Forma especial del **pronombre personal reflexivo *sí* como término de la preposición *con.*

consiguiente *adj.* Que depende y se deduce de otra cosa. – 2 *m.* Consecuencia (proposición). 3 GRAM. Segundo término de una relación gramatical. Se opone a antecedente, p. ej., la oración de relativo, la apódosis de una condicional, etc.

consiguientemente *adv. m.* Por consecuencia.

consistencia *f.* Duración, estabilidad. 2 Trabazón, coherencia. 3 FÍS. Fuerza con que se atraen las partículas de la masa de un cuerpo.

consistir *intr.* Estribar, estar fundada una cosa en otra: *la perfección consiste en la imitación de las virtudes de Cristo.* 2 Ser efecto de una causa: *mis sentimientos consisten en mis desgracias.* 3 Estar una cosa incluida en otra o constituida por ella: *el primer fondo consiste en dos mil pesetas.*

consistorial *adj.-s.* Relativo al consistorio: *casa ~,* ayuntamiento. – 2 *adj.* [dignidad] Que se proclama en el consistorio del Papa.

consistorio *m.* Consejo que celebra el Papa con asistencia de los cardenales de la Santa Iglesia Romana. 2 En algunas ciudades y villas de España, ayuntamiento o cabildo secular. 3 Consejo directivo en algunas comunidades religiosas protestantes o judías.

consola *f.* Mesa, generalmente sin cajones y con un segundo tablero inmediato al suelo, que suele estar arrimada a la pared, y en la cual se colocan candelabros y otros adornos. 2 Tablero de mandos de un aparato eléctrico o electrónico.

consolador, -ra *adj.-s.* Que consuela. – 2 *m.* Pene artificial para simular el coito.

consolar *tr.-prnl.* Aliviar la pena o aflicción [de uno]. ◇ ** CONJUG. [31] como *contar.*

consolidar *tr.* Dar firmeza o solidez [a una cosa]. 2 p. ext. y fig. Reunir o pegar [lo que se había quebrado o roto]. 3 Liquidar [una deuda flotante] para convertirla en fija o perpetua. 4 fig. Asegurar del todo [la amistad, la alianza, etc.].

consomé *m.* Consumado (caldo).

consonancia *f.* MÚS. Cualidad de aquellos sonidos que, oídos simultáneamente, producen un efecto agradable. 2 MÉTR. Identidad de sonido en la terminación de dos palabras, desde la última vocal que lleva el acento inclusive; constituye esta consonancia la rima perfecta; como *luna* y *fortuna* . 3 fig. Relación de igualdad o conformidad de algunas cosas entre sí.

consonante *adj.-s.* MÉTR. Voz con respecto a otra de la misma consonancia: *rima ~ o perfecta.* 2 MÚS. Que forma consonancia. – 3 *adj.* Que tiene relación de igualdad o conformidad con otra cosa, de la cual es correspondiente y correlativa. – 4 *adj.-f.* GRAM. Sonido de una lengua originado por el cierre o estrechamiento de los órganos de articulación. Se producen solos o acompañados de vocal.

consonántico, -ca *adj.* Relativo a una consonante o a las consonantes: *sistema ~ de un idioma.*

consonantismo *m.* Sistema consonántico de un idioma, de una época, etc.

consonantización *f.* Conversión histórica de una vocal en consonante.

consonar *intr.* MÚS. Formar consonancia. 2 Aconsonantar (palabras). 3 fig. Tener algunas cosas igualdad o conformidad entre sí. ◇ ** CONJUG. [31] como *contar.*

consorcio *m.* Participación de una misma suerte con uno o varios. 2 Agrupación de entidades para negocios importantes: *~ bancario, aduanero, de seguros.*

consorte *com.* Persona que es partícipe con otra u otras de la misma suerte. 2 Marido respecto de la mujer, y viceversa. – 3 **com. pl.** Los que litigan unidos, formando una sola parte en el pleito. 4 Los que juntamente son responsables de un delito.

conspicuo, -cua *adj.* Ilustre, insigne.

conspirar *intr.* Concurrir varias cosas a un mismo fin, generalmente malo: *la malicia y la ignorancia conspiran a corromper las costumbres.* 2 Obrar de consumo contra una persona o cosa: ~ *con otros en un intento;* esp., unirse contra su superior o soberano: *el hermano conspiró contra su príncipe.*

constancia *f.* Firmeza y perseverancia del ánimo: *hombre de gran* ~. 2 Certeza, exactitud de algún hecho o dicho. 3 Acción de hacer constar alguna cosa de manera fehaciente, prueba: *no hay* ~ *de que recibió el dinero.* 4 Efecto de hacer constar alguna cosa de manera fehaciente, prueba.

constante *adj.* Que tiene constancia. 2 [cosa] Persistente, durable. 3 Cantidad, valor que se mantiene invariable: *constantes vitales,* MED., conjunto de datos relativos a la composición y las funciones del organismo, cuyo valor debe mantenerse dentro de ciertos límites para que la vida prosiga en condiciones normales.

constantemente *adv. m.* Con constancia. 2 Con notoria certeza. 3 A menudo, insistentemente.

constar *intr.* Estar compuesto un todo de determinadas partes: *el ejército constaba de seis mil infantes.* 2 Tener los versos la medida y la acentuación correspondientes: *estos versos no constan.* 3 Ser cierta y evidente una cosa: *esta circunstancia consta en los autos; me consta que ha llegado; constan su edad y nombre.*

constatar *tr.* Comprobar, hacer constar.

constelación *f.* Figura arbitraria formada con un conjunto de estrellas fijas y región celeste que comprende una de estas figuras.

consternar *tr.-prnl.* Conturbar mucho y abatir el ánimo [de uno].

constipado *m.* Catarro, resfriado.

constipar *tr.* Cerrar los poros, impidiendo la transpiración. – 2 **prnl.** Resfriarse, acatarrarse.

constitución *f.* Manera de estar constituida una cosa: *la* ~ *atmosférica.* 2 Contextura fisiológica y conjunto de fuerzas vitales de un individuo: *ser de* ~ *robusta.* 3 Forma de gobierno de un estado. 4 Ley fundamental de la organización de un estado. 5 Ordenanza o estatuto con que se gobierna una corporación.

constitucional *adj.* Inherente a la constitución de un individuo. 2 Relativo a la constitución de un estado. – 3 *adj.-s.* Adicto a ella.

constituir *tr.* Formar, componer: *éstas son las virtudes que constituyen la felicidad.* 2 Ser: *esto no constituye un impedimento.* 3 Hacer que [una pers. o cosa] sea de cierta calidad o condición: *Dios los constituyó jueces del mundo.* 4 Fundar, erigir, ordenar: *constituyeron un colegio de veinte sacerdotes;* ~ *un censo sobre una dehesa; se han constituido en república.* – 5 **prnl.** Seguido de una de las preposiciones *en* o *por,* asumir obligación, cargo o cuidado: *se constituyó por su guardador, en fiador.* ◇ ** CONJUG. [62] como *huir.*

constitutivo, -va *adj.-m.* Que constituye una cosa en el ser de tal y la distingue de otras.

constituyente *adj.* Que constituye, constitutivo. – 2 *adj.-f. pl.* Cortes convocadas para dictar o reformar la constitución del estado: *reunión de las Constituyentes.* – 3 **com.** Persona elegida como miembro de una asamblea constituyente.

constreñimiento *m.* Coacción, apremio.

constreñir *tr.* Obligar, precisar [a uno] que haga una cosa. 2 Impedir o quitar la libertad para realizar algo. 3 MED. Apretar y cerrar como oprimiendo. ◇ ** CONJUG. [36] como *ceñir.*

construcción *f.* Tratándose de edificios, obra construida. 2 Arte de construir. 3 GRAM. Ordenamiento y disposición sintáctica de las palabras en la oración y las oraciones en el período.

constructivismo *m.* ARQ. Movimiento artístico, abstracto y vanguardista, nacido en Rusia a principios del siglo XX, que incorpora a la obra artística espacio y tiempo, a fin de conseguir formas dinámicas.

constructivo, -va *adj.* Que construye o sirve para construir, por oposición a lo que destruye: *crítica constructiva.*

constructor, -ra *adj.-s.* Que construye.

construir *tr.* Hacer con los elementos necesarios y siguiendo un plan [un mueble, una máquina, una casa, un navío, etc.]. 2 GRAM. Ordenar y enlazar debidamente las palabras [en la oración o frase] o las oraciones [en el período] para la expresión del pensamiento: *este escritor no construye con elegancia.* ◇ ** CONJUG. [62] como *huir.*

consubstanciación *f.* Doctrina luterana según la cual el cuerpo y la sangre de Jesucristo se hallan presentes en la eucaristía sin que por ello quede destruida la substancia del pan y del vino.

consubstancial *adj.* Que es de la misma substancia, individua naturaleza y esencia con otro.

consuegro, -gra *m. f.* Padre o madre de un cónyuge, respecto del padre o madre del otro.

consuelda *f.* Hierba boraginácea, vellosa, de hojas ovales, flores en racimos colgantes y rizoma mucilaginoso, empleado en medicina *(Symphytum officinale).*

consuelo *m.* Lo que consuela. 2 Gozo, alegría.

consueta *com.* Apuntador de teatro.

consuetudinario, -ria *adj.* Que es de costumbre: *derecho ~.*

cónsul *m.* Magistrado que tenía en la República romana la suprema autoridad y cuya magistratura duraba solamente un año; p. ext., en diferentes épocas, magistrado o funcionario. – 2 *com.* Agente diplomático que cuida de proteger en una población las personas e intereses de los nacionales del país que representa: *~ de España en Buenos Aires.*

consulado *m.* Cargo de cónsul. 2 Oficina de un cónsul.

consular *adj.* Relativo a un cónsul o a los cónsules: *provincia ~; jurisdicción ~.*

consulta *f.* Reunión de dos o más personas para aconsejarse entre sí sobre una determinación o temor, y especialmente la de un médico y un enfermo o un abogado y su cliente. 2 Parecer o dictamen acerca de una cosa consultada. 3 Clínica o local donde el médico visita a sus enfermos.

consultar *tr.* Deliberar, tratar con una o varias personas [sobre lo que se ha de hacer en un negocio]: *~ una dificultad; ~ lo que conviene; ya tengo con quien ~.* 2 Pedir parecer, dictamen o consejo: *~ una dificultad al, o con el, confesor; ~ a sus consejeros, a las cortes; ~ a, o con, la razón.* 3 Averiguar datos. 4 Dar los consejos, tribunales, etc., al rey o a otra autoridad dictamen por escrito [sobre un asunto] o proponerse [sujetos] para un empleo: *prevengo al Consejo trate y me consulte los medios de ordenar su archivo; el Consejo consulta todos los empleos civiles; el Consejo consultó favorablemente al Rey.* – 5 *tr.-intr.* Hacerse examinar por un médico.

consultivo, -va *adj.* [materia] Que los consejos o tribunales deben consultar con el gobierno. 2 [junta o corporación] Establecido para ser oído y consultado por los que gobiernan.

consultorio *m.* Establecimiento privado donde se despachan informes sobre materias técnicas. 2 Establecimiento particular en el que uno o más médicos reciben a los enfermos que van a consultarles. 3 Sección que en los periódicos o en las emisoras de radio, está destinada a contestar las preguntas que les hace el público.

consumación *f.* Extinción, acabamiento total: *la ~ de los siglos,* el fin del mundo.

consumado, -da *adj.* Perfecto en su línea: *~ escritor; ~ en una Facultad.* – 2 *m.* Caldo de carnes, muy substancioso.

consumar *tr.* Llevar a cabo totalmente [una cosa].

consumición *f.* Lo que se consume en un café o en cualquier establecimiento público de comidas y bebidas.

consumido, -da *adj.* fig. Muy flaco, extenuado y macilento. 2 Que se aflige con poco motivo.

consumidor, -ra *adj.-s.* Que consume. – 2 *m. f.* Persona o conjunto de personas que satisface sus necesidades mediante el uso de los bienes y servicios generados en el proceso productivo.

consumir *tr.-prnl.* Destruir: *el fuego consume la leña; consumirse a fuego lento;* extinguir: *el vicio consumió su hacienda;* hablando de enfermedades o trabajos, aniquilar: *consumirse con la fiebre; consumirse en largas meditaciones.* 2 Desazonar, afligir: *su lentitud me consume; consumirse de fastidio.* – 3 *tr.* Gastar [comestibles u otros géneros]. 4 Hacer uso de de bienes y valores no consumibles: *la sociedad consume mucha información.* 5 Comulgar el sacerdote en la misa.

consumismo *m.* Actitud de consumir bienes y valores sin aparente necesidad.

consumo *m.* Gasto de aquellas cosas que con el uso se extinguen o destruyen. 2 Cantidad de energía o combustible que necesita un motor o un vehículo para asegurar su funcionamiento a lo largo de una distancia dada o durante determinado tiempo.

consunción *f.* Enflaquecimiento.

consuno (de ~) *loc. adv.* De común acuerdo.

contabilidad *f.* Calidad de contable. 2 Orden adoptado para llevar las cuentas en debida forma.

contabilizar *tr.* Apuntar [una partida o cantidad] en los libros de cuentas. 2 Estudiar, plantear o desarrollar [un negocio, proyecto, etc.] en cifras contables. ◇ ** CONJUG. [4] como *realizar.*

contable *adj.* Que puede ser contado. – 2 *com.* Persona que por profesión se dedica a la contabilidad.

contactar *tr.* Establecer contacto o comunicación.

contacto *m.* Acción de tocarse dos o más cosas. 2 Efecto de tocarse dos o más cosas. 3 Parte por donde se tocan. 4 Conexión en general; esp., la eléctrica y la que se establece por radio. 5 Mecanismo para abrir o cerrar un circuito eléctrico. 6 fig. Relación o comunicación entre personas: *poner o ponerse en ~,* iniciar esta relación o comunicación.

contactología *f.* Técnica de fabricación de lentes de contacto.

contadero, -ra *adj.* Que se puede o se ha de contar; como los días, meses y años. – 2 *m.* Pasadizo estrecho dispuesto de manera que puedan entrar o salir personas o animales tan sólo de uno en uno.

contado, -da *adj.* Raro, poco: *contadas veces.* 2 Determinado, señalado: *al ~,* con dinero contante. ◇ En la acepción 1 se usa generalmente en plural.

contador, -ra *adj.-s.* Que cuenta. – 2 *m.* Persona que en una gestión o administración lleva la cuenta y razón de la entrada y salida de caudales. 3 Persona nombrada por juez competente, o por las mismas partes, para liquidar una cuenta. 4 Aparato para llevar la cuenta automáticamente del número de revoluciones de una rueda, del volumen de agua o de gas que pasa por una cañería, etc.

contagiar *tr.* Transmitir [a uno] una enfermedad por contagio: *nos contagió con sus dolencias; la locura del amo contagió al escudero.* – 2 *prnl.* Adquirir por contagio una enfermedad: *contagiarse del,* o *por el,* o *con el, roce.* – 3 *tr.- prnl.* Pervertir [a uno] con el mal ejemplo. ◇ ** CONJUG. [17] como *cambiar.*

contagio *m.* Transmisión, por contacto inmediato o mediato, de una enfermedad específica. 2 Germen de la enfermedad contagiosa. 3 La misma enfermedad contagiosa. 4 fig. Perversión que resulta del mal ejemplo o de la mala doctrina. 5 fig. Imitación de algún gesto, modo de reír o hablar, etc., hecha impensadamente. 6 fig. Transmisión de sentimientos, actitudes, simpatías, etc., a consecuencia de influencias de uno u otro orden.

contagioso, -sa *adj.* [enfermedad] Que se contagia. 2 Que tiene que se contagia. 3 fig. [vicio, costumbre] Que se contagia con el trato.

contáiner *m.* Recipiente que se emplea para el transporte de diversas mercancías para protegerlas sin que sufran manipulaciones, entre puntos muy distantes.

contaminar *tr.* Penetrar la inmundicia [en un cuerpo] causando en él manchas o mal olor. 2 Contagiar, inficionar. 3 fig. Pervertir, mancillar [la pureza de la fe o de las costumbres]: *contaminarse con los vicios; contaminarse de,* o *en, la herejía.* 4 Corromper o alterar [un texto]. – 5 *tr.-intr.* Degradar el entorno mediante la emisión de elementos nocivos. – 6 *prnl.* p. ext. *y* fig. Contagiarse de ideas perjudiciales.

contante *adj.* [dinero] Efectivo.

contar *tr.* Notar uno por uno o por grupos [objetos homogéneos] para saber cuántas unidades hay en el conjunto: ~ *los días;* ~ *una cosa por,* o *con, los dedos;* ~ *los huevos por docenas.* 2 Tener, haber, existir [cosas que se pueden numerar]: *cuenta veinte años; se contaban tres mil soldados.* 3 Poner o meter en cuenta: *te los contaré a dos pesetas; sin contar a las mujeres, llegan a mil; los niños cuentan.* 4 Poner [a uno] en el número, clase u opinión que le corresponde: *te cuento entre mis amigos,* o *por mi amigo.* 5 Referir o narrar [un suceso real o imaginario]: ~ *una hazaña por verdadera.* – 6 *intr.* Hacer, formar cuentas según reglas de aritmética: *a esta edad ha de saber* ~. 7 Seguido de la preposición *con,* tener presente a una persona o cosa, confiar en ella para el logro de algún fin: ~ *con sus fuerzas, con su padre.* ◇ ** CONJUG. [31].

contemplar *tr.* Aplicar la mente [a un objeto material o espiritual] con atención y algún particular afecto. 2 TEOL. esp. Absortar el alma en la vista y consideración [de Dios o en los misterios de la religión]: *no contempla otra cosa fuera de sí; intr.,* ~ *en Dios;* ~ *en el misterio de la Santísima Trinidad.* 3 en gral. Mirar, considerar: *el jefe contemplaba la multitud enemiga.* 4 Complacer, ser muy condescendiente [con uno]. 5 Considerar, examinar, analizar: *la ley contempla ese hecho.*

contemplativo, -va *adj.* Relativo a la contemplación. 2 Que contempla o acostumbra contemplar. 3 Dado a la contemplación de las cosas divinas.

contemporáneo, -a *adj.-s.* Que existe al mismo tiempo que otra persona o cosa. 2 Relativo al tiempo o época actual.

contemporizar *intr.* Acomodarse uno al gusto o dictamen ajeno por algún fin particular. ◇ ** CONJUG. [4] como *realizar.*

contencioso, -sa *adj.* [pers.] Que, por costumbre, contradice o disputa todo lo que otros afirman. 2 DER. [materia] Sobre que se contiende en juicio, o [forma] en que se litiga.

contender *intr.* Pelear, luchar, batallar materialmente: ~ *con uno;* ~ *por las armas;* ~ *sobre el imperio de África.* 2 fig. Competir, rivalizar: ~ *en hidalguía.* 3 Disputar (debatir). ◇ ** CONJUG. [28] como *entender.*

contenedor, -ra *adj.* Que contiene. – 2 *m.* Embalaje metálico grande y recuperable, de tipos y dimensiones normalizados internacionalmente y con dispositivos para facilitar su manejo.

contenencia *f.* Parada o suspensión que hacen algunas aves, especialmente las de rapiña, en el aire.

contener *tr.* Llevar o encerrar dentro de sí una cosa [a otra]: *la colección contiene cien obras; se contiene en los límites de sus estados.* 2 Reprimir o suspender [el movimiento de un cuerpo]: ~ *los progresos de la invasión.* 3 fig. Reprimir o moderar [una pasión]: ~ *el temor; contenerse en sus deseos.* ◇ ** CONJUG. [87] como *tener.*

contenido, -da *adj.* Que se conduce con moderación. – 2 *m.* Lo que se contiene dentro de una cosa: *el* ~ *de una caja; el* ~ *de la carta.* 3 LING. Significado de un signo lingüístico o de un enunciado.

contenta *f.* Agasajo con que se contenta a alguno. 2 *Amér.* Declaración, generalmente escrita, por la cual uno se da por pagado o declara que una obligación ha sido satisfecha.

contentar *tr.* Satisfacer el gusto o las aspiraciones [de uno]; darle contento. – 2 *prnl.* Darse por contento o quedar contento: *contentarse con su suerte; contentarse con las apariencias.*

contentivo, -va *adj.* Que contiene. 2 [pieza de apósito] Que sirve para contener otras.

contento, -ta *adj.* Alegre, satisfecho. – 2 *m.* Alegría, satisfacción.

conteo *m.* Cálculo, valoración.

contera *f.* Pieza generalmente de metal, que se pone al extremo inferior del bastón, del **paraguas**, de la vaina de la espada, etc. 2 fig. Fin o remate de alguna cosa.

contero *m.* Moldura en forma de cuentas en serie.

contertulio, -lia *m. f.* Persona que concurre con otras a una tertulia.

contestación *f.* Respuesta. 2 Polémica, oposición o protesta, a veces violenta, contra lo establecido: *la ~ al ministro fue muy fuerte.*

contestador, -ra *m. f.* Que contesta. – 2 *m.* Aparato que da una contestación previamente codificada: *~ telefónico,* el automático.

contestar *tr.* Responder [a lo que se pregunta, se habla o se escribe]: *contesto todas tus preguntas; ~ pocas palabras; contesto a tus cartas;* en gral., responder, corresponder: *abs., no contesta a nadie; París no contesta.* 2 Declarar y atestiguar en conformidad completa [con lo que otro u otros atestiguan]; mostrarse conteste con ellos: *ellos lo confirmaron, y lo contestaron los testigos.* 3 Comprobar, verificar. – 4 *intr.* Someter a una crítica radical las instituciones, autoridades, formas de vida, etc., del sistema dominante. 5 Convenir o conformarse una cosa con otra: *todas las religiones de la Iglesia contestan uniformes en la estima del padre fray Luis.* ◇ GALIC.: por impugnar, negar: *estos hechos no pueden ser contestados.*

contestatario, -ria *adj.-s.* Que practica la contestación (polémica).

conteste *adj.* Que testimonia con otro sin discrepar en nada.

contexto *m.* Orden de composición o tejido de ciertas obras. 2 p. ext. Enredo, unión de cosas que se enlazan y entretejen. 3 fig. Serie del discurso, tejido de la narración, hilo de la historia. 4 Conjunto de palabras, más o menos extenso, que se necesitan para precisar un significado en un texto. 5 p. ext. Situación, conjunto de circunstancias o condiciones, sistema de valores.

contextualizar *tr.* Poner en un determinado contexto. ◇ ** CONJUG. [4] como *realizar.*

contextuar *tr.* Acreditar con textos. ◇ ** CONJUG. [11] como *actuar.*

contextura *f.* Disposición, unión de las partes que contienen un todo. 2 fig. Configuración corporal del hombre, que indica su complexión.

contienda *f.* Pelea, disputa. 2 DEP. fig. Encuentro deportivo.

contignación *f.* Trabazón de vigas y cuartones con que se forman los pisos y techos.

contigo Forma especial del **pronombre** personal *ti* como término de la preposición *con.*

contiguo, -gua *adj.* Que está tocando a otra cosa: *~ al jardín.*

continencia *f.* Virtud que modera y refrena las pasiones. 2 Abstinencia de los deleites carnales.

continental *adj.* Relativo a los países del continente.

continente *adj.* Que posee y practica la continencia. – 2 *m.* Gran extensión de tierra separada por los océanos. 3 Lo que contiene a otra cosa dentro de sí: *el ~ y el contenido.* 4 Aire del semblante y actitud y compostura del cuerpo.

contingencia *f.* Posibilidad de que una cosa suceda o no suceda. 2 Cosa que puede suceder o no suceder. 3 Riesgo.

contingente *adj.* Que puede suceder o no suceder. – 2 *m.* Contingencia. 3 Parte proporcional con que uno contribuye en unión de otros para un mismo fin. 4 Cuota que se señala a un país o a un industrial para la importación, exportación o producción de determinadas mercancías. 5 Cupo o conjunto de los hombres que cada año ingresan en el servicio militar.

continuación *f.* Acción de continuar. 2 Efecto de continuar.

continuar *tr.* Proseguir uno [lo comenzado]: *los peregrinos continuaron su camino; ~ una historia.* – 2 *intr.* Durar, permanecer: *continuó la lluvia todo el día; ~ con salud; ~ en su puesto; ~ por buen camino;* **prnl.,** *continúose por toda la mañana la entrada de segadores.* – 3 **prnl.** Seguir, extenderse: *en la parte que el cabo se continúa con la tierra firme; intr., la casa que continuaba con el convento existe aún.* ◇ ** CONJUG. [11] como *actuar.*

continuativo, -va *adj.* Que implica idea de continuación. – 2 *adj.-f.* **Conjunción continuativa,** la consecutiva que implica o denota idea de continuación.

continuidad *f.* Unión natural que tienen entre sí las partes del continuo. 2 Persistencia, perseverancia.

continuismo *m.* Amér. Permanencia indefinida de una persona en el mismo cargo público.

continuo, -nua *adj.* Que dura, obra, se hace o se extiende sin interrupción: **línea continua.** 2 Perseverante en hacer algo. 3 [cosa] Que tiene unión con otra. – 4 *m.* Compuesto de partes unidas entre sí.

contonearse *prnl.* Mover con afectación los hombros y caderas al andar.

contorcerse *prnl.* Sufrir o afectar contorsiones. ◇ ** CONJUG. [54] como *cocer.*

contornar, -near *tr.* Dar vueltas alrededor [de un paraje]. 2 PINT. Hacer los perfiles [de una figura].

contorno *m.* Conjunto de las líneas que limitan una figura o composición; **dibujo.** 2

Territorio o afueras que rodean un lugar o una población: *los contornos de una ciudad.* ◇ En la acepción 2 se usa generalmente en plural.

contorsión *f.* Movimiento irregular que contrae los miembros, las facciones del rostro, etc.: *las contorsiones del dolor; las contorsiones de un bufón.*

contorsionista *com.* Persona que ejecuta contorsiones difíciles en los circos.

contra *prep.* Denota pugna, oposición o contrariedad: *armó una escuadra ~ los cartagineses; juego ~ ti; navegar ~ el viento; voy ~ mi voluntad. Enfrente o mirando hacia: han puesto un mojón ~ oriente.* − 3 *m.* Concepto opuesto o contrario a otro: *el pro y el ~ de un asunto.* 4 MÚS. Pedal del órgano. − 5 *m. pl.* Bajos más profundos en algunos órganos. − 6 *f.* fam. Dificultad, inconveniente. 7 Guerrilla contrarrevolucionaria. ◇ Antiguamente por hacia: *caminamos ~ el bosque.*

contraalmirante *m.* MIL. Oficial general de la armada, inmediatamente inferior al vicealmirante, equivalente al general de brigada en el ejército de tierra o aire.

contraatacar *tr.-intr.* Efectuar un contraataque. ◇ ** CONJUG. [1] como *sacar.*

contraataque *m.* Reacción ofensiva contra el avance del enemigo. 2 p. ext. Respuesta ofensiva a una acusación o crítica. 3 DEP. Jugada rápida sobre la meta del equipo contrario.

contrabajo *m.* Instrumento músico de cuerda y **arco, de la figura de un violoncelo, pero mucho mayor, el cual suena una octava más bajo que él. − 2 *com.* Músico que toca este instrumento. 3 MÚS. Bajo profundo.

contrabalancear *tr.* Hacer equilibrio [a un peso] en la balanza. 2 fig. Compensar, contrapesar.

contrabandista *adj.-com.* [pers.] Que hace habitualmente contrabando.

contrabando *m.* Introducción o fabricación fraudalenta de géneros y mercaderías prohibidos, o que no han pagado los consumos o derechos de aduana. 2 Géneros y mercaderías prohibidos. 3 fig. Lo que es o parece ser ilícito. 4 fig. Cosa hecha contra el uso ordinario.

contrabarrera *f.* Segunda fila de asientos en los tendidos de las plazas de toros.

contracción *f.* Respuesta mecánica de un músculo a una excitación que hace que éste disminuya de longitud y aumente de tamaño. 2 Metaplasmo que consiste en hacer de dos palabras una sola: *al, del,* por *a el y de el.*

contraclave *f.* Dovela inmediata a la clave de un **arco o bóveda.

contracorriente *f.* Corriente derivada y de dirección opuesta a la de la principal de que procede.

contráctil *adj.* Capaz de contraerse.

contractilidad *f.* Calidad de contráctil. 2 Facultad de contraerse y dilatarse que poseen ciertas partes de los cuerpos organizados.

contractura *f.* MED. Contracción involuntaria, duradera o permanente, de uno o más grupos musculares.

contracultura *f.* Conjunto de valores que caracterizan a algunos movimientos de rechazo de los valores culturales establecidos.

contrachapado, -da *adj.-s.* Tablero formado por varias capas finas de madera encoladas de modo que sus fibras queden entrecruzadas.

contrachapear *tr.* Colocar un chapeado encima de otro y en sentido contrario.

contradanza *f.* Baile de figuras que ejecutan muchas parejas a un tiempo. 2 Música de este baile.

contradecir *tr.-intr.* Decir uno lo contrario [de lo que otro afirma]: *~ la verdad; el cura la contradecía.* 2 Obrar en contradicción una cosa con otra. − 3 *prnl.* Decir uno lo contrario de lo que antes ha dicho, sin retractarse de ello; decir cosas contradictorias. ◇ ** CONJUG. [69] como *decir .* Pero el imperativo es *contradice,* no *contradí;* pp. irreg.: *contradicho.* ◇ INCOR.: *contradicirían* por *contradirían.*

contradicción *f.* Afirmación y negación que recíprocamente se destruyen: *principio de ~.* 2 Oposición, contrariedad.

contradictorio, -ria *adj.* Que tiene contradicción con otra cosa.

contraer *tr.* Estrechar, reducir a menor volumen o extensión: *~ un músculo, el hierro; prnl.,* encogerse: *el hierro se contrae.* 2 GRAM. Reducir [dos o más vocales] a un diptongo o a una vocal larga. 3 fig. Reducir [el discurso o idea] a un solo punto: *prnl., nuestro conocimiento se contrae a lo existente.* 4 Aplicar a un caso particular [proposiciones o máximas generales]. 5 Adquirir [costumbres, vicios, obligaciones, enfermedades, etc.], caer [en ellos]. 6 Adquirir [el vínculo matrimonial]. − 7 *prnl.* Amér. Concentrar todas las fuerzas en un trabajo o asunto. ◇ ** CONJUG. [88] como *traer;* pp. irreg.: *contracto,* úsase sólo como adjetivo. ◇ INCOR.: *contraíste,* por *contrajiste.*

contraespionaje *m.* Actividad que se lleva a cabo a fin de descubrir y evitar el espionaje.

contrafaz *f.* Reverso de monedas o medallas.

contrafigura *f.* Persona o maniquí con aspecto muy parecido al de uno de los personajes de la obra teatral, que ante el público aparenta ser el mismo personaje.

contrafuego *m.* Incendio provocado para apagar o cortar los progresos de otro incendio en un bosque, monte, etc.

contrafuerte *m.* Correa de la silla donde se afianza la cincha. 2 Pieza de cuero con que se refuerza interiormente el calzado. 3 ARQ.

Machón, saliente en el paramento de un muro, para fortalecerlo; **gótico. 4 Cadena secundaria de montañas que arranca de la principal.

contragolpe *m.* Efecto producido por un golpe en sitio distinto del que sufre la contusión. 2 Golpe dado en respuesta de otro.

contrahacer *tr.* Imitar [una cosa]; esp., falsificarla. 2 Remedar. – 3 *prnl.* Fingirse. ◇ ** CONJUG. [72] como *hacer*; pp. irreg.: *contrahecho*.

contrahaz *f.* Revés en las ropas o cosas semejantes.

contrahecho, -cha, *adj.-s.* Que tiene torcido o corcovado el cuerpo.

contrahechura *f.* Imitación fraudulenta de alguna cosa.

contrahuella *f.* Plano vertical del peldaño; **casa.

contraindicar *tr.* Disuadir de la utilidad de [un remedio] que por otra parte parece conveniente. 2 MED. Señalar como perjudicial, en ciertos casos [determinado remedio, alimento o acción]. ◇ ** CONJUG. [1] como *sacar*.

contralto *m.* MÚS. Voz media entre la de tiple y la de tenor. – 2 *com.* MÚS. Persona que tiene esta voz.

contraluz *amb.* Aspecto de las cosas desde el lado opuesto a la luz. 2 Fotografía tomada en estas condiciones.

contramaestre *m.* Oficial de mar que dirige la marinería bajo las órdenes del oficial de guerra.

contramalla *f.* Claro que abraza la red estrecha para que pueda formarse la bolsa donde se detiene el pescado. 2 Red puesta detrás de otra de mallas más estrechas, para detener el pescado que entra por sus mallas enredado en la red pequeña.

contraofensiva *f.* MIL. Ofensiva para contrarrestar la del enemigo, haciéndole pasar a la defensiva.

contraorden *f.* Orden con que se revoca otra anterior.

contrapartida *f.* Asiento para corregir algún error en la contabilidad por partida doble. 2 En los tratados de comercio, concesión que compensa las ventajas otorgadas a la otra parte contratante. 3 Cosa que produce efectos contrarios a otra, compensándola.

contrapear *tr.* Aplicar [unas piezas de madera contra otras], de manera que sus fibras estén cruzadas. 2 Colocar [cosas] en posición alternada.

contrapelo (a ~) *loc. adv.* Contra la inclinación natural del pelo. 2 fig. Con dificultad, con desgana.

contrapesar *tr.* Servir de contrapeso [a algo]: ~ *una cosa con otra.* 2 fig. Igualar, compensar, subsanar [una cosa] con otra.

contrapeso *m.* Peso que contrabalancea

otro. 2 Añadidura que se echa para completar el peso en la compra. 3 fig. Lo que se considera suficiente para equilibrar una cosa.

contraponer *tr.* Poner [una cosa] enfrente de otra. 2 fig. Comparar, cotejar: *contrapone mi riqueza a,* o *con, la suya.* 3 Oponer: *contraponía los ciudadanos a los soldados; el vicio se contrapone a la virtud.* ◇ ** CONJUG. [78] como *poner*; pp. irreg.: *contrapuesto.*

contraportada *f.* IMPR. Página que se pone frente a la portada con el nombre de la serie a que pertenece el libro y otros detalles sobre éste.

contraposición *f.* Oposición. 2 Contraste.

contraproducente *adj.* [dicho o acto] Cuyos efectos son opuestos a la intención con que se profiere o ejecuta.

contraproposición, contrapropuesta *f.* Proposición con que se contesta o se impugna otra ya formulada.

contrapuesto, -ta *adj.* [figura] Que, junto con otra igual, está invertida en relación con ésta.

contrapuntear *tr.* Cantar [algo] de contrapunto. – 2 *tr.-prnl.* Decir una persona a otra palabras picantes: *se ha contrapunteado con su hermano.* – 3 *prnl.* Picarse o resentirse entre sí dos o más personas: *contrapuntearse de palabras.* – 4 *intr.* Amér. Cantar versos improvisados dos o más poetas populares en competencia. 5 Amér. Competir, rivalizar.

contrapunto *m.* MÚS. Técnica de composición musical que combina diferentes líneas melódicas con coherencia armónica. 2 Amér. Desafío poético de dos o más poetas populares.

contrapunzón *m.* Botador para remachar piezas en sitios donde no puede entrar el martillo.

contrariado, -da *adj.* Afectado, disgustado, malhumorado.

contrariar *tr.* Oponerse [a una intención, propósito, deseo, etc., de una persona]: ~ *la vocación de uno.* 2 Producir disgusto, enfadar. 3 Obstaculizar, dificultar. ◇ GALIC.: por combinar: ~ *colores.* ◇ ** CONJUG. [13] como *desviar.*

contrariedad *f.* Oposición entre dos cosas. 2 Accidente que impide o retarda el logro de un deseo. 3 Disgusto, desazón.

contrario, -ria *adj.* Opuesto o repugnante a una cosa: *obrar en sentido ~; ser ~ a toda ostentación.* – 2 Que daña o perjudica. – 3 *m. f.* Enemigo, adversario. 4 Persona que pleitea con otra. – 5 *m.* Impedimento, embarazo, contradicción.

contrarreforma *f.* Conjunto de actividades, escritos, concilios, etc., con que el catolicismo se opuso a la reforma luterana.

contrarreloj *adj-f.* DEP. Prueba consistente en cubrir una determinada distancia en el menor tiempo posible, de forma individual o por equipos: *etapa ~.*

contrarrestar *tr.* Resistir, hacer frente y oposición [a algo]. 2 Paliar, neutralizar, contrapesar una cosa la influencia o efecto producido por otra.

contrarrevolución *f.* Revolución política que tiende a destruir los efectos de otra anterior.

contrarrevolucionario, -ria *adj.* Perteneciente o relativo a una contrarrevolución. – 2 *m. f.* Partidario de ella.

contrasentido *m.* Inteligencia contraria al sentido natural de las palabras. 2 Deducción opuesta a lo que arrojan de sí los antecedentes. 3 Despropósito, disparate.

contraseña *f.* Seña que se dan unas personas a otras para entenderse entre sí, para ser reconocidas o para que les sea permitida alguna cosa: *la ~ de salida de un teatro.* 2 MIL. Palabra o señal que se da para conocerse unos a otros y no tenerse por enemigos o extraños en la confusión del combate o en la obscuridad.

contrastar *tr.* Resistir, hacer frente: *los enemigos contrastaban la industria y esfuerzo de los nuestros; él no puede ~ a, o con, o contra, mi porfía.* 2 Comprobar y fijar la ley [de los objetos de oro y plata] y sellarlos con la marca del contraste. 3 Comprobar por ministerio público la exactitud [de las pesas y medidas] y acreditarlo sellándolas. – 4 *intr.* Mostrar notable diferencia o condiciones opuestas dos cosas cuando se comparan una con otra: *contrasta la amenidad de los jardines con la pelada sierra.*

contraste *m.* Señal que se imprime en los objetos de metal noble como garantía de haber sido contrastados. 2 Oposición o diferencia notable que existe entre personas o cosas. 3 Diferencia de intensidades de iluminación en la gama de blancos y negros o en la de colores de una imagen. 4 fig. Contienda o combate entre personas o cosas. 5 Cambio repentino de un viento en otro contrario. 6 TECNOL. Substancia que tiene la propiedad de ser opaca a los rayos X.

contrata *f.* Contrato, convenio, y documento que lo asegura. 2 esp. Contrato hecho para ejecutar una obra material o prestar un servicio por precio determinado. 3 Entre actores y cantantes, ajuste, ocupación.

contratación *f.* Contrato. 2 Comercio y trato de géneros vendibles.

contratar *tr.* Pactar, convenir, hacer contratos o contratas; en gral., hacer operaciones de comercio. 2 Ajustar [un servicio].

contraterrorismo *m.* Actividad dirigida a reprimir el terrorismo.

contraterrorista *adj.* Relativo al contraterrorismo. – 2 *com.* Persona dedicada a actividades contraterroristas.

contratiempo *m.* Accidente perjudicial y por lo común inesperado.

contratista *com.* Persona que por contrata ejecuta una obra material o está encargada de un servicio para el gobierno, una corporación o un particular.

contrato *m.* Acuerdo de dos o más voluntades dirigido a crear una obligación de dar o hacer, y documento en que se acredita.

contravalor *m.* Precio o valor que se da a cambio de lo que se recibe.

contravenir *tr.* Obrar en contra [de lo que está mandado]: *~ a la ley.* ◇ CONJUG. [90] como *venir.*

contraventana *f.* Puerta que interiormente cierra sobre la vidriera. 2 Puerta de madera que en los países fríos se pone en la parte de afuera de las **ventanas y vidrieras.

contrayente *adj.-s.* Que contrae; esp., [pers.] que contrae matrimonio.

contrecho, -cha *adj.* Baldado, tullido.

contribución *f.* Acción de contribuir. 2 Efecto de contribuir. 3 Cantidad con que se contribuye a algún fin, especialmente la que se impone para las cargas del estado: *~ territorial,* la que el estado impone sobre inmuebles, cultivo y ganadería.

contribuir *tr.* Pagar cada uno [la cuota que le cabe] por un impuesto o repartimiento: *los propietarios contribuyen el 20 % de la renta;* fig., *entonces los pueblos contribuyen más contentos; ~ a, o para, una cosa.* – 2 *tr.-intr.* Concurrir voluntariamente [con una cantidad] para determinado fin: *el rey contribuyó con cuantiosas cantidades; ~ a los gastos.* – 3 *intr.* fig. Ayudar y concurrir con otros al logro de algún fin: *~ al alivio de una persona; ~ para conservar la paz.* ◇ ** CONJUG. [62] como *huir.*

contributivo, -va *adj.* Relativo a las contribuciones e impuestos.

contribuyente *adj.* Que contribuye. – 2 *com.* Persona que paga contribución al estado.

contrición *f.* Dolor del alma por haber ofendido a Dios, por ser quien es y porque se le debe amar sobre todas las cosas. ◇ INCOR.: *contricción.*

contrincante *com.* Competidor, rival, adversario.

contristar *tr.-prnl.* Afligir, entristecer.

contrito, -ta *adj.* Que siente contrición. 2 fig. Melancólico, triste.

control *m.* Comprobación, inspección, intervención; dirección, mando, regulación. 2 Sitio donde está situado un control o inspección. ◇ Pl.: *controles.*

controlador, -ra *adj.* Que controla. – 2 *m. f.* Persona encargada de controlar y dirigir los movimientos de los aviones desde tierra.

controlar *tr.* Comprobar, intervenir, inspeccionar: *estas cuentas deben ser controladas;* dirigir, regular: *~ un motor; ~ los precios de las mercancías.* – 2 *prnl.* Moderarse.

controversia *f.* Discusión larga y reiterada

entre dos o más personas sobre un punto de doctrina: *una ~ religiosa; una ~ científica.*

controvertir *intr.-tr.* Discutir, extensa y detenidamente [sobre una materia]. ◇ ** CONJUG. [4] como *hervir.*

contubernio *m.* Cohabitación, especialmente la ilícita. 2 fig. Alianza vituperable.

contumaz *adj.* Porfiado y tenaz en mantener un error. 2 Impenitente. 3 [materia] Capaz de propagar los gérmenes de un contagio.

contundente *adj.* Que produce contusión: *la herida fue producida con un instrumento ~.* 2 fig. Que produce grande impresión en el ánimo, convenciéndolo: *prueba ~.*

contundir *tr.* Magullar, golpear.

conturbar *tr.* Turbar, inquietar. 2 fig. Intranquilizar, alterar el ánimo.

contusión *f.* Lesión por golpe que no causa herida exterior.

contusionar *tr.* Contundir, producir contusión [a una persona o animal].

conuco *m. Amér.* Pequeña heredad, o campito, con su rancho.

conurbación *f.* Conjunto de poblaciones próximas, unas a otras, cuyo crecimiento las ha puesto en contacto.

convalecencia *f.* Estado del que convalece. 2 Casa u hospital para convalecer los enfermos. 3 Período de tiempo que dura la recuperación de las fuerzas perdidas por el enfermo.

convalecer *intr.* Recobrar las fuerzas perdidas por enfermedad. 2 fig. Salir una persona o colectividad del estado de postración o peligro en que se encontraban. ◇ ** CONJUG. [43] como *agradecer.*

convalidar *tr.* Confirmar (revalidar). 2 Dar validez académica a un país, institución, facultad, sección, etc. [a estudios aprobados en otro país, institución, etc.].

convección *f.* Transmisión de calor en un fluido por movimiento de capas desigualmente calientes.

convecino, -na *adj.* Cercano, próximo. – 2 *adj.-s.* Que tiene vecindad con otro en un mismo pueblo.

convector *m.* Aparato de calefacción por convección.

convencer *tr.-prnl.* Reducir [a uno] con argumentos o pruebas a reconocer la verdad de una cosa, a adoptar una resolución, etc. ◇ ** CONJUG. [2] como *mecer.*

convención *f.* Pacto entre dos o más personas. 2 Conveniencia, conformidad. 3 Asamblea de los representantes de un país, que asume todos los poderes. 4 Norma aceptada por costumbre. 5 Reunión general de partidos políticos, agrupaciones o gremios de índole varia para elegir o proclamar candidatos o resolver otros asuntos.

convencional *adj.* Relativo a la convención (pacto). 2 Que resulta o se establece en virtud de precedentes o de costumbre. 3 Usual, corriente, habitual. 4 [idea o actitud] Falto de originalidad, acomodaticio.

convencionalismo *m.* Conjunto de opiniones o procedimientos basados en ideas falsas o dudosas que, por comodidad o conveniencia social, se tienen como verdaderas.

conveniencia *f.* Correlación y conformidad entre dos cosas distintas. 2 Ajuste, concierto y convenio. 3 Acomodo de una persona para servir en una casa. 4 Utilidad, provecho. 5 Comodidad.

conveniente *adj.* Útil, oportuno, provechoso. 2 Conforme, concorde. 3 Decente, proporcionado.

convenio *m.* Ajuste, pacto, acuerdo: *~ colectivo,* el tomado entre la parte empresarial y la sindical sobre salarios y condiciones de trabajo. 2 Texto en que se contiene lo acordado.

convenir *intr.* Ser de un mismo parecer y dictamen: *se ha convenido, o hemos convenido, en dar a la poesía el primer lugar.* 2 Acudir o juntarse varias personas en un mismo lugar. 3 Corresponder, pertenecer: *a ninguno más que al príncipe conviene la sabiduría.* 4 Ser a propósito, ser conveniente: *pide lo que más convenga a tu salud.* 5 Concertar, pactar, ponerse de acuerdo con otra u otras personas. – 6 *prnl.* Ajustarse, concordarse: *estamos distantes de convenirnos con los libreros.* ◇ ** CONJUG. [90] como *venir.*

conventillero, -ra *m. f. Argent.* Chismoso, intrigante.

conventillo *m. Amér.* Casa de vecindad.

convento *m.* Casa en que vive una comunidad de religiosos bajo las reglas de su instituto. 2 Comunidad de religiosos que habitan en una misma casa.

conventualmente *adv. m.* En comunidad.

convergencia *f.* Orientación de tres haces de electrones en un tubo de color en la apertura, durante el barrido de una línea: *~ horizontal, vertical.*

converger, -gir *intr.* Dirigirse a un mismo punto: *dos líneas que convergen; varios caminos convergían en aquel lugar.* 2 fig. Concurrir al mismo fin los dictámenes u opiniones de dos o más personas. ◇ ** CONJUG. [5] y [6] como *proteger* y *dirigir.* ◇ INCOR.: *convirgió* por *convergió; convirgiese* por *convergiese.*

conversación *f.* Acción de conversar. 2 Efecto de conversar. 3 Concurrencia o compañía.

conversadero *m. Argent. y S. Dom.* Conversación desatinada.

conversador, -ra *adj.* [pers.] De conversación agradable. 2 *Amér.* Charlatán.

conversar *intr.* Hablar una o varias personas con otra u otras: ~ *en,* o *sobre, materias fúti-les.* 2 Vivir, habitar en compañía de otros: *se hizo hombre y viniendo a la tierra conversó con los hombres;* en gral., tratar y tener amistad unas personas con otras.

conversión *f.* Mutación de una cosa en otra. 2 Mudanza de mala vida a buena. 3 Cambio que experimenta el interés de una renta. 4 Adaptación a una actividad diferente. 5 Cambio de efectos públicos por otros de diferentes características.

converso, -sa *adj.* [moro, judío] Convertido al cristianismo.

conversón, -sona *adj. Colom.* y *Ecuad.* Charlatan. – 2 *Amér. Central.* Parrafada, conversación.

convertible *adj.* Que puede convertirse. – 2 *m. Amér.* Automóvil de tipo descapotable.

convertidor *m.* Aparato para convertir la fundición de hierro en acero. 2 ELECTR. Dispositivo que sirve para transformar una corriente.

convertir *tr.-prnl.* Volver, enderezar: ~ *las armas contra los moros;* ~ *los pensamientos hacia Dios;* ~ *la cuestión a otro objeto.* 2 Mudar o volver [una cosa] en otra: *convirtió el agua en vino; convertirse el mal en bien.* 3 Cambiar [una emisión de valores mobiliarios] por otra de condiciones o renta diferentes. 4 Ganar a alguien para que profese una religión o la practique. ◇ ** CONJUG. [29] como *discernir.*

convexo, -xa *adj.* Que tiene, respecto del que mira, la superficie más prominente en el medio que en los extremos.

convicción *f.* Idea religiosa, ética o política a la que uno está fuertemente adherido.

convicto, -ta *adj.* [reo] A quien legalmente se ha probado su delito, aunque no lo haya confesado.

convidado, -da *m. f.* Persona que recibe un convite.

convidar *tr.* Rogar una persona [a otra] que la acompañe a comer, a una fiesta, etc. 2 fig. Mover, incitar: *él es manso y nos convida a serlo.* – 3 *prnl.* Ofrecerse voluntariamente para alguna cosa.

convite *m.* Función, y especialmente banquete, a que se es uno convidado. 2 *Amér. Central* y *Méj.* Mojiganga que recorre las calles anunciando alguna fiesta.

convivencia *f.* Acción de convivir: *algunos detalles hacen la ~ más amarga.*

convivir *intr.* Vivir en compañía de otro u otros, cohabitar.

convocar *tr.* Citar, llamar [a varias personas] para que concurran a lugar o acto determinado: ~ *a junta.* 2 Aclamar (dar voces). ◇ ** CONJUG. [1] como *sacar.*

convocatoria *f.* Anuncio o escrito con que se convoca.

convolvuláceo, -a *adj.-f.* Planta de la familia de las convolvuláceas. – 2 *f. pl.* Familia de plantas dicotiledóneas, árboles, matas y hierbas, generalmente de tallo voluble, con hojas en forma de tubo o campana, y fruto capsular; como la maravilla.

convólvulo *m.* Oruga de cuerpo verde amarillento y cabeza parda brillante, que roe los frutos y hojas de la vid.

convoy *m.* Escolta o guardia. 2 Conjunto de los buques o carruajes, efectos o pertrechos escoltados. ◇ Pl.: *convoyes.*

convoyar *tr.* Acompañar de un lugar a otro [a una persona o cosa] para protegerla.

convulsión *f.* Contracción muscular espasmódica, violenta y repetida, debida a irritación del sistema nervioso central. 2 Sacudida de la tierra o el mar por efecto de los terremotos. 3 fig. Agitación política o social de carácter violento que trastorna la normalidad de la vida colectiva.

convulso, -sa *adj.* Atacado de convulsiones. 2 fig. Que se halla muy excitado.

conyugal *adj.* Relativo a los cónyuges.

cónyuge *com.* Consorte: *los cónyuges se deben amor y fidelidad.* ◇ INCOR.: *cónyugue.*

conyugicidio *m.* Muerte causada por uno de los cónyuges al otro.

coñac *m.* Aguardiente de graduación alcohólica muy elevada, obtenido por la destilación de vinos flojos y añejado en toneles de roble. ◇ El plural generalizado es *coñacs.*

coño *m.* Parte externa del aparato genital de la hembra. ◇ Es voz malsonante.

¡coño! Interjección con que se denota sorpresa, enfado, disgusto, etc.

cooperar *intr.* Obrar juntamente con otro u otros para un mismo fin. 2 Ayudar un país a otro menos avanzado para que se desarrolle.

cooperativa *f.* Sociedad formada por productores o consumidores para vender o comprar en común: ~ *agraria;* ~ *de consumo.*

cooperativismo *m.* Estudio y fomento de las cooperativas.

cooperativista *adj.* Relativo a la cooperación. – 2 *adj.-com.* Partidario del cooperativismo. – 3 *com.* Persona que pertenece a una sociedad cooperativa.

cooperita *f.* Mineral de la clase de los sulfuros que cristaliza en el sistema tetragonal, de color blanco.

cooptar *tr.* Llenar las vacantes de una corporación mediante el voto de los integrantes de la misma.

coordenado, -da *adj.-f.* Línea que sirve para determinar la posición de un punto, y eje o plano a que aquella línea se refiere: *coordenadas geográficas,* las que se emplean para fijar la posición, longitud y latitud, de un lugar de la superficie de la Tierra.

coordinación *f.* Acción de coordinar. 2 Efecto de coordinar. 3 GRAM. Relación que existe entre oraciones de sentido independiente.

coordinar *tr.* Disponer [cosas] metódicamente. 2 Concertar [esfuerzos, medios, etc.] para una acción común.

copa *f.* Vaso con pie para beber. 2 Líquido que cabe en una copa. 3 Parte del sombrero en que entra la cabeza. 4 Conjunto de ramas y hojas de un árbol. 5 Premio que se concede en algunos certámenes deportivos. – 6 *f. pl.* Palo de la baraja española.

copal *adj.-m.* Resina casi incolora, muy dura, sin olor ni sabor, que se emplea para fabricar barnices de buena calidad. – 2 *m.* Nombre de varios árboles tropicales, de los cuales se saca la resina por incisión, especialmente los leguminosos de los géneros *Hymenœa* y *Trachylobium* .

copar *tr.* Hacer en los juegos de azar una apuesta equivalente [a todo el dinero con que responde la banca]. 2 fig. Conseguir en una elección [todos los puestos]. 3 MIL. Apresar por sorpresa [a una fuerza militar].

copartícipe *com.* Que participa con otro.

cope *m.* Parte más espesa de la red de pescar.

copear *intr.* Vender por copas las bebidas. 2 Tomar copas.

copec, copeck *m.* Moneda rusa de cobre, centésima parte de un rublo. ◇ Pl.: *copecs, copecks.*

copépodo *adj.-m.* Crustáceo del orden de los copépodos. – 2 *m. pl.* Orden de crustáceos entomostráceos diminutos, con un solo ojo, sin caparazón ni extremidades abdominales, que nada con el primer par de antenas.

copela *f.* Crisol de paredes porosas donde se ensayan o purifican los minerales de oro y plata.

copera *f.* Sitio donde se guardan o ponen las copas. 2 Bandeja de cerámica, de superficie plana y, por lo general, circular, con un reborde de poca altura, y a menudo elevada por un repié.

copero, -ra *adj.* Relativo a la copa deportiva o a la competición para ganarla.

copero *m.* Mueble que contiene las copas en que se sirven licores.

copete *m.* Cabello levantado sobre la frente. 2 Mechón de crin que cae al caballo sobre la frente. 3 Cima de una montaña. 4 Adorno que suele ponerse en la parte superior de algunos muebles y edificios. 5 Parte superior de la pala del zapato. 6 Extremo superior de una pieza de madera en una armadura. 7 fig. Atrevimiento, altanería.

copia *f.* Gran cantidad, abundancia. 2 Reproducción textual de un escrito, impreso, composición musical, etc.: *la ~ de un testamento.* 3 Imitación servil del estilo o de las obras de un escritor o artista. 4 Reproducción exacta de una obra artística: *una ~ de la Venus*

de Milo. 5 Imitación o remedo de una persona.

copiar *tr.* Escribir [lo mismo que está escrito o impreso en otra parte]. 2 Ir escribiendo [lo que otro dicta o dice en discurso seguido]. 3 Reproducir un examen o parte de él valiéndose de un libro, apunte o examen de un compañero. 4 Sacar copia [de una obra de pintura o escultura]. 5 Representar exactamente [la naturaleza] en las obras de pintura o escultura; p. ext., representar fielmente con palabras. 6 Imitar o remedar [a uno]. 7 Imitar o remedar servilmente [el estilo o las obras de escritores o artistas]. ◇ ** CONJUG. [12] como *cambiar.*

copiloto *m.* Piloto auxiliar en un buque, aeronave o automóvil de carreras.

copinar *tr. Méj.* Desollar [animales], sacando entera la piel. 2 *Méj.* Salirse una cosa de otra a la cual envuelve. 3 *Méj.* Soltar, desatar.

copioso, -sa *adj.* Abundante, cuantioso.

copista *com.* Persona que se dedica a copiar escritos u obras de arte.

copla *f.* Combinación métrica o estrofa. 2 Composición poética que consta sólo de una cuarteta, de una redondilla o de otra combinación breve, por generalmente, sirve de letra en las canciones populares. 3 fig. Cuento, habladuría, impertinencia, evasiva. – 4 *f. pl.* Versos. – 5 *f. Amér.* Pedazo de caño o tubo con que en la cañería se unen dos caños.

coplear *intr.* Hacer, decir o cantar coplas.

coplero, -ra *m. f.* Persona que vende coplas, romances, jácaras, etc. 2 fig. Mal poeta.

I) copo *m.* Porción de cáñamo, lana u otra materia dispuesta para hilarse. 2 Porción de nieve trabada que cae cuando nieva. 3 p. ext. Cosa que por su aspecto, ligereza o color se parece a los copos de nieve. 4 Grumo o coágulo. 5 *Argent.* y *Venez.* Conjunto de nubes acumuladas.

II) copo *m.* Bolsa de red con que se terminan varios artes de pesca. 2 Pesca hecha con uno de estos artes.

copón *m.* p. ant. En el culto católico, copa grande de metal con baño de oro por dentro que contiene las hostias consagradas para la comunión de los fieles.

coprino *m.* Género al que pertenecen varias setas de pequeñas dimensiones, con el pie muy largo y estrecho y el sombrero caído, de forma cilíndrica *(Coprinus* sp.*).*

coproducción *f.* Producción hecha conjuntamente por varios individuos o entidades.

coprofagia *f.* Inclinación morbosa a comer inmundicias.

coprolito *m.* Excremento fósil abundante en los fosfatos. 2 Concreción fecal dura.

copropietario, -ria *adj.-s.* Propietario de una cosa juntamente con otro u otros.

copto, -ta *adj.-s.* Cristiano de Egipto y Etiopía. – 2 *adj.* Perteneciente o relativo a estos cristianos.

cópula *f.* Atadura, ligamento de una cosa con otra. 2 Unión sexual. 3 GRAM. Verbo substantivo que une al sujeto con el atributo.

copular *tr.* Realizar la cópula. – 2 *prnl.* Unirse o juntarse carnalmente.

copulativo, -va *adj.* Que liga y junta dos cosas. – 2 *adj.-m.* GRAM. *Verbo ~,* verbo substantivo. – 3 *adj.-f.* GRAM. *Oración copulativa,* la simple que lleva verbo copulativo; la coordinada enlazada por conjunción copulativa. 4 GRAM. **Conjunción copulativa,** la que coordina aditivamente una oración con otra, o elementos análogos de una misma oración gramatical.

coque *m.* Residuo del carbón de piedra, después de que, sometido a elevadas temperaturas, ha perdido sus substancias volátiles; es un combustible que produce gran cantidad de calor.

coquera *f.* Hueco pequeño en la masa de una piedra.

coquetear *intr.* Tratar de agradar a una persona a otra del sexo contrario por vanidad. 2 Galantear, cortejar.

coquetería *f.* Deseo de agradar a una persona del sexo contrario. 2 Afición a arreglarse y vestirse bien.

coqueto, -ta *adj.-s.* Que coquetea. – 2 *adj.-f.* Mujer que en su relación con hombres juega habitualmente a atraerlos sin concederles favores definitivos. 3 Mujer y niña que cuida esmeradamente de su arreglo personal y, por extensión, también de su casa. – 4 *adj.* p. ext. [objeto, lugar] De buena presencia, bien arreglado o dispuesto: *les ha quedado un apartamento muy ~.* – 5 *f.* Mueble de tocador, con espejo, que sirve a las mujeres para peinarse o maquillarse.

coquimbita *f.* Mineral de la clase de los sulfatos que cristaliza en el sistema hexagonal, de color violeta.

coquina *f.* Molusco lamelibranquio, comestible, de valvas finas, ovales y aplastadas, que abunda en las costas gaditanas y malagueñas *(Donax trunculus).*

coquito *m.* Gesto que se hace al niño para que ría.

coracero *m.* Soldado de caballería armado de coraza. 2 fig. Cigarro puro de tabaco muy fuerte y malo. 3 Insecto coleóptero de cuerpo blando y alargado, con los élitros peludos *(Rhagonycha fulva).*

coraciforme *adj.-m.* Ave del orden de los coraciformes. – 2 *m. pl.* Orden de aves heterogéneo que se caracterizan por poseer el pico muy desarrollado y las patas provistas de cuatro dedos; suelen ser arborícolas y carnívoras; como la abubilla y el martín pescador.

coracoides *adj.* [apófisis del omóplato] En forma de pico de cuervo, que corresponde a la parte más prominente del hombro. – 2 *m.* En las **aves y reptiles, hueso independiente que corresponde a la apófisis coracoides de los mamíferos. ◇ Pl.: *coracoides.*

coracha *f.* Saco de cuero usado como envase.

coraje *m.* Impetuosa decisión y esfuerzo del ánimo; valor. 2 Irritación, ira.

I) coral *m.* Cnidario antozoo que vive en colonias sobre un tejido blando consolidado por un polípero, arborescente, de color rojo o rosado *(gén. Corallium).* 2 Polípero del coral; sus partes más compactas, después de pulimentadas, se emplean en joyería. – 3 *m. pl.* Sartas de cuentas de coral que usan las mujeres para adorno. 4 Carúnculas rojas del cuello y cabeza del pavo.

II) coral *adj.* Relativo al coro. – 2 *m.* MÚS. Composición vocal armonizada a cuatro voces y ajustada a un texto de carácter religioso. 3 Composición instrumental análoga a este canto.

coralario *adj.-m.* Antozoo.

coralina *f.* Coral (pólipo). 2 Alga rodofícea, de tallo parecido al de ciertos musgos, gelatinoso y cubierto por lo común de una costra caliza blanca *(Corallina officinalis).* 3 Producción marina parecida al coral.

corán *m.* Alcorán.

coraza *f.* **Armadura del busto, hecha de cuero, hierro o acero, compuesta de peto y espaldar. 2 fig. Cosa inmaterial que protege o guarda a alguien. 3 Concha de los quelonios.

corazón *m.* Órgano central de la **circulación de la sangre, que en los animales inferiores es la simple dilatación de un vaso, y en los superiores es musculoso, contráctil, y tiene dos, tres o cuatro cavidades, llamadas aurículas las superiores y ventrículos las inferiores; **moluscos. 2 fig. Sentimiento interior; deseo, alegría, sufrimiento. 3 Ánimo, valor, espíritu: *no tener ~ para decir, hacer,* etc., *una cosa; tener uno mucho ~.* 4 Voluntad, amor, benevolencia: *el ~ de un padre; tener uno ~ de bronce.* 5 fig. Representación convencional de un corazón. 6 Palo de la baraja francesa. 7 Parte central o interior de una cosa: *el ~ de una ciudad; el ~ de un madero.* 8 **Prensa del ~,** conjunto de revistas que se ocupan de las relaciones sentimentales de artistas y personajes famosos. 9 Dedo cordial; **mano. ◇ En la acepción *6* se usa generalmente en plural.

corazonada *f.* Impulso espontáneo con que uno se mueve a ejecutar alguna cosa arriesgada y difícil. 2 Presentimiento.

corazoncillo *m.* Hierba gutífera medicinal, de tallo ramoso en la parte superior, hojas pequeñas, elípticas, flores amarillas y fruto capsular *(Hypericum perforatum).*

corazonista *adj.* Relativo al Sagrado Corazón de Jesús o de María: *apostolado* ~. − 2 *adj.-com.* Religioso o religiosa que pertenece a una de las órdenes denominadas del Sagrado Corazón.

corbata *f.* Trozo de seda, de lienzo fino, etc., que, puesto alrededor del cuello, se ata por delante con un lazo o nudo, dejando caer las puntas por el pecho.

corbatín *m.* Corbata corta que se ata por detrás con un broche, o por delante con un lazo sin caídas.

corbeta *f.* Embarcación de guerra, más pequeña que la fragata, con tres palos y vela cuadrada.

corbícula *f.* ZOOL. Aparato transportador de polen en las abejas, constituido por la tibia posterior dilatada, con su franja de largos pelos.

corcel *m.* lit. Caballo ligero, de mucha alzada, que servía para los torneos y batallas.

corcor *m.* *Amér. Central.* Ruido que hace un líquido al pasar por la garganta.

corcova *f.* Corvadura anómala de la columna vertebral, o del pecho, o de ambos a la vez. 2 Joroba de algunos rumiantes camélidos, formada por acumulación de grasa. 3 *Amér.* Prolongación de una fiesta por uno o más días.

corcovar *tr.* Encorvar (doblar).

corcovear *intr.* Dar corcovos. 2 *Amér.* Refunfuñar, indignarse. 3 *Méj.* Tener o sentir miedo.

corcovo *m.* Salto que dan algunos animales encorvando el lomo. 2 fig. Curvatura, torcimiento.

corcha *f.* Corcho arrancado del alcornoque.

I) corchar *tr.* MAR. Unir [las filásticas] de un cordón o [los cordones] de un cabo, torciéndolos uno sobre otro.

II) corchar *tr.* Encorchar, tapar botellas o vasijas con corcho.

corchea *f.* MÚS. Figura cuya duración equivale a la mitad de la negra.

corchera *f.* Cubeta de corcho en que se pone la garrafa con hielo, para refrescar las bebidas. 2 En una piscina, línea que separa las pistas longitudinales para los nadadores.

corcheta *f.* Hembra en que entra el macho de un corchete.

corchete *m.* Especie de broche metálico, compuesto de macho y hembra. 2 Macho del corchete. 3 Signo de estas figuras [ ] que, puesto ya vertical, ya horizontal, abraza dos o más guarismos, palabras, renglones o pentagramas; ``puntuación.

corcho *m.* Tejido suberoso del alcornoque. 2 Tapón de corcho. 3 Caja de corcho para conducir ciertos géneros comestibles. 4 Tabla de corcho que se pone delante de las mesas y camas para abrigo, o de las chimeneas para impedir que prendan las chispas.

cordada *f.* Grupo de alpinistas sujetos por una misma cuerda.

cordado *adj.-m.* Animal del tipo de los cordados. − 2 *m. pl.* Tipo de animales metazoos celomados caracterizados por tener un eje esquelético (notocordio) o columna vertebral, el sistema nervioso central en posición dorsal, el corazón en posición ventral y la faringe adaptada a la respiración; comprende los procordados y los vertebrados.

cordaje *m.* Jarcia de una embarcación. 2 DEP. Conjunto de cuerdas de una raqueta que practicar ciertos deportes; como el tenis. 3 MÚS. Conjunto de cuerdas de un instrumento de cuerda.

cordal *m.* Pieza que en los instrumentos de ``cuerda ata éstas por el cabo opuesto al que se sujeta en las clavijas; ``arco (instrumentos de).

cordel *m.* Cuerda delgada. 2 Vía para el ganado trashumante.

cordellate *m.* Tejido basto de lana, cuya trama forma cordoncillo.

cordero, -ra *m. f.* Hijo de la oveja, que no pasa de un año: ~ *lechal,* el que no ha sido destetado; ~ *recental,* el que no ha pastado todavía. − 2 *m.* Piel de cordero adobada. 3 Carne de este animal para el consumo. − 4 *m. f.* fig. Persona dócil y humilde.

cordial *adj.* Que tiene virtud para fortalecer el corazón. 2 Afectuoso, de corazón. − 3 *adj.-m.* Dedo cordial; ``mano. − 4 *m.* Bebida compuesta de varios ingredientes propios para confortar a los enfermos.

cordialidad *f.* Calidad de cordial (afectuoso). 2 Franqueza, sinceridad.

cordiforme *adj.* Acorazonado.

cordila *f.* Atún recién nacido.

cordilla *f.* Trenza de tripas de carnero. 2 Desperdicio de tripas u otras partes de las reses que se suele dar de comer a los gatos.

cordillera *f.* Serie de ``montañas enlazadas entre sí.

cordita *f.* Pólvora sin humo compuesta de nitroglicerina y algodón pólvora, mezclados con acetona.

cordobán *m.* Piel curtida de macho cabrío o de cabra. 2 Este mismo cuero decorado.

cordobés, -besa *adj.-s.* De Córdoba.

cordón *m.* Cuerda delgada, generalmente redonda, y especialmente la que ciñe el cuerpo de los religiosos de algunas órdenes: ~ *de seda; el* ~ *de San Francisco.* 2 Órgano de forma parecida a la de un cordón: ~ *umbilical,* conjunto de vasos que unen la placenta con el feto, por los que éste se nutre durante su desarrollo. 3 Conjunto de hombres colocados a intervalos para impedir el paso de un lado a otro de la línea que forman: *un* ~ *de policía;* ~ *sanitario.* 4 ELECTR. Conductor muy flexible, formado por numerosos hilos de cobre finos, torcidos y recubiertos por una capa de caucho u otra materia plástica y a veces por una funda de hilo de algodón trenzado. 5 *R. de la Plata*. Orilla exterior de la acera.

cordoncillo *m.* Lista angosta y algo abultada que forma el tejido en algunas telas. 2 Labor en el canto de las monedas. 3 Resalto a manera de cordón en la juntura de algunos frutos, como la nuez, y de otras cosas. 4 Bordado lineal.

cordura *f.* Prudencia, juicio.

corea *f.* Baile que por lo común se acompaña con canto. 2 Música y canto de este baile.

coreano, -na *adj.-s.* De Corea, península del este de Asia. – 2 *m.* Lengua propia de los naturales de la península de Corea.

corear *tr.* Componer [piezas musicales] para ser cantadas con acompañamiento de coros. 2 Acompañar con coros [una composición musical]. 3 Hablar a la vez varias personas. 4 fig. Aclamar, aplaudir.

coreografía *f.* Arte de componer bailes. 2 Arte de representar en el papel un baile por medio de signos. 3 Arte de la danza.

coreógrafo, -fa *m. f.* Compositor de bailes. 2 Director de un ballet.

I) coriáceo, -a *adj.* De consistencia de cuero.

II) coriáceo, -a *adj.-f.* Planta de la familia de las coriáceas. – 2 *f. pl.* Familia de plantas angiospermas dicotiledóneas, leñosas o herbáceas, con hojas opuestas, flores hermafroditas y fruto indehiscente.

coriambo *m.* Pie de la versificación clásica que se compone de un troqueo y un yambo: –uu–.

coriariáceo, -a *adj.-f.* Planta de la familia de las coriariáceas. – 2 *f. pl.* Familia de plantas dicotiledóneas, caracterizadas porque las flores poseen pétalos carnosos que envuelven a cinco carpelos libres.

corifeo *m.* El que guiaba el coro en las antiguas tragedias clásicas. 2 fig. El que es seguido de otros en una opinión, secta o partido.

coriláceo, -a *adj.-f.* Planta de la familia de la coriláceas. – 2 *f. pl.* Familia de plantas que incluye árboles y arbustos de hojas sencillas, flores en amentos y frutos indehiscentes.

corimbo *m.* **Inflorescencia constituida por un eje alargado del que parten los ejes secundarios, siendo éstos más largos cuanto más abajo están insertados; de modo que las flores vienen a quedar a casi la misma altura.

corindón *m.* Alúmina nativa cristalizada, de la cual son variedades muchas piedras preciosas.

corintio, -tia *adj.-s.* De Corinto, ciudad de Grecia. – 2 *adj.* V. **orden corintio.

corinto, -ta *adj.-m.* Color rojo obscuro, cercano a violáceo. – 2 *adj.* De color corinto.

corión *m.* Membrana exterior de la dos que envuelven el feto.

corisanto *m.* Nombre de varias plantas del género *Chorizanthe*, cuyas especies son originarias de California y Chile.

corista *com.* Religioso que asiste al coro y especialmente, el destinado al coro desde que profesa hasta su ordenación sacerdotal. 2 Persona que canta formando parte de algún coro. – 3 *f.* Mujer que forma parte del coro de revistas musicales o espectáculos frívolos.

corito, -ta *adj.* Desnudo. 2 fig. Encogido y pusilánime.

corladura *f.* Barniz que, dado sobre una pieza plateada y bruñida, la hace parecer dorada.

corlar, -lear *tr.* Dar corladura.

corma *f.* Conjunto de dos pedazos de madera, adaptados al pie del hombre o del animal para impedir que ande libremente. 2 fig. Molestia o gravamen. 3 Tallo subterráneo, redondeado, hinchado, que parece un bulbo en su aspecto general, pero sólido, y sin estar compuesto por hojas carnosas superpuestas.

cormiera *m.* BOT. Arbolillo rosáceo silvestre, muy abundante en España *(Amelanchier vulgaris)*.

cormo *m.* Aparato vegetativo de una planta caracterizado por poseer fibras y vasos y por estar bien diferenciado en raíz, tallo y hojas.

cormofita *adj.-f.* Planta cuyo aparato vegetativo es un cormo.

cormorán *m.* Ave pelecaniforme de hasta un metro de longitud, color obscuro y pico largo *(Phalacrocorax* sp.*)*.

cornáceo, -a *adj.-f.* Planta de la familia de las cornáceas. – 2 *f. pl.* Familia de plantas dicotiledóneas, que incluye árboles, arbustos y hierbas, de hojas opuestas, enteras o dentadas, flores pequeñas en cabezuela o corimbo y drupas carnosas; como el cornejo.

cornada *f.* Golpe dado por un animal con la punta del cuerno. 2 Herida penetrante de cierta importancia por el asta de una res vacuna al cornear.

cornalina *f.* Ágata de color de sangre o rojiza.

cornamenta *f.* Cuernos de algunos animales, como el toro, vaca, venado, etc. 2 fam. Atributo simbólico del marido engañado.

cornamusa *f.* Trompeta larga de metal de pabellón muy ancho, que en el medio de su longitud hace una rosca muy grande; **viento (instrumentos de). 2 Instrumento músico, especie de gaita gallega. 3 MAR. Pieza de metal o de madera para amarrar los cabos; **barca.

cornatillo *m.* Variedad de aceituna larga y encorvada a manera de cuerno.

córnea *f.* Membrana transparente en forma de disco abombado, que se halla delante del iris y forma el segmento anterior de la túnica fibrosa del **ojo.

corneja *f.* Ave paseriforme, de plumaje totalmente negro, pico robusto y voz característica *(Corvus corone).*

cornejo *m.* Arbusto cornáceo, muy ramoso, de hojas opuestas, aovadas, flores blancas en cima, fruto en drupa redonda y madera muy dura *(Cornus mas).*

córneo, -a *adj.* De textura parecida a la del cuerno.

córner *m.* DEP. Falta que se comete en el juego del fútbol cuando la pelota cae fuera por la línea de la portería, habiéndola tocado antes algún jugador del equipo al que corresponde la meta. 2 DEP. Sanción correspondiente a dicha falta.

corneta *f.* Instrumento músico de **viento parecido al clarín, especialmente usado para dar los toques reglamentarios a las tropas de infantería del ejército. – 2 *com.* Músico que toca este instrumento. – 3 *f.* Bandera pequeña terminada en dos farpas y con una escotadura angular en medio de ellas.

cornete *m.* Pequeña lámina ósea y de figura abarquillada situada en el interior de las fosas nasales; **nariz.

cornetilla *f.* Molusco gasterópodo que constituye una verdadera plaga en los bancos de ostras, atacándolas mediante la ránula, que funciona como un taladro *(Murex erinaceus).*

cornetín *m.* Instrumento músico de **viento parecido al clarín, pero con tres pistones. – 2 *com.* Músico que toca este instrumento. – 3 *m.* MIL. Especie de clarín usado para dar los toques reglamentarios a las tropas de infantería del ejército.

cornezuelo *m.* Hongo ascomicete, parásito del centeno, cuyo aparato esporífero tiene forma de cuernecito *(Claviceps purpurea).*

cornibrocho, -cha *adj.* [res vacuna] Que tiene los cuernos con la punta inclinada hacia dentro.

cornicabra *f.* Variedad de aceituna larga y puntiaguda. 2 Mata asclepiadácea, derecha, ramosa, de hojas oblongas y opuestas, flores blanquecinas y fruto puntiagudo y encorvado *(Periploca laevigata).*

cornijal *m.* Punta, ángulo o esquina del colchón, edificio, finca, etc.

cornisa *f.* Coronamiento compuesto de molduras, o cuerpo voladizo con molduras, que remata a otro; **órdenes; **románico. 2 Parte superior del cornisamiento. 3 Faja horizontal estrecha que corre al borde de un precipicio o acantilado.

cornisamento, -miento *m.* Entablamento.

corniveleto, -ta *adj.* [toro, vaca] Que tiene los cuernos altos y derechos.

corno *m.* Cornejo. 2 ~ *inglés,* instrumento músico de viento, más grande y de sonido más grave que el oboe.

cornucopia *f.* Vaso de figura de cuerno, rebosando frutas y flores, que usaban los gentiles como símbolo de la abundancia. 2 Espejo pequeño de marco tallado y decorado, que suele tener uno o más brazos a manera de candelabros.

cornuda *f.* Pez marino seláceo, muy parecido al pez martillo *(Sphyrna tudes).*

cornudo, -da *adj.* Que tiene cuernos. – 2 *adj.-m.* Marido de mujer adúltera.

cornúpeta *adj.-s.* lit. Animal que figura en algunas monedas, en actitud de acometer con los cuernos. – 2 *m.* Toro de lidia.

coro *m.* En las tragedias clásicas, conjunto de actores que actuaban como una unidad. 2 Conjunto de personas que en una función musical cantan simultáneamente una pieza concertada: *un ~ de voces mixtas; el ~ de un teatro de ópera.* 3 Fragmento o pieza musical que recita o canta el coro: *un ~ de Sófocles; un ~ de Palestrina.* 4 Composición poética que sirve de letra a un coro musical. 5 Conjunto de personas reunidas para cantar, regocijarse o alabar alguna cosa. 6 Conjunto de eclesiásticos, religiosos o religiosas, congregado en el templo para cantar o rezar los divinos oficios. 7 Parte de la iglesia destinada al coro; **basílica. 8 Conjunto de asientos, con respaldos generalmente labrados, donde se sienta el clero en una iglesia. 9 Grupo de los nueve en que se dividen los espíritus angélicos.

corocha *f.* Larva del escarabajuelo, de color negro verdoso, que vive sobre la vid y devora las partes tiernas.

corografía *f.* Descripción geográfica de un país.

coroides *adj.-f.* Membrana del globo del **ojo, situada entre la esclerótica y la retina. ◇ Pl.: *coroides.*

corola *f.* Parte de la flor formada por el conjunto de los pétalos: ~ *cruciforme;* ~ *acampanada;* **flor.

corolario *m.* Proposición que se deduce por sí sola de lo demostrado anteriormente.

corona *f.* Cerco de ramas, de flores o de metal, con que se ciñe la cabeza; esp., el que se usa como señal de ofrenda, premio, galardón o símbolo de dignidad real o de nobleza: ~ *de laurel;* ~ *mural;* ~ *de rosas;* ~ *real;* ~ *de conde, de marqués, de príncipe.* 2 fig. Dignidad real. 3 Reino o monarquía: *la ~ de España.* 4 Tonsura, de figura redonda, que se hacen los eclesiásticos. 5 Luminosidad difusa que envuelve al sol, sólo visible a simple vista en el **eclipse total; **solar (sistema). 6 Zona periférica de una aglomeración urbana. 7 Forma de presentar ciertos platos de hortalizas, arroz, etc., en pequeños conos truncados. 8 Parte de un **diente que sobresale de las encías. 9 Moldura plana y ancha de la cornisa, bajo el cimacio. 10 Parte superior de una

**campana, en la que se halla la anilla de la que pende el badajo. 11 Unidad monetaria de Dinamarca, Suecia, Noruega, Islandia y Checoslovaquia. 12 ~ *de casco,* extremo de la piel de las cabalgaduras que circunda el nacimiento del casco, o la parte de él más inmediata a la piel; **caballo. 13 GEOM. Porción de plano comprendida entre dos **circunferencias concéntricas.

coronación *f.* Acto de coronar a un soberano.

coronal *adj.* Perteneciente o relativo al hueso frontal. – 2 *m.* Este hueso.

coronamento, -miento *m.* fig. Fin de una obra. 2 Remate de un edificio o adorno arquitectónico.

coronar *tr.* Poner una corona [en la cabeza de uno], especialmente como signo de autoridad soberana: ~ *al poeta con,* o *de, flores.* 2 fig. Galardonar, premiar. 3 fig. Perfeccionar, completar [una obra]. 4 fig. Poner o ponerse personas o cosas en la parte superior [de una eminencia, torre, etc.]: *la sierra está coronada de nieve.* – 5 *intr.* En el juego de las damas, cambiar un peón por una dama cuando éste llega a la línea de fondo del bando contrario. 6 En el juego del ajedrez, cambiar un peón por otra pieza cualquiera cuando éste llega a la línea de fondo del bando contrario. 7 Dejar ver la cabeza el feto en el momento del parto.

coronaria *f.* Rueda de los relojes que manda la aguja de los segundos. 2 Hierba ranunculácea perenne con las hojas divididas y las flores de color muy variado *(Anemone coronaria).* 3 Hierba cariofilácea perenne toda ella cubierta de pelos blancos y ásperos; las hojas son ovales y las flores normalmente de color rojo *(Lychnis coronaria).*

I) coronel *m.* Jefe militar que reglamentariamente manda un regimiento.

II) coronel *m.* Moldura que remata un miembro arquitectónico. 2 Pastelito de hojaldre que se toma con el té.

coronilla *f.* Parte de la **cabeza humana opuesta a la barbilla. 2 Tonsura de figura redonda que se hacía a los clérigos en la cabeza.

coronio *m.* Hierro fuertemente ionizado que se detectó por primera vez en la corona solar.

corónopo *m.* Hierba plantaginácea, pubescente, con hojas pinnatífidas agrupadas en una roseta basal, y flores parduscas en espigas *(Plantago coronopus).*

coroza *f.* Capirote de papel engrudado y de figura cónica, que se ponía por castigo en la cabeza de ciertos delincuentes.

corpa *f.* Trozo de mineral en bruto.

corpachón, -panchón *m.* Cuerpo de ave despojado de las pechugas y piernas.

corpiño *m.* Especie de chaleco, o blusa sin mangas, femenino, ajustado al cuerpo.

corporación *f.* Asociación, entidad, comunidad, generalmente de carácter público.

corporal *adj.* Relativo al cuerpo, en oposición a espiritual, intelectual, etc. – 2 *m.* Lienzo que se extiende encima del ara para poner sobre él la hostia y el cáliz: *la bolsa de los corporales.*

corporativismo *m.* Tendencia de un grupo profesional a defender o extender sus intereses y derechos particulares sobre los generales.

corporeizar *tr.* Dar cuerpo o materia [a algo inmaterial]. ◇ ** CONJUG. [26] como *homogeneizar.*

corpóreo, -a *adj.* Que tiene cuerpo o volumen.

corpulencia *f.* Grandeza y magnitud de un cuerpo.

corpulento, -ta *adj.* Que tiene mucho cuerpo.

corpus *m.* LING. Conjunto acabado de enunciados.

corpúsculo *m.* Partícula pequeña, célula, molécula, elemento.

corral *m.* Sitio cercado y descubierto, junto a las casas o en el campo, especialmente el destinado a los animales. 2 ~ *de comedias,* casa, patio o teatro donde se representaban las comedias. 3 Atajadizo hecho en los ríos o en la costa del mar, para encerrar la pesca. 4 Circo de montañas cubierto de nieves perpetuas.

corraleta *f.* Lugar muy sucio.

corralito *m.* Parque, pequeño recinto donde pueden jugar los niños que todavía no andan.

correa *f.* Tira de cuero. 2 Flexibilidad y extensión de una cosa correosa. 3 Alga feofícea de fronde de hasta 3,5 m. de longitud; la lámina es ovoide y está dividida en varios frondes parecidos a correas *(Laminaria hyperborea).* 4 ARQ. Madero horizontal colocado sobre los cuchillos de una armadura para asegurar los cabrios. 5 MEC. Órgano de transmisión constituido por una tira o banda flexible, que sirve para conectar dos ejes de rotación por medio de poleas: ~ *del ventilador de un* ***automóvil.* – 6 *f. pl.* Tiras delgadas de cuero, sujetas a un mango, para sacudir el polvo.

correaje *m.* Conjunto de correas que hay en una cosa. 2 Conjunto de correas que forman parte del equipo individual en los cuerpos armados.

correar *tr.* Poner correosa [la lana].

correcaminos *m.* Ave cuculiforme de hasta 60 cms. de longitud, con el dorso de color negro y ocre, la parte ventral clara, las alas negras con listas blancas, y la cola azul violáceo. Su habilidad para la carrera es extraordinaria *(Geococcyx californiana).* ◇ Pl.: *correcaminos.*

corrección *f.* Alteración hecha en una obra para mejorarla. 2 Represión o censura de un delito, falta o defecto. **3** Calidad de correcto. **4** IMPR. Acción de leer las pruebas para señalar las erratas que tiene la composición.

correccional *adj.* Que conduce a la corrección. – **2** *m.* Establecimiento penitenciario destinado al cumplimiento de las penas de prisión y de presidio correccional: ~ *de menores,* reformatorio.

correccionalismo *m.* Sistema penal que tiende a modificar por la educación la propensión a la delincuencia.

correctivo, -va *adj.-m.* Que corrige o atenúa: *medicamento* ~. – **2** *m.* Castigo que se impone a una persona para corregirla.

correcto, -ta *adj.* Conforme a las reglas, libre de errores o defectos: *estilo, dibujo* ~. **2** [pers.] Cortés, tratable, comedido.

corrector, -ra *adj.-s.* Que corrige. – **2** *m. f.* IMPR. Persona encargada de corregir las pruebas.

corredera *f.* Ranura o carril por donde resbala otra pieza en ciertas máquinas o artefactos: *puerta, ventana* ~, la que se abre deslizándose vertical o lateralmente por ranuras o carriles. **2** Pieza que abre y cierra los agujeros por donde entra y sale el vapor en los cilindros de una máquina. **3** Postiguillo de celosía que corre de una a otra parte para abrir o cerrar. **4** Muela superior del molino. **5** Aparato para medir la velocidad de una nave. **6** Cucaracha *(Periplaneta orientalis).*

corredero *m.* Paraje apropiado para el acoso y derribo de las reses vacunas.

corredizo, -za *adj.* Que se desata o corre con facilidad: *nudo* ~; *lazada corrediza.*

corredor, -ra *adj.-s.* Que corre mucho. – **2** *m.* El que tiene por oficio intervenir en compras y ventas de toda clase: ~ *de cambios;* ~ *de comercio.* **3** Pasillo (pieza). **4** Galería que corre alrededor del patio de algunas casas. **5** Balcón corrido. **6** Ave caradriforme limícola de color arenoso, con patas largas color crema pálido y pico corto y curvado *(Cursorius cursor).* – **7** *m. f.* Persona que practica la carrera en competiciones deportivas. – **8** *f. pl.* Grupo de aves primitivas incapaces de volar pero que presentan las patas fuertes y bien adaptadas a la carrera.

corredura *f.* Lo que rebosa en la medida de los líquidos.

corregidor, -ra *adj.* Que corrige. – **2** *m.* Magistrado que en su territorio ejercía la jurisdicción real con mero y mixto imperio, y conocía de las causas contenciosas y gubernativas, y del castigo de los delitos. **3** Alcalde que en algunas poblaciones importantes presidía el ayuntamiento y ejercía funciones gubernativas.

corregir *tr.* Enmendar, rectificar [lo errado]. **2** Advertir, amonestar, reprender. **3** fig. Templar, moderar [la actividad de una cosa]. **4** Repasar [los ejercicios o exámenes de los alumnos] señalando los errores al tiempo que se les da una calificación. ◇ ** CONJUG. [55] como *elegir;* pp. irreg.: *correcto.*

correhuela *f.* Mata convolvulácea de tallo tendido y voluble, hojas cordiformes y flores acampanilladas; se emplea como vulneraria *(Convolvulus arvensis).*

correjel *m.* Cuero grueso y flexible, a propósito para correones y suelas.

correlacionar *tr.* Poner en relación recíproca [algunas cosas].

correlativo, -va *adj.* Que tiene o indica una correlación. – **2** *adj.-m.* GRAM. Palabra que, al usarse junto a otra en un período, señala relación mutua entre las oraciones o elementos sintácticos en que figuran: *cuanto... tanto; tal... cual; así... como;* también se dice de las oraciones así relacionadas.

correlato *m.* Término que corresponde a otro en una correlación.

correligionario, -ria *adj.-s.* Que profesa la misma religión que otro. **2** p. ext. Que tiene la misma opinión política que otro.

correntío *adj.* Corriente (que corre); aplícase a las cosas líquidas. **2** fig. Ligero, desembarazado.

correntoso, -sa *adj.* Amér. [río o curso de agua] De corriente muy rápida.

correo *m.* El que tiene por oficio llevar la correspondencia de un lugar a otro. **2** Tren correo. **3** Servicio público que tiene por objeto el transporte de la correspondencia oficial y privada: ~ *certificado,* aquel cuyo destinatario firma al recibir el envío. **4** Oficina del servicio de correos: *apartado de correos,* departamento de las oficinas de correos donde se deposita por separado la correspondencia de personas que van a recogerla allí por sí mismas. **5** Correspondencia que se despacha o recibe: *leer el* ~. **6** Buzón donde se deposita la correspondencia.

correoso, -sa *adj.* Que fácilmente se dobla y estira sin romperse. **2** fig. [alimento] Que se mastica con dificultad. **3** fig. [pers.] Que en trabajos, deportes, quehaceres, etc., dispone de mucha resistencia física.

correr *intr.* Caminar con impulso y velocidad de manera que al dar los pasos los pies queden sin tocar el suelo un momento: ~ *como una liebre.* **2** p. ext. Partir de ligero a poner en ejecución una cosa. **3** p. anal. Moverse las cosas o girar con rapidez; moverse los fluidos en un sentido determinado. **4** Extenderse los ríos: *el Tajo corre en medio de una vega fertilísima;* soplar o dominar los vientos: *casi todo el año corren vientos recios.* **5** Ir, pasar y extenderse de una parte a otra: *la cordillera corre de norte a sur.* **6** Transcurrir el tiempo: ~ *el mes, las horas, los plazos,* etc. **7** p. anal. Ir devengándose las pagas o salarios; no haber detención ni difi-

correría

298

cultad en su pago. **8** Circular, ser utilizado, tener valor entre el público, estar admitido: *estos dogmas han corrido por todas las edades; esta moneda no corre; utilice el papel sellado que corra este año; corre la fama de sus versos; corren unas cien comedias mías.* – **9** *tr.* Recorrer (atravesar): *Adolfo ha corrido medio mundo.* **10** fam. Saltear, arrebatar: *sustentaban la casa con lo que corrían.* **11** Sacar a carrera abierta en competencia con otros [el bruto en que se cabalga]: ~ *un caballo.* **12** fact. Hacer huir, acosar: *los muchachos corrían perros por las calles.* **13** p. ext. Avergonzar, confundir: *te digo que ninguno se pondrá a correr; el pueblo se corrió y se retiró de la plaza.* **14** Hacer que [una cosa] se deslice sobre sí misma o pase de un lugar a otro: *corred esta silla; correrse la silla.* **15** Echar o tender [un velo, una cortina, etc.], cuando está recogido, o recogerlo cuando está echado o tendido. **16** Estar expuesto [a contingencias o peligros]; arrostrarlos: ~ *aventuras;* ~ *la suerte del soldado.* **17** Arrendar, sacar a pública subasta. **18** Recorrer [los comercios], visitar a los clientes un corredor para comprar o vender [algo]: ~ *la plaza;* ~ *fincas;* ~ *géneros de punto.* – **19** *prnl.* Hacerse a derecha o izquierda los que están en línea. **20** Pasarse, deslizarse una cosa con demasiada facilidad. **21** Derretirse [una vela, una bujía, etc.] haciendo canal de cera o sebo. **22** fam. Excederse, espontanearse demasiado. **23** Ofrecer por una cosa más de lo debido. – **24** *tr.* Amér. Despedir [a uno] con descomedimiento. **25** *Argent.* Hacer [a uno] entrar en temores o sospechas.

correría *f.* Hostilidad que hace la gente de guerra. **2** Viaje corto a varios puntos, volviendo a aquel en que se reside.

correspondencia *f.* Trato recíproco entre dos personas. **2** Significado de una palabra en otro idioma distinto. **3** Cartas recibidas y expedidas. **4** Comunicación entre dos vehículos, dos pueblos, etc. **5** Medio de transporte para la comunicación entre pueblos. **6** Relación que realmente existe o convencionalmente se establece entre los elementos de distintos conjuntos o colecciones. **7** Relación entre términos de distintas series o sistemas que tienen en cada uno igual significado, caracteres o función.

corresponder *intr.* Pagar, compensar los afectos, beneficios o agasajos: ~ *a los beneficios;* ~ *con el bienhechor.* **2** Tocar o pertenecer: ~ *un oficio a los profesores.* – **3** *intr.-rec.* Tener proporción una cosa con otra: *el valor de nuestro brazo corresponde a la fama; los aledaños de estas provincias no se corresponden.* – **4** *rec.* Comunicarse por escrito una persona con otra. **5** Comunicarse por contigüidad. **6** Estar dos cosas situadas simétricamente. **7** Atenderse y amarse recíprocamente.

correspondiente *adj.* Que corresponde a algo o que se corresponde con algo. – **2** *adj.-s.* Que tiene correspondencia con una persona. **3** Miembro no numerario de una corporación, que por lo general reside fuera de la sede de ésta y colabora con ella por correspondencia, con deberes y derechos variables según los reglamentos de cada corporación: *académico* ~.

corresponsal *adj.-com.* Entre comerciantes y periodistas, correspondiente (que tiene correspondencia).

corresponsalía *f.* Cargo de corresponsal de un periódico, cadena de televisión, agencia de noticias, etc., y su oficina.

corretaje *m.* Diligencia que pone el corredor en los ajustes y ventas. **2** Oficio del corredor. **3** Remuneración que recibe por su servicio.

corretear *intr.* fam. Andar de calle en calle o de casa en casa. **2** Correr en varias direcciones, especialmente jugando: *los niños correteaban por el jardín.* – **3** *tr.* Amér. Perseguir, hostigar.

correvedile, correveidile *com.* fig. Persona que lleva y trae chismes. ◇ Pl.: *correveidile.*

correverás *m.* Juguete que se mueve por un resorte oculto. ◇ Pl.: *correverás.*

corrida *f.* Carrera (paso rápido). **2** Canto popular andaluz, llamado también playeras. **3** ~ *de toros,* fiesta que consiste en lidiar cierto número de toros en una plaza cerrada. ◇ En la acepción 2 se usa generalmente en plural.

corrido, -da *adj.* Que excede un poco del peso o de la medida de que se trata. **2** [pers.] Experimentado y astuto. **3** fig. Avergonzado, confundido. **4** Hablando de algunas partes de un edificio, contiguo, seguido: *balcón* ~. **5** Tratándose de tiempo, transcurrido: *dos semanas corridas; plazo* ~. – **6** *m.* Cobertizo hecho a lo largo de las paredes de los corrales. **7** Romance cantado. **8** Baile mejicano. **9** Música y canto de este baile. – **10** *adj.* Amér. Completo, cabal.

corriente *adj.* Que corre: *agua* ~. **2** [semana, mes, etc.] Actual, que transcurre ahora. **3** Generalmente aceptado o admitido por el uso común o por la costumbre: *moneda* ~. **4** Cierto, sabido, admitido comúnmente: ~ *y moliente.* **5** Que no tiene impedimento ni embarazo para su uso y efecto. **6** [cosa] De calidad ordinaria. – **7** *f.* Masa de agua que se mueve continuamente en dirección determinada y movimiento de esta masa: ~ *marina, la* ~ *de un río.* **8** ~ *eléctrica,* paso de la electricidad entre dos puntos de diferente potencial, a través de un conductor. **9** fig. Curso, movimiento o tendencia de los sentimientos o de las ideas. **10** Tendencia, representada en el interior de un partido político pluralista, que se distingue por la interpretación particular de algunos aspectos de la ideología o de la estrategia común.

corrigia *f.* Arbusto escrofulariáceo perenne y lampiño, con las hojas coriáceas, enteras y lanceoladas y las flores de color pardo rojizo por fuera y amarillas con manchas obscuras por dentro *(Digitalis obscura)*.

corrillo *m.* Corro donde se juntan algunos a discurrir y hablar, separados de lo restante del concurso.

corrimiento *m.* Acción de correr o correrse: ~ *de tierras*. 2 Fluxión de humores en alguna parte del cuerpo. 3 fig. Vergüenza, rubor.

corro *m.* Cerco que forma la gente para hablar, para solazarse, etc. 2 Espacio circular o casi circular. 3 Juego de niños que forman un círculo, cogidos de las manos, y cantan dando vueltas alrededor.

corroborar *tr.* Vivificar y dar mayores fuerzas [al débil, desmayado o enflaquecido]. 2 fig. Dar nueva fuerza [a un argumento, teoría, opinión, etc.] con nuevos raciocinios o mayores datos.

corroer *tr. -prnl.* Desgastar lentamente [una cosa] como royéndola. 2 Producir corrosión química. 3 fig. Perturbar [el ánimo] o arruinar [la salud] el peso del remordimiento o de alguna aflicción. ◇ CONJUG. [82] como *roer*.

corromper *tr.-prnl.* Alterar y trastocar la forma [de una cosa]: *la hiedra corrompe la pared que acaricia; el sueño se corrompe con los desvelos*; esp., echar a perder, pudrir: *el calor corrompe la comida*. 2 fig. Viciar, pervertir: ~ *las costumbres, el habla*, etc. – 3 *tr.* esp. Sobornar o cohechar [al juez o a otra autoridad] con dádivas, beneficios, etc.; seducir [a una mujer]. – 4 *intr.* Oler mal.

corrosión *f.* Acción de corroer o corroerse. 2 Efecto de corroer o corroerse. 3 Proceso paulatino que cambia la composición química de un cuerpo metálico por acción de un agente externo.

corrosivo, -va *adj.* Que corroe o tiene virtud de corroer: *líquido* ~. 2 fig. [pers., lenguaje, estilo] Incisivo, mordaz, irónico o hiriente.

corrugar *tr.* Dar a una superficie lisa estrías o resaltos de forma regular y conveniente para asegurar su inmovilidad, protegerla, etc. ◇ ** CONJUG. [7] como *llegar*.

corrumpente *adj.* Que corrompe. 2 fig. Fastidioso, molesto.

corrupción *f.* Acción de corromper o corromperse: ~ *de comestibles; la* ~ *de un juez; la* ~ *del idioma*. 2 Efecto de corromper o corromperse. 3 Mal olor.

corruptela *f.* Corrupción. 2 Mala costumbre o abuso, especialmente los introducidos contra la ley.

corsario, -ria *adj.-s.* [pers.] Que manda

una embarcación armada en corso. – 2 *adj.* [embarcación] Armado en corso. – 3 *m.* Pirata.

corsé *m.* Prenda interior femenina para ceñirse el cuerpo desde el busto a las caderas.

corsetería *f.* Establecimiento donde se hacen o venden corsés y otras prendas parecidas.

I) corso *m.* Campaña que hacen los buques mercantes con patente de su gobierno para perseguir a los piratas o a las embarcaciones enemigas: *ir, salir a* ~; *venir de* ~. 2 Campaña marítima contra el comercio enemigo, que se hace siguiendo las leyes de la guerra. 3 Expedición que llevan a cabo los corsarios.

II) corso, -sa *adj.-s.* De Córcega, isla del Mediterráneo occidental.

cortaalambres *m.* Cortafrío o tenaza para cortar hilos metálicos. ◇ Pl.: *cortaalambres*.

cortacésped *amb.* Máquina para recortar el césped en los **jardines.

cortacircuito *m.* Aparato que interrumpe automáticamente la corriente eléctrica. ◇ No se debe confundir con *cortocircuito*.

cortadera *f.* Cuña de acero sujeta a un mango para cortar el hierro candente. 2 Instrumento para cortar los panales. 3 Mata gramínea de hojas angostas de color verde azulado y flores en panícula fusiforme *(Cortaderia selloana)*.

cortadillo, -lla *adj.* [moneda] Que no ha sido cortada en forma circular. – 2 *m.* Vaso pequeño y cilíndrico. 3 Pequeño pastelito en forma cuadrangular hecho de harina, manteca y azúcar, relleno de cabello de ángel y con una capa de azúcar rayada por encima.

cortado, -da *adj.* Ajustado, proporcionado. 2 [estilo de escritor] Que expresa los conceptos separadamente, en cláusulas breves y sueltas. – 3 *m.* Taza o vaso de café con un poco de leche. – 4 *adj. Amér.* [cuerpo] Que experimenta escalofrío. 5 *Amér. Merid.* Sin dinero.

cortador, -ra *adj.* Que corta. – 2 *m.* Carnicero (que vende carne). 3 Diente incisivo. 4 El que en las sastrerías, zapaterías, etc., corta los trajes o las piezas que en estos talleres se fabrican.

cortadura *f.* División hecha en un cuerpo continuo por instrumento cortante. 2 Paso entre dos montañas.

cortafuego *m.* Vereda ancha que se deja en los bosques y sembrados para que no se propaguen los incendios.

cortahuevos *m.* Aparato que sirve para cortar en láminas un huevo; **cocina. ◇ Pl.: *cortahuevos*.

cortalápices *m.* Instrumento para aguzar los lápices. ◇ Pl.: *cortalápices*.

cortapastas *m.* Utensilio de pastelería, liso o estriado, para recortar las pastas con distintas formas. ◇ Pl.: *cortapastas*.

cortapisa *f.* Condición con que se concede o se posee una cosa. 2 Dificultad, estorbo: *poner cortapisas.*

cortaplumas *m.* Navaja pequeña. ◇ Pl.: *cortaplumas.*

cortapuros *m.* Instrumento para cortar la punta de los cigarros puros. ◇ Pl.: *cortapuros.*

cortar *tr.* Dividir [una cosa] o separar sus partes con algún instrumento afilado; esp., trinchar [las viandas]. 2 Recortar. 3 Dar la forma conveniente [a las piezas de que se ha de componer una prenda de vestir]: ~ *un traje.* 4 Grabar. 5 Hacer que cese la continuidad o unión: ~ *un puente.* 6 En el juego de naipes, alzar parte de ellos dividiendo [la baraja]. 7 Hender un fluido o líquido: *la flecha corta el aire; el buque corta el agua.* 8 fig. Interponerse una cosa; separar una cosa [a otra] en dos porciones: *las sierras cortan la provincia; los árboles cortan el paisaje; el meridiano corta el ecuador.* 9 Omitir algo en una [lectura, discurso, etc.]. 10 Atajar, embarazar, interrumpir [el curso de las cosas]: ~ *el paso, la comunicación, las clases.* 11 esp. Suspender [la conversación o plática]. 12 Quitar la palabra [a alguien]. 13 Dejar [a alguien] sin opción a responder. 14 Refiriéndose al aire o al frío, ser muy penetrante y sutil: *abs., el aire corta.* 15 Castrar [las colmenas]. 16 Decidir o ser árbitro [en un negocio]. 17 En el lenguaje de la droga, adulterarla añadiéndole algún producto. 18 Tomar el camino más corto. – 19 *prnl.* Turbarse, faltar a uno palabras; quedarse sin iniciativa ninguna, sin saber qué decir. 20 Tratándose de leches, salsas, etc., separarse los componentes perdiendo su continuidad: *tr.,* ~ *la leche.* – 21 *tr. Argent., P. Rico y Urug.* Atravesar [el campo] desviándose del camino. – 22 *intr. Argent.* Separarse uno de los demás en una marcha o carrera.

cortaúñas *m.* Especie de tenacilla, alicates o pinzas con la boca afilada y curvada hacia dentro, que sirve para cortar las uñas. ◇ Pl.: *cortaúñas.*

I) corte *m.* Filo (arista). 2 Acción de cortar; esp., incisión, herida cortante. 3 Efecto de cortar; esp., incisión, herida cortante. 4 Arte y acción de cortar las diferentes piezas que componen un vestido, calzado, etc.: *tratado de y confección.* 5 Cantidad de tela o cuero necesaria para hacer un vestido, un calzado, etc. 6 Sección (figura). 7 Superficie que forma cada uno de los cantos de un libro. 8 fig. *y* fam. Réplica ingeniosa e inesperada. 9 fig. *y* fam. Situación súbita que produce turbación. 10 DEP. En el juego del golf, eliminación que se lleva a cabo en un torneo al establecerse, tras dos recorridos al campo, el máximo número de golpes con los que un jugador puede continuar en la competición. 11 *Argent.* Gallardía, gentileza; movimiento o contoneo que se hace en ciertos bailes.

II) corte *f.* Población donde habitualmente reside el soberano: *marcharse a la* ~. 2 Conjunto de todas las personas que componen la familia y comitiva del rey. 3 p. ext. Séquito, comitiva o acompañamiento. 4 Establo. – 5 *f. pl.* Conjunto formado por los representantes del país, con facultad de hacer leyes y otras atribuciones. – 6 *f. Amér.* Tribunal de justicia.

cortedad *f.* Pequeñez, poca extensión. 2 fig. Falta o escasez de talento, de valor, de instrucción, etc. 3 fig. Poquedad de ánimo.

cortejar *tr.* Asistir, acompañar [a uno], contribuyendo a lo que sea de su agrado. 2 Galantear; hablar entre sí los novios.

cortejo *m.* Acción de cortejar. 2 Personas que forman el acompañamiento en una ceremonia. 3 Fineza, agasajo, regalo. 4 Persona que tiene con otra relaciones amorosas.

cortés *adj.* Atento, afable, obsequioso.

cortesano, -na *adj.* Relativo a la corte. 2 Cortés. – 3 *m.* Palaciego que sirve al rey en la corte. – 4 *f.* Prostituta de modales distinguidos o de notable cultura.

cortesía *f.* Calidad de cortés. 2 Demostración o acto con que se manifiesta la atención, respeto o afecto que tiene una persona a otra. 3 En las cartas, expresiones de urbanidad puestas antes de la firma. 4 Tratamiento (título).

corteza *f.* Parte exterior, compuesta de varias capas, del **tallo, raíz y ramas de los vegetales leñosos. 2 Parte exterior y dura de algunas cosas; como el limón, el queso, el pan, etc. 3 fig. Exterioridad de una cosa no material. 4 Rusticidad, falta de política y crianza en una persona. 5 ~ *suprarrenal,* parte externa de las glándulas suprarrenales. 6 ~ *terrestre,* capa superior de la tierra.

cortical *adj.* cientif. Perteneciente o relativo a la corteza: *parénquima* ~.

corticoide *adj.-s.* Hormona que se produce en la corteza suprarrenal.

cortijo *m.* Finca de tierra y casa de labor.

cortina *f.* Paño colgante con que se cubre una puerta, una ventana, una cama, etc. 2 fig. Lo que encubre y oculta algo: ~ *de humo.*

cortinaje *m.* Conjunto o juego de cortinas.

cortinal *m.* Pedazo de tierra cercado, inmediato a pueblo o casas de campo.

cortinario *m.* Género de setas medianas caracterizadas por tener el pie estriado y las esporas rojizas *(Cortinarius* sp.).

corto, -ta *adj.* Que no tiene la extensión o el tamaño que le corresponde. 2 De poca duración, estimación o entidad. 3 Que no alcanza al punto de su destino: *tiro* ~. 4 Escaso o defectuoso. 5 fig. De escaso talento o poca instrucción. 6 Tímido, encogido. 7 Falto de palabras para explicarse.

cortocircuito *m.* Perturbación en un circuito eléctrico por la conexión directa entre dos conductores de distinta fase, con la producción de una corriente de gran intensidad. ◇ No se debe confundir con *cortacircuito*.

cortometraje *m.* Película cinematográfica de duración inferior a treinta y cinco minutos.

coruñés, -ñesa *adj.-s.* De La Coruña.

corva *f.* Parte de la pierna, opuesta a la rodilla, por donde se dobla y encorva. 2 Tumor que se forma en el corvejón de las caballerías. 3 Pez marino teleósteo, de cabeza grande y redondeada, cuerpo ovoide y dos aletas dorsales, la primera espinosa *(Sciaena umbra)*.

corvadura *f.* Parte por donde se tuerce, dobla o encorva una cosa.

corvallo *m.* Pez marino teleósteo perciforme, carnívoro, de cuerpo rechoncho y coloración general pardo dorada, con las aletas obscuras *(Johnius umbra; Sciana u.)*.

corvato *m.* Pollo del cuervo.

corvejón *m.* En las extremidades posteriores de los cuadrúpedos, articulación situada entre la parte inferior de la pierna y la superior de la caña; **caballo. 2 Espolón de los gallos.

corveta *f.* Movimiento que se enseña al caballo, haciéndolo andar con los brazos en el aire.

córvido *adj.-m.* Ave de la familia de los córvidos. – 2 *m. pl.* Familia de aves paseriformes robustas, con el pico fuerte y el plumaje negro, a menudo con reflejos metálicos; como el cuervo.

corvina *f.* Pez marino teleósteo perciforme, de cuerpo alargado y gran tamaño, y de color gris plateado con reflejos parduscos *(Sciaena umbra)*.

corvino, -na *adj.* Relativo al cuervo o parecido a él.

corvo, -va *adj.* Arqueado o combado. – 2 *m. Amér.* Machete curvo utilizado en la labranza; p. ext., cuchillo que se usa como arma.

corzo *m.* Mamífero rumiante cérvido, algo mayor que la cabra, de cola corta, pelaje gris rojizo, y cuernas pequeñas verrugosas y ahorquilladas hacia la punta *(Capreolus capreolus)*.

corzuelo *m.* Porción de granos de trigo que conservan la cascarilla y se separan de los demás cuando se ahecha.

I) cosa *f.* Todo lo que tiene entidad, ya sea corporal o espiritual, natural o artificial, real o abstracta: *me han dado una ~ para ti; hay cosas que no logro entender*. 2 Objeto inanimado, por oposición a ser viviente: *personas y cosas*. 3 En oraciones negativas, nada.

II) cosa *conj. Amér.* De tal manera que, de suerte que, por ejemplo. 2 *Amér.* Para que, a fin de que.

cosaco, -ca *adj.-s.* Habitante de un pueblo pastor y guerrero de varios distritos de Rusia. – 2 *m.* Soldado ruso de tropa ligera. – 3 *adj.* Como término de comparación, [pers.] de

aspecto fuerte o bárbaro o que aguanta con facilidad cualquier ejercicio violento o gran cantidad de bebida: *beber como un ~*.

coscoja *f.* Árbol o arbusto cupulífero, de poca altura, achaparrado, parecido en lo demás a la encina, donde vive con preferencia el quermes *(Quercus coccifera)*. 2 Hoja seca de la carrasca o encina. 3 Chapa de hierro arrollada en forma de cañuto, que se coloca en los travesaños de las hebillas para que corra con facilidad el correaje.

coscojo *m.* Agalla producida por el quermes en la coscoja.

coscorrón *m.* Golpe en la cabeza que no saca sangre y duele.

coscurro *m.* Mendrugo de pan.

coscurrón *m.* Trozo de pan frito.

cosecante *f.* **TRIG. Secante de un ángulo o arco complementario.

cosecha *f.* Conjunto de frutos que se recogen de la tierra. 2 Acción de recogerlos. 3 Tiempo en que se recogen. 4 fig. Conjunto de ciertas cosas no materiales: *hacer ~ de virtudes, de vicios*.

cosechador, -ra *adj.* Que cosecha. – 2 *f.* Máquina de tracción automóvil que realiza a la vez la siega y la trilla de los cereales.

cosechar *intr.-tr.* Recoger la cosecha: *~ muchas aceitunas*. 2 fig. Ganarse, atraerse o concitarse simpatías, odios, fracasos, éxitos, etc.

coseno *m.* **TRIG. Seno de un ángulo o arco complementario.

coser *tr.* Unir con hilo, generalmente enhebrado en la aguja, dos o más pedazos [de tela, cuero u otro material]. 2 Engrapar papeles, uniéndolos con máquina. 3 Hacer dobladillos, pespuntes y otras labores de aguja: *~ de sastrería*. 4 fig. Unir estrechamente [una cosa con otra]: *las aves para alzar el vuelo cosen el pecho con la mano*. 5 fig. Atravesar: *le cosió el pecho con la espada; ~ a puñaladas*.

cosetada *f.* Paso acelerado o carrera.

cosificar *tr.* Convertir [algo] en cosa. 2 Considerar como cosa [algo que no lo es]. 3 Identificar con un acto u objeto concreto. ◇ ** CONJUG. [1] como *sacar*.

cosijoso, -sa *adj. Amér. Central y Méj.* Engorroso, molesto.

cosmético, -ca *adj.-s.* Preparado para hermosear la tez o el pelo. – 2 *f.* Arte de preparar y aplicar estos preparados.

cósmico, -ca *adj.* Relativo al cosmos. 2 [orto u ocaso de un astro] Que coincide con la salida del Sol.

cosmogonía *f.* Ciencia o sistema que trata de la formación del universo.

cosmografía *f.* Descripción astronómica del mundo, o astronomía descriptiva.

cosmología *f.* Parte de la metafísica que estudia los principios generales de la constitución del mundo físico.

cosmonauta *com.* Astronauta.

cosmopolita *adj.-com.* [pers.] Que considera a todo el mundo como patria suya. 2 fig. Que le gusta mucho viajar. 3 Que es común a todos los países o a muchos de ellos. 4 Que puede vivir o aclimatarse en todos los países.

cosmoquímica *f.* Disciplina que se ocupa del estudio de la distribución y aparición de los elementos en el universo.

cosmorama *m.* Artificio óptico que sirve para ver aumentados los objetos mediante una cámara obscura.

cosmos *m.* Universo concebido como un todo ordenado, por oposición a caos. 2 Mundo (cosas creadas). ◇ Pl.: *cosmos*.

cosmovagar *intr.* Salir un astronauta de la cápsula o vehículo astronáutico en movimiento. ◇ ** CONJUG. [7] como *llegar*.

coso *m.* Plaza o lugar cercado para corridas de toros y otras fiestas públicas. 2 Calle principal en algunas poblaciones.

cospe *m.* Corte de hacha o azuela hecho en una madera, para facilitar el desbaste de ella.

cospel *m.* Disco de metal para hacer la moneda.

cosquillas *f. pl.* Sensación que produce sobre ciertas partes del cuerpo una sucesión rápida de toques ligeros.

cosquilleo *m.* Sensación que producen las cosquillas u otra cosa semejante.

I) costa *f.* Coste (precio). 2 Coste de la manutención del trabajador cuando se añade al salario. – 3 *f. pl.* Gastos judiciales: *condenar a uno en costas*.

II) **costa *f.* Tierra que bordea la orilla del mar. 2 Instrumento de madera usado por los zapateros, para alisar y bruñir los cantos de la suela.

costado *m.* Parte lateral del **cuerpo humano que está entre pecho, espalda, sobacos y vacíos. 2 Lado, especialmente el derecho o izquierdo de un ejército o del casco de un buque. 3 Remate lateral de una sillería de coro, frecuentemente tallada, o de un tramo de una escalera. 4 *Méj.* Andén del ferrocarril.

costal *adj.* Relativo a las costillas. – 2 *m.* Saco grande de tela ordinaria.

costalero *m.* Ganapán o mozo de cordel. 2 Persona que lleva a hombros los pasos en las procesiones.

costana *f.* Calle en cuesta o pendiente.

costar *intr.* Ser comprada o adquirida una

COSTA

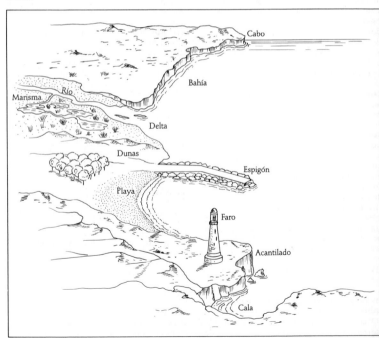

cosa por determinado precio. 2 fig. fact. Causar una cosa cuidado, desvelo, perjuicio, etc.: *mil penas cuesta una gloria; la buena fama cuesta mucho de adquirir* ◇ ** CONJUG. [31] como *contar.*

costarricense *adj.-s.* De Costa Rica, nación de la América Central.

costarriqueñismo *m.* Vocablo, giro o locución propios de los costarricenses. 2 Amor o apego a las cosas características de Costa Rica.

coste *m.* Precio, cantidad que se paga por una cosa.

I) costear *tr.* Pagar el coste [de una cosa]. − 2 *prnl.* Producir una cosa lo suficiente para cubrir sus gastos.

II) costear *tr.* Navegar sin perder de vista [la costa]. 2 Pasar por el lado de algo. 3 Rematar el costado o lado de una cosa. 4 fig. Esquivar o soslayar una dificultad o peligro. 5 *Argent. y Chile.* Llegar hasta un sitio con mucho trabajo.

costera *f.* Costado de un fardo o cosa semejante. 2 Tiempo que dura la pesca de ciertos peces.

costero, -ra *adj.* Perteneciente o relativo a la costa. − 2 *m.* Habitante de la costa. 3 Pieza más inmediata a la corteza, que sale al aserrar un tronco en el sentido de su longitud.

costil *adj.* Relativo a las costillas.

costilla *f.* **Hueso largo y encorvado que, inserto por un extremo en unas vértebras, forma con éstas y con el esternón, cuando lo hay, el armazón de la caja torácica. 2 fig. Cosa de figura de costilla: *costillas de una silla.* 3 Palo vertical que en número par tienen los yugos de caballerías.

costillar *m.* Conjunto de costillas. 2 Parte del cuerpo en la cual están. 3 Pedazo de carne de buey, situado debajo de la espalda, o entre la octava y undécima costilla.

costo *m.* Chocolate (hachís).

costoso, -sa *adj.* Que cuesta mucho. 2 fig. Que acarrea daño o sentimiento.

costra *f.* Cubierta exterior que se endurece o seca sobre una cosa húmeda o blanda. 2 Postilla.

costrada *f.* Especie de empanada cubierta con una costra de azúcar, huevos y pan.

costumbre *f.* Manera de obrar establecida por un largo uso o adquirida por la repetición de actos de la misma especie. 2 Práctica muy usada y recibida que ha adquirido fuerza de precepto. − 3 *f. pl.* Conjunto de inclinaciones y usos de un pueblo o un individuo, especialmente en sentido moral: *hombre de costumbres disolutas.*

costumbrismo *m.* En las obras literarias y artísticas, atención especial que se presta a la pintura de las costumbres típicas de un país o región.

costura *f.* Acción de coser. 2 Efecto de coser. 3 Serie de puntadas que une dos piezas cosidas. 4 p. ext. Unión hecha con clavos, roblones, especialmente la de los tablones o planchas del casco de un buque. 5 Labor que está cosiéndose y se halla sin acabar, especialmente si es de ropa blanca.

costurera *f.* Mujer que tiene por oficio coser.

costurero *m.* Mesita con cajón y almohadilla para la costura. 2 Caja o canastilla para guardar los útiles de costura. 3 Cuarto de costura. 4 Modisto, hombre que diseña o hace vestidos de mujer.

I) cota *f.* Arma defensiva del cuerpo, usada antiguamente, de cuero y guarnecida de cabezas de clavo y anillos de hierro, o de mallas de hierro entrelazadas.

II) cota *f.* Número que en los planos topográficos indica la altura de un punto. 2 Esta misma altura.

cotana *f.* Muesca que se abre en la madera para encajar allí otro madero o una espiga. 2 Escoplo con que se abre dicha muesca.

cotangente *f.* **TRIG. Tangente de un ángulo o arco complementario.

cotarro *m.* Albergue nocturno para pobres y vagabundos. 2 fig. *y* fam. Colectividad en estado de inquietud o agitación. 3 Ladera de un barranco.

cotejar *tr.* Comparar [una cosa con otra u otras], teniéndolas a la vista.

cotense *m.* *Amér.* Tela burda de cáñamo.

cotidiano, -na *adj.* Diario (cada día).

cotila *f.* Cavidad de un hueso en que entra la cabeza de otro.

cotiledón *m.* Hoja primera que, sola o junto a otra, se forma en el embrión de una planta fanerógama, modificada especialmente y que en algunos casos acumula substancias de reserva.

cotiledóneo, -a *adj.* Relativo al cotiledón. − 2 *adj.-f.* Planta fanerógama que tiene cotiledón o cotiledones.

cotilla *com.* fig. Persona chismosa y parlanchina.

cotillear *intr.* Chismorrear.

cotilleo *m.* Chisme, murmuración, habladuría.

cotillo *m.* Parte del martillo y otras herramientas que sirve para golpear.

cotillón *m.* Baile y fiesta que se celebra un día señalado; esp., el del final de año.

cotizar *tr.* Asignar el precio [de un valor en la bolsa, de un artículo en el mercado]. 2 Imponer o fijar una cuota o escote, repartir un pago. − 3 *intr.* Pagar o recaudar una cuota, especialmente la impuesta por los sindicatos a sus asociados. ◇ ** CONJUG. [4] como *realizar.*

I) coto *m.* Terreno acotado. 2 Hito (poste). 3 Término, límite.

II) coto *m.* Postura, tasa. 2 Medida lineal (medio palmo). 3 Convención que suelen hacer entre sí los mercaderes de no vender sino a determinado precio algunas cosas.

III) coto *m.* Pez fluvial pequeño, de cuerpo ancho, boca grande y ojos pequeños que sobresalen sobre el perfil dorsal de la cabeza, de color grisáceo pardusco, algo oliváceo, con grandes manchas de contorno irregular *(Cottu gobio)*.

cotón *m.* Tela de algodón estampada de varios colores. 2 *Amér.* Camisa de trabajo que usan los hombres.

cotona *f. Amér.* Camisa fuerte de algodón u otra materia, de formas variadas según los países.

cotonificio *m.* Industria algodonera.

cotonina *f.* Tela basta hecha con hilos gruesos de algodón de mala calidad, sin apresto ni blanqueo, usada en las mismas aplicaciones que la lona.

cotornicultura *f.* Crianza y cuidado de codornices para su propagación y venta.

cotorra *f.* Papagayo pequeño. 2 Ave psitaciforme americana parecida al papagayo, pero más pequeña, con las mejillas cubiertas de plumas, de alas y cola largas y puntiagudas, y plumaje de colores varios en que domina el verde *(gén. Amazona; Conurus; Paleornis).* 3 fig. Persona habladora.

cotorrear *intr.* Hablar con exceso.

cotudo, -da *adj.* Peludo, algodonado.

cotufa *f.* Tubérculo de la raíz del aguaturma, que se come cocido. 2 Golosina, gollería. 3 Chufa (planta y tubérculo).

coturno *m.* **Calzado griego y romano que llegaba hasta la pantorrilla, sujetándose con el frente con un cordón pasado por ojetes. 2 Calzado de suela de corcho sumamente gruesa, que, con objeto de aparecer más altos, usaban los antiguos actores en las tragedias.

coulomb *m.* Culombio en la nomenclatura internacional. ◇ Se pronuncia *culomb.*

covacha *f.* desp. Cueva pequeña. 2 *And.* y *Amér.* Aposento donde van a parar los trastos viejos. 3 *Méj.* Parte posterior de un carruaje donde se coloca el equipaje.

coxa *f.* Primer artejo de la pata del **insecto, por el cual ésta se une al tórax.

coxal *adj.* Relativo a la cadera.

coy *m.* Trozo de lona que, colgado de sus cuatro puntas, sirve de **cama a bordo.

coyote *m.* Especie de lobo gris que se cría en Méjico *(Canis latrans).*

coyunda *f.* Correa fuerte o soga de cáñamo, con que se uncen los bueyes al yugo. 2 Correa para atar las abarcas. 3 fig. Unión matrimonial. 4 fig. Dominio, opresión.

coyuntura *f.* Articulación movible de un hueso con otro. 2 fig. Sazón, circunstancia o coincidencia adecuada para alguna cosa. 3 Conjetura o pronóstico sobre el futuro político, social, económico, etc., de una sociedad o de un país. ◇ INCOR.: *conyuntura.*

coz *f.* Acción de echar violentamente hacia atrás una o ambas patas traseras un animal, y, por extensión, una persona. 2 Golpe dado con este movimiento. 3 fig. Acción o palabra injuriosa: *soltar una* ~. 4 Retroceso que hace, o golpe que da, un arma de fuego al dispararla.

crac *m.* Quiebra importante y sonada, especialmente de un grupo financiero o industrial. 2 Deportista sumamente brillante y efectivo.

cráneo *m.* Caja ósea en que está contenido el encéfalo; **cerebro; **hueso.

craneología *f.* Estudio del cráneo de las diferentes razas humanas y de las diferentes especies animales.

crápula *f.* Embriaguez o borrachera. 2 fig. Disipación, libertinaje. – 3 *m.* Hombre de vida licenciosa.

crasamente *adv. m.* fig. Con suma ignorancia.

crascitar *intr.* Graznar el cuervo.

craso, -sa *adj.* Grueso, gordo. 2 fig. [error, ignorancia] Indisculpable.

crasuláceo, -a *adj.-f.* Planta de la familia de las crasuláceas. – 2 *f. pl.* Familia de plantas dicotiledóneas, hierbas y arbustos, xerófilos, de hojas carnosas, flores en cima y frutos en folículo; como la uña de gato.

cráter *m.* Boca de los **volcanes. 2 Depresión circular en la superficie de la Luna.

craza *f.* Crisol en que se funden el oro y la plata para amonedarlos.

creación *f.* Acto de criar (producción). 2 Mundo (cosmos). 3 Acción de crear.

creacionismo *m.* Doctrina filosófica según la cual las especies de seres vivos fueron creadas por Dios y no provienen unas de otras por evolución. 2 Doctrina teológica según la cual Dios crea directa y expresamente el alma de cada uno de los hombres. 3 Doctrina poética que defiende la absoluta autonomía del poema.

creador, -ra *adj.-s.* fig. Que crea: *Esquilo es el* ~ *de la tragedia; la imaginación creadora de un poeta.*

crear *tr.* Criar (producir). 2 fig. Instituir [un nuevo empleo o dignidad]: ~ *el oficio de condestable.* 3 Tratándose de dignidades muy elevadas, generalmente vitalicias, hacer a una persona [lo que antes no era]: *fue creado papa.* 4 Establecer, fundar; hacer nacer [una cosa] o darle vida: ~ *una industria, un sistema, un derecho,* etc. 5 Producir una obra, imitar, componer: ~ *el papel de avaro en una comedia.*

creatina *f.* Compuesto cristalino débilmente básico que se encuentra en los músculos.

creatividad *f.* Aptitud para crear o inventar.

creativo, -va *adj.* [pers.] Con espíritu de inventiva. 2 [pers.] Con aptitudes para el trabajo de creación. 3 Que propicia la creación. 4 Que denota espíritu de inventiva.

crecedero, -ra *adj.* Que está en aptitud de crecer. 2 [vestido] Muy holgado que se hace a los niños.

crecer *intr.* Aumentar de tamaño insensiblemente y por la propia fuerza de los seres vivientes. 2 Hablando de personas, adelantar en cualquier línea: ~ *en virtud.* 3 Recibir aumento una cosa por añadírsele nueva materia: ~ *el río.* 4 Adquirir nueva forma, o mayor cantidad, algunas cosas: ~ *el tumulto;* ~ *la hacienda.* 5 Aumentar de valor la moneda. 6 Aumentar la parte iluminada de la luna. 7 Subir la marea. – 8 *prnl.* Tomar [algo] mayor autoridad, importancia o atrevimiento. ◇ ** CONJUG. [43] como *agradecer.*

creces *f. pl.* Señales que indican disposición de crecer. 2 fig. Aumento, ventaja, exceso en algunas cosas: **con** ~, amplia, colmadamente.

crecida *f.* Aumento del agua de los ríos y arroyos.

crecido, -da *adj.* fig. Grande, numeroso.

crecimiento *m.* Acción de crecer (aumentar). 2 Efecto de crecer (aumentar). 3 Aumento del valor intrínseco de la moneda.

credencia *f.* Mesa o repisa que se pone inmediata al altar, a fin de tener a mano lo necesario para la celebración de los divinos oficios.

credencial *adj.* Que acredita. – 2 *f.* Carta credencial: *las credenciales de un ministro.* 3 Documento que sirve para que a un empleado se le dé posesión de su plaza.

credibilidad *f.* Calidad de creíble.

crédito *m.* Asenso. 2 Reputación, fama, autoridad. 3 COM. Opinión que goza una persona de que satisfará puntualmente los compromisos que contraiga. 4 Carta de crédito.

credo *m.* Oración ordenada por los apóstoles que contiene los principales artículos de la fe católica. 2 Parte de la misa en que se reza o canta dicha oración. 3 fig. Conjunto de doctrinas comunes a una colectividad.

crédulo, -la *adj.* Que cree fácilmente.

creencia *f.* Firme asentimiento y conformidad con alguna cosa. 2 Completo crédito prestado a un hecho o noticia. 3 Religión, secta.

creer *tr.* Dar por cierta [una cosa que no está comprobada o demostrada]: *creo lo que tú dices.* 2 Tener fe [en las verdades reveladas por Dios y propuestas por la Iglesia]: *estas verdades créelas; creo en Dios y en su Iglesia.* 3 Pensar, juzgar, conjeturar: *el pueblo cree que tú eres la causa de sus desgracias; yerras si crees que eso es cierto; se creían felices en su dirección y gobierno.* 4 Tener [una cosa] por verosímil o probable: *dentro de ocho días creo que volveré.* ◇ CONJUG. [61] como *leer.* ◇ INCOR.: *es de creerse,* por *es de creer.*

creíble *adj.* Que puede o merece ser creído.

creído, -da *adj.* Crédulo, confiado. 2 fam. [pers.] Vanidoso, orgulloso, muy pagado de sí mismo.

I) crema *f.* Nata de la leche. 2 Sopa espesa. 3 Confección para suavizar el cutis, de consistencia pastosa. 4 Betún para el calzado. 5 Licor dulce y espeso. – 6 *adj.* De color beige. 7 fig. Que es lo más excelente de su clase.

II) crema *f.* GRAM. Diéresis.

cremación *f.* Acción de quemar. 2 Incineración de los muertos.

cremallera *f.* Barra metálica con dientes en uno de sus cantos para engranar con un piñón. 2 Cierre que se aplica a una abertura longitudinal en prendas de vestir, bolsos y cosas semejantes. 3 Ferrocarril de montaña caracterizado por tener los rieles en fuerte pendiente y dentados, en los que engranan las ruedas de los vagones.

crematística *f.* Economía política; esp., parte de la economía política que se refiere al dinero. 2 Interés pecuniario en un negocio.

crematorio, -ria *adj.* Relativo a la cremación de los cadáveres y materias deletéreas. – 2 *m.* Edificio destinado a la incineración de cadáveres.

cremona *f.* Artificio para asegurar puertas y ventanas, consistente en dos varillas de hierro que con un mismo movimiento de un puño o manubrio entran en huecos dispuestos al efecto en las partes superior o inferior del marco.

cremoso, -sa *adj.* De la naturaleza o aspecto de la crema. 2 Que tiene mucha crema.

crencha *f.* Raya que divide el cabello en dos partes. 2 Esta misma parte.

crenchar *tr.* Hacer raya en el pelo.

crenoterapia *f.* Tratamiento terapéutico que utiliza las aguas minerales.

crenulado, -da *adj.* Que presenta el borde cortado en festones muy pequeños.

creosota *f.* Líquido aceitoso, de sabor urente y cáustico, obtenido de la destilación de la madera, el alquitrán, etc.

crepé *m.* Cabellos postizos y rizados que se emplean para abultar el tocado o para hacer barbas y bigotes. 2 Tejido de lino, y generalmente de algodón, que presenta relieves en la superficie. 3 Caucho esponjoso utilizado en la fabricación de calzados.

crepe *f.* Especie de torta muy fina y ligera, dulce o salada, hecha en la sartén y que puede ir rellena con los más variados alimentos.

crepitar *intr.* Hacer un ruido semejante a los chasquidos de la leña que arde.

crepuscular *adj.* Relativo al crepúsculo. 2 [estado de ánimo semiconsciente] Que se produce inmediatamente antes o después del sueño, o bien a consecuencia de accidentes patológicos o de anestesia general.

crepúsculo *m.* Claridad que hay al amanecer y al anochecer. 2 Tiempo que dura esta claridad.

cresa *f.* En algunas partes, conjunto de huevos puestos por la reina de las abejas. 2 Larva de ciertos dípteros, que se alimenta de materias orgánicas en descomposición. 3 Montón de huevecillos que ponen las moscas sobre las carnes.

crescendo *m.* MÚS. Aumento gradual de la intensidad del sonido. 2 Pasaje musical que se ejecuta de esta manera.

crespar *tr.* Encrespar [el cabello] con el peine para que, al peinarlo, abulte más.

crespo, -pa *adj.* Encarrujado, retorcido: *planta de hojas crespas; cabello ~.* 2 [estilo] Artificioso y obscuro. 3 fig. Irritado, alterado. – 4 *m.* Bucle, rizo.

crespón *m.* Tejido ligero, caracterizado por presentar una superficie arrugada y mate, a causa de la poca densidad de urdimbre y trama, y principalmente por la elevada torsión de la trama, o de la urdimbre y trama a la vez.

cresta *f.* Carnosidad roja que tienen en la cabeza el gallo y algunas otras aves. 2 Penacho (plumas). 3 Protuberancia de poca extensión y altura que ofrecen algunos animales, aunque no sea carnosa ni de pluma. 4 fig. Cumbre peñascosa de una montaña. 5 fig. Cima de una ola coronada de espuma. 6 fig. Cabeza de las personas.

crestería *f.* Adorno ojival de labores caladas, que se colocaba en las partes altas de los edificios; **gótico.

crestomatía *f.* Colección de escritos selectos para la enseñanza.

crestón *m.* Parte superior de un filón o de una masa de rocas, cuando sobresale en la superficie del terreno.

creta *f.* Carbonato de cal terroso.

cretácico, -ca *adj.-m.* Tercer y último período geológico de la era secundaria o mesozoica que sigue al jurásico, y terreno a él correspondiente. – 2 *adj.* Perteneciente o relativo a dicho período.

cretense *adj.-s.* De Creta, isla del Mediterráneo. – 2 *m.* Dialecto del griego antiguo hablado en Creta.

cretinismo *m.* Enfermedad caracterizada por una detención del desarrollo físico y mental, acompañada de deformidades. 2 fig. y fam. Estupidez.

cretino, -na *adj.-s.* Que padece de cretinismo. 2 fig. Estúpido, necio.

cretona *f.* Tela de algodón, blanca o estampada.

creyente *adj.-s.* Que cree.

cría *f.* Acción de criar: *~ de caballos.* 2 Efecto de criar. 3 Niño o animal mientras se está criando. 4 Conjunto de hijos que tienen de un parto, o en un nido, los animales. 5 *Amér.* Prosapia, estirpe.

criadero, -ra *adj.* Fecundo en criar. – 2 *m.* Lugar donde se trasplantan los árboles para que se críen. 3 Lugar destinado a la cría de los animales.

criadilla *f.* Testículo de ciertos animales destinado al consumo alimenticio. 2 Patata (tubérculo). 3 fig. Panecillo que tiene la hechura de las criadillas del carnero. 4 *~ de tierra,* hongo ascomicete, de figura redondeada, negruzco por fuera y blanquecino o pardo por dentro, que se cría bajo tierra *(Tuber cibarium).* 5 Hongo himenogastral de forma esférica, parecido a la trufa, de color amarillo en un principio y pardo más tarde *(Rhizopogon luteolus).*

criado, -da *adj.* Con los adverbios *bien* o *mal,* [pers.] de buena o mala crianza. – 2 *m. f.* Persona que, mediante salario, se emplea, especialmente en el servicio doméstico.

criador, -ra *adj.-s.* Atributo dado sólo a Dios, como autor de la creación. – 2 *adj.* Que nutre y alimenta. 3 [tierra o provincia] Que es abundante respecto de ciertas cosas. – 4 *m. f.* Persona que tiene por oficio criar animales. – 5 *m.* Vinicultor.

críalo *m.* Ave cuculiforme de unos 40 cms. de longitud, con la parte superior del cuerpo de color pardo, moteada de blanco, la parte inferior blancuzca, y la cola gris con los bordes blancos *(Clamator glandarius).*

crianza *f.* Epoca de la lactancia. 2 Envejecimiento de un vino. 3 Urbanidad, atención, cortesía: *buena, mala ~.*

criar *tr.* Producir [algo] de nada. 2 Producir [algo] los seres vivos o la naturaleza: *esta tierra cría gusanos; nuestros conejos crían a menudo.* 3 Nutrir, alimentar la madre o la nodriza [al niño] o el animal hembra [a sus cachorros]. 4 p. anal. Instruir y educar. 5 p. ext. Dar, originar, producir un lugar o país [personas, animales, plantas, cosas] que viven o están en él: *esta región cría chicos muy sanos; los toros que cría el Jarama; las encinas se crían en los montes.* 6 Estimular por arte u oficio la producción [de aves u otros animales domésticos]; seleccionarlos o cebarlos con fines industriales: *~ gallinas, cerdos,* etc. 7 Cuidar [el vino ya fermentado] para mejorarlo. 8 Crear (instituir). 9 Hablando [de un expediente o negocio], entender en él desde sus principios. 10 Fomentar, dar ocasión [para alguna cosa]: *~ una necesidad; el largo mandar cría soberbia.* – 11 *prnl.* Producirse, hacerse. ◇ ** CONJUG. [13] como *desviar.* ◇ En las acepciones *1, 8* y *10* se usa con preferencia *crear.*

criatura *f.* Toda cosa criada. 2 Niño de poco tiempo. 3 Feto antes de nacer.

criba *f.* Instrumento para cribar compuesto de un cerco de madera al cual está asegurado un cuero agujereado o una tela metálica. 2 Aparato mecánico que se emplea en agricultura para cribar semillas, o en minería para lavar y limpiar los minerales. 3 Molusco gasterópodo marino, provisto de una concha univalva de hasta 7 cms. de longitud, plana y con una serie de aberturas en la parte superior *(Haliotis lamellosa).* 4 fig. Separación de lo esencial de lo que no lo es, selección.

cribado *adj.* [carbón mineral] De tamaño reglamentario superior a 45 milímetros. − 2 *m. Amér. Merid.* Especie de bordado a modo de agujerito.

cribar *tr.* Pasar [una semilla, un mineral, etc.] por la criba, para limpiarlo de impurezas o separar las partes menudas de las gruesas.

cribelo *m.* ZOOL. Órgano que tienen muchas arañas en el abdomen y que también produce seda por estar provisto de glándulas adecuadas para ello.

cricoides *adj.-m.* Cartílago anular de la **laringe que forma la parte inferior de este órgano. ◇ Pl.: *cricoides.*

cricquet *m.* Juego entre dos equipos formados por once jugadores, que consiste en tratar de derribar el rastrillo contrario, defendido por un jugador con una pala. ◇ Pl.: *cricquets.*

crimen *m.* Delito grave. 2 Delito que consiste en herir gravemente o matar a una persona.

criminal *adj.-s.* Que ha cometido o procurado cometer un crimen. − 2 *adj.* Relativo al crimen o que de él toma origen. 3 [ley, instituto o acción] Destinado a perseguir y castigar los crímenes.

criminalista *com.* Persona que por profesión o estudio se dedica al derecho penal.

criminología *f.* Ciencia del delito, sus causas y su represión.

crin *f.* Conjunto de cerdas que tienen algunos animales en la cerviz, en la parte superior del cuello y en la cola: *las crines del **caballo.*

crinera *f.* Parte superior del cuello de las caballerías donde nace la crin.

crinoideo, -a *adj.-m.* Animal de la clase de los crinoideos. − 2 *m. pl.* Clase de equinodermos, con el disco en forma de cono invertido y los brazos provistos de prolongaciones laterales en forma de barbas de pluma; la mayor parte viven fijos en los fondos marinos.

crinología *f.* Parte de la fisiología que estudia las glándulas y sus secreciones.

crío *m.* fam. Niño de corta edad.

criobiología *f.* Disciplina que se ocupa de la utilización de temperaturas muy bajas para la conservación de substancias biológicas, tejidos, células vivas, etc.

criocirugía *f.* Técnica quirúrgica que hace uso local de temperaturas muy bajas para la destrucción de formaciones proclives a la hemorragia.

crioclastia *f.* Fragmentación de las rocas como consecuencia del fenómeno de dilatación producido por los efectos hielo-deshielo.

criogenética *f.* Estudio de los fenómenos que se producen a temperaturas próximas al cero absoluto.

criogenia *f.* Rama de la física que se ocupa de la producción de temperaturas muy bajas.

criollismo *m.* Los criollos, tomados en general. 2 Modo de ser de los criollos. 3 Vocablo, giro o modo de expresión propio de los criollos. 4 Amor o apego a las cosas propias de los criollos. 5 Tendencia literaria de signo realista que surgió en Hispanoamérica a finales del siglo XIX.

criollo, -lla *adj.-s.* Hijo de padres europeos, nacido en cualquier otra parte del mundo. 2 Negro nacido en América, por oposición al que ha sido traído de África. 3 Americano descendiente de europeos. − 4 *adj.* [cosa o costumbre] Propio de los países americanos. 5 [lengua o dialecto] Derivado de lenguas europeas y hablado por algunos pueblos de razas de color.

criotécnica *f.* Conjunto de las aplicaciones tecnológicas de las temperaturas muy bajas.

cripta *f.* Lugar subterráneo en que se acostumbra enterrar a los muertos. 2 Piso subterráneo destinado al culto en una iglesia; **románico. 3 Estancia o edificación subterránea de un edificio.

críptico, -ca *adj.* Perteneciente o relativo a la criptografía. 2 Obscuro, enigmático.

criptofíceo, -a *adj.-f.* Alga de la clase de las criptofíceas. − 2 *f. pl.* Clase de algas unicelulares provistas de dos flagelos y con las células comprimidas que se reproducen asexualmente por bipartición.

criptógamo, -ma *adj.* Que no tiene manifiestos los órganos sexuales. − 2 *adj.-s.* Planta que no se reproduce por semillas formadas en flores.

criptografía *f.* Arte de escribir con clave secreta o de un modo enigmático.

criptograma *m.* Documento cifrado.

criptón *m.* Gas raro, monoatómico, incoloro e inodoro.

crisálida *f.* Ninfa (insecto). 2 Caja o capullo de la ninfa. 3 Fase inactiva de la vida de algún insecto.

crisantemo *m.* Planta compuesta de jardín, de hojas alternas, verdes por el haz y blanquecinas por el envés, y cabezuelas solitarias o reunidas en corimbo, grandes y de colores variados *(Chrysanthemum indicum).* 2 Flor de esta planta.

crisis *f.* Mutación considerable que acaece en una enfermedad, ya sea para mejorarse, ya para agravarse el enfermo. 2 Mutación importante en el desarrollo de otros procesos, ya de orden físico, ya históricos o espirituales. 3 p. ext. Momento decisivo y grave de un negocio, de la política, etc. 4 Situación difícil y comprometida. 5 Escasez, carestía. 6 Juicio que se hace de una cosa después de haberla examinado cuidadosamente. ◊ Pl.: *crisis.*

crisma *amb.* Aceite y bálsamo mezclados que consagran los obispos el Jueves Santo para ungir a los que se bautizan, confirman u ordenan. 2 fig. *y* fam. Cabeza de persona.

crismera *f.* Vaso o ampolla, generalmente de plata, en que se guarda el crisma.

crismón *m.* Monograma de Cristo compuesto por las letras mayúsculas X y P entrelazadas, o P cruzada en su trazo vertical por una barra horizontal.

crisófitos *m. pl.* División de vegetales en el que se incluyen algas doradas o pardo amarillentas debido a la fucoxantina.

crisol *m.* Cavidad en la parte interior de un alto horno en el que se acumula el metal fundido. 2 Objeto de metal o pieza de un equipo, fabricado para verter metal fundido dentro de un molde de manera que adquiera la forma requerida.

crisólito *m.* Silicato nativo de hierro y magnesio, de color verdoso.

crisomélido *adj.-s.* Insecto de la familia de los crisomélidos. – 2 *m. pl.* Familia de insectos coleópteros herbívoros; son escarabajos de pequeño tamaño, cuerpo generalmente ovalado y de colores vistosos; como el escarabajo de la patata.

crisopa *f.* Insecto neuróptero de tamaño mediano, de color verde, con antenas filiformes y pocas venas longitudinales *(Chrysopa septempunctata).*

crisoprasa *f.* Ágata de color verde manzana.

crisoterapia *f.* MED. Tratamiento mediante sales de oro, en determinadas enfermedades.

crispación *f.* fig. Irritación.

crispar *tr.* Causar contracción repentina y pasajera [en los músculos de una parte del cuerpo]. – 2 *tr.-prnl.* fig. *y* fam. Irritar.

cristal *m.* Cuerpo formado por la solidificación en determinadas condiciones de ciertas substancias que han sido fundidas o disueltas y que toma la forma de un sólido geométrico más o menos regular. 2 Vidrio pesado, brillante y muy transparente, que resulta de la fusión de arena silícea con potasio y minio; se usa para hacer prismas, lentes, vajilla fina, etc. 3 Hoja de cristal o vidrio con que se forman las vidrieras, ventanas, etc. 4 fig. Espejo. 5 Objeto de cristal. 6 Tela de lana muy delgada y con algo de lustre. 7 *Amér.* Copa, vaso.

cristalería *f.* Establecimiento donde se fabrican o venden objetos de cristal. 2 Conjunto de estos mismos objetos. 3 Arte de fabricar objetos de cristal. 4 Conjunto de hojas de cristal o vidrio de un armario.

cristalero, -ra *m.* El que coloca cristales.

– 2 *m. f.* Persona que trabaja en cristal o que lo vende. – 3 *f.* Armario con cristales. 4 Aparador. 5 Cierre o puerta con cristales.

cristalino, -na *adj.* De cristal o parecido a él. – 2 *m.* Cuerpo transparente, en forma de lente biconvexa, situado detrás de la pupila del **ojo y destinado a hacer converger los rayos luminosos de manera que formen imágenes sobre la retina.

cristalizar *intr.-prnl.* Tomar ciertas substancias la forma cristalina. 2 fig. Tomar forma clara y precisa las ideas o sentimientos de una persona o colectividad. – 3 *tr.* Hacer tomar la forma cristalina [a ciertas substancias]. ◊ ** CONJUG. [4] como *realizar.*

cristalofísica *f.* Parte de la cristalografía que estudia las propiedades físicas de los cuerpos cristalinos.

**cristalografía *f.* Rama de las ciencias naturales que tiene por objeto el estudio de los cristales (cuerpos).

cristaloide *m.* Substancia que, en disolución, atraviesa las láminas porosas que no dan paso a los coloides.

cristalometría *f.* Conocimiento de las propiedades matemáticas de los cristales; ciencia de medirlos y regularizarlos.

cristianar *tr.* fam. *y* pop. Bautizar (sacramento).

cristiandad *f.* Conjunto de los fieles que profesan la religión cristiana. 2 Conjunto de países de religión cristiana. 3 Observancia de la ley de Cristo.

cristianismo *m.* Religión cristiana. 2 Conjunto de los cristianos. 3 Bautizo.

cristianizar *tr.* Conformar [una cosa] con el dogma o con el rito cristiano. 2 Influir las ideas, costumbres, etc., de los cristianos [en gentes que no lo son]. ◊ ** CONJUG. [4] como *realizar.*

cristiano, -na *adj.-s.* Que profesa la fe de Cristo. – 2 *adj.* Relativo a la religión de Cristo y arreglado a ella: *doctrina cristiana.* – 3 *m.* Hermano o prójimo. 4 Persona o alma viviente. 5 *Amér. Central.* Cándido, bonachón.

cristina *f.* Fruta de sartén hecha a base de harina, huevo y anís.

cristobalita *f.* Mineral de la clase de los óxidos con dos formas que cristalizan respectivamente en el sistema cúbico y tetragonal, incoloro, translúcido y con brillo vítreo.

cristología *f.* Tratado de lo relativo a Cristo.

crisuela *f.* Cazoleta inferior del candil.

criterio *m.* LÓG. Carácter o propiedad de una persona o cosa por el que podemos formular un juicio de valor sobre ellas: ~ *de la verdad.* 2 Juicio o discernimiento. 3 Opinión, ideas que una persona tiene sobre cualquier asunto.

criteriología *f.* Parte de la lógica que estudia los criterios de la verdad.

critérium *m.* Competición deportiva no oficial, con participantes de alta categoría.

crítica *f.* Arte de juzgar el valor, las cualidades y los defectos de una obra artística, literaria, etc. 2 Juicio o conjunto de juicios críticos sobre una obra artística, literaria, etc. 3 Conjunto de críticos de arte, literatura, etc. 4 Acción de censurar las acciones o la conducta de uno, o de hacer notar los defectos de una cosa. 5 Murmuración.

criticar *tr.* Examinar y juzgar con espíritu crítico [una obra artística, literaria, etc.]. 2 Censurar [las acciones o la conducta de uno]; hacer notar [los defectos de una cosa]. ◇ ** CONJUG. [1] como *sacar*.

criticismo *m.* FIL. Sistema filosófico que considera a la epistemología como una disciplina filosófica independiente y fundamental, previa por consiguiente a cualquier otra.

crítico, -ca *adj.* Relativo a la crisis: *fase crítica de una enfermedad; momento* ~. 2 Relativo a un punto de transición en que alguna propiedad sufre un cambio finito: *temperatura crítica.* 3 fig. Que decide la suerte de uno: *ocasión crítica.* – 4 *adj.-s.* Que juzga las cualidades y los defectos de una obra artística, literaria, etc.: *examen* ~; *un* ~ *literario.*

croar *intr.* Cantar la rana.

croché *m.* Ganchillo (labor). 2 Ornamentación vegetal que anima las agujas y gabletes del gótico.

croissant *m.* Medialuna, bollo. ◇ Pl.: *croissants.*

crol *m.* DEP. Manera de nadar consistente en un movimiento rotatorio de los brazos y en un movimiento de arriba abajo de los pies.

Cro-Magnon *m.* Raza humana prehistórica, del período paleolítico.

cromar *tr.* Dar un baño de cromo [a los objetos metálicos] para hacerlos inoxidables.

cromático, -ca *adj.* Relativo al color o a los colores. 2 [cristal o instrumento óptico] Que presenta al ojo del observador los objetos contorneados con los colores del arco iris. 3 [sistema músico] Cuyos sonidos proceden por semitonos.

cromatina *f.* Substancia protoplásmica, coloreable, del núcleo de la **célula.

cromatismo *m.* Calidad de cromático.

cromatóforo *m.* Célula que lleva pigmento; como las de la capa profunda de la epidermis.

crómico, -ca *adj.* Que contiene cromo entre sus componentes.

crómlech *m.* Monumento megalítico consistente en una serie de menhires que cierran un espacio de terreno de figura elíptica o circular; **prehistoria. ◇ Pl.: *crómlechs.*

cromo *m.* Metal gris claro, duro, quebradizo, refractario y susceptible de pulimento. Su símbolo es *Cr.*

cromógeno, -na *adj.* [bacteria] Que pro-

CRISTALOGRAFÍA

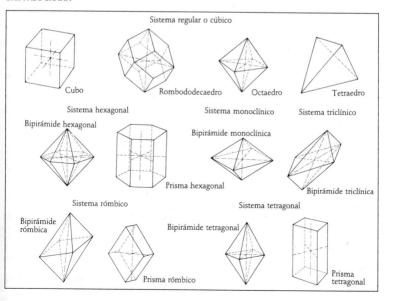

Sistema regular o cúbico
Cubo   Rombododecaedro   Octaedro   Tetraedro
Sistema hexagonal   Sistema monoclínico   Sistema triclínico
Bipirámide hexagonal   Bipirámide monoclínica
Prisma hexagonal   Bipirámide triclínica
Sistema rómbico   Sistema tetragonal
Bipirámide rómbica   Bipirámide tetragonal
Prisma rómbico   Prisma tetragonal

duce materias colorantes u origina coloraciones.

cromolitografiar *tr.* Obtener [una estampa] por medio de la litografía. ◇ **CONJUG**. [13] como *desviar*.

cromonema *m.* Elemento fundamental del cromosoma, observable con el microscopio.

cromosfera *f.* Zona superior de la envoltura gaseosa del **sol, compuesta principalmente por hidrógeno inflamado.

cromosoma *m.* Corpúsculo de forma fija en que se reúnen los gránulos de cromatina en ciertos momentos de la vida celular; el número de cromosomas es constante para las células de una misma especie.

cromoterapia *f.* Utilización terapéutica de los efectos producidos por los colores en el organismo.

cromotipografía *f.* Arte de imprimir en colores. 2 Obra hecha por este procedimiento.

cron *m.* Unidad geológica de tiempo equivalente a un millón de años.

crónica *f.* Historia en que se observa el orden de los tiempos. 2 Artículo periodístico en que se comenta algún tema de actualidad. 3 Información que, a través de una emisora, envía un corresponsal, en directo o diferido, sobre unos hechos que él observa e interpreta.

crónico, -ca *adj.* [enfermedad] De larga duración; [dolencia] habitual. 2 [vicio] Inveterado. 3 Que viene de tiempo atrás.

cronicón *m.* Breve narración cronológica.

cronista *com.* Autor de una crónica o el que tiene por oficio escribirla.

crono *m.* Cronómetro. 2 DEP. Tiempo.

cronobiología *f.* Disciplina que se ocupa de los ritmos biológicos.

cronógrafo, -fa *m. f.* Persona que por profesión o estudio se dedica a la cronología. – 2 *m.* Instrumento registrador de intervalos de tiempo sumamente pequeños.

cronograma *m.* Diagrama que representa la evolución temporal de un fenómeno cualquiera.

cronología *f.* Ciencia que tiene por objeto determinar el orden y fechas de los sucesos históricos. 2 Manera de computar los tiempos: ~ *griega, cristiana, musulmana.* 3 Serie de personas o sucesos históricos por orden de fechas.

cronológicamente *adv. m.* Por orden de los tiempos.

cronometrar *tr.* Medir con cronómetro [el tiempo], especialmente en la realización de un trabajo o en una prueba deportiva.

cronómetro *m.* **Reloj de alta precisión para medir fracciones de tiempo muy pequeñas.

croococales *f. pl.* Orden de vegetales dentro de la clase cianofíceas.

croque *m.* Gancho o garfio de hierro acerado, sujeto a un astil, usado principalmente por pescadores y marineros. 2 Golpe que se da en la cabeza o con ella.

croquet *m.* Juego que consiste en hacer pasar bajo unos aros unas bolas de madera impulsándolas con un mazo. ◇ Pl.: *croquets*.

croqueta *f.* Masa compuesta de distintos alimentos, pescado, jamón, carne, huevo, etc., picados y ligados por una bechamel espesa, rebozada en huevo y pan rallado y frita en abundante aceite. ◇ INCOR.: *cocreta*.

croquis *m.* Diseño ligero de un paisaje, terreno, etc., hecho a ojo. ◇ Pl.: *croquis*.

cros *m.* DEP. Competición que consiste en una carrera de obstáculos en el campo. ◇ Pl.: *cros*.

crótalo *m.* ZOOL. Serpiente venenosa de América que tiene en la punta de la cola unos anillos o discos con los cuales produce al moverse un ruido particular *(Crotalus horridus)*.

crotorar *intr.* Producir la cigüeña un ruido peculiar, haciendo chocar rápidamente la parte superior del pico con la inferior.

cruce *m.* Acción de cruzar o de cruzarse (atravesar). 2 Punto por donde se cortan mutuamente dos líneas. 3 Lugar donde se cruzan o encuentran dos o más vías de circulación; **carretera. 4 Interferencia que se produce cuando en un canal telegráfico, telefónico, radiofónico, etc., se capta conjuntamente la señal de otro canal, de tal modo que en la recepción se destruyen las audiciones de ambos. 5 BIOL. Reproducción sexual hecha a base de individuos que proceden de razas distintas. 6 En gramática histórica, influencia recíproca de dos palabras en su forma y significado.

crucería *f.* Arcos o nervios que refuerzan la intersección de bóvedas, propios de la arquitectura **gótica.

crucero *m.* Cruz de piedra, de dimensiones variables, que se coloca en el cruce de caminos y en los atrios. 2 Espacio en que se cruzan la nave mayor de una iglesia y la que la atraviesa; **románico. 3 Nave transversal o transepto; **románico. 4 Determinada extensión de mar en que cruzan uno o más buques. 5 Buque o conjunto de buques destinados a cruzar; esp., el de guerra de gran radio de acción, provisto de potente artillería. 6 Viaje marítimo o aéreo de recreo. 7 *Amér.* Armadura que hay en los pozos para colgar los cubos.

cruceta *f.* Cruz o aspa que resulta de la intersección de dos series de líneas paralelas.

crucial *adj.* [lugar o momento] Donde se cruzan vías de comunicación, hechos, fenómenos, etc. 2 fig. De la mayor importancia o trascendencia; decisivo, culminante: *una decisión* ~; *fase* ~ *de la guerra.* – 3 *f. pl.* En algunas clasificaciones, orden de plantas, mayoritariamente herbáceas, dentro de la clase dicotiledónea.

crucífero, -ra *adj.* poét. Que tiene o lleva la insignia de la cruz. – 2 *adj.-f.* Planta de la familia de las crucíferas. – 3 *f. pl.* Familia de plantas dicotiledóneas, de hojas alternas, flores en racimo, de corola cruciforme y fruto en silicua o silícula; como la col y el alhelí.

crucificar *tr.* Fijar o clavar en una cruz [a uno]. 2 fig. Sacrificar (arriesgar). ◇ ** CONJUG. [1] como *sacar*.

crucifijo *m.* Efigie de Cristo crucificado.

crucifixión *f.* Acción de crucificar. 2 Efecto de crucificar. 3 p. ant. Suplicio de Cristo en la cruz. 4 Representación artística de éste.

cruciforme *adj.* De forma de cruz.

crucigrama *m.* Entretenimiento que consiste en combinar palabras cruzando sus letras en sentido horizontal y vertical, con arreglo a un casillero y a unas indicaciones sobre el significado de tales palabras.

crudeza *f.* Calidad de crudo: *la ~ de la seda; hablar con ~; la ~ de una expresión*. – 2 *f. pl.* Alimentos que se detienen en el estómago por no estar bien digeridos.

crudillo *m.* Tela áspera y dura, semejante al lienzo crudo, usada para entretelas y bolsillos.

crudo, -da *adj.* [comestible] Que no está cocido. 2 [fruta] Que no está en sazón. 3 [cosa] Que no está preparado o curado: *cuero ~*. 4 [alimento] Difícil de digerir. 5 [tiempo] Muy frío y destemplado: *el ~ invierno*. 6 De color crema o amarillento. 7 fig. Sin atenuantes, cruel, áspero: *la cruda verdad*. – 8 *adj.-m.* Mineral viscoso que una vez refinado proporciona el petróleo, el asfalto y otros productos. – 9 *m.* Tejido de estopa. – 10 *adj.* Méj. [estado de somnolencia] En que se encuentra una persona después de una borrachera.

cruel *adj.* Que se deleita en hacer sufrir: *hombre ~*. 2 Que hace sufrir: *expresión ~; dolor ~*. 3 fig. Sangriento, duro, violento: *una ~ catástrofe*.

crueldad *f.* Calidad de cruel: *la ~ del tigre;* la ~ de sus palabras*. 2 Acción propia de una persona cruel: *esto es una ~ inútil*.

cruento, -ta *adj.* Sangriento.

crujía *f.* Corredor largo de un edificio, que da acceso a piezas situadas a ambos lados. 2 Sala larga de un hospital con camas a ambos lados. 3 Espacio comprendido entre dos muros de carga. 4 Fila de aposentos o piezas seguidos o puestos a continuación. 5 En algunas catedrales, paso cerrado con verjas o barandillas desde el coro al presbiterio. 6 Espacio de popa a proa en medio de la cubierta del buque.

crujido *m.* Sonido hecho por algo que cruje. 2 Pelo que tienen las hojas de espada en el sentido de su longitud.

crujir *intr.* Hacer cierto ruido algunos cuerpos cuando luden unos con otros o se rompen: *~ la seda, las hojas secas; ~ la madera; ~ los dientes*.

crupié, crupier *com.* Persona empleada en las casas de juegos para controlar las apuestas, repartir las cartas y dirigir los juegos.

**crustáceo, -a *adj.* Que tiene costra. – 2 *adj.-m.* Artrópodo de la clase de los crustáceos. – 3 *m. pl.* Clase de artrópodos mandibulados de respiración branquial, dos pares de antenas, el cuerpo cubierto generalmente por un caparazón calcáreo, la cabeza y el tórax soldados formando un cefalotórax y las patas dispuestas unas para la prensión y otras para la locomoción.

cruz *f.* Madero hincado verticalmente en el suelo y atravesado en su parte superior por otro más corto en los que se clavaban o ataban las extremidades de ciertos condenados. 2 fig. Lo que es causa de sufrimiento prolongado: *esta enfermedad es mi ~*. 3 Monumento u objeto que representa la cruz en que murió Jesucristo: *una ~ de piedra; ~ de oro*. 4 Insignia decorativa de la cruz cristiana usada como distintivo de ciertas órdenes religiosas o militares, dignidades eclesiásticas, etc.: *~ ansada* o

CRUSTÁCEOS

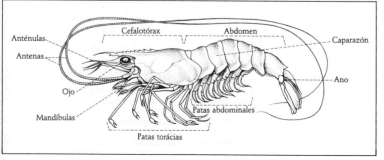

Anténulas · Antenas · Ojo · Mandíbulas · Cefalotórax · Abdomen · Caparazón · Ano · Patas abdominales · Patas torácias

egipcia, la de tres brazos y un asa o anilla en lugar del brazo superior; ~ *de San Andrés,* aquella cuyos brazos forman un aspa o X; ~ *griega,* la de brazos iguales; ~ *latina,* aquella cuyo travesaño divide al palo en partes desiguales; ~ *papal,* la de tres travesaños de diferentes tamaños, el central más largo; ~ *patriarcal, de Caravaca* o *de Lorena,* la de dos brazos horizontales paralelos, el inferior más largo que el superior; ~ *tao,* la que tiene forma de T. 5 Condecoración en forma de cruz: *la gran ~ de Isabel la Católica; ~ laureada del mérito militar.* 6 Señal o marca en forma de dos rectas que se cruzan perpendicularmente. 7 Reverso de una moneda. 8 Parte en que termina el tronco y empiezan las ramas de un árbol. 9 Señal en forma de cruz que se antepone a los nombres de persona, en los libros y otros escritos, para indicar que han muerto. 10 En ciertos cuadrúpedos, parte alta del lomo donde se cruzan los huesos de las extremidades anteriores con el espinazo; **caballo. 11 Planta de un edificio distribuido en naves que se cortan perpendicularmente. 12 Unión de la caña del **ancla con los brazos. 13 Unión de los gavilanes y la empuñadura de la espada con la hoja; **armas.

cruzada *f.* Expedición que en la Edad Media dirigieron los cristianos contra los infieles para liberar Palestina y defender la fe. 2 Hierba rubiácea, pilosa, de hojas ovadas verticiladas en grupos de cuatro, y flores de color amarillo dispuestas en verticilos en las axilas de las hojas *(Cruciata laevipes).*

cruzado, -da *adj.-m.* [pers.] Que se alistaba para alguna cruzada. 2 Caballero que trae la cruz de una orden militar. – 3 *adj.* [animal] Nacido de padres de distintas castas. 4 Que está en cruz. 5 [prenda de vestir] Que tiene el ancho necesario para poder sobreponer un delantero sobre otro: *chaqueta cruzada; abrigo ~.* – 6 *m.* Unidad monetaria del Brasil.

cruzadora *f. Méj.* Mujer que roba en combinación con el ratero.

cruzar *tr.* Atravesar [una cosa] sobre otra en forma de cruz: ~ *las manos, los brazos; cruzarse de brazos.* 2 Atravesar [una calle, un campo, etc.] pasando de una parte a otra. 3 Dar [a las hembras de los animales] machos de distinta procedencia para mejorar las castas. 4 Trazar [en un cheque] dos rayas paralelas para que éste sólo pueda ser cobrado por medio de una cuenta corriente. – 5 *intr.* Tener una anchura suficiente para que pueda cruzarse: *este abrigo no cruza.* – 6 *prnl.* Pasar por un lugar dos personas, vehículos, trenes, etc., en dirección o sentido opuestos. 7 Aglomerarse, estorbándose unos a otros, los negocios o expedientes. 8 Pasar un trazo lineal a cierta distancia de otro sin llegarlo a cortar ni serle paralelo. ◇ ** CONJUG. [4] como *realizar.*

ctenóforo *adj.-m.* Animal del tipo de los ctenóforos. – 2 *m. pl.* Tipo de metazoos provistos de bandas ciliadas, que utilizan como propulsor y de células adhesivas; presentan simetría radial y son pelágicos.

cuaderna *f.* Pareja de cuatro en el juego de tablas. 2 Pieza curva cuya base encaja en la quilla del buque y desde allí arranca en dos ramas simétricas, formando como las costillas del casco; **barca. 3 Conjunto de estas piezas. 4 ~ *vía,* estrofa compuesta de cuatro alejandrinos monorrimos.

cuadernal *m.* Conjunto de dos o más poleas, colocadas paralelamente dentro de una misma armadura.

cuadernillo *m.* Conjunto de cinco pliegos de papel.

cuaderno *m.* Conjunto de algunos pliegos de papel, doblados y cosidos en forma de libro. 2 Libro pequeño en que se lleva la cuenta y razón, o en que se escriben algunas noticias, ordenanzas o instrucciones: ~ *de bitácora,* aquel en que se apuntan el rumbo, velocidad y demás accidentes de la navegación. 3 IMPR. Conjunto de cuatro pliegos metidos uno dentro de otro.

cuadra *f.* Sala o pieza espaciosa. 2 Sala de un cuartel, hospital o prisión, con que duermen muchos. 3 Caballeriza. 4 Conjunto de caballos pertenecientes a un mismo dueño. 5 Conjunto de jinetes y caballos de un mismo equipo en las carreras de caballos. 6 *Amér.* Manzana de casas. 7 *Amér.* Longitud de una manzana de casas.

cuadradillo *adj.-s.* Azúcar cortado en terrones cuadrados. – 2 *m.* Barra de hierro cuadrada. 3 Regla para trazar líneas rectas.

cuadrado, -da *adj.-m.* **Cuadrilátero rectángulo de lados iguales. – 2 *adj.* De forma parecida a la del cuadrado. 3 p. ext. [cuerpo prismático] De sección cuadrada. 4 fig. Perfecto, cabal. – 5 *m.* Regla cuadrada para rayar con igualdad el papel. 6 fig. Hombre rudo y de torpes modales. 7 MAT. Producto de una cantidad multiplicada por sí misma. – 8 *f.* Figura musical que vale dos compases.

cuadrafonía *f.* Técnica de grabación del sonido por medio de cuatro canales, consiguiéndose un relieve acústico superior al de la estereofonía.

cuadragenario, -ria *adj.* De cuarenta años.

cuadragésimo, -ma *adj.-s.* Parte que, junto a otras treinta y nueve iguales, constituye un todo; **numeración. – 2 *adj.* Que ocupa el último lugar en una serie ordenada de cuarenta.

cuadrangular *adj.* Que tiene o forma cuatro ángulos.

cuadrante *m.* Reloj solar trazado en un plano. 2 Parte observable de un instrumento indicador, en la que va una escala y se mueve una aguja indicadora. 3 ASTROL. Porción, junto a otras tres, en que la media esfera celeste superior al horizonte queda dividida por el meridiano y el primer vertical. 4 ASTRON. Instrumento compuesto de un cuarto de círculo graduado, con pínulas o anteojos, para medir ángulos. 5 GEOM. Cuarta parte de la **circunferencia o del círculo, comprendida por dos radios perpendiculares entre sí. 6 MAR. Parte, junto a otras tres, en que se considera dividido el horizonte y la rosa náutica. 7 *Méj.* Notaría del curato donde se llevan los libros del bautismo, casamiento y defunción.

cuadrar *tr.* Dar a [una cosa] figura de cuadro o de cuadrado: ~ *las piedras; las columnas cuadran el patio.* 2 Coincidir o hacer coincidir en las cuentas los totales del debe y del haber: ~ *un balance.* 3 GEOM. Dada [una figura], determinar un cuadrado que le sea equivalente en superficie. 4 MAT. Elevar [un número] a la segunda potencia. – 5 *intr.* Conformarse o ajustarse una cosa con otra: *el estilo de la obra no cuadra con el tema que desarrolla.* 6 Agradar una cosa: *esta moldura no me cuadra.* – 7 *prnl.* Ponerse una persona en posición erguida y con los pies en escuadra. 8 fig. Mostrar de pronto una persona inusitada firmeza o gravedad: *la madre tuvo que cuadrarse para que los niños dejaran de alborotar.*

cuádriceps *adj.* De cuatro cabezas. – 2 *adj.-m.* [**músculo del muslo] Que presenta uno de sus extremos escindido en cuatro cabos independientes. ◇ Pl.: *cuádriceps.*

cuadrícula *f.* Conjunto de los cuadrados que resultan de cortarse perpendicularmente dos series de rectas paralelas.

cuadricular *tr.* Trazar líneas que formen una cuadrícula: ~ *un papel.*

cuadrienio *m.* Período de cuatro años.

cuadrifoliado, -da *adj.* [planta] De cuatro hojas.

cuadriga *f.* Tiro de cuatro caballos enganchados de frente. 2 Carro tirado de este modo: *una ~ romana.* ◇ INCOR.: *cuádriga.*

cuadril *m.* Anca. 2 Cadera (del cuerpo).

cuadrilátero, -ra *adj.* Que tiene cuatro lados. – 2 *m.* **Polígono de cuatro lados. 3 DEP. Plataforma o terreno en que se disputan los combates de boxeo.

cuadrilongo, -ga *adj.* Rectangular (relativo al rectángulo).

cuadrilla *f.* Conjunto de varias personas para el desempeño de algunos oficios: ~ *de pintores;* p. ext., ~ *de bandidos.* 2 Compañía que toma parte en algunas fiestas públicas: *la ~ de un torneo.* 3 Conjunto de lidiadores que actúan bajo la dirección del espada en una corrida.

cuadringentésimo, -ma *adj.-s.* Parte que, junto a otras trescientas noventa y nueve iguales, constituye un todo; **numeración. – 2 *adj.* Que ocupa el último lugar en una serie ordenada de cuatrocientos.

cuadripartito, -ta *adj.* Que consta de cuatro partes, especialmente un convenio o acuerdo.

cuadrivio *m.* Paraje donde concurren cuatro sendas. 2 Antiguamente, conjunto de las cuatro artes matemáticas: aritmética, música, geometría y astrología o astronomía.

cuadro, -dra *adj.-m.* Cuadrado (cuadrilátero). – 2 *m.* Tela sostenida por un bastidor, tabla, cartón, etc., en el que hay una pintura y está destinado a ser colgado en una pared. 3 y fig. Descripción viva y animada de un espectáculo o suceso hecha por escrito o de palabra. 4 Conjunto de jefes, oficiales, suboficiales, brigadas, sargentos y cabos de un batallón o regimiento. 5 Conjunto de dirigentes de un partido político, un sindicato, una empresa, etc. 6 Conjunto de datos o cifras representados de manera que se advierta de forma clara las relaciones que existen entre ellos: ~ *sinóptico.* 7 Tablero para el control de una instalación mecánica o eléctrica: ~ *de mandos,* panel con los instrumentos de medida para controlar un mecanismo más o menos complejo. 8 Cosa de forma cuadrada o rectangular: *los cuadros de un jardín.* 9 Subdivisión de un acto correspondiente a un cambio de decoración. 10 fig. Espectáculo de la

CUADRILÁTERO

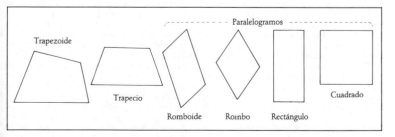

naturaleza o escena que se ofrece a la vista y es capaz de mover el ánimo. 11 Armazón de la **bicicleta.

cuadrumano, -na, cuadrúmano, -na *adj.* De cuatro manos. – 2 *adj.-s.* Animal que tiene el pulgar oponible a los demás dedos, tanto en las extremidades anteriores como en las posteriores.

cuadrúpedo *adj.-s.* Animal de cuatro pies.

cuádruple *adj.* Que contiene un número cuatro veces exactamente. 2 [serie] De cuatro cosas iguales o semejantes.

cuadruplicar *tr.* Hacer cuádruple [una cosa]. 2 Multiplicar por cuatro [una cantidad]. ◇ ** CONJUG. [1] como *sacar*. ◇ INCOR.: *cuatriplicar*.

cuajada *f.* Parte caseosa y crasa de la leche, que se separa del suero y forma una masa propia para hacer queso o requesón.

cuajadillo *m.* Labor menuda que se hace en los tejidos de seda.

cuajado, -da *adj.* fig. Inmóvil, paralizado por el asombro que produce alguna cosa. – 2 *m.* Vianda de carne picada, hierbas o frutas, etc., con huevos y azúcar.

I) cuajar *m.* Última de las cuatro cavidades en que se divide el estómago de los rumiantes.

II) cuajar *tr.-prnl.* Trabar [un líquido], tornándolo sólido o pastoso. 2 fig. Recargar de adornos [una cosa]. – 3 *intr.-prnl.* fig. Lograrse, tener efecto una cosa: *cuajó,* o *se cuajó, su pretensión.* – 4 *intr.* fig. Gustar, agradar: *fulano no me cuaja.* – 5 *prnl.* fig. Llenarse, poblarse: *se cuajó de gente la plaza.* 6 Permanecer inactivo. 7 *Méj.* Emborracharse.

cuajarón *m.* Porción de sangre o de otro líquido cuajado. 2 fam. Persona que no trabaja, inactiva.

cuajinicuil *m.* *Amér.* Árbol leguminoso que alcanza de seis a ocho metros de altura *(Inga edulis).* 2 Fruto de este árbol.

cuajiote *m.* *Amér. Central* y *Méj.* Árbol burseráceo de tamaño mediano, hojas redondas y corteza rojiza; produce una goma de uso medicinal *(Elaphrion fagaroides).*

cuajo *m.* Materia para cuajar la leche, contenida en el cuajar de los rumiantes que aún no pacen. 2 Substancia con que se cuaja un líquido. 3 Efecto de cuajar. 4 Cuajar de los rumiantes. 5 fig. *y* fam. Calma, lentitud.

cual *pron. relat.* Precedido del artículo *el*, en sus distintas formas de género y número, equivale al relativo *que*, pero sólo puede substituirlo en oraciones explicativas: *los estudiantes, que estaban lejos, no veían la pizarra,* o *los cuales estaban lejos;* pero en las especificativas no es posible esta substitución: *los estudiantes que estaban lejos no veían la pizarra,* es decir, sólo los que estaban lejos, no todos. Puede ir precedido de preposición, y entonces pueden substituirse entre sí; la preferencia por *que* o

el cual en las especificativas se regula en este caso por condiciones que la Gramática determina. – 2 *pron.-adj. correlat.* Denota idea de igualdad o semejanza cualitativa o modal, por lo que se emplea en oraciones comparativas. Su antecedente expreso o tácito es *tal* y determina implícitamente al mismo substantivo determinado por éste: *nos hizo tal servicio ~ requería nuestra necesidad; no podrán ser los sucesos tales cuales pedía el momento; levantaron un alboroto ~ se puede presumir de gente apasionada.* 3 Adquiere valor adverbial y se asimila a *como,* así como, en oraciones subordinadas de modo: *escuchamos su demanda ~ si frisase en locura.* 4 *Tal ~,* v. tal. ◇ Pl.: *cuales.*

cuál *pron.-adj. interr.* Pregunta o pondera las cualidades de las personas o cosas en interrogación directa o indirecta, o en frase exclamativa o dubitativa: *si el criado es tan discreto, ¿~ debe ser el amo?; el fruto nos enseña ~ el árbol; ¡~ se verán los infieles!* 2 Pregunta sobre las personas o cosas: *¿~ estrella infeliz me sacó de mi casa?;* en este caso puede substantivarse y pasa a ser pronombre: *¿~ es el más loco de todos?* 3 Empléase como pronombre indefinido repetido de manera distributiva: *todos contribuyeron, ~ más ~ menos, al buen resultado; tengo muchos libros, cuáles de historia, cuáles de poesía.*

cualidad *f.* Carácter que distingue a las personas o cosas: *la extensión es una ~ de la materia; la probidad brilla entre sus cualidades.*

cualificado, -da *adj.* Calificado, que posee autoridad y merece respeto. 2 De buena calidad o de buenas cualidades. 3 [trabajador] Que está especialmente preparado para una tarea determinada.

cualquier *adj. indef.* Apócope de *cualquiera.* ◇ Sólo se utiliza antepuesto al substantivo y admite la interposición de otro adjetivo. ◇ Pl.: *cualesquier.*

cualquiera *adj. indef.* Denota que se trata de un objeto indeterminado; uno, sea el que fuere: *le intimida una dificultad ~.* – 2 *pron. indef.* Denota una persona indeterminada; alguno, sea el que fuere: *~ que haya viajado lo sabe.* – 3 *com.* fig. *y* desp. Precedido del artículo indeterminado, persona vulgar y poco importante; persona de poco fiar, sin escrúpulos. – 4 *f.* fig. *y* desp. Precedido de *una,* mujer que se conduce libertinamente; p. ext., prostituta. ◇ Pl.: *cualesquiera.*

cuamil *m.* *Méj.* Huerta con arboleda, de poca extensión.

cuan *adv. c.* Encarece la significación del adjetivo o adverbio al que precede: *cayó ~ largo era.* – 2 *adv. correlat.* En correspondencia con *tan* se emplea en comparaciones de equivalencia o igualdad: *tan piadoso sois para querer dar salud, ~ poderoso para darla.* ◇ GRAM. Antes de *mejor, peor, mayor, menor, más* y *menos* se usa el adverbio *cuanto*, que refuerza la comparación de desigualdad.

cuán *adv. c.* Encarece el grado o la intensidad del adjetivo o adverbio al que precede en frases de interrogación o admiración directa o indirecta: *¿~ rica tú te alejas?; no puedes imaginarte ~ desgraciado soy; consideraba ~ como niña hablaba doña Clara.*

cuando *adv. relat. t.* Enlaza oraciones mediante el concepto de tiempo. Sus antecedentes pueden ser: un substantivo que significa tiempo: *éstas son las horas ~ él suele dar audiencia; entonces* u otros adverbios: *entonces la mentira satisface ~ parece verdad;* el antecedente puede ir seguido del verbo *ser: el lunes es ~ las sesiones son más borrascosas.* – 2 *conj.* Embebiendo el antecedente, queda reducido al oficio de conjunción temporal, en el tiempo, en el punto o en la ocasión en que: *España entera estaba en poder de los árabes ~ Pelayo se arrojó a defenderla; me compadecerás ~ sepas mis desventuras; ven a buscarme ~ sean las diez.* 3 p. anal. Con carácter de conjunción condicional, en caso de que, si: *~ no tuviera que hacerlo por obligación lo haría por gusto.* 4 p. anal. Como conjunción concesiva, aunque: *no faltaría a la verdad ~ le fuera en ello la vida;* en este caso puede ser reforzado con el adverbio *aun: no faltaría a la verdad aun ~,* etc. 5 p. anal. Toma asimismo carácter de conjunción causal o continuativa equivaliendo a puesto que: *~ tú lo dices, verdad será.* 6 p. anal. Como conjunción copulativa en el oficio de la conjunción *que* con algunos verbos que suelen exigirla: *esperaba ~ viniese su señor.* – 7 *loc. adv.* ~ *más* o ~ *mucho*, a lo más; ~ *menos*, a lo menos; *de ~ en ~* o *de vez en ~*, algunas veces, de tiempo en tiempo. ◇ En su oficio de conjunción puede usarse en correlación con las voces *apenas, aún no, no bien, luego: apenas estaba sosegada la gente ~ sintió que llamaban a la puerta.*

cuándo *adv. t. interr.* En qué tiempo: *¿~ vendrás?* 2 Se emplea también como distributivo equivaliendo a unas veces y otras veces: *siempre está riñendo, ~ con motivo, ~ sin él.* 3 *¿De ~ acá?,* denota la extrañeza con que se significa que alguna cosa está o sucede fuera de lo regular. – 4 *m.* Precedido del artículo *el*, tiempo, momento: *el cómo y el ~.*

cuantía *f.* Cantidad: *la ~ de una factura; me asombra la ~ de esta cosecha.* 2 Suma de cualidades o circunstancias que enaltecen a una persona o la distinguen de las demás.

cuantificar *tr.* Expresar numéricamente una magnitud. 2 Expresar mediante números aspectos cualitativos de la realidad. ◇ ** CONJUG. [1] como *sacar.*

cuantioso, -sa *adj.* Grande en cantidad.

cuánto, -ta *pron.-adj. interr.* Sólo o agrupado con un substantivo, sirve para preguntar o encarecer la cantidad, número, intensidad, etc., de una cosa: *¿cuántos libros necesitas?; ¡~ dolor cuesta! ¿cuántos necesitas?; ¿cuánto vale?* – 2 *adv. interr.* En qué grado o manera, hasta qué punto, qué cantidad, en la interrogación directa o indirecta: *dile ~ me alegro que esté mejor.* 3 Con verbos expresivos de tiempo denota duración indeterminada: *¡~ ha que partió!* – 4 *m.* Precedido del artículo *el*, parte, participación, cuota: *es el ~ de la hacienda pública.*

I) cuanto, -ta *pron.-adj. relat.* En correlación con *tanto* o con *todo*, tácitos o expresos, compara denotando idea de equivalencia o igualdad cuantitativa: *cuanta alegría él lleva, tanta tristeza nos deja; cuantos llegan a la muralla, tantos caen heridos; ~ alcanzan sus ojos, tanto aniquila su genio atroz.* – 2 *pron. relat.* Todos los que, todo lo que: *quiero castigar a todos cuantos escuderos mentirosos hay en el mundo; morían todos cuantos saltaban a tierra;* o, sin antecedente expreso, *morían cuantos saltaban a tierra.* 3 En plural y precedido de *unos* o de algún pronombre indefinido, algunos: *tengo unos cuantos.* – 4 *adv. relat. c.* Antepuesto a otros adverbios o a la conjunción *que*, y en correlación con *tanto*, compara oraciones e indica equivalencia cuantitativa: *~ más sufro, tanto más crece la saña de mis perseguidores; tengo tanto más empeño en acabar la obra, ~ que mañana no podré dedicarme a ella.* 5 Enlaza oraciones subordinadas temporales indicando simultaneidad y equivale a *mientras: durará la privanza ~ durare la obediencia.* – 6 *loc. adv.* ~ *a* o *en ~ a*, por lo que toca o corresponde a. 7 ~ *antes*, con diligencia, lo más pronto posible. 8 ~ *más* o ~ *y más*, contrapone a lo que se ha dicho lo que se va a decir, denotando en este segundo miembro idea de encarecimiento: *se rompen las amistades antiguas, ~ más las recientes.* 9 ~ *más que*, expresa haber para una cosa mayor causa o razón que la que ya se ha indicado: *mi amo me podrá perdonar, ~ más que él es tan bueno y honrado.* 10 *En ~*, mientras: *en ~ se hacía hora de cenar, se fueron a una gran alameda;* al punto que, luego que (sucesión inmediata): *en ~ anochezca iré a buscarte.* 11 *Por ~*, con razón causal para notar la razón que se va a dar de alguna cosa: *por ~ son muchos los que me solicitan, he decidido salir luego para Madrid;* en el formulismo administrativo es frecuente contraponer en párrafos separados: *Por ~... Por tanto.*

II) cuanto *m.* FÍS. Cantidad discreta más pequeña de energía que puede ser absorbida, propagada o emitida por la materia.

cuapascle, cuapastle *m. Méj.* Heno o musgo que se cría sobre los árboles y las piedras. – 2 *adj. Méj.* De color leonado o de herrumbre.

cuaquerismo *m.* Doctrina protestante fundada en Inglaterra en el s. XVII que se caracteriza por la simplicidad del culto y su rigorismo moral.

cuarcita *f.* Roca granular compacta, compuesta de cuarzo.

cuarenta *adj.* Cuatro veces diez; **numeración. – 2 *m.* Guarismo del número cuarenta.

cuarentena *f.* Conjunto de cuarenta unidades. 2 Espacio de cuarenta días, meses o años. 3 Tiempo que están privados de comunicación los que vienen de lugares donde hay epidemia. 4 p. ext. Aislamiento que por cualquier motivo se impone a una persona.

cuarentón, -tona *adj.-s.* [pers.] Que ha cumplido cuarenta años de edad y no ha llegado a los cincuenta.

cuaresma *f.* En la liturgia católica, tiempo de cuarenta y seis días que, desde el miércoles de ceniza, inclusive, precede a la festividad de la Resurrección.

cuarta *f.* Palmo (medida). 2 ASTRON. División o rumbo que, junto a otros treinta y uno, compone la rosa náutica. 3 *Amér.* Látigo tejido de cuero, con un mango de cerca de una cuarta, para las caballerías. 4 *Amér.* Cabalgadura que se agrega al tiro ordinario de un vehículo para ayudarle.

cuartazos *m. pl.* fig. Hombre excesivamente corpulento, flojo o desaliñado.

cuartear *tr.* Partir o dividir [una cosa] en cuartas partes; p. ext., dividir en más o menos partes. 2 Descuartizar. 3 [en las cuestas y malos pasos de los caminos] Dirigir los carruajes en zigzag en vez de seguir la línea recta. – 4 *prnl.* Henderse, agrietarse una pared, un techo, etc. 5 *Méj.* Acobardarse, rajarse, faltar a la palabra empeñada.

cuartel *m.* Cuarta parte. 2 División de un escudo en cruz. 3 Cuadro de un jardín. 4 Porción de terreno acotado para un fin determinado. 5 Lugar donde se establece parte de un ejército en campaña: *cuarteles de invierno;* ~ *general,* lugar donde se establece con su estado mayor el jefe de un ejército o de una división. 6 Edificio destinado para alojamiento permanente de la tropa.

cuartelazo *f.* Pronunciamiento militar.

cuartelillo *m.* Local donde está instalado un puesto de tropa, de guardia urbana, etc.

cuarterón, -rona *adj.-s.* Hijo de mestizo y española, o de español y mestiza.

cuarteta *f.* Redondilla. 2 Combinación métrica de cuatro versos de arte menor, rimados el segundo y el cuarto.

cuartete, -to *m.* Combinación métrica de cuatro versos de arte mayor, consonantes o asonantes. 2 MÚS. Composición para cuatro voces o cuatro instrumentos. 3 MÚS. Conjunto de estas cuatro voces o instrumentos.

cuartilla *f.* Cuarta parte de un pliego de papel. 2 Parte que media entre el menudillo y la corona del casco de las **caballerías.

cuarto, -ta *adj.-s.* Que ocupa el último lugar en una serie ordenada de cuatro; **numeración. 2 Parte que junto a otras tres iguales constituye un todo. – 3 *m.* Cuarta parte de una hora. 4 Parte en que, junto a otras tres, se considera dividido el cuerpo de los cuadrúpedos y aves. 5 Habitación (estancia): ~ *de costura;* ~ *de aseo,* pequeña habitación con lavabo, retrete y a veces otros servicios; ~ *de baño,* habitación como la anterior, y además, con pila de baño; ~ *de estar,* pieza de la casa en que habitualmente se reúnen las personas de la familia y donde éstas reciben a los de su confianza. 6 fam. Dinero: *cuatro cuartos,* poco dinero. 7 *En* ~, [libro, folleto, etc.] de longitud y latitud iguales a la de la cuarta parte de una hoja de papel de marca ordinaria. 8 ~ *de Luna,* cuarta parte del tiempo que media desde una conjunción a otra de la **Luna con el Sol, especialmente la segunda y la cuarta, llamadas respectivamente ~ *creciente* y ~ *menguante.* 9 *Méj.* Luz de posición del automóvil.

cuartón *m.* Madero que resulta de aserrar longitudinalmente en cruz una pieza enteriza. 2 Pieza de tierra de labor, generalmente cuadrangular.

cuartucho *m.* desp. Habitación ruin.

cuarzo *m.* Mineral silícico, que se presenta en cristales hexagonales o en masas cristalinas o compactas, con diversos colores y grados de transparencia, y es uno de los constituyentes del granito y otras rocas.

cuás *m.* *Méj.* Amigo inseparable.

cuascle *m.* *Méj.* Manta que se echa al caballo.

cuasia *f.* Arbolito simarubáceo con hojas compuestas y flores rojas, de cuya corteza se extrae la cuasina *(Quassia amara).*

cuasina *f.* Tónico amargo, no astringente, obtenido a partir de la corteza y raíz de la cuasia.

cuatatán *m.* *Méj.* Caballo de silla y de trabajo.

cuate, -ta *adj.-s.* *Méj.* Mellizo, gemelo. 2 *Méj.* fig. Igual o muy semejante. 3 *Guat.* y *Méj.* Camarada, compinche.

cuaternario, -ria *adj.* Que consta de cuatro unidades o elementos. – 2 *adj.-m.* Era geológica que sigue a la terciaria y llega hasta la actualidad, y terreno a ella correspondiente. 3 Perteneciente o relativo al cuaternario.

cuatezón, -zona *adj.* *Méj.* [animal] Que, debiendo tener cuernos por naturaleza, carece de ellos.

cuatezonar *tr.* *Méj.* Suprimir los cuernos [de un animal].

cuatralbo, -ba *adj.* [animal] Que tiene blancos los cuatro pies.

cuatreño, -ña *adj.* [novillo o novilla] Que está entre los cuatro y cinco años.

cuatrero, -ra *adj.-s.* Ladrón que hurta bestias. 2 *Méj.* y *Perú.* Ladrón, ratero, pícaro. – 3 *adj. Amér. Central.* Traidor, desleal.

cuatrillizo, -za *adj.-s.* [pers.] Nacido de un mismo parto con otros tres.

cuatrillo *m.* Juego semejante al tresillo, que se juega entre cuatro.

cuatrillón *m.* Un millón de trillones; se expresa por la unidad seguida de veinticuatro ceros; **numeración.

cuatrimestre *m.* Espacio de cuatro meses.

cuatrimotor *adj.-m.* Avión provisto de cuatro motores y cuatro hélices.

cuatrirreactor *adj.-m.* Avión provisto de cuatro motores de reacción.

cuatrisílabo, -ba *adj.-s.* De cuatro sílabas: *verso ~.*

cuatro *adj.* Tres y uno; **numeración. 2 *m.* Guarismo del número cuatro. 3 *Méj.* Trampa, engaño, ardid.

cuatrocentista *adj.* Que se refiere o pertenece al s. xv: *retablo ~. – 2 m.* Escritor o artista del s. xv: *los cuatrocentistas italianos.*

cuatrocientos, -tas *adj.* Cuatro veces ciento; **numeración. – 2 *m.* Guarismo del número cuatrocientos.

cuatrojos *com.* vulg. Persona que usa gafas. ◇ Pl.: *cuatrojos.*

cuatropea *f.* Bestia de cuatro pies. 2 Lugar de una feria, donde se vende el ganado.

cuba *f.* Recipiente de madera, para contener líquidos, compuesto de duelas unidas y aseguradas con aros de hierro o madera, y cerrado en sus extremos con tablas. 2 fig. Líquido que cabe en una cuba. 3 Persona que bebe mucho vino: *estar hecho una ~,* estar borracho. 4 Parte del hueco interior de un horno alto, comprendida entre el vientre y el tragante. 5 *~ libre,* bebida hecha mezclando ciertas bebidas alcohólicas con otras refrescantes.

cubanismo *m.* Vocablo, giro o modo de expresión propio de los cubanos. 2 Amor o apego a las cosas características de Cuba.

cubanización *f.* fig. Atracción de un país a la órbita de influencia soviética.

cubano, -na *adj.-s.* De Cuba, nación insular situada en el Golfo de Méjico.

cubeba *f.* Arbusto piperáceo, trepador, de hojas lisas y fruto a modo de pimienta de color obscuro que se emplea en medicina (*Piper cubeba*). 2 Fruto de esta planta.

cubertería *f.* Conjunto de cucharas, tenedores, cuchillos y utensilios semejantes para el servicio de mesa.

cubeta *f.* Recipiente en forma más o menos de cubo usado para algún fin: *~ de instrumentos.* 2 Herrada con asa hecha de tablas endebles. 3 Recipiente, generalmente rectangular, de vidrio, gutapercha, etc., muy usado en operaciones químicas, y especialmente en las fotográficas: *~ de revelado.* 4 Depósito de mercurio en la parte inferior de ciertos barómetros, sobre el cual actúa directamente la presión atmosférica. 5 *Méj.* Sombrero de copa alta.

cubicar *tr.* Elevar [un número] al cubo. 2 Determinar la capacidad o el volumen [de un cuerpo] conociendo sus dimensiones: *~ una habitación; ~ maderas.* ◇ ** CONJUG. [1] como *sacar.*

cúbico, -ca *adj.* Relativo al cubo. 2 De figura de cubo geométrico, o parecido a él. 3 **CRIST. [sistema cristalino] De forma holoédrica con tres ejes principales iguales y perpendiculares entre sí. 4 Perteneciente o relativo a este sistema.

cubículo *m.* Aposento, alcoba. 2 En las catacumbas, ensanchamiento de los ambulacros en forma de celda, que los antiguos cristianos utilizaban como capilla u oratorio.

**cubierta *f.* Lo que se pone encima de una cosa para taparla o resguardarla. 2 Parte exterior del **libro encuadernado, formada por dos tapas o planos de cartón recubiertos de papel, tela o piel. 3 Parte exterior de la techumbre de un edificio: *~ a un agua,* la que está organizada a una sola vertiente; *~ a cuatro aguas,* la que tiene cuatro vertientes; *~ a dos aguas,* la organizada a dos vertientes que se unen por su parte superior en caballete o cumbrera, y que suele estar montada sobre piñones o hastiales; *~ de pabellón,* la que cubre un espacio poligonal a tantas aguas como lados tiene su base; *~ en diente de sierra,* la formada por dos vertientes desiguales, la menor y más vertical suele ser de cristal o fibra traslúcida para iluminar el interior; *~ plana,* aquella en la que no intervienen estructuras de cierre inclinadas ni curvas. 4 Suelo que divide el interior del casco de un navío, y especialmente el superior. 5 Parte exterior del neumático de las ruedas de autos, **bicicletas, etc.

cubierto *m.* Techumbre de una casa u otro paraje que cubre de las inclemencias del tiempo: *estar a ~,* bajo techado, fig., protegido: *estamos a ~ de sus intrigas.* 2 Servicio de mesa para cada uno de los comensales, compuesto de plato, cuchillo, tenedor, cuchara, pan y servilleta. 3 Juego compuesto de cuchara, tenedor y cuchillo: *he comprado una docena de cubiertos.* 4 Comida que se da en las fondas, hoteles y restaurantes a una persona, por precio determinado: *~ especial; ~ de mil pesetas.*

cubil *m.* Paraje donde los animales, principalmente las fieras, se recogen para dormir. 2 Cauce de las aguas corrientes.

cubilete *m.* Vaso de cobre, cuerno, madera,

etc., más ancho por la boca que por el suelo, que usan los cocineros y pasteleros, los prestidigitadores, los jugadores de dados, etc. 2 Pastel de carne picada en figura de cubilete. 3 Flor del nenúfar. 4 *Amér.* Sombrero de copa alta.

cubiletero *m.* Recipiente metálico para servir los cubitos de hielo.

cubilote *m.* Horno cilíndrico de chapa de hierro revestida interiormente con ladrillos refractarios, destinado a refundir el hierro colado.

cubillo *m.* Pieza de vajilla para mantener fría el agua.

cubismo *m.* Movimiento artístico del s. xx que reduce la expresión primaria del volumen y la forma a figuras geométricas.

cúbito *m.* **Hueso del antebrazo, el más largo y grueso, el cual forma el codo en su articulación con el húmero.

I) cubo *m.* Vasija de metal o madera, generalmente de figura de cono truncado invertido, con asa en el borde superior, empleado en usos domésticos. 2 Cilindro hueco en que

remata por abajo la bayoneta y la moharra de la lanza; **armas. 3 Pieza central en que se encajan los radios de las ruedas de los carruajes.

II) cubo *m.* Tercera potencia de un número o de una expresión algebraica. 2 **Sólido regular limitado por seis cuadrados iguales; **cristalografía. 3 Adorno saliente de figura cúbica en los techos artesonados. 4 p. ext. Cuerpo sólido en general, con forma de cubo geométrico o parecido a él.

cuboides *adj.-m.* Hueso situado en la parte exterior y superior del tarso; **pie. ◇ Pl.: *cuboides.*

cubrecama *f.* Colcha.

cubremantel *m.* Mantel de adorno que se pone sobre el corriente.

cubreobjetos *m.* Lámina delgada de cristal, de forma cuadrangular, que protege las preparaciones microscópicas. ◇ Pl.: *cubreobjetos.*

cubrepié *m. Amér.* Cubrecama. – 2 *m. pl.* Manta pequeña que se pone a los pies de la cama.

cubrir *tr.* Ocultar y tapar enteramente [una

CUBIERTA

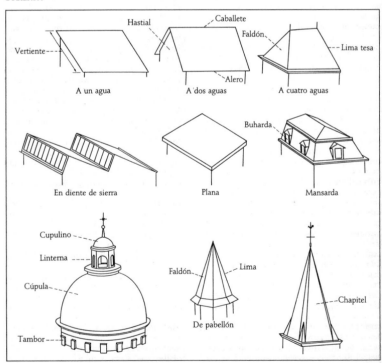

cosa] con otra: *cubren el suelo con alfombras; le traerán un mantón con que se cubra;* ocultar [una cosa] en parte: ~ *la mesa de manjares.* 2 Tapar una cosa la superficie [de otra]: *el polvo cubría los muebles; el campo se cubre de doradas mieses.* 3 Proteger, defender: *cubrió su pecho con el escudo.* 4 Recorrer [una distancia]. 5 fig. Colmar, llenar. 6 Entre periodistas, ocuparse de [un asunto]. 7 Incluir: *en el precio se cubren el viaje y la manutención.* 8 fig. Ocultar o disimular [una cosa] con arte: *cubre con su modestia muchas cosas.* 9 Juntarse el macho [con la hembra] para fecundarla. 10 Poner el techo [a la fábrica], o techarla. 11 Marcar a un jugador contrario o vigilar una zona del campo. – 12 *prnl.* Ponerse el sombrero, la gorra, etc. 13 Cautelarse de cualquier responsabilidad o riesgo. ◇ pp. irreg.: *cubierto.*

cuca *f.* Mujer enviciada en el juego. – 2 *f. pl.* Nueces, avellanas y otros frutos análogos. – 3 *f. Amér.* Dulce de harina.

cucamonas *f. pl.* fam. Carantoñas.

cucaña *f.* Palo largo, untado de jabón o de grasa, por el cual se ha de andar en equilibrio o trepar, para coger como premio un objeto atado a su extremidad. 2 Diversión de ver avanzar o trepar por dicho palo. 3 fig. Lo que se consigue con poco trabajo.

cucar *tr.* Guiñar (el ojo). 2 Hacer burla [de uno]. ◇ ** CONJUG. [1] como *sacar.*

cucaracha *f.* Insecto dictióptero nocturno y corredor, de cuerpo deprimido, negro por encima y rojizo por debajo *(Blatta orientalis).* 2 Insecto dictióptero de América, de cuerpo rojizo y elitroides más largas que el cuerpo *(Periplaneta americana).* 3 Tabaco en polvo de color avellana. 4 *Méj.* Coche de tranvía que va a remolque de otro. 5 *Méj.* Coche de mal aspecto.

cucarda *f.* Martillo de boca ancha, cubierta de puntas de diamante, con que los canteros rematan ciertas obras de sillería.

cuclillas (en ~) *loc. adv.* Modo de sentarse doblando el cuerpo de suerte que las asentaderas se acerquen al suelo o descansen en los calcañares.

cuclillo *m.* Ave cuculiforme, poco menor que una tórtola, de plumaje ceniciento, azulado por encima, cola negra con pintas blancas y alas pardas *(Cuculus canorus).* 2 fig. Marido de la adúltera.

cuco, -ca *adj.* fig. Pulido, de aspecto agradable. – 2 *adj.-s.* Taimado y astuto.

cucú *m.* Canto del cuclillo. 2 Reloj que contiene un cuclillo mecánico, el cual sale con una abertura y señala con su canto las horas y las medias horas o los cuartos. ◇ Pl.: *cucúes.*

cucúbalo *m.* Hierba cariofilácea, pubescente, de hojas ovaladas y peludas, que trepa sobre otras plantas; sus frutos son bayas negras redondas *(Cucubalus baccifer).*

cuculí *m. Amér.* Especie de paloma torcaz pequeña, cuyo canto ha dado origen a su nombre *(Columba melada).* ◇ Pl.: *cuculíes.*

cuculiforme *adj.-m.* Ave del orden de los cuculiformes. – 2 *m. pl.* Orden de aves con la cola larga y las patas cortas; son omnívoras y de costumbres parasitarias; como los cucos.

cucurbitáceo, -a *adj.-f.* Planta de la familia de las cucurbitáceas. – 2 *f. pl.* Familia de plantas dicotiledóneas, generalmente monoicas, rastreras o trepadoras, de hojas sencillas, flores de cinco pétalos y fruto en pepónide; como la calabaza y el melón.

cucurbitales *f. pl.* Orden de plantas, dentro de la clase dicotiledóneas, con flores pentámeras, hermafroditas y actinomorfas.

cucurucho *m.* Papel o cartón arrollado en forma cónica. 2 Armazón cónica generalmente de cartón que usan los penitentes en Semana Santa en la cabeza. 3 Cubierta coniforme del molino de viento. 4 *Amér.* Vestido usado en las procesiones de Semana Santa, que remata en una capucha. 5 *Amér. Central* y *Colomb.* Parte más alta de cualquier figura de forma cónica.

cucha *f.* Yacija del perro. 2 hum. Cama: *meterse en la ~.*

cuchara *f.* Instrumento, de madera, metal, etc., compuesto de un mango y una palita cóncava, generalmente de forma oval, que especialmente sirve para comer. 2 Utensilio semejante a la cuchara. 3 Vasija redonda de hierro o cobre, con un pico en un lado y un mango largo en el otro, usada para sacar el líquido de una tinaja. 4 ** METAL. Recipiente donde se echa el metal líquido de los crisoles y sirve para transportarlo para su colada en los moldes de las fundiciones.

cucharada *f.* Porción que cabe en una cuchara.

cucharear *tr.* Sacar con cuchara. 2 Cabecear una embarcación.

cuchareta *adj.-s.* Especie de trigo propio de Andalucía, de espigas algo vellosas, casi tan anchas como largas, con aristas laterales. – 2 *f.* Ave zancuda de América, de pico en forma de espátula *(Spatula clypeata).*

cucharetear *intr.* fam. Revolver la olla o cazuela con la cuchara. 2 Hacer ruido con la cuchara cuando se come. 3 fig. Meterse sin necesidad en negocios ajenos: ~ *en todo.*

cucharetero *m.* Listón con agujeros, para colocar las cucharas en la cocina.

cucharilla *f.* Cuchara pequeña.

cucharón *m.* Cacillo de metal o de loza para repartir ciertos manjares en la mesa. 2 Utensilio de metal con esta forma, usado en **jardinería.

cucharro *m.* Pedazo de tablón para entablar algunos sitios de la embarcación.

cuche, cuchi *m. Amér.* Cerdo, cochino.

cucheta *f.* Litera de los barcos.

cuchichear *intr.* Hablar en voz baja o al oído a uno.

cuchichí *m.* Canto de la perdiz.

cuchilla *f.* Cuchillo grande. 2 Instrumento de hierro acerado, de varias formas, usado para cortar: ~ *de un carnicero; la* ~ *de una guillotina.* 3 Hoja de cualquier arma blanca de corte (arma). 4 Hoja de afeitar. 5 *Amér.* Cortaplumas. 6 *Amér.* Loma, cumbre, meseta, cuando se prolongan considerablemente.

cuchillada *f.* Golpe de arma de corte. 2 Herida que resulta.

cuchillo *m.* Instrumento formado por una hoja de acero de un solo corte, con mango de metal, madera, etc.: ~ **bayoneta,** el que reemplaza la antigua bayoneta en algunas **armas de fuego; ~ *de cocina;* ~ *de monte;* ~ *eléctrico;* **cocina; *pasar a* ~, dar muerte. 2 Colmillo inferior del jabalí. 3 fig. Añadidura triangular que se hace a un vestido para darle mayor vuelo: *falda con cuchillos de raso.* 4 Conjunto de piezas de madera o hierro que, colocado verticalmente sobre apoyos, sostiene la cubierta de un edificio o el piso de un **puente o una cimbra.

cucho, -cha *adj. Amér. Central.* Jorobado. 2 *Méj.* Desnarigado. 3 *Méj.* Leporino.

cuchufleta *f.* fam. Dicho o palabras de broma o chanza.

cuchugo *m. Amér. Merid.* Caja de cuero que suele llevarse en el arzón de la silla de montar. ◇ Úsase principalmente en plural.

cuchumbo *m. Amér. Central.* Embudo. 2 *Amér. Central.* Cubeta, cubo. 3 *Amér. Central* y *Méj.* Cubilete (para dados).

cudú *m.* Antílope grande, con largos cuernos exclusivos de los machos, formando tres o cuatro espirales. El pelaje es corto y de color gris *(Tragelaphus strepsiceros).* ◇ Pl.: *cudúes.*

cueceleches *m.* Utensilio de cocina que sirve para calentar la leche sin que se salga cuando hierve. ◇ Pl.: *cueceleches.*

cuelgacapas *m.* Mueble para colgar la capa y otras prendas de vestir. ◇ Pl.: *cuelgacapas.*

cuelgaplatos *m.* Utensilio con el cual se fijan o cuelgan en las paredes los platos artísticos. ◇ Pl.: *cuelgaplatos.*

cuellicorto, -ta *adj.* Que tiene corto el cuello.

cuellilargo, -ga *adj.* Largo de cuello.

cuello *m.* Parte del **cuerpo que une la cabeza con el tronco; **cuerpo. 2 Tira de tela unida a una prenda, o adorno suelto de encaje, piel, etc., para cubrir o abrigar el cuello: ~ *almidonado;* ~ *de pajarita.* 3 Parte más estrecha y delgada de un cuerpo: ~ *de un mastelero.* 4 Parte superior y más angosta de una vasija.

cuenca *f.* Escudilla de madera de los peregrinos, mendigos, etc. 2 Cavidad en que está cada uno de los ojos. 3 Territorio rodeado de alturas. 4 Territorio cuyas aguas afluyen todas a un mismo **río, lago o mar. 5 Territorio por donde se extienden las ramificaciones de una mina.

cuenco *m.* Vaso de barro, hondo y ancho, sin borde o labio.

cuenda *f.* Cordoncillo de hilos que recoge

CUERDA (INSTRUMENTOS DE)

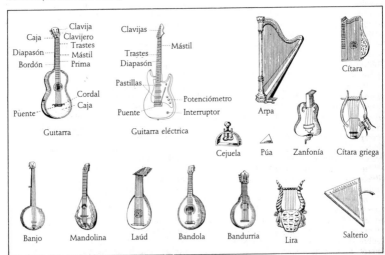

Clavija
Caja
Clavijero
Trastes
Diapasón
Mástil
Bordón
Prima
Cordal
Caja
Puente
Guitarra

Clavijas
Mástil
Trastes
Diapasón
Pastillas
Potenciómetro
Puente
Interruptor
Guitarra eléctrica

Cítara

Arpa

Cejuela

Púa

Zanfonía

Cítara griega

Banjo

Mandolina

Laúd

Bandola

Bandurria

Lira

Salterio

y divide la madeja para que no se enmarañe.

cuenta *f.* Acción de contar, cálculo: ~ *de restar; echar cuentas,* contar, sobre poco más o menos, el importe o gasto de una cosa. 2 Efecto de contar, cálculo. 3 Estado de las sumas para cobrar o pagar: *pedir la ~ al camarero; ajustar cuentas; en resumidas cuentas,* en conclusión o con brevedad. 4 Registro regular de transacciones pecuniarias, de haberes y créditos, etc.: ~ *corriente,* aquella en que se asientan las partidas del debe y del haber de una persona o entidad. 5 fig. Exposición de razones, motivos, actos, etc.: *dar o pedir ~.* 6 Cuidado, incumbencia, cargo, obligación: *de ~ y riesgo de uno,* bajo su responsabilidad. 7 Consideración: *tener en ~,* tener presente, considerar. 8 Bolilla ensartada o taladrada para serlo, y especialmente las del rosario.

cuentagotas *m.* Utensilio para verter un líquido gota a gota. ◇ Pl.: *cuentagotas.*

cuentakilómetros *m.* Contador que registra las revoluciones de las ruedas de un vehículo, e indica el número de kilómetros recorridos. ◇ Pl.: *cuentakilómetros.*

cuentarrevoluciones *m.* Contador que registra las revoluciones de un eje o de una máquina. ◇ Pl.: *cuentarrevoluciones.*

cuentavueltas *m.* Instrumento usado en las competiciones deportivas, para anotar las veces que los participantes han recorrido el mismo trayecto. ◇ Pl.: *cuentavueltas.*

cuentista *adj.-com.* Persona que suele narrar o escribir cuentos. 2 fam. Chismoso. 3 Jactancioso, presuntuoso.

I) cuento *m.* Narración corta en prosa, que pertenece a la ficción literaria, ideada para producir una impresión rápida y llamativa: *libro de cuentos; ~ de hadas; ~ de viejas; a ~,* al caso, a propósito; *venir a ~ una cosa.* 2 Chisme o enredo para indisponer a una persona con otra: *venirle a uno con cuentos.* 3 Embuste, engaño, fraude: *vivir del ~.*

II) cuento *m.* Regatón o contera de la pica, la lanza, el bastón, etc. 2 Pie derecho o puntal puesto para sostener alguna cosa.

cuepa *f. Amér. Central y Colomb.* Disco cóncavo de cera con que juegan los chicos. 2 *Amér. Central y Colomb.* Objeto pequeño y achatado.

cuera *f. Amér. Central.* Polaina burda, de cuero muy duro y a veces crudo. 3 *Bol., Pan. y P. Rico.* Azotaina, zurra.

**cuerda *f.* Conjunto de hilos de cáñamo, lino, esparto, etc., que, torcidos, forman un solo cuerpo cilíndrico y flexible; **gimnasio. 2 Parte propulsora del mecanismo de un reloj: *dar ~ al reloj.* 3 Borde de un estrato de roca que queda descubierto en la falda de una montaña. 4 ~ *floja,* alambre con poca tensión sobre la cual hacen sus ejercicios los volatineros. 5 Línea de arranque de una bóveda o

arco. 6 Segmento de recta que une los extremos de un arco o curva; **circunferencia. 7 MÚS. Hilo hecho con una tira retorcida de tripa de carnero, a veces envuelta por alambre en hélice, que, por vibración, produce los sonidos en ciertos instrumentos músicos. 8 DEP. Perímetro interior de una pista deportiva y parte de la pista situada a lo largo de este perímetro. – 9 *f. pl. Cuerdas vocales,* repliegues musculares que en número de cuatro, dos superiores y dos inferiores, se encuentran en el interior de la **laringe.

cuerdo, -da *adj.-s.* Que está en su juicio, prudente.

cuereada *f. Amér. Merid.* Temporada en que se obtienen los cueros secos, principalmente vacunos, desde matar y despellejar las reses y secar las pieles al sol y al aire, hasta entregarlas al comercio.

cuerear *tr. Amér.* Azotar [a una persona o animal]. 2 *Amér. Merid.* Ocuparse en las operaciones de la cuereada. 3 *Amér.* fig. Causar daño [en la persona o en la honra]. 4 *Amér.* fig. Ganar [a uno] en el juego.

cuerna *f.* Vaso rústico hecho con un cuerno de res vacuna. 2 Cuerno macizo que algunos animales mudan todos los años, como el ciervo. 3 Cornamenta. 4 Trompa de hechura semejante al cuerno bovino, que se usó en la montería y que aún usan ciertas gentes en el campo para comunicarse.

cuernecillo *m.* Planta papilionácea, tendida y perenne, con las hojas divididas en cinco folíolos, y las flores amarillas, a menudo con estrías rojas *(Lotus corniculatus).*

cuerno *m.* Prolongación ósea del frontal, cubierta por una capa epidérmica o estuche córneo, propia de los rumiantes cérvidos y bóvidos. 2 Prolongación ósea que, en número de una o dos, tienen los rinocerontes en la línea media de la nariz. 3 Materia que forma el estuche córneo de los cuernos de los bovinos, de la cual se hacen objetos diversos. 4 Extremidad de alguna cosa que remata en punta y tiene semejanza con los cuernos: *los cuernos de la Luna.* 5 fig. y fam. Atributo de la infidelidad matrimonial: *poner los cuernos.* 6 Instrumento músico de viento, de forma corva, generalmente de cuerno, que tiene el sonido como de trompa. 7 ANAT. Prolongación de la substancia gris en la substancia blanca de la médula espinal.

cuero *m.* Pellejo del buey y otros animales, especialmente después de curtido y preparado para ciertos usos: *una chaqueta de ~.* 2 ~ *cabelludo,* piel del cráneo. 3 DEP. Balón. 4 *Amér.* Correa, látigo.

cuerpo *m.* Substancia material: *los cuerpos químicos.* 2 Porción limitada de materia, objeto: *un ~ celeste.* 3 Grueso de los tejidos, papel, chapas, etc.: *tomar ~ una cosa,* fig., aumentarse de poco a mucho. **4 Espesura de un líquido: **dar ~ a una cosa,** espesarla. **5** Conjunto de características del vino que puede ser apreciadas sensorialmente. **6** En el hombre y en los animales, conjunto de las partes materiales que componen su organismo: *el ~ y el alma.* **7** Cadáver: *de ~ presente.* **8** Tronco, a diferencia de la cabeza y las extremidades. **9** Parte central o principal de una cosa: *~ de un libro, de un documento.* **10** Parte, que puede ser independiente, cuando se la considera unida a otra principal: *los dos cuerpos de aquel edificio.* **11** Conjunto de personas que forman una comunidad, ejercen una misma función, etc.: *~ diplomático; ~ legislativo.* **12** DER. *~ **del delito,*** cosa en que, o con que, se ha cometido un delito. **13** MIL. Conjunto determinado de soldados con sus respectivos oficiales: *~ de ejercito; ~ de guardia;* tropa auxiliar del ejercito, a diferencia del arma o tropa combatiente: *~ de Intendencia, Sanidad, Ingenieros.*

cuervo *m.* Ave paseriforme carnívora, mayor que la paloma, de pico grueso más largo que la cabeza, tarsos fuertes, plumaje negro con reflejos metálicos y cola redondeada *(Corvus corax).*

cuesco *m.* Hueso de la fruta. **2** fam. Pedo que se expele con ruido. **3** *~* **de lobo,** hongo licoperdal cilíndrico, con la parte superior más gruesa, de color blanco grisáceo que más tarde se torna pardo *(Lycoperdon perlatum).* **4** *Méj.* Masa redondeada de mineral de gran tamaño.

cuescomate *m. Méj.* Troje de barro en forma de tinaja para guardar semillas.

cuesta *f.* Terreno en pendiente. – **2** *loc. adv.*

CUERPO HUMANO

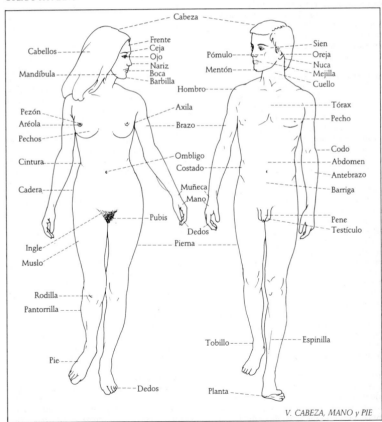

V. CABEZA, MANO y PIE

323

*A **cuestas,*** sobre los hombros o espaldas; fig., a su cargo, sobre sí.

cuestión *f.* Pregunta que se hace o propone para averiguar la verdad de una cosa controvirtiéndola. 2 Punto controvertible, problema que se trata de resolver, materia sobre la cual se disputa.

cuestionable *adj.* Dudoso, que se puede discutir.

cuestionar *tr.* Controvertir [un punto dudoso].

cuestionario *m.* Libro que trata de cuestiones; programa de examen u oposición. 2 Lista de cuestiones.

cuestor *m.* Antiguo magistrado romano, encargado de la administración del erario público. 2 El que pide limosna para el prójimo o para llevar a cabo una obra benéfica.

cuete *m.* *Méj.* Lonja de carne que se saca del muslo de la res.

cueto *m.* Sitio alto y defendido. 2 Colina de forma cónica, aislada y, generalmente, peñascosa.

cueva *f.* Cavidad subterránea. 2 Construcción megalítica con una cámara cubierta y un corredor de acceso, al aire libre o dentro de un túmulo artificial.

cuévano *m.* Cesto de mimbres grande y hondo, poco más ancho de arriba que de abajo, para llevar la uva en la vendimia y otros usos.

cuico, -ca *adj.* *Argent. y Chile.* Apodo que se da a los naturales de otras regiones.

cuidado *m.* Atención para hacer bien una cosa, especialmente la que se tiene para con un enfermo. 2 Recelo, sobresalto, temor. 3 Dependencia o negocio que está a cargo de uno.

¡cuidado! Interjección con que se advierte la proximidad de un peligro o la contingencia de caer en error.

cuidador, -ra *adj.-s.* Que cuida. 2 Nimiamente solícito y cuidadoso. – 3 *m.* Entrenador deportivo. 4 *Argent.* Enfermero. – 5 *f. Méj.* Niñera.

cuidar *tr.* Poner diligencia y atención [en la ejecución de una cosa]. 2 Asistir: ~ *a,* o *de, un enfermo.* 3 Guardar, conservar: ~ *la casa;* ~ *la ropa; intr.,* seguido de la preposición *de:* ~ *de la hacienda, de los niños.* – 4 *prnl.* Seguido de la preposición *de,* vivir con advertencia respecto de una cosa: *no se cuida del qué dirán.* 5 Preocuparse de su salud.

I) cuita *f.* Trabajo, aflicción, desventura.

II) cuita *f. Amér. Central.* Excremento de las aves; p. ext., deyección humana.

cuitado, -da *adj.* Afligido, desventurado. 2 fig. Apocado, tímido.

cuja *f.* Bolsa de cuero asida a la silla del caballo, para meter el cuento de la lanza o bandera. 2 Anillo de hierro sujeto al estribo derecho, en

el que los lanceros colocan el cuento de su arma. 3 Armadura de la **cama. 4 Parte de la **armadura que cubre y defiende el muslo. 5 *Amér.* Cama de diversos tipos y materiales. 6 *Hond.* y *Méj.* Sobre o cubierta en que se incluye una carta. 7 *Méj.* Envoltura de un fardo.

culantrillo *m.* Helecho de frondas divididas en hojuelas redondeadas que suele criarse en las paredes de los pozos y otros sitios húmedos *(Adiantum capillus veneris).*

culata *f.* Anca (de caballería). 2 Carne de cadera, trozo superior de la pierna de algunos animales, especialmente los bóvidos y las caballerías. 3 Parte posterior de la caja de la escopeta, fusil o pistola, que sirve para asirlas o afianzarlas cuando se apuntan y se disparan. 4 Parte que cierra el cañón de un arma de fuego por el extremo opuesto a la boca. 5 fig. Parte posterior de algunas cosas. 6 fam. Posadera. 7 MEC. Pieza metálica que se ajusta al bloque de los motores de explosión y cierra el cuerpo de los cilindros. 8 *Argent.* Parte posterior o trasera del carro.

culear *intr.* vulg. Mover el culo. 2 Salirse la parte trasera de un automóvil o motocicleta de la línea en que va avanzando.

culebra *f.* Reptil ofidio, especialmente el de pequeño y mediano tamaño. 2 fig. Desorden o alboroto promovido de repente por unos pocos en una reunión pacífica. 3 ~ *de mar,* pez marino teleósteo anguiliforme, de cuerpo muy alargado de color pardo rojizo, con el hocico puntiagudo y que vive en madrigueras *(Oxystomus serpers; Ophisurus s.).* 4 *Amér.* Cuenta para cobrar. 5 *Méj.* Tromba de agua.

culebrear *intr.* Andar haciendo eses.

culebrilla *f.* Enfermedad cutánea propia de los países tropicales. 2 Clase de papel de seda. 3 Relámpago zigzagueante.

culebrina *f.* Antigua pieza de artillería, larga y de poco calibre. 2 Meteoro eléctrico y luminoso con apariencia de línea ondulada.

culebrón *m.* fig. Hombre muy astuto y solapado. 2 fig. Mujer intrigante, de mala reputación. 3 *Méj.* Telenovela con gran cantidad de capítulos. 4 *Cuba, Ecuad.* y *Méj.* Pieza de teatro mala y disparatada. 5 *Cuba, Ecuad.* y *Méj.* Obra literaria mala, ridícula y sin importancia.

culeco, -ca *adj. Amér.* fest. Envanecido o muy contento: *estar uno ~ con algo.* 2 *Amér.* Muy enamorado.

culera *f.* Señal que en las mantillas de los niños dejan las manchas excrementicias. 2 Remiendo en los calzones o pantalones sobre la parte que cubre las asentaderas.

culeras *com.* vulg. Cobarde, miedoso, servil. ◊ Pl.: *culeras.*

culero, -ra *adj.* Perezoso, calmoso. – 2 *adj.-s.* [pers.] Que se dedica al tráfico de drogas, especialmente hachís, ocultándolas en su cuerpo después de haberlas introducido a través del ano. – 3 *m.* Especie de bolsa de lienzo que se pone a los niños en la parte posterior para su limpieza. 4 *Argent.* Cinto ancho de cuero con numerosos bolsillos.

culícido *adj.-m.* Insecto de la familia de los culícidos. – 2 *m. pl.* Familia de insectos dípteros, del suborden de los nematóceros, que se desarrolla en el agua, en cuya superficie deposita sus huevos.

culimiche *adj. Méj.* Mísero, de poco valor.

culimpinarse *prnl. Méj.* Inclinarse, agacharse una persona.

culinario, -ria *adj.* Relativo a la cocina. – 2 *f.* Arte de guisar.

culmen *m.* Cumbre (mayor elevación). ◇ Latinismo innecesario.

culminación *f.* Acción de culminar. 2 Efecto de culminar. 3 ASTRON. Momento en que un astro ocupa el lugar más alto a que puede llegar sobre el horizonte.

culminar *intr.* Llegar una cosa a la posición más elevada que puede tener. 2 Pasar un astro por el meridiano superior del observador. – 3 *tr.* Dar fin a una tarea.

culo *m.* Parte inferior y posterior del tronco de los racionales sobre la cual descansa el cuerpo cuando uno se sienta. 2 Ancas del animal. 3 Ano. 4 fig. Extremidad inferior o posterior de una cosa: ~ *de una vasija.* 5 Escasa porción de líquido que queda en el fondo de un vaso.

culombio *m.* Unidad de masa eléctrica, equivalente a la cantidad de electricidad que, pasando por una disolución de plata, es capaz de separar de ella 1 miligramo y 118 milésimas de este metal.

culote *m.* Restos de fundición que quedan en el fondo del crisol. 2 Prenda inferior femenina de diversas formas y tamaños; generalmente cubre las caderas.

culpa *f.* Falta más o menos grave cometida voluntariamente. 2 Responsabilidad, causa de un suceso o acción imputable a una persona.

culpar *tr.* Echar la culpa [a uno] de una cosa: ~ *a un inocente.*

culposo, -sa *adj.* [acto u omisión] Imprudente o negligente que origina responsabilidades.

culteranismo *m.* Estilo literario caracterizado por sus metáforas violentas, alusiones obscuras, hipérboles extremadas, latinismos, etc., de finales del siglo XVI y principios del XVII. En España su máximo representante es Góngora (1561-1627).

cultismo *m.* Palabra culta o erudita.

cultivar *tr.* Dar [a la tierra y a las plantas] las labores necesarias para que fructifiquen. 2 fig. Desenvolver, ejercitar [las facultades o aptitudes]: ~ *el talento, la memoria;* ejercitarse

[en las artes o las ciencias]: ~ *las lenguas, la música.* 3 Poner todos los medios para mantener y estrechar [el trato humano]: ~ *las amistades.* 4 En bacteriología, sembrar y hacer producir en materiales apropiados [microbios o sus gérmenes].

cultivo *m.* Acción de cultivar: ~ *intensivo,* el que prescinde de los barbechos y mediante abonos y riegos hace que la tierra, sin descansar, produzca las cosechas. 2 Efecto de cultivar.

culto, -ta *adj.* Dotado de cultura (conocimientos). 2 De gusto moderado, sin extravagancias o excesos, razonable. – 3 *m.* Honor que se tributa en diversas religiones a ciertas cosas tenidas como divinas o sagradas. 4 p. ext. Adoración de que son objeto algunas cosas: *rendir ~ a la sabiduría.* – 5 *adj.* LING. [palabra, expresión] Que no ha tenido evolución popular.

cultura *f.* Cultivo en general; esp., el de las facultades humanas: ~ *física, moral, estética, intelectual.* 2 Conjunto de modos de vida y costumbres, conocimientos, grado de desarrollo artístico, científico, industrial, en una época o grupo social, etc.: ~ *de masas,* la que pertenece a un gran número de personas lograda por los medios sociales de comunicación; ~ *popular,* conjunto de las manifestaciones en que se expresa la vida tradicional en un pueblo.

culturismo *m.* DEP. Práctica sistemática de ejercicios gimnásticos encaminados al desarrollo de los músculos.

culturizar *tr.* Integrar en una cultura. ◇ ** CONJUG. [4] como *realizar.*

cumbarí *adj.-s. Argent.* Ají o pimiento muy rojo y picante.

cumbre *f.* Cima de una **montaña. 2 fig. Mayor elevación de una cosa, último grado a que puede llegar. 3 Reunión de muy alto nivel: *la ~ de los ministros de economía.*

cumbrera *f.* Pieza de madera de veinticuatro o más pies de longitud y con una escuadra de diez pulgadas de tabla por nueve de canto. 2 Caballete del tejado.

cumiche *m. Amér. Central.* El más joven de los hijos de una familia.

cumpleaños *m.* Aniversario del nacimiento de una persona. ◇ Pl.: *cumpleaños.*

cumplido, -da *adj.* Completo. 2 Hablando de ciertas cosas, largo o abundante. 3 Exacto en todos los cumplimientos, atenciones y muestras de urbanidad para con los otros. – 4 *m.* Acción obsequiosa, muestra de urbanidad.

cumplidor, -ra *adj.-s.* Que cumple o da cumplimiento. 2 esp. [pers.] Celoso y exacto en el cumplimiento de su deber.

cumplimentar *tr.* Felicitar o hacer visita de cumplimiento [a uno]. 2 Poner en ejecución [una orden].

cumplimiento *m.* Acción de cumplir o cumplirse. 2 Efecto de cumplir o cumplirse. 3 Oferta hecha por pura cortesía. 4 Perfección en el modo de obrar o de hacer alguna cosa.

cumplir *tr.* Hacer que [una cosa] quede completa: *faltaba dinero para ~ el rescate.* 2 Llenar o completar [un tiempo determinado]; esp., dícese de la edad cuando se llega [a un número cabal de años, meses, etc.]: *hoy cumple catorce años.* – 3 *abs.* Ser el tiempo o día en que termina una obligación o plazo: *esta letra cumplirá el catorce de mayo.* 4 Ejecutar, llevar a cabo [aquello que está previsto de antemano]: *~ un deber, un deseo.* – 5 *intr.* *-abs.* Hacer uno aquello que debe o a que está obligado: *~ con su obligación; ~ con alguno; ~ por su padre.* 6 Convenir, importar: *cumple a Juan hacer un esfuerzo.* 7 *Por ~,* por mera cortesía. – 8 *prnl.* Verificarse, realizarse: *hoy se cumple la profecía.*

cúmulo *m.* Montón, junta de muchas cosas sobrepuestas. 2 Junta, unión o suma de muchas cosas, aunque no sean materiales. 3 Conjunto de nubes propias del verano, que tienen apariencia de montañas nevadas con bordes brillantes.

cumulonimbo *m.* Nube baja con prolongaciones verticales extensas, de contornos indefinidos que forman masas aisladas esferoidales.

cuna *f.* **Cama para niños, con bordes altos, y que puede mecerse. 2 fig. Lugar de nacimiento de una persona o cosa: *Alcalá de Henares, ~ de Cervantes; Grecia fue la ~ de la filosofía.* 3 Estirpe, linaje: *de noble ~.* 4 Espacio comprendido entre los cuernos de una res bovina. 5 Puente rústico formado por dos maromas paralelas y listones de madera atravesados sobre ellas. 6 fig. Origen o principio de una cosa.

cundir *intr.* Extenderse hacia todas partes una cosa, generalmente los líquidos, y en especial el aceite. 2 Propagarse o multiplicarse, especialmente las cosas inmateriales. 3 Dar mucho de sí una cosa; aumentarse su volumen: *el buen lino cunde; el arroz cunde al cocerse.* 4 Avanzar, progresar algún trabajo.

cuneiforme *adj.* De figura de cuña: *escritura ~,* la de caracteres en forma de cuña o clavo, que usaron antiguamente algunos pueblos de Asia. – 2 *adj.-m.* Conjunto de los tres huesos cortos de la segunda fila del tarso, que se articulan por detrás con el escafoides; **pie.

cunero, -ra *adj.-s.* Expósito. 2 fig. Toro que se lidia sin saberse o designarse su ganadería. 3 fig. De autor desconocido.

cuneta *f.* Zanja en los lados de un camino, para recibir las aguas llovedizas.

cunicultura *f.* Arte de criar conejos para aprovecharlos.

cunnilingus *m.* Contacto de los órganos sexuales femeninos con los orales de la pareja. ◇ Pl.: *cunnilingus.*

cuña *f.* Pieza de madera o metal terminada en ángulo diedro, muy agudo; sirve para hender cuerpos sólidos, para ajustar uno con otro, para rellenar una raja, etc. 2 Objeto que se emplea para estos fines. 3 Recipiente de poca altura y forma adecuada para recoger la orina y el excremento del enfermo que no puede abandonar el lecho. 4 Piedra de empedrar en forma de pirámide truncada. 5 Breve espacio publicitario de radio o televisión. 6 *Amér. Central.* Automóvil de dos asientos.

cuñado, -da *m.* *f.* Hermano o hermana de un cónyuge respecto del otro.

cuño *m.* Troquel con que se sellan las monedas, las medallas y otras cosas análogas. 2 Impresión o señal que deja este sello. 3 fig. Signo, señal, huella: *el estilo muestra el ~ del autor.*

cuodlibeto *m.* Discusión sobre un punto científico elegido al arbitrio del autor. 2 Dicho mordaz dirigido únicamente a entretener.

cuota *f.* Parte o porción fija proporcional. 2 Cantidad asignada a cada contribuyente en el repartimiento o lista cobratoria.

cupé *m.* Especie de berlina, generalmente de dos plazas. 2 Automóvil de dos puertas.

cupido *m.* Amorcillo, representación del dios del amor en la figura de un niño con alas y con los ojos vendados que lleva un carcaj y un arco. 2 fig. Hombre enamoradizo y galanteador.

cuplé *m.* Copla, canción, tonadilla. ◇ Pl.: *cuplés.*

cupo *m.* Cuota, parte proporcional que corresponde a un pueblo o a un particular en un impuesto, empréstito o servicio. 2 Parte, porcentaje en general. 3 *Excedente de ~,* mozo que, al sortear las quintas, queda libre de hacer el servicio militar. 4 *Amér.* Cabida, lo que cabe en una cosa. 5 *Amér.* Plaza de un vehículo.

cupón *m.* Parte de un documento de la deuda pública o de una sociedad municipal o de crédito, que periódicamente se va cortando para presentarla al cobro de los intereses vencidos. 2 p. anal. Parte recortable, en los vales, cartillas de racionamiento, etc., para ser entregada cada vez que se hace uso del derecho que confiere.

cupresáceo, -a *adj.-f.* Planta de la familia de las cupresáceas. – 2 *f. pl.* Familia de plantas gimnospermas, coníferas, de hojas verticiladas u opuestas y flores femeninas de pocos carpelos, que dan un fruto globoso, seco o carnoso; como el ciprés.

cuproníquel *m.* Aleación de cobre y níquel que se emplea para fabricar monedas.

cúpula *f.* Bóveda hemisférica de base cilíndrica, con que suele cubrirse todo un edificio o parte de él; **cubierta. 2 Torrecilla de hierro redonda y giratoria de algunos buques blindados, dentro de la cual llevan uno o más cañones de grueso calibre. 3 fig. Órgano superior de decisión o mando en cualquier asociación, organización o institución. 4 BOT. Involucro foliáceo, escamoso o espinoso que acompaña a ciertos frutos; como la avellana, la bellota, etc.

cupulífero, -ra *adj.-f.* Planta de la familia de las cupulíferas. – 2 *f. pl.* Familia de plantas dicotiledóneas, que incluye árboles y arbustos de hojas sencillas, flores monoicas y fruto indehiscente más o menos cubierto por una cúpula; como el castaño y la encina.

cupulino *m.* Cuerpo superior que se añade a la cúpula; **cubierta.

cura *m.* Sacerdote encargado del cuidado espiritual de una feligresía. 2 Sacerdote católico. 3 fam. Partícula de saliva que involuntariamente se echa al hablar. – 4 *f.* Curación.

curaca *m. Amér.* Cacique, autoridad indígena.

curación *f.* Acción de curar o curarse. 2 Efecto de curar o curarse.

curado, -da *adj.* fig. Endurecido, seco, curtido. 2 *Amér.* Borracho.

curanderismo *m.* Intrusión de los curanderos en el ejercicio de la medicina.

curandero, -ra *m. f.* Persona que hace de médico sin serlo.

curar *intr.* Con la preposición *de*, cuidar, poner cuidado: ~ *de los caballos.* – 2 *tr.* Aplicar [a los enfermos o heridos] los remedios correspondientes a su enfermedad o dolencia: ~ *a una mujer, a un soldado; curarse en un hospital; curarse con baños.* 3 Sanar: *tú me has curado; prnl., se ha curado en pocos días; intr., ha curado de su enfermedad.* 4 fig. Sanar [las dolencias o pasiones del alma]. 5 Disponer o costear lo necesario para la curación [de un enfermo]: *los marqueses le curaron con todo regalo; curar en salud;* fig., precaverse de un daño que puede sobrevenir. 6 Manipular o beneficiar [una cosa]; esp., preparar [carnes, pescado] por medio de sal, humo, etc., para que se conserven; curtir o preparar [las pieles] para usos industriales; tener [las maderas] cortadas mucho tiempo antes de usar de ellas; beneficiar [los hilos o lienzos] para que se conserven; en gral., secar o preparar [una cosa] para su conservación.

curare *m.* Veneno muy activo que los indios de la América meridional extraen del árbol de su mismo nombre, y con el cual emponzoñan sus armas. Se usa como medicinal. 2 *Amér.* Árbol loganiáceo de América del que se obtiene este veneno *(Strychnos toxifera).*

curasao *m.* Licor fabricado con corteza de naranja y otros ingredientes.

curativo, -va *adj.* Que sirve para curar.

curato *m.* Cargo espiritual del cura de almas. 2 Parroquia (territorio).

curbaril *m.* Árbol de América tropical, perteneciente a la familia de las leguminosas. Su madera se usa en ebanistería y su resina en medicina *(Hymenaea courbaril).*

curco, -ca *adj. Amér.* Jorobado. – 2 *f. Amér.* Joroba.

cúrcuma *f.* Planta cingiberácea de la India, de cuya raíz se obtiene el curry *(Curcuma longa).*

curda *f.* fam. Borrachera. – 2 *m.* fam. Borracho.

curdo, -da *adj.-s.* De Curdistán, región de la Turquía asiática.

cureno *m. Amér. Merid.* Zurrón de cacao del peso de seis arrobas.

cureña *f.* Armazón compuesta de dos gualderas fuertemente unidas, colocadas sobre ruedas o correderas, y en la cual se monta el cañón de artillería. 2 Pieza de nogal en basto, trazada para hacer la caja de un fusil. 3 Palo de la ballesta.

curí *m. Amér. Merid.* Planta arbórea araucariácea que da una piña grande, con piñones como castañas que se comen cocidos *(Araucaria brasiliensis).* ◇ Pl.: *curíes.*

curia *f.* Senado romano. 2 Conjunto de abogados, procuradores y empleados en la administración de justicia. 3 Tribunal donde se tratan los negocios contenciosos. 4 Conjunto de oficinas para el despacho de asuntos eclesiásticos: ~ *diocesana;* ~ *romana.*

curiana *f.* Cucaracha (insecto).

curio *m.* Elemento transuránico, que se obtiene por bombardeo del plutonio con partículas alfa. Su símbolo es Cm. 2 Unidad de radiactividad.

curiosear *intr.* Ocuparse en averiguar lo que otros hacen o dicen. 2 Procurar, sin necesidad, y a veces con impertinencia, enterarse de alguna cosa. – 3 *intr.-tr.* Fisgonear, fisgar.

curiosidad *f.* Calidad de curioso. 2 Cosa curiosa, rara, extraña. 3 Aseo, limpieza. 4 Cuidado de hacer una cosa con primor o diligencia.

curioso, -sa *adj.-s.* Que desea saber o averiguar alguna cosa; que inquiere lo que no debiera importarle: ~ *de noticias;* ~ *por saber.* – 2 *adj.* Que despierta expectación o interés. 3 Que trata una cosa con cuidado o diligencia. 4 Limpio, aseado. – 5 *m. Amér.* Curandero.

currar *intr.* fam. Trabajar.

currelo *m.* fam. Trabajo.

curricán *m.* Aparejo de pesca de un solo anzuelo.

currículo *m.* Currículum vitae. 2 Plan de estudios. 3 Conjunto de estudios y prácticas destinados a que el alumno desarrolle plenamente sus posibilidades.

currículum vitae *m.* Relación de los datos personales e historia profesional, que presenta el aspirante a un cargo o puesto de trabajo. ◇

El plural latino es *currícula*; es incorrecto *currículums*. Por esto es preferible emplear la forma españolizada *currículo*, que admite el plural *currículos*.

currinche *m.* fig. Persona de pocos alcances, sean sociales, mentales, económicos, etc.

curro, -rra *adj.* Ufano. 2 Decidido, que no se acobarda con facilidad. – 3 *m.* vulg. Trabajo.

curruca *f.* Ave paseriforme cantora, insectívora, de 10 a 12 cms. de largo, con el plumaje pardo por encima y blanco por debajo, la cabeza negruzca y el pico recto y delgado *(Sylvia sp.).*

currutaco, -ca *adj.-s.* fam. Muy afectado en el uso de las modas. – 2 *adj. Amér.* Rechoncho. – 3 *m. pl. Amér. Central.* Diarrea.

curry *m.* Polvo utilizado como condimento, sazonador de carnes y pescados y para preparar salsas, de composición variable en la que interviene la cúrcuma como principal excipiente.

cursar *tr.* Frecuentar [un paraje]: *en vano andas cursando las boticas;* hacer con frecuencia [una cosa]: *curso la lectura de los salmos.* 2 Estudiar [una materia] asistiendo a las explicaciones del profesor: *~ las escuelas; ~ los estudios en Alcalá; abs., ~ en Alcalá.* 3 Dar curso en la administración pública [una solicitud, instancia o expediente]. ◇ INCOR.: por *correr, regir: el día cinco del que cursa.*

cursi *adj.-com.* fam. Persona que presume de fina y elegante sin serlo. – 2 *adj.* Que, con apariencia de elegancia o riqueza, es ridículo y de mal gusto.

cursillo *m.* Curso de poca duración. 2 Breve serie de conferencias acerca de una materia determinada.

cursivo, -va *adj.-s.* Carácter y letra de mano que se liga mucho para escribir de prisa.

curso *m.* Camino que sigue una cosa animada de un movimiento progresivo: *el ~ de los astros; ~ de un río; interrumpir el ~ de los acontecimientos; el ~ de la vida; dar ~ a un informe.* 2 En las universidades, escuelas, etc., tiempo señalado en cada caso para asistir a oír las lecciones: *~ académico.* 3 Serie de lecciones que forman la enseñanza de una materia: *~ monográfico; dar un ~ de agricultura.* 4 p. ext. Tratado especial: *~ de física.* 5 Serie de informaciones, consultas, etc., que precede a la resolución de un expediente; marcha del asunto. 6 Serie o continuación: *~ de los sucesos.* 7 Circulación, difusión entre las gentes. 8 Conjunto de alumnos de un mismo grado de estudios.

cursómetro *m.* Aparato para medir la velocidad de los trenes de ferrocarril.

cursor *m.* Pieza pequeña que se desliza a lo largo de otra mayor en algunos aparatos. 2 INFORM. Símbolo móvil de la pantalla del ordenador que indica el lugar donde se puede insertar, suprimir o reemplazar un carácter.

curtiduría *f.* Establecimiento donde se curten y trabajan las pieles.

curtir *tr.* Adobar o aderezar [las pieles]. – 2 *tr.-prnl.* fig. Endurecer o tostar [el cutis] al sol o al aire. 3 p. ext. Acostumbrar [a uno] a la vida dura, especialmente a sufrir las inclemencias del tiempo. – 4 *prnl. Amér. Central* y *Colomb.* Ensuciarse, emporcarse. – 5 *tr. Argent., R. de la Plata* y *Urug.* fig. Castigar azotando.

curupí *m.* Árbol euforbiáceo, de hojas parecidas a las del sauce y que despide, hiriéndolo, una substancia lechosa muy blanca *(Sapium aucuparium).* ◇ Pl.: *curupíes.*

curuvica *f. Argent.* y *Parag.* Fragmento diminuto que resulta de la trituración de una piedra, y por extensión, de cualquier otro material sólido.

**curva *f.* Línea curva. 2 Representación esquemática de las fases sucesivas de un fenómeno por medio de una línea cuyos puntos van indicando valores variables. 3 Recodo de una carretera o camino: *~ abierta; ~ cerrada.* 4 TOPOGR. *~ de nivel,* línea que resulta de la intersección del terreno con plano horizontal, empleada en los dibujos para figurar al relieve del terreno.

curvatura *f.* Desvío de la dirección recta.

curvígrafo *m.* GEOM. Instrumento mecánico para trazar curvas.

curvilíneo, -a *adj.* GEOM. Compuesto de líneas curvas: ***ángulo ~.* 2 GEOM. Que se dirige en línea curva.

curvímetro *m.* Instrumento para medir con facilidad las líneas de un plano.

curvo, -va *adj.-s.* Que constantemente se aparta de la dirección recta sin formar ángulos. 2 Corvo, combado.

cusca *f. Méj.* Mujer andariega y chismosa.

cuscurrear *intr.* Comer cuscurros. 2 Crujir la comida al masticar.

cuscurro, cuscurrón *m.* Cantero de pan, pequeño y muy cocido.

cuscús *m.* Plato árabe confeccionado a base de sémola de trigo duro, carne o pollo y diferentes verduras. ◇ Pl.: *cuscús.*

cuscuta *f.* Hierba parásita que carece de clorofila, hojas y raíces; está formada sólo por pequeños tallos ramificados *(Cuscuta europaea).*

cuscutáceo, -a *adj.-f.* Planta de la familia de las cuscutáceas. – 2 *f. pl.* Familia de plantas tubifloras parásitas, sin clorofila, raíces ni hojas; las flores son muy pequeñas, actinomorfas y reunidas en grupos.

cúspide *f.* Cumbre puntiaguda de los montes. 2 Remate superior de alguna cosa, que tiende a formar punta. 3 fig. Apogeo, cumbre: *está en la ~ de la fama.* 4 GEOM. Punto donde concurren los vértices de todos los triángulos que forman las caras de la pirámide o las generatrices del cono; **sólidos.

custodia *f.* Acción de custodiar. 2 Efecto de custodiar. 3 Persona o escolta que custodia a un preso. 4 En el culto católico, pieza de oro, plata, etc., en que se expone el Santísimo Sacramento a la pública veneración.

custodiar *tr.* Tener cuidado y vigilancia [de una persona o cosa]. ◇ ** CONJUG. [12] como *cambiar.*

cususa *f. Amér. Central.* Aguardiente de caña.

cutacha *f. C. Rica, Hond. y Nicar.* Cuchillo largo y recto.

cutáneo, -a *adj.* Relativo al cutis: *erupción cutánea.*

cutara *f. C. Rica, Cuba y Méj.* Chinela o chancleta, zapato basto y sin tacón, de la gente del campo.

cúter *m.* Embarcación con velas al tercio, una cangreja y varios foques. ◇ Pl.: *cúteres.*

cutí *m.* Tela fuerte de lienzo que se usa para cubiertas de colchones. ◇ Pl.: *cutíes.*

cutícula *f.* Piel que rodea la base de las uñas. 2 Tejido delgado y elástico que tapiza exteriormente el **tallo y las hojas de los vegetales. 3 ZOOL. Capa externa de las tres que forman la concha de los moluscos y que da a aquélla su coloración característica en las diversas especies.

cutina *f. BOT.* Substancia especial producida por el citoplasma y de que está formada la cutícula (tejido).

cutinita *f.* Componente microscópico de los carbones que sirve para diferenciarlos; está

CURVA

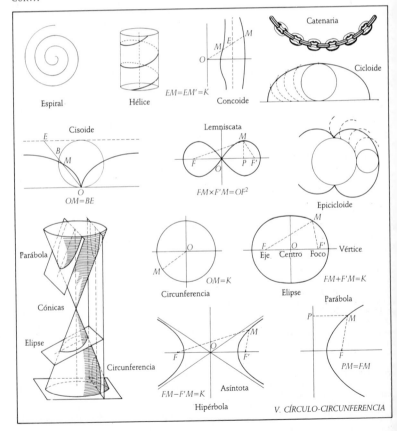

Espiral

Hélice

$EM = EM' = K$

Concoide

Catenaria

Cicloide

Cisoide

$OM = BE$

Lemniscata

$FM \times F'M = OF^2$

Epicicloide

Parábola

Cónicas

Elipse

Circunferencia

$OM = K$

Circunferencia

Eje Centro Foco

Vértice

$FM + F'M = K$

Elipse

Parábola

$PM = FM$

$FM - F'M = K$

Asíntota

Hipérbola

V. CÍRCULO-CIRCUNFERENCIA

formado por los restos de la cutícula que cubre externamente a los vegetales.

cutir *tr.* Golpear [una cosa] con otra.

cutis *m.* Piel del hombre; esp., la del rostro. ◇ Pl.: *cutis.*

cutleriales *f. pl.* Orden de algas, dentro de la clase feofíceas, con el talo laminar o discoidal, más o menos dividido.

cuto, -ta *adj. Amér. Central y Bol.* Tuco, manco. 2 *Amér. Central y Bol.* Desdentado, mellado. 3 *Amér. Central y Bol.* Hablando de cosas, truncado.

cutral *adj.-s.* Buey cansado y viejo, y vaca que ha dejado de parir.

cutre *adj.* Tacaño (mezquino). 2 Pobretón, barato. 3 Sórdido.

cuy *m. Amér. Merid.* Conejillo de Indias. ◇ Pl.: *cuyes.*

cuyo, -ya *pron. relat. poses.* Precede al substantivo que expresa la cosa poseída por el antecedente, y concierta con este substantivo: *mi hermano, cuya mujer está enferma.* 2 Puede llevar cualquier preposición de acuerdo con el oficio del nombre con el cual concierta: *el amigo a cuya casa me dirijo; Pelayo, por ~ arrojo alcanzó vida y libertad España.* 3 Construido con el verbo *ser* hace el oficio de atributo: *ellas, cuya es la casa, duermen y se descuidan.* − 4 *m.* fam. Galán o amante de una mujer. ◇ Es incorrecto usado por *el cual* sin idea alguna de posesión: *dos hombres cruzan el río montados en buenas caballerías, cuyos hombres traen armas;* correcto: *los cuales traen armas.* La lengua oral descuidada substituye a veces *cuyo* por *que su: los alumnos que sus padres son empleados,* en lugar de *los alumnos cuyos padres son empleados.* ◇ Pl.: *cuyos, cuyas.*

CH

Ch, ch *f.* Che, cuarta letra del alfabeto español que representa gráficamente a la consonante africada, palatal y sorda. ◇ En español la *ch* es un dígrafo que representa a un solo sonido, motivo por el cual se alfabetiza independientemente de la *c*, y es indivisible en la escritura.

cha *m.* Título del antiguo soberano de Persia.

chabacanería *f.* Falta de arte, gusto y mérito estimable. 2 Dicho grosero o insubstancial.

chabola *f.* Caseta o choza, generalmente la construida en el campo. 2 Barraca mísera en los suburbios de las ciudades.

chabolismo *m.* Abundancia de chabolas en los suburbios, como síntoma de miseria social. 2 Calidad de chabolista.

chacal *m.* Mamífero carnívoro, algo menor que el lobo, propio de las regiones templadas de Asia y África, que vive en bandas numerosas y se alimenta preferentemente de carne muerta *(Canis aureus)*.

chacanear *tr.* Espolear con fuerza [a la cabalgadura].

chacarero, -ra *adj. Amér. Merid.* Labrador, horticultor.

chacarrachaca *f.* fam. Ruido de disputa o algazara.

chacina *f.* Carne de cerdo adobada, de la cual se suelen hacer embutidos.

chacó *m.* Morrión de la caballería ligera, aplicado después a tropas de otras armas. ◇ Pl.: *chacós.*

chacolí *m.* Vino ligero y algo agrio que se hace en el País Vasco, y también en Cantabria, Asturias, Burgos y Chile. ◇ Pl.: *chacolíes.*

chacona *f.* Baile cortesano en compás ternario y movimiento lento. 2 Música y canto de este baile.

chacota *f.* Bulla y alegría ruidosa con que se celebra alguna cosa.

chacotear *intr.* Burlarse, chancearse, divertirse con algazara.

chacra *f. Amér.* Alquería o granja.

chacuaco *m. Amér. Central.* Cigarro mal hecho. 2 *Méj.* y *Salv.* Colilla de cigarro.

chacuaquería *f. Amér.* Tosquedad, chapucería.

chacha *f.* Niñera. 2 fam. *y* p. ext. Sirvienta.

cha-cha-cha, chachachá *m.* Baile moderno de origen cubano, derivado de la rumba y el mambo. 2 Música de este baile.

chachalaca *f.* Ave galliforme de América Central, con plumas muy largas, verdes y tornasoladas en la cola; no tiene cresta ni barbas; es muy vocinglera y de carne sabrosa *(Ortalis wagleri).* 2 *Amér. Central* y *Méj.* fig. Persona locuaz.

cháchara *f.* fam. Abundancia de plantas inútiles. 2 fam. Conversación frívola. – 3 *f. pl.* Baratijas, cachivaches.

chacharear *intr.* fam. Hablar mucho y sin substancia. – 2 *intr.-tr. Méj.* Comprar y vender baratijas o chucherías.

chacho, -cha *m. f.* Tratamiento de confianza, cariñoso o irónico. – 2 *adj.-s. Amér. Central.* Gemelo, mellizo.

chafaldete *m.* Cabo para cargar los puños de gavias y juanetes.

chafaldita *f.* Pulla ligera e inofensiva.

chafalonía *f.* Objetos inservibles de plata u oro, para fundir.

chafalote, -ta *adj. Argent.* y *Urug.* Ordinario en sus modales.

chafallo *m.* fam. Remiendo mal echado. 2 Borrón en un escrito.

chafandín *m.* Persona vanidosa e informal.

chafar *tr.-prnl.* Aplastar [lo que está erguido o levantado]: ~ *las hierbas, el pelo,* etc. – 2 *tr.* Arrugar y deslucir [la ropa] maltratándola. 3 fam. Estropear, romper. 4 fig. *y* fam. Cortar [a uno] en una conversación o concurrencia, dejándole sin tener qué responder: *me ha chafado.* – 5 *tr.-intr.* fig. *y* fam. Desilusionar, deprimirse.

chafarote *m.* Alfanje corto y ancho.

chafarrinar *tr.* Deslucir [una cosa] con manchas o borrones.

chafarrocas *m.* Pez marino teleósteo de pequeño tamaño, rostro alargado y puntiagudo, cuerpo largo y ahusado, y aletas pélvicas convertidas en una ventosa *(Lepadogaster lepadogaster; L. bimaculatus).* ◇ Pl.: *chafarrocas.*

chaflán *m.* Cara, generalmente larga y estrecha, que resulta en un sólido de cortar por un plano una esquina o ángulo diedro.

chafirete *m. Méj.* Conductor de camión.

chagolla *f. Méj.* Moneda falsa o muy gastada. 2 *Méj.* fig. Cosa despreciable.

chagorra *f. Méj.* Mujer de clase baja.

chagual *m. Amér.* Planta bromeliácea, de tronco escamoso y flores verdosas *(Tillandsia rubra)*.

chaguala *f.* Pendiente que los indios llevaban en la nariz.

chaguar *tr. Argent.* Exprimir [la ropa, esponja, o cosa semejante]. ◇ ** CONJUG. [22] como *averiguar.*

chagüite *m. Amér. Central.* Aguazal, charco. 2 *Amér. Central.* Sementera.

chahuistle *m. Méj.* Roya del maíz.

chailota *f.* Postre o entremés hecho con pan, bizcocho o galletas y fruta. 2 p. ext. Postre que se presenta envuelto en bizcocho o pasta fina.

chaira *f.* Cuchilla con que los zapateros cortan la suela. 2 Cilindro de acero con que los carniceros y otros oficiales afilan sus cuchillas.

chajá *m.* Ave falconiforme de América meridional, herbívora, tan corpulenta como el pavo; lleva un moño de plumas y en cada ala tiene dos poderosos espolones con los que pelea *(Chauna chavaria).*

chal *m.* Pañuelo mucho más largo que ancho, que se ponen las mujeres en los hombros como abrigo o adorno.

chala *f. Amér.* Hoja que envuelve la mazorca del maíz.

chalaco *m.* Especie de sombrero de paja.

chalado, -da *adj.* fam. Alelado, falto de juicio: *estar ~.* 2 fam. Muy enamorado.

chaladura *f.* fam. Extravagancia, manía, locura.

chalán, -lana *adj.-s.* Que trata en compras y ventas, especialmente de caballerías, y tiene maña para ello. – 2 *m. Amér.* Picador, domador de caballos.

chalana *f.* Embarcación menor, de fondo plano, para transportes en parajes de poco fondo.

chalanear *tr.* desp. Tratar [los negocios] con destreza propia de chalanes. 2 *Amér.* Adiestrar [caballos]. 3 *Amér. Central.* Bromear. 4 *Argent.* Abusar de uno molestándolo.

chalar *tr.* Enloquecer, alelar. 2 Enamorar.

chalaza *f.* Ligamento torcido en espiral que sostiene la yema del huevo en medio de la clara; **ave.

chalazión *m.* Pequeña tumoración indolora y dura del borde libre de los párpados, motivada por la inflamación crónica de una glándula sebácea.

chalchihuite *m. Amér. Central.* Baratija, cosa de poco valor. 2 *Amér. Central.* Sortilegio, espanto.

chalé *m.* Casa de madera de estilo suizo. 2 Vivienda individual, por lo general aislada y con terreno ajardinado.

chaleco *m.* Prenda de vestir sin mangas que se pone encima de la camisa. 2 ~ *salvavidas,* el neumático o de otro sistema, destinado a mantenerse a flote en el agua.

chalet *m.* Chalé. ◇ Pl.: *chalés.* Es preferible en singular la forma castellanizada *chalé* adoptada por la Real Academia Española.

chalina *f.* Corbata de caídas largas. 2 *Amér.* Chal angosto usado especialmente en Argentina.

chalón *m. Amér.* Manto o mantón negro.

chalote *m.* Planta hortense liliácea de hojas alesnadas, flores moradas y muchos bulbos agregados, como en el ajo, blancos por dentro y rojizos por fuera, que se usan como condimento *(Allium ascalonicum).*

chalupa *f.* Embarcación pequeña con cubierta y dos palos para velas. 2 Embarcación mayor que llevan a bordo los grandes buques para su servicio. – 3 *adj.* fig. *y* fam. Chalado, chiflado; muy enamorado. – 4 *f. Méj.* Torta de maíz pequeña y ovalada.

chamaco, -ca *m. f. Méj.* Niño, muchacho.

chamagoso, -sa *adj. Méj.* Mugriento, astroso. 2 *Méj.* Mal pergeñado. 3 *Méj.* [cosa] Vulgar y deslucido.

chamal *m. Amér.* Paño grande que usan los indios para cubrirse desde los hombros las mujeres, y desde la cintura los hombres, y que suelen éstos cruzarlo por entre las piernas hacia adelante y asegurarlo con el cinturón.

chamán *m.* Hechicero al que se supone dotado de poderes sobrenaturales para sanar a los enfermos, adivinar, invocar a los espíritus, etc.

chamar *tr.* Entre chamarileros y gente vulgar, cambiar (permutar).

chámara, chamarasca *f.* Leña menuda, y hojarasca, que levanta mucha llama. 2 Esta misma llama.

chamarilero, -ra *m. f.* Persona que tiene por oficio comerciar en trastos viejos.

chamarillón, -llona *adj.-s.* [pers] Que juega mal a los naipes.

chamariz *m.* Ave paseriforme, más pequeña que el jilguero, de plumaje verdoso con manchas y fajas obscuras en la cabeza, dorso y alas *(Chrysomitris spinus).*

chamarón *m.* Ave paseriforme, pequeña, de cola muy larga, con el plumaje blanco y negro *(Ægithalos caudatus).*

chamarra *f.* Vestidura parecida a la zamarra. 2 *Amér. Central.* fig. Engaño, fraude.

chamarreta *f.* Especie de chaqueta holgada.

chamarro *m. Amér. Central.* Manta gruesa de lana o materia semejante.

I) chamba *f.* fam. Chiripa.

II) chamba *f. Guat. y Méj.* Trabajo, ocupación, generalmente mal remunerado y eventual.

chambear *intr. Méj.* Ocuparse en alguna chamba (trabajo) de poco estipendio.

chambelán *m.* Camarlengo, gentilhombre de cámara.

chambilla *f.* Cerco de piedra en que se afirma una reja de hierro.

chambo *m. Méj.* Cambio de granos y semillas por otros artículos.

chambón, -bona *adj.-s.* De escasa habilidad en el juego. 2 p. ext. Poco hábil en cualquier arte o facultad. – 3 *adj.* Que consigue por chiripa alguna cosa.

chambrana *f.* Labor o adorno que se pone alrededor de las puertas, ventanas, etc. 2 Conjunto de listones o travesaños que unen las patas de una mesa o silla para afirmarlas.

chamelo *m.* Variedad del juego del dominó, en que intervienen cuatro jugadores de los que sólo actúan tres en cada mano, independientemente y con las fichas que les han correspondido.

chamicera *f.* Pedazo de monte quemado.

chamiza *f.* Hierba gramiRácea medicinal, que nace en las tierras húmedas, y se emplea para techumbre de chozas y casas rústicas. 2 Leña menuda que sirve para los hornos.

chamizar *tr.* Cubrir [una choza, una cabaña, etc.] con chamiza. ◇ ** CONJUG. [4] como *realizar*.

chamizo *m.* Árbol medio quemado o chamuscado. 2 Leño medio quemado. 3 Choza cubierta de chamiza. 4 desp. Tugurio sórdido.

chamorro, -rra *adj.-s.* Que tiene la cabeza esquilada. – 2 *m.* Lengua mixta hablada en las Islas Marianas, de base indígena con fuerte influencia de la lengua española.

champa *f. Amér. Merid.* Raigambre, tepe, cepellón. 2 *Amér.* Cosa que tiene semejanza a una champa (tepe). 3 *Amér. Central.* Tienda provisional de palmas. 4 *Amér.* fig. Cosa enredada.

I) champán *m.* Embarcación grande de fondo plano, para navegar por los ríos, que se usa en el Pacífico y en algunas partes de América.

II) champán *m.* Champaña.

champaña *m.* Vino blanco espumoso, de origen francés.

champañizar *tr.* Convertir [un vino] en espumoso. ◇ ** CONJUG. [4] como *realizar*.

champar *tr.* fam. Decirle [a uno] algo desagradable o echarle en cara algún beneficio.

champiñón *m.* Seta, hongo.

champú *m.* Detergente para lavar el cabello. ◇ Pl.: *champúes* o *champús*.

champurrado *m. Méj.* Bebida hecha con atole, chocolate y azúcar. 2 *Méj.* p. ext. Cosas o asuntos revueltos.

champurro *m. Méj.* y *S. Dom.* Mezcla de licores.

chamuchina *f.* Cosa de poco valor. 2 *Amér.* Populacho. 3 *Amér.* Reunión de chiquillos.

chamuscado, -da *adj.* fig. Algo indiciado o tocado de un vicio o pasión.

chamuscar *tr.* Quemar [una cosa] por la parte exterior. – 2 *prnl.* fig. Escamarse, desconfiar. – 3 *tr. Méj.* Vender a bajo precio. ◇ ** CONJUG. [1] como *sacar*.

chamusquina *f.* Acción de chamuscar o chamuscarse. 2 Efecto de chamuscar o chamuscarse. 3 Camorra.

chancaca *f. Amér.* Masa preparada con azúcar mascabado y de diversas maneras. 2 *Amér. Central.* Torta de harina de trigo o de maíz con miel.

chancaquita *f. Amér.* Pastilla de chancaca mezclada con nueces, coco, etc.

chancar *tr. Amér.* Triturar [algo, especialmente minerales]. 2 *Amér.* Maltratar, golpear. ◇ ** CONJUG. [1] como *sacar*.

chance *m.* ANGLIC. Oportunidad, ocasión.

chancear *intr.-prnl.* Usar de chanzas: *chancearse con uno*.

chancillería *f.* Antiguo tribunal superior de justicia.

chancla *f.* Zapato viejo cuyo talón está ya caído y aplastado por el mucho uso. 2 Chancleta.

chancleta *f.* Chinela o zapatilla sin talón o con el talón doblado; **calzado: *en chancletas,* sin llevar calzado el talón del zapato. – 2 *com.* fam. Persona inepta. – 3 *f. Amér.* fest. Niña recién nacida.

chancletear *intr.* Andar en chancletas. 2 Hacer ruido con las chancletas.

chancletero, -ra *adj. Amér.* Persona de baja esfera.

chanclo *m.* Calzado de madera o suela gruesa para preservarse de la humedad y del lodo. 2 Calzado grande de materia elástica; **calzado. 3 Parte inferior de algunos calzados en forma de chanclo.

chancro *m.* Úlcera contagiosa de origen venéreo o sifilítico.

chancua *f. Argent.* y *Urug.* Maíz de la mazamorra cuando está chirle (insípido). 2 *Argent.* y *Urug.* Maíz molido y despojado de la cascarilla y arista.

chanchada *f. Amér.* Acción indigna, bajeza, vileza.

chanchería *f. Amér.* Tienda donde se vende carne de chancho y embuchados.

chanchi *adj.* fam. Extraordinario, espléndido.

chancho, -cha *adj. Amér.* Puerco, sucio, desaseado. – 2 *m. f. Amér.* Cerdo. – 3 *m. Amér.* En el juego de damas o ajedrez, ficha que al fin de la partida queda sin movimiento.

chanchullo *m.* fam. Manejo ilícito para conseguir un fin y especialmente para lucrarse.

chandal, chándal *m.* Prenda deportiva compuesta de pantalón y jersey de mangas largas que se viste sobre otras prendas más cortas.

chanfaina *f.* Guisado de bofes o livianos picados. 2 Especie de sofrito a medio cocer a base de cebolla, berenjenas, pimientos, tomate y calabacín.

chanflón, -flona *adj.* Tosco, grosero, mal formado.

changa *f.* fam. Negocio, trato, de poca importancia.

changador *m.* *Argent.* y *Bol.* Mozo de cordel.

changuear *intr.-prnl.* *Amér.* Bromear, chancear.

changüí *m.* fam. Chasco, engaño: *dar ~ a una persona.* 2 fam. Persona inexperta o novata. ◇ Pl.: *changüíes.*

chango, -ga *adj.-s.* *Méj.* Listo, vivo. – 2 *m.* *f.* *Méj.* Muchacho (voz cariñosa). 3 *Argent.* y *Urug.* Muchacho que sirve en una casa.

changurro *m.* Plato vasco popular hecho con centollo cocido y desmenuzado en su caparazón.

chanquete *m.* Pez marino teleósteo, de pequeño tamaño, cuerpo fino y traslúcido, y de color amarillento o rosado, punteado de negro sobre la cabeza *(Aphya minuta).*

chantaje *m.* Amenaza de pública difamación o daño semejante hecho contra alguno, a fin de obtener de él algún provecho.

chantajista *com.* Persona que ejercita habitualmente el chantaje.

chantar *tr.* Vestir o poner: *~ la capa a uno.* 2 Clavar, hincar [una cosa]. 3 Decir a uno [una cosa] cara a cara: *se la chantó.*

chantillí *m.* Crema de nata batida que se emplea mucho en pastelería. ◇ Pl.: *chantillíes.*

chanto *m.* Tronco, rama o piedra larga que se hinca de punta en el suelo.

chantre *m.* Dignidad de las iglesias catedrales que antiguamente gobernaba el canto en el coro.

chanza *f.* Dicho festivo y gracioso. 2 Hecho burlesco.

chañar *m.* *Amér.* Árbol parecido al olivo en el tamaño y las hojas *(Gourliea decorticans).* 2 *Amér.* Fruto de este árbol.

¡chao! fam. Interjección ¡adiós!

1) chapa *f.* Hoja (lámina): *~ de metal; ~ de madera,* la que emplean los carpinteros y ebanistas para recubrir maderas menos nobles. 2 Trozo de piel con que los zapateros refuerzan algunas costuras del calzado. 3 fig. Seso, cordura, formalidad: *persona de ~.* 4 Caracol terrestre de gran tamaño, común en Valencia, con la concha deprimida a manera de chapa en su parte superior, aquillada, muy áspera y de color de tierra. 5 Cápsula de botella. 6 Distintivo de un cargo o profesión: *~ de policía.* 7 Capa con que se impermeabilizan cubiertas, suelos, etc. – 8 *f. pl.* Juego en que se tiran por

alto dos monedas iguales, ganando y volviendo a tirar el que lo ha hecho si quedan ambas con la cara hacia arriba, perdiendo y dejando de tirar si salen dos cruces, y tirando de nuevo sin perder ni ganar si resulta cara y cruz.

chapado, -da *adj.* Chapeado. 2 fig. Hermoso, gentil, gallardo.

chapaleta *f.* Válvula de la bomba hidráulica.

chapaleteo *m.* Rumor de las aguas al chocar con la orilla. 2 Ruido que al caer produce la lluvia.

chapandongo *m.* *Amér. Central.* Enredo, revoltillo.

chapapote *m.* Asfalto más o menos espeso.

chapar *tr.* Chapear (cubrir). 2 fig. Asentar, encajar: *le chapó un no como una casa.* 3 fig. y fam. Trabajar. 4 fig. y fam. Estudiar.

chaparro *m.* Mata ramosa de encina o roble. 2 Arbusto de América Central, de la familia de las malpigiáceas, de cuyas ramas se hacen bastones (gén. *Byrsonima).* 3 fig. Persona rechoncha. 4 *Méj.* Muchacho, niño.

chaparrón *m.* Lluvia recia de corta duración. 2 fig. y fam. Cosa que cae en gran cantidad: *un ~ de peticiones, de injurias.*

chaparrudo, -da *adj.* Achaparrado, rechoncho. – 2 *m.* Pez marino teleósteo perciforme, de pequeño tamaño y coloración obscura con manchas variadas *(Gobius niger).*

chapatal *m.* Lodazal o ciénaga.

chapeado, -da *adj.* Que está cubierto o guarnecido con chapas.

chapear *tr.* Cubrir o guarnecer con chapas. 2 Cubrir con obra de ladrillos puestos de canto estructuras de madera para evitar incendios, o con otro fin.

chapera *f.* Plano inclinado con travesaños que se usa en las obras en substitución de escaleras.

chaperón *m.* Alero de madera en que se apoyan los canalones. 2 Listón de madera que cubre las juntas de una obra o de unos maderos.

chapeta *f.* Mancha de color encendido que suele salir en las mejillas.

chapetón, -tona *adj.-s.* En algunos países de América, europeo recién llegado. – 2 *m.* Chaparrón, aguacero. – 3 *adj.* *Amér.* Torpe, poco diestro. 4 *Argent.* Fanfarrón, perdonavidas.

chapetonada *f.* Primera enfermedad que sufre el europeo recién llegado a algunos países de América hasta aclimatarse. 2 p. ext. Inexperiencia, error del que no está enterado. 3 Dolencia imprecisa. 4 *Amér.* Acción u obra mal ejecutada por falta de conocimiento.

chapín *m.* Chanclo de corcho, forrado de cordobán, que usaban antiguamente las mujeres. – 2 *adj.* *Colomb., Guat.* y *Hond.* Pateta. – 3 *adj.-s.* *Amér. Central.* Guatemalteco.

chapinete *m.* Madero que formaba parte de los entramados en ciertas obras de albañilería.

chapinismo *m. Amér. Central.* Lo que es propio o natural de Guatemala. 2 *Amér.* Vocablo, giro o modo de expresión propio de los guatemaltecos. 3 *Amér.* Amor o apego a las cosas propias de Guatemala.

chapinizarse *prnl. Amér. Central.* Adquirir las costumbres y los modales de los guatemaltecos. ◇ ** CONJUG. [4] como *realizar.*

chapiscar *tr.s Amér. Central.* Cosechar el maíz. ◇ ** CONJUG. [1] como *sacar.*

chapista *adj.-com.* [pers.] Que tiene por oficio hacer chapas.

chapitel *m.* Remate de las torres que se levanta en figura piramidal; **cubierta. 2 p. ext. Torre cubierta con un gran chapitel.

chaple *m.* Buril que tiene la punta biselada como el escoplo.

chapó *m.* Partida de billar en mesa grande o de troneras, jugada generalmente entre cuatro. ◇ Pl.: *chapós.*

chapodar *tr.* Cortar ramas [de los árboles], aclarándolos para que no se envicien.

chapolín *m.* Juego de billar con seis agujeros en la mesa.

chapón *m.* Borrón grande de tinta. 2 Chapa, especialmente la lámina de madera.

chapote *m.* Especie de cera negra que mascan los americanos para limpiar los dientes.

chapotear *tr.* Humedecer [una cosa] repetidas veces con esponja o paño empapado en un líquido, sin estregarla. – 2 *intr.* Sonar el agua batida por los pies y las manos: *el agua chapotea.* 3 Agitar los pies o las manos en el agua: *los niños chapotean.*

chaptalización *f.* Adición de azúcar al mosto para enriquecerlo y suprimir la acidez por medio del carbonato cálcico.

chapucear *tr.* Hacer o remendar [algo] sin arte ni aseo. – 2 *intr. Méj.* Hacer trampas.

chapucería *f.* Tosquedad, imperfección en cualquier artefacto. 2 Chapuza.

chapucero, -ra *adj.* Hecho tosca y groseramente. – 2 *adj.-s.* [pers.] Que trabaja de este modo. 3 [pers.] Que arregla de todo un poco. 4 Embustero. – 5 *m.* Herrero que fabrica cosas de hierro. 6 Vendedor de hierro viejo.

chapulín *m. Amér.* Langosta, cigarrón. 2 *Amér. Central.* Niño, chiquitín.

chapurrar *tr.* Hablar con dificultad [un idioma] pronunciándolo mal y usando en él vocablos, giros o modos de expresión exóticos. 2 *fam.* Mezclar [un licor] con otro.

chapurrear *tr.-intr.* Chapurrar (hablar).

chapurreo *m.* Manera de hablar del que chapurrea. 2 Pronunciación defectuosa del niño o del extranjero.

chapuza *f.* Obra hecha sin arte ni pulidez.

chapuzar *tr.-prnl.* Meter de cabeza en el agua: *~ a uno en el mar; ~,* o *chapuzarse, en el río.* ◇ ** CONJUG. [4] como *realizar.*

chapuzón *m.* Acción de chapuzar o chapuzarse. 2 Efecto de chapuzar o chapuzarse.

chaqué *m.* Levita, con los faldones separados. ◇ Pl.: *chaqués.*

chaqueta *f.* Prenda exterior de vestir, con mangas y sin faldones, que se ajusta al cuerpo y llega a las caderas.

chaquete *m.* Juego parecido al de damas que se juega con la ayuda de unos dados.

chaquetear *intr. burl.* Cambiar de partido o ideología, generalmente con sentido oportunista.

chaquetero, -ra *adj.-s.* [pers.] Que chaquetea. 2 *fam.* Adulador, tiralevitas.

chaquetilla *f.* Chaqueta más corta que la ordinaria, de forma diferente y casi siempre con adornos.

chaquetón *m.* Prenda de vestir de más abrigo y algo más larga que la chaqueta.

chaquira *f. Amér. Merid.* Grano de aljófar, abalorio o cuentecilla de vidrio que llevaban los españoles para vender a los indios.

charada *f.* Acertijo en que se trata de adivinar una palabra haciendo una indicación sobre el significado de ésta y el de las palabras que pueden formarse tomando una sílaba o combinando dos o más sílabas de la principal.

charamada *f.* Llamarada del fuego.

charamuscas *f. pl. Amér.* Leña menuda con que se hace fuego.

charanagua *f. Méj.* Bebida hecha de pulque agrio, miel y chile colorado, al calor del fuego manso.

charanda *f. Méj.* Tierra rojiza.

charanga *f.* Conjunto musical que consta sólo de instrumentos de viento, comúnmente de metal. 2 Bulla persistente, monótona. 3 *Amér.* Baile familiar.

charango, -ga *m.* Especie de bandurria pequeña que usan los indios del Perú.

charanguero, -ra *adj.-s.* Chapucero (hecho, persona). – 2 *m.* Barco que se usa en Andalucía para el tráfico de unos puertos con otros.

charape *m. Méj.* Bebida fermentada hecha con pulque, panocha, miel, clavo y canela.

charca *f.* Depósito de agua detenida en el terreno.

charco *m.* Charca pequeña que se forma en el pavimento.

charcón, -cona *adj.-s. Argent. y Bol.* Res o animal doméstico que nunca engorda. 2 *Argent. y Bol.* fig. [pers.] Flaco.

charcutería *f.* GALIC. Salchichería, tienda de embutidos.

charla *f. fam.* Acción de charlar. 2 Conferencia simple y sin pretensiones.

charlar *intr.* Hablar mucho, sin substancia o fuera de propósito. 2 Conversar sin objeto determinado, por mero pasatiempo.

charlatán, -tana *adj.-s.* Que habla mucho

y sin substancia. 2 Hablador indiscreto. 3 Embaucador, dícese especialmente de curanderos y proyectistas.

charlestón *m.* Baile de movimiento rápido, que fue muy popular hacia 1920. 2 Música de este baile.

charlotada *f.* Festejo taurino bufo. 2 Actuación pública, colectiva, grotesca o ridícula.

charnego, -ga *m. f.* desp. En Cataluña, inmigrante de otra región.

charnela *f.* Bisagra (herraje). 2 Articulación de las dos valvas de los moluscos lamelibranquios. 3 Pedacito de papel engomado, fino y transparente, habitualmente utilizado para adherir sellos en las hojas de coleccionista. 4 Zona en la que los dos flancos de un pliegue se doblan por lo que cambia su buzamiento.

charol *m.* Barniz muy lustroso y permanente, que conserva su brillo y se adhiere perfectamente a la superficie del cuerpo a que se aplica. 2 Cuero con este barniz.

charpa *f.* Especie de tahalí, con ganchos para colgar armas de fuego. 2 Cabestrillo (aparato).

charquear *tr. Amér. Merid.* Hacer charqui [la carne]. 2 *Amér. Merid.* Herir.

charqui *m. Amér.* Pedazo de carne, generalmente de vaca, secado al sol o al aire. 2 p. ext. Tajada de algunas frutas, como membrillos, zapallos, etc., secada al sol.

charquicán *m. Amér. Merid.* Guiso hecho con charqui, ají, papas y otras legumbres. 2 *Amér. Merid.* fig. Barullo, revoltijo.

charrada *f.* Dicho o hecho propio de un charro. 2 Baile propio de los charros. 3 fig. Obra o adorno charro (de mal gusto).

charral *m. Amér. Central.* Matorral, breña.

I) charrán *adj.-s.* Pillo, tunante.

II) charrán *m.* Ave caradriforme de cola ahorquillada y plumaje blancuzco con capirote negro en verano y frente blanca en invierno *(Sterna hirundo).*

charrancito *m.* Ave caradriforme de tamaño diminuto con la frente blanca en verano y en invierno *(Sterna albifrons).*

charranear *intr.* Hacer vida de charrán o conducirse como tal.

charrar *intr.* fam. Charlar, hablar en exceso y de modo indiscreto. – 2 *tr.* Contar o referir algún suceso indiscretamente.

charrasca *f.* fam. Arma arrastradiza, por lo común, sable. 2 fam. Navaja de muelles.

charrasco *m.* Pez marino teleósteo, de cabeza ancha, cubierta de espinas, cuerpo redondeado, ahusándose hacia la cola, y color variable según la estación y actividad sexual *(Myoxocephalus scorpius; Cottus s.).*

charrasquear *tr. Ecuad., Pan. y Venez.* Rasguear un instrumento.

charrasqueo *m.* Sonido metálico.

charreada *f. Méj.* Nombre genérico de varias fiestas nacionales.

charrete *m.* Coche de dos ruedas y dos o cuatro asientos.

charretera *f.* Divisa militar de oro, plata, seda, etc., en forma de pala, que se sujeta sobre el hombro y de la cual pende un fleco como de 1 dm. de largo.

charro, -rra *adj.-s.* Aldeano de Salamanca. 2 fig. Basto y rústico. – 3 *adj.* fig. [cosa] Demasiado adornado y de mal gusto. 4 m. *Méj.* Jinete que viste traje especial, compuesto de chaqueta con bordados, pantalón ajustado, camisa blanca y sombrero de ala ancha y copa alta, cónica.

charrúa *f.* Embarcación pequeña que servía para remolcar otras mayores.

chárter *adj.-m.* Avión que realiza un vuelo por contrato o alquiler.

chartreuse *m.* Licor fabricado por los cartujos. ◇ No se usa en plural.

chas *m.* Ruido que produce una cosa al romperse.

chasca *f.* Leña menuda procedente de la limpia de los árboles. 2 Ramaje que se coloca sobre la leña dispuesta para hacer carbón. 3 *Amér.* Cabello enmarañado. 4 *Amér.* Greña, maraña en general.

chascar *intr.* Chasquear (la madera). – 2 *tr.* Separar súbitamente del paladar [la lengua], produciendo una especie de chasquido. 3 Ronzar o triturar [un manjar quebradizo]. 4 Engullir. ◇ ** CONJUG. [1] como *sacar.*

chascarrillo *m.* fam. Anécdota ligera, cuentecillo agudo, frase equívoca y graciosa.

I) chasco *m.* Burla o engaño. 2 fig. Decepción que produce un suceso inesperado o adverso.

II) chasco, -ca *adj. Argent. y Bol.* [cabello] Crespo y recio. 2 *Argent. y Bol.* [pelaje, plumaje] Erizado, hirsuto; p. ext., [animal] con este pelaje o plumaje: *carnero ~.*

chasis *m.* Armazón que sostiene el motor y la carrocería de un automóvil. 2 fig. y fam. Esqueleto. ◇ Pl.: *chasis.*

chaspe *m.* Señal que se hace sobre los troncos de los árboles, mediante un golpe superficial de hacha.

chasponazo *m.* Señal que deja la bala al rozar un cuerpo duro.

I) chasquear *tr.* Dar chasco o zumba [a uno]. 2 p. anal. Faltar a lo prometido. – 3 *intr.* Frustrar un hecho adverso las esperanzas de alguno.

II) chasquear *tr.* Manejar [el látigo o la honda] haciéndoles dar chasquido. – 2 *intr.* Dar chasquidos la madera u otra cosa cuando se abre por sequedad.

chasqui *m. Amér.* Emisario, mensajero, enviado.

chasquido *m.* Sonido o estallido hecho con el látigo o la honda cuando se sacuden en el aire con violencia. 2 Ruido seco y súbito que produce el romperse, rajarse o desgajarse alguna cosa. 3 Ruido que se produce con la lengua al separarla súbitamente del paladar. 4 Ruido semejante a los mencionados.

chata *f.* Bacín plano, con borde entrante y mango hueco por donde se vacía.

chatarra *f.* Escoria del mineral de hierro. 2 Hierro viejo. 3 fam. *y* desp. Calderilla, conjunto de monedas metálicas. 4 fam. *y* desp. Conjunto de condecoraciones o de joyas que lleva una persona.

chatarrero, -ra *m. f.* Persona que tiene por oficio comerciar con la chatarra (hierro viejo).

chato, -ta *adj.-s.* Que tiene la nariz poco prominente y como aplastada. – 2 *adj.* [nariz] De esta figura. 3 Sin relieve, con menos elevación que las cosas de la misma especie: *embarcación chata.* – 4 *m.* En las tabernas, vaso bajo y ancho de vino u otra bebida; p. ext., vaso de cualquier forma, con vino. – 5 *adj. Amér.* Pobre, mezquino.

chatón *m.* Piedra preciosa gruesa engastada en una joya. 2 Cabeza de clavo grande, a modo de tachuela, que sirve para ornamentar.

chatre *adj. Amér. Merid.* Elegante, acicalado.

chatunga *adj.-f.* fam. Chata, expresión cariñosa.

chaucha *f. Argent.* Judía verde. – 2 *adj. R. de la Plata.* De mala clase. 3 *R. de la Plata.* Insípido, sin gracia.

chauche *m.* Pintura encarnada hecha con minio, que en Castilla se emplea para teñir el pavimento de las habitaciones.

chaúl *m.* Tela de seda parecida al gro.

chauvinismo *m.* GALIC. Patriotería.

chaval, -la *adj.-s.* fam. Joven.

chavalo, -la *m. f. Amér. Central y Venez.* Muchacho callejero.

chavea *m.* fam. Rapazuelo, muchacho.

chaveta *f.* Clavo hendido en casi toda su longitud, que, introducido por el agujero de un hierro o madero, se remacha separando las dos mitades de su punta. 2 Clavija que, puesta en el agujero de una barra, impide que se salgan las piezas que la barra sujeta.

chavetera *f.* Ranura hecha en los tubos de las ruedas y poleas para introducir en ella la chaveta.

chavo *m.* Moneda de cobre de valor variable según los países y épocas. – 2 *m. pl.* Dinero en general: *tener, gastar,* etc., *chavos.*

chayote *m.* Fruto de la chayotera. 2 Chayotera.

chayotera *f.* Planta cucurbitácea trepadora americana, aclimatada en Canarias y en Valencia, de fruto comestible en forma de pera, de 10 a 12 cms. de largo, con la corteza rugosa o con surcos, la carne parecida a la del pepino y una sola pepita por semilla *(Sechium edule).*

chaza *f.* Suerte del juego de la pelota en que

ésta vuelve contrarrestada y se para o la detienen antes de llegar al saque. 2 Señal que se pone donde paró la pelota.

chazar *tr.* Detener [la pelota] antes que llegue a la raya señalada para ganar. 2 Señalar [el sitio] donde está la chaza. ◇ ** CONJUG. [4] como *realizar.*

chazo *m.* Corte que los carpinteros hacen con el hacha en los cantos de un leño, o con la azuela.

che *f.* Nombre de la letra *ch.* ◇ Pl.: *ches.*

checa *f.* Comité de policía secreta en la Rusia soviética. 2 Organismo semejante que ha funcionado en otros países y que sometía a los detenidos a crueles torturas. 3 Local en que actuaban estos organismos.

checo, -ca *adj.-s.* De una región europea formada por Bohemia, Moravia y parte de Silesia, que, junto a Eslovaquia, constituye Checoslovaquia. – 2 *adj.-m.* Lengua de los checos.

checoslovaco, -ca *adj.-s.* De Checoslovaquia, nación de Europa central.

cheche *adj. Méj.* Consentido, llorón.

chele *m. Amér. Central.* Legaña.

chelear *tr. Amér. Central.* Blanquear.

cheli *m.* Jerga con elementos castizos, marginales y contraculturales.

chelín *m.* Moneda inglesa de plata, vigésima parte de la libra esterlina, fuera de la circulación desde 1971.

chenca *f. Amér. Central.* Colilla de cigarro.

cheque *m.* Documento en forma de mandato de pago, para retirar una persona, por sí o por un tercero, los fondos que tiene disponibles en poder de otra; ~ *de viaje* o *de viajero,* el que se puede hacer efectivo en bancos de diversos países.

chequear *tr.* ANGLIC. Confrontar, cotejar, comprobar [cuentas, escritos]. 2 Inspeccionar, fiscalizar [servicios, oficinas, administración]. 3 Facturar, expedir [equipajes, mercancías]. 4 Anotar, registrar en general. 5 Reconocer o examinar el médico [el estado de salud de una persona]. 6 Repasar, revisar [un automóvil u otra máquina]. ◇ El empleo uniforme de *chequear* indica vocabulario pobre y pereza mental, puesto que los diversos significados atribuidos a este anglicismo se expresan con entera propiedad y riqueza de matices con los verbos españoles adecuados para cada caso.

chequeo *m.* Reconocimiento médico general en un individuo que no presenta ningún síntoma.

chequera *f. Amér.* Talonario de cheques. 2 *Amér.* Cartera para guardar el talonario.

cherna *f.* Pez marino teleósteo perciforme, de cuerpo rechoncho que alcanza hasta 2 m. de longitud, de color pardo grisáceo con reflejos vinosos en los adultos, y pardo violáceo en los jóvenes *(Polyprion americanum).*

chernozem *m.* Suelo típico de las praderas, excelente para el cultivo de gramíneas.

chéster *m.* Queso inglés, parecido al manchego. ◊ Pl.: *chéster* o *chésteres*.

chévere *m. Cuba, P. Rico y Venez.* Valentón, petimetre. – 2 *adj. Colomb., Méj. y Venez.* Magnífico, muy bueno.

chevió *m.* Lana del cordero de Escocia. 2 Paño que se hace con ella, y también sus imitaciones hechas con lanas ordinarias. ◊ Pl.: *cheviots*.

chía *f.* Antiguo manto negro y corto.

chibalete *m.* Armazón de madera donde se colocan las cajas para componer.

chibola *f. Amér.* Cuerpo redondo y pequeño; chichón.

chibuquí *m.* Pipa turca de tubo largo y recto. ◊ Pl.: *chibuquíes*.

chic *adj.* GALIC. Elegante, de moda, distinguido.

chicana *f.* Artimaña, procedimiento de mala fe, especialmente el utilizado en un pleito por alguna de las partes. 2 Broma, chanza.

chicane *f.* Serie de obstáculos artificiales colocados en la pista para que moderen su velocidad los corredores de automovilismo o de motorismo.

chicano, -na *adj.-s.* Ciudadano de los Estados Unidos de América perteneciente a la minoría de origen mejicano allí existente. – 2 *adj.* Perteneciente o relativo a dicha comunidad. – 3 *m.* Movimiento reivindicador del libre desarrollo de la cultura peculiar de esta minoría y del goce total de sus derechos civiles.

chicar *tr. Argent. y Urug.* Mascar tabaco. ◊ ** CONJUG. [1] como *sacar.*

chicarrón, -rrona *adj.-s.* fam. Persona de corta edad muy crecida y desarrollada.

chicle *m.* Gomorresina que se extrae del tronco del zapote. 2 Substancia gomorresinosa que, endulzada y aromatizada, se usa como goma de mascar. 3 *Méj.* Suciedad, mugre.

chico, -ca *adj.* Pequeño, de poco tamaño. – 2 *adj.-s.* Niño. 3 Muchacho. – 4 *m. f.* En el trato de confianza, persona de no corta edad. – 5 *m.* Muchacho que hace recados y ayuda, en trabajos de poca importancia, en las oficinas, comercios u otros establecimientos análogos. – 6 *f.* Criada, empleada que trabaja en los menesteres caseros. 7 *Amér.* En algunos juegos, tanda, mano, partida.

chicoleo *m.* fam. Dicho o donaire de que se usa con las mujeres por galantería.

chicote, -ta *m. f.* fam. Persona de poca edad, robusta y bien hecha. – 2 *m.* fig. Cigarro puro. 3 Extremo de cuerda, o pedazo pequeño separado de ella. 4 *Amér.* Látigo. 5 *Amér. Central.* Serie, retahíla.

chicuite *m. Amér. Merid.* Balde para achicar el agua de las minas.

I) chicha *f.* fam. En lenguaje infantil, carne comestible. 2 fam. Carne del cuerpo humano: *está haciendo régimen porque tiene mucha* ~.

II) chicha *f.* Bebida alcohólica usada en América, que resulta de la fermentación del maíz en agua azucarada. 2 *Amér. Central y Ecuad.* fig. Berrinche, mal humor.

chícharo *m.* Guisante.

chicharra *f.* Cigarra. 2 Juguete que consiste en un cañuto corto, tapado por uno de sus extremos con un pergamino estirado, en cuyo centro se coloca un hilo encerado, que al correr entre los dedos produce un ruido desapacible. 3 Timbre eléctrico de sonido sordo. 4 fig. Persona muy habladora. 5 Pez marino teleósteo perciforme, de cuerpo alargado cubierto de escamas ásperas y adherentes, color pardusco o rosado, marcado por pequeñas manchas obscuras o azuladas; la segunda parte de sus aletas pectorales está tremendamente desarrollada *(Dactylopterus volitans).*

chicharrear *intr.* Sonar o imitar el ruido que hace la chicharra.

chicharrero, -ra *m. f.* Persona que tiene por oficio hacer o vender chicharras (juguetes). – 2 *adj.-s.* fam. De la isla de Tenerife. – 3 *m.* fig. Paraje muy caluroso.

chicharro *m.* Chicharrón (residuo). 2 Pez marino teleósteo perciforme, de cuerpo fusiforme, con la línea lateral sinuosa, de color azul obscuro con una mancha negra poco marcada en el opérculo y las aletas ligeramente rosadas *(Trachurus picturatus).* 3 Jurel (pez).

chicharrón *m.* Residuo de las pellas del cerdo, después de derretida la manteca. 2 fig. Vianda requemada. 3 fig. Persona muy tostada por el sol. – 4 *m. pl.* Fiambre prensado en moldes, formado por trozos de carne de distintas partes del cerdo.

I) chiche *m. Amér.* Pecho, mama de la nodriza.

II) chiche *m. Amér. Merid.* Juguete, alhaja, dije. 2 *Amér.* Persona habilidosa. 3 *Amér.* Persona elegante y generalmente cosa bien adornada. – 4 *adj. Amér. Central.* Fácil, cómodo, sencillo.

chicheme *m. Amér. Central.* Refresco de maíz quebrado, cocido con leche y azúcar.

chichería *f.* Casa o tienda donde en América se vende chicha.

chichero, -ra *adj. Amér.* Perteneciente o relativo a la chicha (bebida). – 2 *m. f.* Persona que vende o fabrica chicha (bebida).

chichicaste *m. Amér.* Arbusto silvestre, especie de ortiga, de tallo fibroso, que se utiliza en cordelería *(Urtica baccifera).*

chichimeca *adj.-com.* Indio que habitaba al oeste y norte de Méjico.

chichisbeo *m.* Obsequio continuado de un hombre a una mujer. 2 Este mismo hombre.

chichito *m.* fam. Niño pequeño. 2 fam. *y* desp. Criollo hispanoamericano.

chicho *m.* fam. Rizo pequeño de cabello que cae sobre la frente. 2 fam. Rulo del pelo.

I) chichón *m.* Hinchazón que se forma en la cabeza por efecto de un golpe.

II) chichón, -chona *adj. Amér. Central.* Fácil, sin dificultad.

chichonera *f.* Gorro, para preservar de golpes en la cabeza a los niños y a ciertos deportistas.

chichota *f.* Pizca, parte mínima de una cosa. 2 Almorta, planta.

chichote *m. Mur., Amér. Central y Venez.* Chichón, tolondrón.

chichurro *m.* Caldo que resulta de cocer las morcillas al hacerlas.

I) chifla *f.* Especie de silbato.

II) chifla *f.* Cuchilla con que los encuadernadores y guanteros raspan y adelgazan las pieles.

chiflado, -da *adj.* Maniático. 2 Enamorado en exceso.

chifladura *f.* Acción de chiflar o chiflarse. 2 Efecto de chiflar o chiflarse. 3 Maña, deseo, afición exagerada por alguna persona o cosa.

I) chiflar *intr.* Silbar con la chifla o imitar su sonido con la boca. – 2 *tr.-prnl.* Hacer burla o escarnio [de uno] en público. 3 fam. Beber a grandes tragos [vinos y licores]. – 4 *prnl.* Perder uno la energía de las facultades mentales. 5 Tener sorbido el seso por una persona o cosa. – 6 *intr. Guat. y Méj.* Cantar los pájaros.

II) chiflar *tr.* Raspar con la chifla [las badanas y pieles finas].

chifle *m.* Silbato o reclamo para cazar aves.

chifleta *f. Amér. Central y Méj.* Broma satírica, burla.

chiflido *m.* Sonido de la chifla (silbato). 2 Silbo que lo imita.

chiflón *m. Amér. Central.* Cascada que corre subterránea. 2 *Amér. Merid.* Viento colado, o corriente muy sutil de aire. 3 *Méj.* Canal por donde sale el agua con fuerza.

chigua *f. Amér.* Especie de serón o cesto hecho con cuerdas o cortezas de árboles, de forma oval.

chigüín *m. Hond., Nicar. y Salv.* Muchacho raquítico.

chií *adj.-com.* Musulmán que considera a Alí y sus descendientes como únicos califas legítimos.

chiita *adj.-com.* GALIC. Chií.

chilaba *f.* Vestidura con capucha de que usan los moros.

chilapeño *m. Méj.* Sombrero ordinario de paja.

chilaquiles *m. pl. Méj.* Guisado que se hace con tortilla.

chilate *m. Amér. Central.* Especie de atole de maíz tostado y zumo de ají.

chilca *f. Amér.* Nombre de varias especies de arbolitos balsámicos y resinosos que se usan en veterinaria *(gén. Baccharis y Eupatorium).*

chilchote *m. Méj.* Especie de ají o chile muy picante.

chile *m.* Pimiento (planta y fruto). 2 *Amér. Central.* Bola o mentira.

chilenismo *m.* Vocablo, giro o modo de hablar propio de los chilenos. 2 Amor o apego a las cosas características de Chile.

chileno, -na, -ño, -ña *adj.-s.* De Chile, nación de América del sur.

chilillo *m. Amér. Central.* Bejuco para amarrar o varita que hace de látigo.

chilindrina *f.* fam. Cosa de poca importancia.

chilindrón *m.* Juego de naipes, especie de pechigonga sin envites. 2 Preparación culinaria, típica de Aragón, Navarra y La Rioja, hecha con cordero o pollo, pimientos, tomates, cebolla, ajos, pimienta y sal.

chilmole *m. Méj.* Salsa que se hace con chile y tomate, o con chile, naranja agria, sal y cebolla.

chilomona *m.* **Protozoo flagelado muy abundante en las aguas dulces que contienen substancias en putrefacción.

chilotear *intr. Amér. Central.* Echar barbas el maíz.

I) chilla *f.* Instrumento con que los cazadores imitan el chillido de algunos animales.

II) chilla *f.* Tabla delgada de ínfima calidad. 2 Plancha lisa o bruñida, del tamaño del libro, hecha de madera, hoja de lata o cartón, que, junto con otra igual, sirve para poner el libro ya dorado en la prensa.

chillado *m.* Techo de alfarjías y tablas de chilla.

chillar *intr.* Dar chillidos. 2 Imitar con la chilla el chillido de los animales de caza. 3 Chirriar. 4 Hablando de colores, destacarse con demasiada viveza o estar mal combinados. 5 fam. Reñir a alguien dando voces. 6 fig. Protestar, quejarse. – 7 *prnl. Amér.* Picarse, ofenderse. 8 *Amér. Central.* Avergonzarse, disgustarse.

chillería *f.* Conjunto de chillidos o voces descompasadas. 2 Regaño, reprensión vocinglera.

chillido *m.* Sonido inarticulado de la voz, agudo y desapacible.

chillón, -llona *adj.-s.* fam. Que chilla mucho. 2 fig. [color] Demasiado vivo o mal combinado.

chimal *m. Méj.* Cabellera alborotada.

chimango *m.* Ave falconiforme de América meridional, de unos 30 cms. de largo, color obscuro en algunas partes, y acanelado y blancuzco en otras *(Milvago chimango).*

chimar *tr. Méj.* Fastidiar [a alguien].

chimbo, -ba *adj.-s. Amér.* Dulce hecho con huevos, almendras y almíbar.

**chimenea *f.* Conducto para dar salida al humo (producto gaseoso). 2 Hogar o fogón para guisar o calentarse, provisto de este conducto. 3 Chimenea para calentarse, situada en un hueco abierto en la pared y guarnecida con un marco y una repisa en su parte superior. 4 Conducto o canal de un **volcán por donde se expulsan al exterior los materiales volcánicos. 5 Orificio circular que tiene el paracaídas en su centro y que, al dar lentamente salida al aire, asegura la estabilidad del mismo. 6 Conducto de madera por donde suben y bajan los contrapesos en las maniobras de la maquinaria teatral.

chimiscolear *intr. Méj.* Tomar tragos de licor.

chimpancé *m.* Primate catarrino póngido de África occidental, de brazos largos, cabeza grande, barba y cejas prominentes, nariz aplastada y el cuerpo cubierto de pelo pardo negruzco *(Pan troglodites).* ◇ Pl.: *chimpancés.*

I) china *f.* Suerte que echan los muchachos metiendo en el puño una piedrecita; presentando de las manos cerradas pierde aquel que señala la mano en que está la piedra.

II) china *f.* Planta liliácea, especie de zarzaparrilla, que se cría en América y de cuyos rizomas se obtiene una harina comestible *(Smilax pseudo-china).* 2 Tejido de seda o lienzo que viene de la China, o el labrado a su imitación. 3 Porcelana de China, o porcelana en general: *tengo una muñeca de ~.*

chinampear *intr. Méj.* Rehusar un compromiso. 2 *Méj.* Tener miedo.

chinar *tr.* Embutir con chinas [los revoques de mampostería].

chinarro *m.* Piedra algo mayor que una china.

chinaste *m. Amér. Central.* Germen prolífico. 2 *Amér. Central.* Raza: *gallo de buen ~.*

chinastear *tr. Amér. Central.* Fecundar el macho [a la hembra], especialmente tratándose de aves de corral.

chincate *m.* Azúcar moreno último que sale de las calderas.

chincol *m.* Ave paseriforme de América del sur, muy semejante al gorrión europeo, pero de canto agradable *(gén. Zonotrichia).*

chinchar *tr.* vulg. Molestar, fastidiar. 2 Matar. – 3 *prnl.* Soportar una molestia o aguantar un perjuicio.

chinche *amb.* Insecto hemíptero, de color rojo obscuro y cuerpo deprimido, casi elíptico, que segrega un líquido fétido y chupa la sangre del hombre produciendo picaduras irritantes *(Cimex lectularis).* 2 ~ *de campo,* insecto hemíptero parecido al anterior y parásito de los vegetales. – 3 *com.-adj.* Persona chinchosa. ◇ Aunque la Academia lo considera femenino, se usa también como masculino en extensas regiones de España y de América, tanto en la lengua hablada como en la escrita.

chincheta *f.* Clavito metálico de cabeza circular y chata y punta acerada que sirve para asegurar al tablero el papel en que se dibuja, o para otros fines parecidos.

CHIMENEA

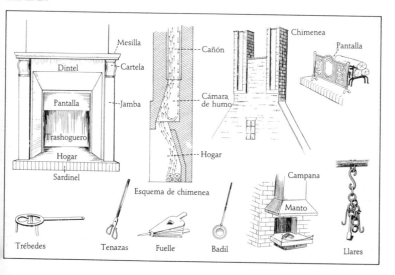

Esquema de chimenea

Trébedes Tenazas Fuelle Badil Llares

chinchilla *f.* Mamífero roedor de América del sur, parecido a la ardilla, aunque algo mayor, y con el pelaje gris; su piel es muy estimada en peletería *(Chinchilla lanigera).* 2 Piel de este animal.

chinchín *m.* Música callejera. 2 fig. Propaganda estrepitosa, especialmente cuando sólo consiste en la apariencia. 3 Llovizna. 4 Brindis en que se hace chocar los vasos o copas. 5 *Amér. Central* y *R. de la Plata.* Especie de sonajero de lata.

chinchinear *intr.* Brindar. – 2 *tr. Amér. Central.* Acariciar, mimar [a alguien].

chinchón *m.* Bebida anisada de alta graduación. 2 Juego de naipes muy parecido al remigio, en el que el jugador puede conservar en la mano las cartas no ligadas, pudiéndolas añadir en las combinaciones de otros jugadores.

chinchorrear *intr.* Traer y llevar chismes y cuentos. – 2 *tr.* Molestar, fastidiar.

chinchorrero, -ra *adj.* fig. Que se emplea en chismes y cuentos con impertinencia y pesadez. – 2 *m.* Marinero embarcado en un chinchorro.

chinchorro *m.* Red a modo de barredera, menor que la jábega. 2 Embarcación de remos, muy chica. 3 Hamaca ligera tejida de cordeles.

chinchoso, -sa *adj.* fig. [pers.] Molesto y pesado.

chinchulín *m. Amér. Merid.* Yeyuno de los vacunos.

chinda *com.* Persona que vende despojos de reses.

chindar *tr.* Arrojar, tirar, deshacerse [de una cosa].

chiné *adj.* [tela] Rameado o colorido. ◇ Pl.: *chinés.*

chinear *tr. Amér. Central.* Llevar en brazos o a cuestas [a un niño]. 2 *Amér. Central.* Consentir, mimar.

chinela *f.* Calzado casero de suela ligera y sin talón.

chinero *m.* Armario o alacena en que se guardan piezas de china, cristalería, etc.

chinesco, -ca *adj.* Chino (de China). 2 Parecido a las cosas de China. – 3 *m.* Instrumento músico de percusión compuesto de una armadura metálica, guarnecida de campanillas y cascabeles, enastada en un mango para hacerlo sonar sacudiéndolo a compás.

chingana *f. Amér. Merid.* Taberna en que suele haber canto y baile. 2 *Amér.* Fiesta animada en que se baila, se canta y se bebe.

chingar *tr.* vulg. Beber con frecuencia [vino o licores]. 2 vulg. Practicar el coito, fornicar. 3 Importunar, molestar, fastidiar. 4 Estropear. – 5 *intr.* Tintinear. – 6 *prnl.* Embriagarse. – 7 *prnl. Can.* y *Amér.* Fracasar, frustrarse alguna cosa. – 8 *tr. Amér. Central.* Cortar el rabo [a un animal]. – 9 *intr. Amér. Central.* Bromear. ◇ ** CONJUG. [7] como *llegar.* ◇ En la acepción 2 es voz malsonante.

chingaste *m. Amér. Central.* Residuo, heces.

chinglar *tr.-intr.* Pasar un trago de vino.

chingo, -ga *adj. Colomb.* y *Cuba.* vulg. Pequeño, diminuto. 2 *Amér. Central.* [animal] Rabón. 3 *Amér. Central* y *Venez.* Chato, romo, desnarigado. 4 *Amér. Central.* [vestido] Corto. – 5 *m. pl. Amér. Central.* Pingos, ropa interior.

I) chino *m.* Piedra pequeña. – 2 *m. pl.* Juego que consiste en acertar el conjunto de monedas que esconden varios jugadores en la mano cerrada y que no pueden exceder de tres por jugador.

II) chino, -na *adj.-s.* De China, nación del centro y este de Asia. – 2 *m.* Idioma de los chinos. 3 Colador muy fino en forma de embudo. – 4 *loc. adj. De chinos,* [trabajo, labor, etc.] muy difícil y que requiere gran paciencia.

III) chino, -na *m. f. Amér.* vulg. Indio, mestizo. 2 *Amér. Merid.* Criado. 3 *Amér.* Persona del pueblo. 4 *Amér.* Calificativo cariñoso. – 5 *adj.-s. Amér. Central.* Pelón, pelado. 6 *Amér. Central.* Rabioso, airado.

chip *m.* INFORM. Diminuto trozo de cristal semiconductor, en forma de cubo, en el que se han formado diodos, transistores u otros componentes que, interconectados, constituyen un circuito integrado.

chipa *f. Amér. Merid.* Rodillo o cesto de paja que se emplea para recoger frutas y legumbres.

chipe *m. Amér. Central.* Persona que por todo gime y lloriquea.

chipé *f.* Verdad, bondad. ◇ Pl.: *chipés.*

chipén *f.* Animación, bullicio. – 2 *adj.* fam. Estupendo, excelente. ◇ Pl.: *chipenes.*

chipilingo *m. Colomb.* y *Méj.* Niño de corta edad.

chipirón *m.* Calamar joven.

chipolo *m. Amér.* Juego de naipes semejante al tresillo.

chipriota, -te *adj.-s.* De Chipre, nación insular del este del mar Mediterráneo.

chiqueadores *m. pl. Amér. Central* y *Méj.* Rodajas de papel que, untadas con sebo u otra substancia, se pegan en las sienes como remedio casero para el dolor de cabeza.

chiquearse *prnl. Amér. Central.* Contonearse al andar.

chiquero *m.* Zahúrda donde se recogen de noche los puercos. 2 Toril.

chiquichaque *m.* El que tenía por oficio aserrar piezas gruesas de madera. 2 Ruido que se hace cuando se masca fuertemente.

chiquigüite *m. Amér. Central* y *Méj.* Cesto o canasta sin asas.

chiquillada *f.* Acción propia de chiquillos.

chiquillería *f.* fam. Multitud, concurrencia de chiquillos.

chiquillo, -lla *adj.* Chico (niño y muchacho).

chiquitear *intr.* Tomar chiquitos.

chiquito *m.* Vaso de vino.

chiquitura *f. Amér. Central y R. de la Plata.* Pequeñez, cosa muy chica. 2 *Amér. Central.* Niñería, chiquillada.

chirajo *m. Amér. Central.* Trastos, trebejos. 2 *Amér. Central.* Andrajos.

chiribita *f.* Chispa (partícula inflamada). – 2 *f. pl.* fam. Partículas que, vagando en el interior de los ojos, ofuscan la vista.

chiribitil *m.* Desván, rincón o escondrijo. 2 Cuarto muy pequeño.

chirigota *f.* fam. Cuchufleta.

chirimbolo *m.* fam. Utensilio, vasija o cosa análoga: *los chirimbolos de la cocina.* 2 Remate torneado de un mueble.

chirimía *f.* Instrumento músico de viento parecido al clarinete, con diez agujeros y boquilla con lengüeta de caña. – 2 *com.* Músico que toca este instrumento.

chirimoya *f.* Fruto del chirimoyo. 2 Chirimoyo. 3 fam. Cabeza humana.

chirimoyo *m.* Árbol anonáceo, originario de América central, de tronco ramoso, hojas elípticas y puntiagudas, flores solitarias, olorosas, de pétalos verdosos, y fruto comestible en baya grande, verdosa por fuera y blanca por dentro *(Annona cherimolia).*

chiringo *m. Méj.* Pedazo pequeño de una cosa.

chiringuito *m.* Quiosco o puesto de bebidas y comidas sencillas al aire libre.

chirinola *f.* Juego de muchachos parecido al de los bolos. 2 Conversación larga. 3 fig. Cosa de poco momento. 4 Pelotera, riña, pendencia.

chiripa *f.* En el juego de billar, suerte favorable ganada por casualidad. 2 fig. Casualidad favorable.

chirivía *f.* Planta umbelífera, de tallo anguloso, hojas recortadas y raíz fusiforme blanca o rojiza, carnosa y comestible *(Pastinaca sativa).*

chirla *f.* Molusco de la familia de las almejas, pero de menor tamaño *(Venerupis aurea).*

chirlar *intr.* fam. Hablar atropelladamente y a gritos. – 2 *tr.* Producir chirlos (heridas).

chirle *adj.* fam. Insípido, insubstancial.

chirlo *m.* Herida prolongada en la cara. 2 Señal que deja esta herida.

chirlomirlo *m.* Cosa de poco alimento.

chirola *f. Amér. Central.* Cárcel. 2 *Amér. Central.* Bolita.

chirona *f.* fam. Cárcel (edificio): *meter, estar en* ~.

chirota *f. Amér. Central.* Mujer desenvuelta.

chirpial *m.* Pie joven procedente de brote de la cepa o raíz de un árbol.

chirriar *intr.* Dar sonido agudo ciertas cosas cuando son manipuladas, como el tocino cuando se fríe. 2 Hacer ruido el cubo de las ruedas de un carro u otra cosa que se frota con otra. 3 Chillar los pájaros que no cantan con armonía. 4 fig. Cantar desentonadamente. ◇ ** CONJUG. [13] como *desviar.*

chirrido *m.* Voz o sonido agudo y desagradable de algunas aves u otros animales. 2 Sonido agudo continuado.

chirrión *m.* Carro fuerte de dos ruedas y eje móvil. 2 *Amér.* Látigo o rebenque fuerte hecho de cuero. 3 *Amér. Central.* Sarta, retahíla. 4 *Amér. Central.* Charla, especialmente entre enamorados.

chirrisco, -ca *adj. Amér. Central y Venez.* Pequeñito, diminuto.

chirucas *f. pl.* Botas ligeras de lona resistente.

chirusa *f. Amér.* Mujer del bajo pueblo, por lo común mestiza o descendiente de mestizos.

¡chis! Interjección con que se llama a alguien.

chiscar *tr.* Sacar chispas del eslabón chocándolo con el pedernal. ◇ ** CONJUG. [1] como *sacar.*

chiscarra *f.* Roca caliza de tan poca coherencia que se divide fácilmente en fragmentos pequeños.

chischás *m.* Ruido de las espadas al chocar unas con otras en la lucha.

chisgarabís *m.* fam. Zascandil, mequetrefe. ◇ Pl.: *chisgarabises.*

chisgo *m. Méj.* Gracia, donaire, atractivo.

chisguete *m.* fam. Trago o corta cantidad de vino que se bebe. 2 fam. Chorrillo de un líquido cualquiera que sale violentamente: *echar un* ~.

chisme *m.* Noticia verdadera o falsa con que se pretende meter discordia o murmuración. 2 fam. Baratija o trasto pequeño.

chismear *tr.* Traer y llevar [chismes] (noticias).

chismorrear *intr.* frecuent. Chismear.

chismoso, -sa *adj.-s.* Que chismea o es dado a chismear.

chispa *f.* Partícula inflamada que salta de la lumbre, del hierro herido por el pedernal, etc. 2 ~ **eléctrica,** explosión ruidosa, acompañada de una ráfaga luminosa brillante, producida por la descarga eléctrica entre dos cuerpos a través del aire. 3 fig. Penetración, viveza de ingenio: *tener mucha* ~. 4 Partícula de cualquier cosa: *bebió una* ~ *de licor.* 5 Gota de lluvia menuda y escasa: *caen chispas.* 6 Diamante muy pequeño. 7 fam. Borrachera (embriaguez). 8 Noticia falsa, bola. 9 *Guat. y Méj.* Resultado, éxito. – 10 *adj. Méj.* Chistoso, gracioso.

chispazo *m.* Acción de saltar la chispa. 2 Daño que hace. 3 Cuento, chisme: *ir con el* ~;

dar el ~. 4 fig. Suceso aislado y de poca entidad que, como señal o muestra, precede o sigue al conjunto de otros de mayor importancia.

chispeante *adj.* Que chispea. 2 fig. [escrito o discurso] Abundante en detalles de ingenio y agudeza.

chispear *intr.* Echar chispas. 2 Relucir mucho. 3 fig. Lucir, sobresalir. – 4 *impers.* Lloviznar muy débilmente. – 5 *prnl. Argent.* y *S. Dom.* Embriagarse ligeramente.

chispitina *f.* Porción muy pequeña de alguna cosa. 2 Espacio de tiempo muy corto.

chispoleto, -ta *adj.* Que es listo y vivaracho.

chisporrotear *intr.* Despedir chispas reiteradamente.

chisporroteo *m.* fam. Acción de chisporrotear. 2 Ruido producido por una corriente eléctrica excesiva en un micrófono, o en un disco de gramófono.

chisque *m.* Eslabón para encender la yesca con el pedernal.

chistar *intr.* Prorrumpir en alguna voz o hacer ademán de hablar. 2 Llamar o reclamar la atención de alguien con la interjección ¡chis! ◇ En la primera acepción se usa por lo común con una negación.

chistate *m. Amér. Central.* Ardor al orinar.

chiste *m.* Dicho agudo y gracioso. 2 Suceso gracioso y festivo. 3 Burla o chanza.

chistera *f.* Cestilla angosta por la boca y ancha por abajo, que llevan los pescadores para echar los peces. 2 fig. Sombrero de copa alta.

chistorra *f.* Embutido de origen navarro, hecho con carne de cerdo y vacuno, panceta y tocino, que se consume principalmente frito.

chistoso, -sa *adj.* Que usa de chistes. 2 [lance o suceso] Que tiene chiste.

chistu *m.* Flautilla que se usa en el País Vasco y el Bearn. Se toca con la mano derecha, mientras la mano izquierda, con ayuda de una baqueta, percute el tamboril, con el cual va asociada siempre.

chita *f.* Astrágalo (hueso). 2 Juego que consiste en poner derecha una chita y tirar a ella con tejos o piedras para derribarla. 3 Cosa de poca importancia.

chital *m.* Mamífero rumiante de 1,50 m. de longitud y 90 cms. de altura, de pelaje rojizo con siete filas longitudinales de manchas blancas a ambos lados del cuerpo, y la frente y el hocico negros *(Cervus axis)*.

chiticalla *com.* fam. Persona muy callada y reservada. 2 fam. Cosa o suceso que se procura tener callado.

chiticallando *adv. m.* fam. Con mucho silencio. 2 fig. Con disimulo o en secreto.

chito *m. Méj.* Carne de chivo frita en su propio sebo. 2 *Méj.* Mugre, grasa, suciedad.

chiva *f. Amér.* Perilla, barba.

chivar *tr.* vulg. Fastidiar [a alguien]. 2 fam. Acusar, delatar.

chivatazo *m.* fam. Soplo, delación.

chivatear *intr.* fam. Chivar.

chivato, -ta *adj.-s.* Soplón, delator, acusador. – 2 *m. f.* Chivo o chiva que pasa de seis meses y no llega al año. – 3 *m.* fig. Dispositivo que advierte de una anormalidad o que llama la atención sobre algo.

chiverrazo *m. Amér. Central.* Batacazo, caída.

chivetero *m.* Corral donde se encierran los chivos.

I) chivo *m.* Poza donde se recogen las heces del aceite.

II) chivo, -va *m. f.* Cría de la cabra desde que no mama hasta que llega a la edad de procrear. 2 Pollo de jilguero.

III) chivo, -va *m. f. Amér. Central.* Juego de dados. – 2 *m. Amér. Central.* Berrinche. 3 *Amér. Central.* fest. Diputado nacional. – 4 *f. Amér. Central.* Manta de lana. 5 *Méj.* Salario de un día de trabajo. – 6 *f. pl. Méj.* Bártulos, trebejos.

chivudo, -da *adj.-s. Argent., Cuba* y *Venez.* Que lleva barba larga.

choc *m.* Choque, estado de depresión.

chocante *adj.* Que choca. 2 Gracioso, chocarrero. 3 *Argent.* Indigno, impropio. 4 *Méj.* Fastidioso, empalagoso.

chocar *intr.* Encontrarse violentamente una cosa con otra. 2 fig. Pelear, combatir: ~ *los vecinos entre sí.* 3 fig. Provocar, irritar por genio o por costumbre: ~ *con los vecinos.* 4 fig. Causar extrañeza o enfado: ~ *a los oyentes por sus teorías.* – 5 *tr.* Darse [las manos] en señal de saludo, conformidad, enhorabuena, etc. 6 Juntar [las copas] los que brindan. ◇ ** conjug. [1] como *sacar.*

chocarrería *f.* Chiste grosero.

chocarrero, -ra *adj.* Que tiene chocarrería. – 2 *adj.-s.* Que tiene por costumbre decir chocarrerías.

choclar *intr.* En el juego de la argolla, introducir de golpe la bola por las barras.

choclo *m. Amér. Merid.* Mazorca tierna de maíz. 2 *Amér. Merid.* Guisado a base de este maíz. 3 *Argent.* Percance, dificultad. 4 *Argent.* Carga, molestia. 5 *Méj.* Zapato bajo para hombre.

choclón, -clona *adj.* Entremetido. – 2 *m.* Acción de choclar.

I) choco *m.* Jibia pequeña (gén. *Sepia*).

II) choco *m. Amér. Merid.* Perro de aguas.

III) choco, -ca *adj. Amér.* [pers., animal] Que carece de un miembro, como el ojo, la oreja, el dedo, la pierna, etc.

chócola *f. Amér. Central.* Juego del hoyuelo.

chocolate *m.* Pasta hecha con cacao y azúcar molidos, generalmente aromatizada con canela o vainilla. 2 Bebida hecha de esta pasta desleída y cocida en agua o en leche. 3 En el lenguaje de la droga, hachís.

chocolatera *f.* Vasija para hacer chocolate (bebida). 2 fig. *y* fam. Coche viejo. 3 fig. *y* fam. Barco de mala calidad.

chocolatería *f.* Establecimiento del chocolatero (fabricante y vendedor). 2 Establecimiento donde se sirve al público chocolate. 3 *Amér. Central. y Ecuad.* fig. *y* fest. Cabeza de persona o animal.

chocolatero, -ra *adj.-s.* Muy aficionado a tomar chocolate. – 2 *m. f.* Persona que tiene por oficio fabricar o vender chocolate.

chocolatina *f.* Pequeña tableta delgada de chocolate para tomar en crudo.

chocha *f.* Ave caradriforme, poco menor que la perdiz, de pico largo, recto y delgado, cabeza comprimida y plumaje gris rojizo con manchas negras *(Scolopax rusticola)*.

chochear *intr.* Tener debilitadas las facultades mentales por efecto de la edad: ~ *con,* o *por, la vejez;* ~ *de viejo.* 2 fig. Extremar el cariño o la afición a personas o cosas, a punto de conducirse como quien chochea.

chochera, chochez *f.* Calidad de chocho II. 2 Dicho o hecho de persona que chochea.

I) chocho *m.* Altramuz (fruto). 2 Canelón (confite largo). 3 vulg. Vulva.

II) chocho, -cha *adj.* Que chochea. 2 fig. Lelo de puro cariño.

chochocol *m. Méj.* Cántaro, botijo.

chófer, chofer *m.* Conductor de automóvil. ◇ Pl.: *chóferes,* vacilante junto a *chófers.*

chola *f.* fam. Cabeza del hombre.

cholo, -la *adj.-s. Amér.* Mestizo de europeo e india. – 2 *adj. Amér.* Tratamiento de cariño.

choloque *m. Amér.* Árbol que da unas bolas de color obscuro que se emplean como jabón (gén. *Sapindus).* 2 *Amér.* Fruto de este árbol.

chollar *tr. Amér. Central.* Desollar, ludir la piel. 2 *Amér. Central.* Reprender, mortificar.

chollo *m.* fam. Ganga, trabajo o negocio que produce un beneficio con muy poco esfuerzo.

cholludo, -da *adj. Amér. Central y Colomb.* Haragán.

chompa *f. Amér.* Vestidura de cuerpo en tejido de punto, suéter.

chongo *m. Méj.* Moño de pelo. 2 *Méj.* Chanza, broma. – 3 *m. pl. Méj.* Plato de dulce.

chonta *f. Amér. Merid.* Nombre de varias especies de palmeras espinosas (gén. *Astrocaryum; Bactris; Guilielma).*

chontal *adj.-com. Amér.* [pers.] Rústico e inculto.

chopa *f.* Pez marino teleósteo perciforme, semejante a la dorada, de la que se distingue por dos manchas negras que tiene junto a la cola *(Spondyliosoma cantharus).*

chopera *f.* Arbusto ramnáceo, extendido, ramificado y caducifolio, de hojas elípticas y

flores unisexuales y, a menudo, apétalas *(Rhamnus pumils).*

chopito *m.* Cefalópodo muy parecido a la jibia aunque de menor tamaño y más estrecho, con un aguijón en la parte posterior del cuerpo que es la continuación exterior de la concha *(Sepia elegans).*

I) chopo *m.* Árbol salicáceo de tamaño mediano, de corteza obscura y hojas verdes por las dos caras *(Populus nigra).* 2 Madera de este árbol.

II) chopo *m.* fam. Fusil: *cargar con el* ~.

chopper *f.* Bicicleta o motocicleta con el manillar muy alto y el sillín alargado.

choque *m.* Acción de chocar. 2 fig. Contienda, disputa, con una o más personas. 3 MIL. Combate de corta duración y poco número de tropas. 4 MED. Estado de profunda depresión nerviosa y circulatoria, sin pérdida de la conciencia, que se produce después de intensas conmociones.

chorbo, -ba *m. f.* vulg. Individuo, tipo, fulano. 2 vulg. Persona joven. 3 vulg. Novio o acompañante habitual.

chorcha *f. Amér. Central.* Cresta de ave. 2 *Méj.* Grupo de gente divertida.

choreque *m. Amér. Central.* Vuelo de las faldas y enaguas.

choricero, -ra *m. f.* Persona que tiene por oficio hacer o vender chorizos. 2 fam. Persona de modales ordinarios y vulgares. 3 vulg. Ratero, ladrón.

chorizada *f.* vulg. Dicho o hecho propio de un chorizo, ratero.

chorizo *m.* Embutido, regularmente de carne de cerdo picada y adobada, el cual se cura al humo. 2 vulg. Ratero, ladrón. 3 *Amér. Merid.* Pasta de barro y paja para cubrir la pared de un rancho.

chorlitejo *m.* Ave caradriforme limícola, pequeña, rechoncha, de plumaje pardo por encima y blanco en las partes inferiores *(Charadrius dubius).*

chorlito *m.* Ave caradriforme zancuda, de unos 30 cms. de longitud, de pico largo y recto, patas finas y negruzcas, plumaje gris con rayas pardas por encima y blanco con manchas leonadas en las partes inferiores *(Charadrius pluvialis).*

chorra *f.* vulg. Azar, casualidad. 2 vulg. Miembro viril.

chorrada *f.* Porción de líquido que se añade después de dar la medida. 2 vulg. Necedad, tontada. 3 vulg. Detalle excesivo o innecesario.

chorrear *intr.* Caer un líquido formando chorro. 2 Salir el líquido lentamente y goteando. 3 fam. Ir viniendo sin interrupción. – 4 *tr.* vulg. Abroncar, reprender, amonestar severamente.

chorreo *m.* Acción de chorrear. 2 Efecto de

chorrear. 3 fam. Bronca, reprimenda, amonestación severa.

chorreón *m.* Golpe o chorro de un líquido. 2 Huella o mancha que deja ese chorro.

chorrera *f.* Paraje por donde cae una corta porción de líquido. 2 Señal que el agua deja por donde ha corrido. 3 Trecho corto de río en que el agua, por causa de un gran declive, corre con mucha velocidad. 4 Guarnición de encaje que se ponía en la abertura de la camisola por la parte del pecho. 5 *Amér.* Serie, séquito de cosas.

chorro *m.* Golpe de un líquido que sale o cae con fuerza y continuidad. 2 p. ext. Caída sucesiva de cosas iguales y menudas. 3 fig. Sucesión abundante e impetuosa de cosas. 4 Masa de gas caliente proyectada hacia atrás por un motor de reacción. 5 fig. ~ *de voz,* plenitud de la voz. – 6 *m. Can.* y *Amér. Central.* Grifo o llave de agua.

chota *adj.* vulg. Soplón, delator.

chotacabras *amb.* Ave caprimulgiforme, de ojos grandes, pico corto y ancho, plumaje gris, con manchas y rayas negras, alas largas y cola cuadrada *(Caprimulgus europæus)*. 2 ~ *pardo,* ave caprimulgiforme semejante a la anterior, de la que se distingue por tener un collar rojizo *(Caprimulgus ruficollis)*. ◊ Pl.: *chotacabras.*

chotear *tr.-prnl.* vulg. Hacer mofa o burla [de alguien]. – 2 *prnl. Argent.* Levantarse el ala del sombrero sobre la frente.

chotis *m.* Baile de origen escocés típico de Madrid, de ritmo binario y movimiento moderado. 2 Música de este baile. ◊ Pl.: *chotis.*

choto, -ta *m. f.* Cría de la cabra mientras mama. 2 Ternero. – 3 *adj.* Zurdo. 4 *Argent.* y *Urug.* tonto, trapacero.

chotuno, -na *adj.* [ganado cabrío] Que mama. 2 [cordero] Flaco y enfermizo.

chova *f.* Ave paseriforme de plumaje negro con visos verdes, pico amarillo o rojizo, desnudo en la base, y pies rojizos *(Corvus frugilegus)*.

choza *f.* Cabaña formada de estacas y cubierta de ramas o paja.

chozno, -na *m. f.* Hijo del tataranieto.

chozo *m.* Choza pequeña.

chozpar *intr.* Saltar o brincar con alegría ciertos animales jóvenes; como el cordero, el cabrito.

christmas *m.* Tarjeta de Navidad. ◊ Se pronuncia *crismas* ◊ Pl.: *christmas.*

chubascada *f.* Chubasco, chaparrón de cierta violencia y de corta duración.

chubasco *m.* Chaparrón o aguacero con mucho viento. 2 fig. Adversidad o contratiempo transitorios.

chubasquear *impers.* Llover, especialmente en forma de chubascos.

chubasquero *m.* Impermeable.

chubesqui *m.* Estufa para calefacción, de dobles paredes y forma cilíndrica, que por lo general funciona con carbón.

chúcaro, -ra *adj. Amér.* [ganado, especialmente equino] Arisco, bravío. 2 *Amér.* [pers.] Esquivo.

chucear *tr. Amér.* Herir o picar con chuzo u otra arma punzante.

chucla *f.* Pez marino teleósteo perciforme, de tamaño pequeño, de cuerpo alto y de color gris azulado o verdusco *(Spicara maena)*.

chuco, -ca *adj. Amér.* [carne] Que olisca o huele mal.

chuchada *f. Amér. Central.* Fraude, engaño.

chuchear *intr.* Cuchichear. 2 Coger caza menor con aparejos.

chuchería *f.* Fruslería pulida y delicada. 2 Alimento ligero, golosina.

I) chucho *m.* fam. Perro (mamífero).

II) chucho *m. Amér. Merid.* Escalofrío de la fiebre; fiebre intermitente.

chuchoca *f. Amér. Merid.* Especie de frangollo o maíz cocido y seco, que se usa como condimento.

chuchoco, -ca *adj. Argent.* Viejo, decrépito.

chuchumeco *m. Amér. Merid.* Apodo con que se zahiere al hombre ruin.

chuchurrir *tr.-prnl.* fam. Ajar, marchitar.

I) chueca *f.* Tocón (parte de tronco). 2 Juego entre dos bandos, cada uno de los cuales procura que una bola impelida por el contrario no pase la raya que señala su término. 3 fig. Burla, chasco.

II) chueca *f.* Hueso redondeado o parte de él que encaja en el hueco de otro en una coyuntura.

chueco, -ca *adj. Amér.* Estevado; torcido, desviado, en general. 2 *Amér.* [calzado] Que tiene los tacones torcidos. – 3 *m. Méj.* Comercio de cosas robadas.

chufa *f.* Planta ciperácea de raíz rastrera que produce unos tubérculos aovados, con cicatrices anulares, carnosos y dulces, que se usan para preparar bebidas refrescantes *(Cyperus esculentus)*. 2 Tubérculo de esta planta. 3 Burla, mentira. 4 fig. *y* fam. Bofetada.

chuflaibailas *com.* Persona alocada y de poco juicio. ◊ Pl.: *chuflaibailas.*

chulada *f.* Acción indecorosa propia de gente de mala crianza o ruin condición. 2 Dicho o hecho gracioso con cierta soltura y desenfado.

chulanchar *tr. Argent.* Mecer el cuerpo de un lado a otro.

chulapo, -pa *m. f.* Chulo (individuo afectado).

chulear *tr.-prnl.* Zumbar o burlar [a uno] con gracia y chiste. – 2 *tr.* vulg. Ejercer de chulo, vivir a costa de una mujer. – 3 *intr.* Jactarse, presumir, especialmente de valiente.

chulería *f.* Aire o gracia en las palabras o ademanes. 2 Valentonería.

chuleta *f.* Costilla con carne de ternera, carnero o puerco. 2 fig. Pieza que se añade a alguna obra manual para rellenar un hueco. 3 Entre estudiantes, papel con extractos o notas, que se lleva escondido para copiar en los exámenes escritos. 4 fig. *y* fam. Bofetada.

chulo, -la *adj.-s.* Que hace y dice las cosas con chulada. – 2 *adj.* fig. *y* fam. Lindo, bonito. – 3 *m. f.* Individuo del pueblo bajo de Madrid que viste y se produce con cierta afectación. – 4 *m.* Rufián. 5 El que obliga o ayuda a las mujeres a la prostitución. 6 El que en las fiestas de toros da a los lidiadores garrochones, banderillas, etc.

chulón, -lona *adj.* *Amér. Central.* Desnudo, en cueros.

chumacera *f.* Pieza de metal o madera, con una muesca en que descansa y gira cualquier eje de maquinaria. 2 Rebajo semicircular en los botes, que sirve para que en él juegue el remo.

chumbe *m.* *Amér.* Faja ancha con que se ciñen a la cintura el tipoí y otras vestiduras.

chumbera *f.* Planta cactácea de tallo formado por una serie de paletas ovales, erizadas de espinas, flores grandes con muchos pétalos, y fruto en baya de corteza verde amarillenta y pulpa comestible, dulce y de color anaranjado *(Opuntia ficus-indica).*

chumbo, -ba *adj.* V. higo chumbo e higuera chumba.

chumero *m.* *Amér. Central.* Aprendiz de un oficio.

chuminada *f.* vulg. Cosa sin importancia, tontería, estupidez.

chunca *f.* *Argent.* Parte de la pierna que va desde la rodilla hasta el tobillo.

chunga *f.* fam. Burla festiva: *estar de ~.*

chungo, -ga *adj.* vulg. Malo, falso. 2 vulg. Estropeado. 3 vulg. Divertido.

chunguearse *prnl.* fam. Burlarse festivamente.

chuño *m.* *Amér.* Fécula de patata. 2 *Amér.* Alimento que se hace de esta fécula.

chupa *f.* Chaqueta, chaquetilla.

chupado, -da *adj.* fig. Muy flaco y extenuado. 2 fig. *y* vulg. [pregunta, lección, etc.] Entre estudiantes, muy fácil; p. ext., fácil o sencillo de hacer: *esto está ~.*

chupalámparas *m.* fam. Monaguillo, sacristán. ◇ Pl.: *chupalámparas.*

chupaleche *f.* Mariposa diurna caracterizada por la larga cola que están provistas las alas posteriores y por la profusión de manchas negras sobre fondo amarillento *(Iphiclides podalirius).*

chupamiel *f.* Hierba anual boraginácea, con hojas alargadas y flores amarillas dispuestas en grupos densos *(Lithospermum apulum).*

chupar *tr.* Sacar o atraer con los labios [el jugo o la substancia de una cosa]: *~ un limón; ~ con fuerza.* 2 Embeber en sí los vegetales [el agua o la humedad]. 3 fam. Absorber. 4 Ir quitando o consumiendo [la hacienda de uno] con pretextos y engaños. 5 fig. *y* fam. Sacar beneficios sin trabajar o merecerlos; aprovecharse [de alguien]. – 6 *prnl.* Irse enflaqueciendo o desmedrando. – 7 *tr.* *Amér.* Hablando de cosas desagradables, aguantarlas, sufrirlas.

chupasangre *m.* Seta agarical con el sombrero gris oliváceo *(Boletus fellens).*

chupete *m.* Especie de pezón de goma elástica que se da a chupar a los niños para facilitarles la primera dentición y como distracción. 2 *Amér.* Caramelo arrollado a un palito que chupan los niños.

chupetear *tr.-intr.* Chupar poco y con frecuencia.

chupetilla *f.* Pequeña cubierta de cristal que se pone en las escotillas para que no penetre la lluvia en la bodega.

chupi *adj.* fam. Estupendo, magnífico, excelente.

chupinazo *m.* Disparo hecho con una especie de mortero en los fuegos artificiales, cuya carga son cadenillas.

chupino, -na *adj.* *Argent.* [animal] Que ha perdido la cola o que la tiene muy corta.

chupón, -pona *adj.* fig. Que chupa. – 2 *adj.-s.* Que saca dinero con astucia y engaño. 3 [jugador] Que retiene mucho tiempo el balón, la pelota, la bola, etc., antes de efectuar un pase. – 4 *m.* Vástago de los árboles que les chupa la savia y amengua el fruto. 5 Señal que queda en la piel después de chupar. 6 Pirulí, caramelo. 7 Émbolo de las bombas de desagüe. 8 *Amér.* Biberón. 9 *Amér.* Chupete o chupador. 10 *Hond.* *y* *Méj.* Envoltorio de trapo con algún ingrediente usado por los curanderos.

chupóptero *m.* Persona que, sin trabajar, disfruta de uno o varios sueldos, dietas, etc.

churlo *m.* Saco de lienzo de pita cubierto con uno de cuero.

churrascado, -da *adj.* Chamuscado, quemado.

churrasco *m.* Carne asada a la brasa.

churre *m.* fam. Pringue gruesa y sucia que corre de una cosa grasa. 2 fig. Lo que se parece a ella.

churrete *m.* Mancha que ensucia alguna parte visible del cuerpo.

churretear *tr.* *Amér.* Pringar, manchar.

churria *f.* *Méj.* Mancha alargada, producida al chorrear una cosa.

churrigueresco, -ca *adj.-s.* Estilo arquitectónico, derivación del barroco, caracterizado por los excesos ornamentales. 2 fig. Charro (demasiado adornado).

churriguerismo *m.* Sistema de sobrecargar de adornos las obras de arquitectura churrigueresca.

churripuerco, -ca *adj.* [pers.] Desaseado, mugriento.

churritar *intr.* Gruñir el verraco.

I) churro *m.* Dulce de harina y azúcar frito con aceite, de forma cilíndrica estriada. 2 *fam.* Chapuza, chapucería, cosa mal hecha.

II) churro, -rra *adj.-s.* Res cuya lana es más basta y larga que la merina. – 2 *adj.* Relativo a esta lana.

churrullero, -ra *adj.-s.* Charlatán, que habla mucho.

churruscar *tr.-prnl.* Empezar a quemar [el pan, el guisado, etc.]: *el arroz se ha churruscado.* ◇ ** CONJUG. [1] como *sacar.*

churrusco *m.* Pedazo de pan demasiado tostado.

churumbel *m.* Niño.

churumbela *f.* Instrumento músico de viento parecido a la chirimía, pero más pequeño. 2 *Amér.* Bombilla usada para tomar el mate.

churumo *m.* fam. Jugo o substancia.

I) chusco, -ca *adj.-s.* Que tiene gracia, donaire y picardía.

II) chusco *m.* Pedazo de pan, mendrugo. 2 **Pan alargado, más corto que la barra.

chusma *f.* Conjunto de gente soez. 2 *Amér.* Conjunto de indios sin autoridad, que componen una toldería o campamento.

chuso, -sa *adj. Argent.* Seco, apergaminado.

chuspa *f. Amér. Merid.* Bolsa, morral.

chusquero *adj.-m.* Oficial o jefe militar que ha ascendido reenganchándose en el ejército y sin pasar por una academia militar.

chut *m.* Acción de chutar. 2 Efecto de chutar.

chutar *intr.* En el juego del fútbol, lanzar [la pelota] con el pie.

chuzo *m.* Palo armado con un pincho de hierro usado a modo de lanza. 2 Bastón que usaban los serenos. 3 *Amér. Central.* Pico de ave. 4 *Amér. Central* Aguijón de escorpión.

chuzón, -zona *adj.-s.* Astuto, difícil de engañar. 2 Que tiene gracia para burlarse de otros en la conversación.

D

D, d *f.* De, quinta letra del alfabeto español que representa gráficamente a la consonante oclusiva dental y sonora. 2 *D,* cifra romana equivalente a quinientos.

dable *adj.* Hacedero, posible.

dabuti *adj.* vulg. Estupendo. – 2 *adv.* vulg. Fabulosamente.

dactilado, -da *adj.* De figura semejante a la de un dedo.

dactilar *adj.* Digital: *huellas dactilares.*

dactiliforme *adj.* Que tiene forma semejante a la palmera.

dactiliología *f.* Parte de la arqueología que estudia los anillos y, por extensión, las piedras preciosas grabadas.

dactilograma *m.* Impresión digital tomada con propósitos de identificación judicial, policial o forense, mediante el tintado de la mano y la impresión de los diez pulpejos sobre el papel.

dactilología *f.* Arte de hablar con los dedos, especialmente el alfabeto de los sordomudos.

dadaísmo *m.* Movimiento artístico y literario de principios del siglo xx que se caracterizó por su desprecio al público y la ausencia de toda significación racional, al suprimir la relación entre el pensamiento y la expresión.

dádiva *f.* Regalo que se da graciosamente.

I) dado *m.* Pieza cúbica en cuyas caras hay señalados puntos desde uno hasta seis y que sirve para varios juegos de azar. 2 Pieza cúbica de metal u otra materia dura que sirve en las máquinas para apoyar tornillos, ejes, etc. 3 En las banderas, paralelogramo de distinto color que su fondo.

II) dado, -da *adj.* Concedido, supuesto, disimulado. – 2 *loc. conj. condic.* o *conces. Dado que,* supuesto que, a condición que: *dado que sea verdad, cuenta con él.*

dador, -ra *adj.-s.* Que da. – 2 *m.* Librador de una letra de cambio.

daga *f.* **Arma blanca de hoja corta, parecida a la espada.

daguerrotipo *m.* Arte de fijar en planchas metálicas, preparadas al efecto, las imágenes formadas en la cámara obscura. 2 Aparato para este fin. 3 Retrato o vista obtenido por medio del daguerrotipo.

daiquirí *m.* Cóctel hecho con ron, zumo de lima, almíbar y marrasquino.

dalia *f.* Planta compuesta de jardín, de hojas opuestas y partidas, cabezuelas grandes e inclinadas y rizoma con raíces tuberosas (*Dahlia variabilis*). 2 Flor de esta planta.

daltonismo *m.* Defecto de la vista que consiste en no percibir determinados colores o en confundir algunos entre sí.

dama *f.* Mujer noble y distinguida. 2 Mujer galanteada o pretendida por un hombre. 3 Actriz que hace los papeles principales. 4 En el juego de damas, peón coronado. 5 En el juego de ajedrez, pieza que tiene los movimientos combinados de la torre y del alfil. 6 ~ *de noche,* planta solanácea, de flores blancas, muy olorosas durante la noche (*Cestrum nocturnum; C. nitidum*). – 7 *f. pl.* Juego entre dos personas, cada una de las cuales dispone de 12 piezas que mueve según ciertas reglas en un tablero similar al del ajedrez; el objeto de cada jugador es comer todas las piezas del adversario.

damajuana *f.* Vasija o frasco para líquidos de figura semejante a la castaña.

damán *m.* Mamífero hiracoideo de unos 50 cms. de longitud y con el pelaje, corto y áspero, de color pardo (*Procavia capensis*).

damasco *m.* Tela fuerte de seda o lana, con dibujos formados con el tejido y cuyo brillo los distingue del fondo. 2 Variedad del albaricoquero (*Prunus armeniaca*). 3 Fruto de este árbol.

damasquinado *m.* Incrustación de hilos de oro o plata sobre hierro o acero.

damasquinar *tr.* Adornar [objetos de hierro o acero] con damasquinados: ~ *una espada.*

damería *f.* Melindre, delicadeza, aire desdeñoso.

damero *m.* Tablero del juego de damas. 2 p. ext. Planta de urbanizaciones, ciudades, etc., que están constituidas por cuadrados o rectángulos.

damisela *f.* Señorita, en sentido apreciativo, cariñoso y a veces irónico; es poco usual.

damnificado, -da *adj.-s.* Dañado, perjudicado.

damnificar *tr.* Causar daño [a una persona o cosa]. ◇ ** CONJUG. [1] como *sacar*.

dandi *m.* Hombre que se distingue por su extremada elegancia y buen tono. ◇ Pl.: *dandis*.

danés, -nesa *adj.-s.* Dinamarqués. – 2 *m.* Lengua danesa.

dantesco, -ca *adj.* Propio y característico del poeta Dante (1265-1321) o parecido a cualquiera de sus dotes o calidades. 2 [escena o situación] Que causa espanto.

danza *f.* Baile. 2 fig. Negocio desacertado o de mala ley: *meterle a uno en la ~.* 3 fig. y fam. Disputa, riña.

danzar *intr.-tr.* Bailar. – 2 *intr.* Moverse una cosa bullendo y saltando. 3 Andar de un lado para otro sin hacer nada de provecho. 4 fig. Intervenir o entrometerse en un negocio. ◇ ** CONJUG. [4] como *realizar*.

danzarín, -rina *m. f.* Persona que danza con destreza.

dañado, -da *adj.* Estropeado, echado a perder.

dañar *tr.-prnl.* Causar dolor, maltratar o echar a perder: *~ al prójimo en la honra; dañarse del pecho.*

dañino, -na *adj.* Que daña: *animal ~.*

dar *tr.* Traspasar uno a otro gratuitamente la posesión o propiedad [de alguna cosa]; donar: *te daré un libro; ~ de balde.* 2 Proporcionar, ofrecer, procurar [alguna cosa; especialmente no material]: *¿quién te dio esta idea?; ¿puede darme más información?; no te he dado permiso; dales recuerdos a tus padres.* 3 Nombrar, designar para un cargo: *le han dado la cartera de transporte.* 4 Permitir tener algo; conceder: *dale tiempo a llegar a casa antes de llamar por teléfono; ~ permiso.* 5 Pagar a cambio de algo: *he dado 300.000 pesetas por ese coche viejo; ¿cuánto me daría por este collar?* 6 Realizar una acción; hacer que algo suceda: *dio la señal de fuego; dame un beso; ~ un paseo; le dio un bofetón; ~ un golpe.* 7 Producir beneficios o frutos: *la higuera da higos y brevas.* 8 Celebrar, tener lugar un espectáculo, una diversión o un suceso: *dio una conferencia en el Ateneo; dan un nueva obra de teatro; daremos un fiesta por su cumpleaños.* 9 Comunicar felicitaciones, pésames, etc.: *~ la enhorabuena.* 10 Producir [un efecto, apariencia, etc.]: *da la impresión de ser feliz; da muy bien en televisión; espero que el niño no te haya dado problemas.* 11 Seguido de la preposición *por*, considerar o declarar [a una persona o cosa] en cierta condición o estado: *~ por libre; ~ por inocente; ~ una jugada por buena; ~ por visto; ~ por concluido; ~ por hecho.* 12 Expeler, desprender: *~ mucho humo.* 13 p. anal. Sonar el reloj las horas: *han dado las doce.* 14 Untar, recubrir alguna superficie: *~ barniz a un mueble.* 15 Abrir el paso de conductos: *~ el agua; ~ la luz.* – 16 *intr.* Seguido de las preposiciones *en* y *de*,

caer: *~ de narices; ~ en el suelo.* 17 Seguido de las preposiciones *con, contra* o *en*, acertar, atinar, chocar: *~ en el blanco; ~ contra un poste.* 18 Seguido de la preposición *en*, empeñarse: *~ en un tema; ~ en irse.* 19 Seguido de la preposición *sobre* , golpear, acometer: *~ sobre el más flaco; ~ sobre el yunque.* 20 Seguido de la preposición *de* y los verbos *almorzar, cenar,* etc., servir, costear el almuerzo, la cena, etc.: *~ de almorzar; ~ de cenar.* 21 Seguido de las preposiciones *a, en* o *sobre*, mirar una cosa hacia esta u otra parte, o ir a parar en ella: *~ a la calle; ~ al norte; ~ en un despeñadero; ~ sobre el mar.* 22 Empezar a sentirse una cosa física o moralmente: *me da el frío; me da un dolor; el corazón me da que se pondrá bueno.* 23 Seguido de *que* y un infinitivo, ser causa de lo que el verbo expresa: *~ que sentir; ~ que hablar; ~ que hacer; ~ que decir.* – 24 *prnl.* Entregarse, ceder en la resistencia que se hacía: *ya se ha dado el que disputaba.* 25 Suceder, existir alguna cosa: *se da el caso.* 26 Tratándose de frutos de la tierra, producirse: *aquí se dan bien las patatas.* 27 Seguido de la preposición *por*, considerarse uno en algún estado o en peligro o en inmediación de él: *darse por vencido; ~ por muerto; **darse uno por sentido**,* sentirse o formar queja contra otro por un desaire o agravio. 28 Seguido de la preposición *a* y de los infinitivos *creer, imaginar,* etc., hace más intenso el sentido de estos verbos: *darse a imaginar; darse uno a conocer; darse uno a entender* ◇ ** CONJUG. [68].

dardabasí *m.* Ave falconiforme diurna, de plumaje obscuro, y alas y cola puntiagudas *(Cerneis naumanni).* ◇ Pl.: *dardabasíes.*

dardo *m.* Arma arrojadiza semejante a una lanza pequeña y delgada. 2 fig. Dicho satírico o agresivo o molesto.

dársena *m.* Parte resguardada artificialmente, en aguas navegables, dispuestas para la carga y descarga.

darvinismo *m.* Teoría biológica del naturalista inglés Carlos Darwin (1809-1882), que explica el origen de las especies vivientes por la transformación de unas en otras en virtud de una selección natural debida a la lucha por la existencia.

dasifilo *adj.* Que tiene muchas hojas. 2 Que tiene hojas gruesas.

dasonomía *f.* Ciencia que trata de la conservación, cultivo y aprovechamiento de los montes.

data *f.* En un escrito, inscripción, etc., indicación del lugar y tiempo en que se ha escrito o ejecutado. 2 Partida o conjunto de partidas que componen el descargo de lo recibido. 3 Orificio de salida en un depósito de agua.

datáfono *m.* Servicio de transmisión de datos a través del teléfono, previo abono a la línea.

datar *tr.* Poner la data o determinarla si no se conoce: ~ *un documento.* – 2 *tr.-prnl.* Anotar en las cuentas [partidas de data]; abonar o acreditar. – 3 *intr.* Existir desde un momento dado: *nuestra amistad data de los años de escuela.*

dátil *m.* Fruto de la palmera. 2 fig. *y* fam. Dedo. 3 Molusco lamelibranquio, litófago, comestible y de figura parecida a la del dátil *(Lithodomus lithophagus)* ◇ Usado en la acepción 2 principalmente en plural.

datilera *adj.-f.* Palmera que da fruto.

datismo *m.* RET. Manera de hablar acumulando los sinónimos.

dativo, -va *m.* Caso de la declinación en que se pone la palabra que expresa el objeto no inmediato de la acción del verbo.

dato *m.* Antecedente necesario para llegar al conocimiento exacto de una cosa. 2 Documento que aclara. 3 Información que se suministra o que se obtiene de un ordenador, y, en un sentido más amplio, valor numérico. 4 Magnitud que se cita en el enunciado de un problema y que permite hallar el valor de las incógnitas.

daubéntonido *adj.-m.* Prosimio de la familia de los daubéntonidos. – 2 *m. pl.* Familia de prosimios insectívoros y nocturnos, propios de Madagascar.

I) de *f.* Nombre de la letra *d* .

II) de *prep.* Elemento de relación que introduce tanto complementos del verbo como del nombre. Denota: POSESIÓN Y PERTENENCIA: *casa de mi padre; los árboles del jardín.* 2 MATERIA Y CANTIDAD PARCIAL: Indica la materia de que está hecha una cosa: *puente de hierro;* fig., atribuye el contenido al continente: *un vaso de vino; un plato de carne;* fig., precisa la materia o asunto de que se trata: *un libro de Física, hablan de negocios;* expresa la naturaleza, condición o carácter de una persona: *hombre de valor, entrañas de fiera;* referido a las partes de alguna cosa o cantidad, comunica sentido partitivo: *bebimos de aquella agua; algunos de vosotros; diez de los reunidos aceptaron.* 3 ORIGEN Y PROCEDENCIA: *salir de casa, venir de Bilbao, oriundo de Galicia;* fig., *de esto se deduce, de sus razones inferimos;* p. ext., adquiere un significado causal, equivalente a *por: temblar de miedo, morir de harto, desternillarse de risa;* equivale a menudo a *desde* cuando se trata de distancias locales y temporales: *de Madrid a Barcelona, de 10 a 12.* 4 MODO: *caer de espaldas, obrar de buena gana, de un salto.* 5 TIEMPO en que sucede algo: *de día, de madrugada, de viejo, de niño; hora de comer, ocasión de lucirse.* 6 APOSICIÓN: Une un substantivo con su complemento: *la ciudad de Cádiz, la isla de Cuba; el año de 1944; el teatro de Cervantes; la calle de Alcalá.*

deambular *intr.* Andar o pasear sin objeto determinado, por pasatiempo.

deambulatorio *m.* ARQ. Espacio compuesto por una o más naves que giran tras el presbiterio o capilla mayor de algunas iglesias, en especial las románicas y góticas, como consecuencia de la prolongación de las naves laterales; **románico.

deán *m.* El que preside el cabildo después del prelado.

debacle *f.* GALIC. Ruina, hecatombe, desastre.

debajo *adv. l.* En lugar o puesto inferior: *le han cogido ~;* cuando antecede a un nombre o palabra equivalente pide la preposición *de : ~ de la mesa.* ◇ INCOR.: *debajo mía, debajo nuestro* por *debajo de mí, debajo de nosotros.*

debate *m.* Discusión, disputa: ~ *parlamentario.*

debatir *tr.* Altercar, discutir, contender [sobre una cosa]. 2 Combatir, guerrear [por una cosa]. – 3 *prnl.* Agitarse, forcejear, sacudirse: *se debatía inútilmente.*

debe *m.* En contabilidad, parte de la cuenta corriente donde se asientan todas las sumas que se cargan a la persona a quien se le abre.

I) deber *m.* Aquello a que está obligado el hombre por los preceptos religiosos o morales o por las leyes positivas: *el ~ del cristiano; ~ del hombre; el ~ del ciudadano.* 2 Deuda. 3 Trabajo escolar que el alumno realiza en su casa por orden del maestro. ◇ En la acepción 3 se usa generalmente en plural.

II) deber *tr.* Estar obligado [a algo] por ley moral o por necesidad física o lógica: *debemos obediencia a nuestros padres; la conclusión debe ser ésta;* p. ext., sentirse obligado [a mostrar gratitud, respeto, etc.]: *debemos darle las gracias.* 2 Tener obligación de satisfacer [una cantidad] o de dar o entregar [una cosa]: *le debo cien pesetas; debo un libro.* – 3 *prnl.* Tener por causa, ser consecuencia de: *la situación actual se debe a nuestra falta de previsión; el último gol se debió a un fallo del portero.* – 4 **auxiliar.** Con la preposición *de,* ser posible o verosímil un suceso: *debe de haber llovido; debe de ser así.* ◇ Es incorrecto el uso de la preposición *de* con el sentido de obligatoriedad.

debido, -da *adj.* Justo, razonable: *como es debido.*

débil *adj.-s.* Deficiente en fuerza física o resistencia: *un ~ apoyo; el enfermo está muy ~.* 2 fig. Carente de fuerza, vigor o eficiencia en carácter, acción o expresión: *un hombre ~ de carácter; un color ~; una voz ~.* ◇ INCOR. como substantivo: *conozco tu débil.*

debilidad *f.* Falta de vigor, energía física o moral. 2 Afecto, cariño: *tiene por ella verdadera ~.*

debilitación *f.* Disminución de fuerzas, de actividad.

debilitar *tr.* Disminuir la fuerza, el vigor o la eficiencia [de una persona o cosa]; hacerla débil.

debitar *tr.* Adeudar o cargar en cuenta, inscribir en el debe.

débito *m.* Deuda.

debocar *intr.* *Argent.* y *Bol.* Vomitar. ◇ ** CONJUG. [1] como *sacar*.

debut *m.* Estreno. 2 p. ext. Primera actuación de alguien en una actividad cualquiera.

debutar *intr.* Estrenarse una obra, presentarse un artista, etc. 2 Presentarse por primera vez ante el público una persona en cualquier otra actividad. 3 Ser presentada en sociedad una joven.

década *f.* Serie de diez, especialmente período de diez días o años: *la primera ~ de febrero; la segunda ~ de este siglo.* 2 Decena. 3 División compuesta de diez libros o capítulos en una obra histórica: *las décadas de Tito Livio.*

decadencia *f.* Declinación, principio de debilidad o de ruina.

decadente *adj.* Decaído, o que se halla en camino de decaer. – 2 *adj.-com.* Artista y literato de refinamiento excesivo.

decadentismo *m.* Escuela literaria y artística de fines del siglo XIX caracterizada por el escepticismo de sus temas y la propensión a un refinamiento exagerado.

decaedro *m.* Sólido de diez caras.

decaer *intr.* Pasar gradualmente una persona o cosa de un estado de perfección o prosperidad a un estado de imperfección, de disolución o de adversidad. ◇ ** CONJUG. [67] como *caer*.

decágono, -na *adj.-m.* **Polígono de diez ángulos.

decagramo *m.* Medida de masa y peso, equivalente a 10 grs.

decaído, -da *adj.* Triste, desanimado, débil.

decaimiento *m.* Flaqueza, debilidad.

decalescencia *f.* Absorción de calor por el hierro o el acero cuando se calientan por encima de su punto de transformación.

decalitro *m.* Medida de capacidad, equivalente a 10 l.

decálogo *m.* Los diez mandamientos de la ley de Dios, dados por el Señor a Moisés en el monte Sinaí. 2 Conjunto de diez consejos, normas, preceptos, etc., que se consideran básicos para el ejercicio de cualquier actividad; p. ext., todo conjunto de ellos, aunque no sean diez.

decámetro *m.* Medida de longitud equivalente a 10 m.

decanato *m.* Dignidad del decano. 2 Despacho destinado oficialmente al decano para el desempeño de su cargo. 3 Período de tiempo en el que el decano ejerce su dignidad.

decano, -na *m.* *f.* Persona más antigua de una comunidad, cuerpo, junta, etc. 2 En una corporación o en una facultad universitaria, el que, aun no siendo el más antiguo, es elegido o designado para presidirla.

I) decantar *tr.* Propalar, ponderar, engrandecer. – 2 *prnl.* Preferir, inclinarse por.

II) decantar *tr.* Inclinar suavemente una vasija sobre otra para que caiga [el líquido contenido en la primera] sin que salga el poso.

decapar *intr.* Quitar por métodos fisicoquímicos la capa de óxido, pintura, etc., que cubre cualquier objeto. 2 Desoxidar la superficie de un metal por inmersión en un baño de ácido.

decapitar *tr.* Degollar; cortar la cabeza: ~ a un condenado.

decápodo, -da *adj.* Que tiene diez patas. – 2 *adj.-m.* Molusco del orden de los decápodos. 3 Crustáceo del orden de los decápodos. – 4 *m.* *pl.* Orden de moluscos dibranquiados, con diez tentáculos provistos de ventosas y caparazón interno; como el calamar y la sepia. 5 Orden de crustáceos malacostráceos con los ojos pedunculados y cinco pares de patas; como el cangrejo y la langosta.

decárea *f.* Medida agraria, equivalente a 10 a.

decasílabo, -ba *adj.-s.* De diez sílabas: *verso ~.*

decatlón *m.* En atletismo, competición que consta de diez pruebas.

deceleración *f.* Aceleración negativa o disminución de la velocidad de un móvil.

decelerómetro *m.* Aparato que sirve para medir la deceleración.

decena *f.* Conjunto de diez unidades.

decenal *adj.* Que se repite cada decenio. 2 Que dura un decenio.

decencia *f.* Respeto exterior a las buenas costumbres o a las conveniencias sociales: *portarse con ~; la ~ en el vestir.* 2 Dignidad en los actos y en las palabras, conforme al estado o calidad de la persona: *contestar con ~.*

decenio *m.* Período de diez años.

decentar *tr.* Empezar a cortar o gastar [del pan, del queso, etc.]. 2 fig. Empezar a hacer perder [lo que se había conservado sano]: ~ *la salud.* 3 Violar, desflorar. – 4 *prnl.* Ulcerarse una parte del cuerpo por estar echado mucho tiempo de un mismo lado en la cama. ◇ ** CONJUG. [27] como *acertar*.

decente *adj.* Que manifiesta o tiene decencia: *actitud ~; hombre ~.* 2 Moderadamente confortable o satisfactorio: *tiene una casa ~; tiene un sueldo ~.* 3 Aseado, limpio, curioso.

decepción *f.* Engaño. 2 Contrariedad o pesar causados por un desengaño.

decepcionar *tr.* Desilusionar o desengañar.

deceso *m.* Óbito, muerte.

deciárea *f.* Medida de superficie, equivalente a la décima parte de un área.

decibel *m.* Nombre del decibelio en la nomenclatura internacional.

decibelio *m.* Unidad de diferencia de niveles de potencia en las comunicaciones eléctricas.

decidido, -da *adj.* Resuelto, audaz: *era hombre ~; le hablé en tono ~.*

decidir *tr.* Acabar [con una dificultad]; formar juicio definitivo [sobre un asunto, controversia, etc.]: *~ un pleito.* 2 Mover [a uno] la voluntad a fin de que tome una determinación: *procuraré decidirle.* – 3 *tr.-prnl.* Resolver (tomar decisión): *estamos decididos, o nos decidimos, a viajar; nos decidimos por este sistema; me decido a favor del padre; sobre este pleito hemos decidido abstenernos; en esta cuestión decidimos insistir.*

decidor, -ra *adj.-s.* Que habla con facilidad y gracia. – 2 *adj.-m.* [ave macho] Que con su canto sirve de reclamo.

decidua *f.* Mucosa uterina que durante el embarazo tiene como misión nutrir y proteger al óvulo fecundado y participar en la formación de la placenta.

decigramo *m.* Unidad de masa, en el sistema métrico decimal, equivalente a la décima parte de un gramo.

decilitro *m.* Unidad de capacidad, en el sistema métrico decimal, equivalente a la décima parte de un litro.

décima *f.* Décima parte de un grado del termómetro clínico: *tiene tres décimas de fiebre.* 2 Combinación métrica de diez octosílabos.

decimal *adj.* [parte] Que junto a otras nueve iguales constituye una cantidad. 2 [sistema métrico de pesas y medidas] Cuyas unidades son múltiplos o divisores de diez con respecto a la principal de cada clase. 3 [sistema de numeración] Cuya base es diez. – 4 *adj.-m.* V. número ~. – 5 *m.* Parte inferior a la unidad de un número decimal. – 6 *m. pl. Méj.* Centavos, dinero en general.

decímetro *m.* Unidad de longitud, en el sistema métrico decimal, equivalente a la décima parte de un metro: *~ **cuadrado,** unidad de superficie, en el sistema métrico decimal, representada por un cuadrado de un decímetro de lado; ~ **cúbico,** unidad de volumen, en el sistema métrico decimal, representada por un cubo de un decímetro de arista y equivalente a un litro.* 2 *Doble ~,* instrumento en forma de regla, dividido en centímetros y milímetros, y que tiene por longitud 20 centímetros; **dibujo.

décimo, -ma *adj.-s.* Parte que, junto a otras nueve iguales, constituye un todo; **numeración. – 2 *adj.* Que ocupa el último lugar en una serie ordenada de diez. – 3 *m.* Décima parte del billete de lotería.

decimoctavo, -va *adj.* Que ocupa el último lugar en una serie ordenada de dieciocho.

decimocuarto, -ta *adj.* Que ocupa el

último lugar en una serie ordenada de catorce.

decimonónico, -ca *adj.* Perteneciente o relativo al siglo xix . 2 Anticuado, pasado de moda.

decimonoveno, -na *adj.* Que ocupa el último lugar en una serie ordenada de diecinueve.

decimoquinto, -ta *adj.* Que ocupa el último lugar en una serie ordenada de quince.

decimoséptimo, -ma *adj.* Que ocupa el último lugar en una serie ordenada de diecisiete.

decimosexto, -ta *adj.* Que ocupa el último lugar en una serie ordenada de dieciséis.

decimotercero, -ra *adj.* Que ocupa el último lugar en una serie ordenada de trece.

I) decir *m.* Dicho (refrán). 2 Dicho notable por la sentencia, por la oportunidad, etc.: *sus decires nos cautivaban.*

II) decir *tr.* Manifestar con palabras habladas o escritas, o por medio de otros signos [el pensamiento o los estados afectivos]: *él ha dicho que vayamos; lo dice Cervantes; su semblante dice su dolor; dicen de Cervantes...; lo dijo de memoria; ~ una cosa por la otra;* esp., pronunciar: *dijo poco a poco;* p. ext., se aplica a los libros con las especies que contienen: *lo dice la Escritura.* 2 Asegurar, sostener, opinar: *digo que es verdad.* 3 Nombrar, llamar: *¿cómo se dice tu hermano?, le dicen Paco.* 4 Con los adverbios *bien* o *mal,* convenir o armonizar una cosa con otra: *el verde dice mal a una morena.* – 5 *prnl.* Reflexionar: *y yo me digo, ¿para qué sirve eso?* ◇ ** CONJUG. [69]. pp. irreg.: *dicho.* ◇ INCOR.: *dicistes.*

decisión *f.* Resolución adoptada en una cosa dudosa. 2 Firmeza de carácter. 3 Mandato o sentencia de un juez o de un tribunal.

decisivo, -va *adj.* Que decide o resuelve: *razón decisiva.* 2 Que en general es concluyente, tajante.

declamación *f.* Discurso pronunciado con demasiado calor, y particularmente invectiva áspera contra algo. 2 Arte de representar en el teatro.

declamar *intr.-tr.* Hablar o recitar en voz alta, con la entonación adecuada y los ademanes convenientes: *~ versos.* – 2 *intr.* Hablar en público o ejercitarse para ello. 3 Expresarse con demasiado calor y vehemencia o hacer alguna invectiva con aspereza.

declaración *f.* Manifestación o explicación de lo que otro u otros dudan o ignoran. 2 Deposición que bajo juramento hace el testigo o perito en una causa, o el reo sin juramento.

declarar *tr.-prnl.* Dar a conocer o explicar [los propios sentimientos o pensamientos, hechos o circunstancias no manifiestos, etc.]: *~ su pasión; ~ sus intenciones; ~ las rentas; ~ los valores; ~ la verdad; ~ la guerra; declararse a* *favor de uno; declararse por un partido; declararse con alguno.* – **2** *tr.* Manifestar los juzgadores su decisión [acerca de la calificación de alguno]: ~ *culpable a uno;* ~ *a uno por enemigo.* **3** Manifestar la cantidad y la naturaleza de mercancías u objetos sometidos al pago de derechos para satisfacerlos. – **4** *intr.* Manifestar los testigos o el reo ante el juez lo que saben acerca de lo que se les pregunta o expone. – **5** *prnl.* Manifestarse abiertamente alguna cosa; producirse, formarse: *declararse un incendio.* **6** Manifestar un enamorado su amor a la persona amada pidiéndole relaciones formales: *llevamos meses saliendo juntos y todavía no se me ha declarado.*

declinación *f.* Caída, descenso. **2** fig. Decadencia. **3** Ángulo que forma un plano vertical con el meridiano de un lugar. **4** **ASTRON. Distancia angular de un astro al ecuador celeste. **5** Serie ordenada de los casos gramaticales: ~ *de la palabra «musa».* **6** Clase o modelo a que puede atribuirse una palabra según como se declina: *pertenece a la primera* ~.

declinar *intr.* Separarse o desviarse de una dirección determinada, especialmente alejarse del meridiano la aguja imantada, o un astro, del ecuador celeste: ~ *a, o hacia, un lado;* ~ *de un punto.* **2** fig. Caminar o aproximarse una cosa a su fin: ~ *el día.* **3** Decaer, menguar una persona o cosa en sus condiciones o cualidades: ~ *en sabiduría;* ~ *en riqueza;* ~ *en vigor.* **4** Ir cambiando de naturaleza o de costumbre hasta tocar en extremo contrario: ~ *de la virtud en vicio.* **5** Renunciar, dimitir: ~ *un cargo.* **6** GRAM. Recitar o poner por orden los casos [de las palabras que tienen este accidente gramatical].

declive *m.* Pendiente, inclinación del terreno o de la superficie de una cosa. **2** fig. Decadencia.

decomisar *tr.* Confiscar.

decoración *f.* Acción de decorar (adornar). **2** Efecto de decorar (adornar). **3** Cosa que decora. **4** Decorado teatral. **5** Arte de decorar o adornar.

decorado *m.* Conjunto de telones, bambalinas y trastos con que se figura un lugar o sitio cualquiera en una representación teatral. **2** Ambiente en el que se desarrollan las escenas de una película.

decorador, -ra *m. f.* Persona que decora.

decorar *tr.* Adornar, hermosear [una cosa o un sitio].

decorativo, -va *adj.* Relativo a la decoración (adorno). **2** fig. *y* fam. Que no interesa por la calidad sino sólo por la presencia. **3** ARQ. [elemento] Que, sin desempeñar un papel constructivo, contribuye a crear un ambiente determinado.

decoro *m.* Honor, respeto, reverencia que se debe a una persona. **2** Circunspección, gra-

vedad. **3** Pureza, recato. **4** Honra, estimación. **5** Adecuación del estilo de una obra literaria al género, al tema y a la condición social de los personajes.

decoroso, -sa *adj.* Que tiene o manifiesta decoro: *es una muchacha muy decorosa; conducta decorosa.*

decrecer *intr.* Menguar, disminuir. ◇ ** CONJUG. [43] como *agradecer.*

decrepitar *intr.* Crepitar por la acción del fuego.

decrépito, -ta *adj.* Que está en gran decadencia.

decrepitud *f.* Suma vejez. **2** Decadencia extrema de personas o cosas.

decrescendo *m.* Disminución gradual de la intensidad del sonido.

decretar *tr.* Ordenar por decreto el jefe del estado o su gobierno, o un tribunal o juez [sobre materias de la respectiva competencia]. **2** Indicar marginalmente [el curso o respuesta que se ha de dar a un escrito].

decreto *m.* Decisión tomada por la autoridad competente en materia de su incumbencia, y que se hace pública en las formas prescritas: *real* ~; *un* ~ *del Papa; revocar un* ~; ~ *ley,* disposición de carácter legislativo que, sin ser sometida al órgano adecuado, se promulga por el poder ejecutivo, en virtud de alguna excepción circunstancial o permanente, previamente determinada.

decúbito *m.* Posición del cuerpo tendido sobre un plano horizontal: ~ *lateral,* ~ *prono* o ~ *supino,* aquel en que el cuerpo está echado de costado, sobre el vientre o sobre la espalda, respectivamente.

decuplicar *tr.* Hacer décupla [una cosa]. **2** Multiplicar por diez [una cantidad]. ◇ ** CONJUG. [1] como *sacar.*

décuplo, -pla *adj.-m.* Que contiene un número diez veces exactamente.

decurrente *adj.* [hoja] Cuyo limbo se extiende a lo largo del pecíolo y hasta del tallo, formando una especie de ala.

decurso *m.* Sucesión o continuación del tiempo.

decusado, -da, decuso, -sa *adj.* Que forma aspa o cruz. **2** [par de **hojas opuestas] Colocado de manera que forma cruz con el par inferior y superior de los nudos contiguos.

dechado *m.* Muestra o modelo que se tiene presente para imitar: ~ *de virtudes;* ~ *de maldades.*

dedada *f.* Porción que con el dedo se toma de una cosa: *una* ~ *de almíbar.* **2** fig. Mancha o marca que dejan los dedos en alguna superficie.

dedal *m.* Utensilio de metal, hueso, etc., cilíndrico, hueco, con la superficie llena de hoyuelos y generalmente cerrado por un casquete esférico, que sirve para proteger la punta del dedo que empuja la aguja, cuando se cose.

dédalo *m.* fig. Laberinto (lugar o cosa confusa).

dedicación *f.* Acción de dedicar o dedicarse. 2 Efecto de dedicar o dedicarse. 3 Fiesta que recuerda la consagración de un templo, altar, etc.

dedicar *tr.* Poner [una cosa] bajo la advocación de Dios o de los Santos consagrándola al culto: ~ *una iglesia a la Virgen;* ~ *la vida a Dios.* 2 p. ext. Consagrar [una cosa] a personajes eminentes, representaciones, hechos gloriosos, etc.: ~ *un monumento a la patria.* 3 Poner [una obra] bajo la protección de alguno y, en general, dirigir a una persona por modo de obsequio [un objeto y, principalmente, una obra de entendimiento]. – 4 *tr.-prnl.* Emplear, destinar, aplicar: ~ *tiempo al estudio; dedicarse a las matemáticas.* ◇ ** CONJUG. [1] como *sacar.*

dedicatoria *f.* Carta o nota dirigida a la persona a quien se dedica una obra.

dedil *m.* Funda de cuero o de otra materia que se pone en los dedos para que no se lastimen o manchen en ciertos trabajos.

dedo *m.* División en que terminan las extremidades de los vertebrados, salvo los peces; esp., miembro en que termina la **mano y el **pie del hombre: ~ ***pulgar,*** el primero y más grueso de la mano o del pie; ~ ***índice,*** ~ ***cordial*** o ***del corazón,*** ~ ***anular,*** ~ ***auricular*** o ***meñique,*** el primero, segundo, tercero y cuarto, respectivamente, a partir del pulgar; **cuerpo humano. 2 Medida de longitud, equivalente a unos 18 mm., o sea, duodécima parte del palmo.

dedocracia *f.* fig. *y* fam. Sistema de elección o nombramiento a dedo. 2 fig. *y* fam. Conjunto de los así elegidos o nombrados.

dedolar *tr.* Cortar oblicuamente [alguna parte del cuerpo]. ◇ ** CONJUG. [31] como *contar.*

deducción *f.* Acción de deducir. 2 Efecto de deducir. 3 Forma de razonamiento que consiste en partir de un principio general conocido para llegar a un principio particular desconocido. 4 Derivación: ~ *del agua de una acequia.*

deducir *tr.* Sacar [consecuencias] de un principio, proposición o supuesto y, en general, llegar [a un resultado] por el razonamiento: ~ *de,* o *por, lo dicho.* 2 Rebajar [alguna partida] de una cantidad. ◇ ** CONJUG. [46] como *conducir.* ◇ INCOR.: *deducí,* por *deduje.*

deductivo, -va *adj.* Que procede por deducción: *método* ~.

defecar *tr.* Clarificar un líquido. – 2 *intr.* Expeler los excrementos. ◇ ** CONJUG. [1] como *sacar.*

defectible *adj.* Que puede faltar.

defectivo, -va *adj.* Defectuoso. 2 V. verbo defectivo.

defecto *m.* Carencia de las cualidades propias de una cosa. 2 Imperfección natural o moral. – 3 *loc. adv. Por ~,* [inexactitud o diferencia] que consiste en menos, que no llega a lo que debiera.

defectuoso, -sa *adj.* Imperfecto.

defender *tr.* Sostener [a alguna persona o cosa] contra un ataque o lo que puede dañar: ~ *a un compañero;* ~ *la ciudad; defenderse como leones;* fig., ~ *la religión;* ~ *el honor; defenderse de una acusación; defenderse contra el impostor.* 2 Proteger [a alguna persona o cosa] para evitarle molestia o daño: *la capa nos defiende del frío; la pared defiende del viento; nos defendemos del sol con un paraguas.* 3 Sostener la inocencia [de alguno], especialmente en juicio. 4 Mantener [una afirmación] contra el dictamen ajeno. 5 En ciertos deportes, juegos, etc., oponerse a la acción de los adversarios. – 6 *prnl.* fig. Lograr una no muy buena holgura económica: *se defiende con su trabajo.* ◇ ** CONJUG. [28] como *entender.*

defendido, -da *adj.-s.* Persona a quien defiende un abogado.

defenestrar *tr.* Arrojar a alguien por una ventana. 2 fig. Destituir o expulsar [a alguien] de un puesto, cargo, situación, etc., generalmente de manera inesperada o violenta.

defensa *f.* Arma o cosa con que uno se defiende en un peligro; p. anal., los cuernos del toro, los colmillos del elefante, etc. 2 Obra de fortificación: *las defensas de una ciudad.* 3 Amparo, socorro. 4 Abogado defensor. 5 BIOL. Agente o mecanismo gracias al cual los organismos son capaces de protegerse contra determinados agentes fisicoquímicos y biológicos. 6 DEP. Línea más retrasada de un equipo deportivo, encargada de defender la portería de su equipo. – 7 *com.* DEP. Jugador encargado de defender la portería de su equipo. – 8 *f.* DER. Conjunto de razones alegadas en juicio para defender al acusado: *legítima* ~, circunstancia eximente de culpabilidad en ciertos delitos. 9 *Cuba, Chile y Méj.* Parachoques del automóvil.

defensiva *f.* Situación o estado del que sólo trata de defenderse: *estar a la* ~.

defensivo, -va *adj.* Que sirve para defender y especialmente para resistir un ataque: *alianza ofensiva y defensiva.*

defensor, -ra *adj.-s.* Que defiende: *los defensores de la patria.* – 2 *m. f.* Persona que en un juicio está encargada de la defensa de un acusado. 3 ~ ***del pueblo,*** persona encargada de defender al ciudadano frente a los errores o excesos de poder de la administración pública.

deferencia *f.* Adhesión respetuosa al dictamen o proceder ajeno. 2 fig. Muestra de respeto o de cortesía.

deferir *intr.* Adherirse al dictamen de uno

por respeto o cortesía: ~ *al parecer de otro*. – 2 *tr*. Comunicar, delegar parte de la jurisdicción o poder: ~ *la causa a los tribunales*. ◇ ** CONJUG. [35] como *hervir*.

deficiencia *f*. Defecto. ◇ Expresión atenuativa.

deficiente *adj*. Que tiene defecto: ~ *mental*, que presenta debilidad mental.

déficit *m*. Lo que falta a las ganancias para que se equilibren con los gastos, para que el crédito sea igual al débito, o para que la cantidad de una mercancía sea igual al consumo. 2 p. ext. Falta o escasez de algo que se juzga necesario: *hay ~ de plazas hospitalarias*. ◇ Pl.: *déficit*.

deficitario, -ria *adj*. [balance, cuenta, presupuesto, etc.] Cuya liquidación arroja déficit. 2 Que presenta una falta de desarrollo orgánico, en especial sensorial, o psíquico.

definición *f*. Acción de definir. 2 Decisión de una deuda o contienda por autoridad legítima: *las definiciones del Concilio o del Papa*. 3 Proposición o fórmula por medio de la cual se define: *una ~ clara; una ~ exacta*. 4 En televisión, número de líneas en que se divide la imagen transmitida.

definido, -da *adj*. Que tiene límites precisos. – 2 *m*. Aquello sobre lo que versa toda definición.

definir *tr*. Fijar y enunciar con claridad y exactitud [la significación de una palabra]. 2 Delimitar, fijar o explicar [la naturaleza de una persona o cosa]: ~ *a un individuo;* ~ *los caracteres de un vegetal;* ~ *la jurisdicción de una magistratura*. 3 Decidir por autoridad legítima [un punto dudoso de dogma, de disciplina, etc.]: *los concilios lo han definido así*.

definitivo, -va *adj*. Que decide o concluye.

deflacción *f*. Proceso de arranque y transporte de pequeñas partículas sólidas producido por la acción del viento.

deflación *f*. Reducción de la circulación fiduciaria cuando ha adquirido excesivo volumen por efecto de una inflación. 2 Bajada continua de los precios a lo largo del tiempo.

deflagrar *intr*. Arder rápidamente con llama y sin explosión.

deflector *m*. Aparato usado para cambiar la dirección de un fluido. 2 Cristal orientable de la ventanilla delantera del automóvil. 3 Dispositivo en forma de ala destinado a reducir o anular la resistencia del aire, generalmente colocado en la parte trasera de un automóvil.

defoliación *f*. Caída prematura de las hojas de los árboles y plantas, producida por enfermedad, influjo atmosférico o por agentes químicos.

deforestar *tr*. Despojar un terreno de plantas forestales.

deformación *f*. Alteración de las características morfológicas o anatómicas de una parte del organismo. 2 ~ *profesional*, conjunto de costumbres o puntos de vista equivocados debidos al ejercicio de algunas profesiones.

deformar *tr*. Alterar [una cosa] en su forma.

deforme *adj*. Que presenta una gran irregularidad o anomalía en su forma.

defraudar *tr*. Privar [a uno] con dolo o engaño de lo que le toca de derecho: ~ *a la hacienda;* ~ *de sus bienes a sus herederos*. 2 p. ext. Cometer un fraude en perjuicio de alguno: ~ *algo al, o del, depósito*. 3 fig. Frustrar, malograr [alguna cosa en que se confiaba]; decepcionar [a alguno]: ~ *las esperanzas*, o ~ *a uno en las esperanzas*. 4 fig. Turbar, quitar, embarazar: ~ *la claridad del día*.

defuera *adv. l*. Exteriormente o por la parte exterior: *se ve* ~.

defunción *f*. Muerte (cesación de la vida).

degeneración *f*. Alteración grave de la estructura de un tejido orgánico.

degenerado, -da *adj.-s*. Depravado, envilecido, muy vicioso.

degenerar *intr*. Decaer de las cualidades de su especie, de su raza, de su linaje: *estas plantas degeneran; la familia ha degenerado*. 2 Decaer, desdecir una persona o cosa de su primera calidad o estado: *las costumbres degeneran*. 3 Pasar de una condición o estado a otro contrario y peor: *de santo degeneró en monstruo*.

deglutir *intr.-tr*. Tragar [los alimentos].

degolladero *m*. Parte del cuello por donde se degüella al animal. 2 Sitio donde se degüella.

degolladura *f*. Herida hecha en la garganta. 2 Escote hecho en una vestidura. 3 Cama del arado. 4 Garganta, parte más estrecha de los balaustres y otras piezas por el estilo.

degollar *tr*. Cortar [la garganta o el cuello] a una persona o animal. 2 p. ext. Escotar [el cuello de las vestiduras]; matar el espada [al toro con estocadas mal dirigidas]. 3 fig. Hacerse en extremo antipática una persona [a otra]: *Juan me degüella*. 4 fig. Destruir, arruinar; especialmente, representar los actores mal [una obra dramática]. ◇ ** CONJUG. [31] como *contar*.

degradación *f*. Humillación, bajeza.

degradar *tr*. Deponer [a una persona] de las dignidades, honores, etc., que tiene. 2 Humillar, envilecer: *el vicio degrada al hombre*.

degüello *m*. Acción de degollar. 2 Parte más delgada del dardo o de otra arma o instrumento semejante.

degustar *tr*. Probar o catar alimentos o bebidas.

dehesa *f*. Tierra acotada destinada a pastos.

dehiscencia *f*. Acción de abrirse naturalmente el pericarpio de ciertos frutos o las antenas de una flor, para dar salida a la semilla o al polen. 2 Abertura espontánea de una parte o de un órgano que se había suturado durante una intervención quirúrgica.

dehiscente *adj.* [fruto] En que se produce la dehiscencia.

deíctico, -ca *adj.* Perteneciente o relativo a la deíxis. – 2 *m.* Elemento gramatical que realiza una deíxis.

deidad *f.* Divinidad. 2 Dios de los gentiles.

deificar *tr.* Divinizar (suponer divina). 2 Divinizar [una cosa] por medio de la participación de la gracia. 3 fig. Ensalzar excesivamente [a una persona]. 4 Representar [a un ser] ornado con los atributos de la divinidad. ◇ ** CONJUG. [1] como *sacar*.

deíxis *f.* Señalamiento que se realiza mediante ciertos elementos lingüísticos que muestran, como *este, ese*; que indican una persona, como *yo, vosotros*; un lugar, como *allí, arriba*; o un tiempo, como *ayer, ahora*. 2 Indicación que se realiza mediante un gesto, acompañando o no a un deíctico gramatical. ◇ Pl.: *deíxis*.

dejadez *f.* Pereza; negligencia de sí mismo o de sus cosas propias. 2 Debilidad física, decaimiento, flojera.

dejado, -da *adj.* Negligente; que no cuida de sí mismo o de sus cosas propias. 2 Abatido, decaído, débil.

dejar *tr.* Soltar [una cosa]; retirarse o apartarse [de ella] real o moralmente: *dejó el sombrero en la mesa; ~ a sus amigos, a sus hijos*, abandonarlos, desampararlos; *~ la ciudad*, ausentarse de ella; *la calentura dejó al enfermo*. 2 Retirarse, haciendo que [alguna persona o cosa] quede en un lugar: *~ el libro en casa*, olvidarlo; *~ sucesor*, nombrarlo; *~ los asuntos al hijo*, encomendárselos; esp., hablando de lo que uno posee al morir: *~ muchos hijos, ~ una gran fortuna; aquel negocio dejó mil pesetas*, las produjo de ganancia. 3 Hacer que alguien entre o continúe en posesión [de alguna cosa]: *le he dejado con las herramientas; nos ha dejado esta casita*, nos la ha legado; prestar: *déjame el gabán, un libro*. 4 No poner impedimento, consentir, permitir: *~ salir; ~ hablar*; complementando un infinitivo, hacerse lo que éste indica: *~ correr el agua*; complementando un infinitivo, hacerse lo que éste indica: *~ oír la voz*; *prnl.*, dejarse oír; fig., *~ correr una cosa*, permitirla. 5 No continuar [en una cosa]: *~ para mañana; ~ la carrera; prnl.*, *dejarse la carrera*; con verbos en infinitivo se usa seguido de la preposición *de* cuando se refiere a actos propios que cesan: *~ de escribir; ~ de existir*, morir. – 6 *auxiliar* Hacer que se produzcan situaciones expresadas con un participio: *~ dicho, escrito, sentido, satisfecho*; por un adjetivo o adverbio: *~ contento, ~ bien*; por un nombre o verbo precedidos de preposición: *~ por heredero; ~ en paz; ~ en ayunas; ~ en cueros; ~ con su tema; ~ sin acción; ~ por hacer; ~ por contar*. 7 Precedido del adverbio *no* y seguido de la preposición *de* y un verbo en infinitivo, hacer [lo que éste indica] a pesar de motivos en contra: *no dejará de escribir la carta*. – 8 *prnl.* Descuidarse de sí mismo; olvidar sus conveniencias o aseo. 9 Entregarse, darse a una ocupación: *se dejó a sus rezos*. 10 Abandonarse por desaliento o pereza; entregarse: *dejarse al arbitrio de la fortuna*. 11 Seguido de la preposición *de*, cesar en alguna cosa: *dejarse de dudas; dejarse de preguntas*.

deje *m.* Modo particular de pronunciación y de inflexión de la voz que acusa un estado de ánimo transitorio o peculiar del hablante. 2 Gusto que queda de la comida o bebida. 3 Placer o disgusto que queda después de una acción.

dejugar *tr.* Quitar el jugo [de algo]. ◇ ** CONJUG. [7] como *llegar*.

del Contracción de la preposición *de* y el artículo *el*: *la naturaleza del hombre* por *de el hombre*.

delación *f.* Denuncia. 2 Aviso secreto que se da a la autoridad de un hecho delictivo.

delantal *m.* Prenda de vestir que, atada a la cintura, se usa para cubrir el traje.

delante *adv. l.* Con prioridad de lugar, en la parte anterior o en un sitio donde da la cara de una persona o cosa. 2 Enfrente. – 3 *adv. m.* A la vista, en presencia: *decir algo ~ de testigos*. ◇ INCOR.: *delante nuestro, delante mío* por *delante de nosotros, delante de mí*.

delantera *f.* Parte anterior de una cosa: *la ~ de un coche; la ~ de un edificio; la ~ del patio de butacas de un teatro*. 2 Cuarto delantero de una prenda de vestir. 3 Espacio con que uno se adelanta a otro en el camino: *coger la ~*, adelantarse a uno; fig., aventajársele; anticipársele en algo. 4 DEP. Línea de ataque de un equipo deportivo.

delantero, -ra *adj.* Que está o va delante: *puerta delantera*.

delatar *tr.* Revelar a la autoridad un delito, designando [el autor], sin ser parte obligada del juicio el que delata. 2 Descubrir, revelar [una cosa]. – 3 *prnl.* Dar a conocer la intención involuntariamente.

delator, -ra *adj.-s.* Denunciador, acusador.

delco *m.* Sistema de encendido, usado en los **automóviles, basado en la corriente que produce una batería de acumuladores.

deleble *adj.* Que puede borrarse fácilmente.

delectación *f.* Deleite.

delegación *f.* Cargo de delegado. 2 Oficina del delegado. 3 Conjunto o reunión de delegados: *el ministro recibió a una ~ de aquella provincia*.

delegado, -da *adj.-s.* Persona en quien se delega una facultad o poder.

delegar *tr.* Dar una persona [a otra] la facultad o poder que aquélla tiene para que haga sus veces: *el tribunal delegó un juez para instruir* *el sumario.* 2 Transferir [el poder o autoridad de uno] a otra persona: ~ *sus poderes a fulano;* ~ *la presidencia de una junta a un vocal.* ◇ ** CONJUG. [7] como *llegar.*

deleitar *tr.* Producir deleite: *la música deleita el oído; me deleito con la lectura.*

deleite *m.* Placer del ánimo, de los sentidos.

deletéreo, -a *adj.* Mortífero, venenoso.

deletrear *intr.-tr.* Pronunciar separadamente las letras de cada sílaba, cada una de las sílabas de la palabra y luego la palabra entera. 2 Descifrar una por una las letras [de una inscripción, moneda o documento] difícil de leer. – 3 *tr.* fig. Adivinar, interpretar [lo obscuro y difícil de entender].

deleznable *adj.* Que se rompe, disgrega o deshace fácilmente. 2 Que se desliza y resbala con mucha facilidad. 3 fig. Inconsistente; de poca duración o resistencia. 4 fig. Despreciable.

I) delfín *m.* Mamífero cetáceo odontoceto, de dos a tres metros de longitud, con el hocico prolongado en forma de pico (gén. *Delphinus*).

II) delfín *m.* Sucesor, designado o probable, de un político o de una personalidad importante.

delga *f.* Chapita o varilla conductora que, aislada, forma el colector de una dinamo.

delgado, -da *adj.* Flaco, de pocas carnes, de poco grueso: *esta niña está muy delgada.* 2 Delicado, tenue, de poco grueso, suave: *hilo ~.* – 3 *m. pl.* Partes inferiores del vientre de los cuadrúpedos, hacia las ijadas.

deliberado, -da *adj.* Voluntario, intencionado: *acción deliberada.*

deliberar *intr.* Examinar atentamente el pro y el contra de una decisión: *el tribunal delibera.* – 2 *tr.* Decidir [una cosa] luego de cuidadoso examen: *deliberó hacerlo.*

delicadeza *f.* Cualidad de delicado. 2 Finura. 3 Atención y exquisito miramiento.

delicado, -da *adj.* Tenue, suave, tierno: *perfume ~; sentimientos delicados.* 2 fig. Bien parecido: *rostro ~.* 3 Sensible a las menores impresiones, quebradizo, fácil de deteriorarse: *piel delicada; vaso ~; color ~.* 4 Débil, enfermizo. 5 Que exige mucho cuidado o habilidad: *operación delicada; situación delicada.* 6 Dotado de una gran finura de apreciación, sutil: *gusto ~; paladar ~.* 7 Ingenioso, agudo. 8 Difícil de contentar, suspicaz, fácil de resentirse. 9 Que procede con escrupulosidad o miramiento. 10 Atento, fino, cortés.

delicia *f.* Placer muy intenso del ánimo. 2 Placer sensual muy vivo. 3 Aquello que lo causa. 4 Bizcocho relleno de mermelada, crema, cabello de ángel, etc., y enrollado.

delicioso, -sa *adj.* Capaz de causar delicia.

delictivo, -va *adj.* [acto] Que constituye delito.

delicuescente *adj.* [cuerpo] Que tiene la propiedad de absorber la humedad del aire y disolverse en ella. 2 fig. Inconsistente, sin vigor, decadente; especialmente, las costumbres y estilos literarios y artísticos.

delimitar *tr.* Señalar los límites [de algo]: ~ *una finca;* ~ *las atribuciones.*

delincuencia *f.* Calidad de delincuente: ~ *juvenil.* 2 Conjunto de delitos.

delincuente *adj.-com.* Que delinque.

delineante *com.* Que tiene por oficio trazar planos.

delinear *tr.* Trazar las líneas [de una figura], especialmente las principales, los contornos.

delinquir *intr.* Cometer un delito. ◇ ** CONJUG. [9].

delirar *intr.* Hallarse en estado de delirio. 2 fig. Decir o hacer despropósitos o disparates.

delirio *m.* Estado de perturbación mental, causado por una enfermedad, que se manifiesta por excitación, alucinaciones e incoherencia de las ideas. 2 Estado de excitación violenta en que se deja de obedecer a la razón. 3 fig. Despropósito, disparate.

delírium trémens *m.* Enfermedad debida al abuso de las bebidas alcohólicas que se manifiesta por un delirio acompañado de temblores.

delito *m.* Culpa, crimen, violación de la ley. 2 Acción u omisión voluntaria, castigada por la ley con pena grave.

delta *f.* Cuarta letra del alfabeto griego. 2 Ala delta. – 3 *m.* Zona triangular formada por sedimentos arrastrados por un **río, y depositados en su desembocadura: *el ~ del Ebro, del Nilo;* **costa.

deltoides *adj. adj.-m.* **Músculo triangular situado en el hombro, que sirve para levantar el brazo.

demacrarse *prnl.-tr.* Perder carnes por causa física o moral.

demagogia *f.* Dominación tiránica del pueblo. 2 Halago de las pasiones del pueblo, para hacerla instrumento de la propia ambición política.

demanda *f.* Solicitud, petición. 2 Pregunta. 3 Busca: *ir en ~ de una persona o cosa.* 4 Pedido de mercancías: *la oferta y la ~.* 5 Petición que un litigante sustenta en el juicio.

demandado, -da *m. f.* Persona contra quien se actúa, o a quien se pide algo en juicio.

demandante *adj.-com.* Que demanda. – 2 *com.* Persona que demanda en un juicio.

demandar *tr.* Pedir, desear, apetecer o preguntar [una cosa]. 2 Presentar una demanda judicial contra [alguien].

demarcación *f.* Terreno demarcado. 2 En las divisiones territoriales, parte comprendida en cada jurisdicción. 3 Línea natural o convencional de separación entre dos estados o territorios.

demarcar *tr.* Señalar o marcar los límites

[de un país o terreno]. ◇ ** CONJUG. [1] como *sacar.*

demás *adj.-pron. indef.* Precedido de los artículos *lo, la, los* y *las,* lo otro, la otra, los otros o los restantes, las otras: *Juan y los ~ compañeros.* 2 *Y ~,* otras personas o cosas, etc.: *llegaron los hijos, las hijas y ~.* 3 **loc. adv. Por ~,** en vano, inútilmente; en demasía: *por lo ~,* por lo que hace relación a otras consideraciones.

demasía *f.* Exceso: *en ~,* excesivamente.

demasiado, -da *adj.-pron. indef.* Que es en demasía, que tiene demasía. – 2 *adv. c.* En demasía: *escribe ~.*

demediar *tr.* Partir, dividir en mitades. 2 Cumplir la mitad [del tiempo, edad o carrera que se ha de vivir, andar, etc.]. 3 Usar o gastar [una cosa] haciéndole perder la mitad de su valor. ◇ ** CONJUG. [12] como *cambiar.*

demencia *f.* Locura (privación del juicio). 2 MED. Estado de debilidad, generalmente progresivo y fatal, de las facultades mentales. 3 fig. *y* fam. Desatino, disparate.

demente *adj.-s.* Loco, falto de juicio. 2 MED. Que padece demencia (debilidad mental).

demérito *m.* Lo que hace desmerecer. 2 Falta de mérito.

demiurgo *m.* En la filosofía platónica, creador y ordenador del mundo. 2 Principio activo del mundo, según los gnósticos.

democión *f.* Pérdida progresiva de los privilegios y derechos de una persona.

democracia *f.* Régimen político en que el pueblo ejerce la soberanía. 2 Doctrina política favorable a la intervención del pueblo en el gobierno. 3 Tendencia a mejorar la condición del pueblo. 4 Conjunto de los demócratas de un país. 5 País gobernado en régimen democrático: *las democracias occidentales, americanas.*

demócrata *adj.-com.* Partidario de la democracia.

democrático, -ca *adj.* Relativo a la democracia.

democratizar *tr.* Hacer democrática [una sociedad, ley, institución, etc.]. 2 Hacer [algo] accesible a un gran número de personas. ◇ ** CONJUG. [4] como *realizar.*

demodulación *f.* Fenómeno inverso a la modulación de las ondas eléctricas.

demografía *f.* Estudio estadístico de la población.

demoler *tr.* Deshacer, derribar o arruinar [una construcción material o figurada]. ◇ ** CONJUG. [32] como *mover.*

demología *f.* Ciencia que estudia el folclore de un país.

demonio *m.* Diablo. 2 Uno de los tres enemigos del alma, según el catecismo de la doctrina cristiana. 3 fig. Persona fea, mala o de increíble astucia.

demonismo *m.* Fe en la existencia de seres espirituales y en las prácticas de magia.

demonolatría *f.* Culto supersticioso rendido al diablo.

demora *f.* Dilación. 2 DER. Tardanza en el cumplimiento de una obligación desde que es exigible.

demorar *tr.* Retardar. – 2 *intr.* Detenerse en un sitio.

demos *m.* Conjunto de individuos que forman una unidad política. ◇ Pl.: *demos.*

demoscopia *f.* Técnica de estudio de las orientaciones y pareceres de la opinión pública sobre alguna cuestión.

demóstenes *m.* fig. Hombre muy elocuente. ◇ Pl.: *demóstenes.*

demostración *f.* Razonamiento con que se hace evidente la verdad de una proposición. 2 Comprobación de un principio o teoría con un ejemplo o hecho cierto. 3 Manifestación exterior de sentimientos o intenciones: *demostraciones de amistad, de respeto.* 4 Ostentación o manifestación pública de fuerza, poder, riqueza, etc.

demostrar *tr.* Probar [alguna cosa] sirviéndose de cualquier género de demostración. 2 Manifestar [alguna cosa] con evidencia o con muestras inequívocas: *~ alegría; ~ impaciencia; ~ más edad de la que se tiene.* ◇ ** CONJUG. [31] como *contar.*

demostrativo, -va *adj.* Que demuestra. – 2 *adj.-m.* GRAM. Que sirve para indicar la situación relativa de las personas o cosas como si las señalara. Realizan esta función los *adjetivos demostrativos* (este, ese, aquel), los *pronombres demostrativos* (éste, ése, aquél) y los *adverbios demostrativos* (aquí, acá, allí, así, etc.).

demudar *tr.* Mudar, variar, alterar, disfrazar o desfigurar [una cosa]. – 2 *prnl.* Cambiarse repentinamente el color, el gesto o la expresión del semblante. 3 Alterarse, inmutarse.

denario *adj.-m.* Que se refiere al número diez o lo contiene.

dendriforme *adj.* De figura de árbol.

dendrita *f.* Concreción mineral arborescente que suele presentarse en las fisuras y juntas de las rocas. 2 Prolongación protoplásmica ramificada de una célula nerviosa.

dendrocronología *f.* Rama de la botánica que establece la edad de un árbol o sus vicisitudes climáticas y ecológicas de tiempos pasados a través de los anillos de crecimiento anual.

dendrometría *f.* Disciplina que se ocupa de la medición del tamaño, volumen, peso, etc., de los árboles.

denegar *tr.* No conceder [lo que se pide o solicita]. ◇ ** CONJUG. [48] como *regar.*

denegrido, -da *adj.* De color que tira a negro, ennegrecido.

dengue *m.* Melindre mujeril consistente en afectar males y disgustos de lo que más se desea. 2 Enfermedad epidémica caracterizada por fiebre, dolores en los miembros y un exantema seguido de descamación.

denigrar *tr.* Hablar mal [de una persona o cosa] para destruir su buena fama u opinión. 2 Injuriar (inferir injuria).

denodado, -da *adj.* Que tiene o muestra denuedo.

denominación *f.* Nombre o renombre con que se distinguen las personas y las cosas: ~ *de origen,* garantía oficial de la procedencia y calidad de ciertos productos agropecuarios, como vinos, quesos, aceites y embutidos.

denominador, -ra *adj.-s.* Que denomina. – 2 *m.* En un quebrado, guarismo que indica las partes iguales en que se considera dividida la unidad: *común* ~, número múltiplo de todos los de un conjunto de fracciones.

denominar *tr.* Nombrar o distinguir con un nombre o renombre particular [una persona o cosa].

denostar *tr.* Injuriar gravemente; infamar de palabra [a alguien] en su presencia. ◇ ** CONJUG. [31] como *contar.*

denotar *tr.* Indicar o significar [algo], especialmente mediante alguna señal: *esas palabras denotan su desdén.*

densidad *f.* Calidad de denso. 2 Relación entre la masa y el volumen de una substancia; o entre la masa de una substancia y la masa de un volumen igual de otra substancia tomada como patrón. 3 ~ *de población,* número de habitantes por unidad de superficie.

densificar *tr.-prnl.* Hacer densa [una cosa]. ◇ ** CONJUG. [1] como *sacar.*

densimetría *f.* Medición de la densidad de los cuerpos.

denso, -sa *adj.* Compacto, que contiene mucha materia en poco espacio. 2 Craso, espeso, engrosado. 3 fig. Obscuro, confuso.

dentado, -da *adj.* Que tiene dientes, o puntas parecidas a ellos: **hoja dentada.*

dentadura *f.* Conjunto de **dientes de una persona o animal. 2 Dientes postizos.

I) dental *m.* Palo donde se encaja la reja del arado. 2 Piedra o hierro cortante del trillo.

II) dental *adj.* Relativo a los dientes. – 2 *adj.-s.* Sonido consonante articulado con la punta o el predorso de la lengua aplicada a los dientes incisivos superiores, y letra que lo representa; como la *d* y la *t.*

dentalizar *tr.* Articular [un sonido] hacia la región dental, por influencia de las consonantes dentales vecinas: la *n* se dentaliza en las palabras *fuente, antes, honda.* ◇ ** CONJUG. [4] como *realizar.*

dentejón *m.* Yugo con que se uncen los bueyes a la carreta.

dentellada *f.* Acción de mover la quijada con alguna fuerza sin mascar cosa alguna. 2 Herida que dejan los dientes en la parte donde muerden.

dentera *f.* Sensación desagradable experimentada en los dientes y encías al comer ciertas cosas, oír ciertos ruidos o tocar determinados cuerpos.

dentición *f.* Tiempo en que se echa la dentadura. 2 Clase y número de dientes que caracteriza a un animal mamífero, según su especie.

denticonejuno, -na *adj.* [caballería] Con dientes que no permiten apreciar la edad del animal.

dentículo *m.* Adorno en forma de paralelepípedo rectángulo que se coloca alineado en la parte superior del friso del orden jónico y en otros miembros arquitectónicos. 2 Órgano o parte de él en figura de diente pequeño; como los de ciertas hojas y los de la epidermis de ciertos animales.

dentífrico, -ca *adj.-m.* Substancia que sirve para limpiar los dientes: *pasta dentífrica; un* ~. ◇ INCOR.: *dentrífico.*

dentina *f.* Marfil de los dientes.

dentista *adj.-com.* [pers.] Que por profesión o estudio se dedica a la odontología y prótesis dental.

dentivano, -na *adj.* [caballería] Que tiene los dientes muy largos, anchos y ralos.

dentón *m.* Pez marino teleósteo perciforme, comestible, de cuerpo oval, comprimido, de hasta 1 m. de longitud, de color gris plateado con reflejos y con dos de sus dientes salientes *(Dentex dentex).*

dentro *adv. l. t.* A o en la parte interior de un espacio limitado: ~ *de un cajón;* en un tiempo entre el momento inicial y el final: ~ *de un año;* en lo interior de un espacio o término imaginario: ~ *de mi alma.*

dentudo, -da *adj.-s.* Que tiene dientes desproporcionados.

denuedo *m.* Brío, esfuerzo, intrepidez.

denuesto *m.* Injuria grave de palabra.

denuncia *f.* Notificación a la autoridad competente de una violación de la ley penal perseguible de oficio.

denunciar *tr.* Noticiar, avisar; especialmente dar a la autoridad parte o noticia [de un daño hecho]. 2 Delatar. 3 Pronosticar. ◇ ** CONJUG. [12] como *cambiar.*

deontología *f.* Teoría o tratado de los deberes, especialmente los relativos a una situación social dada: ~ *médica.*

deparar *tr.* Suministrar, proporcionar, conceder [una cosa]. 2 Poner delante, presentar [una cosa].

departamento *m.* Parte en que se divide un territorio, un edificio, un vehículo, una caja, etc. 2 Ministerio o ramo de la administración. **3** Distrito a que se extiende la jurisdicción de un capitán general de marina. **4** En las universidades, unidad de docencia, de investigación y económica, formada por una o varias áreas de conocimiento de materias afines. **5** *Argent., Chile, Perú* y *Urug.* Apartamento.

departir *intr.* Conversar: ~ *con alguno* o *sobre algo.*

depauperar *tr.-prnl.* Empobrecer. **2** Debilitar, extenuar [el organismo o una de sus partes].

dependencia *f.* Hecho de depender de una persona o cosa: *hallarse bajo la* ~ *de uno.* **2** Habitación o espacio dedicados a los servicios de una casa.

depender *intr.* Estar condicionada una cosa con otra, estar conexa con otra cosa o seguirse a ella. **2** Estar subordinada una cosa a otra, de la que forma parte. **3** Estar una persona bajo el dominio o autoridad de otra, necesitar del auxilio o protección de ésta.

dependienta *f.* Empleada que tiene a su cargo atender a los clientes en las tiendas.

dependiente *adj.* Que depende: *sucursal* ~ *de una oficina central.* – **2** *m.* Empleado, especialmente de comercio.

depilar *tr.-prnl.* Quitar el pelo o vello [de una parte del cuerpo], bien arrancándolo, bien por medios químicos: ~ *los brazos;* ~ *las piernas.*

depilatorio, -ria *adj.-m.* Que sirve para depilar: *crema depilatoria.*

deplorable *adj.* Lamentable, digno de ser deplorado.

deplorar *tr.* Sentir viva y profundamente [algo].

deponer *tr.* Dejar, separar, apartar de sí: ~ *la cólera;* ~ *las armas,* cesar en la lucha. **2** Bajar o quitar [una cosa del lugar en que está]: ~ *una imagen.* **3** Privar [a una persona] de su empleo, retirarle sus honores, dignidades, etc.; degradarla: ~ *a un funcionario;* ~ *a un rey.* **4** Afirmar, atestiguar: *Pedro depone que ha visto lo ocurrido;* esp., declarar ante la autoridad judicial. **5** Evacuar el vientre. ◇ ** CONJUG. [78] como *poner;* pp. irreg.: *depuesto.*

deportación *f.* Pena que consiste en deportar a un culpable.

deportar *tr.* Transportar [a un condenado] a un lugar lejano del que no debe salir.

deporte *m.* Recreación, pasatiempo, generalmente al aire libre. **2** Juego o ejercicio en que se hace prueba de agilidad, destreza o fuerza y que aprovecha al cuerpo y al espíritu.

deportista *com.-adj.* Persona aficionada a los deportes o entendida en ellos.

deportividad *f.* Calidad de deportivo; especialmente, comportamiento caballeroso en los deportes.

deportivo, -va *adj.* Relativo al deporte. **2**

Que se ajusta a las normas de corrección que el consenso general estima deben observarse en la práctica de los deportes. – **3** *adj.-m.* Automóvil de dos puertas, carrocería aerodinámica y muy veloz.

deposición *f.* Exposición o declaración de una cosa. **2** Evacuación de vientre. **3** Privación o degradación de empleo o dignidad.

depositar *tr.* Confiar a uno [una cosa] sobre su palabra; especialmente, poner [bienes o valores] bajo la custodia de persona abonada: ~ *valores en un Banco;* fig., ~ *la confianza,* ~ *la fama,* etc., *en alguno.* **2** Colocar [algo] en un sitio determinado por un tiempo; en general, encerrar, contener. **3** Sedimentar. – **4** *prnl.* Caer en el fondo de un líquido una materia que esté en suspensión.

depósito *m.* Cosa depositada. **2** Lugar o paraje donde se deposita. **3** Recipiente que sirve para contener un líquido: ~ *de gasolina de un* **automóvil** o *una* **motocicleta.** **4** ~ *de cadáveres,* lugar, generalmente provisto de refrigeración, donde se depositan los cadáveres que por motivo de investigación científica o judicial no pueden ser enterrados en el tiempo habitual.

depravado, -da *adj.-s.* Demasiado viciado en las costumbres.

depravar *tr.-prnl.* Viciar, corromper.

deprecar *tr.* Rogar, suplicar con instancia o eficacia [una cosa]. ◇ ** CONJUG. [1] como *sacar.*

depreciación *f.* Disminución del valor o precio de una cosa. **2** Pérdida de valor de una moneda en el mercado libre de dinero.

depreciar *tr.* Disminuir el valor o precio [de una cosa]. – **2** *intr.* Perder valor [una moneda en el mercado libre de dinero]: *la moneda ha sido depreciada en un 5%.* ◇ ** CONJUG. [12] como *cambiar.*

depredación *f.* Saqueo con violencia y devastación. **2** Malversación o exacción injusta por abuso de autoridad o confianza.

depredador, -ra *m. f.* El que depreda. **2** Animal que caza a otros animales.

depredar *tr.* Saquear con violencia o devastación. **2** Cazar para su subsistencia algunos animales a otros de cierto tamaño.

depresión *f.* Baja, descenso en general. **2** Concavidad de alguna extensión en un terreno u otra superficie. **3** Síndrome caracterizado por una tristeza profunda e inmotivada y por la inhibición o disminución de las funciones psíquicas. **4** Período de baja actividad económica general.

deprimido, -da *adj.* Que sufre depresión fisiológica o moral.

deprimir *tr.* Reducir el volumen [de un cuerpo] por medio de la presión: *el peso del aire deprime la columna barométrica.* **2** Humillar, rebajar [a una persona o cosa]; producir decaimiento de ánimo: *le deprimen más de lo que merece; la noticia deprimió su ánimo; la abundancia deprime los precios.* – 3 *prnl.* Disminuir el volumen de un cuerpo o deformarse por virtud de un hundimiento.

deprisa *adv. m.* Aprisa.

depurado, -da *adj.* Pulido, trabajado, elaborado cuidadosamente.

depurador, -ra *m.* Dispositivo, aparato o procedimiento para depurar las aguas potables, el gas del alumbrado, etc.

depurar *tr.* Quitar las impurezas [de una cosa]: ~ *un lenguaje;* ~ *la sangre.* 2 Eliminar de un cuerpo, organización, partido político, etc., a los miembros considerados como disidentes.

dequeísmo *m.* Uso incorrecto o abusivo de la preposición *de* y la conjunción *que:* en *le dije de que viniera.*

derby *m.* Competición hípica importante. 2 Encuentro deportivo de rivalidad local o regional.

derechazo *m.* Bofetada, golpe, pase de muleta, etc., dado con la mano derecha.

derechismo *m.* Doctrina política de derecha. 2 Calidad de derechista.

derecho, -cha *adj.* Recto, sin torcerse a un lado ni a otro. 2 Justo, fundado, legítimo: *a derechas,* como es debido. 3 Vertical, en oposición a inclinado. 4 [parte del cuerpo] Que está situado en el lado opuesto al corazón: *brazo* ~; *pierna derecha.* 5 Que está situado, con respecto al hombre, en el lado opuesto al corazón: *el ala derecha de un ejército; el ala derecha de un edificio.* 6 [parte de un río] Que queda a la derecha de quien se coloca mirando hacia donde corren las aguas. 7 [forma y movimiento helicoidal] Que avanza cuando gira en el mismo sentido que las manecillas de un reloj. – 8 *m.* Facultad de hacer una cosa no prohibida o de hacer o exigir todo lo que la ley o la autoridad establece en nuestro favor o nos permite quien puede hacerlo. 9 Justicia, razón. 10 Conjunto de leyes, preceptos y reglas a que están sometidos los hombres en toda sociedad civil. 11 Ciencia que estudia las leyes y su aplicación: *tratado de* ~ *administrativo; facultad de* ~. 12 Lado mejor labrado de una tela, papel, tabla, etc. – 13 *m. pl.* Que el estado, una provincia, una ciudad o un particular, tiene derecho a cobrar: *derechos aduaneros; derechos materiales; los derechos de un autor.* – 14 *f.* Mano derecha. 15 En las asambleas parlamentarias, conjunto de los representantes de los partidos conservadores. 16 p. ext. Conjunto de personas que profesan ideas conservadoras. – 17 *adj. Amér.* Afortunado, feliz.

deriva *f.* Desplazamiento lento que, por cualquier causa, experimenta el nivel de una señal, la sintonía de un receptor de radio, etc.

derivación *f.* Conexión de un circuito eléctrico respecto a otro a la misma diferencia de potencial. 2 GRAM. Acción o procedimiento para derivar las palabras. 3 GRAM. Palabra derivada.

derivar *intr.-prnl.* Traer su origen de alguna cosa: ~, o *derivarse, de gran autoridad.* 2 MAR. Abatir (separarse del rumbo). – 3 *tr.* Encaminar, conducir [una cosa]: *derivamos la atención hacia el mar.* 4 Formar [una palabra] de otra cambiando su forma o añadiéndole un sufijo; o bien, dar a una palabra otro significado cambiando su función.

dermáptero *adj.-m.* Insecto del orden de los dermápteros. – 2 *m. pl.* Orden de insectos pterigotos de pequeñas dimensiones y abdomen terminado en pinzas; las alas son pequeñas, las anteriores coriáceas y las posteriores membranosas; como la tijereta.

dermatitis *f.* Inflamación de la piel. ◇ Pl.: *dermatitis.*

dermatoesqueleto *m.* Tegumento endurecido y rígido que recubre exteriormente el cuerpo de los artrópodos y otros invertebrados.

dermatología *f.* Parte de la medicina que trata de las enfermedades de la piel.

dermis *f.* Capa de tejido conjuntivo situada debajo de la epidermis y que, con ésta, forma la piel. ◇ Pl.: *dermis.*

derogación *f.* Disminución, deterioración.

derogar *tr.* Anular o modificar [una ley o precepto] con una nueva ley o precepto. 2 Destruir, suprimir. ◇ ** CONJUG. [7] como *llegar.*

derramar *tr.-prnl.* Dejar salir de un recipiente y esparcir [líquidos o cosas menudas]: ~ *al, en, o por, el suelo,* o *derramarse agua,* etc. – 2 *tr.* Repartir o distribuir entre los vecinos de una localidad [los impuestos o pechos]. 3 fig. Publicar, divulgar [una noticia]. – 4 *prnl.* Esparcirse, desmandarse con desorden y confusión: *los sublevados se han derramado por la ciudad.* 5 Desembocar una corriente de agua.

derrame *m.* Porción de un líquido o de un árido que se desperdicia al medirlo o que se sale y pierde del recipiente que lo contiene. 2 Corte oblicuo en el muro de una **puerta o ventana para que sus hojas se puedan abrir más. 3 MED. Salida anormal al exterior, o acumulación anormal en una cavidad, de un líquido orgánico.

derrapar *intr.* Patinar un vehículo desviándose lateralmente de la dirección que llevaba.

derredor *m.* Circuito, contorno de una cosa.

derrengar *tr.-prnl.* Descaderar, lastimar el espinazo o los lomos [de una persona o animal]. 2 Torcer, inclinar [alguna cosa] a un lado más que a otro. 3 fig. Cansarse, fatigarse en exceso. ◇ ** CONJUG. [48] como *regar* en los clásicos. En autores modernos se hallan ejemplos sin diptongo.

derretir *tr.-prnl.* Liquidar por medio del calor [una cosa sólida]. – 2 *tr.* Gastar, disipar [la hacienda]. – 3 *prnl.* fam. Deshacerse, estar lleno de impaciencia o inquietud. ◇ ** CONJUG. [34] como *servir*.

derribar *tr.* Demoler, echar a tierra [cosas u otras construcciones]. En general, transformar, echar a rodar [lo que está puesto en alto]: ~ *al valle;* ~ *de la cumbre;* ~ *en,* o *por, tierra.* 2 Hacer dar en el suelo [a una persona, animal o cosa], empujándolos o haciéndolos caer con garrocha. 3 fig. Hacer perder [a una persona] la privanza, cargo o estimación adquirida. 4 Sujetar, abatir [los afectos desordenados del ánimo].

derribo *m.* Materiales que quedan después de la demolición.

derrocadero *m.* Sitio de muchas rocas, de donde hay peligro de caer y precipitarse.

derrocar *tr.* Despeñar, precipitar, desde una peña o una roca: ~ *de la cumbre;* ~ *en,* o *por, tierra.* 2 fig. Echar por tierra, arruinar [un edificio]: ~ *al suelo.* 3 fig. Derribar [a uno] del estado o fortuna que tiene. 4 fig. Enervar, precipitar [una cosa espiritual o intelectual]. ◇ ** CONJUG. Puede ser irregular [49] como *trocar*, y así lo usaron los clásicos; pero en la lengua moderna son frecuentes las autoridades que lo emplean sin diptongar, [1] como *sacar*.

derrochar *tr.* Dilapidar. 2 fig. *y* fam. Tener una cosa buena en cantidad: *derrocha amabilidad.*

I) derrota *f.* Camino, vereda o senda de tierra. 2 Rumbo de una embarcación al navegar. 3 Dirección pretendida del desplazamiento de un vehículo.

II) derrota *f.* Vencimiento completo de un ejército seguido generalmente de fuga desordenada. 2 fig. Ruina, desastre.

derrotado, -da *adj.* fam. Deprimido, sobrepasado por los acontecimientos.

derrotar *tr.* Vencer y hacer huir [al ejército contrario]. 2 Vencer a los contrarios en una discusión, campaña, pelea, encuentro deportivo, etc. – 3 *prnl.* Derrumbarse ante las contrariedades.

derrote *m.* Cornada que da el toro levantando la cabeza.

derrotero *m.* Línea señalada en la carta de marear, para gobierno de los pilotos en los viajes. 2 Dirección dada por escrito para un viaje de mar. 3 Libro que contiene estos caminos. 4 fig. Camino tomado para lograr el fin propuesto.

derrotista *adj.* [pers.] Que en tiempo de guerra habla o escribe presagiando directa o indirectamente la derrota de su país, bien por pesimismo, bien con intención maliciosa: *actitud* ~; *rumores derrotistas.* 2 Pesimista.

derrubiar *tr.* Robar lentamente una corriente de agua [la tierra de las riberas]. ◇ ** CONJUG. [12] como *cambiar*.

derruir *tr.* Derribar o arruinar [un edificio]. ◇ ** CONJUG. [62] como *huir*.

derrumbar *tr.-prnl.* Precipitar, despeñar.

desabarrancar *tr.* Sacar de un barranco, barrizal o pantano [lo que está atascado]. 2 fig. Sacar [a uno] de una dificultad. ◇ ** CONJUG. [1] como *sacar*.

desabastecer *tr.* Privar del abastecimiento [a una persona o pueblo]. ◇ ** CONJUG. [43] como *agradecer*.

desaborido, -da *adj.* Sin sabor. 2 Sin substancia. – 3 *adj.-s.* fig. [pers.] De carácter indiferente o soso.

desabotonar *tr.* Desasir los botones [de una prenda de vestir].

desabrido, -da *adj.* De poco o ningún sabor: *manjar* ~; *fruta desabrida.* 2 De mal sabor. 3 [tiempo] Destemplado, desigual. 4 fig. Áspero y desapacible en el trato.

desabrimiento *m.* Falta de sazón: *el* ~ *de un manjar, de una fruta.* 2 fig. Desazón interior. 3 Aspereza en el trato.

desabrochar *tr.* Desasir los broches, corchetes, botones, etc. [de una prenda de vestir].

desacatar *tr.* Faltar a la reverencia o respeto que se debe [a uno]. 2 Desobedecer, o no cumplir [una norma, ley, orden, etc.].

desacelerar *tr.* Retardar, retrasar, quitar celeridad.

desacerbar *tr.* Templar, quitar lo áspero y agrio [a una cosa].

desacertado, -da *adj.* Que yerra u obra sin acierto.

desacierto *m.* Dicho o hecho desacertado.

desaclimatar *tr.* Cambiar de clima [a una persona].

desacomodado, -da *adj.* [pers.] Que no tiene los medios y conveniencias competentes para mantener su estado.

desacomodar *tr.* Privar de la comodidad [a una persona o cosa].

desaconsejado, -da *adj.-s.* Que obra sin consejo ni prudencia, y sólo por capricho.

desaconsejar *tr.* Disuadir, aconsejar no hacer [una cosa].

desacoplar *tr.* Separar [lo que estaba acoplado].

desacordar *tr.* Destemplar [un instrumento músico] o templarlo de modo que esté más alto o más bajo que el que da el tono. ◇ ** CONJUG. [31] como *contar*.

desacorde *adj.* Que no iguala o concuerda con otra cosa; y especialmente [instrumento músico] desafinado o de distinto tono.

desacostumbrado, -da *adj.* Fuera del uso y del orden común.

desacotar *tr.* Levantar el coto [de un terreno].

desacreditar *tr.* Disminuir el crédito o reputación [de una persona] o el valor y estimación [de una cosa].

desactivar *tr.* Anular cualquier potencia activa, como la de explosivos, procesos físicos y químicos, planes económicos, etc.: ~ *una bomba.* 2 Suprimir la actividad propia de una substancia.

desacuerdo *m.* Discordia o disconformidad en los dictámenes o acciones: *estar en* ~.

desadormecer *tr.-prnl.* Despertar, despabilar [a uno]. 2 *fig.* Desentumecer [un miembro]. ◇ ** CONJUG. [43] como *agradecer.*

desadornar *tr.* Quitar el adorno o compostura [de una persona o cosa].

desafecto, -ta *adj.* Que no siente estima por una cosa o muestra hacia ella desvío o indiferencia.

desaferrar *tr.* Desasir, soltar [lo que está aferrado]. 2 *fig.* Sacar [a uno] del dictamen que tenazmente defiende. 3 MAR. Levantar [las áncoras] para navegar. ◇ ** CONJUG.: como *aferrar,* podía ser irregular [27] (como *acertar*), en los siglos XVI y XVII. Hoy se usa como regular: *desaferra.*

desafiar *tr.* Retar, provocar [a uno] a singular combate, contienda o discusión. 2 Competir [con uno] en cosas que requieren fuerza o destreza. 3 *fig.* Competir, oponerse una cosa [a otra]: *el barco desafiaba la tempestad.* 4 Enfrentarse a las opiniones o mandatos de una persona. 5 Afrontar con valentía [una situación difícil]. ◇ ** CONJUG. [13] como *desviar.*

desafición *f.* Falta de afición, desafecto.

desafinar *intr.-prnl.* Apartarse [la voz o el instrumento] de la debida entonación. – 2 *intr. fig.* Decir en una conversación cosa indiscreta o inoportuna.

desafío *m.* Acción de desafiar. 2 Efecto de desafiar.

desaforado, -da *adj.* Que obra sin ley ni fuero, atropellando por todo. 2 Que es o se expide contra ley o privilegio. 3 *fig.* Grande en exceso, desmedido, fuera de lo común.

desaforar *tr.* Quebrantar los fueros y privilegios que corresponden [a uno]. 2 Privar [a uno] del fuero o exención que goza por causa injustificada. – 3 *prnl.* Descomponerse, atreverse, descomedirse. ◇ ** CONJUG. [31] como *contar.*

desafortunado, -da *adj.* Sin fortuna. 2 Desacertado, no oportuno: *una intervención desafortunada.*

desafuero *m.* Acto violento contra la ley. 2 p. ext. Acción contraria a las buenas costumbres o a los consejos de la sana razón.

desagradable *adj.* Que desagrada: ~ *al gusto;* ~ *con,* o *para,* o *para con, las gentes.*

desagradar *intr.-prnl.* Causar desagrado.

desagradecer *tr.* No agradecer [el beneficio recibido]. ◇ ** CONJUG. [43] como *agradecer.*

desagrado *m.* Disgusto, descontento. 2 Expresión de disgusto en el trato o en el semblante: *mostrar* ~.

desagraviar *tr.* Reparar el agravio hecho [a uno]. 2 Compensar el perjuicio causado [a uno]. ◇ ** CONJUG. [12] como *cambiar.*

desaguadero *m.* Conducto o canal de desagüe.

desaguar *tr.* Extraer, echar el agua [de un lugar]: ~, o *desaguarse, un pantano por las esclusas.* – 2 *intr.* Entrar o desembocar los ríos en el mar. ◇ ** CONJUG. [22] como *averiguar.*

desagüe *m.* Sistema de evacuación para las aguas residuales.

desaguisado, -da *adj.* Hecho contra la ley o la razón. – 2 *m.* Agravio, denuesto, acción descomedida. 3 *fig.* Destrozo o fechoría.

desahijar *tr.* Apartar en el ganado las crías [de las madres]. – 2 *prnl.* Enjambrar mucho las abejas, empobreciendo la colmena. ◇ ** CONJUG. [15] como *aislar.*

desahogado, -da *adj.* Descarado, descocado. 2 Despejado, holgado, espacioso. 3 [pers.] Que vive con desahogo: *posición desahogada.*

desahogar *tr.* Consolar, aliviar [a uno] en sus necesidades o aflicciones. – 2 *tr.-prnl.* Dar rienda suelta [a los deseos o pasiones]. – 3 *prnl.* Repararse, recobrarse del calor o la fatiga. 4 Desempeñarse, salir del ahogo de las deudas contraídas. 5 Hacer confidencias una persona a otra, expansionarse: *desahogarse de su pena.* ◇ ** CONJUG. [7] como *llegar.*

desahogo *m.* Alivio de la pena, trabajo o aflicción. 2 Expansión, esparcimiento. 3 Desembarazo, libertad. 4 Desvergüenza, descaro. 5 *fig.* Comodidad, bienestar: *vivir con* ~.

desahuciar *tr.* Quitar [a uno] las esperanzas de conseguir lo que desea. 2 Considerar el médico [al enfermo] sin esperanza de salvación. 3 Despedir o expulsar [al inquilino o arrendatario] el dueño de la finca. ◇ ** CONJUG. [12] como *cambiar.*

desahumado, -da *adj.* [licor] Que ha perdido fuerza por evaporación de parte de su substancia.

desairado, -da *adj. fig.* [pers.] Que no queda airoso en lo que pretende. 2 *fig.* Menospreciado, desatendido.

desairar *tr.* Desatender [a una persona] o desestimar [una cosa].

desaire *m.* Falta de garbo y donaire. 2 Afrenta, menosprecio, vergüenza.

desajustar *tr.* Desconcertar [cosas que estaban ajustadas]. – 2 *prnl.* Desconvenirse, apartarse del ajuste o concierto hecho o próximo a hacerse.

desajuste *m.* Desconcierto, desarreglo.

desalado, -da *adj.* Acelerado, ansioso.

I) desalar *tr.* Quitar la sal [a una cosa] o la salinidad [del agua del mar]: ~ *la cecina.*

II) desalar *tr.* Quitar las alas [a un ave]. – 2 *prnl. fig.* Andar o correr con suma aceleración. 3 *fig.* Sentir vehemente anhelo por conseguir una cosa.

desalentar *tr.-prnl.* Hacer dificultoso el aliento [de uno] por fatiga o cansancio. 2 fig. Quitar el ánimo, acobardar [a uno]. ◇ ** CONJUG. [27] como *acertar*.

desaliento *m.* Decaimiento del ánimo.

desalinear *tr.* Hacer perder la alineación [de lo que está alineado].

desaliñar *tr.-prnl.* Descomponer el atavío o el aliño [de una persona o cosa].

desaliño *m.* Desatavío, falta de aliño. 2 fig. Negligencia, descuido.

desalmado, -da *adj.* Falto de conciencia. 2 Cruel, inhumano.

desalojar *tr.* Sacar o hacer salir de un lugar [a una persona o cosa]: *~ al enemigo de una posición.* – 2 *intr.* Dejar voluntariamente el alojamiento.

desalquilar *tr.-prnl.* Dejar de tener alquilado [un local, una cosa].

desamarrar *tr.* Quitar las amarras [a un buque]. 2 Dejar [un buque] sobre una sola ancla o amarra.

desambientarse *prnl.* Sentirse uno fuera del ambiente o circunstancias que le son propios.

desambiguar *tr.* Quitar el carácter de ambiguo [a algo]. ◇ ** CONJUG. [22] como *averiguar*.

desamor *m.* Falta de amor o afecto a una persona o cosa; desafección. 2 Enemistad, aborrecimiento.

desamortizar *tr.* Dejar libres [los bienes amortizados]. ◇ ** CONJUG. [4] como *realizar*.

desamparar *tr.* Abandonar, dejar sin amparo [a la persona o cosa que lo pide o necesita].

desanclar, desancorar *tr.* Levantar las áncoras [de una embarcación].

desandar *tr.* Volver atrás [en el camino ya andado]. ◇ ** CONJUG. [64] como *andar*.

desandrajado, -da *adj.* Andrajoso, desastrado.

desangelado *adj.* Falto de ángel, gracia, simpatía.

desangrar *tr.-prnl.* Sacar o salir la sangre [a una persona o a un animal] en gran cantidad. 2 fig. Agotar o desaguar [un lago, un estanque, etc.]. 3 fig. Empobrecer [a uno], disipándole la hacienda insensiblemente.

desanidar *intr.* Dejar el nido las aves ya crecidas.

desanimación *f.* Desaliento, desánimo.

desanimado, -da *adj.* Decaído, desalentado. 2 [lugar, espectáculo, reunión, etc.] Donde concurre poca gente.

desanimar *tr.-prnl.* Desalentar.

desánimo *m.* Falta de ánimo o de aliento.

desanudar *tr.* Deshacer el nudo [en una cosa]. 2 fig. Desenmarañar.

desapacible *adj.* Que causa disgusto o enfado, o es desagradable a los sentidos.

desaparecer *tr.-prnl.* Ocultar, quitar de delante con presteza [una cosa]. – 2 *intr.* Ocultarse, quitarse de la vista de uno con prontitud. ◇ ** CONJUG. [43] como *agradecer*.

desapasionar *tr.-prnl.* Quitar [a una persona] la pasión que tiene a una persona o cosa.

desapegar *prnl.* Desprenderse del apego o afecto a una persona o cosa. ◇ ** CONJUG. [7] como *llegar*.

desapego *m.* fig. Falta de apego o afecto.

desapercibido, -da *adj.* Desprevenido, desprovisto de lo necesario. 2 Inadvertido: *pasar ~.*

desapoderado, -da *adj.* Precipitado, que no puede contenerse: *~ en su ambición.* 2 fig. Furioso, violento, desordenado.

desapolillar *tr.* Quitar la polilla: *~ un vestido.* – 2 *prnl.* fig. Salir de casa cuando se ha pasado mucho tiempo sin salir de ella.

desaprensivo, -va *adj.-s.* Que no obra con conciencia, poco honrado, fresco, sinvergüenza.

desaprobar *tr.* No aprobar [una cosa]; no asentir [a ella]. ◇ ** CONJUG. [31] como *contar*.

desapropiar *tr.* Quitar [a uno] la propiedad de una cosa: *~ a uno de una mercancía.* – 2 *prnl.* Desposeerse uno de la propiedad sobre lo propio: *desapropiarse de una finca.* ◇ ** CONJUG. [12] como *cambiar*.

desaprovechar *tr.* No aprovechar [una cosa], emplearla mal. 2 Desperdiciar o dejar inservible [una parte de algo]. – 3 *intr.* Perder lo que se había adelantado.

desapuntalar *tr.* Quitar los puntales [a un edificio].

desarbolar *tr.* Quitar o derribar la arboladura [de una nave].

desarmado, -da *adj.* Desprovisto de armas. 2 fig. Sin argumentos con que actuar.

desarmar *tr.* Quitar o hacer entregar [a una persona, a un cuerpo o una plaza] las armas que tiene; análogamente, desceñir [a una persona] las armas que lleva. 2 Descomponer [un artefacto] separando las piezas de que se compone. 3 fig. Confundir. Dejar a alguien sin posibilidades de actuar.

desarme *m.* Acción de desarmar o desarmarse. 2 Efecto de desarmar o desarmarse. 3 Supresión parcial o total de las fuerzas armadas, o de determinada clase de armamento: *~ nuclear.*

desarraigado, -da *adj.-s.* fig. Que vive al margen de las leyes y costumbres sociales. 2 fig. Que no vive en su país natal.

desarraigar *tr.-prnl.* Arrancar de raíz [un árbol o una planta]. 2 fig. Echar, desterrar [a uno] de donde vive. 3 fig. Extinguir, extirpar [una pasión, una costumbre, etc.]. ◇ ** CONJUG. [7] como *llegar*.

desarrebujar *tr.* Desenvolver o desenmarañar [lo que está revuelto]. 2 fig. Explicar o poner en claro [lo que está confuso].

desarreglado, -da *adj.* Que hace las cosas sin regla. 2 Desordenado, descuidado en sus cosas.

desarreglo *m.* Falta de regla, desorden.

desarrendar *tr.* Dejar o hacer dejar [una finca que se tenía arrendada]. ◇ ** CONJUG. [3] como *acertar*.

desarrimar *tr.* Separar [una cosa] de aquello a que está arrimada. 2 fig. Disuadir [a una persona].

desarrollar *tr.-prnl.* Descoger [lo que está arrollado], deshacer [un rollo]. 2 Aumentar, acrecentar, perfeccionar [una cosa de orden físico, intelectual o moral]: ~ *al niño;* ~ *la industria;* ~ *el entendimiento.* 3 Explicar [una teoría], llevarla de deducción en deducción hasta las últimas consecuencias. 4 Llevar a cabo, realizar una idea, proyecto, etc. – 5 *prnl.* Transcurrir, acaecer, sucederse: ~ *los acontecimientos.*

desarrollo *m.* Acción de desarrollar o desarrollarse. 2 Efecto de desarrollar o desarrollarse. 3 Proceso cualitativo y duradero de la economía de un país o empresa.

desarropar *tr.* Quitar o apartar la ropa que cubre [a una persona].

desarrugar *tr.* Hacer desaparecer las arrugas: ~ *la frente.* ◇ ** CONJUG. [7] como *llegar*.

desarticulado, -da *adj.* Desorganizado, inconexo, elíptico; en especial, una forma literaria o la lengua coloquial.

desarticular *tr.* Hacer salir [un miembro] de su articulación: ~ *la muñeca;* ~ *el brazo;* fig., ~ *un mecanismo.* 2 fig. Quebrantar [un plan, una organización].

desaseado, -da *adj.* Falto de aseo.

desasimiento *m.* fig. Desinterés.

desasir *tr.-prnl.* Soltar, desprender [lo asido]: *desasirse de malos hábitos.* – 2 *prnl.* fig. Desprenderse, desapropiarse una cosa. ◇ ** CONJUG. [65] como *asir*.

desasistencia *f.* Falta de asistencia.

desasistir *tr.* Desacompañar, desamparar.

desasosegar *tr.-prnl.* Privar de sosiego. ◇ ** CONJUG. [48] como *regar*.

desasosiego *m.* Falta de sosiego.

desastar *tr.* Quitar o cercenar las astas [a una res].

desastrado, -da *adj.* Desgraciado, infeliz. – 2 *adj.-s.* [pers.] Roto y desaseado.

desastre *m.* Desgracia grande, suceso infeliz y lamentable. 2 fig. Cosa de mala calidad, mal resultado o mal aspecto: *el examen fue un* ~. 3 fig. Persona falta de habilidad, suerte o compostura: *es un* ~ *jugando al tenis; llegó a la fiesta hecho un* ~. 4 fig. En la guerra, derrota, pérdida muy grave.

desastroso, -sa *adj.* fig. Muy malo.

desatar *tr.-prnl.* Soltar [lo que está atado con vínculos materiales o morales]: ~ *un paquete;* ~ *una cuerda; desatarse de sus compro-*

misos. – 2 *prnl.* Perder el encogimiento. 3 Extenderse en hablar. 4 Descomedirse: *se desató en improperios.* 5 Desencadenarse (desenfrenarse).

desatascar *tr.* Desobstruir [un conducto obstruido] ◇ ** CONJUG. [1] como *sacar*.

desataviar *tr.* Quitar los atavíos [a una persona]. ◇ ** CONJUG. [13] como *desviar*.

desatavío *m.* Descompostura, desaliño de la persona.

desatención *f.* Falta de atención, distracción. 2 Descortesía, falta de urbanidad o respeto, descomedimiento.

desatender *tr.* No prestar atención [a lo que se dice o hace]. 2 No hacer caso o aprecio [de una persona o cosa]. 3 No corresponder [a uno], no asistirle con lo que es debido. ◇ ** CONJUG. [28] como *entender*.

desatento, -ta *adj.* [pers.] Que no pone en una cosa la atención debida. – 2 *adj.-s.* Descortés.

desatinado, -da *adj.* Desarreglado, sin tino.

desatinar *tr.* Hacer perder el tino. – 2 *intr.* Decir o hacer desatinos.

desatino *m.* Falta de tino. 2 Locura, despropósito o error.

desatracar *tr.* Separar [una embarcación] de aquello a que está atracada. – 2 *intr.* Separarse la nave de la costa cuando su proximidad ofrece algún peligro. ◇ ** CONJUG. [1] como *sacar*.

desatrancar *tr.* Quitar [a la puerta] la tranca. 2 Desatascar [un pozo, una fuente, etc.]. ◇ ** CONJUG. [1] como *sacar*.

desautorizar *tr.* Quitar [a una persona o cosa] autoridad, poder, crédito o estimación. ◇ ** CONJUG. [4] como *realizar*.

desavenencia *f.* Oposición, discordia, contrariedad.

desavenir *tr.-prnl.* Desconcertar, discordar [a personas o cosas]: *desavenirse con algunos; desavenirse de otros; desavenirse dos personas entre sí.* ◇ ** CONJUG. [90] como *venir*.

desaviar *tr.* Descaminar. 2 Quitar o no dar [a uno] el avío (prevención) necesario para una cosa. ◇ ** CONJUG. [13] como *desviar*.

desavío *m.* Desorden, desaliño, incomodidad.

desavisar *tr.* Dar [a uno] aviso contrario al que se había dado.

desayunar *tr.-intr.-prnl.* Tomar el desayuno: *desayunarse con chocolate.* ◇ Por analogía con *comer, cenar,* etc., aumenta su uso como intransitivo: *después iré a desayunar;* o como transitivo: *he desayunado un bollo con café.*

desayuno *m.* Primer alimento ligero que se toma por la mañana.

desazón *f.* Desabrimiento (falta de sazón). 2 fig. Disgusto, pesadumbre, sinsabor.

desazonado, -da *adj.* fig. Indispuesto, disgustado. 2 fig. Inquieto.

desazonar *tr.* Quitar la sazón o el sabor [a un manjar]. 2 fig. Disgustar, desabrir [el ánimo]. – 3 *prnl.* fig. Sentirse indispuesto en la salud.

desbalagar *tr. And.* y *Méj.* Dispersar, esparcir. ◇ ** CONJUG. [7] como *llegar.*

desbambarse *prnl. Méj.* Destejerse una tela.

desbancar *tr.* En algunos juegos, ganar [al banquero] todo el fondo que puso. 2 fig. Hacer perder [a uno] la amistad o el cariño de otra persona ganándola para sí. 3 fig. Suplantar, quitar [a alguien] de una posición y ocuparla uno mismo. ◇ ** CONJUG. [1] como *sacar.*

desbandarse *prnl.* Desparramarse; huir en desorden.

desbarajuste *m.* Desorden, confusión grande.

desbaratado, -da *adj.-s.* De mala vida, conducta o gobierno.

desbaratamiento *m.* Descomposición, desconcierto.

desbaratar *tr.* Deshacer, arruinar [cosas materiales] o impedir, estorbar [en lo inmaterial]: ~ *un proyecto.* 2 p. anal. Disipar, malgastar [los bienes]. – 3 *intr.* Disparatar. – 4 *prnl.* Descomponerse, hablar u obrar fuera de razón.

desbarrar *intr.* Tirar en el juego de la barra lo más lejos posible sin cuidarse de hacer tiro. 2 Deslizarse, escurrirse. 3 fig. Discurrir, hablar u obrar fuera de razón.

desbastar *tr.* Quitar las partes más bastas [de una cosa que se haya de labrar]. 2 Gastar, disminuir. 3 Quitar la tosquedad, educar [a las personas incultas]. 4 Dar [a una pieza] la forma aproximada que se quiere obtener.

desbaste *m.* Estado de un material destinado a labrarse, despojado de las partes más bastas.

desbloquear *tr.* Romper un bloqueo. 2 Suprimir los obstáculos que impiden el desarrollo de una acción, evolución, progreso, etc. 3 Levantar el bloqueo [de una cantidad o crédito]. 4 Aflojar una tuerca y, en general, toda pieza bloqueada. – 5 *tr.-prnl.* Dejar libre o empezar a moverse [lo que estaba agarrotado, colapsado, interrumpido, etc.].

desbocadamente *adv. m.* Desenfrenadamente, desvergonzadamente.

desbocado, -da *adj.* De boca gastada, mellada, más ancha que lo restante: *un martillo* ~; *un cañón* ~. 2 [caballería] Que corre precipitadamente y sin dirección, insensible a la acción del freno.

desbocar *tr.* Quitar o romper la boca [a una cosa]: ~ *el cántaro.* – 2 *tr.-prnl.* Abrirse un vestido o un jersey más de lo normal, coger mala forma, especialmente la parte del cuello. – 3 *intr.* Desembocar. – 4 *prnl.* Hacerse insensi-

ble una caballería a la acción del freno y dispararse. 5 fig. Desvergonzarse, prorrumpir en denuestos. ◇ ** CONJUG. [1] como *sacar.*

desboquillar *tr.* Quitar o romper la boquilla [de una cosa].

desbordar *intr.-prnl.* Salir de los bordes, derramarse: *desbordarse el río en la arena,* o *por los campos.* 2 Desmandarse las pasiones o los vicios. 3 fig. Sobreabundar, rebosar: *alegría que desborda.* – 4 *tr.* fig. Abrumar [a una persona] con situaciones no controlables.

desborrar *tr.* Quitar la borra o los nudos [a los paños].

desbravar *tr.* Amansar [el ganado cerril]. – 2 *intr.-prnl.* Perder o deponer parte de la braveza. 3 Perder los licores su fuerza. 4 fig. Aplacar la cólera; romperse el ímpetu de una corriente.

desbriznar *tr.* Reducir a briznas, desmenuzar [una cosa]: ~ *la carne;* ~ *el palo.* 2 Sacar los estambres [a la flor de azafrán]. 3 Quitar la brizna [a las legumbres].

desbrozar *tr.* Quitar la broza [a un terreno, un paso, un árbol]. ◇ ** CONJUG. [4] como *realizar.*

desbruar *tr.* Quitar [al tejido] la grasa para meterlo en el batán. ◇ ** CONJUG. [11] como *actuar.*

desbullar *tr.* Sacar [la ostra] de su concha. 2 Quitar la cáscara o envoltura de [algunas cosas].

descabalar *tr.* Dejar incompleta o no cabal [una cosa] por pérdida de alguna de sus partes esenciales: *descabalarse una colección por falta de dos ejemplares.* 2 Desnivelar, desigualar.

descabalgar *intr.* Bajar de una caballería en que se iba montado. 2 Desmontar la cureña [un cañón], o imposibilitarse el uso [de éste] por destrucción de la cureña. ◇ ** CONJUG. [7] como *llegar.*

descabellado, -da *adj.* fig. Que va sin orden, concierto o razón.

descabellar *tr.-prnl.* Despeinar, desgreñar. – 2 *tr.* Matar instantáneamente [al toro], hiriéndole en la cerviz con la punta del estoque.

descabezado, -da *adj.-s.* fig. Que va fuera de razón.

descabezar *tr.* Quitar o cortar la cabeza [a una persona o animal]. 2 p. ext. Cortar la parte superior o las puntas [de los árboles, maderos, etc.]. 3 fig. ~ *el sueño,* adormilarse un poco. – 4 *prnl.* Desgranarse las espigas de las mieses. ◇ ** CONJUG. [4] como *realizar.*

descabullirse *prnl.* fig. Huir de una dificultad con sutileza. ◇ ** CONJUG. [41] como *mullir.*

descachazar *tr. Amér.* Quitar la cachaza [al guarapo] en su paila correspondiente. ◇ ** CONJUG. [4] como *realizar.*

descaderar *tr.-prnl.* Hacer [a uno] daño grave en las caderas.

descadillar *tr.* Quitar [a la lana] los cadillos, pajillas y motas.

descafeinar *tr.* Quitar la cafeína [a un preparado de café]. 2 fig. Hacer anodino [algo] privándolo de sus elementos más importantes o característicos. ◇ ** CONJUG. [17].

descafilar *tr.* Limpiar [los ladrillos o baldosas] procedentes de un derribo, para utilizarlos de nuevo.

descalabazarse *prnl.* fig. Calentarse la cabeza en averiguar una cosa, sin lograrlo. ◇ ** CONJUG. [4] como *realizar*.

descalabradura *f.* Herida recibida en la cabeza. 2 Cicatriz que queda de esta herida.

descalabrar *tr.-prnl.* Herir [a uno] en la cabeza: ~ *a pedradas;* ~ *con un guijarro.* 2 p. ext. Herir o maltratar en otra parte del cuerpo. – 3 *tr.* fig. Causar daño o perjuicio: *dejamos su negocio descalabrado.*

descalabro *m.* Contratiempo, infortunio, daño o pérdida (signif. intensivo).

descalcificar *tr.* Quitar la cal [a algo]. – 2 *intr.-prnl.* Disminuir anormalmente las sales calcáreas en los huesos y otros tejidos. ◇ ** CONJUG. [1] como *sacar*.

descalificar *tr.* Desconceptuar. 2 Retirar [a un deportista] en una competición. ◇ ** CONJUG. [1] como *sacar*.

descalzar *tr.* Quitar el calzado. 2 Quitar uno o más calzos [a una cosa]. – 3 *prnl.* Perder las caballerías una o más herraduras. ◇ ** CONJUG. [4] como *realizar*.

descalzo, -za, *adj.* Que trae desnudas las piernas o los pies. 2 fig. Desnudo, falto de recursos, sin bienes de fortuna. – 3 *adj.-s.* Religioso de ciertas órdenes religiosas que, por instituto, lleva los pies desnudos.

descamar *tr.* Quitar las escamas [a los peces]. – 2 *prnl.* Caerse la piel en forma de escamillas.

descambiar *tr.* Deshacer un cambio o una compra. ◇ ** CONJUG. [12] como *cambiar*.

descaminar *tr.* Apartar a uno del camino que debe seguir. 2 fig. Apartar [a uno] de un buen propósito, inducirle a que haga lo que no es justo ni conveniente.

descamisar *tr. Amér.* Arruinar, empobrecer [a alguien].

descampado, -da *adj.-m.* Terreno descubierto y desembarazado: *un robo en* ~.

descansar *intr.* Cesar el trabajo, reposar para reparar las fuerzas: ~ *de la fatiga;* ~ *sobre las armas.* 2 p. ext. Dormir: *el enfermo ha descansado bien;* yacer en el sepulcro: ~ *en paz;* dejar sin cultivo uno o más años la tierra de labor. 3 Estar una cosa asentada o apoyada sobre otra. 4 fig. Tener algún alivio en los cuidados: ~ *de los infortunios.* – 5 *tr.* Aliviar o ayudar [a uno] en el trabajo: ~ *a un compañero.* 6 Asentar o apoyar [una cosa] sobre otra: *descanse usted el brazo sobre la almohada.*

descansillo *m.* Porción de piso horizontal en que termina un tramo de escalera.

descanso *m.* Cesación o pausa en el trabajo o fatiga y en los cuidados físicos o morales. 2 Descansillo. 3 Intermedio de un espectáculo o de una competición deportiva.

descanterar *tr.* Quitar el cantero o canteros [de una cosa]: ~ *el pan.*

descantillar *tr.* Romper o quebrar las aristas o cantos [de una cosa]. 2 fig. Desfalcar o rebajar [algo] de una cantidad.

descapitalizar *tr.* Perder o hacer perder el capital. – 2 *tr.-prnl.* fig. Hacer perder las riquezas históricas o culturales acumuladas por un país o grupo social. ◇ ** CONJUG. [4] como *realizar*.

descapotable *adj.-m.* Automóvil cuya capota puede ser plegada.

descapsulador *m.* Instrumento que sirve para quitar las cápsulas metálicas que cierran las botellas.

descapullar *tr.* Quitar el capullo [a alguna cosa].

descarado, -da *adj.-s.* Que habla u obra con descaro.

descararse *prnl.* Dejar de contenerse en hacer o decir lo que el precepto humano, las conveniencias, la prudencia, el pudor, etc., privan de hacer o decir: ~ *a pedir;* ~ *con el jefe.*

descarbonatar *tr.* Quitar [de un cuerpo] el ácido carbónico que contiene.

descarburar *tr.* Eliminar o disminuir el carbono o compuestos de carbono que contiene [un cuerpo].

descarga *f.* Acción de descargar. 2 Efecto de descargar. 3 FÍS. Proceso que tiene lugar en los acumuladores cuando se les hace funcionar como generadores.

descargar *tr.* Quitar o aliviar la carga [a una cosa]; p. anal. quitar [a la carne del lomo] la falda y parte del hueso. 2 Disparar [las armas de fuego], o extraer [de ellas] la carga que llevan; p. ext., dar [un golpe] con violencia: *le descargó un palo;* *intr.,* ~ *en contra,* o *sobre, el inocente.* 3 Anular la carga o tensión eléctrica [de un cuerpo]. 4 Liberar [a uno] de un cargo u obligación: *esta orden le descarga mucho.* 5 Desahogar el mal humor, enfado, sobre personas o cosas. – 6 *intr.* Desembocar los ríos en el mar o en un lago. 7 Deshacerse una nube en lluvia o granizo. – 8 *prnl.* Dejar el empleo o cargo; eximirse de sus obligaciones: *descargarse de alguna cosa en su secretario; descargarse con el ausente.* ◇ ** CONJUG. [7] como *llegar*.

descargo *m.* Partida de data o salida en las cuentas. 2 Satisfacción, respuesta o excusa de un cargo.

descarnado, -da *adj.* fig. Crudo o desagradable, expuesto sin paliativo: *los periodistas no tienen reparos en presentar al público los temas más descarnados.*

descarnador *m.* Instrumento de acero con que se despega de la encía la muela o dientes que se quiere arrancar.

descarnar *tr.* Quitar [al hueso o la piel] la carne. 2 Quitar parte [de una cosa], desmoronarla. 3 fig. Dejar débil, escuálido.

descaro *m.* Desvergüenza, atrevimiento, insolencia.

descarozar *tr. Amér. Merid.* Sacar el carozo [a las frutas]. ◇ ** CONJUG. [4] como *realizar.*

descarriado, -da *adj.* fig. [pers.] Que se aparta de lo justo o razonable, o de la religión.

descarriar *tr.* Apartar [a uno] del camino, echarlo fuera de él. – 2 *tr.-prnl.* Apartar del rebaño [una o varias reses]. – 3 *prnl.* Separarse o perderse una persona de las demás con quienes iba en compañía. 4 Apartarse de lo justo y razonable. ◇ ** CONJUG. [13] como *desviar.*

descarrilar *intr.* Salir fuera del carril: ~ *un tren.*

descartar *tr.* Apartar [una cosa de sí], rechazarla. – 2 *prnl.* Dejar en el juego las cartas que se consideran inútiles, sustituyéndolas por otras.

descarte *m.* Cartas desechadas.

descasar *tr.* Separar [a los casados], anular el matrimonio. 2 fig. Turbar la disposición [de cosas que casaban bien].

descascarse *prnl.* Hacerse cascos una cosa. ◇ ** CONJUG. [1] como *sacar.*

descascarar *tr.* Quitar la cáscara [de una cosa].

descascarillar *tr.* Quitar la cascarilla [de una cosa].

descastado, -da *adj.-s.* Que manifiesta poco cariño a los parientes. 2 p. ext. Que no corresponde al cariño que le han demostrado.

descendencia *f.* Conjunto de hijos y demás generaciones sucesivas por línea recta descendente. 2 Casta, estirpe.

descender *intr.* Pasar de un lugar alto a otro bajo, bajar: ~ *al valle;* ~ *por etapas;* fig., pasar de un grado a otro bajo en alguna cosa moral: ~ *en el favor de uno.* 2 Fluir, correr una cosa líquida. 3 Proceder lo particular de lo general, derivarse: *tales consecuencias descienden de tales principios;* pasar de lo general a lo particular: *descenderemos a los detalles.* 4 Proceder, por generaciones sucesivas, de una persona o linaje. 5 Disminuir el nivel [de algo]. – 6 *tr.* Bajar (conducir abajo): ~ *un cuadro.* 7 Bajar el valor o fondos de una cosa, como precios, temperatura, etc. ◇ ** CONJUG. [28] como *entender.*

descendiente *com.* Persona que desciende de otra.

descenso *m.* Acción de descender. 2 Efecto de descender. 3 fig. Caída de una dignidad o estado a otro inferior. 4 DEP. Carrera de velocidad en esquí alpino, disputada a lo largo de un trazado en el que están señalados unos pasos obligados.

descentralizar *tr.* Hacer menos dependientes del poder o la administración central [ciertas funciones, servicios, atribuciones, etc.]. ◇ ** CONJUG. [4] como *realizar.*

descentrar *tr.-prnl.* Sacar o salir [una cosa] de su centro. 2 Desequilibrar.

descepar *tr.* Arrancar de raíz [los árboles o plantas que tienen cepa]. 2 fig. Exterminar, extirpar.

descerar *tr.* Despuntar [las colmenas]; sacar [de ellas] las ceras vanas.

descercar *tr.* Derribar la muralla [de un pueblo] o la cerca [de una casa, heredad, etc.]. ◇ ** CONJUG. [1] como *sacar.*

descerebrar *tr.* Producir la inactividad funcional del cerebro.

descerrajar *tr.* Arrancar o violentar la cerradura [de una puerta, cofre, etc.].

descifrar *tr.* Leer [un escrito cifrado], llegar a leer [lo escrito en caracteres o lengua desconocidos]. 2 fig. Llegar a comprender [lo intrincado y de difícil inteligencia].

descinchar *tr.* Quitar o soltar las cinchas [a una caballería].

desclavar *tr.* Arrancar o quitar los clavos [a alguna cosa] o desprender [una cosa] del clavo o los clavos que la aseguran o sujetan. – 2 *prnl.* Aflojarse, desprenderse un clavo del lugar en que está clavado.

descoagular *tr.* Liquidar [lo coagulado].

descocado, -da *adj.-s.* Que habla u obra con descoco.

descocarse *prnl.* Hablar u obrar con demasiada libertad y osadía. ◇ ** CONJUG. [1] como *sacar.*

descocer *prnl.* Desazonarse, disgustarse. ◇ ** CONJUG. [54] como *cocer.*

descoco *m.* fam. Demasiada libertad y osadía.

descodificar *tr.* Aplicar inversamente a un mensaje codificado las reglas de su código para obtener la forma primitiva del mensaje. 2 Interpretar un mensaje codificado. ◇ ** CONJUG. [1] como *sacar.*

descoger *tr.* Desplegar, extender o soltar [lo que está plegado, arrollado o recogido]. ◇ Es vulgar su empleo por *escoger* .

descogotado, -da *adj.* Que lleva pelado y descubierto el cogote.

descolchar *tr.* MAR. Desunir los cordones [de los cabos].

descolgado, -da *adj.-s.* Desconectado de los amigos o del grupo al que se pertenece.

descolgar *tr.* Bajar [lo que está colgado]: ~ *un cuadro;* en gral., bajar colgado de cuerda, cadena, etc. [cualquier objeto]; esp., quitar las colgaduras y otros adornos [de una iglesia, aposento, etc.]. – 2 *prnl.* Escurrirse de arriba abajo por una cuerda u otra cosa: *descolgarse de,* o *por, la pared; descolgarse al jardín.* 3 fig. Aparecer inesperadamente una persona. ◇ ** CONJUG. [52] como *colgar.*

descolocado, -da *adj.* Sin colocación o desacomodado.

descolón *m. Méj.* Contestación desatenta.

descolonización *f.* Proceso histórico que conduce a la independencia política de los pueblos colonizados.

descolonizar *tr.* Otorgar [un país a otro] la independencia. ◇ ** CONJUG. [4] como *realizar.*

descolorar *tr.-prnl.* Quitar o amortiguar el color [a una cosa].

descolorido, -da *adj.* De color pálido, amortiguado.

descollar *intr.* Sobresalir: ~ *en ingenio;* ~ *entre,* o *sobre, otros.* ◇ ** CONJUG. [31] como *contar.*

descombrar *tr.* Desembarazar [un lugar] de cosas que estorban.

descomedido, -da *adj.* Excesivo, desproporcionado, fuera de lo regular. – 2 *adj.-s.* Descortés.

descomedirse *prnl.* Faltar al respeto, de obra o de palabra. ◇ ** CONJUG. [34] como *servir.*

descompaginar *tr.* Descomponer (desorganizar).

descompasar *tr.* Hacer perder el compás [a alguien]. – 2 *prnl.* Descomedirse.

descompensar *tr.-prnl.* Hacer perder la compensación. – 2 *prnl.* Llegar un órgano enfermo a un estado funcional en el cual no es capaz de subvenir a las exigencias habituales del organismo a que pertenece.

descomponer *tr.* Separar las diversas partes que forman [un compuesto o un todo]: ~ *el agua en oxígeno e hidrógeno;* ~ *una fuerza;* ~ *un movimiento.* 2 Desorganizar, desbaratar: ~ *un ejército;* ~ *una familia.* 3 Estropear [un mecanismo]. – 4 *prnl.* Desorganizarse una substancia animal o vegetal; entrar o hallarse un cuerpo en estado de putrefacción: *descomponerse la sangre; descomponerse un cadáver.* 5 Perder uno en las palabras o en las obras la serenidad o la compostura habitual: *descomponerse con alguno; descomponerse en palabras.* ◇ ** CONJUG. [78] como *poner;* pp. irreg.: *descompuesto.*

descomposición *f.* Putrefacción. 2 *fam.* Diarrea.

descompostura *f.* Desaliño en el adorno de personas o cosas. 2 *fig.* Descaro, falta de moderación, de modestia, de cortesía.

descompresión *f.* Procedimiento para eliminar la presión o los efectos de la misma.

descomprimir *tr.* Hacer cesar la compresión.

descompuesto, -ta *adj. fig.* Inmodesto, atrevido, descortés. 2 *fig.* Perturbado, alterado. 3 *Amér.* Borracho.

descomunal *adj.* Extraordinario, monstruoso, enorme, muy distante de lo común en su línea.

desconceptuar *tr.* Desacreditar, descalificar. ◇ ** CONJUG. [11] como *actuar.*

desconcertar *tr.* Desordenar, turbar el orden, composición y concierto [de una cosa]: ~ *un reloj.* 2 *fig.* Sorprender, suspender el ánimo [de una persona]: *me desconcertaron.* – 3 *prnl.* Desavenirse las personas o cosas que estaban acordes. 4 Perder la serenidad y hacer las cosas sin el miramiento que corresponde. ◇ ** CONJUG. [27] como *acertar.*

desconcierto *m.* Descomposición de las partes de una máquina o de un cuerpo. 2 *fig.* Desorden, desavenencia. 3 Falta de modo y medida en dichos y hechos. 4 Falta de gobierno y economía. 5 Flujo de vientre.

desconchado *m.* Parte en que una pared ha perdido su enlucido. 2 Parte en que una pieza de loza o porcelana ha perdido el vidriado.

desconchar *tr.-prnl.* Quitar [a una pared] parte de su enlucido.

desconchón *m.* Caída de un trozo pequeño de enlucido o de pintura. 2 Huella o señal que deja esta caída.

desconectar *tr.* Interrumpir la conexión [de una o más piezas o partes] con las restantes de una máquina o aparato. 2 *fig.* Separar: *está desconectado de la realidad.*

desconexión *f.* Acción de desconectar. 2 Efecto de desconectar.

desconfianza *f.* Falta de confianza.

desconfiar *intr.* No tener confianza: ~ *de un amigo.* ◇ ** CONJUG. [13] como *desviar.*

descongelar *tr.* Quitar la escarcha que se acumula en la cámara de congelación [de un frigorífico]. 2 Licuar [lo que está helado]. 3 *fig.* Dar efectividad [a las cuentas, créditos, etc.] que estaban inmovilizados provisionalmente.

descongestionar *tr.* Disminuir o quitar la congestión [a una parte del cuerpo]. 2 *p. anal.* Disminuir la aglomeración o acumulación de cualquier especie: ~ *el tráfico de una plaza;* ~ *los muelles de mercancías.*

desconocer *tr.* No reconocer [a una persona o cosa que habíamos conocido]. 2 Hallar [a una persona o cosa] muy diferente de como la habíamos conocido: *Juan está desconocido; prnl., Juan se desconoce.* 3 No conocer: ~ *el francés.* 4 Negar uno ser suya [alguna cosa], rechazarla: ~ *a sus amistades.* 5 Darse por desentendido [de una cosa] o afectar que se ignora. ◇ ** CONJUG. [44] como *conocer.*

desconocimiento *m.* Ignorancia.

desconsiderar *tr.* No guardar [a uno] la consideración debida.

desconsolado, -da *adj.* Que carece de consuelo. 2 *fig.* Melancólico, triste y afligido: *un rostro ~.*

desconsolar *tr.-prnl.* Privar de consuelo; afligir. ◇ ** CONJUG. [31] como *contar.*

desconsuelo *m.* Angustia; aflicción; falta de consuelo.

descontaminar *tr.* Someter a tratamiento lo que está contaminado, a fin de que pierda sus propiedades nocivas.

descontar *tr.* Rebajar [una cantidad] de una cuenta, factura, etc. 2 fig. Rebajar algo [del mérito o virtudes que se atribuyen a una persona]. ◇ ** CONJUG. [31] como *contar.*

descontento, -ta *adj.-s.* [pers.] Que no se halla a gusto en un lugar, que no está de acuerdo con la que le dan o tiene. – 2 *m.* Disgusto, desagrado: *había gran ~ en el pueblo; sentí ~ de mí mismo.*

descontextualizar *tr.* Sacar de un contexto. ◇ ** CONJUG. [4] como *realizar.*

descontrol *m.* Falta de control, de orden, de disciplina.

descontrolarse *prnl.* Perder uno el dominio de sí mismo.

desconvenir *intr.* No convenir en las opiniones; no concordar entre sí dos personas o cosas. ◇ ** CONJUG. [90] como *venir.*

desconvocar *tr.* Anular [una convocatoria]: *la reunión, la huelga ha sido desconvocada.* ◇ ** CONJUG. [1] como *sacar.*

descorazonar *tr.-prnl.* fig. Desanimar, desalentar.

descorchar *tr.* Quitar o arrancar el corcho [al alcornoque]. 2 Romper el corcho [de la colmena] para sacar la miel. 3 Sacar el corcho que cierra [un envase]: *~ una botella de vino.*

descoritar *tr.-prnl.* Desnudar, dejar en cueros [a alguien].

descornar *tr.* Quitar o arrancar los cuernos [a un animal]. – 2 *prnl.* fig. y fam. Trabajar duramente. ◇ ** CONJUG. [31] como *contar.*

descorrear *intr.-prnl.* Soltar el ciervo la piel que cubre los pitones de sus astas, cuando éstas van creciendo.

descorrer *tr.* Volver uno a correr [el espacio que antes había corrido]. 2 Plegar o reunir [lo que estaba antes estirado, como las cortinas, el lienzo, etc.]. – 3 *intr.-prnl.* Correr o escurrir una cosa líquida.

descortés *adj.-s.* Falto de cortesía.

descortesía *f.* Falta de cortesía.

descortezar *tr.* Quitar la corteza: *~ un árbol; ~ un pan.* 2 fig. Desbastar (educar). ◇ ** CONJUG. [4] como *realizar.*

descoser *tr.-prnl.* Soltar, cortar las puntadas [de las cosas que estaban cosidas].

descosido, -da *adj.* fig. Que habla fácilmente de lo que convenía tener oculto. 2 Desordenado, falto de la trabazón conveniente. – 3 *m.* Parte descosida en un vestido u otra prenda.

descoyuntar *tr.-prnl.* Desencajar [un hueso]. 2 fig. Molestar [a uno] con pesadeces. 3 fig. Agotarse, cansarse.

descrédito *m.* Disminución o pérdida del crédito (fama y opinión).

descreer *tr.* Faltar a la fe, dejar de creer [en una cosa]. 2 Negar el debido crédito [a una persona]. ◇ ** CONJUG. [61] como *leer.*

descreído, -da *adj.-s.* Incrédulo, falto de fe; sin creencia, especialmente en materia religiosa.

descremado, -da *adj.* Desnatado: *leche descremada.*

descremar *tr.* Desnatar.

descrestar *tr.* Quitar la cresta: *~ un gallo.* 2 fig. Atenuar o suprimir los elementos extremos.

describir *tr.* Delinear, dibujar [una cosa] de modo que dé cabal idea de ella: *~ una elipse.* 2 Representar [personas o cosas] por medio del lenguaje: *~ un jardín.* ◇ pp. irreg.: *descrito.*

descripción *f.* Acción de describir. 2 Efecto de describir.

descruzar *tr.* Deshacer la forma de cruz [de dos cosas cruzadas]. ◇ ** CONJUG. [4] como *realizar.*

descuajar *tr.* Liquidar, descoagular [lo que estaba cuajado o solidificado]. 2 Arrancar de raíz o de cuajo [plantas o malezas]. 3 fig. Hacer [a uno] desesperanzar.

descuajaringar *tr.* Desvencijar, desunir, desconcertar alguna cosa. – 2 *prnl.* fam. Relajarse las partes del cuerpo por efecto de cansancio. ◇ ** CONJUG. [7] como *llegar.*

descuartizar *tr.* Dividir [un cuerpo] en cuartos. 2 Hacer pedazos [una cosa]. ◇ ** CONJUG. [4] como *realizar.*

descubierta *f.* Reconocimiento del terreno para observar si en las inmediaciones hay enemigos.

descubierto, -ta *adj.* Destocado, sin sombrero. – 2 *m.* Déficit: *estar en ~,* estar adeudado; *al ~, loc. adv.,* sin tener disponible, los contratantes de una operación mercantil, lo que es objeto de la misma.

descubridor, -ra *adj.-s.* Que descubre una cosa desconocida, especialmente tierras o mares ignorados: *los descubridores del radio fueron los esposos Curie; Colón fue el ~ de América.*

descubrimiento *m.* Acción de descubrir una cosa desconocida, especialmente tierras o mares ignorados: *un ~ científico; el ~ de América.* 2 Cosa descubierta.

descubrir *tr.* Destapar [lo que estaba tapado o cubierto] y, en general, hacer patente, manifestar: *~ el pecho; ~ un secreto; prnl., descubrirse a, o con, alguno.* 2 Hallar [lo que estaba ignorado o escondido]: *~ una conspiración; ~ un tesoro.* 3 Venir en conocimiento [de una cosa por primera vez]: *~ un continente;* inventar: *~ la imprenta.* 4 Alcanzar a ver, registrar: *~ nuevas estrellas con el telescopio; ~ un panorama hermoso.* – 5 *prnl.* Quitarse de la cabeza el sombrero, gorra, etc. 6 Darse a conocer una persona que por alguna razón, vestido, distancia, etc., no había sido reconocida. ◇ pp. irreg.: *descubierto.*

descuello *m.* Exceso en la estatura, elevación, etc., de personas o cosas entre las de su clase.

descuento *m.* Rebaja de una parte de la deuda o precio.

descuernacabras *m.* Viento frío y recio que sopla de la parte del Norte. ◇ Pl.: *descuernacabras.*

descuidar *tr.* Libertar, descargar [a uno] de algún cuidado u obligación. 2 Distraer [a uno] para que desatienda lo que le importa. – 3 *intr.-prnl.* No cuidar de las cosas, desatenderlas: *descuidarse de,* o *en, su obligación; ~ de sus deberes.*

descuido *m.* Omisión, negligencia, falta de cuidado. 2 Olvido, inadvertencia. 3 Desatención que desdice de aquel que la ejecuta, o de aquel a quien ofende o perjudica. 4 eufem. Desliz, falta, tropiezo vergonzoso.

descurtir *tr.* Blanquear [la piel curtida].

desde *prep.* Denota el punto en el tiempo en que ha de empezar a contar una cosa (~ *la Creación; ~ ahora*), o el punto en el espacio donde se origina una distancia (~ *Madrid; ~ mi casa*). Es parte de muchas locuciones adverbiales: ~ *luego,* ~ *entonces, etc.,* y de la locución conjuntiva ~ *que.* 2 Después de: ~ *el primero hasta el último.*

desdecir *intr.* fig. Degenerar una persona o una cosa de su condición primera; decaer, venir a menos: ~ *de su carácter.* 2 No convenir, no conformarse una cosa con otra: *estos cuadros desdicen de la suntuosidad del salón.* – 3 *prnl.* Retractarse de lo dicho. ◇ ** CONJUG. [79] como *predecir;* pp. irreg.: *desdicho.*

desdén *m.* Indiferencia y despego que denotan menosprecio.

desdentado, -da *adj.* Que ha perdido los dientes. – 2 *adj.-m.* Edentado.

desdentar *tr.* Quitar o sacar los dientes. ◇ ** CONJUG. [27] como *acertar.*

desdeñar *tr.* Tratar con desdén [a una persona o cosa]. – 2 *prnl.* Tener a menos el hacer o decir una cosa: *desdeñarse de alguna cosa.*

desdevanar *tr.* Deshacer el ovillo en que se había devanado o recogido [el hilo] de la madeja.

desdibujarse *prnl.* fig. Perder [algo] la claridad y precisión de sus perfiles y contornos.

desdicha *f.* Desgracia (infortunio). 2 Pobreza suma, miseria, necesidad.

desdichado, -da *adj.-s.* Desgraciado (desafortunado). 2 Cuitado, sin malicia, pusilánime: ~ *para gobernar.*

desdinerar *tr.* Empobrecer [un país] despojándolo de moneda. – 2 *prnl.* Quedarse sin dinero.

desdoblar *tr.* Extender [lo que estaba doblado]. 2 fig. Formar dos o más cosas por separación de los elementos que suelen estar juntos [en otra].

desdoro *m.* Deslustre en la virtud, reputación, fama, etc.

desdramatizar *tr.* Atenuar o suprimir el carácter dramático [de algo]. ◇ ** CONJUG. [4] como *realizar.*

deseable *adj.* Digno de ser deseado.

desear *tr.* Sentir atracción [por una cosa] hasta el punto de quererla poseer o alcanzar. 2 Anhelar [que acontezca o deje de acontecer algún suceso].

desecar *tr.-prnl.* Eliminar el jugo [de un cuerpo vivo], quitar el agua que cubre [un terreno]: ~ *un pantano.* 2 fig. Endurecer, hacer insensible. ◇ ** CONJUG. [1] como *sacar.*

desechable *adj.* Que se puede desechar. 2 [objeto] Destinado a ser usado una sola vez, como jeringuillas, pañales, etc.

desechar *tr.* Excluir: ~ *los libros malos;* expeler, arrojar : ~ *a los revoltosos del local;* rechazar: ~ *un empleo;* reprobar : ~ *una actitud;* menospreciar, hacer poco caso o aprecio : ~ *el talento de un alumno.* 2 Deponer, apartar de sí [un pesar, temor, sospecha, etc.]: ~ *un pensamiento.* 3 Dejar por inútil [el vestido u otra cosa de uso].

desecho *m.* Residuo que se desecha de una cosa, después de haber escogido lo mejor: *ganado de ~.* 2 Que no sirve a la persona para quien se hizo. 3 Residuo, desperdicio, recorte sobrante en una industria. 4 *Amér.* Atajo, vereda.

deseducar *tr.* Hacer perder la educación. ◇ ** CONJUG. [1] como *sacar.*

deselectrizar *tr.* Descargar de electricidad [un cuerpo]. ◇ ** CONJUG. [4] como *realizar.*

desembalar *tr.* Deshacer el embalaje [de una cosa]: ~ *las mercancías.*

desembaldosar *tr.* Arrancar las baldosas: ~ *una habitación.*

desembalsar *tr.* Dar salida [al agua] contenida en un embalse, o a parte de ella.

desembanastar *tr.* Sacar con la banasta [lo que estaba en ella]. 2 fig. Hablar mucho [de una cosa] sin discreción.

desembarazado, -da *adj.* Despejado, libre; que no se embaraza fácilmente.

desembarazar *tr.* Quitar el impedimento que se opone [a una cosa]; dejarla libre y expedita. 2 Evacuar, desocupar [un espacio, habitación, etc.]. – 3 *prnl.* Apartar uno de sí lo que le estorba para algún fin. – 4 *tr. Amér.* Dar a luz la mujer. ◇ ** CONJUG. [4] como *realizar.*

desembarazo *m.* Soltura, desenfado. 2 *Amér.* Alumbramiento, parto de mujer.

desembarcadero *m.* Lugar a propósito para desembarcar.

desembarcar *tr.* Sacar de la nave y poner en tierra [lo embarcado]. – 2 *intr.-prnl.* Salir de una embarcación o aeronave: ~ *de la nave;* ~ *en el aeropuerto.* ◇ ** CONJUG. [1] como *sacar.*

desembarco *m.* Acción de desembarcar (salir de una embarcación o aeronave). 2 Operación militar que realiza en tierra la dotación o las tropas de un buque.

desembargar *tr.* Quitar el impedimento o embarazo [a una cosa]. 2 Alzar el embargo o secuestro [de una cosa]: ~ *una casa.* ◇ ** CONJUG. [7] como *llegar.*

desembarrancar *tr.* Sacar a flote [una nave embarrancada]. ◇ ** CONJUG. [1] como *sacar.*

desembocadura *f.* Abertura o estrecho por donde se sale de un punto a otro. 2 Salida de una calle. 3 Paraje donde un río, canal, etc., desemboca en otro, en el mar o en un lago.

desembocar *intr.* Salir como por una boca o estrecho. 2 Entrar, desaguar una corriente de agua, en el mar, en otra corriente, etc. 3 Tener una calle o camino salida a determinado lugar. 4 fig. Acabar, terminar, tener su desenlace. ◇ ** CONJUG. [1] como *sacar.*

desembolsar *tr.* Sacar [lo que está en la bolsa]. 2 fig. Pagar o sacar de su propia bolsa [una cantidad de dinero].

desembolso *m.* fig. Entrega de dinero, efectivo y de contado. 2 Dispendio, gasto, coste.

desembotar *tr.* fig. Hacer que [lo que estaba embotado] deje de estarlo: ~ *el entendimiento.*

desembragar *tr.* MEC. Desprender del eje motor [un mecanismo o parte de él]. ◇ ** CONJUG. [7] como *llegar.*

desembravecer *tr.* Amansar, quitar la bravura: ~ *un toro.* ◇ ** CONJUG. [43] como *agradecer.*

desembridar *tr.* Quitar las bridas [a una cabalgadura].

desembrollar *tr.* Desenredar, aclarar [lo embrollado].

desembrujar *tr.* Deshacer el embrujamiento o hechizo de que [uno] se supone víctima.

desembuchar *tr.* Expeler las aves [lo que tienen en el buche]. 2 fig. Decir [todo cuanto se sabe y se tenía callado acerca de una cosa].

desemejar *intr.* No parecerse una cosa a otra, diferenciarse de ella. – 2 *tr.* Desfigurar [a una persona o cosa].

desempacar *tr.* Deshacer las pacas [en que van las mercancías]. 2 *Amér.* Deshacer [el equipaje]; sacar las cosas [de las maletas]. ◇ ** CONJUG. [1] como *sacar.*

desempadronar *tr.* Dar de baja en el padrón. 2 fig. Matar.

desempalmar *tr.* Romper, desconectar un empalme [de la corriente eléctrica, cañería, etc.].

desempapelar *tr.* Quitar [a una cosa] el papel que la cubría: ~ *una habitación.*

desempaquetar *tr.* Desenvolver [lo que estaba empaquetado].

desempatar *tr.* Deshacer el empate [entre dos cosas]: ~ *los votos.*

desempedrar *tr.* Arrancar las piedras [de un sitio empedrado]. 2 fig. Correr desenfrenadamente; pasear mucho [por un lugar determinado]. ◇ ** CONJUG. [3] como *acertar.*

desempeñar *tr.* Sacar, liberar [lo que estaba en poder de otro en garantía de un préstamo]. 2 Liberar [a una persona] de los empeños o deudas que tenía contraídos. 3 p. ext. Sacar [a uno] airoso del empeño o lance en que se hallaba. 4 Cumplir, hacer [aquello a que uno está obligado]: ~ *sus obligaciones; ~ un cargo;* esp., representar [un papel en las obras dramáticas].

desempleado, -da *adj.-s.* Persona sin trabajo; parado.

desempleo *m.* Falta de trabajo, paro forzoso.

desempolvar *tr.* Quitar el polvo [a una cosa]. 2 Volver a usar lo que se había abandonado: ~ *los estudios, las viejas amistades.* 3 Traer a la memoria o a la consideración algo que estuvo mucho tiempo olvidado.

desemponzoñar *tr.* Libertar [a uno] del daño causado por la ponzoña; o quitar [a una cosa] sus cualidades ponzoñosas.

desenamorar *tr.-prnl.* Hacer perder [a uno] su enamoramiento.

desenastar *tr.* Quitar el asta o mango [a un arma o herramienta].

desencadenar *tr.* Quitar la cadena [al que está con ella amarrado]. – 2 *prnl.* fig. Estallar con violencia las fuerzas naturales o las pasiones: *desencadenarse la tempestad, la cólera.*

desencajar *tr.* Desunir [una cosa] del encaje que tenía con otra. – 2 *prnl.* Descomponerse el semblante por enfermedad o por pasión del ánimo.

desencajonar *tr.* Sacar [lo que está dentro de un cajón; especialmente el toro de lidia].

desencanallar *tr.* Sacar [a una persona] del encanallamiento.

desencantar *tr.* Deshacer el encantamiento [de una persona o cosa]. 2 Desilusionar.

desencanto *m.* Acción de desencantar o desencantarse. 2 Efecto de desencantar o desencantarse.

desencapotar *tr.* Quitar el capote [a alguno]. 2 fam. Descubrir, manifestar. – 3 *prnl.* fig. Despejar el cielo, el horizonte.

desencaprichar *tr.* Disuadir [a uno] de un capricho.

desencargar *tr.* Revocar el encargo [de hacer una cosa]. ◇ ** CONJUG. [7] como *llegar.*

desencarpetar *tr.* Sacar [un documento, expediente, proceso, etc.] de la carpeta o legajo en que se guardaba. 2 fig. Volver a ocuparse [de un asunto] ya olvidado.

desencartonar *tr.* Quitar [a algo] el cartón que lo recubre.

desencintar *tr.* Quitar las cintas que ataban o adornaban [una cosa].

desencoger *tr.* Estirar [lo encogido]. – 2 *prnl.* fig. Perder el encogimiento. ◇ ** CONJUG. [5] como *proteger*.

desencogimiento *m.* fig. Desembarazo, despejo.

desencolar *tr.* Despegar [una cosa] de otra a la que estaba pegada con cola.

desenconar *tr.* Mitigar, quitar la inflamación o encendimiento [a una herida, tumor, etc.]. 2 Desahogar [el ánimo enconado]; moderar el encono [a alguno]. – 3 *prnl.* Hacerse suave una cosa.

desencontrarse *prnl. Amér.* No hallarse las personas que se buscan. 2 *Amér.* No concordar las opiniones sobre un asunto.

desencordar *tr.* Quitar las cuerdas [a un artefacto, especialmente a los instrumentos de música]. ◇ ** CONJUG. [31] como *contar*.

desencorvar *tr.* Enderezar [lo que está encorvado].

desencovar *tr.* Sacar [una cosa] o hacer salir [un animal] de una cueva. ◇ ** CONJUG. [31] como *contar*.

desencuadernar *tr.* Deshacer [lo encuadernado]: ~ *un libro;* ~ *un cuaderno.*

desenchufar *tr.* Separar o extender [lo que está enchufado].

desendemoniar *tr.* Lanzar los demonios. ◇ ** CONJUG. [12] como *cambiar*.

desendiosar *tr.* fig. Abatir la vanidad y altanería [del que, por orgullo, se hace intratable].

desenfadado, -da *adj.* Desembarazado, libre. 2 [lugar] Espacioso, capaz.

desenfadar *tr.-prnl.* Quitar el enfado [a una persona].

desenfado *m.* Desahogo, soltura. 2 Diversión o desahogo del ánimo.

desenfocar *tr.-prnl.* Hacer perder o perder el enfoque. ◇ ** CONJUG. [1] como *sacar*.

desenfoque *m.* Falta de enfoque o enfoque defectuoso.

desenfrenado, -da *adj.* [comportamiento, lenguaje, etc.] Sin moderación ni contención.

desenfrenar *tr.* Quitar el freno [a las caballerías]. – 2 *prnl.* fig. Desmandarse; entregarse a los vicios y maldades.

desenfreno *m.* fig. Acción de desenfrenarse. 2 fig. Efecto de desenfrenarse.

desenfundar *tr.* Quitar la funda [a una cosa].

desenganchar *tr.* Soltar [una cosa enganchada]. 2 Quitar de un carruaje [las caballerías de tiro].

desengañado, -da *adj.* Que está enseñado por la experiencia. 2 Desilusionado, falto de esperanza.

desengañar *tr.* Hacer conocer [a uno] el engaño o error en que está: *desengañarse de ilusiones.* 2 Quitar [a uno] sus esperanzas o ilusiones.

desengaño *m.* Conocimiento de la verdad con que se sale del engaño o error en que se estaba. – 2 *m. pl.* Lecciones de una amarga experiencia.

desengarzar *tr.* Deshacer el engarce [de una cosa]; desprender [lo engarzado]. ◇ ** CONJUG. [4] como *realizar*.

desengastar *tr.* Sacar [una cosa] de su engaste.

desengrasar *tr.* Quitar la grasa [a algún objeto]. – 2 *intr.* fig. Cambiar de ocupación para hacer más llevadero el trabajo.

desenguantarse *prnl.* Quitarse los guantes.

desenhebrar *tr.* Sacar la hebra [de la aguja].

desenjaular *tr.* Sacar de la jaula [una persona o animal].

desenlace *m.* Acción de desenlazar o desenlazarse. 2 Efecto de desenlazar o desenlazarse. 3 Final de un suceso, de una narración o de una obra dramática.

desenlazar *tr.* Desatar los lazos, desasir y soltar [lo que está atado]. – 2 *prnl.* fig. Resolver la trama de una obra dramática, narrativa o cinematográfica, hasta llegar a su final. 3 fig. Dar desenlace [a un asunto o a una dificultad]. ◇ ** CONJUG. [4] como *realizar*.

desenmarañar *tr.* Desenredar [una cosa enmarañada]: ~ *el cabello.* 2 fig. Poner en claro [una cosa enredada u obscura].

desenmascarar *tr.* Quitar la máscara [a uno]. 2 fig. Dar a conocer los verdaderos propósitos, sentimientos, etc. [de una persona].

desenmohecer *tr.* Quitar el moho [a una cosa]. – 2 *prnl.* fig. Recuperar una persona o cosa su buen estado de acción o funcionamiento después de un tiempo de inactividad. ◇ ** CONJUG. [43] como *agradecer*.

desenmudecer *intr.-tr.* Libertarse del impedimento natural que tenía uno para hablar. 2 fig. Romper uno el silencio que guardaba desde hacía algún tiempo. ◇ ** CONJUG. [43] como *agradecer*.

desenredar *tr.* Deshacer el enredo: ~ *una cuestión.* 2 fig. Poner orden [a lo que está confuso o desordenado]. – 3 *prnl.* fig. Salir de una dificultad o lance: *desenredarse del lazo.*

desenroscar *tr.-prnl.* Descoger, extender lo que está enroscado. 2 Sacar de su asiento lo que está introducido a vuelta de rosca. ◇ ** CONJUG. [1] como *sacar*.

desensamblar *tr.* Desunir [las piezas de madera ensambladas].

desensebar *tr.* Quitar el sebo [a algún animal o cosa]. – 2 *intr.* fig. Variar de ocupación para hacer más descansado el trabajo.

desenseñar *tr.* Hacer olvidar con una

buena enseñanza [lo malo que uno había aprendido].

desensillar *tr.* Quitar la silla [a una caballería].

desensortijado, -da *adj.* [rizo de pelo] Que se ha deshecho. 2 [hueso] Que está fuera de su lugar.

desentablar *tr.* Arrancar las tablas [del lugar donde están clavadas]; deshacer el tablado; *abs.*, *vamos a ~*. 2 fig. Deshacer, desconcertar [un negocio o amistad].

desentenderse *prnl.* Fingir que no se entiende una cosa; afectar ignorancia. 2 Prescindir de un asunto o negocio; no tomar parte en él. ◇ ** CONJUG. [28] como *entender*.

desenterrar *tr.* Exhumar, sacar [lo que está debajo de tierra]: *~ del polvo; ~ de entre el polvo.* 2 fig. Traer a la memoria [lo olvidado]. ◇ ** CONJUG. [27] como *acertar*.

desentoldar *tr.* Quitar los toldos [de un lugar]. 2 fig. Despojar [una cosa] de su adorno y compostura. – 3 *prnl.* *Méj.* Desencapotarse el cielo.

desentonar *intr.* Subir o bajar la entonación de la voz o de un instrumento fuera de oportunidad. 2 Salir del tono y punto que compete. – 3 *tr.* Humillar el orgullo [de uno]. – 4 *prnl.* Levantar la voz, descomedirse.

desentono *m.* Desproporción en el tono de la voz. 2 fig. Descompostura y falta de medida en el tono de la voz o en la conveniencia de lo que se dice.

desentramar *tr.* *Argent.* Deshacer la armazón de madera puesta para levantar una pared o muro.

desentrañar *tr.* Sacar, arrancar las entrañas [a uno]. 2 fig. Penetrar lo más dificultoso [de una materia]. – 3 *prnl.* fig. Despojarse uno de cuanto tiene para darlo a aquel a quien ama.

desentrenarse *prnl.* Disminuir o perder la fuerza, destreza, etc., por falta de ejercicio.

desentumecer *tr.* Quitar el entumecimiento [a un miembro]. ◇ ** CONJUG. [43] como *agradecer*.

desenvainar *tr.* Sacar de la vaina [un arma]. 2 Sacar [lo que está oculto o encubierto].

desenvoltura *f.* fig. Soltura (agilidad). 2 Desvergüenza, deshonestidad, especialmente en las mujeres. 3 Facilidad y expedición en el decir.

desenvolver *tr.-prnl.* Desarrollar, descoger lo que está envuelto o enrollado. 2 Descifrar o aclarar [una cosa que estaba obscura o enredada]: *~ una cuenta.* – 3 *prnl.* Desenredar (salir de una dificultad). 4 fig. Obrar con desenvoltura, maña y habilidad. ◇ ** CONJUG. [32] como *mover*; pp. irreg.: *desenvuelto*.

desenvuelto, -ta, *adj.* Que tiene desenvoltura.

desenzarzar *tr.* Sacar de las zarzas [una cosa enredada en ellas]. 2 fig. Separar o aplacar [a los que riñen o disputan]. ◇ ** CONJUG. [4] como *realizar*.

deseo *m.* Movimiento de la voluntad hacia el conocimiento, posesión o disfrute de una cosa.

deseoso, -sa *adj.* Que desea: *~ del bien público.*

desequilibrado, -da *adj.* Falto de equilibrio mental.

desequilibrar *tr.* Hacer perder el equilibrio [a una persona o cosa]. – 2 *prnl.* Perder el equilibrio mental.

desequilibrio *m.* Falta de equilibrio. 2 Alteración en la conducta de una persona. 3 Situación del mercado en que la oferta difiere de la demanda.

deserción *f.* Acción de desertar.

desertar *intr.* Desamparar, abandonar el soldado sus banderas: *~ al campo contrario; ~ de sus banderas.* 2 fig. Abandonar las concurrencias que se solían frecuentar. 3 fig. Abandonar alguien su obligación, su deber, el partido o causa que defiende, etc.

desértico, -ca *adj.* Perteneciente o relativo al desierto. 2 [clima] Caracterizado por la sequedad.

desertizar *tr.- prnl.* Convertir en desierto. – 2 *tr.* fig. Hacer que desaparezca toda actividad humana en un lugar. ◇ ** CONJUG. [4] como *realizar*.

desertor, -ra *m.* Que deserta (desampara y abandona). – 2 *m. f.* fig. *y* fam. Persona que se retira de una opinión o causa que servía o de una concurrencia que se solía frecuentar.

desespañolizar *tr.* Quitar [a personas o cosas] el carácter español. ◇ ** CONJUG. [4] como *realizar*.

desesperación *f.* Pérdida total de la esperanza. 2 fig. Alteración extrema del ánimo causada por la consideración de un mal irreparable o por la impotencia de lograr éxito.

desesperado, -da *adj.-s.* Poseído de desesperación.

desesperanzar *tr.-prnl.* Quitar la esperanza [a uno]. ◇ ** CONJUG. [4] como *realizar*.

desesperar *intr.-prnl.* Desesperanzar: *~ de la pretensión.* – 2 *tr.* Impacientar, exasperar [a uno]. – 3 *prnl.* Despecharse hasta el punto de cobrar horror a la vida.

desestabilizar *tr.* Comprometer o perturbar la estabilidad [un orden constituido]. ◇ ** CONJUG. [4] como *realizar*.

desestibar *tr.* Sacar el cargamento de la bodega de un barco y disponerlo para la descarga.

desestima, desestimación *f.* Acción de desestimar. 2 Efecto de desestimar.

desestimar *tr.* No tener la debida estimación [a una cosa]. 2 DER. Denegar: *~ un recurso, una solicitud.*

desfachatado, -da *adj.* Descarado, desvergonzado.

desfachatez *f.* Descaro, desvergüenza. ◇ Posee un matiz intensivo.

desfalcar *tr.* Quitar parte [de una cosa]; descabalarla. 2 Tomar para sí [un caudal que se tenía bajo obligación de custodia]. 3 Derribar [a uno] del favor o amistad que gozaba. ◇ ** CONJUG. [1] como *sacar*.

desfalco *m.* Acción de desfalcar. 2 Efecto de desfalcar: *jamás se supo quién había sido el autor del ~.*

desfallecer *tr.* Causar desfallecimiento o disminuir las fuerzas [a persona o animal]. – 2 *intr.* Decaer, debilitar: *~ de ánimo.* ◇ ** CONJUG. [43] como *agradecer*.

desfallecimiento *m.* Disminución del ánimo, decaimiento de vigor y fuerzas.

desfasado, -da *adj.* fig. Que no se ajusta a las corrientes, condiciones o circunstancias del momento.

desfasar *prnl.* Retrasarse [con respecto a algo], perder la posibilidad de adaptarse [a algo] o de entenderse [con alguien].

desfase *m.* Cualidad de desfasado. 2 fig. Inoportunidad, inadecuación para un tiempo determinado. 3 Diferencia, separación, falta de correspondencia entre varias cosas.

desfavorable *adj.* Poco favorable, perjudicial.

desfavorecer *tr.* Dejar de favorecer [a uno]; desairarle. 2 Contradecir o hacer oposición [a una cosa], favoreciendo la contraria. 3 eufem. Afear. ◇ ** CONJUG. [43] como *agradecer*.

desfibrar *tr.* Quitar las fibras [a las materias que las contienen]: *~ plantas textiles, maderas,* etc.

desfibrinación *f.* Destrucción o separación de la fibrina de la sangre.

desfigurar *tr.* Deformar, hacer que [una cosa] pierda su figura propia; u obscurecer [una cosa] para que no se vea su forma. 2 Desemejar, ajar [el semblante]: *se ha desfigurado.* 3 Referir [una cosa] alterando sus verdaderas circunstancias. – 4 *prnl.* Inmutarse por un accidente o por alguna pasión del ánimo.

desfijar *tr.* Arrancar o quitar [una cosa] del sitio donde está fijada.

desfiladero *m.* Paso estrecho entre **montañas.

desfilar *intr.* Marchar en fila. 2 Pasar las tropas ante el rey, un elevado personaje, etc. 3 fig. Salir, varios, uno tras otro, de alguna parte.

desflorar *tr.* Ajar, quitar la flor o el lustre [a una cosa]. 2 fig. Desvirgar. 3 fig. Tratar superficialmente [de un asunto o materia].

desflorecer *intr.-prnl.* Perder la flor. ◇ ** CONJUG. [43] como *agradecer*.

desfogar *tr.* Dar salida al fuego: *~ un horno.*

2 Apagar [la cal]. – 3 *tr.-prnl.* fig. Manifestar con vehemencia [una pasión]: *~ la cólera en alguno, o desfogarse en alguno.* ◇ ** CONJUG. [7] como *llegar*.

desfondar *tr.-prnl.* Quitar o romper el fondo [a un vaso, caja, etc.]. 2 MAR. Romper, agujerear el fondo [de una nave]. – 3 *tr.-prnl.* En competiciones deportivas, quitar o perder fuerza o empuje.

desgabilado, -da *adj.* [pers.] Desvaído, desgarbado y pusilánime.

desgaire *m.* Desaliño, desaire, generalmente afectado. 2 Ademán de desprecio.

desgajadura *f.* Rotura de la rama cuando lleva consigo parte del tronco a que está asida.

desgajar *tr.* Desgarrar, arrancar [una rama] del tronco, y en general, despedazar, romper [alguna cosa]. – 2 *prnl.* fig. Apartarse, soltarse, desprenderse una cosa de otra.

desgalgadero *m.* Pedregal en pendiente. 2 Despeñadero, precipicio.

desgalichado, -da *adj.* fam. Desaliñado, desgarbado.

desgana *f.* Inapetencia. 2 Tedio, hastío de una cosa.

desganar *prnl.* Perder el apetito de la comida. 2 fig. Disgustarse, apartarse de lo que antes se hacía con gusto; sentir tedio o fastidio. – 3 *tr.* Quitar [a alguno] el deseo o gana de hacer una cosa.

desgañitarse *prnl.* Esforzarse uno violentamente, gritando o voceando. 2 Enronquecerse.

desgarbado, -da *adj.* Falto de garbo.

desgaritar *intr.-prnl.* Perder el rumbo. – 2 *prnl.* Separarse la res de la madrina o del redil. 3 fig. No seguir el intento que se había empezado.

desgarrar *tr.-prnl.* Rasgar (romper). 2 Herir vivamente [los sentimientos de una persona].

desgarriate *m.* Méj. Destrozo; desastre.

desgarro *m.* Rompimiento. 2 fig. Arrojo, desvergüenza. 3 fig. Fanfarronada. 4 Amér. Esputo.

desgarrón *m.* Desgarro grande en la ropa. 2 Jirón del vestido al desgarrarse la tela.

desgastamiento *m.* Prodigalidad, profusión.

desgastar *tr.* Quitar o consumir por el roce parte [de una cosa]. 2 fig. Pervertir, viciar; debilitar. – 3 *prnl.* Perder fuerza o poder: *el alcalde se ha desgastado.*

desglosar *tr.* Quitar la nota o glosa [a un escrito]. 2 Separar [una hoja, pliego, etc.] de otros con los cuales estaba encuadernado. 3 fig. Separar, apartar [una cuestión] de otras, especialmente para estudiarla o considerarla por separado.

desgobernar *tr.* Perturbar el gobierno [de un país]; gobernar sin tino [un país]. 2 Conducir mal [la nave] descuidándose en el

gobierno del timón: *abs., el timón desgobierna.*
3 Perturbar la dirección o el orden de una cosa.
◇ ** CONJUG. [27] como *acertar.*

desgobierno *m.* Desorden, desbarate, falta de gobierno.

desgomar *tr.* Quitar la goma [a los tejidos, especialmente a los de seda].

desgracia *f.* Caso o acontecimiento funesto. 2 Mal que constituye un perpetuo motivo de aflicción: *tener la ~ de ser sordo.* 3 Suerte adversa. 4 Pérdida de privanza: *caer en ~.*

desgraciado, -da *adj.-s.* Que padece desgracia. – 2 *adj.* Falto de gracia y atractivo. – 3 *m. f.* Persona que inspira compasión o menosprecio.

desgraciar *tr.-prnl.* Echar a perder [a una persona o cosa]; esp., malograr o impedir su desarrollo. 2 fam. Deshonrar [a una mujer]. – 3 *prnl.* Malograrse. ◇ ** CONJUG. [12] como *cambiar.*

desgranar *tr.* Sacar el grano [de una cosa]: *~ maíz.* – 2 *prnl.* Desgastarse el oído en las armas de fuego. 3 Soltarse las piezas ensartadas: *desgranarse un collar.*

desgranzar *tr.* Separar las granzas: *~ el trigo.* ◇ ** CONJUG. [4] como *realizar.*

desgravación *f.* Acción de desgravar. 2 Efecto de desgravar.

desgravar *tr.* Rebajar los derechos arancelarios o los impuestos.

desgreñar *tr.* Descomponer los cabellos [de una persona]. – 2 *prnl.* Andar a la greña.

desguanzo *m. Méj.* Falto de fuerza y vigor.

desguañangar *tr. Amér.* vulg. Causar daño; desbaratar. ◇ ** CONJUG. [7] como *llegar.*

desguardo *m. Argent.* Relicario o talismán.

desguarnecer *tr.* Quitar la guarnición que servía de adorno [a una cosa]. 2 Quitar las guarniciones [a los animales de tiro]. 3 Quitar la fortaleza o la fuerza [a una plaza, a un castillo, etc.]. 4 Quitar piezas esenciales [de un instrumento mecánico]: *~ un martillo.* ◇ ** CONJUG. [43] como *agradecer.*

desguazar *tr.* Desbastar con el hacha [un madero]. 2 Deshacer [un buque] total o parcialmente. 3 Desmontar o deshacer cualquier estructura. ◇ ** CONJUG. [4] como *realizar.*

deshabitado, -da *adj.* Que ya no está habitado: *castillo ~.*

deshabitar *tr.* Dejar de habitar [un lugar o casa]. 2 Dejar sin habitantes [una población o territorio].

deshabituar *tr.-prnl.* Hacer perder [a uno] el hábito o costumbre que tenía. 2 Eliminar por procedimientos terapéuticos un hábito o costumbre, especialmente tratándose de las drogas. ◇ ** CONJUG. [11] como *actuar.*

deshacer *tr.* Destruir o alterar [lo que se ha hecho o está hecho]: *~ una figura,* quitarle la forma; *~ una hilera,* descomponerla; *~ un*

reloj, desarmarlo; *~ una planta,* destruirla; *~ una res,* dividirla en partes; *~ un cuchillo,* desgastarlo; *~ un negocio, un trato,* etc. , fig., desconcertarlos. 2 Romper, poner en fuga [un ejército]. 3 Derretir, liquidar, y, análogamente, desleír, disolver [alguna cosa] en un líquido. 4 Desandar, recorrer en sentido contrario una calle, camino, etc. – 5 *prnl.* Desbaratarse, destruirse una cosa, y especialmente, estropearse, maltratarse gravemente: *deshacerse los pasteles.* 6 fig. Afligirse mucho, impacientarse: *deshacerse en llanto.* 7 fig. Trabajar con mucho ahínco. 8 fig. Enflaquecerse, extenuarse. 9 fig. Desaparecer o desvanecerse de la vista. ◇ ** CONJUG. [73] como *hacer;* pp. irreg.: *deshecho.*

desharrapado, -da *adj.-s.* Lleno de harapos; roto.

deshebillar *tr.* Soltar la hebilla [de una cosa] o desprender [lo que estaba sujeto con ella].

deshebrar *tr.* Sacar las hebras [de una tela] destejiéndola. 2 fig. Deshacer [una cosa] en partes muy delgadas.

deshecho, -cha, *adj.* Hablando de lluvia, temporales, etc., impetuoso, violento.

deshelar *tr.* Liquidar [lo que está helado]. ◇ ** CONJUG. [27] como *acertar.*

desherbar *tr.* Arrancar [las hierbas perjudiciales]. ◇ ** CONJUG. [27] como *acertar.*

desheredado, -da *adj.-s.* Pobre, que carece de lo necesario.

desheredar *tr.* Excluir [a una persona] de la herencia. – 2 *prnl.* fig. Apartarse uno de su familia, obrando de modo indigno.

deshermanar *tr.* fig. Quitar la conformidad o igualdad [de dos cosas conformes o iguales]. – 2 *prnl.* Faltar a los deberes fraternales.

desherrar *tr.* Quitar los hierros [al que está aprisionado]. 2 Quitar las herraduras [a una caballería]. ◇ ** CONJUG. [27] como *acertar.*

deshidratar *tr.* Quitar [a una substancia] el agua de hidratación. – 2 *prnl.* Perder agua en exceso los tejidos del cuerpo.

deshielo *m.* Acción de deshelar o deshelarse. 2 Efecto de deshelar o deshelarse. 3 Época o temporada en que se produce dicha acción. 4 fig. Distensión en las relaciones [entre personas, países, etc.].

deshilachar *tr.* Sacar hilachas [de una tela]. 2 Reducir los trapos y los desechos de la hilatura de la lana a una borra destinada a ser hilada de nuevo.

deshilado *m.* Labor que se hace sacando hilos de un tejido y haciendo calados con los que quedan.

deshilar *tr.* Sacar hilos [de un tejido]; esp., destejer [la orilla] dejando pendientes los hilos a modo de flecos. 2 p. anal. Reducir a hilos [ciertas carnes, como la pechuga de gallina].

deshilvanado, -da *adj.* fig. [discurso, pensamiento, etc.] Sin enlace ni trabazón.

deshilvanar *tr.* Quitar los hilvanes [a una cosa hilvanada].

deshincar *tr.* Sacar [lo que está hincado]. – 2 *prnl.* Levantarse la persona que está de rodillas. ◇ ** CONJUG. [1] como *sacar*.

deshinchar *tr.-prnl.* Quitar o deshacer la hinchazón: ~ *un globo;* ~ *una noticia, un artículo,* en el periodismo, rebajar su importancia o extensión. 2 fig. Desahogar [la cólera o el enojo]; hacer perder la vanidad. 3 fig. Desanimarse, perder el impulso o las ganas.

deshipotecar *tr.* Cancelar la hipoteca o hipotecas [de una cosa hipotecada]. 2 Levantar un gravamen. ◇ ** CONJUG. [1] como *sacar*.

deshojar *tr.-prnl.* Quitar las hojas [a una planta] o los pétalos [a una flor]. 2 Quitar las hojas de una cosa.

deshollinar *tr.* Quitar el hollín. 2 fig. *y* fam. Mirar con atención o curiosidad para husmear [algo].

deshonestidad *f.* Calidad de deshonesto. 2 Dicho o hecho deshonesto.

deshonesto, -ta *adj.* Falto de honestidad.

deshonor *m.* Pérdida del honor. 2 Afrenta, deshonra.

deshonra *f.* Pérdida de la honra. 2 Cosa deshonrosa.

deshonrar *tr.* Quitar la honra [a alguno], especialmente violar [a una mujer]. 2 Injuriar. 3 Despreciar y escarnecer [a uno].

deshonroso, -sa *adj.* Afrentoso, indecoroso, poco decente.

deshora *f.* Tiempo inoportuno, no conveniente.

deshuesar *tr.* Quitar los huesos [de la carne de un animal o fruto].

deshumanizado, -da *adj.* [pers.] Carente de sentimientos.

deshumanizar *tr.-prnl.* Privar [a una persona o cosa] del carácter humano. 2 fig. Perder una persona sus sentimientos. ◇ ** CONJUG. [4] como *realizar*.

deshumidificar *tr.* Eliminar la humedad con medios artificiales. ◇ ** CONJUG. [1] como *sacar*.

desiderata *f.* Lista de objetos que se desea adquirir, especialmente libros en las bibliotecas.

desiderativo, -va *adj.* Que expresa deseo.

desiderátum *m.* Objeto de un vivo o constante deseo. 2 Lo más digno de ser apreciado en su línea.

desidia *f.* Negligencia, inercia.

desidioso, -sa *adj.-s.* Negligente, dejado, abandonado.

desierto, -ta *adj.* Despoblado, solo, inhabitado: *la calle estaba desierta.* 2 [subasta o certamen] En que nadie toma parte, o a nadie se adjudica. – 3 *m.* Lugar inhabitado, especialmente por su esterilidad, falta de vegetación, etc.: *el ~ del Sáhara.*

designar *tr.* Formar designio de realizar [un trabajo]. 2 Denominar, determinar [una persona o cosa] por su nombre o rasgo distinto: ~ *los candidatos.* 3 Señalar [una persona o cosa] para determinado fin.

designio *m.* Pensamiento, plan. 2 Intención o propósito.

desigual *adj.* No igual: *dos catetos desiguales; un terreno ~.* 2 fig. Arduo, grande, dificultoso. 3 fig. Inconstante, vario: *tiempo ~; ingenio ~.*

desigualar *tr.* Hacer que [una persona o cosa] no sea igual a otra. – 2 *prnl.* Preferirse, adelantarse, aventajarse.

desigualdad *f.* Calidad de desigual: *las desigualdades de un terreno.*

desilusión *f.* Carencia o pérdida de las ilusiones.

desilusionar *tr.* Hacer perder [a uno] las ilusiones.

desimantar *tr.* Hacer perder la imantación [a un hierro o acero].

desincrustar *tr.* Quitar las incrustaciones que se forman [en las calderas]; decapar.

desinencia *f.* Terminación de un vocablo que expresa un accidente gramatical: *en español la s es la ~ del plural.*

desinfección *f.* Acción de desinfectar. 2 Efecto de desinfectar.

desinfectar *tr.* Quitar [de una cosa] lo que puede ser una causa de infección: ~ *una habitación; desinfectarse las manos.*

desinflamar *tr.* Hacer desaparecer la inflamación (reacción): ~ *la llaga;* ~ *una pierna.*

desinflar *tr.-prnl.* Sacar lo que contenía [un cuerpo inflado]. – 2 *prnl.* fam. Desistir de un empeño, rajarse.

desinformar *intr.* Dar información intencionadamente manipulada al servicio de ciertos fines.

desinsectar *tr.* Exterminar los insectos [de un local, barco, etc.].

desintegración *f.* Acción de desintegrar: ~ *nuclear,* transformación que experimenta un núcleo atómico por pérdida de alguna partícula. 2 Efecto de desintegrar.

desintegrar *tr.* Romper la integridad [de lo que forma un todo unitario], disociar: ~ *un territorio;* ~ *los átomos.*

desinterés *m.* Desprendimiento y desapego de todo provecho personal. 2 Falta de interés.

desinteresado, -da *adj.* Desprendido, apartado del interés.

desinteresarse *prnl.* Perder uno el interés que tenía en algo.

desintoxicación *f.* Acción de desintoxicar. 2 Efecto de desintoxicar. 3 Proceso fisiológico o terapéutico que convierte en innocuas las substancias tóxicas.

desintoxicar *tr.-prnl.* Combatir la intoxicación o sus efectos. ◇ ** CONJUG. [1] como *sacar*.

desistir *intr.* Renunciar a una empresa o intento empezado a ejecutar: ~ *del propósito.*

desjarretar *tr.* Cortar las piernas [de un animal] por el jarrete. 2 fig. Debilitar y dejar sin fuerzas [a uno]. 3 CARP. Cortar las piezas de madera con exactitud.

desjuntar *tr.-prnl.* Dividir, separar, apartar [lo juntado].

deslabonar *tr.* Soltar y desunir un eslabón de otro: ~ *una cadena.* 2 fig. Desunir [una cosa]. – 3 *prnl.* fig. Apartarse de la compañía o trato de una persona.

deslavar *tr.* Lavar [una cosa] muy por encima sin aclararla bien. 2 *Méj.* Desmoronar un río [la ribera].

deslavazado, -da *adj.* Insubstancial, insulso. 2 Desordenado, mal compuesto. 3 Falto de vigor o fuerza en su posición, movimiento o compostura. 4 Carente de unión en sus partes.

desleal *adj.-s.* Que obra sin lealtad: ~ *a su rey;* ~ *con su amada.*

deslealtad *f.* Falta de lealtad.

deslechugar *tr.* Limpiar [las viñas] de lechuguillas y otras hierbas. 2 Chapodar las puntas [de los sarmientos] que llevan fruto, al acercarse la madurez de éste. ◇ ** CONJUG. [7] como *llegar.*

desleír *tr.-prnl.* Desunir las partes [de algunos cuerpos] por medio de un líquido: ~ *en agua.* 2 fig. Expresar [los pensamientos o conceptos] con sobreabundancia de palabras. ◇ ** CONJUG. [37] como *reír.*

deslenguado, -da *adj.* fig. Desvergonzado, desbocado (mordaz).

desliar *tr.* Desatar [lo liado]. ◇ ** CONJUG. [13] como *desviar.*

desligar *tr.-prnl.* Desatar las ligaduras: ~ *una cabra.* 2 fig. Separar una cosa de otra a la que va naturalmente unida, considerarla con independencia de ella. – 3 *tr.* Dispensar [a uno] de la obligación contraída. ◇ ** CONJUG. [7] como *llegar.*

deslindar *tr.* Señalar los lindes [de un lugar, provincia o heredad]. 2 fig. Aclarar [una cosa], poniéndola en sus propios términos, para que no sea confundida.

deslinde *m.* Acción de deslindar. 2 Efecto de deslindar.

desliz *m.* Acción de deslizar o deslizarse. 2 Efecto de deslizar o deslizarse. 3 eufm. Falta, culpa, error. 4 fig. Desacierto, equivocación, indiscreción voluntaria. 5 fig. Falta, flaqueza en sentido moral, con especial referencia a la relación carnal.

deslizar *intr.-tr.* Resbalar, irse los pies, correr [un cuerpo] o escurrirse por encima de una superficie lisa o mojada: *nos deslizábamos por el hielo; deslicé el vagón por el plano; el tren se desliza por el raíl.* 2 Decir o hacer [una cosa] por descuido. – 3 *prnl.* Escaparse, evadirse. 4

Caer en una flaqueza: *deslizarse en el vicio.* ◇ ** CONJUG. [4] como *realizar.*

deslomar *tr.* Lastimar gravemente los lomos [de una persona o animal]. – 2 *prnl.* Trabajar o esforzarse mucho.

deslucir *tr.-prnl.* Quitar la gracia o el lustre [a una cosa]. 2 fig. Desacreditar. ◇ ** CONJUG. [45] como *lucir.*

deslumbramiento *m.* Acción de deslumbrar. 2 Efecto de deslumbrar. 3 Turbación que se experimenta cuando hiere la vista una luz muy viva.

deslumbrar *tr.* Ofuscar [la vista] con demasiada luz; *abs., este fuego deslumbra.* 2 fig. Dejar [a uno] perplejo.

deslustrar *tr.* Quitar el lustre, en particular [a las sedas artificiales]. 2 Quitar la transparencia [al vidrio o al cristal] frotándolo con esmeril o por otro procedimiento. – 3 *tr.-prnl.* Descolorar [la superficie de un metal] por la acción del aire.

deslustre *m.* Falta de lustre. 2 Acción de deslustrar. 3 fig. Descrédito producido por una acción indecorosa.

desmadejar *tr.* fig. Causar flojedad en el cuerpo [de uno].

desmadrado, -da *adj.* [animal] Abandonado por la madre. 2 [pers.] Que actúa sin respeto ni miramiento.

desmadrar *tr.* Separar de la madre [las crías del ganado]. – 2 *prnl.* Salirse de madre [un arroyo, torrente, etc.]. 3 fam. Perder la cordura y la dignidad. 4 fam. Actuar fuera de los límites de cualquier tipo de convencionalismo.

desmadre *m.* fig. *y* fam. Exceso desmesurado en palabras o acciones. 2 fig. *y* fam. Jolgorio, juerga incontrolada.

desmalezar *tr. Amér.* Desherbar, desbrozar, quitar la maleza [a un terreno]. ◇ ** CONJUG. [4] como *realizar.*

I) desmán *m.* Exceso, desorden, demasía, tropelía. 2 Desgracia, suceso infausto.

II) desmán *m.* Mamífero insectívoro, pequeño, con el hocico prolongado en trompa y los pies palmeados, que excava galerías junto a los ríos y pantanos *(gén. Myogale).*

desmanarse *prnl.* Apartarse el ganado de la manada.

desmanchar *tr. Amér.* Quitar manchas. – 2 *prnl. Amér.* Apartarse; salir a correr.

desmandar *tr.* Revocar la orden o mandato [de alguna cosa]. – 2 *prnl.* Descomedirse, propasarse.

desmano (a ~) *loc. adv.* A trasmano (fuera del alcance de la mano).

desmantelado, -da *adj.* [casa, habitación, etc.] Mal cuidado y sin muebles.

desmantelar *tr.* Echar por tierra o arruinar [las fortificaciones de una plaza]. 2 fig. Abandonar, desamueblar [una casa]. 3 MAR. Desarmar y desaparejar [una embarcación].

desmañado, -da *adj.-s.* Falto de maña (habilidad).

desmaquillar *tr.-prnl.* Sacar el maquillaje del rostro.

desmarcar *tr.* Quitar una marca. – 2 *prnl.* En algunos deportes, burlar la vigilancia [del adversario]. ◇ ** CONJUG. [1] como *sacar.*

desmarrido, -da *adj.* Desfallecido, mustio y sin fuerzas.

desmatar *tr.* Descuajar las matas [de un terreno].

desmayado, -da *adj.* De color bajo y apagado.

desmayar *tr.* Causar desmayo [a alguno]. – 2 *intr.* fig. Perder el valor, acobardarse. – 3 *prnl.* Perder el sentido y el conocimiento.

desmayo *m.* Desaliento. 2 MED. Síncope.

desmedido, -da *adj.* Desproporcionado; falto de medida; que no tiene término.

desmedirse *prnl.* Descomedirse, excederse. ◇ ** CONJUG. [34] como *servir.*

desmedrar *tr.* Deteriorar. – 2 *intr.* Decaer, debilitarse, enflaquecer.

desmejora *f.* Deterioro, menoscabo.

desmejorar *tr.* Hacer perder el lustre y perfección [a una persona o cosa]. – 2 *intr.-prnl.* Ir perdiendo la salud.

desmelenado, -da *adj.-s.* [pers. o cosa] Que se presenta sin la compostura debida.

desmelenar *tr.* Desgreñar (despeinar). – 2 *prnl.* Dejarse arrastrar por una pasión.

desmembrar *tr.* Dividir y separar los miembros [del cuerpo de un animal]. 2 Separar, dividir [una cosa de otra]: ~ *un país.* ◇ ** CONJUG. [3] como *acertar.*

desmemoriado, -da *adj.-s.* Torpe de memoria. 2 Falto de ella. 3 Que la conserva a intervalos.

desmemoriarse *prnl.* Olvidarse, no acordarse; faltar a uno la memoria. ◇ ** CONJUG. [12] como *cambiar.*

desmentir *tr.* Declarar [a uno] que falta a la verdad. 2 Sostener o demostrar la falsedad [de un dicho o hecho]. 3 Disimular, hacer desaparecer [una cosa] para que no se conozca: ~ *las sospechas, los indicios.* 4 No corresponder uno en su conducta [a lo que debía esperarse de su nacimiento o educación]: ~ *la nobleza de sus antepasados.* – 5 *intr.* fig. Perder una cosa la línea o nivel que le corresponde respecto de otra. ◇ ** CONJUG. [35] como *hervir.*

desmenuzar *tr.* Deshacer [una cosa] dividiéndola en partes menudas. 2 fig. Examinar menudamente [una cosa]. ◇ ** CONJUG. [4] como *realizar.*

desmerecer *intr.* Perder una cosa parte de su mérito o valor. 2 Ser una cosa inferior a otra con la cual se compara. – 3 *tr.* Hacerse indigno [de premio o alabanza]. ◇ ** CONJUG. [43] como *agradecer.*

desmesurado, -da *adj.* Excesivo, mayor de lo común. – 2 *adj.-s.* Descortés, insolente, atrevido.

desmesurar *tr.* Desarreglar o descomponer. – 2 *prnl.* Descomedirse, excederse, perder la modestia.

desmigajar *tr.* Hacer migajas [una cosa].

desmilitarizar *tr.* Quitar el carácter militar [a una cosa]. 2 Reducir o suprimir el sometimiento a la disciplina militar. 3 Desguarnecer de tropas e instalaciones militares un territorio obedeciendo a un acuerdo internacional. ◇ ** CONJUG. [4] como *realizar.*

desmirriado, -da *adj.* fam. Flaco, extenuado, consumido.

desmitificar *tr.* Disminuir o privar de atributos míticos [a aquello que los tenía o pretendía tenerlos]; poner en evidencia las características reales de una persona o cosa. ◇ ** CONJUG. [1] como *sacar.*

desmochar *tr.* Quitar, cortar, arrancar o desgajar la parte superior [de una cosa] dejándola mocha: *desmochó un árbol, desnudándole las ramas.* 2 fig. Eliminar parte [de una obra artística o literaria].

desmogar *intr.* Mudar los cuernos el venado y otros animales. ◇ ** CONJUG. [7] como *llegar.*

desmolado, -da *adj.* Que ha perdido las muelas.

desmoldar *tr.* Sacar [una cosa] del molde.

desmontar *tr.* Cortar [en un bosque, monte, etc., todos o parte de los árboles o matas]: *hemos desmontado la sierra* o *los árboles de la sierra.* 2 Deshacer [un montón de tierra, broza, etc.]. 3 Deshacer [un edificio o parte de él]. 4 Desarmar (descomponer). 5 Retirar del disparador la llave [de una arma de fuego]. 6 Quitar o no dar la cabalgadura [al que le corresponde tenerla]. 7 Bajar [a uno] de una caballería o de otra cosa; *prnl., desmontarse del caballo; abs., no quiso ~.*

desmonte *m.* Acción de desmontar (cortar, deshacer y allanar). 2 Efecto de desmontar (cortar, deshacer y allanar). 3 Paraje de terreno desmontado. ◇ Usado a menudo en plural.

desmoñar *tr.* Quitar o descomponer el moño [a una mujer].

desmoralizar *tr.* Corromper [las costumbres] con malos ejemplos o doctrinas. – 2 *prnl.* Desanimarse, perder el coraje. ◇ ** CONJUG. [4] como *realizar.*

desmoronar *tr.-prnl.* Deshacer y arruinar poco a poco [un cuerpo formado por una aglomeración de substancias]: ~ *un edificio.* – 2 *prnl.* Venir a menos, irse destruyendo los imperios, los caudales, el crédito, etc. 3 fig. Decaer profundamente el ánimo de una persona.

desmosponja *adj.-f.* Porífero de la clase de las desmosponjas. – 2 *f. pl.* Clase de poríferos provistos de un esqueleto orgánico reforzado, a veces, por espículas silíceas; como la esponja de baño.

desmotar *tr.* Quitar las motas [a la lana o al paño]. 2 *Amér.* Quitar [al algodón] su semilla.

desmovilizar *tr.* Licenciar [las tropas]. ◇ ** CONJUG. [4] como *realizar*.

desmugrar *tr.* En los batanes, quitar la grasa [a los paños].

desmullir *tr.* Descomponer [lo mullido]. ◇ ** CONJUG. [41] como *mullir*.

desnacionalizar *tr.-prnl.* Quitar el carácter de nacional. ◇ ** CONJUG. [4] como *realizar*.

desnarigado, -da *adj.-s.* Que no tiene narices o las tiene muy pequeñas.

desnatado, -da *adj.* [producto lácteo] Que ha sido privado de nata o grasa. – 2 *m.* Acción de desnatar. 3 Efecto de desnatar.

desnatar *tr.* Quitar la nata [a un producto lácteo]. 2 Extraer la materia grasa que tienen los productos lácteos. 3 fig. Escoger lo mejor [de una cosa].

desnaturalizado, -da *adj.-s.* Que falta a los deberes que impone la naturaleza: *hijo ~*.

desnaturalizar *tr.* Privar [a uno] del derecho de naturaleza; desterrarle. 2 Alterar profundamente [una cosa], haciéndole perder sus cualidades esenciales. ◇ ** CONJUG. [4] como *realizar*.

desnebulización *f.* Conjunto de procedimientos propios para disipar la niebla en los aeropuertos.

desnevar *impers.* Deshacerse o derretirse la nieve. ◇ ** CONJUG. [27] como *acertar*.

desnivel *m.* Falta de nivel. 2 Diferencia de alturas entre dos o más puntos.

desnivelar *tr.* Sacar de nivel [una cosa].

desnortarse *prnl.* Perder el norte (dirección); desorientarse.

desnucar *tr.-prnl.* Dislocar o fracturar los huesos de la nuca [de una persona o animal]. 2 Causar la muerte a una persona o animal por un golpe en la nuca. ◇ ** CONJUG. [1] como *sacar*.

desnuclearizar *tr.* Abandonar la construcción o instalación de armas nucleares, especialmente en un determinado espacio geográfico. ◇ ** CONJUG. [4] como *realizar*.

desnudar *tr.* Quitar todo el vestido o parte de él. 2 fig. Despojar [una cosa] de lo que la cubre o adorna: *~ los altares; ~ los árboles*. 3 fig. Sacar de su vaina [una espada]. – 4 *prnl.* Rechazar, apartar de sí una cosa: *desnudarse de las pasiones*.

desnudismo *m.* Práctica de los que van desnudos para exponer el cuerpo a los agentes naturales.

desnudo, -da *adj.* Sin vestido. 2 fig. Muy mal vestido e indecente. 3 fig. Falto de lo que cubre o adorna. 4 fig. Falto de fortuna. 5 fig. Falto de una cosa no material. 6 fig. Patente, claro, sin rebozo. – 7 *m.* PINT. y ESC. Figura humana desnuda, o cuyas formas se perciben aunque esté vestida.

desnutrición *f.* Estado consecutivo a un desequilibrio negativo entre el aporte alimentario y las necesidades del organismo.

desnutrirse *prnl.* Depauperarse el organismo por trastorno de la nutrición.

desobedecer *tr.* No hacer uno [lo que le mandan o está mandado]: *~ las leyes; ~ al rey*. ◇ ** CONJUG. [43] como *agradecer*.

desobediente *adj.* Propenso a desobedecer.

desobligar *tr.* Librar de una obligación [a uno]. 2 fig. Enajenar el ánimo [de uno]. ◇ ** CONJUG. [7] como *llegar*.

desobstruir *tr.* Quitar las obstrucciones [a alguna persona o cosa]. 2 Desembarazar (quitar impedimento y evacuar). ◇ ** CONJUG. [62] como *huir*.

desocarse *prnl.* *Amér. Merid.* Dislocarse una mano o un pie. ◇ ** CONJUG. [1] como *sacar*.

desocupación *f.* Falta de ocupación, paro, desempleo.

desocupado, -da *adj.-s.* Sin ocupación, parado, desempleado. 2 Vacío, no ocupado [por personas o cosas].

desocupar *tr.* Desembarazar [un lugar]; dejarlo libre y sin impedimento. 2 Sacar lo que hay dentro [de alguna cosa]. ◇ ** CONJUG. [1] como *sacar*.

desodorante *adj.-s.* Que destruye los olores molestos o nocivos.

desodorar *tr.* Quitar el olor desagradable o nocivo [del cuerpo o de cualquier lugar].

desoír *tr.* Desatender, dejar de oír. ◇ ** CONJUG. [75] como *oír*.

desojar *tr.* Quebrar el ojo [de un instrumento]: *~ una aguja; ~ una azada*. – 2 *prnl.* fig. Estropearse uno la vista por forzarla o hacerla trabajar mucho.

desolar *tr.* Asolar (destruir). – 2 *prnl.* Afligirse, angustiarse con extremo. ◇ ** CONJUG. [31] como *contar*, aunque se usa exclusivamente en el infinitivo y participio.

desollar *tr.* Quitar la piel [de un animal] o parte de ella: *~ un cabrito*. 2 fig. Causar [a uno] grave daño moral o material. ◇ ** CONJUG. [31] como *contar*.

desorbitar *tr.-prnl.* Sacar una cosa de su órbita habitual. 2 Exagerar, abultar, conceder demasiada importancia a una cosa.

desorden *m.* Falta de orden, confusión: *~ en la administración*. 2 Alteración del orden moral, social. 3 Trastorno funcional. 4 fig. Vida desenfrenada.

desordenar *tr.* Poner en desorden: *~ una biblioteca; ~ un convoy*. – 2 *prnl.* Salir de regla, excederse.

desorejado, -da *adj. Amér.* Sin asas.

desorejar *tr.* Cortar las orejas [a una persona o animal].

desorganizar *tr.* Destruir la organización [de una cosa]. ◇ ** CONJUG. [4] como *realizar.*

desorientación *f.* Pérdida de la noción del tiempo y del espacio, propia de las alteraciones anatómicas o de la función del sistema nervioso central.

desorientar *tr.* Hacer perder la orientación [a una persona]. 2 fig. Confundir, ofuscar, extraviar.

desosar *tr.* Deshuesar. ◇ ** CONJUG. [59].

desovar *intr.* Soltar las hembras de los peces y anfibios sus huevos.

desovillar *tr.* Deshacer [los ovillos de lana, seda, etc.]: ~ *la lana* o *un ovillo de lana.* 2 fig. Desenredar y aclarar [una cosa].

desoxidar *tr.* Limpiar [un metal] del óxido que lo manchaba.

despabiladeras *f. pl.* Instrumento a modo de tijeras con que se despabila la luz.

despabilado, -da *adj.* Que no tiene sueño, desvelado. 2 fig. Vivo y despejado.

despabilar *tr.* Quitar [a la luz artificial] la parte ya quemada del pabilo. 2 fig. Despachar brevemente o con presteza: ~ *la comida;* ~ *la hacienda.* – 3 *tr.-prnl.* Avivar y ejercitar el ingenio [de alguno]: *ya le despabilaremos.* – 4 *prnl.* Sacudir el sueño: *despabílate, que ya es tarde.*

despacio *adv. m.* Poco a poco, lentamente: *andar* ~. 2 *Argent.* y *Chile.* En voz baja: *háblale* ~. – 3 *adv. t.* Por tiempo dilatado: *llorará* ~ *lo que hizo de prisa.*

despachaderas *f. pl.* Modo muy áspero de responder. 2 Facilidad en los negocios o en salir de dificultades.

despachado, -da *adj.* Desfachatado. 2 [pers.] Que es hábil para desempeñar un cometido.

despachador, -ra *adj.* Que despacha mucho y con brevedad.

despachar *tr.* Abreviar y concluir [un negocio u otra cosa]: ~ *la correspondencia.* 2 p. ext. Resolver, decidir [las causas y negocios]: ~ *el ministro despacha con el rey.* 3 Enviar: ~ *un correo.* 4 Despedir (arrojar): ~ *a un criado.* 5 p. ext. En una tienda o comercio, dar salida [a las mercaderías] vendiéndolas, o procurar [a los compradores] los géneros que piden; *abs.,* hoy *no despachamos.* 6 fig. y fam. Comer o beber [una cosa por completo]. 7 fig. y fam. Matar. – 8 *prnl.* Desembarazarse de una cosa. 9 fam. Decir uno cuanto le viene en gana.

despacho *m.* Acción de despachar. 2 Efecto de despachar. 3 Tienda donde se venden determinados efectos: ~ *de leche.* 4 Aposento destinado a despachar los negocios o para el estudio. 5 Comunicación transmitida por vía rápida. 6 Saca de correos, o sobre cerrado y precintado, en cuyo interior se remite correspondencia certificada o asegurada. 7 Expediente, resolución. 8 Cédula, título que se da a uno para algún empleo.

despachurrar *tr.-prnl.* fam. Aplastar o reventar [una cosa]: *se despachurraron los higos.*

despajar *tr.* Separar la paja [del grano]. 2 fig. Cribar a mano [tierras y desechos] para obtener el mineral que hay en ellos.

despaldillar *tr.-prnl.* Desconcertar o romper la espaldilla [a un animal].

despalillar *tr.* Quitar los palillos [a las hojas del tabaco] o el escobajo [a la uva o pasas].

despalmar *tr.* Limpiar y dar sebo [a los fondos de las embarcaciones]. 2 Separar los herradores la palma córnea de la carnosa [en los animales]. 3 Arrancar [el césped o grama].

despampanante *adj.* Asombroso.

despampanar *tr.* Quitar los pámpanos [a las vides]. 2 Dejar atónita [a una persona]. – 3 *intr.* fam. Desahogarse uno hablando con libertad. – 4 *prnl.* fam. Lastimarse gravemente de resultas de un golpe o caída.

despamplonar *tr.* Separar los vástagos [de las plantas] cuando están muy juntos. – 2 *prnl.* fig. Dislocarse la mano.

despancar *tr. Amér. Merid.* Separar la panca [de la mazorca del maíz]. ◇ ** CONJUG. [1] como *sacar.*

despanzurrar *tr.* fam. Romper la panza [a una persona o animal], despachurrar, reventar. 2 fig. y fam. Romper algo de modo aparatoso.

desparejar *tr.* Separar [dos cosas que forman pareja].

desparejo, -ja *adj.* Dispar. 2 *Argent., Parag., P. Rico* y *Urug.* Desigual, variable, inseguro, con desnivel.

desparpajo *m.* Desembarazo en el hablar o en las acciones. 2 *Amér. Central.* Desorden, desbarajuste.

desparramar *tr.-prnl.* Esparcir, extender [lo que estaba junto]: *desparramarse los pájaros.* – 2 *tr.* Divulgar [una noticia]. – 3 *prnl.* Ocuparse en muchas cosas al tiempo.

desparvar *tr.* Separar la parva [del grano] después de trillada.

despatarrar *tr.-prnl.* fam. Abrir excesivamente las piernas [a uno]. 2 Llenar de miedo y asombro [a alguno]: *dejar a uno despatarrado* o *quedarse despatarrado.* – 3 *prnl.* Caerse al suelo abierto de piernas.

despatillar *tr.* Cortar [en los maderos] los rebajos necesarios para que entren en las muescas. 2 Cortar las patas o patillas [a una pieza de hierro]. 3 Cortar o afeitar las patillas [a alguno].

despavesar *tr.* Despabilar (quitar el pabilo). 2 Quitar, soplando, la ceniza de la superficie [de las brasas].

despavorido, -da *adj.* Lleno de pavor.

despavorir *intr.-prnl.* Llenar de pavor. ◇ Verbo defectivo; se usa sólo en el infinitivo y participio.

despectivo, -va *adj.* Que indica desprecio. 2 [substantivo o adjetivo] Que añade idea de menosprecio, burla, repugnancia u hostilidad a la significación de las voces de que deriva.

I) despechar *tr.-prnl.* Causar despecho [a uno].

II) despechar *tr.* fam. Destetar [a un niño].

despecho *m.* Malquerencia nacida en el ánimo por desengaños sufridos: *obró arrastrado por el ~; ~ amoroso.*

despechugar *tr.* Quitar la pechuga [a un ave]. – 2 *prnl.* fig. Descubrirse el pecho, mostrarlo. ◇ ** CONJUG. [7] como *llegar.*

despedazar *tr.* Hacer pedazos [un cuerpo] sin orden ni concierto. 2 fig. Maltratar [algunas cosas no materiales]: *~ el alma; ~ la honra.* ◇ ** CONJUG. [4] como *realizar.*

despedido, -da *adj.* [pers.] Que ha perdido el empleo.

despedir *tr.* Lanzar, arrojar [una cosa]. 2 Difundir, esparcir: *~ rayos de luz;* apartar, arrojar de sí [una cosa no material] : *~ de sí un mal pensamiento.* 3 Extender la costa, cabo, etc., alguna prolongación hacia el mar. 4 Apartar uno de sí [a la persona que le es molesta]; esp., quitar [a uno] la ocupación o empleo: *~ a un criado; ~ las tropas.* 5 Acompañar por obsequio [al que sale de una casa u otro lugar]: *me despidió en la puerta.* – 6 *tr.-prnl.* Dejar de pretender algo por considerar imposible alcanzarlo, se utiliza con la preposición *de: se despidió de comprar la casa.* – 7 *prnl.* Separarse una persona de otra diciéndose palabras o expresiones de afecto o cortesía: *despedirse de los amigos, para un viaje;* **despedirse a la francesa,** marcharse sin despedirse. ◇ ** CONJUG. [34] como *servir.*

despedrar *tr.* Limpiar de piedras [un terreno, camino, etc.]. ◇ ** CONJUG. [27] como *acertar.*

despegado, -da *adj.* fig. Áspero o desabrido en el trato. 2 fig. Poco cariñoso, que muestra despego.

despegar *tr.-prnl.* Separar [una cosa] de otra a la que estaba pegada o muy junta. 2 *abs.* Separarse un avión del suelo o del agua al iniciar el vuelo. 3 fig. Comenzar el desarrollo o la expansión económica e industrial. 4 p. ext. Acelerar la progresión [de algo]. ◇ ** CONJUG. [7] como *llegar.*

despegue *m.* Acción de despegar una aeronave que se eleva para iniciar un vuelo. 2 fig. Desarrollo o expansión económica e industrial.

despeinar *tr.-prnl.* Deshacer el peinado [de uno]. 2 Desmelenar, desgreñar.

despejado, -da *adj.* Que tiene desembarazo y soltura en su trato. 2 [pers., entendi-

miento] Claro. 3 Espacioso, ancho: *frente despejada.* 4 Sin nubes: *día ~.*

despejar *tr.* Desembarazar [un sitio o espacio]. 2 fig. Aclarar (explicar): *~ la situación.* 3 DEP. Resolver una situación comprometida alejando la pelota de la meta propia. – 4 *prnl.* Adquirir o mostrar desenvoltura en el trato. 5 Divertirse, esparcirse. 6 Limpiarse de calentura un enfermo. 7 Recobrar uno se buen estado físico o su capacidad intelectual.

despeluzar *tr.* Desordenar el pelo [de la cabeza, de la felpa, etc.]. 2 fact. Erizar el cabello [a uno], generalmente por horror o miedo. ◇ ** CONJUG. [4] como *realizar.*

despeluznante *adj.* Pavoroso, horrible: *trato ~.*

despellejar *prnl.* Levantarse una parte superficial de la piel, formarse como unas escamas.

despenalizar *tr.* Suprimir el carácter penal [de un acto ilícito]. ◇ ** CONJUG. [4] como *realizar.*

despender *tr.* Gastar [la hacienda, el dinero, etc.]. 2 fig. Emplear [el dinero, la vida, etc.] desperdiciándolos.

despensa *f.* Lugar donde se guardan los comestibles: *la ~ del hogar.*

despeñadero, -ra *adj.* Que es a propósito para despeñar a uno o despeñarse. – 2 *m.* Declive alto y peñascoso. 3 fig. Riesgo a que uno se expone.

despeñar *tr.* Precipitar [a una persona o cosa] desde una eminencia: *despeñarse al,* o *en el, mar; despeñarse por la cuesta.* – 2 *prnl.* fig. Entregarse ciegamente a pasiones, vicios o maldades: *despeñarse de un vicio a otro.*

despepitar *tr.* Quitar las pepitas [de un fruto].

despepitarse *prnl.* Gritar con vehemencia o con enojo. 2 fig. Hablar o proceder descomedidamente.

despercudido, -da *adj.* [pers.] De color más claro que el propio de su raza.

despercudir *tr.* Limpiar [lo que está percudido]. 2 *Amér.* Avivar, despabilar [a uno].

desperdiciar *tr.* Malbaratar, emplear mal [una cosa] o no aprovecharla debidamente. ◇ ** CONJUG. [12] como *cambiar.*

desperdicio *m.* Residuo de lo que no se puede o no es fácil de aprovechar, o se deja de utilizar por descuido.

desperdigar *tr.-prnl.* Separar, esparcir. 2 Repartir una actividad en demasiadas cosas. ◇ ** CONJUG. [7] como *llegar.*

desperezarse *prnl.* Estirar los miembros para librarlos del entumecimiento o sacudir la pereza. ◇ ** CONJUG. [4] como *realizar.*

desperfecto *m.* Leve deterioro. 2 Falta, defecto en alguna cosa.

despersonalizar *tr.* Tratar [a alguien] sin considerar su individualidad. 2 Hacer impersonal. – 3 *prnl.* Perder la individualidad o el carácter personal. ◇ ** CONJUG. [4] como *realizar.*

despertador, -ra *adj.* Que despierta. – 2 *m.* **Reloj que a la hora en que previamente se le dispuso hace sonar una campana o timbre.

despertar *tr.prnl.* Cortar el sueño [al que está durmiendo]: *sus pasos me despertaron.* – 2 *tr.* fig. Traer a la memoria [una cosa]: *ello despertó su antigua sospecha.* 3 Hacer que [uno] vuelva sobre sí y recapacite: *desperté a mi hijo de su estupor.* 4 Mover, excitar [algún apetito o deseo]: ~ *la sed.* – 5 *intr.* Dejar de dormir: *desperté de madrugada;* ~ *del sueño.* 6 Hacerse más avisado el que antes era abobado y simple: *despertó de su timidez.* ◇ ** CONJUG. [27] como *acertar.*

despestañar *tr.* Quitar las pestañas [a uno]. – 2 *prnl.* Quemarse las cejas, estudiar con ahínco.

despezo *m.* Rebajo hecho en el extremo de un tubo para enchufarlo en otro. 2 Corte por donde las piedras se unen unas con otras.

despezuñarse *prnl.* Inutilizarse a un animal la pezuña. 2 *Amér.* fig. Caminar muy deprisa; desvivirse, poner mucho empeño en algo.

despiadado, -da *adj.* Impío, inhumano.

despicar *tr.* Desahogar, satisfacer. – 2 *prnl.* Satisfacerse, vengarse de un pique. – 3 *tr.-prnl.* Quitar a las gallinas la parte más aguda del pico. ◇ ** CONJUG. [1] como *sacar.*

despiece *m.* Acción de descuartizar a un animal. 2 Manera de estar dispuestas las dovelas de un arco o bóveda, o los sillares en un paramento.

despierto, -ta, *adj.* fig. Avisado, despabilado.

despigmentación *f.* Pérdida progresiva del pigmento.

despilfarrar *tr.* Consumir [el caudal] en gastos desarreglados. – 2 *prnl.* Gastar profusamente en alguna ocasión.

despilfarro *m.* Gasto excesivo y superfluo.

despimpollar *tr.* Quitar [a la vid] los pimpollos superfluos.

despinochar *tr.* Quitar las hojas a [las mazorcas de maíz].

despintar *tr.* Borrar o raer [lo pintado]. 2 Desfigurar y desvanecer [una cosa]: *con su poder logró* ~ *el negocio.* – 3 *prnl.* Borrarse fácilmente los colores o los tintes. – 4 *tr. Amér.* Retirar, apartar [los ojos, la vista]: *mientras me hablaba no me despintó la mirada.*

despiojar *tr.* Quitar los piojos: ~ *a un mendigo.* 2 fig. Sacar [a uno] de miseria.

despique *m.* Satisfacción que se toma de una ofensa o desprecio recibido y cuya memoria se conservaba con rencor.

despistado, -da *adj.-s.* Distraído.

despistar *tr.* Hacer perder la pista [a uno], desorientarle. – 2 *intr.* Disimular, fingir.

despiste *m.* Desorientación, acto de despistarse. 2 Calidad, estado de despistado. 3 Fallo, error.

despitorrado, -da *adj.* [toro] Que se le han roto los cuernos.

desplacer *m.* Pena, desazón, disgusto.

desplantador, -ra *adj.* Que desplanta. – 2 *m.* Instrumento para arrancar plantas pequeñas sin lastimarlas; **jardinería.

desplantar *tr.* Desarraigar [una planta]. 2 Desviar [una cosa] de la línea vertical.

desplante *m.* fig. Dicho o hecho lleno de arrogancia, descaro o desabrimiento.

desplatear *tr.* Sacar la plata que cubre [un objeto]. 2 *Amér.* Sacar dinero [a una persona].

desplayar *intr.* Retirarse el mar de la playa.

desplazado, -da *adj.-s.* Inadaptado, descentrado.

desplazar *tr.* Desalojar un cuerpo sumergido [un volumen de agua]; esp., desalojar el buque un volumen de agua igual al volumen de la parte de su casco sumergido y cuyo [peso] es igual al peso total del buque: *este buque desplaza 7.000 toneladas.* 2 Quitar a [una persona o cosa] de un lugar para ponerla en otro. – 3 *prnl.* Ir de un lugar a otro; trasladarse. ◇ ** CONJUG. [4] como *realizar.*

desplegar *tr.* Descoger, extender, desdoblar: ~ *la bandera.* 2 Hacer pasar [las tropas] del orden compacto al abierto o extendido. 3 fig. Aclarar, desenvolver, hacer patente [lo obscuro o poco inteligible]: ~ *el significado de unas palabras.* 4 Ejercitar, poner en obra [una aptitud o cualidad]: ~ *prudencia;* ~ *actividad.* ◇ ** CONJUG. [48] como *regar.*

desplomar *tr.* Hacer que [una cosa] pierda la posición vertical. – 2 *prnl.* Caerse una pared; caer a plomo una cosa de gran peso; caer sin vida o sin conocimiento una persona. 3 fig. Arruinarse, perderse: *su trono se desploma.*

desplumar *tr.* Quitar las plumas [a un ave]. 2 fig. Pelar, quitar los bienes, dejarle a uno sin dinero. – 3 *prnl.* Perder las plumas el ave.

despoblación *f.* Falta total o parcial de la gente que poblaba un lugar.

despoblado *m.* Sitio no poblado y especialmente el que ha tenido población.

despoblar *tr.-prnl.* Disminuir considerablemente la población [de un lugar]: *despoblarse un país.* – 2 *tr.* fig. Despojar [un sitio] de lo que hay en él: ~ *un campo de árboles.* – 3 *prnl.* Quedarse un lugar momentáneamente sin gente por una causa cualquiera. ◇ ** CONJUG. [31] como *contar.*

despojar *tr.* Privar [a uno], generalmente con violencia, de lo que goza y tiene: ~ *a uno del mando;* ~ *de sus vestiduras.* 2 Quitar jurídicamente la posesión de los bienes o habitación que [uno tenía] para dárselo a su legítimo dueño. 3 Quitar [a una cosa] lo que la acompaña o cubre. – 4 **prnl.** Desnudarse: *despojarse de las vestiduras.* 5 Desposeerse de una cosa voluntariamente: *despojarse de su hacienda.*

despojo *m.* Botín del vencedor. 2 fig. Lo que se ha perdido por ciertos accidentes: *la vida es ~ de la muerte; la hermosura es ~ del tiempo.* 3 Vientre, asadura, cabeza y manos de las reses muertas. 4 Alones, molleja, patas, pescuezo y cabeza de las aves muertas: *los despojos de una perdiz.* – 5 *m. pl.* Sobras: *los despojos de la mesa.* 6 Restos mortales. 7 Materiales aprovechables de un edificio que se derriba. ◇ Usado en las acepciones 3 y 4 a menudo en plural.

despolitizar *tr.-prnl.* Quitar el carácter político [a una persona, reunión, asunto, etc.]. ◇ ** CONJUG. [4] como *realizar.*

despopularizar *tr.* Hacer perder la popularidad [a una persona o cosa]. ◇ ** CONJUG. [4] como *realizar.*

desportilladura *f.* Fragmento que, por accidente, se separa del borde de una cosa. 2 Portillo (mella).

desportillar *tr.* Deteriorar [una cosa] abriéndole un portillo en su boca o canto.

desposar *tr.* Autorizar el párroco el matrimonio [de los contrayentes]. – 2 **prnl.** Contraer esponsales; p. ext., contraer matrimonio: *desposarse con soltera; desposarse por poderes.*

desposeer *tr.* Privar [a uno] de lo que posee. – 2 **prnl.** Renunciar alguno a lo que posee. ◇ ** CONJUG. [61] como *leer.*

desposeído, -da *adj.* Falto de alguna cosa a que en cierto modo tiene derecho.

desposorio *m.* Promesa mutua de contraer matrimonio: *los desposorios de la Virgen.*

despostar *tr. Amér.* Descuartizar [una res o un ave].

déspota *m.* Soberano que gobierna sin sujeción a las leyes. – 2 *com.* fig. Persona que abusa de su poder o autoridad.

despotismo *m.* Autoridad absoluta, no limitada por las leyes. 2 Abuso de superioridad o de poder en el trato con los demás.

despotizar *tr. Amér.* Gobernar despóticamente, tiranizar [a un país, corporación, etc.]. ◇ **CONJUG. [4] como *realizar.*

despotricar *intr.* Hablar sin consideración ni reparo, diciendo todo lo que a uno se le ocurre. ◇ ** CONJUG. [1] como *sacar.*

despreciar *tr.* Desestimar y tener en poco: *~ a uno por cobarde.* 2 Desairar o desdeñar. ◇ ** CONJUG. [12] como *cambiar.*

desprecio *m.* Desestimación, falta de aprecio, menosprecio. 2 Desaire, desdén.

desprejuiciarse *prnl. Amér.* Librarse de prejuicios. ◇ ** CONJUG. [12] como *cambiar.*

desprender *tr.* Desunir, despegar, desasir [lo que estaba fijo o unido o lo que se tenía asido]: *desprenderse chispas de una brasa; ~ chis-*

pas. – 2 **prnl.** fig. Renunciar a una cosa o desapropiarse de ella: *desprenderse de sus bienes.* 3 Deducirse, inferirse: *el enojo se desprende de sus palabras.*

desprendido, -da *adj.* Desinteresado, generoso.

desprendimiento *m.* Acción de desprenderse: *~ de tierras; ~ de gases.* 2 Desapego, desasimiento de las cosas. 3 fig. Largueza, desinterés.

despreocupación *f.* Estado de ánimo del que carece de preocupaciones. 2 Descuido, negligencia.

despreocuparse *prnl.* Librarse de una preocupación. 2 Desentenderse, desviar la atención o el cuidado que se tenía por una persona o cosa.

desprestigiar *tr.-prnl.* Hacer perder el prestigio [a una persona]. ◇ ** CONJUG. [12] como *cambiar.*

desprestigio *m.* Acción de desprestigiar o desprestigiarse. 2 Efecto de desprestigiar o desprestigiarse.

despresurizar *tr.* Hacer que cese la presurización de la cabina de un avión o de una nave espacial. ◇ ** CONJUG. [4] como *realizar.*

despretinar *tr. Amér.* Romper la pretina [de un vestido].

desprevenido, -da *adj.* Que no está prevenido: *la llegada de los invitados me ha cogido desprevenida.*

desproporción *f.* Falta de la proporción debida.

desproporcionar *tr.* Quitar la proporción [a una cosa]; sacarla de regla y medida.

despropósito *m.* Dicho o hecho fuera de razón.

desproveer *tr.* Despojar [a uno] de sus provisiones o de lo necesario para su conservación. ◇ ** CONJUG. [61] como *leer.* Para formar los tiempos compuestos utiliza el pp. reg.: *desproveído* o, preferiblemente, el pp. irreg.: *desprovisto.*

desprovisto, -ta *adj.* Falto de lo necesario.

después *adv. t. l.* Significa posterioridad en el tiempo o en el espacio, cuando se expresa de un modo absoluto: *llegará ~; mi calle está ~;* cuando esta posterioridad es relativa y necesita señalar su punto de partida, se le añade la preposición *de* seguida del término de comparación: *~ de las 10; ~ de esta calle;* entonces puede significar no sólo posterioridad temporal o espacial, sino también de orden o categoría: *~ de mí; gran orador ~ de Demóstenes.* 2 Precedido de nombres que indican divisiones de tiempo o de espacio, adquiere matiz adjetivo y significa siguiente, posterior, etc.: *un día ~; tres filas ~.* 3 ~ **de,** seguido de infinitivo equivale a una oración subordinada temporal: *~ de amanecer; ~ de escribir esta carta;* **infinitivo. 4 ~ **que, loc.**

conj., enlaza oraciones subordinadas temporales, para expresar simple relación de posterioridad: ~ *que amanezca saldremos.*

despulpar *tr.* Sacar o deshacer la pulpa [de algunos frutos].

despulsar *tr.* Dejar [a uno] sin pulso ni fuerzas por algún accidente repentino.

despuntar *tr.* Quitar o gastar la punta [de alguna cosa]. – 2 *intr.* Empezar a brotar las plantas. 3 Manifestar agudeza o disposición para algo: ~ *en poesía;* ~ *por la pintura;* ~ *de ingenioso.* 4 Empezar a aparecer.

desquiciar *tr.* Desencajar o sacar de quicio [una cosa]: ~ *una ventana.* 2 fig. Descomponer [una cosa], hacerle perder su seguridad y firmeza: ~ *el mundo.* 3 fig. Análogamente, quitar [a una persona] su aplomo, turbarla. 4 fig. Derribar [a uno] de la privanza o hacerle perder la amistad con otro: ~ *a un favorito.* ◇ ** CONJUG. [12] como *cambiar.*

desquitar *tr.-prnl.* Restaurar la pérdida sufrida [por uno]; reintegrarse de lo perdido. 2 Vengar [a uno] de un disgusto recibido, despicarse.

desrabotar *tr.* Cortar el rabo o la cola [a un animal, especialmente a las crías de las ovejas].

desratizar *tr.* Exterminar las ratas y ratones en [barcos, almacenes, viviendas, etc.]. ◇ ** CONJUG. [4] como *realizar.*

desriñonar *tr.* Derrengar (descaderar).

destacamento *m.* Porción de tropa destacada.

destacar *tr.* Separar del cuerpo principal [una porción de tropa]. 2 PINT. Hacer resaltar [los objetos] de un cuadro. – 3 *tr.-prnl.* fig. Sobresalir, descollar: *de la cordillera se destaca un ramal;* hacer que una cosa resalte: ~ *los méritos de alguien.* ◇ ** CONJUG. [1] como *sacar.*

destajador *m.* Especie de martillo que usan los **herreros para forjar el hierro.

destajar *tr.* Ajustar las condiciones con que se ha de hacer [una cosa]. 2 En el juego de naipes, cortar [la baraja].

destajo *m.* Trabajo que se ajusta por un tanto alzado. 2 Obra o empresa que uno toma por su cuenta.

destalonar *tr.* Quitar o destruir [el talón al calzado]. 2 Cortar [los documentos contenidos en libros talonarios]; quitar el talón [a los documentos que lo tienen unido].

destapar *tr.* Quitar la tapa o tapón: ~ *la botella.* 2 Descubrir [lo tapado], quitando la cubierta. – 3 *prnl.* fig. Descubrir el secreto, el estado de ánimo: *me destapé con él.* – 4 *intr. Méj.* Echar a correr.

destape *m.* Acción de destapar. 2 Efecto de destapar. 3 En los espectáculos, acción de desnudarse. 4 Liberalización de prohibiciones, restricciones, etc.

destapiar *tr.* Derribar las tapias que cierran [un lugar]. ◇ ** CONJUG. [12] como *cambiar.*

destaponar *tr.* Quitar el tapón: ~ *un frasco, las fosas nasales.*

destarar *tr.* Descontar la tara [de lo que se ha pesado con ella].

destartalado, -da *adj.* Descompuesto, desproporcionado y sin orden: *una casa destartalada.*

destazar *tr.* Hacer piezas o pedazos: ~ *una res.* ◇ ** CONJUG. [4] como *realizar.*

destechar *tr.* Quitar el techo [a un edificio].

destejar *tr.* Quitar las tejas al tejado [de un edificio] o a las albardillas [de las tapias]. 2 fig. Dejar sin reparo o defensa [una cosa].

destejer *tr.* Deshacer [lo tejido]. 2 fig. Desbaratar [lo dispuesto o tramado].

destellar *intr.* Despedir destellos.

destello *m.* Resplandor vivo y efímero; chispazo o ráfaga de luz intensa y de breve duración. 2 fig. Atisbo, parte muy pequeña de algo, o que aparece inesperadamente o en ciertos momentos.

destemplanza *f.* Falta de templanza (sobriedad; benignidad de clima): *comer con* ~; *la* ~ *de la sierra.* 2 Sensación de malestar general, con alteración del pulso. 3 fig. Desorden en los dichos y hechos, falta de moderación.

destemplar *tr.* Alterar, desconcertar la armonía o el buen orden [de una cosa]. 2 Poner [una substancia] en infusión. – 3 *tr.-prnl.* Destruir la concordancia con que están templados [los instrumentos músicos]. – 4 *prnl.* Sentir malestar acompañado de ligera alteración del pulso. 5 Descomponerse, perder la moderación: *con una sola palabra se destempla.* 6 Perder el temple [un metal]: *destemplarse el acero.*

desteñir *tr.-intr.* Quitar el tinte [a un objeto]; borrar o apagar [los colores]: *ese percal destiñe.* ◇ ** CONJUG. [36] como *ceñir.*

desternillarse *prnl.* Romperse las ternillas: ~ *de risa,* reír mucho. ◇ INCOR.: *destornillarse.*

desterrar *tr.* Expulsar [a uno] por justicia de un territorio o lugar: ~ *de su patria;* ~ *a una isla.* 2 fig. Deponer o apartar de sí: ~ *la tristeza.* 3 fig. Desechar, o hacer desechar un uso o costumbre. ◇ ** CONJUG. [27] como *acertar.*

desterronar *tr.* Deshacer los terrones: ~ *un campo.*

destetar *tr.-prnl.* Hacer que deje de mamar [el niño o las crías de los animales]. 2 fig. Apartar [a los hijos] del regalo de su casa.

destierro *m.* Pena de la persona desterrada. 2 Efecto de estar desterrada una persona. 3 Residencia del desterrado. 4 fig. Lugar muy apartado.

destilación *f.* Acción de destilar. 2 Efecto de destilar. 3 Flujo de humores serosos o mucosos.

destiladera *f.* Instrumento para destilar. 2 fig. Medio sutil e ingenioso de que se vale uno para dirigir un negocio que le conviene.

destilar *intr.* Correr lo líquido gota a gota. – 2 *tr.* Filtrar (colar). 3 Evaporar [la parte volátil de una substancia] y reducirla luego a líquida por medio del frío: *agua destilada.*

destilería *f.* Oficina en que se destila.

destinar *tr.* Señalar o determinar [una cosa] para algún fin o efecto: ~ *los ahorros a costear una carrera;* ~ *un regalo para la señora.* 2 Designar [a una persona] para un empleo o ejercicio, o para que preste sus servicios en determinado lugar: ~ *un hijo a la Iglesia;* ~ *a Melilla.*

destinatario, -ria *m. f.* Persona a quien va dirigida o destinada una cosa.

destino *m.* Encadenamiento de los sucesos considerado como necesario y fatal: ~ *adverso, propicio, favorable.* 2 Consignación o aplicación de una cosa para determinado fin. 3 Empleo. 4 Lugar a donde va dirigido un envío, viajero, etc.: *estación de* ~.

destituir *tr.* Privar [a uno] de alguna cosa. 2 Separar [a uno] de su cargo como corrección o castigo. ◇ ** CONJUG. [62] como *huir.*

destocar *tr.* Quitar o deshacer el tocado [de una persona]. – 2 *prnl.* Descubrirse la cabeza. ◇ ** CONJUG. [1] como *sacar.*

destorcer *tr.* Deshacer [lo retorcido]. 2 fig. Enderezar [lo que está torcido]: ~ *la vara de la justicia.* – 3 *prnl.* Perder la embarcación el rumbo. ◇ ** CONJUG. [54] como *cocer.*

destornillador *m.* Instrumento para destornillar y atornillar.

destornillar *tr.* Sacar [un tornillo] dándole vueltas. – 2 *prnl.* fig. Desconcertarse obrando o hablando sin juicio ni seso.

destorrentarse *prnl. Guat., Hond. y Méj.* Perder el tino, desorientarse. 2 *Méj.* fig. Ir por mal camino.

destorrentado, -da, *adj. Amér. Central.* Manirroto, desarreglado.

destrabar *tr.* Quitar las trabas: ~ *una caballería.* 2 Desasir, desprender o apartar [una cosa] de otra.

destral *m.* Hacha pequeña que se maneja generalmente con una sola mano.

destratar *tr. Amér.* Romper el trato.

destrenzar *tr.* Deshacer [lo trenzado]. ◇ ** CONJUG. [4] como *realizar.*

destreza *f.* Habilidad, arte: *obrar con* ~.

destripacuentos *com.* fam. Persona que interrumpe inoportunamente un relato. ◇ Pl.: *destripacuentos.*

destripar *tr.* Quitar o sacar las tripas: *el toro destripó a un caballo.* 2 p. anal. Sacar lo interior [de una cosa]: ~ *el almohadón.* 3 Despachurrar (aplastar): *la rueda le destripó un pie.* 4 fig. *y* fam. Destruir el efecto [de un relato] anticipando un oyente el desenlace o solución.

destripaterrones *m.* desp. Gañán o jornalero que cava o ara la tierra. ◇ Pl.: *destripaterrones.*

destrizar *tr.* Hacer trizas [una cosa]. – 2

prnl. Consumirse, deshacerse por un enfado. ◇ ** CONJUG. [4] como *realizar.*

destrocar *tr.* Deshacer el trueque o cambio [de alguna cosa]. ◇ ** CONJUG. [49] como *trocar.*

destronar *tr.* Echar del trono [a un rey]. 2 fig. Desposeer [a uno] de su preeminencia.

destroncar *tr.* Cortar, tronchar [un árbol] por el tronco. 2 Truncar, interrumpir [cosas no materiales]: ~ *un discurso.* 3 Cortar o descoyuntar [el cuerpo o parte de él]. 4 *Chile, Méj. y Nicar.* Descuajar, arrancar [plantas] o quebrarlas con el pie. ◇ ** CONJUG. [1] como *sacar.*

destrozar *tr.* Despedazar, romper, hacer trozos [una cosa]. 2 fig. Gastar inconsideradamente. 3 fig. Estropear, maltratar, deteriorar. 4 fig. Aniquilar, causar gran quebranto moral. – 5 *prnl.* fig. Esforzarse mucho físicamente. ◇ ** CONJUG. [4] como *realizar.*

destrozo *m.* Acción de destrozar. 2 Efecto de destrozar: *la lluvia causó destrozos en la huerta.*

destrozón, -zona *adj.-s.* fig. Que destroza o rompe mucho: *niño* ~. – 2 *f.* Disfraz de mamarracho, formado con harapos.

destrucción *f.* Ruina, asolamiento, pérdida casi irreparable.

destructor, -ra *adj.-s.* Que destruye. – 2 *m.* Buque de guerra rápido, armado con artillería de mediano calibre, empleado principalmente contra los submarinos en la protección de convoyes.

destruir *tr.* Arruinar, deshacer [lo que está construido u otra cosa material]. 2 fig. Deshacer, inutilizar [una cosa no material]: ~ *un argumento.* ◇ ** CONJUG. [62] como *huir.*

destusar *tr. Amér. Central.* Deshojar [la mazorca de maíz], quitarle la hoja.

desudar *tr.-prnl.* Quitar el sudor [a uno].

desuellacaras *m.* desp. Barbero que afeita mal. – 2 *com.* desp. Persona desvergonzada, de malas costumbres. ◇ Pl.: *desuellacaras.*

desuerar *tr.* Eliminar el suero [de la manteca, mantequilla, queso u otros productos].

desuncir *tr.* Desatar del yugo [las bestias uncidas a él]. ◇ ** CONJUG. [3] como *zurcir.*

desunión *f.* Separación de las partes que componen un todo, o de las cosas que estaban unidas. 2 fig. Discordia.

desunir *tr.* Apartar o separar [lo que estaba unido]. 2 fig. Hacer cesar la buena correspondencia [entre dos o más personas].

desuñar *tr.* Quitar o arrancar las uñas: ~ *un animal.* – 2 *prnl.* fig. Ocuparse con afán en un trabajo manual difícil.

desurdir *tr.* Deshacer [una tela]; quitar la urdimbre. 2 fig. Desbaratar [una trama o intriga].

desusado, -da *adj.* Desacostumbrado, insólito. 2 Que ha dejado de usarse.

desusar *tr.* Dejar de usar [una cosa].

desuso *m.* Falta de uso (práctica).

desustanciar *tr.-prnl.* Quitar la substancia [a una cosa]. ◊ ** CONJUG. [12] como *cambiar.*

desvaído, -da *adj.* [persona] Alto y desairado. 2 [color] Bajo y disipado. 3 Impreciso, poco definido.

desvainar *tr.* Sacar [las semillas] de las vainas: ~ *habas;* ~ *guisantes.*

desvalido, -da *adj.-s.* Desamparado, falto de ayuda y socorro.

desvalijar *tr.* Robar el contenido [de una valija, baúl, etc.]. 2 fig. Despojar [a uno] de su dinero o bienes mediante robo, engaño, juego, etc.

desvalimiento *m.* Desamparo, falta de ayuda o favor.

desvalorizar *tr.* Disminuir el valor [de una cosa]. ◊ ** CONJUG. [4] como *realizar.*

desván *m.* Parte más alta de la casa, inmediata al tejado.

desvanecer *tr.-prnl.* Disgregar o difundir las partículas [de un cuerpo] de modo que desaparezcan de la vista: ~ *el humo.* 2 p. anal. Suprimir, anular, promover la desaparición: ~ *una duda;* ~ *una sospecha;* ~ *una conspiración.* 3 Borrar de la mente [una idea, una imagen, etc.]. – 4 *prnl.* Exhalarse, evaporar la parte volátil de alguna cosa: *desvanecerse el vino.* 5 fig. Turbarse el sentido, desmayarse. ◊ ** CONJUG. [43] como *agradecer.*

desvanecimiento *m.* Pérdida del conocimiento, desmayo.

desvariar *intr.* Delirar, decir locuras o despropósitos. ◊ ** CONJUG. [13] como *desviar.*

desvarío *m.* Dicho o hecho fuera de concierto. 2 Delirio que sobreviene a algunos enfermos. 3 fig. Que sale del orden regular y común de la naturaleza. 4 fig. Desigualdad, inconstancia y capricho.

desvedar *tr.* Revocar la prohibición que [una cosa] tenía.

desvelar *tr.* Quitar el sueño [a uno]. 2 fig. Descubrir, poner de manifiesto. – 3 *prnl.* fig. Poner gran cuidado en lo que se desea hacer o conseguir: *desvelarse por su familia.*

desvelo *m.* Solicitud, celo, vigilancia.

desvenar *tr.* Quitar las venas [a la carne]. 2 Sacar del filón [el mineral]. 3 Quitar las fibras [a las hojas de las plantas]: ~ *el tabaco.*

desvencijar *tr.-prnl.* Aflojar, desconcertar las partes [de una cosa]: ~ *una silla.*

desvendar *tr.* Quitar la venda o el vendaje [de lo que estaba vendado].

desventaja *f.* Mengua o perjuicio notado por comparación.

desventura *f.* Desgracia (desdicha).

desventurado, -da *adj.* Desgraciado (desdichado). – 2 *adj.-s.* Cuitado, pobrete, sin espíritu. 3 Avariento, miserable.

desvergonzado, -da *adj.-s.* Que habla u obra con desvergüenza.

desvergüenza *f.* Falta de vergüenza, insolencia. 2 Dicho o hecho impúdico o insolente.

desvestir *tr.* Desnudar. ◊ ** CONJUG. [34] como *servir.*

desviación *f.* Acción de desviar o desviarse: ~ *del péndulo.* 2 Efecto de desviar o desviarse: ~ *de la columna vertebral.* 3 Ángulo formado por el plano del meridiano magnético y el de la aguja imantada cuando ésta es atraída por un imán. 4 Cosa anormal o aberrante, irregularidad, anomalía. 5 Tramo de una carretera que se aparta de la general para unirse luego con ella después de haber rodeado un pueblo. 6 Camino provisional por el que han de circular los vehículos mientras está en reparación un tramo de carretera.

desviar *tr.-prnl.* Alejar, separar de su lugar o camino [una cosa]: ~ *el curso de un río; desviarse del camino.* 2 fig. Disuadir o apartar [a uno] de su propósito. ◊ ** CONJUG. [13].

desvincular *tr.* Romper la vinculación y lazo entre las personas, instituciones, etc.

desvío *m.* Desviación (ángulo magnético). 2 fig. Desapego, desagrado: *tratar a uno con ~.* 3 Vía o camino que se aparta de otro principal. 4 Cambio de trazado provisional en una carretera o camino. 5 Ruta más larga que se impone a la circulación de vehículos cuando circunstancias especiales impiden seguir el recorrido normal.

I) desvirar *tr.* Recortar lo superfluo [de la suela del zapato]. 2 Recortar [el libro] el encuadernador.

II) desvirar *tr.* Dar vueltas al cilindro de los tornos y cabrestantes en sentido contrario a las que se dieron para virar [el cable o cuerda].

desvirgar *tr.* Hacer perder la virginidad [a una doncella]. 2 vulg. Estrenar una cosa. ◊ ** CONJUG. [7] como *llegar.*

desvirtuar *tr.* Quitar la virtud o vigor [a una cosa]: ~ *un perfume;* ~ *un argumento.* ◊ ** CONJUG. [11] como *actuar.*

desvitrificar *tr.* Hacer perder [al vidrio] su transparencia por la acción prolongada del calor. ◊ ** CONJUG. [1] como *sacar.*

desvivirse *prnl.* Mostrar incesante y vivo interés o solicitud por una persona o cosa.

desvolver *tr.* Alterar [una cosa], darle otra figura. 2 Arar [la tierra], mullirla y trabajarla. 3 Aflojar [una tuerca o tornillo] dándole vueltas. ◊ ** CONJUG. [32] como *mover;* pp. irreg.: *desvuelto.*

desyemar *tr.* Quitar las yemas [a las plantas]. 2 Sacar la yema del huevo.

detall (al ~) *loc. adv.* Al por menor.

detallar *tr.* Tratar, referir, enunciar, etc. [una cosa] con todos los detalles. 2 Vender al detall [una mercancía].

detalle *m.* Pormenor; relación, cuenta o lista circunstanciada. 2 Delicadeza, finura. 3 *Amér.* Comercio al por menor.

detallista *com.* Persona que cuida mucho de los detalles: *un pintor* ~. 2 Comerciante que vende al por menor.

detasa *f.* Disminución o rebaja en una tasa.

detección *f.* Acción de detectar. 2 Efecto de detectar.

detectar *tr.* Revelar, descubrir: ~ *las ondas sonoras;* ~ *un yacimiento mineral.* ◇ Se usa generalmente como tecnicismo.

detective *com.* Persona que se ocupa en hacer investigaciones reservadas y particulares, y que, en ocasiones, interviene en los procedimientos judiciales.

detención *f.* Acción de detener o detenerse. 2 Efecto de detener o detenerse. 3 Dilación, prolijidad. 4 Arresto (reclusión).

detener *tr.* Suspender [una cosa], impedir que pase adelante: ~ *el paso; detenerse con,* o *en, los obstáculos.* 2 Arrestar [poner preso]. 3 Retener, conservar [una cosa]: ~ *una cantidad en su poder.* – 4 *prnl.* Retardarse o irse despacio; pararse a considerar una cosa: *detenerse a revisar las cuentas.* ◇ ** CONJUG. [87] como *tener.*

detenido, -da *adj.-s.* Arrestado, preso. 2 Minucioso.

detenimiento *m.* Detención (dilación).

detentar *tr.* Retener uno sin derecho [lo que no le pertenece]. ◇ INCOR. por *ocupar, desempeñar, ostentar un cargo lícitamente.*

detergente *adj.-m.* Substancia que se emplea para lavar o aumentar la eficacia del lavado: ~ *para la ropa;* ~ *para motores.*

deterger *tr.* Limpiar un objeto sin corroerlo. 2 MED. Limpiar [una úlcera o herida]. ◇ ** CONJUG. [5] como *proteger.*

deteriorar *tr.-prnl.* Hacer inferior [una cosa] en calidad o valor, echarla a perder; estropearla.

determinación *f.* Acción de determinar o determinarse. 2 Efecto de determinar o determinarse. 3 Osadía, valor, resolución.

determinante *m.* Constituyente del sintagma nominal que depende del nombre; morfema gramatical que depende en género y número del substantivo al que especifica.

determinar *tr.* Fijar, precisar [una cosa] previa deliberación o estudio: ~ *el volumen de un cuerpo;* ~ *la distancia del sol a la tierra;* ~ *el día de salir;* ~ **una palabra,** señalar su extensión, función o significado, por medio de otras palabras de la misma oración. 2 p. anal. Causar, producir: *tales circunstancias determinaron la decadencia del Imperio.* 3 Distinguir, discernir: *no llegó a* ~ *quién fue.* 4 Tomar o hacer tomar la resolución [de realizar una cosa]: *determiné marcharme;* **prnl.,** *determínate a estudiar; la noticia me determinó a obrar.*

determinativo, -va *adj.* Que determina o resuelve. 2 GRAM. V. adjetivo: **oración determinativa,** la subordinada adjetiva o de relativo que especifica al antecedente.

determinismo *m.* Doctrina metafísica que afirma que todo fenómeno está determinado de una manera necesaria.

detersión *f.* Acción de limpiar o purificar. 2 Efecto de limpiar o purificar. 3 Acción erosiva del hielo en movimiento.

detestable *adj.* Abominable, execrable, pésimo.

detestar *intr.* Aborrecer (odiar): ~ *de la mentira.*

detonación *f.* Explosión rápida capaz de iniciar la de un explosivo relativamente estable. 2 Ruido ocasionado por una explosión.

detonador, -ra *adj.* Que provoca o causa detonación. – 2 *adj.-s.* fig. Que desencadena [una acción o proceso]: *el* ~ *de la conflictividad laboral.* – 3 *m.* Mixto que se pone en un artefacto explosivo para producir su detonación.

detonante *adj.* Que puede detonar. – 2 *m.* Agente capaz de producir detonación. 3 Lo que llama la atención por contraste violento.

detonar *intr.* Dar un estampido como un trueno. – 2 *tr.* Iniciar una explosión o un estallido. 3 fig. Llamar la atención, causar asombro, admiración, etc.

detractor, -ra *adj.-s.* Maldiciente o infamador.

detraer *tr.* Substraer, tomar parte [de una cosa]. 2 fig. Denigrar, infamar. ◇ ** CONJUG. [88] como *traer.*

detrás *adv. l.* En la parte posterior: *vienen* ~; *iremos* ~; cuando la posterioridad se indica en relación con una persona o cosa, se usa ~ *de:* ~ *de mí;* ~ *de la puerta.* 2 Precedido generalmente de la preposición *por,* en ausencia: *todos hablan por* ~ *de él,* o ~ *de él.*

detrimento *m.* Destrucción leve. 2 Pérdida, quebranto. 3 fig. Daño moral.

detrito *m.* Resultado de la descomposición de una masa sólida en partículas.

deturpar *tr.* Afear, manchar, estropear, deformar.

deuda *f.* Obligación que uno tiene o contrae de pagar, generalmente en dinero, o reintegrar algo a otro: *contraer deudas.* 2 Pecado, culpa, ofensa: *perdónanos nuestras deudas.*

deudo, -da *m. f.* Pariente (familiar). – 2 *m.* Parentesco.

deudor, -ra *adj.-s.* Que debe: ~ *a,* o *de, la Hacienda;* ~ *en,* o *por, muchos miles.*

deuteragonista *com.* Personaje que sigue en importancia al protagonista, en las obras literarias o análogas.

devaluación *f.* Modificación del tipo de cambio oficial que reduce el valor de la moneda nacional en relación con las monedas extranjeras y con su patrón metálico.

devaluar *tr.* Cambiar el valor [a una moneda u otra cosa]. ◇ ** CONJUG. [11] como *actuar.*

devanadera *f.* Instrumento giratorio, de

cañas o de listones de madera cruzados, alrededor de un eje vertical y fijo en un pie, donde se colocan las madejas para devanarlas. 2 Soporte para enrollar la madeja en estas máquinas. 3 Artefacto sobre el que se mueve un bastidor pintado por los dos lados para hacer mutaciones rápidas en el teatro.

devanado *m.* Hilo de cobre con revestimiento aislador, que se arrolla y forma parte de algunas máquinas eléctricas. 2 Operación de desenrollar los filamentos de seda de un capullo y reunirlos para formar el hilo de seda.

devanador, -ra *adj.-s.* Que devana. – 2 *m.* Alma del ovillo. 3 *Amér.* Devanadera.

devanar *tr.* Arrollar [hilo] en ovillo o carrete: ~ *una madeja.* – 2 *prnl. Cuba y Méj.* Retorcerse de risa, dolor, llanto, etc.

devaneo *m.* Delirio, desatino, desconcierto. 2 Distracción, pasatiempo vano y reprensible. 3 Amorío pasajero.

devastador, -ra *adj.-s.* Que devasta.

devastar *tr.* Destruir [un territorio], arrasando sus edificios o asolando sus campos. 2 p. ext. Destruir (arruinar).

develar *tr.* Quitar o descorrer el velo que cubre alguna cosa. 2 Descubrir, revelar lo oculto o secreto.

devengar *tr.* Adquirir derecho [a retribución] por razón de trabajo, servicio, etc.: ~ *salarios;* ~ *intereses.* ◇ INCOR. por causar, ocasionar: ~ *perjuicios;* ~ *pérdidas.* ◇ ** CONJUG. [7] como *llegar.*

devengo *m.* Cantidad devengada.

I) devenir *intr.* Sobrevenir, acaecer. 2 FIL. Llegar a ser. ◇ ** CONJUG. [90] como *venir.*

II) devenir *m.* FIL. Realidad entendida como proceso o cambio; a veces se opone a ser. 2 FIL. Proceso mediante el cual algo se hace o llega a ser.

deverbal *adj.-s.* Palabra, y especialmente nombre, derivada de un verbo: *empuje,* de *empujar.*

devisar *tr. Méj.* Atajar, detener.

devoción *f.* Veneración y fervor religiosos; p. ext., prácticas religiosas. 2 Respeto reverente, abnegado: *tener gran* ~ *al rey.* 3 Inclinación, afición especial.

devolución *f.* Acción de devolver. 2 Efecto de devolver.

devolver *tr.* Volver [una cosa] al estado o situación que tenía: *no le devolveremos la salud; devuelve la mesa a su lugar.* 2 esp. Restituir [una cosa] a la persona que la poseía: ~ *el dinero;* corresponder a un favor, a un agravio, etc.: ~ *bien por mal.* 3 Dar la vuelta a quien ha hecho un pago. 4 fam. Vomitar. 5 *Amér.* Volverse, regresar: *me devolví a casa* por *me volví.* ◇ ** CONJUG. [32] como *mover;* pp. irreg.: *devuelto.*

devorar *tr.* Tragar con ansia y apresuradamente. 2 Comer un animal [a otro o a otros].

3 fig. Consumir, destruir: *el fuego devoró los libros.* 4 fig. Consagrar atención ávida [a una cosa]: ~ *con los ojos;* ~ *un libro.*

devotería *f.* Acto de falsa devoción.

devoto, -ta *adj.-s.* Que tiene devoción: *es un hombre muy* ~; *un* ~ *del rey.* 2 Que mueve a devoción: *una imagen devota.* – 3 *m.* Objeto de la devoción de uno: *ese santo quiero tomar por* ~.

dextrorso, -sa *adj.* BOT. Que trepa girando hacia la derecha. 2 FÍS. Que se mueve a derechas, como las manecillas de un reloj.

deyección *f.* Conjunto de materias arrojadas por un volcán o desprendidas de una montaña. 2 Defecación de los excrementos. 3 Los excrementos mismos.

día *m.* Tiempo que la Tierra emplea en dar una vuelta sobre sí misma: *al* ~, al corriente; *vivir al* ~, fig., gastar todo lo que se gana, sin ahorrar nada; *poner al* ~, actualizar o hacer presente una cosa anticuada o retrasada; *del* ~, de moda, o bien reciente o hecho en el mismo día; ~ *por* ~, diariamente. 2 Fecha en que la Iglesia celebra la memoria de un santo o de un misterio: ~ *de los Inocentes;* ~ *de Reyes.* 3 Tiempo que dura la claridad del Sol: *antes del* ~, al amanecer. 4 Tiempo que hace durante el día o gran parte de él: ~ *lluvioso;* ~ *cubierto.* – 5 *m. pl.* Cumpleaños. 6 Con respecto a una persona, festividad del santo cuyo nombre lleva. 7 fig. Vida: *al fin de sus días; mis días no serán largos; entrado en días,* que se acerca a la vejez.

diabetes *f.* Enfermedad provocada por una insuficiente secreción de insulina, lo que motiva una excesiva eliminación de glucosa en la orina y un enflaquecimiento progresivo. ◇ INCOR.: *diabetis.*

diabético, -ca *adj.* Perteneciente o relativo a la diabetes. – 2 *adj.-s.* Persona que padece diabetes.

diabla *f.* Diablo hembra. 2 Máquina para cardar lana o algodón. 3 En los teatros y cines, batería de luces que se cuelga del peine, entre bambalinas, en los escenarios. 4 Carro pequeño de dos ruedas. 5 *A la* ~, sin esmero alguno, de cualquier manera.

diablear *intr.* Hacer diabluras.

diablillo *m.* El que se disfraza de diablo. 2 fig. Persona aguda y enredadora.

diablismo *m.* Sistema teológico que consiste en atribuir al diablo excesiva intervención en las acciones humanas.

diablo *m.* Nombre general de los ángeles rebeldes arrojados por Dios al abismo, y de cada uno de ellos. 2 Persona a la que se compara con el diablo, especialmente por traviesa, temeraria o astuta. 3 fig. Persona fea en extremo. 4 Instrumento de madera con varias muescas en las que el jugador de billar apoya el taco cuando no puede hacerlo con la mano. 5 ~ *de Tasmania,* mamífero marsupial nocturno, depredador, feroz y agresivo, de aproximadamente 1 m. de longitud, de aspecto parecido al de un perro u osezno, con el pelaje negro y un collar blanco en la garganta *(Sarcophilus harrisi).*

diablura *f.* Travesura de poca importancia, especialmente de niños.

diabólico, -ca *adj.* Relativo al diablo. 2 fig. Excesivamente malo. 3 fig. Enrevesado, muy difícil.

diaclasa *f.* Fisura en una roca.

diaconato *m.* Segunda de las órdenes mayores que se confiere al diácono.

diácono *m.* Clérigo que ha recibido la orden del diaconado.

diacrítico, -ca *adj.* [signo ortográfico] Que sirve para dar a una letra un valor especial; como la diéresis sobre la *u.*

diacronía *f.* Desarrollo o sucesión de hechos a través del tiempo.

diacrónico, -ca *adj.* [fenómeno] Que ocurre a lo largo del tiempo; [estudio] referente a dicho tipo de fenómenos.

díada *f.* Pareja de dos seres o cosas estrecha y especialmente vinculadas entre sí.

diadema *f.* Cinta blanca que antiguamente ceñía la cabeza de los reyes como insignia de su dignidad. 2 Arco que cierra por la parte superior algunas coronas. 3 Corona (guirnalda; aureola). 4 Adorno femenino de cabeza, en forma de media corona abierta por detrás.

diáfano, -na *adj.* [cuerpo] A través del cual pasa la luz casi en su totalidad. 2 fig. Claro, limpio.

diáfisis *f.* Parte tubular del **hueso largo, comprendida entre los dos extremos o epífisis. ◊ Pl.: *diáfisis.*

diafonía *f.* Perturbación producida en un canal de comunicación al acoplarse éste con otro u otros vecinos.

diafragma *m.* Músculo ancho que separa la cavidad pectoral de la abdominal. 2 Separación en forma de lámina movible o porosa, que intercepta o regula la comunicación entre dos partes de una máquina o un aparato. 3 Disco o membrana vibrante en un teléfono, fonógrafo, etc. 4 En la máquina **fotográfica y en ciertos instrumentos ópticos, disco perforado para regular el paso de la luz o reducir el campo de la visión. 5 Sistema anticonceptivo que se aplica a la mujer.

diagnosis *f.* Conocimiento de los signos de las enfermedades. ◊ Pl.: *diagnosis.*

diagnosticar *tr.* Hacer el diagnóstico [de una enfermedad]. ◊ ** CONJUG. [1] como *sacar.*

diagnóstico, -ca *adj.* Que sirve para reconocer. – 2 *m.* Determinación de una enfermedad por los signos que le son propicios. 3 Conjunto de signos diagnósticos de una enfermedad.

diagonal *adj.-s.* Línea recta que en un **polígono va de un vértice a otro no inmediato, y en un poliedro une dos vértices cualesquiera no situados en la misma cara.

diagrama *m.* Dibujo o representación gráfica que sirve para representar un objeto, indicar la relación entre elementos, o mostrar el valor de una magnitud.

dial *m.* Superficie graduada, de forma variable, sobre la cual se mueve un indicador (aguja, punto luminoso, etc.) que mide o señala una determinada magnitud; **fotografía. 2 Placa con letras o números, en los teléfonos y los receptores de radio, para establecer conexiones.

dialectal *adj.* Relativo a un dialecto.

dialectalismo *m.* Vocablo, giro o modo de expresión dialectal. 2 Carácter dialectal.

dialéctica *f.* Entre los griegos, arte de disputar y discurrir en forma dialogada. 2 En la Edad Media, lógica formal en oposición a retórica. 3 En la actualidad, fuerza de razonamiento, arte de razonar, de descubrir metódicamente la verdad. 4 Conjunto de sutilezas, argucias, distinciones ingeniosas e inútiles.

dialecto *m.* Lengua en cuanto se la considera con relación al grupo de las varias derivadas de un tronco común. 2 Sistema lingüístico derivado de otro; normalmente con una concreta limitación geográfica. 3 Estructura lingüística, simultánea a otra u otras, que no alcanza la categoría de lengua.

dialectología *f.* Tratado o estudio de los dialectos.

diálisis *f.* Método terapéutico que tiene por objeto eliminar substancias nocivas de la sangre cuando el riñón no puede hacerlo. ◊ Pl.: *diálisis.*

dialogador, -ra *adj.* [pers.] Abierto al diálogo, al entendimiento.

dialogar *intr.* Hablar en diálogos. 2 fig. Negociar. – 3 *tr.* Escribir [una cosa] en forma de diálogo. ◊ ** CONJUG. [7] como *llegar.*

diálogo *m.* Conversación entre dos o más personas. 2 Género de obra literaria en que se finge una plática o controversia. 3 fig. Negociación.

dialtiro *adv.* Guat. y Méj. Enteramente, del todo, por completo.

diamantar *tr.* Dar [a una cosa] el brillo del diamante.

diamante *m.* Piedra preciosa de carbono puro cristalizado; el más duro, brillante y diáfano de todos los minerales. 2 Instrumento que usan los vidrieros para cortar el cristal. 3 Excrecencia del pico de las aves que les sirve para romper la cáscara del huevo al nacer.

diámetro *m.* Línea recta que pasa por el centro y dos puntos cualesquiera de la **circunferencia del círculo o de la superficie de la esfera. 2 En otras curvas, línea recta o curva que pasa por el centro cuando aquéllas lo tienen, y divide por la mitad un sistema de cuerdas paralelas. 3 Eje de la esfera.

diana *f.* Toque militar al amanecer, para que la tropa se levante. 2 Punto central de un blanco de tiro.

diapasón *m.* Norma adoptada para la afinación de las voces y los instrumentos. 2 Instrumento que sirve de contraste sonoro y sobre el cual se reglamenta la afinación de las voces y los instrumentos. 3 Trozo de madera que cubre el mástil y sobre el cual se pisan con los dedos las **"cuerdas del violín y de otros instrumentos análogos; **"arco (instrumentos de).

diapensiáceo, -a *adj.-f.* Planta de la familia de las diapensiáceas. – 2 *f. pl.* Familia de plantas dicotiledóneas que incluye arbustos o hierbas perennes, con las hojas simples, las flores regulares, de pétalos y sépalos soldados, y el fruto en cápsula.

diaporama *m.* Técnica audiovisual consistente en la proyección de diapositivas sobre una o varias pantallas yuxtapuestas, mediante varios proyectores combinados.

diapositiva *f.* Fotografía positiva en cristal o en película.

diaprea *f.* Ciruela redonda, pequeña y muy gustosa.

diaquilón *m.* Ungüento con que se hacen emplastos para ablandar los tumores.

diario, -ria *adj.* Correspondiente a todos los días: *salario ~.* – 2 *m.* Relación histórica de lo que ha ido sucediendo día por día. 3 Conjunto de gastos de una casa correspondientes a un día. 4 Periódico que se publica todos los días.

diarquía *f.* Gobierno simultáneo de dos reyes. 2 Autoridad dividida y ejercitada simultáneamente entre dos personas, dos instituciones o dos poderes.

diarrea *f.* Fenómeno morboso que consiste en frecuentes evacuaciones intestinales líquidas o semilíquidas. 2 vulg. *~ mental,* confusión de ideas.

diastasa *f.* Fermento contenido en ciertas semillas germinadas y otras partes de las plantas, así como en ciertos órganos y secreciones animales, y cuya acción consiste en convertir el almidón en azúcar.

diástole *f.* Expansión rítmica del corazón y de las arterias que alterna con la sístole.

diastrofismo *m.* Proceso por el que las rocas han modificado su disposición primitiva en la corteza.

diatermia *f.* Terapéutica que utiliza el calor producido por una corriente de alta frecuencia.

diátesis *f.* Predisposición orgánica a contraer una determinada enfermedad. ◇ Pl.: *diátesis.*

diatomea *f.* Alga del tipo de los baciliarófitos. – 2 *f. pl.* Baciliarófitos.

diatónico, -ca *adj.* Que procede según la sucesión natural de los tonos y semitonos de la escala musical, sin modificaciones cromáticas.

diatriba *f.* Discurso o escrito violento o injurioso.

diávolo *m.* Juguete que consiste en un carrete que gira sobre una cuerda atada al extremo de dos palillos que se manejan con ambas manos, subiendo y bajando éstas alternativamente.

dibranquiado *adj.-m.* Molusco de la subclase de los dibranquiados. – 2 *m. pl.* Subclase de moluscos cefalópodos que tienen dos branquias y ocho o diez tentáculos; incluye dos órdenes: octópodos y decápodos.

dibujante *adj.-s.* Que dibuja. – 2 *com.* Persona que tiene como profesión el dibujo.

dibujar *tr.* Representar en una superficie [la figura de un cuerpo] por medio del lápiz, la pluma, etc. 2 Describir (delinear). – 3 *prnl.* fig. Indicarse o revelarse una cosa de una manera aparente: *dibujarse un árbol a lo lejos; dibujarse una opinión.*

"dibujo *m.* Arte y acción de dibujar. 2 Imagen dibujada: *dibujos animados,* serie de dibujos que, una vez cinematografiados, producen la sensación de movimiento. 3 En una pintura, delineación de las figuras y su ordenación general, consideradas independientemente del colorido. 4 Proporción que debe tener en sus partes y medidas la figura del objeto que se dibuja o pinta. 5 En encajes, bordados, tejidos, etc., figura y disposición de las labores que los adornan.

dicción *f.* Manera de hablar o escribir: *buena o mala ~.* 2 Pronunciación, declamación.

diccionario *m.* Conjunto de palabras de una o más lenguas o lenguajes especializados, comúnmente en orden alfabético, con sus correspondientes explicaciones: *un ~ de la lengua española; un ~ español-inglés; un ~ de química.* 2 p. ext. Catálogo alfabético de alguna materia: *un ~ de frases célebres; un ~ de artistas, un ~ geográfico.* 3 Ordenación de términos y voces en un aspecto determinado: *~ ideológico, de la rima, de sinónimos.*

díceres *m. pl.* Amér. Murmuraciones, rumores.

diciembre *m.* Último mes del año.

diclino, -na *adj.* [planta] Que tiene flores unisexuales y estas mismas flores.

dicótico, -ca *adj.* [sensación auditiva] Que no es igual en los dos oídos.

dicotiledóneo, -a *adj.-f.* Planta de la clase de las dicotiledóneas; **"tallo. – 2 *f. pl.* Clase de plantas dentro de la división antófitos fanerógamas, angiospermas cuyos embriones tiene dos cotiledones opuestos, o más de dos verticilados.

dicotomía *f.* H. NAT. División en dos partes; bifurcación. 2 LÓG. Método de clasificación en que las divisiones y subdivisiones sólo tienen dos partes. 3 LÓG. Aplicación de este método, división en dos. 4 Fase de la Luna en que sólo es visible la mitad de su disco.

dicroísmo *m.* Propiedad que tienen algunos cuerpos de presentar una u otra de dos coloraciones según la dirección de los rayos de luz que los atraviesan.

dicromatismo *f.* Defecto de la vista que consiste en poder diferenciar sólo dos colores.

dicromo, -ma *adj.* FÍS. [cuerpo transparente] Que, según su espesor, puede presentar dos colores diferentes.

dictado *m.* Título de dignidad, honor o señorío; en general, calificativo: *merecía el ~ de sabio, ignorante,* etc. 2 Acción de dictar a uno que escribe: *escribir al ~.* – 3 *m. pl.* fig. Inspiraciones o preceptos de la razón o la conciencia.

dictador *m.* Magistrado supremo en la antigua Roma e investido de poderes excepcionales. 2 En los estados modernos, el que recibe o se arroga el derecho de asumir todos los poderes.

dictadura *f.* Dignidad y cargo de dictador. 2 Tiempo que dura. 3 Concentración de todos los poderes en un solo individuo o en una asamblea. 4 Gobierno que, invocando el interés público, se ejerce fuera de las leyes constitutivas de un país.

dictáfono *m.* Aparato fonográfico que recoge y reproduce lo que se habla o dicta en condiciones adecuadas.

dictamen *m.* Opinión, juicio técnico o pericial, que se forma o emite sobre una cosa.

dictar *tr.* Decir uno [algo] para que otro lo vaya escribiendo. 2 Expedir, pronunciar leyes [fallos, decretos, etc.]. 3 fig. Inspirar, sugerir. 4 *Amér.* Pronunciar [una conferencia, disertación].

DIBUJO

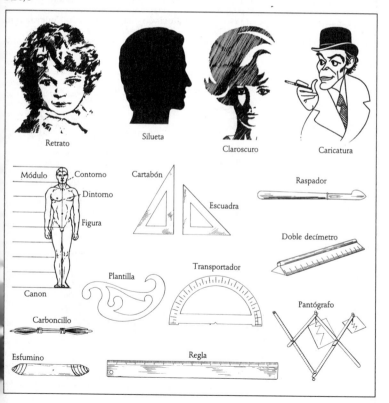

Retrato

Silueta

Claroscuro

Caricatura

Módulo   Contorno

Dintorno

Figura

Canon

Carboncillo

Esfumino

Cartabón

Escuadra

Plantilla

Transportador

Regla

Raspador

Doble decímetro

Pantógrafo

dictatorial *adj.* fig. Absoluto, arbitrario, no sujeto a las leyes.

dicterio *m.* Dicho denigrante, provocativo.

dictióptero *adj.-m.* Insecto del orden de los dictiópteros. – 2 *m. pl.* Orden de insectos pterigotas, con el cuerpo aplanado y las patas largas, provistos de dos pares de alas, de las cuales el par anterior es coriáceo y se mantiene horizontalmente sobre el dorso; como la cucaracha y la santateresa.

dictiosoma *m.* En la división nuclear **celular, gránulo alrededor del núcleo.

dicha *f.* Felicidad.

dicharachero, -ra *adj.-s.* Propenso a decir dicharachos. 2 Decidor, dichero.

dicharacho *m.* Dicho demasiado vulgar, o poco decente.

dichero, -ra *adj.-s.* fam. Que ameniza la conversación con dichos oportunos.

dicho *m.* Sentencia u opinión original o característica: ~ *intempestivo, agudo, malicioso;* p. ext., ocurrencia chistosa y oportuna. – 2 *m. pl.* Declaración de la voluntad de los contrayentes ante el juez eclesiástico, al prometerse contraer matrimonio: *tomarse los dichos.*

dichoso, -sa *adj.* Feliz. 2 Que incluye o trae consigo dicha: *hombre* ~. 3 Enfadoso,

molesto: *¡~ trabajo!* 4 irón. Desventurado, malhadado.

didáctica *f.* Arte de enseñar.

didacticismo *m.* Cualidad de didáctico. 2 Tendencia o propósito docente o didáctico.

didáctico, -ca *adj.* Perteneciente o relativo a la enseñanza. 2 Propio para enseñar o instruir.

didáctilo, -la *adj.* Que tiene dos dedos.

didactismo *m.* Didacticismo.

dídimo, -ma *adj.* [órgano vegetal] Formado por dos lóbulos iguales y colocados simétricamente.

diecinueve *adj.* Diez y nueve; **numeración. – 2 *m.* Guarismo del número diecinueve.

diecinueveavo, -va *adj.-m.* Parte que, junto con otras dieciocho iguales, constituye un todo; **numeración.

dieciochista *adj.* Relativo al s. XVIII.

dieciocho *adj.* Diez y ocho; **numeración. – 2 *m.* Guarismo del número dieciocho.

dieciochoavo, -va *adj.-m.* Parte que, con otras diecisiete iguales, constituye un todo; **numeración.

dieciséis *adj.* Diez y seis; **numeración. – 2 *m.* Guarismo del número dieciséis.

dieciseisavo, -va *adj.-m.* Parte que, junto

DIENTE

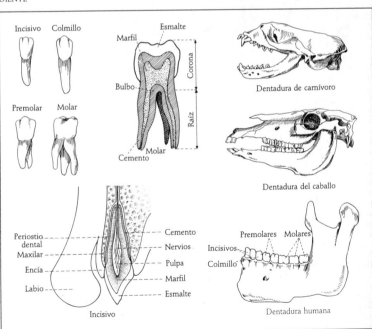

Incisivo   Colmillo

Esmalte

Marfil

Bulbo

Corona

Raíz

Premolar   Molar

Molar
Cemento

Dentadura de carnívoro

Dentadura del caballo

Periostio
dental
Maxilar

Encía

Labio

Cemento

Nervios

Pulpa

Marfil

Esmalte

Incisivo

Premolares   Molares

Incisivos

Colmillo

Dentadura humana

con otras quince iguales, constituye un todo; **numeración.

diecisiete *adj.* Diez y siete; **numeración. – 2 *m.* Guarismo del número diecisiete.

diecisieteavo, -va *adj.-m.* Parte que, junto con otras dieciséis iguales, constituye un todo; **numeración.

dieléctrico, -ca *adj.-m.* Cuerpo mal conductor, a través del cual se ejerce la inducción eléctrica.

diente *m.* Hueso que, en el hombre y en ciertos vertebrados superiores, se halla engastado en las mandíbulas, y, en ciertos vertebrados inferiores, en otras partes de la **boca, el cual sirve como órgano de masticación y de defensa; **cabeza. 2 Punta o resalto que presentan ciertas cosas, especialmente el de ciertas herramientas: ~ *de sierra;* ~ *de rueda; dientes de la llave;* **cerradura. 3 Parte en que se divide la cabeza del ajo.

dieresis *f.* Licencia poética que consiste en pronunciar en dos sílabas las vocales de un diptongo. 2 Signo ortográfico, dos puntos colocados sobre una vocal, para indicar que al leer una poesía hay que leer con hiato las vocales que ordinariamente forman diptongo: *suave, diablo;* en la prosa española se usa cuando se deben pronunciar las dos vocales de las sílabas *güe, güi: antigüedad, pingüino;* **puntuación. ◇ Pl.: *diéresis.*

diesel *m.* V. motor diesel.

diestro, -tra *adj.* Derecho (lado): *a ~ y siniestro,* fig., sin tino, sin discreción ni miramiento. 2 Hábil, experto: ~ *en razonar;* ~ *en la esgrima.* – 3 *m.* Torero a pie. – 4 *f.* Mano derecha.

I) dieta *f.* Régimen en el comer y beber, especialmente el que consiste en la abstención total o parcial de alimentos: *estar a ~.* 2 Índice de ingestión humana de alimento y bebida.

II) dieta *f.* En diferentes estados, que generalmente forman confederación, asamblea en la que se deliberan asuntos económicos o políticos comunes: *la ~ helvética; la ~ de Worms.* – 2 *f. pl.* Honorarios que un funcionario devenga diariamente mientras desempeña una comisión fuera de su residencia oficial: *percibió sus dietas mensualmente.* 3 Estipendio que gana el médico diariamente por visitar a un enfermo. 4 Retribución o indemnización que se da a los que ejecutan algunas comisiones, forman parte de una asamblea o asisten a determinadas reuniones: *las dietas de los diputados.*

dietario *m.* Libro en que se anotan los ingresos y gastos diarios de una casa. 2 Libro en que un cronista escribía los sucesos más notables.

dietética *f.* Parte de la medicina que tiene por estudio las reglas de la alimentación normal que contribuyen a mantener la salud.

diez *adj.* Nueve y uno; **numeración. 2 Décimo (lugar). – 3 *m.* Guarismo del número diez. 4 Cuenta gruesa que en el rosario divide las decenas.

diezmar *tr.* Separar [de cada diez personas o cosas] una. 2 Pagar el diezmo [de ciertas cosas] a la Iglesia. 3 fig. Causar gran mortandad [en un país] la guerra, las epidemias, etc.

diezmo *m.* Parte de los frutos, o del lucro adquirido, generalmente la décima parte, que pagaban los fieles al rey o a la iglesia.

difamación *f.* Acción de difamar. 2 Efecto de difamar.

difamar *tr.* Desacreditar [a una persona] publicando cosas contra su buena opinión y fama. 2 Poner una cosa en bajo concepto y estima.

diferencia *f.* Cualidad de diferente: *la ~ entre dos objetos; estos pájaros presentan notables diferencias; la ~ de carácter entre Pedro y su hermano;* ~ *de mayor a menor.* 2 fig. Disgusto, disputa: *tuvimos una ~.* 3 MAT. Residuo de la sustracción.

diferencial *adj.* Que indica diferencia o que constituye una diferencia. 2 Que sirve para medir diferencias. 3 [cantidad] Infinitamente pequeña. – 4 *f.* MAT. Diferencia infinitamente pequeña de una variable. – 5 *m.* MEC. Mecanismo que enlaza tres móviles imponiendo entre sus velocidades simultáneas la condición de que cada una de ellas sea proporcional a la suma o a la diferencia de las otras dos. 6 MEC. Engranaje basado en este mecanismo que se emplea en los automóviles.

diferenciar *tr.* Hacer distinción [entre las cosas]; averiguar y señalar diferencias [entre ellas]: ~ *los caracteres de dos especies;* ~ *el puma del jaguar.* 2 Hacer que [una cosa] sea diferente en su uso o aplicación sucesiva: ~ *la comida;* ~ *la escritura.* – 3 *intr.* Discordar: ~ *en opiniones.* – 4 *prnl.* Distinguirse una cosa de otra: ~ *en el habla.* 5 Pasar una célula, tejido u órgano, de un estado de constitución general homogéneo a otro especial heterogéneo: *la flor procede de un brote cuyas hojas se han diferenciado.* 6 Hacerse uno notable o famoso. ◇ ** CONJUG. [12] como *cambiar.*

diferendo *m.* Diferencia, desacuerdo, discrepancia entre personas, grupos sociales o instituciones.

diferente *adj.* Que difiere en algo. – 2 *adj. pl.* Varios, diversos.

diferido, -da *adj.* En radio o televisión, [retransmisión] posterior al tiempo en que se verificó la grabación que se emite.

diferir *tr.* Retardar o suspender la ejecución [de una cosa]: ~ *un viaje a, o para, otro día;* ~ *de hoy a mañana.* – 2 *intr.* Con las preposiciones *de* o *entre,* distinguirse, no ser igual: ~ *de uno en opiniones;* ~ *entre sí.* ◇ ** CONJUG. [35] como *hervir.*

dificerca *adj.* [aleta caudal] De dos lóbulos iguales, separados por la columna vertebral que se prolonga en línea recta hasta la extremidad de la cola.

difícil *adj.* Que no se logra, ejecuta o entiende sin mucho trabajo. 2 [carácter] Descontento, áspero o intratable de una persona.

dificultad *f.* Calidad de difícil. 2 Lo que hace difícil una cosa. 3 Inconveniente o contrariedad.

dificultar *tr.* Poner dificultades [a alguna realización o deseo]; hacer difícil [una cosa]: ~ *una carrera.*

dificultoso, -sa *adj.* Difícil, lleno de embarazos.

difluencia *f.* Estado o calidad de difluente. 2 División de las aguas de un río o de la lengua de un glaciar en varias ramas.

difluente *adj.* Que se esparce por todas partes.

difluir *intr.* Difundirse, derramarse por todas partes. ◇ ** CONJUG . [62] como *huir.*

difracción *f.* Desviación de los rayos luminosos cuando pasan por los bordes de un cuerpo opaco.

difteria *f.* Enfermedad infecciosa aguda, caracterizada por la formación de falsas membranas en las mucosas, especialmente en las de la faringe, nariz, laringe y tráquea.

difuminar *tr.* Frotar con el esfumino [un dibujo]. 2 p. ext. Disminuir gradualmente la intensidad de un color, un olor, un sonido, etc. 3 fig. Hacer vago, impreciso [algo]: *la sombras del anochecer difuminan el paisaje.*

difundir *tr.-prnl.* Extender por todas partes, esparcir ampliamente: *la luz se difunde por el espacio.* 2 Transformar los rayos procedentes de un foco luminoso en luz que se propaga en todas direcciones. 3 fig. Divulgar, propagar: ~ *un libro;* ~ *una noticia.*

difunto, -ta *adj.-s.* Persona muerta. – 2 *m.* Cadáver.

difusible *adj.* [substancia] Que se mezcla espontáneamente con otras por su superficie de contacto y cuya mezcla se extiende progresivamente.

difusión *f.* Acción de difundir o difundirse. 2 Efecto de difundir o difundirse. 3 Prolijidad. 4 Transmisión de algo por cualquier medio de comunicación.

difuso, -sa *adj.* Ancho, dilatado. 2 Excesivamente dilatado, superabundante en palabras: *es un orador ~ y un escritor conciso.* 3 Que es poco concreto, claro o limitado.

difusor, -ra *adj.* Que difunde. – 2 *m.* Aparato para extraer por ósmosis el azúcar de la remolacha.

digerir *tr.* Convertir en el aparato digestivo [los alimentos] en solubles y asimilables por el organismo. 2 fig. Sufrir con paciencia [una desgracia u ofensa]; se usa generalmente con negación: *no ~ una desgracia.* 3 fig. Meditar

profundamente [una cosa]. ◇ ** CONJUG. [35] como *hervir.*

digestión *f.* Acción de digerir. 2 Efecto de digerir.

****digestivo, -va** *adj.* [función o parte del organismo] Que atañe a la digestión: *tubo ~; funciones digestivas; aparato ~.* – 2 *adj.-m.* Que es a propósito para ayudar a la digestión.

digestología *f.* Rama de la medicina que versa sobre el estudio, diagnóstico y tratamiento de las enfermedades del aparato digestivo.

digitación *f.* Movimiento de los dedos al tocar un instrumento musical.

digitado, -da *adj.* En forma de dedos: *hoja digitada.* 2 [mamífero] Que tiene libres los dedos de los cuatro pies.

digital *adj.* Relativo a los dedos. 2 [instrumento] Que suministra su información mediante números: *reloj ~; circuito ~.* – 3 *f.* Planta escrofulariácea de flores en racimo, con la corola en forma de dedos, y hojas alternas, de las cuales se obtiene un tónico cardíaco *(Digitalis purpurea).* 4 Flor de esta planta.

digitalina *f.* Glucósido contenido en las hojas de la digital.

digitalizar *tr.* INFORM. Convertir una magnitud física o una señal en una secuencia de números según ciertas reglas. ◇ ** CONJUG. [4] como *realizar.*

digitígrado, -da *adj.* [mamífero] Que al andar se apoya únicamente sobre los dedos.

dígito *adj.-m.* MAT. Número dígito.

diglosia *f.* Bilingüismo, en especial cuando una de las lenguas goza de privilegios sociales o políticos superiores.

dignarse *prnl.* Tener la condescendencia de hacer una cosa: *se dignó recibirnos.*

dignatario *m.* Persona investida de una dignidad.

dignidad *f.* Cualidad de digno. 2 Respeto que merece alguien, especialmente uno mismo: *atentar contra su ~; perder la ~;* p. ext., *como lo exige la ~ del lugar;* **hablar con ~,** hablar con gravedad y decoro. 3 Cargo honorífico y de autoridad: *~ de alcalde; dignidades eclesiásticas.* 4 Persona que posee uno de estos cargos.

dignificar *tr.* Hacer digna o investir de dignidad [a una persona o cosa]. ◇ ** CONJUG. [1] como *sacar.*

digno, -na *adj.* Que merece algo: *~ de alabanza;* ~ *de castigo;* usado de una manera absoluta, se toma siempre en buena parte: *hombre ~; magistrado ~; respuesta digna.* 2 Proporcionado al mérito y condición de una persona o cosa: *~ del lugar en que nos hallamos.* 3 Que tiene dignidad o se comporta con ella. 4 Decoroso, no humillante.

dígrafo *m.* Grupo de dos letras que representa un solo sonido, como la *qu* de *queso* , la *ch* , etc.

digresión *f.* Parte de un discurso extraña al asunto de que se trata. ◇ INCOR.: *disgresión.*
dije *m.* Alhaja pequeña que suele llevarse colgada por adorno. **2** fig. Persona de relevantes cualidades físicas o morales. **3** fig. *y* fam. Persona muy compuesta. **4** fig. *y* fam. Persona apta para hacer muchas cosas.
dilacerar *tr.* Desgarrar, despedazar las carnes [de una persona o animal]. **2** fig. Lastimar, destrozar [la honra, el orgullo, etc.].
dilación *f.* Demora, tardanza.
dilapidar *tr.* Disipar [los bienes] con gastos desordenados, malgastar.
dilatación *f.* fig. Desahogo y serenidad en una pena o sentimiento grave. **2** CIR. Procedimiento empleado para aumentar o restablecer el calibre de un conducto. **3** FÍS. Aumento de volumen de un cuerpo por separación de sus moléculas y disminución de su densidad.
dilatar *tr.-prnl.* Extender, hacer mayor [una cosa], o hacer que ocupe más lugar o tiempo; esp., aumentar el volumen [de un cuerpo] sin que aumente su masa: *~ el calor una barra de hierro; el hierro se dilata; ~ el recreo.* **2** Diferir: *~ un asunto a,* o *para, otra ocasión, hasta mañana de mes en mes.* **3** Propagar, extender: *~ la fama.* **– 4** *prnl.* Extenderse mucho en un discurso o escrito.

DIGESTIVO (APARATO)

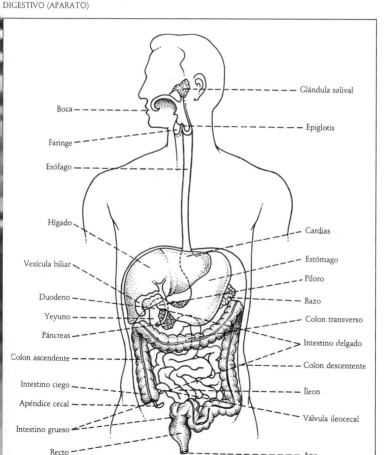

- Glándula salival
- Epiglotis
- Boca
- Faringe
- Esófago
- Hígado
- Cardias
- Vesícula biliar
- Estómago
- Píloro
- Duodeno
- Bazo
- Yeyuno
- Colon transverso
- Páncreas
- Intestino delgado
- Colon ascendente
- Colon descentente
- Intestino ciego
- Íleon
- Apéndice cecal
- Válvula ileocecal
- Intestino grueso
- Recto
- Ano

dilección *f.* Afecto.

dilecto, -ta *adj.* Amado con dilección.

dilema *f.* Argumento que presenta una alternativa de dos proposiciones, implicando las dos una misma consecuencia: *o crees, o no crees: si crees, algo crees; si no crees, crees que no crees; luego algo crees.* 2 Problema o situación ambigua.

dileniáceo, -a *adj.-f.* Planta de la familia de las dileniáceas. – 2 *f. pl.* Familia de plantas angiospermas dicotiledóneas, leñosas, rara vez herbáceas.

diletante *adj.* Aficionado al arte, y especialmente a la música: *~ de la ópera.* – 2 *adj.-s.* Que cultiva algún campo del saber, o se interesa por él, como aficionado y no como profesional.

diletantismo *m.* Afición grande a un arte, y especialmente a la música.

diligencia *f.* Cualidad de diligente. 2 Trámite de un asunto administrativo, y constancia escrita de haberlo efectuado. 3 Coche grande de camino, divido en dos o tres departamentos y tirado por varias caballerías. 4 Negocio, dependencia, solicitud.

diligenciar *tr.* Poner los medios necesarios para el logro [de una solicitud]. 2 Tramitar un asunto administrativo con constancia escrita de que se hace. ◇ ** CONJUG. [12] como *cambiar.*

diligente *adj.* Cuidadoso, exacto y activo: *~ en su oficio.* 2 Pronto, ligero en el obrar: *~ en sus acciones.*

dilogía *f.* Ambigüedad, doble sentido, equívoco.

dilucidar *tr.* Explicar, aclarar [un asunto, una proposición, etc.].

diluir *tr.* Desleír. 2 Hacer más pálido [el color] o más difusa [la luz]. 3 *fig.* Repartir entre varios [la responsabilidad, atribuciones, mando, etc.]. 4 QUÍM. Hacer más líquida [una preparación]; añadir más disolvente [a una disolución]. ◇ ** CONJUG. [62] como *huir.*

diluviar *impers.* Llover copiosamente. ◇ ** CONJUG. [12] como *cambiar.*

diluvio *m.* Inundación causada por copiosas lluvias. 2 *fig.* Lluvia muy copiosa. 3 *fig.* Excesiva abundancia: *un ~ de injurias.*

diluyente *adj.-s.* Substancia líquida que se añade a una solución para hacerla más fluida.

dimanar *intr.* Proceder el agua de sus manantiales. 2 *fig.* Provenir.

dimensión *f.* Magnitud de un conjunto que sirve para definir un fenómeno. 2 Longitud de una línea, área de una superficie o volumen de un cuerpo. 3 Extensión de un objeto en dirección determinada. 4 *fig.* Importancia.

dimensionar *tr.* Establecer las dimensiones exactas, el valor preciso [de alguien o algo].

dimes y diretes *loc.* fam. Contestación, debate, réplica: *andar en dimes y diretes.*

dimiario *adj.* [molusco bivalbo] Que tiene dos músculos abductores para cerrar las valvas de la concha; como las almejas de mar.

diminutivo, -va *adj.* Que tiene propiedad de disminuir una cosa. – 2 *adj.-s.* [sufijo] Que reduce la magnitud del significado del vocablo al que se une, o que, sin reducirlo, presenta al objeto con intenciones emotivas muy diversas por parte del hablante, o para influir a su favor en el oyente. – 3 *m.* Palabra formada con dicho sufijo. ◇ V. ** DERIVACIÓN.

diminuto, -ta *adj.* Defectuoso, imperfecto. 2 Excesivamente pequeño.

dimisión *f.* Acción de dimitir: *presentar la ~.*

dimitir *tr.* Renunciar [a un cargo]: *~ el cargo de presidente; abs.,* el alcalde ha dimitido. ◇ INCOR.: dimitir a alguien.

dimorfismo *m.* Fenómeno en virtud del cual seres orgánicos de la misma especie ofrecen ciertas diferencias de forma: *~ foliar; ~ sexual.*

dimorfo, -fa *adj.* Que se presenta en dos formas distintas.

din *m.* fam. Dinero: *el ~ y el don,* dinero y calidad.

dina *f.* Unidad de fuerza en el sistema cegesimal, equivalente a la fuerza que, actuando sobre la masa de un gramo, comunica a ésta en un segundo la velocidad de un centímetro por segundo.

dinamarqués, -quesa *adj.-s.* De Dinamarca, nación del norte de Europa. – 2 *m.* Lengua dinamarquesa.

dinamia *f.* Unidad de medida expresiva de la fuerza capaz de elevar un kilogramo de peso a la altura de un metro, en un tiempo determinado.

dinámica *f.* Parte de la mecánica que estudia el movimiento en relación con las fuerzas que lo producen. 2 *fig.* Impulso, fuerza: *la ~ de los acontecimientos.* 3 *fig.* Conjunto de fuerzas que actúan en algún sentido.

dinámico, -ca *adj.* Relativo a la fuerza cuando produce movimiento. 2 *fig.* [pers.] Enérgico, activo, diligente.

dinamismo *m.* Doctrina metafísica que no reconoce en los elementos materiales sino fuerzas cuya acción combinada determina los fenómenos.

dinamita *f.* Explosivo consistente en una mezcla de nitroglicerina y una substancia propia inerte. 2 *fig.* y fam. Suceso, lugar, persona, que tiene facilidad para alborotarse o estallar.

dinamitar *tr.* Volar [alguna cosa] con dinamita. 2 *fig.* Atacar con virulencia, con el propósito de destruir [cualquier cosa]: *~ el concepto de Estado.*

dinamizar *tr.* Poner en funcionamiento, transmitir dinamismo [a alguien o a alguna cosa]: *~ la red de comunicaciones.* ◇ ** CONJUG [4] como *realizar.*

dinamo, dínamo *f.* Máquina destinada a convertir la energía mecánica en energía eléctrica o al revés, mediante la inducción electromagnética. ◇ INCOR.: *el dinamo* por *la dínamo*.

dinamoeléctrico, -ca *adj.* Relativo a la conversión de la energía mecánica en eléctrica o al revés: *generador* ~; *motor* ~.

dinamómetro *m.* Instrumento destinado a medir una fuerza animal o mecánica. 2 esp. Máquina para medir la potencia efectiva de un motor.

dinar *m.* Unidad monetaria de diversos países, entre ellos Yugoslavia, Argelia, Irak, Libia, etc.

dinastía *f.* Serie de príncipes soberanos pertenecientes a una familia: ~ *faraónica;* ~ *borbónica.* 2 Familia en cuyos individuos se perpetúa el poder o la influencia política, económica, cultural, etc.

dineral *m.* Cantidad grande de dinero: *este coche cuesta un* ~.

dinero *m.* Moneda corriente: ~ *al contado,* *contante, contante y sonante* o *en tabla,* dinero pronto, efectivo, corriente; ~ *negro,* o ~ *sucio,* el obtenido de manera ilícita. 2 Caudal (hacienda).

dinitrado *adj.* QUÍM. [derivado] Que contiene dos veces el radical NO_2.

dinitrobenceno *m.* QUÍM. Derivado del benceno, que sirve para preparar colorantes y entra en la composición de explosivos.

dinofíceo, -a *adj.-f.* Alga de la clase de las dinofíceas. – 2 *f. pl.* Clase de algas dentro de la división pirrófitos; son algas flageladas que presentan una membrana externa engrosada especial, que contiene pectina.

dinosaurio *m.* Género de reptiles saurios fósiles, generalmente de gran tamaño, como el diplodoco, que vivió en la Era Secundaria.

dintel *m.* Elemento horizontal que soporta una carga, apoyando sus extremos en las jambas o pies verticales de un vano; **chimenea; *románico.

dintelar *tr.* Hacer el dintel [a un vano] o construir [una cosa] en forma de dintel.

dintorno *m.* Delineación de las partes de una figura contenidas dentro de su contorno o de las contenidas en el interior de la planta o de la sección de un edificio; **dibujo.

diñar *tr.* Dar [algo]. 2 *Diñarla,* morir.

diócesi, -sis *f.* Distrito en que tiene y ejerce jurisdicción espiritual un obispo. ◇ Pl.: *diócesis.*

diodo *m.* ELECTR. Válvula termoiónica de dos electrodos por la que circula la corriente en un solo sentido.

dioico, -ca *adj.* [planta] Que tiene las flores de cada sexo en pie separado, y también estas mismas flores.

dionea *f.* Planta droserácea de hojas cordiformes con unos pelos sensitivos en su parte media que determinan, al más leve roce, que el limbo se pliegue sobre sí mismo, por cuyo medio la planta aprisiona los insectos, que luego digiere *(Dionea muscipula).*

dionisiaco, -ca, dionisíaco, -ca *adj.* Que tiene pasión por la bebida.

diópsido *m.* Clinopiroxeno cuyos cristales presentan color blanquecino, verdoso, amarillento o casi negro; tiene brillo vítreo.

dioptría *f.* Unidad de refringencia de los instrumentos ópticos, equivalente a la refringencia de una lente infinitamente delgada cuya distancia focal sea un metro.

dióptrica *f.* Parte de la óptica que trata de la refracción de la luz.

diorama *m.* Panorama en que, con un lienzo pintado de colores transparentes y opacos, se producen diferentes efectos escénicos según la manera como se ilumine, permitiendo ver en el mismo sitio dos cosas distintas. 2 Sitio destinado a este recreo.

dios *m.* En la religión cristiana, ser supremo y eterno, omnisciente, omnipotente y omnipresente, Creador del Universo, al que conserva y rige por su providencia. 2 Ser inmaterial, superior al hombre, cuyas atribuciones son variables según las diversas religiones. 3 En las religiones politeístas, ser personal poseedor de un ámbito restringido de poder sobre una parte o faceta del universo, que pugna o se complementa con otros, igualmente dignos de culto: *el* ~ *Marte; el* ~ *del mar; los dioses paganos.* ◇ En la primera acepción se escribe con mayúscula.

diosa *f.* Divinidad de sexo femenino.

dioscóreo, -a, dioscoreáceo, -a *adj.-f.* Planta de la familia de las dioscóreas. – 2 *f. pl.* Familia de plantas monocotiledóneas, de las regiones cálidas o templadas; son herbáceas o sarmentosas, de tallo voluble, hojas palmatinervias, flores pequeñas, generalmente dioicas, y fruto en cápsula, sámara o baya; como el aje.

dipétalo, -la *adj.* [corola o flor] Que tiene dos pétalos.

diplejía *f.* Parálisis que afecta partes simétricas del cuerpo, síntoma de una lesión del sistema nervioso central.

diplococo *m.* Bacteria formada por una asociación de dos cocos.

diplodoco *m.* Reptil fósil gigantesco, del período jurásico superior *(Diplodocus).*

diplógrafo *m.* Máquina que imprime a la vez con los caracteres ordinarios y los signos en relieve para uso de los ciegos.

diploide *adj.* [organismo] En que cada una de sus células tiene dos veces cada cromosoma diferente.

diploma *m.* Título o credencial que expide una corporación para acreditar un grado académico, un premio, etc.

diplomacia *f.* Ciencia o conocimiento de los intereses y relaciones internacionales. 2 fig. Cortesía aparente e interesada. 3 fig. Habilidad, sagacidad y disimulo.

diplomar *tr.-prnl.* Graduar, dar un título académico [a uno].

diplomática *f.* Estudio científico de los diplomas y otros documentos, tanto en sus caracteres internos como externos, principalmente para establecer su autenticidad o falsedad.

diplomático, -ca *adj.* Relativo a la diplomacia. 2 fig. Circunspecto, sagaz, disimulado. – 3 *adj.-s.* Negocio de estados internacionales y persona que interviene en ellos: *misión diplomática; un ~.*

diplopía *f.* Fenómeno morboso consistente en ver dobles los objetos.

diplópodo *adj.-m.* Animal de la clase de los diplópodos. – 2 *m. pl.* Clase de artrópodos miriápodos provistos de dos pares de patas en cada uno de los segmentos abdominales; como el cardador.

dipluro *adj.-m.* Insecto del orden de los dipluros. – 2 *m. pl.* Orden de insectos apterigotas de pequeño tamaño y lucífugos que se alimentan de materia orgánica en descomposición.

dipneo, -nea *adj.-s.* Animal dotado de respiración branquial y pulmonar.

dipnoo *adj.-m.* Pez del orden de los dipnoos. – 2 *m. pl.* Orden de peces crosopterigios caracterizados por tener notocordio persistente y respiración branquial y pulmonar. ◇ Pl.: *dipnoos.*

dipsacáceo, -a, dipsáceo, -a *adj.-f.* Planta de la familia de las dipsacáceas. – 2 *f. pl.* Familia de plantas dicotiledóneas, herbáceas, de hojas opuestas o en verticilo, flores en espiga o cabezuela, con involucros bien desarrollados, y fruto en aquenio; como la escabiosa.

dipsomanía *f.* Tendencia irresistible al abuso de la bebida.

díptero, -ra *adj.* Que tiene dos alas. – 2 *adj.-m.* Insecto del orden de los dípteros. – 3 *m. pl.* Orden de insectos pterigotas chupadores, de metamorfosis complicada, con un par de alas membranosas y otro par transformado en dos pequeños órganos encargados de la estabilidad; como la mosca y el mosquito.

dipterocarpáceo, -a, dipterocárpeo, -a *adj.-f.* Planta de la familia de las dipterocarpáceas. – 2 *f. pl.* Familia de plantas dicotiledóneas, que incluye grandes árboles resinosos de las regiones tropicales de Asia y Oceanía, de hojas aisladas, flores axilares en racimo, raras veces en panoja, regulares y muy grandes, y fruto en aquenio.

díptico *m.* Cuadro o bajo relieve formado por dos tableros que se cierran como las tapas de un libro.

diptongación *f.* Acción de diptongar o diptongarse. 2 Efecto de diptongar o diptongarse.

diptongar *tr.-prnl.* Pronunciar [dos vocales] en una sola sílaba. 2 Alterarse históricamente [el timbre de una vocal], de manera que se desdoble en un diptongo. ◇ ** CONJUG. [7] como *llegar.*

diptongo *m.* Conjunto de dos vocales que se pronuncian en una sola sílaba; **sílaba.

diputación *f.* Cargo de diputado: *ejercer la ~.* 2 Duración de este cargo. 3 Negocio que se encomienda al diputado. 4 Conjunto de los diputados. 5 ~ *provincial,* corporación que dirige y administra los intereses de una provincia, y local que ella ocupa.

diputado, -da *m. f.* Persona nombrada por un cuerpo para representarle: ~ *del Congreso.*

dique *m.* Muro hecho para contener las aguas. 2 ~ *seco,* o simplemente ~, cavidad revestida de fábrica en la orilla de una dársena, río, etc., con compuertas para llenarla o vaciarla, y donde se hacen entrar los buques para limpiarlos y carenarlos; **puerto. 3 fig. Cosa con que otra es contenida o reprimida: ~ *de las pasiones.*

dirección *f.* Inclinación hacia un lugar determinado. 2 Cargo de director. 3 Conjunto de personas encargadas de dirigir una sociedad o explotación. 4 Oficina del director o de la dirección (conjunto de personas). 5 Recta según la cual se mueve un cuerpo en un momento dado: ~ *de una fuerza.* 6 fig. Recta que indica hacia donde uno se encamina; línea de conducta. 7 Domicilio de una persona. 8 Señas escritas sobre una carta o paquete. 9 MEC. Mecanismo que sirve para guiar los vehículos automóviles.

direccional *adj.* Que sirve para dirigir. 2 Que se orienta hacia alguna dirección. – 3 *m.* Amér. Intermitente del automóvil.

directivo, -va *adj.-s.* Que tiene facultad para dirigir: *junta directiva; deseo hablar con algún ~.* – 2 *f.* Mesa o junta de gobierno de una corporación, sociedad, etc. 3 Directriz conjunto de instrucciones.

directo, -ta *adj.* Derecho, en línea recta. 2 Que va de una parte a otra sin detenerse en los puntos intermedios: *tren ~.* 3 Inmediato sin intermediario: *tratos directos.* – 4 *loc. adj.* y *adv. En ~,* en radio y televisión, [retransmisión] que corresponde al tiempo en que se realiza la grabación de los hechos. – 5 *m.* Golpe directo de los boxeadores. – 6 *f.* Marcha de un vehículo que permite el desarrollo más largo del motor.

director, -ra *adj.-s.* Que dirige. – 2 *m. f.* Persona que dirige: ~ *de un negocio; el ~ de un teatro; la directora de una escuela; el ~ de una orquesta.*

directriz *f.* fig. Norma, principio fundamental: *las directrices del gobierno, de la política económica.*

dirigente *adj.-s.* Que dirige. – 2 *com.* Persona que ejerce función o cargo directivos en una asociación, organismo o empresa.

dirigir *tr.-prnl.* Enderezar, llevar rectamente [una cosa] hacia un término o lugar señalado: ~ *una nave;* ~ *un aeroplano a,* o *hacia Sevilla;* p. ext., poner [a una carta, bulto, etc.] las señas que indiquen a dónde y a quién se ha de enviar. 2 Guiar, encaminar [a alguno] hacia determinado lugar: ~ *por un atajo; dirigirse a,* o *hacia, Madrid.* 3 Volverse, tomar una dirección: ~ *la mirada; la brújula se dirige al norte.* – 4 *tr.* Gobernar, regir: ~ *una empresa* o *una compañía,* etc. 5 Aconsejar [a una persona]: ~ *a uno en una empresa;* esp., gobernar la conciencia. 6 Dedicar [una obra de ingenio]: ~ *un soneto.* 7 fig. Encaminar [la intención y las operaciones] a determinado fin: ~ *los estudios al descubrimiento de una cosa.* ◇ ** CONJUG. [6].

dirimir *tr.* Disolver, anular: ~ *el matrimonio.* 2 Acabar o resolver [una dificultad, una controversia].

disartria *f.* Dificultad para la articulación de las palabras que se observa en algunas enfermedades nerviosas.

discar *tr. Argent., Perú* y *Urug.* Marcar, formar un número en el disco del teléfono. ◇ ** CONJUG. [1] como *sacar.*

discernimiento *m.* Acción de discernir. 2 Facultad de discernir con el pensamiento, especialmente el bien del mal: *el inculpado no tiene* ~.

discernir *tr.* Distinguir [una cosa] de otra por un acto especial de los sentidos o de la inteligencia: ~ *el gneis del granito.* ◇ ** CONJUG. [29].

disciplina *f.* Doctrina; regla de enseñanza impuesta por un maestro a sus discípulos. 2 Asignatura. 3 Conjunto de reglas para mantener el orden y la subordinación entre los miembros de un cuerpo. 4 Observancia de estas reglas: *fiel a la* ~ *militar.* 5 Azote, generalmente de cáñamo, con varios ramales: *le castigó con las disciplinas.*

disciplinar *tr.* Instruir, enseñar [a uno] su profesión. 2 Imponer disciplina [a uno].

disciplinario, -ria *adj.* Relativo a la disciplina. 2 [régimen] Que establece disciplina; [pena] que se impone por vía de corrección.

discípulo, -la *m. f.* Persona que recibe las enseñanzas de un maestro, o que cursa en una escuela. 2 Persona que sigue la opinión de una escuela: ~ *de Platón.*

disc-jockey *m.* Animador de un programa musical, transmitido en directo, que actúa normalmente en solitario. 2 Persona que pone los discos en una discoteca, emisora de radio, etc. ◇ Se pronuncia *dis yoquei;* pl.: *dis yoqueis.*

disco *m.* Cuerpo cilíndrico cuya base es muy grande respecto a su altura. 2 Lámina circular de materia plástica en que están escri-

tas las vibraciones de la voz o de otro sonido cualquiera para ser reproducidas por medio del gramófono. 3 Pieza giratoria del aparato telefónico para marcar el número con que se quiere establecer comunicación. 4 Pieza metálica en la que hay pintada una señal de las previstas en el código de la circulación, y que se coloca en lugares bien visibles de las calles y carreteras para ordenar el tráfico. 5 Señal luminosa de los semáforos eléctricos que regulan el tráfico. 6 DEP. Tejo circular de perfil elíptico, hecho de madera y cercado de metal, con el que se efectúa la prueba atlética de lanzamiento de disco. 7 INFORM. Elemento de almacenamiento de datos de forma circular, constituido por una lámina delgada de acetato o aluminio recubierto por ambas caras con material magnético: ~ *duro,* el formado por una base de aluminio con un recubrimiento de óxido férrico, y de mayores dimensiones que el disquete; ~ *óptico,* el grabado mediante rayo láser y leído por medio de sensores ópticos.

discóbolo *m.* Atleta que arroja el disco.

discografía *f.* Técnica de impresionar y reproducir discos fonográficos. 2 Enumeración, relación, conjunto de discos relativos a un tema, una obra, un personaje, etc., determinados.

discoidal, discoideo *adj.* En forma de disco.

díscolo, -la *adj.-s.* Avieso, indócil, perturbador.

disconforme *adj.* No conforme.

disconformidad *f.* Diferencia de unas cosas con otras en cuanto a su esencia, forma o fin. 2 Oposición, contrariedad en los dictámenes o en las voluntades.

discontinuar *tr.* Interrumpir la continuación [de una cosa]. ◇ ** CONJUG. [11] como *actuar.*

discontinuidad *f.* Calidad de discontinuo.

discontinuo, -nua *adj.* Interrumpido, intermitente, no continuo.

discordancia *f.* Contrariedad, diversidad, disconformidad, desacuerdo.

discordar *intr.* Ser opuestas o desavenidas dos o más cosas. 2 En música, no estar acordes las voces o los instrumentos. 3 No convenir uno en opiniones con otro: ~ *del maestro;* ~ *en pareceres;* ~ *sobre filosofía.* ◇ ** CONJUG. [31] como *contar.*

discordia *f.* Desavenencia de voluntades. 2 Diversidad y contrariedad de opiniones. 3 DER. Falta de mayoría para votar sentencia que obliga a repetir el fallo.

discoteca *f.* Mueble para guardar discos de fonógrafo. 2 Colección de discos. 3 Local público para escuchar música grabada, bailar y consumir bebidas.

discotequero, -ra *adj.* Propio de discotecas: *música discotequera.* – 2 **adj.-s.** [pers.] Que frecuenta las discotecas.

discreción *f.* Sensatez para formar juicio, y tacto para hablar u obrar. 2 Don de expresarse con agudeza y oportunidad. 3 Dicho o expresión discreta. 4 Cualidad del que sabe guardar un secreto. 5 *A* ~, al buen juicio, antojo o voluntad de uno.

discrecional *adj.* Que se hace libre y prudencialmente: *uso* ~. 2 Relativo a la potestad gubernativa en las funciones de su competencia, que no están regladas.

discrepancia *f.* Cualidad de la persona o de la cosa que discrepa de otra. 2 Disentimiento personal en opiniones o conducta.

discrepar *intr.* Desdecir, diferenciarse una cosa de otra: ~ *un peso de otro en onzas.* 2 Disentir una persona del parecer o de la conducta de otra.

discreto, -ta *adj.-s.* Dotado de discreción. – 2 **adj.** Que incluye o denota discreción: *palabras discretas.* 3 Discontinuo, que se compone de partes separadas: ***línea discreta; cantidad discreta.* 4 [pers. o cosa] No extraordinario.

discriminar *tr.* Separar, distinguir, diferenciar [una cosa de otra]. 2 Establecer diferencias en los derechos o en el trato que se da [a determinados grupos humanos] por motivos de raza, política, religión, etc.

discromatopsia *f.* Dificultad en distinguir los colores.

discromía *f.* Alteración en la pigmentación cutánea.

disculpa *f.* Acción de disculpar o disculparse. 2 Razón o prueba que se dan para disculpar o disculparse.

disculpar *tr.-prnl.* Dar razones o pruebas que descarguen [a uno] de culpa: *disculparse con alguien;* ~ *de una distracción.* – 2 **tr.** No tomar en cuenta o perdonar [las faltas u omisiones cometidas por otro].

discurrir *intr.* Andar, correr por diversas partes y lugares: ~ *de un punto a otro.* 2 Fluir un líquido, correr un río, canal, etc. 3 Hablando del tiempo, transcurrir: *los días discurren.* 4 fig. Reflexionar, razonar acerca de una cosa o tratar de ella con cierto método: ~ *en varias materias;* ~ *sobre artes.* – 5 *tr.* Idear, inventar: ~ *un medio;* ~ *un arbitrio.* 6 Inferir, conjeturar: ~ *una conclusión.*

discurso *m.* Facultad de discurrir. 2 Razonamiento pronunciado en público a fin de convencer a los oyentes o mover su ánimo: *un* ~ *de Cicerón.* 3 Escrito o tratado de no mucha extensión: *el* ~ *sobre el Método, de Descartes.* 4 Serie de palabras y frases empleadas para manifestar lo que se piensa: *perder el hilo del* ~. 5 Paso o transcurso del tiempo: *el* ~ *de los años.* 6 GRAM. Conjunto de oraciones que constituyen una elocución hablada o escrita.

discusión *f.* Acción de discutir. 2 Efecto de discutir.

discutir *tr.* Examinar detalladamente [una cuestión] presentando consideraciones favorables y contrarias. – 2 *tr.-intr.* Contender y alegar razones [acerca de una cosa] contra el parecer de otro: ~ *el precio* o *sobre el precio.*

disecar *tr.* Dividir en partes [una planta o el cadáver de un animal] para su estudio o examen. 2 Preparar [los animales muertos] para conservarlos con la apariencia de vivos. 3 p. anal. Preparar [una planta], secándola para que se conserve y pueda ser estudiada. 4 fig. Hacer cuidadosamente el análisis de [algo]. ◇ ** CONJUG. [1] como *sacar.*

disección *f.* Acción de disecar. 2 Efecto de disecar.

diseminar *tr.-prnl.* Sembrar o desparramar.

disensión *f.* Oposición de varios sujetos en los pareceres o en los propósitos. 2 fig. Contienda, riña.

disentería *f.* Enfermedad infecciosa consistente en la inflamación y ulceración del intestino grueso.

disentir *intr.* Sentir u opinar de modo distinto de otro: ~ *en política.* ◇ ** CONJUG. [35] como *hervir.*

diseñar *tr.* Hacer un diseño [de una cosa].

diseño *m.* Trabajo de proyección de objetos de uso cotidiano, teniendo básicamente en cuenta los materiales empleados y su función: ~ *de un edificio, de un vestido.* 2 Descripción, bosquejo de alguna cosa hecho por palabras.

disépalo, -la *adj.* [cáliz o flor] Que tiene dos sépalos.

disepimento *m.* Pared que divide los lóculos o celdas de un ovario sincárpico.

disertación *f.* Escrito o discurso en que se diserta.

disertar *intr.* Razonar metódicamente sobre alguna materia científica, artística, etc.

diserto, -ta *adj.* Que habla con facilidad y con abundancia de argumentos.

disfasia *f.* Anomalía en el lenguaje consistente en una incoordinación de las palabras, debida a una lesión cerebral.

disfavor *m.* Desaire, desatención. 2 Suspensión del favor. 3 Hecho o dicho desfavorable.

disfonía *f.* Trastorno de la fonación.

disforme *adj.* Deforme. 2 Que presenta en su forma alguna irregularidad que lo hace feo, desproporcionado: *cabeza* ~; *error* ~.

disfraz *m.* Artificio con que se desfigura una cosa. 2 Traje de máscara. 3 fig. Simulación para desfigurar lo que se siente.

disfrazar *tr.* Vestir [a uno] con un vestido desacostumbrado o impropio de su edad, condición o sexo. 2 Desfigurar la forma natural [de una persona o cosa] para que no sea conocida: *se disfrazó con barba y joroba.* 3 fig. Disimular con palabras [lo que se siente]: ~ *sus intenciones;* ~ *con buenas apariencias.* ◇ ** CONJUG. [4] como *realizar.*

disfrutar *tr.* Percibir, aprovechar [los productos o ventajas de las cosas]: ~ *una finca o los productos de una finca;* seguido de la preposición *de,* gozar: *intr.,* ~ *de una renta.* 2 Aprovecharse [del favor o amistad] de uno: ~ *de la protección del ministro.* – 3 *intr.* Gozar, sentir placer: ~ *con la música.*

disfunción *f.* Trastorno en el funcionamiento [de algo]. 2 Alteración cuantitativa o cualitativa de la función orgánica.

disgregar *tr.* Separar o desunir las partes integrantes [de una cosa]. ◇ ** CONJUG. [7] como *llegar.*

disgustar *tr.-prnl.* Causar disgusto: *disgustarse con, o de, alguna cosa;* ~ *por causas frívolas.* – 2 *prnl.* fig. Desazonarse unos con otros, o perder la amistad por desavenencias. 3 fig. Sentir enfado o desazón.

disgusto *m.* Impresión desagradable causada por una comida o bebida. 2 fig. Pesadumbre, inquietud. 3 fig. Contienda o diferencia. 4 fig. Enfado, tedio.

disidencia *f.* Acción de disidir. 2 Efecto de disidir. 3 Grave desacuerdo de opiniones.

disidir *intr.* Separarse por cuestiones doctrinales de una comunidad religiosa, de una escuela filosófica o artística, de un partido político, etc.

disimilar *tr.-prnl.* Alterar [un sonido] para diferenciarlo de otro igual o semejante en la misma palabra.

disimular *tr.* Encubrir con astucia [la intención propia] u ocultar [lo que uno siente o padece]. 2 Desentenderse del conocimiento [de una cosa]: ~ *el espectáculo;* *abs.,* disimule*mos.* 3 Tolerar afectando ignorancia: ~ *las maldades de alguno;* perdonar, permitir: ~ *las faltas de un amigo.* 4 Disfrazar, desfigurar [las cosas]: *la capa disimula tu pobreza;* esp., ocultar, hacer desaparecer: *el azúcar disimula lo amargo de la pócima.*

disimulo *m.* Arte con que se oculta lo que se siente o se sabe. 2 Indulgencia, tolerancia.

disipación *f.* Conducta de una persona entregada a los placeres.

disipar *tr.* Desvanecer [una cosa] por la disgregación y dispersión de sus partes: ~ *el sol la niebla.* 2 Desperdiciar, malgastar: ~ *la hacienda.* – 3 *prnl.* Evaporarse, resolverse en vapores: *disiparse el alcohol.* 4 fig. Desvanecerse, quedar en nada una cosa: *disiparse una sospecha.*

dislalia *f.* MED. Dificultad de articular las palabras.

dislexia *f.* MED. Perturbación de la capacidad de leer, que se manifiesta por errores, omisiones, inversiones de letras, sílabas o palabras enteras.

dislocar *tr.* Sacar [una cosa] de su lugar, especialmente los huesos. 2 Dispersar. 3 fig. Desmembrar. ◇ ** CONJUG. [1] como *sacar.*

disloque *m.* fam. El colmo, cosa excelente.

disminuido, -da *adj.-s.* [pers.] Que tiene incompletas sus facultades físicas o psíquicas.

disminuir *tr.-intr.-prnl.* Hacer menor la extensión, intensidad o número [de una cosa]. ◇ ** CONJUG. [62] como *huir.*

dismnesia *f.* MED. Debilidad de la memoria.

disnea *f.* MED. Dificultad de respirar.

disociar *tr.* Separar [cosas unidas]. ◇ ** CONJUG. [12] como *cambiar.*

disolución *f.* Acción de disolver: *una* ~ *de azúcar; la* ~ *del matrimonio.* 2 Efecto de disolver. 3 Mezcla que resulta de disolver cualquier substancia en un líquido. 4 Relajación en las costumbres y rompimiento de los vínculos entre varias personas: ~ *de la sociedad;* ~ *de la familia.*

disoluto, -ta *adj.-s.* Licencioso, entregado a los vicios.

disolvencia *f.* Técnica utilizada para pasar de unos planos de imágenes o de sonidos a otros por desaparición gradual de los primeros.

disolvente *adj.-m.* Que tiene la facultad de disolver; que tiende a disolver: *doctrinas disolventes; el agua es un* ~ *natural.*

disolver *tr.* Separar, desunir [lo que estaba unido material o moralmente]: ~ *el matrimonio; disolverse una sociedad.* 2 Deshacer, destruir, aniquilar: ~ *una facción; la muerte disuelve todas las cosas.* 3 QUÍM. Hacer pasar al estado de solución [un cuerpo] por la acción de otro cuerpo, generalmente líquido: ~ *con agua fuerte;* ~ *en alcohol.* ◇ ** CONJUG. [32] como *mover;* pp. irreg.: *disuelto.*

disonancia *f.* Sonido desagradable. 2 fig. Disconformidad (diferencia). 3 MÚS. Combinación de sonidos que no están en consonancia.

disonante *adj.* fig. Que discrepa de aquello con que debiera estar conforme.

disonar *intr.* Sonar desapaciblemente; faltar a la consonancia y armonía. 2 fig. Discrepar, carecer de conformidad. 3 fig. Parecer mal, extrañar una cosa: *esta noticia disonará entre los amigos.* ◇ ** CONJUG. [31] como *contar.*

dispar *adj.* Desigual, diferente.

disparada *f.* *Amér.* Fuga desordenada y repentina.

disparador *m.* El que dispara. 2 Pieza que sujeta la llave del fusil y otras armas de fuego, y que, movida a su tiempo, sirve para dispararlas. 3 Pieza que sirve para hacer funcionar el obturador automático de una cámara **fotográfica.

disparar *tr.* Hacer que [una máquina] despida el cuerpo arrojadizo: ~ *una escopeta;* ~

una flecha; ~ *una pedrada.* 2 DEP. Tirar (lanzar con fuerza). – 3 *tr.-prnl.* fig. Crecer o hacer crecer [algo] de forma descontrolada. – 4 *prnl.* Correr precipitadamente y sin dirección: *dispararse un caballo.* 5 fig. Dirigirse vivamente hacia una cosa o realizar algo con precipitación. 6 Al hablar u obrar, saltar fuera de razón, perder la paciencia. – 7 *intr. Méj.* Gastar dinero, derrochar.

disparatado, -da *adj.* Contrario a la razón. 2 Atroz, desmesurado.

disparatar *intr.* Decir o hacer cosas fuera de razón y regla.

disparate *m.* Dicho o hecho disparatado. 2 fam. Atrocidad, demasía.

disparidad *f.* Desemejanza, desigualdad de una cosa respecto de otra.

disparo *m.* Acción de disparar o dispararse. 2 Efecto de disparar o dispararse.

dispendio *m.* Gasto excesivo, derroche. 2 fig. Uso o empleo excesivo de hacienda, tiempo o cualquier caudal.

dispensa *f.* Privilegio, excepción graciosa de lo dispuesto por las normas generales: ~ *matrimonial,* para contraer matrimonio entre parientes hasta cierto grado. 2 Escrito que contiene la dispensa.

dispensar *tr.* Conceder, distribuir: ~ *mercedes;* ~ *elogios;* ~ *medicamentos,* despacharlos. 2 Absolver o excusar de una falta leve: *dispénseme que le detenga.* 3 Eximir [a alguno] de una obligación: ~ *a uno de asistir; dispensarse de asistir.* ◇ Es incorrecto usar este verbo con cosas no distribuibles: ~ *un apoyo, la compasión a alguien.*

dispensario *m.* Establecimiento benéfico donde los enfermos, sin estar hospitalizados, reciben asistencia médica y farmacéutica. ◇ GALIC. por consultorio.

dispepsia *f.* Digestión laboriosa e imperfecta de carácter crónico.

dispersar *tr.* Separar y diseminar [a personas o cosas]. 2 Romper y desbaratar [al enemigo] haciéndole huir en desorden. 3 Desplegar en orden abierto de guerrilla [una fuerza].

displasia *f.* Anomalía en el desarrollo de un órgano.

display *m.* Representación visual de los datos de salida de cualquier sistema: *el* ~ *de una calculadora de bolsillo.*

displicencia *f.* Desagrado e indiferencia en el trato. 2 Desaliento en la ejecución de un hecho.

displicente *adj.* Que desagrada. – 2 *adj.-s.* Descontento, desabrido o de mal humor.

disponer *tr.* Colocar, poner [las personas o cosas] en orden y situación conveniente: ~ *las naves en hileras;* ~ *a los alumnos por secciones.* 2 Preparar, prevenir para alguna circunstancia: ~ *la habitación.* 3 Deliberar, mandar [lo que ha de

hacerse]: ~ *la comida; la ley lo dispone.* – 4 *intr.* Usar de los derechos inherentes a la propiedad o posesión de los bienes; esp., testar acerca de ellos: ~ *de su caudal en testamento.* 5 Valerse de una persona o cosa, utilizarla por suya: ~ *de un amigo;* ~ *de un capital;* ~ *de poco tiempo.* – 6 *prnl.* Prepararse para hacer alguna cosa; tener la intención de hacerla: *me dispongo a, o para, salir; se disponen a servirnos.* ◇ ** CONJUG. [78] como *poner;* pp. irreg.: *dispuesto.*

disponibilidad *f.* Calidad de disponible. 2 Cantidad disponible: *gasto según mis disponibilidades.*

disponible *adj.* [pers. o cosa] De que se puede disponer libremente. 2 [militar o funcionario] En servicio activo sin destino, pero que puede ser destinado inmediatamente.

disposición *f.* Ordenada colocación o distribución de algo: *la* ~ *de un edificio; la* ~ *de unos muebles.* 2 Gallardía y gentileza de la persona. 3 Estado de espíritu o de cuerpo para hacer algo: *no estar en* ~ *de estudiar, de salir a la calle.* 4 Aptitud para hacer algo: *mostrar gran* ~ *para las ciencias.* 5 Lo dispuesto, establecido, decidido: ~ *ministerial;* ~ *testamentaria; última* ~, testamento. 6 Facultad de disponer de algo: *tener libre* ~ *de sus bienes.* 7 Ordenada colocación o distribución de las diferentes partes de una composición literaria.

dispositivo, -va *adj.* Que dispone: *la parte dispositiva de una sentencia.* – 2 *m.* Mecanismo.

dispuesto, -ta *adj.* Apuesto, gallardo. 2 Hábil, despejado, con aptitud natural. 3 Preparado, en disposición de. 4 *Bien* o *mal* ~, con buena o mala salud; con ánimo favorable o adverso. ◇ Con el verbo *ser* tiene las acepciones 2 y 3: *era una persona muy dispuesta.* Con *estar* le corresponden las acepciones 3 y 4: *estoy* ~ *a escucharle.*

disputar *tr.* Debatir, altercar, especialmente con calor y vehemencia: ~ *con su hermano;* ~ *sobre, o por, o acerca de, un asunto.* 2 Ejercitarse los estudiantes discutiendo. 3 Contender, emular para alcanzar o defender [alguna cosa]: ~ *una cátedra.*

disquete *m.* INFORM. Disco de pequeño tamaño formado por una base de poliéster bañada de óxido magnético y protegido por una funda de la que no se extrae, para el registro y reproducción de datos magnéticos.

disquisición *f.* Examen o exposición rigurosa y detallada de alguna cuestión.

disrupción *f.* Interrupción o apertura brusca de un circuito eléctrico.

disruptivo, -va *adj.* Que produce ruptura brusca. 2 [descarga] Que se produce entre las dos armaduras de un condensador eléctrico al aumentar gradualmente entre ellas la diferencia de potencial.

distancia *f.* Espacio o tiempo que media entre dos cosas o sucesos. 2 fig. Diferencia notable entre unas cosas y otras. 3 fig. Alejamiento, desafecto entre personas. 4 GEOM. Longitud del segmento de recta comprendido entre dos puntos del espacio.

distanciamiento *m.* Enfriamiento en la relación amistosa y disminución de la frecuencia en el trato entre dos personas. 2 Alejamiento afectivo o intelectual de una persona en su relación con un grupo humano, una institución, una ideología, una creencia o una opinión.

distanciar *tr.-prnl.* Apartar, alejar, poner a distancia [a una persona o cosa]. ◇ ** CONJUG. [12] como *cambiar*.

distante *adj.* Apartado, remoto, lejano.

distar *intr.* Estar apartada una cosa de otra cierto espacio de lugar o de tiempo.

distender *tr.-prnl.* Aflojar, relajar [lo que está tenso o tirante]. 2 MED. Causar una tensión violenta [en los tejidos, membranas, etc.]. ◇ ** CONJUG. [28] como *entender*.

distensión *f.* Acción de distender. 2 Efecto de distender.

distermia *f.* Temperatura anormal del organismo.

distinción *f.* Acción de distinguir o distinguirse. 2 Efecto de distinguir o distinguirse. 3 Calidad de distinguido: *es persona de ~*. 4 Prerrogativa, excepción, honor: *es objeto de muchas distinciones*. 5 *A ~*, a diferencia.

distingo *m.* Distinción lógica en una proposición de dos sentidos, uno de los cuales se concede y otro se niega. 2 Reparo, restricción sutil o meticulosa.

distinguido, -da *adj.* Ilustre, aventajado por sus maneras, lenguaje, rango, etc.: *un personaje ~*.

distinguir *tr.* Conocer [a una persona o cosa] por aquello que le diferencia de otra: *~ lo blanco de lo negro*. 2 esp. Considerar diferente o declarar la diferencia que hay entre [una cosa] y otra con la cual se puede confundir: *el profesor distingue los fonemas de las letras*. 3 Ver [una cosa] a pesar de la lejanía, obscuridad, etc.: *~ un barco*. 4 Hacer que [una cosa] se diferencie de otra por medio de alguna particularidad: *distinguiremos estas gallinas por medio de una calza*; *prnl.*, distinguirse de las otras por el color. 5 Hacer particular estimación [de unas personas] prefiriéndolas a otras: *el ministro se distinguía*. 6 p. ext. Otorgar [a uno] alguna dignidad o prerrogativa: *~ a uno con una cruz*. – 7 *prnl.* Descollar, sobresalir entre otros: *distinguirse en las letras, por único, entre todos*. ◇ ** CONJUG. [8].

distintivo, -va *adj.-s.* Cualidad que caracteriza esencialmente una cosa. – 2 *m.* Insignia, marca.

distinto, -ta *adj.* Que no es lo mismo. 2 Que no es parecido. 3 Inteligible, claro, sin confusión.

distorsión *f.* Torcedura (distensión y desviación). 2 FÍS. Deformación de una onda durante su propagación.

distorsionar *tr.* Producir una distorsión. 2 Deformar, tergiversar.

distracción *f.* Acción de distraer o distraerse. 2 Efecto de distraer o distraerse. 3 Cosa que atrae la atención, especialmente la que divierte el ánimo: *los espectáculos son una ~*. 4 Libertad excesiva en las costumbres.

distraer *tr.* Apartar la atención [de una persona] del objeto a que la aplicaba o a que debía aplicarla: *distraerse con, o por, el ruido; distraerse de, o en, la conversación*. 2 Divertir (entretener): *la música me distrae*. 3 eufem. Malversar [fondos], defraudarlos. ◇ ** CONJUG. [88] como *traer*. ◇ INCOR.: *distrayera* por *distrajera*.

distraído, -da *adj.-s.* Que se distrae con facilidad. 2 Entregado a la vida licenciosa y desordenada. 3 *Chile y Méj.* Roto, mal vestido, desaseado.

distribución *f.* Conjunto de procesos y actividades gracias a los cuales un producto llega al consumidor: *~ cinematográfica*. 2 Modo de estar dispuestas las diferentes partes de un edificio, las habitaciones, etc. 3 ECON. Repartición del valor del producto entre los factores de la producción.

distribuidor, -ra *adj.-s.* Que distribuye. – 2 *m. f.* Intermediario entre el productor y el detallista de un producto. – 3 *m.* Mecanismo usado en el sistema de encendido de los motores de explosión, para aplicar la tensión a las bujías de los distintos cilindros. 4 ELECTR. Caja de derivación que permite conectar los circuitos derivados con cada uno de los circuitos principales, sin necesidad de desmontar los conectadores. 5 IMPR. Mecanismo que, en las máquinas de componer, devuelve a los respectivos almacenes las matrices con las que ya se ha fundido la composición.

distribuir *tr.* Dividir [una cosa] entre varias personas designando lo que a cada una corresponde: *~ el pan entre los pobres*; o entre varios lugares atribuyendo una parte a cada uno : *~ la tropa en los cuarteles*. 2 Dividir [una cosa] atribuyendo a cada parte su destino o su colocación: *~ un piso; ~ el tiempo; ~ los capítulos de un libro*. ◇ ** CONJUG. [62] como *huir*.

distributivo, -va *adj.* Que toca o atañe a la distribución. – 2 *adj.-f. Oración* o *cláusula distributiva*, la formada por dos o más oraciones coordinadas a las cuales nos referimos alternativamente: *unos lloraban, otros reían; aquí salían, allá entraban, acullá gritaban*.

distrito *m.* Subdivisión administrativa o jurídica de un territorio o población.

distrofia *f.* MED. Estado patológico debido a una alteración de la glándula pituitaria, que afecta a la nutrición y al crecimiento.

disturbio *m.* Perturbación de la paz y concordia.

disuadir *tr.* Inducir [a uno] con razones a mudar de dictamen o de propósito: ~ *a uno de marcharse.*

disyunción *f.* Acción de separar y desunir. 2 Efecto de separar y desunir.

disyuntiva *f.* Alternativa entre dos cosas por una de las cuales hay que optar.

disyuntivo, -va *adj.* Que desune (separa). – 2 *adj.-f.* *Oración disyuntiva,* período coordinado formado por dos o más oraciones, una de las cuales excluye a las demás: *págueme o fírmeme un pagaré; o es tonto, o no se ha enterado, o se hace el distraído.* 3 ****Conjunción disyuntiva,** la que enlaza oraciones de esta clase; la más usual es *o.*

disyuntor *m.* Aparato eléctrico que tiene por objeto abrir automáticamente el paso de la corriente eléctrica.

diteísmo *m.* Doctrina teológica que afirma la existencia de dos dioses.

ditirambo *m.* Composición poética de arrebatado entusiasmo, escrita generalmente en variedad de metros. 2 fig. Alabanza exagerada, encomio excesivo.

diuresis *f.* Aumento en la secreción y excreción de la orina. ◇ Pl.: *diuresis.*

diurético, -ca *adj.-m.* Medicamento que produce diuresis.

diurno, -na *adj.* Perteneciente o relativo al día. 2 De un día de duración. 3 [animal] Que caza de día; [planta] que presenta flores sólo abiertas durante el día.

divagar *intr.* Vagar, deambular. 2 Separarse del asunto de que se trata; hablar o escribir sin concierto ni propósito fijo. ◇ ** CONJUG. [7] como *llegar.*

diván *m.* Especie de sofá sin respaldo y con almohadones sueltos que se aplica contra la pared. 2 Colección de poesía en árabe, persa o turco.

divergencia *f.* Acción de divergir: ~ *de rayos luminosos.* 2 Efecto de divergir. 3 fig. Diversidad de opiniones o pareceres.

divergir *intr.* Irse apartando sucesivamente unas de otras, o más líneas, superficies o cosas. 2 fig. Discrepar (disentir). ◇ ** CONJUG. [6] como *dirigir.*

diversidad *f.* Variedad, diferencia. 2 Abundancia, copia, concurso de varias cosas distintas.

diversificar *tr.* Hacer diversa [una cosa] de otra. 2 Variar los bienes que se producen, compran o venden. – 3 *tr.-prnl.* Dar variedad a una cosa, darle varios aspectos. ◇ ** CONJUG. [1] como *sacar.*

diversión *f.* Acción de divertir. 2 Efecto de divertir.

diverso, -sa *adj.* De distinta naturaleza, especie, figura, etc.: ~ *de los demás;* ~ *en carác-*ter. 2 No semejante. – 3 *adj. pl.* Varios, muchos.

divertido, -da *adj.* Festivo, de buen humor. 2 Que divierte. 3 *Amér.* Ebrio, achispado.

divertimiento *m.* Diversión. 2 Distracción momentánea de la atención.

divertir *tr.-prnl.* Entretener, recrear: *divertirse con los amigos;* ~ *en pintar.* ◇ ** CONJUG. [35] como *hervir.*

dividendo *m.* Cantidad que ha de dividirse por otra. 2 Cantidad que se reparte entre los accionistas de una sociedad anónima en función de los beneficios obtenidos y del número de acciones de cada uno.

dividir *tr.* Partir, separar en partes [una cosa o una cantidad]: ~ *un campo;* ~ *una caja en compartimientos;* ~ *el tiempo.* 2 esp. Distribuir, repartir [alguna cosa] entre varios: ~ *una herencia;* ~ *con,* o *entre, muchos;* ~ *por mitad.* 3 Separar [un conjunto de personas o cosas] en grupos, clases, etc.: ~ *las ciencias;* ~ *las razas humanas.* 4 fig. Levantar la discordia [entre dos o más personas] desuniendo los ánimos y voluntades: *divide a tus enemigos y vencerás.* 5 MAT. Dadas dos cantidades, hallar las veces que la segunda está contenida en la primera.

divieso *m.* Tumor puntiagudo y duro que se forma en el espesor de la piel por inflamación de un folículo sebáceo.

divinidad *f.* Naturaleza divina, ser divino: *la ~ de Jesucristo.* 2 Dios de las religiones politeístas: *las divinidades mitológicas.* 3 fig. Persona o cosa dotada de gran hermosura.

divinizar *tr.* Hacer o suponer divina [a una persona o cosa] o tributarle culto y honores divinos. 2 fig. Santificar, hacer sagrada [una cosa]: *Cristo divinizó las bodas con su presencia.* 3 fig. Ensalzar [a uno] desmedidamente. ◇ ** CONJUG. [4] como *realizar.*

divino, -na *adj.* Relativo a Dios o a los dioses. 2 fig. Muy excelente, primoroso.

divisa *f.* Señal exterior para distinguir personas, grados, etc. 2 Moneda extranjera referida a la unidad del país de que se trata. 3 Lazo de cintas de colores con que se distinguen en la lidia los toros de cada ganadero.

divisar *tr.* Ver a distancia, percibir en conjunto o confusamente [un objeto].

división *f.* fig. Discordia, desunión. 2 DEP. Agrupación de equipos deportivos o selecciones según méritos o categoría, designadas según numeración: *equipo de primera división.* 3 MAR. Parte de una escuadra. 4 MAT. Operación de dividir. 5 MIL. Parte de un cuerpo o ejército, compuesto de brigadas de varias armas. 6 MIL. ~ *acorazada,* la que está constituida fundamentalmente por carros de combate o fuerzas transportadas en vehículos blindados.

divisionismo *m.* Técnica impresionista consistente en la yuxtaposición de los colores sobre el lienzo.

divismo *m.* Condición de divo. 2 Afición extremosa a la personalidad de un artista o deportista determinado.

divisor, -ra *adj.-s.* MAT. Submúltiplo. – 2 *m.* Cantidad por la cual se divide exactamente dos o más cantidades: *el 4 es común ~ de 8 y de l6.*

divo, -va *adj.-s.* Cantante de sobresaliente mérito: *~ de ópera; ~ de zarzuela.* 2 Engreído, soberbio.

divorciado, -da *adj.-s.* Persona cuyo vínculo matrimonial ha sido disuelto jurídicamente.

divorciar *tr.-prnl.* Separar [los cónyuges] o disolver el vínculo matrimonial [de dos cónyuges] por el divorcio. 2 fig. Separar, apartar [lo que estaba unido o debía estarlo]: *la muerte nos divorcia sin pleitos.* ◇ ** CONJUG. [l2] como *cambiar.*

divorcio *m.* Separación del matrimonio por juez competente. 2 En algunos pueblos antiguos o estados modernos, disolución del vínculo matrimonial, de manera que cada cónyuge puede contraer nuevas nupcias. 3 Separación en general, divergencia: *~ de opiniones.* 4 Falta o desaparición [de algo que mantenía una coordinación, acuerdo, armonía, etc.].

divulgar *tr.* Hacer que [una cosa] llegue a conocimiento de gran número de personas. ◇ ** CONJUG. [7] como *llegar.*

do *m.* MÚS. Nota musical, primer grado de la escala fundamental. 2 ~ *de pecho,* una de las notas más agudas a que alcanza la voz de tenor; fig. *y* fam., máximo esfuerzo para la obtención de algo. ◇ Pl.: *does.*

dobladillo *m.* Pliegue que como remate se hace a la ropa en los bordes, doblándola dos veces hacia un mismo sentido para coserla. 2 Hilo fuerte para hacer calceta.

doblado, -da *adj.* De mediana estatura y recio de miembros. 2 Curvo, encorvado.

doblador, -ra *m. f.* Persona que dobla. 2 Actor o actriz que efectúa el doblaje de una película. 3 Persona que en los encierros conduce los toros al toril utilizando el capote a una mano.

dobladura *f.* Parte por donde se ha doblado o plegado una cosa. 2 Señal que queda.

doblaje *m.* Acción de doblar una película cinematográfica. 2 Efecto de doblar una película cinematográfica.

doblar *tr.* Aumentar [una cosa] haciéndola otro tanto más de lo que era: *~ el consumo.* 2 Aplicar una sobre otra dos partes [de una cosa flexible]: *~ un mantel.* 3 Torcer [una cosa] encorvándola: *~ el espinazo; prnl.,* este bastón *se dobla.* 4 Pasar a otro lado [de una esquina, cerro, etc.], cambiando de dirección en el camino: *intr.,* doblaron *a la derecha, a la otra calle.* 5 ~ *una película,* sincronizarla con las palabras de una lengua distinta de la original. – 6 *intr.* Tocar a muerto: *doblan por él.* 7 Hacer un actor dos papeles en una misma obra. – 8 *tr. Méj.* Derribar [a uno] de un balazo.

doble *adj.* Que está formado por dos cosas iguales o de la misma especie: *~ vidriera; ~ fila de dientes.* 2 [ficha del juego del dominó] Que en los dos cuadrados de su anverso lleva igual número de puntos o no lleva ninguno: *el seis ~; el blanco ~.* 3 Que es más fuerte, más concentrado o más grueso que de ordinario: *franela ~.* 4 Fornido o rehecho de miembros. – 5 *adj.-s.* Duplo: *al ~,* en cantidad dupla. 6 fig. Que se muestra de una manera y realmente es de otra: *Pedro es muy ~; frase de ~ sentido.* – 7 *m.* Vaso de cerveza de un cuarto de litro. 8 Reproducción duplicada. 9 Actor cinematográfico o teatral que en determinadas escenas sustituye a otro a quien se parece.

doblegar *tr.* Doblar (torcer y hacer dos papeles). 2 fig. Hacer [a uno] que desista de un propósito y se preste a otro. ◇ ** CONJUG. [7] como *llegar.*

doblemente *adv. m.* Con duplicación. 2 Con doblez y malicia. 3 Mucho más: *~ perjudicial para sus intereses.*

dobles *m. pl.* DEP. En el juego del tenis, partido en que participan cuatro jugadores, dos a cada lado de la red.

doblete *adj.* Entre doble y sencillo: *tafetán ~.* – 2 *m.* Piedra falsa hecha con dos cristales pegados. 3 Serie de dos éxitos o victorias en un corto espacio de tiempo. 4 Dos palabras del mismo origen etimológico: *digital y dedal, artículo y artejo.*

doblez *m.* Parte que se dobla o pliega de una cosa. 2 Señal que queda. – 3 *amb.* fig. Astucia con que uno obra, dando a entender lo contrario de lo que siente.

doblón *m.* Antigua moneda de oro de diferente valor, equivalente en el s. XVIII a unas 20 ptas.

doce *adj.* Diez y dos; **numeración. 2 Duodécimo (lugar). – 3 *m.* Guarismo del número doce.

doceañista *adj.-com.* Partidario de la constitución de 1812, y especialmente el que contribuyó a formarla.

doceavo, -va *adj.-s.* Duodécimo (parte).

docemesino *adj.* Aplícase al año de doce meses a diferencia del de otros cómputos.

docena *f.* Conjunto de doce cosas.

docencia *f.* Ejercicio de la profesión docente.

docente *adj.-s.* Relativo a la enseñanza.

dócil *adj.* Suave, apacible, fácil de enseñar: *~ al mandato; ~ de condición; ~ para aprender.* 2 Obediente. 3 Que se deja labrar con facilidad: *metal ~.*

dock *m.* ANGLIC. Dársena o muelle rodeado de almacenes. – 2 *m. pl.* Almacenes generales de mercancías. ◇ Pl.: *docks.*

docto, -ta *adj.-s.* Que posee muchos conocimientos: ~ *en física.*

doctor, -ra *m. f.* Persona que enseña una ciencia o arte. 2 Teólogo de gran autoridad: *doctor de la Iglesia.* 3 Persona que ha recibido el último grado académico en una facultad: ~ *en ciencias;* ~ *en derecho.* 4 Médico.

doctorado *m.* Grado de doctor. 2 Estudios necesarios para obtener este grado. 3 fig. Conocimiento acabado en alguna materia.

doctoral *adj.* Relativo al doctor o al canónigo doctoral: *tesis* ~. 2 fam. Pedante, que habla con solemnidad afectada.

doctorando, -da *m. f.* Persona que está próxima a recibir el grado de doctor.

doctorar *tr.-prnl.* Graduar de doctor [a uno].

doctrina *f.* Lo que es objeto de enseñanza. 2 Opinión o conjunto de opiniones de un autor, escuela o secta: *la* ~ *platónica de las Ideas;* ~ *filosófica.* 3 Conjunto de ideas que sirven de unión a un grupo de personas.

doctrinario, -ria *adj.-s.* Que atiende más a las doctrinas y teorías abstractas que a la práctica: *un político* ~; *luchas doctrinarias.*

doctrino *m.* Huérfano que se recoge en un colegio para educarlo.

docudrama *m.* Género televisivo o radiofónico que participa de las características del documental y del drama.

documentación *f.* Acción de documentar. 2 Efecto de documentar. 3 Conjunto de documentos: *es tan despistado que se fue de viaje sin llevarse la* ~; *necesitamos más* ~ *para preparar la reunión.*

documentado, -da *adj.-s.* Persona que posee noticias o pruebas acerca de un asunto, o que tiene documentos de identidad personal.

documental *adj.-m.* Programa que informa o ilustra acerca de algo.

documentalista *com.* Persona que se dedica a hacer cine documental, en cualquiera de sus aspectos. 2 Persona que tiene como oficio la preparación y elaboración de toda clase de datos bibliográficos, informes, noticias, etc., sobre determinada materia.

documentar *tr.* Probar [una cosa] con documentos. – 2 *tr.-prnl.* Proporcionar [a uno] los documentos necesarios para un fin.

documento *m.* Escrito con que se prueba o acredita una cosa. 2 Cosa que sirve para ilustrar o aclarar algo.

documentología *f.* Estudio general de los documentos en su aspecto histórico y técnico.

dodecaedro *m.* GEOM. **Sólido de doce caras.

dodecafonía *f.* Sistema musical atonal que usa exclusivamente doce sonidos de la gama cromática.

dodecágono, -na *adj.-m.* **Polígono de doce ángulos.

dodecasílabo, -ba *adj.-s.* De doce sílabas: *verso* ~.

dogal *m.* Soga con un nudo corredizo para atar las acémilas. 2 Cuerda para ahorcar un reo.

dogma *m.* Punto capital de un sistema, ciencia, doctrina o religión, proclamado como cierto e innegable. 2 Conjunto de dogmas: *el* ~ *católico.*

dogmático, -ca *adj.* Relativo a los dogmas. 2 Que afirma como verdad inconcusa o como un hecho establecido lo que es discutible. – 3 *adj.-s.* Partidario del dogmatismo. – 4 *f.* Conjunto de dogmas.

dogmatismo *m.* Cualidad de dogmático (que afirma): *el* ~ *de un crítico.* 2 Doctrina epistemológica, opuesta al escepticismo, que afirma la posibilidad y la validez del conocimiento humano. 3 Inclinación a creer o afirmar.

dogmatista *com.* El que sustenta o introduce nuevas opiniones, enseñándolas como dogmas, contra la verdad de la religión católica.

dogmatizar *intr.* Enseñar dogmas falsos. 2 Hablar o escribir dogmáticamente. ◇ ** CONJUG. [4] como *realizar.*

dogre *m.* Embarcación parecida al queche y destinada a la pesca en el mar del Norte.

doladera *adj.-s.* Segur que usan los toneleros.

dolaje *m.* Vino absorbido por la madera de las cubas en que se guarda.

dolar *tr.* Desbastar o labrar [madera o piedra] con la doladera o el dolobre. ◇ ** CONJUG. [31] como *contar.*

dólar *m.* Unidad monetaria norteamericana. ◇ PL.: *dólares.*

dolby *m.* Procedimiento destinado a reducir el nivel de ruido de fondo en las grabaciones magnéticas, de discos y, también, de emisoras.

dolencia *f.* Indisposición, enfermedad.

doler *intr.* Padecer dolor una parte del cuerpo: ~ *la cabeza.* – 2 *prnl.* Quejarse y explicar el dolor: *dolerse con un amigo.* 3 Compadecerse del mal que otro padece: *dolerse de la desgracia ajena.* 4 Arrepentirse de haber hecho una cosa: *dolerse de sus pecados.* 5 Lamentarse de un defecto o insuficiencia: *se duele del abandono en que le tienen.* ◇ ** CONJUG. [32] como *mover.*

dolicocéfalo, -la *adj.* [cráneo] Que es de figura muy oval, porque su diámetro mayor excede en más de un cuarto al menor. 2 [persona o raza] De cráneo dolicocéfalo.

dolido, -da *adj.* Quejoso, lastimado en sentido moral: *estoy* ~ *de sus palabras.*

doliente *com.* En un duelo, pariente del difunto.

dolmen *m.* Megalito en forma de mesa que se usó como sepultura; **prehistoria.

dolo *m.* Engaño, fraude, simulación.

dolobre *m.* Pico de pequeño tamaño y punta acerada, para labrar piedras.

dolomita *f.* Roca formada por un carbonato doble de cal y magnesia.

dolor *m.* Sensación molesta y aflictiva de una parte del cuerpo causada por ciertas lesiones o algunos estados morbosos: ~ *de muelas.* 2 Sentimiento aflictivo, comparable al dolor (sensación) y que se padece en el ánimo: *los siete dolores de la Virgen.* 3 Arrepentimiento de una cosa: ~ *de sus pecados.*

dolora *f.* Breve composición poética de espíritu dramático y filosófico.

dolorido, -da *adj.* Que padece dolor (sensación). 2 Apenado, desconsolado, lleno de dolor y angustia.

doloroso, -sa *adj.* Lamentable, lastimoso, que mueve a compasión. 2 Que causa dolor. – 3 *f.* Representación de la Virgen de los Dolores. 4 *fam.* Cuenta, importe de lo adquirido o consumido.

doloso, -sa *adj.* Engañoso, fraudulento.

dom *m.* Título que se da a algunos religiosos, como benedictinos, cartujos, etc.

doma *f.* Acción de domar. 2 Efecto de domar: ~ *de potros.*

domador, -ra *m. f.* Que exhibe y maneja fieras domadas.

domar *tr.* Amansar, hacer dócil [a un animal salvaje o fiero]. 2 *fig.* Sujetar, reprimir: ~ *un niño;* ~ *sus pasiones.*

domeñar *tr.* Someter, sujetar y rendir.

domesticar *tr.* Hacer doméstico [a un animal fiero y salvaje]. 2 Enseñar a un animal a obedecer al hombre y a hacer todo lo que él le mande. 3 Hacer tratable [a una persona que no lo es]; moderar la aspereza de carácter. ◇ ** CONJUG. [1] como *sacar.*

doméstico, -ca *adj.* Relativo a la casa u hogar. 2 [animal] Que se cría en la compañía del hombre. – 3 *adj.-s.* Criado que sirve en una casa. – 4 *m.* Ciclista que, en un equipo, tiene la misión de ayudar al corredor principal.

domiciliación *f.* Operación mediante la cual una persona o sociedad que tiene cuenta en un banco le ordena a éste que reciba y pague los efectos girados a su cargo.

domiciliar *tr.* Dar domicilio [a una persona]. 2 Efectuar una domiciliación. – 3 *prnl.* Fijar su domicilio en un lugar. ◇ ** CONJUG. [12] como *cambiar.*

domicilio *m.* Lugar en que legalmente se considera establecida una persona o sociedad para el cumplimiento de sus obligaciones y el ejercicio de sus derechos. 2 Casa en que uno habita o se hospeda.

dominación *f.* Acción de dominar, especialmente un soberano sobre un pueblo, una nación sobre otra: *la* ~ *romana.*

dominante *adj.* Que quiere avasallar a otro; que no sufre contradicciones: *mujer* ~; *carácter* ~. 2 Que sobresale, prevalece o es superior entre otras cosas de su orden y clase: *el punto* ~ *de la sierra; la religión* ~ *en un país.*

dominar *tr.* Tener [cosas o personas] bajo el dominio de uno: *su influencia domina la asamblea.* 2 p. ext. Sujetar, contener, reprimir: ~ *la cólera.* 3 *fig.* Conocer a fondo [una ciencia o arte]: ~ *un idioma.* – 4 *intr.-tr.* Sobresalir un monte, un edificio, etc. [entre otros]: *la torre domina sobre todo el pueblo,* o *domina todo el pueblo.* 5 Resaltar, ser algo más perceptible. – 6 *prnl.* Reprimirse, ejercer dominio sobre sí mismo: *no pudo dominarse.*

dómine *m.* Maestro que emplea métodos anticuados. 2 *desp.* Persona que, sin mérito para ello, adopta el tono de maestro.

domingada *f.* Fiesta o diversión que se celebra en domingo.

domingo *m.* Primer día de la semana, dedicado al descanso.

dominguejo *m. Amér.* Persona insignificante.

dominguero, -ra *adj. fam.* Que se suele usar en domingo: *traje* ~. 2 [persona] Que los domingos suele ataviarse y divertirse: *público* ~. – 3 *m.* Conductor que sólo utiliza el automóvil los domingos y días festivos para salir de la ciudad. 4 p. ext. Conductor inexperto.

dominguillo *m.* Muñeco con un contrapeso en la base que, movido en cualquier dirección, vuelve siempre a quedar derecho.

dominical *adj.* Perteneciente o relativo al domingo: *descanso* ~. – 2 *m.* Periódico editado los domingos, generalmente como suplemento de otro.

dominicanismo *m.* Vocablo, giro o modo de expresión propio de los dominicanos. 2 Amor o apego a las cosas propias de la República dominicana.

dominicano, -na *adj.-s.* De Santo Domingo o República Dominicana.

dominico, -ca *adj.-s.* Religioso de la Orden de santo Domingo. – 2 *adj.* Relativo a esta Orden.

dominio *m.* Poder que uno tiene sobre lo suyo. 2 Superioridad legítima sobre las personas. 3 Territorio que un soberano o estado tiene bajo su dominación: *los dominios británicos.* 4 Territorio donde se habla una lengua o dialecto: ~ *lingüístico aragonés.* 5 Conjunto determinado de ideas, materias o conocimientos. 6 Ámbito real o imaginario de una actividad.

dominó *m.* Juego que se hace con veintiocho fichas rectangulares que tienen una cara dividida en dos cuadrados iguales, que llevan marcados de uno a seis puntos, o no llevan ninguno. 2 Conjunto de estas fichas. 3 Traje talar con capucha usado en las mascaradas. ◇ Pl.: *dominós.*

I) don *m.* Dádiva, presente. 2 Bien natural o sobrenatural. 3 Gracia especial o habilidad para una cosa: ~ *de gentes;* ~ *de mando.*

II) don *m.* Tratamiento de respeto muy generalizado, que se antepone a los nombres propios masculinos.

donación *f.* Acto de liberalidad por el cual una persona dispone gratuitamente de una cosa a favor de otra que la acepta. 2 ECON. Transferencia de bienes o capitales, sin que exista contrapartida por parte del receptor.

donaire *m.* Discreción, gracia. 2 Chiste o agudeza graciosa. 3 Gallardía, gentileza, soltura de cuerpo.

donante *adj.-s.* Que dona. – 2 *com.* MED. Persona que voluntariamente cede un órgano, sangre, etc., con fines terapéuticos.

donar *tr.* Ceder gratuitamente una persona a otra el dominio [de una cosa].

donativo *m.* Regalo, cesión.

doncel *m.* Joven noble que aún no estaba armado caballero. 2 El que habiendo en su niñez servido de paje a los reyes, pasaba a servir en la milicia. 3 Hombre virgen. 4 Joven, adolescente. 5 Pez marino teleósteo perciforme, de pequeño tamaño, cuerpo alargado y de color rojizo, con tres características manchas negras *(Lappanella fasciata; Ctenolabrus iris).* – 6 *adj.* Suave, dulce: *vino* ~; *pimienta* ~.

doncella *f.* Mujer virgen. 2 Criada que se ocupa en los menesteres domésticos ajenos a la cocina. 3 Pez marino teleósteo perciforme, de colores vistosos, hermafrodita, primero macho y luego hembra, que se alimenta de crustáceos y moluscos *(Coris julis).*

donde *adv. l.* Indica una vaga relación local que sólo se determina por su antecedente, el cual puede ser otro adv. l., un substantivo que exprese lugar, un pronombre neutro, o el concepto general expresado por una oración entera: *allí es* ~ *voy; la ciudad* ~ *estábamos; aquello es* ~ *queremos llegar; dijo muchas tonterías, de* ~ *deduje que estaba beodo;* a veces el antecedente se calla por ser desconocido o innecesario: ~ *las dan las toman.* 2 Cuando las relaciones locales expresan movimiento, puede llevar las preposiciones correspondientes: *adonde,* o simplemente ~, indica el lugar de destino; *de* ~, el de procedencia u origen; *por* ~, el lugar de tránsito; *hacia* ~, la dirección; *hasta* ~, el límite del movimiento; *en* ~, o simplemente ~, el lugar de permanencia o reposo. 3 A casa de, o el sitio en que está: *estuve* ~ *fulano; iremos* ~ *el juez.* – 4 *pron. rel.* Equivale a *en que* o *en el, la, lo que* o *cual; los, las que* o *cuales,* e introduce oraciones subordinadas adjetivas cuyo matiz es a menudo difícil de distinguir del de las subordinadas adverbiales: *la casa* ~ *nací;* con las preposición *de* y *por* indica deducción o consecuencia: *por* ~ *conocí que me engañaba;* en oraciones exclamativas e interrogativas no lleva antecedente expreso y debe acentuarse. ◇ Gramaticalmente se comporta como un adverbio de lugar que ejerce a la vez la función de pronombre relativo, siendo ambas funciones inseparables.

dondequiera *adv. l.* En cualquier parte.

dondiego *m.* Planta nictaginácea, de flores fragantes blancas y encarnadas en corimbo, que sólo están abiertas de noche *(Mirabilis ialapa).*

donguindo *m.* Variedad de peral, de peras grandes, irregulares y azucaradas.

donjuanismo *m.* Conjunto de caracteres y cualidades propias de don Juan Tenorio.

donoso, -sa *adj.* Que tiene donaire. ◇ Antepuesto al substantivo suele usarse en sentido irónico: *donosa ocurrencia.*

donostiarra *adj.-s.* De San Sebastián, ciudad de Guipúzcoa.

doña *f.* Tratamiento de respeto que se aplica a las mujeres y precede a su nombre propio.

dopar *tr.-prnl.* Suministrar productos farmacéuticos analgésicos, estimulantes o excitantes, especialmente para lograr un mejor rendimiento en una competición deportiva; drogar.

doping *m.* Medicación utilizada para aumentar de modo no natural el rendimiento general de un individuo, tanto en su aspecto psíquico como en el físico.

dorada *f.* Pez marino teleósteo perciforme, comestible, de color negro azulado, con una mancha dorada entre los ojos *(Sparus auratus).*

doradilla *f.* Helecho de abundantes hojas verdes por el haz y cubiertas de escamillas doradas por el envés *(Ceterach officinarum).*

doradillo *m.* Hilo delgado de latón para engarces.

dorado, -da *adj.* De color de oro o semejante a él. 2 *fig.* Esplendoroso, feliz: *edad dorada.* – 3 *m. pl.* Conjunto de adornos metálicos, o de objetos de metal.

dorar *tr.* Cubrir con oro la superficie de una [cosa] o dar el color de oro [a una cosa]. 2 *fig.* Paliar, encubrir con apariencia agradable [una cosa desagradable]. 3 *fig.* Tostar ligeramente [una cosa de comer]. – 4 *prnl.* Tomar color dorado: *dorarse las cumbres.*

dórico, -ca *adj.* Relativo al **orden dórico.

dorífera, dorífora *f.* Coleóptero de la familia crisomélidos que tiene los élitros amarillos con rayas negras *(Leptinotarsa decemlineata).*

dormidero, -ra *adj.* Que hace dormir. – 2 *m.* Sitio donde duerme el ganado y otros animales.

dormilón, -lona *adj.-s. fam.* Muy inclinado a dormir.

dormilona *f.* Pendiente con un brillante o una perla: *las dormilonas son muy bellas.* 2 Butaca para dormir la siesta.

dormir *intr.* Estar en aquel estado de reposo llamado sueño en que se suspenden las funciones de la vida voluntaria: ~ *en paz;* ~ *a pierna suelta;* **tr.,** ~ *al niño.* 2 Pernoctar: ~ *al raso.* 3 Sosegarse lo que estaba inquieto o alterado: *sus pasiones duermen.* – 4 **prnl.** Caer en el estado de reposo llamado sueño en que se suspenden las funciones de la vida voluntaria: *acaba de dormirse; necesita tener la luz encencida para dormirse.* 5 fig. Adormecerse: *dormirse un pie.* 6 fig. Descuidarse, obrar con poca solicitud: *dormirse en los laureles.* – 7 **tr.** Anestesiar [a alguien]. ◇ ** CONJUG. [33].

dormitar *intr.* Estar medio dormido.

dormitorio *m.* Habitación destinada para dormir en ella. 2 Conjunto de muebles de esta habitación.

dornajo *m.* Especie de artesa, pequeña y redonda.

dornillo *m.* Artesilla de madera que sirve de escupidera en las habitaciones.

dorsal *adj.* Relativo al dorso o al lomo: *aleta* ~; ****pez; *vértebras dorsales.* – 2 *adj.-m.* ANAT. **Músculo de la porción inferior del dorso cuya función es la rotación interna del brazo y el desplazamiento del omóplato. – 3 *adj.-s.* Consonante en cuya articulación interviene principalmente el dorso de la lengua, en su parte anterior media o posterior; como la *ch,* la *ñ* o la *k.* – 4 *m.* Número colocado en la camiseta de un deportista para su identificación.

dorso *m.* Espalda. 2 Revés de una cosa: *el* ~ *de la moneda; al* ~ *del grabado.* 3 Parte superior de ciertos órganos: ~ *de la **mano;* ~ *del pie;* ~ *de la **nariz.*

dos *adj.* Uno y uno; **numeración. 2 Segundo. – 3 *m.* Guarismo del número dos.

dosalbo, -ba *adj.* [caballería] Que tiene blancos dos pies.

dosañal *adj.* De dos años. 2 Relativo a este tiempo.

doscientos, -tas *adj.* Dos veces ciento; **numeración. – 2 *m.* Guarismo del número doscientos.

dosel *m.* Cubierta ornamental de un asiento, imagen, tumba, altar o púlpito, con la que se realza su dignidad. 2 Antepuerta o tapiz.

doselera *f.* Cenefa del dosel.

doselete *m.* Miembro arquitectónico voladizo que se coloca sobre las estatuas, sepulcros, etc., como para resguardarlos.

dosificar *tr.* Establecer las dosis en que ha de tomarse [un medicamento]. 2 Graduar la cantidad o porción de una cosa. ◇ ** CONJUG. [1] como *sacar.*

dosimetría *f.* Sistema terapéutico que emplea sólo los principios activos de las substancias medicamentosas en dosis fijas. 2 Cuantificación de la dosis de radiación.

dosis *f.* Toma de medicina que se da al enfermo cada vez. 2 fig. Cantidad o porción de una cosa: ~ *de paciencia.*

dossier *m.* Expediente, legajo.

dotación *f.* Aquello con que se dota. 2 Tripulación de un buque de guerra. 3 Personal de un taller, oficina, etc.

dotar *tr.* Constituir dote [a la mujer]: ~ *con bienes raíces;* ~ *en medio millón;* ~ *de lo mejor de un patrimonio.* 2 Señalar bienes [para una fundación o instituto benéfico o de otra índole]. 3 fig. Adornar la naturaleza [a uno] con particulares dones y cualidades: *le dotó de hermosura.* 4 Proveer [a una oficina, un buque, etc.] de los empleados que se consideran convenientes y asimismo de los enseres y objetos materiales que pueda necesitar. 5 Asignar sueldo o haber [a un empleo o cargo cualquiera]. 6 Asignar cantidad [a una partida del presupuesto]. 7 Dar a [una cosa] alguna propiedad o cualidad ventajosa: ~ *una casa de ascensor.*

dote *amb.* Caudal que con este título lleva la mujer al matrimonio o adquiere después de él. 2 Patrimonio que se entrega al convento o a la orden en que va a profesar una religiosa. – 3 *f.* Excelencia, prenda, calidad apreciable: *se destaca por sus buenas dotes.*

dovela *f.* Piedra labrada en forma de cuña, para formar **arcos o bóvedas, etc.

dovelar *tr.* Labrar [una piedra] dándole forma de dovela.

draba *f.* Hierba crucífera de flores pequeñas y blancas, en corimbos, y frutos acorazonados (gén. *Draba*).

dracma *f.* Unidad monetaria griega.

draconiano, -na *adj.* fig. [ley o providencia] Excesivamente severo.

draga *f.* Máquina para dragar. 2 Barco que lleva esta máquina; **puerto. 3 Aparato que se emplea para recoger productos marinos, arrastrándolos por el fondo del mar.

dragaminas *m.* Buque destinado a limpiar de minas los mares. ◇ Pl.: *dragaminas.*

dragar *tr.* Extraer fango, piedras, arena, etc., del fondo del agua [de un puerto de mar, de un río, de un canal, etc.]. ◇ ** CONJUG. [7] como *llegar.*

drago *m.* Árbol liliáceo, de tronco serpentiforme, del cual se obtiene una resina medicinal (*Dracaena drago*).

dragón *m.* Animal fabuloso, especie de serpiente con pies y alas, de gran fiereza y voracidad. 2 Reptil saurio cuya piel forma en ambos lados del abdomen unas expansiones que ayudan a los saltos del animal (*Draco volans*). 3 Planta escrofulariácea de jardín, de flores encarnadas o amarillas en espigas terminales (*Antirrhinum murale*). 4 Pez marino teleósteo perciforme, de tamaño pequeño, cuerpo deprimido y alargado, con un espolón de tres espinas en el preopérculo *(Callionymus pusillus)*. 5 Soldado que combatía a pie y se trasladaba a caballo.

dragonear *intr. Amér.* Ejercer un cargo sin tener títulos para ello: ~ *de abogado.* 2 *Amér.* Alardear, jactarse de algo.

dragontea *f.* Planta herbácea aroidea, de rizoma feculento y grueso *(Dracunculus vulgaris)*.

dralón *m.* Fibra textil sintética acrílica.

drama *m.* Pieza de teatro en prosa o verso, especialmente la de un género mixto entre la tragedia y la comedia. 2 Género dramático. 3 fig. Suceso de la vida real capaz de interesar y conmover: *el ~ del Calvario.*

dramático, -ca *adj.* Perteneciente o relativo al drama. 2 Teatral, afectado. 3 fig. Capaz de interesar y conmover: *situación dramática.* – 4 *adj.-s.* Autor o actor de obras dramáticas. – 5 *adj.-f.* [género de poesía o composición poética] Que expone, en forma de diálogo, las ideas y pasiones de personajes. – 6 *f.* Técnica o arte de componer obras dramáticas.

dramatismo *m.* Cualidad de dramático.

dramatizar *tr.* Dar forma dramática: ~ *una novela.* 2 Exagerar [algo] con apariencias dramáticas o afectadas. ◊ ** CONJUG. [4] como *realizar.*

dramaturgo, -ga *m. f.* Persona autora de obras dramáticas.

drapear *tr.* Colocar o plegar los paños de la vestidura, y más especialmente, darles la caída conveniente.

draque *m. Amér. Merid.* Bebida confeccionada con agua, aguardiente, azúcar y nuez moscada.

drástico, -ca *adj.* Que actúa rápida y violentamente. – 2 *adj.-s.* Purgante enérgico que actúa irritando la mucosa intestinal. 3 fig. Enérgico, autoritario: *la autoridad dictó medidas drásticas.*

dravita *f.* Mineral de la serie isomorfa de la turmalina, de color pardo obscuro debido a su contenido en magnesio.

drenaje *m.* Operación de dar salida a las aguas muertas o a la excesiva humedad de los terrenos por medio de zanjas o cañerías. 2 Procedimiento para asegurar la salida de líquidos o exudados de una herida, absceso o cavidad natural.

drenar *tr.* Avenar o encañar las aguas [de un terreno]. 2 Practicar el drenaje [de una herida, absceso o cavidad].

dríada *f.* Planta rosácea, arbustiva, perennifolia, rastrera y ramificada, con las hojas ovales, rugosas y dentadas; las flores presentan ocho pétalos de color blanco *(Dryas octopetala)*.

driblar *intr.* En el juego del fútbol, conservar el balón engañando al contrario.

dribling *m.* DEP. En el juego del futbol, téc-

nica de controlar o conducir el balón hacia delante sin que se separe mucho de los pies, para eludir al contrario.

dril *m.* Tela fuerte de hilo o de algodón crudos. 2 Mono antropoide omnívoro de hasta 90 cms. de longitud, de color gris pardo, con una banda blanca alrededor de la cara; de costumbres terrestres, sólo sube a los árboles en busca de comida y para dormir *(Mandrillus leucophaeus)*.

drino *m.* Culebra de color verde brillante, muy delgada, con el hocico prolongado; vive en los árboles de los grandes bosques (gén. *Dryinus)*.

driomio *m.* Mamífero roedor de unos 10 cms. de longitud, parecido al lirón *(Dryomis nitedula)*.

driza *f.* Cuerda con que se izan y arrían las vergas, velas, banderas, etc.

droga *f.* Substancia, natural o sintética, usada en medicina por sus efectos estimulantes, depresores u obnubiladores. 2 Substancia de efectos estimulantes o alucinógenos que crea dependencia. 3 fig. Cosa desagradable o molesta. 4 fig. Embuste, mentira. 5 *Can.* y *Amér.* Deuda, trampa.

drogadicción *f.* Toxicomanía.

drogadicto, -ta *m. f.* Toxicómano.

drogar *tr.-prnl.* Intoxicar con estupefacientes u otras drogas [a personas o animales]. ◊ ** CONJUG. [7] como *llegar.*

droguería *f.* Trato o comercio en drogas. 2 Establecimiento en que se venden diversos productos de aplicación industrial o doméstica, tales como pinturas, disolventes, detergentes, etc. 3 *Amér.* Farmacia.

droguero, -ra *m. f.* Persona que hace o vende artículos de droguería. 2 *Amér.* Tramposo o mal pagador.

droguete *m.* Tela, generalmente de lana, listada de varios colores y con flores entre las listas.

dromedario *m.* Mamífero rumiante camélido, propio de Arabia y el norte de África, muy parecido al camello, pero con una sola joroba *(Camellus dromedarius)*.

drósera *f.* Planta droserácea de hojas en rosetas, redondas, largamente pecioladas, con pelos glandulares pegajosos y cortas glándulas digestivas para atrapar y digerir insectos *(Drosera rotundifolia)*.

droseráceo, -a *adj.-f.* Planta de la familia de las droseráceas. – 2 *f. pl.* Familia de plantas dicotiledóneas, herbáceas, con hojas alternas provistas de pelos glandulosos; muchas de ellas son carnívoras.

druida *m.* Ministro de la religión y de la justicia entre los antiguos galos y celtas.

druidismo *m.* Religión de los antiguos galos y celtas.

drupa *f.* **Fruto monospermo de mesocarpio carnoso, coriáceo o fibroso, y endocarpio leñoso.

drusa *f.* GEOL. Conjunto de cristales que recubren la superficie de una piedra.

druso, -sa *adj.-s.* De una tribu que habita en el Líbano, y que profesa una religión derivada de la mahometana.

dseda, dseta *f.* Sexta letra del alfabeto griego, equivalente a *ds*.

dual *adj.-m.* Número gramatical que en ciertas lenguas antiguas indica que la palabra designa dos personas o cosas. 2 Que tiene dos aspectos, factores, etc.; que presenta dos elementos, partes, etc.

dualidad *f.* Reunión de dos caracteres opuestos en una misma persona o cosa. 2 QUÍM. Propiedad que tienen algunos cuerpos de cristalizar, según los casos, en dos figuras geométricas diferentes.

dualismo *m.* Toda doctrina o creencia religiosa que explica, ya un orden de cosas, ya todo el universo, por la acción combinada de dos principios opuestos e irreductibles. 2 Dualidad de caracteres.

duba *f.* Muro o cerca de tierra.

dubitativo, -va *adj.* Que implica o denota duda. 2 *Oración dubitativa,* la que expresa el juicio como dudoso.

ducado *m.* Título o dignidad de duque. 2 Territorio que estaba sometido a la autoridad de un duque. 3 Estado gobernado por un duque. 4 Antigua moneda española de oro.

ducal *adj.* Relativo al duque.

dúctil *adj.* [metal] Que mecánicamente se puede extender en alambres o hilos. 2 p. ext. Maleable. 3 fig. [pers.] De blanda condición, condescendiente, acomodadizo.

ducha *f.* Chorro de agua que se hace caer sobre el cuerpo o sobre una parte de él, para limpieza o refresco, o con fines medicinales: ~ *de agua fría,* fig., noticia desagradable o que causa gran impresión. 2 Aparato o instalación que sirve para ducharse.

duchar *tr.-prnl.* Dar una ducha.

ducho, -cha *adj.* Experimentado, diestro.

duda *f.* Indeterminación del ánimo entre dos juicios o dos decisiones, acerca de un hecho o una noticia, o respecto a las creencias religiosas.

dudar *intr.* Estar en duda. – 2 *tr.* Dar poco crédito [a una especie que se oye]: *lo dudamos.*

duela *f.* Tabla que forma las paredes curvas de los **toneles, barricas, etc. 2 Gusano trematodo de forma ovalada que vive como parásito interno en los vertebrados *(Fasciola hepatica).*

I) duelo *m.* Combate entre dos, precediendo desafío o reto.

II) duelo *m.* Dolor, aflicción, especialmente la causada por la muerte de alguno. 2 Reunión de parientes y amigos que asisten a la casa mortuoria, al entierro o a los funerales. 3 Fatiga, trabajo: *los duelos con pan son menos.*

duende *m.* Espíritu que popularmente se cree que habita en algunas casas y que travesea. 2 Hechizo, embeleso, encanto.

dueña *f.* Mujer que tiene el dominio de una cosa. 2 Monja o beata que vivía en comunidad y solía ser mujer principal. 3 Mujer viuda que para guarda de las demás criadas había en las casas principales. 4 Antiguamente, señora o mujer principal casada.

dueño *m.* El que tiene el dominio de una cosa.

duermevela *m.* Sueño ligero. 2 Sueño fatigoso y frecuentemente interrumpido. ◇ Pl.: *duermevelas.*

duerna *f.* Tronco hueco en forma de canal, cerrado por sus dos extremos, que sirve para dar de comer a los animales y para otros usos.

duerno *m.* Dos pliegos impresos, metidos uno dentro de otro.

dueto *m.* Dúo musical.

dufrenita *f.* Mineral de la clase de los fosfatos que cristaliza en el sistema monoclínico en masas fibrosas de color verde.

dugón, dugongo *m.* Mamífero sirenio de las costas del Océano Índico, con cola dividida en dos paletas, de color grisáceo y con dos cortos colmillos los machos *(Dugong dugon).*

dula *f.* Porción de tierra que por turno recibe riego de una misma acequia. 2 Porción de terreno comunal donde por turno pacen los ganados de los vecinos de un pueblo. 3 Conjunto de estas cabezas de ganado.

dulcamara *f.* Planta solanácea medicinal, sarmentosa, de hojas acorazonadas, flores pequeñas, violadas y en ramillete, y fruto en baya *(Solanum dulcamara).*

dulce *adj.* De un sabor parecido al de la miel o del azúcar: ~ *al gusto.* 2 Que no es agrio, amargo o salado: *agua* ~; *almendras dulces; manjar* ~, manjar falto de sal. 3 fig. Que produce en el oído, en la vista o en el ánimo una impresión agradable semejante al sabor del azúcar: *voz* ~. 4 fig. Naturalmente afable, complaciente, dócil: ~ *en el trato;* ~ *para tratado.* – 5 *m.* Manjar compuesto con azúcar o almíbar: *las natillas son un* ~; ~ *de almíbar,* fruta conservada en almíbar. – 6 *adv. m.* Con dulzura, con suavidad. – 7 *m.* Amér. Central. Papelón, azúcar.

dulcificar *tr.* Volver dulce [una cosa]. 2 fig. Mitigar el acerbo, la acrimonia, etc. [de una cosa material o inmaterial]. ◇ ** CONJUG. [1] como *sacar.*

dulcinea *f.* fig. Mujer querida. 2 fig. Aspiración ideal.

dulía *f.* Culto que se tributa a los ángeles y santos, como siervos y amigos de Dios.

dulzaina *f.* Antiguo instrumento músico de viento, parecido a la chirimía.

dulzaino, -na *adj.* Demasiado dulce, o que está dulce no debiendo estarlo.

dulzón, -zona *adj.* desp. De sabor dulce, pero desagradable y empalagoso.

dulzura *f.* Calidad de dulce: *la ~ de la miel.* 2 fig. Suavidad, deleite: *la ~ del clima.* 3 fig. Afabilidad, bondad, docilidad: *la ~ de su carácter.* – 4 *f. pl.* Palabras cariñosas, placenteras.

duma *f.* Asamblea legislativa de la Rusia zarista.

dumdum *adj.-s.* Bala explosiva, o limada por la punta.

dumping *m.* Práctica comercial que consiste en vender a precio antieconómico, con el fin de eliminar a los competidores y apoderarse del mercado.

duna *f.* Montecillo de arena movediza que en los desiertos y playas forma y empuja el viento: *las dunas del Sáhara;* **costa.

dúo *m.* MÚS. Composición que se canta o toca entre dos. 2 Conjunto de estas dos voces o instrumentos.

duodécimo, -ma *adj.-s.* Parte que, junto con otras once iguales, constituye un todo; **numeración. – 2 *adj.* Que ocupa el último lugar en una serie ordenada de doce.

duodeno *m.* Primera sección del intestino delgado que va desde el estómago al yeyuno; **digestivo (aparato).

duomesino, -na *adj.* De dos meses. 2 Relativo a este tiempo.

dúplex *m.* Sistema de transmisión telegráfica que permite expedir simultáneamente por un solo hilo despachos en sentido contrario. 2 Vivienda distribuida en dos pisos diferentes y comunicados entre sí.

duplicado *m.* Segundo documento o escrito que se expide del mismo tenor que el primero.

duplicar *tr.-prnl.* Hacer doble [una cosa]. 2 Multiplicar por dos [una cantidad]. ◇ ** CONJUG. [1] como *sacar*.

duplicidad *f.* Doblez, falsedad. 2 Calidad de doble.

duplo, -pla *adj.-m.* Que contiene un número dos veces exactamente.

duque *m.* Soberano de ciertos estados: *el ~ de Luxemburgo.* 2 Título nobiliario inferior al de príncipe y superior a los de conde y marqués.

duquesa *f.* Mujer del duque. 2 La que por sí posee un ducado.

duquesita *f.* Pasta rellena de chocolate.

duración *f.* Tiempo que dura una cosa. 2 Tiempo que transcurre entre el comienzo y el fin de un proceso.

duralex *m.* Materia plástica, transparente y de textura vítrea, usada para la fabricación de piezas de vajilla.

duraluminio *m.* Aleación a base de aluminio que contiene cobre, manganeso y silicio. Tiene gran resistencia a la tracción.

duramadre, duramáter *f.* Meninge externa, gruesa, de estructura fibrosa y adherida a la pared craneal; **cerebro.

duramen *m.* Parte central, más seca y compacta, del tronco y de las ramas gruesas de un árbol; **tallo.

durante *adv. t.* Mientras: *~ la guerra.*

durar *intr.* Continuar siendo, viendo, obrando, etc. 2 Subsistir, permanecer en una cierta situación: *duró largo tiempo en su servicio.*

durativo, -va *adj.* Que dura, duradero. 2 *Frase* o *expresión verbal durativa,* la formada por un verbo auxiliar seguido de un gerundio: *estar comiendo, ir escribiendo, andar buscando;* comunica mayor duración al significado del verbo.

duraznero *m.* Variedad de melocotonero, cuyo fruto es algo más pequeño que el de las otras.

duraznillo *m.* Planta poligonácea, de hojas lanceoladas, generalmente con una mancha negra, flores róseas o blancas en espigas laterales, y fruto lenticular en vainillas envueltas por el perigonio *(Polygonum persicaria).*

durazno *m.* Duraznero. 2 Fruto de este árbol. 3 *Amér.* Nombre genérico de varias especies de árboles y de sus frutos: melocotonero, pérsico y durazno propiamente dicho.

dureza *f.* Calidad de duro. 2 Resistencia que opone un mineral a ser rayado por otro. 3 Parte endurecida en un cuerpo blando. 4 Agresividad, discordancia de un color.

durillo *m.* Arbusto rosáceo de hojas ovales, provistas de borra por el envés, y flores blancas y péndulas *(Cteoneaster integerrimus).* 2 Arbusto caprifoliáceo de madera dura y muy compacta que se emplea en obras de taracea *(Viburnum tinus).*

durmiente *com.* Persona que duerme. – 2 *m.* Madero colocado horizontalmente sobre el cual se apoyan otros. 3 *Amér.* Traviesa de vía férrea.

duro, -ra *adj.* Que ofrece gran resistencia a ser penetrado, cortado, labrado, comprimido o desfigurado: *el diamante es el cuerpo más ~; un colchón ~,* poco mullido. 2 Violento, cruel: *ser ~ de corazón.* 3 Difícil de realizar, de soportar, penoso: *trabajo muy ~; ley dura.* 4 Falto de suavidad, áspero: *estilo ~; voz dura.* 5 [agua] De grado hidrométrico elevado. – 6 *m.* Moneda española equivalente a 5 ptas. – 7 *adv. m.* Con fuerza: *dale ~.*

duvetina *f.* Tejido de lana, de pelusa corta y densa.

dux *m.* Antiguo príncipe o magistrado supremo en las repúblicas de Venecia y Génova.

I) E, e *f.* Sexta letra del alfabeto español que representa gráficamente a la vocal media y anterior o palatal. ◇ Pl.: *es* (no *ees*).

II) e *conj. copul.* Se usa en vez de la *y* para evitar la repetición del mismo sonido antes de palabras que empiecen por *i* o *hi* : *Juan e Ignacio; padre e hijo;* pero no reemplaza a la *y* en principio de interrogación o admiración: *¿y Ignacio?; ¡y Isidro!;* ni cuando la palabra siguiente empieza por *y* o *hi* formando diptongo: *Ocaña y Yepes; tigre y hiena.*

¡ea! Interjección que se usa sola o repetida para significar algún acto de voluntad o para animar o excitar.

ebanista *com.* Persona que tiene por oficio trabajar en ébano y otras maderas finas.

ebanistería *f.* Arte, obra o taller del ebanista.

ébano *m.* Árbol ebenáceo de tronco grueso y madera maciza, pesada, negra por el centro y blanquecina hacia la corteza, muy estimada en ebanistería *(Diospyros ebenum).* 2 Madera de este árbol.

ebenáceo, -a *adj.-f.* Planta de la familia de las ebenáceas. – 2 *f. pl.* Familia de plantas dicotiledóneas tropicales, que incluye árboles o arbustos de hojas generalmente alternas y enteras, flores axilares, fruto en baya carnosa y madera dura y pesada, negra en el centro; como el ébano.

ebenales *f. pl.* Orden de plantas, dentro de la clase dicotiledóneas, leñosas, de hojas sencillas y flores hermafroditas y actinomorfas.

ebonita *f.* Caucho vulcanizado negro y muy duro, capaz de ser tallado y pulido, que se usa para hacer peines, aisladores de aparatos eléctricos, etc.

ebrio, -bria *adj.-s.* [pers.] Embriagado, borracho. 2 fig. Ciego (ofuscado): *~ de coraje, de ira.*

ebulición, ebullición *f.* Hervor. 2 fig. Agitación transitoria.

ebullómetro *m.* Aparato para medir la temperatura a la cual hierve un cuerpo.

ebulloscopia *f.* QUÍM. Determinación del peso molecular de una substancia, por el aumento del punto de ebullición de un disolvente apropiado.

ebúrneo, -a *adj.* De marfil, o parecido a él: *frente ebúrnea.*

eccehomo *m.* Imagen de Jesucristo al ser presentado por Pilatos (m. 40) al pueblo. 2 fig. Persona lacerada, rota, de lastimoso aspecto.

eccema *m.* Afección de la piel, caracterizada por vejiguillas muy espesas que forman manchas irregulares y rojizas.

ecdémico, -ca *adj.* Extraño, que no es indígena.

eclecticismo *m.* Método que consiste en reunir, procurando conciliarlas, opiniones sacadas de sistemas diversos y aun opuestos: *~ filosófico.* 2 Cualidad del que admite diferentes tendencias u opiniones: *~ literario; ~ religioso.* 3 fig. Solución que evita los extremos opuestos.

eclesial *adj.* Perteneciente o relativo a la Iglesia como institución.

eclesiástico, -ca *adj.* Perteneciente o relativo a la Iglesia. – 2 *m.* Clérigo. 3 Libro de la Biblia.

eclímetro *m.* TOPOGR. Instrumento para medir la inclinación de las pendientes.

eclipsar *tr.* Causar un astro el eclipse [de otro]. 2 fig. Oscurecer o deslucir una cosa más luminosa, más bella, etc. [a otra]. – 3 *prnl.* Experimentar un astro un eclipse. 4 fig. Evadirse, ausentarse, desaparecer una persona o cosa.

**eclipse *m.* Ocultación transitoria, total o parcial, de un astro debida a la interposición de otro astro o al paso del astro por la sombra proyectada por otro: *~ de Sol,* el producido por la interposición de la Luna entre la Tierra y el Sol; *~ de Luna,* el producido por el paso de la Luna por la sombra proyectada por la Tierra; *~ anular,* el parcial del Sol en que la Luna llega a ocultar una zona cuyo centro coincide con el del disco solar, dejando visible una corona o anillo; *~ parcial,* aquel en que solo queda oculta una parte del astro eclipsado; *~ total,* aquel en que se hace completamente invisible el astro eclipsado. 2 fig. Ausencia, evasión, desaparición transitoria de una persona o cosa.

eclíptica *f.* **ASTRON. Círculo máximo de la esfera celeste que señala el curso aparente del

Sol durante el año. 2 Círculo máximo que la Tierra describe en su movimiento anual.

eclosión *f.* Brote, aparición, salida, nacimiento: ~ *de una semilla;* ~ *de una larva;* ~ *de las yemas.* 2 En el lenguaje literario o técnico, acción de abrirse un capullo de flor o de crisálida. 3 fig. Hablando de movimientos culturales o de otros fenómenos históricos, psicológicos, etc., brote, manifestación, aparición súbita.

eco *m.* Repetición de un sonido producida por la reflexión de las ondas sonoras. 2 Onda electromagnética que emitida por un radar vuelve a éste cuando ya ha sido reflejada por cualquier obstáculo. 3 Sonido débil y confuso: *los ecos del tambor y la campana.* 4 fig. El que imita o repite aquello que otro dice. 5 fig. Lo que está notablemente influido por un antecedente o procede de él. 6 fig. Novedad, noticia: *ecos de sociedad,* noticias de ciertos ambientes sociales publicadas en un periódico o revista.

ecografía *f.* Método de exploración de los órganos internos basado en el uso de los ultrasonidos.

ecolalia *f.* MED. Perturbación del lenguaje que consiste en repetir el enfermo involuntariamente una palabra o frase que acaba de oír o pronunciar él mismo.

ecología *f.* Estudio del medio en que viven los animales y vegetales. 2 Parte de la sociología que estudia la relación entre los grupos humanos y su ambiente, tanto físico como social. 3 Defensa de la naturaleza y del medio ambiente.

ecologismo *m.* Oposición a la utilización de la naturaleza como fuente inagotable de recursos.

economato *m.* Almacén o tienda, de carácter cooperativo o sostenido por algunas empresas, donde determinadas personas pueden adquirir los géneros con más economía que en el comercio.

econometría *f.* Aplicación de los métodos estadísticos al estudio de la economía.

economía *f.* Recta administración de los bienes: *la ~ familiar se resintió de sus desórdenes.* 2 Riqueza pública. 3 Ciencia que investiga las leyes que regulan la producción, circulación, distribución y consumo de las riquezas. 4 Sistema de reglas y principios que regulan la organización, funcionamiento y desarrollo de una cosa; ordenación natural del proceso de asimilación y desasimilación de los cuerpos organizados: ~ *animal;* ~ *vegetal.* 5 Buena distribución del tiempo y de otras cosas inmateriales. 6 Ahorro de dinero y, por extensión, de trabajo, tiempo, etc. – 7 *m. pl.* Ahorros: *gastó todas sus economías.*

económico, -ca *adj.* Relativo a la economía: *cuestiones económicas.* 2 Poco costoso, que gasta poco.

economista *adj.-com.* Persona que está versada en economía.

economizar *tr.* Cercenar y reservar [alguna parte] del gasto ordinario. 2 Ahorrar. ◇ ** CONJUG. [4] como *realizar.*

ecónomo *adj.-s.* Sacerdote que regenta una parroquia vacante hasta el nombramiento del párroco.

ECLIPSE

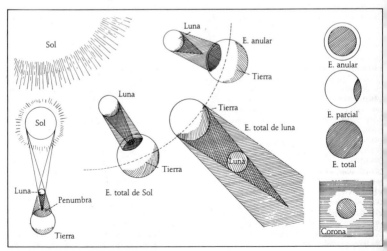

ecosistema *m.* Conjunto estable de un medio natural y los organismos animales y vegetales que viven en él.

ecosonda *m.* Aparato para medir las profundidades del mar y detectar bancos de peces.

ectasia *f.* MED. Dilatación de un vaso u órgano hueco.

éctasis *f.* Licencia poética que consiste en alargar la sílaba breve para la justa medida del verso. ◇ Pl.: *éctasis.*

ectima *f.* Enfermedad cutánea que consiste en la formación de costras duras sobre la dermis inflamada.

ectoparásito *m.* Parásito que vive en la superficie de otro organismo.

ectopia *f.* Anomalía congénita en la situación o posición de un órgano.

ectoplasma *m.* Parte externa de la célula. 2 Fenómeno físico realizado por algunos espiritistas.

ectoprocto *adj.-m.* Animal del tipo de los ectoproctos. – 2 *m. pl.* Tipo de animales microscópicos acuáticos y coloniales, que poseen tentáculos alrededor de la boca para capturar las algas que les sirven de alimento.

ecu *m.* Moneda europea formada por una combinación de las distintas monedas nacionales de los países que constituyen el Mercado Común Europeo.

ecuación *f.* MAT. Igualdad entre dos expresiones que contienen una o más incógnitas.

ecuador *m.* **ASTRON. Círculo imaginario máximo que se considera en la esfera celeste, perpendicular al eje de la tierra. 2 GEOGR. Círculo imaginario máximo que equidista de los polos de la **Tierra. 3 fig. Entre universitarios, mitad de la carrera: *paso del ~.*

ecualizador *m.* Aparato que sirve para amplificar las bajas frecuencias y atenuar las altas para lograr una mejor relación entre señal y ruido.

ecuanimidad *f.* Igualdad y constancia de ánimo. 2 Imparcialidad serena del juicio.

ecuatoguineano, -na *adj.-s.* Guineoecuatorial.

ecuatorianismo *m.* Vocablo, giro o modo de expresión propio de los ecuatorianos. 2 Amor o apego a las cosas características del Ecuador.

ecuatoriano, -na *adj.-s.* Del Ecuador, estado de América del Sur.

ecuestre *adj.* Relativo al caballero, o a la orden y ejercicio de la caballería. 2 Relativo al caballo. 3 Relativo a la representación plástica de una figura a caballo: *estatua ~.*

ecuménico, -ca *adj.* Universal, que se extiende a todo el orbe.

ecumenismo *m.* Movimiento para la unión de las iglesias.

echacuervos *m.* fam. Alcahuete. 2 fam.

Hombre embustero y despreciable. ◇ Pl.: *echacuervos.*

echadera *f.* Pala de madera para meter en el horno el pan.

echadero *m.* Sitio a propósito para echarse a descansar.

echador, -ra *adj.-s.* Que echa o arroja. – 2 *m.* Mozo de café encargado de echar el café y la leche en las tazas. – 3 *adj.-s. Amér. Central y Méj.* Fanfarrón.

echadura *f.* Acción de echarse las gallinas cluecas sobre los huevos para empollarlos. 2 Conjunto de los huevos que empolla una gallina.

echar *tr.* Hacer que [una cosa] vaya a parar a alguna parte dándole impulso: *~ las redes.* 2 Hacer salir [a uno] de un lugar, apartarle con violencia. 3 p. anal. Deponer [a uno] de su empleo o dignidad. 4 Despedir de sí: *~ sangre, olor.* 5 Hacer que [una cosa] caiga en sitio determinado: *~ dinero en un saco.* 6 Investigar o gastar en cierta cosa el tiempo o la cantidad de algo que se expresa. 7 Poner, ordenar que se haga alguna tarea: *le han echado dos copias de la lección.* 8 Juntar [los animales machos] con las hembras para la generación. 9 Brotar o arrojar las plantas [sus raíces, hojas, flores, etc.]: *intr., las hojas echan.* 10 p. anal. Salirle a una persona o animal [los dientes, el pelo, etc.]. 11 Inclinar, reclinar o recostar: *~ el cuerpo atrás.* 12 Poner, aplicar: *~ un remiendo; ~ ventosas.* 13 Dar el movimiento necesario para cerrar [a una llave, cerrojo, etc.]: *~ el pestillo.* 14 Imponer, cargar [tributos, censos, etc.]. 15 Jugar, llevar a cabo una partida de cartas: *~ una mano de tute.* 16 Jugar, hacer uso de una carta, ficha, etc.: *echó un as de oros.* 17 Dar, entregar, repartir: *~ las cartas.* 18 Conjeturar, suponer [el precio, distancia, edad, etc.]: *¿qué edad le echas?* 19 Proyectar [algo] en el cine o emitir en televisión; representar, ejecutar [una obra teatral u otro espectáculo]. 20 Pronunciar, decir, proferir: *~ un discurso, una plática.* 21 Hacer, formar [un cálculo, una cuenta, etc.]: *~ cuentas.* 22 Adquirir aumento notable en las cualidades o partes del cuerpo expresadas: *~ mal genio; ~ barriga.* 23 Junto con las voces *abajo, en tierra, por tierra* , etc., derribar, arruinar. 24 Junto con nombres de pena o reclusión, condenar a ella: *le echaron cinco años de cárcel; ~ a galeras.* 25 Junto con algunos nombres toma la significación de los verbos que se forman de ellos o la de otros relacionados: *~ maldiciones,* maldecir; *~ una mirada,* observar ligeramente; *~ suertes,* sortear. – 26 *tr.-intr.* Seguido de la preposición *de* , dar, repartir: *~ de comer;* empezar a gastar o usar [de coche, caballo, librea, etc.]; presumir: *echarla de valiente, de sabio;* notar, reparar, advertir: *~ de ver.* 27 Seguido de la preposición *por,* escoger o seguir una carrera o pro-

echarpe

416

fesión: ~ *por la Iglesia, por el foro;* ir por una parte u otra: ~ *por la izquierda, por el atajo.* – 28 **tr.-prnl.** Seguido de la preposición *a* y un infinitivo de otro verbo, dar principio a la acción de este verbo o ser causa o motivo de ella: ~, o *echarse, a reír;* ~, o *echarse, a perder.* – 29 **prnl.** Arrojarse: ~ *al mar.* 30 Precipitarse hacia una persona o cosa: *se echó a mí.* 31 Tenderse a lo largo del cuerpo en un lecho o lugar, especialmente tenderse uno vestido. 32 Calmarse, sosegarse el viento. – 33 **tr.** *Amér. C.* Proponer [a una persona o animal] como de superiores facultades para la pelea. 34 *Argent.* y *P. Rico.* Azuzar [a un animal].

echarpe *m.* Especie de manteleta o chal angosto y largo.

echazón *f.* MAR. Acción de arrojar al agua la carga o parte de ella, para aligerar el buque. 2 Efecto de dicha acción.

echuna *f. Argent., Chile* y *Perú.* Hoz.

edad *f.* Tiempo que una persona ha vivido, a contar desde que nació: *de veinte años de* ~; **mayor** ~: la que según la ley ha de tener una persona para disponer de sí y de su hacienda; **mayor de** ~: persona que ha llegado a la mayor edad; **menor** ~: la de una persona que no ha llegado a la mayor edad; **menor de** ~: persona que no ha llegado a la mayor edad. 2 Tratándose de cosas materiales, tiempo transcurrido desde que empezaron a existir: *la* ~ *de un terreno geológico; la* ~ *del mundo.* 3 Período en que se considera dividida la vida humana. 4 p. ext. Período en que se considera dividida la **historia: *la* ~ *de piedra, del bronce, del hierro; la* ~ *antigua, media, moderna* y *contemporánea.* 5 Tiempo, época: *la* ~ *de nuestros mayores; la* ~ *de oro de nuestras letras.*

edafología *f.* Estudio del suelo desde los puntos de vista físico, químico y biológico.

edda *f.* Nombre de dos obras que contienen las notables colecciones de la vieja literatura escandinava.

edecán *m.* fig. Auxiliar, acompañante, correveidile.

edelweiss *m.* Planta compuesta, de hasta 20 cms. de altura, con las hojas en número de seis o nueve abiertas en forma de estrella, y cubierta de una abundante pilosidad blanca; se encuentra en las altas montañas (*Leontopodium alpinum*).

edema *m.* Hinchazón blanda de una parte del cuerpo por infiltración de una serosidad en los tejidos. – 2 *f.* Masa de parénquima morboso.

edén *m.* Paraíso terrenal. 2 fig. Lugar muy ameno y delicioso.

edentado *adj.-m.* Mamífero del orden de los edentados. – 2 *m. pl.* Orden de mamíferos placentarios de aspecto muy variado y tamaño medio; se caracterizan por carecer de incisivos y caninos y, a veces, de molares,

aunque si aparecen, son todos iguales y desprovistos de esmalte; como el armadillo, el perezoso y el oso hormiguero.

edición *f.* Impresión y publicación de una obra o escrito. 2 Conjunto de ejemplares de una obra impresa de una sola vez sobre el mismo molde: ~ *princeps* o *príncipe,* la primera de las que se han hecho de una obra. 3 Texto de una obra preparado con criterios filológicos: ~ *crítica,* la establecida a base de diversas fuentes manuscritas o impresas y que consigna las variantes existentes entre ellas; ~ *paleográfica,* la que trata de reproducir un texto sin introducir modificaciones. 4 Impresión o grabación en un disco. 5 Celebración de determinado certamen, exposición, etc., repetido con periodicidad o sin ella.

edicto *m.* Mandato, decreto publicado por la autoridad competente. 2 Orden que se fija en los parajes públicos para conocimiento de todos.

edículo *m.* Edificio pequeño. 2 Templete que sirve de tabernáculo, relicario, etc.

edificación *f.* Conjunto de edificios.

edificante *adj.* Que edifica (infunde).

edificar *tr.* Fabricar, construir o mandar construir [un edificio]. 2 fig. Establecer, fundar: ~ *una asociación;* ~ *una alianza internacional.* 3 fig. Infundir [en otros] con el buen ejemplo, sentimientos de piedad y virtud. ◇ ** CONJUG. [1] como *sacar.*

edificio *m.* Obra o fábrica construida para habitación o usos análogos: *vivimos en el segundo piso del* ~; *el* ~ *del teatro.*

edil *m.* Magistrado romano encargado de las obras públicas. 2 Concejal.

editar *tr.* Publicar [una obra, periódico, folleto, mapa, etc.]. 2 En radio y televisión, montar electrónicamente. 3 Preparar definitivamente un programa para cuando llegue el turno de su emisión.

editor, -ra *adj.-s.* Que edita; esp., [pers.] que por profesión se dedica a editar obras ajenas. – 2 *m. f.* Persona que se cuida de preparar un texto ajeno que ha de publicarse, siguiendo criterios filológicos. 3 Persona o entidad que saca a luz pública una obra, periódico, disco, etc., valiéndose de la imprenta o de otro arte gráfico para multiplicar los ejemplares. – 4 *m.* INFORM. Programa para la obtención de información en un formato preestablecido.

editorial *adj.* Relativo al editor o a la edición. – 2 *m.* Artículo de periódico no firmado por asumir los editores su contenido. – 3 *f.* Empresa editorial.

edogoniales *f. pl.* Orden de algas, dentro de la clase cloroficeas, con un cuerpo hinchado con función reproductora.

edredón *m.* Plumón del eíder. 2 Almohadón, generalmente relleno de este plumón, o de un material similar, empleado como cobertor.

educación *f.* Crianza, doctrina dada a los niños y jóvenes. 2 Cortesía, urbanidad. 3 ~ *física,* gimnasia y deportes escolares.

educado, -da *adj.* Que tiene buena educación o urbanidad.

educar *tr.* Desarrollar o perfeccionar las facultades y aptitudes [del niño o adolescente] para su perfecta formación adulta; en gral., dirigir, enseñar [a una persona]. 2 Desarrollar y perfeccionar [una función o aptitud, especialmente la sensibilidad o el movimiento]: ~ *la vista, la mano, el gusto.* 3 Enseñar [a uno] los buenos usos de urbanidad y cortesía: ~ *en los buenos principios.* ◇ ** CONJUG. [1] como *sacar.*

educativo, -va *adj.* Que educa o sirve para educar. 2 Perteneciente o relativo a la educación.

edulcorante *m.* Substancia que edulcora los alimentos o medicamentos.

edulcorar *tr.* FARM. Endulzar [una substancia de sabor desagradable o insípida].

efe *f.* Nombre de la letra *f.*

efebo *m.* Mancebo, adolescente.

efectismo *m.* En una obra literaria o artística, abuso de detalles o situaciones capaces de impresionar fácilmente el ánimo.

efectivo, -va *adj.* Real, verdadero. 2 [empleo o cargo] De plantilla, en contraposición al interino o al honorífico. – 3 *m.* Número de personas que integran la plantilla de un taller, de una oficina, de una empresa o institución. 4 Dinero o valor disponible. – 5 *m. pl.* MIL. Tropas que componen una unidad del ejército.

efecto *m.* Resultado de la acción de una causa. 2 Impresión causada en el ánimo. 3 Fin para que se hace una cosa: *lo que al ~ se ha dispuesto.* 4 Movimiento giratorio que se hace tomar a una bola, pelota, etc., picándola lateralmente: *un tiro con ~ en el juego del billar.* 5 Documento o valor mercantil, sea nominativo, endosable o al portador. 6 Artículo de comercio. – 7 *m. pl.* Bienes muebles, enseres. 8·*Efectos especiales,* o simplemente *efectos,* en teatro y cine, conjunto de trucos visuales o sonoros para provocar determinadas impresiones.

efectuar *tr.* Poner por obra, ejecutar: ~ *una detención.* – 2 *prnl.* Cumplirse, realizarse una cosa. ◇ ** CONJUG. [11] como *actuar.*

efedra *f.* Arbusto efedráceo trepador, de hasta 5 m. de altura, con las ramas flexibles, las hojas muy reducidas y fruto esférico *(Ephedra fragilis).*

efedráceo, -a *adj.-f.* Planta de la familia de las efedráceas. – 2 *f. pl.* Familia de plantas gimnospermas, leñosas, con tallos muy ramificados o nudosos, hojas pequeñas, flores unisexuales en amento, y fruto en baya.

efedrales *f. pl.* Orden de plantas dentro de la división gnetófitos.

efedrina *f.* Alcaloide medicinal que se extrae del belcho o uva de mar *(Ephedra vulgaris)* y de otras plantas del mismo género.

efeméride *f.* Acontecimiento notable que se recuerda en cualquier aniversario del mismo. 2 Conmemoración de dicho aniversario. – 3 *f. pl.* Libro o comentario en que se refieren los hechos de cada día. 4 Sucesos notables ocurridos en diferentes épocas, pero un número exacto de años antes de un día determinado.

efemeróptero *adj.-m.* Insecto del orden de los efemerópteros. – 2 *m. pl.* Orden de insectos pterigotas de metamorfosis sencilla, con las alas anteriores más largas que las posteriores, que viven habitualmente próximos al agua.

efervescencia *f.* Desprendimiento de burbujas gaseosas a través de un líquido. 2 fig. Agitación, ardor de los ánimos.

efervescente *adj.* Que está o puede estar en efervescencia. 2 [bebida] Que tiene cierto contenido de gas carbónico.

eficacia *f.* Virtud para obrar.

eficaz *adj.* Activo, fervoroso, poderoso para obrar. 2 Que tiene la virtud de producir el efecto deseado.

eficiencia *f.* Virtud y facultad para obtener un efecto determinado. 2 Acción con que se logra este efecto. 3 Aptitud, competencia, eficacia en el cargo que se ocupa o trabajo que se desempeña.

efigie *f.* Imagen de una persona real y verdadera. 2 fig. Representación viva de una cosa ideal: *la ~ del dolor.*

efímero, -ra *adj.* Que dura un solo día. 2 Pasajero, de corta duración.

eflorescencia *f.* Erupción aguda o crónica, de color rojo subido, que se presenta en varias regiones del cuerpo y especialmente en el rostro.

efluir *intr.* Fluir o escaparse un líquido o un gas hacia el exterior. ◇ ** CONJUG. [62] como *huir.*

efluvio *m.* Emisión de partículas sutilísimas. 2 Irradiación en lo inmaterial: *efluvios de simpatía.*

efugio *m.* Salida, recurso para sortear una dificultad.

efusión *f.* Derramamiento de un líquido: ~ *de sangre.* 2 Salida de los gases de combustión que constituyen el medio propulsor de un motor de reacción o de un cohete. 3 fig. Expansión e intensidad en los afectos generosos o alegres del ánimo.

efusivo, -va *adj.* fig. Que siente o manifiesta efusión: *recibimiento* ~. 2 GEOL. [roca] Que se ha formado en el suelo, o en el fondo del mar, al aflorar a la superficie.

**egipcio, -cia *adj.-s.* De Egipto, nación de África. – 2 *m.* Idioma egipcio.

egiptología *f.* Estudio de las antigüedades de Egipto.

eglantina *f.* Arbusto rosáceo erecto, provisto de espinas fuertes y curvas, de hojas divididas y flores de color rosa intenso y olor muy agradable *(Rosa rubiginosa)*.

eglefino *m.* Pez marino teleósteo perciforme, parecido al bacalao, de cuerpo algo rechoncho, de color pardo verdusco, con una mancha negra en los costados, y un pequeño barbillón en el mentón, y que puede alcanzar 1 m. de tamaño. Su carne es prieta, blanca y delicada *(Gadus aeglefinus)*.

égloga *f.* Género de poesía bucólica, en la cual se introducen, generalmente, pastores que dialogan acerca de sus afectos y de la vida campestre.

ego *m.* FIL. Ente individual. 2 FIL. En la persona humana, parte consciente.

egocentrismo *m.* Extremada exaltación de la propia personalidad hasta considerarla como centro de la atención y actividad generales.

egoísmo *m.* Inmoderado y excesivo amor de sí mismo; carácter del que subordina el interés ajeno al suyo propio y juzga todas las cosas desde este punto de vista. 2 Acto egoísta.

egoísta *adj.-com.* Que tiene egoísmo.

egolatría *f.* Culto, adoración, amor excesivo de sí mismo.

egotismo *m.* Afán de hablar uno de sí mismo o de afirmar su personalidad.

egregio, -gia *adj.* Ilustre, que excede a lo corriente.

EGIPCIO (ARTE)

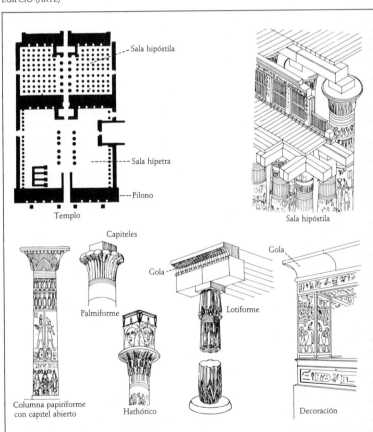

Sala hipóstila

Sala hípetra

Pilono

Templo

Sala hipóstila

Capiteles

Gola

Gola

Palmiforme

Lotiforme

Columna papiriforme
con capitel abierto

Hathórico

Decoración

egresar *intr. Amér.* Salir de un establecimiento de educación después de haber terminado los estudios.

egreso *m.* Salida, partida de descargo. 2 *Amér.* Acción de egresar.

¡eh! Interjección que se emplea para preguntar, llamar, despreciar, reprender o advertir.

eíder *m.* Ave anseriforme, especie de pato, que tiene un plumón finísimo utilizado para rellenar almohadones (gén. *Somateria).* ◇ Pl.: *eíderes.*

eidetismo *m.* Tendencia normal en muchos niños, y exagerada en algunos estados nerviosos, a proyectar visualmente las imágenes de impresiones recientes.

einstenio *m.* QUÍM. Elemento químico, radiactivo artificial. Su símbolo es *E.*

eje *m.* Pieza cilíndrica, espiga, etc., alrededor de la cual gira un cuerpo o que gira con él; **bicicleta. 2 Barra horizontal que, dispuesta perpendicularmente a la línea de tracción, une dos ruedas opuestas de un carruaje. 3 Recta alrededor de la cual se supone que gira una línea para engendrar una superficie, o una superficie para engendrar un sólido. 4 Línea alrededor de la cual gira, o se supone que gira, un cuerpo dotado de un movimiento, real o aparente, de rotación: ~ *de la **Tierra; ~ del mundo.* 5 Línea que pasa por el centro geométrico de un cuerpo y lo atraviesa en el sentido de su máxima dimensión. 6 *fig.* Parte esencial de un razonamiento o de un discurso; sostén principal de una empresa; designio final de una conducta. 7 *fig.* Persona, cosa o circunstancia a cuyo alrededor parece girar un asunto, reunión, conversación, etc. 8 BOT. Órgano, o parte de él, de figura alargada, alrededor del cual se insertan simétricamente otros; **brote. 9 GEOM. Diámetro principal de una **curva; ~ *de coordenadas,* línea que se corta con otra en un punto de un plano y se traza en él para determinar la posición de los demás puntos del plano por medio de las líneas coordenadas paralelas a ella; ~ *de simetría,* línea que divide una figura en dos partes simétricas. En cristalografía, línea que, tomada como eje de rotación, hace que el cristal coincida consigo mismo dos o más veces en una vuelta.

ejecución *f.* Acción de ejecutar. 2 Efecto de ejecutar. 3 Manera de ejecutar (poner por obra).

ejecutar *tr.* Poner por obra [una cosa]. 2 Ajusticiar: ~ *al reo.* 3 Desempeñar con arte [una cosa]: ~ *una sonata.*

ejecutivo, -va *adj.* Que no da espera ni permite que se difiera la ejecución. 2 Encargado de llevar a efecto leyes, órdenes, acuerdos, gestiones: *comisión ejecutiva.* 3 *Poder* ~, el gobierno de un país, estado o nación. – 4 *m. f.* Persona que forma parte de una comisión ejecutiva o que desempeña cargo directivo o

de responsabilidad en una empresa. – 5 *f.* Junta directiva de una corporación o sociedad.

ejecutoria *f.* Título o diploma en que consta legalmente la nobleza de una persona o familia.

ejecutoriar *tr.* Dar firmeza de cosa juzgada [a un fallo judicial]. 2 *fig.* Comprobar hasta hacerla indudable [la certeza de una cosa]. ◇ ** CONJUG. [12] como *cambiar.*

¡ejem! Interjección con que se denota ironía o duda.

ejemplar *adj.* Que da buen ejemplo y merece ser puesto por dechado: *conducta* ~. 2 [castigo] Grave y extraordinario, para que sirva de escarmiento. – 3 *m.* Original, prototipo, norma representativa. 4 Caso que sirve o debe servir de escarmiento. 5 Escrito, impreso, grabado, etc., sacado de un mismo original: *edición de dos mil ejemplares.* 6 Individuo de una especie o género. 7 Objeto que forma una colección científica.

ejemplificar *tr.* Demostrar o autorizar con ejemplos [lo que se dice]. ◇ ** CONJUG. [1] como *sacar.*

ejemplo *m.* Caso o hecho que se cita para que se imite y siga, siendo bueno, o para que se evite siendo malo: *los ejemplos de la historia.* 2 Hecho o texto que se cita para comprobar, ilustrar o autorizar un aserto. 3 Acción o conducta de uno que puede mover o inclinar a otros a que la imiten: *seguir el* ~ *de sus padres.*

ejercer *tr.* Practicar, poner en ejercicio [una profesión, facultad, virtud, etc.]: ~ *la caridad; abs., mi padre no ejerce.* ◇ ** CONJUG. [2] como *mecer.*

ejercicio *m.* Acción de ejercitarse u ocuparse en una cosa. 2 Acción de ejercer: ~ *de una carrera; ~ del poder.* 3 Efecto de ejercer. 4 p. ext. Tiempo durante el cual rige una ley de presupuestos. 5 Trabajo que tiene por objeto la adquisición, desarrollo o conservación de una facultad, de una aptitud o de una habilidad: ~ *.para conservar la agilidad; hacer* ~. 6 Prueba a que se somete el opositor a cátedras, beneficios, etc.

ejercitar *tr.* Dedicarse al ejercicio [de un arte, profesión, etc.]. 2 Hacer que [uno] aprenda una cosa mediante la práctica de ella: ~ *al niño en la lectura.* – 3 *prnl.* Adiestrarse en la ejecución de una cosa repitiéndola mucho: *ejercitarse en las armas.*

ejército *m.* Cuerpo formado por numerosos soldados, o abundante gente armada, con los pertrechos correspondientes, bajo las órdenes de un jefe o caudillo. 2 Conjunto de las fuerzas militares de un estado. 3 Gran unidad integrada por varios cuerpos de ejército y sus servicios complementarios destinada a combatir en una guerra. 4 *fig.* Colectividad numerosa.

ejido *m.* Campo común de un pueblo, lindante con él, donde suelen reunirse los ganados y establecerse las eras.

el Artículo en género masculino y número singular.

él, ella, ello *pron. pers.* Forma de 3ª persona para el sujeto en género masculino, femenino y neutro. Precedido de preposición, se usa en todos los complementos: *iré con ~.* 2 En el objeto directo e indirecto con la preposición *a*, *él* y *ella* tienen uso pleonástico: *la quiero a ella; le escribo a él.* 3 Precedidos del verbo *ser* y los adverbios *aquí, allí,* etc., u otras expresiones de tiempo, *ella, ello* aluden ponderativamente al lance ocurrido en el tiempo indicado: *aquí fue ella; ahora es ello.* ◇ V. ****PRONOMBRES.** ◇ Pl.: *ellos, ellas.*

elaborar *tr.* Preparar [un producto] por medio de un trabajo adecuado; transformar [una cosa] mediante sucesivas operaciones: *~ un específico; ~ el hígado la bilis; ~ una teoría; ~ un proyecto de ley.*

elación *f.* Elevación, grandeza, especialmente del espíritu. 2 Hinchazón del estilo.

elasmobranquio *adj.-m.* Pez de la subclase de los elasmobranquios. – 2 *m. pl.* Subclase de peces caracterizados por tener el esqueleto cartilaginoso, las hendiduras branquiales al descubierto, la piel con dentículos dérmicos, la cola heterocerca, y carecer de línea lateral y vejiga natatoria.

elasticidad *f.* Calidad de elástico. 2 Propiedad que todos los cuerpos poseen, en mayor o menor grado, de recobrar su extensión y forma primitiva luego que cesa la fuerza exterior que los había deformado.

elástico, -ca *adj.* [cuerpo] Que posee la propiedad de la elasticidad, pero más generalmente que la posee en un grado notable. 2 fig. Acomodaticio, que puede ajustarse a muy distintas circunstancias. 3 fig. Que se presta a muchas interpretaciones. – 4 *m.* Tejido que tiene elasticidad. – 5 *m. pl.* Tirante (del pantalón.)

elastina *f.* Substancia albuminoidea existente en los tejidos conjuntivos, óseo y cartilaginoso.

elativo, -va *adj.* GRAM. Superlativo absoluto: *sapientísimo* o *muy sabio.*

elbaíta *f.* Mineral de la serie isomorfa de la turmalina, de color rosado, verde o incoloro.

ele *f.* Nombre de la letra *l .*

¡ele! Interjección con que se denota asentimiento, aprobación, voluntad de subrayar algo o de dar ánimo.

eleagnáceo, -a *adj.-f.* Planta de la familia de las eleagnáceas. – 2 *f. pl.* Familia de plantas dicotiledóneas que incluye árboles o arbustos de hojas cubiertas de escamas, flores apétalas, dioicas o polígamas, y fruto drupáceo; como el árbol del Paraíso.

eléboro *m.* Planta ranunculácea, propia de los parajes montañosos, de raíz purgante y diurética *(Helleborus niger).*

elección *f.* Nombramiento, generalmente hecho por votos, para algún cargo, comisión, etc. 2 Deliberación, libertad para obrar. – 3 *f. pl.* Votación para elegir un cargo.

electo, -ta *adj.-s.* [pers.] Elegido para una dignidad, empleo, etc., mientras no toma posesión: *presidente ~.*

elector, -ra *adj.-s.* Que elige o tiene derecho o potestad para elegir.

electorado *m.* Conjunto de los electores, cuerpo electoral.

electoral *adj.* Relativo a la dignidad o a la calidad de elector. 2 Relativo a electores o elecciones: *distrito ~.*

electoralismo *m.* Actitudes, declaraciones, promesas, etc., inspiradas en una táctica electoral, y no en la fidelidad a una doctrina.

electricidad *f.* Forma de energía debida a la separación o movimiento de los electrones que forman los átomos, cuya manifestación más característica es la propiedad que por fricción, compresión, etc., adquieren ciertas substancias de atraer cuerpos ligeros y producir chispas: *~ estática,* FÍS., la que aparece en un cuerpo cuando existen en él cargas eléctricas en reposo. 2 Parte de la física que estudia la electricidad.

electricista *adj.-com.* Perito en las aplicaciones de la electricidad. – 2 *com.* Obrero especializado en las instalaciones eléctricas.

eléctrico, -ca *adj.* Que tiene o comunica electricidad. 2 Que funciona por medio de la electricidad.

electrificar *tr.* Transformar [un ferrocarril, una fábrica, etc.] haciendo que su sistema de tracción o su funcionamiento sea por medio de la electricidad. 2 Proveer de electricidad [a un país, a una zona, etc.]. ◇ ** CONJUG. [1] como *sacar.*

electrizar *tr.* Comunicar o producir la electricidad [en un cuerpo]. 2 fig. Exaltar, avivar, inflamar los ánimos [de uno]. ◇ ** CONJUG. [4] como *realizar.*

electro *m.* Ámbar. 2 Aleación de cuatro partes de oro y una de plata, cuyo color es parecido al del ámbar.

electroacústica *f.* Rama de la electrotecnia que trata de las corrientes eléctricas alternas cuya frecuencia está comprendida dentro de la escala de las vibraciones audibles. 2 Formación y emisión de sonidos mediante un sistema eléctrico.

electrobomba *f.* Bomba hidráulica impulsada por un motor eléctrico.

electrocardiografía *f.* Parte de la medicina que estudia la obtención e interpretación de los electrocardiogramas.

electrocardiógrafo *m.* Aparato que registra las corrientes emanadas del músculo cardíaco.

electrocardiograma *m.* Gráfico obtenido por el electrocardiógrafo.

electrocirugía *f.* Empleo quirúrgico de la

corriente eléctrica, en especial la de alta frecuencia, generalmente para conseguir la incisión de tejidos blandos y la coagulación de los pequeños vasos seccionados.

electrocutar *tr.* Matar [a uno], y especialmente ejecutar [a un condenado a muerte] por medio de la electricidad.

electrochoque *m.* Procedimiento curativo por medio de corrientes eléctricas.

electrodinámica *f.* Parte de la física que estudia la energía eléctrica en movimiento.

electrodo *m.* Conductor que pone en comunicación los polos de un electrólito con el circuito. 2 p. ext. Elemento terminal de un circuito, especialmente el encerrado en un tubo o ampolla de vidrio con aire o gas enrarecidos.

electrodoméstico *m.* Aparato automático que funciona por electricidad o gas, destinado al uso doméstico.

electroencefalografía *f.* Parte de la medicina que trata de la obtención e interpretación de los electroencefalogramas.

electroencefalógrafo *m.* Aparato que registra las corrientes eléctricas producidas por la actividad del encéfalo.

electroencefalograma *m.* Gráfico obtenido por el electroencefalógrafo.

electrofisiología *f.* Disciplina que estudia la influencia de la electricidad en los seres vivientes.

electrofónico, -ca *adj.* [procedimiento, aparato, etc.] Que registra, estudia o reproduce el sonido por medio de la electricidad.

electrogalvanismo *m.* FÍS. Conjunto de los fenómenos y efectos que produce la electricidad en las pilas.

electrógeno, -na *adj.* Que engendra electricidad. – 2 *m.* Generador eléctrico.

electroimán *m.* Barra de hierro dulce que se imanta artificialmente por la acción de una corriente eléctrica que pasa por un hilo conductor arrollado a la barra.

electrólisis *f.* Descomposición química de un cuerpo, disuelto o fundido, producida por la electricidad. ◇ Pl.: *electrólisis.*

electrolito, electrólito *m.* Cuerpo que se descompone en la electrólisis.

electroluminiscencia *f.* Propiedad de los cuerpos que se vuelven luminosos bajo la influencia de una corriente, una descarga o simplemente un campo eléctrico.

electromagnetismo *m.* Magnetismo producido por una corriente eléctrica. 2 Parte de la física que trata de las relaciones entre el magnetismo y la electricidad.

electromecánica *f.* Técnica que trata de las aplicaciones de la electricidad a la mecánica.

electrometalurgia *f.* Sistema metalúrgico basado en la aplicación de electricidad.

electrometría *f.* Parte de la física que trata de la medición de magnitudes eléctricas.

electromotor, -ra *adj.-s.* Máquina o aparato que transforma la energía eléctrica en trabajo mecánico.

electromotriz *adj.* [fuerza] Que origina la diferencia de potencial, y mediante ésta la corriente eléctrica, en un generador.

electrón *m.* Componente del átomo que lleva carga eléctrica negativa neutralizada por la carga eléctrica positiva del núcleo o protón.

electronegativo, -va *adj.* [cuerpo] Que, en la electrólisis, se dirige al polo positivo.

electrónica *f.* Ciencia que trata del comportamiento de los electrones libres; del paso de los electrones a través de espacios vacíos o de gases más o menos enrarecidos. 2 Técnica que aplica estos conocimientos a la industria.

electronuclear *adj.* Propio o relativo a la energía eléctrica de origen nuclear.

electronvoltio *m.* FÍS. Unidad de energía equivalente a la que adquiere un electrón acelerado con la diferencia de potencial de un voltio.

electropositivo, -va *adj.* [cuerpo] Que, en la electrólisis, se dirige al polo negativo.

electroquímica *f.* Parte de la química que estudia los fenómenos químicos que provocan electricidad y los fenómenos eléctricos que dan lugar a transformaciones químicas.

electroscopio *m.* Aparato para conocer si un cuerpo está electrizado.

electrosiderurgia *f.* Técnica siderúrgica basada en el empleo de la electricidad como fuente de calor.

electrostático, -ca *adj.* Perteneciente o relativo a la electricidad estática. – 2 *f.* Parte de la física que estudia las leyes y fenómenos de la electricidad en reposo.

electrotecnia *f.* Estudio de las aplicaciones técnicas de la electricidad.

electroterapia *f.* Empleo de la electricidad en el tratamiento de las enfermedades.

electrotermia *f.* Ciencia que trata de los fenómenos en que intervienen la electricidad y el calor.

electrotipia *f.* Arte de hacer, por procedimientos electroquímicos, planchas para imprimir, que reproducen la composición tipográfica, grabados, etc. 2 Máquina empleada en esta reproducción.

electrovalencia *f.* Número de cargas positivas o negativas que presenta un ion en una solución química.

electuario *m.* Preparación farmacéutica de consistencia de miel.

elefancía *f.* Engrosamiento hipertrófico de las extremidades inferiores ocasionado por inflamación y obstrucción de los capilares linfáticos de la piel y del tejido conjuntivo subcutáneo. 2 Especie de lepra que pone la piel denegrida y rugosa como la del elefante.

elefante *m.* Mamífero proboscídeo, el mayor de los animales terrestres, de cabeza pequeña, orejas grandes y colgantes, patas gruesas, mamas en posición pectoral y nariz muy prolongada en forma de trompa prensil; está armado de dos incisivos enormemente desarrollados, largos y de punta cónica *(gén. Elephas; Loxodonta).*

elefantiasis *f.* Elefancía. ◇ Pl.: *elefantiasis.*

elefántidos *m. pl.* Familia de mamíferos del orden proboscídeos, que incluye sólo dos especies vivientes de elefantes.

elegancia *f.* Calidad de elegante. 2 Forma bella de expresar los sentimientos.

elegante *adj.* Dotado de gracia, nobleza y sencillez; airoso, bien proporcionado, de buen gusto. – 2 *adj.-com.* [pers.] Que se ajusta a la moda. – 3 *adj.* [traje, cosa] Conforme a ella.

elegía *f.* Composición poética del género lírico que expresa sentimientos de tristeza y no tiene forma métrica particular.

elegible *adj.* Que se puede elegir, o tiene capacidad legal para ser elegido.

elegir *tr.* Escoger, preferir [a una persona o cosa] para un fin. 2 Nombrar por elección [a uno] para un cargo o dignidad. ◇ ** CONJUG. [55].

elemental *adj.* Relativo al elemento. 2 Referente a los elementos: *física* ~. 3 fig. Fundamental, primordial. 4 Obvio, evidente.

elemento *m.* Nombre dado por los antiguos a la tierra, al aire, al agua y al fuego, considerados como las substancias simples o principios de que está formado el universo físico. 2 Medio en que vive un ser: *el agua es el* ~ *de los peces; estar uno en su* ~, estar en la situación más cómoda o apropiada. 3 Cuerpo simple. 4 Principio físico o químico que entra en la composición de los cuerpos: *el feldespato es un* ~ *del granito.* 5 Parte más simple de que consta una cosa o en que una cosa puede ser analizada; parte integrante de algo: *las palabras son los elementos de un discurso; la agricultura es un* ~ *de riqueza.* 6 Individuo valorado positiva o negativamente para una acción conjunta. 7 GRAM. Parte de un todo lingüístico, como la oración, la palabra, el sonido, etc., que puede separarse o concebirse como separada de él mediante análisis: ~ *compositivo prefijal* o *sufijal*, primer y segundo elemento que, al entrar en la formación de numerosas palabras compuestas, generalmente cultas, funciona de modo semejante al prefijo o al sufijo, respectivamente, o como base léxica al unirse a otro igual. – 8 *m. pl.* Las fuerzas naturales: *se desataron los elementos.* 9 Fundamentos y primeros principios de las ciencias y artes: *los elementos de la física.* 10 Medios, recursos: *tiene pocos elementos de vida.*

elemí *m.* Gomorresina sólida, amarillenta, de olor a hinojo, que se emplea en farmacia y en la confección de barnices. ◇ Pl.: *elemíes.*

elenco *m.* Catálogo, índice. 2 Conjunto de actores que integran una compañía teatral, o aparecen en el reparto de una obra. 3 Personal de un local, empresa, etc.

elepé *m.* Disco de larga duración.

eleuterozoo *adj.-m.* Equinodermo del subtipo de los eleuterozoos. – 2 *m. pl.* Subtipo de equinodermos libres, representados por cuatro clases: holoturioideos, equinoideos y ofiuroideos.

elevación *f.* Lugar o porción de terreno que está más alto. 2 Encumbramiento en lo material o moral. 3 Nobleza. 4 En la santa misa, acción de alzar. 5 fig. Suspensión, enajenamiento de los sentidos. 6 fig. Exaltación a un puesto, empleo o dignidad de consideración.

elevado, -da *adj.* fig. Sublime. 2 fig. Alto: *cumbres elevadas.*

elevador, -ra *adj.* Que eleva: *bomba elevadora de aguas subterráneas.* – 2 *adj.-m.* Músculo del cuerpo humano cuya acción es levantar las regiones en que se inserta. – 3 *m.* Amér. Ascensor o montacargas.

elevalunas *m.* Mecanismo para elevar los cristales de las ventanillas de un automóvil. ◇ Pl.: *elevalunas.*

elevar *tr.* Alzar o levantar [una cosa]: ~ *una piedra; elevarse al, o hasta el, cielo; ~ de la tierra, por los aires.* 2 Llegar al importe, a la altura, a los grados de temperatura, etc., que se expresa. 3 Colocar [a uno] en un puesto honorífico, enaltecerle: ~ *al puesto de gerente; elevarse sobre el vulgo.* – 4 *prnl.* Transportarse, enajenarse: *elevarse en el éxtasis.* 5 fig. Envanecerse, engreírse.

elfo *m.* En la mitología escandinava, espíritu que vive en las cuevas, bosques, etc.

elidir *tr.* Frustrar, desvanecer [una cosa]. 2 GRAM. Suprimir [la vocal] con que acaba una palabra cuando la que sigue empieza con otra vocal: *del* por *de el.*

eliminar *tr.* Quitar, separar [una cosa]; prescindir de ella: ~ *dificultades;* excluir [a una persona]: ~ *a un opositor.* 2 Matar. 3 DEP. Superar [al deportista o equipo contrario] en una competición selectiva. 4 MAT. Hacer que desaparezca [una incógnita] de una ecuación. 5 MED. Expeler el organismo [una substancia].

eliminatorio, -ria *adj.* Que elimina, que sirve para eliminar. – 2 *f.* En campeonatos o concursos, competición selectiva anterior a los cuartos de final.

elipse *f.* **Curva cerrada simétrica respecto a dos ejes perpendiculares entre sí, con dos focos, que resulta de cortar la superficie de un cono de revolución por un plano, el cual, siendo oblicuo respecto al eje del cono, encuentra a todas sus generatrices.

elipsis *f.* GRAM. Figura de construcción que consiste en omitir en la oración palabras que no son indispensables para la claridad del sentido: *lo bueno, si breve, dos veces bueno.* ◇ Pl.: *elipsis.*

elipsoidal *adj.* De figura de elipsoide o parecido a él.

elipsoide *m.* Superficie cerrada engendrada por una elipse que gira alrededor de uno de sus ejes. 2 Sólido limitado por esta superficie.

elite *f.* Grupo selecto, minoría selecta, flor y nata.

elitismo *m.* Sistema que favorece a las elites, o la aparición de ellas.

elitista *adj.* Perteneciente o relativo a la elite. – 2 *adj.-s.* Que se comporta como miembro de una elite, que manifiesta gustos y preferencias frente a los del común. 3 Partidario de una elite o del predominio de las elites.

élitro *m.* Ala anterior de los insectos coleópteros, la cual se halla endurecida de una capa de quitina tan espesa, que oculta la nervadura.

elitroide *m.* Ala anterior de los insectos ortópteros, la cual se halla endurecida por una capa de quitina que no llega a ocultar la nervadura.

elixir, elíxir *m.* Piedra filosofal. 2 Licor compuesto de diferentes substancias medicinales, disueltas generalmente en alcohol. 3 fig. Medicamento o remedio maravilloso.

elocución *f.* Manera de hacer uso de la palabra para expresar los conceptos. 2 Modo de elegir y distribuir las palabras y los pensamientos en un discurso. 3 Conjunto de oraciones que constituyen un pensamiento completo.

elocuencia *f.* Facultad de hablar o escribir de modo eficaz para deleitar, conmover o persuadir. 2 Eficacia para persuadir: *la ~ de sus gestos; la ~ de las cifras.* 3 Oratoria.

elodea *f.* Planta hidrocaritácea, perenne y aromática, sumergida, con las hojas translúcidas e imbricadas y flores de color púrpura unidas al vegetal por un pedúnculo largo y delgado *(Elodea canadensis).*

elogiar *tr.* Hacer elogios [de una persona o cosa]. ◇ ** CONJUG. [12] como *cambiar.*

elogio *m.* Alabanza de las buenas prendas y mérito de una persona o cosa.

elongación *f.* ASTRON. Diferencia de longitud entre un planeta y el Sol. 2 MED. Alargamiento accidental o terapéutico de un miembro o de un nervio.

elote *m.* Amér. Mazorca tierna de maíz.

elucidación *f.* Declaración, explicación.

eludir *tr.* Evitar [una dificultad, obligación, etc.] con algún artificio o estratagema: *~ una pregunta.* 2 Hacer vana o ineficaz [una cosa] por medio de algún artificio: *~ una ley.*

elusivo, -va *adj.* Que incluye una elusión o la favorece: *fórmula elusiva.*

eluvial *adj.* Que tiene la naturaleza de un eluvión o se relaciona con él: *arenas eluviales.*

eluvión *m.* Conjunto de fragmentos de roca erosionada en cuya formación no existe el transporte.

ella *pron. pers.* V. él.

elle *f.* Nombre de la letra *ll.*

ello *pron. pers.* V. él.

emanación *f.* Acción de emanar. 2 Efecto de emanar. 3 Efluvio. 4 FIL. Concepto general en que se incluyen aquellas doctrinas que sostienen que el universo deriva necesariamente de una primera causa, primera substancia o primer principio, al que se identifica con Dios.

emanantismo *m.* Doctrina panteísta según la cual todas las cosas proceden de Dios por emanación.

emanar *intr.* Desprenderse de los cuerpos las substancias volátiles, proceder: *el olor que emana de las flores.* 2 Derivar, traer origen de una causa de cuya substancia se participa: *todo bien emana de Dios.* – 3 *tr.* Desprender de sí [algo].

emancipar *tr.* Libertar [a uno] de la patria potestad, de la tutela o de la servidumbre. 2 fig. Librar de algún impedimento: *el estudio emancipa el espíritu.* – 3 *prnl.* fig. Salir de la sujeción en que se estaba.

emascular *tr.* Capar.

embabiamiento *m.* fam. Embobamiento, distracción.

embadurnar *tr.* Untar, embarrar, pintarrajear.

embajada *f.* Mensaje para tratar algún asunto importante, especialmente los que se envían recíprocamente los jefes de estado por medio de sus embajadores. 2 Cargo de embajador (diplomático). 3 Conjunto de diplomáticos, empleados y otras personas que el embajador tiene a su cargo. 4 Casa en que reside el embajador. 5 fam. Proposición o exigencia impertinente.

embajador, -ra *m. f.* Agente diplomático de primera clase, con misión permanente cerca de otro gobierno, representante del estado que le envía y, además, de la persona de su jefe de estado. 2 fig. Emisario.

embalaje *m.* Cubierta con que se resguardan los objetos que han de transportarse. 2 Coste de este embalaje.

I) embalar *tr.* Hacer balas, colocar dentro de cubiertas o cajas [las mercancías y otros objetos que se han de transportar]. – 2 *intr.* Golpear con remos o piedras la superficie del mar para asustar la pesca y hacerla entrar en las redes.

II) embalar *tr.-prnl.* Hacer que adquiera gran velocidad [un motor] desprovisto de regulación automática al suprimírsele la carga. – 2 *intr.-prnl.* Hablando de un corredor o de un vehículo que va a gran velocidad, aumentarla. – 3 *prnl.* fig. Dejarse llevar por un afán, sentimiento, etc. – 4 *intr.* fig. Huir, escapar.

embaldosado *m.* Pavimento solado con baldosas. 2 Operación de embaldosar.

embaldosar *tr.* Solar con baldosas.

embalsamar *tr.* Preparar con substancias

balsámicas o antisépticas [un cadáver] para evitar su putrefacción. 2 Perfumar, aromatizar: *las flores embalsamaban el aire.*

embalsar *tr.* Meter [una cosa] en balsas: ~ *el cáñamo.* 2 Rebalsar: *embalsarse el agua de lluvia.* 3 MAR. Colocar en un balso a una persona o cosa para izarla a un sitio alto donde deba prestar servicio.

embalse *m.* Balsa artificial, donde se acopian las aguas de un río o arroyo. 2 Cantidad de aguas así acopiadas.

embalumar *tr.* Cargar u ocupar [algo] con cosas de mucho bulto y embarazosas. – 2 *prnl.* fig. Cargarse excesivamente de negocios graves y embarazosos.

emballestado, -da *adj.* [caballería] Que tiene encorvado hacia delante el menudillo de las manos.

embanastar *tr.* Meter [una cosa] en la banasta. 2 Meter [demasiada gente] en un espacio cerrado.

embancarse *prnl.* Formarse bancos o fondos de arena. 2 MAR. Varar la embarcación en un banco. ◇ ** CONJUG. [1] como *sacar.*

embarazado, -da *adj.* Turbado, molesto. – 2 *adj.-f.* Mujer preñada.

embarazar *tr.* Estorbar, retardar [una cosa]. 2 Poner encinta [a una mujer]. 3 Poner en situación difícil, turbar. – 4 *prnl.* Hallarse impedido con cualquier obstáculo: *embarazarse con la ropa.* ◇ ** CONJUG. [4] como *realizar.*

embarazo *m.* Impedimento, dificultad, obstáculo. 2 Encogimiento, falta de soltura en los modales o en la acción. 3 Preñado de la mujer. 4 Tiempo que éste dura.

embarbascarse *prnl.-tr.* Enredarse el arado en las raíces fuertes, o cualquier otra herramienta entre las fibras de los materiales o entre cuerdas. 2 fig. Enredarse, embarazarse, confundirse. ◇ ** CONJUG. [1] como *sacar.*

embarcación *f.* Barco (construcción): ~ *menor,* la de pequeño porte en los puertos, o bote del servicio de a bordo.

embarcadero *m.* Lugar o artefacto fijo, destinado para embarcar gente, mercancías, etc.; **puerto.

embarcar *tr.* Dar ingreso [a personas, mercancías, etc.] en una embarcación: ~ *para Cuba, en un vapor.* 2 p. ext. Despachar por ferrocarril [una mercancía]. 3 Entrar en un tren o avión [una persona] para viajar. 4 fig. Incluir [a uno] en una empresa arriesgada. ◇ ** CONJUG. [1] como *sacar.*

embargar *tr.* Embarazar (estorbar), especialmente en la significación de detener. 2 fig. Suspender, paralizar: *el dolor embargó mis sentidos.* 3 fig. Privar del conocimiento. 4 Retener [una cosa] en virtud de mandato judicial. ◇ ** CONJUG. [7] como *llegar.*

embargo *m.* Prohibición de transporte de efectos útiles para la guerra, decretada por un gobierno. 2 Retención de bienes ordenada por un juez o autoridad competente. 3 Prohibición de salida de un buque. – 4 *conj. advers. Sin* ~, no obstante, sin que sirva de impedimento.

embarque *m.* Entrada de personas, géneros, provisiones, etc., en un barco, avión o tren.

embarrado *m.* Revoque de barro o tierra en paredes, muros o tapiales.

embarrancar(se) *prnl.-intr.* Atascarse en un barranco o atolladero. – 2 *intr.-tr.* Encallarse [el buque] en el fondo. 3 fig. Atascarse en una dificultad. ◇ ** CONJUG. [1] como *sacar.*

I) embarrar *tr.-prnl.* Untar, cubrir o manchar con barro [una cosa]. 2 Embadurnar con cualquier materia viscosa. 3 fig. Cometer un error. 4 *Amér.* Fastidiar, causar daño [a uno]. 5 *Amér. Central* y *Méj.* Complicar [a uno] en un asunto sucio.

II) embarrar *tr.* Introducir el extremo de una barra para mover [un objeto].

embarrialarse *prnl. Amér. Central* y *Venez.* Embarrarse, enlodarse. 2 *Amér. Central.* Atascarse.

embarullar *tr.* Mezclar desordenadamente [unas cosas con otras]. 2 Hacer [las cosas] atropellada y desordenadamente. – 3 *tr.-prnl.* fam. Hacer que uno se haga un lío, confundirle.

I) embastar *tr.* Hilvanar (preparar el cosido); esp., poner bastas [a los colchones]; asegurar al bastidor [la tela que se ha de bordar].

II) embastar *tr.* Poner bastos [a las caballerías].

embastecer *intr.* Engrosar (tomar carnes). – 2 *prnl.* Ponerse basto o tosco. ◇ ** CONJUG. [43] como *agradecer.*

embate *m.* Golpe impetuoso del mar. 2 Acometida impetuosa. 3 MAR. Viento fresco y suave que reina en verano a la orilla del mar.

embaucar *tr.* Engañar, embelecar, alucinar [a uno] valiéndose de su inexperiencia o candor. ◇ ** CONJUG. [1] como *sacar.*

embaular *tr.* Meter dentro de un baúl. 2 fig. Comer mucho, engullir. 3 fig. Poner [muchas personas o cosas] en un lugar pequeño. ◇ ** CONJUG. [16] como *aunar.*

embazar *tr.* Detener, embarazar. 2 fig. Suspender, pasmar, dejar admirado. – 3 *intr.* fig. Quedar suspenso, sin acción. – 4 *prnl.* Fastidiarse, cansarse de una cosa. 5 Empacharse. ◇ ** CONJUG. [4] como *realizar.*

embebecer *tr.* Entretener, embelesar. – 2 *prnl.* Quedarse embelesado: *embebecerse en mirar una cosa.* ◇ ** CONJUG. [43] como *agradecer.*

embeber *tr.* Absorber un cuerpo sólido [otro en estado líquido]: *la esponja embebe el agua.* 2 Empapar (humedecer): ~ *la esponja de vinagre.* 3 Contener dentro de sí [una cosa];

esp., recoger [parte de una cosa] en ella misma: ~ *el vuelo de una falda;* encajar, meter [una cosa] dentro de otra: ~ *una persiana en el hueco del muro.* 4 fig. Incorporar, agregar [una cosa] a otra: ~ *un nuevo capítulo en la obra.* – 5 *intr.* Encogerse, tupirse: *la lana embebe al lavarse.* – 6 *prnl.* Embebecerse. 7 fig. Instruirse bien en una materia, enterarse bien de ella: *embeberse del espíritu de Platón, en una doctrina científica.* 8 fig. Entregarse con vivo interés a una tarea, sumergirse en ella. 9 TAUROM. Quedarse el toro parado y con la cabeza alta cuando recibe la estocada.

embelecar *tr.* Engañar con artificios y falsas apariencias. ◇ ** CONJUG. [1] como *sacar.*

embeleco *m.* Embuste, engaño. 2 fig. Persona o cosa fútil, molesta o enfadosa.

embelequería *f. Amér.* Embeleco, engañifa.

embelesar *tr.-prnl.* Suspender, arrebatar, cautivar los sentidos: ~ *a los oyentes; embelesarse con un niño; embelesarse en oír.*

embeleso *m.* Efecto de embelesar o embelesarse. 2 Cosa que embelesa. 3 Postre o entremés dulce, de masa de forma esférica y frita.

embellecer *tr.* Hacer o poner bella [a una persona o cosa]. ◇ ** CONJUG. [43] como *agradecer.*

embermejer *tr.* Teñir o dar color bermejo [a una cosa]. 2 Poner colorado, avergonzar [a uno]. – 3 *intr.* Ponerse una cosa de color bermejo.

emberrenchinarse, -rrincharse *prnl.* fam. Enfadarse con demasía, encolerizarse, especialmente los niños.

embestir *tr.* Venir con ímpetu sobre [una persona o cosa]: ~ *con, o contra, la fiera.* 2 fig. Acometer [a uno] para pedirle algo con impertinencia. 3 fig. Arremeter (arrojarse; chocar). ◇ ** CONJUG. [34] como *servir.*

embicar *tr.* Poner [una verga] en dirección oblicua como señal de luto. – 2 *intr. Amér.* Dirigir la nave sobre la costa. ◇ ** CONJUG. [1] como *sacar.*

embijar *tr.* Pintar o teñir con bija o con bermellón. 2 *Amér.* Manchar, embadurnar.

embióptero *adj.-m.* Insecto del orden de los embiópteros. – 2 *m. pl.* Orden de insectos pterigotas de tamaño pequeño o mediano, cuerpo blando, cabeza pequeña y color pardusco; poseen glándulas sericígenas con las que fabrican sus nidos; como el tejedor.

emblandecer *tr.* Ablandar. – 2 *prnl.* Moverse a condescendencia o enternecerse. ◇ ** CONJUG. [43] como *agradecer.*

emblanquecer *tr.* Blanquear. – 2 *prnl.* Ponerse blanca una cosa. ◇ ** CONJUG. [43] como *agradecer.*

emblema *amb.* Pintura o dibujo que esconde una intención moralizante, a la que un letrero alude escuetamente. – 2 *m.* Cosa que es representación simbólica de otra.

embobar *tr.* Embelesar, tener absorto y suspenso [a uno]. – 2 *prnl.* Quedarse suspenso, absorto y admirado: *embobarse con, de, o en, algo.*

embobecer *tr.* Volver bobo, entontecer [a uno]. ◇ ** CONJUG. [43] como *agradecer.*

embocadero *m.* Portillo a manera de canal angosto.

embocadura *f.* Acción de embocar. 2 Efecto de embocar. 3 Boquilla (pieza hueca). 4 Bocado (parte del freno). 5 Hablando de vinos, gusto (sabor). 6 Paraje por donde los buques pueden penetrar en los ríos que desaguan en el mar. 7 Boca del escenario de un teatro.

embocar *tr.* Meter por la boca [una cosa]: ~ *un tubo.* 2 en gral. Entrar por una parte estrecha: *emboqué, o me emboqué, por la calleja;* ~ *el carro por la calleja.* 3 Comer mucho y de prisa, engullir. 4 Echar a uno [algo] que causa molestia: ~ *a uno un jarro de agua.* 5 Comenzar [un empeño o negocio]. 6 fig. Hacer creer a uno [lo que no es cierto]: ~ *una noticia.* ◇ ** CONJUG. [1] como *sacar.*

embochinchar *tr. Amér.* Promover un bochinche, alborotar.

embojo *m.* Enramada que se pone a los gusanos de seda para que suban a ella e hilen.

embolado *m.* En el teatro, papel corto y desairado, y, por extensión, cualquier caso de deslucimiento. 2 fig. Artificio engañoso. 3 fig. Problema, situación difícil. 4 fig. Condena, sentencia.

I) embolar *tr.* Poner bolas de madera a las puntas [de los cuernos del toro]. 2 Dar bola o betún [al calzado].

II) embolar *tr.* Dar la postrera mano de bol [a la pieza que se ha de dorar].

III) embolar *tr.-prnl. Amér. Central.* Emborrachar.

embolia *f.* Obstrucción de un vaso sanguíneo por un coágulo, un nódulo graso, etc.

embolismar *tr.* fig. Meter chismes y enredos.

embolismo *m.* Añadidura de días, meses, lunaciones, etc., a un período de tiempo para que se acuerde con otro. 2 Tendencia a producir embolias. 3 fig. Confusión y dificultad en un negocio. 4 fig. Mezcla y confusión de muchas cosas. 5 fig. Embuste, chisme.

émbolo *m.* Disco o pieza cilíndrica de metal que se ajusta y mueve alternativamente en lo interior de un cuerpo de bomba o del cilindro de una máquina de vapor o de combustión, para enrarecer o comprimir un fluido o para recibir movimiento de él. 2 Cuerpo que, alojado en un vaso sanguíneo, produce una embolia.

embolsar *tr.* Guardar [una cosa] en la bolsa. 2 Cobrar: *embolsó mucho dinero de la cosecha.* – 3 *prnl.* Ganar dinero.

embonar *tr.* Mejorar o hacer buena [una cosa]. 2 Forrar exteriormente con tablones [el casco de un buque] para ensanchar su manga. 3 *And.* y *Amér.* Empalmar, ensamblar [dos cosas]. 4 *Amér.* Acomodar, ajustar, venir bien: *este sombrero no me embona.* 5 *Amér.* Abonar [la tierra].

emboque *m.* Paso de la bola por el aro, o de otra cosa por una parte estrecha. 2 Boca del escenario. 3 fig. Engaño.

emboquillado *adj.-s.* Cigarrillo con filtro.

emboquillar *tr.* Poner boquillas [a los cigarrillos]. 2 Labrar la boca [de un barreno], o preparar la entrada [de una galería o de un túnel].

emborrachacabras *f.* Arbusto coriáceo, de hojas opuestas, flores verdosas en racimos y frutos de cinco gajos, al principio rojizos y más tarde negros *(Coriaria myrtifolia).* ◇ Pl.: *emborrachacabras.*

emborrachar *tr.* Causar embriaguez [a uno]: *abs., el vino emborracha.* 2 p. ext. Atontar, adormecer: *algunos olores emborrachan.* 3 Empapar [un alimento] en vino, licor o almíbar. 4 Cebar con exceso de combustible líquido [una mecha o mechero]. – 5 *prnl.* Beber vino, licor, etc., hasta perder el uso de razón: *emborracharse con,* o *de, aguardiente;* p. ext., atontarse, aturdirse un animal con un olor fuerte. 6 Mezclarse, confundirse los colores de una tela.

emborrascar *tr.* Irritar, alterar [a uno]. – 2 *prnl.* Hacerse el tiempo borrascoso. 3 fig. Echarse a perder un negocio. 4 *Amér.* En las minas, empobrecerse o perderse la veta. ◇ ** CONJUG. [1] como *sacar.*

emborregado *adj.* [cielo] Cubierto de nubes.

emborricarse *prnl.* fam. Quedarse como aturdido, sin saber ir ni atrás ni adelante. 2 Enamorarse perdidamente. ◇ ** CONJUG. [1] como *sacar.*

emborrizar *tr.* Dar la primera carda [a la lana]. 2 Rebozar [lo que ha de freírse]. ◇ ** CONJUG. [4] como *realizar.*

emborronar *tr.* Echar borrones o hacer garabatos [en un papel]. 2 fig. Escribir de prisa y desaliñadamente: ~ *unas líneas.* – 3 *prnl.* Correrse la tinta de un papel cuando aún está húmeda quedando borroso lo escrito.

emborrullarse *prnl.* fam. Disputar, reñir con alboroto.

emboscada *f.* Ocultación de una o varias personas para atacar por sorpresa a otra u otras.

emboscarse *prnl.* Entrarse u ocultarse entre el ramaje: ~ *en la espesura;* esp., *tr.-prnl.,* ocultar [tropas] para una emboscada. 2 fig. Escudarse en una ocupación cómoda para no hacer frente a una obligación. ◇ ** CONJUG. [1] como *sacar.*

embosquecer *intr.* Hacerse bosque, convertirse en bosque un terreno. ◇ ** CONJUG. [43] como *agradecer.*

I) embotar *tr.-prnl.* Engrosar el filo o la punta [de un arma o de otro instrumento cortante]: *embotarse la espada.* 2 fig. Aturdirse y ofuscarse, no poder discurrir. – 3 *tr.* fig. Enervar, debilitar, hacer menos activa y eficaz [una cosa].

II) embotar *tr.* Poner [algo, especialmente el tabaco] en un bote. 2 *Venez., P. Rico* y *S. Dom.* Cubrir con una bota [los espolones de los gallos].

embotellado, -da *adj.* Que está dentro de una botella. 2 [discurso, poesía, proposición]. Que en vez de improvisarse se lleva preparado en previsión del caso. – 3 *m.* Acción de embotellar los vinos u otros líquidos.

embotellamiento *m.* fig. Aglomeración debida a un excesivo aflujo de personas. 2 fig. Reunión de automóviles que dificulta la circulación o la imposibilita por completo.

embotellar *tr.* Echar [algo] en botellas: ~ *el vino.* 2 fig. Acorralar, cercar [a una persona]; inmovilizar [un negocio]. 3 esp. Impedir que [naves enemigas] salgan al mar. 4 Aprender de memoria [un discurso, lección, etc.]. 5 Entorpecer el tráfico de [la vía pública].

embotijar *tr.* Echar o guardar [algo] en botijos. – 2 *prnl.* Hincharse, inflarse. 3 Enojarse, indignarse.

embovedar *tr.* Abovedar (cubrir con bóveda). 2 Poner o encerrar [una cosa] en bóveda.

embozar *tr.-prnl.* Cubrir [el rostro por la parte inferior] con una prenda de vestir: *embozarse en,* o *con, la capa hasta los ojos.* – 2 *tr.* Poner el bozal [a los animales]. 3 Disfrazar u ocultar [lo que uno piensa o proyecta].

embozo *m.* Parte de una prenda con que uno se emboza (cubre el rostro). 2 Doblez de la sábana por la parte que toca al rostro. 3 fig. Recato artificioso con que se dice o hace algo. – 4 *m. pl.* Tiras de tela con que se guarnecen interiormente los lados de la capa.

embragar *tr.* Abrazar [un fardo, piedra] con bragas o briagas. 2 Hacer que dos árboles o ejes en rotación puedan acoplarse o desacoplarse, lo mismo estando en reposo que en movimiento relativo entre sí. ◇ ** CONJUG. [7] como *llegar.*

embrague *m.* Mecanismo para embragar. 2 Pedal o palanca que pone en funcionamiento dicho mecanismo; **automóvil; **motocicleta.

embravecer *tr.-prnl.* Irritar, enfurecer [a uno]: *embravecerse con,* o *contra, el débil; prnl.,* alterarse fuertemente los elementos: *el mar se embravece.* – 2 *intr.* Rehacerse o robustecerse las plantas. ◇ ** CONJUG. [43] como *agradecer.*

embrear *tr.* Untar con brea [los costados de los buques, y los cables, sogas, maromas, etc.].

embriagar *tr.-prnl.* Emborrachar (causar embriaguez; atontar): *embriagarse con cerveza.*

2 fig. Enajenar, transportar: *embriagarse de júbilo.* ◇ ** CONJUG. [7] como *llegar.*

embriaguez *f.* Turbación pasajera de las falcultades psíquicas y somáticas por haber bebido alcohol con exceso. **2** Enajenación del ánimo.

embridar *tr.* Poner la brida [a las caballerías]. **2** Obligar [al caballo] a llevar y mover bien la cabeza. **3** fig. Sujetar, someter, refrenar.

embriología *f.* Parte de la biología que trata de la formación y desarrollo del embrión en los animales y en las plantas.

embrión *m.* En los seres orgánicos de reproducción sexual, óvulo fecundado mientras experimenta la serie sucesiva de modificaciones que lo convierten en un nuevo ser. **2** fig. Principio, informe todavía, de alguna cosa.

embrionario, -ria *adj.* Relativo al embrión: *estado ~.* **2** fig. Que no está decidido o acabado.

embriopatía *f.* MED. Enfermedad o lesión que sobreviene durante los tres primeros meses de vida en el útero materno.

I) embrocar *tr.* Vaciar [una vasija] en otra volviéndola boca abajo; p. ext., volver boca abajo, cualquier otra cosa. ◇ ** CONJUG. [1] como *sacar.*

II) embrocar *tr.* Devanar los bordadores en la broca [los hilos y torzales]. **2** Asegurar con brocas [las suelas] para hacer zapatos. **3** TAUROM. Coger el toro [al lidiador] entre las astas. **4** *Méj.* Ponerse [una prenda de vestir] por la cabeza. ◇ ** CONJUG. [1] como *sacar.*

embrochalado *m.* Armadura de vigas que forma el agujero de una chimenea.

embrochalar *tr.* Sostener con un brochal atravesado o una barra de hierro [las vigas que no pueden cargar en la pared].

embrollar *tr.-prnl.* Enredar, confundir [las cosas].

embrollo *m.* Enredo, confusión, maraña. **2** Embuste, mentira. **3** fig. Situación embarazosa de la que no se sabe cómo salir.

embromar *tr.* Meter broma, gastar chanzas [a uno]. **2** Engañar [a uno] con trapacerías. **3** *Amér.* Fastidiar, molestar, perjudicar [a uno]; hacerle perder el tiempo.

embroquetar *tr.* Sujetar con broquetas [las piernas de las aves] para asarlas.

embrujar *tr.* Hechizar (someter con prácticas supersticiosas; embelesar).

embrujo *m.* Hechizo (cualquier cosa que hechiza). **2** Fascinación, atracción misteriosa y oculta.

embrutecer *tr.* Entorpecer [las facultades del espíritu]; privar [a uno] del uso de la razón casi por completo. ◇ ** CONJUG. [43] como *agradecer.*

embuchacarse *prnl.* *Amér. Central.* Meterse algo en el bolsillo; apropiarse alguna cosa ajena. ◇ ** CONJUG. [1] como *sacar.*

embuchado *m.* Tripa rellena con carne de puerco picada y aderezada: *son embuchados la morcilla, longaniza, salchicha,* etc. **2** Tripa con otra clase de relleno, especialmente de lomo de cerdo. **3** fig. Negocio revestido de una apariencia engañosa para ocultar algo de más importancia que se quiere hacer pasar inadvertido. **4** fig. Introducción fraudulenta de votos en una urna electoral.

embuchar *tr.* Embutir [carne picada] en un buche o tripa de animal. **2** p. anal. Introducir [comida] en el buche de un ave. **3** Comer con exceso. **4** fig. y fam. Embocar (hacer creer). **5** IMPR. Colocar hojas o cuadernillos impresos unos dentro de otros. – **6** *prnl. Amér.* Enojarse sin motivo, viéndose precisado a disimular.

embudar *tr.* Poner el embudo en [la boca de una vasija] para echar dentro líquido. **2** fig. Hacer engaños o embudos (trampas).

embudo *m.* Instrumento hueco de forma cónica y rematado en un canuto, para transvasar líquidos; **cocina. 2** Oquedad grande producida en la tierra por una fuerte explosión. **3** fig. Trampa, enredo.

embullar *tr.* Animar [a uno] para que tome parte en una diversión bulliciosa. – **2** *intr. Amér.* Meter bulla, alborotar.

emburujar *tr.* Aborujar (hacer que forme borujos): *emburujarse el engrudo.* **2** fig. Amontonar confusamente [unas cosas con otras]. **3** *Can., Cuba* y *P. Rico.* Confundir, embarullar [a una persona]. – **4** *prnl. Amér.* Arrebujarse, cubrirse bien.

embuste *m.* Mentira disfrazada con artificio. – **2** *m. pl.* Bujerías, dijes, alhajitas de poco valor.

embutido *m.* Obra de taracea. **2** Embuchado. **3** *Amér.* Entredós de bordado o de encaje.

embutir *tr.* Llenar, meter [una cosa] dentro de otra y apretarla: *~ de lana un colchón; ~ una cosa en otra;* esp., embuchar (carne). **2** Incluir, encajar con arte [materias diferentes o de diferentes colores en un objeto]: *~ un mueble con marfil y nácar; ~ nácar en la madera.* **3** Dar a [una chapa metálica] la forma en un molde prensándola sobre él. **4** fig. Reducir, condensar [un contenido cualquiera]: *~ una asignatura en un resumen.* **5** fig. Embocar (hacer creer). – **6** *tr.-prnl.* fig. y fam. Atracarse de comida. **7** IMPR. Intercalar grabados, letras iniciales, en una composición.

eme *f.* Nombre de la letra *m* .

emergencia *f.* Ocurrencia, accidente súbito. **2** Asunto que requiere una especial atención por ser imprevisto, urgente, apremiante, peligroso, etc.

emerger *intr.* Brotar, salir del agua u otro líquido. **2** fig. Salir de un medio, de un ambiente. ◇ ** CONJUG. [5] como *proteger.*

emérito, -ta *adj.* [pers.] Que se ha retirado

de un empleo o cargo y disfruta algún premio por sus buenos servicios.

emersión *f.* Reaparición de un astro después de un eclipse u ocultación. 2 Aparición de un cuerpo en la superficie de un líquido en que se hallaba sumergido.

emético, -ca *adj.-m.* Vomitivo.

emetropía *f.* Estado normal del ojo respecto a la refracción, en el cual, estando relajada la acomodación, los rayos paralelos procedentes del infinito se reúnen exactamente en la superficie sensible de la retina.

emigración *f.* Acción de emigrar. 2 Conjunto de emigrantes.

emigrado, -da *m. f.* Persona que reside fuera de su patria.

emigrante *adj.* Que emigra. – 2 *com.* Persona que por emigración se ha trasladado al país donde reside.

emigrar *intr.* Dejar una persona su propio país para establecerse en otro o trabajar temporalmente en él. 2 Cambiar periódicamente de clima o localidad algunas especies animales.

eminencia *f.* Elevación del terreno. 2 fig. y p. ext. Cosa que sobresale. 3 fig. Excelencia, sublimidad de una dote del alma. 4 Título de honor dado a los cardenales. 5 Persona eminente.

eminente *adj.* Elevado. 2 fig. Que sobresale entre los de su clase: *científico ~; profesor ~.*

emir *m.* Príncipe o caudillo árabe.

emirato *m.* Dignidad de emir y funciones propias de su cargo. 2 Tiempo que dura el gobierno de un emir. 3 Territorio gobernado por un emir.

emisario, -ria *m. f.* Mensajero encargado generalmente de una misión secreta. – 2 *m.* Canalización que sirve para evacuar las aguas residuales de una población hacia una depuradora o hacia el mar.

emisión *f.* Tiempo durante el cual emite sin interrupción una estación radiodifusora o de televisión: *~ de la tarde, de las diez.* 2 Conjunto de títulos o efectos que de una vez se crean para ponerlos en circulación. 3 En radio y televisión, programa o conjunto de programas con unidad temporal que se difunde con continuidad.

emisor, -ra *adj.-s.* Que emite. – 2 *m.* Aparato productor de ondas electromagnéticas en una estación radiotelegráfica o radiotelefónica de origen. – 3 *f.* Esta estación: *emisora pirata,* la que emite al margen de los acuerdos o normas vigentes. – 4 *m. f.* Persona que enuncia el mensaje en un acto de comunicación.

emitir *tr.* Arrojar, exhalar hacia fuera [una cosa]: *~ rayos luminosos.* 2 Poner en circulación [papel moneda, títulos, etc.]: *el banco emite billetes.* 3 Dar, manifestar, hacer público: *~ una opinión, un voto.* 4 Lanzar ondas hertzianas para transmitir [señales, noticias, etc.].

emoción *f.* Agitación del ánimo producida por ideas, recuerdos, sentimientos o pasiones, especialmente la que se manifiesta por una conmoción orgánica más o menos visible.

emocionante *adj.* Que causa emoción.

emocionar *tr.-prnl.* Conmover el ánimo, causar emoción: *emocionarse ante una desgracia.*

emoliente *adj.-m.* Medicamento que sirve para relajar o ablandar las partes inflamadas.

emolumento *m.* Gaje o utilidad que corresponde a un cargo o empleo: *los emolumentos del notario.*

emotivo, -va *adj.* Relativo a la emoción o que la produce. 2 Sensible a las emociones.

empacar *tr.* Hacer pacas [de una cosa], empaquetar, encajonar. 2 *Amér.* Enfadar. ◇ ·· CONJUG. [1] como *sacar.*

empacarse *prnl.* Emperrarse. 2 Obstinarse. 3 fig. Turbarse e inhibirse. 4 *Amér.* Plantarse una bestia. ◇ ·· CONJUG. [1] como *sacar.*

empachar *tr.-prnl.* Estorbar, impedir. 2 Ahitar, causar indigestión: *le ha empachado la cena; empacharse de comer.*

empacho *m.* Cortedad, vergüenza, turbación. 2 Embarazo, estorbo. 3 Indigestión.

empadrar *tr.-prnl.* Encariñarse demasiado el niño con su padre o sus padres. – 2 *tr. Méj.* Unir o aparear [animales] para su reproducción.

empadronar *tr.* Asentar o inscribir [a uno] en el padrón.

empajar *tr.* Cubrir o rellenar con paja [alguna cosa]. 2 *Amér. Merid.* Mezclar con paja [el barro para hacer adobes]. – 3 *prnl. Amér.* Hartarse, llenarse de cosas sin substancia. 4 *Amér. Merid.* Echar los cereales mucha paja y poco grano.

empajolar *tr.* Sahumar con una pajuela [las tinajas, cubas, etc., de vino], después de lavadas. ◇ ·· CONJUG. [31] como *contar.*

empalagar *intr.-prnl.* Causar hastío un manjar, especialmente si es dulce: *estos bombones empalagan.* 2 fig. Cansar, fastidiar: *empalagarse de todo.* ◇ ·· CONJUG. [7] como *llegar.*

empalagoso, -sa *adj.* [manjar] Que empalaga. – 2 *adj.-s.* [pers.] Que causa fastidio por su zalamería y mimo.

I) empalar *tr.* Espetar [a uno] en un palo: *los turcos y los árabes empalaban a los condenados a muerte.* – 2 *prnl.* Obstinarse, encapricharse.

II) empalar *tr.* En el juego de pelota, dar [a ésta] con la pala, y por extensión, golpear [una bola] en otros deportes.

empalizada *f.* Estacada (obra hecha de estacas).

empalizar *tr.* Rodear de empalizadas. ◇ ·· CONJUG. [4] como *realizar.*

empalmar *tr.* Unir [dos maderos, tubos, cables, etc.], para que conserven la continuidad: *~ un teléfono con la línea general.* 2 fig. Ligar o combinar [planes, ideas, etc.]. 3 DEP.

En el juego del fútbol, rematar rápidamente y sin interrupción, un pase o jugada efectuada por un compañero de equipo. – 4 *intr.* Enlazar o combinarse un coche o ferrocarril con otro. 5 Seguir o suceder una cosa a continuación de otra sin interrupción: *un discurso empalma con otro.*

empalme *m.* Acción de empalmar. 2 Efecto de empalmar. 3 Punto en que se empalma. 4 Cosa que empalma con otra. 5 Forma de hacer el empalme.

empalomadura *f.* MAR. Ligada fuerte con que se une la relinga a su vela.

empalomar *tr.* MAR. Coser [la relinga a la vela] por medio de empalomaduras.

empanada *f.* Manjar encerrado en pan o masa, y cocido después al horno. 2 fig. Acción de ocultar o enredar fraudulentamente un negocio. 3 fig. Efecto de ocultar o enredar fraudulentamente un negocio.

empanadilla *f.* Pastel pequeño, aplastado, que se hace doblando la masa sobre sí misma para cubrir el relleno.

empanar *tr.* Encerrar [una cosa] en masa o pan para cocerla. 2 Rebozar con pan rallado [un manjar] para freírlo. 3 Sembrar de trigo [las tierras]. – 4 *prnl.* Sofocarse los sembrados por exceso de simiente.

empandillar *tr.* Juntar [dos o más naipes] para hacer trampas. 2 Ofuscar [la vista o el entendimiento] para hacer pasar algún engaño.

empantanar *tr.-prnl.* Inundar [un terreno] dejándolo hecho un pantano. 2 fig. Detener, embarazar el curso [de un negocio].

empañado, -da *adj.* [tipo de voz] Que no es bastante sonoro y claro. – 2 *adj.-s.* [cristal o superficie pulimentada] Que tiene adherido el vapor de agua.

empañar *tr.* Envolver [a las criaturas] en pañales. – 2 *tr.-prnl.* Quitar la tersura, el brillo o la transparencia [de una cosa]: *el agua empaña el vaso.* 3 fig. Manchar u oscurecer [la fama, el mérito, etc.].

empañetar *tr.* Amér. Enlucir, encalar [las paredes].

empapar *tr.-prnl.* Humedecer [una cosa] hasta el punto que quede penetrada del líquido: ~ *una sopa de, o en, vino.* 2 Penetrar un líquido los poros o huecos [de un cuerpo]: *la lluvia empapa los vestidos, o se empapa en los vestidos.* 3 Absorber (chupar): *la tierra empapa el agua, o se empapa de agua.* – 4 *prnl.* Poseerse o imbuirse de un afecto, idea, etc.: *empaparse en la moral cristiana.* 5 fig. Enterarse bien de una cosa.

empapelar *tr.* Envolver en papel [una cosa]. 2 Forrar de papel [una superficie]: ~ *una habitación.* 3 fig. Formar causa criminal o expediente administrativo [a uno].

empapuciar, -pujar, -puzar *tr.* fam. Hacer comer demasiado [a uno]. ◇ ** CONJUG. [12] como *cambiar.*

I) empaque *m.* Materiales que forman la envoltura y armazón de los paquetes.

II) empaque *m.* Catadura, aire de una persona. 2 Seriedad con algo de afectación o de tiesura. 3 And. y Amér. Descaro, desfachatez.

empaquetadura *f.* Guarnición que se coloca en determinados órganos de algunas máquinas para impedir el escape de un fluido. 2 Amér. Estopa, hilacha para rellenar paquetes o cajones.

empaquetar *tr.* Formar paquetes [de cosas dispersas] o disponer [paquetes] dentro de bultos mayores. 2 fig. Acomodar en un recinto [un número excesivo de personas]: *nos empaquetaron a los diez en un compartimiento.* 3 fig. Sancionar, imponer un castigo.

emparamarse *prnl.* Amér. Merid. Perderse en un páramo. 2 Amér. Entumecerse o morirse de frío en los páramos.

emparamentar *tr.* Adornar con paramentos: ~ *los caballos;* ~ *las paredes.*

emparchar *tr.* Poner parches, llenar de ellos [una cosa].

emparedado, -da *adj.-s.* Recluso por castigo, penitencia o propia voluntad. – 2 *m.* Trocito de vianda, entre dos trozos de pan.

emparedar *tr.-prnl.* Encerrar [a una persona] entre paredes, incomunicándola. – 2 *tr.* Ocultar [una cosa] entre paredes. 3 Sujetar o aprisionar entre dos cosas.

emparejadura *f.* Igualación o acomodación de dos cosas entre sí.

emparejar *tr.* Formar una pareja. 2 Poner [una cosa] a nivel con otra: ~ *el poste con la puerta;* p. anal., igualar [la tierra] nivelándola. 3 Juntar [las puertas, ventanas, etc.] con el cerco sin cerrarlas. – 4 *intr.* Alcanzar o llegar en un camino junto a otra persona o cosa: ~ *con el árbol.* 5 Ser pareja una cosa con otra: *el árbol empareja con la casa.* 6 Ponerse al nivel de otro en un estudio o tarea. – 7 *prnl.* Méj. Procurarse lo que hace falta para un fin.

emparentar *intr.* Contraer parentesco por vía de casamiento: ~ *con buena gente.* ◇ ** CONJUG. [3] como *acertar.*

emparrado *m.* Conjunto de los vástagos de una o más parras que, sostenidos por una armazón, forman cubierto. 2 Esta armazón. 3 fig. y fam. Peinado de los hombres, hecho para encubrir, con el pelo de los lados de la cabeza, la calvicie de la parte superior.

emparrar *tr.* Hacer o formar emparrado: ~ *un patio.*

emparrillado *m.* Conjunto de barras trabadas para afirmar los cimientos en terrenos flojos. 2 Suelo de un hogar preparado y apto para quemar combustibles sólidos.

emparrillar *tr.* Asar en parrillas.

emparvar *tr.* Poner en parva [las mieses].

I) empastar *tr.* Cubrir de pasta [una cosa]. 2 Encuadernar en pasta [los libros]. 3 Rellenar con pasta [el hueco producido por la caries en los dientes]. 4 PINT. Poner el color en bastante cantidad [sobre la tela] para que cubra la imprimación. 5 MÚS. Fundir un director de coro u orquesta [las distintas voces o instrumentos] de modo que no se noten disonancias.

II) empastar *tr. Amér.* Empradizar [un terreno]. – 2 *prnl. Amér. Merid.* Padecer meteorismo un animal por haber comido el pasto en malas condiciones.

empaste *m.* Pasta con que se llena un diente cariado. 2 Engrosamiento de los remates superior e inferior de los palos a modo de adorno, en un carácter de imprenta.

empastelar *tr.* fig. Transigir [un negocio] sin arreglo o justicia para salir del paso. 2 IMPR. Barajar [las letras de un molde] de modo que no formen sentido; mezclar [suertes o funciones distintas].

empatar *tr.* Tratándose [de una elección o votación], resultar tantos los votos en pro como los votos en contra; también se aplica a los tantos que se ganan en los juegos: *abs., los dos equipos han empatado.* 2 Suspender o embarazar [el curso de una resolución, especialmente las pruebas de nobleza de sangre]. 3 *Amér.* Empalmar, juntar [una cosa con otra]: ~ *dos cuerdas;* ~ *embustes.*

empatía *f.* Participación afectiva, y por lo común emotiva, de un sujeto en una realidad ajena.

empavesada *f.* Faja de lona o paño azul o encarnado, con franjas blancas, para adornar las bordas y cofas de los buques y cubrir los asientos de popa de falúas y botes.

empavesado *m.* Conjunto de banderas y gallardetes con que se empavesan los buques.

empavesar *tr.* Cubrir con empavesadas [un barco, una tropa, etc.]; p. anal., tapar con telas [un monumento] antes de ser inaugurado. 2 Engalanar [una embarcación] con empavesadas, banderas y gallardetes. 3 Preparar el pabilo de las velas para que se encienda fácilmente.

empavonar *tr. Amér.* Untar, pringar [la superficie de alguna cosa]. – 2 *prnl. Amér. Central.* Emperifollarse.

empecatado, -da *adj.* De extrema travesura, incorregible, desdichado, dejado de la mano de Dios.

empecinarse *prnl.* Obstinarse, aferrarse.

empedernido, -da *adj.* Incorregible, [pers.] que tiene un vicio o costumbre muy arraigada. 2 fig. Insensible, duro de corazón.

empedernir *tr.-prnl.* Endurecer mucho [una cosa]. – 2 *prnl.* fig. Hacerse insensible y duro de corazón. ◇ Verbo defectivo; se usa sólo en los tiempos y personas cuya desinen-

cia contiene la vocal *i,* especialmente en el participio.

empedrado, -da *adj.* Rodado (que tiene manchas). 2 fig. [cielo] Cubierto de nubes pequeñas: *cielo ~, suelo mojado.* – 3 *m.* Acción de empedrar. 4 Pavimento formado artificialmente de piedras. 5 fig. Plato de arroz con lentejas y alubias o judías.

empedrar *tr.* Cubrir o pavimentar [el piso] con piedras clavadas en la tierra o ajustadas unas con otras: ~ *con,* o *de, adoquines.* 2 fig. Cubrir [una superficie] con objetos extraños a ella misma: ~ *de almendras un pastel;* p. ext., fig., poner cosas en abundancia: ~ *de citas, de errores.* ◇ ** CONJUG. [27] como *acertar.*

empegar *tr.* Bañar o cubrir con pez derretida u otra substancia análoga [pellejos, barriles, etc.]. 2 Marcar con pez [el ganado lanar]. ◇ ** CONJUG. [7] como *llegar.*

I) empeine *m.* Parte inferior del vientre entre las ingles. 2 Parte superior del **pie entre la caña de la pierna y el principio de los dedos. 3 Parte de la bota desde la caña a la pala.

II) empeine *m.* Enfermedad del cutis que lo pone áspero y encarnado, causando picazón.

empelar *intr.* Echar o criar pelo. 2 Igualar o asemejarse mucho en el pelo dos o más caballerías.

empelechar *tr.* Juntar o aplicar [chapas de mármol]. 2 Chapear de mármol [una superficie].

empelotarse *prnl.* fam. Enredarse, confundirse, especialmente a causa de una riña o quimera. 2 *Amér.* Desnudarse, quedarse en cueros.

empellejar *tr.* Cubrir o forrar con pellejos [una cosa].

empeller *tr.* Empujar, dar empellones. ◇ ** CONJUG. [39].

empellón *m.* Empujón recio que se da con el cuerpo.

empenachar *tr.* Adornar con penachos.

empenta *f.* Puntal o apoyo para sostener una cosa.

empentar *tr.* Empujar, empeller.

empeñar *tr.* Dar o dejar [una cosa] en prenda para seguridad de la satisfacción o pago. 2 Poner [a uno] de medianero para conseguir alguna cosa: ~ *a Juan en el asunto.* – 3 *tr.-prnl.* Compeler, obligar. 4 Aventurarse [un buque] a riesgos y averías sobre la costa. – 5 *prnl.* Endeudarse: *empeñarse en mil duros.* 6 Insistir con tesón en una cosa: *no te empeñes en eso, que es inútil.* 7 Hacer uno el oficio de mediador a favor de otro: *empeñarse con,* o *por, alguno.*

empeño *m.* Obligación de pagar alguna deuda, o de hacer algo por punto de honra o cargo de conciencia u otro motivo. 2 Vivo deseo de hacer o conseguir algo; objeto a que se dirige. 3 Tesón y constancia.

empeorar *tr.* Volver o poner peor [a una persona o cosa]. – 2 *intr.-prnl.* Irse haciendo o poniendo peor.

empequeñecer *tr.* Minorar [una cosa] o amenguar su importancia. ◇ ** CONJUG. [43] como *agradecer.*

emperador *m.* Soberano de un imperio. 2 Pez marino teleósteo perciforme, de cuerpo alto, ovalado y comprimido; el dorso es azulado, los flancos y el vientre plateados con reflejos rosados, y los ojos en posición muy baja (*Luvarus imperialis*).

emperatriz *f.* Mujer del emperador. 2 Soberana de un imperio.

emperchado *m.* Cerca formada por enrejados de maderas verdes, para impedir la entrada en alguna parte.

emperchar *tr.* Colgar en la percha. 2 Arremeter [contra alguna persona o cosa]. – 3 *prnl.* Prenderse la caza en la percha.

emperejilar *tr.-prnl.* Adornar [a una persona] con profusión y esmero: *una muchacha que se emperejila demasiado.*

emperezar *intr.-prnl.* Dejarse dominar de la pereza: *Juan se ha emperezado lamentablemente.* – 2 *tr.* Diferir, entorpecer la expedición o curso [de una cosa]. ◇ ** CONJUG. [4] como *realizar.*

empergaminar *tr.* Cubrir o forrar con pergamino [especialmente los libros].

emperifollar *tr.-prnl.* Emperejilar.

empero *conj. advers.* lit. Pero II. 2 Sin embargo.

emperrarse *prnl.* fam. Obstinarse, empeñarse en no ceder; p. ext., enfadarse, encolerizarse.

empesador *m.* Manojo de raíces de juncos para atusar la urdimbre.

empesgar *tr.* Prensar, oprimir con un peso. ◇ ** CONJUG. [7] como *llegar.*

empetráceo, -a *adj.-f.* Planta de la familia de las empetráceas. – 2 *f. pl.* Familia de plantas alpinas ericales que incluye arbustos parecidos al brezo, cuyas flores son unisexuales y carecen de pétalos coloreados; su fruto es una baya seca y carnosa.

empezar *tr.* Comenzar, dar principio [a una cosa]: ~ *una cosa por lo difícil.* 2 Iniciar el uso o consumo [de una cosa]: ~ *una hogaza.* – 3 *intr.* Tener principio una cosa: ~ *a brotar;* ~ *on bien;* ~ *en lunes;* ~ *en malos términos.* ◇ * CONJUG. [47].

empicarse *prnl.* Aficionarse demasiado. ◇ * CONJUG. [1] como *sacar.*

empiece *m.* fam. Comienzo.

empiezo *m.* Argent., Colomb., Ecuad. y Guat. Comienzo.

empiltrarse *prnl.* fam. Echarse o meterse en la piltra o cama.

empinado, -da *adj.* Muy alto. 2 fig. Estirado, orgulloso. 3 fig. [terreno, camino, etc.] que tiene una pendiente muy pronunciada.

empinar *tr.* Enderezar y levantar [una cosa] en alto; esp., levantar inclinando mucho [una vasija] para beber: ~ *el codo; intr., siempre empina.* – 2 *prnl.* Ponerse una persona sobre las puntas de los pies, o un animal sobre los dos pies levantando las manos. 3 fig. Alcanzar gran altura los árboles, torres, montañas, etc.

empingorotado, -da *adj.* [pers.] Elevado a posición social ventajosa. 2 Encopetado, ensoberbecido.

empingorotar *tr.-prnl.* Levantar [una cosa] poniéndola sobre otra. – 2 *prnl.* Envanecerse, engreírse.

empiparse *prnl. Amér.* Ahitarse, hartarse.

empíreo, -a *adj.-s.* Cielo (esfera concéntrica); en la teología cristiana, cielo (patria celestial). – 2 *adj.* fig. Celestial, supremo, divino.

empírico, -ca *adj.* Que es un resultado inmediato de la experiencia, que sólo se funda en la observación de los hechos, en la mera práctica: *método, procedimiento* ~. 2 Relativo al empirismo. – 3 *adj.-s.* Persona cuyos conocimientos y reglas de acción son empíricas. 4 Partidario del empirismo: *filósofo* ~.

empirismo *m.* Doctrina psicológica y epistemológica que no reconoce en el conocimiento ningún elemento que no proceda de la experiencia interna, reflexión, o externa, sensación. 2 Método o procedimiento fundado en la mera práctica o experiencia.

empitonar *tr.* Alcanzar la res [al lidiador] cogiéndole con los pitones.

emplastar *tr.* Poner emplastos: *lo hemos emplastado.* 2 fig. Componer con afeites o adornos postizos: *se está emplastando.* – 3 *prnl.* Embadurnarse con cualquier compuesto pegajoso.

emplaste *m.* Pasta a base de yeso que se endurece rápidamente.

emplastecer *tr.* PINT. Igualar con el aparejo [una superficie] para poder pintar sobre ella. ◇ ** CONJUG. [43] como *agradecer.*

emplasto *m.* Medicamento externo glutinoso, generalmente extendido sobre un pedazo de tela, que se adhiere a la parte a la cual se aplica. 2 fig. Componenda o arreglo desmañado y poco satisfactorio. 3 fig. Cosa pegajosa.

emplazamiento *m.* Acción de emplazar. 2 Efecto de emplazar. 3 Posición, colocación, ubicación.

I) emplazar *tr.* Citar [a una persona] en determinado tiempo y lugar. ◇ ** CONJUG. [4] como *realizar.*

II) emplazar *tr.* Poner [una cosa] en determinado lugar. ◇ ** CONJUG. [4] como *realizar.*

empleado, -da *m. f.* Persona que desempeña un destino o empleo, especialmente de oficina. 2 ~ *de hogar,* persona que por un salario o sueldo desempeña los trabajos domésticos y ayuda en ellos.

emplear *tr.* Ocupar [a uno] encargándole un trabajo, negocio o comisión: ~ *a su hijo en la descarga; emplearse en herborizar;* esp., destinar [a uno] al servicio público: ~ *al hijo en un ministerio.* 2 Gastar, consumir, aplicar [alguna cosa material o moral]: ~ *las rentas, el tiempo, el talento.* 3 esp. Destinar [el dinero] a compras: ~ *diez mil pesetas en libros,* ~ *el capital en fincas.* 4 Usar: ~ *la máquina.*

empleo *m.* Destino, ocupación. 2 MIL. Jerarquía o categoría personal.

emplomado *m.* Conjunto de planchas de plomo que recubre una techumbre o sujeta los cristales de una vidriera.

emplomar *tr.* Cubrir, asegurar o soldar con plomo: ~ *los techos;* ~ *las vidrieras;* ~ *una batería de cocina.* 2 Poner sellos de plomo [a las cosas que se precintan]. 3 *Amér.* Empastar [un diente].

emplumar *tr.* Poner plumas [a una cosa] para adorno o para que vuele: ~ *un sombrero;* ~ *una saeta;* antiguamente, [a una persona] por justicia para afrentarla: ~ *a una alcahueta.* 2 fam. Sancionar, arrestar, detener, procesar, castigar, condenar. – 3 *intr. Amér. Merid.* Huir, fugarse.

emplumecer *intr.* Echar plumas las aves. ◇ ** CONJUG. [43] como *agradecer.*

empobrecer *tr.* Hacer [que uno] quede pobre: ~ *un pueblo; abs.*, *la desidia empobrece.* – 2 *intr.-prnl.* Llegar a pobre: *el país empobrece* o *se empobrece.* – 3 *tr.-prnl.* Decaer, venir a menos [una cosa]: *la edad empobrece la memoria; empobrecerse los sembrados.* ◇ ** CONJUG. [43] como *agradecer.*

empolvar *tr.* Echar polvo: ~ *a uno.* – 2 *tr.-prnl.* Echar polvos [en los cabellos o en el rostro]. – 3 *prnl. Méj.* fig. Estar desusado, perder la práctica: *médico empolvado.*

empollar *tr.* Calentar el ave [los huevos] para sacar pollos. 2 Entre estudiantes, estudiar con mucha detención cualquier asunto: ~ *física.*

empollón, -llona *adj.-s.* desp. Estudiante, más aplicado que de talento, que prepara mucho sus lecciones.

emponchado, -da *adj. Amér.* Que está cubierto con el poncho. 2 *Amér.* Astuto, hipócrita. 3 *Amér.* fig. Sospechoso.

emponzoñar *tr.* Dar ponzoña [a uno], e inficionar [una cosa] con ponzoña. 2 fig. Inficionar, corromper, dañar: *la avaricia emponzoñó su corazón.*

empopar *intr.* Calar mucho de popa un buque. – 2 *tr.-prnl.* Volver la popa al viento, o a otra cosa.

emporcar *tr.-prnl.* Ensuciar, llenar de porquería: ~ *la pared; emporcarse las manos.* ◇ ** CONJUG. [49] como *trocar.*

emporio *m.* Ciudad donde existe mucho y extenso comercio. 2 Centro comercial de un país. 3 Lugar que se ha hecho famoso por las ciencias, artes, etc. 4 *Amér.* Almacén grande y elegante.

emporrado, -da *adj.* [pers.] Que está bajo los efectos del porro.

empotrar *tr.* Hincar [algo] en la pared o en el suelo, asegurándolo con fábrica.

empotrerar *tr. Amér.* Herbajar, meter [el ganado] en el potrero. 2 *Amér.* Convertir [un terreno abierto] en potrero cercado.

empozar *tr.* Meter o echar en un pozo: ~ *un cubo.* 2 Poner [el cáñamo o lino] en pozas para su maceración. – 3 *prnl.* fig. Quedar sin curso un expediente. – 4 *intr. Amér.* Quedar el agua detenida en el terreno formando pozas o charcos. – 5 *tr. Amér.* Confiar [una cantidad] a una persona, administración o empresa. ◇ ** CONJUG. [4] como *realizar.*

empradizar *tr.* Convertir en prado [un terreno]. ◇ ** CONJUG. [4] como *realizar.*

emprendedor, -ra *adj.* Que emprende con resolución acciones dificultosas.

emprender *tr.* Acometer y empezar [una obra o empresa, especialmente cuando es de cierta importancia]: ~ *una cosa por sí solo.* 2 fam. Con el complemento directo, generalmente implícito, acometer a uno para importunarle o reñir: *emprenderla* [la cuestión] *a palos con uno; emprenderla conmigo.*

empreñar *tr.* Fecundar el macho [a la hembra]. 2 fig. y fam. Causar molestias a una persona. – 3 *prnl.* Quedar preñada la hembra.

empresa *f.* Acción de emprender y cosa que se emprende: *una* ~ *valerosa.* 2 Obra o designio llevado a efecto, especialmente cuando en él intervienen varias personas. 3 Sociedad mercantil o industrial: *una* ~ *de construcciones,* ~ *pública,* la creada y sostenida por el poder público. 4 Conjunto de dichas sociedades: *el mundo de la* ~. 5 Emblema que oculta un mensaje secreto que alude a lo que se intenta conseguir o denota alguna prenda de que se hace alarde.

empresariado *m.* Conjunto de las empresas y empresarios de una industria, región país, etc.

empresario, -ria *m. f.* Persona que toma a su cargo una empresa: *el* ~ *de las obras públicas; un* ~ *de teatro.* 2 Patrono, persona que contrata y dirige obreros. 3 Titular propietario o directivo de una industria, negocio o empresa.

empréstito *m.* Préstamo que toma el estado o una corporación. 2 Cantidad así prestada.

emprimar *tr.* Dar segunda carda [a la lana] o repasarla para hacer paño más fino. 2 fig. Abusar de la inexperiencia [de uno] para hacerle pagar algo, o para divertirse a costa suya.

empujar *tr.* Hacer fuerza contra [una cosa] para moverla: ~ *a,* o *hacia,* o *hasta, un abismo*

- *contra la pared.* 2 fig. Hacer que [uno] salga el puesto u oficio en que se halla. 3 fig. Hacer ›resión, intrigar para conseguir [alguna cosa].

mpuje *m.* Fuerza hacia arriba que experimenta un cuerpo sumergido en un fluido. 2 uerza propulsora desarrollada por un motor ›e reacción. 3 fig. Brío, arranque, resolución ›on que se acomete una empresa: *es persona* ›e ∼.

mpujón *m.* Impulso dado con fuerza para ›over a una persona o cosa. 2 Avance rápido ›ado a una obra trabajando con ahínco en ella.

mpuñadura *f.* Guarnición o punto de la ›spada. 2 fig. Principio de un discurso o ›uento, compuesto de fórmulas consagradas ›or el uso: *érase que se era.* 3 *Amér.* Puño de ›astón o de paraguas.

mpuñar *tr.* Asir por el puño [una cosa]; en ›ral., asir [una cosa] abarcándola con la mano: ∼ *una pelota;* ∼ *un arma.* 2 fig. Lograr, alcanzar ›n empleo o puesto].

mpuñidura *f.* MAR. Cabo firme para suje›ar los puños a la verga.

mputecer *tr.-prnl.* Prostituir [a una ›ujer]. ◇ ** CONJUG. [43] como *agradecer.*

mú *m.* Ave casuariforme de Australia, de 1 ›. de longitud y 50 kgs. de peso; el plumaje ›s de color gris oscuro y su voz recuerda un ›mborileo lejano *(Dromaius novachollandiæ).* › Pl.: *emúes.*

mulación *f.* Pasión del alma que incita a ›itar y aun a superar las acciones ajenas.

mular *tr.* Imitar las acciones [de otro] pro›urando igualarle y aun excederle: ∼ *a uno* o ›con uno.*

mulo, -la *adj.-s.* Competidor de una per›ona o cosa que procura aventajarla: ∼ *de Lope* ›e inspiración.*

mulsión *f.* Suspensión coloidal de un ›quido en otro. 2 ∼ *fotográfica,* preparación ›terable por la luz que recubre las películas ›tográficas. 3 FARM. Líquido de aspecto lácteo ›ue contiene en suspensión pequeñísimas ›artículas de substancias insolubles en el agua.

nuntorio, -ria *adj.-s.* [órgano, conducto ›glándula] Que excreta las substancias o ›mores superfluos o nocivos.

1 prep. Expresa en general idea de reposo, ›diferencia de la preposición *a,* usada ordi›ariamente para las relaciones de movi›iento. Denota el lugar o el tiempo en que se ›termina una acción: *está* ∼ *Madrid; sucedió* ›*Pascua;* el modo o la manera de realizarla: ›*dijo* ∼ *broma, contestó* ∼ *latín;* aquello en que ›ocupa o sobresale una persona: *él piensa* ∼ ›*sotros; se complace* ∼ *el juego, es docto* ∼ *medi›a; nadie le excede* ∼ *bondad.* 2 Sirve de enlace ›. la construcción de ciertos verbos con otros ›infinitivo: *le conocí* ∼ *el andar; no hay incon›niente* ∼ *concederlo;* esta construcción es ›cesaria siempre que en casos análogos de

complemento nominal se use esta preposición: *piensa* ∼ *venir; se complace* ∼ *jugar; nadie le excede* ∼ *ser bueno.* 3 Precediendo a un gerundio significa sucesión inmediata, equivalente a luego que, después que: ∼ *llegando yo, todos se callan.* 4 Precediendo a ciertos substantivos y adjetivos, da origen a modos adverbiales: ∼ *general,* ∼ *secreto.*

enagua *f.* Falda interior, generalmente de tela blanca, usada debajo de la falda exterior: *usar enaguas planchadas.* ◇ Se usa más en plural.

enaguachar *tr.* Llenar de agua [una cosa] en que no conviene que haya tanta. – 2 *tr.-prnl.* Causar empacho de estómago el beber mucho o comer mucha fruta.

enaguazar *tr.-prnl.* Encharcar [las tierras], llenarlas excesivamente de agua. ◇ ** CONJUG. [4] como *realizar.*

enagüillas *f. pl.* Especie de falda corta que ponen a algunas imágenes de Cristo Crucificado, o que se usa en algunos trajes de hombre, como el escocés y el griego.

enajenación *f.* Acción de enajenar o enajenarse. 2 Efecto de enajenar o enajenarse. 3 fig. Distracción, falta de atención, embeleso. 4 eufem. ∼ *mental,* locura. 5 DER. Alteración de las facultades mentales de un individuo que le incapacita total o parcialmente para actuar jurídicamente y para ser considerado como autor de un delito.

enajenar *tr.* Pasar o transmitir a otro [la propiedad o el dominio de una cosa]. – 2 *tr.-prnl.* fig. Sacar [a uno] fuera de sí; turbarle el uso de razón: *el miedo la enajenó; se enajenó de sí.* 3 fig. Extasiar, embelesar, producir asombro o admiración. – 4 *prnl.* Desposeerse, privarse de algo: *enajenarse de sus libros.* 5 Apartarse del trato con alguna persona: *enajenarse de un amigo.*

enálage *f.* Figura de construcción que consiste en mudar las partes de la oración o sus accidentes, por ejemplo, usar un adjetivo como adverbio, o un tiempo de verbo fuera de su significación habitual.

enalbardar *tr.* Poner la albarda. 2 fig. Rebozar con harina, huevos, etc. [alguna cosa que se va a freír]. 3 fig. Envolver en una lámina de tocino un alimento para evitar que se seque al cocerlo.

enalmagrado, -da *adj.* fig. Señalado o tenido por ruin.

enaltecer *tr.* Ensalzar. ◇ ** CONJUG. [43] como *agradecer.*

enamoradizo, -za *adj.* Que se enamora con facilidad.

enamorar *tr.* Excitar [en uno] la pasión del amor. 2 Decir [a uno] amores o requiebros. – 3 *prnl.* Prendarse de amor de una persona. 4 Aficionarse a una cosa: *enamorarse de una teoría.*

enancar *tr.-prnl. Amér.* Montar a las ancas. 2 *Amér.* fig. Meterse uno donde no le llaman. – 3 *tr. Amér.* fig. Conseguir algo a costa ajena. ◇ ** CONJUG. [1] como *sacar.*

enanismo *m.* Trastorno del crecimiento caracterizado por una talla inferior a la propia de los individuos de la misma edad, especie y raza.

enano, -na *adj.* fig. Que es diminuto en su especie. – 2 *m. f.* Persona de extraordinaria pequeñez: *el ~ de la venta.*

enante *f.* Hierba umbelífera, venenosa, propia de los terrenos húmedos *(Œnanthe phelandrium).*

enantema *m.* Lesión pequeña, de color rojo y generalmente no dolorosa, de las mucosas de la boca y faringe, en el curso de una enfermedad eruptiva.

enantioblastales *f. pl.* Orden de plantas dentro de la clase monocotiledóneas, con endospermo farinoso en las semillas y flores hermafroditas.

enarbolado *m.* Conjunto de piezas de madera ensambladas que forman la armadura de una torre o bóveda.

enarbolar *tr.* Levantar en alto [estandarte, bandera, etc.]. – 2 *prnl.* Encabritarse. 3 Enfadarse, enfurecerse.

enarcar *tr.-prnl.* Arquear (dar figura de arco). – 2 *tr.* Echar cercos o arcos a las [cubas, toneles, etc.]. – 3 *prnl.* Encogerse, achicarse: *se enarcó al caer.* ◇ ** CONJUG. [1] como *sacar.*

enardecer *tr.-prnl.* fig. Excitar o avivar: *~ los ánimos.* – 2 *tr.* Encenderse una parte del cuerpo por congestión, inflamación, etc. ◇ ** CONJUG. [43] como *agradecer.*

enarenación *f.* Mezcla de cal y arena con que se preparan las paredes que se han de pintar.

enarenar *tr.-prnl.* Echar arena para cubrir [una superficie]: *~ una calle.* – 2 *prnl.* Encallar o varar las embarcaciones.

enargita *f.* Mineral de la clase de los sulfuros que cristaliza en el sistema rómbico, de color gris o negro.

enarmonar *tr.* Levantar o poner en pie [una cosa]. – 2 *prnl.* Empinarse un cuadrúpedo.

enarmónico, -ca *adj.* MÚS. [nota] Que, consecutiva a otra con representación distinta, tiene sonido equivalente bajo la influencia de los sostenidos y bemoles: *el do bemol es ~ del si natural.*

enastado, -da *adj.* Que tiene astas o cuernos.

enastar *tr.* Poner el mango o asta [a un arma, herramienta, etc.].

enastilar *tr.* Poner astil [a una herramienta].

encabalgamiento *m.* Cureña, carro u otra cosa en que se montaba o aseguraba la artillería. 2 Armazón de maderos cruzados donde se apoya alguna cosa.

encabalgar *tr.* Proveer de caballos. – *intr.-prnl.* Descansar, apoyarse una cos sobre otra. – 3 *tr.-prnl.* Dejar pendiente, e fin de verso o hemistiquio, una palabra o un frase que forma normalmente unidad fonétic y sintáctica ◇ ** CONJUG. [7] como *llegar.*

encaballar *tr.* Colocar una pieza de mod que se sostenga sobre la extremidad de otra ~ *las pizarras en un tejado.*

encabestrar *tr.* Poner el cabestro [a los an males]. 2 Hacer que [las reses bravas] sigan los cabestros. 3 fig. Atraer, seducir [a uno]. – *prnl.* Enredar la bestia una mano en el cabes tro.

encabezamiento *m.* Padrón vecinal par la imposición de tributos. 2 Fórmula con qu comienzan algunos escritos: *~ del testamento*

encabezar *tr.* Registrar, poner en matrícul [a uno]. 2 Iniciar [una suscripción o lista]. Presidir, estar al frente de algo. 4 Poner e encabezamiento [de un libro o escrito]. Aumentar la parte espiritosa [de un vino] co otro más fuerte o alcohol. 6 Acaudilla dirigir [a otros]: *~ a los amotinados.* 7 CAR Unir [dos tablones o vigas] por sus extremo – 8 *prnl.* Convenirse y ajustarse en cierta can tidad para un pago. 9 Tolerar un daño par evitar otro mayor. ◇ ** CONJUG. [4] como *rea lizar.*

encabritarse *prnl.* Empinarse el caballo. fig. Levantarse la parte anterior [de embarc ciones, aeroplanos, automóviles, etc.] súbit mente hacia arriba. 3 fig. Enojarse, cabrears

encabronar *tr.-prnl.* fam. Enfurecer, en jar.

encachado *m.* Revestimiento de piedra hormigón con que se fortalece el cauce de ur corriente de agua. 2 Empedrado de entreví d los trenes. 3 Enlosado irregular de piedra cc juntas de tierra donde nace musgo, o hierba

encachar *tr.* Hacer un encachado. 2 Pon las cachas [a un cuchillo, navaja, etc.].

encadenado, -da *adj.* [estrofa] Cuyo pr mer verso repite en todo o en parte el últim de la precedente; [verso] que comienza con última palabra del anterior. V. terceto enc denado. – 2 *m.* Efecto cinematográfico qu consiste en la desaparición gradual de ur imagen y en progresiva y simultánea subst tución por otra.

encadenamiento *m.* Conexión, trabaz de unas cosas con otras.

encadenar *tr.* Ligar y atar con cadena: ~ monstruo. 2 fig. Trabar y enlazar [unas cosa con otras: *se encadenaron los sucesos.* 3 fig. Dej [a uno] sin movimiento y sin acción: *le enc denaron en casa.*

encajamiento *m.* En obstetricia, grado introducción de la cabeza o la parte fetal qu se presenta en la pelvis, como primer tiemp del parto.

encajar *tr.* Meter [una cosa] dentro de otra ajustadamente: ~ *el anillo al dedo, el eje a la rueda.* 2 Unir ajustadamente una cosa con otra: ~ *la tapa del baúl;* **intr.***, no encaja en, o con, el cerco.* 3 Ajustar sincrónicamente las palabras del actor de un doblaje con el ritmo y movimiento de labios del intérprete. 4 fig. Introducir inoportunamente [una especie] en la conversación: ~ *un cuento, un chiste;* hacer oír [una cosa] a disgusto: ~ *una arenga;* ~ *un comedión;* **abs.***, tal frase no encaja.* 5 fig. Hacer tomar [una cosa] que causa molestia o perjuicio: *me encajó una moneda falsa.* 6 fig. *y* fam. Coincidir, estar de acuerdo. 7 fig. *y* fam. Recuperarse después de un disgusto o contratiempo. 8 GALIC. DEP. Resistir o recibir [tantos adversos, golpes, etc.]. – 9 *prnl.* Meterse uno en parte estrecha o de mucha gente: *encajarse en el tranvía.* 10 fig. Vestirse una prenda: *se encajó un gabán.* 11 *Argent.* Atascarse un coche.

encaje *m.* Ajuste de dos piezas que cierran o se adaptan entre sí: *ensambladura de* ~. 2 Sitio o hueco en que se encaja una cosa. 3 Tejido de mallas, lazadas o calados con labores, hecho con bolillos, aguja de coser, ganchillo, o mecánicamente. 4 Colonia calcificada de lofofóridos briozoos que mide hasta 10 cms. de altura, con la forma de un fino encaje muy delicado, de color asalmonado *(Retepora cellulosa).* – 5 *m. pl.* BLAS. Particiones del escudo, en formas triangulares alternas, de color y metal, y encajadas unas en otras.

encajonar *tr.* Meter y guardar [una cosa] dentro de un cajón. 2 Meter en un sitio angosto: ~ *un batallón;* **prnl.***, encajonarse el río.* 3 fig. Poner [a uno] en situación estrecha o difícil.

encalabrinar *tr.* Turbar [a uno] llenándole la cabeza de un vapor o hálito: *el olor me encalabrinó.* 2 Excitar, irritar: ~ *los nervios a su compañero.* 3 Hacer concebir a alguien ilusiones, deseos, etc., imposibles o infundados. – 4 *prnl.* Tomar una manía; obstinarse en una cosa. 5 fam. Enamorarse perdidamente.

encalambrarse *prnl. Amér.* Entumirse, aterirse. 2 *Amér.* Tener calambre.

encalamocar, encalamucar *tr.-prnl. Colomb., Méj. y Venez.* Alelar, confundir, poner [a uno] calamocano. ◇ ** CONJUG. [1] como *sacar.*

encalar *tr.* Dar de cal o blanquear [una cosa]. 2 Meter en cal o espolvorear con ella [alguna cosa].

encalmarse *prnl.* Sofocarse las bestias por el mucho trabajo y el excesivo calor, o por estar muy gordas. 2 Quedar en calma el tiempo o el viento. 3 Hablando de negocios o transacciones, tener poca actividad.

encalvecer *intr.* Perder el pelo, quedar calvo. ◇ ** CONJUG. [43] como *agradecer.*

encallar *intr.* Dar la embarcación en arena

o piedras, quedando en ellas sin movimiento. 2 fig. No poder salir adelante en un negocio o empresa.

encallecer *intr.-prnl.* Criar callos o endurecerse la carne a manera de callo. – 2 *prnl.* fig. Endurecerse con la costumbre en los trabajos o en los vicios. ◇ ** CONJUG. [43] como *agradecer.*

encallejonar *tr.-prnl.* Hacer entrar o meter [una cosa] por un callejón, o por cualquier parte estrecha y larga: ~ *los toros.*

encamar *tr.* Tender o echar [una cosa] en el suelo. – 2 *prnl.* Echarse o meterse en la cama por enfermedad. 3 Agazaparse las piezas de caza o echarse en los sitios que buscan para su descanso. 4 Echarse o abatirse las mieses.

encambronar *tr.* Cercar con cambrones [una finca]. 2 Fortificar y guarnecer con hierros [una cosa].

encame *m.* Acción de ser ingresado en un hospital.

encaminar *tr.* Poner [a uno] en camino; enseñarle el camino. 2 Dirigir [a uno] hacia un punto determinado: ~ *el criado a la hacienda;* **prnl.***, encaminarse al norte.* 3 Enderezar [la intención] a un fin determinado: ~ *los esfuerzos a alcanzar un puesto.*

encamisar *tr.* Poner la camisa [a uno]. 2 Enfundar (poner dentro de funda): ~ *las butacas.* 3 fig. Encubrir, disfrazar [una cosa].

encampanar *tr.* Dar forma de campana [a algo]. – 2 *prnl.* Ponerse hueco, envanecerse.

encanalar *tr.* Conducir o hacer entrar [el agua u otro líquido] por canales.

encanallar *tr.-prnl.* Envilecer [a uno] haciéndole tomar costumbres propias de la canalla.

encanarse *prnl.* Quedarse entumecido por la fuerza del llanto o de la risa.

encandecer *tr.* Hacer ascua [una cosa] hasta que quede blanca. ◇ ** CONJUG. [43] como *agradecer.*

encandelar *intr.* Echar un árbol flores en amento.

encandilar *tr.* Deslumbrar [a uno] acercando mucho a los ojos una luz. 2 fig. Deslumbrar con apariencias. 3 fig. Avivar [la lumbre]. 4 fig. Despertar o excitar el sentimiento o deseo amoroso. 5 fig. Encenderse los ojos del que ha bebido demasiado o está poseído de una pasión. – 6 *prnl. Amér.* Alarmarse, asustarse.

encanecer *intr.-prnl.* Ponerse cano. 2 fig. Ponerse mohoso: ~, o *encanecerse, el pan.* 3 fig. Envejecer una persona: ~ *en los trabajos.* ◇ ** CONJUG. [43] como *agradecer.*

encanijar *tr.-prnl.* Poner flaco y enfermizo: *el niño se encanija.*

encantado, -da *adj.* fig. Distraído, embobado constantemente. 2 fig. Satisfecho, contento.

encantador, -ra *adj.-s.* Que encanta o hace encantamientos. – 2 *adj.* fig. Que hace muy viva y grata impresión en el alma o en los sentidos.

encantar *tr.* Según creencia vulgar, obrar maravillas ejerciendo un poder mágico [sobre personas y cosas]. 2 fig. Cautivar la atención [de uno]. – 3 *prnl.* Quedarse inmóvil mirando o haciendo alguna cosa, o estar distraído; no prestar atención a lo que se dice o hace.

encanto *m.* Acción de encantar. 2 Efecto de encantar. 3 fig. Cosa que suspende o embelesa. – 4 *m. pl.* Atractivos físicos, gracias femeniles.

encañada *f.* Cañada, garganta o paso entre dos montes.

I) encañado *m.* Conducto hecho de caños, o de otro modo, para conducir el agua.

II) encañado *m.* Enrejado de cañas para sostener las plantas.

I) encañar *tr.* Hacer pasar [el agua] por encañados o conductos. 2 Sanear de humedad [las tierras] por medio de encañados.

II) encañar *tr.* Poner cañas [a las plantas] para sostenerlas: ~ *los claveles.* – 2 *intr.-prnl.* Empezar a formar caña los tallos de los cereales: *el lino encaña,* o *se encaña.*

encañizada *f.* Atajadizo de cañas en las aguas para que no escapen los peces. 2 Encañado para plantas.

encañizar *tr.* Poner cañizos [a los gusanos de seda]. 2 Cubrir con cañizos [una cosa]. ◇ ** CONJUG. [4] como *realizar.*

encañonar *tr.* Encaminar [una cosa] para que entre por un cañón; esp., encauzar [las aguas de un río] por un cauce cerrado o por una tubería. 2 Apuntar con arma de fuego [a una persona, a una pieza de caza]. 3 Componer o planchar [una cosa] formando cañones. 4 Entre encuadernadores, encajar [un pliego dentro de otro]. – 5 *intr.* Echar cañones las aves.

encapillar *tr.* MAR. Enganchar [un cabo] por medio de una gaza. 2 MAR. fig. Alcanzar un golpe de mar [una embarcación] e inundar su cubierta. 3 MIN. Formar [en una labor un ensanche] para arrancar de él obra nueva.

encapotar *tr.-prnl.* Cubrir con el capote. – 2 *prnl.* fig. Poner el rostro ceñudo. 3 Arrimar demasiado el caballo al pecho la boca. – 4 *unipers.* Cubrirse el cielo de nubes oscuras.

encapricharse *prnl.* Empeñarse en conseguir un capricho: ~ *con,* o *en, un tema.* 2 Cobrar o tener capricho por una persona.

encapsular *tr.* Meter [algo] en cápsula o cápsulas.

encapuchado, -da *adj.-s.* [pers.] Cubierto con capucha, especialmente en las procesiones de Semana Santa.

encapullado, -da *adj.* Encerrado como la flor en el capullo.

encarado, -da *adj.* Con los adverbios *bien* o *mal,* de buena o mala cara, de bellas o feas facciones.

encaramar *tr.-prnl.* Levantar o subir [a una persona o cosa] haciéndola pasar por encima de otras; ~ *a uno al tejado, en un árbol; encaramarse uno.* 2 Alabar, encarecer con extremo. 3 fig. Elevar, colocar en puestos altos y honoríficos.

encarar *intr.-prnl.* Colocarse cara a cara, enfrente y cerca de otro: *encararse a,* o *con, alguno.* – 2 *tr.* Dirigir a alguna parte la puntería [de un arma de fuego]. 3 Afrontar [una cuestión, asunto].

encaratularse *prnl.* Cubrirse la cara con mascarilla o carátula.

encarcavinar *tr.* Meter [a uno] en la carcavina. 2 Atafagar [a uno] con algún mal olor. 3 Sofocar, asfixiar.

encarcelar *tr.* Poner [a uno] preso en la cárcel.

encarecer *tr.* Aumentar el precio [de una cosa]: ~ *el pan; el pan encarece,* o *se encarece.* 2 fig. Ponderar, alabar mucho [una cosa]: ~ *la conducta de uno.* 3 fig. Recomendar con empeño: *te encarezco que no olvides mi encargo.* ◇ ** CONJUG. [43] como *agradecer.*

encargado, -da *adj.* Que ha recibido un encargo. – 2 *m. f.* Persona que tiene a su cargo un establecimiento, negocio, etc., en representación del dueño o interesado.

encargar *tr.* Encomendar, poner [una cosa] al cuidado de uno: ~ *la administración de la hacienda.* 2 Recomendar, prevenir: *te encargo que no vengas tarde.* 3 Pedir que se traiga o envíe de otro lugar [una cosa]: ~ *naranjas a Valencia, a un amigo.* – 4 *prnl.* Tomar algo bajo su cuidado: *encargarse de un asunto.* ◇ ** CONJUG. [7] como *llegar.*

encargo *m.* Cosa encargada. 2 Cargo o empleo.

encariñar *tr.-prnl.* Aficionar, despertar cariño.

encarnación *f.* Unión de la naturaleza divina con la humana en la persona del Verbo, misterio del Hijo de Dios encarnado, es decir, hecho hombre. 2 fig. Personificación, representación o símbolo de una idea, doctrina, etc.: *Lutero es la ~ de la Reforma.*

encarnado, -da *adj.-m.* De color carne – 2 *adj.* Colorado (de color rojo). – 3 *m.* Color de carne que se da a las estatuas.

encarnadura *f.* Calidad de la carne viva con respecto a la curación de heridas: *tener buena* o *mala ~.*

encarnar *intr.* Tomar una substancia espiritual, una idea, etc., forma carnal; esp. hacerse hombre el Verbo Divino. 2 Criar carne cuando va sanando una herida. – 3 *tr.* fig. Personificar, representar [alguna idea o doctrina]: ~ *el platonismo.* 4 fig. Representar un personaje de una obra dramática. 5 Colocar la carnada en [el anzuelo]. 6 Dar color de carne [a las esculturas]: ~ *un metal.* – 7 *prnl.* Introducirse una uña, al crecer, en las partes blandas que la rodean, produciendo alguna molestia.

encarnecer *intr.* Tomar carnes, hacerse más grueso. ◇ ** CONJUG. [43] como *agradecer.*

encarnizado, -da *adj.* Encendido, ensangrentado: *ojos encarnizados.* 2 Muy porfiado y sangriento: *combate* ~.

encarnizar *tr.* Cebar [un perro] en la res muerta para que se haga fiero. – 2 *tr.-prnl.* fig. Encruelecer, enfurecer [a uno]: ~ *a los jueces; los jueces se encarnizaron al oírlo.* – 3 *prnl.* en gral. Cebarse con ansia en la carne los animales hambrientos. 4 fig. Mostrarse cruel: *el enemigo se encarnizó con, o en, los vencidos.* 5 Batirse con furor dos cuerpos de tropas enemigas. ◇ ** CONJUG. [4] como *realizar.*

encaro *m.* Escopeta corta, especie de trabuco. 2 Parte de la culata de la escopeta donde se apoya la mejilla al hacer la puntería.

encarpetar *tr.* Guardar [algo, especialmente papeles] en carpetas. 2 Dar carpetazo, dejar detenido [un expediente].

encarrilar *tr.* Encaminar, enderezar [una cosa]: ~ *un negocio.* 2 Colocar sobre los carriles [un vehículo]. 3 fig. Dirigir [una pretensión] por el rumbo que conduce al acierto.

encarrillarse *prnl.* Salirse la soga del carrilo o polea, imposibilitando el movimiento.

encarroñar *tr.* Inficionar [una cosa], hacer que se pudra.

encarrujar(se) *prnl.* Retorcerse, ensortijarse: ~ *el hilo por estar muy torcido;* ~ *el cabello respo.* – 2 *tr.* Amér. Rizar, hacer pliegues menudos [en las telas].

encartación *f.* Empadronamiento en virtud de la carta de privilegio. 2 Territorio al cual se hacen extensivos fueros y exenciones de una comarca limítrofe.

encartar *tr.* Proscribir [a un reo] constituido en rebeldía. 2 Procesar [a uno]. 3 Incluir [a uno] en una dependencia, compañía o negociado. 4 Incluir [a uno] en los padrones para el reparto de impuestos. 5 En los juegos de naipes, jugar al contrario o al compañero carta la cual pueda servir [del palo]; *prnl.*, tomar uno cartas, o quedarse con ellas, del mismo palo que otro. – 6 *intr.* fig. Venir a cuento, ser ocasión propicia.

encarte *m.* En varios juegos de naipes, orden casual en que éstos quedan al fin de la mano y que sirve de guía a los jugadores para la siguiente. 2 Hoja o folleto de propaganda, de pedido, etc., que se pone entre las hojas de un libro, revista o periódico para repartirlo con él.

encartonado *m.* Tipo de encuadernación

formado por un cartón poco grueso, cubierto de tela o de papel.

encartonar *tr.* Poner cartones o resguardar con cartones [una cosa]. 2 Encuadernar sólo con cartones empapelados.

encartuchar *tr.-prnl.* Amér. Enrollar [una cosa] en forma de cucurucho.

encasamento, -miento *m.* ARQ. Adorno de fajas y molduras en una pared o bóveda.

encasar *tr.* Volver a encajar [un hueso dislocado].

encascotar *tr.* Rellenar con cascote una cavidad.

encasillar *tr.* Poner en casillas. 2 Clasificar [personas o cosas] distribuyéndolas en sus sitios correspondientes. 3 Considerar o declarar [a alguien] como adicto a un partido, ideología, tendencia, etc. 4 Señalar el gobierno [a un candidato adepto] el distrito en el cual le presentaba para las elecciones de diputados.

encasquetar *tr.-prnl.* Encajar bien en la cabeza [el sombrero, gorra, etc.]. 2 fig. e irón. Meterle a uno [algo] en la cabeza. 3 Encajar (introducir inoportunamente): ~ *una perorata.* – 4 *prnl.* Metérsele a uno alguna especie en la cabeza arraigadamente: *se le encasquetó la idea de viajar.*

encasquillar *tr.* Poner casquillos. – 2 *prnl.* Atascarse un arma de fuego con el casquillo de la bala al disparar. – 3 *tr.* Amér. Herrar [una caballería].

encastar *tr.* Mejorar una casta de animales por cruzamiento. – 2 *intr.* Procrear, hacer casta.

encastillar *tr.* Fortificar con castillos [un paraje]. 2 Apilar: ~ *los maderos.* 3 Armar un andamio para la construcción [de una obra]. – 4 *prnl.* Encerrarse en un castillo para defenderse; en gral., acogerse a parajes altos y ásperos para guarecerse: *encastillarse en un risco.* 5 fig. Perseverar uno con tesón u obstinación en su parecer.

encastrar *tr.* Encajar, empotrar. 2 Endentar [dos piezas].

encauchar *tr.* Cubrir con caucho.

encausar *tr.* Formar causa [a uno]; proceder [contra él] judicialmente.

encáustico, - *m.* Preparado de cera y aguarrás para dar brillo a los muebles y al pavimento.

encauzamiento *m.* Conjunto de diques y otras obras que permiten estrechar el cauce de un río y aumentar su profundidad.

encauzar *tr.* Abrir cauce; encerrar o dirigir por un cauce [una corriente]. 2 fig. Encaminar, dirigir por buen camino [un asunto, una discusión, etc.]. ◇ ** CONJUG. [4] como *realizar.*

encavarse *prnl.* Ocultarse el ave, conejo, etc., en una cueva o agujero. 2 fig. Meterse uno en casa.

encebadar *tr.* Dar [a las bestias] tanta cebada que les haga daño.

encebollar *tr.* Echar abundante cebolla [a un manjar].

encefalina *f.* MED. Substancia narcótica de acción semejante a la de la morfina, que el encéfalo segrega como reacción a dolores muy intensos.

encéfalo *m.* Parte central del sistema nervioso, encerrada en la cavidad craneal; **cerebro; **nariz.

encefalografía *f.* Radiografía del cráneo después de haber substituido por aire el líquido cefalorraquídeo.

encefalograma *m.* Electroencefalograma.

encefalopatía *f.* Trastornos cerebrales que no responden a lesiones anatómicas precisas y que se observan en ciertas infecciones o intoxicaciones.

enceguecer *tr.* Cegar, privar de la visión. 2 fig. Cegar, ofuscar el entendimiento. – 3 *intr.-prnl.* Sufrir ceguera, perder la vista. ◇ ** CONJUG. [43] como *agradecer*.

encelado, -da *adj.* fam. [pers.] Que está muy enamorado.

encelajarse *impers.* Cubrirse de celajes.

encelar *tr.* Dar celos [a una persona]. – 2 *prnl.* Concebir celos de alguien. 3 Estar en celo (apetito de generación).

encella *f.* Molde para hacer quesos y requesones.

encenagado, -da *adj.* Revuelto, mezclado con cieno. 2 fig. Vicioso, dado al vicio.

encenagarse *prnl.* Meterse en el cieno o ensuciarse con él. 2 fig. Entregarse a los vicios. ◇ ** CONJUG. [7] como *llegar*.

encendaja *f.* Ramas secas, broza para encender el fuego: *hoguera de encendajas*.

encendedor, -ra *adj.-s.* Que enciende. – 2 *m.* Aparato para encender: ~ *de bolsillo;* ~ *de* **cocina;* ~ *de sobremesa;* ~ *de yesca,* el de mecha inflamable y piedra de pedernal.

encender *tr.-prnl.* Hacer que [una cosa] arda: ~ *una cerilla;* pegar fuego: ~ *un cigarro;* incendiar: ~ *un pajar.* 2 Conectar un circuito eléctrico: ~ *el televisor.* 3 Causar ardor o encendimiento: *la pimienta enciende la lengua;* *prnl.,* sentir encendimiento: *mi boca se enciende con la pimienta.* 4 fig. Suscitar, ocasionar [contiendas]: ~ *uno la guerra contra un país o encenderse la guerra.* 5 fig. Excitar, enardecer: ~ *la cólera a uno; encenderse en ira.* – 6 *prnl.* Ponerse colorado, ruborizarse. ◇ ** CONJUG. [28] como *entender*.

encendido, -da *adj.* De color muy subido. – 2 *m.* En los motores de explosión, conjunto de la instalación eléctrica y aparatos destinados a producir la chispa.

encenizar *tr.* Echar ceniza [sobre una cosa]. ◇ ** CONJUG. [4] como *realizar*.

encentar *tr.-prnl.* Ulcerar, llagar, herir, enconar. 2 Comenzar, empezar el uso y consumo de una cosa. 3 Disminuir, mordisquear, cortar. ◇ ** CONJUG. [27] como *acertar*.

encepar *tr.* Meter [a uno] en el cepo. 2 Echar [la caja] al cañón de un arma de fuego. 3 CARP. Asegurar [piezas] por medio de cepos. 4 MAR. Poner los cepos [a las anclas]. – 5 *intr.-prnl.* Echar las plantas raíces profundas. – 6 *prnl.* Enredarse [el cable] en el cepo del ancla.

encerado, -da *adj.* De color de cera. – 2 *m.* Emplasto a base de cera. 3 Capa tenue de cera con que se cubren los entarimados y muebles. 4 Cuadro de hule, lienzo barnizado o madera u otra substancia, usado para escribir en él con clarión.

encerador, -ra *m. f.* Persona que tiene por oficio encerar pavimentos. – 2 *f.* Máquina eléctrica que hace girar uno o varios cepillos para que den lustre a los pavimentos.

encerar *tr.* Aderezar con cera [alguna cosa]: ~ *un piso.*

encerradero *m.* Sitio donde se recogen los rebaños. 2 Toril.

encerrar *tr.* Meter [a una persona o cosa] en parte de donde no pueda salir. 2 fig. Incluir, contener: *la pregunta encierra un misterio.* 3 Poner [frases, párrafos, palabras, etc.] dentro de ciertos signos para separarlos del resto de lo escrito. 4 En los juegos de tablero, poner [al contrario] de modo que no pueda mover las piezas. – 5 *prnl.* Recogerse en clausura o religión. 6 Ocupar de una manera continuada las dependencias de un edificio público, privado o religioso, como acto de protesta o reivindicación. ◇ ** CONJUG. [27] como *acertar*.

encerrona *f.* Retiro voluntario: *hacer la* ~ 2 En determinadas oposiciones, exámenes, etc., aislamiento obligatorio para la preparación del ejercicio.

encestar *tr.* Meter [algo] en una cesta. 2 DEP. En el juego del baloncesto, obtener un tanto.

encía *f.* Porción de la membrana mucosa bucal que cubre la parte alveolar de las mandíbulas y adhiere al cuello de los **dientes **boca.

encíclica *f.* Carta que el papa dirige a todos los obispos.

enciclopedia *f.* Conjunto de todas las ciencias o de todas las partes de una ciencia: ~ *jurídica.* 2 Obra en que se expone el conjunto de los conocimientos humanos o de los referentes a una ciencia, por artículos separados generalmente dispuestos alfabéticamente.

enciclopedismo *m.* Conjunto de doctrinas que proclaman la independencia y superioridad de la razón frente a la autoridad, la tradición y la fe.

encierro *m.* Acto de traer los toros a encerrar al toril. 2 Lugar donde se encierra.

encima *adv. l.* Indica el lugar o puesto superior respecto de otro inferior: *pasó por* ~ *de la casa;* fig., *quedar uno* ~. 2 Descansando o apoyándose en la parte superior de una cosa: ~

de la mesa; fig., echarse ~ una responsabilidad. – 3 **adv. c.** Además, sobre otra cosa: *dio seis pesetas y otras dos ~; le insultaron y ~ le apalearon.* – 4 **loc. adv.** Por ~, superficialmente, de pasada, a bulto. – 5 **fr. adv. Por ~ de una persona** o **cosa,** a pesar de ella, contra su voluntad. – 6 **loc. adv. Por ~ de todo,** a pesar de cualquier impedimento; principalmente, especialmente.

encimar *tr.-intr.* Poner en alto [una cosa]; ponerla sobre otra. – 2 *tr.* En el juego del tresillo, añadir [una puesta] a la que había en el plato. – 3 *prnl.* Elevarse, levantarse una cosa a mayor altura que otra. 4 Echarse contra algo o alguien, acosarlo. – 5 *tr. Amér.* Dar encima, añadir a lo estipulado.

encimero, -ra *adj.* Que está o se pone encima. – 2 *f.* Capa de pasta resistente especial con que se suelen cubrir las partes superiores.

encina *f.* Árbol cupulífero de hojas persistentes, dentadas y punzantes, y florecillas de color verde amarillento, que dan por fruto bellotas dulces o amargas; su madera se emplea en carpintería y ebanistería *(Quercus ilex).* 2 Madera de este árbol.

encinta *adj.* Embarazada. ◇ INCOR.: *en cinta.*

encintar *tr.* Adornar [una cosa] con cintas. 2 Poner las cintas [de un solado o de una acera].

encismar *tr.* Poner cisma, o discordia: ~ *a un pueblo, a una familia.*

enciso *m.* Terreno adonde salen a pacer las ovejas luego que paren.

enclaustrar *tr.* Encerrar en un claustro. 2 fig. Meter, esconder, en un paraje oculto.

enclavamiento *m.* Penetración de un fragmento de fractura en otro. 2 Técnica quirúrgica empleada en traumatología, que consiste en colocar un clavo metálico, para mantener inmovilizada una fractura ósea. 3 Dispositivo de seguridad que impide la apertura o cierre de un armario, de un circuito, etc. 4 Mecanismo destinado a mantener fijo, en determinada posición, un órgano móvil hasta que éste ejerza una presión suficiente para liberarse y proseguir su movimiento.

enclavar *tr.* Clavar [a las caballerías]. 2 Traspasar, atravesar de parte a parte. 3 Colocar, ubicar, situar. 4 fig. Engañar [a uno].

enclave *m.* Territorio de un estado situado en otro extranjero; p. ext., territorio administrativo enclavado o situado dentro de otra provincia, distrito, etc. 2 Grupo étnico, político o ideológico que convive o se encuentra inserto dentro de otro, más extenso y de características diferentes.

enclavijar *tr.* Trabar [una cosa con otra] enlazándolas.

enclenque *adj.-s.* Enfermizo (de poca salud). – 2 *adj.* Muy flaco.

enclisis *f.* GRAM. Unión de una palabra enclítica a la que la precede. ◇ Pl.: *enclisis.*

enclítico, -ca *adj.* [palabra] Que, por no tener acento propio, se apoya en la palabra anterior y forma con ella un todo prosódico; como los pronombres en *aconséjame, lleváoslos.* ◇ V. *proclítico.*

enclocar *intr.-prnl.* Ponerse clueca una ave. ◇ ** CONJUG. [49] como *trocar.*

encobar *tr.* Echarse los animales ovíparos [sobre los huevos] para empollarlos.

encobrar *tr.* Cubrir con una capa de cobre.

encocorar *tr.* fam. Fastidiar, molestar mucho.

encodillarse *prnl.* Detenerse el hurón o el conejo en un recodo de la madriguera.

encofrado *m.* Conjunto de planchas de madera convenientemente dispuestas para recibir el hormigón. 2 Revestimiento de madera para sostener las tierras en las galerías de las minas.

encofrador *m.* Carpintero que se dedica al encofrado de obras en edificios, minas, etc.

encofrar *tr.* Preparar el revestimiento de madera para hacer el vaciado de una cornisa. 2 Colocar bastidores para mantener las tierras [en las galerías de las minas]. 3 En encuadernación, adornar [la piel] con hierros calientes sin dorar.

encoger *tr.-prnl.* Retirar contrayendo [generalmente el cuerpo y sus miembros]: ~ *los hombros.* 2 fig. Apocar el ánimo [de alguno]: *la falta de noticias encoge a la familia del secuestrado.* – 3 *intr.* Apretarse el tejido, disminuir algunas telas cuando se mojan: *la franela encoge mucho;* disminuir algunas cosas al secarse: *la madera encoge con el calor.* – 4 *prnl.* Tener cortedad, ser corto de genio. ◇ ** CONJUG. [5] como *proteger.*

encohetar *tr.* Hostigar con cohetes [a un animal, especialmente al toro].

encolado, *m.* Clarificación de los vinos turbios con clara de huevo o una solución de gelatina. 2 Preparación del hilo de urdimbre mediante la aplicación de una solución de cola.

encolar *tr.* Pegar con cola [una cosa]; **encuadernación. 2 Dar una capa de cola [a las superficies] que han de pintarse al temple. 3 Clarificar [los vinos] con cola. 4 Arrojar [una cosa] a un sitio donde no se puede alcanzar fácilmente:

encolerizar *tr.-prnl.* Hacer que [uno] se ponga colérico. ◇ ** CONJUG. [4] como *realizar.*

encomendar *tr.* Encargar [a uno] que haga [alguna comisión] o que cuide [de una persona o cosa]: *le encomendé mi hijo.* – 2 *prnl.* Entregarse, confiarse al amparo de uno: *encomendarse a Dios; encomendarse en manos de alguno.* ◇ ** CONJUG. [27] como *acertar.*

encomiar *tr.* Alabar encarecidamente [a una persona o cosa]. ◇ ** CONJUG. [12] como *cambiar.*

encomienda *f.* Encargo. 2 Recomendación, elogio. 3 Amparo, patrocinio, custodia. 4 *Amér.* Paquete postal.

enconar *tr.-prnl.* Inflamar [una herida o llaga]. 2 fig. Irritar, exasperar, encolerizar, desquiciar el ánimo: *enconarse con alguno; enconarse en acusarle.* 3 Cargar [la conciencia] con alguna mala acción.

encono *m.* Animadversión, rencor.

encontradizo, -za *adj.* Que se encuentra con otra persona o cosa: *hacerse el ~,* buscar a otro para encontrarle sin que parezca que se hace de intento.

encontrar *tr.-prnl.* Topar una persona [con otra o con alguna cosa que busca]: *~ al niño perdido; encontrarse con un amigo.* 2 Dar con una persona o cosa sin buscarla: *~ un obstáculo,* o *con un obstáculo.* 3 Tropezar uno con otro: *los dos coches [se] encontraron.* – 4 *prnl.* Oponerse, enemistarse uno con otro: *en esta cuestión se encontrará con su hermano.* 5 p. anal. Ser discordantes, no convenir las opiniones y tendencias: *los dictámenes de ambos se encuentran.* 6 Hallarse o concurrir juntos en un mismo lugar dos o más personas: *se encontraron en el teatro.* 7 p. anal. Conformar, convenir los afectos, voluntades, opiniones: *se encontraron acordes en todos los puntos.* 8 Estar, hallarse en cierta manera: *encontrarse enfermo, solo,* etc. ◇ ** CONJUG. [31] como *contar.*

encontrón, -tronazo *m.* Golpe accidental que se da una cosa con otra. 2 Encuentro inesperado o sorprendente entre personas o personas y cosas. 3 Riña, disputa.

encopetado, -da *adj.* fig. Que presume demasiado de sí. 2 fig. De alto copete.

encorajar *tr.* Dar coraje (decisión). – 2 *prnl.* Encenderse en coraje (ira), encolerizarse.

encorajinar *tr.-prnl.* fam. Encolerizar [a alguien], hacer que tome una corajina.

encorar *tr.* Cubrir con cuero [una cosa]. 2 Meter y encerrar [una cosa] dentro de un cuero. 3 Hacer que [las llagas] críen cuero; *intr.,* criar cuero las llagas. ◇ ** CONJUG. [31] como *contar.*

encorazar *tr.-prnl.* Cubrir o vestir con coraza. ◇ ** CONJUG. [4] como *realizar.*

encorchadura *f.* Conjunto de corchos que sirven para sostener flotantes las redes de pesca.

encorchar *tr.* Coger [los enjambres de las abejas] y cebarlas para que entren en las colmenas. 2 Poner tapones de corcho [a las botellas]. 3 Colocar la encorchadura en las artes de pesca.

encorchetar *tr.* Poner corchetes. 2 Sujetar [algo] con ellos.

encordar *tr.* Poner cuerdas [a los instru-

mentos de música]. 2 Rodear, ceñir [un cuerpo] con una cuerda. – 3 *prnl.* DEP. Atarse el montañero a la cuerda de seguridad. ◇ ** CONJUG. [31] como *contar.*

encordelar *tr.* Poner cordeles [a una cosa]. 2 Atar [algo] con ellos. 3 Forrar con cordel en espiral [una pieza de madera, metal, etc.].

encordonar *tr.* Poner cordones [a una cosa] o sujetarla con ellos.

encornadura *f.* Forma de los cuernos de un animal. 2 Cornamenta.

encorralar *tr.* Meter en el corral: *~ los ganados.*

encorrear *tr.* Ceñir y sujetar [algo] con correas.

encorsetado, -da *adj.* fig. [pers.] Demasiado tieso o rígido.

encorsetar *tr.* Poner corsé, especialmente cuando se ciñe mucho: *ya pasó la moda de encorsetarse las mujeres.* 2 fig. Estrechar o limitar las ideas, el pensamiento, etc.

encortinar *tr.* Poner cortinas, adornar con ellas: *~ la ventana; ~ la habitación.*

encorvada *f.* Acción de encorvar el cuerpo. 2 Planta leguminosa de flores amarillas y legumbres terminadas en una especie de cuernecillo *(Securigera coronilla).*

encorvar *tr.* Doblar [una cosa] poniéndola corva: *encorvarse por el peso.* – 2 *prnl.* fig. Inclinarse, mostrar parcialidad.

encostalar *tr.* Meter [algo] en costales.

encostarse *prnl.* Acercarse un buque en su derrota a la costa.

encostrar *tr.* Cubrir con costra [una cosa; como un pastel]. 2 Echar una costra o capa a una cosa] para su resguardo. – 3 *intr.-prnl.* Formar costra una cosa.

encovar *tr.* Meter [una cosa] en una cueva o hueco. 2 Guardar, contener [una cosa]. 3 fig. Encerrar, obligar [a uno] a ocultarse. ◇ ** CONJUG. [31] como *contar.*

encrasar *tr.* Poner craso o espeso [un líquido]. 2 Fertilizar [las tierras] con abonos.

encrespar *tr.-prnl.* Ensortijar, rizar: *~ el cabello.* 2 fact. Erizarse [el pelo, plumaje, etc.] por alguna emoción fuerte. 3 fact. Enfurecer, irritar [a una persona o animal]: *el gallo se encrespa;* fig *., el viento encrespa las olas; las olas se encrespan.* – 4 *prnl.* Dificultarse, enredarse un asunto. 5 fig. Agitarse las pasiones.

encrestarse *prnl.* Poner las aves tiesa la cresta. 2 fig. Ensoberbecerse.

encristalar *tr.* Colocar cristales o vidrios en [una ventana, puerta, galería, etc.].

encrucijada *f.* Paraje donde se cruzan dos o más calles o caminos. 2 fig. Emboscada, asechanza. 3 fig. Dilema.

encrudecer *tr.-prnl.* Hacer que [una cosa] tenga apariencia o alguna condición de cruda. 2 fig. Exasperar, irritar. – 3 *intr.* Volverse crudo. ◇ ** CONJUG. [43] como *agradecer.*

encruelecer *tr.* Instigar [a uno] a la crueldad. – 2 *prnl.* Hacerse cruel. ◇ ** CONJUG. [43] como *agradecer*.

**encuadernación *f.* Manera de estar encuadernado un libro: ~ *en rústica;* ~ *de lujo;* ~ *en piel.* 2 Taller del encuadernador.

encuadernador, -ra *m. f.* Persona que tiene por oficio encuadernar. – 2 *m.* Sujetador de metal para unir varios pliegos en forma de cuaderno.

encuadernar *tr.* Juntar y coser [varios pliegos o cuadernos] y ponerles cubiertas: ~ *en rústica, de fino, en pasta.*

encuadramiento *m.* Acción de encuadrar personas para formar grupos: ~ *de soldados por compañías;* ~ *de jugadores en un equipo.* 2 Efecto de encuadrar personas para formar grupos. 3 En fotografía, disposición de la imagen.

encuadrar *tr.* Encerrar [una cosa] en un marco o cuadro. 2 fig. Encajar, ajustar [una cosa] dentro de otra. 3 fig. Incluir dentro de sí [una cosa]; servirle de límite: *las patillas encuadran el rostro; los soldados se encuadran en compañías.* 4 DEP. Pasar a formar parte de un equipo.

encuartar *tr.* Calcular el encuarte o aumento de valor [de las piezas de madera], cuando exceden de las dimensiones convenidas. 2 Enganchar el encuarte [a un vehículo].

encuarte *m.* Caballería de refuerzo que, para subir cuestas o salir de malos pasos, se añade al tiro de un carruaje. 2 Sobreprecio que en algunas partes se da a la unidad de medida de la madera o la piedra, cuando las piezas exceden de ciertas dimensiones.

encubado *m.* Operación que consiste en dejar que las uvas estrujadas fermenten dentro de las cubas.

encubar *tr.* Echar [un líquido] en las cubas.

encubertar *tr.* Cubrir con paños [una cosa], especialmente los caballos que se cubren de bayeta negra en demostración de luto. – 2 *prnl.* Vestirse con alguna defensa para protegerse de los golpes del enemigo. ◇ ** CONJUG. [27] como *acertar*.

encubrir *tr.* Ocultar [una cosa] o no manifestarla. 2 Impedir que llegue a saberse [una cosa]. ◇ pp. irreg.: *encubierto*.

encucurucharse *prnl. Amér. Central y Colomb.* Encaramarse, subirse a lo alto.

encuentro *m.* Acto de coincidir en un punto dos o más cosas, por lo común chocando. 2 Acto de encontrarse dos o más personas: *salirle a uno al* ~. 3 Oposición, contradicción. 4 Ajuste de estampaciones de colores distintos. 5 Madero con que los tejedores de lienzos aseguran el telar. 6 Partido competición deportiva). – 7 *m. pl.* En las aves, parte del ala pegada a los pechos; en los cuadrúpedos mayores, puntas delanteras de las espaldillas.

encuerar *tr.* Desnudar, dejar en cueros [a una persona].

encuesta *f.* Averiguación o pesquisa. 2 Conjunto de preguntas recogidas en un cuestionario para conocer la opinión del público sobre un asunto determinado.

encuestar *tr.* Someter a encuesta un asunto. 2 Interrogar [a alguien] para una encuesta. – 3 *intr.* Hacer encuestas.

encuitarse *prnl.* Afligirse, apesadumbrarse.

enculturación *f.* Proceso por el cual la persona adquiere los usos, creencias, tradiciones, etc., de la sociedad en que vive.

encumbrar *tr.-prnl.* Levantar en alto [a una persona o cosa]: *encumbrarse a, hasta el cielo.* 2 fig. Ensalzar, engrandecer [a uno]: *encumbrarse sobre sus conciudadanos.* 3 Subir la cumbre [de los montes], pasarla. – 4 *prnl.* fig. Envanecerse, ensoberbecerse.

encunar *tr.* Poner [al niño] en la cuna. 2 Coger el toro [al lidiador] entre las astas.

encurtir *tr.* Conservar en vinagre [ciertos frutos o legumbres].

enchancletar *tr.* Poner las chancletas [a uno]; traer los zapatos a modo de chancletas sin acabarlos de calzar.

enchapado *m.* Trabajo hecho con chapas, chapería. 2 Chapa fina de madera obtenida con máquinas especiales.

enchaquetarse *prnl. Amér.* Ponerse el gabán o chaqueta.

encharcar *tr.-prnl.* Cubrir de agua [un terreno] hasta convertirlo en un charco. 2 fig. Enaguachar [el estómago]. – 3 *prnl.* fig. Encenagarse (entregarse a los vicios): *encharcarse en vicios.* ◇ ** CONJUG. [1] como *sacar*.

enchicharse *prnl. Amér.* Embriagarse con chicha. 2 *Amér. Central.* Enfurruñarse.

enchilada *f.* En el tresillo, puesta común que recoge quien gana un lance determinado. 2 *Guat., Méj. y Nicar.* Torta de maíz aderezada con chile y rellena de diversos manjares.

enchilar *tr. C. Rica, Hond. y Méj.* Untar, aderezar con chile [algún manjar]. 2 *C. Rica, Méj. y Nicar.* fig. Picar, molestar, irritar [a alguien]. – 3 *intr. C. Rica, Méj. y Nicar.* Picar el chile (pimiento).

enchiloso, -sa *adj. Amér. Central y Méj.* Picante.

enchinar *tr.* Empedrar con chinas o guijarros.

enchinarrar *tr.* Empedrar con chinarros.

enchiquerar *tr.* Encerrar [al toro] en un chiquero. 2 fig. y vulg. Encarcelar.

enchironar *tr.* vulg. Meter [a uno] en chirona; encarcelar.

enchispar *tr.-prnl. Amér.* Achispar, emborrachar.

enchivarse *prnl. Amér.* Encolerizarse.

enchufado, -da *adj.-s.* [pers.] Que goza de un enchufe (influencia).

enchufar *tr.-intr.* Ajustar la boca [de un caño] en la de otro: *la manga de riego no enchufa.* 2 Combinar, enlazar [un negocio] con otro. 3 Encajar [las dos piezas de un enchufe] para establecer una conexión eléctrica. 4 fig. *y* fam. Recomendar, buscar un enchufe (influencia) [para alguien].

enchufe *m.* Clavija para la toma de corriente eléctrica. 2 fig. *y* fam. Cargo, destino o beneficio de cualquier tipo que se obtiene por influencia. 3 fig. *y* fam. Dicha influencia.

enchufismo *m.* fig. *y* fam. Práctica de conceder cargos, destinos o beneficios de cualquier tipo a personas que aspiran a ellos a través de influencias.

enchularse *prnl.* Hacer vida de chulo o rufián. 2 Encapricharse una mujer pública de un chulo.

enchutar *tr.* Amér. Central. Embutir, introducir.

endeble *adj.* Débil. 2 fig. De escaso valor: *versos endebles.*

endécada *f.* Período de once años.

endecágono, -na *adj.-m.* **Polígono de once ángulos.

endecasílabo, -ba *adj.-s.* De once sílabas *verso ~.*

endecha *f.* Combinación métrica que consta de cuatro versos de seis o siete sílabas generalmente asonantes: *endecha real o endecasílaba,* la que consta de tres versos generalmente heptasílabos, y un endecasílabo que forma asonancia con el segundo. 2 Canción triste y lamentable.

endemia *f.* Enfermedad que reina habitualmente en un país o región determinados.

endémico, -ca *adj.* Con caracteres de endemia: *padecimiento ~.* 2 fig. [acto o suceso] Que se repite frecuentemente en un país: *revueltas endémicas.* 3 [planta, árbol] Nativo de una región limitada, generalmente una comarca o área menor.

endemoniado, -da *adj.-s.* Poseído de demonio. – 2 *adj.* fig. Sumamente perverso,

ENCUADERNACIÓN

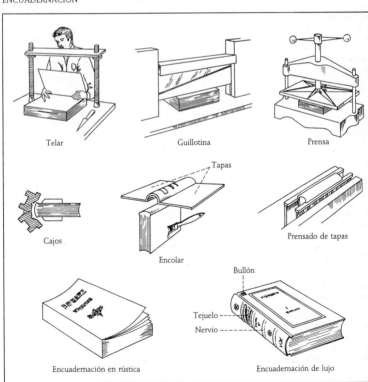

Telar

Guillotina

Prensa

Tapas

Cajos

Encolar

Prensado de tapas

Bullón

Tejuelo

Nervio

Encuadernación en rústica

Encuadernación de lujo

nocivo. 3 fig. y fam. [cosa] Que molesta, fastidia o da muchas preocupaciones o trabajo.

endemoniar *tr.* Introducir los demonios en el cuerpo [de una persona]. – 2 *tr.-prnl.* fig. Irritar, encolerizar [a uno]. ◇ ** CONJUG. [12] como *cambiar.*

endentar *tr.* Encajar [una cosa con otra] como los dientes de las ruedas. 2 Poner dientes [a una rueda]. ◇ ** CONJUG. [3] como *acertar.*

endentecer *intr.* Empezar los niños a echar dientes. ◇ ** CONJUG. [43] como *agradecer.*

endeñarse *prnl.* Infectarse, enconarse una herida.

enderezar *tr.* Poner derecho [lo que está torcido]: ~ *un clavo.* 2 Poner derecho o vertical [lo que está inclinado o tendido]: ~ *un poste.* 3 fig. Enmendar, castigar: *ya te enderezaré cuando te coja.* – 4 *tr.-prnl.* esp. Gobernar bien, poner en buen estado [una cosa]. – 5 *intr.-prnl.* Encaminarse en derechura a un paraje o a una persona: *enderezó,* o *se enderezó, a donde salía el humo.* ◇ ** CONJUG. [4] como *realizar.*

endeudarse *prnl.* Llenarse de deudas. 2 Reconocerse obligado.

endiablado, -da *adj.* fig. Muy feo, desproporcionado. 2 fig. Endemoniado, perverso.

endiablar *tr.* Endemoniar. 2 fig. Dañar, pervertir. – 3 *prnl.* Irritarse, enfurecerse.

endíadis *f.* RET. Figura por la cual se expresa un solo concepto con dos nombres coordinados. ◇ Pl.: *endíadis.*

endibia *f.* Escarola (achicoria). 2 Planta compuesta anual, variedad de la escarola, con las hojas enteras, fusiformes y muy apreciadas.

endilgar *tr.* fam. Encaminar, dirigir, acomodar, facilitar [a uno]. 2 Encajar, endosar [algo desagradable o impertinente]: *le endilgó un discurso.* ◇ ** CONJUG. [7] como *llegar.*

endiñar *tr.* Propinar: ~ *una paliza.*

endiosar *tr.* Elevar [a uno] a la divinidad. – 2 *prnl.* fig. Erguirse, ensoberbecerse. 3 fig. Suspenderse, embebecerse.

enditarse *prnl.* Amér. Endeudarse, entramparse.

endoblar *tr.* Hacer que dos ovejas críen a la vez [al mismo cordero].

endoble *m.* Entrada o jornada de doble tiempo que hacen los mineros y fundidores.

endocardio *m.* Membrana que tapiza las cavidades del corazón.

endocarpio, o endocarpo *m.* BOT. Capa interior del pericarpio cuando éste consiste en dos o más capas de diferente textura; **fruto.

endocrino, -na *adj.* Relativo a las secreciones internas. 2 [glándula] De secreción interna.

endocrinología *f.* Estudio de la anatomía, de las funciones y de las alteraciones de las glándulas endocrinas.

endodermo *m.* Capa interna del blastodermo. 2 Capa más profunda de la corteza de los órganos vegetales; **raíz; **tallo.

endogamia *f.* Ley que reduce el matrimonio a los componentes de una misma casta, aldea u otro grupo social.

endógeno, -na *adj.* Que origina o nace en el interior, como la célula que se forma dentro de otra. 2 Que se origina en virtud de causas internas. 3 GEOL. [fenómeno geológico] Que tiene lugar en el interior del globo terrestre o en el de otros astros: *roca endógena,* aquella cuya materia proviene del interior de un astro.

endolinfa *f.* Líquido albuminoso que llena el laberinto membranoso del oído.

endometrio *m.* Mucosa del útero.

endomicetales *m. pl.* Orden de hongos, dentro de la subclase hemiascomicétidas, filamentosos y unicelulares.

endomingarse *prnl.* Vestirse con la ropa de fiesta. ◇ ** CONJUG. [7] como *llegar.*

endoplasma *m.* Parte interior del citoplasma.

endoplásmico, -ca *adj.* Perteneciente o relativo al endoplasma.

endoprocto *adj.-m.* Animal del tipo de los endoproctos. – 2 *m. pl.* Tipo de animales invertebrados con forma de copa, de unos 5 mms., pedunculados, con una corona de tentáculos que rodea el polo superior; se reproducen asexualmente por gemación y son marinos.

endopterigoto *adj.-m.* Insecto de la subclase de los endopterigotos. – 2 *m. pl.* Subclase de insectos pterigotas cuyas alas se desarrollan dentro del cuerpo del insecto joven; experimentan una metamorfosis completa, con un estadio pupal antes de llegar al estadio de adulto o imago.

endorreísmo *m.* Afluencia de las aguas de un territorio hacia el interior de éste, sin desagüe al mar.

endosar *tr.* Ceder a favor de otro [un documento de crédito expedido a la orden], haciéndolo constar así al dorso: ~ *una letra de cambio.* 2 fig. Trasladar a uno [una carga, trabajo o cosa poco grata].

endoscopia *f.* Exploración visual de los conductos o cavidades internas del cuerpo humano mediante un endoscopio.

endoscopio *m.* Aparato que sirve para la exploración visual de los conductos o cavidades internas del cuerpo humano.

endoselar *tr.* Formar dosel [sobre una cosa].

endosfera *f.* Parte central de la Tierra, formada probablemente por níquel y hierro.

endospermo *m.* Tejido del embrión de las plantas fanerógamas, que sirve de alimento.

endotelio *m.* ANAT. Epitelio formado por una sola capa de células, que tapiza una cavidad interna.

endotérmico, -ca *adj.* QUÍM. [reacción] Que se produce con absorción de calor.

endovenoso, -sa *adj.* Que está o se coloca en el interior de una vena.

endrina *f.* Fruto del endrino.

endrino, -na *adj.* De color negro azulado, parecido al de la endrina. – 2 *m.* Especie de ciruelo silvestre de ramas espinosas, madera dura y fruto negro azulado, de sabor áspero y agrio *(Prunus spinosa).*

endrogarse *prnl.* *Amér.* Entramparse, contraer deudas o drogas. 2 *Can.* y *Amér.* Drogarse, usar estupefacientes. ◇ ·· CONJUG. [7] como *llegar.*

endulzar *tr.* Poner dulce [una cosa]. 2 Quitar a las aceitunas el amargo, haciéndolas comestibles. 3 fig. Suavizar, hacer llevadero [un trabajo]: ~ *las penas.* ◇ ·· CONJUG. [4] como *realizar.*

endurecer *tr.-prnl.* Poner dura [una cosa]. 2 fig. Robustecer [los cuerpos]; acostumbrar a la fatiga: *endurecerse al trabajo con,* o *en,* o *por, el ejercicio.* 3 fig. Hacer [a uno] áspero y exigente. – 4 *prnl.* Encruelecerse, negarse a la piedad. ◇ ·· CONJUG. [43] como *agradecer.*

ene *f.* Nombre de la letra *n* . – 2 *adj.* Denota cantidad indeterminada: *costará* ~ *pesetas.*

eneágono, -na *adj.-m.* **Polígono de nueve ángulos.

eneasílabo, -ba *adj.-s.* De nueve sílabas: *verso* ~.

enebrina *f.* Fruto del enebro.

enebro *m.* Arbusto cupresáceo, de ramas muy abiertas, hojas lineares y punzantes y gálbulas negras, carnosas, del tamaño de un guisante *(Juniperus communis).* 2 Madera de este arbusto.

eneldo *m.* Hierba umbelífera, con las hojas divididas en lacinias y flores amarillas en círculo *(Anethum graveolens).*

enema *m.* Líquido inyectado en el recto para provocar la evacuación de los intestinos, para la nutrición del cuerpo y para tratamiento y diagnóstico de ciertas enfermedades.

enemigo, -ga *adj.* Contrario (opuesto). – 2 *m. f.* Persona que tiene mala voluntad a otro y le desea o hace mal: ~ *declarado; los enemigos de la religión.* – 3 *m.* Persona contraria en la guerra: *el* ~ *ataca; rechazar al* ~.

enemistad *f.* Aversión, odio entre dos o más personas.

enemistar *tr.-prnl.* Hacer a uno enemigo de otro; hacer perder la amistad existente entre dos o más personas: ~ *a uno con otro; enemistarse con su familia.*

eneolítico, -ca *adj.-s.* Período de transición entre la edad de piedra y la edad de los metales.

energético, -ca *adj.* Relativo a la energía. – 2 *f.* Ciencia que trata de los cambios de energía en las transformaciones físicas y químicas.

energía *f.* Potencia activa de un organismo; virtud para obrar o producir un efecto. 2 Vigor. 3 Fuerza de voluntad, tesón en la actividad. 4 FÍS. y QUÍM. Capacidad que tiene la materia de producir trabajo en forma de movimiento, luz, calor, etc.: ~ *atómica* o *nuclear;* ~ *solar.*

energismo *m.* Doctrina metafísica que reduce toda la realidad a la energía, considerada como verdadera y propia substancia. 2 Doctrina ética que considera como fin de la voluntad moral la actividad de la vida.

energúmeno, -na *m. f.* Persona poseída del demonio. – 2 *adj.-s.* fig. Furioso, alborotado.

enero *m.* Primer mes del año.

enervar *tr.* Debilitar, quitar las fuerzas. 2 fig. Restar fuerza [a las razones o argumentos]. – 3 *tr.-prnl.* GALIC. Poner nervioso.

enésimo, -ma *adj.* [cosa] Que se repite un número indeterminado de veces.

enfadar *tr.-prnl.* Causar enfado: *enfadarse con, contra alguno; enfadarse de la réplica; enfadarse por poco.*

enfado *m.* Impresión desagradable y molesta. 2 Enojo (movimiento del ánimo).

enfaenado, -da *adj.* Metido en faena, entregado al trabajo con afán.

enfajar *tr.* Ceñir con una faja.

enfaldado *adj.* [varón, especialmente niño] Que vive demasiado apegado a las mujeres de la casa.

enfaldador *m.* Alfiler grueso para sujetar el enfaldo.

enfaldar *tr.* Recoger las faldas. 2 Cortar [las ramas bajas de los árboles] para favorecer las de la copa.

enfaldo *m.* Falda o cualquier ropa talar recogida. 2 Cavidad que hacen las ropas enfaldadas.

enfangar *tr.* Meter en el fango: *enfangarse hasta el cuello.* – 2 *prnl.* fig. Mezclarse en negocios sucios o vergonzosos. ◇ ·· CONJUG. [7] como *llegar.*

enfardar *tr.* Hacer o arreglar fardos [de alguna cosa]. 2 Empaquetar [mercancías].

énfasis *amb.* Fuerza de expresión o de entonación con que se quiere realzar la importancia de lo que se dice o se lee. – 2 *m.* Afectación en la expresión. ◇ Pl.: *énfasis.*

enfatizar *intr.* Expresarse con énfasis. – 2 *tr.* Recalcar, hacer hincapié, dar importancia. ◇ ·· CONJUG. [4] como *realizar.*

enfermar *intr.* Contraer una enfermedad: ~ *del pecho.* – 2 *tr.* Causar enfermedad: *el alcohol enferma al que abusa de él.* 3 fig. Debilitar, enervar las fuerzas: *la fatiga enfermaba a los exploradores.*

enfermedad *f.* Alteración más o menos grave de la salud: ~ *profesional,* la que es consecuencia específica de un determinado trabajo. 2 Alteración en lo moral o espiritual.

enfermería *f.* Casa o sala destinada para los enfermos: *la ~ del cuartel; la ~ de la plaza de toros.* 2 Conjunto de enfermos.

enfermero, -ra *m. f.* Persona que tiene por oficio asistir a los enfermos.

enfermizo, -za *adj.* Que tiene poca salud; que enferma con frecuencia. 2 Capaz de ocasionar enfermedades: *clima ~.* 3 Propio de un enfermo: *pasión enfermiza.*

enfermo, -ma *adj.-s.* Que padece enfermedad: *está ~ del estómago; ~ de amor; ~ con calentura.* 2 Enfermizo.

enfervorizar *tr.* Infundir fervor, celo ardiente. ◇ ** CONJUG. [4] como *realizar.*

enfeudar *tr.* Dar en feudo [un reino, territorio, ciudad, etc.].

enfierecerse *prnl.* Enfadarse mucho, ponerse hecho una fiera. ◇ ** CONJUG. [43] como *agradecer.*

enfiestarse *prnl. Amér.* Estar de fiesta, divertirse.

enfilar *tr.* Poner en fila [varias cosas]. 2 Dirigir [una visual]. 3 Tomar una persona o cosa [la dirección de otra]: *~ la calle.* – 4 *intr.-prnl.* Poner la proa a un punto determinado. 5 fig. Dirigir un asunto en determinado sentido. 6 MIL. Batir la artillería [un puesto] por el flanco.

enfisema *m.* MED. Tumefacción producida por infiltración de gases en un tejido.

enfiteusis *f.* Cesión perpetua o por largo tiempo del dominio útil de una finca mediante el pago anual de un canon al que hace la cesión, el cual conserva el dominio directo. ◇ Pl.: *enfiteusis.*

enflaquecer *tr.* Poner flaco [a uno]: *no le enflaquecen las penas;* en gral., debilitar, enervar. – 2 *intr.-prnl.* Ponerse flaco: *mi hijo enflaquece,* o *se enflaquece.* – 3 *intr.* Desmayar, perder ánimo: *su voluntad enflaquece.* ◇ ** CONJUG. [43] como *agradecer.*

enflatarse *prnl. Amér.* Apenarse, afligirse.

enflautar *tr.* Hinchar, soplar. 2 Alucinar, engañar. 3 *Amér.* Encajar, encasquetar [algo inoportuno o molesto].

enflorar *tr.* Adornar [algo] con flores.

enfocar *tr.* Hacer que la imagen [de un objeto] obtenida en un aparato óptico se produzca exactamente en un plano u objeto determinado; como una placa fotográfica, etc. 2 Proyectar un haz de luz o de partículas sobre un determinado punto. 3 fig. Descubrir y comprender los puntos esenciales [de un problema], para tratarlo acertadamente. ◇ ** CONJUG. [1] como *sacar.*

enfoscar *tr.* Tapar los agujeros que quedan en [una pared] después de labrada; en gral., guarnecer con mortero [un muro]. – 2 *prnl.* Ponerse hosco y ceñudo. 3 Enfrascarse, engolfarse en un negocio. – 4 *impers.* Encapotarse, cubrirse el cielo de nubes. ◇ ** CONJUG. [1] como *sacar.*

enfrailar *tr.* Hacer fraile [a uno]. – 2 *intr.-prnl.* Meterse fraile.

enfranque *m.* Parte más estrecha de la suela del zapato, entre la planta y el tacón.

enfrascado, -da, *adj.* Embebido en cualquier trabajo o quehacer, entregado totalmente a él.

enfrascar *tr.* Echar [algo] en frascos. ◇ ** CONJUG. [1] como *sacar.*

enfrascarse *prnl.* Meterse en una espesura, enzarzarse. 2 fig. Aplicarse a una cosa dedicándose a ella por entero: *~ en la política, en una disputa.* 3 fig. Mancharse, ensuciarse con barro, excremento, tinta, pintura, etc. ◇ ** CONJUG. [1] como *sacar.*

enfrenar *tr.* Poner el freno [al caballo]; en gral., contenerle, guiarle con el freno. 2 fig. Refrenar, reprimir: *~ las pasiones.* 3 *Méj.* Frenar.

enfrentar *tr.-prnl.* Afrontar, poner frente a frente. 2 Arrostrar, hacer frente, oponerse: *enfrentarse con los enemigos.*

enfrente *adv. l.* A la parte opuesta, en punto que mira a otro o que está delante de otro: *la escuela está ~ del ayuntamiento.* – 2 *adv. m.* En contra, en pugna: *todo el pueblo se puso ~ del proyecto,* o *se puso frente al proyecto.*

enfriar *tr.-intr.-prnl.* Poner fría o hacer que se ponga fría una cosa: *~ el agua; ha enfriado,* o *se ha enfriado, el tiempo.* 2 fig. Entibiar, amortiguar: *la ingratitud enfría la caridad; la caridad se enfría con la ingratitud.* 3 vulg. Matar. – 4 *prnl.* Quedarse fría una persona. 5 Contraer un catarro ligero. ◇ ** CONJUG. [13] como *desviar.*

enfundar *tr.* Poner [una cosa] dentro de su funda. 2 Llenar, henchir. – 3 *prnl.* fest. Abrigarse.

enfurecer *tr.-prnl.* Irritar [a uno] o ponerle furioso: *~ al toro; el toro se enfurece con,* o *contra, alguno; enfurecerse por todo.* – 2 *prnl.* fig. Alborotarse, alterarse: *enfurecerse el mar.* ◇ ** CONJUG. [43] como *agradecer.*

enfurruñarse *prnl.* fam. Ponerse enfadado. 2 Encapotarse el cielo.

enfurtir *tr.* Dar [a los tejidos de lana] el cuerpo correspondiente abatanándolos. 2 Apelmazar [el pelo].

engaitar *tr.* fam. Engañar con halagos.

engalanar *tr.* Poner galana [una cosa], ataviar.

I) engalgar *tr.* Hacer que el galgo persiga [la pieza de caza]. ◇ ** CONJUG. [7] como *llegar.*

II) engalgar *tr.* Apretar la galga [contra el cubo de la rueda] para impedir que gire ◇ ** CONJUG. [7] como *llegar.*

engallado, -da *adj.* fig. Erguido, derecho. 2 Altanero, soberbio.

engallador *m.* Correa que obliga al caballo a levantar la cabeza.

enganchar *tr.-intr.-prnl.* Agarrar [una cosa] con gancho o colgarla de él: ~ *un cable; el pelo engancha,* o *se engancha, en un corchete.* 2 Poner las caballerías en los carruajes: ~ *el caballo; ya le enganchado.* – 3 *tr.* Coger el toro [al bulto] y levantarlo con los pitones. 4 fig. Atraer [a uno] con arte: *le engancharon para que ayudase;* esp., atraer [a uno] a que siente plaza de soldado por dinero. 5 fam. Conquistar, enamorar a una persona del sexo contrario.

engañabobos *com.* fam. Persona engaitadora y embelecadora. – 2 *m.* Cosa engañosa. ◇ Pl.: *engañabobos.*

engañar *tr.* Inducir [a otro] con artificio o maldad a creer y tener por cierto o bueno lo que no lo es: ~ *al comprador en el peso;* p. anal., inducir a error una falsa apariencia: *nos ha engañado el color, la vista,* etc. 2 Entretener, distraer [algún estado o afección]: ~ *el hambre, el sueño.* 3 Hacer más apetitoso [un manjar] con un ingrediente o acompañándolo de otro manjar: ~ *la carne con el tomate.* 4 Engatusar. 5 Hacer traición: ~ *al marido.* – 6 *prnl.* Cerrar voluntariamente los ojos a la verdad. 7 Equivocarse: *engañarse con,* o *por, las apariencias; engañarse en la cuenta.*

engañifa *f.* fam. Engaño artificioso con apariencia de utilidad.

engaño *m.* Falsedad. 2 Muleta o capa de que se sirve el torero para engañar al toro. 3 Arte o armadijo para pescar.

engarabatar *tr.* Agarrar [una cosa] con garabato. 2 Poner [una cosa] en forma de garabato.

engarabitar *intr.-prnl.* Trepar, subir a lo alto. 2 Engarabatarse, especialmente los dedos a causa del frío.

engarbado, -da *adj.* [árbol] Que al ser derribado queda sostenido por la copa de otro.

engarbarse *prnl.* Encaramarse las aves a lo más alto de un árbol u otra cosa.

engarbullar *tr.* Confundir, enredar [una cosa] con otras.

engarce *m.* Metal en que se engarza una cosa. 2 Conexión, unión.

engargolado *m.* Ranura por la cual se desliza una puerta de corredera.

engargolar *tr.* Ajustar [las piezas que tienen gárgoles].

engaritar *tr.* Fortificar con garitas [un castillo, fortaleza, etc.]. 2 Engañar con astucia.

engarriar *intr.-prnl.* Trepar, encaramar. ◇ ** CONJUG. [12] como *cambiar.*

engarzar *tr.* Trabar [una cosa con otra u otras] formando cadena. 2 Rizar (el pelo). 3 Engastar: ~ *un rubí en oro.* 4 fig. Enlazar, relacionándolas, ideas, frases, palabras, etc., con otras. ◇ ** CONJUG. [4] como *realizar.*

engasar *tr.* Tapar [algo] con gasa.

engastar *tr.* Encajar y embutir [una cosa en otra]: ~ *una amatista en plata, una diadema con brillantes.*

engaste *m.* Guarnición de metal que asegura lo que se engasta. 2 Perla llana o chata por un lado.

engatar *tr.* fam. Engañar halagando.

engatillado, -da *adj.* [animal] Que tiene el pescuezo grueso y levantado.

engatillar *tr.* Unir o sujetar con gatillo [chapas metálicas, tablas, etc.].

engatusar *tr.* Ganar la voluntad [de uno] con halagos.

engaviar *tr.-prnl.* Subir a lo alto. ◇ ** CONJUG. [12] como *cambiar.*

engazar *tr.* En el obraje [de paños] teñirlos después de tejidos. ◇ ** CONJUG. [4] como *realizar.*

engendrar *tr.* Dar origen los padres [a un nuevo ser]. 2 fig. Causar, ocasionar, formar.

engendro *m.* Feto. 2 Criatura informe. 3 fig. Plan, designio u obra intelectual mal concebidos.

engibar *tr.-prnl.* Hacer corcovado [a uno].

englobar *tr.* Incluir [una cosa] en un conjunto; reunir [varias cosas] en una sola.

engobe *m.* Capa de arcilla fina de color uniforme hecho a base de óxidos metálicos, con la que se suelen bañar los objetos de barro antes de la cocción, obteniendo así una superficie lisa y vidriada.

engolado, -da *adj.* [voz, articulación o acento] Que tiene resonancia en el fondo de la boca o en la garganta. 2 fig. [modo de hablar] Afectadamente grave o enfático. 3 fig. Fatuo, engreído, altanero.

engolfar *intr.-prnl.* Entrar una embarcación muy adentro del mar. – 2 *tr.* Meter [una embarcación] en el golfo. – 3 *prnl.* fig. Ocuparse intensamente en algún asunto, arrebatarse de un pensamiento o afecto.

engolillado, -da *adj.* fig. y fam. [pers.] Que se precia de observar con rigor los estilos antiguos.

engolondrinar *tr.-prnl.* fam. Envanecer. – 2 *prnl.* Enamoriscarse.

engolosinar *tr.* Excitar el deseo [de uno] con algún atractivo. – 2 *prnl.* Aficionarse, tomar gusto a una cosa: *engolosinarse con la lectura.* 3 Habituarse a algo.

engolletado, -da *adj.* fam. Erguido, presumido, vano.

engolliparse *prnl.* Atragantarse.

engomado, -da *adj.* Gomoso. – 2 *m.* Engomadura.

engomar *tr.* Untar de goma desleída: ~ *un papel, una tela.*

engominarse *prnl.* Darse gomina.

engonzar *tr.* Unir con gonces. ◇ ** CONJUG. [4] como *realizar.*

engordadero *m.* Lugar y tiempo en que se engordan los cerdos. 2 Alimento con que se engordan.

engordar *tr.* Cebar, dar mucho de comer

para poner gordo: ~ *un cerdo.* – 2 **intr.** Ponerse gordo. 3 fig. Hacerse rico.

engorro *m.* Embarazo, impedimento, molestia.

engoznar *tr.* Poner goznes [a una puerta, ventana, etc.]. 2 Encajar [una puerta, ventana, etc.] en un gozne.

engranaje *m.* Conjunto de las piezas que engranan. 2 Conjunto de los dientes de una máquina. 3 fig. Enlace o trabazón de ideas, circunstancias o hechos.

engranar *intr.* Endentar (encajar): ~ *una rueda con otra.* 2 fig. Enlazar, trabar.

engrandecer *tr.* Aumentar, hacer grande [una cosa, especialmente moral]: ~ *el mérito, la fama;* p. anal., alabar, exagerar: *todo era* ~ *su ventura.* 2 Exaltar, elevar [a uno] a una dignidad superior: ~ *a un joven; engrandecerse por el propio mérito.* 3 fig. Ennoblecer, enaltecer una cosa [a alguien]. ◇ ** CONJUG. [43] como *agradecer.*

engranerar *tr.* Poner [el grano] en el granero: ~ *la cebada.*

engranujarse *prnl.* Hacerse granuja, apicararse.

engrapar *tr.* Asegurar o unir con grapas [las piedras, maderos, etc.].

engrasar *tr.* Dar substancia y crasitud [a una cosa]. 2 Adobar con algún aderezo [los tejidos]. 3 Untar [una cosa] con grasa: ~ *el eje de una rueda.* 4 fig. Sobornar.

engravar *tr.* Cubrir con grava el piso [de un camino, jardín, etc.].

engravecer *tr.* Hacer grave o pesada [una cosa]. ◇ ** CONJUG. [43] como *agradecer.*

engreído, -da *adj.* [pers.] Creído o convencido de su propio valer.

engreír *tr.-prnl.* Envanecer: *engreírse con,* o *de, su fortuna.* 2 And. y Amér. Mimar, aficionar. – 3 **prnl.** And. y Amér. Encariñarse, apegarse a una persona o a una cosa. ◇ ** CONJUG. [37] como *reír.*

engrescar *tr.* Incitar [a uno] a hacer alguna cosa, especialmente a riña. 2 Excitar [en uno] deseo, entusiasmo, alegría, etc. ◇ ** CONJUG. [1] como *sacar.*

engrifar *tr.* Encrespar, erizar. – 2 **prnl.** Empinarse una caballería. 3 En el lenguaje de la droga, ponerse bajo los efectos de la grifa.

engrillar *tr.* Meter en grillos. 2 fig. Sujetar, aprisionar. – 3 **prnl.** Amér. Encapotarse el caballo.

engringarse *prnl.* Seguir uno las costumbres de los gringos. ◇ ** CONJUG. [7] como *llegar.*

engrosar *tr.* Hacer gruesa [una cosa]. 2 fig. Aumentar el número [de una colectividad]: ~ *las filas del ejército.* – 3 **intr.** Tomar carnes, hacerse más grueso. 4 fig. Crecer. ◇ ** CONJUG. [31] como *contar.*

engrudar *tr.* Untar con engrudo [una cosa]. – 2 **prnl.** Tomar consistencia de engrudo.

engrudo *m.* Masa de harina o almidón cocidos en agua: *el* ~ *sirve para pegar.* 2 Cola de pegar.

engrumecerse *prnl.* Hacerse grumos: ~ *la sangre.* ◇ ** CONJUG. [43] como *agradecer.*

enguantar *tr.* Cubrir [la mano] con un guante.

enguaracarse *prnl.* Amér. Central. Esconderse, encovarse. ◇ ** CONJUG. [1] como *sacar.*

enguatar *tr.* Entretelar con guata.

enguijarrado *m.* Empedrado de guijarros.

enguirnaldar *tr.* Adornar con guirnalda.

enguizgar *tr.* Incitar, estimular. ◇ ** CONJUG. [7] como *llegar.*

engullir *tr.* Tragar [la comida] atropelladamente. ◇ ** CONJUG. [41] como *mullir.*

engurrio *m.* Tristeza, melancolía.

engurruñar *tr.-prnl.* Encoger, arrugar. – 2 **prnl.** Enmantarse. 3 fam. Entristecerse, encogerse uno.

engurruñir *intr.* fam. Engurruñar.

engusgarse *prnl.* Arrecirse, aterirse de frío. ◇ ** CONJUG. [7] como *llegar.*

enharinar *tr.-prnl.* Cubrir o manchar de harina [una cosa].

enhebrar *tr.* Pasar una hebra por el ojo de [una aguja]. 2 Ensartar (pasar por un hilo; decir): ~ *cuentas, perlas;* fig., ~ *mentiras.*

enherbolar *tr.* Poner veneno [en una cosa]: ~ *una lanza, las saetas.*

enhestar *tr.-prnl.* Levantar en alto, poner derecha [una cosa]. ◇ ** CONJUG. [27] como *acertar;* pero su uso es muy raro en la lengua moderna, fuera del pp. *enhiesto.*

enhiesto, -ta *adj.* Levantado, derecho.

enhilar *tr.* Enhebrar: ~ *la aguja.* 2 fig. Ordenar [las ideas de un escrito o discurso]: ~ *bien los términos, la frase.* 3 fig. Dirigir, encaminar [una cosa].

enhorabuena *f.* Felicitación. – 2 **adv. m.** Con bien, con felicidad. 3 Denota aprobación, conformidad: ~ *que salgas.*

enhoramala *adv. m.* Denota disgusto, enfado o desaprobación: ~ *entré en tu casa.*

enhorcar *tr.* Formar horcos [de ajos o cebollas]. ◇ ** CONJUG. [1] como *sacar.*

enhorquetar *tr.* Amér. Poner a horcajadas [a uno].

enhuerar *tr.* Volver huera [una cosa]. – 2 **intr.-prnl.** Volverse huero.

enigma *m.* Dicho o conjunto de palabras de sentido encubierto para que sea difícil entenderlo. 2 p. ext. Cosa que difícilmente puede entenderse o interpretarse.

enjabonar *tr.* Jabonar. 2 fig. Dar jabón [a uno], adularlo. 3 fig. Reprender [a uno].

enjaezar *tr.* Poner los jaeces [a una caballería]. 2 Amér. Ensillar [el caballo]. ◇ ** CONJUG. [4] como *realizar.*

enjalbegar *tr.* Blanquear [una pared]. 2

Componer [el rostro] con albayalde u otros afeites. ◇ ** CONJUG. [7] como *llegar.*

enjalma *f.* Especie de albarda ligera de bestia de carga.

enjalmar *tr.* Poner la enjalma [a una bestia de carga]. – 2 *intr.* Hacer enjalmas.

enjambrar *tr.* Encerrar en las colmenas [las abejas que andan esparcidas o los enjambres que están fuera de ellas]. 2 Sacar un enjambre [de una colmena]. – 3 *intr.* Criar la colmena un enjambre. 4 Multiplicar o producir en abundancia.

enjambre *m.* Muchedumbre de abejas con su reina que salen juntas de una colmena. 2 fig. Muchedumbre de personas o cosas juntas.

enjarciar *tr.* Poner la jarcia [a una embarcación]. ◇ ** CONJUG. [12] como *cambiar.*

enjardinar *tr.* Poner y arreglar [los árboles] como en un jardín. 2 Convertir [un terreno] en jardín.

enjaretado *m.* Tablero formado de tabloncitos que forman enrejado.

enjaretar *tr.* Hacer pasar [una cinta o cordón] por una jareta. 2 irón. Hacer o decir [algo] sin intermisión y atropelladamente: ~ *un discurso.* 3 fig. *y* fam. Endilgar, encajar [algo molesto o inoportuno]. 4 Encajar, incluir.

enjaulada *f.* Hierba escrofulariácea anual, de hojas enteras, alargadas y terminadas en punta, y flores amarillas en inflorescencias espiciformes *(Melampyrum cristalum).*

enjaular *tr.* Poner dentro de una jaula: ~ *un león.* 2 fig. Meter en la cárcel [a uno].

enjebar *tr.* Meter [los paños] en alumbre antes de teñirlos. 2 Blanquear [un muro] con lechada de yeso.

enjerir *tr.* Injertar. 2 Meter [una cosa] en otra. 3 Introducir [en un escrito] una palabra, nota, texto, etc.

enjoyar *tr.* Adornar con joyas [a una persona o cosa]. 2 fig. Adornar, hermosear, enriquecer. 3 Engastar piedras preciosas [en una joya].

enjuagadientes *m.* Porción de licor que se toma en la boca para enjuagar la dentadura. ◇ Pl.: *enjuagadientes.*

enjuagar *tr.* Aclarar con agua limpia [lo que se ha jabonado, especialmente una vasija]. – 2 *tr.-prnl.* Limpiar [la boca y dentadura] con agua u otro licor. ◇ ** CONJUG. [7] como *llegar.*

enjuagatorio, enjuague *m.* Líquido para enjuagar o enjuagarse. 2 Vaso con su platillo, destinado a enjuagarse. 3 fig. Negociación oculta, intriga irregular o fraudulenta.

enjugar *tr.* Quitar la humedad [a una cosa]; secarla: ~ *la ropa a la lumbre.* – 2 *tr.-prnl.* Limpiar la humedad que echa de sí el cuerpo: ~ *el sudor; el sudor se enjuga.* 3 Lavar ligeramente. 4 fig. Cancelar, extinguir una deuda o déficit. – 5 *prnl.* Adelgazar, perder gordura. ◇ ** CONJUG. [7] como *llegar.*

enjuiciar *tr.* Someter [una cuestión] a examen o juicio. 2 DER. Instruir [una causa]; sujetar [a uno] a juicio. ◇ ** CONJUG. [12] como *cambiar.*

enjulio, -jullo *m.* Madero colocado horizontalmente en los telares de paños, en el cual se va arrollando la urdimbre.

enjundia *f.* Gordura que tienen las aves en la overa. 2 Unto y gordura de cualquier animal. 3 fig. Lo más substancioso e importante de algo inmaterial: *un libro de ~.* 4 fig. Fuerza, vigor. 5 fig. Constitución o cualidad connatural de una persona.

enjunque *m.* MAR. Lastre muy pesado en el fondo de la bodega. 2 MAR. Colocación de este lastre.

enjuta *f.* ARQ. Triángulo que deja en un cuadrado el círculo inscrito en él. 2 ARQ. Pechina. 3 ARQ. Albanega de un arco de forma triangular.

enjuto, -ta *adj.* Delgado (flaco). – 2 *m. pl.* Agramiza y palos secos para encender lumbre. 3 Bocados ligeros que excitan la sed.

I) enlabiar *tr.* Acercar, aplicar los labios [a una cosa]. ◇ ** CONJUG. [12] como *cambiar.*

II) enlabiar *tr.* Seducir, engañar [a uno] con palabras dulces y promesas. ◇ ** CONJUG. [12] como *cambiar.*

enlace *m.* Unión, conexión, trabazón. 2 fig. Parentesco, casamiento. 3 Dicho de los trenes, empalme. 4 Mediador, intermediario. 5 Persona que establece o mantiene relación entre otras, especialmente dentro de alguna organización. 6 ~ **sindical,** delegado de los trabajadores ante la empresa. 7 QUÍM. Fuerza que une dos átomos de una misma molécula.

enladrillado *m.* Pavimento hecho de ladrillos.

enladrillar *tr.* Solar [una habitación, aposento, etc.] con ladrillos.

enlagunar *tr.-prnl.* Convertir [un terreno] en laguna.

enlanado, -da *adj.* Cubierto o lleno de lana.

enlatar *tr.* Meter [una cosa] en latas (envase). 2 *And.* y *Amér.* Cubrir con latas [un techo].

enlazar *tr.* Coger o juntar [una cosa] con lazos; atar [unas cosas] con otras. 2 Aprisionar [un animal] arrojándole el lazo. 3 Dar enlace o trabazón [a unas cosas con otras]: ~ *un camino con la carretera; enlazarse las ideas.* – 4 *intr.* esp. Empalmar o combinarse, en lugar y hora determinados, unos vehículos con otros. – 5 *prnl.* Casar, contraer matrimonio; p. ext., unirse las familias por medio de casamientos. ◇ ** CONJUG. [4] como *realizar.*

enlechar *tr.* Cubrir [algo] con una lechada.

enlegajar *tr.* Reunir [papeles] formando legajo; meterlos en el que les corresponde.

enlejiar *tr.* Meter [una cosa] en lejía. ◇ ** CONJUG. [13] como *desviar.*

enlenzar *tr.* Reforzar [una cosa, especialmente una escultura de madera] con tiras de lienzo. ◇ ** CONJUG. [47] como *empezar.*

enlevitado *adj.* Vestido de levita.

enlobreguecer *tr.-prnl.* Obscurecer, poner lóbrego. ◇ ** CONJUG. [43] como *agradecer.*

enlodar *tr.-prnl.* Manchar [una cosa] con lodo. 2 fig. Manchar, infamar. – 3 *tr.* Dar de lodo [a una tapia], embarrar.

enloquecer *tr.* Hacer perder el juicio [a uno]; trastornar profundamente: *la música me enloquece.* 2 fig. *y* fam. Gustar exageradamente una persona o cosa [a alguien], chiflar. – 3 *intr.* Volverse loco; ser profundamente trastornado: ~ *de dolor.* ◇ ** CONJUG. [43] como *agradecer.*

enlosado *m.* Suelo cubierto de baldosas.

enlosar *tr.* Solar [un patio, escalera, etc.] con losas.

enlozar *tr. Amér.* Cubrir [algo] con un baño de loza o de esmalte vítreo. ◇ ** CONJUG. [4] como *realizar.*

enlucido *m.* Capa de yeso, estuco, etc., que se da a las paredes.

enlucir *tr.* Poner una capa de yeso o argamasa [a las paredes, techos o fachadas de un edificio]. 2 Limpiar, poner brillante [la plata, las armas, etc.]. ◇ ** CONJUG. [45] como *lucir.*

enlustrecer *tr.* Poner limpia y lustrosa [una cosa]. ◇ ** CONJUG. [43] como *agradecer.*

enlutar *tr.* Cubrir de luto [a una persona o cosa]. 2 fig. Obscurecer (privar de luz). 3 fig. Entristecer, afligir.

enmaderar *tr.* Cubrir con madera: ~ *un techo, una pared.* 2 Construir el maderamen de un edificio.

enmadrarse *prnl.* Encariñarse excesivamente el hijo con la madre.

enmagrecer *tr.* Enflaquecer (poner flaco): ~ *a uno; el niño enmagrece,* o *se enmagrece.* ◇ ** CONJUG. [43] como *agradecer.*

enmalecerse *prnl.* Cubrirse de maleza. ◇ ** CONJUG. unipersonal [43] como *agradecer.*

enmalle *m.* Arte de pesca que consiste en redes que se colocan en posición vertical de tal modo que al pasar los peces, quedan sujetos entre las mallas.

enmantar *tr.* Cubrir con manta [a una persona, animal o cosa]. – 2 *prnl.* fig. Estar [especialmente un ave] triste y melancólica.

enmarañar *tr.* Enredar, revolver [una cosa]. 2 fig. Enredar [un asunto]. – 3 *prnl.* Cubrirse el cielo de celajes.

enmararse *prnl.* Entrar una nave en alta mar.

enmarcar *tr.* Encuadrar, encerrar en un marco, señalar límites. ◇ ** CONJUG. [1] como *sacar.*

enmaridar *intr.-prnl.* Casarse la mujer.

enmarillecerse *prnl.* Ponerse descolorido y amarillo. ◇ ** CONJUG. [43] como *agradecer.*

enmascarar *tr.-prnl.* Cubrir con máscara [el rostro de una persona]. – 2 *tr.* fig. Encubrir, disfrazar: ~ *la verdad.*

enmasillar *tr.* Sujetar con masilla [los cristales de las vidrieras]. 2 Cubrir con masilla [los repelos o grietas de la madera].

enmelar *tr.* Untar con miel [una cosa]. 2 Hacer miel las abejas. 3 fig. Endulzar, hacer agradable [una cosa]. ◇ ** CONJUG. [27] como *acertar.*

enmendar *tr.-prnl.* Corregir, quitar defectos [a una persona o cosa]: *enmendarse con,* o *por, el aviso de una falta.* – 2 *tr.* Resarcir, subsanar los daños. ◇ ** CONJUG. [27] como *acertar.*

enmienda *f.* Eliminación o corrección de un error o falta. 2 Satisfacción y pago del daño hecho. 3 Propuesta de variante de un proyecto, informe, etc. – 4 *f. pl.* Substancias que se mezclan con las tierras para hacerlas más productivas.

enmohecer *tr.-prnl.* Cubrir de moho [una cosa]: *enmohecerse la fruta.* 2 fig. Inutilizar, dejar en desuso: *el tiempo enmohece la memoria; enmohecerse una costumbre.* ◇ ** CONJUG. [43] como *agradecer.*

enmollecer *tr.* Ablandar. ◇ ** CONJUG. [43] como *agradecer.*

enmontarse *prnl.* Huir un animal hacia el monte, esconderse en él. 2 *Amér. Central y Colomb.* Volverse monte un campo, cubrirse de maleza.

enmoquetar *tr.* Cubrir con moqueta.

enmudecer *tr.* Hacer callar: *mi culpa me enmudece.* – 2 *intr.* Quedar mudo: ~ *de espanto;* en gral., guardar silencio. ◇ ** CONJUG. [43] como *agradecer.*

enmugrecer *tr.-prnl.* Cubrir de mugre [una cosa]. ◇ ** CONJUG. [43] como *agradecer.*

ennegrecer *tr.* Teñir de negro [una cosa]. – 2 *prnl.* fig. Ponerse muy obscuro, nublarse: *ennegrecerse el porvenir.* ◇ ** CONJUG. [43] como *agradecer.*

ennoblecer *tr.-prnl.* Hacer noble [a uno]: *ennoblecerse por sus méritos.* 2 fig. Dignificar y dar esplendor: ~ *a los pueblos.* ◇ ** CONJUG. [43] como *agradecer.*

ennudecer *intr.* Anudarse (dejar de crecer), detenerse el crecimiento: ~ *un árbol.* ◇ ** CONJUG. [43] como *agradecer.*

enodio *m.* Ciervo de tres a cinco años de edad.

enoftalmia *f.* Hundimiento anormal del globo ocular dentro de su órbita, generalmente por un accidente.

enojar *tr.* Causar enojo. 2 Molestar, desazonar. – 3 *prnl.* Comenzar a tener enfado: *enojarse con,* o *contra, el malo; enojarse de lo que se dice.* 4 fig. Alborotarse, enfurecerse [especialmente los vientos, mares, etc.].

enojo *m.* Movimiento del ánimo que, como

resultado de algo que contraría o perjudica, dispone contra una persona o cosa. 2 Molestia, pena, trabajo: *¡cuántos enojos me has causado!*

enología *f.* Conjunto de conocimientos relativos a los vinos y a su elaboración.

enometría *f.* Determinación de la riqueza alcohólica de los vinos.

enorgullecer *tr.-prnl.* Llenar de orgullo. ◇ ✱✱ CONJUG. [43] como *agradecer.*

enorme *adj.* Desmedido, excesivo. 2 Perverso, torpe.

enormidad *f.* Exceso, tamaño desmedido. 2 Despropósito, desatino. 3 Gran cantidad: *una ~ de gente, de dinero.*

enotecnia *f.* Arte de elaborar los vinos.

enquiciar *tr.* Poner [una puerta, ventana, etc.] en su quicio. 2 fig. Poner en orden [una cosa], afirmarla. ◇ ✱✱ CONJUG. [12] como *cambiar.*

enquiridión *m.* Libro manual.

enquistamiento *m.* Constitución de una capa de tejido conjuntivo alrededor de un cuerpo extraño o de una infección.

enquistarse *prnl.* Encerrarse dentro de un quiste: *~ un tumor.*

enrabar *tr.* Arrimar [un carro] por la rabera para la carga o descarga. 2 Sujetar con cuerdas [la carga] que va en la trasera de un carro.

enrabiar *tr.-prnl.* Encolerizar. ◇ ✱✱ CONJUG. [12] como *cambiar.*

enraizar *intr.* Arraigar (echar raíces). ◇ ✱✱ CONJUG. [24].

enramada *f.* Conjunto de ramas espesas entrelazadas. 2 Adorno de ramas de árboles. 3 Cobertizo de ramas.

enramar *tr.* Cubrir con ramos entrelazados. 2 Arbolar y afirmar [las cuadernas de un buque en construcción]. – 3 *intr.* Echar ramas un árbol. – 4 *prnl.* Ocultarse entre ramas.

enramblar *tr.* Poner [los paños] en la rambla.

enranciar *tr.-prnl.* Hacer rancia [una cosa]. ◇ ✱✱ CONJUG. [12] como *cambiar.*

enrarecer *tr.-prnl.* Dilatar [un cuerpo gaseoso] haciéndolo menos denso: *~ el aire.* – 2 *tr.-intr.-prnl.* Hacer que escasee o sea rara [una cosa]: *~ el pan; el pan enrarece, o se enrarece; los acaparadores enrarecen el pan.* ◇ ✱✱ CONJUG. [43] como *agradecer.*

enrasar *tr.* ALBAÑ. Hacer que [dos obras] tengan la misma altura o hacer que quede lisa [la superficie de una obra]. – 2 *intr.* FÍS. Alcanzar [dos elementos de un aparato] el mismo nivel.

enrasillar *tr.* Colocar la rasilla a tope entre [las barras de hierro] que forman la armazón de los pisos.

enreciar *intr.* Engordar, ponerse fuerte. ◇ ✱✱ CONJUG. [12] como *cambiar.*

enredadera *adj.-f.* [planta] Que tiene el tallo voluble o trepador. – 2 *f.* Planta convolvulácea, de tallos trepadores y flores en campanillas róseas con cinco radios más obscuros (*Ipomœa sagittata*).

enredar *tr.-prnl.* Prender [una cosa] con red. 2 Tender redes para cazar: *~ la trampa.* 3 Meter [a uno] en empeño o negocios peligrosos. 4 Meter discordia o cizaña. 5 Entretener. 6 Entretejer, enmarañar [una cosa]: *~ la cinta; enredarse a, con, o en, las zarzas, entre zarzas; ~ de palabras a uno; enredarse de palabras con uno.* – 7 *intr.* Travesear: *estos niños enredan.* – 8 *prnl.* Hacerse un lío, aturdirse al ir a decir o hacer algo. 9 Sobrevenir complicaciones en un negocio. 10 Amancebarse. 11 Empezar una riña, discusión o pelea.

enredo *m.* Maraña que resulta de trabarse entre sí cosas flexibles. 2 fig. Travesura o inquietud. 3 Engaño, mentira. 4 Complicación difícil de salvar. 5 En los poemas épico y dramático, y en la novela, nudo o conjunto de sucesos que preceden al desenlace. 6 fig. Confusión de ideas, falta de claridad en ellas. – 7 *m. pl.* fam. Trebejos, trastos.

enrehojar *tr.* Revolver en hojas [la cera] para que se blanquee.

enrejado *m.* Conjunto de rejas. 2 Especie de celosía de cañas o varas entretejidas. 3 Emparrillado. 4 Labor de mano hecha entretejiendo y anudando hilos.

I) enrejar *tr.* Fijar la reja [en el arado]. 2 Herir con la reja del arado [los pies de los bueyes o caballerías].

II) enrejar *tr.* Poner rejas o cercar con rejas: *~ una ventana, un jardín.*

III) enrejar *tr.* *Amér.* Poner el tiento o soga [a un animal].

enresmar *tr.* Colocar en resmas los pliegos de papel.

enrevesado, -da *adj.* Confuso, intrincado.

enriar *tr.* Meter en el agua [el lino, cáñamo o esparto] para su maceración. ◇ ✱✱ CONJUG. [13] como *desviar.*

enriquecer *tr.* Hacer rica [a una persona, comarca, etc.]. 2 fig. Adornar, engrandecer [a una persona o cosa]: *~ un cuadro; ~ a su hijo de honores.* 3 Aumentar [en un cuerpo] la proporción de alguno de sus constituyentes. – 4 *intr.-prnl.* Hacerse uno rico o engrandecerse: *~, o enriquecerse, con dádivas, de ciencia,* etc. 5 Prosperar un país, una empresa: *la nación enriquece, o se enriquece.* ◇ ✱✱ CONJUG. [43] como *agradecer.*

enriscado, -da *adj.* Lleno de riscos (peñascos). 2 Metido entre riscos.

I) enristrar *tr.* Poner [la lanza] en el ristre; esp., poner [la lanza] horizontal bajo el brazo para acometer. 2 fig. Ir derecho hacia [una parte]. 3 Acertar [una cosa] en que había dificultad.

II) enristrar *tr.* Hacer ristras [con ajos, cebollas, etc.].

enrizar *tr.* Rizar el pelo. ◇ ** CONJUG. [4] como *realizar.*

enrocar *intr.-tr.* En el juego de ajedrez, mover en una misma jugada el rey y una torre, bajo condiciones prescritas. ◇ ** CONJUG. [1] como *sacar.*

enrojecer *tr.-prnl.* Poner roja [una cosa] con el fuego. 2 Encenderse el rostro. 3 Dar color rojo [a una cosa]. – 4 *intr.* Ruborizarse. ◇ ** CONJUG. [43] como *agradecer.*

enrolar *tr.* Alistar.

enrollado, -da, *adj.* Ocupado, dedicado plenamente a algo. 2 fig. [pers.] Que se extiende exageradamente en la conversación.

enrollar *tr.* Arrollar (envolver). 2 Empedrar con rollos (cantos rodados). – 3 *prnl.* fig. *y* fam. Liarse en un asunto, meterse en algo. 4 fig. *y* fam. Liarse a hablar, extenderse en una conversación. 5 fig. Tener facilidad de expresión. 6 Participar del modo de ser de los grupos contraculturales modernos.

enronquecer *tr.* Poner ronco [a uno]. ◇ ** CONJUG. [43] como *agradecer.*

enroñar *tr.* Llenar de roña, pegarla [a una persona]. – 2 *tr.-prnl.* Cubrir de orín [un objeto de hierro].

enroque *m.* En el juego de ajedrez, acción y efecto de enrocar: ~ **corto,** el efectuado con el roque de rey; ~ **largo,** el efectuado con el roque de reina.

enroscar *tr.* Poner en forma de rosca [una cosa]. 2 Introducir [una cosa] a vuelta de rosca. ◇ ** CONJUG. [1] como *sacar.*

enrostrar *tr. Amér.* Dar en rostro, echar en cara, reprochar.

enrudecer *tr.* Hacer rudo [a uno]; entorpecerle el entendimiento. ◇ ** CONJUG. [43] como *agradecer.*

ensabanado, -da *adj.* [toro] Que tiene negras u obscuras la cabeza y las extremidades y blanco el resto del cuerpo.

ensabanar *tr.* Cubrir con sábanas. 2 Dar [a una pared] una mano de yeso blanco.

ensacar *tr.* Meter [una cosa] en un saco. ◇ ** CONJUG. [1] como *sacar.*

ensaimada *f.* Bollo formado por una tira de pasta hojaldrada revuelta en espiral.

ensalada *f.* Hortaliza aderezada con sal, aceite, vinagre, etc.: ~ **rusa,** la compuesta de patata, zanahoria, guisantes, jamón, etc., con salsa mahonesa. 2 ~ **de frutas,** mezcla de trozos de distintas frutas, generalmente con su propio zumo o en almíbar. 3 fig. Mezcla confusa de cosas sin conexión. 4 Composición lírica en que se emplean a voluntad metros diferentes. 5 Composición poética en la cual se incluyen versos de otras poesías.

ensaladera *f.* Fuente honda en que se sirve la ensalada.

ensaladilla *f.* Manjar frío semejante a la ensalada rusa. 2 Conjunto de bocados de dulce de diferentes géneros. 3 Conjunto de diversas cosas menudas. 4 fig. Conjunto de piedras preciosas de diferentes colores engastadas en una joya.

ensalivar *tr.* Llenar o empapar de saliva.

ensalmar *tr.* Componer [un hueso dislocado o roto]. 2 Curar con ensalmos.

ensalmo *m.* Modo supersticioso de curar con oraciones y aplicación empírica de medicinas.

ensalobrarse *prnl.* Hacerse el agua salobre.

ensalzar *tr.* Exaltar (elevar). 2 Alabar, elogiar, enaltecer. ◇ ** CONJUG. [4] como *realizar.*

ensamblar *tr.* Unir, juntar [especialmente piezas de madera].

ensanchar *tr.* Extender, dilatar, hacer más ancha [una cosa]. – 2 *prnl.-intr.* Envanecerse.

ensanche *m.* Dilatación, extensión. 2 Tela que se remete en las costuras del vestido para poderlo ensanchar. 3 Terreno dedicado a nuevas edificaciones en las afueras de una población.

ensangrentar *tr.-prnl.* Manchar o teñir con sangre [una cosa]: *ensangrentarse las manos.* 2 fig. Producir derramamiento de sangre. – 3 *prnl.* Irritarse mucho en una disputa. ◇ ** CONJUG. [27] como *acertar.*

ensañar *tr.* Enfurecer (irritar). – 2 *prnl.* Deleitarse en causar el mayor daño posible a quien ya no puede defenderse: *ensañarse en el vencido.*

ensartar *tr.* Pasar por un hilo, alambre, etc. [varias cosas]: ~ *las cuentas.* 2 Enhebrar (pasar una hebra). 3 Espetar, atravesar: *el toro le ensartó el cuerno.* 4 fig. Decir [muchas cosas] sin conexión: ~ *mentiras.*

ensayar *tr.* Probar, reconocer [una cosa] antes de usar de ella: ~ *un nuevo método;* **prnl.,** ejercitarse a hacer una cosa: *ensayarse a cantar, en la declamación, para hablar en público.* 2 Amaestrar, adiestrar: ~ *al niño a andar.* 3 Hacer la prueba [de un espectáculo] antes de ejecutarlo en público. 4 en gral. Probar la calidad [de los minerales o la ley de los metales preciosos]; probar [toda clase de materiales]. 5 Intentar, tratar de.

ensayista *com.* Escritor de ensayos.

ensayo *m.* Operación para averiguar el metal que contiene la mena. 2 Análisis de la moneda para descubrir su ley. 3 Género literario, en prosa, de carácter didáctico, que trata con brevedad de temas filosóficos, artísticos, históricos, etc. 4 DEP. En el juego del rugby, acción del jugador que apoya el balón contra el suelo tras la línea de marca contraria, con las manos, los brazos o el tronco.

ensebar *tr.* Untar con sebo.

enseguida *adv.* En seguida.

ensenada *f.* Entrada de mar en la tierra formando seno. 2 *Argent.* Potrero pequeño y cercado. 3 *Argent.* Corral, lugar destinado a encerrar animales.

enseña *f.* Insignia, estandarte.

enseñado, -da *adj.* Educado, acostumbrado: *un niño bien ~; ~ en buenas doctrinas.*

enseñante *adj.* Que enseña. – 2 *com.* Persona que ejerce la docencia en cualquiera de los niveles de instrucción en que se halla dividida la educación de un país o estado.

enseñanza *f.* Acción de enseñar: *la ~ de las escuelas; ~ superior,* comprende los estudios especiales de cada profesión o carrera; *~ estatal,* la que depende directamente del estado, sufragada totalmente por él; *~ privada,* la que se da en centros no estatales. 2 Efecto de enseñar. 3 Sistema y método de dar instrucción: *~ socrática.* 4 Ejemplo o suceso que nos sirve de experiencia o escarmiento. – 5 *f. pl.* Conjunto de principios, ideas, conocimientos, etc., que una persona transmite o enseña a otra.

enseñar *tr.* Instruir, adoctrinar, amaestrar [a uno]: *~ al que no sabe por un buen libro;* instruir, amaestrar [en alguna materia]: *~ matemáticas.* 2 Dar [a uno] advertencia, ejemplo o escarmiento: *la desgracia te enseñará.* 3 Indicar, dar señas [de una cosa]: *~ el camino.* 4 Mostrar, exponer [una cosa] para que sea apreciada: *~ el género al parroquiano.* 5 Dejar ver [una cosa] involuntariamente: *~ los dedos por los guantes.*

enseres *m. pl.* Muebles, utensilios, instrumentos: *~ domésticos; ~ de un pintor.*

enseriarse *prnl. And.* y *Amér.* Ponerse serio. ◇ ** CONJUG. [12] como *cambiar.*

ensiforme *adj.* En forma de espada.

ensilar *tr.* Encerrar [granos, forraje, etc.] en un silo.

ensillada *f.* Collado o depresión suave en el lomo de una montaña.

ensilladura *f.* Parte en que se pone la silla a la caballería. 2 Encorvadura entrante de la columna vertebral en la región lumbar.

ensillar *tr.* Poner la silla [a una caballería].

ensimismarse *prnl.* Abstraerse, reconcentrarse. 2 *Colomb., Chile* y *Perú.* Gozarse en sí mismo, envanecerse, engreírse.

ensoberbecer *tr.-prnl.* Causar, excitar soberbia [en alguno]. – 2 *prnl.* fig. Agitarse, levantarse las olas. ◇ ** CONJUG. [43] como *agradecer.*

ensobrar *tr.* En las habilitaciones y pagadurías de centros oficiales, distribuir en sobres [los haberes mensuales] correspondientes a funcionarios. 2 Meter en un sobre [cartas, impresos, etc.].

ensombrecer *tr.* Obscurecer, cubrir de sombras [una cosa]: *~ un paisaje.* – 2 *prnl.* fig. Entristecerse. ◇ ** CONJUG. [43] como *agradecer.*

ensoñar *tr.* Tener ensueños (ilusiones). ◇ ** CONJUG. [31] como *contar.*

ensopar *tr.* Empapar [el pan] en un licor, a manera de sopas: *~ el pan en jerez.* 2 *Amér. Central, Argent., Cuba, P. Rico* y *Venez.* Empapar, poner hecho una sopa.

ensordecer *tr.* Causar sordera [a uno]. 2 Hacer menos perceptible [un ruido]. 3 Perturbar grandemente a uno la intensidad de un sonido o ruido. 4 *FON.* Convertir [una consonante sonora] en sorda. – 5 *intr.* Contraer sordera. 6 Callar, no responder. ◇ ** CONJUG. [43] como *agradecer.*

ensortijamiento *m.* Acción de ensortijar.

ensortijar *tr.* Torcer en redondo, rizar [el cabello, hilo, etc.]. 2 Poner un aro de hierro atravesando [la nariz de un animal]. – 3 *prnl.* Ponerse sortijas, enjoyarse.

ensuciar *tr.* Manchar, poner sucia [una cosa]. 2 fig. Manchar, deslustrar: *~ la fama con la conducta.* – 3 *intr.-prnl.* eufem. Evacuar el vientre en la cama, los vestidos, etc.: *este niño ensucia,* o *se ensucia, en los calzones.* – 4 *prnl.* Dejarse sobornar con dádivas. ◇ ** CONJUG. [12] como *cambiar.*

ensueño *m.* Sueño (representación). 2 Ilusión, fantasía.

entabacarse *prnl.* Abusar del tabaco. ◇ ** CONJUG. [1] como *cambiar.*

entablado *m.* Conjunto de tablas dispuestas y arregladas en una armadura.

entablamento *m.* Conjunto de molduras que coronan un edificio o un **orden de arquitectura, compuesto generalmente de arquitrabe, friso y cornisa.

entablar *tr.* Cubrir, cercar o asegurar con tablas [una cosa]. 2 En los juegos de tablero, colocar [las piezas] en sus respectivos lugares para empezar el juego. 3 p. anal. Disponer, preparar [una pretensión, un negocio]; p. ext., trabar (dar principio). – 4 *prnl.* Resistirse el caballo a volverse a una u otra mano. 5 Fijarse el viento de una manera continuada en cierta dirección. – 6 *tr. Amér.* Presentar una acción judicial. – 7 *intr. And.* y *Amér.* Empatar en un juego.

entablillar *tr.* Sujetar con tablillas y vendaje [un miembro] para mantener en su sitio las partes de un hueso roto.

entalamadura *f.* Zarzo de cañas forrado con que se entoldan los carros.

entalamar *tr.* Poner toldo [a un carro].

entalegar *tr.* Meter [una cosa] en talegos. 2 Atesorar dinero: *~ ducados.* 3 fig. y vulg. Encarcelar. ◇ ** CONJUG. [7] como *llegar.*

entalpía *f.* FÍS. Magnitud termodinámica de un cuerpo físico material. 2 QUÍM. Función termodinámica que expresa el contenido calorífico de una substancia o sistema, tanto en forma de energía interna como en forma de trabajo.

entalladura *f.* Corte que se hace en los pinos para resinarlos, o en las maderas para ensamblarlas.

I) entallar *tr.* Tallar, esculpir o grabar [figuras con madera, bronce, etc.]: ~ *una estatua, el mármol.* 2 Grabar o abrir en lámina, piedra u otra materia. 3 Hacer una incisión en la corteza [de algunos árboles] para extraer la resina. 4 CARP. Hacer cortes [en una pieza de madera] para ensamblarla con otra.

II) entallar *tr.-intr.-prnl.* Formar el talle: ~ *un traje; el muchacho entalla, o se entalla.* – 2 *intr.* Venir bien o mal el vestido al talle: *este traje no entalla.*

entallecer *intr.-prnl.* Echar tallos las plantas y árboles. ◇ ** CONJUG. [43] como *agradecer.*

entapetado, -da *adj.* Cubierto con tapete.

entapizar *tr.* Tapizar: ~ *con, o de, ricas telas.* 2 fig. Cubrir o revestir [una superficie] con alguna cosa. ◇ ** CONJUG. [4] como *realizar.*

entapujar *tr.-prnl.* Tapar, cubrir con premura o de cualquier modo [algo]. – 2 *tr.* fig. Andar con tapujos, ocultar [la verdad].

entarimado *m.* Suelo formado por pequeñas tablas de madera pulida.

entarimar *tr.* Cubrir [el suelo] con tablas o tarimas.

entarquinar *tr.* Abonar [las tierras] con tarquín. 2 Manchar [una cosa] con tarquín. 3 Rellenar o sanear [un terreno pantanoso] por la sedimentación del tarquín.

entarugado *m.* Pavimento formado con tarugos de madera.

entarugar *tr.* Pavimentar con tarugos de madera. ◇ ** CONJUG. [7] como *llegar.*

éntasis *f.* Parte más abultada del fuste de algunas columnas. ◇ Pl.: *éntasis.*

ente *m.* Lo que es, existe o puede existir. 2 fig. Sujeto ridículo. 3 Sociedad comercial, organismo.

enteco, -ca *adj.* Enfermizo, débil, flaco.

entejar *tr.* Tejar, cubrir con tejas.

entelarañado, -da *adj.* Con muchas telarañas.

entelequia *f.* En la filosofía aristotélica, estado de perfección hacia el cual tiende cada especie de ser. 2 Cosa, persona o situación imaginaria e ideal y perfecta, que no puede existir en la realidad.

entelerido, -da *adj.* Sobrecogido de frío o de vapor. 2 *And.* y *Amér.* Enteco, flaco.

entena *f.* Palo encorvado y muy largo al cual va asegurada la vela latina. 2 Madero redondo o en rollo, de grandes dimensiones.

entendederas *f. pl.* fam. Entendimiento: *tiene malas ~.*

entender *tr.* Formarse idea clara [de una cosa]: ~ *una explicación;* p. ext., comprender: ~ *el inglés;* interpretar: *lo entiende mal;* conocer, penetrar: ~ *a un sujeto;* averiguar [el ánimo o intenciones de uno]: *ya entiendo lo que quiere.* 2 Discurrir, inferir, deducir: *el alma entiende los problemas;* creer, juzgar: *yo entiendo que sería*

mejor decirlo. – 3 *intr.* Con las preposiciones *de* o *en* , tener conocimiento o aptitud para el ejercicio de un arte, ciencia, etc.: ~ *de zapatero;* ~ *en matemáticas;* ocuparse en una cosa. – 4 *prnl.* Conocerse, comprenderse a sí mismo. – 5 *rec.* Ir dos o más de conformidad en un negocio: *entenderse con alguien, por señas.* 6 Haber relación amorosa entre el hombre y la mujer. ◇ ** CONJUG. [28].

entendido, -da *adj.* Sabio, docto, perito, diestro.

entendimiento *m.* Facultad de comprender en general; esp., facultad discursiva del alma que obra, concibe, juzga o razona, sobre lo que nos es dado empíricamente. 2 Sentido común, cordura, seso.

entenebrecer *tr.-prnl.* Obscurecer, llenar de tinieblas: ~ *una nube el paisaje.* ◇ ** CONJUG. [43] como *agradecer.*

entente *f.* Inteligencia, trato secreto, convenio, pacto, concierto.

enteolina *f.* Materia colorante que se extrae de la gualda.

I) enterado *m.* Palabra *enterado* y firma debajo, con que se hace constar haber recibido y leído una citación o documento oficial: *firmar el ~.*

II) enterado, -da, *adj.* Conocedor, entendido. – 2 *adj.-s.* Sabihondo, persona que se pasa de lista.

enterar *tr.* Informar, instruir [a uno] de un negocio: *enterarse de la carta, enterarse en el pleito.* – 2 *prnl.* Darse cuenta, adquirir una persona conocimiento de lo que pasa.

entercarse *prnl.* Ponerse terco (pertinaz). ◇ ** CONJUG. [1] como *sacar.*

enterciar *tr. Amér.* Empacar, formar tercios con una mercancía. ◇ ** CONJUG. [12] como *cambiar.*

entereza *f.* Integridad, perfección. 2 fig. Fortaleza, firmeza de ánimo. 3 Severa observancia de la disciplina.

enterizo, -za *adj.* Entero. 2 De una sola pieza: *columna enteriza.*

enternecer *tr.* Ablandar, poner tierna [una cosa]. 2 Mover a ternura: *con sus quejas enternecía a las fieras.* ◇ ** CONJUG. [43] como *agradecer.*

entero, -ra *adj.* Íntegro, sin falta alguna. 2 fig. [pers.] Que tiene entereza, firmeza de ánimo. 3 Robusto, sano. – 4 *m.* Variación unitaria en la cotización de los valores bursátiles, expresada como porcentaje de su valor nominal. – 5 *adj. Amér.* Idéntico, muy parecido. – 6 *m. Amér.* Entrega de dinero.

enterocolitis *f.* Inflamación del intestino delgado, del ciego y del colon. ◇ Pl.: *enterocolitis.*

enterrador *m.* Sepulturero. 2 TAUROM. Torero que ayuda al espada a rematar el toro.

enterrar *tr.* Poner debajo de tierra: ~ *un*

tesoro; esp., dar sepultura [a un cadáver]. 2 Sobrevivir [a alguno]: *su mujer le enterrará.* 3 fig. Hacer desaparecer [una cosa] debajo de otras: ~ *la carta entre los papeles.* 4 fig. Arrinconar, relegar al olvido: ~ *las ilusiones, los amores.* 5 Clavar, meter [un instrumento punzante]. – 6 *prnl.* Retirarse del trato de los demás: *se enterró en una aldea.* ◇ ** CONJUG. [27] como *acertar.*

entesar *tr.* Dar mayor fuerza o tensión [a una cosa]; esp., poner tirante y tensa [una cuerda, maroma, etc.]. ◇ ** CONJUG. [27] como *acertar.*

entestar *tr.* Unir dos piezas o maderos por sus cabezas. 2 Adosar, encajar, empotrar. – 3 *intr.* Estar [una cosa] en contacto con otra; lindar con ella.

entibar *intr.* Estribar. – 2 *tr.* MIN. Apuntalar con maderas [las excavaciones de las minas].

entibiar *tr.* Poner tibio [un líquido]. 2 fig. Templar, moderar [una pasión, afecto, fervor, etc.]. ◇ ** CONJUG. [12] como *cambiar.*

entidad *f.* FIL. Lo que constituye la esencia y la unidad de un género. 2 fig. Valor o importancia de una cosa: *de* ~, de substancia, de consideración. 3 Colectividad considerada como unidad:

entierro *m.* Acción de enterrar un cadáver. 2 Efecto de enterrar un cadáver. 3 Cadáver que se lleva a enterrar y su acompañamiento.

entigrecerse *prnl.* fig. Enojarse, enfurecerse. ◇ ** CONJUG. [43] como *agradecer.*

entintar *tr.* Manchar o teñir con tinta. 2 fig. Teñir (dar color).

entizar *tr.* Amér. Enyesar, dar de tiza [al taco del billar]. ◇ ** CONJUG. [4] como *realizar.*

entolar *tr.* Pasar de un tul a otro las flores o dibujos de un encaje.

entoldado *m.* Conjunto de toldos para dar sombra, o proteger de la intemperie. 2 Lugar cubierto con toldos.

entoldar *tr.* Cubrir con toldos: ~ *el patio.* 2 p. ext. Cubrir con sedas, paños, etc. [las paredes]. – 3 *prnl.* fig. Nublarse: *se entoldó el cielo de repente.*

entomófilo, -la *adj.* Aficionado a los insectos. 2 [planta] En la que la polinización se verifica por intermedio de los insectos.

entomología *f.* Parte de la zoología que trata de los insectos.

entomostráceo *adj.-m.* Crustáceo de la subclase de los entomostráceos. – 2 *m. pl.* Subclase de crustáceos de organización simple y generalmente de pequeñas dimensiones; a esta subclase pertenecen los siguientes órdenes: cladóceros, concostráceos, ostrácodos, anostráceos, notostráceos, copépodos y cirrípedos.

entonación *f.* Sucesión de tonos con que se modula el lenguaje hablado: ~ *interrogativa, exclamativa.*

entonar *tr.* Cantar ajustado al tono; afinar

la voz: ~ *una canción; abs., la soprano no entona.* 2 Dar determinado tono a la voz: ~ *una canción con voz fuerte.* 3 Empezar uno a cantar [unas notas] para dar el tono a los demás. 4 Dar viento [a los órganos] levantando los fuelles. 5 Armonizar [los colores de una cosa] formando un conjunto agradable. 6 Dar tensión y vigor [al organismo]. – 7 *prnl.* Envanecerse, engreírse.

entonces *adv. t.* En aquel momento u ocasión: ~ *llegué yo.* – 2 *adv. m.* En tal caso, siendo así: ~ *vete.* – 3 *loc. adv. t.* **En aquel** ~, en aquel tiempo, entonces.

entonelar *tr.* Meter [un líquido] en toneles.

entontar *tr.* Amér. Atontar, entontecer.

entontecer *tr.* Poner [a uno] tonto. – 2 *intr.-prnl.* Volverse tonto. ◇ ** CONJUG. [43] como *agradecer.*

entorchado *m.* Cuerda o hilo de seda, cubierto con otro de seda o de metal, enroscado alrededor. 2 Bordado en oro o plata que como distintivo llevan en el uniforme ciertos militares y altos funcionarios.

entorchar *tr.* Retorcer [varias velas] formando una antorcha. 2 Cubrir [una cuerda o hilo] enroscándole otro de seda o de metal.

entornar *tr.* Volver [la puerta o la ventana] hacia el cerco sin cerrarla del todo. 2 Cerrar un poco o a medias [los ojos]. – 3 *tr.-prnl.* Inclinar, ladear, volcar, trastornar: *se entornó la olla y se vertió el caldo.*

entorno *m.* Conjunto de personas, objetos y circunstancias que rodean a alguien o algo: ~ *social.*

entorpecer *tr.* Poner torpe: *la humedad entorpece la cerradura,* o *la cerradura se entorpece.* 2 fig. Turbar, obscurecer [el entendimiento]. 3 Retardar, dificultar: ~ *la marcha de un asunto.* ◇ ** CONJUG. [43] como *agradecer.*

entortijarse *prnl.* Retorcerse uno a causa de un dolor físico.

entrada *f.* Acción de entrar en un lugar: *de primera* ~, al primer ímpetu. 2 Amistad con una persona o familiaridad en una casa. 3 Acto por el que se pasa a formar parte de un conjunto: *dar* ~ *a uno en una sociedad, en un colegio.* 4 Conjunto de personas que asisten a un espectáculo o función. 5 Billete que da derecho a entrar en ellos. 6 Producto de cada función. 7 Caudal que entra en una caja o en poder de uno. 8 Cantidad de dinero que debe depositarse al comprar o alquilar algo, hacerse socio de alguna institución, etc. 9 Unidad lingüística que encabeza cada uno de los artículos de un diccionario. 10 Punta de un madero o sillar que entra en un muro o solera. 11 Espacio por donde se entra a un sitio. 12 Vestíbulo, antesala: ~ *de un **teatro.* 13 Principio de una obra, como oración, libro, etc. 14 Primeros días del año, del mes, etc. 15 Ángulo entrante que forma el pelo a ambos lados de la parte superior de la frente. 16 Manjar que se sirve después de la sopa y antes del plato principal; primer plato de las comidas. 17 MÚS. Momento en que cada voz o instrumento ha de entrar a tomar parte en la ejecución de una pieza musical.

entradilla *f.* Frases iniciales de una información que da en resumen lo más importante de la misma.

entrador, -ra *adj. Amér.* Animoso, brioso, que acomete fácilmente empresas arriesgadas. 2 *Amér.* Enamoradizo.

entramado *m.* ARQ. Armazón de madera que se rellena con fábrica o tablazón.

entramar *tr.* Hacer un entramado: ~ *un techo.*

entrampar *tr.* Hacer [a un animal] caer en la trampa. 2 fig. Engañar artificiosamente. 3 fig. Enredar [un negocio]: *con tantos pareceres se entrampó el asunto.* 4 fig. Gravar con deudas [la hacienda]: *ha entrampado su fortuna.* – 5 *prnl.* Meterse en un atolladero.

entraña *f.* Órgano situado en el interior de las grandes cavidades del organismo; como el corazón, los pulmones, etc. 2 Lo más íntimo o esencial de una cosa. – 3 *f. pl.* fig. Lo más oculto y escondido: *las entrañas de la tierra.* 4 Centro, lo que está en medio. 5 Genio de una persona: *hombre de buenas entrañas.* 6 Voluntad, afecto del ánimo.

entrañable *adj.* Íntimo, muy afectuoso.

entrañar *tr.* Introducir [una cosa] en lo más hondo: *entrañó el tesoro en la cueva; se entrañó en el bosque.* 2 Contener, llevar dentro de sí [una cosa material o moral]: *el negocio entraña dificultades.* – 3 *prnl.* Estrecharse de todo corazón con alguno.

entrapada *f.* Especie de paño carmesí para tapicería.

entrapado, -da *adj.* [vino] Mal purificado.

entrapajar *tr.* Envolver con trapos [una parte del cuerpo]. – 2 *prnl.* Entraparse, llenarse de suciedad.

entrapar *tr.* Enterrar [en la raíz de cada cepa] cierta cantidad de trapo viejo. – 2 *prnl.* Llenarse de polvo y mugre una tela o el pelo. 3 Embotarse con polvo u otros materiales menudos el filo de una herramienta.

entrar *intr.* Ir o pasar de fuera adentro: ~ *en casa;* pasar para ir de fuera adentro: ~ *por la puerta.* 2 Tener entrada habitual, ser admitido: ~ *en palacio.* 3 Encajar, meterse una cosa en otra o dentro de otra: *el sombrero no entra en la cabeza;* desaguar, desembocar: *el Esla entra en el Duero;* penetrar, introducir: *el clavo entra en la pared.* 4 Pasar a formar parte de un conjunto: ~ *en una sociedad comercial, en una academia, en una conspiración;* dedicarse, abrazar: ~ *en la milicia, en religión;* ser contado: ~ *en la clase de los caballeros;* ser integrante: ~ *un cuerpo en una mezcla;* caber, ser necesario: ~

tanto paño, tantos ladrillos; seguir, adoptar: ~ *en los usos, las modas.* 5 Empezar, tener principio: *el verano entra el 21 de junio; el libro entra con una descripción;* empezar a estar: ~ *en la pubertad, en los treinta años;* empezar a sentirse: ~ *el mal humor, la pereza, la calentura;* seguido de la preposición *a* y un verbo en infinitivo, dar principio a una acción: ~ *a remar, a luchar;* **abs.,** en música, empezar a cantar o tocar en el momento preciso. – 6 *tr.* Meter, introducir [una cosa]: ~ *las sillas.* 7 Acometer o influir en el ánimo [de uno]: *no hay por donde entrarle.* – 8 *prnl.* Meterse o introducirse en alguna parte.

entre *prep.* Denota situación o estado en medio de dos o más personas o cosas: ~ *Madrid y Barcelona;* ~ *dos fuegos;* ~ *dos guardias;* en el intervalo de dos momentos: ~ *las diez y las once;* en un grado o categoría no más alto ni más bajo que otros dos: ~ *capitán y sargento;* de una calidad intermedia: ~ *agradecido y quejoso.* 2 Relaciona o compara dos o más personas o cosas: ~ *el padre y la hija todo son lamentos;* ~ *éste y aquél no hay diferencia; hubo acuerdo* ~ *los contrarios.* 3 Denota situación, estado, participación, cooperación en un grupo o conjunto: *te cuento* ~ *mis amigos;* ~ *todos le mataron; le vi* ~ *los que gritaban; es costumbre* ~ *labradores.* 4 Seguida de la conjunción *y* pierde el carácter de preposición y forma una locución conjuntiva copulativa o disyuntiva: ~ *tú y yo llevaremos este tonel; vacilaba* ~ *salir y quedarse.*

entreabrir *tr.* Abrir un poco o a medias [una puerta, ventana, los ojos, etc.]. ◇ pp. irreg.: *entreabierto.*

entreacto *m.* Intermedio entre dos actos. 2 Cigarro puro cilíndrico y pequeño.

entreancho, -cha *adj.* Que no es ancho ni angosto: *tela entreancha.*

entrearco *m.* Espacio comprendido entre un dintel y el arco de descarga que se ha hecho para aliviarlo.

entrebarrera *f.* Espacio que media en las plazas de toros entre la barrera y la contrabarrera.

entrecalle *f.* Separación entre dos molduras: *la* ~ *del marco de un cuadro.* 2 Espacio que hay entre las calles de un retablo.

entrecano, -na *adj.* [cabello o barba] A medio encanecer. -2 [persona] Que tiene así el cabello.

entrecavar *tr.* Cavar ligeramente.

entrecejo *m.* Espacio entre las dos cejas. 2 fig. Ceño (sobrecejo).

entrecerrar *tr.* Entornar [una puerta o ventana]. ◇ ** CONJUG. [27] como *acertar.*

entreclaro, -ra *adj.* Que tiene alguna claridad.

entrecoger *tr.* Coger [a una persona o cosa] de manera que no se pueda escapar sin dificultad. 2 fig. Estrechar, apremiar [a uno] con argumentos o amenazas. ◇ ** CONJUG. [5] como *proteger*.

entrecomar, entrecomillar *tr.* Poner entre comas, o entre comillas, [una o varias palabras]. 2 Citar textualmente.

entrecoro *m.* Espacio entre el coro y la capilla mayor en las catedrales.

entrecortado, -da *adj.* [voz o sonido] Que se emite con intermitencias.

entrecortar *tr.* Cortar [una cosa] con intermitencias, sin acabar de dividirla. – 2 *prnl.* Interrumpirse a trechos al hablar, a causa de turbación o timidez.

entrecorteza *f.* Defecto de las maderas que consiste en tener en su interior un trozo de corteza, por haberse adherido dos ramas.

entrecot, entrecó *m.* Entrecuesto, solomillo, chuleta. 2 p. ext. Filete asado o frito, grueso, de cualquier res.

entrecriarse *prnl.* Criarse una planta entre otras. ◇ ** CONJUG. [13] como *desviar*.

entrecruzar *tr.-prnl.* Cruzar [dos o más cosas] entre sí. ◇ ** CONJUG. [4] como *realizar*.

entrecuesto *m.* Espinazo de un animal. 2 Solomillo.

entrechocar *tr.-prnl.* Hacer chocar [dos o más cosas] entre sí. ◇ ** CONJUG. [1] como *sacar*.

entredecir *tr.* Prohibir la comunicación y comercio con una persona o cosa. 2 Poner en entredicho [a uno]. ◇ ** CONJUG. [69] como *decir*; pp. irreg.: *entredicho*.

entredicho *m.* Prohibición de hacer o decir alguna cosa. 2 Censura o pena eclesiástica que prohíbe a ciertas personas o en determinados lugares el uso de los divinos oficios, de algunos sacramentos y de la sepultura eclesiástica. 3 Duda que pesa sobre el honor, virtud, etc., de una persona.

entredós *m.* Tira bordada o de encaje que se cose entre dos telas. 2 Armario de madera fina y de poca altura, generalmente colocado entre dos balcones de una sala. ◇ Pl.: *entredoses*.

entrefilete *m.* GALIC. Suelto de un periódico. 2 Frase o fragmento breve intercalado en el texto y destacado tipográficamente de él.

entrega *f.* Acción de entregar. 2 Lo que se entrega de una vez. 3 Cuaderno impreso, en número variable, en que se suele dividir y expender un libro que se publica por partes. 4 Atención, interés, esfuerzo, etc., en apoyo a personas o cosas.

entregar *tr.* Poner [a una persona o cosa] en poder de otro: *le entregué la carta.* – 2 *prnl.* Ponerse en manos de uno; someterse a su arbitrio: *entregarse al enemigo; abs.,* declararse vencido: *entregarse; entregarse en manos de la suerte.* 3 Dedicarse enteramente a una cosa: *entregarse al estudio.* 4 Abandonarse a una pasión: *entregarse al dolor.* ◇ ** CONJUG. [7] como *llegar*.

entreguerras (de ~) *loc. prep.* Señala el período de paz entre dos guerras consecutivas; esp., marca el período que transcurre, en la historia europea, entre la primera y la segunda guerra mundiales.

entrelargo, -ga *adj.* [objeto] Que es algo más largo que ancho.

entrelazar *tr.* Enlazar, entretejer [una cosa] con otra. ◇ ** CONJUG. [4] como *realizar*.

entrelínea *f.* Lo escrito entre dos líneas.

entreliño *m.* Espacio de tierra que en las viñas y olivares se deja entre liño y liño.

entrelistado, -da *adj.* Trabajado a listas de diferente color.

entrelucir *intr.* Dejarse ver una cosa entremedias de otras o al través de ellas. ◇ ** CONJUG. [45] como *lucir*.

entremediar *intr.* Poner [una cosa] entremedias de otras. ◇ ** CONJUG. [12] como *cambiar*.

entremedias *adv. t.-l.* Entre uno y otro tiempo, espacio, lugar o cosa.

entremés *m.* Manjar ligero que se sirve en las mesas, generalmente antes de la sopa o del primer plato. 2 Pieza dramática jocosa de un solo acto, que solía representarse entre una y otra jornada de la comedia.

entremesear *tr.* fig. Amenizar [una conversación o discurso] mezclándole cosas graciosas.

entremeter *tr.* Meter [una cosa] entre otras; esp., doblar [los pañales] para que el niño no se ensucie ni se moje. – 2 *prnl.* Ponerse en medio o entre otros. 3 Meterse uno donde no le llaman: *entremeterse en asuntos de otro.*

entremezclar *tr.* Mezclar [una cosa con otra] sin confundirlas.

entrenador, -ra *adj.-s.* En las agrupaciones o equipos deportivos, [pers.] encargado de ejercitar a los jugadores.

entrenamiento *m.* Ejercicio, ensayo, preparación.

entrenar *tr.-prnl.* Ensayar, ejercitar, adiestrar, habituar.

entrene, -no *m.* En los deportes, entrenamiento que a la vez sirve de prueba o ensayo.

entrenudo *m.* BOT. Parte del **tallo comprendida entre dos nudos.

entreoír *tr.* Oír [una cosa] sin entenderla bien. ◇ ** CONJUG. [75] como *oír*.

entreoscuro, -ra *adj.* Que tiene alguna obscuridad.

entrepanes *m. pl.* Tierras no sembradas entre otras que lo están.

entrepaño *m.* Tabla pequeña o cuarterón que se mete entre los peinazos de **puertas y ventanas. 2 Espacio de pared entre dos columnas, pilastras o huecos. 3 Anaquel del estante o alacena.

entrepechuga *f.* Carne de un ave entre la pechuga y el caballete.

entrepierna *f.* Parte interior de los muslos: *me duele la* ~. 2 Pieza cosida entre las hojas de los calzones y pantalones por la parte interior de los muslos: *lleva la* ~ *descosida.*

entrepiso *m.* Piso que se construye quitando parte de la altura de uno y queda entre éste y el superior.

entreplanta *f.* Entrepiso de tiendas, oficinas, etc.

entrepunzar *intr.* Doler con punzadas intermitentes o con poca intensidad. ◇ ** CONJUG. [4] como *realizar.*

entresacado *m.* Operación de elegir racimos de uva en perfectas condiciones, necesario para la elaboración de vinos de gran calidad.

entresacar *tr.* Sacar [unas cosas] de otras; esp., cortar [algunos árboles de un monte] para aclararlo o [una parte del cabello] cuando éste es demasiado espeso. 2 Escoger, elegir: ~ *todo lo bueno de una obra.* ◇ ** CONJUG. [1] como *sacar.*

entresijo *m.* Redaño. 2 fig. *Tener muchos entresijos,* tener una cosa muchas dificultades; tener una persona mucha cautela.

entresuelo *m.* Habitación entre el cuarto bajo y el principal. 2 Cuarto bajo levantado más de un metro sobre el nivel de la calle, y que debajo tiene sótanos o piezas abovedadas.

entresueño *m.* Estado anímico, intermedio entre la vigilia y el sueño, que se caracteriza por la disminución de lucidez de la conciencia.

entretallar *tr.* Labrar [una cosa], a media talla o bajo relieve. 2 Grabar, esculpir. 3 Hacer [en una tela] calados o recortados. 4 fig. Estrechar [a una persona] estorbándole el paso, o detener el curso [de una cosa]. – 5 *prnl.* Encajarse unas cosas con otras.

entretanto *adv. t.* Entre tanto. – 2 *m.* Tiempo en que se espera algo o que media entre dos sucesos: *en el* ~ *leeremos un poco.*

entretecho *m. Amér.* Desván, sobrado.

entretejer *tr.* Mezclar [hilos de calidad diferente] en la tela que se teje. 2 p. anal. Trabar y enlazar [una cosa con otra]: ~ *ramas.* 3 fig. Incluir [palabras, períodos o versos ajenos] en un libro o escrito: ~ *citas con el texto.*

entretela *f.* Lienzo que, como refuerzo, se pone entre la tela y el forro de una prenda de vestir. – 2 *f. pl.* fig. *y* fam. Lo íntimo del corazón: *amor de mis entretelas.*

entretelar *tr.* Poner entretela [en una prenda de vestir]. 2 IMPR. Satinar, hacer que desaparezca la huella en [los pliegos impresos].

entretención *f. Amér.* Entretenimiento, diversión.

entretener *tr.-prnl.* Tener [a uno] detenido y en espera: *no te entretengas.* 2 Divertir, recrear el ánimo [de uno]: ~ *al niño; el tresillo me entretiene; me entretengo en leer, con ver el desfile.* – 3

tr. Dar largas con pretextos al despacho [de un negocio]. 4 Hacer menos molesta una cosa: ~ *el hambre.* 5 Mantener, conservar. ◇ ** CONJUG. [87] como *tener.*

entretenimiento *m.* Cosa para entretener (divertir). 2 Manutención de una persona o conservación de alguna cosa: *gastos de* ~ *de una fábrica.*

entretiempo *m.* Tiempo de primavera y otoño: *un abrigo de* ~.

entrevenarse *prnl.* Introducirse un humor por las venas.

entreventana *f.* Espacio macizo de pared entre dos ventanas.

entrever *tr.* Ver confusamente [una cosa]. 2 Conjeturarla, adivinarla: *entreveo su intención.* ◇ ** CONJUG. [91] como *ver;* pp. irreg.: *entrevisto.*

entreverar *tr.* Intercalar, introducir [una cosa] entre otras: ~ *lechugas con alcachofas;* ~ *las censuras con las lisonjas.*

entrevía *f.* Espacio que queda entre dos rieles de un camino de hierro.

entrevista *f.* Concurrencia y conferencia de dos o más personas en lugar determinado. 2 En el periodismo, la que se celebra con alguna persona para publicar sus opiniones o impresiones.

entrevistar *tr.-prnl.* Tener una entrevista con [una o varias personas].

entripado, -da *adj.-m.* Que está, toca o molesta en las tripas: *dolor* ~. – 2 *adj.* [animal muerto] A quien no se han sacado las tripas. – 3 *m.* fig. Enojo o sentimiento disimulado.

entristecer *tr.* Causar tristeza [a uno]; poner aspecto de triste [una cosa]: *la nube entristece el paisaje.* – 2 *prnl.* Ponerse triste y melancólico: *entristecerse con la soledad, del bien ajeno, por poca cosa.* ◇ ** CONJUG. [43] como *agradecer.*

entrometer *tr.-prnl.* Entremeter.

entromparse *prnl.* fig. *y* fam. Emborracharse. 2 *Amér.* Enfadarse.

entroncar *tr.* Demostrar, probar el parentesco [de una persona] con el tronco o linaje de otra: *la historia entronca las dinastías.* – 2 *intr.* Tener o contraer parentesco con un linaje o persona: *entroncaremos con los Lanuza.* 3 Empalmar [enlazar dos ferrocarriles]. – 4 *tr. And.* y *Méj.* Aparear dos bestias del mismo pelo. ◇ ** CONJUG. [1] como *sacar.*

entronizar *tr.* Colocar [a uno] en el trono. 2 fig. Ensalzar a uno; colocarle en alto estado. – 3 *prnl.* fig. Engreírse, envanecerse. ◇ ** CONJUG. [4] como *realizar.*

entronque *m.* Relación de parentesco entre personas que tienen un tronco común. 2 Empalme de caminos, ferrocarriles, etc.

entropía *f.* Medida del desorden de un sistema.

entruchar *tr.* fam. Atraer [a uno] con disi-

mulo y engaño, para meterlo en un negocio. **2** *prnl. Méj.* Entremeterse en negocios ajenos.
entubar *tr.* Poner tubos [a una persona o en una cosa].
entuerto *m.* Tuerto o agravio. – **2** *m. pl.* Dolores de vientre que se padecen en el puerperio.
entullecer *tr.* fig. Suspender, detener el movimiento [de una cosa]. – **2** *intr.-prnl.* Tullirse. ◇ ** CONJUG. [43] como *agradecer.*
entumecer *tr.-prnl.* Impedir, entorpecer el movimiento [de un miembro]: *el frío entumece los dedos.* – **2** *prnl.* fig. Alterarse, hincharse: *entumecerse el río, el mar.* ◇ ** CONJUG. [43] como *agradecer.*
entumido, -da *adj.* [miembro, músculo] Entorpecido, agarrotado. – **2** *adj.-s. Colomb.* y *Méj.* [pers.] Tímido y sin desenvoltura.
entumirse *prnl.* Entorpecerse un miembro o músculo.
entunicar *tr.* Dar dos capas de cal y arena gruesa [a la pared que se ha de pintar al fresco]. **2** Cubrir o vestir con una túnica. ◇ ** CONJUG. [1] como *sacar.*
enturbiar *tr.-prnl.* Poner turbia [una cosa]: ~ *un líquido.* **2** fig. Alterar el orden [de una cosa]; obscurecer [lo que estaba claro y bien dispuesto]: ~ *las ideas.* ◇ ** CONJUG. [12] como *cambiar.*
entusiasmar *tr.-prnl.* Causar o infundir entusiasmo [a uno]. **2** Gustar mucho una persona o una cosa.
entusiasmo *m.* Exaltación del ánimo bajo la inspiración divina: *el ~ de los profetas.* **2** Inspiración del escritor o del artista. **3** p. ext. Exaltación del ánimo producida por la admiración apasionada de una persona o cosa. **4** Adhesión fervorosa a una causa o empeño.
enumeración *f.* Expresión sucesiva y ordenada de las partes de un todo. **2** Cómputo o cuenta numeral de las cosas.
enumerar *tr.* Hacer enumeración [de cosas o de las partes de un todo].
enunciar *tr.* Expresar concisamente y en los términos precisos [una cosa]. **2** Exponer el conjunto de datos que componen un problema. ◇ ** CONJUG. [12] como *cambiar.*
enunciativo, -va *adj.* Que enuncia. **2** *Oración enunciativa,* la afirmativa o negativa sin matices psicológicos especiales, a diferencia de las interrogativas, exhortativas, exclamativas, etc.
envaguecer *tr.* Hacer que [algo] se difumine o pierda sus contornos. ◇ ** CONJUG. [43] como *agradecer.*
envainar *tr.* Meter [un arma blanca] en la vaina. **2** Envolver una cosa a otra, ciñéndola a modo de vaina.
envalentonar *tr.* Infundir valentía o más bien arrogancia [a uno]. – **2** *prnl.* Cobrar valentía o echárselas de valiente.

envalijar *tr.* Meter en la valija [una cosa].
envanecer *tr.-prnl.* Infundir soberbia o vanagloria [a uno]: *el éxito le envaneció; envanecerse con, de, en,* o *por, el éxito.* ◇ ** CONJUG. [43] como *agradecer.*
envarado, -da *adj.-s.* [pers.] Estirado, orgulloso.
envarar *tr.-prnl.* Entumecer (impedir). – **2** *prnl.* fig. y fam. Ensoberbecerse.
envasar *tr.* Echar [un líquido] en vasijas; en gral., introducir en recipientes adecuados [líquidos, granos, etc.] para su transporte o conservación.
envase *m.* Recipiente en que se conservan y transportan ciertos géneros. **2** Todo lo que envuelve o contiene artículos de comercio para conservarlos o transportarlos.
envedijarse *prnl.* Hacerse vedijas el pelo, la lana, etc. **2** fig. Enzarzarse unos con otros riñendo.
envejecer *tr.* Hacer vieja [a una persona o cosa]: *los disgustos envejecen a uno.* – **2** *intr.-prnl.* Hacerse vieja o antigua una persona o cosa: *el vestido envejece,* o *se envejece, con, de,* o *por, el uso.* – **3** *intr.* Durar, permanecer por mucho tiempo: ~ *en el cargo.* ◇ ** CONJUG. [43] como *agradecer.*
envejecimiento *m.* Acción de envejecer. **2** Efecto de envejecer.
envenenamiento *m.* Estado morboso provocado por la introducción en el organismo de substancias venenosas.
envenenar *tr.* Emponzoñar, inficionar [a uno] con veneno: *se envenenó con arsénico.* **2** fig. Acriminar, interpretar en mal sentido [las palabras o acciones]. **3** fig. Emponzoñar (corromper): *el odio envenenó su alma.*
enverar *intr.* Empezar las frutas, especialmente la uva, a tomar color de maduras.
enverdecer *intr.* Reverdecer el campo, las plantas, etc. ◇ ** CONJUG. [43] como *agradecer.*
envergadura *f.* Distancia entre las puntas de las alas de las **aves cuando están completamente abiertas. **2** fig. Distancia entre los extremos de las alas de un avión o los brazos humanos. **3** fig. Importancia. **4** MAR. Ancho de una vela contado del grátil.
envergar *tr.* Sujetar [las velas] a las vergas. ◇ ** CONJUG. [7] como *llegar.*
enverjado *m.* Enrejado, verja.
envero *m.* Color dorado o rojizo de los frutos cuando empiezan a madurar. **2** Uva o grano de fruta que tiene ese color.
envés *m.* Revés (parte opuesta). **2** fam. Espalda (parte posterior de una cosa). **3** Cara inferior de la **hoja.
enviado, -da *m. f.* El que va por mandato de otro con un mensaje o comisión: ~ *especial,* reportero desplazado circunstancialmente al lugar de la noticia.

enviar *tr.* Hacer que [una persona] vaya a alguna parte: ~ *al mozo por agua;* ~ *a uno de apoderado.* 2 Hacer que [una cosa] se dirija o sea llevada a alguna parte: ~ *una carta al correo.* ◇ ** CONJUG. [13] como *desviar.*

enviciar *tr.* Mal acostumbrar, pervertir [a uno] con un vicio: ~ *a su hijo con las golosinas.* 2 *intr.* fig. Deformarse una cosa por haber permanecido mucho tiempo en mala posición. – 3 Echar las plantas muchas hojas y poco fruto. – 4 *prnl.* Aficionarse demasiadamente a una cosa: *enviciarse en,* o *con, la lectura.* ◇ ** CONJUG. [12] como *cambiar.*

envidar *tr.* Hacer envite [a uno] en el juego. 2 fig. Convidar [a uno] con una cosa, deseando que no la acepte.

envidia *f.* Tristeza o pesar del bien ajeno; sentimiento de animadversión contra el que posee una cosa que nosotros no poseemos. 2 Emulación, deseo honesto.

envidiar *tr.* Tener envidia [de una cosa], sentir envidia [de una persona]: ~ *las riquezas ajenas;* ~ *a un amigo.* 2 fig. Desear, apetecer [lo lícito]. ◇ ** CONJUG. [12] como *cambiar.*

envigar *tr.* Asentar las vigas [de un edificio]. ◇ ** CONJUG. [7] como *llegar.*

envilecer *tr.-prnl.* Hacer vil y despreciable [a una persona o cosa]: *la envidia envilece al hombre; el hombre se envilece en la embriaguez.* 2 Hacer que descienda el valor de [una moneda, un producto, una acción de bolsa, etc.]. – 3 *prnl.* Abatirse, perder uno la estimación que tenía. ◇ ** CONJUG. [43] como *agradecer.*

envinagrar *tr.* Echar vinagre [en una cosa].

envío *m.* Acción de enviar. 2 Efecto de enviar. 3. Remesa.

envirotado, -da *adj.* fig. [pers.] Entonado y tieso en demasía.

I) enviscar *tr.* Untar con liga [las ramas de las plantas], para cazar pájaros. – 2 *prnl.* Pegarse los pájaros y los insectos con la liga. ◇ ** CONJUG. [1] como *sacar.*

II) enviscar *tr.* Azuzar. 2 fig. Enconar los ánimos: *el hecho los ha enviscado.* ◇ ** CONJUG. [1] como *sacar.*

envite *m.* Apuesta que se hace en algunos juegos, parando, además de los tantos ordinarios, cierta cantidad a un lance o suerte. 2 fig. Ofrecimiento de una cosa.

enviudar *intr.* Quedar viudo o viuda.

envoltorio *m.* Lío (cosas atadas). 2 Papel, tela, cartón, arpillera, etc., que sirve para envolver. 3 Defecto en el paño, por haber mezclado alguna especie de lana diferente.

envoltura *f.* Conjunto de pañales o mantillas con que se envuelve a los niños: *las envolturas de un recién nacido.* 2 Capa exterior que envuelve una cosa.

envolver *tr.-prnl.* Cubrir [una cosa] rodeándola o ciñéndola con algo: ~ *los géneros;* aplicado a personas: ~ *uno al enfermo con,* o *en,* o *entre, mantas; envolverse el enfermo;* esp., vestir al niño con los pañales y mantillas. 2 Arrollar [un hilo, cinta, etc.]: ~ *el hilo en el bolillo; el hilo se envuelve (es envuelto) en el bolillo.* 3 fig. Mezclar o complicar [a uno] en un asunto: ~ *a uno en la contienda; se envolvieron en la contienda.* – 4 *tr.* fig. Rodear [a uno] en la disputa de argumentos, dejándolo cortado. 5 MIL. Rebasar por uno de sus extremos [la línea de combate del enemigo] y acometerlo por todos lados. ◇ ** CONJUG. [32] como *mover;* pp. irreg.: *envuelto.*

envuelta *f.* Cámara de gas en los globos y dirigibles no rígidos o semirrígidos. – 2 *f. pl.* Envoltura del niño de pecho.

enyerbar(se) *prnl. Amér.* Cubrirse de yerba un terreno. – 2 *tr. Colomb., Chile y Méj.* Hechizar, idiotizar.

enyesar *tr.* Tapar o allanar con yeso [una cosa, especialmente las paredes]. 2 Agregar yeso [a alguna cosa]. 3 CIR. Endurecer por medio del yeso o la escayola [los apósitos y vendajes].

enzainarse *prnl.* Ponerse a mirar a lo zaino. 2 Hacerse traidor, falso. ◇ ** CONJUG. [15] como *aislar.*

enzalamar *tr.* fam. Azuzar, cizañar.

enzamarrado, -da *adj.* Que lleva zamarra.

enzapatar *tr.-prnl. Amér.* Calzar, poner zapatos.

I) enzarzar *tr.* Poner zarzas [en una cosa o cubrirla de ellas]. – 2 *tr.-prnl.* fig. Malquistar [a algunos entre sí] sembrando discordias. – 3 *prnl.* Enredarse en las zarzas. 4 fig. Meterse en negocios arduos. 5 Reñir, pelearse: *enzarzarse en una disputa.* ◇ ** CONJUG. [4] como *realizar.*

II) enzarzar *tr.* Poner zarzos para los gusanos de seda. ◇ ** CONJUG. [4] como *realizar.*

enzima *amb.* Fermento soluble, de naturaleza compleja, que se forma y actúa en el organismo animal.

enzimología *f.* Parte de la bioquímica que tiene por estudio los sistemas enzimáticos del organismo humano y su repercusión clínica.

enzootia *f.* Enfermedad habitual de una o más especies de animales en un país o región determinados.

enzoquetar *tr.* Poner tacos de madera en [un entramado] para evitar que se muevan los maderos.

enzunchar *tr.* Asegurar y reforzar [un cajón, fardo, etc.] con zunchos o flejes.

enzurizar *tr.* Azuzar, sembrar discordia [entre varias personas]. ◇ ** CONJUG. [4] como *realizar.*

enzurronar *tr.* Meter [una cosa] en un zurrón. 2 fig. Incluir o encerrar [una cosa] en otra.

eñe *f.* Nombre de la letra ñ.

eoceno *adj.-m.* Período geológico con que empieza la era terciaria y terreno a él correspondiente. – 2 *adj.* Relativo al eoceno.

eólico, -ca *adj.* Perteneciente o relativo a Eolo, dios del viento en la mitología griega. 2 Perteneciente o relativo al viento. 3 Producido o accionado por el viento.

eolito *m.* Piedra de cuarzo usada en su forma natural como instrumento por el hombre primitivo.

eón *m.* En el gnosticismo, ser eterno, emanado de la unidad divina, que colmaba el intervalo entre la materia y el espíritu, poniéndolos en relación. 2 Período de tiempo indefinido y no computable.

eosina *f.* Colorante rojo, que se obtiene del alquitrán, usado para teñir seda, algodón, fabricar tinta roja y preparar las placas fotográficas.

epacridáceo, -a *adj.-f.* Planta de la familia de las epacridáceas. – 2 *f. pl.* Familia de plantas arbustivas con las hojas enteras y sentadas, flores con cinco estambres y los pétalos soldados.

epacta *f.* Número de días en que el año solar excede al lunar. 2 Número de días en que el mes del calendario excede al lunar.

epanadiplosis *f.* Figura retórica que consiste en repetir al fin de una cláusula el mismo vocablo con que empieza. ◇ Pl.: *epanadiplosis.*

epatar *tr.* GALIC. Excitar la admiración, maravillar, asombrar, deslumbrar.

epeiroforesis *f.* GEOL. Movimiento horizontal de los continentes. ◇ Pl.: *epeiroforesis.*

epéndimo *m.* Membrana que tapiza los ventrículos cerebrales y el canal de la medula espinal.

epéntesis *f.* Metaplasmo que consiste en añadir una letra en medio de un vocablo: *corónica* por *crónica.* ◇ Pl.: *epéntesis.*

eperlano *m.* Pez teleósteo, parecido a la trucha, propio de los grandes ríos del norte de Europa *(Osmerus eperlanus).*

epicarpio, epicarpo *m.* BOT. Parte exterior del pericarpio cuando éste consiste en dos o más capas de diferente textura; **fruto.

epicedio *m.* Composición poética que se recitaba antiguamente delante de un cadáver.

epiceno *adj.* GRAM. [género de los nombres de animales] Que con una misma terminación y artículo designan al macho y a la hembra: *el jilguero, la codorniz.*

epicentro *m.* Punto en la superficie de la tierra bajo el cual tiene origen un terremoto o fenómeno sísmico.

epicicloide *f.* Línea **curva descrita por un punto de una circunferencia que rueda sobre otra fija, manteniéndose ambas tangentes externamente.

épico, -ca *adj.* Perteneciente o relativo a la epopeya. – 2 *adj.-f.* [género de poesía] Que narra sucesos heroicos, a veces próximos al tiempo de los oyentes, con fidelidad a sus creencias y formas de vida: *estilo ~; épica culta,* subgénero de la poesía épica, fruto de la creación de un solo autor, que pretende ennoblecer con valores literarios una materia heroica tradicional. – 3 *adj.-s.* Poeta que cultiva este género de poesía. – 4 *f.* Composición poética de dicho género.

epicureísmo *m.* Sistema filosófico de Epicuro (341-270 a. C.). 2 fig. Refinado egoísmo que busca el placer exento de todo dolor.

epicúreo, -a *adj.* Relativo a Epicuro (341-270 a. C.). – 2 *adj.-s.* Partidario del epicureísmo. 3 fig. Persona que ama los placeres sensuales.

epidemia *f.* Enfermedad que reina transitoriamente en una región o localidad, atacando simultáneamente a gran número de personas.

epidemiología *f.* Ciencia que estudia las epidemias.

epidermis *f.* Capa más superficial de la piel. ◇ Pl.: *epidermis.*

epidiascopio *m.* ÓPT. Instrumento mixto que permite proyectar en una pantalla tanto imágenes opacas como diapositivas.

epidota *f.* Sorosilicato que cristaliza en el sistema monoclínico, de color verde o amarilloverdoso y con brillo vítreo. – 2 *f. pl.* Minerales de la clase de los silicatos que constituyen un grupo isomorfo.

epifanía *f.* Festividad que celebra la Iglesia el 6 de enero, en conmemoración de la aparición y manifestación de Jesucristo al mundo.

epifonema *f.* RET. Exclamación o reflexión con la cual se concluye el concepto general de un relato.

epigastrio *m.* Región superior del abdomen, desde la punta del esternón hasta cerca del ombligo.

epiglotis *f.* Órgano en forma de lámina fibrocartilaginosa, inserto por su base en el ángulo entrante del cartílago tiroides, que en el momento de la deglución cierra la abertura superior de la **laringe; **boca; **digestivo (aparato). ◇ Pl.: *epiglotis.*

epígono *m.* El que sigue las huellas de otro, especialmente en materia artística, filosófica o científica.

epígrafe *m.* Resumen o cita que suele encabezar una obra científica o literaria, o cada uno de sus capítulos o divisiones para indicar su contenido. 2 Inscripción (escrito). 3 Título, rótulo.

epigrafía *f.* Ciencia que tiene por objeto el estudio de las inscripciones.

epigrama *m.* Inscripción (escrito). 2 Composición poética breve, precisa y aguda, que expresa un solo pensamiento principal, generalmente festivo o satírico. 3 fig. Pensamiento de cualquier género, expresado con brevedad y agudeza. 4 fig. Filete fino de la carne más delicada del cordero o de ciertas aves.

epilepsia *f.* Enfermedad nerviosa crónica, caracterizada por accesos de pérdida del conocimiento seguida de convulsiones.

epílogo *m.* Recapitulación, conclusión de un discurso, de una obra dramática, de una novela, etc. 2 Suceso o hecho que ocurre después de otro y que da a este su significación definitiva.

epinicio *m.* Canto de victoria; himno triunfal.

epiqueya *f.* Interpretación de una ley según las circunstancias de tiempo, lugar y persona.

epirogénesis *f.* GEOL. Movimiento lento de ascenso y descenso de ciertas zonas de la superficie terrestre. ◇ Pl.: *epirogénesis.*

episcopado *m.* La última y más elevada de las sagradas órdenes, por la que se recibe la plenitud del sacerdocio. 2 Dignidad del obispo. 3 Época y duración del gobierno de un obispo. 4 Conjunto de obispos: *el ~ español.*

episcopal *adj.* Relativo al episcopado: *jurisdicción ~. – 2 m.* Libro en que se contienen las ceremonias y oficios propios de los obispos.

episcopalismo *m.* Doctrina de los canonistas favorables a la potestad episcopal y adversarios de la supremacía pontificia.

episcopio *m.* Linterna que se emplea para proyectar sobre una pantalla la imagen amplificada de un objeto opaco fuertemente iluminado.

episodio *m.* Acción secundaria en un poema épico o dramático, novela, etc. 2 Digresión en obras de otro género o en el discurso. 3 Suceso enlazado con otros que forman un todo o conjunto: *un ~ de las guerras de Flandes.*

epistemología *f.* Disciplina filosófica que estudia los principios materiales del conocimiento humano.

epístola *f.* Carta misiva que se escribe a los ausentes. 2 Parte de la misa, inmediatamente anterior al gradual, llamada así por leerse generalmente en ella un fragmento de las epístolas de los apóstoles. 3 Composición poética en forma de carta, cuyo fin es moralizar, instruir o satirizar: *la ~ moral a Fabio.*

epistolario *m.* Libro o cuaderno en que se hallan escritas varias cartas o epístolas de un autor. 2 Libro en que se contienen las epístolas de la misa.

epitafio *m.* Inscripción sepulcral.

epitalamio *m.* Composición lírica en celebración de una boda.

epitelio *m.* Capa superficial de la piel y de las membranas mucosas.

epitelioma *m.* Tumor canceroso caracterizado por la proliferación de células epiteliales.

epíteto *m.* Adjetivo, o expresión equivalente, que se agrega a un substantivo, no para determinarlo o especificarlo, sino para acentuar su carácter y producir un efecto de estilo. A menudo va antes del nombre: *la blanca nieve.* 2 p. ext. Calificación insultante, injuriosa o elogiosa.

epítome *m.* Compendio de una obra extensa. 2 Figura retórica que consiste, después de dichas muchas palabras, en repetir las primeras para mayor claridad.

epizona *f.* GEOL. En un proceso de metamorfismo regional, zona superficial sometida a presión y temperaturas bajas.

epizootia *f.* Enfermedad de una o más especies de animales, que reina transitoriamente en una región o localidad, atacando simultáneamente a gran número de individuos.

epizootiología *f.* Estudio científico de las epizootias.

época *f.* Era (fecha determinada). 2 Espacio de tiempo y especialmente el memorable por los hechos históricos durante él acaecidos: *en aquella ~ me hallaba yo enfermo; la ~ del Terror de la Revolución Francesa; formar, o hacer, ~ una cosa,* que dejará larga memoria.

epodo *m.* Último verso de la estrofa.

epónimo, -ma *adj.* Que da nombre a un pueblo, a una ciudad, a una época, etc.; como Alejandro Magno y la ciudad de Alejandría: *héroes epónimos; divinidades epónimas.*

epopeya *f.* Poema narrativo extenso, de acción bélica, empresas nobles y personajes heroicos. 2 Conjunto de poemas que forman la tradición épica de un pueblo: *~ castellana, francesa.* 3 Conjunto de hechos memorables.

epóxido *m.* Substancia química que polimerizada se usa como plástico para estructuras, revestimientos y adhesivos.

épsilon *f.* Quinta letra del alfabeto griego, equivalente a la *e* breve.

equiángulo, -la *adj.* GEOM. [figura o sólido] De ángulos iguales: *triángulo ~.*

equidad *f.* Igualdad de ánimo. 2 Bondadosa templanza habitual; propensión a dejarse guiar por el sentimiento del deber o de la conciencia más bien que por el texto terminante de la ley. 3 Justicia natural, por oposición a la justicia legal. 4 Moderación en el precio de las cosas, o en las condiciones de los contratos. 5 Cualidad que consiste en dar a cada uno lo que se merece por sus méritos o condiciones. 6 Cualidad que consiste en no favorecer en el trato a uno perjudicando a otro.

equidistar *intr.* Hallarse uno o más puntos o cosas a igual distancia de otro determinado, o entre sí.

équido *adj.-m.* Mamífero de la familia de los équidos. – 2 *m. pl.* Familia de mamíferos perisodáctilos cuya característica principal es la terminación de las extremidades en un solo dedo; como el caballo, el asno y la cebra.

equilátero, -ra *adj.* GEOM. [figura] De lados iguales: *triángulo* ~.

equilibrar *tr.-prnl.* Poner en equilibrio: ~ *dos fuerzas, los platillos de una balanza.* 2 fig. Hacer que una cosa no exceda ni supere a otra, manteniéndola proporcionalmente iguales: ~ *los ingresos y los gastos.*

equilibrio *m.* Estado mecánico de un cuerpo atraído por dos o más fuerzas que se contrarrestan y cuya resultante es nula; esp., estado de un cuerpo que, no sometido a otra acción que la de la gravedad, se mantiene en reposo sobre su base o punto de sustentación: ~ *estable, inestable;* ~ *indiferente; perder el* ~. 2 Estabilidad del cuerpo gobernado desde el cerebelo. 3 fig. Contrapeso, armonía entre cosas diversas: *el* ~ *europeo.* 4 fig. Ecuanimidad, mesura, sensatez en los actos y juicios: *el* ~ *de su alma.* – 5 *m. pl.* fig. Actos de contemporización encaminados a sostener una situación dificultosa.

equilibrista *adj.-com.* Diestro en hacer ejercicios de equilibrio. 2 *Amér.* fig. *y* fam. Político que procura congraciarse con todos los partidos políticos y en especial con el que ostenta el poder.

equimosis *f.* Mancha lívida de la piel provocada al extravasarse la sangre a consecuencia de un golpe, de una fuerte ligadura, etc. ◇ Pl.: *equimosis.*

equino, -na *adj.* Relativo al caballo.

equinoccio *m.* ******ASTRON. Momento del año en que el Sol, en su movimiento aparente, pasa por el ecuador y en que el día es igual a la noche en toda la Tierra: ~ *de primavera,* del 20 al 21 de marzo; ~ *de otoño,* del 22 al 23 de septiembre.

equinococo *m.* Pequeño gusano platelminto, parásito del perro, cuyas larvas se encuentran también en el hombre y en otros animales *(Taenia echinococcus).*

equinodermo *adj.-m.* Animal del tipo de los equinodermos. – 2 *m. pl.* Tipo de animales marinos, celomados, de simetría radiada y piel gruesa provista de placas y espinas calcáreas, que tienen en el interior del cuerpo un sistema de canales por donde circula el agua del mar; incluye dos subtipos: pelmatozoos y eleuterozoos; como la estrellamar y la holoturia.

equinoideo *adj.-m.* Equinodermo de la clase de los equinoideos. – 2 *m. pl.* Clase de equinodermos eleuterozoos de cuerpo globoso erizado de espinas y protegido por un caparazón rígido formado por placas pentagonales.

equipaje *m.* Conjunto de cosas que se llevan de viaje.

equipar *tr.* Proveer [a una nave] de todo lo necesario para su avío y defensa. 2 Proveer [a uno] de las cosas necesarias para su uso particular, especialmente de ropa: ~ *a uno con,* o *de, vestidos.*

equiparar *tr.* Comparar [una persona o cosa] con otra, considerándolas o haciéndolas iguales o equivalentes: ~ *un libro a,* o *con, otro;* ~ *el sueldo de dos categorías de funcionarios.*

equipo *m.* Conjunto de ropas y otras cosas para uso particular de una persona: ~ *de soldado;* ~ *de novia.* 2 Grupo de personas y colección de utensilios, instrumentos y aparatos especiales organizados para un servicio determinado: ~ *de salvamento.* 3 Conjunto de aparatos técnicos que intervienen en la producción de un programa de radio o televisión. 4 Conjunto formado por los instrumentos y el material necesario para ejecutar una tarea. 5 Maquinaria, utillaje e instalaciones de una industria, laboratorio, etc. 6 Sistema de registro y reproducción del sonido de alta fidelidad constituido al menos por una fuente de sonido, un amplificador y dos pantallas acústicas. 7 Grupo que disputa a otro el triunfo en ciertos deportes: ~ *de fútbol.*

equipotencial *adj.* FÍS. Que tiene la misma potencia o potencial.

equis *f.* Nombre de la letra *x,* y del signo de la incógnita en los cálculos. 2 Número desconocido o indiferente: *necesito* ~ *días para terminarlo.* ◇ Pl.: *equis.*

equisetáceo, -a *adj.-f.* Planta de la familia de las equisetáceas. – 2 *f. pl.* Familia de plantas pteridofitas, de rizoma feculento, tallos muy delgados, en cuyos nudos hay verticilos de hojas escamosas soldadas en corona, y esporangios formados en hojas especiales agrupadas en estróbilo en el extremo de los brotes fértiles; como la cola de caballo.

equisonancia *f.* Equivalencia de sonido.

equitación *f.* Arte de montar a caballo. 2 Acción o ejercicio de montar a caballo.

equitador *m.* *Amér.* Caballista, el que entiende de caballos.

equivalencia *f.* Igualdad en el valor, potencia o eficacia. 2 GEOM. Igualdad de áreas y volúmenes en figuras y sólidos diferentes.

equivalente *adj.* Que equivale a otra cosa. 2 [figura, sólido] Que tiene igual área o volumen y forma diferente. – 3 *m.* QUÍM. Cantidad de los distintos elementos que tienen el mismo valor químico, tomándose por unidad el equivalente de uno de ellos, generalmente el hidrógeno.

equivaler *intr.* Ser igual una cosa a otra en el valor, potencia o eficacia. 2 GEOM. Ser de igual valor las áreas de dos figuras planas distintas o las áreas o volúmenes de dos sólidos también diversos. ◇ ** CONJUG. [89] como *valer.*

equivocación *f.* Acción de equivocar o

equivocarse. 2 Efecto de equivocar o equivocarse. 3 Cosa hecha equivocadamente.

equivocar *tr.-prnl.* Tener o tomar [una cosa] por otra juzgando u obrando desacertadamente: ~ *un galgo con un podenco;* ~ *la vocación; equivocarse en el precio.* ◇ Impropio por *engañar.* ◇ ** CONJUG. [1] como *sacar.*

equívoco, -ca *adj.* Que puede entenderse en varios sentidos. 2 Que inspira sospecha: *conducta equívoca.* – 3 *m.* Palabra cuya significación conviene a diferentes cosas.

I) era *f.* Fecha determinada desde la cual, en la cronología, se empiezan a contar los años: ~ *común, vulgar, de Cristo* o *cristiana,* la que empieza a contarse a partir del nacimiento de Cristo; ~ *española* o *de César,* la que empieza a contarse treinta y ocho años antes de la cristiana. 2 Época notable en que empieza un nuevo orden de cosas: *vino una* ~ *de paz.* 3 Temporada larga. 4 Gran período en que, junto a otros, se divide para su estudio la historia de la corteza del globo terrestre, desde el punto de vista geológico.

II) era *f.* Espacio descubierto, llano y a veces empedrado, donde se trillan las mieses. 2 Espacio análogo al anterior donde se machacan y limpian minerales, hacen las mezclas los albañiles, etc. 3 Cuadro pequeño de tierra destinado al cultivo de flores y hortalizas.

eral *m.* Novillo que no pasa de dos años.

erario *m.* Tesoro público. 2 Lugar donde se guarda.

erasmismo *m.* Ideología suscitada en el s. XVI por el humanista Erasmo de Rotterdam (¿1469?-1536).

erbio *m.* Elemento metálico del grupo de las tierras raras. Su símbolo es *Er.*

ere *f.* Nombre de la letra *r* en su sonido simple: *ara, arena.*

erebo *m.* Infierno, averno.

erección *f.* Acción de levantar, levantarse, enderezarse o ponerse rígida una cosa. 2 Efecto de levantar, levantarse, enderezarse o ponerse rígida una cosa. 3 Fundación o institución. 4 Tensión (tirantez).

eréctil *adj.* Que tiene la facultad de levantarse, enderezarse o ponerse rígido.

erecto, -ta *adj.* Enderezado, rígido. 2 BOT. Dispuesto en ángulo recto respecto a la parte que crece.

eremita *m.* Ermitaño.

eretismo *m.* MED. Exaltación de las propiedades vitales de un órgano.

erg *m.* Nombre del ergio en la nomenclatura internacional. 2 Desierto arenoso formado por dunas de morfología y dimensiones variables.

ergio *m.* FÍS. Unidad de trabajo en el sistema cegesimal, equivalente a la fuerza de una dina cuando se desplaza 1 cm. en la dirección de dicha fuerza.

ergología *f.* Parte de la fisiología que estudia la actividad muscular.

ergometría *f.* Medida del trabajo realizado por algún músculo, por un grupo de ellos, o por el organismo en general.

ergonomía *f.* Estudio de las condiciones de adaptación recíproca del hombre y su trabajo, o del hombre y una máquina o vehículo.

ergoterapia *f.* Reeducación de los enfermos o impedidos por el trabajo manual, para su reinserción en la vida social.

I) ergotismo *m.* Enfermedad producida en el centeno por el cornezuelo. 2 Intoxicación producida por haber comido pan de centeno atacado de ergotismo.

II) ergotismo *m.* Argumentación silogística. 2 Costumbre o manía de ergotizar.

ergotizar *intr.* Abusar de la argumentación silogística. ◇ ** CONJUG. [4] como *realizar.*

erguén *m.* Árbol sapotáceo, espinoso, de madera dura y semillas oleaginosas, propio de Andalucía y el norte de África *(Argania spinosa).*

erguir *tr.-prnl.* Levantar y poner derecha [una cosa]: ~ *la cabeza.* – 2 *prnl.* fig. Engreírse, ensoberbecerse. ◇ ** CONJUG. [70].

erial *adj.-m.* Tierra o campo sin cultivar ni labrar.

ericáceo, -a *adj.-f.* Planta de la familia de las ericáceas. – 2 *f. pl.* Familia de plantas dicotiledóneas que incluye matas o arbustos de hojas casi siempre alternas, coriáceas y persistentes, flores solitarias o en inflorescencias, de cáliz persistente, y fruto en cápsula, baya o drupa; como la azalea.

erigidecer *tr.-prnl.* Poner rígida alguna cosa. ◇ ** CONJUG. [43] como *agradecer.*

erigir *tr.* Fundar, instituir o levantar: ~ *un templo.* – 2 *tr.-prnl.* Elevar [a una persona o cosa] a cierta condición. ◇ ** CONJUG. [6] como *dirigir.*

erísimo *m.* Planta crucífera, cerdosa, con flores amarillas en racimos, hojas basales pinnado-lobuladas y frutos en silicuas *(Sisymbrium officinale).*

erisipela *f.* Enfermedad aguda, febril y contagiosa, caracterizada por una inflamación difusa de la piel y las membranas mucosas.

eritema *m.* Enrojecimiento de la piel debido a la congestión de los capilares.

eritrina *f.* Mineral de la clase de los arseniatos que cristaliza en el sistema monoclínico, clase prismática, que se presenta en cristales aciculares de color rojo, con brillo nacarado o vítreo.

eritroxiláceo, -a *adj.-f.* Planta de la familia de las eritroxiláceas. – 2 *f. pl.* Familia de plantas dicotiledóneas que incluye arbolillos o arbustos tropicales de hojas con estípulas escamosas, flores blanquecinas o de color amarillo verdoso, y fruto en drupa.

erizar *tr.-prnl.* Levantar, poner rígida y tiesa [una cosa] como las púas del erizo: *el gato erizó el pelo; el pelo se le erizó [al gato]*. 2 fig. Llenar o estar llena [una cosa] de obstáculos, asperezas: ~ *el negocio de dificultades; la vida está erizada de problemas*. ◇ ** CONJUG. [4] como *realizar*.

erizo *m.* Mamífero insectívoro de unos 30 cms. de largo, con el dorso y los costados cubiertos de púas, y capaz de arrollarse en forma de bola *(Erinaceus europaeus)*. 2 ~ *de mar* o *marino*, equinodermo equinoideo, de figura de esfera aplanada, con la concha llena de púas *(gén. Echinus)*. 3 Mata leguminosa, de ramas entrecruzadas, muy espinosas, y flores azules o violadas *(Calycotome spinosa)*. 4 Cúpula espinosa de la castaña y otros frutos. 5 Conjunto de púas de hierro que corona y defiende lo alto de un parapeto o muralla. 6 fig. Persona de carácter áspero.

ermita *f.* Capilla o santuario situado generalmente en despoblado; **románico. 2 vulg. Taberna, ventorrillo.

ermitaño, -ña *m. f.* Persona que vive en la ermita y cuida de ella. – 2 *m.* Asceta que vive en soledad. 3 Crustáceo decápodo anomuro que, para proteger su abdomen, se aloja en la concha vacía de algún molusco *(gén. Pagurus; Coenobita)*.

erogar *tr.* Distribuir [bienes o caudales]. 2 *Argent., Méj.* y *Parag.* Pagar las deudas. ◇ ** CONJUG. [7] como *llegar*.

erógeno, -na *adj.* Que produce o es sensible a la excitación sexual.

erosión *f.* Depresión producida en la superficie de un cuerpo por el roce de otro. 2 GEOL. Desmoronamiento producido en la corteza terrestre por la acción de los agentes externos, especialmente el agua y el aire. 3 Lesión superficial de la epidermis producida por un agente externo mecánico; excoriación. 4 fig. Desgaste de prestigio o influencia que pueden sufrir una persona, una institución, etc.

erosionar *tr.* Producir erosión. – 2 *prnl.* fig. Desgastar el prestigio o influencia de una persona, una institución, etc.

erostratismo *m.* Manía que lleva a cometer actos delictivos para conseguir renombre.

erótico, -ca *adj.* Amatorio. 2 Perteneciente o relativo al amor sensual. 3 [género de poesía] Que trata de asuntos amorosos o sexuales. – 4 *adj.-s.* Poeta que cultiva este género de poesía. – 5 *f.* Composición poética de dicho género.

erotismo *m.* Pasión de amor. 2 Amor sensual exacerbado. 3 Condición de erótico.

erotizar *tr.* Dar contenido o significación erótica [a algo]. ◇ ** CONJUG. [4] como *realizar*.

errabundo, -da *adj.* Errante.

erradicación *f.* Acción de erradicar. 2

Supresión, mediante medidas terapéuticas y profilácticas, de una enfermedad generalmente contagiosa.

erradicar *tr.* Arrancar de raíz. ◇ ** CONJUG. [1] como *sacar*.

erraj *m.* Cisco de huesos de aceituna machacados.

errante *adj.* Que anda vagando de una parte a otra.

errar *tr.-intr.-prnl.* No acertar: ~ *el blanco;* ~*, o errarse, en la respuesta;* equivocar: ~ *la vocación; errarse en la vocación, en el precio.* – 2 *intr.* Andar vagando de una parte a otra. 3 p. anal. Divagar el pensamiento, la imaginación, etc. ◇ ** CONJUG . [57].

errata *f.* Equivocación material en lo impreso o lo manuscrito.

erre *f.* Nombre de la letra *r* en su sonido múltiple: *ramo, enredo, parra.*

erro *m. Amér.* Error, yerro.

erróneo, -a *adj.* Que contiene error: *juicio* ~*; explicación errónea.*

error *m.* Acción del que juzga verdadero lo que es falso: *cometer un* ~. 2 Concepto, doctrina, opinión, no verdaderos, falsos: *vivir en el* ~. 3 Acción desacertada o equivocada. 4 FÍS. Término que designa las pequeñas diferencias del valor exacto con el observado.

erubescencia *f.* Rubor, vergüenza.

eructar *intr.* Expeler con ruido por la boca los gases estomacales.

erudición *f.* Conocimiento amplio de un tema o materia, especialmente de literatura e historia. 2 Vasto conocimiento de los documentos relativos a una ciencia.

erupción *f.* Aparición y desarrollo en la piel o las mucosas de granos, manchas o vesículas. 2 Estos mismos granos, o manchas. 3 Emisión de materias sólidas, líquidas o gaseosas por aberturas o grietas de la corteza terrestre: *la* ~ *de un volcán.*

eruptivo, -va *adj.* Relativo a la erupción o procedente de ella.

esbeltez *f.* Calidad de esbelto. 2 Elegancia, delicadeza de una cosa.

esbelto, -ta *adj.* Gallardo, de gentil y descollada altura.

esbirro *m.* El que tiene por oficio prender a las personas o ejecutar personalmente órdenes de las autoridades; como guardias, verdugos, etc. 2 Persona que sirve a quien le paga para ejercer violencias o desafueros.

esbozar *tr.* Bosquejar. 2 Insinuar un gesto, normalmente del rostro. ◇ ** CONJUG. [4] como *realizar*.

esbozo *m.* Bosquejo (acción y efecto). 2 p. ext. Aquello que puede alcanzar mayor desarrollo y perfección.

escabechar *tr.* Echar [un manjar] en escabeche. 2 fig. *y* fam. Matar. 3 fig. *y* fam. Suspender o reprobar [a uno] en un examen.

escabeche *m.* Adobo de vinagre, laurel y otros ingredientes, para la conservación de pescados y otros manjares. 2 Pescado puesto en escabeche.

escabechina *f.* fam. Destrozo, estrago.

escabel *m.* Tarima pequeña colocada delante de la silla para descansar los pies el que está sentado. 2 Asiento pequeño hecho de tablas, sin respaldo.

escabicida *m.* Substancia usada en el tratamiento de la sarna, dirigido especialmente a la eliminación del arador, agente productor de esta enfermedad.

escabiosa *f.* Planta herbácea dipsacácea, de tallo velloso, hojas ovaladas las inferiores y lobuladas las superiores, flores azuladas y fruto con abundantes semillas (gén. *Scabiosa*).

escábrido, -da *adj.* Cubierto de pelos cortos y tiesos. 2 Áspero al tacto.

escabro *m.* Roña de las ovejas que echa a perder la lana. 2 Enfermedad que padecen en la corteza los árboles y las vides.

escabroso, -sa *adj.* Desigual, lleno de embarazos: *terreno ~.* 2 fig. Áspero, duro: *carácter ~.* 3 fig. Que está al borde de lo inconveniente o de lo inmoral: *los pasajes escabrosos de un libro.*

escabuche *m.* Azada pequeña para escardar.

escabullirse *prnl.* Irse o escaparse de entre las manos: *~ una anguila.* 2 fig. Salirse uno sin que le echen de ver: *~ entre, de entre, o por entre, los grupos.* ◇ ** CONJUG. [41] como *mullir.*

escachalandrado, -da *adj. Amér. Central* y *Colomb.* Descuidado, desaseado.

escachar *tr.* Cascar, aplastar, despachurrar. 2 Cachar, hacer cachos, romper.

escacharrar *tr.-prnl.* Romper [un cacharro]. 2 fig. Malograr, estropear [una cosa].

escafandrista *com.* Buzo que trabaja protegido por una escafandra; **submarinismo.

escafandra *f.* Vestidura impermeable completada con un casco de bronce perfectamente cerrado, con orificios y tubos para renovar el aire; sirve para permanecer y trabajar debajo del agua; **puerto.

escafoides *adj.-m.* Hueso más externo y grueso de la primera fila del carpo; **mano. 2 Hueso del **pie situado delante del astrágalo.

escagarruzarse *prnl.* vulg. Hacer de vientre involuntariamente. ◇ ** CONJUG. [4] como *realizar.*

escala *f.* Escalera de mano. 2 Línea graduada, dividida en partes iguales, para medir algo, especialmente las variaciones en ciertos instrumentos: *~ **termométrica; ~ barométrica.* 3 Proporción entre las dimensiones de un dibujo, mapa, plano, etc., y las del objeto que representa; su representación gráfica: *en grande ~, a gran ~,* por mayor, en montón,

en grueso. 4 Serie graduada de cosas distintas, pero de la misma especie: *~ de colores.* 5 Paraje o puerto adonde toca un navío durante su viaje: *hacer ~ en La Habana.* 6 MIL. Escalafón: *~ cerrada; ~ de reserva.* 7 MÚS. Sucesión ordenada de sonidos por grados conjuntos: *~ **diatónica,* la formada por cinco tonos y dos semitonos; *~ **cromática,* la que procede por semitonos.

escalaborne *m.* Trozo de madera tallada del que se obtiene, al desbastarlo, la culata de un arma de fuego.

escalada *f.* Acción de escalar. 2 Efecto de escalar. 3 Aumento o intensificación rápido y por lo general alarmante [de alguna cosa, como precios, actos delictivos, gastos, armamentos, etc.].

escalado, -da *adj.* [animal] Abierto en canal para salar o curar su carne.

escalador, -ra *adj.-s.* Que escala. – 2 *m.* Obrero portuario que realiza la desestiba de los buques de pesca, incluso en la nevera; limpia y clasifica el pescado, lo transborda y descarga en el muelle. 3 DEP. En ciclismo, corredor especialista en subir por pendientes largas.

escalafón *m.* Lista de individuos de una corporación, clasificados según su grado, antigüedad, etc.

escálamo *m.* Tolete.

escalar *tr.* Entrar [en una plaza u otro lugar] valiéndose de escalas. 2 Subir, trepar a una gran altura, en general. 3 Entrar subrepticia o violentamente [en un lugar cercado, saltar una tapia, etc.]. 4 Levantar la compuerta [de la acequia] para dar salida al agua. 5 fig. Subir, no siempre por buenas artes, a elevadas dignidades.

escalaria *f.* Molusco gasterópodo marino, provisto de una concha arrollada en helicoidal que varía de color, desde incoloro a pardo rojizo (*Clathrus clathrus*).

escaldado, -da *adj.* fig. Escarmentado, receloso. 2 fig. [mujer] Muy ajada y deshonesta en su trato.

escaldar *tr.* Bañar con agua hirviendo [una cosa]. 2 Abrasar con fuego [una cosa], poniéndola al rojo. – 3 *prnl.* Escocerse (sahornarse).

escaleno *adj.* V. triángulo escaleno. 2 [cono o pirámide] Cuyo eje es oblicuo a la base. – 3 *adj.-m.* Músculo que hay a cada lado del cuello.

escalera *f.* Serie de escalones para subir y bajar: *~ **de caracol,* la de forma espiral, seguida y sin ningún descanso; *~ de mano,* la portátil, generalmente de madera o metal, formada de dos largueros paralelos unidos a intervalos iguales por travesaños; *~ **mecánica* o *automática,* la de peldaños ascendentes o descendentes movidos por un mecanismo eléctrico; *~ de tijera* o *doble,* la compuesta de dos de mano unidas con bisagras por la parte superior. 2 fig. Trasquilón recto o línea desigual que la tijera o la máquina dejan en el pelo mal cortado. 3 Pieza del carro que componen los listones, las teleras y la lanza. 4 Armazón de dos largueros y varios travesaños con que se prolonga por detrás el carro o carreta. 5 En los juegos de naipes, escalerilla.

escalerilla *f.* Escalera de corto número de escalones. 2 En los juegos de naipes, tres o cinco cartas en una mano, de números consecutivos.

escaleta *f.* Aparato para suspender el eje de un vehículo y poder componer las ruedas.

escalfado, -da *adj.* [pared] Mal encalado y que hace ampollas.

escalfador *m.* Jarro con tapa agujereada con el que antiguamente calentaban los barberos el agua para afeitar. 2 Braserillo con tres pies usado para mantener caliente la comida en la mesa. 3 Aparato que emplean los obreros pintores para quemar la pintura al óleo de puertas y ventanas que han de pintar de nuevo.

escalfar *tr.* Cocer en agua hirviendo [un huevo sin la cáscara]. 2 Cocer [el pan] con demasiado fuego. 3 *Méj.* fig. Descontar, quitar [algo] de lo justo.

escalfarote *m.* Bota con pala y caña dobles para rellenarla con borra y conservar calientes los pies.

escalibar *tr.* Escarbar [el rescoldo] para avivar el fuego.

escalinata *f.* Escalera exterior de un solo tramo y hecha de fábrica; **casa.

escalio *m.* Tierra yerma que se pone en cultivo.

escalmo *m.* Escálamo. 2 Cuña gruesa de madera para cazar o apretar algunas piezas de una máquina.

escalofriante *adj.* Que produce escalofríos; especialmente fiebre, miedo y ansiedad: *una escena* ~.

escalofriar *tr.-intr.-prnl.* Causar escalofrío. ◇ ** CONJUG. [13] como *desviar*.

escalofrío *m.* Indisposición del cuerpo caracterizada por una sensación de calor y frío al mismo tiempo: *la fiebre produce escalofríos*.

escalón *m.* Peldaño. 2 fig. Grado a que se asciende en dignidad. 3 fig. Paso o medio con que uno adelanta sus pretensiones o conveniencias.

escalonar *tr.* Situar ordenadamente [personas o cosas] de trecho en trecho. 2 Distribuir en tiempos sucesivos [las partes de una serie].

escalopar *tr.* Cortar [un producto alimenticio] en lonchas delgadas y sesgadas.

escalope *m.* Loncha delgada de ternera o de vaca que se come empanada o frita.

escalpelo *m.* Bisturí de mango fijo, usado principalmente en las disecciones.

escama *f.* Placa pequeña, rígida, imbricada o yuxtapuesta, que cubre la piel de algunos animales; como la de los **peces y reptiles. 2 Hoja modificada en forma de lámina seca y coriácea que se encuentra en la superficie de algunas partes de los vegetales. 3 fig. Lámina de hierro o acero en figura de escama que forma la loriga. 4 fig. Lo que tiene figura de escama. 5 fig. Recelo, sospecha.

escamar *tr.* Quitar las escamas [a los peces]. 2 Labrar [una cosa] en figura de escamas. – 3 *tr.-prnl.* fig. y fam. Hacer que [uno] entre en recelo o desconfianza: *tanta solicitud me escama; me escamo de tanta solicitud*.

escamochar *tr.* Quitar las hojas no comestibles a los palmitos, lechugas, alcachofas, etc. 2 fig. Desperdiciar, malbaratar.

escamocho *m.* Sobras de la comida o bebida.

escamón, -mona *adj.* Receloso. – 2 *m.* fam. Bronca, sermón, regañina.

escamondar *tr.* Limpiar [un árbol] quitándole las ramas inútiles. 2 Lavar. 3 fig. Quitar [a una cosa] lo superfluo o dañoso.

escamoso, -sa *adj.* Que tiene escamas. – 2 *m. pl.* Suborden de reptiles caracterizados por tener el cuerpo cubierto de escamas córneas y la cloaca transversal; incluye dos órdenes: saurios y ofidios.

escamotear *tr.* Hacer el jugador de manos que desaparezcan a ojos vistas [las cosas que maneja]. 2 fig. Robar [una cosa] con agilidad y astucia. 3 fig. Hacer desaparecer de un modo arbitrario [algún asunto o dificultad].

escampar *tr.* Despejar, desembarazar [un sitio]. – 2 *impers.* Dejar de llover. – 3 *intr.* fig. Cesar o aflojar en algún empeño.

escampavía *f.* Barco pequeño y velero que acompaña como explorador a una embarcación más grande. 2 Barco ligero y de poco calado, para perseguir el contrabando.

escamujar *tr.* Podar someramente [un árbol, especialmente un olivo] entresacando algunas de sus ramas para que el fruto tenga mejor sazón.

escamujo *m.* Rama de olivo podada. 2 Tiempo en que se escamuja.

escanciar *tr.* Echar [el vino]; servirlo en las mesas y convites. – 2 *intr.* Beber vino. ◇ ** CONJUG. [12] como *cambiar*.

escanda *f.* Trigo de paja dura y corta, cuyo grano se separa difícilmente del cascabillo (*Triticum aestivum spelta*).

escandalizar *tr.-prnl.* Causar escándalo [a uno]. – 2 *intr.* Armar alboroto o ruido. – 3 *prnl.* Excandecerse, enojarse. ◇ ** CONJUG. [4] como *realizar*.

escándalo *m.* Acción o palabra que es causa de que uno obre mal o piense mal de otro. 2 Desenfreno, desvergüenza, mal ejemplo. 3 Alboroto, tumulto. 4 fig. Asombro, admiración.

escandalosa *f.* MAR. Vela pequeña que se orienta sobre la cangreja.

escandallar *tr.* Sondar (echar el escandallo). 2 Apreciar el valor del conjunto de una mercancía por el valor de una muestra solamente.

escandallo *m.* Parte de la sonda para reconocer la calidad del fondo del agua. 2 Ensayo que se hace tomando al azar muestras de algunos, entre muchos, envases de una misma materia para apreciar la calidad, valor, etc., del contenido. 3 En el régimen de tasas, determinación del precio de coste o de venta de una mercancía con relación a los factores que lo integran.

escandia *f.* Trigo muy parecido a la escanda, con dobles carreras de granos en la espiga *(Triticum turgidum dicoccum)*.

escandinavo, -va *adj.-s.* De Escandinavia, región del norte de Europa.

escandio *m.* Elemento metálico del grupo de las tierras raras. Su símbolo es *Sc*.

escandir *tr.* Medir [un verso].

escáner *m.* Aparato que sirve para explorar sistemáticamente un objeto a través de la emisión de electrones. 2 MED. Aparato que sirve para hacer radiografías de capas seleccionadas.

escantillón *m.* Regla o patrón para trazar las líneas según las cuales se han de labrar las piezas.

escaño *m.* Banco con respaldo y capaz para sentarse en él tres o más personas. 2 Puesto, asiento de los parlamentarios en las cámaras. 3 *Amér.* Banco o banca de un paseo.

escapada *f.* fam. Abandono temporal de las ocupaciones o actividades con objeto de divertirse o distraerse.

escapar *intr.-prnl.* Salir de un encierro o peligro, en general: ~, o *escaparse, de la cárcel; ~ de la muerte; ~ con vida; ~ en una tabla; ~ al campo*. 2 Salir uno de prisa y ocultamente: ~, o *escaparse, a la calle por un postigo*. 3 Quedar fuera del dominio o influencia de alguna persona o cosa: *hay cosas que se escapan, o que escapan, al poder de la voluntad*. 4 No ser advertida o percibida [una cosa]: *no se escapa nada a su penetración; la realidad política escapa a los informadores*. 5 fig. Perder [un vehículo] por llegar tarde. – 6 *prnl.* Salirse un líquido o un gas por algún resquicio. 7 Soltarse algo que estaba sujeto. 8 No mantenerse [algo] bajo el dominio de la voluntad: *al verlo con esa facha, se me escapó la risa*.

escaparate *m.* Especie de estante con vidrieras. 2 Hueco cerrado con cristales en la fachada de algunas tiendas, para colocar en él muestras de los géneros. 3 fig. y fam. Apariencia ostentosa de una persona o cosa con el fin de que la contemplen. 4 *Amér.* Armario.

escaparatista *com.* Persona especializada en el arreglo de escaparates.

escapatoria *f.* Lugar por donde se escapa. 2 Excusa, efugio. 3 fam. Abandono momentáneo del trabajo o de las ocupaciones habituales para hacer un viaje, ir a una diversión, etc.

escape *m.* Acción de escapar. 2 Fuga apresurada para librarse de un daño que amenaza: *a ~*, a todo correr, a toda prisa. 3 Fuga de un gas o de un líquido. 4 Válvula que abre o cierra la salida de los gases de un motor de explosión. 5 Tubo de escape. 6 En algunas máquinas, pieza que, separándose, deja obrar a un muelle, rueda, etc., que sujetaba: *el ~ de un reloj* o *disparador*.

escápula *f.* Omóplato.

escapular *tr.* MAR. Doblar [un bajío, cabo, punta de costa, etc.]. – 2 *intr.* MAR. Zafarse una amarra por deshacerse su nudo o la vuelta que la afirma.

escapulario *m.* Distintivo de algunas órdenes religiosas que consiste en una tira de tela que cuelga sobre el pecho y la espalda. 2 Conjunto de dos pedazos pequeños de tela que se llevan por devoción colgados del cuello con dos cintas largas.

escaque *m.* Casilla del tablero de ajedrez o damas.

escaquearse *prnl.* fam. Escabullirse [de un trabajo u obligación]. 2 Escurrir el bulto; zafarse [de una situación comprometida].

escara *f.* Costra sobre la piel.

escarabajear *intr.* Andar y bullir desordenadamente. 2 fig. Escribir mal haciendo escarabajos. 3 fig. Punzar y molestar un cuidado o disgusto. 4 Producir cosquilleo o picazón [en alguna parte del cuerpo]. 5 Bailar [el trompo] con irregularidad, dejando de estar dormido.

escarabajo *m.* Insecto coleóptero en general, de cuerpo ovalado, cabeza corta y antenas en maza hojosa: ~ **pelotero**, el de cuerpo elíptico, negro por encima y rojizo por debajo, y élitros lisos, que se alimenta de excrementos, con los cuales hace unas bolas donde deposita sus huevos *(Scarabaeus sacer)*; ~ **enterrador** o **sepulturero**, el de color negro con dos bandas longitudinales amarillas en los élitros, que tiene la costumbre de enterrar los cadáveres de pequeños animales *(Necrophorus vespillus)*; ~ **de la patata**, el de color amarillo con diez manchas negras longitudinales en los élitros *(Leptinotarsa decemlineata)*. 2 fig. Persona pequeña de cuerpo y de mala figura. 3 En los tejidos, cierta imperfección consistente en no estar derechos los hilos de la trama. – 4 *m. pl.* fig. Letras y rasgos mal formados y confusos.

escarabajuelo *m.* Insecto coleóptero de color verde azulado, que roe las hojas y otras partes tiernas de la vid *(Haltica ampelophaga)*.

escaramujo *m.* Especie de rosal silvestre que tiene por fruto una baya aovada, carnosa y roja, usada en medicina *(Rosa canina)*. 2 Fruto de esta planta.

escaramuza *f.* Género de pelea entre los soldados a caballo. 2 Riña, refriega de poca importancia, especialmente la sostenida por las avanzadas de los ejércitos.

escaramuzar *intr.* Sostener una escaramuza. 2 Revolver el caballo a un lado y otro como en la escaramuza. ◇ ** CONJUG. [4] como *realizar*.

escarapela *f.* Divisa en forma de disco, compuesta de cintas, generalmente de varios colores, que se coloca en el sombrero o morrión del soldado. 2 Riña o quimera, especialmente entre mujercillas. 3 En el tresillo, tres cartas falsas de palo distinto al aquel a que se juega. 4 Especie de pasta frita, aromatizada con ron o aguardiente y espolvoreada con azúcar glas.

escarapelar *intr.-prnl.* Reñir, trabar disputa unos con otros, especialmente las mujeres. – 2 *tr. Amér.* Descascarar, desconchar.

escarbaorejas *m.* Instrumento en forma de cucharilla para limpiar los oídos. ◇ Pl.: *escarbaorejas*.

escarbar *tr.* Arañar, rascar [el suelo], como suelen hacer el toro, la gallina, etc. 2 fig. Hurgar, tocar insistentemente algo con los dedos u otra cosa. 3 Limpiar [los dientes o los oídos] con un instrumento. 4 Avivar [la lumbre moviéndola con el badil]. 5 fig. Inquirir curiosamente [lo que está algo oculto].

escarbillos *m. pl.* Trozos pequeños de carbón que salen de un hogar mezclados con la ceniza por combustión incompleta.

escarcela *f.* Especie de bolsa que pendía de la cintura. 2 Mochila de cazador. 4 Especie de cofia de mujer.

escarceo *m.* Movimiento en la superficie del mar, con pequeñas olas. 2 Prueba o tentativa antes de iniciar una determinada acción. – 3 *m. pl.* Tornos y vueltas que dan los caballos. 4 fig. Rodeo, divagación. 5 fig. Tanteo, incursión en algún quehacer que no es el acostumbrado.

escarcha *f.* Rocío de la noche congelado.

escarchada *f.* Hierba ficoidea crasa, de hojas anchas cubiertas de vesículas transparentes, llenas de agua *(Mesembrianthemum crystallynum)*.

escarchar *impers.* Formarse escarcha en las noches frías. – 2 *tr.* Preparar [confituras] de modo que el azúcar cristalice en lo exterior. 3 Hacer que [en el aguardiente] cristalice el azúcar sobre un ramo de anís. 4 Salpicar [una superficie] de partículas de talco o de otra substancia brillante.

escarda *f.* Azada pequeña para escardar (arrancar).

escardar *tr.* Arrancar [los cardos y otras hierbas nocivas] de un sembrado. 2 fig. Separar [en una cosa] lo malo de lo bueno.

escariar *tr.* Agrandar o redondear [un agujero abierto en metal o el diámetro de un tubo]. ◇ ** CONJUG. [12] como *cambiar*.

escarificador, -ra *m.* Instrumento armado de cuchillos de acero, para cortar verticalmente la tierra y las raíces. 2 CIR. Instrumento con varias puntas aceradas para escarificar. – 3 *f.* Máquina agrícola para escarificar la tierra.

escarificar *tr.* Labrar [la tierra] con el escarificador. 2 CIR. Hacer [en alguna parte del cuerpo] cortaduras o incisiones superficiales para facilitar la salida de los humores. ◇ ** CONJUG. [1] como *sacar*.

escarioso, -sa *adj.* [órgano vegetal] Que tiene color de hoja seca.

escarlata *adj.-m.* Color carmesí fino, menos subido que el de la grana. – 2 *adj.* De color escarlata. – 3 *f.* Tela de escarlata.

escarlatina *f.* Tela de lana de color carmesí. 2 Enfermedad aguda contagiosa caracterizada por una inflamación de la garganta y una erupción cutánea de color escarlata.

escarmentar *tr.* Corregir con rigor [al que ha errado] para que no reincida: ~ *a un niño, a un animal; escarmentado de viajar*. – 2 *intr.-prnl.* Tomar enseñanza de la experiencia propia o ajena para evitar nuevos daños: ~ *con la desgracia, en sus compañeros*. ◇ ** CONJUG. [27] como *acertar*.

escarmiento *m.* Desengaño y aviso que hace que uno escarmiente. 2 Castigo, multa, pena.

escarnecer *tr.* Hacer mofa [de uno] zahiriéndole. ◇ ** CONJUG. [43] como *agradecer*.

escarnecimiento, escarnio *m.* Befa tenaz que afrenta.

escaro, -ra *adj.-s.* Que tiene los pies y tobillos torcidos.

escarola *f.* Especie hortense de achicoria, de hojas radicales muy numerosas, dispuestas en roseta, lisas y recortadas, que se comen en ensalada *(Chicorium endivia crispum)*. 2 Planta compuesta bienal, de hojas divididas y onduladas *(Lactuca serriola)*.

escarpa *f.* Declive áspero de cualquier terreno.

escarpado, -da *adj.* Que tiene escarpa. 2 [altura] Que tiene subida peligrosa o intransitable.

I) escarpar *tr.* Limpiar y raspar con el escarpelo o la escofina [materias y labores de escultura o talla].

II) escarpar *tr.* Cortar [una montaña o terreno] poniéndolo en plano inclinado.

escarpe *m.* Corte oblicuo que se da a un madero para empalmarlo con otro. 2 Empalme de dos maderos que se unen de este modo.

escarpelo *m.* Escalpelo. 2 Instrumento de hierro, con dientecillos, usado por los carpinteros, escultores y entalladores para escarpar.

escarpia *f.* Clavo con cabeza acodillada.

escarpiador *m.* Horquilla de hierro para afianzar a una pared las cañerías.

escarpidor *m.* Peine de púas largas, gruesas y ralas.

escarpín *m.* Zapato de una suela y una costura; **calzado. 2 Calzado interior que, para abrigo del pie, se coloca encima de la media o calcetín.

escarza *f.* Herida en las patas de las caballerías, causada por habérseles entrado una china o cosa semejante.

I) escarzar *tr.* Doblar [un palo] por medio de cuerdas para que forme un arco. ◇ ** CONJUG. [4] como *realizar*.

II) escarzar *tr.* Quitar [de una colmena] los escarzos (panales). ◇ ** CONJUG. [4] como *realizar*.

escarzo *m.* Panal con borra o suciedad. 2 Operación o tiempo de escarzar. 3 Borra o desperdicio de la seda.

escás *m.* En el juego de pelota vasca, línea que en el saque que rebasar la pelota antes de botar.

escasear *tr.* Dar poco y de mala gana: ~ *el pan.* 2 Ahorrar, excusar: ~ *las visitas.* 3 Cortar [un sillar o un madero] por un plano oblicuo a sus caras. – 4 *intr.* Faltar, ir a menos una cosa: *este año escasean las patatas.*

escasez *f.* Cortedad, mezquindad: *compra con* ~. 2 Falta de lo necesario para subsistir: *vivir con* ~. 3 Poquedad, falta de una cosa: ~ *de trigo.*

escaso, -sa *adj.* Corto, poco, limitado: *comida escasa;* ~ *de dinero;* ~ *para lo más necesario.* 2 Falto, no cabal: *media hora escasa.* 3 Mezquino, nada liberal: ~ *en pagar.* – 4 *adj.-s.* Demasiado económico.

escatimar *tr.* Cercenar, escasear [lo que se ha de dar]: ~ *los alimentos.*

escatofagia *f.* Costumbre de alimentarse de excrementos.

escatófilo, -la *adj.* [insecto] Cuyas larvas se desarrollan entre excrementos.

I) escatología *f.* Parte de la teología que estudia las últimas cosas, es decir, el destino final del hombre y del universo. 2 Conjunto de creencias y doctrinas referentes a la vida de ultratumba.

II) escatología *f.* Estudio de los excrementos. 2 Superstición relativa a los excrementos.

escavanar *tr.* Entrecavar [un sembrado] para ahuecar la tierra y quitar las hierbas nocivas.

escayola *f.* Espejuelo (yeso) calcinado. 2 Estuco.

escayolar *tr.* Empapar las vendas con escayola para mantener [los huesos rotos o dislocados] en posición fija.

escayolista *com.* Persona especializada en decorar con molduras, flores, etc., las habitaciones.

escena *f.* Parte del **teatro donde se representa la obra o el espectáculo teatral: *estar un actor en* ~; **romano. 2 fig. Arte de la declamación. 3 Lugar donde se supone que ocurre la acción dramática: *cambio de* ~. 4 Parte en que se divide un acto, determinada por la entrada o salida de uno o más personajes: *la segunda* ~ *del primer acto;* fig., *la despedida fue una* ~ *entristecedora.* 5 Parte de la acción de un filme que se desarrolla en un mismo lugar. 6 fig. Acto algo teatral o fingido para impresionar el ánimo. 7 fig. Suceso llamativo y teatral: *la policía llegó a la* ~ *del crimen.*

escenario *m.* Parte del **teatro construida convenientemente para que en ella se puedan colocar las decoraciones y representar las obras dramáticas. 2 fig. Conjunto de las circunstancias que se consideran en torno de una persona o suceso. 3 fig. Lugar en que ocurre un suceso.

escenificar *tr.* Dar forma dramática a [una obra literaria] para ponerla en escena. 2 Representar, poner en escena [cualquier obra, suceso, chiste, etc.]. ◇ ** CONJUG. [1] como *sacar*.

escenografía *f.* Total y perfecta delineación en perspectiva de un objeto. 2 Arte de pintar decoraciones escénicas. 3 Conjunto de decorados que se montan en el escenario para ser utilizados en una representación teatral.

escepticismo *m.* Doctrina epistemológica que considera como imposible la aprehensión real del objeto por el sujeto cognoscente. 2 Incredulidad y tendencia a recelar de la verdad o eficacia de una cosa.

escéptico, -ca *adj.-s.* Partidario del escepticismo. 2 fig. Que duda de la existencia de cualquier verdad absoluta, o que recela de los resultados positivos de algo.

esciente *adj.* Que sabe.

escifozoo *adj.-m.* Animal de la clase de los escifozoos. – 2 *m. pl.* Clase de cnidarios que tienen la cavidad gastrovascular dividida por tabiques y en comunicación con el exterior por intermedio de una faringe; pueden presentar forma de pólipo o de medusa; como las medusas propiamente dichas.

escinco *m.* Reptil saurio acuático, de más de un metro de longitud, cuyo cuerpo, cubierto de fuertes escamas, no tiene separación marcada entre la cabeza, el tronco y la cola (gén. *Scincus*). 2 Reptil congénere del anterior, pero más pequeño, de color amarillento plateado, con siete bandas negras transversales *(Scincus officinalis).*

escindir *tr.-prnl.* Cortar, dividir, separar. 2 FÍS. Romper un núcleo atómico en dos porciones aproximadamente iguales, con la consiguiente liberación de energía. Suele realizarse mediante el bombardeo con neutrones.

escintilador *m.* Aparato utilizado como detector de la presencia de radiactividad.

escisión *f.* Cortadura, rompimiento, desavenencia. 2 FÍS. Rotura o fisión del átomo.

escita *adj.-s.* De la Escitia, antigua región del sudoeste de Asia.

escitamineales *f. pl.* Orden de plantas dentro de la clase monocotiledóneas, herbáceas, y de flores cigomorfas.

esciúrido *adj.-m.* Roedor de la familia de los esciúridos. – 2 *m. pl.* Familia de mamíferos roedores, de cola peluda, generalmente arborícolas; como la ardilla.

esclarecer *tr.* Iluminar, poner clara [una cosa]. 2 fig. Poner en claro, dilucidar [una cuestión o doctrina]. 3 Iluminar, ilustrar [el entendimiento]. 4 Ennoblecer, hacer famoso [a uno]. – 5 *intr.* Empezar a amanecer. ◇ ** CONJUG. [43] como *agradecer.*

esclarecido, -da *adj.* Noble, insigne, preclaro.

esclavina *f.* Especie de capa corta que se pone al cuello y cubre los hombros.

esclavista *adj.-com.* Partidario de la esclavitud.

esclavitud *f.* Estado de esclavo. 2 fig. Sujeción excesiva: *la ~ del trabajo.* 3 Hermandad o congregación de personas que se ejercitan en ciertos actos de devoción.

esclavizar *tr.* Reducir [a uno] a la esclavitud. 2 fig. Tener [a uno] sometido rigurosa o fuertemente. ◇ ** CONJUG. [4] como *realizar.*

esclavo, -va *adj.-s.* Que carece de libertad por estar bajo el dominio de otro: *los esclavos de la antigua Roma.* 2 fig. Sometido rigurosa o fuertemente: *~ de sus pasiones.* – 3 *m. f.* Persona alistada en alguna hermandad de esclavitud.

esclerénquima *m.* Tejido vegetal formado por células muertas de membranas engrosadas y lignificadas.

esclerófilo, -la *adj.* BOT. [planta] De hojas pequeñas y coriáceas como adaptación a climas secos.

esclerómetro *m.* Aparato que sirve para medir la dureza de los minerales.

escleroscopio *m.* Instrumento que se usa para medir la dureza de una superficie.

esclerosis *f.* Induración de un tejido o de un órgano debida al aumento anormal de su tejido conjuntivo intersticial. 2 p. ext. *y* fig. Imposibilidad de evolucionar o adaptarse. ◇ Pl.: *esclerosis.*

esclerosponja *adj.-f.* Porífero de la clase de las esclerosponjas. – 2 *f. pl.* Clase de poríferos con el esqueleto orgánico de espongina, reforzado con espículas calcáreas o silíceas.

esclerótica *f.* Membrana blanca, gruesa, resistente y fibrosa que constituye la capa exterior del **ojo.

esclusa *f.* Recinto con puertas que se construye en un canal para que los barcos puedan pasar de un tramo a otro de distinto nivel, llenando de agua o vaciando el espacio comprendido entre dichas puertas.

esclusada *f.* Cantidad de agua que se necesita para llenar una esclusa. 2 Volumen de agua que se vierte de una vez de un embalse a un río para limpiar su cauce, aumentar momentáneamente su nivel, etc.

escoba *f.* Manojo de palmitos o de otras ramas flexibles, juntas y atadas a menudo en el extremo de un palo, que sirve para barrer; cepillo (instrumento formado de cerdas); **jardinería. 2 Aparato mecánico usado para barrer. 3 Juego de naipes que se puede jugar individualmente, por parejas, o en grupos de tres, consistente en sumar quince puntos con una carta propia y otra u otras que hay sobre la mesa.

escobajo *m.* Escoba vieja. 2 Raspa de racimo después de quitadas las uvas.

escobén *f.* Agujero existente a uno y otro lado de la roda de un buque, por donde pasan los cables o cadenas para amarrarlo; **ancla.

escobilla *f.* Cepillo para el polvo. 2 Escobita para limpiar, formada de cerdas o alambres. 3 Hoja de caucho del limpiaparabrisas del automóvil. 4 Mezcla de tierra y polvo de plata y oro que se barre en las oficinas donde se trabajan estos materiales. 5 Mazorca del cardo silvestre, para cardar la seda. 6 Pieza de forma varia que tienen algunas máquinas eléctricas; que sirve para mantener el contacto entre los conductores y el rotor, para la entrada y salida de la corriente; como la dinamo. 7 MÚS. Palillo rematado por un pequeño haz de filamentos plásticos para amortiguar el sonido del tambor.

escobillón *m.* Palo largo, con un cilindro de madera y cerdas en uno de sus extremos, para limpiar los cañones de artillería. 2 Cepillo grande unido al extremo de un astil, que se usa para barrer el suelo.

escobina *f.* Serrín que hace la barrena cuando taladra. 2 Limadura de un metal cualquiera.

escobo *m.* Matorral espeso.

escobón *m.* Escoba con mango largo para barrer y deshollinar. 2 Escoba de mango corto. 3 Escoba sin mango, hecha de finas ramas de ontina, juntas y atadas por un extremo. 4 Aglomeración de ramas y hojas que crecen muy juntas y apretadas, debido a la acción de hongos parásitos y virus. 5 Arbusto leguminoso sin espinas, con tallos largos, rectos y lampiños, flores de color amarillo dorado y vainas negras peludas (*Sarothamnus scoparius*).

escocer *intr.* Causar una cosa, especialmente una herida o lesión, una sensación parecida a la quemadura: *la guindilla escuece en la lengua.* 2 fig. Producirse en el ánimo una impresión desagradable y amarga. – 3 *prnl.* Sentirse, dolerse. 4 fig. Ponerse rubicundas algunas partes del cuerpo por efecto de la gordura, el sudor, etc. ◇ ** CONJUG. [54] como *cocer.*

escocés, -cesa *adj.-s.* De Escocia, país de Gran Bretaña. – 2 *adj.-m.* Lengua perteneciente al gaélico hablada en este país. – 3 *adj.* [tela] Que forma cuadros de varios colores. – 4 *m.* Güisqui.

escocharar *tr.-prnl. Amér. Central.* Romper, estropear [un mueble].

escoda *f.* Especie de martillo con punta o corte en ambos lados, para labrar piedras y picar paredes.

escofina *f.* Especie de lima de dientes gruesos y triangulares, para desbastar.

escoger *tr.* Tomar o elegir [una o más cosas] entre otras: ~ *del,* o *en el, montón;* ~ *entre varios libros;* ~ *para,* o *por, compañero.* ◇ ** CONJUG. [5] como *proteger.*

escogida *f. Can., Cuba* y *P. Rico.* Tarea de separar las distintas clases de tabaco.

escogido, -da *adj.* Selecto.

escolanía *f.* Conjunto de escolanos: ~ *de Montserrat.*

escolano *m.* Niño que en algunos monasterios de Cataluña se educa para el servicio del culto y generalmente para el canto.

escolapio, -pia *adj.* Relativo a la Orden de las Escuelas Pías, orden religiosa fundada en 1597 por San José de Calasanz (1556-1648). – 2 *m. f.* Estudiante que recibe enseñanza en las Escuelas Pías.

I) escolar *adj.* Relativo al estudiante o a la escuela. – 2 *com.* Estudiante que cursa o sigue en una escuela. – 3 *m.* Pez marino teleósteo perciforme, de cuerpo fusiforme, de color pardo obscuro, cuya carne es oleosa, purgante, y que puede alcanzar 2 metros de longitud *(Ruvettus pretiosus).*

II) escolar *intr.-prnl.* Colar, pasar por un lugar estrecho: ~, o *escolarse, por la angostura.* ◇ ** CONJUG. [31] como *contar.*

escolaridad *f.* Conjunto de cursos que un estudiante sigue en un establecimiento docente.

escolarizar *tr.* Proporcionar la enseñanza obligatoria [a una persona]. ◇ ** CONJUG. [4] como *realizar.*

escolasticismo *m.* Filosofía enseñada en las universidades y escuelas eclesiásticas medievales, caracterizada por buscar un acuerdo entre la revelación divina y las especulaciones de la razón humana. 2 Espíritu exclusivo de escuela en las doctrinas, en los métodos o en el tecnicismo científico.

escólex *m.* Extremo anterior de la tenia y otros gusanos cestodos, constituido por la cabeza y los órganos de fijación. ◇ Pl.: *escólex.*

escoliar *tr.* Poner escolios [a un texto]. ◇ ** CONJUG. [12] como *cambiar.*

escolio *m.* Nota que se pone a un texto para explicarlo. 2 Proposición aclaratoria.

escoliosis *f.* Desviación lateral de la columna vertebral. ◇ Pl.: *escoliosis.*

escolítido *adj.-m.* Insecto de la familia de los escolítidos. – 2 *m. pl.* Familia de insectos coleópteros de cuerpo cilíndrico y coloración oscura, cuyos élitros están transformados en una especie de palas para sacar el serrín; como el barrenillo.

escolopendra *f.* Miriápodo quilópodo de unos 10 cms. de largo, con las patas del primer par en forma de uñas venenosas, con las cuales mata las presas de que se alimenta *(Scolopendra cingulata).* 2 Anélido marino de cuerpo vermiforme. 3 Planta polipodiácea de frondas enteras, escotadas en la base *(Scolopendrium officinale);* **helecho.

escolta *f.* Partida de soldados o embarcación para escoltar. 2 Acompañamiento en señal de reverencia, o para protección. 3 p. ext. Acompañamiento de una persona, especialmente la detenida, para vigilarla.

escoltar *tr.* Acompañar [a una persona o cosa] para protegerla, evitar que huya, o en señal de honra: ~ *a un general;* ~ *a una columna de prisioneros; escoltaban al soberano cuatro húsares a caballo.*

escollar *tr.* Tropezar en un escollo [la embarcación].

escollera *f.* Obra hecha de piedras arrojadas al fondo del agua, para formar un dique o para resguardar el pie de otra obra de la acción de las olas o las corrientes.

escollo *m.* Peñasco a flor de agua o que no se descubre bien. 2 fig. Peligro, riesgo. 3 fig. Dificultad, obstáculo.

escombrar *tr.* Desembarazar [un espacio o recinto] de desechos o estorbos: ~ *el paso de cascotes;* fig., desembarazar, limpiar: ~ *el barrio de gente maleante.* 2 Quitar [de los racimos de pasas] las más pequeñas y desmedradas.

escombrera *f.* Conjunto de escombros y lugar donde se echan.

escómbrido *adj.-m.* Pez de la familia de los escómbridos. – 2 *m. pl.* Familia de peces marinos teleósteos perciformes, que forman grandes bancos, de boca hendida, armada por pequeños dientes.

escombro *m.* Desecho y cascote de un edificio arruinado o derribado. 2 Desechos de la explotación de una mina, o ripio de la saca y labra de las piedras de una cantera. 3 Pasa menuda que se separa de la buena.

escomendrijo *m.* Criatura ruin y desmedrada.

escomerse *prnl.* Irse desgastando una cosa sólida.

esconce *m.* Ángulo que interrumpe la dirección que lleva una superficie cualquiera.

esconder *tr.-prnl.* Poner [a una persona o

cosa] en un lugar o sitio retirado o secreto para que no sea vista o encontrada fácilmente: *esconderse de la persecución; esconderse de su padre; esconderse en un rincón; se esconde entre los árboles.* 2 fig. Encerrar en sí [una cosa] que no es manifiesta a todos. 3 Estar una cosa colocada de forma que oculte otra.

escondite *m.* Escondrijo. 2 Juego de muchachos en el que unos se esconden y otros los buscan.

escondrijo *m.* Lugar propio para esconder algo.

escopa *f.* Aparato recolector de polen de las abejas.

escopeta *f.* Arma de fuego portátil, con uno o dos cañones montados en una caja de madera: ~ *de caza.*

escopetazo *m.* Tiro de escopeta. 2 Herida hecha con él. 3 fig. Noticia o hecho desagradable, súbito e inesperado.

escopetear *tr.* Hacer repetidos disparos de escopeta: ~ *una liebre.* – 2 *rec.* fig. Dirigirse dos o más personas a porfía cumplimientos o insultos.

escopladura, escopleadura *f.* Corte o agujero hecho en la madera a fuerza de escoplo.

escoplo *m.* CARP. Herramienta de hierro acerado, con mango de madera y boca formada por un bisel.

escora *f.* MAR. Puntal que, con otros similares, sostiene los costados del buque en construcción o en varadero. 2 MAR. Inclinación de un buque por la fuerza del viento.

escorar *tr.* MAR. Apuntalar [los costados del buque] con escoras. 2 MAR. Hacer que [un buque] se incline de costado. – 3 *intr.-prnl.* MAR. Inclinarse un buque por la fuerza del viento. 4 MAR. Llegar la marea a su nivel más bajo.

escorbuto *m.* Enfermedad general caracterizada por empobrecimiento de la sangre, manchas lívidas, ulceraciones en las encías y hemorragias.

escordio *m.* Hierba labiada medicinal, de tallos ramosos, hojas blandas y vellosas y flores azules o purpúreas en verticilos *(Teucrium scordium).*

escoria *f.* Substancia vítrea que sobrenada en el crisol de los hornos de fundir metales. 2 Materia que al ser golpeada suelta el hierro candente. 3 Lava esponjosa de los volcanes. 4 Residuo esponjoso que queda tras la combustión del carbón. 5 fig. Cosa vil, desechada.

escorial *m.* Sitio donde se echan las escorias de las fábricas metalúrgicas. 2 Montón de escorias. 3 Terreno cultivado en que se han explotado yacimientos mineros.

escorificar *tr.* Convertir en escoria [un material]. 2 Separar la escoria [de los minerales]. ◇ ** CONJUG. [1] como *sacar.*

escorodonia *f.* Hierba labiada perenne con las hojas acorazonadas y las flores geminadas de color amarillo verdoso *(Teucrium scorodonia).*

escorpión *m.* Alacrán (arácnido). 2 Pez marino teleósteo perciforme, con los ojos situados en la parte superior del cuerpo y coloración parda *(Trachinus draco).* – 3 *m. pl.* Orden de arácnidos con el abdomen dividido en dos partes: la anterior ancha y deprimida y la posterior, cilíndrica y alargada, a modo de cola, y terminada en una uña venenosa; como el alacrán o escorpión.

escorrentía *f.* Corriente de agua que se vierte al rebasar su depósito o cauce naturales o artificiales. 2 Circulación libre del agua de lluvia sobre la superficie de un terreno.

escorzar *tr.* Representar, acortándolas, según las reglas de la perspectiva [las cosas] que se extienden en sentido muy oblicuo al plano de papel o lienzo sobre que se dibuja o pinta. ◇ ** CONJUG. [4] como *realizar.*

escorzo *m.* Figura o parte de figura escorzada.

escorzonera *f.* Hierba compuesta, de flores amarillas y raíz gruesa, carnosa, de corteza negra, cuyo cocimiento se usa como diurético *(Scorzonera hispanica).*

escota *f.* Cabo que sirve para cazar las velas.

escotadura *f.* Corte hecho en una prenda de vestir por la parte del cuello. 2 Cortadura, cercenadura que altera la forma de una cosa. 3 En los teatros, abertura grande hecha en el tablado para el paso de las tramoyas.

I) escotar *tr.* Cortar [una cosa] para acomodarla a la medida necesaria. 2 Extraer agua [de un río, arroyo o laguna] sangrándolo o haciendo acequias.

II) escotar *tr.* Pagar el escote (parte de un gasto).

I) escote *m.* Escotadura. 2 Parte del busto que queda al descubierto por estar escotado el vestido. 3 Adorno de encajes en el cuello de un vestido.

II) escote *m.* Parte que corresponde pagar a cada una de las dos o más personas que han hecho un gasto en común.

escotero, -ra *adj.-s.* Que camina sin llevar nada que le embarace. – 2 *adj.* [barco] Que navega solo.

escotilla *f.* Abertura que hay en las diferentes cubiertas para el servicio del buque.

escotillón *m.* Trampa cerradiza en el suelo, especialmente la que hay en los escenarios; **teatro. 2 Abertura practicada en una de las cubiertas interiores de un barco, de pequeñas dimensiones, que sirve para comunicar las distintas dependencias.

escozor *m.* Sensación dolorosa como la de una quemadura. 2 fig. Sentimiento penoso.

escrachar *tr.* Retirar [un caballo] de una carrera. 2 Rayar [candidatos] en una lista o boleta de votación.

escriba *m.* Doctor e intérprete de la ley de los hebreos. 2 fam. Escribano, secretario.

escribanía *f.* Oficio del escribano. 2 Oficina del mismo. 3 *Argent., C. Rica, Ecuad.* y *Parag.* Notaría.

escribano *m.* El que por oficio público estaba autorizado para dar fe de las escrituras y demás actos que pasaban ante él. 2 Secretario. 3 Ave paseriforme granívora con pico corto de base ancha; el macho se distingue de la hembra por su coloración más brillante *(Emberiza cia)*. 4 ~ **del agua**, insecto coleóptero de color bronceado brillante con las patas adaptadas a la natación, que suele andar en continuo movimiento sobre las aguas estancadas *(Gyrinus natator)*.

escribidor *m.* Mal escritor.

escribiente *com.* Persona que tiene por oficio copiar o escribir al dictado.

escribir *tr.* Representar [ideas, palabras, números o notas musicales] por medio de letras u otros signos convencionales: ~ *un nombre, un intervalo*; **abs.**, trazar sobre papel, pergamino, etc., con lápiz, pluma, máquina, etc., los signos que representan las palabras, ideas, etc.: *los asirios escribían sobre arcilla*; ~ *con lápiz, a máquina*. 2 Comunicar a uno por escrito [alguna cosa]: ~ *una carta al padre*; **abs.**, *le escribo desde París, por el correo, en español*. 3 Componer libros, discursos, etc.: ~ *una moneda*; ~ *de, o sobre, literatura*. 4 Ortografiar: *vaca se escribe con v*. 5 fig. Marcar, señalar: *tiene la bondad escrita en los ojos*. – 6 **prnl.** Inscribirse (apuntar el nombre). 7 esp. Alistarse en la milicia, en una comunidad, etc. ◇ CONJUG.: pp. irreg.: *escrito*.

escriño *m.* Cesta de paja y mimbres o cáñamo para recoger el salvado y las granzas. 2 Cofrecito o caja para guardar objetos preciosos.

escripia *f.* Cesta de pescador de caña.

escrita *f.* Especie de raya de hocico puntiagudo, vientre blanco y lomo gris rojizo, sembrado de manchas blancas, pardas y negras (gén. *Raia*).

escritilla *f.* Criadilla del carnero.

escrito *m.* Carta, documento, papel manuscrito. 2 Obra científica o literaria.

escritor, -ra *m. f.* Persona que escribe. 2 Autor de obras escritas o impresas.

escritorio *m.* Mueble cerrado, con divisiones en su interior para guardar papeles. 2 Mueble con cajoncitos para guardar joyas.

escritura *f.* Acción de escribir. 2 Efecto de escribir. 3 Arte de escribir. 4 Sistema de signos usado en la escritura: ~ *fonética*, la más generalmente usada, en que cada signo representa un elemento fonético de la palabra; ~ *icono-gráfica*, aquella que emplea como signo la imagen del objeto designado por la palabra; ~ *ideográfica*, aquella en que los signos no representan a simple vista la realidad de las cosas y únicamente sugieren su nombre, como la numeración romana y la notación matemática; ~ *simbólica*, la que se sirve de las imágenes empleadas como símbolos, por ejemplo, la del león para expresar la fortaleza, la del perro para la fidelidad. 5 Documento público, firmado en presencia de testigos por el que lo otorga, de todo lo cual da fe un notario. 6 Obra escrita. 7 p. ant. La Sagrada Escritura o la Biblia. ◇ En la acepción 7 úsase generalmente en plural.

escriturar *tr.* Hacer constar con escritura pública [un otorgamiento, un hecho, etc.]. 2 Contratar [un artista], especialmente de teatro.

escrófula *f.* Tuberculosis crónica de los ganglios linfáticos, huesos y articulaciones.

escrofularia *f.* Planta escrofulariácea, de tallo nudoso, hojas acorazonadas, flores parduscas en larga panoja y semillas menudas *(Scrophularia nodosa)*.

escrofulariáceo, -a *adj.-f.* Planta de la familia de las escrofulariáceas. – 2 *f. pl.* Familia de plantas cotiledóneas, generalmente herbáceas, de hojas alternas y opuestas, flores en racimo o espiga, y fruto en cápsula dehiscente; como la escrofularia y el gordolobo.

escroto *m.* Bolsa formada por la piel que cubre los testículos y las membranas que los envuelven.

escrupulillo *m.* Bolita que se pone dentro del cascabel para que suene.

escrupulizar *intr.* Formar escrúpulo o duda: ~ *en pequeñeces*. ◇ ** CONJUG. [4] como *realizar*.

escrúpulo *m.* Duda o recelo que trae inquieto y desasosegado al ánimo: ~ *de conciencia*; *un hombre sin escrúpulos*. 2 Aprensión, asco hacia alguna cosa, especialmente alimentos. 3 China que se mete en el zapato.

escrupulosidad *f.* Exactitud en el examen de las cosas y en el cumplimiento de los deberes.

escrupuloso, -sa *adj.-s.* Que tiene escrúpulos. – 2 *adj.* Que causa escrúpulos. 3 fig. Exacto.

escrutar *tr.* Indagar, explorar, examinar cuidadosamente [una cosa]. 2 Reconocer y computar [los votos] que para una elección se han dado secretamente.

escrutinio *m.* Examen y averiguación exacta de una cosa. 2 Acción de escrutar (en una elección). 3 Efecto de escrutar (en una elección).

escrutiñador, -ra *m. f.* Examinador de una cosa haciendo escrutinio de ella.

escuadra *f.* Instrumento de figura de triángulo isósceles, o compuesto solamente de dos reglas en ángulo recto; **dibujo**; *a* ~, en ángulo recto; ~ *falsa* o *falsa* ~, instrumento formado por dos reglas movibles alrededor de un eje, con el cual se trazan ángulos de diferentes aberturas. 2 Pieza de metal con dos ramas en ángulo recto para asegurar las ensambladuras de las maderas. 3 Grupo de soldados a las órdenes de un cabo. 4 Conjunto de buques de guerra mayores, de la misma clase táctica, que forman una unidad administrativa o táctica. 5 Cuadrilla que se forma de algún concurso de gente.

escuadrar *tr.* Labrar o disponer [un objeto] de modo que sus caras planas formen entre sí ángulos rectos.

escuadreo *m.* Acción de medir una superficie en unidades cuadradas. 2 Efecto de medir una superficie en unidades cuadradas.

escuadría *f.* Dimensiones, ancho y alto, del corte de un madero labrado a escuadra.

escuadrilla *f.* Escuadra de buques de pequeño porte. 2 Grupo de aviones que realizan un mismo vuelo al mando de un jefe.

escuadrón *m.* MIL. Unidad de un regimiento de caballería. 2 MIL. Unidad áerea equiparable en importancia o jerarquía al batallón o grupo terrestre.

I) escuálido, -da *adj.* Sucio, asqueroso. 2 Flaco, macilento.

II) escuálido *adj.-m.* Pez del suborden de los escuálidos. – 2 *m. pl.* Suborden de peces escualiformes de cuerpo prolongado y fusiforme, hendiduras branquiales laterales y cola robusta, heterocerca; como el tiburón y el pez sierra.

escualiforme *adj.-m.* Pez del orden de los escualiformes. – 2 *m. pl.* Orden de peces elasmobranquios seláceos de cuerpo fusiforme y vida pelágica; como el tiburón.

escuamaria *f.* Planta orobancácea, parásita de las raíces del avellano, olmo, chopo, etc., de hojas rojizas y flores también rojas, dispuestas en racimo unilateral *(Latracea squamaria)*.

escuamiforme *adj.* En forma de escama.

escucha *com.* En radio y televisión, persona encargada de escuchar las emisiones para tomar nota de los defectos o de la información que se emite.

escuchar *tr.* Aplicar el oído para oír: *el que escucha su mal oye;* ~ *con, o en, silencio.* 2 Prestar atención [a lo que se oye]: ~ *un concierto.* 3 Dar oídos, atender [a un aviso, consejo, etc.]: ~ *los dictados de la conciencia.* – 4 *prnl.* Hablar o recitar con pausas afectadas.

escuchimizarse *prnl.* fam. Ponerse flaco, enflaquecer. ◇ ** CONJUG. [4] como *realizar.*

escudar *tr.* Amparar y resguardar [a alguno] con el escudo. 2 fig. Resguardar y defender [a una persona] de algún peligro. – 3 *prnl.* fig. Valerse uno de algún medio o amparo para librarse de un peligro: *escudarse con,* o *de, la buena fe; escudarse contra el peligro.*

escudería *f.* Servicio y ministerio del escudero. 2 DEP. Equipo de competición formado por una marca automovilística o de motocicletas.

escudero *m.* El que antiguamente llevaba acostamiento de una persona de distinción y tenía la obligación de asistirle. 2 El emparentado con una familia o casa ilustre, y reconocido y tratado como tal.

escudilla *f.* Vasija ancha y de forma de media esfera, en que se suele servir la sopa y el caldo.

escudillar *tr.* Distribuir en escudillas o platos [caldo o manjares]. 2 Echar [caldo hirviendo] sobre el pan con que se hace la sopa. 3 fig. Disponer uno [de las cosas] como si fuera único dueño de ellas.

escudo *m.* Arma defensiva, formada por una lámina de cuero, madera o metal, que se lleva en el brazo contrario al que maneja la ofensiva; **armadura. 2 fig. Amparo, defensa, patrocinio. 3 ~ *de armas,* o simplemente *escudo,* campo en forma de escudo, en que se pintan los blasones de un reino, ciudad o familia: ~ *acuartelado,* el que está dividido en cuarteles; ~ *burelado,* el que tiene diez fajas, cinco de metal y cinco de color; ~ *cortado,* el que está partido horizontalmente en dos partes iguales; ~ *cotizado,* el lleno de cotizas estrechas de colores alternados; ~ *embrazado,* el partido por dos líneas que, saliendo de los ángulos diestros, convergen en el centro del flanco siniestro; ~ *en sotuer,* el compuesto a modo de banda y barra cruzadas; ~ *equipolado,* el que tiene nueve cuadrillos, cuatro de un esmalte y cinco de otro, dispuestos en forma de tablero de ajedrez; ~ *jironado,* el dividido en ocho jirones; ~ *partido en,* o *por, banda,* el dividido por una banda; ~ *tajado,* el que se divide con una línea del ángulo siniestro del jefe del escudo al diestro de la punta; ~ *terciado,* el dividido en tres partes iguales, de esmaltes diferentes; ~ *tronchado,* el que se divide con una línea del ángulo diestro del jefe del escudo al siniestro de la punta. 4 Planchuela de metal que, para guiar la llave, se pone delante de la **cerradura. 5 Plancha de acero colocada en las piezas de artillería que sirve de defensa a los que las manejan. 6 Unidad monetaria de Portugal.

escudriñar *tr.* Examinar, inquirir y averiguar cuidadosamente [una cosa y sus circunstancias].

escuela *f.* Establecimiento público donde se da cualquier género de instrucción y especialmente la primaria: ~ *municipal;* ~ *de niños;* ~ *de Arquitectura, de Artes y Oficios.* 2 fig. Lo que en algún modo alecciona o da ejemplo y experiencia: *la* ~ *de la vida, de la desgracia.* 3 Conjunto de los que siguen una misma doctrina filosófica, artística, literaria, etc., generalmente discípulos de un mismo maestro: *la ~ aristotélica, platónica; la ~ holandesa de pintura; ~ clásica, romántica.* 4 Doctrina extendida por una escuela.

escueto, -ta *adj.* Descubierto, libre, desembarazado. 2 Sin adornos, sin ambages, estricto.

esculapio *m.* fam. Médico.

esculcar *tr.* Espiar, averiguar [una cosa] con diligencia y cuidado. 2 *And.* y *Amér.* Registrar [a una persona, local, etc.] para buscar algo oculto. ◇ ** CONJUG. [1] como *sacar.*

esculpir *tr.* Labrar a mano en piedra, madera o metal [una estatua, figura, adorno, etc.]: *~ a cincel; ~ de relieve; ~ en mármol.*

escultismo *m.* Movimiento de los scouts.

escultor, -ra *m. f.* Persona que profesa el arte de la escultura.

escultórico, -ca *adj.* Escultural.

escultura *f.* Arte de modelar, tallar o esculpir. 2 Obra del escultor. 3 Fundición o vaciado que se forma en los moldes de las esculturas hechas a mano.

escultural *adj.* Relativo a la escultura. 2 Que participa de alguno de los caracteres bellos de la estatua.

escupidera *f.* Pequeño recipiente que sirve para escupir en él. 2 *And., Extr.* y *Amér.* Orinal, bacín.

escupidero *m.* Lugar donde se escupe. 2 fig. Situación en que está uno expuesto a ser ajado o despreciado.

escupidor, -ra *adj.-s.* Que escupe con mucha frecuencia. – 2 *m. And., Extr.* y *Amér.* Orinal. 3 *Amér. Central* y *Méj.* Cohete fijo que hace flama y a intervalos arroja luces de colores.

escupidura *f.* Escupitajo. 2 Excoriación en los labios a causa de una calentura.

escupiña *f.* Molusco bivalvo con la concha de hasta 7 cms. de longitud, gruesa y redondeada (*Venus verrucosa*).

escupir *intr.* Arrojar saliva o flema por la boca: *~ en el suelo; ~ al,* o *en el, rostro.* – 2 *tr.* Arrojar con la boca [algo] como escupiendo: *~ sangre.* 3 fig. Echar de sí con desprecio [una cosa]. 4 fig. Salir o brotar en el cutis [postillas u otras señales] después de una calentura. 5 fig. Despedir un cuerpo a la superficie o detener en ella [una substancia]: *el granito escupe la humedad.* 6 fig. Despedir o arrojar con violencia [una cosa]: *los cañones escupían metralla.* 7 fig. *y* vulg. Contar lo que se sabe, confesar, contar.

escupitajo *m.* Saliva, sangre o flema escupida.

escurar *tr.* Limpiar [los paños] antes de abatanarlos.

escurialense *adj.* Relativo al pueblo y al monasterio de El Escorial.

escurreplatos *m.* Mueble de cocina donde

se ponen a escurrir las vasijas fregadas. ◇ Pl.: *escurreplatos.*

escurridera *f.* Cucharetero de cocina.

escurridero *m.* Lugar a propósito para poner a escurrir alguna cosa.

escurridizo, -za *adj.* Que se escurre o desliza fácilmente. 2 Propio para hacer deslizar o escurrirse: *suelo ~.*

escurrido, -da *adj.* Estrecho de caderas. 2 [mujer] Que trae las sayas muy ajustadas. 3 *Cuba, Méj.* y *P. Rico* Corrido, avergonzado.

escurridor *m.* Colador de agujeros grandes para escurrir el líquido de las viandas empapadas; **cocina. 2 Escurreplatos. 3 Dispositivo que tienen algunas lavadoras para escurrir o exprimir la ropa una vez lavada.

escurriduras *f. pl.* Últimas gotas de licor que quedan en la vasija.

escurril *adj.* Truhanesco, chocarrero.

escurrir *tr.* Apurar las últimas gotas [del contenido de una vasija]: *~ el vino, el aceite; ~ una vasija.* – 2 *tr.-prnl.* Hacer [que una cosa empapada] despida el líquido que contenía: *~ una la ropa; escurrirse la ropa.* – 3 *intr.-prnl.* Destilar y caer gota a gota: *el vino escurre,* o *se escurre, al suelo.* 4 Deslizar, resbalar, correr una cosa por encima de otra: *los pies escurren,* o *se escurren, en el hielo.* – 5 *prnl.* Escapar, salir huyendo: *escurrirse de,* o *de entre, o entre, las manos.* 6 fam. Correrse a ofrecer o dar por una cosa más de lo debido; decir más de lo que se debe o se quiere.

escusa *f.* Provecho o ventaja que por especial condición y pacto disfrutan algunas personas según los estilos de los lugares. 2 DER. Excepción o descargo.

escusabaraja *f.* Cesta de mimbres con su tapa.

escusón *m.* Reverso de una moneda que tiene representado un escudo.

escutelo *m.* ZOOL. Placa, escama de gran tamaño, a menudo muy osificada. 2 ZOOL. En los insectos, tercera de las tres divisiones principales de la superficie dorsal de un segmento torácico.

escutiforme *adj.* De forma de escudo.

esdrújulo, -la *adj.-s.* Vocablo que lleva el **acento en la antepenúltima sílaba; como máxima, súbito, mecánica.

I) ese *f.* Nombre de la letra *s.* 2 Eslabón de cadena en figura de ese. 3 Abertura que los instrumentos de **arco tienen a ambos lados del puente.

II) ese, esa *adj. dem.* Designa lo que está más cerca de la persona con quien se habla: *~ libro, esa lámpara;* si va pospuesto, la expresión toma matiz despectivo: *el hombre ~; la señora esa.* ◇ Pl.: *esos, esas.*

ése, ésa, eso *pron. dem.* Designa lo que está más cerca de la persona con quien se habla: *~ quiero; vendrán ésas.* ◇ Según la Ortografía académica, pueden escribirse sin acento cuando no resulte anfibología. ◇ Pl.: *ésos, ésas.*

esencia *f.* Aquello por lo que un ser es lo que es, lo permanente e invariable de un ser: *la ~ y los accidentes del alma humana.* 2 Substancia volátil, olorosa, extraída de algunos vegetales o resultado de la transformación de sus principios. 3 **Quinta** *~*, quinto elemento, muy sutil, que la filosofía antigua consideraba en la constitución del universo; entre los alquimistas, principio fundamental de la composición de la materia; fig., lo más puro y acendrado de una cosa: *la quinta ~ de lo español.*

esencial *adj.* Relativo a la esencia: *los caracteres esenciales de una especie; ~ al, en,* o *para, el negocio.* 2 p. ext. Principal, notable: *los órganos esenciales.*

esencialismo *m.* FIL. Doctrina que sostiene la primacía de la esencia sobre la existencia, por oposición al existencialismo.

esfagnales *f. pl.* Orden de vegetales dentro de la clase musgos; poseen las hojitas de colores apagados, y el tallo, en general, de rizoides.

esfenisciforme *adj.-m.* Ave del orden de los esfenisciformes. – 2 *m. pl.* Orden de aves que incluye muchas especies fósiles y algunas vivientes como los actuales pájaros bobos. No son capaces de volar y están adaptados a la vida acuática; tienen las alas modificadas y convertidas en aletas sin plumas; las patas poseen membrana interdigital.

esfenoide *m.* MINERAL. Forma constituida por dos caras no paralelas, simétricas con respecto a un eje binario.

esfenoides *adj.-m.* Hueso de la **cabeza, corto, situado en la parte media e inferior del cráneo. ◇ Pl.: *esfenoides.*

esfera *f.* **Sólido o espacio limitado por una superficie curva cuyos puntos equidistan todos de otro interior llamado centro: ~ *celeste,* **ASTRON., esfera ideal, concéntrica con el globo terráqueo, en la cual se mueven aparentemente los astros; representación de esta esfera. 2 Espacio a que se extiende la acción, el influjo, etc., de una persona o cosa: *~ de actividad.* 3 Rango, condición social de una persona: *salirse de su ~; las altas esferas de la sociedad.* 4 Círculo en que giran las manecillas del **reloj.

esférico, -ca *adj.* Relativo a la esfera o que tiene su figura: **triángulo ~.

esferoidal *adj.* Relativo al esferoide o que tiene su figura.

esferoide *m.* Cuerpo de forma parecida a la esfera.

esferometría *f.* Medida de la curvatura de superficies esféricas.

esfigmógrafo *m.* Instrumento para regis-

trar los movimientos, fuerza y forma del pulso arterial.

esfinge *f.* Animal fabuloso, con cabeza, cuello y pecho de mujer, y cuerpo y pies de león: *las esfinges de Egipto.* 2 Mariposa nocturna de colores abigarrados y alas largas pero estrechas, en forma de triángulo escaleno, y de cuerpo muy voluminoso *(Sphinx sphinx* y otros).

esfíngido *adj.-m.* ZOOL. Insecto de la familia de los esfíngidos. – 2 *m. pl.* ZOOL. Familia de insectos lepidópteros crepusculares, con antenas prismáticas y alas horizontales en el reposo; sus orugas llevan un apéndice caudal.

esfínter *m.* Músculo en forma de anillo que cierra un orificio natural. ◇ Pl.: *esfínteres.*

esforzado, -da *adj.* Alentado, animoso, valiente.

esforzar *tr.* Dar [a uno] fuerza y vigor; p. anal., infundir ánimo y valor. – 2 *prnl.* Hacer esfuerzos física o moralmente con algún fin: *esforzarse a, en,* o *por, trabajar.* ◇ ** CONJUG. [50] como *forzar.*

esfuerzo *m.* Empleo enérgico de la fuerza física. 2 Empleo enérgico del vigor o actividad del ánimo. 3 Vigor, valor. 4 Empleo de elementos costosos en la consecución de algún fin.

esfumado *m.* PINT. Transición suave de una zona a otra, obtenida por medio de tonos vagos y juegos de sombra.

esfumar *tr.* Esfuminar. 2 PINT. Rebajar los tonos [de una composición o parte de ella]. – 3 *prnl.* Disiparse, desvanecerse: *las nubes se esfuman en el cielo.* 4 fig. y fam. Marcharse, irse de un lugar con rapidez y disimulo.

esfuminar *tr.* Extender el lápiz con el esfumino para dar empaste [a las sombras de un dibujo].

esfumino *m.* Rollito de papel estoposo o de piel suave, terminado en punta, que sirve para esfumar; **dibujo.

esgarrar *tr.-intr.* Hacer esfuerzo para arrancar la flema.

esgrafiar *tr.* Trazar dibujos [en un muro o superficie estofada] haciendo saltar en ciertos puntos la capa superficial para dejar al descubierto la capa siguiente de distinto color. ◇ ** CONJUG. [12] como *cambiar.*

esgrima *f.* Deporte que consiste en el enfrentamiento de dos personas armadas con espada, florete, sable, etc.

esgrimir *tr.* Jugar y manejar [un arma blanca] reparando y deteniendo los golpes del contrario, o acometiéndole. 2 fig. Usar [de una cosa] como arma para atacar o defenderse: *~ nuevos argumentos.*

esguazar *tr.* Vadear [un río o brazo de mar bajo]. ◇ ** CONJUG. [4] como *realizar.*

esguín *m.* Cría del salmón cuando aún no ha salido al mar.

esguince *m.* Ademán hecho con el cuerpo,

torciéndolo para evitar un golpe. 2 Movimiento, gesto de disgusto o desdén. 3 Distensión violenta de una articulación que puede provocar la rotura de un ligamento o de un tendón muscular.

esker *m.* GEOL. Masa de sedimentos depositados a partir del frente glaciar, por las corrientes de agua subglaciares, al depositar las partículas que arrastra.

eslabón *m.* Hierro u otro metal en figura de ese o de anillo que, enlazado con otros, forma cadena. 2 Hierro acerado con que se saca fuego de un pedernal. 3 Alacrán negro, de unos 12 cms. de largo *(Scorpio africanus; Eucorpius funzagoi).*

eslabonar *tr.* Unir [unos eslabones con otros] formando cadena. – 2 *tr.-prnl.* Enlazar [unas cosas con otras].

eslavismo *m.* Paneslavismo. 2 Estudio de las letras eslavas; afición a lo eslavo.

eslavo, -va *adj.-s.* De un antiguo pueblo que habitó el norte de Europa. – 2 *adj.-m.* Familia de lenguas del tronco indoeuropeo habladas en el norte de Europa; como el ruso y el polaco. – 4 *m.* Lengua eslava.

eslinga *f.* Maroma provista de ganchos para levantar grandes pesos.

eslip *m.* Pieza interior masculina, a manera de calzoncillos, ajustada y sin pernera. 2 Bañador de iguales características.

eslizón *m.* Reptil saurio de cuerpo largo y pies cortos, con cuatro rayas pardas en el lomo *(Seps chalcides).*

eslogan *m.* Frase publicitaria, lo más breve y expresiva posible. 2 Consigna, lema.

eslora *f.* MAR. Longitud de la nave desde el codaste a la roda por la parte de adentro. – 2 *f. pl.* Maderos endentados con los baos para reforzar el asiento de las cubiertas.

esmaltado, -da *adj.-s.* Revestido de esmalte.

esmaltar *tr.* Cubrir con esmalte [los metales]. 2 fig. Adornar de varios colores o matices [una cosa]: *las flores esmaltan el prado; ~ con,* o *de, flores;* en gral., adornar, hermosear: *la gracia con que esmalta sus acciones.*

esmalte *m.* Barniz vítreo, que por medio de la fusión se adhiere a la porcelana, loza, metal, etc. 2 Objeto cubierto o adornado de esmalte. 3 Labor hecha con el esmalte sobre un metal. 4 Materia dura y blanca que cubre la parte de los **dientes que está fuera de las encías. 5 Color azul que se hace fundiendo vidrio con óxido de cobalto. 6 fig. Lustre, esplendor o adorno.

esmerador *m.* Operario que pule piedras o metales.

esmeralda *f.* Piedra fina, silicato doble de aluminio y berilio, teñido de verde por el óxido de cromo. 2 Color de esta piedra.

esmerar *tr.* Pulir, limpiar [una cosa]. – 2

prnl. Poner sumo cuidado en el cumplimiento de las obligaciones: *esmerarse en su trabajo.* 3 Obrar con acierto y lucimiento.

esmerejón *m.* Ave rapaz falconiforme; el macho tiene el dorso gris azulado, a diferencia de la hembra cuyo plumaje es de color castaño *(Falco columbarius).*

esmeril *m.* Mezcla pulverulenta de corindón, cuarzo, magnetita y oligisto, resultante de la descomposición de las rocas eruptivas; se usa para pulimentar.

esmerilar *tr.* Pulir con esmeril.

esmero *m.* Sumo cuidado en hacer algo.

esmilacoideo, -a *adj.-f.* Planta de la subfamilia de las esmilacoideas. – 2 *f. pl.* Subfamilia de plantas liliáceas, que incluye matas o arbustos trepadores, de hojas pequeñas, a veces filiformes y fruto en baya; como el brusco y el espárrago.

esmoquin *m.* Chaqueta de hombre de cuello largo forrado de seda, que se usa con traje de etiqueta y muchas veces en substitución del frac.

esmorecer *intr.-prnl.* Desfallecer, perder el aliento. ◇ ** CONJUG. [43] como *agradecer.*

esnifada *f.* En el lenguaje de la droga, aspiración por la nariz de cocaína u otra substancia análoga. 2 Dosis de droga tomada por este procedimiento.

esnifar *tr.* Aspirar cocaína u otra droga en polvo por la nariz.

esnob *com.* Persona que acoge toda clase de novedades por admiración necia o para darse tono. ◇ Pl.: *esnobs.*

esnobismo *m.* Calidad de esnob. 2 Actitud del esnob.

eso *pron. dem.* Forma neutra del pronombre demostrativo *ése.*

esófago *m.* Conducto muscular membranoso que pone en comunicación la faringe con el estómago; **boca; **digestivo (aparato); **ave.

esotérico, -ca *adj.* Oculto, reservado, inaccesible al vulgo: *doctrina esotérica.* 2 p. ext. Que es impenetrable o de difícil acceso por la mente.

esoterismo *m.* Calidad de esotérico.

espaciador *m.* En las máquinas de escribir, tecla que se pulsa para dejar espacios en blanco.

espacial *adj.* Perteneciente o relativo al espacio.

espaciar *tr.* Poner distancia [entre las cosas] en el tiempo o en el espacio: ~ *las comidas.* 2 Esparcir, dilatar: ~ *los granos.* – 3 *prnl.* fig. Extenderse en el discurso o en lo que se escribe. 4 fig. Esparcirse: *salir a espaciarse al sol.* ◇ ** CONJUG. [12] como *cambiar.*

espacio *m.* Medio homogéneo, isótropo, continuo e ilimitado en que situamos todos los cuerpos y todos los movimientos. 2 Parte de este medio que ocupa cada cuerpo; intervalo entre dos o más objetos. 3 Porción de tiempo. 4 Programa (en radio y televisión). 5 Tardanza, lentitud. 6 ~ **vital,** ámbito territorial necesario para desarrollarse los pueblos. 7 ~ **aéreo,** zona de la atmósfera de la jurisdicción de un país para la circulación de aviones.

espacioso, -sa *adj.* Ancho, dilatado, vasto. 2 Lento, flemático.

espada *f.* **Arma blanca, larga, recta, aguda y cortante, con guarnición y empuñadura. 2 Carta del palo de espadas, y especialmente el as. 3 fam. Llave falsa; p. ext., ganzúa. – 4 *m.* Torero que mata al toro con la espada: *primer* ~. – 5 *f. pl.* Palo de la baraja española.

espadachín *m.* El que maneja bien la espada. 2 El que se precia de valiente y es amigo de pendencias.

espadaña *f.* Anea. 2 Campanario formado por una sola pared, en la que están abiertos los huecos para colocar las campanas. 3 En un pozo, pieza de hierro de la que están colgados los cubos.

espadañada *f.* Golpe de sangre u otro humor que sube bruscamente por la boca.

espadañar *tr.* Abrir el ave [las plumas de la cola].

espádice *m.* **Inflorescencia propia de ciertas plantas monocotiledóneas, consistente en un eje carnoso y en forma de maza, total o parcialmente cubierto por las flores y envuelto en una espata.

espadicifloras *f. pl.* Orden de plantas monocotiledóneas con flores en espádice, según algunas clasificaciones.

espadilla *f.* Remo grande que sirve de timón en algunas embarcaciones menores.

espadín *m.* Espada de hoja muy estrecha usada como prenda de ciertos uniformes. 2 Pez marino teleósteo clupeiforme, de pequeño tamaño, cuerpo alargado cubierto de grandes escamas y cola hendida *(Sprattus sprattus; Clupea s.).*

espadista *m.* Delincuente que para penetrar en una casa con el objeto de robar utiliza una ganzúa.

espadón *m.* Hombre castrado que ha conservado el pene.

espagírica *f.* Arte de depurar los metales.

espagueti *m.* Fideo largo y grueso.

espalar *tr.* Apartar con la pala [la nieve] que cubre el suelo.

espalda *f.* Parte posterior del cuerpo humano desde los hombros hasta la cintura. 2 En los animales, lomo. 3 Parte del vestido que corresponde a la espalda. 4 DEP. Modalidad de natación en que el nadador, situado boca arriba, realiza un movimiento circular con los brazos e imprime a las piernas una acción pendular de arriba abajo. – 5 *f. pl.* Parte posterior de una cosa: *la calle corría a espaldas*

de la catedral. ◇ En la acepción *1* úsase generalmente en plural.

espaldar *m.* Espalda. 2 Pieza de la coraza que cubre y defiende la espalda. 3 Parte dorsal de la coraza de las tortugas. 4 Enrejado sobrepuesto a una pared para que por él se extiendan ciertas plantas. – 5 *m. pl.* Colgadura de tapices que se colocaba en las paredes a manera de frisos.

espaldarazo *m.* Golpe dado de plano, con la espada o con la mano, en la espalda de uno, como ceremonia en el acto de armarse caballero.

espaldera *f.* Espaldar (enrejado). 2 Pared con que se resguardan y protegen las plantas arrimadas a ella. – 3 *f. pl.* Aparato de **gimnasia consistente en varias barras de madera horizontales y dispuestas para hacer ejercicios.

espaldilla *f.* Cuarto delantero de algunas reses y otros animales; **caballo.

espaldón *m.* Parte maciza y saliente que queda de un madero después de abierta una entalladura: *ensambladura de* ~. 2 Barrera para resistir el empuje de la tierra o de las aguas.

espalmar *tr.* Disminuir el grosor [de una vianda] mediante golpes.

espalto *m.* PINT. Color obscuro, transparente y dulce, para veladuras. 2 PINT. Piedra usada como fundente.

espantada *f.* Fuga de un animal o de un grupo de animales: *en la feria hubo una* ~. 2 Desistimiento súbito, ocasionado por el miedo: *dar una* ~.

espantadizo, -za *adj.* Que fácilmente se espanta.

espantagustos *m.* Persona de mal carácter que turba la alegría de los demás. ◇ Pl.: *espantagustos.*

espantajo *m.* Figura o muñeco que se pone en un paraje para espantar a los pájaros. 2 fig. Cosa que infunde vano temor. 3 fig. Persona de aspecto estrafalario y despreciable.

espantalobos *m.* Arbusto leguminoso de hojas imparipinnadas, flores amarillas en grupos axilares y legumbres de vainas infladas que producen ruido al chocar unas con otras *(Colutea arborescens).* – 2 *f.* Mariposa diurna de pequeño tamaño, con las alas de color azul metálico en el anverso y grisáceas en el reverso *(Iolana iolas).* ◇ Pl.: *espantalobos.*

espantapájaros *m.* Espantajo puesto en árboles y sembrados para ahuyentar los pájaros. – 2 *com.* fig. Persona muy fea o ridícula. ◇ Pl.: *espantapájaros.*

espantar *tr.* Causar espanto, infundir miedo [a uno]. 2 Ahuyentar, echar de un lugar [a una persona o animal]. – 3 *prnl.* Sentir espanto: *espantarse al,* o *con, el estruendo; espantarse de,* o *por, algo.* 4 Admirar, maravillarse: *me espanto de verle tan delgado.*

espanto *m.* Miedo súbito y fuerte. 2 Asombro, consternación. 3 Amenaza con que se infunde miedo. 4 Enfermedad causada por el espanto. 5 *Amér.* Fantasma, aparecido.

espantoso, -sa *adj.* Que causa espanto. 2 Maravilloso, pasmoso. 3 Desmesurado, enorme, grandísimo.

español, -la *adj.-s.* De España, nación del sudoeste de Europa. – 2 *m.* Lengua española o castellana.

españolada *f.* Dicho o hecho propio de españoles. 2 desp. Espectáculo que imita o representa con poca propiedad las costumbres, cantos, bailes, etc., características de España.

españolear *intr.* Hacer una propaganda extremada de España en artículos, conferencias, etc.

españolería *f.* Españolada (dicho o hecho). 2 Cualidad o actitud propia de españoles. 3 Apego a las cosas españolas.

españolismo *m.* Vocablo, giro o modo de expresión propio de los españoles. 2 Amor o apego a las cosas características de España. 3 Hispanismo. 4 Carácter genuinamente español.

españolizar *tr.* Castellanizar [el lenguaje]. – 2 *prnl.* Tomar las costumbres españolas. ◇ ** CONJUG. [4] como *realizar*.

esparadrapo *m.* Tira de tela o papel cubierta de una capa adhesiva, usada para sujetar los vendajes, y excepcionalmente como apósito directo o como revulsivo.

esparavel *m.* Red redonda para pescar en parajes de poco fondo. 2 ALBAÑ. Tabla de madera con un mango en el centro, para tener la mezcla que se ha de aplicar con la llana.

esparcido, -da *adj.* Desparramado. 2 Festivo, franco en el trato, divertido. 3 BOT. Que se dispone helicoidalmente sobre un eje.

esparcilla *f.* Hierba cariofilácea, anual, erecta, provista de pelos pegajosos, hojas en verticilos y flores blancas en cimas ahorquilladas (*Spergula arvensis*).

esparcimiento *m.* Despejo, franqueza en el trato, alegría. 2 Diversión, recreo, desahogo. 3 Actividades con que se llena el tiempo que las ocupaciones dejan libre.

esparcir *tr.* Separar, extender [lo que está junto o amontonado]; desparramar, derramar extendiendo: ~ *uno la arena de un montón; esparcirse la arena.* 2 fig. Divulgar, extender [una noticia]: *rápidamente se esparció el rumor.* – 3 *tr.-prnl.* Divertir, desahogar: ~ *el ánimo; uno se esparce.* ◇ ** CONJUG. [3] como *zurcir*.

esparganiáceo, -a *adj.-f.* Planta de la familia de las esparganiáceas. – 2 *f. pl.* Familia de plantas monocotiledóneas, perennes, acuáticas, provistas de rizoma reptante y con las hojas estrechas y erectas o flotantes, y de flores unisexuales en cabezuelas globulares.

esparragar *intr.* Cuidar o coger espárragos. ◇ ** CONJUG. [7] como *llegar*.

espárrago *m.* Planta liliácea de tallos aéreos provistos de cladodios, y rizoma muy ramificado, cuyos turiones, cuando tiernos, son comestibles (*Asparagus officinalis*). 2 Turión comestible del espárrago. 3 Palo largo y derecho que sirve para asegurar con otros un entoldado. 4 Madero atravesado por estacas pequeñas a distancias iguales, que sirve de escalera. 5 Barrita de hierro que sirve de tirador a las campanillas y va embebida en la pared. 6 Vástago metálico roscado que, pasando al través de una pieza, sirve para sujetar ésta por medio de una tuerca.

esparragón *m.* Tejido de seda que forma un cordoncillo más grueso y fuerte que el de la tercianela.

esparraguera *f.* Espárrago (planta). 2 Era o haza de tierra que no tiene otras plantas que espárragos. 3 Plato de forma adecuada en que se sirven los espárragos.

esparrancado, -da *adj.* Muy abierto de piernas. 2 [cosa] Que, debiendo estar junta a otra, está muy separada de ella.

espartano, -na *adj.-s.* De Esparta, antigua ciudad de Grecia. 2 fig. Austero, severo.

espartar *tr.* Poner cubierta de esparto a [una vasija].

espartilla *f.* Rollito manual de estera o esparto para limpiar las caballerías.

espartillo *m.* Esparto impregnado de liga.

esparto *m.* Planta graminácea de hojas largas, filiformes y duras, con las cuales se hacen cuerdas, esteras, pasta de papel, etc (*Stipa tenacissima*). 2 Hojas de esta planta.

espasmo *m.* Pasmo. 2 Contracción involuntaria de uno o más músculos o fibras musculares.

espasmódico, -ca *adj.* Perteneciente o relativo al espasmo. 2 Acompañado de espasmos.

espata *f.* Bráctea grande, generalmente petaloide, que envuelve el espádice; **inflorescencias.

espático, -ca *adj.* [mineral] Que se divide fácilmente en láminas. 2 Que contiene espato.

espato *m.* Mineral de estructura laminar: ~ *calizo*, caliza cristalizada en romboedros.

espátula *f.* Paleta, generalmente pequeña, con bordes afilados y mango largo, que usan los farmacéuticos, pintores, etc. 2 Ave ciconiforme, de plumaje muy blanco, de pico largo, deprimido, ensanchado en la punta, y de color negro, como sus patas (*Platalea leucorodia*).

espavorizarse *prnl.* Despejarse, esparcirse. ◇ ** CONJUG. [4] como *realizar*.

especia *f.* Substancia o extracto vegetal usado como condimento; como pimienta, clavo, comino, etc.

especial *adj.* Singular o particular. 2 Muy adecuado o propio para algún efecto. 3 *loc. adv.* **En ~,** especialmente.

especialidad *f.* Calidad de especial (singular). 2 Confección o producto en cuya preparación sobresalen una persona, un establecimiento, una región, etc. 3 Rama de una ciencia o arte a que se consagra una persona.

especialista *adj.-com.* Que con especialidad cultiva un ramo de determinado arte o ciencia y sobresale en él, especialmente en medicina. 2 Cascador.

especialización *f.* Acción de especializar o especializarse. 2 Efecto de especializar o especializarse.

especializado, -da *adj.* Que posee conocimientos especiales en una materia determinada.

especializar *intr.-prnl.* Cultivar una especialidad. – 2 *tr.* Limitar [una cosa] a uso o fin determinado. ◇ ** CONJUG. [4] como *realizar.*

especiar *tr.* Sazonar, poner especias [en un alimento]. ◇ ** CONJUG. [12] como *cambiar.*

especie *f.* Conjunto de cosas semejantes entre sí por tener uno o varios caracteres comunes. 2 Naturaleza común a cierto número de individuos que permite reunirlos en una misma categoría: *me desagrada esa ~ de gente.* 3 Persona o cosa de determinada categoría. 4 Imagen mental, apariencia sensible de las cosas. 5 Pretexto, apariencia, color, sombra. 6 Caso, suceso, asunto negocio: *se hablaba de aquella ~.* 7 Tema, noticia, proposición: *corría entre el vulgo una ~ extraña.* 8 H. NAT. Grupo de animales o plantas que forman una categoría de clasificación entre la familia o subfamilia y la variedad.

especiería *f.* Tienda en que se venden especias. 2 Conjunto de especias. 3 Trato y comercio de especias.

especiero, -ra *m. f.* Persona que comercia en especias. – 2 *m.* Armarito con varios cajones o estantes para guardar las especias.

especificar *tr.* Explicar, declarar con individualidad [una cosa]. ◇ ** CONJUG. [1] como *sacar.*

especificativo, -va *adj.* Que tiene virtud o eficacia para especificar. 2 GRAM. Determinativo: *oración especificativa,* la que limita o determina a algún elemento de la oración principal.

específico, -ca *adj.* Que caracteriza y distingue una especie de otra. – 2 *m.* Medicamento indicado especialmente para una enfermedad determinada.

espécimen *m.* Muestra, modelo, señal. ◇ Pl.: *especímenes.*

especioso, -sa *adj.* Hermoso, precioso, perfecto. 2 fig. Aparente, engañoso: *un razonamiento ~.*

espectacular *adj.* Que tiene caracteres propios de espectáculo público. 2 Digno de admiración.

espectáculo *m.* Función o diversión pública: *es un ~ moderno; una sala de espectáculos.* 2 Aquello especialmente notable que se ofrece a la vista o a la contemplación intelectual: *el ~ de la naturaleza.* 3 Acción escandalosa o extraña: *dio un ~ en la calle.*

espectador, -ra *adj.* Que mira algo con atención. – 2 *adj.-s.* Que asiste a un espectáculo público.

espectro *m.* Imagen o fantasma, por lo común horrible, que se representa a los ojos o en la fantasía. 2 Resultado de la dispersión de un conjunto de radiaciones: ~ *solar,* o simplemente ~, resultado de la dispersión de las radiaciones de la luz blanca del sol al pasar a través de un prisma; ~ *luminoso* o *visible,* el obtenido en la región visible del espectro, en donde se percibe una gama de colores que va del rojo al violado. 3 fig. Persona que se halla en grado extremo de decadencia física o de delgadez. 4 FÍS. Margen completo de las ondas electromagnéticas, ordenadas según su frecuencia; p. ext., parte de esta escala. 5 LING. Imagen completa del sonido, que se logra con el espectrógrafo. 6 MED. Amplitud de la serie de las diversas especies microbianas sobre que es terapéuticamente activo un medicamento, especialmente los antibióticos.

espectrógrafo *m.* Espectroscopio dispuesto para obtener espectrogramas. 2 Aparato que, mediante un sistema de filtros, deja pasar las ondas sonoras de intensidad determinada, las descompone en sus armónicos componentes y las graba en bandas separadas para su estudio.

espectrograma *m.* Fotografía, inscripción o diagrama de un espectro luminoso o acústico.

espectroscopia *f.* Conjunto de métodos empleados para estudiar por medio del espectro las radiaciones de los cuerpos incandescentes.

espectroscopio *m.* Instrumento óptico para obtener y observar los espectros.

especulación *f.* Acción de especular. 2 Efecto de especular. 3 Operación comercial practicada con ánimo de obtener lucro. 4 Estudio o conocimiento especulativo, en oposición al conocimiento práctico.

I) especular *tr.* Examinar, mirar con atención [una cosa] para reconocerla. 2 fig. Meditar, contemplar, reflexionar. – 3 *intr.* Comerciar, traficar: ~ *en papel;* en gral., procurar provecho o ganancia [con cualquier cosa]: ~ *con su cargo;* ~ *en carbones.* 4 Conjeturar, hacer cábalas.

II) especular *adj.* Que semeja un espejo.

especulativo, -va *adj.* Relativo a la especulación. 2 Dado a la especulación, que procede de la mera especulación.

espejado, -da *adj.* Claro, terso como un espejo. 2 Que refleja la luz como un espejo.

espejar *tr.* vulg. Despejar. 2 *prnl.* Reflejarse, reproducirse como la imagen en un espejo.

espejear *intr.* Relucir, resplandecer.

espejismo *m.* Ilusión óptica, frecuente en los desiertos, debida a la reflexión total de la luz cuando atraviesa capas de aire de diferente densidad. 2 fig. Ilusión en general.

espejo *m.* Lámina de vidrio, recubierta por la parte posterior de una capa metálica, la cual forma imagen de los objetos por la reflexión de los rayos luminosos: ~ *plano, cóncavo, convexo;* **fotografía. 2 p. ext. Superficie donde se reflejan los objetos. 3 fig. Lo que da imagen de una cosa: *la cara es el ~ del alma.* 4 fig. Modelo o dechado digno de imitación.

espejuelo *m.* Yeso cristalizado en láminas brillantes. 2 Ventana, rosetón o claraboya, generalmente con calados de cantería y cerrado con placas de yeso transparente. 3 Hoja de talco. 4 Excrecencia córnea en la parte interna de las patas de las caballerías. 5 Conserva de tajadas de cidra o calabaza, que con el almíbar se hacen relucientes. – 6 *m. pl.* Cristal de los anteojos.

espeleología *f.* Exploración y estudio de las cuevas y cavidades subterráneas.

espelunca *f.* Cueva, gruta, concavidad tenebrosa.

espeluznante *adj.* Que hace erizarse el cabello. 2 Pavoroso, terrorífico.

espeluzno *m.* fam. Escalofrío, estremecimiento.

espeque *m.* Puntal para sostener una pared. 2 Palanca recta de madera resistente.

espera *f.* Calma, facultad de saberse contener, de no proceder de ligero. 2 Puesto donde el cazador espera que acuda espontáneamente la caza. 3 Plazo o término señalado por el juez para ejecutar una cosa. 4 Aplazamiento que los acreedores acuerdan conceder al deudor en quiebra.

esperanto *m.* Idioma creado en 1887 por el médico ruso Zamenhof (1859-1917), con idea de que pudiese servir como lengua universal.

esperanza *f.* Confianza de lograr una cosa, de que la cosa deseada se realice. 2 Lo que es objeto de dicha confianza. 3 Virtud teologal por la cual se aguarda de Dios su gracia en este mundo y la gloria eterna en el otro. 4 MAT. Valor medio de una variable aleatoria o de una distribución de probabilidad.

esperanzar *tr.* Dar esperanza [a uno]. – 2 *intr.-prnl.* Tener esperanza. ◇ ** CONJUG. [4] como *realizar.*

esperar *tr.* Tener esperanza de conseguir [lo que se desea]: ~ *la victoria;* ~ *de,* o *en, Dios;* creer que ha de suceder [alguna cosa], especialmente si es favorable: *espero que volverás; abs., quien espera desespera.* 2 Permanecer en un sitio [hasta que llegue uno, o suceda algo]: ~ *a un amigo en la estación;* en gral., detenerse en el obrar [hasta que suceda algo]: ~ *a que suene la hora de hablar.* 3 Ser inevitable o inminente que suceda [a uno] alguna cosa: *mala noche nos espera.*

esperma *amb.* Semen animal.

espermaticida *adj.-s.* Producto anticonceptivo de uso local que destruye los espermatozoides.

espermatorrea *f.* Derrame involuntario de la esperma fuera del acto sexual.

espermatozoide *m.* Gameto masculino de los animales, destinado a la fecundación del óvulo. 2 Gameto masculino de las plantas criptógamas.

espernada *f.* Remate de la cadena que suele tener el eslabón abierto.

esperón *m.* Espolón para embestir a los buques.

esperpento *m.* fam. Persona o cosa fea y ridícula. 2 Desatino, absurdo. 3 Género literario creado por Ramón del Valle-Inclán (1869-1936), en el que se deforma sistemáticamente la realidad, recargando sus rasgos grotescos y absurdos, a la vez que se degradan los valores literarios consagrados.

espesar *tr.* Hacer espeso o más espeso [un líquido]. 2 Unir, apretar [una cosa] haciéndola más tupida: ~ *un tejido.* – 3 *prnl.* Unirse, apretarse las cosas, unas con otras: *espesarse un bosque.*

espesativo, -va *adj.* Que tiene virtud de espesar.

espeso, -sa *adj.* [substancia fluida] Que tiene mucha densidad o condensación: *un jarabe ~.* 2 [conjunto o agregado de cosas, partículas, etc.] Poco separado, muy numeroso en poco espacio: *un bosque muy ~; un humo ~.* 3 Grueso, recio: *los espesos muros del castillo.*

espesor *m.* Grueso de un sólido. 2 Densidad o condensación de un fluido.

espesura *f.* Calidad de espeso. 2 fig. Cabellera muy espesa. 3 fig. Paraje muy poblado de árboles y matorrales.

espetar *tr.* Atravesar con el asador: ~ *un pollo para asarlo;* en gral., clavar un instrumento puntiagudo, atravesar: *le espetó el cuchillo por una mano.* 2 fig. Decir a uno [algo que causa sorpresa o molestia]: *me espetó una arenga, una carta.* – 3 *prnl.* Ponerse tenso, afectando gravedad.

espetera *f.* Tabla con garfios en que se cuelgan carnes, aves y utensilios de cocina. 2 Conjunto de utensilios metálicos de cocina que se cuelgan en la espetera.

espetón *m.* Hierro largo y delgado, como asador o estoque. 2 Hurgonero de horno. 3 Alfiler grande. 4 Golpe dado con el espetón.

5 Pez marino teleósteo perciforme, de gran tamaño, con el cuerpo muy alargado y cubierto de pequeñas escamas *(Sphyraena aphyraena)*. **6** *And.* Varilla de madera, caña, etc. que se usa para ensartar pescados, y ponerlos a asar en rescoldo. **7** *And.* Conjunto de pescados así asados.

I) espía *com.* Persona mandada para espiar (acechar). **2** Agente secreto, persona que recoge información de una potencia extranjera.

II) espía *f.* Cuerda o tiro con que se manifiesta fijo y vertical un madero.

I) espiar *tr.* Acechar disimuladamente lo que [otros dicen o hacen]. ◇ ** CONJUG. [13] como *desviar*.

II) espiar *intr.* MAR. Halar de un cabo firme en un objeto fijo para hacer mover una nave en dirección al mismo. ◇ ** CONJUG. [13] como *desviar*.

espicanardi *f.* Hierba valerianácea de la India, de raíz perenne y aromática *(Nardostachys grandiflora)*. **2** Planta de raicillas fibrosas *(Nardostachys jatamausi)*. **3** Raíz de estas plantas.

espiciforme *adj.* Que tiene forma de espiga.

espícula *f.* Cuerpo u órgano pequeño de forma aguja. **2** Corpúsculo calcáreo o silíceo que sostienen los tejidos de algunos animales inferiores; como los de las esponjas.

espichar *tr.* Pinchar (herir). – **2** *intr.* vulg. Morir. **3** *Argent.* Agotarse el líquido de una vasija. **4** *Cuba, Méj.* y *Venez.* Enflaquecer, adelgazar.

espiche *m.* Arma o instrumento puntiagudo. **2** Estaquilla para cerrar un agujero. **3** Asador, varilla que se utiliza para ensartar pescados y asarlos.

espiga *f.* **Inflorescencia formada por un conjunto de flores sentadas, dispuestas a lo largo de un eje. **2** Conjunto de granos agrupados a lo largo de un eje que resulta de la fructificación de la espiga de una planta gramínea. **3** Parte adelgazada de una herramienta, espada, madero, etc., que se introduce en el mango, en la empuñadura, en el hueco de otro madero, etc.: *la ~ de un escalón de caracol*. **4** Clavo de madera para asegurar tablas y maderos. **5** Clavo de hierro pequeño y sin cabeza.

espigado, -da *adj.* [planta anual] Que se la deja crecer hasta la completa madurez de la semilla. **2** [árbol o tronco] Nuevo y muy elevado. **3** En forma de espiga. **4** fig. Alto, crecido de cuerpo.

espigador, -ra *m. f.* Persona que espiga (recoge). – **2** *f.* Máquina o herramienta utilizada en carpintería mecánica para labrar las espigas de ensamblaje.

espigar *tr.* Recoger [las espigas que han quedado en el rastrojo]. **2** fig. Tomar [datos] de uno o más libros, rebuscando acá y allá: *~ noticias; ~ en los libros*. – **3** *intr.* Empezar los cereales a echar espiga. – **4** *prnl.* Crecer el cogollo de las hortalizas cuando van a echar espiga. **5** p. anal. Crecer notablemente una persona. ◇ ** CONJUG. [7] como *llegar*.

espigón *m.* Espiga áspera y espinosa. **2** Punta de un instrumento puntiagudo o del clavo con que se asegura una cosa. **3** Cerro alto, pelado y puntiagudo. **4** Macizo saliente construido a la orilla de un río o del mar; **costa. **5** Saliente que se deja en piedra bruta, para ser tallado posteriormente. **6** Núcleo sustentante de una escalera de caracol. **7** ARQ. Alma de la escalera de caracol.

espiguilla *f.* Cinta angosta o fleco con picos. **2** Espiga pequeña, con brácteas en la base, que forma la principal en las plantas gramíneas; **inflorescencias. **3** Planta gramínea de tallo comprimido, hojas lampiñas y flores en panoja, sin aristas *(Poa annua)*.

espina *f.* Apéndice delgado y puntiagudo que se forma en algunas plantas, generalmente por modificación de una hoja o un **brote. **2** Astilla pequeña y puntiaguda. **3** Hueso de pez, especialmente el largo y agudo. **4** Aro de madera de la rueda del carro. **5** Muro bajo y aislado en medio del circo **romano, alrededor del cual corrían los carros y caballos. **6** fig. Pesar íntimo y duradero: *tener una ~ en el corazón*. **7** fig. Escrúpulo, recelo: *darle a uno mala ~ una cosa*. **8** fig. Dificultad, desventaja, penalidad. **9** ANAT. Apófisis ósea larga y delgada: *~ dorsal*, o simplemente *~*, columna vertebral; *~ nasal*; **cabeza.

espinaca *f.* Planta quenopodiácea, hortense, dioica, de hojas radicales en roseta, que se comen cocidas o en ensalada *(Spinacia oleracea)*.

espinal *adj.* Relativo a la espina o espinazo: *medula ~*.

espinapez *m.* Labor hecha en los solados y entarimados con rectángulos colocados oblicuamente a las cintas.

espinar *tr.-prnl.* Punzar, herir con espina: *el rosal me ha espinado; el rosal espina; espinarse el dedo*. **2** Proteger con espinas [los árboles recién plantados]. **3** fig. Herir, lastimar y ofender con palabras picantes.

espinazo *m.* Columna vertebral. **2** Clave de una bóveda o de un arco.

espinel *m.* Palangre de ramales cortos y cordel grueso.

espinela *f.* Décima (estrofa). **2** Piedra fina parecida por su color al rubí.

espíneo, -a *adj.* Hecho de espinas, o relativo a ellas.

espineta *f.* Clavicordio pequeño, de una sola cuerda en cada orden.

espingarda *f.* Cañón de artillería mayor

que el falconete. 2 Escopeta muy larga que usaban los moros. 3 fig. Mujer alta, delgada, desvaída.

espinilla *f.* Parte anterior de la canilla de la pierna; **cuerpo humano. 2 Comedón.

espinillera *f.* Pieza de la armadura que cubre y defiende la espinilla. 2 Pieza que preserva la espinilla de operarios o deportistas.

espino *m.* Arbolillo rosáceo, de ramas espinosas, flores blancas, olorosas, en corimbo, fruto pequeño encarnado, de pulpa dulce, y madera muy dura *(Cratœgus oxyacantha)*. 2 ~ *artificial,* alambre con pinchos que se usa para cercas.

espinochar *tr.* Quitar las hojas que cubren [la panoja del maíz].

espinoso, -sa *adj.* Que tiene espinas. 2 fig. Arduo, difícil, intrincado.

espínula *f.* Pequeña espina.

espionaje *m.* Acción de espiar (acechar). 2 Organización dedicada a este fin.

espira *f.* Parte de la basa de la columna, que está encima del plinto. 2 Vuelta de una hélice o de una espiral.

espiración *f.* Acción de espirar; **respiración. 2 Efecto de espirar; **respiración. 3 FON. Segundo tiempo de la respiración, en el que el aire llega al aparato fonador y produce el sonido articulado.

espiráculo *m.* En algunos peces, cada uno de los orificios situados detrás de los ojos, por donde entra el agua para la respiración.

espiral *adj.* Relativo a la espira: *escalera* ~. – 2 *f.* Línea **curva que da indefinidamente vueltas alrededor de un punto, alejándose continuamente de él según una ley determinada.

espirante *adj.* Que espira. 2 GRAM. [sonido] Que se pronuncia con aspiración.

espirar *tr.* Exhalar [algún olor]: ~ *un aliento nocivo.* – 2 *tr.-intr.* Expulsar el aire de las vías respiratorias. – 3 *intr.* Respirar, tomar aliento; especialmente, expeler el aire aspirado.

espirilo *m.* Bacteria alargada y encorvada en forma de hélice o espiral.

espiritar *tr.-prnl.* Endemoniar. 2 fig. Agitar, conmover, irritar.

espiritismo *m.* Doctrina según la cual los espíritus de los muertos conservan un cuerpo material extremadamente tenue, y aunque ordinariamente invisibles, pueden entrar en comunicación con los vivos en ciertas circunstancias.

espiritoso, -sa *adj.* Vivo, animoso. 2 Que contiene mucho espíritu y es fácil de exhalarse: *licor* ~.

espiritrompa *f.* Tubo chupador de los insectos lepidópteros, formado por la prolongación de las dos maxilas.

espíritu *m.* Substancia sutil, considerada como principio de la vida: *espíritus animales,*

vitales. 2 fig. Hálito, don sobrenatural: ~ *de profecía.* 3 Substancia que se extrae de ciertos cuerpos sometidos a la destilación. 4 Ser inmaterial y dotado de razón: *espíritus celestiales.* 5 Alma individual, especialmente la de un muerto: *evocar los espíritus.* 6 fig. Ánimo, valor, brío. 7 Realidad pensante en general, substancia inmaterial y racional: *el* ~ *y la materia; el* ~ *y la carne; el* ~ *humano.* 8 fig. Idea central, principio generador, esencia de una cosa: *el* ~ *y la letra de una ley; el* ~ *de una sociedad, de una época histórica.*

espiritual *adj.* Relativo al espíritu. 2 [pers.] De carácter sensible y con poco interés por las cosas materiales. – 3 *m.* Canto religioso originario de la población negra del Sur de los Estados Unidos de América.

espiritualidad *f.* Naturaleza y condición de espiritual. 2 Calidad de las cosas espiritualizadas o declaradas eclesiásticas.

espiritualismo *m.* Doctrina metafísica, opuesta al materialismo, según la cual la materia y el espíritu, lo físico y lo psíquico, no constituyen una dualidad irreductible, sino que en último análisis el espíritu es la única realidad, es decir, la esencia de la materia es espiritual. 2 Sistema filosófico que defiende la esencia espiritual y la inmortalidad del alma. 3 Inclinación a la vida espiritual.

espiritualizar *tr.* Hacer espiritual [a una persona] por medio de la gracia y espíritu de piedad. 2 Considerar como espiritual [lo que de suyo es corpóreo]. 3 Reducir [algunos bienes] a la condición de eclesiásticos. ◇ ** CONJUG. [4] como *realizar.*

espirómetro *m.* Aparato para medir la capacidad respiratoria del pulmón.

espiroqueta *f.* Microorganismo del orden de los espiroquetales que carece de membrana, flexible y con movimiento activo.

espiroquetales *m. pl.* Orden de bacterias dentro de la clase esquizomicetes, finas, alargadas y arrolladas en espiral.

espita *f.* Medida lineal de un palmo. 2 Tubo corto que se abre o cierra por giro de una llave o palanca, y que se pone en el agujero por donde se vacía un tonel o un recipiente cualquiera, o con el que, abriéndolo o cerrándolo, se permite o impide el paso de un fluido. 3 Grifo pequeño. 4 fig. Persona que bebe mucho vino.

espitar *tr.* Poner espita [a una vasija, especialmente a una cuba]. 2 fam. Estar bajo el efecto de la euforia de la droga.

espitoso, -sa *adj.* Con mucha euforia, al estar bajo el efecto de la droga.

esplacnología *f.* Parte de la anatomía que trata de las vísceras.

esplendidez *f.* Abundancia, largueza. 2 Magnificencia, ostentación.

espléndido, -da *adj.* Liberal, ostentoso. 2 Resplandeciente.

esplendor *m.* Resplandor. 2 fig. Lustre, nobleza, magnificencia. 3 Auge.

esplendoroso, -sa *adj.* Que resplandece. 2 Que impresiona por su belleza o grandeza.

esplénico, -ca *adj.* Relativo al bazo: *arteria, vena esplénica.*

esplenio *m.* Músculo plano que une las vértebras cervicales con la cabeza y contribuye a los movimientos de ésta.

espliego *m.* Mata labiada, aromática, de tallos largos y delgados, hojas lineares, tomentosas, brácteas anchas y flores azules en espiga *(Lavandula officinalis).* 2 Semilla de esta planta, usada como sahumerio.

esplín *m.* Melancolía que produce tedio de todo. ◇ Pl.: *esplines.*

espolada *f.* Aguijonazo dado con la espuela a la cabalgadura.

espoleadura *f.* Herida que la espuela hace a la cabalgadura.

espolear *tr.* Aguijar con la espuela [a la cabalgadura]. 2 fig. Incitar, estimular [a uno].

I) espoleta *f.* Aparato colocado en la boquilla de las bombas, granadas, etc., para dar fuego a su carga.

II) espoleta *f.* Horquilla que forman las clavículas del ave.

I) espolín *m.* Espuela fija en el tacón de la bota. 2 Planta graminácea, de flores en panoja con largas aristas, llenas de pelo largo y blanco *(Stipa pennata).*

II) espolín *m.* Lanzadera pequeña con que se tejen aparte las flores que se entretejen en las telas de seda, oro o plata. 2 Tela de seda con flores esparcidas.

espolinado *m.* Tejido con una trama de fondo y otras tramas de colores llamativos y de fibra de seda o similar, formando dibujos de flores. 2 Procedimiento para obtener estos dibujos.

espolio *m.* Conjunto de bienes de la mitra que, por haber sido adquiridos con rentas eclesiáticas, quedan de propiedad de la Iglesia al morir sin testar el clérigo que los poseía.

espolón *m.* Apófisis ósea en forma de cornezuelo que tienen algunas aves galliformes en el tarso. 2 Prominencia córnea que tienen las **caballerías en la parte posterior de los menudillos. 3 Remate de la proa de una nave. 4 Malecón a orillas de un río o del mar. 5 Ramal corto y escarpado que parte de una sierra, en dirección próximamente perpendicular a ella. 6 Malecón al borde de los barrancos y precipicios. 7 fig. Sabañón que sale en el calcañar.

espolvorear *tr.* Despolvorear. 2 Esparcir [sobre una cosa] otra hecha polvo.

espondeo *m.* Pie de la versificación clásica formado por dos sílabas largas: – –.

espongina *f.* Substancia orgánica, filamentosa y muy elástica, que en algunas esponjas sirve para unir entre sí las espículas y en otras constituye la totalidad del esqueleto.

esponja *f.* Animal del tipo de los poríferos. 2 Masa porosa y elástica formada por el esqueleto de los poríferos, empleada en varios usos domésticos. 3 Substancia esponjosa. 4 fig. Persona que con maña chupa la substancia o bienes de otro. 5 fig. Persona que ingiere una gran cantidad de bebida. 6 Tejido muy absorbente que se usa para toallas, albornoces, etc.

esponjar *tr.* Ahuecar, hacer más porosa [una cosa]. – 2 *prnl.* fig. Envanecerse. 3 Adquirir una persona cierta lozanía, que indica salud y bienestar.

esponsales *m. pl.* Mutua promesa de casamiento entre el varón y la mujer.

espontanearse *prnl.* Descubrir uno a otro voluntariamente un hecho propio ignorado o lo íntimo de sus pensamientos o afectos.

espontaneidad *f.* Calidad de espontáneo. 2 Expresión natural y fácil del pensamiento.

espontáneo, -a *adj.* En el hombre, lo que procede de un impulso interior. 2 En las cosas, lo que se produce sin cultivo, sin cuidados o sin intervención: *plantas espontáneas; combustión, explosión espontánea.* – 3 *m. f.* Persona que asiste a un espectáculo público como espectador, y en un momento dado interviene en él por propia iniciativa, especialmente en las corridas de toros.

espora *f.* Célula que se aísla y separa del organismo materno y sirve para su multiplicación.

esporádico, -ca *adj.* [enfermedad] Que no tiene carácter epidémico ni endémico. 2 fig. Que es ocasional, sin ostensible enlace con antecedentes ni consiguientes.

esporangio *m.* Órgano productor de las esporas; **helecho.

esporífero, -ra *adj.* Que trae o contiene esporas.

esporocarpio *m.* Receptáculo situado en la base de las frondas de ciertas plantas pteridofitas, en el cual se forman los esporangios.

esporofilo *m.* Hoja portadora de esporangios.

esporofito, -ta *adj.-f.* Planta que se reproduce por esporas. – 2 *m.* En las plantas de generación alternante sexual y asexual visible, fase que produce las esporas; **helecho. – 3 *m. pl.* Criptógamas.

esporogonia *adj.-f.* Fructificación de los musgos, resultado de la fecundación de la oosfera, que origina las esporas.

esporozoo *adj.-m.* Protozoo del tipo de los esporozoos. – 2 *m. pl.* Tipo de **protozoos, exclusivamente parásitos intracelulares, que se multiplican sexualmente y por esporulación; a este grupo pertenece el productor del paludismo (gén. *Plasmodium*).

esporrondingarse *prnl. Amér. Central* y

Colomb. Tirar la casa por la ventana. ◇ ** CON-JUG. [7] como *llegar.*

esportear *tr.* Echar, llevar, mudar con espuertas [una cosa] de un paraje a otro.

esportillo *m.* Capacho de esparto o de palma.

esporulación *f.* Formación en el interior de una célula de varias células hijas que quedan en libertad por ruptura de la membrana de la célula primitiva.

esposar *tr.* Sujetar [a uno] con esposas.

esposas *f. pl.* Manillas de hierro para sujetar a los reos.

esposo, -sa *m. f.* Persona que ha contraído esponsales. 2 Persona casada, en relación con su cónyuge. – 3 *f. Amér.* Anillo episcopal.

espuela *f.* Espiga de metal terminada en una ruedecita con puntas, que se ajusta al calcañar, para picar a la cabalgadura. 2 fig. Aviso, estímulo, incitativo. 3 *And., Can. y Amér.* Espolón de las aves gallináceas.

espuerta *f.* Receptáculo cóncavo de esparto, palma u otra materia, con dos asas pequeñas, para transportar escombros, tierras, etc.

espulgar *tr.* Limpiar [la cabeza, el cuerpo o el vestido] de pulgas o piojos. 2 fig. Examinar, reconocer [algo] minuciosamente.

espuma *f.* Agregado de burbujas que se forman en la superficie de los líquidos. 2 Parte del jugo y de las impurezas que ciertas substancias arrojan de sí al cocer en el agua: *la ~ del caldo.*

espumadera *f.* Cucharón o paleta con agujeros, que sirve para espumar (quitar la espuma).

espumador, -ra *m. f.* Persona que espuma. – 2 *f.* Insecto hemíptero cuyas ninfas están rodeadas por una masa de espuma o baba que las protege de la desecación y de los depredadores *(gén. Philaenus).*

espumar *tr.* Quitar la espuma [del caldo, del almíbar, etc.]. – 2 *intr.* Hacer espuma: *la olla espumaba.*

espumarajo *m.* Saliva arrojada en gran abundancia por la boca.

espumear *intr.* Producir espuma: *las olas espumeaban en la playa.* – 2 *tr.* Espumar (quitar la espuma).

espumero *m.* Lugar donde se junta agua salada para que cristalice o cuaje la sal.

espumilla *f.* Tejido muy ligero y delicado, semejante al crespón. 2 *Amér.* Merengue.

espumillón *m.* Tela de seda, muy gruesa.

espurio, -ria *adj.* Bastardo. 2 fig. Falso, adulterado. ◇ INCOR.: *espúreo.*

espurrear, -rriar *tr.* Rociar [algo] con un líquido expelido por la boca.

esputo *m.* Lo que se arroja de una vez en cada expectoración.

esqueje *m.* Tallo o cogollo que se introduce en tierra para multiplicar la planta. 2 Estaca verde, pequeña, procedente de un tallo sin lignificar.

esquela *f.* Carta breve. 2 Papel impreso en que se dan citas o se comunica alguna noticia a varias personas: *~ mortuoria.*

esquelético, -ca *adj.* Muy flaco, exhausto. 2 Relativo al esqueleto.

esqueleto *m.* Armazón ósea del cuerpo del hombre o de cualquier animal vertebrado; **ave.** 2 Conjunto de partes duras y rígidas que protege el cuerpo o sostiene los tejidos de algunos invertebrados; como el de los artrópodos y los espongiarios. 3 fig. Sujeto muy flaco. 4 fig. Armadura (armazón). 5 *Amér.* Modelo o patrón impreso en que se dejan blancos que se rellenan a mano. 6 *Chile y Méj.* fig. Bosquejo, plan de una obra literaria.

esquema *m.* Representación gráfica y simbólica de cosas inmateriales. 2 Representación de una cosa atendiendo sólo a sus líneas o caracteres más salientes.

esquemático, -ca *adj.* Relativo al esquema. 2 Explicado o hecho de una manera simple, a rasgos generales.

esquematismo *m.* Procedimiento esquemático para la exposición de doctrinas.

esquematizar *tr.* Representar [una cosa] en forma esquemática. ◇ ** CONJUG. [4] como *realizar.*

esquena *f.* Columna vertebral. 2 Espina principal de los pescados.

esquenanto *m.* Planta graminácea de raíz blanca aromática y medicinal *(gén. Schœnanthus).*

esquí *m.* Tabla larga de madera dura, usada para patinar sobre la nieve. 2 Deporte practicado al deslizarse con dichas tablas. 3 *~ acuático,* modalidad de esquí sobre el agua. ◇ Pl.: *esquís.*

esquiador, -ra *m. f.* Persona que esquía.

esquiar *intr.* Deslizarse sobre la nieve o hielo con esquís. ◇ ** CONJUG. [13] como *desviar.*

esquifar *tr.* Proveer de pertrechos y marineros [una embarcación].

esquife *m.* Bote que se lleva en el navío para saltar a tierra. 2 Especie de piragua para un solo tripulante, usada en competiciones deportivas. 3 ARQ. Cañón de bóveda en figura cilíndrica.

esquila *f.* Cencerro en forma de campana. 2 Campana pequeña que sirve en los conventos para convocar a los actos de comunidad.

esquilador, -ra *adj.-s.* Que esquila. – 2 *f.* Máquina esquiladora.

esquilar *tr.* Cortar el pelo, vellón o lana [de un animal].

esquileo *m.* Casa destinada para esquilar al ganado lanar. 2 Tiempo en que se esquila.

esquilero *m.* Red en forma de saco con un aro de madera, que se emplea para pescar.

esquilmar *tr.* Coger los frutos y provechos [de haciendas y ganados]. 2 Chupar con exceso las plantas el jugo [de la tierra]. 3 fig. Agotar o menoscabar [una fuente de riqueza] sacando de ella mayor provecho que el debido. 4 fig. Conseguir abusivamente dinero, bienes, etc. [de alguien].

esquilmo *m.* Fruto o provecho que se saca de las haciendas y ganados.

esquimal *adj.-s.* Pueblo de raza mogol que, en pequeños grupos diversos, habita la margen ártica de América del Norte, de Groenlandia y de Asia.

esquina *f.* Arista, especialmente la que resulta del encuentro de las paredes de un edificio. 2 *Amér.* Tienda de comestibles situada generalmente en la esquina de una manzana [de casas].

esquinado, -da *adj.* [pers.] De trato difícil. 2 Que hace esquina.

esquinar *tr.-intr.* Hacer o formar esquina: *la tienda esquina la calle de Alcalá,* o *esquina con.* – 2 *tr.* Poner en esquina [alguna cosa]: ~ *un armario.* 3 Escuadrar [un madero]. 4 Cortar en dos [una res], siguiendo la espina dorsal. – 5 *tr.-prnl.* Poner a mal, indisponer: *ha esquinado a su hijo; se ha esquinado con su hijo.*

esquinero, -ra *adj.-s.* Persona que pasa el tiempo en las esquinas de las calles sin hacer nada. – 2 *f.* Cantonera, ramera que suele apostarse en las esquinas de las calles. 3 *Amér.* Rinconera, mueble.

esquirla *f.* Astilla desprendida de un hueso y, por extensión, de un vidrio, piedra, etc.

esquirol *m.* desp. Obrero que substituye a un huelguista.

esquistosidad *f.* Propiedad que presenta una roca cuando aparece constituida en capas u hojas paralelas.

esquite *m. Amér. Central y Méj.* Rosetas de maíz.

esquivar *tr.* Evitar, eludir, rehusar: ~ *el golpe.* – 2 *prnl.* Retraerse, retirarse, excusarse.

esquivez *f.* Desapego, aspereza, desagrado.

esquizado, -da *adj.* [mármol] Salpicado de pintas.

esquizocarpio, esquizocarpo *m.* BOT. **Fruto polispermo que a la madurez se fragmenta en trozos monospermos que parecen aquenios.

esquizofrenia *f.* Psicosis en la cual el enfermo presenta la pérdida del contacto con el medio que le rodea.

esquizogénesis *f.* Proceso asexual de reproducción característico de las bacterias. ◇ Pl.: *esquizogénesis.*

esquizoide *adj.* Semejante a la esquizofrenia. – 2 *adj.-com.* Persona que manifiesta una tendencia exagerada a la soledad, en un repliegue sobre sí mismo, con gran dificultad de efectuar contactos con el exterior.

esquizomicófitos *m. pl.* División que incluye a todos los organismos formados por células procariotas, microscópicos y unicelulares.

estabilidad *f.* Permanencia, duración, firmeza. 2 Fijeza en la posición o en el rumbo. 3 FÍS. Propiedad de un sistema de volver al estado de equilibrio después de sufrir una perturbación. 4 MEC. Resistencia a cambiar de posición que presenta un cuerpo en equilibrio estable. 5 METEOR. Situación atmosférica caracterizada por gran resistencia a que en ella se desarrollen movimientos verticales.

estabilizador, -ra *adj.-s.* Que estabiliza. – 2 *m.* Mecanismo que se añade a un aeroplano, **avión, nave, etc., para aumentar su estabilidad. 3 QUÍM. Catalizador negativo.

estabilizar *tr.* Dar [a alguna cosa] estabilidad: ~ *un artefacto;* ~ *la situación de un empleado.* – 2 *tr.-prnl.* Fijar y garantizar oficialmente [el valor de una moneda] a fin de evitar las oscilaciones del cambio. ◇ ** CONJUG. [4] como *realizar.*

estable *adj.* Permanente, durable, firme. 2 QUÍM. [substancia] De difícil descomposición por la temperatura, o difícilmente atacable por agentes químicos.

establecer *tr.* Fundar, instituir, hacer estable: ~ *una monarquía, un campamento, su reputación.* 2 Ordenar, decretar: *establece el reglamento que se entre a las diez.* – 3 *prnl.* Avecindarse. 4 Abrir, crear uno por su cuenta un establecimiento mercantil. ◇ ** CONJUG. [43] como *agradecer.*

establecimiento *m.* Ley, ordenanza, estatuto. 2 Fundación, institución. 3 Cosa fundada o establecida. 4 Colocación o suerte estable de una persona. 5 Lugar donde habitualmente se ejerce una industria o profesión.

establo *m.* Lugar cubierto en que se cierra el ganado. 2 fig. Lugar muy sucio.

estabón *m.* Mata de habas después de quitarle el fruto.

estabulación *f.* Cría y mantenimiento de los ganados en establos.

estaca *f.* Palo con punta en un extremo para clavarlo. 2 Garrote (palo grueso). 3 Rama o palo verde sin raíces, plantado para que se haga árbol. 4 Clavo largo para clavar vigas y maderos. 5 Cuerna que aparece en los ciervos al cumplir el animal un año de edad. 6 *Amér.* Pertenencia minera.

estacada *f.* Obra hecha de estacas clavadas en la tierra: *la* ~ *de una fortificación.* 2 Palenque o campo de batalla en los torneos. 3 Lugar señalado para un desafío: *dejar a uno en la* ~, fig., abandonarlo en un peligro o en un mal negocio. 4 Olivar nuevo. 5 *Amér. Central.* Punzada, herida.

estacadura *f.* Conjunto de estacas que sujetan la caja de los varales de un carro.

estacar *tr.* Atar [una bestia] a una estaca hincada en la tierra. 2 Señalar en el terreno [una línea] con estacas. − 3 *prnl.* Quedarse inmóvil y tieso como una estaca. − 4 *tr. Amér.* Extender [alguna cosa] sujetándola o clavándola con estacas. − 5 *prnl. Amér.* Clavarse uno una astilla. 6 *Amér.* Herirse, pincharse. ◇ ** CONJUG. [1] como *sacar.*

estación *f.* Estancia (morada). 2 Visita que se hace por devoción a las iglesias o altares. 3 Detención aparente de los planetas en sus órbitas para el cambio de sus movimientos directos en retrógrados o viceversa. 4 División del año comprendida entre un equinoccio y un solsticio. 5 Tiempo, temporada: *la ~ actual; la ~ de las lluvias.* 6 Lugar en que se hace alto durante un viaje, paseo, etc. 7 Edificio situado en la red de transporte público, destinado al servicio de pasajeros y mercancías: *el tren llegó a la ~ con una hora de retraso; ya han inaugurado la nueva ~ de autobuses; muchas estaciones de metro están en obras.* 8 Conjunto de instalaciones donde se realiza una actividad o se imparte un servicio: *~ de esquí,* la destinada a la práctica del esquí deportivo; *~ de servicio,* la destinada al servicio de los automovilistas (gasolinera, reparaciones, restaurante, etc.) en una carretera o autopista. 9 Punto y oficina donde se expiden y reciben despachos de telecomunicación: *~ telegráfica.* 10 Sitio o localidad de condiciones apropiadas para que viva una especie animal o vegetal.

estacional *adj.* Propio de cualquiera de las estaciones del año: *calenturas estacionales.*

estacionamiento *m.* Acción de estacionarse: *~ de coches.* 2 Efecto de estacionarse. 3 Lugar de la vía pública donde los vehículos pueden permanecer estacionados. 4 MIL. Lugar donde se establece una tropa, sea cuartel, alojamiento, campamento o vivaque.

estacionar *tr.-prnl.* Situar en un lugar, colocar, asentar. − 2 *prnl.* Quedarse estacionario, estancarse. 3 Detenerse y permanecer en la vía pública un vehículo. V. aparcar.

estacionario, -ria *adj.* fig. Que permanece en el mismo estado o situación, sin adelanto ni retroceso. 2 [planeta] Que está como detenido en su órbita aparente durante cierto tiempo.

estacte *f.* Aceite esencial, obtenido de la mirra fresca.

estacha *f.* Cuerda atada al arpón que se clava a las ballenas. 2 MAR. Cabo que desde un buque se da a cualquier objeto fijo para practicar varias faenas.

estadía *f.* Detención, estancia. 2 Día que transcurre después del plazo estipulado para la carga o descarga de un buque mercante. 3 p. ext. Indemnización que por ello se paga. 4 Tiempo que permanece el modelo ante el artista. 5 Período de relativa mejora climática de una época glacial.

**estadio *m.* Lugar público en que se celebran carreras, luchas y diversos deportes. 2 Fase, período relativamente corto. 3 Intervalo de tiempo entre mudas sucesivas en la vida de un insecto.

estadista *com.* Perito en estadística. 2 Persona versada en asuntos de Estado.

estadística *f.* Ciencia que tiene por objeto

ESTADIO

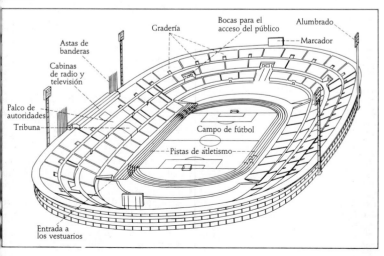

Gradería · Bocas para el acceso del público · Alumbrado · Marcador · Astas de banderas · Cabinas de radio y televisión · Palco de autoridades · Tribuna · Campo de fútbol · Pistas de atletismo · Entrada a los vestuarios

reunir, clasificar y contar todos los hechos de un mismo orden, como nacimientos, defunciones, riquezas de una provincia, etc. 2 Conjunto de estos hechos. 3 MAT. Disciplina que utiliza conjuntos de datos numéricos para obtener, a partir de ellos, inferencias basadas en el cálculo de probabilidades.

estadizo, -za *adj.* Que está mucho tiempo sin moverse, orearse o removerse: *aguas estadizas.* 2 [manjar] Rancio o manido.

estado *m.* Situación en que está una persona o cosa, especialmente cada uno de los sucesivos modos de ser de una persona o cosa sujeta a cambios que influyen en su condición: ~ *de salud;* ~ *de gracia, de pecado; los estados físicos: sólido, líquido, gaseoso;* ~ *de excepción,* el de una población o territorio cuando, por una situación de especial gravedad, suspende algunas libertades constitucionales. 2 Resumen por partidas generales que resulta de las relaciones hechas por menor. 3 Modo de ser de una persona en el orden social: ~ *de matrimonio;* ~ *de religión;* ~ *de prosperidad;* ~ *civil,* condición de cada persona en relación con los derechos y obligaciones civiles. 4 Orden, clase, jerarquía y calidad de las personas que componen un reino, una república o un pueblo: ~ *eclesiástico;* ~ *noble;* ~ *militar.* 5 Cuerpo político de una nación: *presupuestos del* ~. 6 País o dominio de un príncipe o señor de vasallos. 7 Medida longitudinal tomada de la estatura regular del hombre, usada para apreciar alturas o profundidades (unos 7 pies). 8 Medida de superficie, equivalente a 49 pies cuadrados. 9 FÍS. Grado o modo de agregación de moléculas de un cuerpo: ~ *sólido, líquido,* etc. 10 MIL. ~ *mayor,* cuerpo de oficiales encargados en los ejércitos de informar técnicamente a los jefes superiores del ejército, distribuir las órdenes y procurar y vigilar su cumplimiento.

estadounidense *adj.-s.* De los Estados Unidos de América del Norte.

estafa *f.* Acción de estafar. 2 Efecto de estafar.

estafar *tr.* Robar [a uno] valiéndose de artificios o engaños; no satisfacer [lo que uno ha prometido pagar]. 2 DER. Cometer alguno de los delitos que se caracterizan por el lucro como fin y el engaño o abuso de confianza como medio.

estafermo *m.* Muñeco giratorio al que los corredores, hiriéndole con una lanza, hacían dar vuelta. 2 fig. Persona parada, como embobada y sin acción. 3 fig. Persona de aspecto fachoso.

estafeta *f.* Casa u oficina del correo.

estafilínido *adj.-m.* Insecto de la familia de los estafilínidos. – 2 *m. pl.* Familia de insectos coleópteros de cuerpo alargado, élitros reducidos y abdomen flexible.

estafilococo *m.* Variedad de coco (bacteria) cuyos individuos se presentan asociados en racimos.

estafisagria *f.* Planta ranunculácea, venenosa, de flores en espiga terminal, azules *(Delphinium staphisagria).*

estagnícola *adj.* [animal, planta] Que vive en aguas estancadas.

estala *f.* Establo, caballeriza. 2 Escala (puerto).

estalación *f.* Categoría en que se dividen los individuos de una comunidad o cuerpo.

estalactita *f.* Concreción pendiente del techo de una caverna formada por infiltraciones que contienen sales calcáreas, silíceas, etc.

estalagmita *f.* Concreción formada sobre el suelo de una caverna por gotas procedentes de las mismas infiltraciones que forman las estalactitas.

estalaje *m.* Estancia. 2 Casa o lugar donde se hace mansión. 3 Mobiliario, ajuar de la casa.

estallar *intr.* Henderse o reventar de golpe una cosa, con chasquido: ~ *una bomba, una caldera.* 2 Chasquear, restallar el látigo. 3 fig. Sobrevenir, ocurrir violentamente alguna cosa: ~ *un incendio.* 4 fig. Sentir y manifestar violentamente una pasión del ánimo: *su ira al fin estalló.*

estallido *m.* Acción de estallar. 2 Efecto de estallar. 3 Quiebra, ruina completa.

estambrar *tr.* Convertir [la lana] en estambre torciéndola.

estambre *amb.-m.* Parte del vellón de lana compuesta de hebras largas. 2 Hilo formado de estas hebras. 3 Órgano sexual masculino de las plantas fanerógamas, que consta generalmente de filamentos y antera; **flor. 4 Urdimbre.

estamento *m.* Estrato o sector de un cuerpo social, definido por un común estilo de vida, una función social o actividad determinada.

estameña *f.* Tejido basto de estambre, usado principalmente para hábitos religiosos.

estamíneo, -a *adj.* Que es de estambre. 2 Relativo al estambre.

estaminífero, -ra *adj.* [flor] Que lleva únicamente estambres; [planta] que tiene estas flores.

estaminodio *m.* Estambre estéril.

estampa *f.* Efigie o figura impresa. 2 fig. Figura total de una persona o animal: *un caballo de buena* ~. 3 Espectáculo o escena pública, especialmente si es pintoresca: *una* ~ *típica.* 4 Imprenta o impresión. 5 Huella (señal). 6 fig. Parecido, semejanza.

estampado, -da *adj.-s.* Tejido en que se estampan diferentes labores o dibujos. 2 Objeto que por presión o percusión se fabrica con matriz o molde apropiado.

estampar *tr.* Imprimir, sacar en estampas

[las figuras, dibujos o letras] contenidos en un molde, ejerciendo presión [sobre un papel, tela, etc.], o sobre un objeto de metal, cuero, etc.]: ~ *un tejido, una cubierta, un paisaje, a mano, sobre tela, en papel.* 2 Prensar [una chapa metálica] sobre un molde de acero grabado en hueco por medio del cual se marca [un relieve]: ~ *una medalla.* 3 Señalar o dejar huella [una cosa] en otra: ~ *el pie en la arena.* 4 fam. Arrojar [a una persona o cosa] haciéndola chocar contra algo: ~ *una botella contra la pared.* 5 fig. Imprimir [algo] en el ánimo.

estampida *f.* Estampido. 2 Carrera rápida e impetuosa: ~ *del ganado.*

estampido *m.* Ruido fuerte y seco como el producido por el disparo de un cañón.

estampilla *f.* Sello que contiene en facsímil la firma y rúbrica de una persona. 2 Sello con letrero para estampar en ciertos documentos. 3 *Amér.* Sello de correos o fiscal.

estampillar *tr.* Sellar, marcar con estampilla [ciertos títulos de Deuda pública], para distinguirlos entre congéneres y aplicarles trato especial.

estampita *f.* Engaño en que dos timadores se valen de la codicia de su víctima, haciéndole pagar una cantidad a cambio de repartirse un fajo de supuestos billetes de banco, de lotería, etc.

estancar *tr.-prnl.* Detener el curso de una cosa, especialmente de un líquido: ~ *un río; las aguas se estancan.* 2 fig. Suspender la marcha [de un negocio]. 3 Prohibir la venta libre [de una cosa]: ~ *los sellos, el papel timbrado.* ◇ ** CONJUG. [1] como *sacar.*

I) estancia *f.* Mansión, habitación y asiento en un lugar. 2 Aposento donde se habita ordinariamente. 3 Día que está el enfermo en el hospital, y cantidad diaria que devenga por cada uno de ellos. 4 Permanencia durante cierto tiempo en un lugar determinado. 5 *Amér.* Hacienda de campo destinada al cultivo y a la ganadería.

II) estancia *f.* Estrofa (de composición poética). 2 Estrofa formada por versos heptasílabos y endecasílabos en número variable, pero uniforme.

estanciero *m. Amér.* Dueño de una estancia o el que cuida de ella.

estanco, -ca *adj.* Que no hace aguas por sus costuras: *compartimiento* ~. 2 [espacio] Incomunicado, aislado. 3 *f.* Prohibición de la venta libre de algunas cosas. 4 Sitio donde se venden géneros estancados, especialmente sellos, tabaco y papel timbrado. 5 fig. Depósito, archivo.

estándar *adj.* [calidad de un producto] Normal y corriente. – 2 *m.* Tipo, patrón uniforme o muy generalizado de una cosa: ~ *de vida;* ~ *de fabricación.*

estandarización *f.* Fabricación en serie siguiendo un modelo determinado.

estandarizar *tr.* Fabricar [un producto] en serie con arreglo a un modelo determinado. – 2 *tr.-prnl.* Fabricar o comprobar [algo] con arreglo a un tipo uniforme. ◇ ** CONJUG. [4] como *realizar.*

estandarte *m.* Insignia o **bandera que usan los cuerpos montados y algunas corporaciones civiles o religiosas.

estandorio *m.* Estaca fija a los lados del carro, para sostener los adrales o la carga.

estannita *f.* Mineral de estaño que cristaliza en el sistema tetragonal.

estanque *m.* Receptáculo de agua construido para proveer al riego, criar peces, etc., o con fines meramente ornamentales.

estanquidad *f.* Calidad de estanco (que no hace agua).

estantal *m.* Estribo de pared.

estante *adj.* Fijo o permanente en un lugar. 2 [ganado] Que pasta en su término jurisdiccional. 3 [pers.] Dueño del ganado. – 4 *m.* Armario con anaqueles y sin puertas para colocar libros, papeles, etc. 5 Anaquel. 6 Pie derecho que en número de cuatro sostiene la armadura de algunas máquinas. 7 *Amér.* Estaca que sirve de sostén o apoyo verticalmente.

estantería *f.* Juego de estantes (armario).

estantigua *f.* Procesión de fantasmas, fantasma o visión que causa pavor. 2 Persona alta y desgarbada, mal vestida.

estantío, -a *adj.* Que no tiene curso; parado, estancado. 2 fig. Pausado, flojo y sin espíritu.

estañar *tr.* Cubrir o bañar con estaño [una pieza o vasija de otro metal]. 2 Soldar [una cosa] con estaño.

estaño *m.* Metal, blanco, brillante, de estructura cristalina, que por frotamiento despide un olor particular. Su símbolo es *Sn.*

estaquear *tr.* Golpear con una estaca. 2 Clavar estacas para hacer una cerca. 3 *Amér.* Extender [cueros] sujetándolos con estacas. 4 *Amér.* Estirar a un hombre entre cuatro estacas por medio de maneadores amarrados a las muñecas y a la garganta de los pies.

estaquero *m.* Agujero hecho en la escalera y varales de los carros y galeras, para meter las estacas.

estaquilla *f.* Espiga de madera o caña para asegurar los tacones del calzado. 2 Clavo pequeño de hierro, de figura piramidal y sin cabeza. 3 Estaca (clavo largo).

estaquillador *m.* Lezna gruesa y corta con que se taladran los tacones para poner las estaquillas.

estaquillar *tr.* Asegurar con estaquillas [una cosa].

estar *intr.* Existir, hallarse, permanecer [una persona o cosa] en un lugar, posición, situación, condición, etc.: *Dios está en todas partes; el lápiz estaba sobre la mesa; aquí no está; Madrid* *está en el centro de España; estamos en casa; el termómetro está a 10 grados; los precios están bajos; estoy sentado, arrodillado, inclinado.* **2** Seguido de los adverbios *bien, mal, mejor* y *peor,* denota aprobación o descontento: *bien está* o *está bien;* convenir, ser acomodada, o sus contrarios, una cosa a uno: *estaría bien que dejaras de fumar;* ser amigo o enemigo: *su padre está muy bien con el ministro;* tener buena o mala salud, situación, comodidades, etc.: *cuando esté bien volveré al trabajo; estoy mejor en la cama;* sentar bien o mal una prenda de vestir: *esa falda te está ancha.* **3** Seguido de la preposición *a,* correr el día del mes indicado por el número, o bien sobrentendiéndose al preguntar: *estamos a uno* o *a primero de marzo; ¿a cuántos estamos?;* tener las cosas un determinado precio: *las patatas están a cuarenta pesetas.* **4** Seguido de la preposición *de,* estar ejecutando una cosa o entender de ella: ~ *de matanza;* ~ *de obra;* hallarse en disposición próxima de hacer algo o hallarse en determinadas condiciones: ~ *de viaje;* ~ *de prisa;* desempeñar el empleo o cargo que se expresa: *estoy de cajera en un banco.* **5** Seguido de la preposición *en* y usado en tercera persona, consistir, ser causa: *el motivo está en el dinero.* **6** Seguido de la preposición *para* y algunos infinitivos o substantivos, denota la disposición próxima o determinada de hacer lo que significan estas palabras: ~ *para testar; no* ~ *para bromas;* estar en disposición de ejecutar una cosa que se acostumbra hacer: ~ *uno para ello.* **7** Seguido de la preposición *por* y el infinitivo de algunos verbos, no haberse ejecutado o haberse dejado de efectuar lo que los verbos significan: ~ *por escribir;* ~ *por limpiar;* hallarse uno casi determinado a hacer alguna cosa: *estoy por irme a pasear;* sentirse uno a favor de una persona o cosa: *estoy por Antonio; los obreros estaban por la huelga.* **8** Seguido de la preposición *con,* avistarse: *estaré con fulano esta mañana;* vivir en compañía de una persona: *estoy con mis padres;* tener relaciones: *Pedro está con Paqui;* hallarse de acuerdo: ~ *con uno.* – **9** *v. copul.* Unido a adjetivos, sirve para atribuir al sujeto la cualidad expresada por el atributo; designa el estado transitorio en que se halla dicho sujeto: *la mañana estaba hermosa; mi café está frío.* – **10** *v. auxiliar* Seguido de gerundio, forma frases verbales de sentido durativo, que expresan acción prolongada: ~ *escribiendo;* ~ *comiendo;* con verbos que designan acciones momentáneas, denota repetición del acto: *estaba saltando; estuvo besando a su madre.* **11** Junto con la conjunción *que* y un verbo en forma personal, hallarse en la situación o actitud expresada por este verbo: *está que se duerme; estoy que no puedo más.* – **12** *prnl.* Detenerse o tardarse en alguna cosa: *estarse de charla.* ◇ ** CONJUG. [71]. ◇ Gram. *1* Es un verbo de estado, cuyo atributo puede sentirse como adjetivo o como adverbio: *estaba tranquilo* o *tranquilamente* o *con tranquilidad.* Por esto puede construirse con adjetivos, con adverbios, o con substantivos precedidos de preposición (v. acepciones siguientes). ◇ Gram. *9* Concurre en este uso copulativo con el verbo *ser,* del cual se diferencia en su carácter perfectivo, que lo hace apto para expresar cualidades consideradas como transitorias (*este papel está arrugado*), en tanto que *ser* es imperfectivo y atribuye cualidades permanentes (*este papel es delgado*). Las gramáticas explican los matices y circunstancias de esta diferencia.

estarcido *m.* Dibujo que resulta en el papel, tela, etc., del picado y pasado por medio del cisquero.

estarcir *tr.* Estampar [dibujos] pasando una brocha por una chapa en que están previamente recortados. ◇ ** CONJUG. [3] como *zurcir.*

estasis *f.* MED. Detención de la progresión en un órgano del contenido del mismo: ~ *sanguínea;* ~ *intestinal.* ◇ Pl.: *estasis.*

estatal *adj.* Relativo al Estado: *instituciones estatales.*

estatamperio *m.* FÍS. Unidad de corriente eléctrica en el sistema cegesimal electrostático.

estatculombio *m.* FÍS. Unidad de carga eléctrica en el sistema cegesimal electrostático.

estatfaradio *m.* FÍS. Unidad de capacidad en el sistema cegesimal electrostático.

estathenrio *m.* FÍS. Unidad de inductancia en el sistema cegesimal electrostático.

estática *f.* Parte de la mecánica que trata del equilibrio de las fuerzas.

estático, -ca *adj.* Relativo a la estática. **2** Que permanece en un mismo estado, sin mudanza en él. **3** fig. Que se queda parado de asombro o de emoción.

estatificar *tr.* Pasar a explotar y administrar el Estado [servicios, instituciones, empresas, etc.] que eran de propiedad privada: ~ *los ferrocarriles, las minas de carbón.* **2** Favorecer la intervención del Estado [en la economía y en la vida social]. ◇ ** CONJUG. [1] como *sacar.*

estatismo *m.* Inmovilidad de lo estático (que permanece). **2** Tendencia que exalta la plenitud del poder del estado en todos los órdenes.

estatocisto *m.* Órgano del sentido del equilibrio, generalmente asociado al del oído cuando este existe.

estatohmio *m.* FÍS. Unidad de resistencia eléctrica en el sistema cegesimal electrostático.

estator *m.* En las dinamos y motores eléctricos, el circuito fijo dentro del cual gira el móvil o *rotor.*

estatoscopio *m.* Aparato que sirve para medir los cambios de altura sobre el nivel del mar.

estatua *f.* Figura de bulto labrada a imitación del natural. 2 fig. *y* fam. Persona fría y sin iniciativa.

estatuar *tr.* Adornar con estatuas. ◇ ** CONJUG. [11] como *actuar*.

estatuaria *f.* Arte de hacer estatuas.

estatuario, -ria *adj.* Relativo a la estatuaria. 2 Adecuado para una estatua. – 3 *m.* El que tiene por oficio hacer estatuas.

estatuir *tr.* Establecer, determinar [especialmente lo que debe regir a persona o cosas]. 2 Demostrar, asentar como verdad [una doctrina o un hecho]. ◇ ** CONJUG. [62] como *tuir*.

estatura *f.* Altura de una persona desde los pies a la cabeza.

estatutario, -ria *adj.* Estipulado en los estatutos, referente a ellos.

estatuto *m.* Norma legal básica para el gobierno de un organismo público o privado: *los estatutos de una sociedad, de una academia; el ~ municipal; el ~ de una concesión internacional.* 2 p. ext. Ordenamiento eficaz para obligar; como contrato, disposición testamentaria, etc.

estauroscopio *m.* Instrumento que se emplea para determinar si los minerales translúcidos tienen refracción sencilla o doble.

estay *m.* MAR. Cabo que sujeta la cabeza de un mástil al pie del más inmediato; aparejos. ◇ Pl.: *estayes*.

I) este *m.* Oriente (punto cardinal). 2 Viento que viene del Oriente.

II) este, esta *adj. dem.* Designa lo que está más próximo a la persona que habla. Si va pospuesto al nombre, expresa menosprecio de la persona o cosa designada: *el señor este, la casa esta.* ◇ Pl.: *estos, estas*.

éste, ésta, esto *pron. dem.* Designa lo que está más próximo del que habla, o representa y señala lo que se acaba de mencionar: *éste quiero, vendrá ésta.* ◇ Según la Ortografía académica, pueden escribirse sin acento, a no ser que de ello resulte anfibología. ◇ Pl.: *éstos, éstas*.

esteárico, -ca *adj.* De estearina: *bujía esteárica.* 2 *Ácido ~*, substancia blanca, fácilmente fusible, que se encuentra libre en muchas grasas.

estearina *f.* Substancia blanca, insípida, fusible a 72°, compuesta de ácido esteárico y glicerina; es el componente que da consistencia a los cuerpos grasos. 2 Ácido esteárico impuro usado para hacer bujías.

esteatita *f.* Variedad de talco blanco o verdoso, blando y suave, que usan los sastres para hacer señales en las telas.

esteatopigia *f.* Desarrollo anormal del tejido adiposo de las caderas: *propenden a la ~ algunas razas africanas*.

I) esteba *f.* Hierba graminácea, de hojas ásperas por los bordes y flores verdosas en espigas *(Glyceria fluitans)*.

II) esteba *f.* Pértiga gruesa con que en las embarcaciones se aprietan las sacas de lana unas sobre otras.

estebar *tr.* Acomodar y apretar [el paño] en la caldera para teñirlo.

estegomía *f.* Mosquito culícido, transmisor de la espiroqueta que produce en el hombre la fiebre amarilla *(Ædes aegypti)*.

I) estela *f.* Rastro que deja tras sí en la superficie del agua la embarcación u otro cuerpo en movimiento, o el que deja en el aire un cuerpo luminoso en movimiento. 2 p. ext. Rastro o huella que deja cualquier cosa que ocurre o pasa.

II) estela *f.* Monumento conmemorativo erigido sobre el suelo en forma de lápida, pedestal o cipo.

estelar *adj.* Sideral. 2 fig. De mayor importancia: *la figura ~*.

estelionato *m.* Fraude que comete el que en un contrato encubre la obligación o carga que pesa sobre la finca, alhaja, etc.

estema *m.* Ojo simple de los insectos. 2 En la crítica textual, esquema de la filiación y transmisión de manuscritos o versiones procedentes del original de una obra.

estenocardia *f.* Angustia con sensación de estrechamiento del corazón. 2 PAT. Angina de pecho.

estenohalino, -na *adj.* [organismo acuático] Que requiere un hábitat de salinidad constante.

estenordeste *m.* Punto del horizonte entre el este y el nordeste, a igual distancia de ambos. 2 Viento que sopla de esa parte.

estenotermo, -ma *adj.* [organismo acuático] Que requiere un hábitat de temperatura constante.

estenotipia *f.* Taquigrafía mecánica.

estentóreo, -a *adj.* Muy fuerte, ruidoso o retumbante: *voz estentórea*.

estepa *f.* Erial llano y muy extenso.

estepario, -ria *adj.* Propio de la estepa: *vegetación esteparia*.

éster *m.* Compuesto formado por la sustitución del hidrógeno de un ácido orgánico o inorgánico por un radical alcohólico.

estera *f.* Tejido grueso de esparto, junco, etc., para cubrir el suelo de las habitaciones.

estercolar *tr.* Beneficiar [las tierras] con estiércol. – 2 *intr.* Expeler las bestias el excremento.

estercolero *m.* El que recoge el estiércol. 2 Lugar donde se recoge y fermenta el estiércol. 3 fig. Lugar muy sucio.

estercolizo, -za *adj.* Semejante al estiércol o que participa de sus cualidades.

estercóreo, -a *adj.* Relativo a los excrementos.

estercuelo *m.* Operación de estercolar las tierras.

esterculiáceo, -a *adj.-f.* Planta de la familia de las esterculiáceas. – 2 *f. pl.* Familia de plantas dicotiledóneas, leñosas o herbáceas, de hojas generalmente sencillas con estípulas caedizas, flores en inflorescencias complicadas y fruto en cápsula o baya; como el cacao.

estéreo *m.* Unidad de medida para leñas; equivale a la que puede colocarse, apilada, en el espacio de un metro cúbico. 2 Estereofonía, estereofónico.

estereóbato *m.* ARQ. Basamento, generalmente sin molduras, sobre el que se asienta una edificación. 2 ARQ. Apoyo de un muro en el que descansa una columna con su base.

estereofonía *f.* Técnica de grabación del sonido por medio de dos canales que se reparten los tonos agudos y graves para dar una sensación de relieve acústico.

estereofónico, -ca *adj.* Relativo a la estereofonía.

estereofotogrametría *f.* Método de relevamiento topográfico para amplias zonas de terreno mediante fotogramas aéreos.

estereognosia *f.* Capacidad para reconocer los objetos por su forma y solidez.

estereografía *f.* Arte de representar los sólidos sobre un plano.

estereograma *m.* Representación en relieve de un cuerpo sólido, proyectado sobre un plano.

estereología *f.* Interpretación tridimensional de imágenes bidimensionales.

estereometría *f.* Parte de la geometría que trata de la medida de los sólidos.

estereoquímica *f.* Distribución geométrica de los compuestos químicos en el espacio.

estereorradián *m.* Unidad de ángulo sólido. Su valor es el de un ángulo sólido que, teniendo su vértice en el centro de una esfera, determina en la superficie de esta esfera un área equivalente a la de un cuadrado de lado igual al radio de la esfera.

estereoscopia *f.* Conjunto de principios que rigen la observación binocular y sus medios de obtención. 2 Visión en relieve conseguida mirando simultáneamente con ambos ojos dos imágenes de un mismo objeto, mediante el estereoscopio u otros procedimientos análogos.

estereoscopio *m.* Instrumento óptico que por medio de dos imágenes planas de un mismo objeto, tomadas desde dos puntos de vista poco separados entre sí, puestas una al lado de otra y miradas cada una con un ojo, da la sensación del relieve.

estereostática *f.* FÍS. Parte de la estática que trata del equilibrio de los cuerpos sólidos.

estereotipado, -da, *adj.* fig. [gesto, fórmula, expresión, etc.] Que se repite sin variación o se emplea de manera formularia.

estereotipar *tr.* Fundir en planchas por medio del vaciado [una composición tipográfica de caracteres movibles]. 2 Imprimir con estas planchas. 3 fig. Fijar y repetir indefinidamente [un gesto, una frase, una fórmula de estilo, un procedimiento artístico, etc.].

estereotipia *f.* Arte de estereotipar. 2 Oficina donde se estereotipa. 3 Máquina de estereotipar. 4 fig. Repetición involuntaria e intempestiva de un gesto, como ocurre especialmente en los dementes.

estereotipo *m.* Modelo fijo de cualidades o conducta. 2 IMPR. Plancha utilizada en estereotipia.

estereotomía *f.* Arte de cortar la madera, la piedra, los metales, para su aplicación en las construcciones.

estereovisión *f.* Procedimiento de televisión en relieve.

estéril *adj.* Que no da fruto, o no produce nada: *mujer, terreno, trabajo ~.* 2 fig. [año] De cosecha escasa: *~ de, o en, frutos.* 3 Aséptico, libre de gérmenes patógenos.

esterilidad *f.* Calidad de estéril. 2 Falta de cosecha. 3 MED. Enfermedad que impide fecundar o concebir. 4 MED. Ausencia de gérmenes.

esterilizador, -ra *adj.* Que esteriliza. – 2 *m.* Aparato que esteriliza utensilios, instrumentos, substancias, etc., destruyendo los gérmenes patógenos que haya en ellos.

esterilizar *tr.-prnl.* Hacer estéril. 2 Destruir los gérmenes patógenos que hay [en alguna cosa]: *~ la leche; ~ el bisturí.* ◇ ** CONJUG. [4] como *realizar.*

esterilla *f.* Trencilla de hilo de oro o plata. 2 Pleita estrecha de paja. 3 Especie de cañamazo. 4 Felpudo de estera o metálico. 5 *Argent.* Rejilla para construir asientos.

esternocleidomastoideo *adj.-m.* ANAT. **Músculo flexor, inclinador y rotatorio de la cabeza que se inserta por abajo en el esternón y en la clavícula, y por arriba en la apófisis mastoidea del temporal.

esternón *m.* **Hueso plano, impar y simétrico, formado por varias piezas soldadas situadas en la parte media y anterior del tórax con el cual se sueldan las siete primeras costillas de cada lado. 2 ZOOL. Pieza del dermatoesqueleto de los insectos, correspondiente a la región ventral de cada uno de los segmentos del tórax.

estero *m.* Terreno inmediato a la orilla de una ría, por el cual se extienden las aguas de las mareas. 2 *Amér.* Aguazal, terreno cenagoso.

esteroide *m.* QUÍM. Substancia orgánica de estructura compleja, base de muchas hormonas y ácidos biliares, de acción biológica variada.

estertor *m.* Respiración anhelosa, con ronquido sibilante, propio de la agonía y el coma. 2 Ruido a que da origen el paso del aire por las vías respiratorias obstruidas por mucosidades.

estesiómetro *m.* Instrumento para medir la sensibilidad táctil.

estesudeste *m.* Punto del horizonte entre el este y el sudeste, a igual distancia de ambos. 2 Viento que sopla de esta parte.

esteta *com.* Persona que adopta una actitud esteticista o que cuida en grado sumo la belleza formal. 2 Persona versada en estética. 3 fam. Hombre afeminado.

estética *f.* Disciplina filosófica que estudia las condiciones de lo bello en el arte y en la naturaleza. 2 Apariencia que tiene una persona o cosa según un punto de vista estético o artístico.

esteticismo *m.* Planteamiento ideológico que sitúa la estética y la búsqueda de la belleza absoluta como objetivo fundamental del hecho artístico. 2 Actitud de quienes adoptan ante la vida dicho planteamiento.

esteticista *adj.* Perteneciente o relativo al esteticismo. – 2 *com.* Persona que en los institutos de belleza practica el arte cosmética y cuantos tratamientos conciernen al embellecimiento corporal. 3 Tratadista de estética.

estético, -ca *adj.* Relativo a la estética. 2 Relativo a la percepción o apreciación de la belleza: *emoción estética; juicio ~.*

estetista *com.* Esteticista de instituto de belleza.

estetoscopia *f.* Auscultación por medio del estetoscopio. 2 Conjunto de signos suministrados por la auscultación.

estetoscopio *m.* Instrumento a modo de trompetilla acústica, que sirve para auscultar.

esteva *f.* Pieza corva y trasera del arado, sobre la cual lleva la mano el que ara.

estevado, -da *adj.-s.* Que tiene las piernas torcidas en arco.

estezar *tr.* Curtir [las pieles] en seco. ◇ ** CONJUG. [4] como *realizar.*

estiaje *m.* Nivel más bajo o caudal mínimo de un río u otra corriente en épocas de sequía. 2 Período que dura este nivel.

estiba *f.* Atacador (instrumento). 2 Lugar en donde se aprieta la lana en los sacos. 3 MAR. Colocación conveniente de los pesos de un buque. 4 MAR. Lastre o carga en la bodega de un barco.

estibar *tr.* Apretar [materiales o cosas sueltas] para que ocupen el menor espacio posible: *~ la lana al ensacarla.* 2 Distribuir convenientemente [todos los pesos] del buque. 3 p. ext. Cargar y descargar mercancías de los buques en cada puerto. 4 *Amér.* Distribuir y colocar [mercancías] en un local.

estibina *f.* Sulfuro de antimonio, de color gris de plomo y brillo metálico; es mena del antimonio.

estiércol *m.* Excremento de cualquier animal. 2 Materias orgánicas, podridas, con que se abonan las tierras.

estigma *m.* Marca o señal en el cuerpo. 2 Huella impresa sobrenaturalmente en el cuerpo de algunos santos como símbolo de su participación espiritual en la pasión de Cristo: *los estigmas de San Francisco.* 3 Marca impuesta con hierro candente como pena infamante o como signo de esclavitud. 4 fig. Señal de infamia, de deshonra, de bajeza moral: *los estigmas del vicio.* 5 BOT. Parte del carpelo diferenciado, situada en su extremo libre y destinada a recibir el polen; **flor; **inflorescencias. 6 PAT. Lesión orgánica o trastorno funcional que indica enfermedad constitucional y hereditaria. 7 ZOOL. Orificio que tienen, en número variable, los miriápodos, insectos y arácnidos y por los cuales comunica con el exterior su sistema **respiratorio.

estigmatizar *tr.* Marcar [a uno] con hierro candente. 2 fig. Afrentar, infamar. 3 TEOL. Imprimir milagrosamente [a una persona] las llagas de Cristo. ◇ ** CONJUG. [4] como *realizar.*

estilar *intr.-prnl.* Usar, acostumbrar, estar de moda: *ya no se estilan los miriñaques.*

estilete *m.* Estilo (punzón) pequeño. 2 Púa o punzón. 3 Puñal de hoja muy estrecha y aguda.

estilismo *m.* Tendencia a cuidar exageradamente del estilo, atendiendo más a la forma que al fondo de la obra literaria.

estilista *com.* Escritor u orador de estilo esmerado y elegante. – 2 *adj.-com.* Persona que cuida el estilo de las colecciones de moda o de sus accesorios.

estilística *f.* Ciencia del estilo o de la expresión lingüística, en general.

estilizar *tr.* Conformar a reglas convencionales la representación [de un objeto], la interpretación [de un baile, etc.], de manera que sólo resalten sus características esenciales. ◇ ** CONJUG. [4] como *realizar.*

estilo *m.* Punzón con el cual escribían los antiguos en tablas enceradas. 2 Manera de escribir o de hablar en cuanto a lo accidental y característico del modo de formar y enlazar los giros o períodos para expresar los conceptos. 3 Manera de escribir o de hablar peculiar y privativa de un escritor o de un orador, que es como sello de su personalidad artística. 4 Carácter propio de la obras de un artista, de una escuela, de una nación, etc.: *~ gótico, dórico.* 5 Manera de practicar un deporte. 6 Modo, manera, forma. 7 Uso, costumbre, moda. 8 Clase, categoría, condición. 9 En el carpelo diferenciado, prolongamiento filiforme del ovario que termina en el estigma; **flor. 10 Aguja del reloj de sol.

estilóbato *m.* ARQ. Basamento corrido sobre el cual se apoya una columnata. 2 ARQ. Peldaño superior de las gradas de un templo griego, sobre el que descansan las columnas; ****órdenes.

estilográfico, -ca *adj.* Que está escrito con pluma estilográfica. – 2 *f.* Pluma estilográfica.

estiloides *adj.* Semejante a un estilo (punzón). – 2 *adj.-f.* ANAT. Apófisis larga y delgada, especialmente la de la cara inferior del hueso temporal; **cabeza.

estima *f.* Consideración y aprecio que se hace de una persona o cosa por su calidad y circunstancias. 2 MAR. Concepto que se forma de la situación del buque por los rumbos y las distancias recorridas.

estimación *f.* Aprecio y valor que se da y en que se tasa o considera una cosa. 2 Aprecio, consideración, afecto.

estimar *tr.* Apreciar, evaluar [las cosas]: *estima en poco su vida;* p. ext., hacer aprecio [de una persona o cosa]; tenerla en buen concepto: *le estimamos por sus cualidades.* 2 Juzgar, creer: ~ *que volverá.* 3 Calcular.

estimulante *adj.-s.* Que estimula. – 2 *m.* Agente o medicamento que excita la actividad funcional de los órganos.

estimular *tr.* Aguijonear, picar, punzar. 2 fig. Excitar vivamente [a uno] a la ejecución de una cosa, avivar [una actividad, función, etc.]: ~ *al estudio;* ~ *con apremios;* ~ *el apetito.* – 3 *prnl.* Administrarse una droga o una substancia estimulante para aumentar la propia capacidad de acción.

estímulo *m.* Incitamiento para obrar o funcionar.

estío *m.* lit. Estación del año que principia en el solsticio de verano y termina en el equinoccio de otoño.

estipe *m.* BOT. Pie o sustentáculo de un órgano. 2 Tallo sin ramas terminado en un penacho de hojas; como el de la palmera.

estipendiar *tr.* Dar estipendio. ◊ ** CONJUG. [12] como *cambiar.*

estipendio *m.* Remuneración dada a una persona por su trabajo y servicio. 2 Tasa pecuniaria fijada por la autoridad eclesiástica, que dan los fieles al sacerdote, para que aplique la misa por una determinada intención.

estípite *m.* ARQ. Pilastra en forma de pirámide truncada, con la base menor hacia abajo.

estípula *f.* Apéndice foliáceo, filiforme, espinoso y escamoso que tienen algunas **hojas a uno y otro lado de la base del pecíolo.

estipulación *f.* Convenio verbal.

estipular *tr.* Hacer contrato verbal; contratar [una cosa] por medio de estipulaciones. 2 Convenir, concertar, acordar: ~ *lo que se debe traer.*

estique *m.* Palillo de escultor con boca dentellada.

estiracáceo, -a *adj.-f.* Planta de la familia de las estiracáceas. – 2 *f. pl.* Familia de plantas dicotiledóneas que incluye árboles o arbustos tropicales, de hojas alternas, flores solitarias o en racimo, axilares y con brácteas, y fruto casi siempre en baya; como el estoraque.

estiradamente *adv. m.* Escasamente, apenas. 2 fig. Con violencia, forzadamente.

estirado, -da *adj.* fig. Que afecta gravedad o esmero en su traje. 2 Entonado, orgulloso. 3 Nimiamente económico. – 4 *m.* TEXT. Operación que tiene por objeto reducir el grosor de las mechas que se han de hilar: ~ *del **algodón.*

estirar *tr.* Alargar una cosa extendiéndola con fuerza para que dé de sí: ~ *las medias; la ropa se ha estirado.* 2 fig. Alargar, ensanchar un escrito o discurso, una opinión, una jurisdicción: *estiraba el gobernador su cargo sin equidad.* 3 Planchar ligeramente [la ropa]. 4 fig. Gastar [el dinero] con parsimonia. – 5 *intr.-prnl.* Crecer una persona o cosa. – 6 *prnl.* Desperezarse.

estirón *m.* Acción con que uno estira o arranca con fuerza una cosa. 2 Crecimiento rápido en altura.

estirpe *f.* Raíz y tronco de una familia o linaje.

estivada *f.* Terreno inculto cuya broza se cava y quema para cultivarlo.

estival *adj.* Relativo al estío: *solsticio* ~.

esto *pron. dem.* Forma neutra del pronombre demostrativo *éste.*

estocada *f.* Golpe que se tira de punta con el estoque; **toros. 2 Herida que resulta de él.

estocástico, -ca *adj.* Casual. 2 Propio o relativo al cálculo de probabilidades.

estofa *f.* fig. Calidad, clase: *gente de baja* ~.

I) estofado *m.* Guiso en el que se condimenta un manjar con aceite, vino o vinagre especialmente cebolla y especias, puesto todo en crudo y bien tapado.

II) estofado, -da *adj.* Aliñado, engalanado, bien dispuesto. – 2 *m.* Adorno que resulta de estofar un dorado.

I) estofar *tr.* Labrar a manera de bordado [una tela forrada y acolchada] de manera que haga relieve. 2 Raer con la punta del grafio el color dado sobre el dorado [de la madera] para que el oro haga visos. 3 Pintar [sobre el oro bruñido] algunos relieves al temple. 4 Dar de blanco [a las esculturas en madera] que se han de dorar.

II) estofar *tr.* Hacer el guiso llamado estofado: ~ *carne;* ~ *legumbres.*

estoicismo *m.* Escuela y doctrina de Zenón (s. IV a. C.) y de sus seguidores. 2 fig. Calidad de estoico.

estoico, -ca *adj.* Relativo al estoicismo. – 2

adj.-s. Partidario del estoicismo (escuela y doctrina). 3 fig. Que manifiesta indiferencia por el placer y el dolor; que tiene gran entereza ante la desgracia.

estola *f.* Vestidura de los griegos y romanos a modo de túnica adornada con una franja que ceñía la cintura y pendía por detrás. 2 Ornamento sagrado que consiste en una faja larga de paño adornada de tres cruces, una en medio, indispensable, y dos en los extremos. 3 Banda de piel usada por las mujeres.

estólido, -da *adj.-s.* Estúpido, bobo.

estolón *m.* Vástago rastrero, largo y delgado, que a trechos echa raíces que dan origen a nuevas plantas; como en la fresa; **tallo.

estoma *f.* Abertura microscópica del tejido epidérmico de los vegetales superiores, por donde se verifica el cambio de gases entre la atmósfera y los espacios intercelulares del parénquima; **tallo.

estomacal *adj.* Relativo al estómago. – 2 *adj.-s.* Medicamento o licor que tonifica el estómago y favorece la digestión.

estómago *m.* En el hombre y en los animales superiores, dilatación del tubo **digestivo situado a continuación del esófago, donde tiene lugar la quimificación de los alimentos; **moluscos.

estomatología *f.* Parte de la medicina que estudia las enfermedades de la boca.

estomatópodo *adj.-m.* Crustáceo de la subclase de los estomatópodos. – 2 *m. pl.* Subclase de crustáceos cuyo caparazón no cubre todo el tórax, pues deja libres cuatro segmentos.

estopa *f.* Parte del lino o del cáñamo que queda en el rastrillo cuando se peina. 2 Tela gruesa tejida con la hilaza de la estopa. 3 Jarcia vieja deshilada que sirve para calafatear.

estoperol *m.* Clavo corto de cabeza grande y redonda. 2 *Amér.* Tachuela grande, dorada o plateada.

estopilla *f.* Parte del lino o cáñamo más fina que la estopa. 2 Hilado y tela hechos con ella. 3 Lienzo o tela semejante a gasa. 4 Tela ordinaria de algodón.

estopín *m.* Cápsula de latón, rellena con una substancia detonante, que, por la acción del percutor o el paso de una corriente eléctrica, inicia la combustión de la carga de proyección del proyectil.

estoque *m.* Espada angosta, con la cual sólo se puede herir de punta; **toros. 2 Espada angosta, de forma prismática rectangular, que suele llevarse metida en un bastón; **armas. 3 Planta iridácea de hojas radicales en figura de estoque y flores rojas en espiga terminal *(Gladiolus communis)*.

estor *m.* Cortinón o transparente que cubre el hueco de una ventana, puerta o balcón.

estoraque *m.* Árbol estiracáceo de cuyo tronco se obtiene un bálsamo muy oloroso *(Styrax officinale)*.

estorbar *tr.* Poner obstáculo a la ejecución [de una cosa]. – 2 *tr.-intr.* fig. Molestar, incomodar.

estorbo *m.* Persona o cosa que estorba.

estornija *f.* Anillo de hierro que se pone en el pezón del eje de los carruajes.

estornino *m.* Ave paseriforme cantora, de cabeza pequeña, con plumaje negro con reflejos metálicos y pintas blancas. Se domestica y aprende fácilmente a reproducir los sonidos que se le enseñan *(Sturnus vulgaris)*. 2 Pez marino teleósteo perciforme muy similar a la caballa, de cuerpo alargado, con una característica banda dorada a lo largo *(Scomber japonicus; S. colias)*.

estornudar *intr.* Despedir estrepitosa y violentamente el aire de los pulmones, por una espiración involuntaria y repentina.

estrabismo *m.* Desviación de la dirección normal de la mirada en uno o, a veces, en ambos ojos.

estracilla *f.* Pedazo pequeño y tosco de algún tejido. 2 Papel algo más fino que el de estraza.

estrado *m.* Tarima cubierta o no con alfombra sobre la cual se pone el trono real o la mesa presidencial en actos solemnes. – 2 *m. pl.* Salas de tribunales, donde los jueces oyen y sentencian los pleitos.

estrafalario, -ria *adj.-s.* fam. Desaliñado en el vestido o en el porte. 2 fig. *y* fam. Extravagante en el modo de pensar o en las acciones.

estragar *tr.-prnl.* Viciar, corromper. 2 Causar estrago: *estragarse con la prosperidad; estragarse por las malas compañías.* ◊ ** CONJUG. [7] como *llegar*.

estrago *m.* Daño, ruina, asolamiento.

estragón *m.* Mata compuesta, de hojas estrechas y cabezuelas pequeñas y amarillentas, que se usa como condimento *(Artemisia dracunculus)*.

estrambote *m.* Versos que a veces se añaden al fin de una composición poética, especialmente del soneto.

estrambótico, -ca *adj.* fam. Extravagante, irregular y sin orden.

estramonio *m.* Hierba solanácea de hojas grandes y anchas, flores blancas de cáliz largo y tubuloso y fruto en cápsula erizada de púas *(Datura stramonium)*.

estrangul *m.* Lengüeta que se pone en algunos instrumentos de viento.

estrangulamiento *m.* Estrechamiento natural o artificial de un conducto o lugar de paso.

estrangular *tr.* Ahogar [a una persona o a un animal] oprimiéndole el cuello hasta impedir la respiración. 2 fig. Dificultar o impedir el paso por una vía o conducto. 3 fig. Impedir con fuerza la realización de un proyecto, la consumación de un intento, etc.

estraperlista *adj.-com.* [pers.] Que se dedica al comercio de estraperlo.

estraperlo *m.* Comercio ilegal de artículos intervenidos por el Estado.

estrás *m.* Cristal de mucha densidad, que imita el diamante.

estratagema *f.* Ardid de guerra. 2 Astucia.

estratega *com.* Persona versada en estrategia.

estrategia *f.* Arte de proyectar y dirigir las operaciones militares. 2 fig. Arte, traza para dirigir un asunto. 3 fig. Serie de acciones encaminadas hacia un fin político o económico.

estratégico, -ca *adj.* Relativo a la estrategia. – 2 *adj.-s.* Que posee el arte de la estrategia.

estratificar *tr.-prnl.* Formar estratos. 2 Disponer en estratos. ◇ ** CONJUG. [1] como *sacar.*

estratigrafía *f.* Parte de la geología que trata de la disposición y caracteres de los estratos. 2 Estudio de los estratos arqueológicos, históricos, lingüísticos, sociales, etc. 3 Disposición seriada de las rocas sedimentarias de un territorio o formación.

estrato *m.* Nube baja que afecta la forma de una banda larga y estrecha, paralela al horizonte. 2 Capa o serie de capas superpuestas en yacimientos de fósiles, restos arqueológicos, etc. 3 Conjunto de elementos integrado en otros conjuntos previos o posteriores en la formación de una entidad, una lengua, etc. 4 Capa o nivel de una sociedad. 5 Masa de rocas sedimentarias extendida en sentido horizontal y separada de otras por superficies paralelas.

estratocúmulo *m.* Nube de agua con formas delimitadas y, a veces, con sombras en su parte inferior.

estratopausa *f.* Zona de separación entre la estratosfera y la mesosfera.

estratosfera *f.* Región de la atmósfera, superior a la troposfera, en la cual reina un perfecto equilibrio dinámico y una temperatura casi constante.

estrave *m.* Remate de la quilla del navío, que va en línea curva hacia la proa.

estraza *f.* Desecho de ropa basta. 2 Papel de estraza.

estrechamente *adv. m.* Con estrechez. 2 fig. Con exactitud y puntualidad. 3 fig. Con todo rigor y eficacia. 4 fig. Con cercano parentesco o íntima relación.

estrechar *tr.* Reducir a menor ancho o espacio [una cosa]. 2 fig. Apretar, reducir a estrechez: ~ *al enemigo.* 3 fig. Precisar [a uno], contra su voluntad, a que haga o diga una cosa. – 4 *prnl.* Ceñirse, apretarse: *estrecharse en un banco con alguien.* 5 Cercenar uno el

gasto, la familia, la habitación: *estrecharse en los gastos.* 6 Unirse una persona a otra en amistad o parentesco.

estrechez *f.* Calidad de estrecho (poca anchura): *la ~ de una calle, de una cinta.* 2 fig. Escasez notable; falta de lo necesario para subsistir. 3 fig. Escasez de tiempo. 4 fig. Enlace estrecho de una cosa con otra. 5 fig. Amistad íntima. 6 fig. Aprieto, apuro: *hallarse en gran ~.* 7 fig. Recogimiento y austeridad de vida. 8 fig. Pobreza, limitación intelectual o moral.

estrecho, -cha *adj.* Que tiene relativamente poca anchura: *cinta, calle estrecha.* 2 Que ajusta o aprieta: *jubón, zapato ~.* 3 fig. Miserable, tacaño, limitado, mezquino. 4 fig. [parentesco] Cercano; [amistad] íntimo. 5 fig. Rígido, austero: *vigilancia estrecha; conciencia estrecha,* la muy rígida. – 6 *m.* Paso angosto en el mar comprendido entre dos tierras: *el ~ de Magallanes.*

estrechura *f.* Estrechez de un terreno o paso. 2 Estrechez (amistad, aprieto y austeridad).

estregadera *f.* Cepillo de cerdas cortas y espesas. 2 Utensilio generalmente empotrado en el suelo que sirve para estregar los pies a la entrada de las casas.

estregar *tr.* Frotar, pasar con fuerza una cosa [sobre otra] para dar a ésta calor, limpieza, etc. ◇ ** CONJUG. [48] como *regar.*

estrella *f.* Astro dotado de luz propia: ~ *polar,* la de la constelación de la Osa Menor; ~ *errante,* planeta; ~ *fija,* o simplemente ~, la que brilla con luz propia y guarda respecto a otra la misma distancia sensible; ~ *fugaz,* cuerpo luminoso que aparece repentinamente moviéndose con gran velocidad y apagándose pronto. 2 Figura con que se representa convencionalmente una estrella, formada por rayos que parten de un centro común o por un círculo rodeado de puntas: *ver las estrellas,* sentir vivo dolor físico, especialmente a causa de un golpe en la cabeza. 3 Asterisco. 4 Lunar de pelos blancos que tienen algunas caballerías en medio de la frente. 5 Signo de figura de estrella que indica la graduación de jefes y oficiales de las fuerzas armadas. 6 Signo de figura de estrella que sirve para indicar la categoría de los establecimientos hoteleros: *hotel de tres estrellas.* 7 fig. Persona que sobresale en su profesión de un modo excepcional. 8 fig. Hado o destino: *tener buena o mala ~.* 9 – *de mar,* estrellamar (equinodermo). – 10 *f. pl.* Especie de pasta, en figura de estrellas, que sirve para sopa. – 11 *f. And., Colomb. y Chile.* Cometa (armazón).

estrelladera *f.* Utensilio de cocina en forma de espumadera plana.

estrellado, -da *adj.* De forma de estrella. 2 Lleno de estrellas. 3 [animal] Que tiene una estrella en la frente. 4 GEOM. [figura] Que, al menos, uno de sus ángulos tiene más de 180° y uno de sus lados cruza otro: **polígono* ~*.

estrellamar *f.* Equinodermo asteroideo de figura de estrella de cinco puntas *(Echinaster sentus)*. 2 Hierba parecida al llantén *(Plantago coronopus)*.

estrellar *tr.-prnl.* Sembrar o llenar de estrellas: *estrellarse el cielo*. 2 fam. Hacer pedazos [una cosa] arrojándola con violencia contra otra. 3 Dicho [de los huevos], freírlos. – 4 *prnl.* Quedar malparado o matarse por efecto de un choque violento: *estrellarse contra, o en, alguna cosa*. 5 fig. Fracasar en una pretensión, por tropezar contra obstáculos insuperables.

estrellato *m.* Conjunto de actores cinematográficos. 2 Calidad de estrella cinematográfica.

estrellón *m.* Fuego artificial en figura de una estrella grande. 2 Figura de estrella muy grande que se coloca en lo alto de un altar o perspectiva. 3 *Amér.* Choque, encontrón.

estrelluela *f.* Rodajita con puntas en que rematan las espuelas y espolines.

estremecer *tr.* Conmover, hacer temblar: *el cañoneo estremece las casas*. 2 fig. Ocasionar alteración o sobresalto [en el ánimo] una causa extraordinaria: *la noticia le estremeció*. – 3 *prnl.* Temblar con movimiento agitado y súbito: *estremecerse de frío*; en gral., sentir un repentino sobresalto o una convulsión en el ánimo. ◇ ** CONJUG. [43] como *agradecer*.

estrena *f.* Dádiva, regalo hecho en señal de alegría o beneficio recibido. 2 Principio o acto con que se comienza a usar o hacer una cosa: *la ~ del vestido*.

estrenar *tr.* Hacer uso por primera vez [de una cosa]. 2 Representar o ejecutar por primera vez [una comedia, película u otro espectáculo]. – 3 *prnl.* Empezar uno a desempeñar un empleo u oficio: *estréneme usted, señorita*.

estreno *m.* Acción de estrenar o estrenarse. 2 Efecto de estrenar o estrenarse.

estrenque *m.* Maroma gruesa de esparto.

estreñido, -da *adj.* Que padece estreñimiento. 2 fig. Avaro, mezquino.

estreñimiento *m.* Acción de estreñir o estreñirse. 2 Efecto de estreñir o estreñirse.

estreñir *tr.-prnl.* Poner [el vientre] en mala disposición para evacuarse. ◇ ** CONJUG. [36] como *ceñir*.

estrepada *f.* Esfuerzo hecho al tirar de un cabo, cadena, etc., especialmente el esfuerzo reunido de diversos operarios.

estrépito *m.* Ruido considerable, estruendo.

estrepitoso, -sa *adj.* Que causa estrépito.

estreptococo *m.* Variedad de coco (bacteria) cuyos individuos se presentan asociados en cadena.

estreptomicina *f.* Antibiótico elaborado a partir de cultivos de la bacteria actinimicetácea *Streptomyces griseus,* que es muy activo contra ciertos bacilos.

estrés *m.* Situación de un individuo vivo, o de alguno de sus órganos o aparatos, que por exigir de ellos un rendimiento muy superior al normal, los pone en riesgo próximo de enfermar. ◇ Pl.: *estreses*.

estresar *tr.-intr.* Causar estrés.

estría *f.* Raya en hueco de algunos cuerpos.

estriación *f.* ZOOL. Estrías transversales que tienen las fibras musculares de los artrópodos, y las que forman parte del miocardio y de los músculos de contracción voluntaria de los vertebrados.

estriar *tr.* Formar estrías [en una cosa]. – 2 *prnl.* Salir acanalada una cosa o formar en sí estrías, surcos o canales. ◇ ** CONJUG. [13] como *desviar*.

estribar *intr.* Descansar el peso de una cosa en otra sólida y firme: *~ en el plinto*. 2 fig. Fundarse, apoyarse: *mi prosperidad estriba en ello*. – 3 *prnl.* Quedar el jinete colgado de un estribo al caer del caballo.

estriberón *m.* Resalto colocado a trechos sobre el suelo en un paso difícil.

estribillo *m.* Cláusula en verso con que se empiezan algunas composiciones líricas, o que se repite después de cada estrofa.

estribo *m.* Pieza pendiente de la ación en que el jinete apoya el pie. 2 Especie de escalón que sirve para subir o bajar de los carruajes. 3 Pieza horizontal, generalmente forrada de caucho, que tienen las motocicletas a ambos lados para poner los pies. 4 En las plazas de toros, especie de escalón en todo el círculo de la barrera para facilitar el salto de los toreros. 5 Chapa de hierro doblada en ángulo recto por sus extremos, que sirve a modo de grapa o abrazadera. 6 Huesecillo del **oído* medio. 7 Ramal corto de montañas que se desprende a uno y otro lado de una cordillera. 8 fig. Apoyo, fundamento. 9 ARQ. Macizo de fábrica que sirve para sostener una **bóveda* y contrarrestar su empuje. 10 CARP. Madero colocado sobre los tirantes en que se apoyan los pares de una armadura.

estribor *m.* Costado derecho del navío mirando de popa a proa; **barca*.

estribote *m.* Composición poética antigua en estrofas con estribillo. Cada estrofa consta de tres versos monorrimos seguidos de otro verso en que se repite el consonante del estribillo.

estricnina *f.* Alcaloide cristalino, muy venenoso, que se extrae de la nuez vómica y de otras plantas.

estrictamente *adv. m.* Precisamente; en todo rigor de derecho.

estrictez *f. Amér.* Calidad de estricto; rigor, severidad.

estricto, -ta *adj.* Estrecho, ajustado enteramente a la necesidad o a la ley. 2 [pers.] Rígido, severo.

estridencia *f.* fig. Exceso, desmesura en las ideas o palabras: *las estridencias de un discurso, de un periódico.*

estridente *adj.* [ruido] Agudo, desapacible y chirriante. 2 [color, gusto, etc.] En que hay exageración, contraste violento, impresión fuerte, etc. 3 Que está por encima de lo normal. 4 lit. Que causa ruido.

estrígido *adj.-m.* Ave de la familia de los estrígidos. – 2 *m. pl.* Familia de aves estrigiformes de cabeza gruesa, ojos grandes, dirigidos hacia adelante y rodeados de un cerco de plumas, pico corto y plumaje suave, propio para volar sin ruido; como el mochuelo.

estrigiforme *adj.-m.* Ave del orden de los estrigiformes. – 2 *m. pl.* Orden de aves con la cabeza grande y ancha y los ojos, muy desarrollados, en posición frontal; el pico es ganchudo y las garras fuertes. De hábitos nocturnos (rapaces nocturnas), se alimentan sobre todo de roedores; como el búho y la lechuza.

estripazón *f. Amér. Central.* Apretura; destrozo.

estro *m.* Entusiasmo, inspiración poética o artística. 2 Mosca grande y vellosa que deposita sus huevos en el pelo de los rumiantes y equinos *(gén. Oestrus).* 3 Período de celo de los mamíferos.

estróbilo *m.* BOT. Piña (fructificación); **gimnospermas.

estroboscopia *f.* Método de observación óptica por el que es posible examinar lentamente las fases de ciertos fenómenos.

estrofa *f.* Parte de una composición poética que consta del mismo número de versos y está ordenada de modo igual a otras de la composición. 2 Esta misma parte aunque no se ajuste a exacta simetría.

estrógeno *m.* Substancia que provoca el estro o celo de los mamíferos.

estroma *m.* ANAT. Trama conjuntiva de un órgano o tejido.

estroncio *m.* Metal amarillento, brillante, que descompone el agua a la temperatura ordinaria. Su símbolo es *Sr.*

estropajear *tr.* Limpiar en seco [las paredes enlucidas].

estropajo *m.* Porción de esparto machacado que sirve para fregar. 2 p. ext. Trapo, paño, etc., que sirve para estropajear. 3 Planta cucurbitácea, cuyo fruto desecado se usa como cepillo de aseo o para fricciones *(Luffa fricatoria).* 4 fig. Desecho o cosa inútil o despreciable.

estropajoso, -sa *adj.* fig. [lengua o persona] Que pronuncia las palabras de manera confusa. 2 [pers.] Muy desaseado y andrajoso.

3 Fibroso y áspero; esp., difícil de masticar: *carne estropajosa.*

estropear *tr.-prnl.* Maltratar [a uno] dejándole lisiado: *le estropearon de manos y pies; estropearse los pies.* 2 En general, maltratar o deteriorar [una cosa]. 3 Echar a perder, malograr cualquier [asunto o proyecto]: ~ *a uno la combinación.*

estropicio *m.* fam. Destrozo, rotura estrepitosa, generalmente impremeditada. 2 p. ext. Trastorno ruidoso de escasas consecuencias.

estruciforme *adj.-m.* Ave del orden de los estruciformes. – 2 *m. pl.* Orden de aves primitivas incapaces de volar pero sí de correr a gran velocidad; como el avestruz.

estructura *f.* Distribución, orden y enlace de las partes de un todo: ~ *del cuerpo humano;* ~ *de un poema;* ~ *económica;* ~ *gramatical, molecular, metálica, atómica,* etc. 2 ~ **social,** distribución y ordenamiento de la sociedad por capas. 3 ARQ. Armadura generalmente de acero u hormigón armado y que, fija al suelo, sirve de sustentación a un edificio.

estructurado *adj.* Jerarquizado, organizado.

estructuralismo *m.* Método o teoría que se propone buscar y determinar estructuras en cada uno de sus campos de actuación. 2 FILOL. Teoría que considera a la lengua como un conjunto de estructuras.

estructurar *tr.-prnl.* Dar a las partes [de un todo] una estructura determinada.

estruendo *m.* Ruido grande. 2 fig. Confusión, bullicio. 3 fig. Aparato, pompa.

estruendoso, -sa *adj.* Ruidoso, estrepitoso.

estrujar *tr.* Apretar [una cosa] para sacarle el zumo. 2 Apretar y magullar [a uno]: ~ *el pie de un pisotón.* 3 fig. Agotar, sacar todo el partido posible: ~ *al pueblo con los impuestos.* 4 Apretar [una cosa] deformándola, arrugándola o estropeándola.

estuario *m.* Desembocadura de un río, generalmente en forma de embudo, por donde el mar penetra tierra adentro.

estucar *tr.* Dar [a una cosa] con estuco o blanquearla con él. 2 Colocar [sobre un muro, columna, etc.] las piezas de estuco previamente moldeadas. ◇ ** CONJUG. [1] como *sacar.*

estuco *m.* Masa de yeso blanco y agua de cola. 2 Pasta de cal y mármol pulverizado, con que se da de llana a las habitaciones.

estuchar *tr.* Recubrir con estuche de papel u otra materia [los terrones de azúcar u otro producto industrial].

estuche *m.* Caja o envoltura para guardar ordenadamente un objeto o varios: *el* ~ *de una joya;* ~ *de compases.* 2 p. ext. Envoltura que reviste o protege una cosa. 3 Conjunto de utensilios que se guardan en el estuche: *un* ~ *de aseo.*

estudiado, -da *adj.* Fingido, afectado, amanerado.

estudiantado *m.* Conjunto de estudiantes de un establecimiento docente, alumnado.

estudiante *com.* Persona que está cursando estudios.

estudiantina *f.* Cuadrilla de estudiantes que salen por las calles tocando varios instrumentos para divertirse o para recaudar dinero.

estudiar *tr.* Ejercitar el entendimiento para adquirir el conocimiento [de una cosa]: ~ *latín en un Nebrija, sin maestro;* para poseer [un arte o profesión]: ~ *música;* **intr.,** ~ *en un buen autor;* ~ *para médico;* para aprender de memoria: ~ *una poesía;* para penetrar, interpretar [alguna cosa]: ~ *un texto;* para preparar [una obra o realización]: ~ *un proyecto, un papel de comedia.* 2 esp. Cursar en los centros de enseñanza: ~ *ciencias en la Universidad.* 3 Leer a otra persona [lo que ha de aprender] ayudándola a estudiarlo: *mi hermano me estudia las lecciones.* 4 Observar, examinar atentamente. ◇ Es galicista e impropio por *afectar, fingir: maneras estudiadas;* y por *amanerado, forzado* en *estilo estudiado.* ◇ ** CONJUG. [12] como *cambiar.*

estudio *m.* Acción de estudiar (ejercitar el entendimiento). 2 Obra en que un autor estudia y dilucida una cuestión. 3 Dibujo o pintura que se hace como preparación o tanteo para otra obra principal. 4 Apartamento, generalmente no muy grande, utilizado como lugar de estudio y trabajo para profesionales, y también como vivienda: ~ *de un **pintor;* ~ *de un **teatro.* 5 fig. Aplicación, maña, habilidad. 6 MÚS. Composición destinada a que el ejecutante se ejercite en determinada dificultad. – 7 *m. pl.* Conocimientos que se adquieren con el estudio. 8 Conjunto de cursos seguidos en un centro de enseñanza. 9 Conjunto de edificios o dependencias destinado a la impresión de películas cinematográficas o a emisiones de radio o televisión.

estudioso, -sa *adj.* Dado al estudio.

estufa *f.* Hogar encerrado en una caja de metal o porcelana, que se coloca en las habitaciones para dar calor. 2 Aparato para secar o desinfectar las cosas por medio del calor, someterlas a la acción de un gas, cultivar microorganismos, etc. 3 Aposento destinado en los baños termales a producir en los enfermos un sudor copioso.

estulticia *f.* Necedad, tontería.

estupefaciente *adj.-m.* Medicamento que mitiga o suprime el dolor produciendo adormecimiento general o local y que puede crear hábito, como el opio, la cocaína, etc.

estupefacto, -ta *adj.* Atónito.

estupendo, -da *adj.* Admirable, asombroso.

estupidez *f.* Torpeza notable en compren-

der las cosas. 2 Dicho o hecho propio de un estúpido.

estúpido, -da *adj.-s.* Notablemente torpe para comprender las cosas. 2 [dicho o hecho] Propio de un estúpido.

estupor *m.* MED. Disminución notable de la actividad de las funciones intelectuales, acompañada de la apariencia de aniquilación total de las mismas. 2 fig. Asombro, pasmo.

estuprar *tr.* Cometer estupro.

estupro *m.* Acceso carnal del hombre con una doncella logrado con abuso de confianza o engaño.

estuquería *f.* Arte de hacer labores de estuco. 2 Obra hecha de estuco.

esturión *m.* Pez marino acipenseriforme, comestible, de cuerpo alargado, que llega a tener 5 m. de longitud; freza en los ríos (*Acipenser sturio*).

esturrear *tr.* Dispersar, espantar [a los animales]. 2 Desparramar, derramar, espurrear.

esvástica *f.* Signo solar que representa variadas formas, a menudo con aspecto circular y con numerosos radios, generalmente sinuosos o en forma de z; una de sus variedades es la cruz gamada.

etalaje *m.* Parte de la cavidad de la cuba en los altos hornos, inferior al vientre.

etamina *f.* Tela rala y flexible, que sirve para trajes de señora.

etano *m.* QUÍM. Hidrocarburo formado por dos átomos de carbono y seis de hidrógeno (C_2H_6). Es un gas incoloro e inodoro.

etapa *f.* Ración de comida que se da a la tropa en campaña o marcha. 2 Lugar en que hace noche la tropa cuando marcha. 3 Lugar de llegada de un grupo en marcha; como corredores, ciclistas, etc. 4 Distancia de uno de estos lugares de llegada a otro. 5 fig. Época o avance parcial en el desarrollo de una acción u obra.

etarra *adj.-com.* Perteneciente a la banda terrorista vasca E.T.A.

etcétera *f.* Voz empleada para interrumpir el discurso indicando que en él se omite lo que quedaba por decir.

éter *m.* poét. Espacio celeste. 2 Fluido hipotético invisible, imponderable y elástico, que se supone llena todo el espacio y constituye el medio transmisor de todas las manifestaciones de la energía. 3 Compuesto químico, gaseoso, líquido o sólido que resulta de la substitución del átomo de hidrógeno de un hidroxilo por un radical alcohólico, o de la unión de dos moléculas de un alcohol con pérdida de una molécula de agua. ◇ Pl.: *éteres.*

etéreo, -a *adj.* Relativo al éter. 2 poét. Relativo al cielo. 3 poét. Sutil, vago, sublime.

eterio *m.* Agregado de **frutos sobre un receptáculo seco o carnoso, procedente de un gineceo dialicarpelar.

eterismo *m.* Pérdida de toda sensibilidad por la acción del éter. 2 Intoxicación causada por un exceso de éter.

eternidad *f.* Duración infinita. 2 Espacio de tiempo muy largo. 3 Vida del alma humana, después de la muerte. 4 FIL. Calidad de eterno: *la ~ de Dios.*

eternizar *tr.-prnl.* Hacer durar [una cosa] demasiado. – 2 *tr.* Perpetuar la duración [de una cosa]. ◇ ** CONJUG. [4] como *realizar.*

eterno, -na *adj.* De duración infinita, sin fin: *un amor ~; la vida eterna.* 2 Válido o existente en todos los tiempos: *verdades eternas.* 3 fig. Cosa que se repite con frecuencia e insistentemente. 4 FIL. Que se halla fuera de la acción del tiempo, que no tiene ni principio ni fin: *Dios es ~.*

ética *f.* Disciplina filosófica que tiene por objeto los juicios de valor cuando se aplican a la distinción entre el bien y el mal.

ético, -ca *adj.* Relativo a la ética. 2 Conforme a los principios de la ética.

etileno *m.* Gas incoloro que se utiliza en síntesis químicas y para madurar los frutos guardados en conserva.

etílico, -ca *adj. adj.* V. alcohol etílico. 2 [intoxicación o borrachera] Producido por el alcohol etílico o vínico. 3 [pers.] Alcohólico.

etilo *m.* QUÍM. Radical formado de carbono e hidrógeno, CH_3-CH_2-, que se encuentra en muchos compuestos orgánicos.

étimo *m.* Raíz o vocablo de que procede otro u otros.

etimología *f.* Origen de las palabras, de su significación y de su forma. 2 Disciplina lingüística que estudia dicho aspecto de las palabras. 3 *~ popular,* interpretación espontánea que en el lenguaje corriente o vulgar se da a una palabra relacionándola con otra de distinto origen. La relación así establecida puede originar cambios semánticos o provocar deformaciones fonéticas.

etimologizar *tr.* Sacar o averiguar etimologías: *~ una palabra.* ◇ ** CONJUG. [4] como *realizar.*

etiología *f.* Estudio de las causas de un orden determinado de efectos. 2 Narración que intenta explicar el origen de una costumbre, rito, fenómeno natural, etc., cuyo significado original se había perdido.

etíope, etiope *adj.-s.* De Etiopía, nación del este de África. 2 De color negro. – 3 *m.* Combinación artificial de azufre y azogue para fabricar bermellón.

etiqueta *f.* Ceremonial que se debe observar en las casas reales y en actos públicos solemnes. 2 p. ext. Ceremonia en el trato. 3 Marbete, rótulo. 4 p. ext. Calificación identificadora de una dedicación, profesión, significación, ideología, etc. 5 fig. Mote, generalmente de descrédito, que se da a una persona.

etiquetar *tr.* Colocar etiquetas o marbetes.

etiquetero, -ra *adj.* Que gasta muchos cumplimientos.

etmoides *adj.-m.* ANAT. Hueso de la **cabeza, impar y simétrico, que encaja en la escotadura del frontal, delante del esfenoides, y contribuye a formar la base del cráneo y las fosas **nasales. ◇ Pl.: *etmoides.*

etnia *f.* Agrupación natural de individuos que tienen en mismo idioma y cultura.

étnico, -ca *adj.* Gentil (pagano). 2 Relativo a una nación o raza: *carácter ~.*

etnobotánica *f.* Disciplina que estudia las relaciones entre el hombre y las plantas.

etnocentrismo *m.* Tendencia a presuponer la superioridad del propio grupo y de la propia cultura sobre otras.

etnocidio *m.* Destrucción de un grupo étnico o de su cultura.

etnografía *f.* Parte de la antropología que tiene por objeto la descripción, clasificación y filiación de las razas o pueblos. V. etnología.

etnolingüística *f.* Rama de la lingüística que estudia las lenguas de los pueblos poco desarrollados o sin escritura desde la perspectiva de su marco sociocultural.

etnología *f.* Parte de la antropología que estudia las razas o pueblos, los compara, e investiga sus diferencias físicas y psíquicas y las leyes de su desarrollo orgánico dependiente de aquéllas.

etnomusicología *f.* Disciplina que estudia todos los tipos de música distintos a la música clásica occidental.

etnos *m.* Agrupación de personas unidas por la raza o la nacionalidad. ◇ Pl.: *etnos.*

etología *f.* Estudio científico del carácter y modos de comportamiento del hombre. 2 Estudio del comportamiento de los animales.

etopeya *f.* RET. Descripción del carácter, acciones y costumbres de una persona.

etrusco, -ca *adj.-s.* De Etruria, región de la antigua Italia. – 2 *m.* Lengua de los etruscos.

euascomicétidas *f. pl.* Subclase de hongos dentro de la clase ascomicetes, caracterizados por presentar las ascas protegidas en un cuerpo fructífero.

eubolia *f.* Virtud que ayuda a hablar con prudencia.

eucalipto *m.* Árbol mirtáceo de gran talla, con las hojas inferiores opuestas y anchas, y las superiores alternas, estrechas y falciformes, de las cuales se extrae una tintura y una esencia medicinal *(Eucalyptus globulus).*

eucarionte *m.* Organismo cuyas células poseen un núcleo bien diferenciado, separado del citoplasma por una membrana.

eucariota *adj.-s.* Célula con un elevado grado de organización, que incluye núcleo siempre con más de un cromosoma y citoplasma con diferentes orgánulos citoplasmáticos.

eucaristía *f.* Sacramento instituido por Jesucristo en la noche de la última cena, que contiene real y substancialmente el cuerpo, la sangre, el alma y la divinidad de Nuestro Señor Jesucristo bajo las especies del pan y vino.

eucarístico, -ca *adj.* Relativo a la eucaristía: *sacramento ~.* 2 [obra en prosa o verso] Cuyo fin es dar gracias.

euclidiano, -na *adj.* Relativo a Euclides (s. III a. C.) o a su método matemático.

eucologio *m.* Devocionario que contiene los oficios del domingo y principales fiestas del año.

eudemonismo *m.* Doctrina moral que identifica la virtud con la dicha o la alegría que acompaña a la realización del bien.

eudiómetro *m.* Instrumento para analizar los gases utilizando los efectos químicos de la chispa eléctrica.

eufemismo *m.* Modo de expresar con suavidad o decoro ideas cuya franca expresión sería malsonante; como decir de una persona que *no es joven,* en vez de *es vieja.*

éufito *m.* Planta verdadera.

eufonía *f.* Calidad de sonar bien o agradablemente la palabra.

euforbiáceo, -a *adj.-f.* Planta de la familia de las euforbiáceas. – 2 *f. pl.* Familia de plantas dicotiledóneas, herbáceas o leñosas, dioicas o monoicas, de jugos acres o venenosos y generalmente lechosos; como la lechetrezna.

euforbiales *f. pl.* Orden de plantas dentro de la clase dicotiledóneas, con flores unisexuales y fruto normalmente en cápsula.

euforbio *m.* Planta euforbiácea africana, de tallo carnoso, con espinas muy duras, de la cual se extrae una gomorresina usada en medicina *(Euphorbia resinifera).* 2 Gomorresina extraída de esta planta y de otras del mismo género.

euforia *f.* Sensación de bienestar, resultado de una perfecta salud o de la administración de medicamentos o drogas. 2 Estado del ánimo propenso al optimismo.

eufórico, -ca *adj.* Relativo a la euforia.

eufrasia *f.* Hierba escrofulariácea de hojas elípticas, sentadas y dentadas; flores pequeñas, axilares, blancas con rayas purpúreas y una mancha amarilla *(gén. Euphrasia).*

eugenesia *f.* Aplicación de las leyes biológicas de la herencia al perfeccionamiento de la especie humana.

euglenófitos *m. pl.* Pequeña división de algas unicelulares, móviles mediante uno o dos flagelos desiguales que salen del mismo extremo de la célula.

eukairita *f.* Mineral de la clase de los seleniuros que cristaliza en el sistema tetragonal, es de color blanco amarillento, pero en contacto con el aire se vuelve pardo.

eulitina *f.* Silicato que cristaliza en el sistema cúbico, de color pardo rojizo, grisáceo o amarillo y brillo adamantino.

eumicetes *m. pl.* División de hongos que se alimentan de substancias en descomposición o de parasitar a animales y vegetales, y que son incapaces de fagocitar.

eunuco *m.* Hombre castrado que se destina en los serrallos a la custodia de las mujeres. 2 fig. Hombre con poca energía, afeminado.

eupepsia *f.* Digestión normal.

eupéptico, -ca *adj.* [substancia] Que favorece la digestión.

euploidía *f.* Condición cromosómica de cada célula, tejido, órgano o individuo, que corresponde a la constitución numérica normal de la especie.

eurihalino, -na *adj.-m.* [organismo acuático] Capaz de soportar variaciones importantes de la salinidad.

euritermo, -ma *adj-m.* [organismo acuático] Capaz de soportar variaciones importantes de la temperatura.

euritmia *f.* Buena disposición y correspondencia de las diversas partes de una obra de arte. 2 Regularidad del pulso. 3 Combinación acertada de los sonidos. 4 fig. Equilibrio de las facultades.

euro *m.* poét. Viento que sopla del oriente.

euroafricano, -na *adj.* Relativo a Europa y África.

euroasiático, -ca *adj.-s.* Perteneciente o relativo al continente llamado Eurasia, formado por Europa y Asia.

eurocentrismo *m.* Tendencia a considerar a Europa como protagonista de la historia y de la civilización humanas.

eurocomunismo *m.* Comunismo propuesto por algunos teóricos y partidos comunistas de Europa occidental.

eurócrata *com.* Funcionario de las instituciones comunitarias europeas.

eurodivisa *f.* Divisa negociada o invertida en un país europeo que no es el de origen.

eurodiputado, -da *m. f.* Diputado del parlamento de las comunidades europeas.

eurodólar *m.* Dólar norteamericano destinado exclusivamente a hacer adquisiciones en Europa.

euromercado *m.* Mercado financiero de las eurodivisas.

euromisil *m.* Misil nuclear de alcance medio, de alta precisión, instalado en Europa.

europeidad *f.* Calidad o condición de europeo. 2 Carácter genérico de los pueblos que componen Europa.

europeísmo *m.* Ideología de los europeístas.

europeísta *adj.-s.* Relativo a la unión europea o a la hegemonía de Europa en el mundo. 2 Partidario de ella. 3 Partidario de europeizar o europeizarse. 4 Especialista en estudios sobre Europa.

europeizar *tr.* Introducir [en un pueblo], comunicar [a una persona], el carácter, las costumbres y la cultura europeos. ◇ ** CONJUG. [24] como *enraizar.*

europeo, -a *adj.-s.* De Europa, uno de los continentes del mundo.

europio *m.* Cuerpo simple que se encuentra en las tierras raras. Su símbolo es *Eu.*

eurovisión *f.* Acuerdo de los organismos europeos de televisión para el intercambio de programas emitidos simultáneamente en varios países.

euscalduna *adj.-s.* Lenguaje vasco. – 2 *com.* Persona que habla vascuence.

eusquera *m.* Vascuence, lengua vasca. – 2 *adj.* Perteneciente o relativo a la lengua vasca.

eutanasia *f.* Muerte suave, sin sufrimientos físicos; especialmente la provocada.

eutócico, -ca *adj.* [parto] Sin complicaciones. 2 [fármaco, medicamento] Que ayuda al parto.

eutrofia *f.* Buen estado de nutrición.

eutrofización *f.* Acumulación de residuos orgánicos en el agua de lagos y mares, que causa la proliferación de ciertas algas.

evacuado, -da *adj.-s.* [pers.] A la que se ha obligado a abandonar un territorio por razones militares, políticas, sanitarias, etc.

evacuador *m.* Sistema de llaves o de compuertas que sirve para dar salida al agua contenida en un sitio, especialmente en las presas.

evacuar *tr.* Desocupar [una cosa]. 2 Expeler un ser orgánico o extraer el médico [de una parte del cuerpo, humores, excrementos, etc.]: *~ el vientre;* **prnl.,** *evacuarse el vientre;* *~ el médico un tumor, los humores de un tumor;* **abs.,** exonerar el vientre: *el enfermo no evacua.* 3 Desalojar la autoridad competente [a los habitantes de un lugar] por amenaza de ruina, catástrofe, etc. ◇ ** CONJUG. [10] como *adecuar.*

evadir *tr.* Evitar [un daño o peligro inminente]; eludir con arte y astucia [una dificultad prevista]. – 2 *prnl.* Fugarse, escaparse.

evagación *f.* Distracción de la imaginación.

evaluación *f.* Valoración de los conocimientos, aptitudes, capacidad, y rendimiento de los alumnos.

evaluar *tr.* Valorar. 2 Estimar el valor [de las cosas no materiales]. ◇ ** CONJUG. [11] como *actuar.*

evanescente *adj.* Que se desvanece como el humo o el vapor. 2 fig. Que no dura, que desaparece pronto: *una imagen ~.* 3 fig. Sutil, delicado, tenue.

evanescer *tr.-prnl.* Desvanecer o esfumar. ◇ ** CONJUG. [43] como *agradecer.*

evangélico, -ca *adj.* Relativo al Evangelio. 2 Relativo al protestantismo: *capilla evangélica.*

3 [secta] Formado por la fusión del culto luterano y del calvinista.

evangelio *m.* Doctrina y ley de Jesucristo, religión cristiana: *Jesucristo empezó a predicar su ~.* 2 Libro que, junto con otros tres, constituye los cuatro primeros libros canónicos del Nuevo Testamento: *el ~ de San Mateo; los cuatro autores del ~.* 3 Capítulo del Evangelio que se dice después de la epístola y gradual: *~ según San Lucas.* 4 Verdad que no admite discusión.

evangelista *m.* Autor que, junto con otros tres, constituye los autores sagrados del Evangelio: San Mateo, San Marcos, San Lucas y San Juan. 2 Persona que canta el Evangelio en las iglesias.

evangelizar *tr.* Instruir [a alguien] en la doctrina del Evangelio, predicar la fe o las virtudes cristianas. ◇ ** CONJUG. [4] como *realizar.*

evaporar *tr.-prnl.* Convertir [un cuerpo líquido o sólido] en vapor: *el sol evapora el agua; evaporarse el agua.* – 2 *tr.-prnl.* fig. Disipar, desvanecer: *se evaporó el entusiasmo.* – 3 *prnl.* fig. Fugarse, desaparecer sin ser notado.

evaporímetro *m.* Aparato que sirve para medir la evaporización que se produce en una masa de agua.

evasión *f.* Evasiva. 2 Fuga (huida). 3 ~ *fiscal, ~ de capitales,* operación para evitar ciertos impuestos, control, consecuencias de devaluación, etc., ocultando el dinero o invirtiéndolo en el extranjero.

evasiva *f.* Efugio para eludir una dificultad.

evasivo, -va *adj.* Que incluye una evasiva o la favorece: *respuesta evasiva.*

evección *f.* Desigualdad periódica de los movimientos de la Luna, debida a la atracción del Sol.

evento *m.* Suceso imprevisto. 2 Acontecimiento o suceso pasado o no contingente.

eventual *adj.* Sujeto a cualquier evento. 2 Relativo a los emolumentos anejos a un empleo fuera de su dotación fija. 3 [fondo] Destinado en algunas oficinas a gastos accidentales. – 4 *adj.-com.* [trabajador] Que no está inscrito en la plantilla de una empresa y presta temporalmente sus servicios en ella.

eventualidad *f.* Calidad de eventual. 2 Hecho o circunstancia de realización incierta.

evidencia *f.* Calidad de evidente: *la ~ de una verdad, de un principio.* 2 *Amér. Merid.* Prueba que se presenta en favor o en contra de una cuestión.

evidenciar *tr.* Patentizar la evidencia [de una cosa]; probar que no sólo es cierta, sino evidente. ◇ ** CONJUG. [12] como *cambiar.*

evidente *adj.* [proposición, demostración, etc.] Que, al plantearse expresamente la cuestión de saber si es verdadero o falso, nadie puede dudar racionalmente de su verdad. 2 Expresión de asentimiento.

eviscerar *tr.-prnl.* Extraer las vísceras o entrañas.

evitar *tr.* Apartar, impedir [algún daño o molestia]: ~ *el contagio.* 2 Excusar, huir de incurrir [en algo]: ~ *la polémica.* 3 Huir [las ocasiones de tratar a uno]: ~ *el encuentro de un amigo; ~ a un amigo.* – 4 *prnl.* Ahorrarse, librarse [de una cosa desagadable o muy costosa].

eviterno, -na *adj.* Que tiene principio pero no fin: *los ángeles son eviternos.*

evo *m.* Unidad de tiempo astronómico, equivalente a mil millones de años.

evocar *tr.* fig. Traer [algo] a la memoria o a la imaginación. 2 fig. Recordar una cosa [a otra] por alguna semejanza o punto de contacto. 3 fig. Llamar [a las almas de los muertos y a los demonios] suponiéndoles capaces de acudir a los conjuros e invocaciones. 4 fig. Apostrofar [a los muertos]. ◇ ** CONJUG. [1] como *sacar.*

evolución *f.* Acción de desarrollarse o de transformarse las cosas pasando gradualmente de un estado a otro: *la ~ de las especies; la ~ de una teoría, de una política.* 2 Efecto de desarrollarse o de transformarse las cosas pasando gradualmente de un estado a otro. 3 p. ext. Movimiento, cambio o transformación, en general: *las evoluciones de una danza.* 4 Movimiento, cambio de formación de tropas o buques, con fines defensivos u ofensivos. 5 fig. Mudanza de conducta, de propósito o de actitud. 6 BIOL. Derivación de las especies de organismos vivientes, de otras ya existentes, a través de un proceso de cambio más o menos gradual y continuo. 7 FIL. Hipótesis que pretende explicar todos los fenómenos por transformaciones sucesivas de una sola realidad primera.

evolucionar *intr.* Sufrir una evolución. 2 Hacer evoluciones.

evolucionismo *m.* Doctrina según la cual todos los animales y plantas descienden de unos cuantos organismos simples, o tal vez de uno solo.

evolutivo, -va *adj.* Que se produce por evolución o pertenece a ella.

exabrupto *m.* Salida de tono; dicho o ademán inconveniente e inesperado.

exacción *f.* Acción de exigir impuestos, multas, etc. 2 Efecto de exigir impuestos, multas, etc. 3 Cobro injusto y violento.

exacerbar *tr.-prnl.* Irritar, causar grave enfado. 2 Agravar [una enfermedad, una pasión, una molestia, etc.].

exactitud *f.* Puntualidad, fidelidad en la ejecución de una cosa. 2 Precisión en la medida, peso o cantidad determinada de una cosa.

exacto, -ta *adj.* Puntual, fiel y cabal: ~ *en sus promesas.* 2 *Ciencias exactas,* p. ant., matemáticas.

¡exacto! Interjección con que se denota asentimiento.

exageración *f.* Cosa que traspasa los límites de lo justo, verdadero o razonable.

exagerado, -da *adj.* Que exagera. 2 Que incluye en sí exageración.

exagerar *tr.* Dar proporciones excesivas [a una cosa], llevarla más allá de los límites de lo verdadero, natural, ordinario, justo o conveniente.

exaltación *f.* Gloria que resulta de una acción muy notable. 2 Aumento de las actividades sensitivas. 3 Excitación del ánimo. 4 Estado de una persona exaltada.

exaltado, -da *adj.* Que se exalta. 2 fig. Exagerado: *es de un fanatismo ~.*

exaltar *tr.* Elevar [a una persona o cosa] a mayor auge y dignidad. 2 fig. Realzar [el mérito o circunstancias] de uno con mucho encarecimiento: ~ *la memoria de un héroe.* – 3 *prnl.* Dejarse arrebatar de una pasión perdiendo la moderación: *exaltarse con la discusión.*

examen *m.* Indagación exacta y cuidadosa de las cualidades y circunstancias de una cosa o de un hecho. 2 Prueba de la idoneidad de un sujeto.

examinador, -ra *m. f.* Persona que examina.

examinando, -da *m. f.* Persona que se presenta a examen.

examinar *tr.* Investigar, escudriñar con diligencia [una cosa]: ~ *su conciencia.* 2 Reconocer la calidad [de una cosa]: *la censura examina un libro.* – 3 *tr.-prnl.* Probar o tantear la idoneidad o suficiencia [de los que quieren profesar una facultad, ganar cursos, etc.]: *examinarse de gramática, de ingreso.*

exangüe *adj.* Desangrado, falto de sangre. 2 fig. Sin fuerzas, aniquilado.

exanimación *f.* Privación de las funciones vitales.

exánime *adj.* Sin señales de vida. 2 fig. Sumamente debilitado, desmayado.

exantema *m.* Erupción cutánea.

exaración *f.* Acción erosiva de un glaciar.

exasperar *tr.-prnl.* Irritar, dar motivo de enojo grande a uno: *tu flema me exaspera.*

excandecer *tr.-prnl.* Encender en cólera [a uno], irritarle. ◇ ** CONJUG. [43] como *agradecer.*

excarcelar *tr.* Poner en libertad [al preso] por mandamiento judicial.

excavador, -ra *adj.* Que excava. – 2 *f.* Máquina para excavar.

excavar *tr.* Hacer hoyo o cavidad [en una cosa] quitándole parte de su masa. 2 Hacer en el terreno [hoyos, pozos, galerías subterráneas, etc.]. 3 Quitar la tierra de alrededor [de las plantas] y descubrir el pie de éstas para beneficiarlas.

excedencia *f.* Condición de excedente

(funcionario). 2 Haber que percibe el oficial público que está excedente.

excedente *adj.* Excesivo. 2 [funcionario público] Que temporalmente deja de ejercer cargo. – 3 *adj.-m.* Sobrante (que sobra). 4 COM. Cantidad de mercancías o dinero que en un régimen económico de competencia, sobrepasa al nivel normal de la demanda y da origen a una modificación del nivel de precios.

exceder *tr.* Ser una persona o cosa más grande o aventajada [que otra] en tal o cual línea: ~ *una cuenta a otra; ~ de la talla; ~ en mil reales.* – 2 *intr.-prnl.* Propasarse de lo lícito o razonable: *excederse uno a sí mismo; excederse en sus facultades.*

excelencia *f.* Superior calidad o bondad. 2 Tratamiento de respeto y cortesía. – 3 *loc. adv. Por ~,* excelentemente; por antonomasia.

excelente *adj.* Que sobresale en bondad, mérito o estimación.

excelentísimo, -ma *adj.* Tratamiento con que se habla a la persona a quien corresponde el de excelencia.

excelso, -sa *adj.* Muy elevado, alto, eminente. 2 fig. De singular excelencia: *pensamiento ~; excelsa majestad.*

excentricidad *f.* Calidad de excéntrico (extravagante). 2 Dicho o hecho excéntrico (de persona). 3 Calidad de lo que está fuera de su centro. 4 Distancia que media entre el centro de la elipse y de la hipérbola, y uno de sus focos.

excéntrico, -ca *adj.* De carácter raro, extravagante. 2 Propio de una persona excéntrica. 3 Que está fuera del centro o que tiene un centro diferente: *dos elipses excéntricas; barrio ~.* – 4 *m. f.* Artista, generalmente cómico, que interviene en el espectáculo de circo. – 5 *f.* MEC. Pieza circular de hierro o acero, cuyo eje de rotación no ocupa el centro geométrico, destinada a transformar un movimiento de rotación en uno de otra clase, especialmente rectilíneo alternativo.

excepción *f.* Cosa exceptuada. 2 *De ~,* extraordinario, fuera de lo normal, privilegiado.

excepcional *adj.* Que forma excepción de la regla común. 2 Extraordinario, que ocurre rara vez.

exceptivo, -va *adj.* Que exceptúa: *ley exceptiva.*

excepto *adv. m.* A excepción de, fuera de, menos.

exceptuar *tr.-prnl.* Excluir [a una persona o cosa] de la generalidad de lo que se trata o de la regla común: ~ *a alguno de la regla.* ◇ ** CONJUG. [11] como *actuar.*

excesivo, -va *adj.* Que excede y sale de regla.

exceso *m.* Parte que excede y pasa más allá de la medida o regla. 2 Aquello en que una cosa excede a otra. 3 Lo que sale de los límites de lo ordinario o de lo lícito. 4 Abuso, delito, crimen: *los excesos de la revolución.*

excipiente *m.* Substancia que sirve para incorporar o disolver ciertos medicamentos.

excisión *f.* Técnica de biopsia que consiste en la eliminación, gracias a un instrumento cortante, de una parte poco voluminosa de un tejido u órgano, con fines de efectuar un examen de las células.

excitación *f.* Acción de excitar o excitarse. 2 Efecto de excitar o excitarse. 3 Adición de energía a un sistema; si esta corriente es producida por la misma dinamo, gracias al pequeño magnetismo remanente, la excitación se llama autoexcitación; si es producida por otro generador, la excitación se llama independiente.

excitar *tr.* Estimular, provocar, hacer más vivo [un sentimiento, una resolución, una actividad vital, etc., de una persona o animal]: ~ *las pasiones; ~ la multitud a la rebelión.* – 2 *prnl.* Animarse por el enojo, el entusiasmo, la alegría, etc.

exclamación *f.* Voz, grito o frase en que se refleja una emoción del ánimo. 2 Signo ortográfico de admiración [¡ !].

exclamar *tr.-intr.* Proferir exclamaciones y expresarse con vehemencia y viveza desusadas, especialmente tratándose de afectos del ánimo: *el desgraciado exclamaba sin conseguir su empeño.*

exclamativo, -va, -torio, -ria *adj.* Propio de la exclamación: *tono ~.*

exclaustrar *tr.-prnl.* Permitir u ordenar [a un religioso] que abandone el claustro.

excluir *tr.* Echar [a una persona o cosa] fuera del lugar que ocupaba; no admitir su entrada, su participación: ~ *a uno de una asamblea, lista,* etc. 2 Descartar o negar la posibilidad [de una cosa]: ~ *una solución atea.* 3 fig. No ser compatible con [algo o alguien]. ◇ ** CONJUG. [62] como *huir.*

exclusión *f.* Acción de excluir. 2 Efecto de excluir.

exclusiva *f.* Privilegio de hacer algo prohibido a los demás. 2 Noticia conseguida y publicada o emitida por un solo medio informativo, por lo que éste se reserva los derechos de su difusión.

exclusivamente *adv. m.* Sola, únicamente.

exclusive *adv. m.* Exclusivamente. 2 Sin tomar en cuenta el último número o elemento mencionado: *hasta el tres de abril ~.* ◇ INCOR.: usado como adjetivo: *los hijos exclusives.*

exclusivismo *m.* Adhesión obstinada a una cosa, persona o idea, con exclusión de toda otra. 2 Prurito de excluir a otros de la participación en algo.

exclusivo, -va *adj.* Que excluye o puede excluir. 2 Único, solo, excluyendo a cualquier otro.

excluyente *adj.* Que excluye, deja fuera o rechaza.

excombatiente *adj.-s.* Que peleó bajo alguna bandera militar o por alguna causa política. – 2 *m.* El que, después de actuar en alguna de las últimas guerras, integró con sus compañeros de armas agrupaciones sociales o políticas en varios países.

excomulgar *tr.* Apartar [a uno] de la comunidad de los fieles y del uso de los sacramentos. ◊ ** CONJUG. [7] como *llegar*.

excomunión *f.* Acción de excomulgar. 2 Efecto de excomulgar. 3 Carta, edicto con que se intima y publica la censura.

excoriar *tr.-prnl.* Gastar o arrancar la piel [de una parte del cuerpo]: *se le excorió el brazo.* ◊ ** CONJUG. [12] como *cambiar*.

excrecencia *f.* Prominencia anormal o superfluidad que aparece en la superficie de un cuerpo animal o vegetal.

excrementar *intr.* Deponer los excrementos.

excremento *m.* Materia que despiden de sí los cuerpos por las vías naturales, especialmente las materias fecales.

excretar *intr.* Expeler el excremento. – 2 *tr.* Separar y eliminar de la sangre o de los tejidos del cuerpo [substancias superfluas, como la orina, el sudor]; eliminar por desasimilación.

excretor, -ra, excretorio, -ria *adj.* [vaso o conducto] Que sirve para excretar (eliminar).

exculpar *tr.* Descargar [a uno] de culpa.

excursión *f.* Correría. 2 Ida a algún paraje para estudio, recreo o ejercicio físico.

excursionismo *m.* Ejercicio y práctica de las excursiones como deporte o con fin científico o artístico.

excusa *f.* Motivo o pretexto que se invoca para excusar o excusarse.

excusadamente *adv. m.* Sin necesidad.

excusado, -da *adj.* Libre, por privilegio, de pagar tributos. 2 Reservado o separado del uso común. 3 Superfluo e inútil. – 4 *m.* Retrete.

excusar *tr.-prnl.* Alegar razones para sacar libre [a uno de la culpa que se le imputa]: ~ *las faltas de los jóvenes; excúsale de sus faltas.* 2 Rehusar hacer [una cosa]: *excusarse de votar, con alguno;* ~ *un juramento.* – 3 *tr.* Evitar que suceda [una cosa] perjudicial: ~ *pleitos, lances.* 4 Eximir [del pago de tributos o de un servicio personal]. 5 Junto con infinitivo indica que no es necesaria [la acción que éste significa]: *excusas venir, que ya no haces falta.*

execración *f.* Acción de execrar. 2 Efecto de execrar. 3 Pérdida del carácter sagrado de un lugar por profanación o accidente.

execrar *tr.* Condenar y maldecir [una per-

sona o cosa] con autoridad sacerdotal o en nombre de cosas sagradas. 2 Abominar.

exedra *f.* Construcción descubierta, de planta semicircular, con asientos y respaldos fijos en la parte interior de la curva.

exégesis, exegesis *f.* Explicación, interpretación, especialmente de los libros de la Sagrada Escritura. ◊ Pl.: *exégesis*.

exegeta *m.* Intérprete o expositor de un texto, especialmente de la Sagrada Escritura.

exención *f.* Efecto de eximir o eximirse. 2 Libertad que uno goza para eximirse de alguna obligación.

exentamente *adv. m.* Libremente, con exención. 2 Con franqueza, sencillamente.

exento, -ta *adj.* Libre, desembarazado de una cosa: ~ *de cargas.* 2 [pers. o cosa] No sometido a la jurisdicción ordinaria. 3 [sitio o edificio] Descubierto por todas partes.

exequias *f. pl.* Honras fúnebres.

exequible *adj.* Que se puede conseguir.

exergo *m.* Parte de una medalla o moneda donde se pone una leyenda debajo del emblema o figura. ◊ Pl.: *exergos*.

exfoliación *f.* Acción de exfoliar o exfoliarse. 2 Efecto de exfoliar o exfoliarse. 3 Propiedad que tienen algunos minerales de exfoliarse con facilidad, en una dirección determinada. 4 Pérdida de la corteza de un árbol.

exfoliar *tr.-prnl.* Dividir [una cosa] en láminas o escamas. ◊ ** CONJUG. [12] como *cambiar*.

exhalación *f.* Acción de exhalar o exhalarse. 2 Efecto de exhalar o exhalarse. 3 Estrella fugaz. 4 Rayo, centella.

exhalante *adj.* Que respira hacia fuera, como las corrientes respiratorias de agua en los organismos, y las estructuras anatómicas que las permiten.

exhalar *tr.* Despedir [gases, vapores u olores]. 2 fig. Lanzar [quejas, suspiros, etc.]. – 3 *prnl.* fig. Desalarse (correr o anhelar).

exhaustivo, -va *adj.* Que agota: *bibliografía exhaustiva de una ciencia; impuestos exhaustivos.*

exhausto, -ta *adj.* Apurado y agotado: *erario* ~.

exhibición *f.* Acción de exhibir. 2 Efecto de exhibir. 3 Exposición (manifestación pública). 4 Operación de proyectar una película cinematográfica.

exhibicionismo *m.* Prurito de exhibirse. 2 Tendencia patológica a mostrar los propios órganos genitales.

exhibir *tr.-prnl.* Manifestar, mostrar en público. – 2 *tr.* DER. Presentar [un documento, una prueba, etc.], ante quien corresponda.

exhortación *f.* Acción de exhortar. 2 Palabras con que se exhorta a uno. 3 Plática, sermón familiar y breve.

exhortar *tr.* Inducir [a uno] con palabras a que haga alguna cosa: ~ *a penitencia.*

exhortativo, -va *adj.* Perteneciente o relativo a la exhortación. 2 GRAM. *Oración exhortativa,* la que expresa ruego o mandato.

exhumar *tr.* Desenterrar [un cadáver o restos humanos]. 2 fig. Traer a la memoria [lo olvidado]: ~ *un recuerdo.*

exigencia *f.* Acción de exigir. 2 Efecto de exigir. 3 Pretensión caprichosa o desmedida.

exigente *adj.-s.* Que exige, especialmente caprichosa o despóticamente.

exigir *tr.* Cobrar, sacar de uno por autoridad pública [dinero u otra cosa]: ~ *los tributos;* ~ *las rentas;* en gral., demandar imperiosamente: ~ *que se cumplan sus órdenes.* 2 fig. Pedir una cosa [algún requisito necesario] para que se haga: *el cuidado de esta planta exige mucho esmero.* ◇ ** CONJUG. [6] como *dirigir.*

exiguo, -gua *adj.* Insuficiente, escaso.

exiliado, -da *adj.-s.* [pers.] Que por motivos políticos se refugia en otro país o en la embajada correspondiente.

exiliar *tr.-prnl.* Desterrar. ◇ ** CONJUG. [12] como *cambiar.*

exilio *m.* Destierro.

eximio, -mia *adj.* Muy excelente.

eximir *tr.-prnl.* Libertar [a uno] de una obligación, carga, cuidado, etc.: ~ *a uno de una ocupación; se eximió del encargo.* ◇ CONJUG.: pp. reg.: *eximido;* irreg.: *exento.*

exina *f.* Membrana exterior de un grano de polen o de una espora.

exinanición *f.* Notable falta de vigor y fuerzas.

existencia *f.* El hecho de existir. 2 Vida del hombre. 3 FIL. Por oposición a esencia, realidad concreta de un ente cualquiera. – 4 *f. pl.* Cosas, especialmente mercancías, que no han tenido aún la salida o empleo a que están destinadas: *las existencias abarrotaban el almacén.*

existencial *adj.* Relativo al acto de existir.

existencialismo *m.* Nombre de varias doctrinas filosóficas contemporáneas, que coinciden en estimar la existencia del hombre como principio de todo pensar, a diferencia del cartesianismo.

existir *intr.* Tener una cosa ser real y verdadero. 2 Tener vida. 3 Estar o hallarse una cosa en algún lugar.

éxito *m.* Resultado feliz. 2 Buena aceptación que tiene una persona o cosa.

exobiología *f.* Rama de la biología que estudia la posibilidad de existencia de organismos vivos fuera del espacio terrestre.

exocéntrico, -ca *adj.* Que está o cae fuera del centro.

exocrino, -na *adj.* [glándula] Que tiene conducto excretor, por el cual salen los productos que aquélla ha elaborado. 2 [secreción] Que se vierte fuera del organismo.

exodermo *m.* BOT. Capa más externa de la corteza de los órganos vegetales; **raíz.

éxodo *m.* Libro de la Biblia. 2 fig. Emigración de un pueblo.

exoenergético, -ca *adj.* FÍS. [fenómeno] Acompañado de desprendimiento de energía.

exogamia *f.* Regla o práctica de contraer matrimonio con cónyuge de distinta tribu o ascendencia, o procedente de otra localidad o comarca. 2 Cruzamiento entre individuos de distinta raza. 3 Cubrimiento de un animal hembra por un macho de distinta especie.

exógamo, -ma *adj.* [pers.] Que practica la exogamia. 2 [pers.] Que ha nacido de un matrimonio en que los cónyuges pertenecen a distinto grupo, clan, tribu, etc.

exógeno, -na *adj.* [órgano] Que se forma en el exterior de otro, como las esporas de ciertos hongos. 2 Que es debido a causas externas al propio organismo. 3 [fuerza] Que externamente actúa sobre algo.

exonerar *tr.* Aliviar, descargar de peso, carga u obligación: ~ *el vientre.* 2 Destituir [a uno] de un empleo.

exopodito *m.* Pieza exterior de cada uno de los apéndices bífidos de los crustáceos.

exopterigoto *adj.-m.* Insecto de la subclase de los exopterigotos. – 2 *m. pl.* Subclase de insectos pterigotas cuyas alas se desarrollan gradualmente en la parte posterior del cuerpo; no existe estadio pupal y la forma joven es generalmente una ninfa.

exorable *adj.* Que se deja vencer fácilmente de los ruegos.

exorar *tr.* lit. Pedir con empeño.

exorbitante *adj.* Excesivo.

exorbitar *tr.* Exagerar.

exorcismo *m.* Conjuro contra el espíritu maligno.

exorcista *com.* Persona que exorciza. – 2 *m.* Clérigo que ha recibido la orden del exorcistado.

exorcistado *m.* Tercera de las órdenes menores, que da facultad para practicar exorcismos con permiso del obispo.

exorcizar *tr.* Usar de exorcismos [contra el espíritu maligno]. ◇ ** CONJUG. [4] como *realizar.*

exordio *m.* Introducción, preámbulo de una obra y especialmente de un discurso.

exornar *tr.* Adornar, hermosear [especialmente el lenguaje escrito o hablado] con galas retóricas.

exosfera *f.* Capa atmosférica más externa de la Tierra, situada entre los 400 ó 500 kms. y aproximadamente los 2.500 kms. de altura.

exotérico, -ca *adj.* Común, accesible para el vulgo. 2 Que es de fácil acceso por la mente.

exotérmico, -ca *adj.* QUÍM. [reacción] Que se produce con desprendimiento de calor.

exótico, -ca *adj.* Extranjero, peregrino,

especialmente si procede de país muy lejano: *ornamentación exótica; productos exóticos.* 2 Raro, extraño.

exotismo *m.* Calidad de exótico. 2 Tendencia a asimilar formas y estilos artísticos de un país o cultura distintos de los propios.

expandir *tr.-prnl.* Extender, dilatar, difundir [doctrinas, ideas, imperios, etc.]. ◇ INCOR.: *expander.*

expansión *f.* Dilatación, especialmente de un gas. 2 Desarrollo o difusión de una opinión o doctrina. 3 fig. Manifestación efusiva de un afecto o pensamiento. 4 fig. Recreo, solaz. 5 ECON. Aumento del volumen de la producción y de la demanda. 6 H. NAT. Prolongación o extensión de un órgano.

expansionarse *prnl.* Espontanearse, desahogarse. 2 Divertirse, recrearse. 3 Dilatarse.

expansionismo *m.* Tendencia a la expansión de una teoría, de una política, etc.

expansivo, -va *adj.* Que tiende a dilatarse. 2 fig. Franco, comunicativo: *carácter ~.*

expatriar *tr.-prnl.* Abandonar por la fuerza o por propia voluntad el país de uno. ◇ ** CONJUG. [14] como *auxiliar.*

expectación *f.* Intensidad con que se espera una cosa, especialmente cuando son muchos los que la esperan: *reina ~ en la ciudad.* 2 Contemplación de lo que se expone o muestra al público. 3 En términos administrativos, expectativa: *hallarse en ~ de destino.*

expectante *adj.* Que espera observando o está a la mira de una cosa.

expectativa *f.* Esperanza de conseguir una cosa, si se depara la oportunidad que se desea: *estar a la ~ de los precios.* 2 Posibilidad de conseguir un derecho, herencia, empleo, etc., al ocurrir un suceso que se prevé. 3 ~ *de vida,* función que representa el promedio de vida que le queda a una persona a partir de una edad determinada, según las estadísticas.

expectorar *tr.* Arrancar y arrojar por la boca [las flemas y secreciones que se depositan en las vías respiratorias].

expedición *f.* Acción de expedir; conjunto de cosas que se expiden, remesa: *~ de mercancías a gran velocidad.* 2 Efecto de expedir; conjunto de cosas que se expiden, remesa. 3 Excursión para realizar una empresa: *~ científica, militar.* 4 Conjunto de personas que la realizan.

expedientar *tr.* Formar o instruir expediente [a un funcionario].

expediente *m.* Negocio que se sigue sin juicio contradictorio en los tribunales. 2 Conjunto de todos los papeles correspondientes a un asunto o negocio. 3 Arbitrio o pretexto para dar salida y prontitud en el manejo de los negocios. 4 Facilidad, desenfado. 5 Procedimiento administrativo en que se enjuicia la actuación de un funcionario, empleado, estudiante, etc.

expedir *tr.* Dar curso y despacho [a las causas y negocios]; esp., despachar, extender por escrito [privilegios, bulas, decretos, etc.]. 2 Pronunciar un auto o decreto. 3 Remitir, enviar: *~ una carta, un pedido.* – 4 *prnl.* Argent., Chile y Urug. Manejarse, desenvolverse en asuntos o actividades. ◇ ** CONJUG. [34] como *servir.*

expeditar *tr.* Amér. Dejar expedito o concluido [un asunto].

expeditivo, -va *adj.* Que sirve para despachar prontamente un asunto: *medio, recurso ~.* 2 Que obra con eficacia y rapidez.

expedito, -ta *adj.* Desembarazado, pronto a obrar.

expeler *tr.* Arrojar, echar alguna parte [a una persona, y especialmente una cosa]: *~ a uno del reino; ~ por la boca.* ◇ CONJUG.: pp. reg.: *expelido*; irreg.: *expulso.*

expendeduría *f.* Tienda en que se expende (vende).

expender *tr.* Gastar, hacer expensas: *~ su fortuna.* 2 Vender [efectos de propiedad ajena] por encargo de su dueño; despachar [billetes de ferrocarril, espectáculos, etc.]. 3 Vender al menudeo: *~ tabaco.*

expensas *f. pl.* Gastos, costas.

experiencia *f.* Enseñanza que se adquiere con la práctica. 2 Experimento.

experimentación *f.* Método científico de investigación, fundado en la determinación voluntaria de los fenómenos.

experimental *adj.* Fundado en la experiencia o que se sabe por ella: *método ~.* 2 Que sirve de experimento, con vistas a posibles perfeccionamientos, aplicaciones y difusión.

experimentalismo *m.* Preferencia por el método experimental como fuente del conocimiento científico.

experimentar *tr.* Probar y examinar [las condiciones o propiedades de una cosa] por la práctica o la experimentación. 2 Notar, sentir en sí [un cambio o modificación orgánica o afectiva]: *~ el enfermo una mejoría;* en gral., sentir los efectos [de un cambio cualquiera]: *~ grandes pérdidas.*

experimento *m.* Determinación voluntaria de un fenómeno u observación del mismo en determinadas condiciones, como medio de investigación científica.

experto, -ta *adj.* Práctico, diestro, experimentado. – 2 *m.* Perito.

expiar *tr.* Borrar [las culpas] por medio de algún sacrificio. 2 Purificar [una cosa profanada]. 3 Reparar el delincuente [sus delitos] sufriendo la pena impuesta por los tribunales; en gral., padecer las consecuencias [de desaciertos o malos procederes]: *~ una imprudencia.* ◇ ** CONJUG. [13] como *desviar.*

expilar *tr.* Robar, despojar.

expirar *intr.* Morir (dejar de vivir). 2 Llegar

una cosa al término de su duración: ~ *el plazo.*

explanada *f.* Espacio de terreno allanado.

explanar *tr.* Allanar (poner llana). 2 Construir terraplenes, hacer desmontes, etc., hasta dar [al terreno] la nivelación o el declive que se desea. 3 fig. Declarar, explicar: ~ *un texto.*

explayar *tr.* Ensanchar, extender: ~ *la vista; explayarse el horizonte.* – 2 *prnl.* Dilatarse, extenderse: *explayarse en un discurso.* 3 Confiarse de una persona comunicándole algún secreto o intimidad. 4 fig. Esparcirse, irse a divertir al campo.

expletivo, -va *adj.* GRAM. Relativo a las voces usadas para hacer más llena, intensa o armoniosa la locución.

explicable *adj.* Que se puede explicar.

explicación *f.* Satisfacción dada a una persona o colectividad sobre actos o palabras que exigen ser justificados. 2 Manifestación o revelación de la causa o motivo de alguna cosa.

explicar *tr.-prnl.* Declarar, expresar [lo que uno piensa o siente]: *explica lo que te propones; explícate.* – 2 *tr.* Exponer en forma adecuada para hacerlo comprensivo [un incidente o una materia, como un texto, un problema, etc.]: ~ *una aventura, un teorema,* etc.; esp., enseñar en la cátedra: ~ *su clase de Geología.* 3 Exculpar [palabras o acciones] declarando que no hubo en ellas intención de agravio. 4 p. anal. Dar a conocer [la causa o motivo de alguna cosa]: ~ *su actuación.* – 5 *prnl.* Llegar a comprender la razón de alguna cosa: *ahora me lo explico.* ◇ ** CONJUG. [1] como *sacar.*

explicitar *tr.* Hacer explícito.

explícito, -ta *adj.* Que expresa clara y determinadamente una cosa.

exploración *f.* Acción de explorar. 2 Efecto de explorar. 3 MED. Investigación sobre un órgano interno, para adquirir datos de su estado. 4 MIL. Actividad bélica que tiene por objeto informarse sobre el enemigo.

explorar *tr.* Tratar de descubrir lo que hay [en una cosa o lugar, y especialmente en un país recorriéndolo]; reconocer minuciosamente el estado [de una parte interna del cuerpo] para formar diagnóstico: ~ *una cueva, el fondo del mar, el Congo;* ~ *el pecho.* 2 fig. Intentar averiguar [las circunstancias, situación, etc.], que rodean una cosa antes de emprenderla.

explosión *f.* Acción de reventar un cuerpo violenta y ruidosamente. 2 Dilatación repentina del gas contenido o producido por un dispositivo mecánico con el fin de obtener el movimiento de una de las partes de aquel; como en el motor de un automóvil o en el disparo del arma de fuego. 3 Manifestación súbita y violenta de ciertos afectos del ánimo. 4 Desarrollo repentino y considerable: *la* ~ *demográfica.*

explosionar *intr.* Hacer explosión. – 2 *tr.* Causar o provocar una explosión.

explosivo, -va *adj.-m.* Que hace o puede hacer explosión. – 2 *adj.-s.* GRAM. [consonante] Que se articula produciendo un cierre momentáneo en la salida del aire, que se resuelve en una explosión; como *p, t, k.* 3 QUÍM. Que se incendia con explosión; como los fulminantes o la pólvora.

explotación *f.* Acción de explotar. 2 Efecto de explotar. 3 Conjunto de elementos dedicados a una industria o granjería. 4 Conjunto de operaciones que constituyen la actividad típica de una empresa.

explotar *tr.* Extraer [de las minas] las riquezas que contienen. 2 Sacar utilidad [de un negocio o industria]. 3 Aprovechar abusivamente las cualidades o circunstancias ajenas, o un suceso o incidente cualquiera: ~ *a los trabajadores.* – 4 *intr.* Explosionar, estallar, hacer explosión.

expoliar *tr.* Despojar con violencia o con iniquidad. ◇ ** CONJUG. [12] como *cambiar.*

expolio *m.* Acción de expoliar. 2 Efecto de expoliar. 3 Botín del vencedor. 4 Acción de arrebatar algo violentamente a otra persona. 5 vulg. Alboroto, escándalo, bronca.

exponente *adj.-s.* Que expone. – 2 *m.* Prototipo, persona o cosa representativa de lo más característico en un género. 3 Número o expresión algebraica colocado en la parte superior y a la derecha de otro número o expresión, para denotar la potencia a que se ha de elevar. 4 Diferencia de una progresión aritmética o razón de una geométrica.

exponer *tr.* Poner de manifiesto o poner a la vista [una cosa material o moral]: ~ *sus propósitos.* 2 Colocar [una cosa] para que reciba la acción de un agente: ~ *una fotografía a la luz solar.* 3 p. ext. Dejar abandonado [a un niño recién nacido] en un paraje público. 4 Declarar o interpretar el sentido [de una palabra, doctrina o texto]. – 5 *tr.-prnl.* Arriesgar, poner [una cosa] en peligro de perderse o dañarse: ~ *la vida.* 6 Mostrar un artista [sus obras]. ◇ ** CONJUG. [78] como *poner;* pp. irreg.: *expuesto.*

exportación *f.* Acción de exportar. 2 Efecto de exportar. 3 Conjunto de mercaderías que se exportan.

exportar *tr.* Enviar o vender a un país extranjero [los productos de la tierra o la industria nacionales].

exposición *f.* Acción de exponer: ~ *de propósitos, de pinturas; diez minutos de* ~ *al Sol; la* ~ *del Santísimo; hizo una* ~ *sumaria de su doctrina;* ~ *previa de un drama.* 2 Efecto de exponer. 3 Riesgo. 4 Petición hecha por escrito, generalmente a una autoridad. 5 Manifestación pública de productos de la tierra o de la industria, o de artes y ciencias, para estimular la producción, el comercio o la cultura: *la ~ internacional de Barcelona; ~ del libro español.* 6 Espacio de tiempo durante el cual se expone una placa fotográfica.

exposímetro *m.* FOT. Aparato que sirve para medir la intensidad de la luz que ilumina el objeto fotografiado y que permite determinar el tiempo necesario de exposición para cada clase de película; **fotografía.

expósito, -ta *adj.-s.* [pers.] Que, recién nacido, fue puesto en un paraje público o dejado en la inclusa.

expositor, -ra *adj.-s.* Que interpreta, expone y declara una teoría, doctrina, etc. – 2 *m. f.* Persona que concurre a una exposición pública con objetos de su propiedad o industria. – 3 *m.* Objeto que sirve para exponer algo a la vista del público.

expremijo *m.* Mesa con ranuras, algo inclinada, para que al hacer queso escurra el suero.

exprés *adj.-s.* Rápido: *olla ~; tren, café ~* o simplemente *~.*

expresamente *adv. m.* Con palabras o demostraciones claras. 2 De propósito, de intento, adrede.

expresar *tr.* Manifestar con palabras o por medio de otros signos exteriores [lo que uno piensa o siente]: *su agitación expresaba el temor.* 2 Manifestar el artista con viveza y exactitud [los efectos propios del caso]. – 3 *prnl.* Darse a entender por medio de la palabra.

expresión *f.* Acción de expresar; palabra, locución o signos exteriores con que se expresa una cosa: *esta palabra es una ~ inculta; ~ incorrecta; la ~ de temor de su rostro.* 2 Cosa que se regala en demostración de afecto. 3 Viveza y exactitud con que se manifiestan los efectos en un arte imitativa: *baila sin ~; los cuadros de este pintor tienen una ~ de tristeza.* 4 Acción de exprimir y zumo exprimido. 5 LING. Lo que, en un signo o enunciado lingüístico, corresponde sólo al significante oral o escrito.

expresionismo *m.* Escuela y tendencia estética que, reaccionando contra el impresionismo, propugna la intensidad de la expresión sincera aun a costa del equilibrio formal.

expresivo, -va *adj.* Que manifiesta con gran viveza de expresión. 2 [manifestación mímica, oral, escrita, musical o plástica] Que muestra con viveza los sentimientos de la persona que se manifiesta por aquellos medios. 3 Característico, típico. 4 Que constituye un indicio de algo. 5 Afectuoso.

expreso, -sa *adj.* Claro, especificado. – 2 *m.* Tren exprés. 3 Correo extraordinario.

exprimidera *f.* Instrumento usado para sacar el zumo.

exprimidor *m.* Exprimidera: *~ eléctrico;* **cocina.

exprimir *tr.* Extraer el zumo o líquido [de una cosa] apretándola o retorciéndola: *~ una*

naranja. 2 Estrujar (agotar). 3 fig. Expresar, manifestar.

expropiación *f.* Acción de expropiar. 2 Efecto de expropiar. 3 Cosa expropiada.

expropiar *tr.* Desposeer legalmente [de una cosa] a su propietario por razón de interés público. ◇ ** CONJUG. [12] como *cambiar.*

expuesto, -ta, *adj.* Peligroso.

expugnar *tr.* Tomar por fuerza de armas [una fortaleza, una ciudad, etc.].

expulsar *tr.* Expeler, echar [especialmente a una persona].

expulsión *f.* Acción de expulsar o expeler. 2 Efecto de expulsar o expeler.

expulsor, -ra *adj.* Que expulsa. – 2 *m.* En algunas armas de fuego, mecanismo dispuesto para expulsar los cartuchos vacíos.

expurgar *tr.* Limpiar, purificar [una cosa]. 2 fig. Quitar lo nocivo, erróneo, ofensivo, etc., que contiene [un libro, un impreso, etc.]. ◇ ** CONJUG. [7] como *llegar.*

exquisito, -ta *adj.* De singular y extraordinaria invención, primor o gusto.

extasiarse *prnl.* Arrobarse. ◇ ** CONJUG. [13] como *desviar.*

éxtasis *m.* Estado del alma caracterizado interiormente por cierta unión mística con Dios y por un sentimiento de felicidad, de gozo inefable, y exteriormente por una inmovilidad casi completa y por una disminución de todas las funciones de relación, de la circulación y de la respiración. 2 Estado del alma enteramente embargada por un intenso sentimiento de admiración, alegría, etc. 3 Droga alucinógena afrodisíaca sintética que puede causar la locura y hasta la muerte de la persona que la ingiere. ◇ Pl.: *éxtasis.*

extatismo *m.* Estado del que se halla en éxtasis o propende a él.

extemporáneo, -a *adj.* Impropio del tiempo. 2 Inoportuno, inconveniente.

extender *tr.* Hacer que [una cosa], aumentando su superficie, ocupe más espacio que antes: *~ un papel;* esp., desenvolver lo que está arrollado: *~ una alfombra.* 2 Esparcir, derramar [lo que está amontonado o espeso]: *~ la hierba segada, la pintura.* 3 Despachar, poner por escrito [un documento]: *~ un giro.* 4 fig. Dar mayor amplitud [a una cosa moral]: *~ una creencia; extenderse un cisma.* – 5 *prnl.* Ocupar cierta extensión de terreno: *la ciudad se extiende a ambos lados.* 6 Ocupar cierta cantidad de tiempo, durar. 7 Dilatarse, detenerse mucho en una explicación o narración: *extenderse en digresiones.* 8 Propagarse, irse difundiendo una cosa que no depende de la voluntad: *la epidemia se extendió rápidamente.* 9 fig. Alcanzar, llegar la fuerza de una cosa a influir en otras: *su venganza se extiende hasta privarle de los hijos; extenderse a,* o *hasta, mil reales.* 10 fig. *y* fam. Ponerse muy hinchado o entonado. ◇ ** CONJUG. [28] como *entender.*

extensión *f.* Acción de extender. 2 Efecto de extender. 3 Duración en el tiempo. 4 Línea telefónica conectada con una centralita de abonado. 5 Movimiento por el que los segmentos de un miembro se desdoblan y se disponen en línea recta; movimiento opuesto a flexión. 6 GEOM. Propiedad de los cuerpos de ocupar una parte mayor o menor de espacio. 7 GEOM. Medida del espacio ocupado por un cuerpo. 8 GRAM. Tratando del significado de las palabras, ampliación del mismo a otro concepto relacionado con el originario. 9 LÓG. Conjunto de objetos a los que se aplica un elemento de conocimiento (concepto, juicio o relación). 10 LÓG. Conjunto de individuos comprendidos en una idea.

extensivo, -va *adj.* Que es susceptible de extenderse. 2 Tomado por extensión.

extenso, -sa *adj.* Que tiene extensión o que tiene mucha extensión.

extensómetro *m.* Instrumento de precisión con el cual se miden las deformaciones de las piezas sometidas a esfuerzos de tracción o de compresión.

extensor, -ra *adj.* Que extiende o hace que se extienda una cosa: *músculo ~.* – 2 *m.* Aparato formado de cintas de caucho usado para ejercitar los músculos.

extenuar *tr.-prnl.* Enflaquecer, debilitar. ◇ ** CONJUG. [11] como *actuar.*

exterior *adj.* Que está por la parte de afuera. 2 Que da a la parte de afuera: *habitación ~.* 3 Relativo a otros países: *negocios exteriores; ministerio de asuntos exteriores,* el que se ocupa de las relaciones internacionales de una nación. – 4 *m.* Superficie externa de los cuerpos. 5 Traza, porte de una persona. – 6 *m. pl.* Escenas rodadas fuera de un estudio cinematográfico.

exteriorizar *tr.* Hacer patente, revelar, mostrar [una cosa] al exterior. ◇ ** CONJUG. [4] como *realizar.*

exterminar *tr.* fig. Acabar del todo [con una cosa]. 2 fig. Desolar, devastar por fuerza de armas.

externado *m.* Establecimiento de enseñanza de alumnos externos. 2 Estado y régimen de vida del alumno externo. 3 Conjunto de alumnos externos.

externo, -na *adj.* Que obra o se manifiesta al exterior. – 2 *adj.-s.* [alumno] Que sólo permanece en la escuela durante las horas de clase.

extinción *f.* Acción de extinguir o extinguirse. 2 Efecto de extinguir o extinguirse.

extinguir *tr.-prnl.* Hacer que cese o acabe del todo [el fuego, la luz, la vida, etc.]. 2 Acabar, prescribir [un plazo, derecho u obligación]. ◇ ** CONJUG. [8] como *distinguir.*

extinto, -ta *adj.* Apagado. – 2 *m. f.* Muerto, difunto.

extintor *adj.* Que extingue. – 2 *m.* Aparato que desprende ácido carbónico u otros compuestos, para extinguir un incendio.

extirpación *f.* Acción de extirpar. 2 Efecto de extirpar.

extirpar *tr.* Arrancar de cuajo [una planta]. 2 Seccionar quirúrgicamente [órganos o formaciones orgánicas]. 3 fig. Destruir radicalmente [una cosa establecida por el hombre]: *~ los abusos.*

extorsión *f.* Acción de usurpar por fuerza una cosa. 2 Efecto de usurpar por fuerza una cosa. 3 fig. Cualquier molestia, daño o perjuicio.

extorsionar *tr.* Usurpar, arrebatar [algo]. 2 Causar extorsión o daño [a alguien].

extra *adj.* Extraordinario, óptimo. – 2 *adv.* fam. Además: *~ del sueldo, tiene muchas ventajas.* – 3 *com.* En el cine, persona que interviene como comparsa. 4 Persona que presta un servicio accidental. – 5 *m.* fam. Adehala, gaje, plus. 6 fam. Gasto extraordinario. 7 fam. Bebida o plato extraordinario.

extracción *f.* Acción de extraer. 2 Efecto de extraer. 3 Origen, linaje: *ser de humilde ~.*

extractar *tr.* Reducir a extracto [un escrito, libro, etc.].

extracto *m.* Resumen de un escrito. 2 Substancia que se extrae de otra por varios procedimientos y que, en forma concentrada, posee su virtud característica.

extractor, -ra *m. f.* Persona que extrae. 2 Aparato o pieza para extraer; **cocina.

extracurricular *adj.* Que no pertenece a un currículo, o no está incluido en él: *estudios extracurriculares.*

extradición *f.* Acción de extradir. 2 Efecto de extradir.

extradir *tr.* Entregar [el reo] refugiado en un país a las autoridades de otro que lo reclama.

extraditar *tr.* Extradir.

extradós *m.* Superficie convexa o exterior de un **arco o de una bóveda. 2 Cara de una dovela que corresponde a esta superficie. 3 Superficie exterior de un ala de avión. ◇ Pl.: *extradoses.*

extraeconómico, -ca *adj.* Sin relación con la economía.

extraer *tr.* Sacar: *~ una muela.* 2 MAT. Averiguar [las raíces] de una cantidad dada. 3 QUÍM. Separar de un cuerpo o substancia [alguno de sus componentes]: *~ la esencia de una hierba.* ◇ ** CONJUG. [88] como *traer.*

extrajudicial *adj.* Que se hace o trata fuera de la vía judicial.

extralimitarse *prnl.-tr.* fig. Excederse en el uso de sus facultades o atribuciones.

extramuros *adv. l.* Fuera del recinto de una población.

extranjería *f.* Calidad y condición del extranjero residente en un país. 2 Conjunto de normas reguladoras de la condición y los intereses de los extranjeros en un país. 3 Cosa extranjera.

extranjerismo *m.* Voz, giro o modo de expresión de un idioma extranjero empleado en español. 2 Amor o apego a las costumbres extranjeras.

extranjerizar *tr.* Introducir las costumbres extranjeras mezclándolas [con las propias del país]. ◇ ** CONJUG. [4] como *realizar*.

extranjero *adj.* Que es o viene de país de otra soberanía. – 2 *adj.-s.* Natural de una nación con respecto a los naturales de cualquier otra. – 3 *m.* Nación o naciones que no son la propia.

extraña *f.* Planta compuesta de adorno, de flores grandes terminales *(Callistephus chinensis)*.

extrañamiento *m.* Acción de extrañar o extrañarse. 2 Efecto de extrañar o extrañarse.

extrañar *tr.-prnl.* Desterrar [a uno] a país extranjero: ~ *de la patria*. 2 Ver u oír con extrañeza [una cosa]: *me extraña que digas eso*. – 3 *tr.* Sentir la novedad [de una cosa que usamos] echando de menos la que nos es habitual: *no he dormido porque extrañaba la cama*. – 4 *prnl.* Negarse a hacer una cosa. 5 Asombrarse de algo. – 6 *tr. And.* y *Amér.* Echar de menos [a alguna persona o cosa]: *mugía la vaca extrañando a su cría*.

extrañeza *f.* Lo que hace extraño (extraordinario o extravagante) a una persona o cosa: *la ~ de aquel crimen radicaba en la ausencia de móviles; sus extrañezas de carácter*. 2 Cosa rara, extraordinaria. 3 Desavenencia entre los que eran amigos. 4 Admiración, novedad.

extraño, -ña *adj.-s.* De nación, familia o profesión distinta: *los propios y los extraños*; fig., *ser un ~ en su propia familia*. – 2 *adj.* Que es ajeno a una cosa, que no tiene parte en ella: *mi amigo era ~ a la conjuración*. 3 Que tiene algo de extraordinario, inexplicable o singular que excita la curiosidad, sorpresa, admiración: *un ruido, un crimen ~; ~ de ver*. 4 Extravagante: *~ carácter*. – 5 *m.* Movimiento súbito anormal o inesperado: *el balón hizo un ~*.

extraoficial *adj.* Oficioso, no oficial.

extraordinario, -ria *adj.* Fuera del orden o regla general o común. 2 Mejor o mayor que lo ordinario. – 3 *m.* Correo especial que se despacha con urgencia. 4 Manjar que se añade a la comida diaria. 5 Número de un periódico que se publica por algún motivo especial. – 6 *f.* Paga o remuneración que se añade al sueldo.

extraplano, -na *adj.* [cosa] Que es extraordinariamente plano o delgado en relación con otras cosas de su especie: *calculadora extraplana*.

extrapolar *tr.* Calcular el valor de una variable en un punto, en función de otros valores de la misma. 2 Aplicar una cosa conocida [a otro dominio] para extraer consecuencias e hipótesis.

extrarradio *m.* Parte o zona, la más exterior del término municipal, que rodea el casco y radio de la población.

extrasensorial *adj.* Que se percibe o acontece sin la intervención de los órganos sensoriales, o que queda fuera de la esfera de estos.

extraterreno, -na *adj.* Ultraterreno, que está más allá de la vida del hombre en la Tierra.

extraterrestre *adj.* Que está fuera del globo terráqueo: *espacio ~*. – 2 *com.* Habitante de otros mundos.

extraterritorial *adj.* Fuera de los límites territoriales de una jurisdicción.

extraterritorialidad *f.* Privilegio por el cual el domicilio de los agentes diplomáticos, los buques de guerra, etc., se consideran como si estuviesen fuera del territorio donde se encuentran, para seguir sometidos a las leyes de su país de origen.

extravagancia *f.* Calidad de extravagante. 2 Dicho o hecho propio de una persona extravagante.

extravagante *adj.* Que se hace o dice fuera del orden o común modo de obrar. 2 Raro, extraño, desacostumbrado, excesivamente peculiar u original. – 3 *adj.-s.* [pers.] Que habla, viste o procede así. 4 En las oficinas de Correos, correspondencia que se halla de paso para otras poblaciones. – 5 *f.* Constitución pontificia puesta al fin del cuerpo del derecho canónico.

extravasarse *prnl.* Salirse un líquido de su vaso o conducto normal.

extravenar *tr.-prnl.* Hacer salir [la sangre] de las venas.

extraversión *f.* Movimiento del ánimo que, cesando en su propia contemplación, sale fuera de sí por medio de los sentidos.

extravertido, -da *adj.-s.* [pers.] Cuyos intereses y preocupaciones se encuentran en el mundo que la rodea.

extraviado, -da *adj.* De costumbres desordenadas. 2 [lugar] Poco transitado, apartado. 3 Perdido.

extraviar *tr.-prnl.* Hacer perder el camino [a uno]: *nos hemos extraviado de la carretera*. 2 fig. Pasar en la conversación [de una cosa] a otra: *se extravió a otra cuestión*. 3 Poner [una cosa] en otro lugar que el que debía ocupar. 4 No fijar [la vista] en objeto determinado. – 5 *prnl.* No encontrarse una cosa en su sitio e ignorarse su paradero. 6 fig. Dejar la forma de vida habitual y tomar otra distinta, por lo general mala. 7 fig. Errar, no acertar: *extraviarse en sus opiniones*. ◇ ** CONJUG. [13] como *desviar*.

extremar *tr.* Llevar una cosa al extremo: ~

la severidad del castigo. − 2 *prnl.* Emplear uno todo esmero en la ejecución de una cosa: *extremarse en la limpieza.*

extremaunción *f.* Sacramento de la Iglesia, que consiste en la unción con óleo sagrado a los fieles que se hallan en peligro inminente de morir.

extremeño, -ña *adj.-s.* De Extremadura, región de España. − 2 *m.* Dialecto hablado en Extremadura.

extremidad *f.* Parte extrema o última de una cosa. 2 fig. El grado último a que una cosa puede llegar. − 3 *f. pl.* Cabeza, pies, manos y cola de los animales, o pies y manos del hombre. 4 Brazos y piernas o patas, en oposición al tronco.

extremismo *m.* Tendencia política extremista.

extremista *adj.-com.* Partidario de ideas extremas o exageradas, especialmente en política.

extremo, -ma *adj.* Último (superior y precio). 2 Muy distante: ∼ *Oriente.* 3 fig. [cosa] Muy intenso, elevado o activo: *extrema vejez; las extremas derechas; frío* ∼. − 4 *m.* El punto o momento extremo de una cosa: *hallarse en el* ∼ *de la calle; el* ∼ *de los dedos.* 5 Punto, grado, momento, primero o último de una cosa: *los extremos se tocan; pasar de un* ∼ *a otro.* 6 Esmero sumo en una operación. 7 Asunto, punto o materia que se discute o estudia. 8 DEP. Jugador que cubre uno de los flancos del terreno de juego. − 9 *m. pl.* Manifestaciones exageradas y vehementes: *hacer extremos.*

extrínseco, -ca *adj.* Externo, no esencial.

extrovertido, -da *adj.-s.* Extravertido.

extrudir *tr.* Impeler con una bomba [un metal fundido], para producir, a través de una matriz adecuada, barras, tubos, varillas y distintas secciones perfiladas.

exuberancia *f.* Abundancia suma; plenitud y copia excesiva.

exuberante *adj.* Abundante y copioso en exceso.

exudar *intr.-tr.* Salir un líquido fuera de sus vasos o continentes propios: *el árbol exuda goma.*

exultar *intr.* Mostrar gran alegría.

exvoto *m.* Ofrenda a Dios, a la Virgen o a los santos en recuerdo de un beneficio recibido.

eyacular *tr.* Lanzar con rapidez y fuerza [el contenido de un órgano, cavidad o depósito].

eyección *f.* Extracción. 2 Expulsión del asiento del piloto, con su ocupante, en los aviones militares y los prototipos de aviones muy rápidos. 3 En astronáutica, expulsión por la tobera de un cohete de los gases.

eyectar *tr.-prnl.* Catapultar al exterior, especialmente los asientos de los ocupantes de aviones militares o de los prototipos de aviones muy rápidos.

eyectivo, -a *adj.-s.* Consonante articulada por el aire situado encima de la glotis cerrada.

eyector *m.* Bomba para evacuar un fluido mediante la corriente de otro fluido a gran velocidad. 2 Pieza extractora de algunas armas.

ezquerdear *intr.* Torcerse a la izquierda de la visual una hilada de sillares, un muro, etc.

F, f *f.* Efe, séptima letra del alfabeto español que representa gráficamente a la consonante fricativa, labiodental y sorda.

fa *m.* Nota musical, cuarto grado de la escala fundamental. ◇ Pl.: *fa.*

fabada *f.* Potaje de judías con tocino y morcilla, originario de Asturias.

fabiola *f.* Mariposa diurna de pequeño tamaño, con las alas de color azul violeta el macho, y pardas la hembra *(Agrodiaetus escheris).*

fabismo *m.* Envenenamiento por las habas.

fabla *f.* Imitación convencional y literaria del español antiguo.

fábrica *f.* Fabricación. 2 Establecimiento donde se fabrica una cosa: ~ *de paños.* 3 Edificio. 4 Construcción o parte de ella hecha con piedra o ladrillo y argamasa: *pared de* ~. 5 Renta y fondo de las iglesias para repararlas y costear el culto. 6 fig. Invención, artificio de algo no material: ~ *de embustes.*

fabricante *adj.-s.* Que fabrica. – 2 *m.* Dueño de una fábrica (establecimiento).

fabricar *tr.* Hacer [una cosa] por medios mecánicos. 2 p. ext. Elaborar: ~ *la plata.* 3 fig. Hacer, disponer o inventar [una cosa no material]: ~ *uno su desgracia, su fortuna.* ◇ ** CONJUG. [1] como *sacar.*

fabril *adj.* Relativo a las fábricas o a sus operarios: *industria* ~.

fábula *f.* Rumor, hablilla. 2 Objeto de murmuración: *López es la* ~ *de Madrid.* 3 Relato falso, ficción en que se encubre una verdad. 4 Composición literaria, generalmente en verso, en que por medio de una ficción alegórica y de la personalidad de seres irracionales, inanimados o abstractos se da una enseñanza: *las fábulas de Samaniego e Iriarte.* 5 Mito o leyenda mitológica: *la* ~ *de Orfeo.* 6 Narración o representación de algo para deleitar. 7 Asunto del poema épico o dramático, y desarrollo del mismo.

fabular *tr.* Contar fábulas. 2 Imaginar [la realidad].

fabulismo *m. Amér. Merid.* Hábito de imaginar y contar fábulas y cuentos.

fabulista *com.* Autor de fábulas literarias. 2 Autor de estudios sobre mitología.

fabuloso, -sa *adj.* Falso, de pura invención. 2 p. ext. Excesivo, increíble: *precio* ~. 3 Remoto, antiquísimo: *tiempos fabulosos.*

faca *f.* Cuchillo corvo. 2 Cuchillo de grandes dimensiones y con punta, que suele llevarse envainado.

facción *f.* Parcialidad de gente en rebelión, bando, partida, pandilla. 2 Parte del rostro humano: *bellas facciones.* ◇ En la acepción 2 se usa generalmente en plural.

faccioso, -sa *adj.-s.* Relativo a una facción. 2 Rebelde armado. 3 Perturbador de la quietud pública.

faceta *f.* Cara de un poliedro, cuando es de pequeño tamaño: *las facetas de una esmeralda.* 2 fig. Aspecto que puede ser considerado en un asunto.

faceto, -ta *adj. Méj.* Chistoso sin gracia, patoso. 2 *Méj.* Amanerado, pretencioso.

facial *adj.* Relativo al rostro: *arteria* ~; **ángulo* ~.

facies *f.* Aspecto, caracteres externos de algo. 2 BOT. Forma y aspecto general de una planta. 3 GEOL. Conjunto de características que indican las condiciones ambientales en las que se formó una roca. 4 MED. Aspecto del semblante en cuanto revela alguna enfermedad. ◇ Pl.: *facies.*

fácil *adj.* Que se puede hacer sin gran trabajo: ~ *de resolver;* ~ *a cualquiera.* 2 Muy probable: *es* ~ *que venga hoy.* 3 Dócil, tratable: ~ *con, para,* o *para con, los inferiores; de genio* ~. 4 Ligero, que se deja llevar del parecer de otros, demasiado condescendiente: *gobernante* ~ *a los manejos de los traidores.* 5 [mujer] Frágil y liviana.

facilidad *f.* Calidad de fácil: *la* ~ *de la operación.* 2 Disposición para hacer una cosa sin gran trabajo: *tener* ~ *para las matemáticas.* 3 Oportunidad, ocasión propicia. 4 Ligereza, demasiada condescendencia.

facilitar *tr.* Hacer fácil o posible [una cosa, una empresa]. 2 Proporcionar o entregar: ~ *datos.*

facineroso, -sa *adj.-s.* Delincuente habitual. – 2 *m.* Hombre malvado.

facistol *m.* Atril grande de las iglesias donde se ponen libros para cantar; el del coro suele tener cuatro caras. – 2 *adj. Ant., Colomb., Méj.* y *Venez.* Petulante, vanidoso, jactancioso.

facomatosis *f.* MED. Grupo de enfermedades de origen hereditario que tienen en común la presencia de tumores benignos en la piel, mucosas, ojos y en especial en el sistema nervioso central. ◇ Pl.: *facomatosis.*

facón *m. Argent.* y *Urug.* Cuchillo grande de gaucho.

facsímil, -mile *m.* Perfecta imitación o reproducción de una firma, escrito, dibujo, etc.

facsimilar *adj.* [reproducción, edición, etc.] En facsímil.

factible *adj.* Que se puede hacer.

facticio, -cia *adj.* Que no es natural; que se hace por arte.

factitivo, -va *adj.* GRAM. [verbo o perífrasis verbal] Cuyo sujeto no realiza la acción por sí mismo, sino que la hace realizar a otro u otros.

factor, -ra *m. f.* Empleado que en las estaciones de ferrocarril cuida de la recepción, expedición y entrega de los equipajes, mercancías, etc. – 2 *m.* fig. Elemento, circunstancia, influencia, que contribuye a producir un resultado. 3 MAT. Cantidad que se multiplica con otra para formar un producto.

factoría *f.* Oficina del factor. 2 Establecimiento de comercio, especialmente en país colonial. 3 Fábrica o complejo industrial.

factorial *f.* Producto de todos los términos de una progresión aritmética.

factótum *m.* fam. Sujeto que desempeña en una casa todos los ministerios. 2 fam. Persona entremetida, que oficiosamente se presta a todo género de servicios. 3 fam. Persona de plena confianza de otra y que en nombre de ésta despacha sus principales negocios.

factual *adj.* Relativo a los hechos.

factura *f.* Hechura, ejecución: *estatua de bella ~.* 2 Cuenta que los factores dan del coste y costas de las mercancías que compran y remiten a sus corresponsales. 3 Cuenta detallada de los objetos comprendidos en una venta, remesa u otra operación de comercio, con expresión de cantidad, medida, calidad y valor. 4 *Argent.* y *Urug.* Bizcochos y otros preparados de las panaderías.

facturar *tr.* Poner [algo] en factura. 2 Registrar en las estaciones de tren o autobuses y en lo aeropuertos [mercancías o equipajes] para que sean remitidos a su destino.

fácula *f.* Parte más brillante que las demás en la fotosfera **solar, generalmente cerca de las manchas.

facultad *f.* Aptitud natural, potencia física o moral de ejercer una función: *la ~ de pensar.* 2 Poder, derecho para hacer una cosa: *tener plena ~ para elegir.* 3 Licencia, permiso. 4 Ciencia o arte: *la ~ de un artífice.* 5 Sección de

una universidad que engloba los estudios de una rama de la enseñanza, organiza la docencia y expide los títulos: *~ de filosofía y letras; ~ de filología; ~ de medicina; ~ de derecho.* 6 Local o conjunto de locales en que funciona dicha división de una universidad. 7 MED. Fuerza, resistencia: *su estómago no tiene ~ para digerir.*

facultar *tr.* Conceder facultades [a uno] para hacer algo.

facultativo, -va *adj.* Relativo a la facultad (poder). 2 Potestativo: *aplicación facultativa de una regla.* 3 Relativo a una facultad (ciencia) o que la profesa: *informe ~.* – 4 *m.* Médico.

facundia *f.* Abundancia, facilidad de palabra.

I) facha *f.* Traza, figura, aspecto. 2 Mamarracho, adefesio.

II) facha *adj.-s.* desp. Fascista.

fachada *f.* Aspecto exterior de un edificio, un buque, etc., por cada uno de los lados que puede ser mirado. 2 Portada en los libros. 3 fig. Presencia: *fulano tiene gran ~.*

fachendear *intr.* fam. Hacer ostentación vanidosa.

fachendista, fachendón, -dona, fachendoso, -sa *adj.-s.* fam. Jactancioso, vanidoso.

fachudo, -da *adj.* De mala facha.

fading *m.* Desvanecimiento de la emisión lanzada por una emisora y captada por un receptor.

fado *m.* Canción popular portuguesa.

faena *f.* Trabajo corporal. 2 Labor del torero, principalmente en el último tercio de la corrida. 3 Operación que se realiza en el campo con el toro. 4 Quehacer: *dedicarse a las faenas domésticas.* 5 fig. Trabajo mental. 6 fig. Mala pasada. 7 *Cuba, Guat.* y *Méj.* Trabajo que se hace a horas extraordinarias en una hacienda.

faenar *tr.* Pescar; hacer los trabajos de la pesca marina. 2 Laborar; trabajar.

faetón *m.* Coche descubierto, de cuatro ruedas, alto y ligero, con dos asientos paralelos para cuatro personas.

fagáceo, -a *adj.* Cupulífero.

fagales *f. pl.* Orden de plantas dentro de la clase dicotiledóneas; son árboles y arbustos monoicos con las hojas simples y las flores dispuestas en amentos o espigas.

fagocito *m.* Célula emigrante ameboidea que tiene la propiedad de englobar y digerir elementos extraños, especialmente microbios.

fagocitosis *f.* Proceso por el cual las amebas y los fagocitos englobar y digieren otros cuerpos. ◇ Pl.: *fagocitosis.*

fagot *m.* Instrumento músico de **viento formado por un tubo de madera, que se toca con una boquilla de caña puesta en un tudel encorvado. 2 *com.* Músico que toca este instrumento. ◇ Pl.: *fagotes.*

faisán *m.* Ave galliforme del tamaño del gallo, sin cresta, con un penacho de plumas, y la cola muy larga y tendida: ~ *común*, especie cuyos machos presentan un plumaje muy vistoso, rojo, negro, verde y pardo, con reflejos metálicos, a diferencia de la hembra que es de un color más discreto, ocre y negro *(Phasianus colchicus).*

faja *f.* Tira de tela o de tejido de punto, con que se rodea el cuerpo por la cintura, dándole varias vueltas. 2 Prenda interior elástica que cubre desde la cintura hasta las nalgas o parte superior de las piernas usada especialmente por las mujeres. 3 Lista mucho más larga que ancha. 4 p. anal. Superficie [de algo] más larga que ancha: ~ *de terreno, de vegetación.* 5 Tira de papel que en vez de sobre se pone a los impresos que se han de enviar por correo. 6 Tira de papel que o bien mantiene cerrado un libro, o bien se dobla debajo de las solapas, y que contiene una información publicitaria del mismo. 7 Insignia propia de algunos cargos militares, civiles o eclesiásticos.

fajado, -da *adj.* [pers.] Azotado. – 2 *m.* Madero para la entibación de minas y pozos.

fajador *m.* DEP. En boxeo, púgil de gran resistencia a los golpes del contrario.

fajadura *f.* MAR. Tira de lona alquitranada con que se forra un cabo.

fajar *tr.-prnl.* Rodear o envolver [a una persona o cosa] con faja. – 2 *tr.* Poner el fajero [a los niños]. – 3 *tr.-prnl.* Can. y Amér. Acometer [a uno], golpearle, pegarle.

fajardo *m.* Cubilete de hojaldre relleno de carne.

fajero *m.* Faja de punto que se pone a los niños recién nacidos. 2 Vendedor de fajas.

fajilla *f. Amér.* Faja (tira de papel).

fajín *m.* Ceñidor de seda de determinados colores y distintivos, que pueden usar los generales y ciertos funcionarios.

fajina *f.* Conjunto de haces de mies que se pone en las eras. 2 Leña ligera para encender. 3 MIL. Toque de formación para la comida.

fajo *m.* Haz o atado. – 2 *m. pl.* Conjunto de ropas con que se viste a los niños recién nacidos. – 3 *m. Amér.* Trago de licor.

falacia *f.* Engaño o mentira con que se intenta dañar a otro. 2 Hábito de emplear falsedades en daño ajeno. 3 ANGLIC. Error, argumento falso.

falange *f.* Cuerpo de infantería de los griegos, pesadamente armada y formada en líneas compactas. 2 Cuerpo de tropas numeroso. 3 fig. Conjunto numeroso de personas unidas en cierto orden para un mismo fin. 4 ANAT. Hueso largo y pequeño de los dedos de la **mano o del **pie; esp., el que se articula con el metacarpiano o metatarsiano.

falangero *m.* Mamífero marsupial frugívoro, propio de Oceanía *(Petaurus sciurus).*

falangeta *f.* ANAT. Falange tercera, terminal o ungueal; **mano; **pie.

falángido *adj.-m.* Arácnido del orden de los falángidos. – 2 *m. pl.* Orden de arácnidos cuyas principales especies son propias de América del Sur; tienen el cuerpo corto y globoso, con patas finas y muy largas.

falangina *f.* ANAT. Falange segunda o media; **mano; **pie.

falangismo *m.* Ideología y tendencia propias de Falange Española, agrupación política fundada por José Antonio Primo de Rivera (1903-1936).

falansterio *m.* En el furierismo, alojamiento de una falange. 2 p. ext. Alojamiento colectivo para numerosa gente.

falaz *adj.* Que tiene el vicio de la falacia. 2 Que halaga y atrae con falsas apariencias: ~ *mansedumbre.*

falca *f.* Defecto de una tabla o madero que les impide ser perfectamente lisos o rectos. 2 MAR. Tabla delgada que se coloca de canto sobre la borda para que no entre el agua.

falcado, -da *adj.* De curvatura semejante a la de la hoz.

falce *f.* Hoz o cuchillo corvo.

falciforme *adj.* Que tiene forma de hoz.

falcinelo *m.* Ave ciconiforme, poco mayor que una paloma, de pico largo, corvo, comprimido y grueso en la punta, patas largas y dedos y uñas muy delgadas *(Plegadis falcinellus).*

falcirrostro, -tra *adj.* ZOOL. Que tiene el pico en forma de hoz.

falcónido, -da *adj.-m.* Ave de la familia de los falcónidos. – 2 *m. pl.* Familia de aves falconiformes con las alas muy largas, puntiagudas, y las patas cortas pero dotadas de fuertes garras; como el halcón.

falconiforme *adj.-m.* Ave del orden de las falconiformes. – 2 *m. pl.* Orden de aves con el pico fuerte y curvado, garras afiladas y vuelo poderoso, en adaptación a sus hábitos depredadores; son monógamas y su vista es muy aguda; como el águila, el halcón y el buitre.

falda *f.* Vestidura o parte del vestido de mujer que con más o menos vuelo cae desde la cintura abajo. 2 Parte que cae suelta de una prenda de vestir. 3 fig. Regazo: *tener en la ~ al niño.* 4 Cobertura con que se reviste una mesa camilla, y que suele llegar hasta el suelo. 5 Parte inferior de las vertientes **montañosas. 6 Carne de la res que cuelga de las agujas sin asirse a hueso ni costilla. 7 Ala del sombrero. – 8 *f. pl.* fig. Mujeres. 9 Ramas del olivo que producen más fruto.

faldar *m.* Parte de la **armadura que cae desde el extremo inferior del peto.

faldear *tr.* Caminar por la falda [de una montaña].

faldellín *m.* Falda corta. 2 Refajo.

faldero, -ra *adj.* Relativo a la falda. 2 fig. [hombre] Que gusta de frecuentar la compañía femenina.

faldeta *f.* Lienzo con que en el teatro se cubre lo que ha de aparecer a su tiempo. 2 Parte inferior de la camisa masculina.

faldillas *f. pl.* En ciertos trajes, partes que cuelgan de la cintura abajo. 2 Faldas de mesa camilla.

faldinegro, -gra *adj.* [ganado vacuno] Bermejo por encima y negro por debajo.

faldistorio *m.* Asiento pontifical bajo y sin respaldo, usado en ciertas solemnidades.

faldón *m.* Falda suelta al aire, que pende de algún vestido, por ejemplo de la levita. 2 Parte inferior de alguna ropa, colgadura, etc. 3 Vertiente triangular de un tejado; **cubierta. 4 Conjunto de los dos lienzos y del dintel que forma la boca de la chimenea.

falena *f.* Mariposa nocturna de la familia de los geométridos, que sólo aparece en los meses invernales (*Operophtera brumata*).

falible *adj.* Que puede engañarse o engañar. 2 Que puede faltar o fallar.

falo *m.* Pene.

falocracia *f.* Machismo. 2 burl. Dominio del hombre en la vida pública.

falsabraga *f.* FORT. Muro bajo levantado delante del muro principal.

falsario, -ria *adj.-s.* Que falsea o falsifica una cosa. 2 Que acostumbra decir o hacer falsedades.

falseador, -ra *adj.* Que falsea o contrahace alguna cosa.

falsear *tr.* Contrahacer o corromper [una cosa] haciéndola disconforme con la verdad, la exactitud, etc.: ~ *el pensamiento de alguien*; ~ *una ley*; ~ *la moneda*. 2 ARQ. Desviar [un corte] ligeramente de la perpendicular. – 3 *intr.* Flaquear o perder alguna cosa su resistencia: *la columna falsea.* 4 Disonar una cuerda de un instrumento. 5 Tener las sillas de montar hueco o anchura suficiente para que los asientos no maltraten a la cabalgadura.

falsedad *f.* Falta de verdad o autenticidad.

falsete *m.* Corcho para tapar una cuba cuando se quita la canilla. 2 Puerta pequeña y de una hoja, para pasar de una pieza a otra. 3 MÚS. Voz más aguda que la natural.

falsía *f.* Falsedad, deslealtad, doblez.

falsificación *f.* Acción de falsificar. 2 Efecto de falsificar. 3 Delito de falsedad cometido en documento, moneda, etc.

falsificar *tr.* Falsear o contrahacer. 2 Fabricar una cosa falsa: ~ *un cuadro.* ◇ ** CONJUG. [1] como *sacar*.

falsilla *f.* Hoja de papel con líneas muy señaladas, que se pone debajo de otro para que aquéllas sirvan de guía al escribir.

falso, -sa *adj.* Contrario a la verdad por

error o malicia: *argumentos falsos; noticias falsas.* 2 Que no es real, que tiene sólo la apariencia de las cosas: *diamante ~; una falsa alarma;* en la arquitectura y otras artes, que suple la falta de dimensiones o de fuerza: ~ *pilote;* ~ *forro de un barco;* [moneda] que se hace con engaño imitando la legítima. 3 Engañoso, desprovisto de rectitud: *carácter ~;* hipócrita, disimulado: *amigo ~;* equívoco: *situación falsa.* 4 [caballería] Que tiene resabios. 5 Falsario. – 6 *m.* Pieza de la misma tela que se pone interiormente en la parte del vestido donde la costura hace más fuerza. 7 Ruedo de un vestido.

falta *f.* Defecto o privación de una cosa necesaria o útil: ~ *de medios;* ~ *de trabajo; hacer ~ una persona* o *cosa,* ser precisa para algún fin. 2 Defecto en el peso legal de la moneda. 3 Acto contrario al deber u obligación; esp., ausencia de una persona del sitio en que hubiera debido estar: *caer uno en ~,* no cumplir con lo que debe; *sin ~,* puntualmente, con seguridad. 4 Ausencia de una persona por fallecimiento u otras causas. 5 Error de cualquier naturaleza que se halla en una manifestación oral o escrita. 6 Defecto que posee alguien o que se le achaca. 7 Supresión de la regla o menstruo en la mujer, principalmente durante el embarazo. 8 DEP. Infracción de las normas de un juego o deporte. 9 DER. Infracción voluntaria de lo mandado por la autoridad, que se castiga con pena leve.

faltar *intr.* No estar una persona o cosa que debiera haber en lugar determinado: ~ *un libro del estante;* ~ *un compañero;* no existir una cualidad o circunstancia en lo que debiera tenerla: *le falta un brazo, talento,* etc. 2 Quedar un remanente de tiempo o alguna acción sin realizar: *faltan tres días para la fiesta; sólo nos faltaba convencer al abuelo.* 3 No acudir a una cita u obligación. 4 Consumirse, acabarse: ~ *el aliento;* ~ *el pan;* fallecer, morir: *en esta casa falta el padre.* 5 No corresponder uno a lo que es: ~ *a su lealtad;* no cumplir: ~ *de su puesto.* 6 Dejar de asistir a otro o no tratarle con la consideración debida: ~ *en los modales, en el auxilio de un compañero; tr.,* ofender, injuriar, incurrir en falta: *fulano me faltó.*

falto, -ta *adj.* Defectuoso o necesitado de alguna cosa: ~ *de juicio;* ~ *de recursos.* 2 Mezquino, apocado.

faltón, -tona *adj.* fam. Que falta con frecuencia a sus obligaciones, a sus citas, al respeto, etc. 2 Argent. Inocente, simple.

faltriquera *f.* Bolsillo de las prendas de vestir.

falúa *f.* Embarcación menor con carroza, propia de los jefes de marina.

falucho *m.* Embarcación costera con una vela latina.

I) falla *f.* Defecto material de una cosa que merma su resistencia. 2 Incumplimiento de una obligación. **3** *Ant.* y *Amér.* Falta. **4** *Amér.* Acción de faltar uno a su palabra.

II) falla *f.* Fractura, debida a movimientos geológicos, que interrumpe una formación.

III) falla *f.* En Valencia, hoguera que se enciende en las calles la noche de la víspera de San José.

fallanca *f.* Vierteaguas de una puerta o ventana.

I) fallar *tr.-intr.* Decidir, determinar [un litigio, proceso o concurso]: ~ *en,* o *con, tono magistral;* ~ *a favor,* o *en contra, de uno.*

II) fallar *tr.* Poner en el juego de cartas un triunfo por no tener [el palo que se juega]. – **2** *intr.* Frustrarse o salir fallida una cosa: ~ *la puntería.* **3** Perder una cosa su resistencia: *este sostén falla.*

falleba *f.* Varilla de hierro acodillada en sus extremos, que, pudiendo girar sujeta en varios anillos, sirve para cerrar las **puertas o ventanas.

fallecer *intr.* Morir. ◇ ** CONJUG. [43] como *agradecer.*

fallecimiento *m.* Acción de fallecer. **2** Efecto de fallecer.

fallero, -ra *adj.* De las fallas (fiesta valenciana). – **2** *m.* f. Persona que toma parte en las fallas.

fallido, -da *adj.* Frustrado, sin efecto.

fallir *intr.* Faltar o acabarse. **2** Engañar. **3** Errar. ◇ Verbo defectivo; se usa sólo en los tiempos y personas cuya desinencia contiene la vocal *i,* especialmente en participio.

I) fallo *m.* Sentencia del juez. **2** p. ext. Decisión tomada por una persona competente sobre un asunto disputado. **3** fig. Desahucio por parte del médico del enfermo.

II) fallo *m.* Frustración, fracaso o deficiencia, con incumplimiento de lo que se esperaba.

III) fallo, -lla *adj.* En el juego de naipes, falta de un palo: *estoy* ~ *a oros.* – **2** *m.* Falta de un palo: *tengo* ~ *de espadas.*

fama *f.* Noticia o voz pública de una cosa: *es* ~, se dice, se sabe. **2** Opinión pública sobre una persona: *cobra buena* ~ *y échate a dormir.* **3** Celebridad, gloria, renombre: *predicador de* ~.

famélico, -ca *adj.* Hambriento.

familia *f.* Gente que vive en una casa bajo la autoridad del señor de ella. **2** Conjunto de personas de la misma sangre; estirpe. **3** Parentela inmediata, especialmente el padre, la madre y los hijos: *en* ~, sin gente extraña, en la intimidad. **4** Prole: *estar cargado de* ~. **5** Conjunto de personas o cosas que tienen alguna condición común: *una* ~ *de palabras.* **6** H. NAT. Grupo de animales o plantas que forman una categoría o clasificación entre el orden o suborden y el género.

familiar *adj.* Relativo a la familia. **2** [trato] Llano y sin ceremonia. **3** [vocablo, lenguaje,

estilo, etc.] Sencillo y corriente. **4** Que se sabe muy bien o que se hace fácilmente: *esta labor le es* ~. – **5** *m.* Persona que vive bajo la potestad del padre de familia. **6** Persona de la familia.

familiaridad *f.* Llaneza y confianza en el trato.

familiarizar *tr.* Hacer familiar o común [una cosa]. – **2** *prnl.* Introducirse y acomodarse al trato familiar de uno. **3** p. ext. Adaptarse, acostumbrarse: *familiarizarse con el peligro.* ◇ ** CONJUG. [4] como *realizar.*

famoso, -sa *adj.* Que tiene fama, buena o mala. **2** fam. Bueno, excelente en su especie. **3** fam. Que llama la atención, notable: ~ *tarambana.*

fámulo, -la *m.* f. Criado. – **2** *m.* Sirviente de la comunidad de un convento.

fan *com.* ANGLIC. Admirador, partidario, entusiasta, fanático; en los deportes, hincha.

fanal *m.* Farol grande que sirve de señal nocturna en los puertos, naves, etc. **2** Campana de cristal para resguardar algún objeto, luz, etc. **3** Lámpara que llevan ciertas embarcaciones de pesca, para atraer a los peces, mientras desde otras se lanzan las redes.

fanático, -ca *adj.-s.* Que defiende con apasionamiento y celo desmedidos creencias u opiniones religiosas. **2** Entusiasmado ciegamente por una cosa.

fanatismo *m.* Tenaz preocupación, apasionamiento del fanático.

fanatizar *tr.* Volver fanático [a alguno]. ◇ ** CONJUG. [4] como *realizar.*

fandango *m.* Baile en compás de tres tiempos, de movimiento vivo con acompañamiento de castañuelas. Sus características individuales dependen de su lugar de origen: Andalucía, Levante, Asturias. **2** Música y canto de este baile. **3** fig. *y* fam. Bullicio, trapatiesta.

fandanguillo *m.* Variedad de fandango, originario de Andalucía.

fané *adj.* fam. Lacio, ajado, estropeado, sobado.

faneca *f.* Pez marino teleósteo gadiforme, parecido al bacalao, de color pardo grisáceo o rojizo con reflejos cobrizos con bandas verticales anchas y obscuras, y que puede llegar a pesar 2 kgs. *(gén. Trisopterus).*

fanega *f.* Medida para áridos, que equivale en Castilla a unos 55,5 litros, y en Aragón a 22,4 litros. **2** Porción de áridos que cabe en ella. **3** ~ *de tierra,* medida agraria, equivalente en Castilla a unas 64 áreas.

fanerógamo, -ma *adj.* Que tiene manifiestos los órganos sexuales. – **2** *adj.-f.* Planta del tipo de las fanerógamas. – **3** *f. pl.* Tipo de plantas rizofitas que se reproducen por medio de semillas formadas en flores.

fanfarria *f.* fam. Bravata, jactancia. **2** Conjunto musical ruidoso principalmente a base de instrumentos de metal. 3 Música interpretada por estos instrumentos.

fanfarrón, -rrona *adj.-s.* fam. Que se jacta de lo que no es, especialmente de valiente. − 2 *adj.* fam. [cosa] Que tiene mucha apariencia y hojarasca.

fanfarronada *f.* Dicho o hecho propio de fanfarrón.

fanfarronear *intr.* Hablar con arrogancia echando fanfarronadas.

fanfarronería *f.* Modo de hablar y de portarse el fanfarrón.

fangal *m.* Terreno lleno de fango.

fango *m.* Lodo glutinoso y espeso. 2 fig. Vilipendio, degradación: *llenarle a uno de ~*.

fangoso, -sa *adj.* Lleno de fango. 2 fig. Blando y viscoso como el fango.

fantasear *intr.* Dejar correr la fantasía o imaginación. 2 Preciarse, vanagloriarse: *~ de rico*. − 3 *tr.* Imaginar [algo fantástico]: *~ grandezas*.

fantasía *f.* Facultad de formar imágenes o representaciones mentales multiplicando o combinando las que ofrece la realidad o dando forma sensible a los productos ideales; aspecto creador de la imaginación en sí misma o en cuanto crea: *tiene una ~ desbordada.* 2 Producto mental de la imaginación creadora; imagen ilusoria, creación ficticia: *no ve más que fantasías.* 3 Obra literaria o artística cuyo producto de la imaginación creadora: *las fantasías de los poetas.* 4 fam. Presunción, entono. 5 MÚS. Composición hecha de fragmentos de otra obra. − 6 *loc. De ~,* en términos de modas, se aplica a las prendas de vestir muy vistosas o extravagantes, y a las joyas falsas, de bisutería. − 7 *f. pl.* Granos de perlas que están pegados unos con otros. ◇ GALIC. por antojo, capricho, arbitrio.

fantasioso, -sa *adj.* fam. Vano, presuntuoso. 2 Que se deja llevar de la imaginación. 3 *Amér.* Jactancioso, valentón.

fantasma *adj.* Inexistente, dudoso, poco preciso: *una noticia, una venta, un buque ~.* − 2 *m.* Visión quimérica. 3 Imagen de un objeto impresa en la fantasía. 4 fig. Persona entonada y presuntuosa. − 5 *f.* Espantajo o persona que simula una aparición o un espectro.

fantasmada *f.* Bravuconada, fanfarronada.

fantasmagoría *f.* Arte de representar figuras por medio de una ilusión óptica. 2 fig. Ilusión de los sentidos o figuración vana de la inteligencia. 3 En arte o literatura, abuso de los efectos conseguidos mediante recursos sobrenaturales o extraordinarios.

fantasmear *intr.* Alardear, exagerar, presumir con jactancia.

fantasmón, -mona *adj.-s.* desp. Presuntuoso y vano.

fantástico, -ca *adj.* Quimérico, sin reali-

dad. 2 Relativo a la fantasía. 3 fig. Presuntuoso y entonado. 4 fig. *y* fam. Magnífico, estupendo, maravilloso.

fantochada *f.* fam. Dicho o hecho propio de fantoche.

fantoche *m.* Títere. 2 Farolero, figurón.

fantochería *f. Amér.* Calidad de fantoche.

fañar *tr.* Marcar o señalar las orejas de los animales por medio de un corte.

faquín *m.* Ganapán, esportillero, mozo de cuerda.

faquir *m.* Santón mahometano que vive de limosna y practica actos de singular austeridad. 2 Artista de circo que hace espectáculo de mortificaciones semejantes a las practicadas por estos santones.

faquirismo *m.* Género de vida de los faquires.

farad *m.* Faradio, en la nomenclatura internacional. ◇ Pl.: *farads.*

faraday *m.* QUÍM. Cantidad de electricidad que se gasta para separar de una solución electrolítica un equivalente químico.

faradio *m.* FÍS. Unidad de capacidad eléctrica. Es la capacidad de un conductor que con la carga de un culombio adquiere el potencial de un voltio.

faralá *m.* Volante suelto por la parte inferior, que adorna los vestidos femeninos. 2 fam. Adorno excesivo y de mal gusto. ◇ Pl.: *faralaes.*

farallón *m.* Roca alta y tajada que sobresale en el mar.

faramalla *f.* fam. Charla encaminada a engañar. − 2 *f. pl.* Pastelitos fritos y espolvoreados de azúcar glas. − 3 *com.-adj.* Faramallón.

faramallero, -ra, faramallón, -llona *adj.-s.* fam. Hablador, trapacista, farolero.

farándula *f.* Profesión del farsante. 2 ant. Compañía de cómicos ambulante. 3 fig. Faramalla (charla).

farandulero, -ra *m. f.* Persona que se dedicaba a recitar comedias. − 2 *adj.-s.* fig. Hablador, trapacero.

faraón *m.* Soberano del antiguo Egipto. 2 Juego de naipes parecido al monte.

faraute *m.* Rey de armas de segunda clase. 2 El que recitaba o representaba el prólogo de una comedia. 3 fig. Persona bulliciosa y entremetida.

farda *f.* Bulto o lío de ropa.

fardar *tr.* Proveer [a uno], especialmente de ropa. 2 vulg. Lucir una prenda de vestir. − 3 *intr.* fam. Presumir.

fardel *m.* Talega o saco de los pastores y caminantes. 2 Fardo. 3 fig. Persona desaliñada.

fardo *m.* Lío grande y apretado.

farfallón, -llona *adj.-s.* fam. Chapucero.

I) fárfara *f.* Planta herbácea de la familia de

fasces

las compuestas, con bohordos de escamas coloridas, hojas radicales, tomentosas por el envés, y flores amarillas. Se emplea como pectoral *(Tussilago farfara).*

II) fárfara *f.* Membrana cortical del huevo de las **aves, la cual rodea por completo la clara del huevo y está adherida a la superficie interior de la cáscara.

farfolla *f.* Envoltura de las panojas del maíz, mijo y panizo. 2 fig. Cosa de mucha apariencia y poca entidad. – 3 *com.* fig. *y* fam. Persona sin substancia, despreciable.

farfulla *f.* Defecto del que farfulla (dice). – 2 *adj.-com.* Persona que tiene este defecto. – 3 *f. Amér.* Farfolla. 4 *Chile, Ecuad., Perú* y *P. Rico.* Fanfarronería.

farfullar *tr.* Decir [una cosa] muy de prisa y atropelladamente: ~ *la lección.* 2 p. ext. Hacer [una cosa] con atropello y confusión.

fargallón, -llona *adj.-s.* Que hace las cosas atropelladamente. 2 Desaliñado, desaseado.

farináceo, -a *adj.* Propio de la harina o parecido a ella.

faringe *f.* Conducto muscularmembranoso que se extiende desde el velo del paladar hasta el esófago, con el que se continúa. Forma parte del tubo **digestivo y, además, contribuye a la respiración y a la fonación, pues comunica con las fosas nasales, las trompas de Eustaquio y la laringe.

faringitis *f.* Inflamación de la faringe. ◇ Pl.: *faringitis.*

fariseo *m.* Miembro de la principal secta política y religiosa judía del tiempo de Jesucristo, que, rígidamente formalista, afectaba rigor y austeridad, aunque en realidad eludía los preceptos y el espíritu de la ley. 2 fig. Hombre hipócrita, especialmente el que afecta una piedad que no tiene. 3 fig. Hombre alto, seco y de mala condición o catadura.

farmaceuta *com. Amér.* Farmacéutico.

farmacéutico, -ca *adj.* Relativo a la farmacia. – 2 *m. f.* Persona que ejerce la farmacia.

farmacia *f.* Conjunto de conocimientos concernientes a la preparación de los medicamentos y a las substancias que los integran. 2 Arte de preparar los medicamentos. 3 Botica (tienda; asistencia). 4 Conjunto de medicinas que se colocan en un aparato portátil.

fármaco *m.* Medicamento.

farmacología *f.* Ciencia que estudia la acción terapéutica de los medicamentos.

farmacomanía *f.* Tendencia neurótica a consumir medicamentos desordenadamente sin ninguna finalidad terapéutica.

farmacopea *f.* Libro oficial que trata de las substancias medicinales más corrientes y el modo de prepararlas y combinarlas. 2 Arte de preparar los fármacos.

farmacoterapia *f.* Tratamiento de las enfermedades mediante drogas.

faro *m.* Torre alta en las **costas y puertos, con luz en su parte superior, para guiar de noche a los navegantes. 2 Farol con potente reverbero: ~ *de barca.* 3 fig. Lo que da luz en un asunto, y lo que sirve de guía. 4 Aparato eléctrico que llevan en la parte delantera los vehículos **automóviles; **motocicleta.

farol *m.* Caja con una o más caras de vidrio o de otra materia transparente, dentro de la cual va una luz. 2 Funda o cubierta de papel para paquetes de picadura de tabaco. 3 Lance del toreo ejecutado con las dos manos, levantando el capote por encima de la cabeza del toro y dando al mismo tiempo una media vuelta sobre sí mismo para hacer pasar al animal por la espalda. 4 Jugada o envite falso hecho para deslumbrar o desorientar. 5 fig. Hecho o dicho jactancioso que carece de fundamento.

farola *f.* Farol alto y grande, para el alumbrado público; **carretera.

farolero, -ra *adj.-s.* fig. Ostentoso, fachendoso.

farolillo *m.* Farol hecho con papeles, celofán o plásticos de colores, que sirve de adorno en las fiestas y verbenas. 2 Planta sapindácea trepadora, con flores axilares de color blanco amarillento y frutos globosos *(Campanula medium).* 3 fig. ~ *rojo,* el que ocupa el último lugar en una clasificación.

farotón, -tona *adj.-s.* fam. [pers.] Descarado y sin juicio.

farpa *f.* Punta cortada al canto de una cosa, como las de las banderas, estandartes, etc.

farra *f.* Juerga, jarana.

fárrago *m.* Mezcla de cosas desordenadas e inconexas.

farragoso, -sa *adj.* Desordenado, confuso: *texto ~.*

farraguista *com.* Persona que tiene la cabeza llena de ideas confusas.

farrear *intr. Amér.* Andar de farra o parranda.

farro *m.* Cebada a medio moler, remojada y mondada. 2 Semilla parecida a la escanda.

farruco, -ca *adj.-s.* fam. Gallego o asturiano recién salido de su tierra. – 2 *adj.* fam. Valiente, impávido.

farsa *f.* Pieza cómica breve. 2 Actividad, profesión y ambiente en que se mueven las personas que se dedican al teatro. 3 desp. Obra dramática chabacana y grotesca. 4 fig. Enredo, tramoya.

farsante, -ta *m.* Cómico que representaba farsas. – 2 *adj.-s.* Tramposo, embaucador.

farsear *tr.* Rellenar un alimento con picadillo de carne.

fasces *f. pl.* Insignia del cónsul romano, formada por una segur en un hacecillo de varas.

fasciculado, -da *adj.* H. NAT. Agrupado en hacecillos: *estambres fasciculados;* **raíces fasciculadas.*

fascículo *m.* Entrega (cuaderno impreso). 2 ANAT. Haz de fibras **musculares.*

fascinación *f.* Atracción irresistible que ejerce o que sufre una persona o cosa. 2 fig. Engaño o alucinación.

fascinante *adj.* Asombroso, deslumbrante.

fascinar *tr.* Engañar, alucinar, deslumbrar, hechizar.

fascismo *m.* Movimiento político y social italiano de carácter totalitario, nacionalista, antiliberal y antimarxista. 2 Partido político italiano o de otros países partidario de esta ideología.

fascista *adj.-com.* Partidario del fascismo. – 2 *adj.* Relativo al fascismo. 3 p. ext. Reaccionario.

fase *f.* Aspecto sucesivo con que se nos presentan, en su revolución, la **Luna y los planetas. 2 fig. Aspecto, estado o período que presenta un fenómeno natural o una cosa, doctrina, negocio, etc. 3 ELECTR. Valor de la fuerza electromotriz o la intensidad de una corriente eléctrica alterna en un momento dado. 4 FÍS. y QUÍM. En un sistema de varias substancias en equilibrio, una de estas substancias; con respecto a una substancia determinada, estado físico bien definido de ella. 5 INFORM. Parte de un programa a efectos de su carga en memoria principal.

fasmidóptero *adj.-m.* Insecto del orden de los fasmidópteros. – 2 *m. pl.* Orden de insectos pterigotas y vegetarianos de movimientos lentos; su aspecto es variado, pues imitan hojas, tallos o flores para pasar inadvertidos; como el insecto palo.

fastidiar *tr.-prnl.* Causar fastidio o hastío [a alguno]: *fastidiarle al andar; fastidiarse con la charla de uno; fastidiarse de todo.* 2 fig. Enojar o molestar. 3 fam. Ocasionar daño material o moral. – 4 *prnl.* Aguantarse, sufrir con paciencia algún contratiempo inevitable: *si te ha salido mal, te fastidias.* ◇ ** CONJUG. [12] como *cambiar.*

fastidio *m.* Hastío, asco, repugnancia. 2 Enfado, cansancio. 3 fam. Disgusto que causa un contratiempo, molestia de poca importancia.

fastidioso, -sa *adj.* Enfadoso, importuno; que causa desazón y hastío.

fasto, -ta *adj.* Memorable, venturoso. – 2 *m.* Fausto (suntuosidad).

fastos *m. pl.* Entre los romanos, especie de calendario o tabla cronológica en que se registraban por fechas las fiestas, juegos y acontecimientos de público interés. 2 fig. Anales o serie de sucesos por el orden de los tiempos: *los ~ de la Iglesia.*

fastuoso, -sa *adj.* Ostentoso, amigo de fausto.

fatal *adj.* Relativo al hado, inevitable. 2 Desgraciado, infeliz. 3 Malo. 4 [accidente, enfermedad, etc.] Que causa la muerte. 5 Insoportable, insufrible.

fatalidad *f.* Calidad de fatal. 2 Desgracia, infelicidad.

fatalismo *m.* Doctrina filosófica o religiosa que considera todos los acontecimientos como inevitables por hallarse sujetos a una necesidad absoluta y superior a ellos.

fatamorgana *f.* Fenómeno de espejismo que se observa en el estrecho de Mesina. 2 p. ext. Espejismo.

fatídico, -ca *adj.* Que vaticina el porvenir anunciando generalmente desgracias: *sueño ~.* 2 Desgraciado, siniestro, nefasto.

fatiga *f.* Agitación, cansancio. 2 Molestia ocasionada por la respiración frecuente o difícil. 3 Náusea. – 4 *f. pl.* fig. Molestia, penalidad: *las fatigas del viaje.* ◇ En la acepción 3 úsase mucho en plural.

fatigado, -da *adj.* En mal estado de conservación: *un libro ~; una encuadernación fatigada.*

fatigar *tr.-prnl.* Causar fatiga: *el trabajo me fatiga; me fatigo al subir una cuesta, de andar; me fatigo por sobresalir.* ◇ ** CONJUG. [7] como *llegar.*

fato *m.* Olfato. 2 Olor, especialmente el desagradable.

fatuidad *f.* Falta de entendimiento. 2 Dicho o hecho necio. 3 Presunción, vanidad ridícula.

fatuo, -tua *adj.-s.* Falto de entendimiento. 2 Presuntuoso, vano.

fauces *f. pl.* Parte posterior de la boca.

fauna *f.* Conjunto de los animales de una región, de un país o de un período geológico determinado. 2 Obra que los enumera y describe.

fauno *m.* Divinidad romana de los campos y selvas. 2 fig. y fam. Hombre sensual y lascivo.

I) fausto *m.* Suntuosidad, pompa; lujo extraordinario.

II) fausto, -ta *adj.* Feliz, afortunado.

fauvismo *m.* Movimiento pictórico que surgió como reacción contra el análisis impresionista.

favela *f.* Amér. Chabola, choza, barraca.

favo *m.* Especie de tiña (afección de la piel).

favor *m.* Ayuda o protección que se concede a uno. 2 Honra, beneficio, gracia. 3 Privanza.

favorable *adj.* Que favorece. 2 Propicio, apacible, benévolo: *~ a, o para, alguno; ~ en todos sentidos.*

favorecer *tr.* Ayudar, socorrer [a uno]. 2 Dar o hacer un favor [a uno]: *le favoreció con un premio.* 3 Apoyar, secundar [un intento, empresa u opinión]. 4 Mejorar el aspecto o apariencia de alguien o de algo. ◇ ** CONJUG. [43] como *agradecer.*

favoritismo *m.* Preferencia del favor sobre el mérito.

favorito, -ta *adj.* Que es con preferencia estimado: *libro* ~. 2 [persona, animal o entidad] Que se presume ganador en una competición. – 3 *m. f.* Persona que priva con un rey o personaje; valido, privado.

fax *m.* Abreviación usual de telefax.

faya *f.* Tejido grueso de seda, que forma canutillo.

fayanca *f.* Postura del cuerpo en la cual hay poca firmeza para mantenerse.

fayauco *m.* Cesto de mimbres.

faz *f.* Rostro o cara. 2 Anverso (lado). 3 Vista o lado de una cosa.

fe *f.* Dogma, conjunto de creencias sin necesidad de estar confirmadas por la experiencia o la razón, que constituyen el fondo de una religión: *la* ~ *católica.* 2 Primera de las tres virtudes teologales que propone la Iglesia Católica, por la cual se cree firmemente, por la autoridad de la palabra de Dios, en todas las verdades reveladas por Él y que enseña la Iglesia. 3 Creencia (crédito, confianza): *prestar* ~ *a lo que otro dice,* creerlo; *noticia digna de* ~. 4 Confianza: *tener* ~ *en un médico, en una medicina.* 5 Palabra que se da o promesa que se hace a uno con cierta solemnidad: *a* ~ *mía* o *por mí* ~*,* por mi palabra. 6 Seguridad, aseveración de que una cosa es cierta. 7 Documento que acredita o certifica una cosa: ~ *de soltería;* ~ *de bautismo;* ~ **de vida,** certificación negativa de defunción y afirmativa de existencia, dada por la autoridad competente; ~ *de erratas,* lista de las erratas de un libro, inserta en el mismo, con la enmienda que de cada una debe hacerse. 8 Fidelidad: *guardar la* ~ *conyugal; buena* ~*,* rectitud, honradez, sinceridad. ◇ Pl.: en caso de usarse se dice *fes.*

fealdad *f.* Calidad de feo. 2 *fig.* Torpeza, acción indigna.

febrero *m.* Segundo mes del año.

febrícula *f.* Hipertermia prolongada, moderada, casi siempre vespertina, de origen infeccioso o nervioso.

febrífugo, -ga *adj.-m.* [medicamento] Que quita la temperatura febril.

febril *adj.* Relativo a la fiebre. 2 *fig.* Ardoroso, desasosegado: *actividad* ~.

fecal *adj.* Relativo a las heces o excrementos: *aguas, materias fecales.*

fécula *f.* Substancia blanca o blanquecina, convertible en harina, muy abundante en las semillas y tubérculos de ciertas plantas.

fecundación *f.* Acción de fecundar: ~ *artificial,* inseminación artificial; ~ *in vitro,* la de un óvulo por un espermatozoide, lograda en condiciones de laboratorio; el huevo, así obtenido, es implantado en el útero de la madre.

fecundar *tr.* Hacer fecunda o productiva [una cosa]. 2 Unirse el elemento reproductor

masculino [al femenino] para dar origen a un nuevo ser.

fecundizar *tr.* Hacer [a una cosa] susceptible de producir o de admitir fecundación; fertilizar: ~ *un terreno con los abonos.* ◇ ** CONJUG. [4] como *realizar.*

fecundo, -da *adj.* Que produce o se reproduce por los medios naturales. 2 Fértil, abundante.

fecha *f.* Indicación del tiempo y a menudo del lugar en que se hace u ocurre algo, especialmente la puesta al principio o al fin de un escrito. 2 Día transcurrido desde uno determinado: *esta carta ha tardado tres fechas.* 3 Tiempo o momento actual: *hasta la* ~ *no ha habido noticias.*

fechador *m.* Estampilla con que se imprime la fecha en documentos, cartas, etc.

fechar *tr.* Poner fecha [a un escrito]. 2 Determinar la fecha [de un escrito, monumento, suceso histórico, etc.].

fechoría *f.* Acción especialmente mala.

fedatario *m.* Denominación genérica aplicable al notario y otros funcionarios que gozan de fe pública.

federación *f.* Acción de federar. 2 Confederación. 3 Estado federal. 4 Poder central del mismo. 5 Asociación de personas que se dedican a un deporte. 6 Agrupación gremial.

federal *adj.* Federativo.

federalismo *m.* Sistema de confederación entre corporaciones o estados. 2 Doctrina política que propugna la organización federativa de los estados.

federalización *f.* Introducción del federalismo o de un sistema inspirado en él.

federar *tr.* Confederar. – 2 *prnl.* Inscribirse en una federación.

federativo, -va *adj.* Relativo a la federación. 2 [sistema de gobierno de una confederación de estados autónomos] Que en los asuntos de interés general está sujeto a las decisiones de una autoridad central: *el sistema* ~ *helvético.*

féferes *m. pl. Amér.* Bártulos, trastos.

fehaciente *adj.* Que hace fe en juicio: *documento* ~.

feísmo *m.* Tendencia artística o literaria que valora estéticamente lo feo.

felandrio *m.* Planta umbelífera venenosa, acuática, de hojas pinnadas y flores blancas dispuestas en umbela *(Oenanthe aquatica).*

felatio *f.* Excitación de los órganos sexuales masculinos con los orales de la pareja.

feldespato *m.* Aluminosilicato de potasio, calcio, sodio o, raramente, bario, cuyas numerosas variedades son los constituyentes esenciales de las rocas endógenas y metamórficas. – 2 *m. pl.* Grupo de estos minerales.

felibre *m.* Poeta provenzal moderno.

felibrismo *m.* Movimiento literario

moderno, encaminado a restaurar la lengua provenzal, especialmente en su uso poético.

felice *adj.* poét. Feliz.

felicidad *f.* Estado del ánimo que se complace en la posesión de un bien. 2 Satisfacción, contento: *las felicidades del mundo.* 3 Suerte feliz, acontecimiento feliz: *viajar con* ~.

felicitación *f.* Palabras, tarjeta postal, etc., con que se felicita.

felicitar *tr.* Dar el parabién, manifestar [a una persona] satisfacción con motivo de algún suceso fausto para ella. 2 Expresar el deseo de que [una persona] sea feliz. – 3 *prnl.* Congratularse.

félido *adj.-m.* Mamífero de la familia de los félidos. – 2 *m. pl.* Familia de mamíferos carnívoros, digitígrados, de cabeza redondeada, hocico corto con largos pelos táctiles y uñas curvadas y retráctiles; como el gato y el león.

feligrés, -gresa *m. f.* Persona que pertenece a determinada parroquia. 2 fam. y p. ext. Parroquiano, cliente.

felino, -na *adj.* Relativo al gato. 2 Que parece de gato. – 3 *adj.-s.* Animal perteneciente a la familia de los félidos.

feliz *adj.* Que tiene o goza felicidad. 2 Que ocasiona felicidad: *campaña* ~. 3 Oportuno, acertado, eficaz: *memoria* ~.

felonía *f.* Deslealtad, traición, acción fea.

felpa *f.* Tejido que tiene pelo por la haz. 2 p. ext. Cinta elástica de tejido, de forma circular, que utilizan las mujeres por adorno y para sujetarse el cabello. 3 p. ext. Diadema (adorno). 4 fig. y fam. Zurra de golpes. 5 fig. y fam. Rapapolvo.

felpilla *f.* Cordón de seda con pelo como la felpa.

felpudo, -da *adj.* Afelpado. – 2 *m.* Alfombrilla colocada a la entrada de las casas para quitarse el barro o el polvo de los zapatos.

félsico, -ca *adj.* [mineral] De color claro.

femenino, -na *adj.* Propio de la mujer. 2 [ser] Dotado de órganos receptivos de fecundación. 3 Relativo a este ser. 4 fig. Débil, endeble. – 5 *m.* Género femenino.

fémina *f.* Mujer, persona del sexo femenino.

feminidad *f.* Calidad de femenino. 2 MED. Estado anormal del varón en que aparecen caracteres sexuales femeninos.

feminismo *m.* Doctrina social que concede a la mujer capacidad y derechos reservados hasta ahora a los hombres.

femoral *adj.* Relativo al fémur: *arteria* ~; *vena* ~; **circulación.

fémur *m.* **Hueso del muslo, el más largo del cuerpo humano. 2 En las patas de los **insectos, artejo situado entre el trocánter y la tibia. ◇ Pl.: *fémures*.

fenarda *f.* Planta papilionácea, de hojas trifoliadas y flores amarillas en capítulos *(Trifolium campestre)*.

fenecer *intr.* Morir, fallecer. 2 Acabarse o terminarse una cosa. ◇ ** CONJUG. [43] como *agradecer*.

fenianismo *m.* Partido político adverso a la dominación inglesa en Irlanda. 2 Conjunto de doctrinas y principios que defiende.

fenicio, -cia *adj.-s.* De Fenicia. – 2 *m. f.* Persona que tiene mucha disposición o suerte para los negocios.

fénico *adj. Ácido* ~, fenol ordinario.

fenicoptérido *adj.-m.* Ave de la familia de los fenicoptéridos. – 2 *f. pl.* Familia de aves fenicopteriformes, de pico encorvado, más largo que la cabeza, patas largas y delgadas y piernas desnudas en la parte inferior; como el flamenco.

fenicopteriforme *adj.-m.* Ave del orden de los fenicopteriformes. – 2 *m. pl.* Orden de aves palmípedas con las patas y el cuello muy largos y el pico curvado y adaptado a la filtración; como el flamenco.

fénix *m.* Ave fabulosa que, según los antiguos, era única en su especie y renacía de sus cenizas. 2 fig. Persona o cosa exquisita, o única en su especie: *el* ~ *de los ingenios.* ◇ Pl. *fénix* y *fénices*.

fenocristal *m.* GEOL. Cristal de gran tamaño que se ha producido como consecuencia de un enfriamiento lento del magma.

fenol *m.* Alcohol de la serie cíclica o aromática de la química orgánica.

fenomenal *adj.* Relativo al fenómeno o que participa de su naturaleza. 2 fam. Tremendo, muy grande: *le dio un golpe* ~. 3 fig. y fam. Muy bueno, estupendo, maravilloso: *un libro* ~.

fenomenalismo *m.* Doctrina epistemológica fundada por Kant (1724-1804), que afirma la existencia de cosas reales independientes de la conciencia, pero incognoscibles en su esencia por limitarse nuestro conocimiento al mundo del fenómeno (apariencia), simple indicio de la cosa en sí.

fenómeno *m.* Apariencia, lo que de las cosas puede percibirse por los sentidos. 2 Manifestación de actividad que se produce en la naturaleza. 3 Suceso. 4 fam. Persona o animal monstruoso. 5 fig. Cosa extraordinaria o sorprendente, portento. – 6 *adj.-adv.* fam. Muy bueno, magnífico, sensacional: *lo hicieron* ~.

fenomenología *f.* Ciencia de los fenómenos físicos o psíquicos, en su génesis y en sus manifestaciones en el tiempo y en el espacio.

fenotipo *m.* Conjunto de caracteres hereditarios que posee cada individuo perteneciente a una determinada especie vegetal o animal. 2 Realización visible del genotipo en un determinado ambiente.

feo, -a *adj.* Que carece de belleza y hermosura. 2 fig. Que causa horror o aversión.

acción fea. 3 fig. De aspecto malo o desfavorable: *el asunto se pone ~.* – 4 *m.* Desaire manifiesto, grosero: *le hizo muchos feos.*

feofíceo, -a *adj.-f.* Alga de la clase de las feofíceas. – 2 *f. pl.* Clase de algas marinas del tipo de los feófitos, con la clorofila enmascarada por un pigmento accesorio pardo; como el sargazo.

feófitos *m. pl.* Tipo de algas pardas, la mayoría formas marinas coloniales e inmóviles; son los protoctistas de mayor tamaño, pues pueden alcanzar hasta 10 m. de longitud.

feracidad *f.* Fertilidad de los campos.

feraz *adj.* Fértil, fecundo, especialmente tratando de tierras, cultivos, etc.

féretro *m.* Caja en que se llevan a enterrar los difuntos.

feria *f.* Mercado de mayor importancia que el ordinario, en paraje público y días señalados. 2 Fiestas que se celebran con tal ocasión. 3 Descanso y suspensión del trabajo.

feriante *adj.-com.* Concurrente a la feria para comprar o vender.

feriar *tr.* Comprar en la feria [alguna cosa]. 2 Vender, comprar o permutar. – 3 *intr.* Suspender el trabajo por uno o varios días. – 4 *tr. Colomb., Guat.* y *P. Rico.* Malbaratar. ◇ ** CONJUG. [12] como *cambiar.*

fermentar *intr.* Transformarse un cuerpo orgánico muy complejo en otros más simples por la acción catalítica de cuerpos llamados fermentos. 2 fig. Agitarse o alterarse los ánimos. – 3 *tr.* Hacer fermentar [una substancia].

fermento *m.* Cuerpo orgánico que, puesto en contacto con otro, lo hace fermentar. 2 fig. Causa o motivo de agitación o alteración de los ánimos.

ferocidad *f.* Fiereza, crueldad.

ferodo *m.* Material formado con fibras de amianto e hilos metálicos, que se emplea principalmente para forrar las zapatas de los frenos.

feroz *adj.* Que obra con ferocidad. 2 Que denota ferocidad: *mirada ~.*

ferrado, -da *adj.* Férreo, de hierro.

ferralítico *adj.-m.* Tipo de suelo muy rico en óxidos e hidróxidos de hierro, propio de los climas tropicales.

ferrar *tr.* Guarnecer con hierro [alguna cosa]. ◇ ** CONJUG. [27] como *acertar.*

ferreña *adj.* [nuez] De cáscara dura.

férreo, -a *adj.* De hierro. 2 Que tiene sus propiedades. 3 fig. Duro, tenaz: *voluntad férrea.* 4 fig. Relativo a la edad de hierro.

ferrería *f.* Establecimiento industrial donde se beneficia el mineral de hierro.

ferrete *m.* Sulfato de cobre empleado en tintorería. 2 Instrumento de hierro que sirve para marcar las cosas.

ferretear *tr.* Ferrar. 2 Labrar [alguna cosa] con hierro.

ferretería *f.* Ferrería. 2 Establecimiento donde se venden objetos de hierro. 3 Conjunto de objetos de hierro que se venden en las ferreterías. 4 *Amér.* Quincallería.

férrico, -ca *adj.* [compuesto de hierro] En que este elemento tiene una valencia superior a dos.

ferrificarse *prnl.* Reunirse las partes ferruginosas de una substancia, formando hierro o tomando la consistencia de éste. ◇ ** CONJUG. [1] como *sacar.*

ferrita *f.* Mineral pardo, rojizo, mezcla de óxido férrico con un metal divalente.

ferritina *f.* Proteína que contiene hierro y actúa como depósito de este metal. Se encuentra en la mucosa intestinal, bazo e hígado.

ferrobús *m.* Tren ligero con un coche motor de tipo Diesel con tracción en ambos extremos, para evitar la maniobra de dar la vuelta a la máquina, y que puede tener varios vehículos para viajeros.

ferrocarril *m.* Camino con dos rieles paralelos, sobre los cuales ruedan los trenes; **carretera. 2 Conjunto de ferrocarriles que, con sus estaciones, talleres, etc., constituyen una sola propiedad. 3 Tren, serie de vagones arrastrados por una locomotora.

ferrocerio *m.* Aleación de hierro y cerio que produce chispas al ser frotada y con la cual se fabrican piedras para encendedores.

ferrocromo *m.* Aleación de hierro y cromo, usada para la fabricación de aceros inoxidables especiales.

ferrolano, -na *adj.-s.* Del Ferrol, ciudad de La Coruña.

ferromagnetismo *m.* Propiedad en virtud de la cual ciertos materiales presentan una gran permeabilidad magnética; como el hierro y el acero.

ferroso, -sa *adj.* Que es de hierro o lo contiene. 2 [compuesto de hierro] En que éste es divalente.

ferrotipia *f.* Procedimiento fotográfico rápido que permite obtener directamente en la cámara obscura pruebas positivas.

ferrovial, ferroviario, -ria *adj.* Relativo a las vías férreas: *tráfico ~.* – 2 *m.* Empleado de ferrocarriles.

ferruginoso, -sa *adj.* [mineral, agua, medicamento] Que contiene hierro o compuestos de hierro. 2 De color pardo rojizo.

ferry *m.* ANGLIC. Transbordador.

fértil *adj.* [tierra] Que produce mucho. 2 p. ext. [período de tiempo] En que la tierra produce abundantes frutos: *año ~.* 3 p. ext. *y* fig. [ingenio] Muy prolijo y productivo. 4 [ser vivo] Capaz de reproducirse: *hembra ~; semilla ~.*

fertilizante *adj.-s.* Que fertiliza. 2 Abono.

fertilizar *tr.* Fecundizar [la tierra]. ◇ ** CONJUG. [4] como *realizar.*

férula *f.* Cañaheja. 2 Palmeta (tabla pequeña). 3 MED. Tablilla flexible empleada en el tratamiento de las fracturas.

ferviente *adj.* Fervoroso.

fervientemente *adv. m.* Con fervor.

fervor *m.* Calor intenso. 2 fig. Celo ardiente y afectuoso, especialmente en cosas de piedad. 3 fig. Eficacia suma con que se hace algo: *trabajar con* ~.

fervorín *m.* Breve jaculatoria: *durante la comunión general se rezaron fervorines.*

fervoroso, -sa *adj.* Que tiene fervor.

festejar *tr.* Hacer festejos en obsequio [de uno]. 2 Conmemorar, celebrar [algo] con fiestas. 3 Galantear [a una mujer]. – 4 *prnl.* Divertirse, recrearse.

festejo *m.* Galanteo. – 2 *m. pl.* Regocijos públicos.

festín *m.* Festejo particular, con banquete, baile, música, etc. 2 Banquete.

I) festinar *tr.* *Amér.* Apresurar, precipitar [alguna cosa]: *festinaron la revolución.*

II) festinar *tr.* *Amér. Central.* Agasajar [a alguien], festejarlo.

festival *m.* Gran fiesta, especialmente musical. 2 Conjunto de representaciones dedicadas a un artista o a un arte.

festividad *f.* Día festivo: ~ *de San Juan.* 2 Fiesta o solemnidad.

festivo, -va *adj.* Solemne, de fiesta: *día* ~. 2 Chistoso, agudo. 3 Alegre, regocijado.

festón *m.* Bordado, dibujo o recorte en forma de ondas o puntas, que adorna el borde de una cosa.

festoneado, -da *adj.* Con el borde en forma de festones u ondas: *arco* ~; ****hoja festoneada.*

festonear *tr.* Adornar con festón [alguna cosa].

fetación *f.* Desarrollo del feto, gestación.

fetal *adj.* Relativo al feto.

fetén *adj.* Estupendo: *una chica* ~.

fetiche *m.* Objeto adorado como ídolo por las religiones animistas. 2 p. ext. Mascota, objeto que se cree trae suerte.

fetichismo *m.* Culto de los fetiches. 2 p. ext. Veneración exagerada. 3 Desviación sexual en la que la aparición y la satisfacción de la libido está condicionada por el contacto o la sola visión de ciertos objetos de diversa índole.

fétido, -da *adj.* Hediondo.

feto *m.* Producto de la concepción en los animales vivíparos, desde que ha adquirido la conformación característica de la especie a que pertenece hasta su nacimiento. 2 Este mismo producto después de abortado. 3 fig. y fam. Persona deforme o muy fea.

feudal *adj.* Relativo al feudo o al feudalismo.

feudalismo *m.* Sistema feudal de gobierno

y de organización de la propiedad que reguló la vida de la sociedad medieval, especialmente desde el s. IX al XII.

feudo *m.* Contrato por el cual a un individuo le eran concedidos ciertos derechos de posesión por el que tenía la soberanía, obligándose por sí y sus descendientes a guardarle fidelidad de vasallo, prestarle servicio militar, etc. 2 Cosa que se concede en feudo. 3 Reconocimiento o tributo con cuya condición se concede el feudo. 4 Posesión, atributo o bien exclusivo. 5 fig. Respeto, vasallaje.

fez *m.* Gorro de fieltro rojo, propio de turcos y moros.

fiabilidad *f.* Calidad de fiable. 2 Probabilidad de que una máquina, un aparato, un dispositivo, etc., cumpla una determinada función bajo ciertas condiciones durante un determinado tiempo.

fiable *adj.* [pers. o cosa] Digno de confianza.

fiador, -ra *m. f.* Persona que fía a otra o responde por ella: *salir* ~ *por otro.* – 2 *m.* Pasador de hierro para afianzar las puertas por el lado de adentro. 3 Presilla para abrochar la capa. 4 Pieza con que se afirma una cosa para que no se mueva: ~ *de la escopeta.* 5 Hilo metálico que va dentro de las agujas de inyectar y otros instrumentos quirúrgicos.

fiambre *adj.-m.* Que después de asado o cocido se come frío. 2 irón. Noticia, discurso, etc., cuya oportunidad ha pasado. 3 vulg. y burl. Cadáver.

fiambrera *f.* Cestón o caja para llevar fiambres. 2 Cacerola con tapa muy ajustada, para llevar comidas. 3 Aparato formado por varias cacerolas sobrepuestas, con un braserillo debajo, para transportar comidas calientes.

fianza *f.* Obligación que uno contrae de hacer aquello a que otro se ha obligado, en el caso de que éste no lo cumpla. 2 Prenda que uno da en seguridad del buen cumplimiento de su obligación o compromiso.

fiar *tr.* Asegurar uno que otro cumplirá [lo que promete], obligándose, en caso de que no lo haga, a satisfacer por él. 2 Confiar a alguien [alguna cosa]: *le he fiado mis bienes;* ~ *un secreto.* 3 Vender [alguna cosa] sin tomar el precio de contado. – 4 *intr.* Confiar: *fío en Dios que me socorrerá;* ~ *en sí.* – 5 *prnl.* Poner la confianza en alguno: *me fío de mi amigo; me fío a mi amigo.* ◇ ** CONJUG. [13] como *desviar.*

fiasco *m.* Mal éxito, chasco.

fibra *f.* Filamento que entra en la composición de los tejidos orgánicos o presentan en su textura ciertos minerales; **músculo. 2 Filamento obtenido por procedimiento químico y de principal uso en la industria textil: ~ *sintética,* aquella cuya fuente u origen es exclusivamente químico; ~ *de vidrio,* vidrio en forma de filamentos que se emplea como aislante térmico y para otros usos. 3 fig. Vigor, energía.

fibrina *f.* Substancia albuminoidea que tiene la propiedad de coagularse en contacto con el aire.

fibrocartílago *m.* Tejido fibroso, muy resistente, que entre sus fibras contiene materia cartilaginosa que le da color blanco y elasticidad particular.

fibrocemento *m.* Compuesto de cemento y polvo de amianto.

fibroma *m.* Tumor formado exclusivamente por tejido fibroso.

fibrosis *f.* Formación del tejido fibroso con carácter patológico en algún órgano. ◇ Pl.: *fibrosis.*

fibroso, -sa *adj.* Que tiene fibras.

fíbula *f.* Hebilla a manera de imperdible, usada por los romanos y otros pueblos antiguos.

ficción *f.* Acción de fingir. 2 Efecto de fingir. 3 Invención poética. 4 ANGLIC. Literatura de imaginación.

ficoideo, -a *adj.-f.* Planta de la familia de las ficoideas. – 2 *f. pl.* Familia de plantas dicotiledóneas, herbáceas o algo leñosas, con hojas gruesas terminales y fruto capsular dehiscente, de figura parecida a la del higo.

ficología *f.* Parte de la botánica que trata de las algas.

ficticio, -cia *adj.* Fingido o fabuloso. 2 Aparente, convencional.

ficha *f.* Pieza pequeña de marfil, madera, hueso, etc., para señalar los tantos en el juego. 2 Pieza pequeña de cartón, plástico, metal, etc., que, a modo de contraseña, se usa en guardarropas, aparcamientos y sitios análogos. 3 Pieza del dominó. 4 Pieza pequeña de valor convenido, usada en substitución de moneda. 5 Cédula de cartulina o papel fuerte en la que se consignan ciertos datos o señas de libros, documentos, personas, etc. 6 *Amér.* Pillo, bribón, truhán.

fichaje *m.* Acción de fichar. 2 Efecto de fichar. 3 p. ext. Acción de obtener los servicios o ayuda de una persona. 4 p. ext. Efecto de obtener los servicios o ayuda de una persona. 5 Cantidad pagada por la contratación de una persona.

fichar *tr.* Hacer la ficha policial, médica, etc., [de un individuo]. 2 Anotar en fichas o cartulinas [los datos que interesan de una cosa] para ordenarlos y clasificarlos en un fichero. 3 fig. y fam. Poner [a una persona] en el número de aquellas que se miran con prevención y desconfianza. – 4 *intr.* Entrar un jugador a formar parte de un equipo deportivo.

fichero *m.* Mueble para fichas (cédulas). 2 INFORM. Colección organizada de registros.

fidedigno, -na *adj.* Digno de fe y crédito.

fideicomiso *m.* Disposición por la cual el testador deja su herencia o parte de ella encomendada a la buena fe de uno para que, en caso y término determinado, la transmita a otro o la invierta del modo que se le señala.

fideísmo *m.* Doctrina filosófica según la cual el conocimiento de las primeras verdades se fundamenta en la fe.

fidelidad *f.* Cualidad de fiel. 2 Exactitud en la ejecución de alguna cosa. 3 *Alta ~,* en electrónica, reproducción de sonidos con toda su magnitud y poca distorsión.

fideo *m.* Pasta para sopa en forma de hilo o cordel. 2 fig. Persona muy delgada.

fiduciario, -ria *adj.* Que depende del crédito o confianza: *valores fiduciarios.* – 2 *adj.-s.* Legatario a quien el testador manda transmitir los bienes a otra u otras personas o aplicarlos a determinado objeto.

fiebre *f.* Elevación de la temperatura del cuerpo acompañada de una aceleración del pulso. 2 Nombre de diferentes enfermedades en que esta elevación es el síntoma principal: *~ amarilla,* enfermedad endémica de los países cálidos de África y América, desde donde solía transmitirse a otros puntos; *~ de Malta* o *mediterránea,* la endémica en todo el litoral del Mediterráneo, con temperatura irregular y de larga duración; *~ tifoidea,* infección intestinal específica producida por un microbio que ataca el intestino delgado. 3 fig. Rápido incremento en el ritmo de una actividad.

fiel *adj.* Que no falta a la palabra dada, que cumple sus compromisos; firme y constante en su afección: *testigo ~; amigos fieles.* 2 Exacto, conforme a la verdad: *~ relato.* 3 Que tiene todas las circunstancias requeridas: *reloj ~.* – 4 *adj.-s.* p. ant. Cristiano que vive fiel a la Iglesia Católica. 5 Creyente de otras religiones. – 6 *m.* Aguja que en las balanzas y romanas marca el equilibrio. 7 Clavillo de las tijeras.

fieltrar *tr.* Dar a [la lana] la consistencia del fieltro. 2 Guarnecer [algo] con fieltro.

fieltro *m.* Tela hecha de lana o pelo conglomerado, sin trama ni urdimbre. 2 Sombrero, alfombra, etc., de fieltro.

fiemo *m.* Estiércol.

fiera *f.* Animal salvaje e indómito; esp., mamífero carnívoro no domesticado. 2 fig. Persona cruel o de carácter violento.

fiereza *f.* Crueldad de ánimo. 2 Saña y braveza natural de las fieras.

fiero, -ra *adj.* Relativo a las fieras. 2 Cruel, agreste, intratable. 3 Feo. 4 Grande, excesivo. – 5 *m.* Bravata y amenaza con que uno intenta aterrar a otro: *echar* o *hacer fieros.*

fierro *m.* *Amér.* Marca que se pone al ganado.

fiesta *f.* Día del año eclesiástico de mayor solemnidad que otros. 2 Día en que la Iglesia celebra la memoria de un santo: *~ de San Juan.* 3 Día en que se celebra alguna solemnidad nacional o civil. 4 Alegría, regocijo dispuesto para que el pueblo se recree. 5 Chanza, broma. 6 Agasajo, especialmente caricia que se hace para ganar la voluntad de uno, o como expresión de cariño: *el perrillo hace fiestas a su amo.* 7 Reunión de gente para celebrar algún suceso, o simplemente para distraerse o divertirse. – 8 *f. pl.* Vacaciones que se guardan por Navidad, Pascuas, etc.: *en pasando estas fiestas se despachará tal negocio.*

fifiriche *adj. Amér. Central y Méj.* Enclenque, de poca salud. 2 *C. Rica y Méj.* Petimetre.

figle *m.* Instrumento músico de **viento, de sonoridad grave, formado por un tubo cónico de metal provisto de orificios y llaves. – 2 *com.* Músico que toca este instrumento.

figón *m.* Fonda o taberna de baja categoría.

figulino, -na *adj.* De barro cocido: *estatua figulina.* – 2 *f.* Estatuilla de cerámica.

figura *f.* Forma exterior de un cuerpo. 2 Estatua, pintura, **dibujo que representa el cuerpo de un hombre o animal. 3 Cara (parte de la cabeza). 4 Personaje (personalidad): *las grandes figuras de la historia.* 5 Personaje de la obra dramática y actor que lo representa. 6 Cosa que representa o figura otra. 7 Nota musical. 8 Naipe de cada palo que en número de tres representa personas. 9 Mudanza en el baile. 10 GEOM. Espacio cerrado por líneas o superficies. 11 GRAM. ~ *de dicción,* alteración que puede experimentar una palabra por adición, supresión, contracción o transposición de sonidos. – 12 *com.* Persona ridícula, fea y de mala traza.

figurado, -da *adj.* [voz, lenguaje, estilo] Que se aparta de su sentido recto y literal para denotar otro diferente. 2 De sentido figurado.

figurante, -ta *m. f.* Comparsa de teatro o de cine. 2 fig. Que desempeña una función meramente decorativa, en un asunto o ambiente.

figurar *tr.* Representar, delinear la figura real [de una persona o cosa]. 2 Aparentar, disponer, fingir: *figuró una retirada.* – 3 *intr.* Formar parte de un número de personas o cosas, o estar presente en un acto o negocio: *figuraba entre los candidatos; figuraba en la comisión como asesor.* 4 Tener autoridad o representación: *Juanma figura mucho.* 5 Destacar, brillar en alguna actividad. – 6 *prnl.* Imaginarse, fantasear: *se figuraba ser un rey.*

figurativo, -va *adj.* Que es o sirve de representación o figura de otra cosa. 2 Que representa figuras de realidades concretas, en oposición a abstracto.

figurín *m.* Dibujo o modelo para trajes y adornos de moda. 2 Revista de modas. 3 fig. Lechuguino, gomoso.

figurón *m.* fig. Hombre entonado y vanidoso.

fijación *f.* Acción de fijar. 2 Efecto de fijar. 3 Estado de reposo de las substancias después de agitadas por una operación química.

fijador, -ra *adj.* Que fija. – 2 *m.* Líquido para fijar el cabello, una fotografía, dibujo, pintura, etc.

fijar *tr.* Clavar, hincar, asegurar [un cuerpo] en otro; pegar con engrudo: ~ *un madero;* ~ *el carpintero las puertas y ventanas;* ~ *el albañil los sillares;* ~ *un anuncio.* 2 p. ext. Dirigir o aplicar intensamente: ~ *la atención;* ~ *la mirada.* 3 Hacer fija [una cosa] en un estado determinado; dar un estado o forma permanente: ~ *una lengua;* ~ *una imagen fotográfica;* ~ *un cuerpo volátil.* 4 Determinar, precisar [el valor de una cosa, una hora, etc.]: ~ *los precios, la hora de salir.* 5 Hacer fija o estable [una cosa]: ~ *la residencia en Madrid; fijarse un dolor en el brazo.* – 6 *prnl.* Atender, reparar, notar: *fíjate en lo que digo.*

fijeza *f.* Firmeza, seguridad de opinión. 2 Persistencia, continuidad.

fijo, -ja *adj.* Firme, asegurado: *la mesa está fija.* 2 Permanente, no expuesto a cambio ni alteración: *sueldo, día ~.* 3 *De ~,* seguramente, sin duda.

fila *f.* Conjunto de personas o cosas colocadas en línea: ~ *india,* la que forman varias personas una tras otra. 2 Línea que los soldados forman de frente, hombro con hombro. 3 *En filas,* en servicio militar activo. – 4 *f. pl.* p. ext. Agrupación política: *pertenece a las filas de la oposición.*

filadelfo, -fa *adj.-f.* Planta de la familia de las filadelfas. – 2 *f. pl.* Familia de plantas dicotiledóneas de tallos fistulosos, hojas opuestas y flores actinomorfas, generalmente blancas y olorosas; como la jeringuilla.

filamento *m.* Cuerpo filiforme: ~ *de una bombilla.* 2 Porción alargada de un estambre que da soporte a la antera; **flor.

filandro *m.* Mamífero marsupial de pelo gris con una mancha blanca en la frente *(gén. Philander).*

filantropía *f.* Amor al género humano.

filántropo *com.* Persona que ama al género humano, especialmente el que emplea actividad, capital, etc., en beneficio de los demás.

filar *tr.* y MAR. Arriar progresivamente [un cable].

filarmonía *f.* Amor a la música.

filarmónico, -ca *adj.-s.* Que ama la música.

filástica *f.* MAR. Hilos de cabos destorcidos.

filatelia *f.* Conjunto de conocimientos sobre los sellos de correos como objeto de colección.

filatería *f.* Verbosidad para embaucar. 2 Demasía de palabras para explicar o dar a entender un concepto.

filazo *m. Amér. Central.* Herida, corte, pinchazo.

filera *f.* Arte de pesca, que se cala a la entrada de las albuferas, y consiste en varias filas de redes que tienen al extremo unas nasas pequeñas.

filete *m.* Miembro de moldura a modo de lista larga y angosta. 2 En dibujo, línea fina de adorno. 3 Raya sencilla o doble usada en los impresos y encuadernaciones de lujo. 4 Pieza de metal que sirve para imprimir dicha raya. 5 Pequeña lonja de carne magra o de pescado limpio de raspas. 6 Solomillo. 7 Asador pequeño y delgado. 8 Espiral saliente del tornillo. 9 Freno pequeño para los potros.

filetear *tr.* Adornar con filetes [una cosa]. 2 Cortar [una vianda] en lonchas delgadas. 3 Dar [a algo] la forma de rosca.

filetón *m.* Entorchado grueso para bordados.

filfa *f.* fam. Mentira, noticia falsa, engañifa.

filiación *f.* Procedencia, lazo de parentesco de los hijos con sus padres. 2 Dependencia, enlace: *la ~ de doctrinas.* 3 Señas personales. 4 Hecho de estar afiliado a cierta doctrina o partido.

filial *adj.* Relativo al hijo: *amor ~.* – 2 *adj.-s.* [iglesia, organismo] Que depende de otro.

filiar *tr.* Tomar la filiación [a uno]. ◊ ** CONJUG. [12] como *cambiar.*

filibustero *m.* Pirata que en el s. XVII infestó el mar de las Antillas. 2 El que trabajaba por la emancipación de las antiguas colonias españolas.

filical *adj.-f.* Planta del orden de las filicales. – 2 *f. pl.* Orden de plantas pteridofitas, con tallo subterráneo o arborescente y frondas grandes, muy divididas, que llevan en su envés los esporangios agrupados en soros.

filicidio *m.* Muerte violenta que un padre da a su hijo.

filiforme *adj.* Que tiene forma o apariencia de hilo.

filigrana *f.* Obra muy primorosa hecha de hilos de oro o plata. 2 fig. Cosa delicada y pulida. 3 Marca transparente hecha en el papel al fabricarlo.

fililí *m.* fam. Delicadeza, primor.

filipéndula *f.* Hierba rosácea, de hojas estipuladas divididas en muchos segmentos, flores generalmente blancas y raíces tuberculosas pendientes de filamentos *(Filipendula hexapetala).*

filipense *adj.-com.* Religioso o religiosa de la congregación de San Felipe Neri.

filípica *f.* Invectiva, censura acre.

filipichín *m.* Tejido de lana estampado.

filipinismo *m.* Vocablo, giro o modo de expresión propio de los filipinos que hablan la lengua española. 2 Amor o apego a las cosas características de Filipinas.

filipino, -na *adj.-s.* De las Islas Filipinas, archipiélago del sudeste de Asia.

filisteo, -a *adj.-s.* Individuo de una pequeña nación enemiga de los israelitas, con los que estuvo durante mucho tiempo en guerra hasta ser sometida por el rey David. – 2 *adj.* Relativo a los filisteos. – 3 *m.* fig. Hombre alto y corpulento. 4 fig. Persona de espíritu vulgar, de escasos conocimientos y poca sensibilidad artística o literaria.

filmar *tr.* Cinematografiar, tomar o impresionar [una película, un acto público, etc.].

filme *m.* Película cinematográfica.

filmina *f.* Diapositiva.

filmlet *m.* Proyección cinematográfica breve, generalmente empleada en publicidad.

filmografía *f.* Descripción o conocimiento de filmes o microfilmes. 2 Conjunto de filmes (de una época, de un tema, de un director, de un actor, etc.).

filmología *f.* Disciplina que estudia la cinematografía y su proyección social.

filmoteca *f.* Lugar donde se guardan, ordenados para su conservación, exhibición y estudio, filmes que ya no suelen proyectarse comercialmente. 2 Conjunto de estas cintas.

filo *m.* Arista aguda de un instrumento cortante; **armas. 2 Punto o línea que divide una cosa en dos partes iguales. 3 *Guat., Hond.* y *Méj.* Hambre.

filodio *m.* Pecíolo ensanchado en forma de lámina que substituye el limbo de una **hoja.

filófago, -ga *adj.-s.* Que se alimenta de hojas.

filogenia *f.* H. NAT. Desarrollo y evolución general de una especie, a diferencia de la *ontogenia* o desarrollo particular de los individuos.

filología *f.* Ciencia que estudia la estructura y la evolución de una lengua y su desarrollo histórico y literario. 2 p. ext. Estudio de la literatura en su aspecto lingüístico, estilístico y formal. 3 Técnica que se aplica a los textos para reconstruirlos, fijarlos o interpretarlos.

filón *m.* Masa de mineral relativamente estrecha, que rellena una antigua quiebra de una roca o de un terreno. 2 fig. Negocio o recurso del que se espera sacar gran provecho.

filoseda *f.* Tela de lana y seda o de seda y algodón.

filosilicato *m.* Variedad de silicato fácilmente exfoliable; como el talco.

filoso, -sa *adj. Amér.* Afilado, que tiene filo.

filosofar *intr.* Discurrir acerca de una cosa con razones filosóficas. 2 fam. Meditar.

filosofía *f.* Intento del espíritu humano de establecer una concepción racional del universo mediante la autorreflexión sobre sus propias funciones valorativas, teóricas y prácticas. 2 Sistema filosófico: *la ~ de Platón.* 3 Cuerpo sistemático de los primeros principios y de los conceptos generales de una determinada ciencia: *~ del derecho; ~ de la historia.* 4 Facultad destinada en las universidades a la ampliación de estos conocimientos. 5 Fortaleza de ánimo para soportar las vicisitudes de la vida. 6 Idea directriz de algo.

filósofo, -fa *m. f.* Persona que por profesión o estudio se dedica a la filosofía; esp., creador de un sistema filosófico. 2 Persona virtuosa y austera que hace vida retirada.

filoxera *f.* Insecto hemíptero, parecido al pulgón, que ataca las raíces de la vid *(Phylloxera vastatrix).* 2 Enfermedad de la vid causada por este insecto. 3 fig. *y* fam. Borrachera.

filtración *f.* Acción de filtrar o filtrarse. 2 Efecto de filtrar (penetrar). 3 fig. Noticia referente a algún asunto confidencial que sale a la luz pública o se pone en conocimiento de algún rival.

filtrar *tr.* Hacer pasar [un líquido] por un filtro. 2 fig. Comunicar [secretos o asuntos confidenciales] bien a la luz pública, bien a algún rival. – 3 *intr.-prnl.* Penetrar un líquido a través de un cuerpo sólido. 4 fig. Penetrar una idea, pensamiento, noticia, etc., paulatinamente y sin notarse en un medio. – 5 *intr.* Dejar un cuerpo sólido pasar un líquido a través de sus poros o resquicios. – 6 *prnl.* Desaparecer inadvertidamente los bienes o el dinero.

I) filtro *m.* Materia porosa, a través de la cual se hace pasar un fluido para clarificarlo o depurarlo. 2 Aparato que se emplea para separar los líquidos de los sólidos. 3 Manantial de agua dulce en la costa del mar. 4 Pantalla que se interpone al paso de la luz para excluir ciertos rayos, dejando pasar otros.

II) filtro *m.* Brebaje al que se atribuía la virtud de conciliar el amor de una persona. 2 Bebida venenosa y mortal. 3 ANAT. Surco en la línea media vertical del labio superior; **cabeza.

filustre *m.* fam. Finura, elegancia.

filván *m.* Rebaba sutil que queda en el corte de una herramienta recién afilada.

fimbria *f.* Borde inferior de la vestidura talar. 2 Orla, franja de adorno.

fimbriar *tr.* Adornar [algo] con orla. ◇ ** CONJUG. [12] como *cambiar.*

fimia *f.* Tuberculosis.

fimo *m.* Estiércol.

fimosis *f.* MED. Estrechez del orificio del prepucio. ◇ Pl.: *fimosis.*

fin *amb.* Término, remate o consumación de una cosa: *el ~ del mundo; dar o poner ~,* acabar. – 2 *m.* Término al cual tiende una acción, motivo con que se efectúa una cosa: *equiparar los medios a los fines; ~ último.* 3 ~ *de fiesta,* espectáculo extraordinario después de una función. 4 ~ *de semana,* período de descanso semanal, de duración variable según los países y trabajos, y que normalmente comprende el sábado y el domingo; p. ext., maletín en el que caben todos los objetos imprescindibles para un desplazamiento de breve duración. – 5 *loc.*

conj. A ~ de, con objeto de, para: *a ~ de aumentar las rentas.* 6 *A ~ de que,* con objeto de que, para que: *a ~ de que no se sepa.* – 7 *loc. adv. A fines de,* unido a *mes, siglo, año,* etc., en los últimos días de cualquiera de estos períodos. 8 *Al ~,* por último; después de vencidos todos los obstáculos. 9 *En,* o *por, ~,* finalmente, en suma, en resumidas cuentas. – 10 *loc. adj. Sin ~,* fig., sin número, innumerable; [correa, cadena, cinta, etc.] que forma figura cerrada y puede girar continuamente accionada por un mecanismo. ◇ GRAM. La Academia define la primera acepción como ambigua, pero el uso culto moderno lo hace siempre masculino; únicamente en los medios rurales se emplea como femenino: *la fin del mundo.*

finado, -da *m. f.* Persona muerta.

final *adj.* Que remata o perfecciona una cosa: *palabra ~; punto ~.* – 2 *adj.-f.* GRAM. *Oración ~,* la compuesta enlazada por una conjunción final. 3 GRAM. **Conjunción ~,* la que denota en la subordinada el fin o el objeto de lo manifestado en la principal: *para que.* – 4 *m.* Fin (consumación). – 5 *f.* DEP. Última de las pruebas eliminatorias, en una competición.

finalidad *f.* fig. Fin (motivo).

finalísima *f.* DEP. Última fase de una competición eliminatoria.

finalismo *m.* Teleología (doctrina metafísica).

finalista *com.* Partidario de la teleología. 2 Participante, competidor, que llega a la prueba final en un certamen deportivo, concurso literario, etc.

finalizar *tr.* Concluir [una obra]. – 2 *intr.* Extinguirse o acabarse una cosa. ◇ ** CONJUG. [4] como *realizar.*

finamiento *m.* Fallecimiento.

financiar *tr.* Crear o fomentar [una empresa] aportando el dinero necesario. 2 Sufragar los gastos de una actividad, obra, etc. ◇ ** CONJUG. [12] como *cambiar.*

financiero, -ra *adj.* Relativo a la hacienda pública, a la banca o a los grandes negocios mercantiles: *un sistema ~.* 2 Que financia. – 3 *m. f.* Persona versada en estas materias.

finanzas *f. pl.* Hacienda; caudal; negocio. 2 Ciencia y actividades relacionadas con el dinero que se invierte.

finar *intr.* Fallecer, morir.

finca *f.* Propiedad inmueble. 2 *Amér.* p. ant. Finca rústica.

finés, -nesa *adj.-s.* De un pueblo antiguo que invadió el norte de Europa y dio nombre a Finlandia. 2 Finlandés. – 3 *m.* Idioma finés.

fineta *f.* Tela de algodón de tejido diagonal compacto y fino.

fineza *f.* Calidad de fino. 2 Acción o palabra de cariño y amistad. 3 Obsequio delicado.

fingir *tr.* Presentar como cierto o real [lo que

es imaginado o irreal]: ~ *un casamiento;* ~ *un gran dolor; fingirse amigo.* ◇ ** CONJUG. [6] como *dirigir.*

finiquitar *tr.* Saldar [una cuenta]. 2 fig. Acabar, concluir. 3 fig. Matar.

finiquito *m.* Remate de una cuenta o certificación de su ajuste.

finisecular *adj.* Relativo al fin de un siglo determinado.

finito, -ta *adj.* Que tiene fin o límite.

finlandés, -desa *adj.-s.* De Finlandia, nación del norte de Europa. – 2 *m.* Idioma finlandés.

fino, -na *adj.* Delicado y de buena cualidad. 2 Delgado, sutil. 3 Puro, precioso: *oro* ~. 4 Esbelto, de facciones delicadas. 5 Cortés, urbano. 6 Astuto, sagaz. 7 [sentido] Agudo: *es de olfato* ~. – 8 *m.* Tipo de vino pálido, muy seco, de color pajizo, de 15 a 17 grados y aroma delicado y penetrante.

finolis *adj.-s.* fam. [pers. o cosa] De finura amanerada. ◇ Pl.: *finolis.*

finta *f.* Ademán o amago que se hace con intención de engañar a uno.

fintar *tr.* Hacer fintas [a alguien]. – 2 *intr.* DEP. Engañar, por ejemplo con la pelota, para desorientar al adversario.

finura *f.* Primor, delicadeza. 2 Urbanidad, cortesía.

fiord, fiordo *m.* Depresión del continente invadida por el mar, generalmente larga, estrecha y limitada por laderas abruptas, propia de Escandinavia. ◇ Pl.: *fiordos.*

fique *m.* Colomb., Ecuad., Méj. y Venez. Planta textil de la familia de las amarilidáceas, con hojas o pencas radicales *(Agave polyacantha Jacobi).* 2 Colomb., Ecuad., Méj. y Venez. Fibra de la pita.

firma *f.* Nombre y apellido que una persona pone al pie de un escrito. 2 Conjunto de documentos que se presentan a un superior para que los firme. 3 Acto de firmarlos. 4 fig. Empresa comercial: ~ *solvente;* ~ *importante.*

firmal *m.* Especie de broche antiguo.

firmamento *m.* Bóveda celeste.

firmante *adj.-com.* Que firma.

firmar *tr.* Poner uno su firma [en un escrito]: ~ *con estampilla;* ~ *de su propia mano;* ~ *en blanco;* ~ *por otro.* – 2 *prnl.* Usar de tal o cual nombre o título en la firma: *se firmaba Duque de Rivas.*

firme *adj.* Estable, sólido, que no cede. 2 fig. Constante, que no se deja dominar ni abatir: ~ *en sus propósitos.* – 3 *adv. m.* Con firmeza, firmemente: *de* ~, con constancia y ardor: *trabaja de* ~ ; **llueve de** ~ , recia y violentamente; *en* ~, con carácter definitivo: *comprar en* ~. – 4 *m.* Capa sólida de terreno, natural o artificial, sobre la que se puede cimentar: *el* ~ *de una carretera.*

firmeza *f.* Estabilidad, fortaleza, solidez. 2

fig. Tesón, voluntad. 3 fig. Joya u objeto que sirve de prueba de lealtad amorosa.

firmón, -mona *adj.* Que por bajo precio firma escritos ajenos: *abogado* ~.

firulete *m.* Amér. Adorno prolijo, florituras. ◇ Úsase más en plural.

fiscal *adj.* Relativo al fisco o al oficio de fiscal. – 2 *com.* Ministro encargado de promover los intereses del fisco. 3 Persona que representa y ejerce el ministerio público en los tribunales. 4 fig. Persona que fiscaliza acciones ajenas.

fiscalía *f.* Oficio y empleo de fiscal. 2 Oficina del fiscal.

fiscalidad *f.* Conjunto de leyes, reglamentos y procedimientos relativos a las tasas, impuestos y contribuciones.

fiscalizar *tr.* Sujetar a la inspección fiscal. 2 fig. Averiguar o criticar los actos de una persona. ◇ ** CONJUG. [4] como *realizar.*

fisco *m.* Erario (tesoro público).

fisga *f.* Arpón tridente para pescar.

fisgar *tr.* Pescar con fisga. 2 Husmear (olfatear). 3 Atisbar para ver lo que pasa en la casa del vecino. – 4 *intr.-prnl.* Burlarse de uno diestramente. ◇ ** CONJUG. [7] como *llegar.*

fisgonear *tr.* desp. Fisgar, curiosear por costumbre.

fisiatría *f.* Naturismo.

fisible *adj.* Que se puede partir o escindir.

física *f.* Ciencia que estudia la materia en relación con los fenómenos que no modifican la estructura molecular de los cuerpos.

físico, -ca *adj.* Que concierne a la física: *estado* ~ *de un cuerpo.* 2 Que concierne a la naturaleza y constitución corpórea, especialmente en oposición a lo mental, moral y espiritual: *el mundo* ~; *un defecto* ~. – 3 *m. f.* Persona que por profesión o estudio se dedica a la física. – 4 *m.* Exterior de una persona: *tener un* ~ *muy feo.*

fisiocracia *f.* Doctrina económica, fundada por Quesnay (1694-1774), que sostenía que la riqueza provenía exclusivamente de la explotación de los recursos naturales.

fisiología *f.* Parte de la biología que estudia los órganos y sus funciones.

fisiologismo *m.* Doctrina que considera la enfermedad como resultado de un trastorno de las funciones vitales, producido por causas accidentales, externas o internas.

fisión *f.* FÍS. Rotura de un núcleo pesado en dos o más fragmentos de tamaño aproximadamente igual, acompañados de algunos neutrones y de gran cantidad de energía.

fisiopatología *f.* Rama de la patología que estudia las alteraciones funcionales del organismo entero o de alguna de sus partes.

fisioterapeuta *com.* Persona especializada en aplicar la fisioterapia.

fisioterapia *f.* Método curativo por medio de los agentes naturales.

fisirrostro *adj.-s.* [ave] Que tiene el pico corto y deprimido y la boca rasgada hasta muy atrás; como la golondrina.

fisonomía *f.* Aspecto particular del rostro de una persona. 2 fig. Aspecto exterior de las cosas.

fisonomista *adj.-s.* Que se dedica al estudio de la fisonomía o que tiene facilidad natural para recordar y distinguir a las personas por ésta.

fistol *m.* Hombre ladino y sagaz, especialmente en el juego.

fístula *f.* Arcaduz por donde cuela un líquido. 2 Conducto anormal, ulcerado y estrecho, que se abre en la piel o en las mucosas. 3 Instrumento músico a modo de flauta.

fistuloso, -sa *adj.* De forma de fístula o parecido a ella. 2 [llaga y úlcera] En que se forman fístulas. 3 BOT. [tallo] Hueco, como las cañas.

fisura *f.* Fractura, hendidura, grieta, especialmente de un hueso.

fitófago, -ga *adj.-s.* Que se alimenta de materias vegetales.

fitogeografía *f.* Disciplina que estudia la forma en que están distribuidas las especies vegetales sobre la tierra y busca las causas de esta distribución.

fitografía *f.* Parte de la botánica que tiene por objeto la descripción de las plantas.

fitolacáceo, -a *adj.-f.* Planta de la familia de las fitolacáceas. − 2 *f. pl.* Familia de plantas dicotiledóneas, herbáceas o leñosas, de hojas alternas, flores en racimo, frutos en baya y semillas con albumen harinoso.

fitología *f.* Botánica.

fitopatología *f.* Estudio de las enfermedades de las plantas.

fitoplancton *m.* Plancton formado por algas y otros vegetales.

fitotecnia *f.* Rama de la botánica que se ocupa de la mejora en el cultivo y producción de las plantas de interés económico.

fitotomía *f.* Anatomía de las plantas.

flabelífero, -ra *adj.* Que tiene por oficio agitar un abanico grande en ciertas ceremonias religiosas o cortesanas.

flabeliforme *adj.* En forma de abanico.

flabelo *m.* Abanico de plumas de avestruz y pavo real, ornamento exclusivo del Sumo Pontífice.

flaccidez *f.* Calidad de fláccido. 2 Laxitud, debilidad muscular.

fláccido, -da *adj.* Flaco, sin consistencia.

flaco, -ca *adj.* [persona o animal] De pocas carnes: ~ *de piernas.* 2 fig. Flojo, endeble, sin fuerza: *argumento* ~; *espíritu* ~. − 3 *m.* Defecto moral o pasión predominante de uno.

flagelado, -da *adj.* [célula] Que tiene flagelos. − 2 *adj.-m.* Protozoo del subtipo de los flagelados. − 3 *m. pl.* Subtipo de **protozoos con uno o más flagelos, al cual pertenecen organismos que pueden actuar como vegetales o animales.

flagelante *adj.* Que flagela. − 2 *m.* Penitente que se azotaba públicamente en los días de Semana Santa.

flagelar *tr.* Azotar. 2 fig. Fustigar, vituperar.

flagelo *m.* Azote o instrumento para azotar. 2 Azote (calamidad). 3 Prolongación filiforme y contráctil que sirve de órgano de locomoción a las células procariotas; **protozoos.

flagrante *adj.* Que se está ejecutando actualmente: *en* ~ *delito.*

flama *f.* Llama I. 2 Reflejo o reverberación de la llama. 3 Oleada de calor ardiente que hay en los días de solana.

flamante *adj.* Lúcido, resplandeciente. 2 Nuevo, reciente: *sombrero* ~; *navío* ~.

flamear *intr.* Despedir llamas. 2 MAR. fig. Ondear las velas o las banderas y flámulas. − 3 *tr.* Pasar [una pieza] por la llama. 4 Rociar [preparado culinario] con un licor espiritoso y encenderlo.

flamenco, -ca *adj.-s.* De Flandes, región de Bélgica. − 2 *adj.* Achulado. 3 [andaluz] Que tiende a hacerse agitanado: *tipo* ~. − 4 *m.* Conjunto de bailes y cantes formados por la fusión de elementos andaluces, gitanos y orientales. − 5 *adj.* Perteneciente o relativo a este conjunto de bailes y cantes. − 6 *m.* Idioma flamenco. 7 Ave fenicopteriforme, de cerca de un metro de altura, patas, cuello y pico encarnado *(Phœnicopterus ruber).*

flamencología *f.* Conjunto de conocimientos, técnicas, etc., sobre el cante y baile flamencos.

flamencólogo, -ga *adj.-s.* Persona experta en las variantes del cante y baile flamencos.

flamenquín *m.* Loncha de jamón cocido enrollada, rellena de queso, rebozada y frita.

flamenquismo *m.* Afición a las costumbres flamencas o achuladas.

flamero *m.* Candelabro que arroja una gran llama.

flamígero, -ra *adj.* Que arroja o despide llamas o imita su figura: *rayo* ~; *estilo* **gótico ~.

flámula *f.* Especie de grímpola. 2 Planta ranunculácea, con hojas lanceoladas las caulinares, y oblongas las basales, y flores amarillas *(Ranunculus flammula).*

flan *m.* Dulce de yemas de huevo, leche y azúcar batidos y cuajados en un molde puesto al baño de María. 2 Guiso hecho de ese modo, o alimento presentado en forma de flan: *un* ~ *de arroz.*

flanco *m.* Costado, parte lateral de un cuerpo: *atacar por el* ~ *derecho del batallón;* ~ *de la nave.*

flanera *f.* Molde en que se cuaja el flan.

flanquear *tr.* Estar colocado o colocarse al

flanco [de una cosa, especialmente de una fuerza] para protegerla o atacarla, y también protegerla o atacarla por el flanco.

flaquear *intr.* Debilitarse, ir perdiendo la fuerza: ~ *la cabeza.* 2 Amenazar ruina o caída: ~ *una viga;* ~ *por los cimientos.* 3 fig. Decaer de ánimo, aflojar, ceder: ~ *en la honradez.*

flaqueza *f.* Calidad de flaco, especialmente en sentido moral. 2 Acción defectuosa cometida por debilidad, especialmente de la carne.

flash *m.* Fuente luminosa con destello breve o intenso, usada en **fotografía cuando la luz es insuficiente o para atenuar las sombras. 2 Plano cinematográfico de una duración mínima. 3 fig. Breve noticia periodística. 4 fig. Noticia de última hora. 5 fig. Euforia súbita producida por la ingestión de estimulantes. 6 fig. Alucinación, sorpresa.

flato *m.* Acumulación molesta de gases en el tubo digestivo. 2 *Amér.* Melancolía, murria. 3 *Amér. Central.* Pánico, aprensión.

flatulencia *f.* Indisposición del que padece flatos.

flauta *f.* Instrumento músico de **viento en forma de tubo cilíndrico, con orificios y llaves: ~ *dulce,* la que tiene la embocadura en forma de boquilla; ~ *travesera,* la que se coloca de través, de izquierda a derecha, tiene cerrado el extremo superior y lleva una embocadura en forma de agujero ovalado, mayor que los demás.

flautado, -da *adj.* Parecido a la flauta. – 2 *m.* Registro del órgano cuyo sonido imita al de las flautas.

flautista *com.* Músico que toca la flauta.

flay *m.* En el juego del béisbol, golpe dado a la pelota de manera que ésta se eleve alto por el aire.

flébil *adj.* poét. Digno de ser llorado. 2 Triste, lamentable, lacrimoso.

flebitis *f.* Inflamación de las venas. ◇ Pl.: *flebitis.*

fleco *m.* Adorno compuesto por una serie de hilos o cordoncillos colgantes. 2 fig. Borde de una tela deshilachado por el uso. – 3 *m. pl.* Hilo delgado, obra de ciertas arañas, que flota en la atmósfera.

flector, -ra *adj* Relativo a la flexión o torsión: *esfuerzo* ~; *momento* ~.

flecha *f.* Saeta. 2 Sagita. 3 Indicador de dirección. 4 Remate o aguja afilada que corona la torre, campanario o cúpulas de las iglesias. 5 Altura de un **arco o bóveda desde la línea de arranque a la clave.

flechar *tr.* Estirar [el arco colocando en él la flecha]. 2 fig. Inspirar amor, cautivar los sentidos repentinamente. – 3 *intr.* Tener el arco en disposición para arrojar la saeta.

flechaste *m.* Cordel horizontal que, ligado a los obenques, sirve de escalones a la marinería para subir a lo alto de los palos.

flechazo *m.* Acción de disparar la flecha. 2 Golpe o herida que ésta causa. 3 fig. Amor que rápidamente se concibe o se inspira.

fleje *m.* Tira de chapa de hierro con que se hacen aros para asegurar las duelas de cubas y toneles y las balas de ciertas mercancías. 2 Pieza de acero que sirve para muelles o resortes.

flema *f.* Humor del cuerpo, según la fisiología antigua. 2 Mucosidad pegajosa que se arroja por la boca procedente de las vías respiratorias. 3 fig. Temperamento apático; lentitud, pachorra: *gastar* ~.

flemático, -ca *adj.* Sereno, tranquilo, impasible, lento.

fleme *m.* Instrumento puntiagudo y cortante para sangrar las bestias.

flemón *m.* Tumor en las encías. 2 Inflamación purulenta del tejido conjuntivo.

flequillo *m.* Porción de cabello recortado que cae sobre la frente.

fleta *f. Amér.* Friega, frotación. 2 *Colomb., Cuba, Chile, P. Rico y Venez.* Zurra, azotaina.

fletar *tr.* Alquilar [la nave, vehículo terrestre o aéreo, o parte de ellos] para transporte de mercancías o personas. – 2 *tr.-prnl.* Embarcar mercancías o personas en una nave para su transporte: *fletáronse muchas reses.* 3 *Amér.* Alquilar [una bestia de carga, carro o carruaje]. – 4 *prnl. Amér. Central.* Fastidiarse.

flete *m.* Precio de alquiler de una embarcación o de una parte de ella. 2 Carga de un buque. 3 *Amér.* Precio del alquiler de cualquier medio de transporte. 4 *Amér.* Carga que se transporta por mar o por tierra.

fletero, -ra *adj. Amér.* [embarcación, carro u otro vehículo] Que se alquila para transporte. – 2 *m. Amér.* El que cobra el precio del transporte.

flexibilizar *tr.* Hacer flexible o más flexible (que pueda doblarse o ceder) [algo]: ~ *un tejido;* ~ *el carácter de una persona.* ◇ ** CONJUG. [4] como *realizar.*

flexible *adj.* Que puede doblarse fácilmente: ~ *de talle.* 2 Que cede o se acomoda fácilmente al dictamen de otro, o a los deseos individuales de las personas: ~ *de carácter; horario* ~. – 3 *m.* Cordón de hilos finos de cobre recubierto de una capa aisladora, que se utiliza para transmitir la energía eléctrica.

flexión *f.* Acción de doblar o doblarse. 2 Efecto de doblar o doblarse. 3 FÍS. Deformación de un sólido por efecto de fuerzas que actúan sobre su plano de simetría. 4 GRAM. Cambio de forma que sufren las palabras para expresar sus accidentes gramaticales.

flexionar *tr.* Doblar [el cuerpo o un miembro].

flexo *m.* Lámpara de mesa con brazo flexible.

flexor, -ra *adj.* Que produce la flexión de una cosa: *músculo* ~.

flexuoso, -sa *adj.* Que forma ondas. 2 fig. Blando.

flip *m.* Bebida hecha con vino de Jerez u Oporto y huevo.

flipar *tr.* vulg. Cautivar, gustar mucho, entusiasmar. − 2 *prnl.* Drogarse. − 3 *intr.-prnl.* fam. Perder el contacto con la realidad por efecto de una droga, sentirse abatido después de pasar dicho efecto. 4 fam. Exaltarse, entusiasmarse.

flirt *m.* Coqueteo consciente. 2 Conquista amorosa de trascendencia efímera. − 3 *com.* Persona con la que se flirtea.

flirtear *intr.* Coquetear, galantear.

flocadura *f.* Guarnición hecha de flecos.

flogopita *f.* Mica que cristaliza en el sistema monoclínico, de color castaño o amarillento, verde o blanco, y de brillo vítreo o perlado.

flojear *intr.* Obrar con flojedad (pereza). 2 Flaquear.

flojedad *f.* Debilidad y flaqueza en alguna cosa. 2 fig. Pereza, negligencia, descuido.

flojel *m.* Tamo o pelillo del paño. 2 Pelillo o plumón muy fino de las aves.

flojo, -ja *adj.* Mal atado, poco apretado o poco tirante. 2 Que no tiene mucha actividad o vigor: *vino* ~. − 3 *adj.-s.* fig. Perezoso, negligente: *los flojos no se salvarán.* 4 *La Mancha* y *Amér.* Medroso, cobarde.

**flor *f.* Órgano complejo de la reproducción sexual en las plantas fanerógamas, procedente de la evolución de las hojas de un brote, y formado por órganos generadores de uno o de dos sexos, llamados estambres y pistilos, rodeados o no por las piezas de una envoltura o perianto simple, llamadas tépalos, o doble, llamadas sépalos y pétalos: ~ *aclamídea* o *desnuda,* la desprovista de perianto; ~ *completa,* la que tiene sépalos, pétalos, estambres y pistilos; ~ *compuesta,* inflorescencia formada por una multitud de florecillas sentadas en un receptáculo común; ~ *diploclamídea,* la de perianto doble; ~ *doble,* aquella en que, mediante cultivo, los órganos generadores se han transformado en pétalos; ~ *haploclamídea* o *monoclamídea,* la de perianto simple; ~ *homoclamídea,* la diploclamídea de perianto no diferenciado; ~ *heteroclamídea,* la diploclamídea de perianto diferenciado en cáliz y corola; ~ *unisexual,* aquella en que faltan los pistilos, masculina, o los estambres, femenina; *flores solitarias,* las que nacen aisladas unas de otras en una planta; ~ *hermafrodita,* la que tiene androceo y gineceo; ~ *cigomorfa,* la de un solo plano de simetría que la divide en dos partes simétricas; ~ *actinomorfa,* la que puede dividirse en unidades simétricas por dos o más planos distintos. 2 ~ *de la maravilla,* planta iridácea de adorno, de flores grandes que se marchitan rápidamente *(Tigridia pavonia).* 3 ~ *de la Pasión,* planta pasiflorácea trepadora con flores grandes y vistosas provistas de cinco sépalos, cinco pétalos y cinco estambres *(Passiflora coerulea).* 4 ~ *de lis,* planta amarilidácea de flores solitarias, grandes y aterciopeladas, de color rojo purpúreo *(Amaryllis formosissima; Lilium pyrenaicum);* BLAS., forma heráldica de la flor del lirio. 5 ~ *de Pascua,* planta euforbiácea ornamental de gran belleza por las brácteas que acompañan a la inflorescencia *(Euphorbia pulcherrima).* 6 ~ *de un día,* liliácea, perenne, con las hojas lineares, de flores color naranja en forma de embudo *(Hemerocallis fulva).* 7 Piropo, requiebro: *echar,* o *decir, flores.* 8 Lo más escogido de una cosa: *la* ~ *de la harina; la* ~ *y nata de la sociedad;* ~ *de la edad* o *de la vida,* juventud (mocedad). 9 En las pieles adobadas, parte exterior que, a distinción de la carnaza, admite pulimento. 10 Polvillo que cubre ciertas frutas, por ejemplo, las ciruelas, las uvas. 11 Conjunto de microorganismos que contiene el vino durante su crianza y que dos veces al año suben a la superficie, descendiendo al fondo de la vasija cuando se secan. 12 Irisaciones que se producen en las láminas delgadas de metales, cuando candentes se pasan por el agua. 13 Parte más sutil y ligera de los minerales, que se pega en lo más alto del alambique. 14 Virginidad.

flora *f.* Conjunto de las plantas que crecen espontáneamente en una región o que pertenecen a un período geológico. 2 Obra que las enumera y describe.

floración *f.* Florescencia. 2 Tiempo que duran abiertas las flores de las plantas de una misma especie.

floreal *m.* Octavo mes del año, según el calendario republicano francés.

florear *tr.* Adornar con flores [alguna cosa]. − 2 *intr.* Tocar dos o tres cuerdas de la guitarra con tres dedos sucesivamente sin parar, formando así un solo sonido continuo. 3 fig. Requebrar, echar flores. 4 *Amér.* Florecer, brotar las flores.

florecer *intr.* Echar flor. 2 fig. Prosperar, crecer en riqueza o reputación: *en su reinado florecieron las ciencias.* 3 fig. Existir una persona o cosa insigne en un tiempo o lugar determinado: *Garcilaso floreció en el s. XVI.* − 4 *prnl.* Ponerse mohoso: *florecerse el pan.* ◇ ** CONJUG. [43] como *agradecer.*

florencia *f.* Tela de seda, tafetán.

florentino, -na *adj.-s.* De Florencia, ciudad de Italia y de Colombia.

floreo *m.* fig. Conversación vana y de pasatiempo. 2 fig. Dicho vano y superfluo.

florero, -ra *adj.-s.* Que usa de palabras chistosas o lisonjeras. − 2 *m. f.* Florista. − 3 *m.* Vaso para poner flores. 4 Maceta con flores. 5 Lugar para guardar flores. 6 Cuadro en que sólo se representan flores.

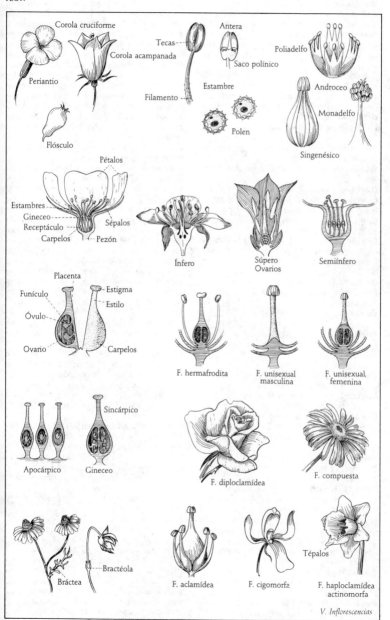

Corola cruciforme
Corola acampanada
Periantio
Flósculo
Antera
Tecas
Saco polínico
Filamento
Estambre
Polen
Poliadelfo
Androceo
Monadelfo
Singenésico

Pétalos
Estambres
Gineceo
Receptáculo
Carpelos
Sépalos
Pezón
Ínfero
Súpero
Ovarios
Semiínfero

Placenta
Funículo
Óvulo
Ovario
Estigma
Estilo
Carpelos
F. hermafrodita
F. unisexual masculina
F. unisexual femenina

Sincárpico
Apocárpico
Gineceo
F. diploclamídea
F. compuesta

Bráctea
Bractéola
F. aclamídea
F. cigomorfa
Tépalos
F. haploclamídea actinomorfa

V. Inflorescencias

florescencia *f.* Acción de florecer (echar flor). 2 Época en que las plantas florecen.

floresta *f.* Terreno frondoso y ameno. 2 fig. Reunión de cosas agradables y de buen gusto.

floreta *f.* Bordadura sobrepuesta que sirve de fuerza y adorno en los extremos de las cinchas.

florete *adj.* [azúcar, papel] De primera calidad. – 2 *m.* Esgrima con espadín. 3 Espadín de cuatro aristas destinado al ejercicio de este juego. 4 Tela entrefina de algodón.

floretear *tr.* Florear (adornar).

florícola *adj.* Que desarrolla su vida en las flores.

floricultor, -ra *m. f.* Persona que tiene por oficio cultivar las flores.

floricultura *f.* Oficio del floricultor y arte que lo enseña.

florido, -da *adj.* Que tiene flores. 2 fig. Escogido, selecto. 3 fig. [lenguaje o estilo] Muy exornado de galas retóricas. 4 fig. [animal] Que tiene manchas de color en su pelo, especialmente la vaca.

floridofíceo, -a *adj.-f.* Alga de la clase de las floridofíceas. – 2 *f. pl.* Clase de algas rodofíceas que forman talos generalmente macroscópicos y ramificados.

florífero, -ra *adj.* Que produce flores.

florilegio *m.* fig. Colección de trozos literarios selectos.

florín *m.* Unidad monetaria de los Países Bajos.

floripondio *m.* Adorno llamativo y de mal gusto, a veces en forma de flor grande.

florista *com.* Persona que tiene por oficio hacer o vender flores.

floristería *f.* Tienda o puesto donde se hacen o venden flores.

floritura *f.* Adorno en el canto o en otros ejercicios.

florón *m.* Adorno, a manera de flor muy grande, en el centro de los techos de las habitaciones. 2 fig. Hecho que da lustre, que honra.

flósculo *m.* **Flor de una cabezuela en que la corola es tubulosa y actinomorfa; **inflorescencias.

flota *f.* Marina (conjunto de barcos): ~ *de guerra;* ~ *mercante.* 2 Conjunto de varias escuadras y buques sueltos, reunidos para llevar a cabo una misión de guerra. 3 p. ext. Conjunto de vehículos de una categoría determinada que posee una colectividad: *la* ~ *de aviones de una compañía; la* ~ *de camiones de una empresa; la* ~ *de turismos de un país.*

flotación *f.* Proceso de separación de minerales recubriéndolos de una capa de aceite o por emulsión.

flotador, -ra *adj.* Que flota en un líquido. – 2 *m.* Cuerpo destinado a flotar en un líquido. 3 Corcho u otro cuerpo ligero utilizado por el pescador de caña. 4 Útil que sirve para mantener a flote a las personas que no saben nadar. 5 Dispositivo del hidroavión para que pueda flotar en el agua. 6 Dispositivo que sirve para indicar la altura alcanzada por un líquido en un depósito.

flotar *intr.* Sostenerse un cuerpo en equilibrio en la superficie de un líquido o en suspensión en un gas. 2 Ondear en el aire. 3 fig. Propagarse en el ambiente, en el aire, etc., algo inmaterial que impresiona el ánimo. 4 fig. Variar libremente la cotización de una moneda de acuerdo con la ley de la oferta y la demanda.

flotilla *f.* Flota de buques pequeños. 2 Flota compuesta de pocos aviones.

fluctuación *f.* Acción de fluctuar. 2 Efecto de fluctuar. 3 fig. Irresolución o duda. 4 FÍS. Variación de corta duración que experimenta una magnitud física respecto a su valor normal.

fluctuar *intr.* Vacilar un cuerpo sobre las aguas por el movimiento de ellas, ser llevado por las olas, ondear. 2 fig. Estar a riesgo de perderse o arruinarse una cosa. 3 fig. Vacilar, dudar. 4 fig. Oscilar los cambios y precios: ~ *los valores en Bolsa.* 5 Cambiar de velocidad un aparato de sonido. ◇ ** CONJUG. [11] como *actuar.*

fluencia *f.* Lugar donde mana un líquido. 2 Acción de fluir, manar. 3 Efecto de fluir, manar. 4 MEC. Deformación lenta que experimenta con el tiempo un sólido sometido a una carga aplicada constante.

fluidez *f.* Calidad de fluido. 2 Facilidad de movimiento y operación de los factores económicos de la mano de obra, del mercado, del transporte, etc.

fluidificar *tr.* Dar fluidez o mayor fluidez a una substancia. ◇ ** CONJUG. [1] como *sacar.*

fluido, -da *adj.-s.* Cuerpo cuyas moléculas cambian con facilidad su posición relativa; como los líquidos y los gases: *el agua es fluida; el aire es un* ~. – 2 *adj.* fig. [lenguaje o estilo] Corriente y fácil. 3 fig. Hablando de una situación o momento político, social, diplomático, etc., inseguro, inconsistente, incierto, dudoso. – 4 *m.* Agente de determinados fenómenos: ~ *magnético;* ~ *nervioso.*

fluir *intr.* Correr un líquido. 2 fig. Brotar o manar en abundancia: *las palabras fluyen de su boca.* ◇ ** CONJUG. [62] como *huir.*

flujo *m.* Movimiento de las cosas líquidas o fluidas. 2 Movimiento de ascenso de la marea. 3 Derrame al exterior de un líquido o secreción, normal o patológica, especialmente cuando es abundante. 4 fig. Abundancia excesiva: ~ *de palabras, de risa.* 5 ~ *de vientre,* frecuente evacuación del vientre.

flúor *m.* Metaloide gaseoso, corrosivo, de

olor sofocante y color amarillo verdoso. Su símbolo es *F*.

fluorescencia *f.* Propiedad que tienen algunos cuerpos de emitir luz cuando están expuestos a ciertos rayos del espectro, a los catódicos, a los de Roentgen (1845-1923), etc. 2 Luz así producida.

fluorescente *adj.* Perteneciente o relativo a la fluorescencia. 2 Producido por la fluorescencia: *luz* ~.

fluorhídrico *adj. Ácido* ~, cuerpo gaseoso a más de 20° de temperatura, muy deletéreo y corrosivo, compuesto de flúor e hidrógeno, usado para grabar vidrio.

fluorita *f.* Fluoruro de calcio nativo, compacto, de varios colores, que cristaliza en el sistema regular.

fluorización *f.* Empleo de flúor, bajo forma de fluoruros, como prevención de la caries dental.

fluorografía *f.* Reproducción fotográfica de las imágenes visibles en las pantallas fluorescentes. 2 Procedimiento de impresión sobre cristal o piedra mediante la acción corrosiva del ácido fluorhídrico.

fluoruro *m.* Sal del ácido fluorhídrico.

fluvioglaciar *adj.* [fenómeno geológico] Producido por cursos de agua procedentes de la fusión del hielo de un glaciar.

fluviógrafo *m.* Aparato que sirve para registrar automáticamente las variaciones del nivel de un río, canal, embalse, etc.

fluviómetro *m.* Aparato que sirve para medir el nivel del agua fluvial.

flux *m.* En ciertos juegos, circunstancia de ser de un mismo palo todas las cartas de un jugador.

fluxión *f.* Acumulación morbosa de humores en cualquier órgano. 2 Resfriado, constipado nasal.

fobia *f.* Aversión apasionada, temor morboso.

foca *f.* Mamífero pinnípedo, que habita generalmente las costas del mar glacial, de cabeza y cuello parecidos a los de un perro, sin orejas, con las patas adaptadas a la natación, pero que le permiten también la locomoción terrestre (gén. *Phoca*). 2 fig. Persona gorda.

focalizar *tr.* Hacer converger en un punto o zona una radiación luminosa. 2 fig. Centrar [la discusión de un problema, un debate, etc.]. ◇ ** CONJUG. [4] como *realizar*.

focino *m.* Aguijada de punta corva con que se gobierna al elefante.

foco *m.* Punto donde vienen a reunirse los rayos de luz, calor, etc., reflejados por un espejo curvo o refractados por una lente convergente: ~ *real*; o de donde parece provenir un haz de rayos divergentes: ~ *virtual*. 2 Lámpara que tiene una luz muy potente. 3 Centro donde está localizado y desde donde se propaga un proceso morboso, una infección o una epidemia. 4 Punto cuya distancia a cualquiera de los una **curva se puede expresar en función racional y entera de las coordenadas de estos puntos. 5 fig. Punto donde está concentrada una cosa y desde donde se propaga e influye: ~ *de ilustración*. 6 *Amér.* Bombilla de alumbrado eléctrico.

focomelia *f.* Defecto físico que consiste en la desaparición parcial de las extremidades, o sea, en el nacimiento de manos y pies directamente del tronco.

focha *f.* Ave gruiforme zancuda, nadadora, de plumaje negro, pico grueso, con una placa córnea en la frente (*Fulica atra*).

fofo, -fa *adj.* Esponjoso, blando y de poca consistencia.

fogaje *m.* Tributo que pagaban los hogares o familias. 2 Bochorno, calor. 3 *Can., Argent. y Méj.* Fuego, erupción de la piel.

fogarada *f.* Llamarada.

fogaril *m.* Jaula de aros de hierro, dentro de la cual se enciende lumbre para que ilumine o sirva de señal.

fogata *f.* Fuego que levanta llama.

fogón *m.* Sitio adecuado en las cocinas para hacer fuego y guisar. 2 En las calderas de las máquinas de vapor, lugar destinado a contener el combustible. 3 Oído en las armas de fuego. 4 *Amér.* Fuego, fogata.

fogonadura *f.* Agujero de las cubiertas de una embarcación por donde pasan los palos. 2 Abertura en un piso de madera para dar paso a un pie derecho que sirva de sostén.

fogonazo *m.* Llama que levanta la pólvora, el magnesio, etc., cuando se inflaman.

fogosidad *f.* Ardimiento y viveza demasiada.

fogoso, -sa *adj.* fig. Ardiente, demasiado vivo.

foguear *tr.* Limpiar con fuego [una escopeta]. 2 Acostumbrar [a las personas o caballos] al fuego de la pólvora. 3 fig. Acostumbrar [a alguien] a las penalidades o trabajos.

foie-gras *m.* Pasta alimenticia preparada a base de hígado animal. ◇ Se pronuncia *fuagrás*.

folclor, folclore *m.* Conjunto de tradiciones, leyendas, creencias, costumbres y proverbios populares. 2 Su estudio. 3 fig. Aspecto o rasgo pintoresco y superficial [de algo].

folclórico, -ca *adj.* Relativo al folclor. 2 [canción, baile, costumbre, etc.] Que posee carácter tradicional. 3 [cantante o bailarín] Que ejerce un arte tradicional. – 4 *m. f.* Persona que se dedica al cante flamenco o aflamencado.

folía *f.* Baile popular, de origen portugués, de carácter movido y alegre. 2 Baile popular de las islas Canarias, de tiempo lento y acompañamiento de castañuelas. 3 Música y canto melancólico de este baile. 4 fig. Música ligera, de gusto popular.

foliáceo, -a *adj.* Relativo o parecido a las hojas de las plantas. 2 De estructura laminar.

foliación *f.* Serie numerada de los folios de un escrito o impreso. 2 Acción de echar hojas las plantas. 3 Modo de estar colocadas.

foliado, -da *adj.* Que tiene hojas.

foliar *tr.* Numerar los folios del libro o cuaderno. ◇ ** CONJUG. [12] como *cambiar*.

folículo *m.* BOT. **Fruto seco, monocarpelar, dehiscente por la sutura ventral. 2 ANAT. Saco membranoso situado en el espesor de un tegumento.

folidoto *adj.-m.* Mamífero del orden de los folidotos. – 2 *m. pl.* Orden de mamíferos placentarios, cuyo cuerpo, de tamaño medio, se encuentra cubierto de placas córneas; carecen de dientes y sus extremidades anteriores constan de tres dedos, mientras que las posteriores presentan cinco; como el pangolín.

folio *m.* Hoja de un libro o cuaderno: *en ~.*

folíolo *m.* División de una **hoja compuesta.

folk *m.* Canción o música popular.

follada *f.* Empanadilla hueca y hojaldrada.

follaje *m.* Conjunto de hojas de los árboles y otras plantas. 2 Adorno de cogollos y hojas. 3 fig. Adorno complicado y de mal gusto. 4 fig. Palabrería, superfluidad en el discurso.

follar *tr.-intr.* Talar o destruir. 2 vulg. Practicar el coito.

folletín *m.* Artículo literario, novela u otra obra cualquiera que se publica en la parte inferior de las planas de los periódicos. 2 Tipo de relato caracterizado por una intriga emocionante y a veces poco verosímil. 3 Pieza teatral o cinematográfica de características similares. 4 Obra mala o lacrimosa. 5 p. ext. Situación insólita que parece propia de una obra folletinesca.

folletinesco, -ca *adj.* Relativo al folletín. 2 Propio de los relatos y de los dramas de folletín o de las situaciones reales comparables a las de un folletín. 3 fig. Complicado y avivador del interés: *suceso ~.*

folleto *m.* Obra impresa, no periódica y de corta extensión. 2 p. ext. Impreso propagandístico.

follisca *f.* Amér. Fullona, riña, pendencia.

I) follón *m.* Gresca, tumulto, desbarajuste: *se armó un ~ terrible.* 2 Asunto complicado.

II) follón, -llona *adj.-s.* Flojo, perezoso. 2 Jactancioso, cobarde y ruin.

III) follón *m.* Cohete que se dispara sin trueno. 2 Ventosidad sin ruido. 3 Vástago que echa un árbol desde la raíz.

fomentar *tr.* fig. Excitar, promover o proteger [una cosa].

fomento *m.* fig. Auxilio, protección. 2

Medicamento líquido que se aplica en paños exteriormente.

fon *m.* FÍS. Nombre del fonio en la nomenclatura internacional.

fonación *f.* Emisión de la voz o de la palabra.

fonador, -ra *adj.* [órgano] Que interviene en la fonación.

fonda *f.* Establecimiento de hostelería de similar categoría a la pensión, que dispone como mínimo de servicios de aseo y comedor. 2 Servicio y conjunto de cámara, comedor y cocina de un buque mercante. 3 *Chile, Guat. y Salv.* Taberna.

fondeadero *m.* Paraje de profundidad suficiente para que pueda fondear la embarcación.

fondeado, -da *adj. Amér.* Acaudalado, adinerado, que está en fondos.

fondear *tr.* Reconocer el fondo del agua. 2 Registrar [una embarcación] para ver si trae contrabando. 3 fig. Examinar [alguna cosa o cuestión] hasta llegar al fondo de la misma. 4 Rellenar el fondo [de una cacerola] con tocino, legumbres, etc., para rehogar en él una vianda. – 5 *intr.* Asegurar una embarcación o cuerpo flotante por medio de anclas o pesos. – 6 *prnl.* Agarrarse ligeramente [la comida]. 7 *Amér.* Enriquecerse.

fondillos *m. pl.* Parte trasera de los calzones o pantalones.

fondilludo, -da *adj. Amér. Central y Perú.* De anchos fondillos o de asentaderas abultadas.

fondista *com.* Persona que tiene por oficio cuidar de una fonda. 2 DEP. Deportista que practica las modalidades de resistencia física.

fondo *m.* Parte inferior de una cosa hueca. 2 Superficie sólida sobre la cual descansa el agua del mar, de un río, de un estanque, etc.: *a ~,* entera y perfectamente: *trató la cuestión a ~.* 3 Lo principal y esencial de una cosa: *la forma y el ~.* 4 Extensión interior de un edificio: *casa de mucho ~ y poca fachada.* 5 Campo de una tela, pintura, etc., sobre el cual resaltan los adornos o manchas: *un papel con flores sobre ~ azul; un mármol de ~ rojo.* 6 Caudal, especialmente aquel de que se dispone o que debe destinarse a un determinado fin. 7 Conjunto de documentos o libros de un archivo, biblioteca, casa editorial, etc. 8 DEP. Resistencia física, reserva de energía corporal para aguantar prolongados esfuerzos. – 9 *m. pl.* Caudales, dinero, papel moneda, etc., perteneciente al tesoro público o al haber de un negociante. 10 MAR. Parte sumergida del casco de un buque: *limpiar los fondos.*

fondón, -dona *adj.* desp. y fam. [pers.] Que ha perdido la agilidad de la juventud por haber engordado.

fondue *f.* Preparación culinaria que puede

ser a base de queso, uno graso y otro magro, o de carne, cocidos en un hornillo con alcohol.

fonema *m.* Sonido abstracto diferenciable de otros en una lengua. V. vocal y consonante.

fonendoscopio *m.* Instrumento usado para auscultar, consistente en una cápsula de resonancia que transmite, por unos tubos, el sonido ampliado a dos auriculares.

fonético, -ca *adj.* Relativo a los sonidos del lenguaje. 2 [alfabeto, escritura] Cuyos signos transcriben exactamente los sonidos; p. ext., [ortografía] que se basa en la pronunciación y no en la etimología. – 3 *f.* Rama de la lingüística que estudia los sonidos del lenguaje en su realización física. 4 Conjunto de los sonidos de un idioma o dialecto.

fonetismo *m.* Conjunto de caracteres y particularidades fonéticas de un idioma o dialecto. 2 Adaptación de la escritura a la pronunciación.

foniatría *f.* Estudio y tratamiento de las perturbaciones y defectos de la fonación.

fonil *m.* Embudo para envasar líquidos en las pipas.

fonio *m.* FÍS. Unidad acústica para medir la diferencia entre las sensaciones sonoras producidas por dos intensidades distintas.

fonografía *f.* Arte de inscribir sonidos para reproducirlos por medio del fonógrafo. 2 Ciencia de la voz humana y de los sonidos articulados referidos especialmente a su representación fonética.

fonógrafo *m.* Instrumento que inscribe las vibraciones de los sonidos mediante incisiones producidas en un cilindro por una aguja conectada a una lámina vibrante.

fonograma *m.* Símbolo gráfico que representa un sonido o un grupo de sonidos; esp., cada una de las letras del alfabeto. 2 Inscripción de las ondas sonoras en los aparatos registradores.

fonología *f.* Rama de la lingüística que, a diferencia de la fonética, estudia los fonemas no en su realización física, sino en sus valores funcionales, esto es, diferenciadores dentro del sistema propio de cada lengua.

fonometría *f.* Medida de la intensidad de la voz, o de los sonidos.

fonoteca *f.* Lugar donde se guardan archivados documentos sonoros. 2 Conjunto de estos documentos.

fonotecnia *f.* Estudio de las maneras de obtener, transmitir, registrar y reproducir el sonido.

fonovisión *f.* Transmisión a distancia del sonido y de la imagen.

fonsadera *f.* Servicio personal que se prestaba en la guerra. 2 Antiguo tributo para atender a los gastos de guerra.

fontana *f.* poét. Fuente.

fontanela *f.* Espacio membranoso que hay en el cráneo humano y de muchos animales antes de su completa osificación.

fontanería *f.* Oficio de fontanero. 2 Conjunto de instalaciones que canalizan y distribuyen el agua.

fontanero, -ra *m.* *f.* Persona que tiene por oficio encañar, distribuir y conducir las aguas. 2 Persona que tiene por oficio instalar, cuidar, reparar, etc., las conducciones de agua e instalaciones sanitarias en los edificios.

footing *m.* ANGLIC. Joggin. ◇ Se pronuncia *fútin*.

foque *m.* Vela en general, que se orienta y arma sobre el bauprés. 2 fig. *y* fam. Cuello de camisa almidonado, de puntas muy tiesas.

forajido, -da *adj.-s.* Facineroso que anda fuera de poblado, huyendo de la justicia.

foral *adj.* Relativo al fuero: *derecho ~; guardia ~.*

foraminífero *adj.-m.* Protozoo del tipo de los foraminíferos. – 2 *m.* *pl.* Tipo de **protozoos marinos, provistos de una envoltura calcárea con uno o varios orificios, por donde emiten sus seudópodos.

foráneo, -a *adj.* Forastero, extraño.

forastero, -ra *adj.-s.* Que es o viene de fuera del lugar. – 2 *adj.* fig. Extraño, ajeno.

forcaz *adj.* [carromato] De dos varas.

forcejear *intr.* Hacer fuerza para vencer una resistencia. 2 fig. Resistir, hacer oposición.

fórceps *m.* Instrumento para la extracción de las criaturas en los partos difíciles. 2 Instrumento en forma de tenaza usado para la extracción de dientes. ◇ Pl.: *fórceps.*

forcípula *f.* Instrumento utilizado para medir el diámetro del tronco de los árboles.

forchina *f.* Arma de hierro a modo de horquilla.

forense *adj.* Relativo al foro. 2 *Médico ~,* o simplemente ~, especialista designado por la ley para asistir en las actuaciones judiciales y ante los tribunales de justicia como perito en lo criminal y en lo civil.

forestal *adj.* Relativo a los bosques y a sus aprovechamientos: *repoblación ~.*

forestar *tr.* Poblar [un terreno] con plantas forestales.

forfait *m.* Ajuste de antemano en una cantidad invariable del precio de algo. 2 Viaje organizado por una agencia con un precio fijo.

forillo *m.* En el teatro, telón pequeño que se pone detrás del telón de foro en que hay alguna abertura.

forja *f.* Fragua de platero. 2 Ferrería. 3 Argamasa.

forjar *tr.* Trabajar [el metal] y darle forma con el martillo: ~ *el hierro en barras.* 2 Fabricar y formar, especialmente tratándose de obras de albañilería. 3 fig. Inventar, fingir, imaginar [algo]: ~ *mil embustes.* – 4 *prnl.* Amér. Central. Hacer uno su agosto.

forma *f.* Apariencia externa de una cosa, en contraposición a la materia de que está compuesta; conjunto de líneas y superficies que determinan su contorno. 2 Tamaño, dimensiones de un libro: como folio, cuarto y octavo. 3 Modo de existencia, acción o manifestación, de una misma cosa o substancia: *el diamante, el grafito y el carbón son formas alotrópicas del carbono; las formas gramaticales de una palabra.* 4 Modo exterior de proceder según ciertas reglas: *observar,* o *guardar, la* ~; *no hay* ~ *de cobrar;* **en** ~, con formalidad, como es debido; **estar** o **hallarse en** ~, entre deportistas, tener plena aptitud, preparación y energía para determinado acto deportivo, p. ext., encontrarse en plena posesión de otras facultades. 5 Modo de expresar el pensamiento, cualidades de estilo: *el fondo de esta obra desmerece de su* ~. 6 Molde (objeto hueco). – 7 *f. pl.* Modales, convenientes sociales.

formación *f.* Reunión ordenada de un cuerpo de tropas para ciertos actos del servicio. 2 Forma (apariencia externa): *el caballo es de buena* ~.

formal *adj.* Relativo a la forma: *lógica* ~. 2 Que tiene formalidad: *es un hombre muy* ~. 3 Expreso, preciso, determinado: *con orden* ~ *de comparecer.*

formaldehído *m.* QUÍM. Gas incoloro, inflamable y venenoso, soluble en agua, alcohol y éter, que se utiliza para fabricar colorantes, productos textiles, insecticidas, etc.

formalidad *f.* Norma de comportamiento en la ejecución de ciertos actos públicos. 2 Requisito indispensable para alguna cosa: *llenar las formalidades previas.* 3 Seriedad, compostura. 4 Exactitud, puntualidad, consecuencia en las acciones.

formalismo *m.* Aplicación y observancia rigurosa del método y fórmulas de una escuela, en la enseñanza o en la investigación científica.

formalizar *tr.* Dar la última forma [a una cosa]. 2 Revestir [una cosa] de los requisitos legales: ~ *un expediente.* 3 Concretar, precisar: ~ *un cargo.* – 4 *prnl.* Ponerse serio, ofenderse y también ganar seriedad: *el niño va formalizándose.* ◇ ** CONJUG. [4] como *realizar.*

formalote, -ta *adj.* fam. [pers.] Que tiene formalidad, serio, amigo de la verdad.

formar *tr.* Hacer [algo] dándole la forma que le es propia: *en un instante era capaz de* ~ *de la arcilla hermosas figuras.* 2 Juntar, congregar [diferentes personas o cosas]. 3 Constituir varias personas o cosas [un todo]: *el alcohol y el agua forman una mezcla; padre e hijo forman una sociedad.* 4 Criar, educar, adiestrar: ~ *a los niños con el buen ejemplo;* ~ *un autor su estilo.* – 5 *intr.* Colocarse una persona en una formación, cortejo, etc. – 6 *prnl.* Desarrollarse una persona en lo físico o en lo moral.

formatear *tr.* INFORM. Preparar un disco o disquete virgen para darle una estructura utilizable por el ordenador.

formato *m.* Forma de un libro. 2 p. ext. Dimensiones de las fotografías, cuadros, etc. 3 INFORM. Forma o disposición en que se presentan los datos.

formica *f.* Tipo de laminado plástico con que se forran o protegen algunas maderas.

formicante *adj.* Propio de hormiga. 2 Lento, tardo.

fórmico *adj.* *Ácido* ~, CH_2O_2, líquido incoloro, de sabor picante, procedente de la oxidación de ciertas substancias orgánicas.

formidable *adj.* Muy temible y que infunde asombro. 2 Excesivamente grande. 3 fam. Estupendo, magnífico.

formol *m.* Solución acuosa de aldehído fórmico, la cual se usa como desinfectante.

formón *m.* Herramienta de carpintería parecida al escoplo, de filo muy cortante. 2 Sacabocados de boca circular.

fórmula *f.* Forma establecida para expresar alguna cosa, modo convenido para ejecutarla o resolverla: *pronunciar la* ~ *ritual; fabricar un dentífrico según tal o cual* ~. 2 Receta (prescripción y nota). 3 Expresión concreta de una avenencia o transacción entre diversos pareceres. 4 En los automóviles, características de peso, motor, cilindrada, etc., a que se han de ajustar para las carreras de velocidad. 5 MAT. Resultado de un cálculo cuya expresión, simplificada, sirve de regla para resolución de todos los casos análogos. 6 QUÍM. Expresión simbólica de la composición de un cuerpo.

formular *tr.* Reducir a una fórmula, expresar en una fórmula: ~ *una reacción química.* 2 Recetar. 3 Expresar [algo] con términos claros y precisos: ~ *cargos;* ~ *conclusiones;* ~ *un deseo.*

formulario, -ria *adj.* Relativo a las fórmulas o al formulismo. 2 Que se hace por pura fórmula. – 3 *m.* Libro que contiene fórmulas: ~ *terapéutico;* ~ *epistolar.* 4 Modelo o patrón impreso con espacios blancos para rellenar en la realización de trámites.

formulismo *m.* Excesivo apego a las fórmulas. 2 Tendencia a preferir la apariencia de las cosas a su esencia.

fornáceo, -a *adj.* poét. Relativo al horno.

fornicar *intr.* Realizar fuera del matrimonio el acto de la generación. ◇ ** CONJUG. [1] como *sacar.*

fornido, -da *adj.* Robusto y de mucho hueso.

fornitura *f.* Correaje y cartuchera del soldado. 2 Conjunto de accesorios que entran en la confección de vestidos, como botones, forros, cintas, etc. 3 Piezas de repuesto de un reloj.

foro *m.* Plaza en las ciudades romanas y especialmente en Roma, donde se celebraban las reuniones políticas y donde el pretor celebraba los juicios. 2 *p. ext.* Sitio en que los tribunales oyen y determinan las causas. 3 Reunión para discutir asuntos de interés actual ante un auditorio que puede intervenir en la discusión. 4 Curia, y cuanto concierne a la abogacía y a los tribunales. 5 Parte del escenario opuesta a la embocadura.

forofo, -fa *m. f.* Hincha, fanático, incondicional. 2 *p. ext.* Seguidor entusiasta y obcecado de algo o alguien.

forónido *adj.-m.* Animal del tipo de los forónidos. – 2 *m. pl.* Tipo de animales invertebrados lofofóridos, que tienen una corona de tentáculos alrededor de la boca, sin aparato respiratorio, y que viven dentro de un tubo quitinoso segregado por ellos mismos.

forración *f.* Procedimiento para reforzar y hacer flexibles las pinturas sobre el lienzo.

forraje *m.* Pasto herbáceo, verde o seco, que se da al ganado. 2 *Amér.* Pasto seco conservado o cereales, para alimentación del ganado.

forrajear *tr.* Segar y coger el forraje.

forrar *tr.* Cubrir [una cosa] por la parte interior o exterior, con un forro: ~ *un vestido;* ~ *un libro;* ~ *de, en,* o *con, pieles.* – 2 *prnl.* fam. Enriquecerse.

forro *m.* Abrigo, defensa, resguardo o cubierta que se pone a una cosa interior o exteriormente: *el ~ de un libro,* la cubierta. 2 Tela interior para reforzar el tejido en un vestido o para darle cuerpo. 3 Revestimiento interior o exterior del buque.

fortachón, -chona *adj.* fam. Recio y fornido.

fortalecer *tr.-prnl.* Fortificar (dar vigor). ◇ ** CONJUG. [43] como *agradecer.*

fortaleza *f.* Fuerza y vigor material o moral. 2 Natural defensa que a un lugar le presta su propia situación. 3 Recinto fortificado.

fortificación *f.* Acción de fortificar. 2 Obra o conjunto de obras con que se fortifica un lugar.

fortificar *tr.* Dar vigor y fuerza. 2 *tr.-prnl.* Hacer fuerte [un lugar] con obras de defensa: ~ *con fajinas; fortificarse contra el enemigo; fortificarse en un punto.* ◇ ** CONJUG. [1] como *sacar.*

fortín *m.* Fuerte pequeño. 2 Obra que se levanta en los atrincheramientos de un ejército.

fortran *m.* INFORM. Lenguaje de programación de ordenadores de carácter general basado en estructuras del lenguaje humano y de las matemáticas.

fortuito, -ta *adj.* Que sucede inopinada y casualmente: *caso ~.*

fortuna *f.* Suerte (suceso o circunstancia favorable): *probar ~,* intentar una empresa de resultado difícil o incierto; *por ~,* afortunadamente, por casualidad. 2 Hacienda, capital.

3 Éxito, aceptación de una cosa entre la gente.

forúnculo *m.* Divieso.

forzar *tr.* Obligar a ceder con fuerza o violencia: ~ *una puerta.* 2 Gozar [a una mujer] contra su voluntad. 3 Tomar u ocupar por fuerza: ~ *una plaza.* 4 Obligar a que se ejecute una cosa: *les forzaron a andar.* ◇ ** CONJUG. [50].

forzoso, -sa *adj.* Que no se puede excusar. – 2 *f.* Lance en el juego de damas a la española.

forzudo, -da *adj.* Que tiene grandes fuerzas.

fosa *f.* Sepultura: ~ *común,* lugar donde se entierran los restos humanos exhumados de sepulturas temporales o aquellos que, por cualquier razón, han muerto sin poder pagar sepultura. 2 Cavidad en el cuerpo humano: *las fosas **nasales; **boca.* 3 Depresión de la superficie de algunos huesos. 4 ~ *abisal,* depresión estrecha, rectilínea o arqueada, de más de 5.000 m. de profundidad, que de manera discontinua se extiende por los diversos océanos, especialmente por el Pacífico. 5 GEOL. ~ *tectónica,* estructura geológica constituida por una zona alargada de la corteza terrestre, que se ha hundido respecto a los bloques laterales, por la acción de fallas marginales.

fosar *tr.* Abrir un foso en torno de [una cosa].

fosco, -ca *adj.* Hosco. 2 Obscuro. 3 [pelo] Alborotado, ahuecado.

fosfatar *tr.* Combinar el fosfato con [otra substancia]. 2 Mejorar [las tierras empobrecidas] mediante fosfatos.

fosfato *m.* Sal o éster del ácido fosfórico. 2 Abono inorgánico constituido por diversas clases de fosfatos solubles.

fosforado, -da *adj.* Que contiene fósforo (metaloide).

fosforar *tr.* Añadir o mezclar [una substancia] con fósforo.

fosforecer *intr.* Manifestar fosforescencia. ◇ ** CONJUG. [43] como *agradecer.*

fosforescencia *f.* Luminiscencia producida por una causa excitante y que persiste más o menos cuando desaparece dicha causa. 2 Luminiscencia persistente de origen químico; como la de las luciérnagas.

fosfórico, -ca *adj.* Perteneciente o relativo al fósforo. 2 Que contiene fósforo. 3 esp. [compuesto oxigenado] Que contiene fósforo en los grados superiores de oxidación.

fosforita *f.* Mineral compacto, terroso, blanco, amarillento, variedad impurificada de la apatita.

fósforo *m.* Metaloide sólido, amarillento, de aspecto como de cera, de olor desagradable y muy venenoso. Su símbolo es *P.* 2 Trozo de cerilla, madera o cartón con cabeza de fósforo que sirve para encender. 3 fig. Meollo, entendimiento, agudeza, ingenio.

fosforoso, -sa *adj.* [ácido] Que se forma por la combustión lenta del fósforo.

fosfuro *m.* Combinación del fósforo con otro elemento o radical.

fósil *adj.-m.* Ser orgánico que se encuentra petrificado en los antiguos depósitos sedimentarios de la corteza terrestre; p. ext., impresión o vestigio que denota la existencia de organismos de una época geológica distinta de la actual. 2 fig. Viejo, anticuado.

fosilizarse *prnl.* Convertirse en fósil. 2 fig. *y* fam. Quedarse una persona encasillada en un oficio, trabajo, ideas, etc., sin evolucionar o mejorar. ◇ ** CONJUG. [4] como *realizar*.

foso *m.* Hoyo. 2 Piso inferior del escenario. 3 Excavación profunda que rodea un **castillo o fortaleza. 4 Lugar con arena en el que va a parar el atleta cuando ya ha saltado. 5 Hoyo que, en los garajes, permite inspeccionar los coches, desde abajo. 6 Canal para que se escurran las aguas de lluvia.

fosquera *f.* Suciedad de las colmenas.

fotingo *m.* *Amér.* Automóvil pequeño de alquiler, feo y de mal aspecto.

foto *f.* fam. Abreviación de fotografía (estampa).

fotocalco *m.* Calco que se obtiene por medio de la fotografía.

fotocélula *f.* Célula fotoeléctrica.

fotocinesis *f.* Reacción móvil de los organismos frente a estímulos luminosos. ◇ Pl.: *fotocinesis*.

fotocomponer *tr.* IMPR. Componer [textos] directamente sobre películas listas para el montaje. ◇ ** CONJUG. [78] como *poner*.

fotocomposición *f.* IMPR. Acción de fotocomponer. 2 IMPR. Efecto de fotocomponer. 3 IMPR. Técnica de fotocomponer.

fotoconductor, -ra, -triz *adj.-s.* Cuerpo cuya conductividad eléctrica varía según la intensidad de la luz que los ilumina.

fotocopia *f.* Copia de un documento obtenida mediante un procedimiento fotoeléctrico.

fotocopiador, -ra *adj.* Que fotocopia. – 2 *f.* Máquina para fotocopiar.

fotocopiar *tr.* Hacer fotocopias [de un plano, documento, etc.]. ◇ ** CONJUG. [12] como *cambiar*.

fotodegradable *adj.* [substancia] Que por efecto de la luz pierde sus propiedades, o quedan atenuadas.

fotoelectricidad *f.* Electricidad producida por acción de la luz.

fotoeléctrico, -ca *adj.* Relativo a la acción de la luz sobre ciertos fenómenos eléctricos. 2 [aparato] En que se utiliza dicha acción.

fotófilo, -la *adj.* [planta] Que requiere abundante luz para su desarrollo normal.

fotofobia *f.* Repugnancia y horror a la luz.

fotófono *m.* Instrumento para transmitir el sonido por medio de ondas luminosas.

fotogénesis *f.* Producción de luz por parte de ciertas estructuras orgánicas, presentes principalmente en los animales que constituyen la fauna marina abisal. ◇ Pl.: *fotogénesis*.

fotogenia *f.* Capacidad de favorecer los efectos químicos de la luz sobre ciertos cuerpos. 2 Dote natural de algunas personas gracias a la cual resultan muy favorecidas al ser fotografiadas o filmadas.

fotogénico, -ca *adj.* Que promueve o favorece la acción química de la luz. 2 Que es especialmente adecuado para la reproducción fotográfica: *facciones fotogénicas*.

fotograbado *m.* Arte de grabar planchas preparadas por métodos fotográficos. 2 Grabado hecho por este procedimiento.

****fotografía** *f.* Arte de producir imágenes por la acción química de la luz sobre superficies convenientemente preparadas: ~ **submarina*. 2 Estampa obtenida por medio de este arte; **periódico*. 3 Oficina en que se ejerce este arte. 4 fig. Representación o descripción que se asemeja a una fotografía.

fotografiar *tr.* Reproducir la imagen [de una cosa] por medio de la fotografía. 2 fig. Describir con viveza de detalles [cosas, persona o sucesos]. ◇ ** CONJUG. [13] como *desviar*.

fotógrafo, -fa *m. f.* Persona que por afición u oficio hace fotografía.

fotograma *m.* Imagen cinematográfica considerada aisladamente. 2 Prueba fotográfica positiva.

fotolisis *f.* Descomposición provocada por la luz y en especial por los rayos ultravioletas. 2 BOT. Relación entre los cloroplastos y la luz que incide sobre una planta. ◇ Pl.: *fotolisis*.

fotolito *m.* Cliché fotográfico de un original sobre soporte transparente usado como matriz en huecograbado y offset.

fotolitografía *f.* Arte de reproducir y fijar dibujos en piedra litográfica mediante la acción química de la luz. 2 Estampa obtenida por medio de este arte.

fotoluminiscencia *f.* Emisión de luz como consecuencia de la absorción previa de una radiación.

fotomatón *m.* Mecanismo que obtiene el retrato, revela y fija el negativo, tira los positivos que se deseen y entrega las copias secas, todo ello en pocos minutos. 2 Cabina donde se obtienen fotografías realizadas con dicho mecanismo.

fotomecánica *f.* Copia de documentos y de libros obtenida por medio de máquinas con dispositivo fotográfico.

fotometría *f.* Parte de la óptica que trata de las leyes relativas a la intensidad de la luz y de los métodos para medirla.

FOTOGRAFÍA

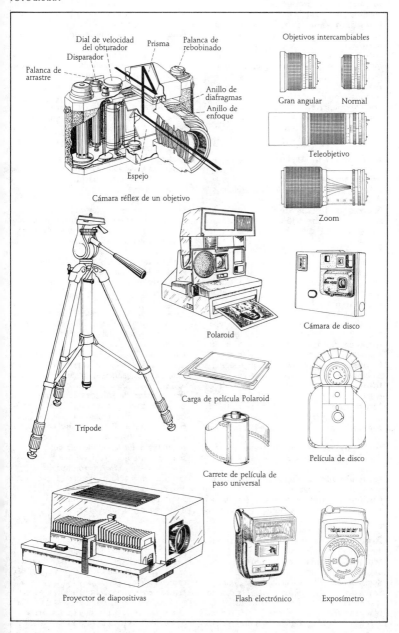

Palanca de arrastre

Disparador

Dial de velocidad del obturador

Prisma

Palanca de rebobinado

Anillo de diafragmas

Anillo de enfoque

Espejo

Cámara réflex de un objetivo

Objetivos intercambiables

Gran angular

Normal

Teleobjetivo

Zoom

Trípode

Polaroid

Carga de película Polaroid

Carrete de película de paso universal

Cámara de disco

Película de disco

Proyector de diapositivas

Flash electrónico

Exposímetro

fotómetro *m.* Instrumento que sirve para medir la intensidad de una luz.

fotomicrografía *f.* Aplicación de la fotografía a la reproducción de preparaciones microscópicas.

fotomodelo *com.* Modelo utilizado para fotografías, especialmente las destinadas a las revistas ilustradas.

fotomontaje *m.* Fotografía resultante de componer otras diversas con intención artística, publicitaria, etc.

fotonovela *f.* Relato, generalmente de tipo sentimental, hecho mediante una secuencia de fotografías acompañadas de textos muy breves.

fotoquímica *f.* Estudio de los efectos químicos de la luz.

fotorreacción *f.* Reacción química provocada por la luz o en la cual los rayos luminosos ejercen alguna influencia.

fotorrobot *f.* Sistema de identificación consistente en la obtención de un retrato por medio de los detalles fisonómicos descritos por testigos.

fotosensible *adj.* Que es sensible a la acción de la luz.

fotosfera *f.* Atmósfera luminosa del **sol, en la cual tiene lugar probablemente el fenómeno de las manchas solares.

fotosíntesis *f.* Formación de un compuesto químico mediante la acción de la luz; esp., la función realizada por la clorofila de las plantas. ◇ Pl.: *fotosíntesis.*

fototeca *f.* Archivo donde se guardan fotografías. 2 Conjunto de estas fotografías.

fototelegrafía *f.* Transmisión telegráfica de fotografías.

fototerapia *f.* Método de curación de las enfermedades por la acción de la luz.

fototintura *f.* Impresión, en los tejidos, de imágenes fotográficas inalterables.

fototipia *f.* Lámina obtenida por medio de la fototipografía.

fototipografía *f.* Arte de obtener y estampar clisés fotográficos por medio de la fotografía.

fototropismo *m.* Tropismo que obedece a la influencia de la luz.

fox-trot *m.* Baile en compás de cuatro por cuatro, de ritmo sincopado procedente del ragtime, que consta de pasos rápidos y lentos. 2 Música de este baile.

foyer *m.* Sala de descanso o vestíbulo amplio en los teatros.

frac *m.* Vestidura de hombre, que por delante llega hasta la cintura y por detrás tiene dos faldones. ◇ Pl.: vacilante *fracs* y *fraques.*

fracasado, -da *adj.-s.* [pers.] Desconceptuado a causa de los fracasos padecidos.

fracasar *intr.* fig. Frustrarse: ~ *un proyecto.* 2 Tener un resultado adverso en un negocio.

fracaso *m.* Caída o ruina estrepitosa. 2 Malogro de una empresa. 3 fig. Suceso lastimoso e inopinado.

fracción *f.* División de un todo en partes. 2 Grupo de un partido u organización, que difiere del resto, y que puede llegar a independizarse. 3 Cociente indicado de dos expresiones algebraicas. 4 Número quebrado: ~ *decimal,* aquella cuyo denominador es una potencia de diez.

fraccionar *tr.* Dividir [una cosa] en partes o fracciones. 2 Separar cada uno de los compuestos [de una mezcla] basándose en alguna propiedad física o química.

fraccionario, -ria *adj.* Perteneciente o relativo a las fracciones o a una fracción.

fractura *f.* Acción de fracturar o fracturarse. 2 Efecto de fracturar o fracturarse. 3 Lugar por donde se rompe un cuerpo, y señal que deja. 4 En los minerales, forma que tienen de romperse: ~ *laminar;* ~ *concoidea.*

fracturar *tr.-prnl.* Romper o quebrantar con esfuerzo [una cosa]: *fracturarse un brazo.*

fraga *f.* Breñal. 2 Madera que se corta de las piezas en la primera labra.

fragancia *f.* Olor suave y delicioso. 2 fig. Fama de las virtudes de una persona.

fragante *adj.* Que tiene o despide fragancia. 2 Flagrante.

fragata *f.* MAR. Velero de tres palos, con cofas y vergas en todos ellos. 2 Buque de guerra, menor que el destructor, destinado especialmente a dar escolta, y provisto de armas antisubmarinas y antiaéreas.

frágil *adj.* Quebradizo, que se rompe fácilmente. 2 fig. Débil, poco resistente, susceptible de estropearse con facilidad: *tiene una voluntad* ~.

fragmentar *tr.* Reducir a fragmentos.

fragmentario, -ria *adj.* Compuesto de fragmentos. 2 Incompleto, no acabado.

fragmento *m.* Pedazo de una cosa partida o quebrada. 2 fig. Parte que ha quedado, que se publica o que se cita de una obra.

fragor *m.* Ruido prolongado, estruendo.

fragoso, -sa *adj.* Áspero, intrincado.

fragua *f.* Fogón, provisto de fuelle u otro aparato análogo, en que se calientan los metales para forjarlos. 2 Taller donde está instalado dicho fogón y donde se forjan los metales.

fraguador, -ra *adj.-s.* fig. Que fragua, traza o discurre algo: ~ *de enredos.*

fraguar *tr.* Forjar (el metal). 2 fig. Idear, imaginar la realización [de alguna cosa]: ~ *un plan.* – 3 *intr.* Llegar a trabajar y a endurecerse la cal, yeso, cemento, etc. ◇ ** CONJUG. [10] como *adecuar.*

fraile *m.* Religioso en general, y especialmente el de ciertas órdenes. 2 Doblez hacia afuera que se hace accidentalmente en el borde de un vestido talar. 3 Rebajo triangular que se hace en la pared de las chimeneas de campana para que el humo suba más fácilmente. 4 Pez fluvial de pequeño tamaño, sin escamas, con una cresta sobre la nuca y un pequeño apéndice sobre cada ojo *(Blennius fluviatilis)*. 5 Mogote de piedra con figura más o menos semejante a la de un fraile.

frailecillo *m.* Ave caradriforme buceadora marina, de plumaje blanco y negro, y pico triangular, aplastado lateralmente *(Fratercula arctica)*.

frailero, -ra *adj.* Propio de los frailes: *sillón* ~. 2 Amigo de los frailes, devoto, beato.

frambuesa *f.* Fruto del frambueso.

frambueso *m.* Planta rosácea, especie de zarza, cuyo fruto es una drupa comestible de color carmín y sabor agridulce *(Rubus idœus)*.

francachela *f.* fam. Comida alegre y regocijada en extremo.

francalete *m.* Correa con hebilla en un extremo para oprimir o asegurar algo.

francés, -cesa *adj.-s.* De Francia, nación de Europa occidental. – 2 *m.* Lengua francesa.

francesilla *f.* Planta ranunculácea de jardín, con flores terminales, grandes, de color variado *(Ranunculus asiaticus)*. 2 Panecillo de masa esponjosa y de figura alargada.

franciscano, -na *adj.-s.* [pers.] Que pertenece a cualquiera de las fundaciones religiosas que observan la regla de la Orden de San Francisco de Asís (1182-1226). 2 *adj.* Relativo a dicha Orden. 3 *Amér.* De color pardo.

francmasonería *f.* Asociación secreta que declara aspirar a la fraternidad universal, basada en la tolerancia religiosa y en los principios del humanitarismo.

I) franco *m.* Moneda que, con distintos valores, se emplea como unidad monetaria en Francia, Bélgica y Suiza.

II) franco, -ca *adj.-s.* Pueblo germánico que conquistó la Galia y fundó la monarquía francesa; francés. – 2 *m.* Lengua que hablaron los francos. – 3 *adj.* [lengua] Que es una mezcla de otras y en la cual se comunican pueblos diferentes. ◇ En la primera acepción se usa en palabras compuestas: *sociedad, academia francoespañola; francófilo.*

III) franco, -ca *adj.* Liberal, dadivoso: ~ *a, con, para,* o *para con, todos.* 2 Sencillo, ingenuo y leal en su trato: ~ *de carácter;* ~ *en decir.* 3 Desembarazado, sin impedimento alguno: *el camino está* ~. 4 Libre, exento, que no paga: ~ *de porte.* – 5 *m.* Tiempo que dura la feria en que se vende libre de derechos.

francófilo, -la *adj.* Que simpatiza con Francia o con los franceses.

francófono, -na *adj.-s.* [pers.] Que tiene como lengua materna el francés. – 2 *adj.* [país, región] De habla francesa.

francolín *m.* Ave galliforme, parecida a la perdiz, de plumaje negro en la cabeza, el pecho y el vientre, y gris en la espalda *(Francolinus francolinus)*.

francotirador *m.* Combatiente que no pertenece al ejército regular. 2 Tirador que actúa de forma aislada sin ser visto y que dispara desde lejos con una gran puntería sobre sus víctimas. 3 p. ext. Persona que actúa por su cuenta y cuyos dichos o hechos van en contra de la mayoría.

franchipán *m.* Preparado a base de almendras molidas, mantequilla, huevos y azúcar, aromatizado al gusto, que se utiliza para rellenar pasteles de hojaldre, torteles, etc.

franela *f.* Tejido fino de lana, y a veces de algodón, ligeramente cardado por una de sus caras. 2 *Amér.* Camiseta de hombre.

frangible *adj.* Capaz de quebrarse o partirse.

frangollar *tr.* Quebrantar el grano de trigo. 2 fig. Hacer una cosa de prisa y mal.

frangollo *m.* Trigo machacado y cocido. 2 Pienso de legumbres o granos triturados que se da al ganado. 3 fig. Cosa hecha de prisa y mal, chapuza.

frangollón, -llona *adj. And., Can. y Amér.* [pers.] Que hace de prisa y mal una cosa.

franja *f.* Guarnición tejida para adornar, especialmente los vestidos. 2 Faja, lista o tira en general. 3 fig. Parte [de algo].

franjolín, -lina *adj. Amér.* Rabón, reculo.

franklin *m.* Unidad de carga eléctrica en el sistema cegesimal electrostático.

franquear *tr.* Libertar, exceptuar [a uno] de una contribución. 2 Conceder [una cosa] liberalmente. 3 Dar libertad [al esclavo]. 4 Desembarazar, quitar los impedimentos: ~ *la puerta;* ~ *el paso.* 5 Pagar en sellos el porte por el correo. 6 Pasar de un lado a otro con esfuerzo o venciendo una dificultad. – 7 *prnl.* Descubrir uno su interior a otro: *franquearse a,* o *con, alguno.*

franqueniáceo, -a *adj.-f.* Planta de la familia de las franqueniáceas. – 2 *f. pl.* Familia de plantas dicotiledóneas que incluye matas o arbustos de hojas opuestas o verticiladas, flores sentadas y frutos capsulares con muchas semillas diminutas.

franqueo *m.* Acción de poner sellos en cartas, documentos, etc. 2 Cantidad que se paga en sellos.

franqueza *f.* Libertad, exención. 2 Liberalidad, generosidad. 3 fig. Sinceridad, lisura. 4 fig. Familiaridad, confianza.

franquía *f.* Situación del buque que tiene paso franco para zarpar o tomar determinado rumbo: *ganar* ~; *ponerse en* ~. 2 *En* ~, en disposición de poder hacer lo que se quiera.

franquicia *f.* Exención del pago de ciertos derechos o de ciertos servicios públicos: ~ *postal.*

franquismo *m.* Régimen político implantado en España por el general Franco (1892-1975).

frasca *f.* Hojarasca y ramas menudas. 2 Vasija de vidrio que se emplea para el vino.

frasco *m.* Vaso angosto de cuello recogido. 2 Contenido de un frasco. 3 *Cuba, Méj.* y *R. de la Plata.* Medida de capacidad para líquidos, equivalente a 2,37 litros.

frase *f.* Conjunto de palabras que basta para formar sentido, aunque no constituya una oración formal: ~ *hecha,* expresión de uso corriente en la lengua: *¡Aquí fue Troya!*; ~ *proverbial,* la frase hecha que expresa una sentencia a modo de proverbio: *cada cual puede hacer de su capa un sayo.* 2 Locución acentuadamente expresiva; dicho agudo. 3 Palabras sin valor, dichas convencional o insinceramente. 4 ~ *musical,* período melódico que expresa una idea y determina el ritmo.

fraseología *f.* Modo de ordenar las frases peculiar de cada escritor o de cada idioma. 2 Conjunto de modismos o locuciones. 3 Demasía de palabras; verbosidad.

frasquera *f.* Caja con diferentes divisiones, para guardar y transportar frascos.

fraternidad *f.* Unión y amor entre hermanos o entre los que se tratan como tales. 2 ANGLIC. Asociación de estudiantes.

fraternizar *intr.* Unirse y tratarse como hermanos. 2 fig. Alternar, tratarse amistosamente: *las tropas fraternizan con el pueblo.* ◇ ** CONJUG. [4] como *realizar.*

fratría *f.* Sociedad íntima, heredad, cofradía. 2 BIOL. Conjunto de hijos e hijas de una misma pareja.

fratricidio *m.* Crimen del que mata a su hermano.

fraude *m.* Engaño que se hace a uno para procurarse una ventaja en detrimento de él. 2 DER. Acción encaminada a eludir cualquier disposición legal, ya sea esta fiscal, penal o civil, siempre que con ello se produzca perjuicio contra el Estado o contra terceros.

fraudulento, -ta *adj.* Que se sirve del fraude; hecho con él.

fray *m.* Apócope de fraile usado delante del nombre propio.

frazada *f.* Manta peluda que se echa sobre la cama.

freático, -ca *adj.* [conjunto de aguas] Acumulado en el subsuelo sobre una capa impermeable y que puede aprovecharse por medio de pozos. 2 [capa del subsuelo] Que contiene este agua.

frecuencia *f.* Cualidad de frecuente. 2 Número de veces que ocurre una cosa en cierto espacio de tiempo. 3 FÍS. Número de vibraciones, ondas o ciclos por segundo de cualquier fenómeno periódico. 4 LING. En el análisis estadístico del vocabulario, índice de aparición de una palabra en un texto o en un conjunto de ellos.

frecuentar *tr.* Repetir [un acto] a menudo: ~ *los sacramentos.* 2 Concurrir con frecuencia a un lugar: ~ *una casa.* 3 Tratar frecuentemente a una o varias personas.

frecuentativo, -va *adj.-s.* Verbo, expresión, etc., que denota acción reiterada; como *golpear, hojear.*

frecuente *adj.* Que tiene lugar a menudo, a cortos intervalos. 2 Usual, común.

fregadero *m.* Recipiente en que se friegan las vasijas, platos, etc.

I) fregado *m.* fig. Enredo, negocio poco decente. 2 desp. Pelea, batalla.

II) fregado, -da *adj. Amér.* Majadero, fastidioso.

fregar *tr.* Restregar con fuerza [una cosa] con otra. 2 Limpiar y lavar [el pavimento, los platos, etc.], restregándolos con el estropajo. 3 *Amér.* fig. Fastidiar, molestar [a uno]. ◇ ** CONJUG. [48] como *regar.*

frégoli *m.* Sombrero flexible.

fregón, -gona *adj.-s.* desp. [pers.] Que friega. – 2 *adj. Amér.* Majadero.

fregona *f.* desp. Criada que sirve en la cocina y friega. 2 Utensilio doméstico provisto de un largo mango y, en el extremo inferior, tiras de material absorbente, para fregar los suelos sin necesidad de arrodillarse. 3 Persona de poca cultura.

fregotear *tr.* fam. Fregar de prisa y mal.

freidora *f.* Electrodoméstico que sirve para freír alimentos; **cocina.

freiduría *f.* Tienda donde se fríe pescado para la venta.

freír *tr.* Cocer [un manjar] en aceite o grasa hirviendo: ~ *con,* o *en, aceite.* 2 Mortificar, encocorar: *me tiene frito.* 3 pop. Matar [a alguien] a balazos. – 4 *prnl.* fig. *y* fam. Pasar mucho calor. ◇ ** CONJUG. [37] como *reír.* Para formar los tiempos compuestos utiliza indistintamente el pp. reg.: *freído* o el pp. irreg.: *frito.*

fréjol *m.* Judía.

frenador, -ra *adj.* [nervio] Que posee acción inhibidora.

frenar *tr.* Enfrenar. 2 Moderar o parar con el freno el movimiento: ~ *el tren.* 3 fig. Reducir, moderar [la actividad].

frenesí *m.* Delirio furioso. 2 fig. Violenta exaltación del ánimo. ◇ Pl.: *frenesíes.*

frenético, -ca *adj.* Poseído de frenesí. 2 Furioso, rabioso: *entusiasmo ~.*

frenillo *m.* Membrana que sujeta la lengua por la línea media de la parte inferior. 2 Ligamento que sujeta el prepucio al bálano. 3 Cerco de correa o de cuerda que se ajusta al hocico de algunos animales para que no muerdan. 4 MAR. Cabo o rebenque. 5 *Amér. Central.* Tirante que lleva la cometa, y que converge junto con otros en la cuerda que la sujeta.

freno *m.* Instrumento de hierro que, colocado en la boca de las caballerías, sirve para sujetarlas y gobernarlas. 2 Mecanismo que sirve para disminuir la velocidad de una pieza o llevarla a un estado de reposo: ~ *de disco,* sistema de frenado en el que el esfuerzo se aplica a unas mordazas que presionan uno o varios discos montados sobre el eje de la rueda; **motocicleta. 3 Pedal o palanca que acciona dicho mecanismo; **automóvil; **bicicleta; **motocicleta. 4 fig. Sujeción que modera los actos de una persona.

frenología *f.* Hipótesis fisiológica de Gall (1758-1828), que considera el cerebro como un agregado de órganos, a cada uno de los cuales corresponde una facultad intelectual, un instinto o un afecto.

frenopatía *f.* Estudio de las enfermedades mentales. 2 Enfermedad mental del orden de las psicosis.

frente *f.* Parte superior de la cara, entre las cejas y el borde anterior del cuero cabelludo; **cabeza; **cuerpo humano. 2 fig. Semblante, cara: ~ *serena.* 3 En los escritos, blanco que se deja en el principio. – 4 *amb.* Parte delantera de una cosa a diferencia de los lados; en los edificios, la fachada. 5 METEOR. Superficie de contacto que separa dos masas de aire de características meteorológicas distintas, y que presentan variaciones bruscas de temperatura y humedad. – 6 *m.* Primera fila de la tropa formada: *diez hombres de* ~. 7 Extensión o línea que ocupan los ejércitos combatientes. – 8 *adv. l.* Enfrente.

freo *m.* Canal estrecho entre dos islas, o entre una isla y tierra firme.

fres *m.* Franja: *guarnecerse con freses.*

I) fresa *f.* Planta rosácea, de tallos rastreros con estolones, hojas dentadas divididas en tres segmentos, flores blancas y fruto globular carnoso de color rojo, comestible *(Fragaria vesca).* 2 **Fruto de esta planta. – 3 *adj.* Que tiene color rojo, semejante al de este fruto.

II) fresa *f.* Barrena, herramienta empleada para horadar o labrar metales.

fresada *f.* Vianda compuesta de harina, leche y manteca.

fresador *m.* Operario encargado de manejar las diferentes clases de máquinas para fresar.

fresadora *f.* Máquina provista de fresas para labrar metales.

fresar *tr.* Guarnecer con frisos. 2 Abrir agujeros y, en general, labrar [metales] por medio de la herramienta llamada fresa.

fresca *f.* Fresco (frío moderado): *tomar la* ~. 2 Dicho desagradable que, con claridad resuelta o descarada, se lanza a una persona: *soltar,* o *decir, una* ~.

frescal *adj.* [pescado] Conservado con poca sal: *sardinas frescales.* 2 [aceite] Recién elaborado.

frescales *com.* fam. Fresco (desvergonzado): *es un* ~. ◇ Pl.: *frescales.*

fresco, -ca *adj.* Moderadamente frío; que produce una sensación de frío: *un viento* ~; *una tela fresca.* 2 Reciente, acabado de hacer, de coger, de suceder, etc.: *queso* ~; *huevo* ~; *noticia fresca.* 3 Descansado, que no da muestras de fatiga. 4 fig. Rollizo y de color sano. 5 fig. Sereno, que no se inmuta. 6 fig. Desvergonzado, sin empacho. – 7 *m.* Frío moderado: *tomar el* ~. 8 Tejido ligero de estambre, usado para trajes de verano; traje que se hace con él. 9 Pintura al fresco. V. pintura. – 10 *Amér.* Refresco, bebida fría.

frescor *m.* Frescura o fresco.

frescura *f.* Calidad de fresco: *la* ~ *del aire;* fig., *con brava* ~ *me pedía dinero; el mozo toma las cosas con* ~. 2 fig. Chanza, dicho picante, respuesta impertinente: *contestóme una* ~. 3 fig. Desembarazo, desenfado. 4 fig. Descuido, negligencia.

fresneda *f.* Terreno poblado de fresnos.

fresno *m.* Árbol oleáceo de tronco grueso, hojas opuestas imparipinnadas, flores pequeñas blanquecinas y frutos en sámara *(Fraxinus excelsior).* 2 Madera de este árbol, muy apreciada por su elasticidad.

fresón *m.* Variedad de fresa, de tamaño mayor que el de la ordinaria *(Fragaria ananassa).* 2 Fruto de esta planta.

fresquedal *m.* Terreno húmedo que se conserva perennemente verde.

fresquera *f.* Jaula o armario especial para conservar frescos y ventilados algunos comestibles.

fresquería *f.* *Amér.* Tienda donde se sirven refrescos.

freudismo *m.* Interpretación de ciertas predisposiciones y actividades psíquicas como influencia de la vida subconsciente.

I) freza *f.* Estiércol o excremento de algunos animales.

II) freza *f.* Desove y tiempo en que se verifica. 2 Huevos de los peces, y pescado recién salido de ellos. 3 Surco que dejan ciertos peces cuando se restriegan contra la tierra del fondo para desovar. 4 Tiempo en que, durante cada una de las mudas, come el gusano de seda.

I) frezar *intr.* Despedir el excremento los animales. 2 Arrojar o echar de sí la colmena la inmundicia de los gusanos. ◇ ** CONJUG. [4] como *realizar.*

II) frezar *intr.* Desovar. 2 Tronchar y comer las hojas los gusanos de seda. ◇ ** CONJUG. [4] como *realizar.*

friable *adj.* Que se desmenuza fácilmente.

frialdad *f.* Frío (sensación). 2 fig. Indiferencia, desafecto.

fricandó *m.* Guisado francés hecho de carne y acompañado de setas.

fricar *tr.* Restregar. ◇ ** CONJUG. [1] como *sacar.*

fricasé *m.* Guisado de la cocina francesa cuya salsa se bate con huevo.

fricativo, -va *adj.* [sonido consonante] Producido por la fricción del aire al pasar entre dos órganos bucales que se acercan hasta formar una abertura muy estrecha: *f, j, z, s.*

fricción *f.* Frotación aplicada a una parte del cuerpo con algún linimento o en seco: *dar una ~ de alcohol.* 2 Resistencia que ofrecen dos superficies en contacto al movimiento relativo de una de ellas con respecto a la otra. 3 fig. Desavenencia entre personas o colectividades.

friccionar *tr.* Dar friegas.

friega *f.* Acción de restregar alguna parte del cuerpo con un paño o cepillo o con las manos, para remedio, higiene, etc. 2 *Amér.* Molestia, majadería. 3 *Amér.* Tunda, zurra. 4 *Amér.* Regaño, reprensión.

frigidez *f.* Frialdad. 2 En la mujer, carencia del placer sexual.

frígido, -da *adj.* lit. Frío. – 2 *adj.-s.* Mujer que no siente placer sexual.

frigio, -gia *adj.-s.* De Frigia, antiguo país del Asia Menor.

frigoría *f.* Unidad de medida para el frío opuesta a la kilocaloría. Su símbolo es fg.

frigorífico, -ca *adj.* Que produce enfriamiento: *mezcla frigorífica.* – 2 *adj.-s.* Cámara o espacio enfriado artificialmente para la conservación de los alimentos. – 3 *m.* Local industrial en donde se conservan los productos mediante el frío.

frigorista *com.* Persona que se dedica al estudio y técnica de las aplicaciones industriales del frío. 2 Persona que cuida de las instalaciones de producción de frío y cámaras de congelación.

fríjol, frijol *m.* Judía.

frimario *m.* Tercer mes del año, según el calendario republicano francés.

fringílido, -da *adj.-m.* Ave de la familia de los fringílidos. – 2 *m. pl.* Familia de aves paseriformes cantoras, pequeñas o medianas, con el pico corto y robusto, muy ancho en la base; el plumaje suele ser muy vistoso; como el gorrión y el jilguero.

frío, -a *adj.* Que tiene una temperatura sensiblemente inferior a la del cuerpo humano. 2 p. ext. [color] Que produce efectos sedantes como el azul, el verde, etc. 3 [pers.] Calculador, sereno, tranquilo, que no se inmuta. 4 fig. Indiferente o desafecto para con una persona o cosa. 5 fig. Sin gracia ni agudeza. 6 fig. Ineficaz, poco recomendable. – 7 *m.* Disminución notable de calor en los cuerpos, ausencia relativa de calor. 8 Sensación producida por la pérdida de calor: *sentir ~.*

friolera *f.* Cosa de poca monta. 2 vulg. Gran cantidad de alguna cosa, especialmente de dinero.

friolero, -ra *adj.* Muy sensible al frío.

I) frisa *f.* Tela ordinaria de lana.

II) frisa *f.* Estacada o palizada oblicua que se pone en la berma de una obra de campaña.

III) frisa *f.* MAR. Tira de cuero, paño, goma, etc., con que se hace perfecto el ajuste de dos piezas.

I) frisar *tr.* Levantar y retorcer [los pelillos de algún tejido].

II) frisar *tr.* Refregar. – 2 *intr.* Congeniar, confrontar. 3 fig. Acercarse: *frisaba en los cincuenta años.*

friseta *f.* Tejido de lana y algodón.

friso *m.* Faja de azulejos, tela, papel pintado, etc., con que suele adornarse la parte superior o inferior de las paredes. 2 ARQ. Parte del cornisamento que media entre el arquitrabe y la cornisa; **órdenes.

frisón, -sona *adj.-s.* De Frisia, provincia de Holanda. 2 [caballo] De casta frisona, que se distingue por los pies muy fuertes y anchos. 3 fig. [cosa] Grande y corpulenta dentro de otras de su género. – 4 *m.* Lengua frisona.

frita *f.* Masa fundida de escorias o de materias vitrificadas, para fabricar esmalte o porcelana vitrificada.

fritada *f.* Conjunto de cosas fritas: *~ de pajarillos.*

fritar *tr.* *Extr., Sal., Argent., Colomb.* y *Salv.* Freír.

frito *m.* Fritada. 2 Manjar frito.

fritura *f.* Fritada. – 2 *f. pl.* Ruido producido en los discos fonográficos debido a su mala conservación.

frivolité *f.* Encaje que se teje a mano con lanzadera, a diferencia del de ganchillo.

frívolo, -la *adj.* Ligero, veleidoso, insubstancial. 2 Fútil, de poca substancia. 3 Voluble, tornadizo, irresponsable. 4 [espectáculo] Ligero y sensual. 5 p. ext. Propio o relativo a dicho espectáculo: *texto, baile, actor ~; canción frívola.* 6 [publicación] Que trata temas ligeros, con predominio de lo sensual.

I) fronda *f.* Hoja de una planta. 2 Fronde; **helecho. 3 Arboleda. – 4 *f. pl.* Conjunto de hojas o ramas espesas.

II) fronda *f.* Vendaje de lienzo, de cuatro cabos y forma de honda.

fronde *m.* Parte foliácea de los helechos.

frondoso, -sa *adj.* Que abunda en frondas (hojas espesas) o en árboles: *árbol ~; bosque ~.*

frontal *adj.* Relativo a la frente. 2 Relativo a la parte delantera de algo. – 3 *adj.-m.* ANAT. Hueso que contribuye a formar la cavidad craneal, albergando en su cara anterior e interior el etmoides y la espina nasal; **cabeza. 4 ANAT. **Músculo de la parte anterior del cráneo cuya función es tirar de las cejas y arrugar la frente transversalmente. – 5 *m.* Paramento con que se adorna la parte delantera de la mesa del altar.

frontalera *f.* Correa de la cabezada del caballo que le ciñe la frente. 2 Frontil. 3 Fajas y adornos que guarnecen el frontal (paramento) por lo alto y por los lados. 4 Sitio donde se guardan los frontales (paramentos).

frontera *f.* Confín de un estado. 2 Fachada. 3 Límite, barrera. 4 Refuerzo que se pone en el serón por la parte de abajo para su mayor firmeza.

fronterizo, -za *adj.* Que está o sirve en la frontera: *ciudad fronteriza; soldado* ~. 2 Que está enfrente de otra cosa.

frontil *m.* Pieza acolchada que se pone a los bueyes entre su frente y la coyunda.

frontis *m.* Fachada o frontispicio. ◇ Pl.: *frontis.*

frontispicio *m.* Fachada o delantera de un edificio, libro, etc. 2 fig. Cara (parte de la cabeza). 3 Frontón (remate triangular).

frontón *m.* Pared contra la cual se lanza la pelota en algunos juegos. 2 Edificio o sitio dispuesto para estos juegos. 3 Remate triangular de una fachada o de un pórtico, que a veces se coloca también encima de puertas o ventanas; **romano. 4 Parte escarpada de una costa.

frotar *tr.-prnl.* Pasar repetidamente una cosa sobre otra con fuerza: *frotarse las manos.*

fructidor *m.* Duodécimo mes del año, según el calendario republicano francés.

fructífero, -ra *adj.* Que produce fruto.

fructificar *intr.* Dar fruto. 2 fig. Dar rendimiento. ◇ ** CONJUG. [1] como *sacar.*

fructosa *f.* Azúcar que se encuentra en zumos de frutas dulces.

fructuario, -ria *adj.* Usufructuario. 2 Que consiste en frutos: *pensión fructuaria.*

fructuoso, -sa *adj.* Que da fruto o utilidad.

frugal *adj.* Parco en comer y beber. 2 Que consiste en alimentos simples y no muy abundantes: *almuerzo* ~.

frugífero, -ra *adj.* lit. Que lleva fruto.

frugívoro, -ra *adj.* Que se alimenta de frutos.

fruición *f.* Acción de fruir, y, en general, complacencia, goce.

fruir *intr.* Sentir placer por la posesión del bien que se ha deseado. ◇ ** CONJUG. [17] como *huir.*

frunce *m.* Pliegue o conjunto de pliegues menudos en una tela.

fruncido, -da *adj.* fig. Afectado, picajoso, receloso, disgustado o colérico. – 2 *m.* Frunce.

fruncir *tr.* Arrugar [la frente o las cejas] en señal de desabrimiento o de ira. 2 Recoger una tela haciendo en ella unas arrugas pequeñas. 3 fig. Estrechar y recoger una cosa. – 4 *prnl.* fig. Afectar compostura y modestia. ◇ ** CONJUG. [3] como *zurcir.*

fruslera *f.* Raeduras de azófar o de cobre.

fruslería *f.* Cosa de poco valor. 2 fig. *y* fam. Dicho o hecho de poca substancia.

I) fruslero *m.* Cilindro de madera usado en las cocinas para trabajar y extender la masa.

II) fruslero, -ra *adj.* Frívolo, fútil.

frustrar *tr.* Privar a uno de lo que esperaba: *frustró las esperanzas de Juan.* – 2 *tr.-prnl.* Dejar sin efecto, malograr un intento: *frustrarse las esperanzas.*

fruta *f.* Fruto comestible de las plantas: ~ *del tiempo,* la que se come en la misma estación en que madura; ~ *del país,* la producida en él, no importada. 2 fig. Producto o consecuencia de una cosa. 3 ~ *de sartén,* masa frita, de varios nombres y figuras.

frutal *adj.-s.* [árbol] Que da fruta.

frutería *f.* Establecimiento donde se vende fruta.

frutero, -ra *adj.* Que sirve para llevar o contener fruta: *buque* ~; *canastillo* ~. – 2 *m. f.* Persona que tiene por oficio vender fruta. – 3 *m.* Plato a propósito para servir fruta. 4 Lienzo con que se cubre la fruta en la mesa. 5 Pintura que representa diversos frutos.

frútice *m.* Planta perenne que produce muchos vástagos y no llega a la altura de un árbol.

fruticoso, -sa *adj.* Planta semileñosa.

fruticultura *f.* Cultivo de las plantas que producen fruto. 2 Arte que enseña este cultivo.

frutilla *f.* Cuentecilla de los rosarios. 2 *Amér.* Fresa grande de origen chileno, cultivada en Europa y diferente de la fresa común *(Fragaria chilensis).*

**fruto *m.* En las plantas fanerógamas, producto de la fecundación del ovario, constituido por la semilla o semillas y una envoltura más o menos compleja, a la formación de la cual han contribuido en algunos casos, además de los carpelos, otros órganos florales, como el cáliz y el receptáculo: ~ *seco,* el de pericarpio seco. 2 p. ext. El hijo que está formado en el seno de la mujer. 3 Producción de la tierra que rinde alguna utilidad. 4 La del ingenio o del trabajo humano. 5 fig. Utilidad, provecho. – 6 *m. pl.* Producción de la tierra de que se hace cosecha.

ftálico *adj.* [ácido orgánico] Base para la obtención de muchos colorantes y resinas.

fucales *f. pl.* Orden de algas feofíceas con el talo muy evolucionado y complejo, que recuerda por su aspecto a las plantas superiores.

fúcar *m.* fig. Hombre muy rico y hacendado: *parece un* ~. ◇ Pl.: *fúcares.*

fucilazo *m.* Relámpago sin ruido que elimina la atmósfera en el horizonte por la noche.

fuco *m.* Alga de color pardo obscuro, muy común y que crece en la orilla del mar *(gén. Fucus).*

fucsia *f.* Arbusto onagráceo de jardín, de flores colgantes, encarnadas, violadas o blancas, con el cáliz y el receptáculo coloreado

(Fuchsia corymbiflora). – 2 *adj.-m.* Color de las flores del arbusto del mismo nombre. – 3 *adj.* De color fucsia.

fudre *m.* Pellejo, cuba; recipiente para el vino, generalmente de gran tamaño.

fuego *m.* Desprendimiento de calor y luz producidos por la combustión de un cuerpo. 2 Cuerpo en estado de combustión: *echar algo al ~; fuegos artificiales,* invenciones de fuego, como granadas y bombas, usadas en la milicia; cohetes y otros artificios de pólvora, que se hacen para diversión. 3 Incendio: *pegar ~,* incendiar. 4 Hogar, vecino que tiene casa y hogar: *este lugar tiene cien fuegos.* 5 Efecto de disparar las armas de fuego: *~ a discreción; hacer ~,* disparar una o varias armas de fuego. 6 fig. Ardor del ánimo, de las pasiones, de una disputa, etc. 7 fig. Ardor de la sangre inflamada, con picazón y erupción cutánea. 8 *~ de san Telmo,* meteoro ígneo, que, al hallarse muy cargada de electricidad la atmósfera, suele manifestarse en las noches de tempestad en los mástiles y vergas de las embarcaciones.

fueguino, -na *adj.-s.* De la Tierra del Fuego, región de América del sur.

fuel oil *m.* Residuo combustible de la destilación del petróleo bruto.

fuellar *m.* Talco de colores con que se adornan las velas rizadas.

fuelle *m.* Instrumento para soplar recogiendo aire y lanzándolo con dirección determinada; **chimenea. 2 Pieza plegable en los lados de bolsos, carteras, etc., para regular su capacidad; o en los lados de la cámara fotográfica, para regular su profundidad. 3 En los carruajes, cubierta o capota impermeable y plegable. 4 Arruga del vestido. 5 fig. Persona soplona.

fuente *f.* Manantial de agua que brota de la tierra. 2 Construcción de piedra, hierro, ladrillos, etc., con uno o varios caños o espitas, por donde sale el agua; **basílica. 3 Plato grande circular u oblongo, para servir las viandas. 4 Cantidad de vianda que cabe en este plato. 5 fig. Aquello de que fluye un líquido. 6 fig. Principio, fundamento, origen: *noticia de buena ~; ~ histórica,* monumento, documento, libro, etc., de donde el historiador toma los datos.

fuera *adv. l. t.* A, o en, la parte exterior de cualquier espacio o término real o imaginario: *~ de casa; ~ de tiempo; ~ de propósito; salir hacia ~; caer por ~.* – 2 *loc. adv. conj. ~ de,* precediendo a substantivos, excepto, salvo: *~ de*

FRUTO

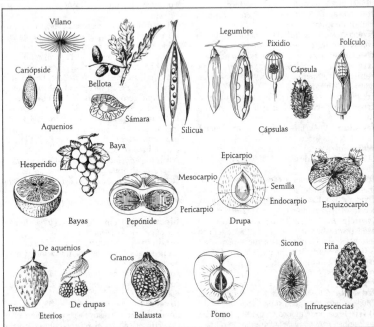

549

fulminante

eso, pídeme lo que quieras. – 3 *loc. conj.* ~ *de que,* además de que, aparte de que: ~ *de que sobrevengan nuevos incidentes.* – 4 *m.* DEP. Falta que se comete cuando la pelota, el balón, la bola, etc., sale fuera de los límites del campo de juego. 5 DEP. Sanción de dicha falta. 6 DEP. ~ *de juego,* en el juego del fútbol, falta que comete un jugador al estar situado por delante del balón en campo contrario y sin ningún adversario, o sólo con uno, entre él y la línea de meta contraria; *estar* ~ *de juego,* fig., estar distraído o fuera de situación o lugar. 7 DEP. ~ *de juego,* sanción de dicha falta.

¡fuera! Interjección con que se denota desaprobación. ◇ Úsase como substantivo: *se oyó un ¡fuera!*

fueraborda *m.* Motor montado fuera del casco de una embarcación. 2 p. ext. Embarcación propulsada por dicho motor.

fuerano, -na *adj.* Amér. Foráneo.

fuerismo *m.* Doctrina política que aspira a restaurar los antiguos fueros locales.

fuero *m.* Jurisdicción, poder: ~ *eclesiástico;* ~ *secular;* ~ *mixto;* ~ *interior, interno o de la conciencia.* 2 Nombre de algunas compilaciones de leyes: ~ *Juzgo;* ~ *Real.* 3 Privilegio y exención que se concede a una provincia, ciudad o persona: *los fueros de Navarra.* 4 fig. Arrogancia, presunción: *no tengas tantos fueros.*

fuerte *adj.* Que tiene fuerza (vigor): *brazos fuertes para el trabajo; viento tan* ~ *que derriba árboles; pared* ~*; cordel* ~*; **plaza** ~,* la fortificada; *tabaco, vino, veneno* ~*; hombre* ~ *contra las adversidades; razón* ~*; argumento* ~*; rigor* ~*; lance* ~. 2 Dotado de medios poderosos: *estado* ~*; adversario* ~. 3 De mala índole y de genio duro. 4 Versado en una ciencia o arte: *estar* ~ *en matemáticas.* 5 [palabra o frase] Malsonante. – 6 *m.* Fortaleza (recinto fortificado). 7 fig. Aquello a que uno es aficionado o en que más sobresale: *el canto es su* ~. – 8 *adv.* En abundancia, con intensidad: *comer* ~*; beber* ~*; trabajar* ~.

fuerza *f.* FÍS. Acción entre dos cuerpos que cambia o tiende a cambiar cualquier relación física entre ambos: ~ *de gravedad,* la resultante de dos fuerzas; ~ *centrífuga,* la que en el movimiento curvilíneo tiende a desviar el móvil de la curva que describe impulsándole a seguir por la tangente; ~ *centrípeta,* la que en el movimiento tiende a desviar el móvil hacia el centro de la curvatura. 2 Vigor, potencia, capacidad de acción o de resistencia física o moral, actividad, energía, intensidad: *la* ~ *muscular; la* ~ *del viento; la* ~ *de un veneno, de un ácido;* ~ *para levantar una piedra, para aguantar un peso;* ~ *para resistir las adversidades; la* ~ *de un argumento, de un ejemplo; **por** ~,* violentamente; contra la propia voluntad; *a la* ~, por fuerza; *a* ~ *de,* empleando con insistencia un medio o reiterando una acción; ~ *de estu-*

dio, de dinero, de correr. 3 Autoridad, poder: *la* ~ *del estado, de la ley.* 4 Violencia, especialmente la que se hace a una mujer: *ceder el derecho a la* ~. 5 Gente de guerra, potencia militar. – 6 *f. pl.* Personas o clases representativas de una ciudad, región, país, etc., por sus autoridad o por su influencia social.

fuete *m.* Amér. Látigo.

fufar *intr.* Dar bufidos el gato.

fufú *m.* Guiso americano que se hace con plátano, ñame o calabaza.

fuga *f.* Huida apresurada: ~ *de cerebros;* ~ *de capital.* 2 Salida, escape accidental de un fluido. 3 La mayor fuerza o intensidad de una acción, ejercicio, etc. 4 Pérdida eléctrica debida a imperfección de aislamiento. 5 MÚS. Composición basada en un tema y su contrapunto, que se repiten en diferentes tonos.

fugaz *adj.* Que con velocidad huye y desaparece. 2 fig. De muy corta duración.

fugitivo, -va *adj.-s.* Que huye. – 2 *adj.* Que pasa muy aprisa. 3 fig. Caduco, perecedero, de corta duración.

fuguillas *m.* fam. Hombre de genio vivo, rápido en obrar e impaciente.

fulano, -na *m. f.* Voz con que se suple el nombre de una persona, cuando se ignora o no se quiere expresar. 2 Persona indeterminada o imaginaria. – 3 *f.* Ramera.

fular *m.* Tela fina de seda. 2 Pañuelo para el cuello o bufanda de este tejido.

fulcro *m.* Punto de apoyo de la **palanca.

fulero, -ra *adj.* fam. Chapucero, poco útil, fingido.

fulgente *adj.* Brillante, resplandeciente.

fulgir *intr.* Resplandecer. ◇ ** CONJUG. [6] como *dirigir.*

fulgor *m.* Resplandor, brillo propio.

fulgurante *adj.* Que fulgura. 2 fig. Rápido, oportuno.

fulgurar *intr.* Brillar, resplandecer (intensivo).

fúlica *f.* Género de aves gruiformes, de pico comprimido y algo curvo y dedos con protuberancias carnosas cubiertas de pequeñas escamas; como la focha.

fuliginoso, -sa *adj.* Semejante al hollín o que participa de su naturaleza. 2 Denegrido, obscurecido, tiznado.

fulmar *m.* Ave procelariforme parecida a la gaviota pero de cuello más grueso y sin manchas negras en las alas, que vive en la región ártica (*Fulmarus glacialis*).

fulminante *adj.* Que fulmina. 2 [mal] Repentino y generalmente de efecto mortal: *apoplejía* ~. 3 Súbito, muy rápido y de efecto inmediato. – 4 *adj.-m.* Que estalla con explosión. – 5 *m.* Materia para hacer estallar cargas explosivas. 6 En los cartuchos de las armas de fuego, substancia de combustión rápida que, al encenderse, propaga la explosión al resto de la carga.

fulminar *tr.* Arrojar rayos. 2 Dar muerte los rayos eléctricos. 3 Herir o dañar el rayo terrenos o edificios, montes, etc. 4 Causar la muerte o herir con proyectiles o armas; fig., arrojar [bombas o balas]. 5 Fundir a fuego o por electricidad. 6 Causar muerte repentina una enfermedad. 7 Dictar, imponer [sentencias, excomuniones, censuras]. 8 Herir o dañar [a personas o cosas] la luz excesiva. 9 fig. Amenazar con ira. 10 fig. Dejar rendida o muy impresionada a una persona con una mirada de ira o amor, con una voz airada, etc. – 11 *intr.* Explotar.

fulmíneo, -a *adj.* Que participa de las propiedades del rayo.

fullería *f.* Trampa en el juego. 2 fig. Astucia con que se pretende engañar.

fullero, -ra *adj.-s.* Que hace fullerías. 2 fam. Precipitado, chapucero, farfulla.

fullona *f.* fam. Pendencia, riña con muchas voces.

fumada *f.* Porción de humo, bocanada que se fuma de una vez.

fumador, -ra *adj.-s.* Que tiene costumbre de fumar: ~ *pasivo,* persona no fumadora que, por estar en contacto con otras que sí acotumbran a hacerlo, está sujeta a los mismos efectos perniciosos del tabaco.

fumar *intr.* Humear. – 2 *intr.-tr.* Aspirar y despedir el humo del tabaco, opio, etc.: ~ *un puro;* ~ *en pipa.* – 3 *prnl.* fig. Gastar, consumir indebidamente: *se fumó la paga del mes.* 4 fig. Dejar de acudir a una obligación: *fumarse la clase.* – 5 *intr.-tr.* Amér. Dominar [a uno], chafarle, sobrepujarle.

fumarada *f.* Porción de humo que sale de una vez. 2 Porción de tabaco que cabe en la pipa.

fumarel *m.* Ave caradriforme marina, de plumaje totalmente negro en verano, y con cuello, frente y partes inferiores blancas en invierno *(Chlidonias niger).*

fumaria *f.* Hierba papaverácea, de hojas tenues, muy divididas y flores azuladas en racimo *(Fumaria officinalis).*

fumarola *f.* Grieta o lugar de una región **volcánica, por donde salen gases o vapores.

fumetear *intr.-tr.* Fumar constantemente.

fumífugo, -ga *adj.* Que extingue el humo.

fumigante *m.* Substancia que sirve para fumigar y que actúa como desinfectante.

fumigar *tr.* Desinfectar por medio de humo o vapores adecuados [alguna cosa]: ~ *una habitación.* ◇ ** CONJUG. [7] como *llegar.*

fumista *com.* Persona que tiene por oficio hacer, arreglar o vender cocinas, chimeneas o estufas.

fumívoro, -ra *adj.* Que absorbe el humo o evita que se forme o se desprenda: *horno ~.*

funambulesco, -ca *adj.* [andar, paso, movimiento] Semejante al del funámbulo. 2 fig. Grotesco, extravagante.

funámbulo, -la *m. f.* Volatinero que hace ejercicios en la cuerda o el alambre.

función *f.* Acción propia de un órgano o aparato de los seres vivos, o de una máquina: *la ~ del hígado; ~ clorofílica,* la de la clorofila, mediante la cual y bajo la acción de la luz solar, las plantas convierten en materia orgánica propia la inorgánica del aire. 2 Ejercicio de un empleo, oficio, etc.: *las funciones del juez.* 3 Destino que se da a algo. 4 Acto público, diversión o espectáculo, especialmente el teatral. 5 LING. Relación que los elementos de una estructura gramatical mantienen entre sí. 6 MAT. Magnitud cuyos valores dependen de los de otra u otras variables. 7 QUÍM. Carácter químico de un cuerpo, determinado por la clase de reacciones de que es capaz, y por el cual se le puede clasificar.

funcional *adj.* Relativo a las funciones orgánicas, matemáticas, químicas, etc. 2 [cosa] Cuya función práctica predomina sobre las demás. 3 Práctico, eficaz, utilitario.

funcionalismo *m.* ARQ. Movimiento arquitectónico fundado en el principio de que la forma debe reflejar una función. 2 LING. Actitud teórica y metodológica de los lingüistas funcionalistas.

funcionalista *adj.-com.* LING. [pers.] Entendido en métodos y estudios que se basan en una interpretación funcional del lenguaje.

funcionar *intr.* Ejecutar una persona o cosa las funciones que le son propias.

funcionario, -ria *m. f.* Empleado público.

funche *m.* Amér. Especie de gachas de harina de maíz.

funda *f.* Cubierta con que se envuelve una cosa para resguardarla.

fundación *f.* Acción de fundar. 2 Efecto de fundar. 3 Principio, erección, establecimiento y origen de una cosa. 4 Documento en que constan las cláusulas de una institución. 5 DER. Persona jurídica dedicada a fines benéficos, culturales o religiosos, que continúa y cumple la voluntad del fundador.

fundamentalismo *m.* Movimiento religioso, social y político, basado en la interpretación literal de los textos sagrados y en la negación de conocimiento científico.

fundamental *adj.* Que sirve de fundamento o de base.

fundamentar *tr.* Echar los fundamentos o cimientos [a un edificio]. 2 fig. Establecer, asegurar y hacer firme [una cosa].

fundamento *m.* Principio o base de una cosa, especialmente cimientos de un edificio. 2 fig. Razón, motivo de un juicio, apreciación, etc. 3 fig. Seriedad, formalidad de una persona: *este niño no tiene ~.* 4 fig. Fondo o trama de los tejidos. 5 fig. Principio y origen en que estriba una cosa no material. – 6 *m. pl.* fig. Elemento básico de cualquier arte o ciencia.

fundar *tr.* Empezar a edificar [una ciudad, establecimiento, etc.]. 2 Establecer, crear, especialmente instituir [mayorazgos, obras pías y otras fundaciones]: ~ *una asociación;* ~ *un imperio;* ~ *un premio.* 3 Estribar, armar [alguna cosa material] sobre otra: *el arco se funda en el pilar.* 4 fig. Apoyar con motivos o razones [una cosa]: ~ *en razón una sentencia.*

fundición *f.* Acción de fundir o fundirse. 2 Efecto de fundir o fundirse. 3 Fábrica en que se funden metales. 4 Hierro colado. 5 IMPR. Surtido o conjunto de todos los moldes o letras de una clase. 6 METAL. Fabricación de objetos por vaciado de metal en moldes de forma apropiada.

fundir *tr.* Derretir y liquidar [los metales u otros cuerpos sólidos]. 2 Dar forma en moldes al metal en fusión: ~ *cañones;* ~ *estatuas.* 3 fig. Gastar, derrochar, dilapidar. – 4 *tr.-prnl.* Reducir a una sola cosa dos o más cosas diferentes. – 5 *prnl.* Dejar de funcionar un artefacto eléctrico por haberse soltado o quemado el hilo de resistencia: *se fundieron los plomos; se fundió la bombilla.* 6 fig. Unirse intereses, ideas o partidos. – 7 *tr.* CINEM. y TELEVISIÓN Mezclar [los últimos momentos de persistencia de la imagen en la pantalla o del sonido en el altavoz con los primeros momentos de aparición de otra imagen o de otro sonido]. – 8 *tr.-prnl.* *Amér.* Arruinarse, hundirse: *el negocio se fundió.*

fúnebre *adj.* Relativo a los difuntos: *honras fúnebres.* 2 fig. Muy triste, luctuoso, funesto.

funeral *adj.* Funerario. – 2 *m.* Solemnidad de un entierro. 3 Exequias: *el* ~, o *los funerales, de mi padre.*

funeraria *f.* Empresa encargada de la conducción y entierro de difuntos.

funerario, -ria *adj.* Relativo al entierro y exequias.

funesto, -ta *adj.* Aciago; que es origen de pesares. 2 Triste y desgraciado.

fungible *adj.* Que se consume con el uso.

fungicida *m.* Substancia que puede destruir los hongos parásitos, dañinos o inútiles.

fungir *intr. Amér. Central* y *Méj.* Desempeñar un cargo. 2 *Cuba, Méj.* y *P. Rico.* Dárselas, echárselas de algo. ◇ ** CONJUG. [6] como *dirigir.*

funicular *adj.* Que funciona por medio de una cuerda o que depende de la tensión de una cuerda o cable: **ferrocarril** ~, o simplemente ~, ferrocarril que se vale de este sistema de tracción para ascender por rampas muy pronunciadas.

funículo *m.* Órgano filiforme que une el óvulo al carpelo; **flor. 2 Cordón celular que mantiene el intestino de los briozoos suspendido en la cavidad del cuerpo.

fuñique *adj.-s.* [pers.] Torpe y embarazado en sus acciones. – 2 *adj.* Meticuloso, chinchoso.

fuñir *tr. P. Rico, S. Dom.* y *Venez.* Molestar, perjudicar. – 2 *prnl. Amér.* Fastidiarse. ◇ ** CONJUG. [40] como *muñir.*

furcia *f.* Ramera.

furgón *m.* Carro largo y fuerte de cuatro ruedas y cubierto, usado para transporte. 2 Vagón de ferrocarril en que se transportan los equipajes.

furgoneta *f.* Vehículo con una puerta en la parte posterior, que transporta artículos comerciales.

furia *f.* Ira exaltada; violencia, impetuosidad: *hablar, atacar con* ~; *la* ~ *del mar.* 2 fig. Prisa, velocidad, diligencia: *a toda* ~. 3 fig. Momento de mayor intensidad de una moda o costumbre.

furibundo, -da *adj.* Lleno de furia: *batalla, mirada furibunda.* 2 Extremado, entusiasta o partidario.

furierismo *m.* Utopía social de Fourier (1772-1837) que, basándose en la atracción ejercida entre los hombres por las pasiones, aspira a una organización armónica de la sociedad, resultante de la combinación de las mismas libremente satisfechas.

furioso, -sa *adj.* Poseído de furia: ~ *contra Juan;* ~ *con la noticia;* ~ *de ira;* ~ *por el contratiempo.* 2 Loco, que ha de ser sujetado. 3 fig. Violento, terrible. 4 fig. Muy grande y excesivo: ~ *gasto;* ~ *caudal.*

I) furo *m.* Orificio que tienen en el fondo las hormas cónicas en que se vacían los panes de azúcar.

II) furo, -ra *adj.* [pers.] Huraño.

furor *m.* Furia (violencia y prisa). 2 fig. Arrebatamiento, entusiasmo del poeta cuando compone. 3 Momento de mayor intensidad de una moda o costumbre. 4 Frenesí, locura, afición desordenada.

furriel, furrier *m.* Encargado de la administración de una compañía militar.

furris *adj.* fam. Malo, despreciable, mal hecho.

furtivismo *m.* Ejercicio de caza, pesca o hacer leña por una persona en finca ajena, a hurto de su dueño.

furtivo, -va *adj.* Que se hace a escondidas y como a hurto: *cazador* ~.

furúnculo *m.* Divieso.

fusa *f.* MÚS. Figura cuya duración equivale a la mitad de la semicorchea.

fuselaje *m.* Cuerpo del **avión, de figura fusiforme, donde van la tripulación, los pasajeros y las mercancías.

fusible *adj.* Que puede fundirse. – 2 *m.* Hilo o chapa metálica, fácil de fundirse, que se coloca en algunas partes de las instalaciones eléctricas, para que, cuando la corriente sea excesiva, la interrumpa fundiéndose.

fusiforme *adj.* De figura de huso: *raíz* ~; **músculo ~.

fusil *m.* Arma de fuego portátil que consiste en un cañón de hierro o acero montado en una culata de madera y dotado de un mecanismo con que se dispara: *un ~ máuser;* **armas; ~ **submarino,* el que sirve para lanzar bajo la superficie del mar arpones a gran velocidad, unidos al arma mediante un hilo.

fusilar *tr.* Ejecutar [a una persona] con descarga de fusilería. 2 *burl.* Intercalar en una obra propia trozos o ideas de [otro autor] sin mencionarlo; plagiar.

fusilería *f.* Conjunto de fusiles o de soldados fusileros. 2 Fuego de fusiles.

fusilero, -ra *adj.* Relativo al fusil. – 2 *m.* Soldado de infantería armado de fusil.

fusión *f.* Paso de un cuerpo del estado sólido al líquido por la acción del calor: *temperatura de ~.* 2 fig. Unión de partido, intereses, ideas, etc., antes en pugna. 3 *~ nuclear,* reacción nuclear, producida por la unión de dos núcleos ligeros, sometidos a elevadas temperaturas, que da lugar a un núcleo más pesado, con gran desprendimiento de energía; *~ en frío,* la nuclear que se desarrolla a temperatura ambiente.

fusionar *tr.* Producir una fusión; unir partidos, intereses, etc.

fuslina *f.* Sitio destinado a la fundición de minerales.

fusor *m.* Vaso o instrumento para fundir.

fusta *f.* Varas, ramas y leña delgada. 2 Látigo largo y delgado que se usa para estimular a las caballerías. 3 Buque ligero de remos, con uno o dos palos.

fustal, -tán, -taño *m.* Tela gruesa de algodón con pelo por una de sus caras. 2 *Amér.* Enaguas o refajo de algodón.

fuste *m.* Madera (substancia dura). 2 Vara (palo), especialmente la que sirve de asta a la lanza. 3 Pieza de madera que forma la silla del caballo y, en poesía, la silla misma. 4 Parte de la columna que media entre el capitel y la basa; **órdenes; **románico.* 5 fig. Nervio, entidad, importancia, fundamento: *hombre de ~; negocio, discurso, escrito de poco ~.* 6 fig. Fundamento de una cosa no material. 7 BOT. Vástago, conjunto del tallo y las hojas.

fustete *m.* Arbusto anacardiáceo de hojas aromáticas, cuyas corteza y madera sirven para teñir de amarillo las pieles *(Rhus cotinus).*

fustigar *tr.* Azotar (dar azotes). 2 fig. Censurar con dureza [a alguno]. ◇ ** CONJUG. [7] como *llegar.*

futarra *f.* Pez marino teleósteo perciforme, de pequeño tamaño, cuerpo alargado, comprimido lateralmente y cabeza fuerte con hocico corto *(Blennius trigloides).*

futbito *m.* Fútbol sala.

fútbol, futbol *m.* Juego entre dos equipos que impulsan un balón, generalmente con los pies y nunca con los brazos, y tratan de hacerlo pasar por la portería contraria, de cuya defensa cuida un jugador, único que en cada equipo puede tocar la pelota con las manos: *~ sala,* variante de este juego que se practica en un terreno de dimensiones mucho más reducidas, con dos equipos formados por cinco jugadores cada uno; *~ americano,* variante del juego de rugby que practican dos equipos de once jugadores cada uno, caracterizada principalmente por su gran violencia física.

futbolín *m.* Juego en que figurillas accionadas mecánicamente remedan un partido de fútbol.

futbolista *com.* Deportista jugador de fútbol.

futesa *f.* Fruslería, nadería.

fútil *adj.* De poco aprecio o importancia.

futilidad *f.* Poca o ninguna importancia de una cosa.

futriaco, -ca *m. f. Colomb., P. Rico y S. Dom.* desp. Fulano.

futura *f.* Derecho a la sucesión de un empleo o beneficio antes de estar vacante. 2 Novia que tiene con su novio compromiso formal.

futurible *adj.* Que es futuro condicionado, que no será con seguridad, sino que sería si se diese una condición determinada.

futurición *f.* Condición de estar orientado o proyectado hacia el futuro, como la vida humana.

futurismo *m.* Actitud espiritual, cultural, política, etc., orientada hacia el futuro. 2 Movimiento ideológico y artístico cuyas orientaciones fueron formuladas por el italiano Marinetti (1876-1944) en 1909; pretendía revolucionar las ideas, costumbres, el arte, la literatura y el lenguaje.

futurista *adj.* Relativo al futurismo. – 2 *adj.-com.* Partidario del futurismo. 3 Evocador de las etapas venideras en el desarrollo de la ciencia o la técnica.

futuro, -ra *adj.* Que está por venir o suceder. – 2 *m.* Novio que tiene con su novia compromiso formal. 3 GRAM. *~ perfecto, ~ imperfecto,* tiempos de **verbo.

futurología *f.* Conjunto de estudios que tienden a prever la evolución social, económica, científica, técnica, etc.

futurólogo, -ga *m. f.* Especialista en futurología. 2 hum. Adivino, persona capaz de predecir lo que va a ocurrir en el futuro.

G

G, g *f.* Ge, octava letra del alfabeto español que con la *u* constituye el dígrafo *gu*, utilizado delante de *e, i* para representar gráficamente a la consonante oclusiva, velar y sonora, valor que también tiene delante de *a, o, u*. La *g* delante de *e, i* representa gráficamente a la consonante fricativa, velar y sorda; ****ortografía.

gabacho, -cha *adj.* Relativo a ciertos pueblos pirenaicos. 2 [paloma] Grande y calzada. 3 desp. Francés. 4 desp. Desgarbado, tosco.

gabán *m.* Abrigo (prenda). 2 *Méj.* Prenda de abrigo, especie de sarape angosto, con boca-manga, y que sólo llega hasta un poco más abajo de la cintura.

gabardina *f.* Tabardo rústico con mangas ajustadas. 2 Sobretodo de tela impermeable. 3 Tela de tejido diagonal, de que se hacen estos sobretodos y otras prendas de vestir. 4 fig. Envoltura de harina o pan rallado con que se rebozan algunos pescados: *gambas con* ~.

gabarra *f.* Barcaza grande, generalmente sin medios de propulsión, aunque las hay a remo, vela y motor, que se usa en los puertos en operaciones de carga y descarga de los buques, así como en la navegación fluvial y de cabotaje.

gabato *m.* Cría del ciervo y del corzo.

gabejo *m.* Haz pequeño de paja o leña.

gabela *f.* Tributo, impuesto.

gabinete *m.* Aposento, menor que la sala, destinado al estudio, a la investigación o a recibir personas de confianza: ~ *de un médico, de un abogado.* 2 Mobiliario de este aposento. 3 Sala o conjunto de ellas donde se guardan aparatos, objetos, etc., para estudio o ense-ñanza de una ciencia o arte: ~ *de física.* 4 Gobierno, conjunto de ministros.

gabita *f.* Palo, cadena, etc., que une las dos yuntas.

gablete *m.* En la arquitectura ****gótica, remate a modo de frontón con ápice agudo.

gabro *m.* Roca plutónica básica de colores obscuros.

gacel *m.* Macho de la gacela.

gacela *f.* Rumiante bóvido antilopino, pequeño, gracioso y con las astas encorvadas a modo de lira *(gén. Gazella).*

gaceta *f.* Periódico en el que se dan noticias de algún ramo especial de literatura, adminis-tración, etc.: ~ *de teatros;* ~ *de los tribunales.*

gacetilla *f.* Parte de un periódico en que se insertan noticias cortas. 2 Esta noticia. 3 fig. Persona que lleva y trae noticias.

gacetillero *m.* Redactor de gacetillas.

gacha *f.* Masa muy blanda. – 2 *f. pl.* Comida compuesta de harina, agua, sal, leche, miel, etc.

gachí *f.* vulg. Mujer, muchacha. ◇ Pl.: *gachíes.*

gacho, -cha *adj.* Inclinado hacia tierra: *ore-jas gachas.* 2 [buey] De cuernos gachos. 3 [caballería] Que está muy enfrenado, que tiene el hocico muy metido al pecho.

gachó *m.* pop. Hombre en general, y en especial el amante de una mujer. ◇ Pl.: *gachós.*

gachumbo *m.* *Amér. Merid.* Cubierta leñosa y dura de varios frutos, de los cuales se hacen vasijas y otros instrumentos.

gádido, -da *adj.-m.* Pez de la familia de los gádidos. – 2 *m. pl.* Familia de peces gadifor-mes, caracterizados por tener aletas o radios blandos, escamas cicloideas y aletas ventrales yugulares.

gadiforme *adj.-m.* Pez del orden de los gadiformes. – 2 *m. pl.* Orden de peces teleós-teos con las aletas provistas de radios blandos; viven en mares fríos y tienen gran importan-cia económica; como el bacalao y la merluza.

gaditano, -na *adj.-s.* De Cádiz.

gado *m.* Género de gádidos caracterizados por tener tres aletas dorsales y dos anales, caso excepcional entre los peces (gén. *Gadus*).

gadolinio *m.* QUÍM. Elemento metálico del grupo de las tierras raras. Su símbolo es *Gd.*

gaélico, -ca *adj.-s.* De un pueblo que se instaló en el primer milenio a. C. en la actual Irlanda y en el norte de Gran Bretaña. – 2 *m.* Dialecto céltico de Irlanda y Escocia.

gafa *f.* Instrumento para armar la ballesta. 2 Grapa (pieza de hierro). 3 MAR. Tenaza para suspender pesos. – 4 *f. pl.* Anteojos con pati-llas para afianzarlo en las orejas; **gafas **sub-marinas,** las que sirven para poder ver bajo la superficie del mar, con un solo cristal, grande, y que se afianzan a la cabeza con un elástico. 5 Ganchos que sirven para subir y bajar los materiales en las construcciones.

gafar *tr.* Arrebatar [una cosa] con las uñas o con un instrumento corvo. 2 Componer con grapas [los objetos rotos], principalmente los de cerámica. 3 fam. Traer mala suerte.

gafe *adj.-com.* fam. Cenizo, persona que trae a otras mala suerte.

gafo, -fa *adj.-s.* Que tiene encorvados y sin movimiento los dedos de manos y pies.

gag *m.* Situación ridícula y cómica. ◇ Pl.: Se emplea *gags.*

gaguear *intr. Can., Extr. y Amér.* Tartamudear.

gaita *f.* MÚS. Tocata de carácter popular. 2 Instrumento músico de **viento formado por una especie de odre, llamado fuelle, al cual van unidos tres tubos de boj; uno delgado, llamado soplete, por el cual se sopla para henchir de aire el fuelle; otro corto, llamado puntero, provisto de agujeros, donde pulsan los dedos del tañedor; y el tercero más grueso y largo, llamado bordón o roncón, cuyo número es variable y forma el bajo continuo del instrumento. 3 fig. y fam. Cosa fastidiosa. 4 *Argent.* fest. y desp. Gallego.

gaitero, -ra *adj.* De colores chillones, charro, extravagante. – 2 *adj.-s.* Ridículamente alegre: *es un viejo ~.* – 3 *m. f.* Músico que toca la gaita.

gaje *m.* Emolumento, salario. 2 irón. *Gajes del oficio,* perjuicios inherentes a un empleo u ocupación. ◇ Usado especialmente en plural.

gajo *m.* Rama de árbol, especialmente cuando está desprendida del tronco. 2 Grupo de uvas en que se divide el racimo. 3 Racimo apiñado de cualquier fruta: *~ de ciruelas.* 4 División interior de varias frutas: *~ de naranja, de granada.* 5 *Amér.* Barbilla. 6 *Amér. Central* y *Colomb.* Bucle, rizo.

gal *m.* Unidad de aceleración en el sistema cegesimal.

gala *f.* Vestido o adorno suntuoso y lucido. 2 Lo más selecto: *ser uno la ~ del pueblo.* 3 Gracia y bizarría. 4 Actuación artística a la que se da carácter excepcional. – 5 *f. pl.* Artículos de lujo que se poseen y ostentan. 6 *And., Ant.* y *Méj.* Recompensa, obsequio, propina.

galacina *f.* Bebida hecha de leche fermentada con semillas y azúcar de caña.

galáctico, -ca *adj.* ASTRON. Relativo a la Vía Láctea.

galactita, -tes *f.* Variedad de arcilla que se deshace fácilmente en el agua, dándole la apariencia de leche.

galactóforo, -ra *adj.* Que sirve para conducir la leche: *conductos galactóforos.*

galactómetro *m.* Instrumento para reconocer la densidad de la leche.

galactosa *f.* Especie de azúcar de leche, sacárido de la glucosa ordinaria, que se obtiene tratando la lactosa con ácido sulfúrico diluido.

galaico, -ca *adj.* De Galicia.

galaicoportugués, -guesa *adj.-m.* Lengua románica que dio origen al gallego y portugués actuales. – 2 *adj.* Relativo especialmente a los monumentos literarios medievales de ambos territorios, cuando aún no habían surgido desemejanzas entre ellos: *cancioneros galaicoportugueses.*

galalita *f.* Caseína endurecida que forma una substancia plástica no termoestable, usada en la industria.

galán *m.* Mueble en forma de percha con pie, donde se deja la ropa de caballero por la noche. 2 Hombre de buen semblante y airoso. 3 El que galantea a una mujer. 4 Actor que desempeña papeles principales, como arquetipo de personaje atractivo.

galante *adj.* Atento, obsequioso, especialmente con las damas. 2 [mujer] Que gusta de que la galanteen. 3 Que trata con picardía un asunto o tema amoroso: *una novela ~.*

galantear *tr.* Ser galante [con una dama]; lisonjearla. 2 fig. Solicitar asiduamente alguna cosa o la voluntad [de una persona].

galantería *f.* Acción o expresión obsequiosa. 2 Bizarría, generosidad. 3 Gracia y elegancia en las cosas.

galantina *f.* Carne rellena que se come fiambre.

galanura *f.* Gracia, gentileza, elegancia, gallardía: *vestir con ~; la ~ de su estilo.*

galápago *m.* Reptil quelonio (tortuga) de vida lacustre, especialmente el de los géneros *Emys* y *Chlemys.* 2 Yeso que se aplica en los salientes de un tejado.

galardón *m.* Premio, recompensa, especialmente si es honorífica.

galardonar *tr.* Premiar los servicios o méritos [de uno].

galatita *f.* QUÍM. Materia plástica que se obtiene tratando la caseína con formol, que se emplea para reemplazar marfil, ámbar, concha, coral, etc.

galaxia *f.* Nebulosa que constituye algún gran sistema estelar; esp., la Vía Láctea. 2 fig. Conjunto amplio de cosas, hechos, conceptos, etc.

galayo *m.* Prominencia de roca pelada en medio de un monte.

galbana *f.* fam. Pereza, holgazanería.

gálbula *f.* Fruto compuesto, generalmente globoso y seco, propio del ciprés y de otras cupresáceas; **gimnospermas.

gálea *f.* Casco de la **armadura romana.

galeato *adj.-m.* [prólogo de un obra] Que la defiende de posibles objeciones y reparos.

galega *f.* Planta papilionácea de tallo fistuloso, hojas imparipinnadas, flores blancas o azules en racimo y legumbres sentadas *(Galea officinalis).*

galeiforme *adj.* En forma de casco o caperuza.

galena *f.* Sulfuro de plomo nativo de color gris, que cristaliza en el sistema regular; es la mena más rica del plomo.

galeno *m.* fam. Médico.

galeón *m.* Nave grande, parecida a la galera.

galeote *m.* Forzado, condenado a galeras.

galeoto *m.* Alcahuete, medianero en amores lascivos.

galera *f.* Nave antigua de vela latina y remo. 2 Carro grande de cuatro ruedas, generalmente cubierto. 3 Cárcel de mujeres. 4 Crujía (sala de hospital). 5 Crustáceo malacostráceo marino comestible *(Squilla mantis).* 6 Camarón. 7 IMPR. Tabla rectangular en que se ponen las líneas de letras a medida que se componen. – 8 *f. pl.* Pena de remar en las galeras reales. – 9 *f. Argent., Chile, Parag.* y *Urug.* Sombrero de copa. 10 *Amér. Central* y *Méj.* Cobertizo.

galerada *f.* IMPR. Trozo de composición que cabe en una galera.

galería *f.* Habitación larga y cubierta. 2 Corredor descubierto o con vidrieras; **ventana. 3 Camino subterráneo. 4 p. ext. Colección de obras artísticas: *Galería Nacional de Londres.* 5 Estudio de un fotógrafo profesional. 6 Paraíso del teatro. 7 Conjunto de personas que lo ocupan. 8 Balcón de popa, en un barco. 9 fig. Vulgo. – 10 *f. pl.* Pasaje donde hay establecimientos comerciales. 11 Tienda o almacén de importancia.

galerna *f.* Viento fuerte del noroeste en el Cantábrico.

galerón *m. Amér. Merid.* Romance vulgar que se canta en una especie de recitado.

galés, -lesa *adj.-s.* De Gales, región del oeste de Gran Bretaña. – 2 *m.* Idioma galés.

I) galga *f.* Piedra grande desprendida de una cuesta. 2 MEC. Instrumento para medir ángulos y longitudes.

II) galga *f.* Cinta que sujeta algunos zapatos a la pierna.

III) galga *f.* Palo atado por los extremos a la caja del carro, que sirve de freno. 2 Andas o féretro.

galgo, -ga *adj.-s.* V. perro galgo.

galguear *intr. Amér.* Sentir vivo apetito o deseo de una cosa.

galguería *f.* Golosina, manjar delicado.

galiana *f.* Cañada de ganados.

galianos *m. pl.* Torta cocida a las brasas.

galibar *tr.* Labrar [una pieza del buque] conforme al gálibo.

gálibo *m.* En los ferrocarriles, arco de hierro en forma de U invertida, para comprobar si los vagones con su carga máxima pueden circular por los túneles y bajo los pasos superiores. 2 Plantilla para labrar ciertas piezas del buque.

galicismo *m.* Giro propio de la lengua francesa. 2 Vocablo, giro o modo de expresión de esta lengua empleado en otra.

gálico, -ca *adj.* [ácido] Que se extrae de la nuez de agalla.

galilea *f.* Pórtico o atrio de las iglesias, especialmente la parte ocupada con tumbas de próceres o reyes.

galimatías *m.* fam. Lenguaje obscuro. 2 Confusión, desorden. ◇ Pl.: *galimatías.*

I) galio *m.* Hierba rubiácea de hojas casi filiformes, flores amarillas y fruto en drupa, que se emplea como forraje y para cuajar la leche *(Galium mollugo).*

II) galio *m.* Metal blanco, duro y maleable, parecido al aluminio; es muy raro. Su símbolo es *Ga.*

galiparla *f.* Lenguaje plagado de galicismos.

galo, -la *adj.-s.* De la Galia, antigua Francia. – 2 *m.* Idioma galo.

galocha *f.* Zueco para andar por la nieve, el agua y el lodo.

galófilo, -la *adj.-s.* Extranjero aficionado a lo francés.

galófobo, -ba *adj.-s.* Desafecto a Francia y a los franceses.

I) galón *m.* Tejido fuerte y estrecho a manera de cinta. 2 El que llevan como distintivo diferentes clases del ejército o de cualquier otro cuerpo uniformado.

II) galón *m.* Medida de capacidad inglesa, equivalente a 4,546 l., y también de los Estados Unidos de América, equivalente a 3,785 l.

galopada *f.* Carrera a galope. 2 Carrera larga y veloz de un futbolista por uno de los lados del terreno de juego.

galopante *adj.* Que galopa. 2 fig. De crecimiento o desarrollo muy rápido.

galope *m.* Marcha más levantada y veloz del **caballo: ~ *tendido,* a todo correr del caballo; fig., a toda velocidad. 2 fig. *A,* o *de,* ~, con prisas y aceleración.

galopín *m.* Muchacho sucio y desharrapado. 2 Pícaro, bribón. 3 fig. Hombre taimado.

galpito *m.* Pollo débil, enfermizo y de pocas medras.

galpón *m. Amér. Merid.* Cobertizo grande, tinglado. 2 *Amér.* Departamento o galerón, destinado en las haciendas a los esclavos.

galúa *f.* Pez marino teleósteo perciforme de cuerpo fusiforme y cabeza plana, de color gris plomizo con líneas longitudinales y con manchas doradas sobre el opérculo *(Mugil saliens; Liza s.).*

galupe *m.* Pez marino teleósteo perciforme muy parecido a la galúa aunque algo mayor *(Mugil auratus; Liza aurata).*

galvanismo *m.* Electricidad dinámica, especialmente la producida por una acción química. 2 Uso de la corriente eléctrica para fines terapéuticos.

galvanizar *tr.* Recubrir [un metal] con una ligera capa de otro, ya por medio de la corriente eléctrica, ya por otro procedimiento. 2 Someter [un animal vivo o muerto] a la acción de la corriente eléctrica. 3 fig. Infundir nuevos ánimos [a una persona]; dar vida pasajera [a algo que está en decadencia]. ◊ ** CONJUG. [4] como *realizar*.

galvanómetro *m.* Instrumento para comprobar la existencia, medir la intensidad y determinar el sentido de una corriente eléctrica mediante la desviación que ésta produce en una aguja magnética.

galvanoplastia *f.* Arte de sobreponer a los cuerpos sólidos capas metálicas consistentes, mediante la electrólisis.

galvanotecnia *f.* Conjunto de técnicas y aplicaciones de las corrientes galvánicas.

galla *f.* Remolino que a veces forma el pelo del caballo en los lados del pecho, detrás del codo y junto a la cinchera. 2 Agalla del roble. 3 Agalla del pez.

galladura *f.* Pinta como de sangre que se halla en la yema del huevo de gallina fecundado; **ave.

gallano *m.* Pez marino teleósteo perciforme, de cuerpo alargado y ligeramente comprimido y de vistosos colores *(Labrus bimaculatus; L. mixtus)*.

gallardear *intr.* Ostentar mucha gallardía.

gallardete *m.* Bandera pequeña, larga y rematada en punta, que sirve como insignia, adorno o señal en buques o edificios.

gallardía *f.* Desenfado y buen aire. 2 Bizarría, ánimo, valor.

gallardo, -da *adj.* Bien parecido, elegante y educado. 2 Bizarro, valiente. 3 fig. Grande, excelente: ~ *poeta; gallarda narración*.

gallarín *m.* Cuenta que se hace doblando siempre el número en proporción geométrica.

gallarito *m.* Planta escrofulariácea, con varios tallos que se despliegan a partir de la base y flores bilabiadas de color rosa, en espigas *(Pedicularis sylvatica)*.

gallaruza *f.* Vestido con capucha, propio de montañeses.

gallear *intr.* fig. Fanfarronear, pavonear. 2 fig. Alzar la voz con amenazas. 3 fig. Sobresalir, descollar. – 4 *tr.* Cubrir el gallo [a las gallinas].

gallego, -ga *adj.-s.* De Galicia. – 2 *m.* Idioma gallego. – 3 *adj.-m.* Viento noroeste.

galleguismo *m.* Vocablo giro o modo de expresión propio de los gallegos. 2 Amor o apego a la cosas propias de Galicia.

galleo *m.* Excrecencia en la superficie de algunos metales fundidos cuando se enfrían rápidamente. 2 Jactancia, presunción.

gallera *f.* Reñidero de gallos. 2 Gallinero donde se crían gallos de pelea, y jaula en que se transportan.

gallerbo *m.* Pez marino teleósteo perciforme, de pequeño tamaño, cuerpo alargado cubierto de una substancia viscosa, cabeza fuerte con hocico corto; es de color pardo verdusco con bandas más obscuras *(Blennius pavo)*.

gallero *m.* Individuo que se dedica a la cría de gallos de pelea. 2 Aficionado a las peleas de gallos.

I) galleta *f.* Bizcocho (pan sin levadura). 2 Pasta de harina, azúcar y otras substancias, cocida al horno. 3 Bofetada. 4 Carbón, variedad de antracita. 5 fig. Escudo de la gorra del marino. 6 p. ext. Placa o etiqueta de identificación, normalmente en los uniformes.

II) galleta *f.* Vasija pequeña de caño torcido. 2 *Amér.* Escudilla oblonga para tomar el mate amargo.

galletear *tr. Argent. y Urug.* Despedir [a uno] de su empleo.

galliano *m.* Licor de hierbas, aromatizado con vainilla.

galliforme *adj.-m.* Ave del orden de los galliformes. – 2 *m. pl.* Orden de aves granívoras y terrestres con el cuerpo rechoncho y poco aerodinámico; son polígamas y su carne es muy apreciada; como el gallo, el faisán y la perdiz.

gallina *f.* Hembra del gallo, que se distingue del macho por ser de menor tamaño, tener la cresta más corta y carecer de espolones *(Gallus gallus)*: ~ *castellana*, la negra muy ponedora. – 2 *com.* fig. Persona cobarde.

gallináceo, -a *adj.* Relativo a la gallina, y en general a las aves del orden galliformes.

gallinazo *m. f.* Aura (ave). – 2 *f.* Excremento de las gallinas.

gallinero, -ra *m. f.* Persona que trata en gallinas. – 2 *m.* Lugar donde se crían y recogen las aves de corral. 3 fig. Sitio donde abundan las perdices. 4 fig. Sitio donde hay mucho griterío. 5 Paraíso del teatro.

gallineta *f.* Pez marino teleósteo, de cuerpo oblongo, rechoncho y boca grande, protráctil, armada con numerosos dientes, de color rojo amarillento *(Helicolenus dactylopterus)*.

gallino *m.* Gallo que carece de plumas en la cola.

gallipato *m.* Anfibio propio de los estanques cenagosos, de unos 30 cms. de largo, color gris verdoso, dos filas de dientes en el paladar y cola comprimida *(Pleurodeles waltlii)*.

gallipava *f.* Variedad de gallina de mayor tamaño que las comunes (gén. *Gallus)*.

gallito *m.* fig. El que sobresale y hace papel en alguna parte. 2 fig. Matón.

gallo *m.* Ave galliforme doméstica, que tiene la cabeza adornada con una cresta roja, carnosa y, ordinariamente, erguida, carúnculas rojas y pendientes a cada lado de la cara, de pico corto y arqueado, plumaje abundante y lustroso y tarsos armados de espolones *(Gallus sp.).* 2 Pez marino teleósteo pleuronectiforme, de cuerpo comprimido, de unos 20 cms. de largo, cuya aleta dorsal recuerda la cresta del gallo *(Zeus faber).* 3 fig. El que todo lo manda o lo quiere mandar. 4 fig. Nota aguda o falsa, dada por el que canta o habla: *soltar un* ~. 5 Esputo, gargajo. 6 *Amér.* Hombre fuerte y valiente. 7 *Méj.* Lo que se obtiene de segunda mano.

gallocresta *f.* Planta labiada medicinal de hojas parecidas a la cresta de un gallo *(Salvia verbenaca).* 2 Planta escrofulariácea erecta y anual, de hojas alargadas y dentadas, y flores de color rosado o amarillo con el cáliz acampanado *(Bellardia trixago).*

gallón, -llona *m. f.* Labor que en algunos órdenes, como el renacimiento, adorna los boceles. 2 Adorno que se acostumbra a poner en los cabos de los cubiertos de plata.

gallote, -ta *adj. Cád., C. Rica y Méj.* Desenvuelto, de rompe y rasga.

galludo *m.* ZOOL. Pez marino seláceo parecido a la mielga, aunque de cuerpo menos esbelto, de color gris pardusco, provisto de dos aguijones dorsales venenosos más largos que los de la mielga *(Squalus blainvillei).*

gama *f.* Escala, gradación de notas musicales o colores. 2 fig. En general, escala, serie continua. 3 Serie de cosas comparables pertenecientes a una misma categoría, dentro de la cual están clasificadas de acuerdo con su talla, valor, duración, etc.: *la* ~ *de automóviles de una marca.*

gamada *adj.-f.* Variedad de esvástica en forma de cruz con cuatro brazos acodados.

gamba *f.* **Crustáceo decápodo marino, de caparazón débil, abdomen bien desarrollado y dos series de patas palmeadas y bifurcadas: ~ *blanca,* la de color rosa pálido y hasta 13 cms. de longitud, que se caracteriza por poseer dos aguijones detrás de cada ojo *(Parapenaeus longirostris).*

gamberro, -rra *adj.-s.* Libertino, disoluto. 2 Persona que comete actos inciviles para molestar a los demás, sobre todo en la vía pública.

gambeta *f.* Movimiento especial de las piernas al danzar. 2 *Amér.* En el juego del fútbol, regate, movimiento del jugador para evitar que le arrebate el balón el contrario.

gambetear *intr.* Hacer gambetas o corvetas.

I) gambeto *m.* Capote que llegaba hasta media pierna.

II) gambeto, -ta *adj. Amér. Central.* [res] De cuernos gachos.

gambito *m.* En el juego del ajedrez, sacrificio de una pieza, generalmente de un peón al principio de la partida, para lograr una posición favorable.

gambusino *m.* Pez teleósteo fluvial de cuerpo rechoncho, muy pequeño, de color gris azulado, capaz de sobrevivir en las peores condiciones *(Gambusia affinis; G. holbrocki).*

I) gamella *f.* Arco que se forma en cada extremo del yugo.

II) gamella *f.* Artesa para dar de comer a los animales.

gamellón *m.* Pila donde se pisa la uva.

gameto *m.* Célula que, en la reproducción sexual, se une a otra para dar origen a un nuevo ser.

gametocito *m.* Célula madre de la que deriva un gameto.

gametofito *m.* En las plantas de generación alternante, sexual y asexuada, visible, fase que produce los gametos.

gametogénesis *f.* Proceso de formación de los gametos masculinos o femeninos, a partir de las células germinativas primordiales. ◇ Pl.: *gametogénesis.*

gamma *f.* Tercera letra del alfabeto griego, equivalente al sonido suave de la *g* española. 2 Unidad de peso, equivalente a la millonésima parte de un gramo. 3 *Rayos* ~, los que emiten ciertas substancias radiactivas, como el radio.

gammaglobulina *f.* FISIOL. y QUÍM. Globulina del suero sanguíneo, agente principal de la propiedad de oponerse a la acción biológica de los antígenos.

gamo *m.* Mamífero rumiante cérvido, de pelaje rojizo, salpicado de manchas pequeñas y blancas, cabeza erguida y cuernos en forma de pala *(Dama dama).*

gamocarpelar *adj.* [flor] Que tiene ovarios soldados formando un ovario único.

gamón *m.* Planta liliácea perenne, con las hojas junciformes y con los tallos fistulosos, las flores de pétalos color rosa y el fruto globular *(Asphodelus fistulosus).*

gamonal *m. Amér.* Cacique de pueblo.

gamonedo *m.* Queso asturiano elaborado con leche de vaca mezclada con oveja y cabra, de pasta firme, semidura y sabor picante.

gamopétalo, -la *adj.* [corola] Que tiene los pétalos soldados lateralmente, en mayor o menor extensión.

gamosépalo, -la *adj.* [cáliz] Que tiene los sépalos soldados lateralmente, en mayor o menor extensión.

gamuza *f.* Rumiante bóvido antilopino del tamaño de una cabra grande, con cuernos negros, lisos y derechos, terminados a manera de anzuelo *(Rupicapra pyrenaica).* 2 Piel de este animal que, adobada, es muy flexible y sirve para varios usos. 3 Tejido de lana que imita la piel de gamuza. 4 Hongo comestible, aunque algo amargo, de sombrero amarillo pálido mate *(Hydnum repandum).*

gana *f.* Deseo, apetito, voluntad de una cosa: ~, *o ganas, de comer, de dormir.* – 2 *f. pl.* Deseo de causar un mal a alguien.

ganadería *f.* Conjunto de los ganados de un país o región. 2 Raza especial de ganado. 3 Granjería, crianza y tráfico de ganados.

ganadero, -ra *adj.* Relativo al ganado: *región ganadera.* – 2 *m. f.* Dueño de ganados. 3 Persona que cuida del ganado o trafica en él.

ganado *m.* Conjunto de animales domésticos, especialmente si son de la misma especie: ~ *vacuno;* ~ *de cerda;* ~ *mayor,* bueyes, mulas, yeguas, etc.; ~ *menor,* ovejas, cabras, etc. 2 Conjunto de abejas de una colmena.

ganancia *f.* Acción de ganar, especialmente en el comercio: *una* ~ *de pocas pesetas.* 2 Efecto de ganar, especialmente en el comercio. 3 *Chile, Guat.* y *Méj.* Adehala, propina.

ganancioso, -sa *adj.* Que ocasiona ganancia. – 2 *adj.-s.* Que sale con ganancia de un trato, de un juego, etc.

ganapán *m.* desp. Hombre que se gana la vida haciendo mandados. 2 fig. Hombre rudo y tosco.

ganapierde *amb.* Juego de damas en que gana el que pierde antes todas las piezas. ◊ Pl.: *ganapierde.*

ganar *tr.* Lograr, adquirir o aumentar [un beneficio moral o material, especialmente dinero]: ~ *honra;* ~ *el favor del rey; con esto gano diez pesetas; intr.,* ganar *para sólo vivir.* 2 Obtener la victoria: ~ *una batalla;* ~ *a uno al ajedrez.* 3 Conquistar o tomar: ~ *una plaza, una ciudad.* 4 Alcanzar, llegar [al lugar que se pretende]: ~ *la orilla;* ~ *la frontera.* – 5 *tr.-prnl.* Captar la voluntad [de uno]: *le gané a mi partido con dádivas.* 6 Aventajar o exceder [a uno]: *en geografía le gano; le gana en bondad; le gané por la mano.* – 7 *intr.* Prosperar, mejorar: *este operario gana cada día en habilidad.* 8 Refugiarse, entrar.

ganchero *m.* El que guía las maderas por el río, sirviéndose de un bichero.

ganchillo *m.* Aguja de gancho. 2 Labor hecha con aguja de gancho. 3 Horquilla para el cabello.

gancho *m.* Instrumento corvo y puntiagudo en uno o ambos extremos, para sostener, colgar o arrastrar algo. 2 fig. Persona que con maña solicita a otro para algún fin. 3 Pedazo que queda en el árbol cuando se rompe una rama. 4 fig. *y* fam. Atractivo, especialmente hablando de mujeres. 5 fig. *y* fam. Persona que tiene facilidad para atraer clientes. 6 DEP. Puñetazo dado de abajo arriba. 7 *Amér.* Horquilla para sujetar el pelo.

gándara *f.* Tierra baja, inculta.

gandinga *f.* Mineral menudo y lavado. 2 *Can., Cuba* y *P. Rico.* Guisado hecho con hígado de cerdo u otro animal.

gandujado *m.* Guarnición de fuelles o arrugas.

gandujar *tr.* Encoger, fruncir, plegar.

gandul, -la *adj.-s.* Vagabundo, holgazán. – 2 *m.* Arbusto solanáceo, erecto y ramificado, de hojas enteras y elípticas, de color azul verdoso, y flores amarillas en forma de embudo *(Nicotiana glauca).*

I) ganga *f.* Ave columbiforme semejante a la perdiz *(Pterocles alchata).* 2 fig. Cosa apreciable que se adquiere a poca costa: *andar a caza de gangas.*

II) ganga *f.* Materia inútil que se separa de los minerales.

ganglio *m.* Masa, generalmente redondeada, de células nerviosas. 2 Cuerpo rojizo y esponjoso que se encuentra en el trayecto de los vasos linfáticos y en el cual se forman los linfocitos. 3 Tumor pequeño y duro que se forma en los tendones y en las aponeurosis.

gangoso, -sa *adj.-s.* Que ganguea. – 2 *adj.* Relativo a este modo de hablar.

gangrena *f.* Desorganización y privación de vida en un tejido u órgano de un ser viviente.

gangrenarse *prnl.* Padecer gangrena un ser viviente o una parte de él.

gángster *m.* Bandido, malhechor que actúa asociado con otros. 2 Persona que utiliza malas artes para su propio beneficio.

ganguear *intr.* Hablar con resonancia nasal.

gánguil *m.* Barco de pesca con dos proas y una vela latina. 2 Barco que vierte en alta mar lo que extrae la draga.

ganso, -sa *m. f.* Ave palmípeda anseriforme doméstica de plumaje gris rayado de pardo, pico anaranjado y pies rojizos *(Anser anser).* – 2 *adj.-s.* fig. [pers.] Tardo, perezoso, descuidado; que obra o hace sandeces.

ganzúa *f.* Garfio para abrir sin llaves las cerraduras. 2 fig. Ladrón mañoso. 3 fig. Persona hábil para sonsacar a otra sus secretos.

gañán *m.* Mozo de labranza. 2 fig. Hombre fuerte y rudo.

gañido *m.* Grito que dan el perro y otros animales cuando se gañen.

gañil *m.* Gaznate. – 2 *m. pl.* Agallas de los peces.

gañir *intr.* Dar el perro y otros animales gritos agudos y repetidos cuando los maltratan. 2 Graznar las aves. 3 fig. Resollar o respirar con ruido las personas. ◊ ** CONJUG. [40] como *muñir.*

gañón, gañote *m.* fam. Garguero. 2 Fruta de sartén enrollada en forma cilíndrica.

garabatear *intr.* Echar los garabatos para asir una cosa. 2 fig. Andar por rodeos. – 3 *intr.-tr.* Garrapatear.

garabato *m.* Gancho de hierro para agarrar o tener colgadas algunas cosas: ~ *de carnicero.* 2 Garfio de hierro que sirve para sacar objetos caídos en un pozo. 3 fig. Gracia femenina: *tener ~*. 4 Almocafre. 5 Rasgo caprichoso e irregular hecho con la pluma o el lápiz: *llenar el cartapacio de garabatos*. 6 fig. Palabrota. – 7 *m. pl.* fig. Acciones descompasadas con dedos y manos. – 8 *m. Amér.* Horca, instrumento de labranza.

garabito *m.* Asiento en alto y casilla de madera que usan las vendedoras en la plaza. 2 Gancho, garabato.

garaje *m.* Cochera para automóviles.

garambaina *f.* Adorno de mal gusto. 2 fam. Cosa o dicho inútil; tontería, pamplina. – 3 *f. pl.* Visajes o ademanes afectados o ridículos.

garandumba *f. Amér. Merid.* Embarcación grande a manera de balsa, para conducir carga siguiendo la corriente de los ríos. 2 *Amér. Merid.* Mujer alta y gruesa.

garante *adj.-com.* Que da garantía.

garantía *f.* Fianza, prenda. 2 Cosa que asegura y protege contra algún riesgo o necesidad. 3 Compromiso que se adquiere, durante un tiempo, del buen funcionamiento de algo que se vende, y de repararlo gratuitamente en caso de avería. 4 Papel en que se garantiza este derecho.

garantir *tr.* Garantizar. ◇ Verbo defectivo; se usa sólo en los tiempos y personas cuya desinencia contiene la vocal *i*: *garantía, garantiré, garantiendo*; las otras formas se suplen con las del verbo *garantizar*. ◇ GALIC. por *preservar, proteger*.

garantizar *tr.* Dar garantía, responder [de una cosa]. ◇ ** CONJUG. [4] como *realizar*.

garañón *m.* Asno destinado a la procreación. 2 Camello padre. 3 *Amér.* Caballo semental.

garapiña *f.* Estado del líquido que se solidifica en grumos. 2 Galón adornado en uno de sus bordes con ondas de realce. 3 *Amér.* Bebida muy refrigerante hecha de la corteza de la piña.

garapiñar *tr.* Poner [un líquido] en estado de garapiña. 2 Bañar [golosinas] en almíbar que forma grumos.

garapita *f.* Red espesa y pequeña.

garapito *m.* Insecto hemíptero de 1,5 cms. de longitud y coloración negra o castaña obscura *(Notonecta glauca)*.

garata *f.* Escándalo, alboroto.

garatura *f.* Instrumento para raer las pieles el curtidor.

garatusa *f.* Halago, caricia.

garbancero, -ra *adj.* Relativo al garbanzo. – 2 *m. f.* Persona que vende garbanzos. 3 Aficionado a la comida. 4 fig. Persona ordinaria y descortés.

garbancillo *m.* Planta papilionácea, herbácea, con las hojas divididas y las flores blancas o amarillas, dispuestas en racimos densos *(Astragalus lusitanicus)*. 2 Arbusto leguminoso

muy espinoso, de flores moradas y fruto parecido al garbanzo *(Lithospermum mediale)*.

garbanza *f.* Garbanzo mayor, más blanco y de mejor calidad que el corriente.

garbanzo *m.* Planta leguminosa papilionácea, de hojas imparipinnadas, estípulas dentadas, flores axilares y pedunculadas, legumbres infladas y semillas globulosas alimenticias *(Cicer arietinum)*. 2 Semilla de esta planta.

garbear *intr.-tr.* Robar o andar al pillaje. – 2 *intr.* Afectar garbo. 3 fam. Trampear, buscarse la vida. – 4 *prnl.* fam. Pasearse.

garbeo *m.* fam. Paseo: *dar*, o *darse, un ~*.

garbías *m. pl.* Guisado compuesto de diversos manjares cocidos, hecho tortilla y frito.

garbillar *tr.* Ahechar [grano]. 2 Limpiar [minerales] con el garbillo.

garbillo *m.* Especie de zaranda de esparto con que se garbilla el grano. 2 Conjunto de ahechaduras que resultan en las fábricas de harina y que sirven de alimento al ganado.

garbino *m.* Viento del sudoeste.

garbo *m.* Gallardía, buen porte. 2 fig. Bizarría, desinterés. 3 fig. Gracia y perfección que se da a las cosas.

garbón *m.* Macho de la perdiz.

garboso, -sa *adj.* Airoso, gallardo. 2 fig. Generoso.

garceta *f.* Ave ciconiforme, de unos 40 cms. de alto, de penacho corto con dos plumas filiformes; vive en las orillas de los ríos y lagos *(Egretta garzetta)*. 2 Pelo de la sien que cae a la mejilla.

garcilla *f.* Ave ciconiforme de la familia de la garza, de plumaje pardo terroso y moño muy largo colgante *(Ardeola ralloides)*.

gardenia *f.* Planta rubiácea ornamental, originaria de China, de flores blancas y muy olorosas *(Gardenia jasminoides)*. 2 Flor de esta planta.

garduña *f.* Mamífero carnívoro de la familia de los mustélidos, algo mayor que la comadreja *(Martes foina)*.

garduño, -ña *m. f.* Ratero mañoso, ladrón astuto.

garete (ir, o **irse, al ~)** *loc. adv.* MAR. Ir sin gobierno una embarcación, llevada del viento o de la corriente; fig., fracasar algo.

garfa *f.* Uña corva, garra. 2 Pieza que agarra, para sostenerlo colgado, el cable conductor de la corriente para los vehículos de tracción eléctrica.

garfear *intr.* Echar los garfios para agarrar.

garfio *m.* Gancho de hierro para asir algún objeto. 2 Instrumento para pescar o recoger almejas.

gargajear *intr.* frecuent. Arrojar gargajos.

gargajo *m.* Flema (mucosidad).

garganta *f.* Parte anterior del cuello; **caballo. 2 Espacio comprendido entre el velo del paladar y la entrada del esófago. 3 Voz del cantante. 4 Parte superior del pie por donde está unido con la pierna. 5 Estrechura en una montaña, en el curso de un río, etc. 6 En la polea, ranura cóncava por donde pasa la cuerda. 7 Parte más delgada de las columnas, balaustres, etc.

gargantear *intr.* Cantar haciendo quiebros con la garganta.

gargantil *m.* Escotadura en la bacía del barbero.

gargantilla *f.* Collar corto que ciñe el cuello. 2 Cuenta que se puede ensartar para forma un collar.

gargantón *m. Méj.* Cabestro que se rodea al cuello del caballo. 2 *Méj.* Collar muy grueso usado por las mujeres.

gárgara *f.* Acción de gargarizar. – 2 *f. pl. Amér.* Gargarismo, líquido para hacer gárgaras. ◇ Usado especialmente en plural.

gargarismo *m.* Acción de gargarizar. 2 Licor para hacer gárgaras.

gargarizar *intr.* Mantener un líquido en la garganta con la boca hacia arriba, sin tragarlo y arrojando el aliento. ◇ ** CONJUG. [4] como *realizar*.

gárgol *m.* Ranura en un madero.

gárgola *f.* Caño o canal de tejado o fuente. 2 Escultura de remate de la canalización del tejado en la arquitectura **gótica.

garguero, -güero *m.* Parte superior de la tráquea o toda ella.

garita *f.* Torrecilla de fábrica o casilla de madera para abrigo de centinelas y vigilantes, en castillos, fortificaciones, etc. 2 Portería (pieza de un edificio).

garito *m.* Lugar donde juegan los fulleros. 2 Establecimiento de mala reputación.

garlito *m.* Especie de nasa a modo de buitrón. 2 fig. Celada, trampa.

garlopa *f.* CARP. Cepillo largo y con puño.

I) garnacha *f.* Vestidura talar de los togados, con mangas y un sobrecuello grande, que cae desde los hombros a las espaldas. 2 Persona que viste la garnacha.

II) garnacha *f.* Especie de uva muy dulce y de racimos no grandes. 2 Vino de esta uva.

garneo *m.* Pez marino teleósteo con la cabeza armada, hocico hendido, de color rosa vivo *(Trigla lyra).*

garniel *m.* Bolsa de cuero que traen los arrieros sujeta al cinto.

garra *f.* Pata del animal armada de uñas corvas, fuertes y agudas. 2 fig. Mano del hombre. 3 fig. Gancho del arpeo. 4 fig. Entusiasmo, fuerza. 5 *Amér.* Pedazo de cuero endurecido y arrugado. 6 *Argent. y Méj.* Extremidad del cuero por donde se afianza en las estacas al estirarlo. – 7 *f. pl. Amér.* Desgarrones, harapos.

garrafa *f.* Vasija esférica, de cuello largo y angosto. 2 *Argent.* Bombona metálica y de cierre hermético para contener gases y líquidos muy volátiles.

garrafal *adj.-f.* Variedad de guinda y cereza sabrosa, mayor y menos tierna que la común. – 2 *adj.* fig. Muy grande, exorbitante: *mentira* ~.

garrafina *f.* Juego de dominó, con limitación de pérdidas, en el que intervienen cuatro jugadores, uno de los cuales ha de quedar como único ganador.

garrafiñar *tr.* fam. Quitar [una cosa] agarrándola.

garramar *tr.* fam. Hurtar y agarrar con astucia y engaño [cuanto se encuentra].

garrancho *m.* Parte dura, aguda y saliente del tronco o rama de un árbol.

garranchuelo *m.* Planta graminácea anual *(Digitaria sanguinalis).*

garrapata *f.* Arácnido ácaro que vive parásito sobre ciertos animales, chupándoles la sangre (gén. *Ixodes*).

garrapatear *intr.* Hacer garabatos (rasgos irregulares). 2 desp. Escribir. 3 fig. Mover rápidamente los dedos, especialmente al tocar la guitarra.

garrapatero *m.* Ave de pico corvo, pecho blanco y alas negras, que se alimenta de garrapatas *(Crotophaga major).*

garrapatoso, -sa *adj.* [escritura] Lleno de garabatos.

garrapiñar *tr.* Garrafiñar. 2 Confitar [almendras, maní, etc.].

garrar *intr.* Cejar un buque arrastrando el ancla por no haber ésta hecho presa.

garrear *intr. Argent.* Vivir a expensas de otro. – 2 *tr. Argent.* Desollar las patas [de una res]. 3 *Argent.* Robar.

garrelsita *f.* Silicato que cristaliza en el sistema monoclínico.

garriga *f.* Comunidad vegetal degradada formada por arbustos perennifolios.

garrir *intr.* Gritar el loro.

garrocha *f.* Vara larga rematada en un hierro agudo. 2 Vara larga para picar toros.

garrochón *m.* Rejón del torero.

garrón *m.* Espolón de ave. 2 Extremo de la pata de algunos animales por donde se cuelgan después de muertos. 3 Gancho (del árbol).

garrote *m.* Palo grueso. 2 Estaca (rama), especialmente la del olivo. 3 Ligadura fuerte, especialmente la que se retuerce con un palo. 4 Aro de hierro con un palo fijo con que se estrangulan los condenados a muerte: *dar* ~. 5 Pandeo de una pared o curvatura de una superficie o línea que debería ser recta. 6 Defecto de un dibujo, por falta de continuidad en la línea. 7 *Méj.* Galga para frenar ruedas.

garrotillo *m.* Difteria en algunos puntos del aparato respiratorio, que suele ocasionar la muerte por sofocación.

garrotín *m.* Antiguo baile del s. XIX, conservado hoy como cante y baile popular andaluz.

garrular *intr.* Charlar.

garrulería *f.* Charla de persona gárrula.

gárrulo, -la *adj.* [ave] Que canta o chirría mucho. 2 Muy hablador; vulgar, pedestre. 3 fig. Que hace ruido continuado: *viento* ~.

garulo *adj.-s.* desp. Persona rústica, tosca, de modales zafios.

garulla *f.* Granuja (uva; bribón). 2 fig. Conjunto desordenado de gente.

garullo *m. And., Av. y Tol.* Pavo destinado a servir de padre. 2 *And., Extr. y Sant.* Especie de pera silvestre.

garza *f.* Ave ciconiforme de cabeza pequeña con moño largo y gris *(Ardea purpurea).*

garzo, -za *adj.* De color azulado: *ojos garzos.*

garzón *m.* Joven, mozo.

garzota *f.* Pluma o penacho que se pone para adorno en los sombreros.

gas *m.* Fluido sin forma ni volumen propios, cuyas moléculas tienden a separarse unas de otras. 2 Mezcla de hidrocarburos que se obtiene de la destilación del carbón de piedra y se emplea para alumbrado y calefacción. 3 Petróleo. 4 ~ *hilarante*, óxido nitroso. 5 ~ *lacrimógeno*, bromuro de bencilo. 6 ~ *mostaza*, gas de guerra de gran persistencia. – 7 *m. pl.* Vapores del estómago o de los intestinos. 8 ~ *noble, raro* o *inerte*, el caracterizado por su inactividad química; como el helio, neón, argón, criptón, xenón, radón.

gasa *f.* Tela muy clara y sutil, que se emplea para adornos, mosquiteros, etc. 2 Banda negra para luto. 3 Trozo de tejido de algodón absorbente que, doblado, se ponía como empapador a los niños pequeños.

gascón, -cona *adj.-s.* De Gascuña, antigua región de Francia. – 2 *m.* Conjunto de dialectos románicos más o menos coincidentes que se hablan en dicha región.

gasear *tr.* Hacer que [un líquido, generalmente agua] absorba cierta cantidad de gas. 2 Someter a la acción de gases asfixiantes, tóxicos, lacrimógenos, etc. 3 Quemar [la pelusa o borra de algodón hilado y torcido] para que quede más limpio el hilo, haciendo pasar a éste rápidamente por una llama de gas.

gaseiforme *adj.* Que se halla en estado de gas.

gaseosa *f.* Bebida refrescante, efervescente y sin alcohol.

gaseoso, -sa *adj.* Gaseiforme. 2 Que contiene gases.

gasificar *tr.* Convertir en gas por medio del calor o una reacción química. 2 Disolver ácido carbónico (en un líquido). ◇ ** CONJUG. [1] como *sacar.*

gasoducto *m.* Tubería para la conducción de gases. ◇ INCOR.: *gasoeoducto.*

gasógeno *m.* Aparato para obtener un gas, especialmente el anhídrido carbónico.

gasoil *m.* ANGLIC. Gasóleo.

gasóleo *m.* Líquido de aspecto oleoso, constituido por una mezcla de hidrocarburos.

gasolina *f.* Líquido volátil inflamable, mezcla de hidrocarburos, producto de la destilación del petróleo.

gasolinera *f.* Embarcación o lancha automóvil con motor de gasolina. 2 Depósito de gasolina para la venta al público; **carretera. 3 Establecimiento donde se vende.

gasometría *f.* Método del análisis químico basado en la medición de los gases desprendidos en las reacciones.

gasta *f. Méj.* Fragmento de jabón desgastado. 2 *Méj.* Raja de queso muy fina. 3 *Méj.* Cabo de vela ahuecado.

gastado, -da *adj.* Disminuido, borrado con el uso: *inscripción gastada.* 2 Debilitado, decaído: *hombre* ~.

gastador, -ra *adj.-s.* Que gasta mucho dinero. – 2 *m.* Soldado de la escuadra que abre la marcha en los desfiles.

gastar *tr.-prnl.* Consumir, echar a perder con el uso: ~ *el vestido;* ~ *las fuerzas; el vestido se gasta.* – 2 *tr.* Expender o emplear [el dinero] en algo: ~ *en banquetes;* ~ *de su hacienda.* 3 Tener, usar o poseer habitualmente: ~ *mal humor;* ~ *barba;* ~ *coche.* 4 Destruir, asolar [un territorio].

gáster *m.* Abdomen de los himenópteros.

gasteromicetes *m. pl.* Grupo de vegetales sin categoría taxonómica, caracterizados por producir cuerpos cerrados en cuyo interior se forman esporas.

gasterópodo *adj.-m.* Molusco de la clase de los gasterópodos. – 2 *m. pl.* Clase de moluscos de cabeza provista de tentáculos sensoriales y cuerpo generalmente protegido por una concha univalva, con un pie ventral muy desarrollado mediante el cual se arrastra; como los caracoles.

gasto *m.* Acción de gastar: *hacer gastos excesivos; un* ~ *de 25.000 pts.;* ~ *público,* el realizado por la Administración para satisfacer las necesidades colectivas. 2 Efecto de gastar.

gástrico, -ca *adj.* Relativo al estómago: *jugo* ~.

gastritis *f.* Inflamación del estómago. ◇ Pl.: *gastritis.*

gastroenteritis *f.* Inflamación simultánea de la mucosa gástrica y la intestinal. ◇ Pl.: *gastroenteritis.*

gastroenterología *f.* Rama de la medicina que se ocupa del estómago y de los intestinos y de sus enfermedades. 2 p. ext. Rama de la medicina que se ocupa de todo el aparato digestivo y de sus enfermedades.

gastrología *f.* Rama de la medicina especializada en la fisiología y patología gástrica. 2 Tratado sobre el arte de cocina.

gastronomía *f.* Arte de preparar una buena comida. 2 Afición a comer de manera opípara.

gastrotrico *adj.-m.* Gusano del tipo de los gastrotricos. − 2 *m. pl.* Tipo de gusanos de tamaño microscópico, simetría bilateral, de forma aplanada, con cilios en diversas partes del cuerpo, y tubos adhesivos.

gástrula *f.* Saco de doble pared formado por la invaginación de un hemisferio de la blástula en el otro.

gatada *f.* Acción propia de gato, en que median astucia, engaño y simulación. 2 Regate o parada repentina que suele hacer la liebre en la carrera cuando la siguen los perros.

gateado, -da *adj.* Semejante en algún aspecto al del gato. − 2 *m.* Madera americana muy veteada. − 3 *adj.-s.* *Argent., Parag.* y *Urug.* [caballería] De pelo rubio con rayas negruzcas.

gatear *intr.* Trepar por un árbol o astil. 2 Andar a gatas. − 3 *tr.* Arañar el gato [a alguno]. 4 Hurtar (robar). − 5 *intr.* *Amér.* Andar en aventurillas amorosas.

I) gatera *f.* Agujero en pared, tejado o puerta, para que puedan pasar los gatos. 2 Agujero circular, practicado en las cubiertas de los buques, por el cual sale la cadena.

II) gatera *f.* *Amér.* Revendedora y especialmente verdulera.

gatillo *m.* Tenazas para la extracción de muelas y dientes. 2 Pieza de hierro o de madera con que se une y traba lo que se quiere asegurar. 3 Percutor de las armas de fuego portátiles, o palanca para dispararlo. 4 Parte superior del pescuezo de algunos animales cuadrúpedos. 5 fig. Muchacho ratero.

gatismo *m.* Estado de decrepitud mental propio de la edad senil en individuos arteriosclerosos o con lesiones vasculares del cerebro.

gato *m. f.* Mamífero carnicero doméstico, de la familia de los félidos, de unos 5 dms. de largo, cabeza redonda, cola larga y pelo suave y espeso *(Felis cattus):* ~ **de algalia,** mamífero carnicero de la familia de los vivérridos, del cual se obtiene la algalia *(Viverra civetta);* ~ **de Angora,** el de pelo muy largo, originario de Angora; ~ **montés,** el de pelaje pardo grisáceo con rayas negras que en la cola forman anillos, y que se alimenta de aves y pequeños mamíferos *(Felis sylvestris).* 2 fig. Madrileño. − 3 *m.* Máquina compuesta de un engranaje de piñón y cremallera, para levantar grandes pesos: ~ *de automóvil.* 4 Instrumento de hierro para asir y transportar la madera. 5 Bolsa para guardar dinero; p. ext., dinero guardado en ella. − 6 *f.* Gatuña. 7 fig. Nubecilla que se pega a los montes.

gatunero, -ra *m. f.* Persona que vende carne de contrabando.

gatuña *f.* Planta leguminal papilionácea, perenne, con la base del tallo leñosa, de hojas trifoliadas o simples, tallos tomentosos y provistos de espinas, y flores de color rosado *(Ononis spinosa).*

gatuperio *m.* Mezcla de substancias incoherentes. 2 Embrollo, intriga.

gauchada *f.* *Amér.* Acción propia de un gaucho, y especialmente acción ejecutada con astucia, audacia y habilidad. 2 *Amér.* Hombrada noble y desinteresada; servicio, favor. 3 *Amér.* Cuento, chiste. 4 *Amér.* Improvisación versificada.

gauchear *intr.* *Argent.* Practicar el gaucho sus costumbres. 2 *Argent.* Andar sin paradero fijo, errante. 3 *R. de la Plata.* Realizar empresas amorosas más o menos arriesgadas.

gaucho, -cha *adj.-s.* De las pampas argentinas y uruguayas. − 2 *adj.* Propio del gaucho: *un apero* ~. 3 p. ext. Grosero, zafio. 4 *Amér.* Bonito, hermoso. − 5 *m.* *Amér.* Buen jinete.

gaudeamus *m.* Fiesta, regocijo; festín. ◇ Pl.: *gaudeamus.*

gauss *m.* Unidad de inducción magnética en el sistema cegesimal.

gavera *f.* Gradilla o galápago para fabricar tejas o ladrillos.

gaveta *f.* Cajón corredizo de los escritorios. 2 Mueble que tiene uno o varios de estos cajones. 3 Artesa pequeña, para amasar y transportar el yeso. 4 *Argent., Cuba, Ecuad., Pan.* y *P. Rico.* Guantera del automóvil.

gavia *f.* Zanja para desagüe o linde de propiedades. 2 En el aparejo, vela que se coloca en el mastelero mayor; p. ext., la vela correspondiente en los otros dos masteleros. 3 Cofa de las galeras. 4 Hoyo o zanja para plantar árboles o cepas.

gavial *m.* Reptil del orden de los cocodrilos de unos 5 m. de longitud, con el hocico largo y muy estrecho *(Gavialis gangeticus).*

gavilán *m.* Ave rapaz de la familia de las falcónidas, de unos 20 cms. de largo *(Accipiter nisus).* 2 Hierro de la punta de la aguijada. 3 Hierro que forma la cruz de la guarnición de la espada. 4 Punta de la pluma de escribir. 5 En la escritura, rasguillo hecho al final de una letra. 6 Uñero que se introduce en la carne.

gavilla *f.* Haz pequeño de sarmientos, cañas, mieses, etc. 2 fig. Junta de muchas personas y comúnmente de baja suerte.

gavillero *m.* Lugar en que se amontonan las gavillas. 2 Línea de gavillas de mies que dejan los segadores tendidas en el terreno segado. 3 *Amér.* Matón, salteador.

gavión *m.* Cestón de mimbres o alambres relleno de tierra o piedra, empleado en fortificaciones, construcciones hidráulicas, etc. 2 Fortificación hecha con gaviones. 3 fig. Sombrero grande de copa y ala.

gaviota *f.* Ave caradriforme, de plumaje blanco y ceniciento, con manchas negras en las alas, largas y agudas, que vive en las costas y se alimenta de peces *(Larus argentatus).*

gay *adj.-s.* Homosexual.

gaya *f.* Lista de diverso color que el fondo.

gayadura *f.* Guarnición y adorno del vestido u otra cosa, hecho con listas de otro color.

gayar *tr.* Adornar con gayas.

gayera *f.* Variedad de cereza mayor que la común.

gayo, -ya *adj.* Alegre, vistoso.

gayomba *f.* Retama común.

gayuba *f.* Arbusto ericáceo, perennifolio y tendido, con las hojas ovales y coriáceas, fruto carnoso, de color rojo y comestible, y sobre cuyas raíces vive una cochinilla que da color rojo *(Arctostaphylos uva-ursi)*.

gaza *f.* Lazo que se forma en el extremo de un cabo doblándolo.

gazapera *f.* Madriguera de los conejos. 2 fig. Junta de gentes de mal vivir. 3 Riña o pendencia.

gazapina *f.* fam. Junta de truhanes y gente ordinaria. 2 fam. Pendencia, alboroto. 3 fig. Conjunto de gazapos o yerros.

gazapo *m.* Conejo nuevo. 2 fig. Hombre disimulado y astuto. 3 fig. Mentira, embuste. 4 fig. Yerro que se escapa al escribir o hablar.

gazmiar *tr.* Gulusmear. – 2 *prnl.* Quejarse, resentirse. ◇ ** CONJUG. [12] como *cambiar.*

gazmoñada, gazmoñería *f.* Afectación de modestia, devoción o escrúpulos.

gaznápiro, -ra *adj.-s.* Palurdo, torpe.

gaznate *m.* Garguero. 2 Fruta de sartén en figura de gaznate.

gazpacho *m.* Sopa fría cuya composición varía mucho de unas localidades a otras.

gazpachuelo *m.* Sopa caliente con huevo, batida la yema y cuajada la clara, y que se adereza con vinagre o limón.

gazul *m.* Planta aizoácea anual, toda ella cubierta de papilas *(Aizoon hispanicum)*.

ge *f.* Nombre de la letra *g.*

gea *f.* Descripción del reino inorgánico de un país.

gecónidos *m. pl.* Familia de reptiles saurios pequeños, gruesos, de cabeza triangular y cuerpo deprimido, con expansiones laterales en algunos casos; como el dragón.

gedeónico, -ca *adj.* [pers., cosa] Bobo, necio, simple.

géiser *m.* Surtidor intermitente de agua y vapor, de origen volcánico. ◇ Pl.: *géiseres.*

geisha *f.* Joven japonesa que se dedica al cuidado y distracción de los hombres.

gel *m.* Materia con apariencia de sólido y aspecto gelatinoso que se forma al dejar en reposo una disolución coloidal. 2 Jabón gelatinoso para el baño.

gelatina *f.* Substancia coloidal nitrogenada que se obtiene tratando con agua hirviendo los huesos, tendones, cuernos, etc. 2 Substancia preparada para acompañar y adornar comidas. 3 Jalea de frutas.

gelatinoso, -sa *adj.* De gelatina. 2 Abundante en gelatina o parecido a ella.

gélido, -da *adj.* Helado o muy frío.

gelignita *f.* Explosivo formado por una mezcla de nitroglicerina, colodión, nitrato de potasio y serrín.

gelivación *f.* Tipo de meteorización física por la que el agua que rellena las grietas de una roca, al transformarse en hielo, aumenta de volumen y termina fracturando las rocas.

gema *f.* Piedra preciosa. 2 Trabajo de una piedra preciosa o semipreciosa en negativo o bajorrelieve. 3 Parte de un madero escuadrado donde ha quedado parte de la corteza.

gemación *f.* Forma de multiplicación de una célula en que ésta se divide en dos partes desiguales, ambas nucleadas, que se separan. 2 Forma de multiplicación asexual, propia de algunos animales inferiores, en que el animal emite, en alguna parte de su cuerpo, una yema o protuberancia que se convierte en un nuevo individuo.

gemebundo, -da *adj.* Que gime profundamente.

gemelo, -la *adj.-s.* [pers.] Nacido de un mismo parto con otro u otros: *dos hermanos gemelos;* p. ext., [pieza, órgano, parte, etc.] igual o igualmente dispuesto con otro en una máquina, aparato, etc. – 2 *adj.-m.* **Músculo, interno y externo, de la pantorrilla cuya función es la elevación del talón y la extensión del pie durante la marcha. – 3 *m. pl.* Lentes; anteojos (doble). 4 Juego de botones iguales que se ponen en los puños de la camisa.

gemido *m.* Acción de gemir. 2 Efecto de gemir.

geminado, -da *adj.* Partido, dividido. 2 Doble o dispuesto en par: *hueco ~; arcada geminada; columna geminada; órganos vegetales geminados.*

geminar *tr.* Duplicar, repetir. – 2 *prnl.* GRAM. Tender ciertos sonidos a dividirse en dos; como las vocales que se diptongan.

gemiparidad *f.* Reproducción de algunos animales o plantas por medio de yemas.

gemir *intr.* Expresar el dolor con voces quejumbrosas. 2 fig. Aullar los animales. 3 Sonar algo a semejanza del gemido humano: *el hierro gime bajo el martillo.* ◇ ** CONJUG. [34] como *servir.*

gemología *f.* Ciencia que trata de las gemas o piedras preciosas.

gen *m.* Factor hereditario de los gametos sexuales.

gena *f.* Producto que se utiliza para adulterar el hachís. 2 p. ext. Hachís de mala calidad.

genciana *f.* Planta gencianácea vivaz, de cuya raíz se fabrica un licor tónico *(Gentiana officinalis)*.

gencianáceo, -a *adj.-f.* Planta de la familia de las gencianáceas. – 2 *f. pl.* Familia de plantas dicotiledóneas amargas, con hojas opuestas, envainadoras, flores terminales o axilares, frutos generalmente capsulares y semillas con albumen carnoso.

gendarme *m.* Agente de policía de algunos países, especialmente Francia.

gendarmería *f.* Cuerpo de gendarmes. 2 Cuartel o puesto de gendarmes.

genealogía *f.* Serie de los ascendientes de cada individuo. 2 Escrito que la contiene.

geneantropía *f.* Ciencia que estudia el origen del hombre y la manera como se engendra cada una de las generaciones.

generación *f.* Acción de engendrar. 2 Efecto de engendrar. 3 ~ *espontánea,* la que hipotéticamente podría realizarse sin la concurrencia del germen. 4 Sucesión de descendientes en línea recta. 5 Conjunto de todos los seres vivientes coetáneos. 6 Conjunto de escritores y artistas de una misma edad cuya obra presenta caracteres comunes. 7 Fase que marca un cambio decisivo o importante en una técnica en evolución. 8 Conjunto de aparatos, armas, máquinas, etc., que surge de cada una de esas fases de desarrollo: *la tercera ~ de ordenadores.*

generador, -ra *adj.-s.* Que engendra. 2 ELECTR. Circuito o dispositivo que engendra señales corrientes. – 3 *m.* Máquina o aparato productor de energía. 4 Máquina que transforma la energía mecánica en eléctrica.

general *adj.* Común a todos los seres individuales que constituyen un todo, o a muchos objetos o cosas, aunque sean de naturaleza diferente: *asamblea ~; administración ~; secretario ~; este error es ~.* 2 Vago, indeciso: *hablar de un modo ~.* 3 Vasto: *tiene un saber ~.* – 4 *m.* MIL. Oficial que pertenece al escalón más alto de la jerarquía de los ejércitos de tierra o aire: *~ de brigada; ~ de división; teniente ~; capitán ~.* 5 Prelado superior de una orden religiosa.

generala *f.* Toque para que las fuerzas de una guarnición o campo se pongan sobre las armas.

generalato *m.* Grado de general (militar). 2 Conjunto de los generales de un ejército.

generalidad *f.* Calidad de general. 2 Vaguedad, imprecisión. 3 Gobierno autónomo de Cataluña.

generalizar *tr.* Hacer general o común una cosa: *~ una costumbre.* 2 Abstraer lo que es común a muchas cosas, formando un concepto que las comprenda todas: *generalicemos lo que caracteriza los mamíferos.* 3 Extender, ampliar: *~ el concepto de fuerzas.* ◇ ** CONJUG. [4] como *realizar.*

generar *tr.* Engendrar.

generatriz *adj.-s.* Capa de crecimiento en grosor de los vegetales. – 2 *f.* En las superficies cilíndricas o cónicas, línea recta determinada por un plano tangente a dichas superficies. – 3

adj.-f. FÍS. Máquina que convierte la energía mecánica en eléctrica.

genérico, -ca *adj.* Común a muchas especies. 2 GRAM. Relativo al género: *desinencia genérica; nombre ~.*

género *m.* Conjunto de cosas o seres que tienen caracteres esencialmente comunes; en lógica tiene más extensión que la especie. 2 Grupo de animales o plantas que forman una categoría de clasificación entre la familia o la subfamilia y la especie. 3 Clase: *tu ~ de vida.* 4 Modo o manera de hacer una cosa: *tal ~ de hablar no conviene.* 5 Mercancía: *estos géneros son malos.* 6 Accidente gramatical relativo al sexo. 7 Categoría en que se dividen los substantivos en función de las palabras atributivas sujetas al accidente de género: ~ *ambiguo,* el de los substantivos o cosas que pueden llevar indistintamente atributivos masculinos o femeninos: *el mar, la mar;* ~ *común,* el ambiguo de los substantivos de personas: *el testigo, la testigo;* ~ *epiceno,* el de los nombres de animales que pueden llevar indistintamente los mismos atributivos para el macho y la hembra: *el milano macho, el milano hembra;* ~ *femenino,* el del nombre que lleva atributivos del género femenino y no es ni común ni epiceno; ~ *masculino,* el del nombre que lleva atributivos del género masculino y no es ni común ni epiceno; ~ *neutro,* en español, el del vocablo que puede llevar el atributivo neutro *lo.* 8 En las artes, categoría de obras artísticas que presentan características semejantes y un fin común. 9 Clase de tela. 10 ◄ *chico,* conjunto de obras cortas y festivas, en el teatro español del s. XIX. ◇ V. Apéndice gramatical.

generoso, -sa *adj.* De ilustre prosapia. 2 Noble, magnánimo: ~ *de espíritu, en acciones.* 3 Liberal y dadivoso: ~ *con, para,* o *para con, los pobres.* 4 Excelente, de buena clase: *caballo ~; vino ~.* 5 p. ext. Abundante, muy desarrollado.

genesíaco, -ca, genesiaco, -ca *adj.* Relativo a la génesis.

genésico, -ca *adj.* Relativo a la generación.

génesis *f.* Origen o principio de una cosa. 2 p. ext. Conjunto de fenómenos que dan por resultado un hecho. ◇ Pl.: *génesis.*

genético, -ca *adj.* Relativo a la génesis. 2 Relativo a la genética. – 3 *f.* Ciencia biológica que estudia la herencia y los fenómenos referentes a la variación de las especies.

genetlíaco, -ca, genetliaco, -ca *adj.* [género poético] Que honra el nacimiento de un niño. – 2 *adj.-s.* Poeta que cultiva dicho género poético. – 3 *adj.-f.* [práctica supersticiosa] Que pronostica a uno su fortuna por el día en que nace. – 4 *m. f.* Persona que practica dicha superstición. – 5 *f.* Composición poética de género genetlíaco.

genial *adj.* Relativo al genio (aptitud). 2 Propio del genio o inclinación de uno. 3 Placentero, divertido. 4 Excelente, extraordinario.

génico, -ca *adj.* Perteneciente o relativo al gen.

genio *m.* Índole, carácter de una persona: ~ *tranquilo, fuerte, apasionado; tener mal* ~. 2 Disposición para una cosa: *tener* ~ *de poeta, de matemático.* 3 Aptitud superior del que posee fuerza creadora, don altísimo de invención y organización: *el* ~ *de Goethe.* 4 Deidad pagana particular a cada persona, estado, lugar, etc., que regía y compartía su destino: *el* ~ *de Sócrates; los genios del mar.*

genipí *m.* Planta compuesta pubescente, cespitosa y perenne, con tallos florales, las hojas inferiores pecioladas y las superiores sentadas, de flores muy aromáticas dispuestas en capítulos globulares *(Artemisa genipi).* ◇ Pl.: *genipíes.*

genital *adj.* Que sirve para la generación: *órganos genitales,* conjunto de órganos que intervienen en el proceso de reproducción, distintos según el sexo. – 2 *m.* Testículo. ◇ En la acepción 2 es más usado en plural.

genitivo, -va *adj.* Que puede engendrar o producir una cosa. – 2 *m.* Caso de la declinación latina, y de otras lenguas, con el cual se expresa relación de propiedad, posesión, pertenencia o materia de que está hecha una cosa.

geniudo, -da *adj.* Enfadón, irritable.

genocidio *m.* Aplicación sistemática de medidas encaminadas a la destrucción de un grupo étnico.

genoma *m.* Conjunto de los cromosomas de una célula.

genotipo *m.* Conjunto de factores hereditarios constitucionales de un individuo o de una especie.

genovés, -vesa *adj.-s.* De Génova, ciudad del noroeste de Italia.

gente *f.* Pluralidad de personas. 2 fig. Clase que puede distinguirse en la sociedad: ~ *baja,* la soez; ~ *bien,* la de posición social elevada; ~ *de la calle,* la que no tiene especial significación. 3 Conjunto de personas que están a las órdenes de otra. 4 Tropa de soldados. 5 Nación: *derecho de gentes.* 6 Familia o parentela. 7 *Amér.* Persona decente.

gentil *adj.-s.* Idólatra o pagano: *los romanos eran gentiles.* 2 Gracioso, apuesto, galano: ~ *doncella;* ~ *donaire.* 3 Grande, notable: ~ *desvergüenza.* 4 Amable, cortés, agradable.

gentileza *f.* Gracia, galanura, garbo. 2 Ostentación, gala. 3 Urbanidad, cortesía.

gentilicio, -cia *adj.* Relativo a las gentes o naciones: *nombre* ~. 2 Relativo al linaje o familia. – 3 *adj.-s.* GRAM. Adjetivo que denota la patria o nación de las personas: *cordobés, argentino, asturiano.*

gentilizar *intr.* Practicar el rito de los gentiles. – 2 *tr.* Dar carácter gentilicio [a alguna cosa]. ◇ ** CONJUG. [4] como *realizar.*

gentío *m.* Afluencia de gente.

gentuza *f.* Gente despreciable.

genuflexión *f.* Acción de doblar la rodilla en señal de reverencia, sumisión o adoración.

genuino, -na *adj.* Puro, propio, natural, legítimo.

geobío *m.* Conjunto de los organismos vegetales y animales que viven en la superficie de la Tierra.

geobiología *f.* Disciplina que estudia las interacciones entre los procesos geológicos y los biológicos.

geobiótico, -ca *adj.* Terrestre, que vive en tierra seca.

geobotánica *f.* Rama de la botánica que estudia la relación de las plantas con el medio terrestre en que viven.

geocarpia *f.* Maduración de las frutas en el interior del suelo.

geocentrismo *m.* Antigua teoría según la cual la Tierra era el centro del Universo, por lo que los planetas giraban alrededor de ella.

geocronita *f.* Mineral de la clase de los sulfuros, que cristaliza en el sistema monoclínico.

geoda *f.* Cavidad de una roca revestida de una substancia cristalizada.

geodesia *f.* Ciencia matemática que tiene por objeto determinar la posición exacta de puntos en la superficie de la Tierra, y la figura y magnitud de esta superficie o de grandes extensiones de ella. 2 Línea más corta entre dos puntos, medida sobre una determinada superficie que incluye a dichos puntos.

geodinámica *f.* Parte de la geología que estudia los procesos que alteran la estructura de la corteza terrestre.

geoestacionario, -ria *adj.* Que está en rotación sincrónica alrededor de la Tierra: *satélite* ~.

geofagia *f.* Costumbre de comer tierra.

geófilo, -la *adj.* Que crece en el suelo.

geofísico, -ca *adj.* Relativo a los agentes que modifican la Tierra. – 2 *adj.-s.* Especialista en el estudio de las propiedades físicas de la Tierra. – 3 *f.* Ciencia que estudia estos agentes.

geófito *m.* Planta que crece en el suelo.

geogenia *f.* Parte de la geología que estudia el origen y formación de la Tierra.

geognosia *f.* Parte de la geología que estudia la composición, estructura y disposición de los elementos que integran la Tierra.

geografía *f.* Ciencia cuyo objeto es la descripción de la Tierra considerada como planeta; en su configuración, suelo y clima, y como asiento de la vida humana en sus distintas manifestaciones: ~ *astronómica;* ~ *física;*

~ *humana, política, económica,* etc. 2 Tratado de esta ciencia. 3 fig. Territorio, paisaje.

geógrafo, -fa *m. f.* El que por profesión o estudio se dedica a la geografía.

geología *f.* Ciencia que trata de la historia de la Tierra y de la constitución, origen y formación de los materiales que la componen.

geológico, -ca *adj.* Relativo a la geología.

geólogo, -ga *m. f.* El que por profesión o estudio se dedica a la geología.

geomancia, -mancía *f.* Adivinación supersticiosa que se hace valiéndose de líneas, círculos o puntos trazados en la tierra.

geomedicina *f.* Estudio de la relación entre la distribución geográfica de las enfermedades y las condiciones geológicas de la región.

geometría *f.* Parte de las matemáticas que trata de las propiedades, relaciones y medida de la extensión. 2 Tratado de esta parte de las matemáticas.

geométrico, -ca *adj.* Relativo a la geometría: *codo, pie* ~; *progresión geométrica.* 2 fig. Muy exacto: *demostración geométrica.*

geométrido *adj.-m.* Insecto de la familia de los geométridos. – 2 *m. pl.* Familia de insectos lepidópteros de cuerpo grácil con las alas muy desarrolladas y cuyas larvas se desplazan arqueándose.

geonomía *f.* Ciencia que estudia las propiedades de la tierra vegetal.

geopolítica *f.* Ciencia que estudia la vida e historia de los pueblos en relación con el territorio que ocupan.

geoquímica *f.* Estudio de la composición química del suelo.

georama *m.* Esfera grande y hueca sobre cuya superficie interna está representada la de la Tierra a fin de que se pueda examinar en su totalidad desde el interior del globo.

geotecnia *f.* Parte de la geología aplicada que estudia la composición y propiedades de la zona más superficial de la corteza terrestre.

geotectónico, -ca *adj.* Relativo a la forma, disposición y estructura de las rocas y terrenos que constituyen la corteza terrestre. – 2 *f.* Parte de la geología que estudia los movimientos de la corteza terrestre.

geotermal *adj.* [agua] Que se calienta al pasar por capas profundas del suelo.

geotermia *f.* Estudio de los fenómenos térmicos que tienen lugar en el interior de la Tierra.

geraniáceo, -a *adj.-f.* Planta de la familia de las geraniáceas. – 2 *f. pl.* Familia de plantas dicotiledóneas, hierbas o matas, de hojas palmeadas alternas u opuestas y flores pentámeras.

geraniales *f. pl.* Orden de plantas, dentro de la clase dicotiledóneas, herbáceas, con las hojas simples y provistas de células mucilaginosas.

geranio *m.* Planta geraniácea de jardín, de tallo carnoso y flores dispuestas en grupos globulares de color rojo, rosa o blanco *(gén. Geranium; Pelargonium).* ◇ INCOR.: *geraneo.*

gerencia *f.* Cargo de gerente. 2 Oficina del gerente. 3 Gestión que incumbe al gerente. 4 Tiempo que una persona dura en este cargo.

gerente *com.* Director de una empresa o sociedad mercantil.

geriatra *com.* Médico especialista en geriatría.

geriatría *f.* Parte de la medicina que estudia la vejez y sus enfermedades.

gerifalte *m.* Ave rapaz falconiforme, especie de halcón grande, que se empleó en cetrería *(Falco rusticolus).* 2 fig. Persona que descuella en cualquier línea.

germanesco, -ca *adj.* Relativo a la germanía.

germanía *f.* Jerga de ladrones y rufianes, que se llamaban entre sí *germanos* o *germanes.*

germánico, -ca *adj.* Perteneciente o relativo a la Germania o a los germanos. 2 Relativo a Alemania. – 3 *adj.-m.* Lengua indoeuropea hablada por los pueblos germanos, y sus derivadas; como el nórdico, el gótico, el alemán, el neerlandés, el inglés, etc.

germanio *m.* Metal blando grisáceo del grupo de las tierras raras. Su símbolo es *Ge.*

germanismo *m.* Giro propio de la lengua alemana. 2 Vocablo, giro o modo de expresión de esta lengua empleado en otra.

germanística *f.* Estudio de las lenguas germánicas y sus correspondientes literaturas.

germanizar *tr.* Hacer tomar el carácter alemán o la inclinación a las cosas alemanas. ◇ ** CONJUG. [4] como *realizar.*

germano, -na *adj.-s.* De la Germania; alemán. 2 El que pertenece a la germanía.

germen *m.* Pequeña masa de materia viva capaz de originar, desarrollándose, un ser orgánico. 2 Parte de la semilla de que se forma la planta. 3 Primer tallo que brota de la semilla. 4 Principio u origen de alguna cosa material o moral. 5 Microorganismo, especialmente el que es infectante para el hombre.

germicida *adj.-m.* Substancia destructora de bacterias.

germinador, -ra *adj.* Que hace germinar. – 2 *m.* Cámara provista de dispositivos de regulación de la temperatura, la humedad, etc., en la que se consigue la germinación de las semillas en condiciones óptimas.

germinal *adj.* Relativo al germen. – 2 *m.* Séptimo mes del año, en el calendario republicano francés.

germinar *intr.* Principiar la evolución de una semilla o una espora. 2 fig. Empezar a desarrollarse: ~ *las virtudes;* ~ *las ideas.*

gerontocracia *f.* Gobierno de los más viejos.

gerontología f. MED. Estudio de la ancianidad y de los fenómenos que la producen.

gerundense adj.-s. De Gerona.

gerundio m. Forma no personal del verbo, que en español termina en -ando, si es de la 1ª conjugación, y en -iendo, si es de la 2ª o 3ª: amando, corriendo, saliendo. El gerundio compuesto se forma con el verbo haber y un participio: habiendo partido. Comunica a la acción verbal carácter durativo, y puede funcionar como adverbio o adjetivo de la oración en que figura. ◇ V. Apéndice gramatical.

gesneriáceo, -a adj.-f. Planta de la familia de las gesneriáceas. – 2 f. pl. Familia de plantas angiospermas dicotiledóneas, herbáceas, rara vez leñosas, afines a las escrofulariáceas y orobancáceas.

gesta f. Conjunto de hazañas o hechos memorables de un hombre o de un pueblo. 2 Cantar, o canción, de ~, poema épico heroico tradicional, compuesto en los países de la Europa medieval; como el Cantar de Mío Cid, la Canción de Roldán.

gestación f. Desarrollo del óvulo fecundado, hasta el nacimiento del nuevo ser. 2 Tiempo que dura este desarrollo. 3 fig. Preparación o elaboración: ~ de un proyecto, de una idea.

gestar tr. Llevar y sustentar la madre en sus entrañas el fruto vivo de la concepción hasta el momento del parto. – 2 prnl. fig. Prepararse, desarrollarse o crecer sentimientos, ideas o tendencias individuales o colectivas.

gestatorio, -ria adj. Que se lleva a brazos: silla gestatoria.

I) gesticular adj. Relativo al gesto.

II) gesticular intr. Hacer gestos.

gestión f. Acción de gestionar. 2 Efecto de gestionar. 3 Acción de administrar. 4 Efecto de administrar.

gestionar tr. Hacer diligencias para el logro [de un negocio o de un deseo cualquiera].

gesto m. Expresión del rostro, ademán. 2 Movimiento exagerado del rostro por hábito o enfermedad. 3 Mueca. 4 Cara (parte de la cabeza). 5 Acto o hecho. 6 Rasgo notable de carácter o de conducta.

gestor, -ra adj.-s. Que gestiona. – 2 m. Miembro de una empresa o sociedad mercantil que participa en su dirección o administración. 3 ~ administrativo, el que habitualmente se dedica a promover y activar toda clase de asuntos particulares, de sociedades o corporaciones en las oficinas públicas, mediante la percepción de honorarios.

gestoría f. Oficina del gestor.

gestual adj. Referente o relativo a los gestos. 2 Que se hace con gestos.

giba f. Corcova. 2 fig. Molestia, incomodidad.

gibar tr. Corcovar. 2 fig. Jorobar (molestar).

gibelino, -na adj.-s. Partidario, en Italia, durante la Edad Media, del predominio del poder temporal, encarnado en los emperadores de Alemania, sobre el del papado, defendido por los güelfos. – 2 adj. Relativo a los gibelinos.

gibón m. Primate póngido arborícola que vive en Jaba y Borneo (gén. Hylobates).

gibraltareño, -ña adj.-s. De Gibraltar, territorio británico del sur de la península Ibérica.

giennense adj. Jaenés.

gigante, -ta m. f. Persona que excede mucho en estatura a las demás. – 2 m. fig. El que excede o sobresale en cualquier virtud o vicio.

gigantesco, -ca adj. Relativo a los gigantes. 2 fig. Excesivo o muy sobresaliente en su línea: árbol ~.

gigantismo m. Enfermedad del desarrollo caracterizado por un crecimiento excesivo. 2 Tamaño excesivo de una célula o núcleo.

gigoló m. Hombre joven que es amante mantenido de una mujer rica y mayor.

gigote m. Guisado de carne picada rehogada en manteca. 2 p. ext. Comida picada en pedazos menudos.

gijonés, -nesa adj.-s. De Gijón.

gilbert m. Unidad de fuerza electromotriz en el sistema cegesimal electromagnético.

gilí adj. Chiflado, lelo, bobo, tonto, necio.

gilipolla, gilipollas adj.-com. vulg. [pers.] Que hace o dice tonterías o que se comporta como un estúpido o un cobarde.

gilvo, -va adj. De color melado.

gimnasia f. Conjunto de ejercicios para dotar de un desarrollo armónico, fortalecer y dar agilidad y flexibilidad al cuerpo. 2 Deporte basado en la realización metódica de una serie de ejercicios con ayuda de aparatos: ~ deportiva, la que se practica sobre aparatos fijos; ~ rítmica, modalidad gimnástica femenina que desarrolla especialmente la expresividad corporal, y se practica con aparatos móviles. 3 fig. Ejercicio, práctica: para escribir bien hace falta una cierta ~.

****gimnasio** m. Lugar destinado a ejercicios gimnásticos.

gimnasta com. Persona ejercitada en gimnasia.

gimnástico, -ca adj. Relativo a la gimnasia.

****gimnospermas** f. pl. Grupo vegetal que en la actualidad carece de categoría taxonómica y que incluye a aquellos vegetales que tienen las semillas desnudas.

gimnoto m. Pez teleósteo del Orinoco y del Amazonas, parecido a la anguila, que tiene la propiedad de producir descargas eléctricas (Gymnotus electricus).

gimotear intr. Gemir con frecuencia.

ginandromorfo *adj.* [animal] Que presenta caracteres de macho y hembra.

ginebra *f.* Alcohol de semillas aromatizado con bayas de enebro.

ginebrés, -bresa, ginebrino, -na *adj.-s.* De Ginebra, ciudad del oeste de Suiza.

gineceo *m.* Entre los antiguos griegos, departamento de la casa destinado a las mujeres. 2 BOT. Verticilo floral formado por los pistilos; **flor.

ginecocracia *f.* Gobierno de las mujeres.

ginecología *f.* Parte de la medicina que estudia las enfermedades especiales de las mujeres.

ginecológico, -ca *adj.* Relativo a la ginecología.

ginecólogo, -ga *m. f.* Especialista en ginecología.

ginger-ale *m.* Refresco de jengibre, agrio y picante.

gingival *adj.* Relativo a las encías.

ginkgo *m.* Árbol dioico, ornamental, con ramas cortas y largas, hojas pecioladas con el limbo en abanico *(Ginkgo biloba).*

giobertita *f.* Carbonato de magnesia, nativo, que cristaliza en el sistema triclínico.

gira *f.* Viaje por distintos lugares, con vuelta al punto de partida. 2 Serie de actuaciones sucesivas de una compañía teatral o de un artista en diferentes localidades.

giradiscos *m.* Elemento de un tocadiscos que hace que los discos fonográficos se muevan a una velocidad constante para que se reproduzca adecuadamente lo grabado en ellos. ◇ Pl.: *giradiscos.*

girado, -da *m. f.* Destinatario de una letra de cambio.

girador, -ra *m. f.* Persona que gira letras de cambio, libranzas u otras órdenes de pago.

giralda *f.* Veleta de torre, cuando tiene figura humana o de animal.

girándula *f.* Rueda que gira despidiendo cohetes. 2 Artificio que en las fuentes arroja agua con variedad de juegos.

girar *intr.* Moverse alrededor o circularmente: ~ *en torno;* ~ *por los cielos;* ~ *de una parte a otra.* 2 Desviarse o torcer la dirección inicial. 3 fig. Desarrollarse una conversación o trato, en torno a un tema o interés dado. – 4 *intr.-tr.* Expedir [letras u otras órdenes de pago]: *giramos a su cargo una letra a ocho días vista.* – 5 *tr.* Enviar [dinero] por correo o telégrafo.

girasol *m.* Planta compuesta, de tallo herbáceo, hojas acorazonadas y grandes cabezuelas amarillas, que se doblan en la madurez y dan gran cantidad de semillas comestibles y oleaginosas *(Helianthus annuus).* 2 fig. Persona servil que procura granjearse el favor de una persona poderosa.

giratorio, -ria *adj.* Que gira o se mueve alrededor.

l) giro *m.* Acción de girar. 2 Efecto de girar. 3 Frase, en cuanto a la manera de estar ordenadas sus palabras para expresar un concepto: *este ~ parece calderoniano.* 4 Dirección o

GIMNASIO

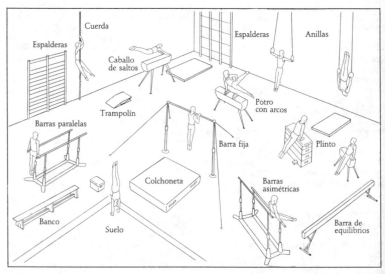

aspecto que toman ciertas cosas: *no me gusta el ~ que toma este asunto.* 5 Conjunto de operaciones y negocios de una casa comercial, compañía, etc. 6 Traslación de caudales por medio de letras de cambio, libranzas, etc.
II) giro, -ra *adj. And., Can., Murc.* y *Amér.* [gallo] Que tiene el plumaje matizado de amarillo. 2 *Argent., Colomb.* y *Chile.* [gallo] Matizado de blanco y negro.
girofaro *m.* Luz giratoria, intermitente, colocada en el techo de ambulancias, y coches de policía y de bomberos.
girola *f.* Deambulatorio.
girómetro *m.* Aparato para medir la velocidad de rotación de un eje vertical. 2 Instrumento que indica los cambios de rumbo de un avión.
giróscopo *m.* Pequeña rueda o trompo pesado que se hace girar a gran velocidad sobre un eje, para que cualquier alteración en la inclinación de éste provoque un movimiento de precisión que lo contrarreste.
gitanear *intr.* Halagar con gitanería para obtener algo. 2 Proceder engañosamente en las compras y ventas.
gitanería *f.* Caricia, mimo interesado. 2 Reunión de gitanos. 3 Dicho o hecho propio de gitanos.
gitanilla *f.* Pendiente de forma triangular. 2 *And.* y *Murc.* Geranio trepador.
gitanismo *m.* Costumbres y maneras de los gitanos. 2 Gitanería (reunión). 3 Vocablo, giro o modo de expresión propio de de la lengua gitana.
gitano, -na *adj.-s.* Pueblo nómada cuyas tribus, procedentes quizá de la India, invadieron Europa a fines del s. XIII. − 2 *adj.* Propio de los gitanos o parecido a ellos. 3 fig. Que

tiene gracia y atractivo para ganarse las voluntades. 4 fam. Vagabundo. − 5 *adj.-s.* [pers.] Que estafa u obra suciamente. − 6 *m.* Pez marino teleósteo, similar al mero, pero de menor tamaño y color pardo rojizo *(Mycteroperca rubra).*
glabrescente *adj.* [órgano vegetal] Casi sin vello.
glabro, -bra *adj.* Calvo, lampiño.
glaciación *f.* Formación de glaciares en determinada región y época.
glacial *adj.* Muy frío. 2 Que hace helar o helarse. 3 [**tierra y mar] Que está en las zonas glaciales. 4 fig. Frío, desafecto, desabrido.
glaciar *m.* Helero. − 2 *adj.* Perteneciente o relativo al glaciar o helero.
glaciarismo *m.* Estudio científico de los glaciares. 2 Época de glaciares; existencia de glaciares.
glacis *m.* Llanura de erosión con una ligera pendiente que se extiende al pie de las zonas montañosas. ◊ Pl.: *glacis.*
gladiador *m.* Persona que en los juegos públicos romanos batallaba a muerte con otro o con una bestia feroz.
gladio, gladíolo, gladiolo *m.* Planta liliácea, perenne, de hojas alargadas y flores de color rosado con una mancha rojiza en la base del perianto *(Gladiolus communis).*
glande *m.* Bálano.
glándula *f.* Órgano, constituido esencialmente por células diferenciadas del tejido epitelial, que elabora y segrega substancias indispensables al funcionamiento del organismo: *~ sebácea; ~ sudorípara; ~ salival;* **digestivo (aparato). 2 BOT. Dilatación celular de la epidermis de algunas plantas, que segrega algún líquido.

GIMNOSPERMAS

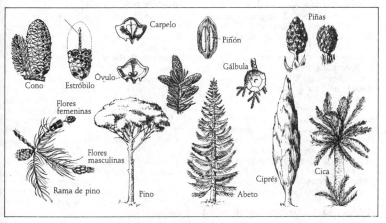

Carpelo · Piñón · Piñas · Óvulo · Gálbula · Cono · Estróbilo · Flores femeninas · Flores masculinas · Rama de pino · Pino · Abeto · Ciprés · Cica

glasé *m.* Tafetán de mucho brillo.

glasear *tr.* Dar brillo [a algunas cosas, como el papel, la ropa, etc.]. 2 En pastelería, cubrir [un preparado] con azúcar, mermelada, chocolate, etc. 3 Dar brillantez [a un alimento, especialmente la carne] mediante el calor.

glasilla *f.* Tejido de algodón de poca densidad.

glasto *m.* Planta crucífera, cuyas hojas dan un colorante parecido al añil *(Isatis tinctoria).*

glaucio *m.* Planta papaverácea erecta, bienal o perenne, de hojas ásperas y pinnatífidas y las flores de color amarillo *(Glaucium flavum).*

glauco, -ca *adj.* Verde claro. – 2 *m.* Molusco gasterópodo marino, sin concha, de color azul *(gén. Glaucus).*

gleba *f.* Terrón que se levanta con el arado. 2 p. ext. Tierra de labor.

glena *f.* Cavidad poco profunda de un hueso, en la cual entra la extremidad articular de otro.

gley *m.* Suelo con una capa acuífera que interesa todo el perfil.

glicerina *f.* Alcohol trivalente, incoloro, inodoro, dulce, de consistencia de jarabe, que se obtiene saponificando las grasas y aceites.

glicina, glicinia *f.* Planta papilionácea de jardín, con flores en grandes racimos *(Glicine sinensis).*

glifo *m.* Ornamentación acanalada grabada en un objeto.

glioma *m.* Tumor de consistencia blanda en un órgano nervioso.

glíptica *f.* Arte de grabar las piedras finas. 2 Arte de grabar en acero los cuños para monedas, medallas, sellos, etc.

gliptodonte *m.* Mamífero desdentado fósil que vivió a fines de la era terciaria y a principios de la cuaternaria.

gliptogénesis *f.* Acción de modelar la superficie terrestre por acción de los agentes geológicos externos. 2 Resultado de dicha acción. ◇ Pl.: *gliptogénesis.*

gliptografía *f.* Ciencia que estudia las piedras grabadas antiguas.

gliptoteca *f.* Museo en que se guardan piedras preciosas grabadas o esculpidas. 2 Colección de piedras grabadas.

global *adj.* Total; considerado en globo o en conjunto: *se presupone la cifra ~ de 80.000 ptas.*

globalizar *tr.* Integrar [una serie de datos, hechos, referencias, etc.] en un planteamiento global. – 2 *tr.-intr.* Considerar o juzgar [un problema] en su conjunto, sin diferenciar aspectos o detalles. ◇ ** CONJUG. [4] como *realizar.*

globalmente *adv. m.* En conjunto, en totalidad y sin pormenores: *examinaron ~ la situación.*

globigerina *f.* Género de **protozoos rizó-

podos del orden de los foraminíferos *(gén. Globigerina).*

globo *m.* Esfera (espacio limitado). 2 Cuerpo esférico o esferoidal, especialmente la Tierra: ~ *terráqueo, terrestre.* 3 Especie de fanal de cristal con que se cubre una luz para que no moleste a la vista o simplemente por adorno. 4 Bocadillo (trozo). 5 ~ *aerostático,* o simplemente ~, aparato aeronáutico compuesto de una bolsa de tela llena de un gas ligero, que puede elevarse en la atmósfera; ~ *dirigible,* el de forma alargada, con barquilla cerrada dispuesta para transportar personas o carga; ~ *sonda,* el que se utiliza para estudios meteorológicos, fig., infundio que se lanza para comprobar la reacción de las personas afectadas. 6 ~ *ocular,* órgano de la vista situado en el interior de la cavidad orbitaria, de color blanquecino y forma esférica.

globular *adj.* De figura de glóbulo. 2 Compuesto de glóbulos. 3 Relativo a los hematíes.

globularia *f.* Planta globulariácea, perenne, con las hojas ovales, enteras y dispuestas en roseta, las superiores lanceoladas y sentadas, de flores azules dispuestas en cabezuelas terminales redondeadas *(Globularia vulgaris).*

globulariáceo, -a *adj.-s.* Planta de la familia de las globulariáceas. – 2 *f. pl.* Familia de plantas dicotiledóneas tubifloras, con las flores agrupadas en cabezuelas globosas, con corolas tubulares y bilabiadas.

globulina *f.* Substancia albuminoidea existente en la sangre, en el huevo y en la leche.

glóbulo *m.* Corpúsculo de forma esférica o esferoidal. 2 Célula libre de figura redondeada que se encuentra en muchos líquidos del cuerpo de los animales: ~ *rojo de la sangre,* hematíe; ~ *blanco de la sangre,* leucocito.

glomérulo *m.* Especie de inflorescencia semejante a la cabezuela.

gloria *f.* Bienaventuranza (vida eterna), uno de los cuatro novísimos. 2 Cielo (paraíso). 3 Fama, honor otorgado por consenso general: *la ~ de Cervantes; la ~ de un ejército; alcanzar el pináculo de la ~.* 4 Lo que da gloria: *el descubrimiento de América es una de las glorias de España.* 5 Esplendor, magnificencia: *la ~ de Dios.* 6 Gusto, placer: *su ~ es el estudio.* 7 Especie de pastel a base de hojaldre. 8 Sistema de calefacción rural consistente en una galería bajo el suelo por donde circula el aire caliente. – 9 *m.* Cántico de la misa, que comienza con las palabras *Gloria in excelsis Deo.*

gloriado *m. Amér.* Especie de ponche hecho con aguardiente.

gloriarse *prnl.* Preciarse, jactarse: ~ *de sus hazañas.* 2 Complacerse, alegrarse mucho: ~ *en el Señor.* ◇ ** CONJUG. [12] como *cambiar.*

glorieta *f.* Plazoleta, generalmente en un jardín, con un cenador. 2 Encrucijada de calles o alamedas.

glorificación *f.* Alabanza que se da a una cosa digna de honor, estimación o aprecio.

glorificar *tr.* Conferir la gloria [a alguno]: *el martirio le glorificó.* 2 Reconocer, ensalzar la gloria [de alguno]: *yo te glorifico, Padre.* ◇ ** CONJUG. [1] como *sacar.*

glorioso, -sa *adj.* Digno de gloria: *héroe ~.* 2 Que procura gloria: *batalla gloriosa.* 3 Que goza de la gloria: *el ~ San José.*

glosa *f.* Explicación o comentario de un texto. 2 Nota de un libro de cuentas o de una cuenta. 3 Composición poética, con una estrofa inicial, de la que se repiten uno o más versos al final de las siguientes. 4 MÚS. Variación sobre un tema, pero sin sujetarse rigurosamente al mismo.

glosar *tr.* Hacer o añadir glosas: *~ una disposición.* 2 fig. Interpretar o tomar en mala parte, censurar: *inclinado a ~.*

glosario *m.* Repertorio alfabético de palabras obscuras o desusadas, con definición o explicación de cada una de ellas. 2 Catálogo no exhaustivo de palabras de un texto, autor, zona geográfica, etc., con definiciones o explicaciones. 3 Colección de glosas.

glosofobia *f.* Temor morboso a hablar.

glotis *f.* Abertura superior de la **laringe. ◇ Pl.: *glotis.*

glotón, -tona *adj.-s.* Que come con exceso y con ansia. – 2 *m.* Mamífero carnívoro mustélido, del norte de Europa y de la Siberia, con el pelaje denso, de color pardo con listas amarillas en los costados *(Gulo gulo).*

glotonear *intr.* Comer glotonamente.

glotonería *f.* Acción de glotonear. 2 Calidad de glotón.

gloxínea *f.* Planta gesneriácea, de hojas opuestas, simples y pecioladas, flores axilares, violáceas o purpúreas, y fruto en cápsula *(gén. Gloxinia).*

glucemia *f.* Presencia de azúcar en la sangre, especialmente cuando excede de lo normal.

glúcido *m.* Compuesto de carbono, hidrógeno y oxígeno, presente en la materia viviente; hidrato de carbono, azúcar.

glucómetro *m.* Aparato para medir el azúcar de un líquido.

glucosa *f.* Especie de azúcar que se encuentra en la uva y otros frutos, cuando están maduros, y en la sangre.

glucósido *m.* Compuesto que por descomposición hidrolítica da glucosa y otra u otras substancias.

gluglutear *intr.* Emitir el pavo la voz que le es propia.

gluma *f.* Bráctea que encierra las espiguillas de las gramináceas antes de abrirse las flores; **inflorescencias.

glumilla *f.* Bractéola interior delgada que encierra la flor de una graminácea; **inflorescencias.

gluten *m.* Substancia adhesiva que sirve para unir una cosa a otra; esp., la albuminoide, insoluble en el agua, que junto con el almidón y otros compuestos se encuentra en la harina de los cereales.

glúteo, -a *adj.* Relativo a la nalga. – 2 *adj.-m.* **Músculo, mayor, mediano y menor, de la nalga cuya función principal es mantener la posición erecta.

gluteo *m.* Sonido que emite la perdiz.

gnatostomado *adj.-m.* Animal de la superclase de los gnatostomados. – 2 *m. pl.* Superclase de vertebrados provistos de mandíbulas, que incluye a todos los vertebrados actuales, excepto los ciclóstomos.

gneis *m.* Roca metamórfica de la misma composición que el granito y otras rocas feldespáticas, que se divide fácilmente en lajas. ◇ Pl.: *gneis.*

gnetáceo, -a *adj.-f.* Planta de la familia de las gnetáceas. – 2 *f. pl.* Familia de plantas que incluye árboles y arbustos tropicales gimnospermos que tienen anchas hojas penninervias, flores con dos carpelos soldados y por fruto un aquenio.

gnómico, -ca *adj.-s.* Que contiene o compone sentencias morales: *poesía gnómica; poetas gnómicos.*

gnomo *m.* Ser fantástico, enano, dotado de poder sobrenatural.

gnomon *m.* Estilo vertical por medio de cuya sombra se determinaban el acimut y altura del Sol. 2 Indicador de las horas en el **reloj solar.

gnomónica *f.* Arte de construir relojes solares.

gnosis *f.* Doctrina del gnosticismo. 2 Ciencia por excelencia, sabiduría suprema. 3 Ciencia de los magos y hechiceros.

gnosticismo *m.* Escuela cristiana herética que pretendía conocer por la razón las cosas que sólo se pueden conocer por la fe.

gobelino *m.* Tapicero de la fábrica que estableció Luis XIV en la de tejidos fundada por Juan Gobelin en el s. xv. 2 Tapiz hecho por los gobelinos o a imitación suya.

gobernación *f.* Ejercicio de gobierno. 2 En algunos países, territorio dependiente del gobierno nacional.

gobernador, -ra *adj.-s.* Que gobierna. – 2 *m.* Jefe superior de una provincia, territorio, etc.: *~ civil, militar.* 3 Representante del gobierno en un establecimiento público: *~ del Banco de España.*

gobernanta *f.* Mujer que se encarga de la administración de una casa o institución.

gobernante *adj.-m.* Que gobierna. – 2 *m.* El que se mete a gobernar una cosa.

gobernar *tr.* Dirigir, conducir: *~ la nave.* 2 Regir la cosa pública, mandar: *~ con acierto; ~ el país con acierto.* 3 Manejar, dominar [a una persona]. 4 Controlar, regular [el funcionamiento de una máquina]. 5 vulg. Componer, arreglar. – 6 *intr.* Obedecer al timón: *el buque no gobierna bien.* – 7 *prnl.* Guiarse, regirse según una norma o regla. – 8 *tr. Argent.* Castigar los padres [a los hijos]. ◇ ** CONJUG. [27] como *acertar.*

góbido *adj.-m.* Pez de la familia de los góbidos. – 2 *m. pl.* Familia de peces perciformes de pequeño tamaño que viven en las aguas litorales, de cuerpo alargado, cabeza ancha, mejillas abultadas y ojos grandes en posición elevada; como el gobio.

gobierno *m.* Acción de gobernar o gobernarse. 2 Efecto de gobernar o gobernarse. 3 Forma política según la cual es gobernado un estado. 4 Conjunto de los ministros de un estado: *el ~ se ha reunido.* 5 Empleo de gobernador, distrito que rige, su residencia, y tiempo que dura el mando. 6 Timón (de buque o submarino).

gobio *m.* Pez teleósteo perciforme fluvial de pequeño tamaño y cuerpo alargado, con cuatro barbillones, que habita en las aguas de curso rápido con fondo arenoso o de grava *(Gobio gobio).*

goce *m.* Acción de gozar o disfrutar una cosa. 2 Efecto de gozar o disfrutar una cosa.

godible *adj.* Alegre, placentero.

godo, -da *adj.-s.* Individuo de un pueblo germánico que, dividido en dos ramas, visigodos y ostrogodos, invadió en los primeros siglos del cristianismo gran parte del Imperio romano, fundando reinos en España e Italia. 2 *Amér. Merid.* desp. Español.

gofio *m. Can.* y *Amér.* Harina de maíz tostado. 2 *C. Rica, Cuba, P. Rico* y *Venez.* Especie de alfajor hecho con harina de maíz o de cazabe y papelón.

gofo, -fa *adj.* Necio, ignorante, grosero.

gofrar *tr.* Estampar en seco en el papel, o en las cubiertas de un libro [letras o dibujos] en hueco o en relieve. 2 En la fabricación de flores artificiales, dar forma [a los distintos elementos que las componen] 3 Acanalar [el papel] para hacerlo ondulado. 4 Tratar un [tejido] para que presente motivos ornamentales en relieve.

gol *m.* En algunos juegos de pelota, acto de hacer entrar el balón en un espacio limitado. 2 *Meter un ~,* engañar solapadamente a alguien. ◇ Pl.: *goles.*

gola *f.* Garganta. 2 Gorguera (adorno). 3 Pieza de la **armadura que cubre y defiende la garganta. 4 Embocadura estrecha de un puerto o río. 5 ARQ. Moldura cuyo perfil tiene la figura de una S; **egipcio.

goldre *m.* Carcaj o aljaba en que se llevaban las saetas.

golear *tr.* Marcar muchos goles [al equipo contrario].

goleta *f.* MAR. Velero de dos o tres palos, ligero y de bordas poco elevadas.

golf *m.* Juego de origen escocés que consiste en meter una pelota en determinados hoyos, golpeándola con un palo. ◇ No se usa en plural.

golfear *intr.* Vivir a la manera de un golfo.

I) golfo, -fa *m. f.* Pilluelo, vagabundo. – 2 *f.* fam. Ramera.

II) golfo *m.* Gran porción de mar que se interna en la tierra: *el ~ de Vizcaya.* 2 Todo el mar, o gran extensión del mismo que dista mucho de tierra por todas partes: *el ~ de las Damas.*

goliardo, -da *adj.* Dado a la gula y a la vida desordenada. – 2 *m.* En la Edad Media, clérigo o estudiante vagabundo que llevaba vida irregular.

golondrina *f.* Ave paseriforme de unos 15 cms. de largo, cuerpo negro azulado por encima y blanco por debajo, alas puntiagudas y cola larga a ahorquillada *(Hirundo rustica).* 2 En Barcelona y otros puertos, barca de motor para viajeros. 3 *C. Rica, Hond.* y *Méj.* Hierba euforbiácea rastrera *(Euphorbia maculata).*

golondrino *m.* Pollo de la golondrina. 2 Inflamación de las glándulas sudoríparas axilares.

golondro *m.* Deseo y antojo de algo. 2 fam. Vigilante nocturno, sereno.

golosina *f.* Manjar delicado, exquisito. 2 fig. Cosa más agradable que útil. 3 fig. Deseo o apetito de una cosa.

golosinar, -near *intr.* frecuent. Andar comiendo o buscando golosinas.

golosito *m.* Bizcocho diminuto, unido a otros con dulce de albaricoque y cubierto de merengue espolvoreado de almendra tostada.

goloso, -sa *adj.-s.* Aficionado a comer golosinas. – 2 *adj.* Deseoso o dominado por el apetito de alguna cosa. 3 Que incita al apetito.

golpe *m.* Encuentro repentino y violento, de dos cuerpos, y su efecto. 2 Suceso repentino: *~ de fortuna.* 3 Latido (del corazón). 4 Multitud, abundancia de algo: *~ de gente.* 5 fig. Admiración, sorpresa: *tu visita fue un ~ muy agradable.* 6 fig. En las obras de ingenio, parte más graciosa u oportuna. 7 fig. Ocurrencia graciosa y oportuna en el curso de la conversación. 8 Atraco, asalto, robo, hurto, estafa, timo. 9 *~ de estado,* medida grave y violenta que toma uno de los poderes del Estado usurpando las atribuciones de otro. 10 *~ de vista,* aptitud especial para apreciar las cosas con rapidez: *lo comprendió al primer ~ de vista.* 11 *Méj.* Martillo grande de hierro.

golpear *tr.* frecuent. Dar repetidos golpes.

golpete *m.* Palanca de metal para mantener abierta una hoja de puerta o ventana.

golpetear *tr.-intr.* Golpear viva y continuadamente.

golpista *adj.-com.* Perteneciente o relativo al golpe de Estado. 2 Que participa en un golpe de Estado o que lo apoya en cualquier modo.

golpiza *f. Ecuad.* y *Méj.* Paliza.

gollería *f.* Manjar exquisito y delicado. 2 fig. Delicadeza, superfluidad, demasía.

golleta *f.* Pez marino teleósteo, muy similar al lenguado, pero de menor tamaño y color pardo rosáceo con bandas verticales obscuras *(Microchirus variegatus)*.

golletazo *m.* Golpe dado en el gollete de una botella para abrirla. 2 fig. Término violento e irregular que se pone a un negocio difícil.

gollete *m.* Parte superior de la garganta. 2 Cuello estrecho de algunas vasijas.

goma *f.* Substancia amorfa exudada por ciertas plantas, que se endurece al contacto del aire y forma en el agua disoluciones o masas glutinosas: ~ *arábiga,* la que se obtiene de diversos árboles tropicales del género de las acacias; ~ *elástica,* caucho. 2 Tira o banda de caucho a modo de cinta. 3 Tumor esférico o globuloso que se desarrolla en los huesos o en el espesor de ciertos órganos. 4 *Amér. Central.* Malestar que se experimenta después de una borrachera.

gomaespuma *f.* Caucho celular.

gomal *m. Amér.* Plantío de árboles que producen goma.

I) gomero, -ra *adj.* Relativo a la goma. – 2 *m. And.* Tirador con gomas que usan los muchachos para disparar piedrecitas. 3 *Amér.* Árbol que produce goma. 4 *Amér.* Persona que se dedica a la explotación o a la venta de la goma.

II) gomero, -ra *adj.-s.* De Gomera, isla canaria.

gomia *f.* Tarasca (figura de sierpe). 2 fig. Persona muy voraz. 3 Lo que consume y aniquila.

gomina *f.* Fijador del cabello.

gomorresina *f.* Substancia exudada por ciertas plantas, formada principalmente de goma y resina.

gomoso, -sa *adj.* Que tiene goma o se parece a ella. – 2 *adj.-s.* Que padece gomas (tumor).

gónada *f.* Glándula genital que elabora las células reproductoras.

goncear *tr.* Mover [una articulación].

góndola *f.* Embarcación característica de Venecia, con el fondo plano, estilizada y elegante, generalmente de color negro, movida por un solo remo armado a popa. 2 Hueco donde va el reactor de un avión. 3 Expositor de mercancías que se venden en un mercado.

gonela *f.* Túnica antigua de piel o de seda. 2 Pez marino teleósteo, de cuerpo alargado y comprimido lateralmente, con una aleta dor-

sal muy larga recorrida por once manchas obscuras *(Pholis gunnellus)*.

gonfidio *m.* Seta mediana con el sombrero morado grisáceo, mucilaginoso y alto y con una cavidad en el centro *(Gomphidius glutinosus)*.

gong, gongo *m.* Batintín. ◇ Pl.: *gongs* o *gongos.*

gongorizar *intr.* Hablar o escribir al estilo de Góngora (1561-1627). ◇ ** CONJUG. [4] como *realizar.*

goniometría *f.* Medición de ángulos. 2 Sistema para detectar los receptores clandestinos de radio y televisión.

gonococia *f.* Enfermedad producida por la infección de gonococos, localizada generalmente en la uretra.

gonococo *m.* Bacteria en forma de elementos ovoides.

gonopodio *m.* En los peces, órgano copulador masculino.

gonorrea *f.* Blenorragia crónica.

gorbea *m.* Queso vasco, elaborado con leche de oveja, de sabor fuerte y picante.

gordal *adj.* Que excede en gordura a las cosas de su especie: *dedo ~.* – 2 *adj.-s.* Aceituna carnosa y gruesa.

gordetillo *m.* Babilla del caballo.

gordo, -da *adj.* De muchas carnes. 2 Muy abultado y corpulento. 3 Craso y mantecoso: *tocino ~.* 4 Más grueso que lo ordinario: *lienzo ~.* 5 Muy grande, fuera de lo normal: *le dio una paliza gorda.* – 6 *m.* Sebo o manteca del animal. 7 Premio mayor de la lotería. – 8 *m. Méj.* Tortilla de maíz.

gordolobo *m.* Planta escrofulariácea, bienal, de hojas amarillas dispuestas en forma de espigas, largas y muy apretadas *(Verbascum thapsus)*.

gordura *f.* Tejido adiposo que existe entre los órganos. 2 Abundancia de carnes y grasas.

gorga *f.* Comida para las aves de cetrería.

gorgojo *m.* Insecto coleóptero que ataca a ciertos frutos y semillas, especialmente a los cereales (gén. *Calandria; Anthonomus; Balaninus; Byctiscus* y otros).

gorgonia *f.* Antozoo colonial con esqueleto córneo de color amarillo o naranja y numerosos pólipos rosas *(Eunicella cavolinii)*.

gorgonzola *m.* Queso italiano, elaborado con leche de vaca, de pasta blanda, untuosa.

gorgorita *f.* Burbuja pequeña.

gorgoritear *intr.* fam. Hacer gorgoritos.

gorgorito *m.* Quiebro que se hace con la voz en la garganta. ◇ Usado especialmente en plural.

gorgorotada *f.* Porción de un líquido que se bebe de un golpe.

gorgotear *intr.* Producir gorgoteo. 2 Burbujear.

gorgoteo *m.* Ruido producido por el movimiento de un líquido o de un gas en el interior de alguna cavidad.

gorguera *f.* Cuello, generalmente de lino, doblado formando pliegues y ondulaciones, que se usó en los siglos XVI y XVII. 2 Gorjal (de la armadura). 3 Parte superior de la columna encima de la cual se perfila el equipo del capitel dórico.

gorguz *m.* Especie de lanza corta. 2 Vara para recoger las piñas de los pinos. 3 *Méj.* Puya de la garrocha.

gorigori *m.* fam. Canto fúnebre de los entierros: *cantar el* ~.

gorila *m.* Primate catarrino póngido de mayor tamaño y peso que el hombre, de tórax ancho y pelaje negro, que habita las selvas del África ecuatorial *(Gorilla gorilla).* 2 fig. y fam. Hombre grande y fuerte; guardaespaldas.

gorja *f.* Garganta. 2 Moldura de curva compuesta, cuya sección es por arriba cóncava y luego convexa.

gorjal *m.* Parte de la vestidura del sacerdote, que rodea el cuello. 2 Pieza de la **armadura, que cubre y defiende el cuello.

gorjear *intr.* Hacer gorjeos. 2 Cantar el pájaro. – 3 *prnl.* Empezar a hablar el niño. 4 *Amér.* Burlarse.

gorjeo *m.* Quiebro que se hace con la voz en la garganta. 2 Articulaciones imperfectas del niño.

gorra *f.* Prenda para abrigar la cabeza, sin copa ni alas. 2 ~ *de plato*, la de visera que tiene una parte cilíndrica de poca altura y sobre ella otra más ancha y plana.

gorrear *intr.* Vivir de gorra.

gorrinear *tr.* Hacer cualquier cosa de manera sucia, con deseaso.

gorrinera *f.* Pocilga, cochiquera.

gorrino, -na *m. f.* Cerdo pequeño. 2 Cerdo. – 3 *adj.-s.* fig. Persona desaseada o de mal comportamiento en su trato social.

gorrión, -rriona *m. f.* Ave paseriforme de 12 a 15 cms., con plumaje gris obscuro, muy común en nuestros climas *(Passer domesticus).* – 2 *m. Amér. Central.* Pájaro mosca o colibrí.

gorro *m.* Prenda de tela o punto para abrigar la cabeza. 2 p. ext. Objeto que cubre la punta o extremos de algo.

I) gorrón *m.* Guijarro pelado y redondo. 2 Gusano de seda que deja el capullo a medio hacer. 3 Espiga en que termina el extremo inferior de un árbol vertical.

II) gorrón, -rrona *adj.-s.* Que vive o se divierte a costa ajena. 2 *Amér. Central.* Egoísta.

gorronear *intr.* Vivir de gorrón.

goslarita *f.* Mineral de la clase de los sulfatos, que cristaliza en el sistema rómbico.

gota *f.* Glóbulo de cualquier líquido. 2 Pequeña cantidad de una cosa. 3 Adorno en forma de pequeños troncos de cono o pirámide que se coloca debajo de los triglifos. 4 Enfermedad que causa hinchazón muy dolorosa en ciertas articulaciones. 5 ~ *fría*, acumulación de aire frío en las capas de la atmósfera que puede dar lugar a fuertes precipitaciones. – 6 *f. pl.* Pequeña cantidad de ron o coñac que se mezcla con el café, una vez servido éste en la taza.

gotear *intr.* Caer gota a gota. 2 fig. Ser dada o recibida una cosa poco a poco. – 3 *impers.* Llover a gotas espaciadas.

gotera *f.* Continuación de gotas de agua que caen en lo interior de un espacio techado. 2 Hendedura o parte del techo por donde caen. 3 Cenefa que cuelga alrededor del dosel. 4 fig. Achaque: *estar lleno de goteras.* – 5 *f. pl. Amér.* Contornos o afueras de una población.

goterón *m.* Canal en la cara inferior de la corona de la cornisa.

****gótico, -ca** *adj.* Relativo a los godos o a su lengua: *la Biblia gótica.* 2 fig. Noble, ilustre. – 3 *adj.-s.* Estilo arquitectónico de origen francés que, como resultado de la evolución del románico, floreció en Europa desde el s. XII al XVI. Tiene como característica esencial la bóveda por aristas: *arquitectura gótica; estilo ~ flamígero.* – 4 *m.* Lengua de los godos.

gouda *m.* Queso holandés, de leche de vaca, con forma de rueda y de pasta compacta de color paja.

goyesco, -ca *adj.* Propio y característico de Goya (1746-1828) o semejante a sus pinturas.

gozar *tr.-intr.* Tener o poseer [alguna cosa, de la cual se saca alguna ventaja]: ~ *una gran fortuna* o ~ *de una gran fortuna.* – 2 *tr.* Conocer (tener trato carnal). – 3 *intr.-prnl.* Sentir placer, experimentar gratas sensaciones: ~ *con su presencia; gozarse en el bien común.* ◇ ** CONJUG. [4] como *realizar.*

gozne *m.* Herraje articulado con que se fijan las hojas de las puertas y ventanas al quicial para que giren. 2 Bisagra (charnela).

gozo *m.* Emoción causada por la contemplación de algo que nos gusta o por la esperanza de obtener cosas halagüeñas y apetecibles. 2 Alegría (contento). 3 Llamarada de la lumbre. – 4 *m. pl.* Composición poética en loor de la Virgen o de los santos, en la que se repite un mismo estribillo al final de cada copla.

gozque *adj.-s.* Perro pequeño muy ladrador.

grabación *f.* Operación de grabar el sonido en discos gramofónicos y en cintas magnetofónicas.

grabado *m.* Acción, arte y procedimiento de grabar: ~ *al agua fuerte, en cobre.* 2 Estampa: *los grabados de un libro.*

grabador, -ra *adj.* Que graba: *instrumento* ~. 2 Perteneciente o relativo al arte del grabado. – 3 *m. f.* Persona que profesa este arte. – 4 *f.* Magnetófono.

Gótico flamígero

Esculturas

Remate

Aguja

Nervadura
Crestería

Pináculo

Arbotantes

Contrafuerte

Arco

Capitel

Estatua columna

Tracería trifoliada

Vidriera

Báculo

Bóveda de crucería

Rosetón

Gablete

Tracería

Mainel

Ventana bigeminada

Gárgola

grabar *tr.* Labrar con el buril o el cincel sobre una plancha de metal o una tabla de madera [figuras, letras, etc.], para ser o no reproducidas después. 2 Registrar imágenes y sonidos [en cintas magnéticas, discos, etc.] para reproducirlo. 3 fig. Fijar profundamente: ~ *en su espíritu.*

gracejada *f. Amér. Central y Méj.* Payasada, bufonada, generalmente de mal gusto.

gracejar *intr.* Hablar o escribir con gracejo. 2 Decir chistes.

gracejo, -ja *m.* Gracia y donaire festivo en el hablar o escribir. – 2 *m. f. Guat.* y *Méj.* Payaso, bufón, tonto.

gracia *f.* Según la religión católica, ayuda sobrenatural otorgada por Dios al hombre para el ejercicio del bien y el logro de la bienaventuranza: *implorar la ~ divina.* 2 Beneficio o favor que se hace sin merecimiento particular: *obtener una ~.* 3 Perdón, indulto: *el rey tiene derecho de ~.* 4 Benevolencia, amistad, buen trato. 5 Por cortesía, nombre de uno: *dígame usted su ~.* 6 Lo que en personas o cosas satisface estéticamente por su naturalidad, espontaneidad, fluidez, etc., y no por su fuerza o sublimidad: *la ~ de los cuadros de Watteau; la ~ de su rostro.* 7 Garbo y donaire en la ejecución de una cosa. 8 Chiste, agudeza: *decir gracias.* 9 irón. Cosa que molesta e irrita. 10 Arte de divertir, hacer reír o sorprender por lo disparatado o ilógico. 11 **Golpe de ~,** golpe o herida con el que se acaba de matar a alguien que ya estaba malherido. – 12 *f. pl.* Testimonio de agradecimiento: *dar las gracias.*

grácil *adj.* Sutil, delicado.

graciola *f.* Hierba vivaz escrofulariácea, de olor nauseabundo, de hojas sentadas y flores tubulares de color blanco rosado *(Gratiola officinalis).*

graciosamente *adv. m.* Con gracia. 2 Sin premio ni recompensa alguna. 3 Por dádiva o merced; sin mérito por parte de quien recibe una cosa.

gracioso, -sa *adj.* Que tiene gracia, donaire o atractivo. 2 Chistoso, agudo. 3 Dado o que da de balde o de gracia: *un don ~ del Señor; su graciosa Majestad británica.* – 4 *m. f.* Actor que representa papeles de carácter festivo.

I) grada *f.* Peldaño. 2 Asiento colectivo a manera de escalón corrido, en teatros, estadios, etc.; **romano. 3 Tarima al pie del altar. 4 Plano inclinado hecho de cantería, sobre el cual se construyen o carenan los barcos. – 5 *f. pl.* Escalinata de un edificio. 6 *Amér.* Atrio, espacio ante un edificio.

II) grada *f.* Reja o locutorio de los monasterios de monjas. 2 Instrumento para allanar la tierra después de arada.

gradación *f.* Serie de cosas ordenadas gradualmente. 2 Figura que consiste en disponer

varias palabras o frases en progresión ascendente o descendente.

gradar *tr.* Allanar con la grada [la tierra] después de arada.

gradería *f.* Conjunto o serie de gradas; **estadio. 2 Público que ocupa estos lugares.

gradiente *m.* En las magnitudes cuyo valor es distinto en los diversos puntos de una región del espacio, proporción en la que varía la magnitud en función de la distancia, a lo largo de la línea en que esta variación es máxima. – 2 *f. Amér.* Pendiente, declive, repecho.

I) gradilla *f.* Escalerilla portátil. 2 Soporte para tubos de ensayo en los laboratorios.

II) gradilla *f.* Marco para fabricar ladrillos.

I) grado *m.* Peldaño. 2 Generación que va marcando el parentesco entre las personas: *parientes en primer, segundo, tercer, etc., ~.* 3 Estado, valor o calidad que, en relación de mayor a menor, puede tener una cosa. 4 En ciertas escuelas, sección en que los alumnos se agrupan, según su edad y el estado de sus conocimientos. 5 En las universidades, título y honor que se da al que termina con éxito sus estudios en una facultad. 6 División de una escala (línea graduada) que sirve como unidad de medida para apreciar ciertas variaciones. 7 Parte en que, junto a otras trescientas cincuenta y nueve iguales, se considera dividida una circunferencia. 8 Intensidad relativa de las cualidades expresadas por adjetivos y adverbios; manera de expresarla; V. positivo, comparativo, superlativo.

II) grado *m.* Voluntad, gusto: *de buen ~.*

graduación *f.* Acción de graduar. 2 Efecto de graduar. 3 Categoría de un militar en su carrera. 4 Proporción de alcohol que contienen las bebidas espiritosas.

graduado, -da *adj.* En las carreras militares se aplica al que tiene grado superior a su empleo. 2 En las universidades, [pers.] que ha alcanzado algún grado. 3 Dividido en grados: *semicírculo ~; escuela graduada.*

gradual *adj.* Que está por grados o que va de grado en grado.

gradualmente *adv.* Sucesivamente, de grado en grado.

graduar *tr.* Dar [a una cosa] el grado o calidad que le corresponde, o apreciar el que tiene: ~ *la salida del agua; ~ la densidad de la leche; ~ una cosa de, o por, buena.* 2 Dividir u ordenar [una cosa] en grados: ~ *un termómetro; ~ una escuela.* 3 MIL. Conceder grado: ~ *de comandante.* – 4 *tr.-prnl.* Conceder o recibir grados: *graduarse de bachiller; ~ en letras.* ◇ ** CONJUG. [11] como *actuar.*

grafema *m.* Unidad mínima e indivisible de un sistema de representación gráfica de la lengua. 2 Letra.

grafía *f.* Signo o conjunto de signos con que

se representa un sonido o la palabra hablada.

gráfico, -ca *adj.* Relativo a la escritura. 2 Que representa algo por medio del dibujo: *diccionario* ~. 3 *fig.* Que expresa clara y vivamente las cosas: *un autor* ~*; una expresión gráfica.* – 4 *m.* Representación por medio del dibujo. – 5 *f.* Representación de actos numéricos por medio de un dibujo esquemático que hace visible la relación o gradación que guardan entre sí: *la gráfica de la natalidad.*

gráfila, grafila *f.* Orlita que suelen tener las monedas.

grafio *m.* Instrumento para esgrafiar.

grafioles *m. pl.* Especie de melindres en figura de S.

grafismo *m.* Grafía. 2 Aspecto estético de lo escrito. 3 Diseño de dibujos y letras en la comunicación visual, especialmente publicitaria.

grafista *com.* Persona que diseña los caracteres de imprenta, monogramas, símbolos, etc.

I) grafito *m.* Mineral de carbono de textura compacta, color negro y lustre metálico, untuoso al tacto, que se emplea para hacer lápices, crisoles refractarios, ánodos electrolíticos, etc.

II) grafito *m.* Dibujo esgrafiado.

grafo *m.* Representación simbólica de los elementos constituidos de un sistema, mediante esquemas gráficos.

grafología *f.* Arte de conocer el carácter de una persona por su escritura.

grafómetro *m.* Semicírculo graduado para medir ángulos en las operaciones topográficas.

gragea *f.* Confite muy menudo. 2 Píldora o tableta recubierta de azúcar y goma arábiga.

grajear *intr.* Cantar o chillar los grajos o los cuervos. 2 Formar sonidos guturales el niño que no sabe aún hablar.

grajilla *f.* Ave paseriforme de plumaje negro con auriculares y cogote de color gris *(Corvus monedula).*

grajo *m.* Ave paseriforme de plumaje de color violáceo negruzco, el pico y los pies rojos y las uñas negras *(Corvus frugileus).* 2 *Amér.* Olor desagradable que se desprende del sudor.

grama *f.* Planta graminácea medicinal, muy común, de flores en espigas filiformes que salen en número de tres o cinco en el extremo de los tallos *(Cynodon dactylon).*

gramaje *m.* Peso en gramos por metro cuadrado de un papel, que sirve de criterio para apreciar el cuerpo del mismo.

gramalote *m. Amér.* Hierba forrajera graminácea *(Paspalum virgatum).*

gramarí *m.* Planta graminácea, de hojas planas, pilosas en el haz, y flores en panícula *(Arrenatherum elatius).*

gramática *f.* Parte de la lingüística que estudia los elementos de una lengua y sus combinaciones: ~ *comparada,* la que estudia las relaciones genéticas que pueden establecerse entre dos o más lenguas; ~ *descriptiva,* estudio sincrónico de una lengua; ~ *estructural,* estudio sincrónico o diacrónico de una lengua, regido por el principio de que todos sus elementos mantienen entre sí relaciones sistemáticas; ~ *generativa,* la que trata de formular una serie de reglas, capaces de generar o producir todas las oraciones posibles y aceptables de un idioma; ~ *histórica,* la que estudia las evoluciones que una lengua ha experimentado a lo largo del tiempo; ~ *normativa,* la que define los usos correctos de una lengua, mediante preceptos; ~ *transformacional,* la que, siendo generativa, establece que, de un esquema oracional se pasa a otro u otros, por la aplicación de determinadas reglas. 2 Arte de hablar y escribir correctamente una lengua; texto en que se enseña.

gramatical *adj.* Relativo a la gramática. 2 Que se ajusta a las reglas de la gramática.

gramaticalidad *f.* Adecuación de una oración a las reglas sintácticas.

gramático, -ca *adj.* Gramatical. – 2 *m.* El entendido en gramática.

gramilla *f.* Tabla donde se colocan los manojos de lino o cáñamo para agramarlos.

gramináceo, -a *adj.-f.* Planta de la familia de las gramináceas. – 2 *f. pl.* Familia de plantas monocotiledóneas de tallo cilíndrico, nudoso y generalmente hueco, hojas rectinervias, liguladas, largas y estrechas, flores dispuestas en espiguillas reunidas en espigas, racimos o panículas. Su fruto es una cariópside y su semilla es rica en albumen.

graminales *f. pl.* Orden de plantas dentro de la clase monocotiledóneas; herbáceas hermafroditas carentes de cáliz y corola, pero envueltas en brácteas especiales denominadas glumas y glumillas; el fruto es en cariópside.

graminívoro, -ra *adj.* Que se alimenta de semillas de plantas gramíneas.

gramo *m.* Unidad de masa, en el sistema métrico decimal, equivalente a la de un centímetro cúbico de agua destilado a cuatro grados centígrados.

gramófono *m.* Fonógrafo en el que las vibraciones del sonido están inscritas sobre un disco.

gramola *f.* Gramófono eléctrico acondicionado en un mueble cerrado en forma de armario. 2 Gramófono portátil, una parte de cuyo estuche sirve de caja acústica.

gran *adj.* Apócope de *grande* ante substantivo singular: ~ *empeño;* ~ *sermón.* 2 Principal, primero: ~ *maestre.* 3 Con *el* y seguido de un calificativo, generalmente insultante, denota enfado o ira.

I) grana *f.* Acción de granar las plantas. 2 Tiempo en que ocurre. 3 Semilla menuda de varios vegetales. 4 Fruto de los árboles de monte, como bellotas, hayucos, etc.

II) grana *f.* Cochinilla (materia colorante). 2 Quermes (insecto). 3 Excrecencia que el quermes forma en la coscoja y que exprimida produce color rojo. 4 Color obtenido de este modo. 5 Paño fino usado para trajes de fiesta.

granada *f.* Fruto del granado. 2 Proyectil que se dispara con piezas de artillería de pequeño calibre; ~ *de mano,* la que se arroja con la mano y que, provista de una espoleta especial, explota en el momento del impacto; **armas. 3 *And.* Manzana de casas.

granadilla *f.* Fruto de la pasionaria.

I) granadina *f.* Tejido calado, que se hace con seda retorcida. 2 Variedad del cante andaluz.

II) granadina *f.* Refresco hecho con zumo de granada.

I) granadino, -na *adj.* Relativo al granado o a la granada. – 2 *m.* Flor del granado.

II) granadino, -na *adj.-s.* De Granada.

I) granado, -da *adj.* fig. *y* p. us. Notable, principal. 2 fig. Maduro, experto. 3 fig. *y* fam. Espigado, alto.

II) granado *m.* Arbusto o arbolito frutal de la familia de las punicáceas, de tronco tortuoso y ramos delgados, hojas coriáceas y lustrosas, flores de color grana con los pétalos plegados, y fruto en balausta *(Punica granatum).*

granalla *f.* Metal reducido a granos menudos.

granangular *adj.-m.* Objetivo que abarca campos muy extensos; **fotografía.

granar *intr.* Formarse y crecer el grano de ciertos frutos: ~ *las mieses;* ~ *los racimos.* – 2 *tr.* Convertir en grano [la masa de la pólvora].

granate *m.* Silicato doble de un metal bivalente y otro trivalente, especialmente el de alúmina y hierro, que es una piedra fina de un color rojo obscuro. – 2 *adj.-m.* Color rojo obscuro.

granatita *f.* Roca metamórfica muy pobre en calcita y con altos porcentajes de granates.

grancé *adj.-m.* Color rojo del tinte de rubia o grana. – 2 *adj.* De color grancé.

grancero *m.* Sitio en donde se recogen y guardan las granzas de trigo, cebada u otros granos y semillas.

grancilla *f.* Carbón mineral lavado y clasificado, cuyos trozos han de tener un tamaño reglamentario.

grande *adj.* Que excede a lo común y regular: *una sala* ~; *grandes dificultades;* ~ *de talla;* ~ *en,* o *por, sus acciones.* – 2 *m.* Prócer, magnate.

grandemente *adv. m.* Mucho o muy bien. 2 En extremo.

grandeza *f.* Tamaño mayor de una cosa respecto de otra de su mismo género. 2 Extensión, tamaño, magnitud. 3 Majestad y poder. 4 fig. Bondad, excelencia moral.

grandifoliado, -da *adj.* [planta] Con las hojas más visibles que los tallos.

grandilocuencia *f.* Elocuencia muy abundante y elevada. 2 Estilo sublime.

grandiosidad *f.* Admirable grandeza, magnificencia.

grandioso, -sa *adj.* Sobresaliente, magnífico.

graneado, -da *adj.* Reducido a grano. 2 Salpicado de pintas. – 3 *m.* Operación de granear, hacer rugosa la superficie lisa de un objeto.

granear *tr.* Esparcir el grano o semilla en un terreno. 2 Convertir en grano [la masa de pólvora]. 3 Sacar grano [a una piedra litográfica para poder dibujar en ella]. 4 Hacer ligeramente rugosa [una superficie lisa].

granel (a ~) *loc. adv.* Sin orden, número ni medida; com., sin envase, sin empaquetar.

granelar *tr.* Sacar grano [a una piel].

granero, -ra *m.* Sitio en donde se guarda el grano. 2 fig. Territorio muy abundante en grano: *Castilla es el* ~ *de España.* – 3 *adj. Argent.* [caballería] Que come maíz.

granillero, -ra *adj.-s.* Cerdo que se alimenta en el monte de la bellota que se encuentra en el suelo.

granito *m.* Roca granular, cristalina, compuesta esencialmente de feldespato, cuarzo y mica.

granívoro, -ra *adj.* [animal] Que se alimenta de granos.

granizada *f.* Copia de granizo que cae de una vez. 2 Granizado, refresco hecho con hielo. 3 fig. Multitud de cosas que caen o se manifiestan continuada y abundantemente.

granizar *impers.* Caer granizo. – 2 *tr.-intr.* Arrojar [una cosa] con ímpetu y frecuencia: *granizaron cuartos sobre la cantora.* 3 Preparar un granizado, bebida helada. ◇ ** CONJUG. [4] como *realizar.*

granizo *m.* Agua congelada que cae de las nubes con violencia en forma de granos. 2 Nefelio de materia gruesa que se forma en los ojos. 3 fig. Granizada.

granja *f.* Hacienda rústica, con casería, huerta y establo. 2 Establecimiento que se venden o sirven productos lácteos. 3 Quinta de recreo. 4 Lugar dedicado a la cría de aves y otros animales domésticos.

granjear *tr.* Adquirir [caudal] traficando. 2 Conseguir, captar: *granjearse amistades;* ~ *la voluntad a,* o *de, alguno.* 3 *Méj.* Ganar la voluntad [de alguien].

granjero, -ra *m. f.* Persona que cuida una granja.

grano *m.* Fruto de los cereales; semilla

pequeña de varias plantas. 2 Baya de la uva o de los **frutos separables de un agregado. 3 Trozo pequeño, redondeado de cualquier substancia. 4 Partecilla como de arena que se percibe en la masa o en la superficie de algunos cuerpos. 5 Especie de tumorcillo que nace en la piel. 6 Peso para las perlas y piedras preciosas, equivalente a la cuarta parte de un quilate. 7 Flor de las pieles adobadas. 8 Conjunto de partículas de sales de plata que forman la imagen fotográfica. – 9 *m. pl.* Cereales.

granuja *f.* Uva desgranada. 2 Granillo interior de algunas frutas. – 3 *m.* Muchacho vagabundo, pilluelo. 4 Bribón, pícaro.

granujiento, -ta *adj.* Que tiene muchos granos. 2 De superficie áspera al tacto.

granulado, -da *adj.* Granular, en forma de granos. – 2 *m.* Técnica ornamental propia de la orfebrería, similar a la filigrana, consistente en soldar granos, o bolas, de oro o plata sobre metales nobles. 3 FARM. Preparación en forma de gránulos o porciones menudas.

granulador, -ra *m. f.* Aparato o máquina que sirve para triturar el material grueso y reducirlo a granos finos. – 2 *m.* Tambor que sirve para secar el azúcar cristalizado.

I) granular *adj.* Que presenta granos: *estructura ~ de un mineral.*

II) granular *tr.* QUÍM. Reducir a gránulos· [una masa]. 2 Dar una textura granulosa [a una superficie]. – 3 *prnl.* Cubrirse de granos alguna parte del cuerpo.

granulita *f.* Roca metamórfica de grano fino, resultado del grado máximo de metamorfismo regional.

gránulo *m.* Bolita de azúcar y goma arábiga con muy corta dosis de algún medicamento.

granulometría *f.* Parte de la petrografía que trata de la medida del tamaño de las partículas, granos y rocas de los suelos. 2 Tamaño de las piedras, granos, arena, etc., que constituyen un árido o polvo.

granzas *f. pl.* Residuos que quedan de las semillas cuando se avientan y acriban. 2 Desechos que salen del yeso al cernirlo. 3 Superfluidades de cualquier metal. 4 Carbón mineral cuyos trozos son de un tamaño comprendido entre 15 y 25 milímetros.

granzón *m.* Pedazo de mineral que no pasa por la criba. – 2 *m. pl.* Nudos de paja que quedan al cribar.

grañón *m.* Sémola de trigo cocido en grano. 2 El mismo grano de trigo cocido.

grañuela *f.* Brazado de mies que el segador mantiene o deposita en tierra.

grao *m.* Playa que sirve de desembarcadero.

grapa *f.* Pieza de hierro u otro metal que, doblada por los extremos, se clava para unir y sujetar algunas cosas. 2 Escobajo o racimo de uva. 3 *Argent.* Especie de anisado o ginebra.

grapadora *f.* Utensilio que sirve para grapar.

grapar *tr.* Sujetar con una grapa de hierro u otro metal.

graptolites *m. pl.* Fósiles marinos de la era paleozoica.

grasa *f.* Manteca, unto o sebo de un animal. 2 Substancia untuosa que se encuentra en el tejido adiposo y en otras partes del cuerpo de los animales, así como en los vegetales, especialmente en las semillas de ciertas plantas. 3 Goma del enebro. 4 Mugre. – 5 *f. pl.* Escorias, desechos de metal.

grasiento, -ta *adj.* Untado y lleno de grasa.

grasilla *f.* Polvo de sandáraca. 2 Planta lentibulariácea, perenne, con todas las hojas basales y dispuestas en roseta *(Pinguicula vulgaris).*

graso, -sa *adj.* Pingüe, mantecoso. 2 BOT. Craso, suculento. 3 MIN. Que presenta aspecto untuoso.

grata *f.* Escobilla de metal para gratar.

gratar *tr.* Limpiar o bruñir [un metal] con la grata.

gratén *m.* Salsa espesa hecha con besamela y queso.

gratificación *f.* Recompensa pecuniaria o remuneración fija de un servicio. 2 Entre funcionarios, remuneración fija o eventual distinta del sueldo.

gratificar *tr.* Recompensar [a uno algún servicio con una gratificación]. 2 Dar gusto, complacer. ◇ ** CONJUG. [1] como *sacar.*

grátil *m.* Extremidad de la vela por donde se une al palo o a la verga. 2 Parte central de la verga, donde se ata la vela.

gratinar *tr.* Hacer tostar a fuego fuerte [la capa superior de un preparado culinario].

gratis *adv. m.* De balde.

gratitud *f.* Sentimiento que nos obliga a agradecer el favor recibido y corresponder a él.

grato, -ta *adj.* Gustoso, agradable: *~ al,* o *para, el oído; ~ de recordar.* 2 Gratuito, gracioso.

gratonada *f.* Especie de guisado de pollos.

gratonita *f.* Mineral de la clase de los sulfuros, que cristaliza en el sistema monoclínico, de color gris plomo.

gratuito, -ta *adj.* De balde. 2 Arbitrario, infundado: *suposición gratuita.*

grauvaca *f.* Roca sedimentaria constituida por areniscas, de color gris obscuro.

grava *f.* Conjunto de guijas. 2 Piedra machacada con que se cubre y allana el piso de los caminos. 3 Mezcla de guijas, arena y a veces arcilla que se encuentra en yacimientos.

gravamen *m.* Impuesto. 2 Carga que recae sobre un inmueble, propiedad o caudal: *los gravámenes de una finca.*

gravar *tr.* DER. Cargar: *~ una finca; ~ con impuestos; ~ en mucho.* – 2 *prnl.* Amér. Agravarse.

grave *adj.* Que pesa: *los cuerpos graves.* 2 Difícil, arduo, peligroso: *enfermedad ~.* 3 Serio, circunspecto: *un hombre* ~. 4 Noble, severo: *estilo* ~. 5 Bajo, hueco: *sonido* ~. 6 fig. Importante: *un* ~ *negocio*. 7 fig. Molesto, enfadoso. 8 GRAM. [palabra] Cuyo **acento carga en la penúltima sílaba.

gravedad *f.* Fuerza (manifestación de la atracción universal) en virtud de la cual los cuerpos tienden a dirigirse al centro de la Tierra. 2 Pesadez de un cuerpo. 3 fig. Cualidad de grave.

grávido, -da *adj.* Cargado, lleno, abundante. ◇ Se aplica especialmente a la mujer embarazada.

gravimetría *f.* Parte de la física que trata del estudio y la medición de la gravedad. 2 Análisis cuantitativo de una substancia por medio de pesadas. 3 Operación de selección para separar por medios mecánicos de los minerales la ganga.

gravitación *f.* Atracción universal, especialmente la que ejercen entre sí los cuerpos celestes.

gravitar *intr.* Obedecer un cuerpo celeste a la gravitación: *la Tierra gravita alrededor del Sol.* 2 Tener un cuerpo propensión a caer sobre otro por razón de su peso. 3 fig. Pesar o servir de un peso: *todo gravita sobre mí.*

gravoso, -sa *adj.* Molesto, pesado: *un libro* ~. 2 Oneroso, costoso: *una obligación gravosa.*

gray *m.* Dosis de radiación que la materia absorbe cuando la radiación ionizante produce energía de un julio por kilo de materia.

grazalema *m.* Queso gaditano, elaborado con leche de oveja de pasta dura y prensada, y sabor similar al manchego.

graznar *intr.* Dar gritos algunas aves; como el cuervo, el grajo, etc.

graznido *m.* Acción de graznar. 2 Efecto de graznar. 3 fig. Canto que disuena mucho al oído.

greba *f.* Pieza de la **armadura que cubre y defiende la pierna.

greca *f.* Adorno geométrico compuesto por líneas que se interseccionan formando ángulo recto, o en que se repite la misma combinación decorativa. 2 *Amér.* Cafetera de filtro.

grecizar *tr.* Helenizar. 2 Dar forma griega [a voces de otro idioma]. – 3 *intr.* Usar afectadamente en otro idioma voces o locuciones griegas. ◇ ** CONJUG. [4] como *realizar.*

grecolatino, -na *adj.* Relativo a los griegos y latinos y especialmente a sus respectivos idiomas.

grecorromano, -na *adj.* Común a griegos y romanos: *arquitectura grecorromana.* 2 [género de lucha entre dos personas] En la cual vence el que consigue hacer que el adversario toque en tierra con los dos hombros.

greda *f.* Arcilla arenosa usada especialmente para quitar manchas.

gregal *adj.* Que anda junto y acompañado con otros de su especie.

gregario, -ria *adj.* Que está en compañía de otros sin distinción. 2 fig. Que sigue servilmente las ideas o iniciativas ajenas.

gregarismo *m.* Tendencia de algunos animales a vivir en sociedad.

greguería *f.* Algarabía (griterío). 2 Género literario en prosa que consiste en breves interpretaciones humorísticas de aspectos varios de la vida corriente.

greguescos, gregüescos *m. pl.* Calzones muy anchos usados antiguamente.

greisen *m.* Roca magmática formada fundamentalmente por cuarzo y moscovita.

grelo *m.* Nabizas y sumidades tiernas y comestibles de los tallos del nabo, que se emplean como verdura.

gremial *adj.* Relativo a gremio, oficio o profesión. – 2 *m.* Individuo de un gremio.

gremialismo *m.* Tendencia a formar gremios, o al predominio de los gremios. 2 Doctrina que propugna esta tendencia.

gremio *m.* Corporación nacida en la Edad Media formada por todos los maestros, oficiales y aprendices del mismo oficio, e inspirada en principios de mutualidad y de religiosidad. 2 Conjunto de personas que tienen alguna circunstancia común.

greña *f.* Cabellera revuelta y mal compuesta: *andar a la* ~, reñir dos o más personas tirándose de los cabellos. 2 fig. Lo que está enredado sin poderse desenlazar fácilmente. 3 *And.* y *Méj.* Porción de mies que se pone en la era para formar la parva. ◇ En la primera acepción se usa especialmente en plural.

gres *m.* Pasta de arcilla figulina y arena con cuarzo para fabricar objetos de alfarería. ◇ Pl.: *greses.*

gresca *f.* Bulla, algazara. 2 Riña.

grey *f.* Rebaño. 2 Conjunto de individuos que tienen algún carácter común.

grial *m.* Copa mística que se suponía haber servido para la institución de la Eucaristía.

griego, -ga *adj.-s.* De Grecia, nación del sudeste de Europa. – 2 *adj.-m.* Idioma griego. – 3 *m.* fig. Lenguaje ininteligible: *hablar en* ~.

grieta *f.* Quiebra o abertura; efecto de agrietarse un cuerpo. 2 Pequeña hendedura de la piel o de las membranas mucosas.

grifa *f.* Marihuana, cáñamo índico.

I) grifo, -fa *adj.* Crespo, enmarañado: *cabello* ~. – 2 *m.* Llave para dar salida a un líquido. 3 *Méj.* Borracho. 4 *Méj.* Enojado.

II) grifo *m.* Animal fabuloso, medio águila, medio león.

grifón *m.* Grifo o llave grande de fuente. 2 Perro que tiene el pelo grifo.

grigallo *m.* Ave galliforme algo mayor que la perdiz *(Tetrao urogallus).*

grill *m.* Parrilla. 2 En los hornos de gas, fuego situado en la parte superior que sirve para gratinar o dorar los alimentos.

grilla *f.* Hembra del grillo. 2 Cosa que no es lo que parece; p. ext., mentira. 3 *Amér.* Molestia, contrariedad.

grillarse *prnl.* Echar grillos las semillas, bulbos o tubérculos. 2 fig. *y* fam. Alelarse. 3 Guillarse, huirse.

grillete *m.* Arco de hierro, semicircular, con sus extremos sujetados por un perno, para asegurar una cadena al pie de un presidiario, a un punto de una embarcación, etc.; **barca. 2 Trozo de cadena que unido a otros forma la del ancla de un buque.

I) grillo *m.* Insecto ortóptero de color negro rojizo, notable por el sonido agudo y monótono que el macho produce frotando uno con otro sus elitroides *(Gryllus domesticus).*

II) grillo *m.* Tallo o brote tierno que nace de las semillas, los bulbos o los tubérculos.

III) grillo *m.* Conjunto de dos grilletes con un perno común, que se coloca en los pies de algunos presos. 2 fig. Cosa que embaraza o detiene el movimiento.

grima *f.* Desazón, horror que causa una cosa.

grímpola *f.* Gallardete muy corto.

gringo, -ga *adj.-s.* Extranjero, especialmente inglés; en Hispanoamérica, norteamericano. 2 Lengua extranjera. – 3 *m. f. Amér.* Persona rubia.

griñolera *f.* Arbusto rosáceo de flores en corimbo y fruto globoso *(Cotoneaster vulgaris).*

griñón *m.* Toca usada por las monjas y beatas, que, además de cubrirles la cabeza, les rodea el rostro.

gripal *adj.* Relativo a la gripe.

gripar *tr.-prnl.* GALIC. Agarrotar un motor o un mecanismo.

gripe *f.* Enfermedad infecciosa, generalmente epidémica, con manifestaciones variadas, especialmente catarrales.

gris *adj.-s.* Color que resulta de la mezcla del blanco y negro: ~ *marengo,* el obscuro casi negro; ~ *perla,* el que recuerda en su tonalidad al color de la perla. – 2 *adj.* De color gris. 3 fig. Triste, lánguido, apagado. – 4 *m.* Viento frío: *hacer* ~.

grisear *intr.* Ir tomando color gris [una cosa].

griseta *f.* Tela de seda con dibujo menudo. 2 Enfermedad de los árboles, ocasionada por filtración de agua en lo interior del tronco.

grisma *f. Chile, Guat. y Hond.* Brizna, pizca.

grisú *m.* Gas mefítico, mezcla de metano con anhídrido carbónico y nitrógeno. ◇ Pl.: *grisúes.*

gritar *intr.* Levantar mucho la voz dando sonidos penetrantes.

griterío *m.* Confusión de voces altas y desentonadas.

grito *m.* Efecto de gritar. 2 Manifestación vehemente de un sentimiento general. 3

Expresión pronunciada en voz muy alta: *poner el* ~ *en el cielo.* 4 Chirrido de los hielos de los mares glaciares al ir a quebrarse por estar sometidos a presiones.

griva *f.* Pez teleósteo perciforme marino, carnívoro, de cuerpo alargado y coloración verde o pardo anaranjada con ocelos blancos en el vientre *(Labrus viridis).*

grizzli *m.* Oso negro de América del Norte *(Ursus americanus).*

gro *m.* Tela de seda sin brillo.

groelandés, -desa, groenlandés, -desa *adj.-s.* De Groenlandia, isla danesa del océano Glacial Ártico.

grog *m.* Bebida caliente compuesta de agua, azúcar, ron u otro licor.

grogui *adj.* [boxeador] Que queda momentáneamente sin conocimiento sin estar fuera de combate. 2 p. ext. Atontado, aturdido por el cansancio o por otras causas. 3 Casi dormido.

grosella *f.* Fruto del grosellero, de cuyo zumo se hace jarabe. – 2 *adj.-f.* Color rojo de este fruto.

grosellero *m.* Arbusto saxifragal, de flores amarillas verdosas en racimo, cuyo fruto es una baya pequeña, roja y de sabor agridulce *(Ribes rubrum).*

grosería *f.* Descortesía, falta grave de atención o respeto. 2 Tosquedad en el trabajo manual. 3 Rusticidad, ignorancia, ordinariez.

grosero, -ra *adj.* Basto, ordinario: *paño* ~. – 2 *adj.-s.* Descortés: *insulto* ~; *hombre* ~.

grosor *m.* Espesor de un cuerpo.

grosularia *f.* Variedad de granate, de color verdoso amarillento.

grosuláriaceo, -a *adj.-f.* Planta de la familia de las grosulariáceas. – 2 *f. pl.* Familia de plantas dicotiledóneas que incluye arbustos pequeños, con hojas alternas, palmeadas o lobuladas, flores en racimos, cada una con cinco pétalos, cuyo fruto es una baya; como el grosellero.

grosura *f.* Substancia crasa. 2 Extremidades y asadura de los animales.

grotesco, -ca *adj.* Ridículo y extravagante. 2 Irregular, grosero y de mal gusto.

grúa *f.* Máquina para levantar pesos, compuesta de un brazo giratorio, con una o varias poleas; **puerto. 2 Vehículo automóvil provisto de dicha máquina para remolcar otro.

gruesa *f.* Doce docenas.

grueso, -sa *adj.* Corpulento, abultado: *una cabeza gruesa; muy* ~ *de cuello.* 2 Grande. 3 Poco agudo: *entendimiento* ~. – 4 *m.* Una de las tres dimensiones de los cuerpos. 5 Espesor o cuerpo de una cosa: *el* ~ *de la pared; un libro de poco* ~. 6 Parte principal y más fuerte de un todo: *el* ~ *del ejército.* 7 Trazo ancho y entintado de una letra.

gruiforme *adj.-m.* Ave del orden de los

gruiformes. – **2** *m. pl.* Orden de aves con las patas y el cuello largos, y costumbres terrícolas; como la grulla.

gruir *intr.* Gritar las grullas. ◇ ∗∗ CONJUG. [62] como *huir*.

gruja *f.* Hormigón de piedras desmenuzadas, arena y cemento.

grujidor *m.* Barreta de hierro cuadrada, con una muesca en cada extremidad para grujir.

grujir *tr.* Igualar con el grujidor los bordes [de los vidrios].

grulla *f.* Ave gruiforme de unos 12 dms. de altura, con el pico recto y cónico, el cuello largo, alas grandes, cola corta y plumaje gris ceniciento *(Grus grus)*. 2 *Méj.* Persona lista, viva, astuta.

grullo, -lla *adj. Méj.* Pegote, gorrón. 2 *Méj.* [caballo o mula] De color ceniciento. – 3 *m. Amér.* Peso, moneda. 4 *Argent.* Potro o caballo entero, grande y gordo.

grumete *m.* Marinero de clase inferior.

grumo *m.* Parte coagulada de un líquido: ~ *de sangre, de leche.* 2 Conjunto de cosas apiñadas: ~ *de uvas.* 3 Extremidad del alón del ave.

grumoso, -sa *adj.* Lleno de grumos.

gruñido *m.* Voz del cerdo. 2 Voz amenazadora de algunos animales.

gruñir *intr.* Dar gruñidos. 2 fig. Mostrar disgusto murmurando entre dientes. 3 Chirriar, rechinar una cosa: *la puerta gruñe.* ◇ ∗∗ CONJUG. [40] como *mullir*.

grupa *f.* Anca (de ∗∗caballería).

grupada *f.* Golpe de aire o agua violento.

grupo *m.* Pluralidad de seres o cosas que forman un conjunto. 2 Conjunto de figuras pintadas o esculpidas. 3 FÍS. ~ *electrógeno,* unidad formada por un motor de explosión o de combustión y un generador eléctrico. 4 FISIOL. ~ *sanguíneo,* tipo en que se clasifica la sangre de los distintos individuos. 5 MAT. Conjunto de elementos que se relacionan entre sí conforme a determinadas características. 6 QUÍM. Columna del sistema periódico, que contiene elementos de propiedades semejantes.

grupúsculo *m.* Pequeño grupo político, poco representativo, frecuentemente extremista.

gruta *f.* Cavidad natural o artificial abierta en riscos o peñas.

grutesco, -ca *adj.* Relativo a la gruta. – 2 *m.* Sistema o composición decorativa mural, pictórica o escultórica, a base de elementos animales, vegetales y humanos entrelazados, originando conjuntos de figuras fantásticas.

gruyere *m.* Queso amarillo pálido con grandes ojos.

gua *m.* Hoyito que hacen los muchachos en el suelo para jugar tirando en él bolitas o canicas. 2 Dicho juego.

¡gua! *Amér.* Interjección con que se expresa temor o admiración.

guaca *f. Amér. Central* y *Amér. Merid.* Sepulcro de los antiguos indios americanos. 2 *Amér.* Tesoro escondido o enterrado. 3 *Amér.* Hucha o alcancía. 4 *C. Rica, Cuba* y *Venez.* Hoyo donde se depositan frutas verdes para que maduren.

guacal *m. Amér. Central.* Árbol que produce un fruto redondo del cual se hacen vasijas *(Crescentia cujete).* 2 *Amér. Central.* Vasija que se hace de este fruto. 3 *Can.* y *Amér.* Especie de cesta formada de varillas de madera, que se usa para el transporte de loza, cristal, frutas, etc.

guacamayo, -ya *m. f.* Ave psitaciforme de América, con plumaje rojo, azul y amarillo y la cola muy larga (gén. *Ara*).

guacamol, guacamole *m. Amér.* Ensalada de aguacate.

guacamotero, -ra *adj.* Perteneciente o relativo a la yuca. – 2 *m. f.* Vendedor de yuca.

guaco, -ca *m.* Ave galliforme de América del sur, de carne muy estimada *(Crax globicera).* 2 *Amér.* Planta usada para curar llagas, picaduras venenosas, etc. (géneros *Mikania; Aristoloquia; Eupatorium; Spilanthes*).

guachafita *f. Amér.* Desorden, algazara.

guachapazo *m. Amér.* Costalada, caída violenta.

guachapear *tr.* Golpear y agitar con los pies [el agua]. 2 fig. Hacer [una cosa] de prisa y chapuceramente. – 3 *intr.* Sonar una chapa de hierro por estar mal clavada: ~ *una herradura.*

guacharaje *m. Amér.* Conjunto de terneros desmadrados.

guacharrazo *m.* Caída violenta de una persona.

guache *m.* Técnica pictórica sobre papel o cartón, consistente en aplicar el color diluido en goma y mezclado con un medio de tipo resinoso.

I) guacho *m.* Cría de un animal, y especialmente pollo de cualquier pájaro.

II) guacho, -cha *adj. And.* Empapado, calado. – 2 *adj.-s. Amér.* Huérfano, desmadrado.

guadafiones *m. pl.* Maniotas o trabas. ◇ No se usa en singular.

guadalajareño, -ña *adj.-s.* De Guadalajara.

guadamecí, -cil *m.* Cuero adobado y adornado con dibujos. ◇ Pl.: *guadamecíes* y *guadameciles.*

guadaña *f.* Instrumento para segar a ras de tierra.

guadañador, -ra *adj.* Que guadaña. – 2 *f.* Máquina agrícola para la recolección de plantas forrajeras.

guadañar *tr.* Segar [la hierba] con la guadaña.

guadaño *m. Can., Cuba* y *Méj.* Bote pequeño con carroza usado en los puertos.

I) guadapero *m.* Peral silvestre.

II) guadapero *m.* Mozo que lleva la comida a los segadores.

guadarnés *m.* Lugar donde se guardan los arneses. 2 Sujeto que cuida de ellos. 3 Armería.

guadrapear *tr.* Colocar [varios objetos] de manera que alternativamente vaya el uno en posición contraria a la del otro.

guadua *f. Amér.* Especie de bambú americano, gigantesca gramínácea de tallo arbóreo de hasta 20 cms. de grueso y 20 m. de alto *(Guadua angustifolia).*

I) guagua *f.* Cosa baladí. 2 *Can., Cuba* y *P. Rico.* Ómnibus o autobús de servicio público, que hace viajes con itinerario fijo.

II) guagua *f. Amér.* Nene, niñito.

guaico *m. Amér.* Hondonada.

guaina *f. Argent.* Mujer joven.

guaipín *m. Amér. Merid.* Especie de capotillo para abrigarse el cuello y los hombros.

guaira *f.* Vela triangular. 2 *Amér. Central.* Especie de flauta de varios tubos que usan los indios.

guairo *m. Amér.* Embarcación pequeña y con dos guairas.

guajada *f. Méj.* Tontería, bobería.

guájar *amb.* Fragosidad, lo más áspero de una sierra.

guaje *m.* Niño, muchacho, jovenzuelo. 2 fam. Granuja, sinvergüenza. 3 *Amér. Central.* fig. Trasto, persona o cosa inútil.

guajira *f. Cuba* y *S. Dom.* Canto popular, inspirado generalmente en las cosas del campo, cuya letra suele ajustarse a la combinación métrica de la décima o espinela.

guajiro, -ra *m. f.* Campesino blanco de Cuba.

guajolote *m. Méj.* Pavo. – 2 *adj.-s. Méj.* Tonto, necio, bobalicón.

gualatina *f.* Guiso compuesto de manzanas, leche de almendras, etc.

gualda *f.* Hierba resedácea de tallos ramosos, hojas enteras, amarillas y frutos capsulares *(Reseda luteola).*

gualdera *f.* Tablón lateral que forma una escalera, cureña, etc.

gualdo, -da *adj.* De color de gualda o amarillo.

gualdrapa *f.* Cobertura larga que cubre las ancas de las cabalgaduras.

gualdrapear *tr.* Poner de vuelta encontrada [una cosa sobre otra]: ~ *los alfileres.*

guale *m.* fig. Tristeza, murria.

gualicho *m. Amér.* Diablo o genio del mal. 2 *Amér.* Daño, maleficio.

guamil *m. Méj.* Rastrojo, sementera donde se ha cosechado y quedan tallos secos.

guanacia *f. Amér. Central.* fest. Región centroamericana con excepción de Guatemala.

guanaco, -ca *m. f.* Mamífero rumiante de la familia de los camélidos, parecido a la llama, que habita en los Andes meridionales *(Anchenia huanacus).* 2 *Amér.* fig. Payo, rústico; p. ext., tonto, simple.

guanche *adj.-com.* [pers.] De la raza que poblaba las islas Canarias al tiempo de su conquista.

guandajo, -ja *adj. Méj.* Mal vestido.

guando *m. Amér.* Andas, camilla, parihuela.

guanear *intr. Amér.* Defecar, refiriéndose a animales.

guango, -ga *adj. Guat.* y *Méj.* Ancho, flojo.

guano *m.* Abono formado por el excremento de las aves marinas. 2 Abono mineral fabricado a imitación del guano. 3 *Argent., Chile, Méj.* y *Perú.* Estiércol de cualquier animal, utilizable como abono.

guantada *f.* Golpe dado con la mano abierta, bofetada.

guante *m.* Prenda de piel, punto, etc., que se adapta a la mano para abrigarla.

guantear *tr. And.* y *Amér.* Dar de guantadas [a uno].

guantelete *m.* Manopla (pieza de la **armadura).

guantero, -ra *m. f.* Persona que tiene por oficio hacer o vender guantes. 2 Caja de los automóviles para guardar guantes y otros objetos.

guapamente *adv. m.* Con guapeza. 2 Muy bien. 3 Sin excusas, sin empacho.

guapear *intr.* fam. Ostentar guapeza. 2 Alardear de algo.

guapo, -pa *adj.* Bien parecido: *un chico muy* ~. 2 Ostentoso en el modo de vestir. – 3 *m.* Hombre pendenciero. 4 Galán. – 5 *adj.-s. Amér.* Animoso, bizarro y resuelto.

guapote, -ta *adj.* Bonachón, de buen genio. 2 Lindo, agraciado.

guapura *f.* fam. Cualidad de guapo (bien parecido).

guaquear *tr. Amér. Central, Colomb.* y *Perú.* Hacer excavaciones en busca de objetos arqueológicos precolombinos.

guaraca *f. Amér.* Honda, zurriago; cuerda del trompo o peonza.

guarache *m. Méj.* Sandalia tosca de cuero.

guaragua *f. Amér.* Contoneo, movimiento del cuerpo. 2 *Amér.* Rodeo para contar o decir algo.

guarandol *m. Amér.* Tela de hilo muy fino.

guarango, -ga *adj. Amér. Merid.* Sucio, zarrapastroso.

guaraní *adj.-s.* De una raza indígena de América del Sur. – 2 *m.* Idioma guaraní. ◇ Pl.: *guaraníes.*

guaranismo *m.* Vocablo, giro o modo de expresión de origen guaraní que ha pasado al castellano o a otras lenguas.

guarapo *m. Amér.* Jugo de la caña de azúcar.

2 *Amér.* Bebida fermentada hecha con este jugo.

guarda *com.* Persona que guarda una cosa: ~ *jurado,* el que nombra la autoridad a propuesta de particulares. – 2 *f.* Acción de guardar. 3 Guarnición (defensa). 4 Varilla exterior del **abanico. 5 Hoja de papel que ponen los encuadernadores al principio y al fin de los **libros. 6 Laminilla de acero que, en el dispositivo de una **cerradura, particulariza su sistema de cierre. – 7 *m. Argent.* Cobrador de tranvía. ◇ Usado en la acepción 4 especialmente en plural. ◇ GRAM. En la primera acepción se emplea ordinariamente como masculino en la lengua moderna; el femenino es *guardesa.*

guardabanderas *m.* Marinero que cuida de la bitácora. ◇ Pl.: *guardabanderas.*

guardabarrera *com.* Persona que en las líneas de los ferrocarriles cuida de un paso a nivel.

guardabarros *m.* Pieza acanalada y curvada que llevan por su parte superior las ruedas de automóviles, **motocicletas, etc., para proteger a las restantes partes de las salpicaduras del barro. ◇ Pl.: *guardabarros.*

guardabosque *m.* Guarda de un bosque. ◇ Se emplea mucho bajo la forma *guardabosques.*

guardabrisa *m.* Fanal de cristal dentro del cual se colocan las velas. 2 Parabrisas.

guardacabo *m.* Anillo metálico que protege el cabo.

guardacantón *m.* Poste de piedra para resguardar de los vehículos las esquinas de las calles. 2 Poste de piedra colocado al lado del camino para que no salgan de ellos los vehículos.

guardacoches *m.* Guarda de un aparcamiento. ◇ Pl.: *guardacoches.*

guardacostas *m.* Buque de poco porte, destinado a la persecución de contrabando o a la defensa del litoral. ◇ Pl.: *guardacostas.*

guardaespaldas *m.* Persona que protege a otra más importante contra los atentados de que pudiera ser objeto. 2 Pistolero profesional encargado de proteger al jefe de una banda. ◇ Pl.: *guardaespaldas.*

guardafrenos *m.* Empleado que maneja los frenos en los trenes de ferrocarriles. ◇ Pl.: *guardafrenos.*

guardagujas *m.* Empleado en los ferrocarriles encargado del manejo de las agujas. ◇ Pl.: *guardagujas.*

guardainfante *m.* Especie de tontillo muy hueco, que se ponían las mujeres debajo de la basquiña.

guardalobo *m.* Mata perenne santalácea de flores pequeñas, verdosas o amarillentas y fruto en drupa roja *(Osyris alba).*

guardameta *m.* En el juego de fútbol, jugador que se coloca ante el recinto que sirve de meta para evitar la entrada del balón.

guardamuebles *m.* Local destinado a guardar muebles. ◇ Pl.: *guardamuebles.*

guardapesca *m.* Buque de pequeño porte destinado a vigilar el cumplimiento de los reglamentos de pesca marítima.

guardapolvo *m.* Resguardo que se pone encima de una cosa para protegerla del polvo. 2 Sobretodo de tela ligera para preservar el traje del polvo. 3 Pieza de cuero unida al botín de montar y que cae sobre el empeine del pie. 4 Tejadillo voladizo para desviar las aguas llovedizas. 5 Marco que encuadra el retablo.

guardar *tr.* Cuidar, custodiar, vigilar o preservar de daño [a personas o cosas]: ~ *a los niños; ~ bajo llave; ~ entre algodones; ~ para simiente.* 2 Observar y cumplir [lo que es debido]: ~ *los mandamientos; ~ silencio; ~ la palabra.* 3 Conservar, retener [algo]: ~ *en la memoria; ~ copia de un acta; quien guarda, halla.* 4 No gastar; ser tacaño o miserable. 5 Poner [una cosa] en el sitio que le corresponde. – 6 *prnl.* Recelarse y precaverse: *guárdate del agua mansa.* 7 Evitar: *ya me guardaré de ir.*

guardarriel *m.* Borde interior de los rieles que tienen una ranura para las pestañas de las ruedas.

guardarropa *m.* Local destinado a la custodia de ropa, tanto en establecimientos públicos como en casas particulares. 2 Armario donde se guarda la ropa. 3 Conjunto de vestidos de una persona. – 4 *com.* En los teatros, persona encargada de guardar y suministrar los efectos de guardarropía. 5 Persona que cuida el local de guardarropa.

guardarropía *f.* En el teatro, conjunto de muebles y accesorios para las representaciones escénicas. 2 Lugar donde se custodian estos muebles y accesorios.

guardarruedas *m.* Pieza de hierro que se pone a los lados del umbral de las puertas cocheras para que los quicios no sean rozados por las ruedas de los vehículos. ◇ Pl.: *guardarruedas.*

guardasellos *m.* Libro o carpeta cuyas hojas llevan unas tiras o bandas transparentes donde se colocan los sellos para guardarlos, ordenarlos, conservarlos o trasladarlos. ◇ Pl.: *guardasellos.*

guardasilla *f.* Moldura de madera que se clava en la pared para evitar que ésta sea rozada con los respaldos de las sillas.

guardatrén *m. Argent.* Empleado que vigila el servicio de un tren.

guardavalla *m. Amér.* Portero, guardameta, arquero.

guardavecinos *m.* Protección que separa dos fincas colindantes. ◇ Pl.: *guardavecinos.*

guardavía *m.* Empleado encargado de la vigilancia constante de un trozo de línea férrea.

guardavientos *m.* Montera o cilindro que se coloca en lo alto de las chimeneas para desviar las corrientes de aire que podrían dificultar el tiro del interior. ◇ Pl.: *guardavientos.*

guardería *f.* Ocupación y trabajo del guarda. 2 Institución destinada al cuidado de los niños durante las horas que sus padres, por exigencias de trabajo, no pueden atenderlos.

guardés, -desa *m.* *f.* Persona encargada de custodiar una cosa.

guardia *f.* Defensa, custodia: *confiar a uno la ~ de una casa.* 2 Manera de defenderse en la esgrima: *estar, ponerse en ~.* 3 Cuerpo de tropa o conjunto de gente armada, destinado a perseguir malhechores, reprimir movimientos subversivos, escoltar personas, etc.: *~ civil; ~ municipal; ~ de honor.* – 4 *com.* Individuo de alguno de estos cuerpos. 5 ~ **de tráfico,** el municipal destinado a regular el tráfico en las ciudades. 6 ~ **marina,** el que se educa para ser oficial en la armada. – 7 *f.* irón. ~ **pretoriana,** conjunto de fuerza armada y especializada que protege a un político, gobernante, personaje destacado, etc.

guardián, -diana *m.* *f.* Persona que guarda una cosa.

I) guardilla *f.* Buhardilla. 2 Habitación contigua al tejado.

II) guardilla *f.* Púa gruesa del peine.

guardillón *m.* Desván corrido y sin divisiones que queda entre el techo del último piso y la armadura del tejado.

guardín *m.* Cabo o cadena que va sujeto a la caña del timón y por medio del cual se maneja.

guardón, -dona *adj.-s.* Miserable, tacaño. – 2 *m.* *f.* *Méj.* Persona ahorradora.

guarecer *tr.-prnl.* Acoger [a uno], darle refugio o asilo; p. ext., guardar y asegurar [una cosa]: *guarecerse bajo el pórtico; guarecerse de la intemperie; guarecerse en alguna choza.* ◇ ** CONJUG. [43] como *agradecer.*

guaricha *f.* *Amér.* desp. Hembra, mujer.

guarida *f.* Cueva o espesura donde se guarecen los animales. 2 desp. Amparo o refugio para ponerse en seguridad.

guarín *m.* Lechoncillo últimamente nacido de una cría.

guarismo *m.* Cifra de la numeración arábiga que expresa una cantidad. 2 Cantidad expresada por medio de dos o más cifras.

guarnecer *tr.* Poner guarnición [a alguna cosa]; colgar, adornar, vestir: *~ una joya; ~ un maniquí; ~ una sala con, o de, pinturas; ~ una plaza fuerte con, o de, soldados.* 2 Dotar, proveer, equipar: *~ la fábrica de utensilios.* ◇ ** CONJUG. [43] como *agradecer.*

guarnición *f.* Adorno en los vestidos, colgaduras y cosas semejantes. 2 Engaste de metal en que se sientan las piedras preciosas. 3 Verdura que se sirve juntamente con la carne. 4 Defensa que se pone en las espadas y **armas blancas para preservar la mano. 5 Tropa que guarnece un lugar. – 6 *f.* *pl.* Conjunto de correas que se ponen a las caballerías.

guarnicionar *tr.* Poner guarnición en una plaza fuerte.

guarnicionero, -ra *m.* *f.* El que se dedica a hacer o vender guarniciones para caballerías. 2 p. ext. Operario que trabaja o hace objetos de cuero, como maletas, bolsos, correas, etc.

guarnigón *m.* Pollo de codorniz.

guarnir *tr.* Guarnecer. 2 MAR. Colocar convenientemente los cuadernales de un aparejo. ◇ Verbo defectivo; se usa sólo en los tiempos y personas cuya desinencia contiene la vocal i: *guarnía, guarniré, guarniendo.*

guaro *m.* *Amér.* *Central.* Aguardiente de caña.

guarrada *f.* Guarrería; acción vil o indecorosa.

guarrazo *m.* fam. Caída fuerte.

guarrear *intr.* Gruñir el jabalí o aullar el lobo; p. ext., gritar otros animales. 2 Berrear, llorar estruendosamente un niño. – 3 *prnl.* Ensuciarse.

guarrería *f.* Porquería, suciedad. 2 fig. Acción sucia.

guarrido *m.* Gruñido del jabalí, aullido del zorro; p. ext., grito de otros animales. 2 Llanto estruendoso de un niño.

guarrito *m.* *And.* Máquina de taladrar.

guarro, -rra *adj.-s.* Cochino.

guasa *f.* Chanza, burla. 2 **Estar de ~,** tener ganas de bromear.

guasango, -ga *m.* *f.* *Amér.* Bulla, algazara.

guasca *f.* *Amér. Merid.* y *Ant.* Ramal de cuero o cuerda que sirve de rienda o de látigo, y para otros usos.

guasearse *prnl.* Chancearse.

guasería *f.* *Amér.* Torpeza, sosería; acción propia de un guaso.

guaso, -sa *adj.* *Amér. Merid.* Rústico, campesino. – 2 *adj.-s.* *Amér. Merid.* Torpe, grosero, inculto.

guasón, -sona *adj.-s.* fam. Que tiene guasa. 2 Burlón, chancero.

guasquear *tr.* *Amér.* Pegar con guasca.

I) guata *f.* Lámina gruesa de algodón cardado, engomada y a veces teñida por ambas caras.

II) guata *f.* *Amér.* Barriga, panza.

guatacudo, -da *adj.* *Cuba* y *Méj.* fam. Orejón, orejudo.

guatana *adj.* *Argent.* Aturdido, distraído.

guate *m.* *Amér. Central.* Maloja, maíz tierno que se emplea como forraje.

guateado, -da *adj.* Acolchado con guata. 2 fig. Moderado, templado.

guatemalteco, -ca *adj.-s.* De Guatemala.

guateque *m.* Fiesta, convite. 2 Baile bullanguero.

guau *m.* Onomatopeya de la voz del perro. 2 Ladrido.

guaxmole *m. Méj.* Guiso de cerdo con una especie de calabaza.

guay *adj.* fam. Estupendo, magnífico. 2 fam. Agradable, atractivo.

guaya *f.* Lloro o lamento.

guayaba *f.* Fruto del guayabo y jalea hecha con este fruto. 2 *Amér.* fig. Mentira, embuste. 3 *Amér.* fam. Muchacha joven.

guayabate *m. Méj.* y *Salv.* Dulce en pasta de guayaba.

guayabear *intr.* fam. Tener trato con muchachas jóvenes. 2 *Argent., P. Rico* y *Urug.* Mentir.

guayabeo *m.* fam. Grupo de muchachas jóvenes.

guayabera *f.* Chaquetilla corta de tela ligera.

guayabo *m.* Arbusto mirtáceo de América tropical, cuyo fruto es una baya aovada *(Psidium guayaba).* 2 fam. Muchacha joven y atractiva.

guayaca *f. Amér. Merid.* Bolsa, talega. 2 *Amér.* fig. Amuleto.

guayacán *m.* Árbol cigofiláceo de la América tropical, del cual se extrae una resina aromática y cuya madera, negruzca y dura, se emplea en ebanistería *(Guaiacum officinale).*

guaycurú *adj.* Perteneciente o relativo a los indios guaycurúes o a su lengua. – 2 *com.* Indio americano, que en la época de la conquista española habitaba a orillas de los ríos Paraguay, Paraná y sus afluentes, y en el Chaco, que actualmente subsiste en la zona del río Pilcomayo. – 3 *m.* Lengua de este grupo de indios.

guazubirá *m. Argent.* y *Parag.* Venado del monte, de color de canela obscuro *(Mazama simplicornis).*

gubernamental *adj.-s.* Relativo o favorable al gobierno: *partido ~.* – 2 *adj.* Favorecedor del principio de autoridad. – 3 *com.* Partidario del gobierno en caso de discordia o guerra civil.

gubernativo, -va *adj.* Relativo al gobierno.

gubernista *adj.-com. Amér.* Adicto a la política gubernamental.

gubia *f.* Herramienta de carpintería y otras artes parecida al formón, pero más pequeña, con el corte curvado en forma de media caña, usado especialmente sobre superficies curvas.

guedeja *f.* Cabellera larga. 2 Melena de león.

guedejón, -jona, guedejoso, -sa, guedejudo, -da *adj.* Que tiene muchas guedejas.

güegüecho, -cha *adj. Amér. Central* y *Méj.* Que padece bocio. 2 *Amér. Central* y *Colomb.*

Tonto, estúpido. – 3 *m. Amér. Central.* Bocio, papera.

güeldo *m.* Cebo que emplean los pescadores, hecho con camarones y otros crustáceos pequeños.

güelfo, -fa *adj.-s.* Partidario de los papas, en la Edad Media, contra los gibelinos. – 2 *adj.* Relativo a los güelfos.

guepardo *m.* Onza (animal carnívoro).

guepinia *f.* Seta tremedal, gelatinosa, con el sombrero abierto, en forma de oreja, y de color rojo anaranjado *(Guepinia helvelloides).*

guerra *f.* Lucha armada entre dos o más naciones o partidos: *~ extranjera; ~ civil; ~ biológica,* la que usa cualquier tipo de gérmenes nocivos; *~ de ondas,* utilización de la radio como instrumento de lucha psicológica y propagandística; *~ química,* la que emplea productos químicos, como gases, herbicidas, etc.; *~ fría,* hostilidad en las relaciones internacionales, sin llegar a la guerra armada; *~ sucia,* conjunto de acciones coactivas o violentas que mantiene un grupo social, político o militar contra un población civil sin respetar el derecho establecido. 2 Pugna, oposición entre dos o más personas o cosas. 3 Lucha o combate, aunque sea en sentido moral.

guerrear *intr.* Hacer guerra. 2 fig. Resistir, rebatir o contradecir.

guerrera *f.* Chaqueta de uniforme ajustada y abrochada hasta el cuello.

guerrero, -ra *adj.-s.* [pers.] Que guerrea. – 2 *adj.* Perteneciente o relativo a la guerra. 3 Marcial e inclinado a la guerra. 4 Molesto, revoltoso. – 5 *m.* Soldado.

guerrilla *f.* Formación militar en orden abierto. 2 Partida de tropa ligera, formada por grupos poco numerosos que hostilizan al enemigo por medio de sorpresas, acechos, etc., o hacen los ataques al descubierto. 3 Grupo de personas armadas, organizadas con el fin de atacar y desestabilizar el orden establecido en un lugar o país.

guerrillero, -ra *m. f.* Miembro de una guerrilla. ◇ Debe evitarse el GALIC. *partisano.*

gueto *m.* Barrio en que vivían o eran obligados a vivir los judíos en algunas ciudades de Italia y de otros países. 2 p. ext. Aislamiento social, político, ideológico, etc., en que se encuentra una minoría de personas. 3 Lugar que habita o frecuenta dicha minoría.

güevil *m.* Arbusto solanáceo de cuyo tallo y hojas se extrae un tinte amarillo usado para teñir la ropa; su infusión se emplea contra la disentería *(Vestia lycioides).*

guía *com.* Persona que conduce y enseña el camino a otra. 2 fig. Persona que enseña y dirige a otra. – 3 *m.* Sargento o cabo que sirve para alinear la tropa. – 4 *f.* Poste grande de cantería que se coloca de trecho en trecho a los dos lados de un camino de montaña para señalar su dirección. **5** Lo que en sentido figurado dirige o encamina. **6** Tratado en que se dan preceptos o noticias para encaminar las cosas: *~ de pecadores; ~ turística.* **7** Lista ordenada de datos o indicaciones útiles para el manejo de un aparato o el uso de un determinado servicio: *~ de ferrocarriles; ~ telefónica,* la que contiene el nombre, dirección y número de los abonados al servicio telefónico, de acuerdo con el orden alfabético de sus apellidos. **8** Despacho que lleva consigo el que transporta algunos géneros, para que no se los detengan. **9** Mecha delgada, con pólvora y cubierta con papel, para dar fuego a los barrenos. **10** Sarmiento o vara que se deja en las cepas y en los árboles para dirigirlos. **11** Tallo principal de las coníferas y otros árboles. **12** Palanca que sale de lo alto del eje de una noria para enganchar en ella la caballería, o del de un molino de viento para orientarlo. **13** Pieza o cuerda que en una máquina o aparato sirve para obligar a otra pieza a que siga en su movimiento camino determinado. **14** Caballería que va delante de todas en un tiro fuera del tronco. **15** Guarda del abanico. – **16** *m. pl.* Riendas para gobernar los caballos de guías.

guiadera *f.* Guía de las norias y otros artificios semejantes. **2** Madero o barrote paralelo para dirigir el movimiento rectilíneo de un objeto.

guiar *tr.* Acompañar mostrando el camino. **2** fig. Dirigir [a alguno] en algún negocio. **3** Conducir o hacer que una pieza de una máquina o un objeto siga en su movimiento determinada dirección: *~ un automóvil.* **4** Dejar guías a las plantas. – **5** *intr.* Principiar a echar tallo una planta. – **6** *prnl.* Dejarse uno dirigir por otro o por indicios: *me guiaré por tu consejo; guiarse por un práctico.* ◇ ** CONJUG. [13] como *desviar.*

guija *f.* Piedra pelada y chica que se encuentra en las orillas de ríos y arroyos.

guijarreño, -ña *adj.* Abundante en guijarros o relativo a ellos. **2** fig. [pers.] De complexión dura y fuerte.

guijarro *m.* Canto rodado.

guijeño, -ña *adj.* Relativo a la guija o que tiene su naturaleza. **2** fig. Duro, empedernido.

guijo *m.* Conjunto de guijas para consolidar o rellenar caminos.

guilla *f.* Cosecha copiosa y abundante.

guillame *m.* Cepillo estrecho de carpintero.

guillarse *prnl.* Irse, huirse. **2** Chiflarse (mentalmente).

guillomo *m.* Arbusto rosáceo (*Amelanchier rotundifolia*).

guillote *m.* Cosechero o usufructuario. – **2** *adj.* Holgazán y desaplicado.

guillotina *f.* Máquina inventada y usada en Francia para decapitar a los reos de muerte. **2** Pena capital. **3** IMPR. Instrumento que sirve

para cortar por igual un montón de hojas de papel; **encuadernación.

guillotinar *tr.* Quitar la vida con la guillotina. **2** IMPR. Cortar [papel] con la guillotina.

guimbalete *m.* Palanca con que se da juego al émbolo de la bomba aspirante.

guimbarda *f.* Cepillo de carpintero, de cuchilla estrecha, para labrar el fondo de las cajas y ranuras.

guinchar *tr.* Picar o herir con la punta de un palo.

I) guinda *f.* Fruto del guindo.

II) guinda *f.* Altura total de la arboladura de un buque.

guindaleta *f.* Cuerda de cáñamo o cuero del grueso de un dedo.

guindar *tr.* Subir [una cosa que ha de quedar colgada en alto]. **2** fam. Ahorcar. **3** fam. Ganar [una cosa] a otros en concurrencia: *les guindó el empleo.* **4** vulg. Robar, hurtar.

guindilla *f.* Fruto del guindillo de Indias. **2** Pimiento pequeño y encarnado que pica mucho. **3** burl. Guardia municipal.

guindo *m.* Árbol rosáceo parecido al cerezo, del cual se distingue por su fruto más redondo y comúnmente ácido *(Prunus cerasus).*

guineano, -na *adj.-s.* Guineano.

guineo, -a *adj.-s.* De Guinea, región litoral del África occidental.

guineoecuatorial *adj.* Perteneciente o relativo a la Guinea Ecuatorial. – **2** *adj.-com.* Natural de dicha nación africana.

guiñada *f.* Acción de guiñar. **2** Desvío de la proa del buque hacia un lado u otro del rumbo a que se navega.

guiñapo *m.* Andrajo o trapo roto, viejo o deslucido. **2** fig. Persona que anda con vestido andrajoso. **3** fig. Persona envilecida, degradada. **4** fig. Persona muy débil o enfermiza.

guiñar *tr.* Cerrar un ojo, momentáneamente, quedando el otro abierto. – **2** *intr.* Dar guiñadas el buque. – **3** *rec.* Darse de ojo; hacerse guiños o señas con los ojos.

guiño *m.* Guiñada (acción).

guiñol *m.* Teatro de títeres. **2** fig. Sujeto ridículo.

guiñote *m.* Juego de naipes, variante del tute.

guión *m.* Cruz que precede a un prelado o bandera de una comunidad, cofradía, etc., que va delante de una procesión. **2** El que sirve de guía. **3** Escrito esquemático que sirve de guía para un determinado fin: *~ de un discurso, de una película.* **4** Argumento de una película o de un programa de radio o televisión, expuesto con todos los pormenores. **5** Signo ortográfico [-] que, puesto al final de un renglón, indica que la parte de la última palabra continúa en el siguiente; además une o separa los componentes de una palabra compuesta *(aovado-lanceolada, franco-hispana)*; algo más largo [—]

indica, en los diálogos, cuándo habla cada interlocutor y suple, al principio de línea, el vocablo con que empieza otra anterior. ◇ Reglas ortográficas en ** PUNTUACIÓN.

guionista *com.* Persona que escribe un guión de cine, radio o televisión.

guipar *tr.* vulg. Ver, percibir, descubrir.

guipuzcoano, -na *adj.-s.* De Guipúzcoa. – 2 *m.* Dialecto guipuzcoano.

güira *f.* Árbol tropical bignoniáceo, de fruto globoso de corteza dura y blanquecina, lleno de pulpa blanca *(Crescentia cujete).*

guiri *m.* vulg. Individuo de la guardia civil. – 2 *com.* vulg. Extranjero, turista.

guirigay *m.* Lenguaje ininteligible. 2 Griterío y confusión. ◇ Pl.: *guirigayes, guirigáis.*

guirindola *f.* Chorrera de la camisola.

guirlache *m.* Turrón de almendras tostadas y caramelo.

guirnalda *f.* Corona abierta de flores y ramos, o tira entretejida de flores y ramos, aunque no tenga forma circular.

güiropa *f.* Guisado de carne con patatas, u otro semejante. 2 *And.* Rancho, comida.

guisa *f.* Modo, manera.

guisado *m.* Guiso preparado con salsa. 2 Guiso de pedazos de carne, con salsa y generalmente con patatas.

guisante *m.* Planta papilionácea de hojas paripinnadas terminadas en zarcillos, flores blancas y legumbres con muchas semillas globosas *(Pisum sativum).* 2 Semilla del guisante.

guisar *tr.* Preparar los manjares sometiéndolos a la acción del fuego, especialmente haciéndolos cocer en una salsa después de rehogados. 2 fig. Ordenar, componer una cosa.

guiso *m.* Manjar guisado.

güisqui *m.* Licor alcohólico obtenido por la destilación de cereales, especialmente avena y cebada, fermentados.

guita *f.* Cuerda delgada de cáñamo. 2 fam. Caudal, hacienda, bienes. 3 fig. *y* fam. Dinero.

guitar *tr.* Coser con guita: ~ *un saco.*

guitarra *f.* Instrumento músico de **cuerda que se compone de una caja de madera, a modo de óvalo estrechado por el medio, con un agujero circular en el centro de la tapa y un mástil con trastes; tiene seis cuerdas que se pulsan con los dedos de la mano derecha, mientras las pisan los de la izquierda: ~ *eléctrica,* la que tiene un electroimán que capta sus vibraciones y las transmite a un amplificador para emitirlas por altavoces. 2 Instrumento para quebrantar y mover el yeso. 3 Pez marino seláceo con la cabeza deprimida, cuerpo fusiforme, hocico puntiagudo, de color gris pardusco, que puede alcanzar más de un metro de longitud *(Rhinobathus rinobathus).*

guitarrillo *m.* Guitarra pequeña que tiene sólo cuatro cuerdas.

guitarrista *com.* Músico que toca la guitarra.

guitarrón *m.* fig. Hombre sagaz y picarón. 2 Pez marino seláceo, muy parecido a la guitarra (pez), pero de color pardo claro, hocico más alargado, y de mayor tamaño *(Rinobathus cemiculus).*

güito *m.* Hueso de fruta, especialmente el de albaricoque, con que juegan los niños. – 2 *m. pl.* Juego que se hace con estos huesos.

guitón, -tona *adj.-s.* Pícaro, vagabundo.

guizacillo *m.* Planta gramínea propia de las regiones cálidas *(Cenchrus equinatus).*

guizque *m.* Palo con un gancho en una extremidad para alcanzar algo que está en alto.

gula *f.* Exceso en la comida o bebida. 2 Apetito desordenado de comer y beber.

gulasch *m.* Estofado de carne de buey o de cerdo, o de ambos conjuntamente, originario de Hungría.

gulden *m.* Unidad monetaria holandesa.

gules *m. pl.* BLAS. Color rojo heráldico.

gulusmear *intr.* Golosinear, andar oliendo lo que se guisa. 2 Fisgonear, curiosear.

gúmena *f.* Maroma gruesa para atar las áncoras.

gumía *f.* Especie de daga encorvada que usan los moros; **armas.

gurbio, -bia *adj.* [instrumento de metal] Que tiene alguna curvatura.

gurbión *m.* Goma del euforbio.

gurí, -risa *m. f. Argent. y Urug.* Muchacho indio o mestizo. 2 *Argent. y Urug.* p. ext. Hijos de corta edad de una familia.

guripa *m.* fam. Pilluelo, vagabundo. 2 fam. Soldado. 3 fam. Guardia, persona que mantiene el orden.

gurriato *m.* Pollo del gorrión. 2 Gorrión. 3 fam. Niño, chiquillo.

gurripato *m.* Gurriato. 2 fig. Persona pazguata.

gurrumina *f.* fam. Condescendencia y contemplación excesiva a la propia esposa. 2 fam. Pequeñez, fruslería. 3 *R. de la Plata.* Persona enclenque.

gurrumino, -na *adj.* [pers.] Ruin, desmedrado.

gurruñar *tr.* Arrugar, encoger.

gurruño *m.* Cosa arrugada o encogida.

gurú *m.* Dirigente espiritual de grupos religiosos de inspiración oriental.

gurullo *m.* Burujo (pella). 2 Pasta de harina, agua y aceite que se desmenuza formando bolitas o granos.

gusana *f.* Conjunto de gusanos que se lanzan al mar o los ríos para cebar a los peces.

gusanera *f.* Sitio donde se crían gusanos. 2 fig. Pasión que domina en el ánimo: *le dio en la ~.*

gusanillo *m.* Tejido de labor menuda que

se hace en los tejidos de lienzo y otras telas. 2 Hilo, especialmente de oro, plata y seda, ensortijado para formar con él ciertas labores. 3 *Matar el* ~, beber aguardiente en ayunas; satisfacer el hambre momentáneamente.

gusano *m.* Animal invertebrado caracterizado por tener el cuerpo blando, cilíndrico, alargado y contráctil; con esta denominación, sin valor taxonómico, se conocen sobre todo los anélidos, platelmintos, nematodos, etc. 2 Lombriz. 3 ~ *de la seda,* larva de un insecto lepidóptero que, antes de pasar al estado de crisálida, segrega una hebra de seda de 400 a 500 m. de largo, con la cual fabrica un ovillo o capullo en que se envuelve *(Bombyx mori).* 4 fig. Persona despreciable, mala.

gusarapiento, -ta *adj.* Que tiene gusarapos. 2 fig. Muy inmundo y corrompido.

gusarapo, -pa *m. f.* Animalejo de forma de gusano, que se cría en los líquenes.

gusgo, -ga *adj. Méj.* Goloso.

gustar *tr.* Sentir en el paladar el sabor [de una cosa]: ~ *la manzanas.* 2 Experimentar, probar. 3 Agradar una cosa, parecer bien: *me gusta el pan.* 4 Desear, tener complacencia en una cosa: ~ *de correr.*

gusto *m.* Sentido corporal con el cual percibimos el sabor de las cosas. 2 Sabor que tienen las cosas. 3 Placer o deleite que se experimenta con algún motivo o que se recibe de cualquier cosa. 4 Facultad de sentir o apreciar lo bello. 5 Cualidad, forma o manera que hace bella o fea una cosa. 6 Manera de sentirse o ejecutarse la obra artística o literaria en país o tiempo determinado. 7 Manera de apreciar las cosas cada persona. 8 Capricho, antojo, diversión. 9 Propia voluntad o arbitrio.

gustoso, -sa *adj.* Sabroso: ~ *al paladar.* 2 Que hace con gusto una cosa. 3 Agradable que causa gusto: ~ *en algún aspecto.*

gutapercha *f.* Nombre de varias especies de árboles sapotáceos de Indonesia con cuyo látex se fabrica una clase de goma *(gén. Palaquium).* 2 Goma translúcida sólida, flexible e insoluble en el agua, que se obtiene de estos árboles. 3 Tela barnizada con esta substancia.

gutiferáceo, -a *adj.-f.* Planta de la familia de las gutiferáceas. – 2 *f. pl.* Familia de plantas que incluye arbustos o hierbas perennes con las hojas simples, opuestas y sin estípulas; flores amarillas y fruto en cápsula o, a veces, en baya.

gutiferales *f. pl.* Orden de plantas dentro de la clase dicotiledóneas; leñosas, con flores vistosas, hermafroditas, actinomorfas, cuyo cáliz está diferenciado en cáliz y corola.

gutífero, -ra *adj.-f.* Planta de la familia de las gutíferas. – 2 *f. pl.* Familia de plantas que incluye árboles o arbustos de flores actinomorfas, hojas opuestas y coriáceas y fruto capsular, y que por escisión o espontáneamente segregan jugos resinosos; como la gutapercha.

gutural *adj.* Relativo a la garganta: *voz* ~. – 2 *adj.-f.* FON. Consonante velar.

guzguear *tr. Méj.* Andar buscando [algo] para comer y a escondidas.

guzla *f.* Instrumento músico de una sola cuerda a modo de rabel.

gymkhana *f.* Competición en la que los concursantes, generalmente provistos de medios de locomoción, deben salvar una serie de obstáculos y de pruebas incorporadas al recorrido.

H

H, h *f.* Hache, novena letra del alfabeto español que no representa a ningún sonido. Con la *c* constituye el dígrafo *ch.* 2 Sonido fricativo y velar, parecido a la *j.* ◇ ** ORTOGRAFÍA.

haba *f.* Planta anual papilionácea, de hojas paripinnadas, flores blancas o rosáceas manchadas de negro, y legumbre larga y rolliza con cinco o seis semillas oblongas y aplastadas *(Vicia faba).* 2 Fruto y semilla de esta planta. 3 Semilla de ciertos frutos, como el café, cacao, etc. 4 Bolita blanca o negra con que se hacen ciertas votaciones secretas. 5 Trozo de mineral redondo envuelto por la ganga. 6 Roncha (bultillo). 7 fig. Figurilla escondida en una rosca o bizcocho de Pascua, la cual se toma por buen agüero para la persona a quien toca el trozo que la contiene.

habado, -da *adj.* Que tiene la enfermedad del haba, o que tiene la piel manchada en figura de habas. 2 [ave, especialmente la gallina] Que tiene plumas de varios colores entremezcladas formando pintas.

habanera *f.* Baile de origen cubano en compás de dos por cuatro, y de movimiento lento. 2 Música y canto de este baile.

habano, -na *adj.* De La Habana, capital de Cuba; p. ext., de Cuba. – 2 *adj.-m.* Color parecido al del tabaco claro. – 3 *adj.* De color tabaco. – 4 *m.* Cigarro puro de Cuba.

hábeas corpus *m.* Ley que garantiza el derecho de seguridad personal y obliga a presentar al detenido ante el tribunal para que éste decida sobre la validez de su detención.

I) haber *m.* Hacienda, caudal, bienes, dinero: *tiene haberes cuantiosos.* 2 Retribución periódica de algún servicio. 3 Parte de la cuenta corriente en la que se anotan todas las sumas que se acreditan o descargan a la persona a quien se abre. 4 fig. Cualidades positivas o méritos que se consideran en una persona o cosa, en oposición a las malas cualidades o desventajas.

II) haber *tr.* Coger, alcanzar: *los malhechores no fueron habidos; lee cuantos libros puede* ~. – 2 *auxiliar* Forma los tiempos compuestos dando a la acción expresada por el verbo que va en participio un sentido perfectivo: *he leído;*

había desayunado. 3 Con la preposición *de* seguida del infinitivo de otro verbo forma frases verbales de significación obligativa: *has de escucharme; hemos de comer.* – 4 *unipers.* Acaecer, ocurrir: *hubo una hecatombe; hubo muchos muertos.* 5 Verificarse, efectuarse: *hoy habrá junta.* 6 Estar realmente en alguna parte: *hay veinte personas en la reunión; hay poco dinero en el bolsillo.* 7 Existir en general: *hay hombres sin corazón.* 8 lit. Hacer, haber transcurrido cierto tiempo: *cinco años ha murió mi madre* o *cinco años ha que murió mi madre.* 9 Con la conjunción *que* seguida del infinitivo de otro verbo forma frases verbales de significación obligativa e impersonal: *habrá que tener paciencia; hay que trabajar.* – 10 *reflex.* Portarse, proceder bien o mal: *te has habido sin decoro.* ◇ En la construcción impersonal se usa sólo en la tercera persona del singular [la del indicativo presente es *ha* o *hay*], y en el infinitivo, siendo incorrecto el uso impersonal de las formas de 3ª persona plural: *hubieron fiestas,* por *hubo fiestas; habían muchos que lloraban,* por *había muchos que lloraban.* ◇ ** CONJUG. [72].

háber *m.* Sabio o doctor entre los judíos, título algo inferior al de rabí.

haberío *m.* Bestia de carga o de labor. 2 Ganado o conjunto de los animales domésticos.

habichuela *f.* Judía.

hábil *adj.* Inteligente y dispuesto para hacer algo: ~ *en los negocios; tiempo* ~.

habilidad *f.* Calidad de hábil. 2 Cosa ejecutada con habilidad.

habilidoso, -sa *adj.* Que tiene habilidad.

habilitación *f.* Cargo o empleo de habilitado. 2 Oficina de habilitado. 3 GRAM. Procedimiento de formación nominal que consiste en usar palabras con función gramatical distinta de la que originariamente tuvieron: *cantar malagueñas; el sobre de una carta; un vale para aceite; un día perro.*

habilitado, -da *m. f.* Encargado de los intereses de un cuerpo o sociedad. 2 En algunos organismos, encargado de pagar los sueldos u honorarios: *el* ~ *de la universidad.* 3 *Amér.* Comerciante en comandita con otra persona.

habilitar *tr.* Hacer [a una persona o cosa]

hábil o apta. 2 Dar [a uno] el capital necesario para que pueda negociar por sí; comanditar; procurar: ~ *horas para trabajar;* ~ *con fondos.* 3 Facilitar [a uno] lo que necesita: ~ *de ropa.*

habitación *f.* Edificio o parte de él que se destina a vivienda. 2 Pieza, especialmente aquella en que se está o se duerme.

habitáculo *m.* Sitio o localidad de condiciones apropiadas para que viva una especie animal o vegetal.

habitante *m.* Persona que habita en una ciudad, provincia, casa, etc. 2 p. ext. Animal que habita o vive en un lugar.

habitar *tr.-intr.* Vivir, morar [en una ciudad, provincia, casa, etc.]: *habitamos un gran palacio;* ~ *bajo un mismo techo;* ~ *en Madrid;* ~ *con alguno;* ~ *entre fieras.*

hábitat *m.* HIST. NAT. Medio físico o geográfico en el que vive naturalmente un ser. 2 p. ext. Condiciones y lugar de vida del hombre.

hábito *m.* Vestido que denota un estado, ministerio, etc., especialmente el que usan los religiosos y religiosas: ~ *de San Francisco.* 2 Costumbre (manera de obrar). 3 Facilidad adquirida por el constante práctica de un ejercicio. 4 Forma externa que presenta un cristal o un grupo de cristales. 5 FARM. Tolerancia a los medicamentos con disminución de sus efectos, por la ingestión prolongada de los mismos. 6 PAT. Estado consecutivo a la ingestión de estupefacientes que da lugar a una situación de dependencia respecto de las mismas.

habitual *adj.* Que se hace o posee por costumbre. 2 Asiduo: *un cliente* ~.

habituar *tr.-prnl.* Acostumbrar o hacer que [alguno] se acostumbre a una cosa: *habituarse al frío.* ◇ ** CONJUG. [11] como *actuar.*

habla *f.* Facultad de hablar: *perder el* ~. 2 Acción de hablar: *el* ~ *es propia del hombre.* 3 Realización del sistema lingüístico llamado lengua. 4 Lenguaje, idioma, dialecto: *el* ~ *de este país.* ◇ Usado especialmente refiriéndose al lenguaje oral de la conversación, en oposición a la lengua literaria.

habladas *f. pl.* Amér. Fanfarronadas.

hablado, -da *adj. Bien* o *mal* ~, comedido o descomedido en el decir.

hablador, -ra *adj.-s.* Que habla demasiado. 2 Que por imprudencia o malicia cuenta todo lo que ve y oye.

habladuría *f.* Chisme, murmuración, rumor: *habladurías de la gente.*

hablar *intr.* Darse a entender por medio de palabras. 2 Articular palabras: ~ *tartajeando; el loro habla bien.* 3 p. ext. Darse a entender por medio diferente de la palabra: ~ *por señas.* 4 Perorar: *mañana hablará el ministro.* 5 Conversar: *ayer hablé con tu hermano.* 6 Interceder: *hablaré por ti al jefe.* 7 Murmurar, criticar: ~

entre dientes. 8 Tratar de una cosa platicando y, por extensión, por escrito: ~ *de la cuestión; los autores no hablan de este punto;* ~ *de,* o *sobre, negocios.* 9 fig. Manifestarse con elocuencia muda: *los cielos y la tierra hablan de Dios.* 10 fig. Sonar un instrumento con gran expresión: *toca la guitarra, que la hace* ~. 11 fig. Parecer real: *este retrato está hablando.* – 12 *tr.* Conocer [un idioma]; emplearlo: ~ *el francés.* 13 Decir: ~ *disparates.* – 14 *rec.* Comunicarse, tratarse de palabra: *se hablaron en el café; Juan y Pedro no se hablan,* no se tratan.

hacanea *f.* Jaca de gran robustez.

hacecillo *m.* Porción de flores unidas en cabezuela, cuyos pedúnculos están erguidos, casi paralelos y son de igual altura. 2 en gral. Conjunto de elementos conductores acompañados o no de otros elementos, formando un haz apretado: *hacecillos leñosos, liberianos;* **raíz;** *hacecillos liberileñosos;* **tallo.**

hacedor, -ra *adj.-s.* Que hace alguna cosa: *Dios es el Hacedor Supremo.* – 2 *m.* Encargado de administrar una hacienda.

hacendado, -da *adj.-s.* Que tiene hacienda en bienes raíces.

hacendar *tr.* Dar o conferir [a alguno] el dominio de haciendas o bienes raíces: *hacendó a su hijo con las tierras adquiridas.* – 2 *prnl.* Comprar hacienda una persona para arraigarse: *se hacendó en Talavera.* ◇ ** CONJUG. [3] como *acertar.*

hacendoso, -sa *adj.* Solícito y diligente en las faenas domésticas.

hacer *tr.* Producir [una cosa material o un objeto de inteligencia], darle el primer ser; formar [una cosa] ajustando o transformando otros elementos: ~ *un mueble;* ~ *una tela;* ~ *un juicio;* ~ *un poema.* 2 Disponer, aderezar, arreglar; componer, mejorar: ~ *la cama, la comida, la barba a uno; esta cuba no hace buen vino.* 3 Causar, ocasionar: ~ *sombra.* 4 Ejecutar, realizar: ~ *prodigios; no sé qué* ~; *no saben qué hacerse;* con substantivos, realizar la acción por éstos significada: ~ *burla,* o *burlarse;* ~ *pedazos,* o *despedazar;* en substitución de un verbo mencionado anteriormente, realizar la acción significada por él: *leo como solía* ~ *años atrás.* 5 Representar un papel: ~ *el rey* o *de rey.* 6 Creer o suponer algo [de uno]: *yo le hacía en París; le hacía profesor; le hacía contigo.* 7 Habituar, acostumbrar: ~ *el cuerpo a la fatiga.* 8 Ejercitar los miembros, músculos, etc., para fomentar su desarrollo o agilidad: ~ *dedos un pianista,* etc. 9 Obligar: *le hizo venir; nos hizo que fuésemos.* 10 Expeler del cuerpo [las aguas mayores o menores]: ~ *aguas;* ~ *de vientre, del cuerpo.* 11 Contener, pesar, medir, etc.; equivaler a: *esta tinaja hace cien arrobas; nueve y cuatro hacen trece.* 12 Ocupar [cierto número] en una serie: *este despacho hace el cinco de los de Elvira.* 13 Alcanzar [cierta velocidad] con un vehículo. 14 Obtener, conseguir. – 15 *intr.* Importar, convenir: *esto no hace al caso.* 16 Corresponder, adaptarse: *esta llave hace a ambas cerraduras.* 17 Procurar: ~ *por,* o *para, llegar.* 18 Fingirse o aparentar: ~ *de tonto;* ~ *el muerto;* ~ *uno como que no quiere.* – 19 *prnl.* Crecer, aumentar: *estos árboles se hacen mucho.* 20 Volverse, transformarse: *hacerse vinagre el vino; hacerse cristiano el moro.* 21 Acostumbrarse: *no me hago a vivir solo.* 22 Figurarse: *se me hace que está lloviendo.* 23 Apropiarse: *hacerse con lo ajeno.* 24 Apartarse, retirarse: *hacerse a una parte; hazte atrás; hazte allá.* – 25 *impers.* Presentarse el tiempo o estado atmosférico: *hace frío; mañana hará bueno; hizo un buen día.* 26 Haber transcurrido cierto tiempo: *ayer hizo un mes que llegamos.* ◇ INCOR.: el uso del plural en la acepción 25: *hicieron grandes heladas.* ◇ ** CONJUG. [73]. pp. irreg.: *hecho.*

hacia *prep.* Determina la dirección del movimiento con respecto al punto de su término: ~ *la derecha.* 2 Con significación temporal equivale a *cerca de, alrededor de:* ~ *las tres.*

hacienda *f.* Finca agrícola. 2 Bienes y riquezas que uno tiene: ~ *pública,* bienes o rentas del estado. 3 Ganado, conjunto de animales que se posee. – 4 *f. pl.* Trabajos domésticos.

hacina *f.* Conjunto de haces colocados unos sobre otros.

hacinamiento *m.* Aglomeración en un mismo lugar de un número de habitantes que se considera excesivo.

hacinar *tr.* Poner los haces [de leña, de hierba, etc.] unos sobre otros formando hacina. – 2 *tr.-prnl.* fig. Amontonar en general: *las mercancías se hacinan en los muelles.*

I) hacha *f.* Vela de cera, grande y gruesa, con cuatro pabilos. 2 Mecha de esparto y alquitrán. 3 Haz de paja liado o atado como fajina.

II) hacha *f.* Herramienta cortante, de pala acerada con filo algo curvo y ojo para enastarla. 2 **Arma blanca de esta forma.

hachazo *m.* Golpe dado con el hacha. 2 Golpe que el toro da lateralmente con un cuerno, produciendo contusión y no herida.

hache *f.* Nombre de la letra *h.*

hachear *tr.* Desbastar y labrar [un madero] con el hacha. – 2 *intr.* Dar golpes con el hacha.

hachero *m.* Candelero para poner el hacha.

hachís *m.* Composición de sumidades floridas y otras partes de cierta variedad de cáñamo, mezcladas con diversas substancias azucaradas o aromáticas, que produce una embriaguez especial y se fuma mezclado con tabaco; marihuana.

hacho *m.* Sitio elevado cerca de la costa: *el* ~ *de Ceuta.*

hachón *m.* Hacha (mecha). 2 Brasero alto, fijo sobre un pie en que se encienden materias que levantan llama.

hada *f.* Ser fantástico que se representaba bajo la forma de mujer dotada de poder sobrenatural.

hadado, -da *adj.* Relativo al hado. 2 Prodigioso, mágico, encantado.

hado *m.* Divinidad o fuerza desconocida que, según los gentiles, disponía lo que había de suceder. 2 Entre los filósofos paganos, serie de causas tan encadenadas unas con otras, que necesariamente producen su efecto. 3 Lo que, conforme a lo dispuesto por Dios, le sucede al hombre en el decurso del tiempo.

hagiografía *f.* Historia de las vidas de los santos.

hagiógrafo, -fa *m. f.* Autor de cualquiera de los libros de la Sagrada Escritura. 2 Escritor de vidas de santos.

haitiano, -na *adj.-s.* De Haití, nación del nordeste de América, en la isla de Santo Domingo. – 2 *m.* Dialecto haitiano, variedad del francés.

¡hala! Interjección con que se da prisa, infunde aliento o llama a alguien; también denota sorpresa o contrariedad.

halagar *tr.* Dar [a uno] muestras de afecto: *mi hijo me halaga.* 2 Dar [a uno] motivo de satisfacción o envanecimiento: *me halaga tu propuesta.* 3 Adular: *el ambicioso procura* ~ *al poderoso.* ◇ ** CONJUG. [7] como *llegar.*

halago *m.* Acción de halagar. 2 Efecto de halagar. 3 fig. Cosa que halaga.

halagüeño, -ña *adj.* Que halaga: *una propuesta halagüeña.* 2 Que atrae con dulzura y suavidad.

halar *tr.* Tirar [de un cabo, de una lona, de un remo]. 2 Tirar hacia sí [de una cosa cualquiera]. 3 fig. Infundir aliento.

halcón *m.* Ave rapaz falconiforme diurna, de color ceniciento manchado de negro, con el pecho y vientre blanquecinos y rayados de gris *(Falco peregrinus).* 2 fig. Partidario de actitudes intransigentes y del empleo de la fuerza en la solución de un conflicto.

halconería *f.* Caza con halcones.

¡hale! Interjección con que se estimula o da prisa; también denota sorpresa o contrariedad.

halieto *m.* Ave rapaz falconiforme, que vive en las costas y se alimenta de peces *(Pandion haliœtus).*

halita *f.* Mineral de la clase de los halogenuros, que cristaliza en el sistema cúbico y es incoloro o bien de color blanco.

hálito *m.* Aliento del animal. 2 Vapor que una cosa arroja. 3 poét. Viento suave.

halo *m.* **Meteoro consistente en un círculo blanco o irisado que aparece a veces alrededor del Sol o de la Luna. 2 Aureola que rodea la imagen fotográfica de un objeto brillante. 3 Resplandor que en la imaginería religiosa rodea la cabeza de los santos o la figura

entera. 4 fig. Brillo que da la fama o el prestigio.

halógeno, -na *adj.* Que forma sales. – 2 *adj.-m.* Elemento [flúor, cloro, bromo y yodo] que forma sales combinándose directamente con un metal. – 3 *adj.-f.* Bombilla del faro de un automóvil hecha con dichos elementos; p. ext., luz que proyecta. – 4 *adj.-s.* p. ext. Dicho faro.

halogenuro *m.* Mineral formado por la combinación de metales con halógenos.

halografía *f.* Estudio y descripción de las sales.

haloideo *adj.* Que parece una sal. 2 [ácido binario y sal de este] Formado por el hidrógeno y los halógenos.

haltera *f.* Aparato usado en ejercicios gimnásticos, que consta de dos bolas o discos, a ambos extremos de una barra.

halterofilia *f.* Deporte del levantamiento de pesos.

haluros *m. pl.* Sales formadas por los halógenos con los metales.

hall *m.* ANGLIC. Vestíbulo, recibimiento, entrada. ◇ Se pronuncia *jol.*

hallado, -da *adj.* Con los adverbios *tan, bien* o *mal*, familiarizado o avenido.

hallar *tr.* Dar [con una persona o cosa] sin buscarla. 2 Encontrar [lo que se busca]. 3 Inventar. 4 Averiguar. 5 Dar con una tierra o país de que antes no había noticia. 6 Ver, observar, notar: ~ *faltas en un libro.* – 7 *prnl.* Encontrarse en un sitio, o dar con algo: *me hallo en París; hallarse a, o en, la fiesta; hallarse a gusto en un sitio; hallarse con un obstáculo.* 8 Estar: *hallarse enfermo; hallarse alegre.*

hallazgo *m.* Acción de hallar. 2 Efecto de hallar. 3 Cosa hallada.

hamaca *f.* Red que, colgada por las extremidades, sirve de **cama o, conduciéndola dos hombres, de vehículo. 2 Armadura, generalmente en forma de tijera, que sostiene una lona o plástico que forma el respaldo y asiento.

hamacar *tr.-prnl. Amér. Merid.* Mecer en hamaca. ◇ ** CONJUG. [1] como *sacar.*

hámago *m.* Substancia correosa, de sabor amargo, que labran las abejas. 2 fig. Fastidio o náusea.

hamamelidáceo, -a *adj.-f.* Planta de la familia de las hamamelidáceas. – 2 *f. pl.* Familia de plantas que incluye árboles y arbustos de flores generalmente hermafroditas, alguna vez apétalas, y fruto en cápsula.

hamaquear *tr. Amér.* Mecer, columpiar [a uno]. 2 *Amér.* fig. Entretener una persona [a otra], darle largas en un asunto.

hambre *f.* Gana y necesidad de comer. 2 Malestar producido por la escasez de alimentos: *los horrores del ~.* 3 fig. Deseo ardiente de una cosa: *~ y sed de justicia.* 4 ~ **canina**, poli-

fagia; fig., gana de comer extraordinaria; deseo vehementísimo.

hambrear *intr.* Padecer hambre u otra necesidad apremiante.

hambriento, -ta *adj.-s.* Que tiene mucha hambre. 2 fig. Deseoso. 3 fig. Muy necesitado, miserable.

hambrón, -brona *adj.-s.* desp. Habitualmente hambriento; necesitado, pobre.

hamburgués, -guesa *adj.-s.* De Hamburgo, ciudad de Alemania. – 2 *f.* Pedazo de carne de ternera picada con ajo, perejil, huevo, etc., de forma redonda u oval, gordo, que se sirve frito o asado, generalmente en un panecito redondo con salsa de tomate, mostaza, cebolla, lechuga, tomate y queso.

hamburguesería *f.* Establecimiento donde se venden hamburguesas, perritos calientes y bebidas refrescantes.

hampa *f.* Género de vida de los pícaros, rufianes y maleantes. 2 Conjunto de maleantes que se dedican a la vida delictiva.

hampón, -s. Valentón, bravo; bribón, haragán. 2 Delincuente, maleante, malhechor.

hámster *m.* Mamífero roedor de hasta 35 cms. de longitud, cuyo pelaje es de color castaño en la parte superior del cuerpo y negro en la inferior *(Cricetus cricetus).*

handicap *m.* Modalidad de carrera, generalmente hípica, en la que se igualan teóricamente las posibilidades de los participantes mediante la concesión de unos metros de ventaja, la imposición de peso en la silla, etc. 2 DEP. Calificación dada a los participantes en algunos deportes, como la hípica, los bolos o el golf, según la cual se compensa con puntos o golpes de ventaja a los participantes peor clasificados. 3 fig. Condición o circunstancia desventajosa.

hangar *m.* Cobertizo, especialmente destinado a guarecer los aviones. 2 Cobertizo destinado generalmente a almacén.

hápax *m.* Voz de la que se posee un único testimonio en una lengua.

haquitía *f.* Dialecto judeoespañol hablado en Marruecos.

haragán, -gana *adj.-s.* Holgazán.

harakiri *m.* Suicidio cortándose el vientre, practicado en el Japón por los nobles en caso de desgracia.

harapiento, -ta *adj.* Andrajoso.

harapo *m.* Andrajo. 2 Último aguardiente que sale de la destilación del vino.

harca *f.* Expedición militar de tropas indígenas de organización irregular, durante el protectorado español en Marruecos.

hardware *m.* Conjunto de elementos materiales de un ordenador electrónico. ◇ Se pronuncia *járduer.*

harén, harem *m.* Departamento de la casa árabe en que viven las mujeres. 2 Conjunto de mujeres que viven en dicho departamento.

harija *f.* Polvillo del grano cuando se muele o de la harina cuando se cierne.

harina *f.* Polvo que resulta de la molienda de algunas semillas: ~ *en flor,* harina tamizada. 2 Polvo procedente de algunos tubérculos y legumbres. 3 Polvo a que se reducen algunas materias sólidas.

harmatán *m.* Viento polvoriento seco del nordeste, que sopla sobre el oeste de África durante la estación seca.

harnal *m.* Cajón de harina, especialmente el cajón grande del molino.

harneruelo *m.* Paño horizontal que forma el centro de la mayor parte de los techos de madera labrada o alfarjes.

haronear *intr.* Emperezarse, andar flojo o tardo.

haronía *f.* Pereza, flojedad, poltronería.

harstigita *f.* Silicato que cristaliza en el sistema rómbico, y forma cristales prismáticos incoloros y con brillo vítreo.

hartar *tr.-prnl.* Saciar el apetito de comer o beber: *hartarse con fruta.* 2 fig. Satisfacer el deseo de alguna cosa. 3 fig. Fastidiar, cansar: *hartarse de las lecciones.* 4 Con la preposición *de* y un substantivo, causar, dar en abundancia lo que el substantivo indica: ~ *de palos a uno.*

hartazgo *m.* Malestar que provoca el comer en exceso.

harto, -ta *adj.-s.* Repleto, que come mucho: *está* ~; *los hartos ya no han de comer.*

hasta *prep.* Expresa el término del cual no se pasa con relación al espacio, al tiempo y a la cantidad: *iremos* ~ *Madrid; no llegaremos* ~ *las diez; gastó* ~ *50.000 pesetas.* – 2 *conj.* Denota la misma significación copulativa de *también, aun:* ~ *podrán ahorrarse.* 3 ~ *que* o ~ *tanto que,* loc. conj. que sirve para expresar el término de la duración del verbo principal: *leeré* ~ *que me canse.* 4 ~ *luego,* ~ *ahora,* ~ *después,* frases de salutación y despedida.

hastial *m.* Fachada de una casa terminada por las dos vertientes del tejado; **cubierta. 2 Cara lateral de una excavación. 3 En las iglesias, fachada correspondiente a los pies o a los laterales del crucero. 4 fig. Hombrón rústico y grosero.

hastiar *tr.-prnl.* Fastidiar. ◇ ** CONJUG. [13] como *desviar.*

hastío *m.* Repugnancia a la comida. 2 fig. Disgusto, tedio.

hatajar *tr.* Dividir [el ganado] en hatajos: *se han hatajado las ovejas.*

hatajo *m.* Pequeño hato (porción de ganado). 2 fig. Hato (conjunto).

hatería *f.* Víveres con que se abastece a los pastores, jornaleros y mineros. 2 Ropa, ajuar y víveres que éstos llevan.

hato *m.* Pequeño ajuar para el uso preciso y ordinario. 2 Sitio donde paran los pastores con el ganado. 3 Porción de ganado. 4 fig. Junta de

gente malvada o despreciable: *un* ~ *de pícaros.* 5 fig. Conjunto o copia. 6 fam. Junta o corrillo: *un* ~ *de disparates.*

haustorio *m.* BOT. Órgano succionador, propio de las plantas parásitas, que penetra en los órganos del huésped para tomar el alimento.

hawaiano, -na *adj.-s.* De las islas Hawai, estado de los Estados Unidos de América.

haya *f.* Árbol fagáceo, de tronco grueso y liso, hojas ovales y coriáceas, flores masculinas en amento y femeninas en involucro; su madera es ligera y muy resistente *(Fagus sylvatica).*

hayo *m.* Coca (arbusto). 2 Mezcla de hojas de coca y sales calizas o de sosa, que mascan los indios de Colombia.

hayuco *m.* Fruto del haya.

I) haz *m.* Porción atada de mieses, hierba, leña, etc. 2 Conjunto de rayos luminosos de un mismo origen. 3 Conjunto de cosas largas y estrechas, dispuestas longitudinalmente y atadas por el centro. 4 ANAT. Conjunto de varias fibras, musculares o nerviosas, agrupadas en un mismo trayecto; **músculo. 5 FÍS. Corriente en una sola dirección de radiación electromagnética o de partículas. ◇ Pl.: *haces* o *fasces.*

II) haz *m.* Tropa formada en divisiones o en filas.

III) haz *f.* Cara o rostro. – 2 fig. Cara anterior de las telas, las **hojas de las plantas, etc., especialmente la opuesta al envés.

haza *f.* Porción de tierra labrantía.

hazaña *f.* Hecho, especialmente el ilustre y heroico.

hazmerreír *m.* Persona ridícula y extravagante. ◇ Pl.: *hazmerreír.*

he Partícula que, junto con los adverbios *aquí* y *allí* o unida a pronombres personales átonos, sirve para señalar o mostrar una persona o cosa: ~ *aquí a tus hijos; helos junto a ti.*

¡he! Interjección con que se llama a uno.

hebdomadario, -ria *adj.* Semanal, semanario.

hebén *adj.* [variedad de uva] Que es de color blanco, gorda y vellosa; [vid] que produce dicha uva.

hebijón *m.* Clavo o púa de la hebilla.

hebilla *f.* Pieza, generalmente de metal, con una patilla y uno o más clavillos en medio, asegurados por un pasador, para ajustar y unir las orejas del calzado, las correas, etc.

hebra *f.* Porción de hilo que se pone en una aguja. 2 Filamento de diversas materias que guardan semejanza con el hilo. 3 Pistilo de la flor del azafrán. 4 Fibra de la carne. 5 fig. Hilo del discurso: *pegar la* ~, trabar conversación. 6 poét. Cabello: *hebras de plata,* cabellos blancos.

hebraísmo *m.* Sistema religioso de los

judíos instituido por Moisés. 2 Vocablo, giro o modo de expresión propio de la lengua hebrea empleado en otro idioma.

hebreo, -a *adj.-s.* De un antiguo pueblo semítico que conquistó y habitó la Palestina, llamado después *israelita* y *judío.* – 2 *adj.* Relativo a las personas que profesan la ley mosaica. – 3 *m.* Idioma hebreo.

hecatombe *f.* Sacrificio solemne en que hay muchas víctimas. 2 fig. Matanza (mortandad). 3 fig. Desgracia, catástrofe.

hectárea *f.* Medida agraria, equivalente a 100 a., o sea, un Hm^2.

hectogramo *m.* Unidad de masa, en el sistema métrico decimal, equivalente a cien gramos.

hectolitro *m.* Unidad de capacidad, en el sistema métrico decimal, correspondiente a cien litros.

hectómetro *m.* Unidad de longitud, en el sistema métrico decimal, equivalente a cien metros: ~ *cuadrado,* unidad de superficie, en el sistema métrico decimal, correspondiente a un cuadrado de un hectómetro de lado; ~ *cúbico,* unidad de volumen, en el sistema métrico decimal, correspondiente a un cubo de un hectómetro de arista.

hectovatio *m.* FÍS. Unidad de trabajo, equivalente a cien vatios.

hechicería *f.* Arte de hechizar. 2 Acto de hechizar. 3 Hechizo (de los hechiceros).

hechicero, -ra *adj.-s.* Que practica la hechicería. 2 fig. Que por su hermosura o buenas prendas hechiza o cautiva. – 3 *f.* Mariposa diurna de color leonado con dos hileras de puntos negros en el borde de las alas *(Brenthis hecate).*

hechizar *tr.* Someter [a uno] a supuestas influencias maléficas con prácticas y confecciones supersticiosas. 2 fig. Cautivar el ánimo, embelesar: *tiene una belleza que hechiza.* ◊ ** CONJUG. [4] como *realizar.*

hechizo, -za *adj.* Artificioso o fingido. 2 Hecho, fabricado. – 3 *m.* Aquello de que se valen los hechiceros para el logro de sus fines. 4 fig. Persona o cosa que hechiza o embelesa. – 5 *adj. Amér.* Fabricado en el país; indígena.

I) hecho, -cha, adj. Perfecto, acabado: *hombre ~; hecho y derecho, loc. adj.,* cabal, ejecutado cumplidamente: *un hombre ~ y derecho; la obra está hecha y derecha.* 2 Semejante a, convertido en: *está ~ un demonio.* 3 Con el adverbio *bien* y nombres de cantidad, cumplido con exceso: *doce años bien hechos.* 4 Con los adverbios *bien* o *mal* y aplicado a animales, bien o mal proporcionado: *un cuerpo bien ~.* 5 Aceptado, resuelto: *¿Aceptas el plan? - Hecho.* ◊ En la acepción 5 sólo se emplea en masculino singular y como contestación.

II) hecho *m.* Acción u obra: ~ *de armas,* hazaña y acción militar. 2 Suceso, cosa que sucede. 3 Asunto o materia de que se trata.

hechura *f.* Acción de hacer. 2 Efecto de hacer. 3 Cosa repecto del que la ha hecho: *somos ~ de Dios.* 4 Disposición y organización del cuerpo. 5 Figura que se da a las cosas. 6 Lo que se paga por hacer una cosa: *este traje cuesta 20.000 ptas. de hechuras.* 7 fig. Persona respecto de otra a quien debe cuanto tiene o representa.

hedentina *f.* Olor malo y penetrante. 2 Sitio donde lo hay.

heder *intr.* Arrojar de sí mal olor. 2 fig. Enfadar, cansar, ser insoportable. ◊ ** CONJUG. [28] como *entender.*

hediondo, -da *adj.* Que arroja de sí hedor. 2 fig. Sucio, repugnante, obsceno. 3 fig. Molesto, enfadoso. – 4 *m.* Arbusto leguminoso de olor desagradable, cuyas hojas se emplean como purgante *(gén. Anagyris).* – 5 *f.* Planta rubiácea, arbustiva y tendida, con las hojas coriáceas *(Putoria calabrica).*

hedonismo *m.* Doctrina ética que identifica el bien con el placer, especialmente con el placer sensorial e inmediato.

hedor *m.* Olor muy desagradable.

hegemonía *f.* Supremacía que un estado o un pueblo ejerce sobre otros.

hégira, héjira *f.* Era musulmana, que empieza el 15 de julio de 622 de la nuestra, día en que Mahoma huyó de la Meca a Medina.

helada *f.* Congelación producida por la frialdad del tiempo.

heladería *f.* Establecimiento donde se venden refrescos helados.

heladero, -ra *adj.-s.* Abundante en heladas. – 2 *m. f.* Lugar donde hace mucho frío: *este sitio es un ~ o heladera.* 3 Persona que fabrica o vende helados o tiene una heladería. – 4 *f.* fig. Nevera.

helado, -da *adj.* Muy frío. 2 fig. Suspenso, atónito, pasmado por el miedo o la sorpresa. 3 fig. Esquivo, desdeñoso. – 4 *m.* Bebida o manjar helado. 5 Sorbete.

helar *tr.-prnl.* Congelar, especialmente el agua: *hiela; el aceite se ha helado.* – 2 *tr.* fig. Dejar pasmado, sobrecoger. 3 fig Desalentar, acobardar. – 4 *impers.* Hacer una temperatura inferior a cero grados, con lo que se hielan los líquidos: *esta noche ha helado.* – 5 *prnl.* Ponerse una persona o cosa sumamente fría: *helarse de frío.* 6 Secarse la savia de las plantas a consecuencia de la congelación. ◊ ** CONJUG. [27] como *acertar.*

**helecho *m.* Planta de la clase de las filicales, especialmente la de la familia de las polipodiáceas: ~ *común,* el de rizoma ramoso y frondas coriáceas tripinnadas, de uno o dos metros de longitud, con los soros dispuestos en dos filas paralelas al nervio medio de cada segmento *(Pteris aquilina);* ~ *real* o *florido,* el mayor que crece en la Península Ibérica, de frondes divididas entre siete y nueve pares de ramificaciones, con unos doce pares de folíolos cada una *(Osmunda regalis).*

helénico, -ca *adj.* Griego.

helenio *m.* Planta compuesta de raíz amarga, usada en medicina *(Inula helenium).*

helenismo *m.* Vocablo, giro o modo de expresión propio de la lengua griega empleado en otro idioma. 2 Influencia ejercida por la antigua cultura y civilización griegas. 3 Época que ésta duró.

helenista *com.* Judío que hablaba la lengua y observaba los usos de los griegos, o griego que abrazaba el judaísmo. 2 El que cultiva la lengua y literatura griegas.

helenizar *tr.* Introducir [en algún país] las costumbres o la cultura de los griegos. – 2 *prnl.* Adoptar uno las costumbres o la cultura griegas. ◇ ** CONJUG. [4] como *realizar.*

heleno, -na *adj.-s.* Griego.

helero *m.* Masa de hielo en las altas montañas. 2 p. ext. Toda la mancha de nieve.

helgadura *f.* Hueco entre diente y diente. 2 Desigualdad de éstos.

helíaco, -ca *adj.* [orto u ocaso de un astro] Que no difiere en más de una hora del correspondiente al Sol.

heliantemo *m.* Planta medicinal cistácea de flores amarillas (gén. *Helianthemum).*

heliantina *f.* Substancia colorante anaranjada que se extrae del alquitrán de la hulla.

helianto *m.* Planta compuesta, de hojas ásperas y cabezuelas amarillas *(gén. Hilanthus).*

hélice *m.* Osa Mayor. – 2 *f.* **Curva de longitud indefinida que da vueltas en la superficie de un cilindro, formando ángulos iguales con todas las generatrices. 3 Espiral (línea). 4 Conjunto de aletas helicoidales que al girar alrededor de un eje producen una fuerza propulsora: *la ~ de un helicóptero, de un **avión.* 5 Parte más externa y periférica del pabellón de la oreja; **oído. 6 ZOOL. Caracol, molusco.

heliciuItura *f.* Técnica de dirigir y fomentar la reproducción de caracoles para su propagación y venta.

helícido *adj.-m.* Molusco de la familia de los helícidos. – 2 *m. pl.* Familia de moluscos gasterópodos pulmonados, generalmente con la concha helicoidal bien desarrollada, hermafrodita; como el caracol.

helicoidal *adj.* En figura de hélice: *estría ~; muelle ~.*

helicón *m.* Instrumento músico de **viento cuyo tubo, de forma circular, permite colocarlo alrededor del cuerpo y apoyarlo sobre el hombro de quien lo toca.

helicóptero *m.* Aparato aeronáutico sin alas que se eleva merced a la acción de una gran hélice o rotor de eje vertical y movimiento lento, que sirve tanto para la sustentación como para la propulsión; **avión.

helio *m.* Elemento gaseoso que se descubrió en la atmósfera solar. Es inerte y el más ligero de los gases nobles, incoloro e inodoro. Su símbolo es *He.*

heliocéntrico, -ca *adj.* Relativo al centro del Sol; o que tiene el Sol como centro.

heliograbado *m.* Procedimiento para obtener, en planchas preparadas y mediante la

HELECHO

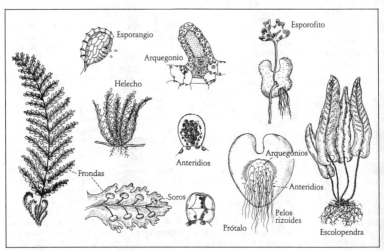

Esporangio

Esporofito

Arquegonio

Helecho

Anteridios

Arquegónios

Anteridios

Frondas

Soros

Pelos rizoides

Prótalo

Escolopendra

acción de la luz solar, grabados en relieve. 2 Estampa obtenida por este procedimiento.

heliografía *f.* Descripción del Sol. 2 Fotografía de este astro. 3 Método de transmisión de señales mediante el heliógrafo.

heliógrafo *m.* Instrumento para hacer señales telegráficas por medio de la reflexión de un rayo de sol en un espejo plano.

heliolatría *f.* Culto o adoración del Sol.

heliomotor *m.* Dispositivo que sirve para transformar la energía solar en energía mecánica.

heliosis *f.* Insolación. ◇ Pl.: *heliosis.*

heliotropo *m.* Planta boraginácea de jardín, de flores pequeñas, azuladas y en cimas escorpioideas *(Heliotropium peruvianum).*

heliozoo *adj.-m.* Protozoo del orden de los heliozoos. – 2 *m. pl.* Orden de protozoos actinópodos de pequeño tamaño, de cuerpo más o menos circular, con simetría radial.

helipuerto *m.* Lugar destinado para el aterrizaje y despegue de helicópteros.

hélix *m.* Repliegue semicircular, que contornea y forma el reborde de la oreja.

helminto *m.* Gusano; esp., el parásito del intestino y del hígado.

helmintología *f.* Parte de la zoología que trata de la descripción y estudio de los gusanos.

helobial *adj.-m.* Planta del orden de las helobiales. – 2 *m. pl.* Orden de plantas dentro de la clase monocotiledóneas, primitivas, casi todas adaptadas a la vida acuática, de flores actinomorfas.

helvético, -ca *adj.-s.* De Helvecia, actual Suiza; suizo.

hemacrimo *adj.* [animal] De temperatura aproximadamente igual a la de los objetos que le rodean, variando en relación con la temperatura del medio; como los reptiles y los insectos.

hemafibrita *f.* Mineral de la clase de los arseniatos que cristaliza en el sistema rómbico, de color rojo o pardo.

hematermo *adj.* [animal] De temperatura aproximadamente constante e independiente de la del medio en que habita, como las aves y los mamíferos.

hematíe *m.* Glóbulo de la sangre, al cual debe ésta su color rojo, y que contiene la hemoglobina; **circulación.

hematites *f.* Óxido de hierro nativo de color rojo o pardo y estructura fibrosa. ◇ Pl.: *hematites.*

hematocito *m.* Célula sanguínea.

hematófago, -ga *adj.* [animal] Que se alimenta de sangre.

hematología *f.* Estudio histológico, funcional y patológico de la sangre.

hematoma *m.* Tumor producido por acumulación de sangre extravasada.

hematopatía *f.* Proceso patológico que afecta a la sangre, en general.

hematopoyesis *f.* Hemopoyesis. ◇ Pl.: *hematopoyesis.*

hematosis *f.* Conversión de la sangre venosa en arterial. ◇ Pl.: *hematosis.*

hematuria *f.* Fenómeno morboso que consiste en orinar sangre.

hembra *f.* Animal del sexo femenino. 2 Mujer. 3 fig. Pieza con un agujero en que otra se introduce y encaja: *la ~ de un corchete.* 4 fig. El mismo agujero. 5 fig. Molde (objeto hueco). 6 fig. Cola de caballo poco poblada.

hembraje *m. Amér.* Conjunto de las hembras de un rebaño, hacienda, etc.

hembrilla *f.* Piececita en que otra se introduce o asegura; **cerradura. 2 Armella.

hemélitro *m.* Ala anterior de un insecto cuya mitad basilar es coriácea.

hemeroteca *f.* Colección de periódicos, especialmente al servicio del público. 2 Local donde se halla esta colección.

hemiascomicétidas *f. pl.* Subclase de hongos, dentro de la clase ascomicetes, con las ascas desnudas, sin ascocarpo.

hemiciclo *m.* Semicírculo. 2 Sala, gradería semicircular.

hemicordado *adj.-m.* Animal del tipo de los hemicordados. – 2 *m. pl.* Tipo de animales vermiformes no segmentados y dotados de simetría bilateral, cuyo tamaño oscila entre unos pocos milímetros y 2,5 m.; son marinos y la mayoría sedentarios.

hemimetábolo, -la *adj.* [insecto] Que experimenta una metamorfosis incompleta, sin estado de pupa en su ciclo de vida; como libélulas y saltamontes.

hemimorfita *f.* Silicato de cinc hidratado que cristaliza en ortorrombos de simetría polar.

hemiplejia, hemiplejía *f.* Parálisis de todo un lado del cuerpo.

hemíptero *adj.-m.* Insecto del orden de los hemípteros. – 2 *m. pl.* Orden de insectos pterigotas de metamorfosis sencilla, provistos de trompa chupadora y pico articulado; algunos con hemélitros y otros con las cuatro alas membranosas o sin alas; a este orden pertenecen dos subórdenes: homópteros y heterópteros.

hemisferio *m.* Mitad de una esfera dividida por un plano que pasa por su centro. 2 Mitad de la esfera celeste o terrestre limitada por el ecuador: ~ *austral* y *boreal*; o por un meridiano: ~ *occidental* y *oriental.* 3 ~ *del cerebro* o *del cerebelo*, mitad lateral en que parecen dividirse estos órganos.

hemistiquio *m.* Mitad de un verso separada por una cesura.

hemodiálisis *f.* Técnica terapéutica que consiste en realizar una diálisis exterior de la sangre en fracasos agudos del funcionamiento renal. ◇ Pl.: *hemodiálisis.*

hemodinámica *f.* Parte de la fisiología que estudia las leyes y mecanismos que rigen la circulación sanguínea en el individuo sano y en el curso de distintas enfermedades.

hemodonación *f.* Donación de la sangre.

hemodonante *adj.-com.* Donante de sangre.

hemofilia *f.* Estado morboso, generalmente hereditario, que se manifiesta por una tendencia a la hemorragia.

hemoglobina *f.* Pigmento contenido en los hematíes de los vertebrados, cuya función consiste en tomar oxígeno del aire, en el aparato respiratorio, para cederlo a los tejidos.

hemopatía *f.* Enfermedad de la sangre.

hemopoyesis *f.* FISIOL. Proceso fisiológico de génesis de los elementos celulares hemáticos que llevan a cabo principalmente la médula ósea roja y el sistema linfático. ◇ Pl.: *hemopoyesis.*

hemoptisis *f.* Expectoración de sangre debida a hemorragia de los pulmones. ◇ Pl.: *hemoptisis.*

hemorragia *f.* Flujo de sangre.

hemorrea *f.* Hemorragia que no ha sido provocada directamente.

hemorroide *f.* Almorrana.

hemoscopia *f.* Examen de la sangre por medio del microscopio.

hemostasia, hemostasis *f.* Estancamiento de la sangre. 2 Contención de una hemorragia. 3 Conjunto de los mecanismos fisiológicos o naturales de que dispone el organismo para hacer frente a una hemorragia.

hemoterapia *f.* Tratamiento médico por medio de la sangre total o de su plasma.

henaje *m.* Desecación del heno al aire libre.

henchir *tr.* Llenar. – 2 *prnl.* Llenar (hartarse). ◇ ** CONJUG. [34] como *servir.*

hendedura *f.* Hendidura.

hender *tr.* Hacer o causar una hendedura [en algún objeto]. 2 fig. Atravesar [un fluido o líquido]: *el buque hiende las aguas.* ◇ ** CONJUG. [28] como *entender.*

hendidura *f.* Abertura prolongada, grieta, quiebra, resquebradura: *hendiduras branquiales, pulmonares;* **respiración; **arácnidos.

hendija *f.* Hendidura, generalmente pequeña.

hendir *tr.* Hender. ◇ ** CONJUG. [35] como *hervir.*

henificar *tr.* Secar al sol [plantas forrajeras] para convertirlas en heno.

henil *m.* Sitio donde se guarda el heno.

heno *m.* Conjunto de especies vegetales que forman los prados naturales. 2 Hierba anual

gramínea forrajera *(Aira praecox).* 3 Hierba segada, seca, para alimento del ganado.

henoteísmo *m.* Forma de las religiones en que hay una divinidad suprema a la vez que otras inferiores a ella.

henrio *m.* Unidad práctica de inductancia eléctrica.

heñir *tr.* Sobar [la masa del pan] con los puños. ◇ ** CONJUG. [36] como *ceñir.*

hepática *adj.-f.* Planta de la clase de las hepáticas. – 2 *f.* Planta hepática, de frondas pequeñas y coriáceas, que forma céspedes en los lugares húmedos *(Marchantia polimorpha).* 3 Hierba ranunculácea vivaz, de hojas radicales y flores azuladas, rojizas o blancas *(Anemone hepatica; Hepatica nobilis).* – 4 *f. pl.* Clase de plantas briofitas, unas taliformes y otras cormofitas, pero sin raíces y con las frondas sin nervios.

hepático, -ca *adj.* Relativo al hígado: *arteria, vena hepática.* 2 Enfermo del hígado.

hepatismo *m.* Enfermedad del hígado.

hepatitis *f.* Inflamación del hígado. ◇ Pl.: *hepatitis.*

hepatología *f.* Estudio de las funciones y enfermedades del hígado.

heptacordio, -do *m.* MÚS. Escala usual compuesta de las siete notas: *do, re, mi, fa, sol, la, si.*

heptaedro *m.* Sólido de siete caras.

heptágono, -na *adj.-m.* **Polígono de siete ángulos.

heptasílabo, -ba *adj.-s.* De siete sílabas: *verso ~.*

heptodo *m.* Válvula electrónica que consta de siete electrodos.

heráldico, -ca *adj.-s.* Perteneciente o relativo al blasón. – 2 *f.* Blasón (arte).

heraldo *m.* Oficial que en la Edad Media tenía a su cargo transmitir mensajes, ordenar las fiestas de caballería, llevar los registros de la nobleza, etc. 2 fig. Mensajero, adalid.

herbáceo, -a *adj.* Que tiene las características de la hierba: **tallo ~.

herbajar *tr.* Apacentar [el ganado] en prado o dehesa. – 2 *intr.* Pacer o pastar el ganado.

herbaje *m.* Hierba de los prados. 2 Derecho cobrado por el pasto de los ganados forasteros. 3 Tela de lana, áspera e impermeable, usada por la gente de mar.

herbar *tr.* Adobar con hierbas [las pieles o cueros]. ◇ ** CONJUG. [27] como *acertar.*

herbario, -ria *adj.* Relativo a las hierbas y plantas. – 2 *m.* Colección de plantas secas colocadas entre papeles y ordenadas sistemáticamente.

herbecer *intr.* Empezar a nacer la hierba. ◇ ** CONJUG. [43] como *agradecer.*

herbero *m.* Esófago de los rumiantes.

herbicida *adj.-m.* Producto que se emplea para exterminar las hierbas nocivas en los sembrados u otros cultivos.

herbívoro, -ra *adj.-m.* Que se alimenta de vegetales: *animales herbívoros.*
herbolario, -ria *m. f.* Persona que se dedica a vender plantas medicinales. – 2 *m.* Tienda donde se venden estas plantas. – 3 *adj.-s.* fig. Botarate, sin seso.
herboristería *f.* Tienda del herbolario.
herborizar *intr.* Recoger plantas para estudiarlas o guardarlas. ◇ ** CONJUG. [4] como *realizar.*
hercinita *f.* Mineral de la clase de los óxidos, que cristaliza en el sistema cúbico, y se presenta en masas pulverulentas de color negro.
hercio *m.* Unidad de frecuencia de todo movimiento vibratorio, expresada en ciclos por segundo.
hércules *m.* fig. Hombre de mucha fuerza: *es un ~.*
heredad *f.* Terreno cultivado perteneciente a un mismo dueño. 2 Hacienda de bienes raíces.
heredar *tr.* Suceder por disposición testamentaria o legal [en los bienes, derechos y obligaciones de una persona que no se extingan por su muerte]: *~ de un pariente; ~ el título; ~ en, o por, línea recta.* 2 Poseer ciertos caracteres o predisposiciones por herencia biológica.
heredero, -ra *adj.-s.* Persona que por testamento o por ley sucede a título universal en todo o parte de una herencia: *instituir ~, o por ~, a uno; nombrar ~ a uno.* 2 El que hereda algo: *~ de un nombre glorioso.* 3 Dueño de una heredad.
hereje *com.* El que sostiene una herejía. 2 fig. Desvergonzado, descarado, procaz.
herejía *f.* Doctrina contraria a los dogmas de la Iglesia, sostenida con pertinacia por un hombre bautizado. 2 fig. Sentencia errónea contra los principios de una ciencia o arte. 3 fig. Palabra gravemente injuriosa. 4 fig. *y* fam. Disparate, error. 5 fig. Daño o tormento grande, infligido injustamente a una persona o animal.
herencia *f.* Derecho de heredar. 2 Patrimonio de un difunto. 3 Lo que se hereda, como bienes, carácter, etc. 4 fig. *y* fam. Cosa que antes ha pertenecido a otro.
heresiarca *m.* Jefe de una secta herética.
herético, -ca *adj.* Relativo a la herejía o al hereje.
herida *f.* Rotura hecha en la carne con un instrumento o por efecto de fuerte choque con un cuerpo duro: *~ de arma de fuego, de arma blanca.* 2 fig. Ofensa, agravio. 3 fig. Sufrimiento moral: *soporta la ~ en lo más profundo de su corazón.*
herir *tr.* Dar un golpe que dañe [el organismo]: *~ con arma blanca; ~ de muerte.* 2 Golpear, batir un cuerpo [contra otro]. 3 Pulsar o

tocar [un instrumento de cuerda]. 4 Impresionar desagradablemente [la vista o el oído]: *este color hiere la vista.* 5 Mover, excitar [el corazón o el alma] con algún afecto. 6 Ofender [a alguno]: *~ en la estimación.* 7 Hacer fuerza un sonido [sobre otro] para formar sílaba o sinalefa. 8 fig. Acertar. ◇ ** CONJUG. [35] como *hervir;* pp.: *herido.*
hermafrodita *adj.-s.* Que tiene órganos reproductores de los dos sexos. 2 Individuo anormal de la especie humana cuyas anomalías anatómicas dan la apariencia de reunir los dos sexos.
hermanado *adj.* fig. Igual o semejante a otra cosa.
hermanar *tr.-prnl.* Unir, uniformar [cosas parecidas]: *~ los pareceres.* 2 Hacer [a uno] hermano de otro en sentido espiritual: *hermanarse entre sí; hermanarse uno con otro; hermanarse dos a dos; hermanarse en Dios.*
hermanastro, -tra *m. f.* Hijo de uno de los cónyuges respecto de los hijos del otro.
hermandad *f.* Parentesco entre hermanos. 2 fig. Amistad íntima. 3 fig. Correspondencia entre varias cosas. 4 fig. Cofradía (congregación).
hermano, -na *m. f.* Nacido de los mismos padres, o sólo del mismo padre o de la misma madre: *~ de leche,* hijo de una nodriza respecto del ajeno que ésta crió, y viceversa; *~ político,* cuñado. 2 Persona considerada en cuanto a los vínculos espirituales que la unen a los demás miembros de una entidad: *todos somos hermanos ante Dios; ~ de la Doctrina Cristiana; ~ de armas.* 3 Lego. 4 fig. Una cosa respecto de otra a que es semejante.
hermenéutica *f.* Arte de interpretar los textos: *la ~ de los libros sagrados.*
hermético, -ca *adj.* Que cierra una abertura de modo que no deja pasar el aire ni otra materia gaseosa. 2 Impenetrable, cerrado.
hermetizar *tr.-prnl.* fig. Hacer que [una cosa] sea hermética de manera que no pueda pasar el aire u otra materia. ◇ ** CONJUG. [4] como *realizar.*
hermosear *tr.* Hacer o poner hermosa [a una persona o cosa].
hermosilla *f.* Planta campanulácea de jardín *(Trachelium cæruleum).*
hermoso, -sa *adj.* Dotado de hermosura. 2 Sereno, despejado: *¡~ día!* 3 [joven] Robusto, sano, vigoroso.
hermosura *f.* Belleza, especialmente de la forma. 2 Mujer hermosa.
hernia *f.* Tumor blando producido por la salida total o parcial de una víscera fuera de la cavidad que la encerraba.
herniarse *prnl.* Sufrir una hernia. 2 fig. *y* fam. Trabajar en exceso. ◇ ** CONJUG. [12] como *cambiar.*
héroe *m.* Varón ilustre por sus hazañas o

virtudes. 2 Protagonista o personaje importante de un poema épico, de una leyenda, etc.: *Aquiles y Héctor son héroes de la Ilíada.* 3 Semidiós.

heroico, -ca *adj.* Perteneciente o relativo al héroe. 2 [género de poesía] Que narra o canta hechos grandes y memorables. 3 *fig.* [resolución o medida] Que se toma en un caso extremo. – 4 *f.* Composición poética heroica.

heroida *f.* Composición poética en que figura algún héroe.

heroína *f.* Mujer ilustre por sus hazañas o virtudes. 2 Protagonista de una leyenda en un cuento, novela, drama, etc.: *la ~ de una historia.* 3 Éter diacético de la morfina, de acción analgésica, narcótica o estupefaciente.

heroísmo *m.* Conjunto de cualidades propias del héroe. 2 Acción heroica. 3 Esfuerzo que lleva al hombre a realizar hechos extraordinarios.

herpe, herpes *m.* Erupción cutánea formada por pequeñas vesículas agrupadas y rodeadas de una zona inflamada rojiza.

herpetología *f.* Parte de la zoología que trata de los reptiles.

herrada *f.* Cubo de madera con grandes aros de hierro, y más ancho por la base que por la boca. 2 p. ext. Cubo, en general.

herradero *m.* Acción de señalar con el hierro los ganados. 2 Sitio o temporada en que se efectúa esta operación. 3 Corrida de toros desastrosa.

herradura *f.* Hierro que se clava a las caballerías en los cascos. 2 Resguardo de esparto o cáñamo que se pone a las caballerías cuando se deshierran. – 3 *f. pl.* Planta papilionácea, de hojas ovaladas, largamente pecioladas, y flores amarillas en umbela *(Hippocrepis comosa).*

herraje *m.* Conjunto de piezas de hierro con que se guarnece algo. 2 Conjunto de herraduras y clavos con que se aseguran.

herramienta *f.* Instrumento, generalmente de hierro, con que trabajan los artesanos. 2 Conjunto de estos instrumentos.

herrar *tr.* Ajustar y clavar las herraduras [a las caballerías] o los callos [a los bueyes]. 2 Marcar [a alguna persona, animal o cosa] con un hierro candente. 3 Guarnecer de hierro [un artefacto]: *~ a fuego; ~ en frío.* ◇ ** CONJUG. [27] como *acertar.*

herrén *m.* Forraje que se da al ganado. – 2 *f.* Herrenal.

herrenal, herreñal *m.* Terreno sembrado de herrén.

herreño, -ña *adj.-s.* De la isla de Hierro.

herrera *f.* Pez marino teleósteo perciforme, de cuerpo alargado, comprimido, cabeza fuerte, alargada, boca muy protráctil, y con unas manchas obscuras verticales *(Lithognatus mormyrus; Pagellus m.).*

herrería *f.* Fábrica en que se labra el hierro

en grueso. 2 Taller o tienda del herrero. 3 Oficio del herrero. 4 *fig.* Confusión, alboroto.

herrerillo *m.* Ave paseriforme insectívora que presenta una coloración muy típica, con la parte superior de la cabeza, alas y cola de color azul cobalto; la parte inferior es amarilla y el dorso verdoso *(Parus cœruleus).*

herrero *m.* El que tiene por oficio labrar el hierro.

herrete *m.* Cabo metálico que se pone a las agujetas, cordones, etc. 2 *And., Extr. y Amér.* Aparato que se emplea para herrar o marcar.

herrial *adj.* [tipo de uva] Grueso y tinto, y vid que lo produce.

herriza *f.* Terreno pedregoso, generalmente en la cumbre de un cerro, que permanece inculto por su resistencia a la reja y escasa productividad.

herrón *m.* Tejo de hierro horadado con que se jugaba a meterlo en un clavo hincado en tierra. 2 Arandela. 3 Barra de hierro que suele usarse para plantar álamos, vides, etc.

herrumbre *f.* Orín (óxido). 2 Sabor que algunas cosas toman del hierro.

hervidero *m.* Agitación de un líquido al hervir. 2 Manantial donde surge el agua burbujeando. 3 *fig.* Ruido que hacen los humores estancados en el pecho. 4 *fig.* Muchedumbre: *~ de gente.*

hervidor *m.* Utensilio de cocina para hervir líquidos.

hervir *intr.* Moverse agitadamente un líquido por crearse en su interior abundancia de gases o vapores a consecuencia del calor o de una reacción química. 2 *fig.* Ponerse el mar sumamente agitado. 3 *fig* Excitarse fuertemente las pasiones: *~ el corazón de ira.* 4 Con la preposición *en* o *de*, abundar: *~ en pulgas; ~ en chismes; ~ de gente.* ◇ ** CONJUG. [35].

hervor *m.* Acción de hervir. 2 Efecto de hervir. 3 *fig.* Fogosidad de la juventud.

hesperidio *m.* Baya de epicarpio grueso y esponjoso, dividida interiormente en secciones envueltas en telillas membranosas, como la naranja; **fruto.

héspero, -ra *adj.-s.* De una u otra Hesperia, antiguo nombre de España e Italia.

hessita *f.* Mineral que cristaliza en los sistemas rómbico y cúbico, de color gris plomo y de brillo metálico.

heterocerca *adj.* [aleta caudal de los peces] De dos lóbulos de forma y estructura distinta, conteniendo uno de ellos el extremo de la columna vertebral.

heteróclito, -ta *adj.* GRAM. Que se aparta de las reglas ordinarias de la morfología: *declinación heteróclita.* 2 *fig.* Irregular, extraño.

heterocromo, -ma *adj.* Que analiza o se sirve de varios colores a la vez.

heterodinación *f.* Superposición de señales acústicas de distinta frecuencia en un mismo circuito.

heterodonto, -ta *adj.* [animal] Con especialización dentaria, provisto de diversos tipos de dientes adaptados a la función que desarrollan; como los mamíferos.

heterodoxia *f.* Calidad de heterodoxo.

heterodoxo, -xa *adj.-s.* Que se separa de la ortodoxia: *escritor ~; los heterodoxos; opinión heterodoxa.*

heterogamia *f.* Fecundación por medio de gametos distintos.

heterogéneo, -a *adj.* Compuesto de partes de diversa naturaleza. 2 Diferente.

heterogénesis *f.* Mutación. 2 Alternancia de generaciones. ◇ Pl.: *heterogénesis.*

heterogenia *f.* Teoría según la cual los seres vivos pueden proceder de otros distintos, anteriores a ellos.

heterogenita *f.* Mineral que cristaliza en el sistema trigonal, y se presenta en masas informes de color pardo o negro.

heteromorfo, -fa *adj.* Que dentro de una misma especie, presenta formas muy distintas.

heteronimia *f.* Fenómeno por el cual vocablos de acusada proximidad semántica proceden de étimos diferentes; como gallo (l. *gallu*) y pollo (l. *pullu*).

heterónomo, -ma *adj.* Sometido a un poder ajeno.

heteróptero *adj.-m.* Insecto del suborden de los heterópteros. – 2 *m. pl.* Suborden de insectos hemípteros cuyas alas anteriores son hemélitros; como la chinche.

heterosexual *adj.* [relación erótica] Que se produce entre individuos de diferente sexo. – 2 *adj.-s.* [pers.] Que mantiene dicho tipo de relación.

heterosfera *f.* Capa más externa de la atmósfera que tiene una composición química variable.

heterosita *f.* Mineral de la clase de los fosfatos que cristaliza en el sistema rómbico y se presenta en costras delgadas de color rojizo.

heterótrofo, -fa *adj.* [organismo, animal y vegetal sin clorofila] Que sólo se nutre de las substancias elaboradas por otros seres vivos. 2 [género de nutrición] Propio de estos organismos.

hético, -ca *adj.* Perteneciente o relativo a la tisis. – 2 *adj.-s.* Tísico. 3 Flaco, débil, extenuado.

heurística *f.* Arte de inventar.

hevea *m.* Árbol productor del caucho *(Hevea brasilensis).*

hexacoralario *adj.-m.* ZOOL. Animal de la subclase de los hexacoralarios. – 2 *m. pl.* ZOOL. Subclase de cnidarios antozoos cuya boca está rodeada por tentáculos en número de seis o múltiplo de seis.

hexactinélida *adj.-f.* Porífero de la clase de las hexactinélidas. – 2 *f. pl.* Clase de poríferos con el esqueleto inorgánico y formado por espículas silíceas.

hexaedro *m.* Sólido de seis caras. 2 ~ *regular,* GEOM., cubo.

hexagonal *adj.* De figura de hexágono o semejante a él. 2 **CRIST.** [sistema cristalino] De forma holoédrica con un eje principal senario y seis binarios equivalentes tres a tres. 3 Perteneciente a este sistema.

hexágono, -na *adj.-m.* **Polígono de seis ángulos.

hexasílabo, -ba *adj.-s.* De seis sílabas: *verso ~.*

hez *f.* Poso o sedimento de algunos líquidos: *las heces del vino.* 2 fig. Lo más vil y despreciable: *la ~ de la sociedad.* – 3 *f. pl.* Excremento.

hialino, -na *adj.* MINERAL. Que tiene la transparencia del vidrio: *cuarzo ~.*

hialografía *f.* Arte de dibujar en vidrio.

hialógrafo *m.* Instrumento para copiar en perspectiva los objetos, utilizando la transparencia de un vidrio.

hialoide *adj.* ANAT. Que es parecido al vidrio: *membrana ~,* la que contiene el humor vítreo del **ojo.

hialotecnia *f.* Arte de fabricar y trabajar el vidrio.

hiato *m.* Encuentro de dos vocales en dos palabras o sílabas consecutivas sin formar diptongo; como *vía, baúl, crear;* esp., sonido desagradable que puede resultar de la pronunciación de dos vocales en estas condiciones. 2 fig. Interrupción en el espacio o en el tiempo.

hibernación *f.* MED. Procedimiento que reduce o anula las reacciones orgánicas por medio del frío, a fin de combatir el choque, el traumatismo, etc. 2 MED. Estado letárgico de ciertos animales, durante el invierno. 3 p. ext. Inactividad.

hibernar *intr.* Pasar el invierno en estado de hibernación (estado). – 2 *tr.* Aplicar [a alguien] la hibernación (procedimiento).

hibridar *tr.* Producir híbridos de modo artificial por parte del hombre. – 2 *prnl.* Engendrarse híbridos espontáneamente.

híbrido, -da *adj.* [animal o vegetal] Que proviene de dos especies o variedades distintas. 2 fig. Formado por elementos de distinta naturaleza u origen.

hico *m. Amér.* Cordel que sostiene la hamaca en el aire.

hidalgo, -ga *m. f.* Persona de noble e ilustre nacimiento. – 2 *adj.* Relativo a un hidalgo. 3 fig. Generoso, noble.

hidno *m.* Hongo comestible con aspecto de cabellera, de color blanco y de hasta 20 cms. de diámetro *(Hericium erinaceus).*

hidra *f.* Culebra acuática, venenosa, de las costas del mar Pacífico y del de las Indias *(Hydrus bicolor).* 2 Pólipo hidrozoo tubular de agua dulce, que tiene la propiedad de reproducirse por gemación *(Hydra viridis; Hydra fusca)*. 3 fig. Peligro que se renueva constantemente.

hidrartrosis *f.* Hinchazón de una articulación por acumulación de líquido acuoso, no purulento.

hidratante *adj.* Que hidrata. – 2 *adj.-m.* [producto cosmético] Que sirve para restablecer el grado de humedad normal en la piel.

hidratar *tr.* Restablecer el grado de humedad normal en la piel. 2 Combinar [una substancia] con el agua.

hidrato *m.* Combinación de un cuerpo con el agua: ~ *de carbono*, compuesto químico constituyente de los azúcares, el almidón y la celulosa.

hidráulica *f.* Parte de la mecánica que estudia el equilibrio y el movimiento de los fluidos. 2 Arte de conducir, contener y elevar las aguas.

hidráulico, -ca *adj.* Que funciona por medio del agua: *freno* ~. 2 Que se endurece en contacto con el agua: *cal hidráulica*.

hidroala *m.* Dispositivo a modo de aleta adherida a una embarcación que al avanzar velozmente por el agua desarrolla una fuerza de sustentación análoga a la que produce el ala de un avión.

hidroavión *m.* Aeroplano provisto de flotadores destinados a posarse sobre el agua; **avión.

hidrobia *f.* Molusco gasterópodo marino, diminuto, con concha univalva de forma cónica y coloración parda y amarilla *(Hydrobia ulvae)*.

hidrobiología *f.* Ciencia que estudia la vida de los animales y las plantas que pueblan las aguas corrientes y las remansadas en la superficie terrestre.

hidrocarbonado, -da *adj.* Compuesto de agua y carbono.

hidrocarburo *m.* Compuesto orgánico que contiene solamente carbono e hidrógeno en su molécula.

hidrocaritáceo, -a *adj.-f.* Planta de la familia de las hidrocaritáceas. – 2 *f. pl.* Familia de plantas heliobiales, acuáticas, sumergidas o flotantes, con las flores actinomorfas y unisexuales.

hidrocincita *f.* Mineral de la clase de los carbonatos, que cristaliza en el sistema monoclínico, y forma masas compactas de color blanco o amarillo pálido.

hidrocótila *f.* Planta umbelífera reptante, de hojas circulares erectas a manera de parasoles, y flores verde rosadas en inflorescencias difíciles de distinguir y a menudo ausentes *(Hydrocotyle vulgaris)*.

hidrocución *f.* Síncope que, generalmente, se presenta por inmersión en agua fría.

hidrodinámica *f.* Parte de la dinámica que estudia el movimiento de los líquidos.

hidroelectricidad *f.* Energía eléctrica obtenida por la fuerza hidráulica.

hidrófilo, -la *adj.* Que absorbe el agua con gran facilidad: *algodón* ~; *gasa hidrófila*. 2 [organismo] Que habita en ambientes húmedos.

hidrofito *m.* bot. Planta acuática.

hidrofobia *f.* Horror morboso al agua. 2 En la enfermedad de la rabia, dificultad de tragar debida a un espasmo faríngeo, que no permite beber. 3 Rabia (enfermedad).

hidrófono *m.* Aparato que convierte las ondas sonoras transmitidas por agua en señales acústicas. 2 Aparato que detecta las fugas en las canalizaciones de agua.

hidrófugo, -ga *adj.-m.* Substancia que evita la humedad o las filtraciones.

hidrogenar *tr.* Combinar [una substancia] con hidrógeno.

hidrogénesis *f.* Disciplina que trata del descubrimiento y la captación de manantiales y cursos de agua. ◇ Pl.: *hidrogénesis*.

hidrógeno *m.* Elemento gaseoso, incoloro e insípido, catorce veces más ligero que el aire, que entra en la composición de muchas substancias orgánicas. Su símbolo es *H*.

hidrogeología *f.* Rama de la geología que se ocupa del estudio del ciclo de las aguas, especialmente las subterráneas.

hidrografía *f.* Parte de la geografía física que trata de la descripción de los mares y de las corrientes de agua. 2 Conjunto de mares y aguas corrientes, de un país o comarca.

hidrólisis *f.* Formación de un ácido y una base a partir de una sal por interacción con el agua. 2 Descomposición de substancias orgánicas por acción de agua. ◇ Pl.: *hidrólisis*.

hidrología *f.* Parte de las ciencias naturales que trata de las aguas.

hidromagnesita *f.* Mineral de la clase de los carbonatos que cristaliza en el sistema monoclínico, de color blanco puro y brillo vítreo.

hidrometalurgia *f.* Parte de la metalurgia que estudia los procedimientos que usan reacciones químicas en solución acuosa para la extracción de metales en los casos de menas pobres.

hidrometría *f.* Parte de la hidrodinámica que tiene por objeto medir el caudal, la velocidad, la fuerza, etc., de los líquidos.

hidromodelismo *m.* Técnica relativa a la construcción de modelos reducidos de barcos, canales, presas, etc.

hidronimia *f.* Parte de la toponimia que estudia el origen y significación de los nombres de ríos, arroyos, lagos, etc.

hidropesía *f.* Acumulación anómala de suero en cualquier parte del cuerpo.

hidrópico, -ca *adj.* Que padece hidropesía, especialmente de vientre. 2 fig. Insaciable. 3 fig. Sediento con exceso.

hidroplano *m.* Hidroavión. 2 Embarcación que alcanza gran velocidad y tiende a elevarse, por medio de unas aletas que ejercen reacción al tocar el agua.

hidroscopia *f.* Arte de descubrir la existencia de las aguas ocultas.

hidrosfera *f.* Conjunto de las partes líquidas del globo terráqueo.

hidrosoluble *adj.* [substancia, especialmente las vitaminas B, C y D] Soluble en el agua.

hidrostática *f.* Parte de la mecánica que estudia el equilibrio de los líquidos y de los gases.

hidrotecnia *f.* Arte de construir máquinas y aparatos hidráulicos.

hidroterapia *f.* Tratamiento de las enfermedades por la aplicación del agua.

hidróxido *m.* QUÍM. Compuesto que contiene en su molécula el grupo hidroxilo.

hidroxilo *m.* Radical univalente compuesto de un átomo de oxígeno y uno de hidrógeno: *OH.*

hidrozoario *adj.-m.* Celentéreo de la clase de los hidrozoarios. – 2 *m. pl.* Clase de celentéreos cnidarios, de cavidad gastrovascular sencilla, sin faringe, que comunica con el exterior directamente por la boca.

hidrozoo *adj.-m.* Cnidario de la clase de los hidrozoos. – 2 *m. pl.* Clase de cnidarios que incluye especies sólo con forma de pólipo, otras con forma de medusa y otras con ambas formas simultáneamente.

hiedra *f.* Planta araliácea, trepadora, de hojas coriáceas y lustrosas y flores en umbela *(Hedera helix).*

hiel *f.* Bilis. 2 fig. Amargura, aspereza, cólera. – 3 *f. pl.* Adversidades, disgustos.

hielo *m.* Agua solidificada por el frío. 2 Acción de helar o helarse. 3 fig. Frialdad.

hiemación *f.* Acción de pasar el invierno. 2 Propiedad que tienen algunas plantas de desarrollarse en invierno.

hiena *f.* Mamífero carnívoro, propio del Asia y el África, necrófago, nocturno, digitígrado *(gén. Hyœna).* 2 fig. Feroz o cobarde.

hierático, -ca *adj.* Relativo a las cosas sagradas o a los sacerdotes. 2 [escultura, pintura religiosa] Que reproduce formas tradicionales. 3 [estilo o ademán] Que tiene o afecta solemnidad extrema.

hierba *f.* Planta cuyo tallo, a diferencia del de los árboles y arbustos, no desarrolla tejido leñoso y sólo persiste hasta dar las flores y frutos. 2 Conjunto de muchas hierbas que nacen en un terreno. 3 En el lenguaje de la droga, marihuana. – 4 *f. pl.* Veneno a base de hierbas: *diole a beber unas hierbas.* 5 Pastos que hay en las dehesas para los ganados. 6 Hablando de los ganados que se crían en los pastos, años: *potro de tres hierbas.* – 7 *f. Amér. Merid.* p.

ant. Hierba mate. 8 *Amér. Merid.* Bebida que se hace de las hojas mates.

hierbabuena *f.* Planta labiada, herbácea, vivaz y aromática, que se emplea como condimento *(Mentha spicata).*

hierro *m.* Metal de color gris azulado, dúctil, maleable, muy tenaz, magnético y fácilmente oxidable, que formando diversos compuestos es abundantísimo en la naturaleza. Su símbolo es *Fe:* ~ *colado* o *fundido,* el que sale fundido de los altos hornos; ~ *dulce,* el libre de impurezas, que se trabaja con facilidad; ~ *forjado,* el que contiene escoria en forma de partículas alargadas lo que da un grano característico. 2 Varilla de acero que es armadura de las obras de hormigón armado. 3 Punta de hierro de un arma o de un instrumento: *el ~ de la lanza.* 4 fig. Arma o instrumento de hierro; como la pica, la reja del arado, etc. 5 Marca que con el hierro candente se ponía a esclavos y delincuentes, y hoy se pone a los ganados. – 6 *m. pl.* Prisiones de hierro; como cadenas, grillos, etc.

hifa *f.* Elemento filiforme del micelio de los hongos.

higa *f.* Dije en figura de puño, usado como amuleto. 2 Burla o desprecio.

higadilla, -llo *f. m.* Hígado de los animales pequeños, especialmente de las aves.

hígado *m.* Órgano glandular que segrega la bilis y realiza, además, importantes funciones metabólicas y antitóxicas; **digestivo (aparato);** **ave.** – 2 *m. pl.* fig. Ánimo, valentía: *tiene muchos hígados.* 3 fig. Falta de escrúpulos.

higiene *f.* Parte de la medicina que tiene por objeto la conservación de la salud. 2 Sistema de principios y reglas para conservar la salud. 3 Aplicación pública o privada de estos principios y reglas. 4 fig. Limpieza.

higienizar *tr.* Disponer o preparar [una cosa] conforme a las prescripciones de la higiene. ◇ ** CONJUG. [4] como *realizar.*

higo *m.* Segundo fruto que da la higuera. 2 ~ *chumbo, de pala* o *de tuna,* fruto del nopal o chumbera. 3 fig. *y* fam. Cosa que presenta mal aspecto por estar arrugada, etc.

higrología *f.* FÍS. Tratado acerca del agua, y, por extensión, sobre los demás líquidos.

higrometría *f.* Parte de la física que tiene por objeto la determinación de la humedad, especialmente la atmosférica.

higrómetro *m.* Instrumento para determinar el grado de humedad de la atmósfera.

higroscopio *m.* Instrumento poco preciso que indica la variación de la humedad del aire. 2 Juguete en que, mediante este instrumento, se mueve una figurilla o parte de ella para indicar lluvia o buen tiempo.

higrostato *m.* Aparato que produce humedad constante.

higuera *f.* Árbol moráceo frutal, de savia

láctea, hojas grandes y lobuladas e infrutescencias en siconos piriformes, llamados higos *(Ficus carica).*

higueruela *f.* Planta herbácea papilionácea, de flores azuladas en cabezuelas axilares *(Psoralea bituminosa).*

hijastro, -tra *m. f.* Respecto de uno de los cónyuges, hijo o hija que el otro ha tenido de un matrimonio anterior.

hijear *intr. Amér.* Ahijar, retoñar.

hijo, -ja *m. f.* Persona o animal, respecto de sus padres: ~ *legítimo,* el nacido de legítimo matrimonio; ~ *ilegítimo,* el nacido fuera de legítimo matrimonio; ~ *natural,* el nacido de padres solteros que podían casarse al tiempo de tenerle; ~ *bastardo,* hijo ilegítimo de padre conocido; ~ *político,* hijastro; yerno; *hija política,* hijastra; nuera. 2 fig. Persona respecto del país o población de que es natural: ~ *de Málaga.* 3 fig. Obra o reproducción del ingenio. 4 Expresión afectuosa, especialmente de protección: *sigue este consejo, ~ mío.* 5 vulg. ~ *de puta,* expresión de insulto; persona de mala intención. – 6 *m.* Lo que procede o sale de otra cosa por procreación. – 7 *m. pl.* Descendientes.

hijuela *f.* Cosa aneja o subordinada a otra principal. 2 Documento donde se reseñan los bienes que tocan en una partición a cada heredero. 3 Conjunto de los mismos bienes. 4 Tira de tela que se pone en una pieza de vestir para ensancharla. 5 Pequeño colchón que, puesto en la cama debajo de los otros, levanta el hoyo producido por el peso del cuerpo. 6 Pedazo de lienzo que cubre el cáliz para que no caiga dentro de él alguna cosa durante la misa. 7 Canal que conduce el agua desde una acequia al campo que se ha de regar. 8 Camino o vereda que se separa de otro principal. 9 Simiente de las palmas y palmitos. 10 Puntas de clavos que se hincan en los maderos para que se agarre mejor el yeso.

hijuelo *m.* Retoño. 2 Tablilla que con una ensambladura suple lo que falta a la tabla principal de un tablero.

I) hila *f.* Hilera, hilada. 2 Tripa delgada. 3 *A la ~,* uno tras otro.

II) hila *f.* Acción de hilar. – 2 *f. pl.* Hebras que se sacan de un lienzo usado y sirven para curar llagas y heridas.

hilacha *f.* Hilacho. 2 Porción insignificante de alguna cosa. 3 Resto, vestigio, residuo.

hilacho *m.* Pedazo de hilo que se desprende de una tela.

hilada *f.* Hilera (formación en línea). 2 Serie horizontal de ladrillos o piedras que se van poniendo en un edificio.

hiladillo *m.* Hilo que sale de la maraña de la seda. 2 Cinta estrecha de hilo o seda.

hilado *m.* Acción de hilar: *el ~ a máquina; hilados de* ***algodón.* 2 Efecto de hilar. 3 Porción de lino, cáñamo, seda, etc., reducida a hilo.

hilandería *f.* Arte de hilar. 2 Fábrica de hilados.

hilar *tr.* Reducir [una fibra textil] a hilo. 2 Sacar de sí sus hebras, los insectos, arañas, etc. 3 fig. Discurrir, trazar o inferir unas cosas de otras.

hilarante *adj.* Que mueve a risa: *escena ~.*

hilaridad *f.* Risa y algazara que excita lo que se ve o se oye.

hilatura *f.* Arte de hilar. 2 Industria y comercialización del hilado.

hilaza *f.* Hilado (porción). 2 Hilo que sale gordo y desigual. 3 Hilo basto con que se teje cualquier tela.

hilera *f.* Formación en línea de un número de personas o cosas. 2 Hilo o hilaza fina. 3 Aparato para reducir a alambre las barras metálicas. 4 Viga superior, horizontal y longitudinal, de la armadura de parhilera, que forma el vértice de la cubierta a dos aguas, en donde apoyan las cabezas de los pares.

hilo *m.* Cuerpo de forma capilar, muy delgado, flexible y de longitud indefinida, que se forma estirando y retorciendo porciones de cualquier materia textil. 2 Filamento de cualquier materia flexible: *al ~,* según la dirección de los hilos o fibras; *cortar la tela, la madera, al ~.* 3 Alambre delgado. 4 Cable transmisor. 5 Hebra que producen ciertos insectos y arácnidos. 6 Tejido de lino o cáñamo. 7 fig. Chorro delgado: ~ *de sangre.* 8 fig. Continuidad de un discurso y de algunas otras cosas: *seguir el ~ de la narración; cortar el ~ de la risa.* 9 ~ *musical,* sistema de transmisión del sonido, especialmente el musical, a través del hilo telefónico, y que requiere un receptor adecuado.

hilomorfismo *m.* Doctrina aristotélica según la cual los cuerpos se hallan constituidos por materia y forma; la materia es lo informe, la substancia rígida, mientras que la forma es la determinación de la materia.

hilozoísmo *m.* Doctrina metafísica, propia de la escuela jónica y estoica, que considera a la materia, no sólo como activa, sino como viviente, es decir, dotada de espontaneidad y de sensibilidad.

hilván *m.* Costura a punto largo con que se prepara lo que se ha de coser. 2 Dicho punto largo. 3 Hilo empleado para hilvanar.

hilvanar *tr.* Preparar el cosido [de las ropas] con hilvanes. 2 fig. Hacer [algo] con precipitación. 3 fig. Coordinar ideas o palabras, orientarlas.

himen *m.* Repliegue membranoso que reduce el orificio externo de la vagina.

himeneo *m.* lit. Casamiento.

himenogastral. *adj.-m.* Hongo del orden de los himenogastrales. 2 *m. pl.* Orden de hongos, dentro de la subclase homobasidiomicétidas, que permanecen cerrados y carecen de la típica forma de seta.

himenóptero, -ra *adj.* De alas membranosas. – 2 *adj.-m.* Insecto del orden de los himenópteros. – 3 *m. pl.* Orden de insectos pterigotas con la boca de tipo masticador, de metamorfosis complicada, con dos pares de alas membranosas de nerviación pobre, engarzadas como si fueran un solo par.

himno *m.* Composición poética o musical de alabanza, entusiasmo o adoración: ~ *a la Resurrección;* ~ *a la patria;* ~ *nacional.* 2 fig. Manifestación de entusiasmo: *los himnos de la fe.*

himpar *intr.* Gemir con hipo.

himplar *intr.* Rugir la onza o la pantera.

hincapié *m.* Acción de hincar el pie para hacer fuerza: *hacer* ~ *en una cosa,* fig., insistir con tesón en ella.

hincar *tr.* Introducir o clavar [una cosa en otra]: ~ *el diente en el brazo.* 2 Apoyar [una cosa en otra] con fuerza: ~ *el pie en una rama.* – 3 *prnl.* **Hincarse de rodillas,** doblarlas hasta el suelo. ◇ ** CONJUG. [1] como *sacar.*

hinco *m.* Palo o puntal que se clava en tierra.

hincón *m.* Poste hincado en las márgenes de los ríos para amarrar los barcos. 2 Mojón que se utiliza para señalar las lindes.

I) hincha *f.* fam. Odio, enemistad, animadversión, encono. 2 fam. Prevención, mala voluntad, ojeriza: *este tío me tiene* ~.

II) hincha *com.* fam. Partidario entusiasta de un equipo deportivo. 2 p. ext. *y* fig. Partidario de alguna persona destacada en alguna actividad.

hinchada *f.* Multitud de hinchas, partidarios de equipos deportivos o de personalidades destacadas.

hinchado, -da *adj.* fig. Vano, presumido. 2 fig. Hiperbólico y afectado: *estilo* ~.

hinchar *tr.* Hacer que [un cuerpo] se dilate llenándolo de aire, agua, etc.; en gral., aumentar su volumen: *el viento hinchaba el globo; la lluvia hinchó los ríos.* 2 fig. Exagerar [una noticia o un suceso]. – 3 *prnl.* Aumentar el volumen de una parte del cuerpo por una causa morbosa. 4 Comer con exceso. 5 fig. Envanecerse, ensoberbecerse: *hincharse con las alabanzas.* 6 fam. Conseguir dinero en abundancia.

hinchazón *f.* Efecto de hincharse. 2 fig. Vanidad, presunción. 3 fig. Vicio del estilo hinchado.

hindi *m.* Lengua oficial de la India, muy influenciada por el sánscrito, que emplea el alfabeto devanagari.

hindú *adj.-s.* Indio (de la India). – 2 *adj.* Relativo a este estado de Asia. 3 [indio] Que profesa el brahmanismo o el budismo, por oposición a los indios musulmanes. ◇ Pl.: *hindúes.*

hinduismo *m.* Brahmanismo o budismo de los hindúes, por oposición a la religión musulmana.

hinojo *m.* Planta umbelífera, aromática, de hojas muy divididas, que se emplea como condimento *(Fœniculum vulgare).*

hintero *m.* Mesa para heñir el pan.

hioides *m.* Hueso flotante situado debajo de la lengua y encima de la **laringe. ◇ Pl.: *hioides.*

hipálage *f.* Figura de construcción que consiste en trocar uno por otro dos casos dependientes de un verbo: *el público llenaba las ruidosas gradas.*

hipar *intr.* Dar hipos reiterados. 2 Resollar los perros cuando siguen la caza. 3 Fatigarse por el mucho esfuerzo. 4 Gimotear. 5 fig. Codiciar, ansiar: ~ *por salir de paseo.*

hipérbaton *m.* Figura de construcción o sintáctica que consiste en alterar el orden habitual de las palabras en el discurso: *Divina me puedes llamar Providencia* (J. de Mena).

hipérbola *f.* **Curva simétrica respecto de dos ejes perpendiculares entre sí, compuesta de dos ramas abiertas, dirigidas en opuesto sentido, que se aproximan indefinidamente a dos asíntotas.

hipérbole *f.* Figura que consiste en aumentar o disminuir exageradamente lo que se expresa.

hiperboloide *m.* Superficie cuyas secciones planas son elipses, círculos o hipérbolas, y se extienden indefinidamente en dos sentidos opuestos. 2 GEOM. **Sólido comprendido en un trozo de esta superficie.

hiperbóreo, -a *adj.* Muy septentrional. 2 Que vive en las regiones árticas o hiperbóreas.

hipercrítico, -ca *adj.* Propio del hipercrítico o de la hipercrítica. – 2 *m.* Censor inflexible; crítico que nada perdona. – 3 *f.* Crítica exagerada.

hipercromía *f.* Pigmentación excesiva de la piel.

hiperemia *f.* Superabundancia de sangre.

hiperespacio *m.* Espacio ficticio de más de tres dimensiones.

hiperestático, -ca *adj.* [cuerpo o sistema] Sometido a fuerzas cuyo cálculo no se puede realizar por los medios clásicos de la estática racional.

hiperestesia *f.* Sensibilidad excesiva y patológica.

hiperfunción *f.* Aumento de la función normal de un órgano.

hiperglucemia *f.* Aumento de la glucemia por encima de los valores normales.

hipericíneo, -a *adj.-f.* Planta de la familia de las hipericíneas. – 2 *f. pl.* Familia de plantas gutíferas que suelen tener jugo resinoso, con flores generalmente amarillas y frutos capsulares o abayados.

hipermercado *m.* Tienda de enormes dimensiones en la que la venta al público se hace por autoservicio, y que está dotada con amplias áreas para el aparcamiento de los vehículos de los clientes.

hipermetropía *f.* Ametropía ocasionada por rigidez o escasa convexidad de los medios refringentes del ojo, que, al proyectarse la imagen detrás de la retina, hace percibir confusos los objetos próximos y con mayor claridad los lejanos.

hipermnesia *f.* Sobreactividad morbosa de la memoria.

hipernutrición *f.* Trastorno de la esfera digestiva y de todo el organismo, ocasionado por un régimen alimenticio desmesurado.

hiperónimo *m.* Voz cuyo significado engloba al de otra u otras; como el de *animal* a *caballo.*

hiperrealismo *m.* Corriente artística basada en la reproducción fiel, casi fotográfica, en una obra, de la realidad.

hipersensible *adj.* [pers. o cosa] Que tiene mayor sensibilidad que la normal.

hipersomnia *f.* Tendencia exagerada al adormilamiento, con sueño profundo y prolongado con carácter involuntario y no controlable.

hipersonido *m.* Vibración mecánica de frecuencia superior a la supersónica.

hipertensión *f.* Tensión arterial superior a la normal.

hipertermia *f.* Estado de elevación anormal de la temperatura del cuerpo.

hipertrofia *f.* Desarrollo excesivo de un órgano. 2 p. ext. Proliferación excesiva de alguna cosa.

hipertrofiar *tr.-prnl.* Desarrollar excesivamente [un órgano]. ◇ ** CONJUG. [12] como *cambiar.*

hípetro, -tra *adj.* [edificio o parte de él] Que no tiene cubierta. 2 *f.* Sala del templo **egipcio que se abre tras los pilonos, descubierta en su parte central.

hipiatría *f.* Medicina y cirugía veterinarias, especialmente referidas al caballo.

hípico, -ca *adj.* Relativo al caballo, y especialmente a la equitación.

hipnofrenosis *f.* Conjunto de transtornos del sueño.

hipnología *f.* Disciplina que se ocupa del estudio del sueño y de los fenómenos con él relacionados.

hipnosis *f.* Estado especial del sistema nervioso parecido al sueño o al sonambulismo, en que se producen una serie de fenómenos característicos, el principal de los cuales es la sugestión. ◇ Pl.: *hipnosis.*

hipnótico, -ca *adj.* Relativo al sueño o a la hipnosis. – 2 *adj.-m.* Medicamento que produce sueño; somnífero.

hipnotismo *m.* Conjunto de las teorías y fenómenos relacionados con la hipnosis; esp., procedimiento para producirla.

hipnotizar *tr.* Producir la hipnosis [a algún hombre o animal]. 2 fig. Fascinar, asombrar [a alguien]. ◇ ** CONJUG. [4] como *realizar.*

hipo *m.* Serie de movimientos inspiratorios espasmódicos, acompañados de un ruido característico y debidos a una contracción súbita del diafragma. 2 fig. Deseo vehemente: *tener ~ por algo.* 3 fig. Odio, encono: *tener ~ contra alguien.*

hipocampo *m.* Pez teleósteo signatiforme, cuya cabeza recuerda la de un caballo (gén. *Hippocampus*). 2 Eminencia encefálica situada en la pared externa de los ventrículos laterales del cerebro.

hipocastanáceo, -a *adj.-f.* Planta de la familia de las hipocastanáceas. – 2 *f. pl.* Familia de plantas que incluye árboles o arbustos dicotiledóneos, con hojas compuestas palmeadas, flores en panojas cimosas y fruto capsular con semillas gruesas; como el castaño de Indias.

hipocentro *m.* Punto en el interior de la tierra de donde parten las ondas sísmicas.

hipocicloide *f.* Curvatura descrita por un punto de una circunferencia que rueda dentro de otra fija, conservándose ambas tangentes.

hipocondría *f.* Depresión morbosa del ánimo caracterizada por una preocupación obsesiva por la propia salud que lleva a la creencia errónea de padecer una enfermedad.

hipocondríaco, -ca *adj.* Relativo a la hipocondría. – 2 *adj.-s.* Que padece esta enfermedad.

hipocondrio *m.* Región del abdomen situada lateralmente respecto al epigastrio y debajo de las costillas falsas.

hipocorístico, -ca *adj.-s.* Nombre usado en forma diminutiva, abreviada o infantil, como apelativo cariñoso, familiar o eufemístico.

hipocrás *m.* Bebida hecha con vino, azúcar, canela y otros ingredientes.

hipocrático, -ca *adj.* Relativo a Hipócrates (¿460-377? a. C.) o a su doctrina.

hipocresía *f.* Fingimiento de cualidades o sentimientos y especialmente de virtudes religiosas.

hipócrita *adj.-s.* Que tiene hipocresía.

hipocromía *f.* Pigmentación deficiente de la piel.

hipodérmico, -ca *adj.* Que está o se pone debajo de la piel: *inyección hipodérmica.*

hipodermis *f.* Tejido celular subcutáneo. ◇ Pl.: *hipodermis.*

hipódromo *m.* Lugar destinado para carreras de caballos y carros.

hipófisis *f.* Glándula endocrina muy pequeña, situada en la parte anteroinferior del encéfalo. ◇ Pl.: *hipófisis.*

hipofunción *f.* Disminución de la función normal de un órgano.

hipogénico, -ca *adj.* Formado en lo interior de la Tierra: *roca hipogénica.*

hipogeo, -a *adj.* [planta u órgano] Que se desarrolla bajo el suelo. – 2 *m.* Sepulcro subterráneo de los antiguos. 3 Edificio subterráneo, en general.

hipoglucemia *f.* Disminución de la cantidad normal de azúcar contenida en la sangre.

hipología *f.* Parte de la veterinaria que estudia los caballos.

hipomorfo, -fa *adj.* [animal] Con aspecto de caballo.

hipomóvil *adj.* Movido por caballerías: *batería ~; tracción ~.*

hipónimo *m.* Voz cuyo significado está englobado en el de otra; como el de *caballo* en *animal.*

hipopótamo *m.* Mamífero artiodáctilo paquidermo, de piel casi desnuda, patas cortas y cabeza y boca enormes, que vive en los grandes ríos del África *(Hippopotamus amphibius).* 2 fig. Persona excesivamente alta y gruesa.

hiposcenio *m.* En el teatro antiguo, muro que sostenía la escena, encima de la orquesta. 2 Parte de la orquesta que quedaba ante esta pared.

hipostenia *f.* Pérdida de fuerzas.

hipostesia *f.* Disminución de la sensibilidad general, en especial la sensibilidad táctil.

hipóstilo, -la *adj.* Sostenido por columnas. – 2 *f.* Sala del templo **egipcio situada entre la sala hípetra y el santuario.

hipotálamo *m.* Región del encéfalo situada en la base cerebral, unida a la hipófisis, y en la que residen centros importantes de la vida vegetativa.

hipotaxis *f.* Subordinación de oraciones.

hipoteca *f.* Finca con que se garantiza el pago de un crédito. 2 Derecho real que recae sobre bienes inmuebles que permanecen en la posesión de su dueño, y que garantiza el cumplimiento de una obligación.

hipotecar *tr.* Gravar [bienes inmuebles] con hipoteca. 2 fig. Arriesgar, poner en peligro. ◇ ** CONJUG. [1] como *sacar.*

hipotecnia *f.* Ciencia que trata de la crianza y educación del caballo.

hipotensión *f.* Tensión excesivamente baja de la sangre en el aparato circulatorio.

hipotenusa *f.* Lado opuesto al ángulo recto en un **triángulo rectángulo.

hipotermia *f.* Estado habitual o episódico de descenso de la temperatura del cuerpo por debajo de los límites normales.

hipótesis *f.* Suposición imaginada, sin pruebas o con pruebas insuficientes, para deducir de ella ciertas conclusiones que están de acuerdo con los hechos reales.

hipotrofia *f.* Nutrición insuficiente de un órgano o del organismo.

hippie *adj.-m.* Perteneciente o relativo al movimiento contracultural juvenil de carácter pacifista de los años sesenta, que propugnaba la vida en comunas, la vuelta a la naturaleza y el gusto por la música pop, entre otras muchas actitudes. – 2 *com.* Miembro de dicho movimiento. ◇ Se pronuncia *jípi.*

hipsómetro *m.* Termómetro para medir la altura de un lugar, observando la temperatura a que allí empieza a hervir el agua.

hiracoideo *adj.-m.* Mamífero del orden de los hiracoideos. – 2 *m. pl.* Orden de mamíferos placentarios de pequeño tamaño y aspecto similar al de los roedores, que poseen cuatro dedos en las extremidades anteriores y tres en las posteriores, todos dotados de fuertes uñas; como el damán.

hiriente *adj.* Que hiere.

hirsuto, -ta *adj.* [pelo] Áspero y duro; que está cubierto de pelo de esta clase o de púas o espinas. 2 fig. [pers.] De carácter áspero.

hirudíneo *adj.-m.* Gusano de la clase de los hirudíneos. – 2 *m. pl.* Clase de gusanos anélidos desprovistos de quetas pero dotados de ventosas, una en posición anterior y otra posterior; como la sanguijuela.

hirviente *adj.* Que hierve.

hiscal *m.* Cuerda de esparto de tres ramales.

hisopear *tr.* Rociar o echar agua [sobre alguna cosa con el hisopo].

hisopo *m.* Mata labiada muy olorosa, que se ha empleado en medicina, perfumería y en la elaboración de ciertos licores *(Hissopus officinalis).* 2 Aspersorio para el agua bendita. 3 *And.* y *Amér.* Brocha, brochón, escobón para diferentes usos.

hispalense *adj.-s.* Sevillano.

hispánico, -ca *adj.* Español. 2 Relativo a los pueblos de origen español.

hispanidad *f.* Calidad de genuinamente español. 2 Conjunto de pueblos de lengua y cultura hispánica.

hispanismo *m.* Vocablo, giro o modo de expresión propio de la lengua española empleado en otro idioma.

hispanista *com.* Persona que se consagra a los estudios históricos y literarios hispánicos.

hispanizar *tr.* Españolizar. ◇ ** CONJUG. [4] como *realizar.*

hispano, -na *adj.-s.* Español. 2 Habitante de los Estados Unidos de América, de habla española.

hispanoamericanismo *m.* Doctrina que tiende a la unión espiritual de todos los pueblos hispanoamericanos.

hispanoamericano, -na *adj.-s.* De la América española. – 2 *adj.* Relativo a España y América: *las relaciones hispanoamericanas.*

hispanoárabe *adj.* Relativo al período de la dominación árabe en España.

hispanófilo, -la *adj.-s.* Extranjero aficionado al estudio de la lengua, cultura e historia de España. 2 Amigo de España, en general.

hispanófobo, -ba *adj.-s.* Que siente desafecto por España y los españoles.

hispanófono, -na *adj.-s.* Hispanohablante.

hispanohablante *adj.-s.* Persona que tiene como lengua materna el español. 2 [país, región] De lengua española.

híspido, -da *adj.* De pelo áspero; hirsuto, erizado.

hispir *tr.-intr.-prnl.* Esponjar, ahuecar [los colchones].

histamina *f.* Excitante de la fibra muscular lisa, que provoca descenso de la tensión arterial y activa la secreción.

histerismo *m.* Estado patológico en que la estabilidad emocional y refleja es exagerada, y se caracteriza por convulsiones, parálisis, sofocaciones, etc.

histogénesis *f.* Proceso del período embrionario en que se generan los tejidos. 2 Parte de la embriología que estudia los procesos de desarrollo de las células germinales. ◇ Pl.: *histogénesis.*

histograma *m.* Gráfico utilizado en la representación de distribuciones de frecuencias.

histología *f.* Ciencia que estudia la estructura de los tejidos animales y vegetales.

historia *f.* Exposición sistemática de los acontecimientos dignos de memoria, ya sean los públicos y políticos relativos a los pueblos, ya los que afectan a sus instituciones, ciencias, artes o a cualquiera de sus actividades: ~ *universal;* ~ *de España;* ~ *de la Iglesia, de la química, de la música, de la cultura.* 2 Obra histórica compuesta por un escritor: *la* ~ *de Tito Livio.* 3 Acontecimientos que constituyen la materia de la historia: *es muy entendido en la* ~. 4 Narración verídica de acontecimientos de carácter privado relativos a personas o cosas: *cuéntame tu* ~; *he aquí la* ~ *de este negocio.* 5 fig. Narración inventada: ~ *de Aladino.* 6 fig. Chisme, enredo: *no me vengas con historias.* 7 PINT. Representación de asunto histórico o fabuloso. 8 ~ *natural,* conjunto de las ciencias que estudian los seres de la naturaleza: animales, vegetales y minerales.

historiado, -da *adj.* fig. Recargado de adornos o colores mal combinados.

historiador, -ra *m. f.* Especialista en historia.

historial *m.* Reseña circunstanciada de los antecedentes de un negocio, o de los servicios o la carrera de un funcionario.

historiar *tr.* Contar o escribir la historia [de alguna persona o de algún hecho]. 2 Determinar [las circunstancias de un suceso o un hecho de la vida de alguien]. 3 PINT. Representar [un suceso histórico o fabuloso]. 4

Amér. fam. Complicar, confundir, enmarañar. ◇ ** CONJUG. [13] como *desviar.*

historicidad *f.* Veracidad histórica.

historicismo *m.* Tendencia intelectual a reducir la realidad humana a su historicidad o condición histórica.

histórico, -ca *adj.* Relativo a la historia. 2 Averiguado, cierto. 3 Digno, por la trascendencia que se le atribuye, de figurar en la historia.

historieta *f.* Relación breve, cuento, anécdota. 2 Serie o secuencia de viñetas o representaciones gráficas de finalidad narrativa.

historiografía *f.* Arte de escribir la historia. 2 Conjunto de libros que tratan de historia: ~ *musulmana.*

historiógrafo, -fa *m. f.* Historiador. 2 Cronista.

histrión *m.* Actor teatral. 2 desp. El que tiende a conducirse de una manera teatral.

histrionismo *m.* Oficio de histrión. 2 Conjunto de personas dedicadas a este oficio. 3 desp. Aparatosidad, teatralidad en los gestos, lenguaje, etc.

hita *f.* Clavo pequeño sin cabeza.

hitar *tr.* Amojonar, poner hitos.

hitita *adj.-s.* De un pueblo o grupo de pueblos de origen indeterminado, que en el segundo milenio a. C. conquistó Asia Menor y Siria. – 2 *m.* Lenguaje de los hititas.

hitleriano *adj.* Relativo al gobierno de Hitler (1889-1945). – 2 *adj.-s.* Partidario de las ideas de este político.

I) hito *m.* Poste de piedra u otra señal clavada en el suelo, que señala el límite de una propiedad, término, etc.; de una distancia itineraria, los kilómetros de una carretera, etc. 2 Juego que consiste en tirar herrones o tejos a un clavo fijado en tierra. 3 fig. Punto a que se dirige la puntería para acertar el tiro. 4 fig. Hecho que por su importancia marca pautas en la vida de alguien o en el desarrollo de algo.

II) hito, -ta *adj.* [caballo] Negro sin mezcla de otro color.

hitón *m.* Clavo grande, cuadrado y sin cabeza.

hobby *m.* Distracción predilecta, pasatiempo favorito. ◇ Se pronuncia *jobi.*

hocicar *tr.* Hozar. – 2 *intr.* Dar con los hocicos en, alguna parte: ~ *con, contra* o *en, alguna cosa.* 3 fig. Tropezar con un obstáculo o dificultad insuperable. ◇ ** CONJUG. [1] como *sacar.*

hocico *m.* Parte de la cabeza de algunos animales, en que están la boca y las narices. 2 Boca de una persona de labios abultados. 3 desp. Cara (parte de la cabeza). 4 desp. Gesto de enojo o desagrado: *poner* ~.

hocicón, -cona *adj.* [pers.] Que tiene jeta (boca saliente). 2 [animal] De mucho hocico.

I) hocino *m.* Especie de hoz para cortar leña o para transplantar.

II) hocino *m.* Terreno que dejan las que-
bradas de las montañas cerca de los ríos. 2
Angostura de un río entre dos montañas.
hockey *m.* Juego entre dos equipos que consiste en tratar de introducir la bola en la portería contraria, impulsándola con un stick: ~
sobre hierba; ~ *sobre* ***patines;* ~ *sobre hielo.* ◇
Se pronuncia *joquei.*
hodierno, -na *adj.* Relativo al día de hoy
o al tiempo presente.
hogaño *adv. t.* En este año, y por extensión,
en esta época, en oposición a *antaño.*
hogar *m.* Sitio donde se enciende lumbre:
~ *de la cocina, de la* ***chimenea, de la máquina*

de vapor. 2 Hoguera. 3 fig. Casa o domicilio.
4 fig. Vida de familia.
hogareño, -ña *adj.* Amante del hogar y de
la vida de familia.
hogaza *f.* Pan grande; ***panadería.* 2 Pan
hecho con salvado o harina mal cernida.
hoguera *f.* Porción de materias combustibles que arden con llama.
**hoja *f.* BOT. Órgano laminar, generalmente
verde, que nace de la cubierta externa del
**tallo y las ramas de los vegetales; por su
inserción, la hoja puede ser: *envainadora,* la
que tiene vaina; *estipulada,* la que tiene estípulas; *peciolada,* la que tiene pecíolo; *perfo-*

HOJA

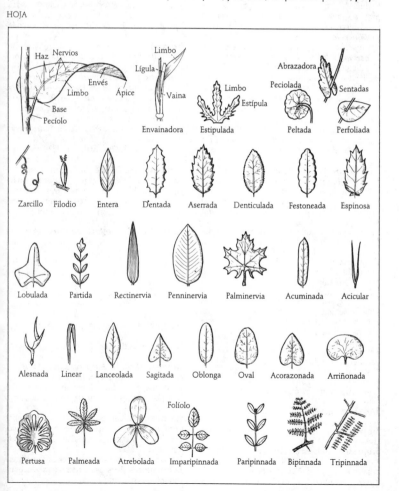

liada o *abrazadora,* según que la base de su limbo rodee todo o una parte del tallo; *peltada,* la que tiene el pecíolo inserto en su centro; *sentada,* la que carece de piececillo; por su borde, puede ser: *entera,* la de borde continuo; *dentada,* aquella cuyo borde forma ángulos salientes agudos y entrantes redondeados; *aserrada,* si todos estos ángulos son agudos; *denticulada,* la de dientes muy finos; *festoneada,* la de borde en forma de festón; *espinosa,* la de dientes terminados en espina; *lobulada,* la dividida en lóbulos; *partida,* la dividida por hendiduras que llegan hasta la mitad de la distancia entre el borde de la lámina y el nervio medio, pero sin alcanzar éste; por sus nervios, puede ser: *rectinervia,* la de nervios rectos y sensiblemente paralelos; *penninervia,* aquella en que los nervios secundarios salen de los lados del principal; *palminervia,* aquella en que los nervios irradian al salir del pecíolo; por su forma, puede ser: *acuminada, acicular, alesnada, linear, lanceolada, sagitada, oblonga, oval, acorazonada, arriñonada* y *pertusa,* la que presenta agujeros en el limbo; cuando consta de un solo limbo se llama *simple.* Cuando el pecíolo se ramifica antes de internarse en el limbo, la hoja se llama *compuesta,* que puede ser: *palmeada* o *palmado-compuesta,* aquella en que los folíolos se insertan en el extremo de un pecíolo común; *atrebolada,* la que sólo tiene tres folíolos; *pinnaticompuesta,* aquella en que los folíolos se insertan a ambos lados del pecíolo; *imparipinnada,* la pinnaticompuesta en que el pecíolo termina en folíolo; *paripinnada,* aquella en que se da el caso contrario; *bipinnada,* aquella en que el pecíolo soporta peciolillos, a su vez ramificados; *tripinnada,* aquella en que los peciolillos soportan otros de tercer orden. 2 Pétalo. 3 Lámina delgada de cualquier material: ∼ *de papel;* ∼ *de metal,* esp., la cuchilla de ciertas **armas o herramientas; ∼ *de afeitar.* 4 En las **puertas, ventanas, etc., parte que, junto a otra u otras iguales, se abre y cierra. 5 Porción de una tierra labrantía o dehesa que se siembra o pasta un año y se deja descansar otro. 6 ∼ *de ruta,* documento en que constan las mercancías que contienen los bultos cargados en un tren, camión u otro medio de transporte, sus puntos de destino, etc. 7 ∼ *de servicios,* documento en que constan los antecedentes personales y profesionales de un funcionario público.

hojalata *f.* Lámina de acero o hierro, estañada por ambas caras.

hojaldrar *tr.* Dar [a la masa] forma de hojaldre.

hojaldre *amb.* Masa amasada con manteca que, cocida al horno, hace hojas delgadas superpuestas. ◇ En la actualidad predomina el uso masculino.

hojarasca *f.* Conjunto de hojas caídas de los árboles. 2 Frondosidad excesiva e inútil de algunos árboles. 3 fig. Cosa inútil: *tus promesas son* ∼.

hojear *tr.* Pasar ligeramente las hojas [de un libro] o leer por encima algunos pasajes [de él]. – 2 *intr.* Tener hojas un metal. 3 Moverse las hojas de los árboles. 4 *Amér.* Echar hojas un árbol.

hojoso, -sa *adj.* Que tiene muchas hojas. 2 De estructura en forma de hojas o láminas.

hojuela *f.* Fruta de sartén, extendida y delgada. 2 Hollejo o cascarilla que queda de la aceituna molida.

¡hola! Interjección con que se denota extrañeza o se saluda de modo familiar. 2 *Amér.* ¡Diga!, especialmente al responder por teléfono.

holanda *f.* Lienzo muy fino. 2 Aguardiente obtenido por destilación directa de vinos puros y sanos.

holandés, -desa *adj.-s.* De Holanda, nación del noroeste de Europa. – 2 *adj.-m.* Idioma holandés. – 3 *adj.-f.* **A la** ∼, encuadernación en que las tapas están forradas de papel, y de piel o tela el lomo y las puntas. – 4 *f.* Hoja de papel de escritor, de tamaño menor que el folio.

holandeta, holandilla *f.* Lienzo usado para forros.

holding *m.* Forma de organización de empresas, según la cual una compañía financiera se hace con la mayoría de las acciones de otras empresas, y éstas reciben a su vez acciones de la primera, siendo controladas por ella. ◇ Se pronuncia *jóldin.*

holgado, -da *adj.* Desocupado, ocioso. 2 Ancho: *vestido* ∼. 3 fig. Que, sin ser rico, vive con bienestar.

holgar *intr.* Descansar, tomar aliento después de una fatiga. 2 Estar ocioso, no trabajar; p. ext., se aplica a las cosas inanimadas. – 3 *intr.-prnl.* Alegrarse de una cosa: ∼ *con,* o *de, las noticias.* – 4 *prnl.* Divertirse, entretenerse. ◇ ** CONJUG. [52] como *colgar.*

holgazán, -zana *adj.-s.* Persona vagabunda y ociosa.

holgazanear *intr.* Estar voluntariamente ocioso.

holgazanería *f.* Aversión al trabajo.

holgorio *m.* Regocijo, fiesta bulliciosa.

holgura *f.* Anchura. 2 Desahogo, bienestar. 3 Espacio vacío que queda entre dos piezas que han de encajar.

holocausto *m.* Sacrificio, especialmente entre los judíos, en que se quemaba completamente la víctima. 2 fig. Sacrificio, ofrenda generosa.

holocéfalo *adj.-m.* Pez del orden de los holocéfalos. – 2 *m. pl.* Orden de peces elasmobranquios; como la quimera.

holoceno *adj.-m.* Período geológico superior de la era cuaternaria, y terreno a él correspondiente. – 2 *adj.* Perteneciente o relativo a dicho período.

holodonto, -ta *adj.* [animal] Que presenta completa la dentición característica del grupo taxonómico al que pertenece.

holoedro *m.* Cristal que tiene el máximo número posible de caras de una notación dada.

holografía *f.* Proceso fotográfico que, mediante el empleo de las posibilidades físicas del rayo láser, consigue la reproducción espacial, y aparentemente tridimensional, de objetos.

holograma *m.* Imagen reproducida por medio de la holografía.

holómetro *m.* Instrumento que sirve para tomar la altura angular de un punto sobre el horizonte.

holostérico *adj.* Enteramente sólido.

holoturia *f.* Equinodermo de la clase de los holoturoideos, de aspecto vermiforme, bentónico, y que se alimenta de restos orgánicos (gén. *Holothuria; Cumaria*).

holoturoideo *adj.-m.* Equinodermo de la clase de los holoturoideos. – 2 *m. pl.* Clase de equinodermos eleuterozoos desprovistos de caparazón y de forma alargada.

holladero, -ra *adj.* [parte de camino] Por donde ordinariamente se transita.

hollar *tr.* Pisar [algo] con los pies: ~ *el suelo con la planta.* 2 Comprimir [algo] con los pies. 3 fig. Abatir, humillar: *no se deja* ~ *de nadie.* ◇ ** CONJUG. [31] como *contar*.

hollejo *m.* Pellejo de algunas frutas y legumbres: ~ *de la uva.*

hollín *m.* Substancia crasa y negra depositada por el humo: *el* ~ *de la chimenea.* 2 Negro de humo.

hombrada *f.* Acción propia de un hombre generoso o valiente.

hombre *m.* Individuo de la especie humana. 2 Ser animado racional clasificado desde el punto de vista zoológico como animal mamífero del orden de los primates, suborden de los antropoides, que se distingue de los demás por tener pies y manos bien diferenciados, éstas con el pulgar oponible a los otros dedos, posición vertical y erguida, cara pequeña, cráneo voluminoso, gran desarrollo mental y facultad de hablar. Todos los hombres forman un solo género, *Homo*, y una sola especie, *Homo sapiens*. 3 Varón (del sexo masculino): ~ *y mujer.* 4 El que ha llegado a la edad viril: *cuando el niño llegue a* ~. 5 El hombre considerado desde el punto de vista moral, es decir, en cuanto tiene tal o cual cualidad, condición, profesión, etc.: ~ *de bien, de honor, de corazón;* ~ *de letras,* literato; ~ *de mundo,* el que tiene experiencia en el trato social; ~ *de palabra,*

persona que cumple sus compromisos; ~ *de pro* o *de provecho,* el de bien o el que es sabio y útil al público; ~ *orquesta,* músico que toca simultáneamente varios instrumentos; ~ *rana,* submarinista.

¡hombre! Interjección con que se denota asombro.

I) hombrear *intr.* Echárselas de hombre. – 2 *intr.-prnl.* fig. Querer igualarse con otros en calidad o prendas: *hombrearse con los mayores.*

II) hombrear *intr.* Hacer fuerza con los hombros para sostener o empujar alguna cosa.

hombrera *f.* Pieza de la **armadura que cubre y defiende los hombros. 2 Adorno de los vestidos en la parte correspondiente a los hombros.

hombría *f.* Conjunto de cualidades morales que ensalzan a un hombre.

hombro *m.* Parte superior y lateral del tronco, de donde nace el brazo; **cuerpo humano.

hombruno, -na *adj.* Que se parece al hombre o parece propio de hombre: *voz hombruna.*

homenaje *m.* Juramento solemne de fidelidad hecho a un rey o señor. 2 Sumisión, veneración, respeto hacia una persona. 3 Acto público en honor de una o varias personas. 4 Don, favor, merced, obsequio.

homenajear *tr.* Tributar un homenaje [a alguien].

homeopatía *f.* Sistema curativo que administra dosis mínimas de substancias que, en mayor cantidad, determinarían una afección análoga a la que se combate.

homeopático, -ca *adj.* Relativo a la homeopatía. 2 fig. De tamaño o en cantidad muy diminutos.

homeóstasis, homeostasis *f.* Conjunto de fenómenos de autorregulación, conducentes al mantenimiento de una relativa constancia en la composición y las propiedades del medio interno de un organismo.

homeotermo, -ma *adj.-s.* Organismo que mantiene constante la temperatura corporal, con independencia de las variaciones de la temperatura ambiental.

homérico, -ca *adj.* Relativo a Homero (s. IX a. C.). 2 Parecido a cualquiera de las dotes o cualidades de este poeta.

homicida *adj.-com.* [pers.] Que ocasiona la muerte de una persona.

homicidio *m.* Muerte causada a una persona por otra, especialmente la ejecutada ilegítimamente y con violencia.

homilía *f.* Plática destinada a explicar al pueblo las materias de religión.

homínido *adj.-m.* Primate de la familia homínidos. – 2 *m. pl.* Familia de primates catarrinos adaptados al bipedismo y con gran desarrollo cerebral que les ha permitido una gran inteligencia. A esta familia sólo pertenece una especie: el hombre.

homo *m.* Género de primates, de la familia de los homínidos, que comprende especies con una capacidad craneana superior a 750 cc.

homobasidiomicétidas *f. pl.* Subclase de hongos, dentro de la clase basidiomicetes, al que pertenecen la mayoría de conocidos y cuyo cuerpo fructífero recibe el nombre vulgar de seta.

homocentro *m.* Centro común a dos o más circunferencias.

homocerca *adj.* [aleta caudal] De dos lóbulos iguales y sin prolongación alguna de la columna vertebral.

homodonto, -ta *adj.* [animal] Sin especialización dentaria, con un solo tipo de dientes.

homófono, -na *adj.* [palabra] Que con distinta significación se pronuncia de igual modo que otra: *atajo* y *hatajo; solar* nombre, *solar* adjetivo y *solar* verbo.

homogeneizar *tr.* Transformar en homogéneo [un compuesto de elementos diversos]. ◇ ✶✶ CONJUG. [4] como *realizar.*

homogéneo, -a *adj.* Relativo a un mismo género. 2 Formado por elementos de igual naturaleza. 3 fig. Muy junto o espeso.

homógrafo, -fa *adj.-s.* Voz homónima cuando se escribe de igual manera que otra: *haya* árbol y *haya* del verbo haber.

homologar *tr.* Registrar y confirmar un organismo autorizado el resultado de una prueba deportiva realizada con arreglo a ciertas normas. 2 Hacer pruebas respecto a la calidad de un producto para comprobar si se ajusta a determinadas normas. 3 Equiparar, poner en relación de igualdad o semejanza dos cosas. ◇ ✶✶ CONJUG. [7] como *llegar.*

homólogo, -ga *adj.* [elemento, órgano, término, etc.] Que en dos o más figuras, organismos, conjuntos, etc., se corresponde con otros por su posición relativa, función, estructura, etc.: *los lados,* o *ángulos, homólogos de dos* ✶✶*polígonos semejantes.* – 2 *m. f.* p. ext. Persona o conjunto de personas que tienen una función o actividad análogas a otras pertenecientes a un organismo, región o país diferentes.

homónimo, -ma *adj.-s.* Que llevan el mismo nombre; como la ciudad de *Tarifa* y la *tarifa* de precios. 2 Aplicado a persona, tocayo.

homopétalo, -la *adj.* [flor] Cuyos pétalos son todos iguales entre sí.

homóptero *adj.-m.* Insecto del suborden de los homópteros. – 2 *m. pl.* Suborden de insectos hemípteros cuyas alas anteriores son de textura uniforme y casi siempre membranosa; como el pulgón y la cigarra.

homosexual *adj.-s.* Sodomita. – 2 *adj.* Perteneciente o relativo a la homosexualidad.

homosexualidad *f.* Inclinación manifiesta u oculta hacia la relación erótica con individuos del mismo sexo. 2 Práctica de dicha relación.

homosfera *f.* Capa inferior de la atmósfera caracterizada por la constancia de su composición química.

honda *f.* Tira de una materia flexible, especialmente cuero, para tirar piedras con violencia.

hondear *tr.* Reconocer el fondo [de un puerto, de un embalse etc.] con la sonda. 2 Sacar carga [de una embarcación]. – 3 *intr.* Disparar la honda.

hondo, -da *adj.* Que tiene profundidad. 2 fig. Profundo, alto o recóndito. 3 fig. [sentimiento] Intenso, extremado; referido a un estilo del canto andaluz, se dice y escribe *cante jondo.* – 4 *m.* Fondo (parte inferior).

hondón *m.* Fondo (parte inferior). 2 Lugar rodeado de terrenos más altos. 3 Parte del estribo donde se apoya el pie. 4 Ojo de la aguja.

hondonada *f.* Espacio de terreno hondo.

hondura *f.* Profundidad de una cosa.

hondureñismo *m.* Vocablo, giro o modo de expresión propio de los hondureños.

hondureño, -ña *adj.-s.* De Honduras, nación de América central.

honestidad *f.* Decencia, decoro. 2 Recato, pudor.

honesto, -ta *adj.* Decente o decoroso. 2 Recatado, pudoroso. 3 Honrado. 4 Razonable, justo: *un interés ~.*

hongo *m.* Organismo del reino de los hongos. 2 Aparato esporífero de los hongos superiores que sobresale del suelo en el momento de la reproducción y es comestible en algunas especies y venenoso en otras. 3 PAT. Excrecencia fofa que crece en las úlceras o heridas e impide la cicatrización de las mismas. – 4 *m. pl.* Grupo taxonómico con categoría de reino que comprende especies sin clorofila, que viven sobre materias orgánicas en descomposición o parásitas de vegetales o animales.

honor *m.* Virtud, probidad: *hombre de ~.* 2 Cosa por la que alguien se siente enaltecido. 3 Gloria o buena reputación: *el ~ de un nombre; el ~ de una mujer.* 4 Celebridad de una cosa. 5 Dignidad, cargo, empleo: *pretende los más altos honores.* – 6 *m. pl.* Derecho a llevar el título de un cargo sin desempeñarlo ni cobrar los gajes: *tener honores de capitán general.* 7 Ceremonial o agasajo que se tributa a una persona bien por cortesía, bien por deberse a su dignidad, cargo, etc.: *hacía los honores la dueña de la casa; le rindió honores una compañía de infantería.*

honorabilidad *f.* Cualidad de honorable; dignidad, honradez.

honorable *adj.* Digno de ser honrado.

honorario, -ria *adj.* Que sirve para honrar. 2 Que sólo tiene los honores de un empleo: *presidente* ~. – 3 *m. pl.* Sueldo o gajes en las profesiones liberales: *los honorarios de un médico.*

honoris causa *loc. lat.* Por razón o causa de honor: *doctor* ~.

honra *f.* Estima y respeto de la dignidad propia. 2 Honor (honestidad). 3 Buena reputación. 4 Demostración de aprecio. – 5 *f. pl.* Exequias, funerales.

honradez *f.* Cualidad de honrado.

honrado, -da *adj.* Que procede con rectitud e integridad: *un comerciante* ~. 2 Conforme con estas virtudes: *un negocio* ~.

honrar *tr.* Respetar [a una persona]. 2 Enaltecer o premiar [el mérito, la memoria, etc., de uno]. 3 Dar honor o celebridad. – 4 *prnl.* Tener a honra ser o hacer alguna cosa: *honrarse con la amistad de alguno; honrarse de complacer a un amigo.* ◇ La acepción 3 se usa especialmente en fórmulas de cortesía en que se enaltece como honor la asistencia, adhesión, etc., de otra u otras personas: *hoy nos honra con su presencia.*

honrilla *f.* Vergüenza que nos impulsa a hacer o dejar de hacer alguna cosa por el qué dirán: *por la negra* ~.

honroso, -sa *adj.* Que da honra: *comportamiento* ~. 2 Decoroso, decente: *una posición honrosa.*

hontanar *m.* Sitio en que nacen fuentes o manantiales.

hopalanda *f.* Túnica larga con mangas o sin ellas que se llevaba sobre el vestido. 2 Falda grande y pomposa, especialmente la que vestían los estudiantes.

hoparse *prnl.* Irse, huir, escapar.

hopear *intr.* Menear la cola, especialmente la zorra cuando la siguen. 2 fig. Corretear de casa en casa.

hoplita *m.* Soldado griego que llevaba armas pesadas.

hopo *m.* Copete o mechón de pelo. 2 Cola que tiene mucho pelo; como la de la zorra, la oveja.

¡hopo! Interjección ¡Largo de aquí! ¡Afuera!

hora *f.* Vigésima cuarta parte del día solar medio: *aguardar una* ~. 2 Momento determinado del día, especialmente aquel en que se hace u ocurre algo: *¿qué* ~ *es?;* **llegarle a uno la** ~ o **su última** ~, morir; **la** ~ **suprema,** la de la muerte; ~ **punta,** aquella en que se produce mayor aglomeración en los transportes urbanos, por coincidir con la entrada o salida del trabajo, o la de mayor consumo diario en ciertas industrias, como la producción eléctrica y el abastecimiento de aguas. 3 ASTRON. Parte que, junto a otras 23 iguales y equivalente a 15 grados, forma la línea equinoccial. – 4 *f. pl.* Libro que contiene el oficio de Nuestra Señora y otras devociones.

horadar *tr.* Agujerear [una cosa] de parte a parte.

horado *m.* Agujero que atraviesa de parte a parte una cosa. 2 p. ext. Caverna.

horario, -ria *adj.* Relativo a las horas. – 2 *m.* Saetilla que en los **relojes señala las horas. 3 Cuadro indicador de las horas en que deben ejecutarse determinados actos: ~ *escolar;* ~ *de ferrocarriles.* 4 Distribución o reglamentación de las horas de trabajo o jornada laboral.

horca *f.* Aparato formado por una barra horizontal sostenida por otras verticales, de la que cuelga una cuerda para ahorcar a los condenados. 2 Palo rematado en dos o más púas para hacinar las mieses, levantar la paja y otros usos agrícolas. 3 Conjunto de dos ristras de ajos o cebollas atadas por un extremo. 4 Palo rematado en dos puntas para sostener las ramas o el tronco de árboles o arbustos. 5 Palo con dos puntas, y otro que atravesaba, entre los cuales metían antiguamente el pescuezo del condenado. Hoy se usa este instrumento para sujetar por el pescuezo a los cerdos y perros.

horcadura *f.* Parte del tronco de los árboles, donde nacen las ramas. 2 Ángulo que formaban dos ramas que salen del mismo punto.

horcajadas (a ~) *loc. adv.* Echando cada pierna por su lado: *montar a ~ un caballo.*

horcajadura *f.* Ángulo que forman los dos muslos o piernas en su nacimiento.

horcajo *m.* Horca de madera que se pone al pescuezo de las mulas para trabajar. 2 Confluencia de dos ríos o arroyos. 3 Punto de unión de dos montañas o cerros. 4 Horquilla que forma la viga del molino de aceite en el extremo en que se cuelga el peso.

horcate *m.* Arreo en forma de herradura, que se pone al pescuezo de las caballerías.

horcón *m.* Horca (usos agrícolas). 2 MAR. Ultima cuaderna del casco en la proa de una embarcación. 3 *Amér.* Madero vertical que en las casas rústicas sirve a modo de columna, para sostener las vigas.

horchata *f.* Bebida de almendras, chufas o pepitas de sandía, etc., machacadas con agua y azúcar.

horda *f.* SOCIOL. Comunidad nómada que se distingue de la tribu por el carácter rudimentario de los vínculos sociales y espirituales que unen a los grupos familiares que la integran. 2 fig. y desp. Grupo de gente armada que no pertenece a un ejército regular. 3 p. ext. y fig. Grupo de gente que vive y actúa sin disciplina ni moderación.

horizontal *adj.* Que está en el horizonte o paralelo a él.

horizonte *m.* Línea que limita la parte de superficie terrestre visible desde un punto; **astronomía. 2 Parte de superficie terrestre limitada por esta línea. 3 fig. Límite, esfera, extensión de una cosa. – 4 *m. pl.* fig. Conjunto de posibilidades y perspectivas que se ofrecen en un asunto o materia.

horma *f.* Molde con que se fabrica o forma una cosa: ~ *del calzado.* 2 fig. *Hallar uno la* ~ *de su zapato,* encontrar lo que le acomoda; esp., cuando uno recibe el escarmiento o castigo que merece. 3 Pared de piedra seca.

hormiga *f.* Insecto himenóptero que abre, bajo tierra y en el tronco de los árboles, galerías donde vive formando colonias de machos, hembras y obreras: ~ *roja,* la que se alimenta de insectos perjudiciales a los que mata con el ácido fórmico segregado por el abdomen; la obrera es de color rojo, y el macho negro *(Formica rufa).* 2 ~ *león,* insecto planipenne, superficialmente parecido a la libélula, diferenciable por sus robustas antenas claviformes, cuya larva se alimenta de hormigas *(Mymeleon formicarius).* 3 Enfermedad cutánea que causa comezón.

hormigo *m.* Ceniza cernida que se mezclaba con el azogue para beneficiarlo. 2 Gachas, por lo común de harina de maíz. – 3 *m. pl.* Postre de pan rallado, almendras machacadas y miel. 4 Granillos de sémola que quedan al cernerla.

hormigón *m.* Material de construcción formado por una mezcla de piedras menudas y argamasa: ~ *armado,* el reforzado interiormente por una armadura de barras de hierro o acero.

II) hormigón *m.* Enfermedad del ganado vacuno. 2 Enfermedad de algunas plantas, causada por un insecto que roe raíces y tallos.

hormigonera *f.* Aparato para confeccionar hormigón.

hormiguear *intr.* Experimentar en alguna parte del cuerpo una sensación semejante a la que producirían las hormigas corriendo por ella. 2 fig. Bullir, ponerse en movimiento: *la multitud hormiguea en el mercado.* 3 fig. Abundar. 4 Hacer hormigueros en la tierra para abonarla.

hormigueo *m.* fig. Desazón física o moral.

hormiguera *f.* Mariposa diurna diminuta, que se distingue de otras especies afines por el dibujo de puntos negros del reverso de sus alas *(Maculinea alcon).*

hormiguero *m.* Sitio donde se crían y recluyen las hormigas. 2 Conjunto de hormigas que habitan en un mismo nido. 3 fig. Sitio en que hay mucha gente puesta en movimiento. 4 Montoncito de hierbas inútiles cubierto de tierra que se quema y esparce sobre el terreno para que sirva de abono.

hormiguilla *f.* Cosquilleo, picazón o prurito. 2 fig. y fam. Remordimiento.

hormiguillo *m.* Enfermedad que padecen las caballerías en el casco. 2 Línea de obreros que se pasan de mano en mano los materiales de una obra. 3 Cosquilleo, picazón. 4 *Amér.*

Movimiento que producen las reacciones entre el mineral y los ingredientes incorporados para el beneficio por amalgamación.

hormiguita *f.* fam. Persona trabajadora y que ahorra cuanto puede.

hormilla *f.* Disco de madera o hueso que forrado forma un botón.

hormona *f.* Substancia segregada por las glándulas endocrinas, que estimula o regula la actividad de otros órganos.

hornacina *f.* Hueco o nicho en forma de arco practicado en un muro para colocar en él una imagen, estatua, etc.

hornacho *m.* Excavación hecha en las montañas para extraer minerales o tierra.

hornachuela *f.* Especie de covacha o choza.

hornada *f.* Lo que se cuece de una vez en un horno. 2 fig. Conjunto de individuos que pertenecen a la misma promoción: ~ *de oficiales.*

hornaguear *tr.* Cavar [la tierra] para sacar hornaguera. – 2 *prnl.* Moverse un cuerpo a un lado y otro.

hornaguera *f.* Carbón de piedra.

hornaguero, -ra *adj.* Flojo, holgado, espacioso. 2 Que contiene hornaguera: *terreno ~.*

hornaza *f.* Horno pequeño de los plateros y fundidores de metales. 2 Color amarillo claro que usan los alfareros para vidriar.

hornblenda *f.* Mineral que cristaliza en el sistema monoclínico, de color verde obscuro.

hornear *intr.* Ejercer el oficio de hornero. – 2 *tr.* Meter [una cosa] en el horno para asarla, cocerla o dorarla.

hornilla *f.* Hueco hecho en los hogares con una rejuela horizontal para sostener la lumbre y un respiradero inferior para dar entrada al aire. 2 Hueco en la pared del palomar para que aniden las palomas.

hornillo *m.* Horno manual de barro refractario o metal.

horno *m.* Obra de fábrica o aparato que consiste esencialmente en un espacio cerrado en el que se consigue una temperatura elevada por medio de algún combustible: ~ *eléctrico,* el que funciona mediante energía eléctrica; **panadería; *alto* ~, el de cuba muy prolongada que se emplea en la metalurgia del hierro; ~ *crematorio,* el usado para incinerar generalmente los cadáveres; ~ *de reverbero* o *de tostadillo,* el cubierto por una bóveda en un hogar independiente. 2 p. ext. Tahona, establecimiento donde se cuece y vende el pan. 3 Montón de leña, piedras o ladrillos para la carbonización. 4 Aparato para trabajar y transformar con ayuda del calor las substancias minerales. 5 Aparato electrodoméstico, incorporado o no a la cocina, para asar, calentar o dorar los alimentos: ~ *de microondas,* el que utiliza un magnetrón, que genera ondas

615   **hostelería**

electromagnéticas de alta frecuencia, las cuales calientan uniformemente un cuerpo en todo su volumen. 6 Sitio o concavidad en que crían las abejas, fuera de las colmenas. 7 Sitio donde hace mucho calor.

horón *m.* Serón grande y redondo.

horóscopo *m.* Observación que los astrólogos hacían del estado del cielo al tiempo del nacimiento de una persona, por el cual pretendían adivinar los sucesos de su vida. 2 p. ext. Adivinación.

horqueta *f.* Horca (agricultura). 2 Parte donde forman ángulo agudo un tronco y una rama. 3 *Amér.* División de un camino en dos.

horquilla *f.* Horca (palo); **jardinería. 2 Enfermedad que hiende las puntas de los pelos, y poco a poco los va consumiendo. 3 Alfiler doblado por en medio, que se emplea para sujetar el pelo. 4 Pieza de un mecanismo que tiene forma de horca y sirve para sujetar a otra: ~ de la **bicicleta.

horrendo, -da *adj.* Que causa horror.

hórreo *m.* Granero, troj. 2 Edificio de madera levantado sobre pilares, característico del noroeste de la península, donde se utiliza como granero.

horrible *adj.* Horrendo.

horripilación *f.* Acción de erizarse los cabellos.

horripilador, -ra *adj.-m.* Pequeño músculo situado en el espesor de la piel, al lado de cada pelo.

horripilar *tr.* Causar horripilación [a alguno]: *el aire frío nos horripilaba.* 2 fig. Causar horror: *es un suceso que horripila.*

horro, -rra *adj.* [esclavo] Que alcanza la libertad. 2 Libre, desembarazado. 3 [cabeza de ganado] Que se concede a los pastores, mantenida a costa de sus dueños. 4 [oveja, vaca, yegua, etc.] Que no queda preñada. 5 [tabaco malo] Que arde con dificultad. 6 fig. Carente de alguna cosa.

horror *m.* Sentimiento de repulsión causado por algo terrible o repugnante: *daba ~ el verle tan desfigurado; ~ a la mentira,* antipatía. 3 Temor, 3 Cosa horrible. 4 Cosa que disgusta o enoja. 5 Dicho o hecho repulsivo o soez: *cometió toda clase de horrores.* 6 fig. y fam. Gran cantidad: *tiene un ~ de libros.*

horrorizar *tr.* Causar horror [a alguno]. – 2 *prnl.* Experimentarlo uno mismo. ◇ ** CONJUG. [4] como *realizar.*

horroroso, -sa *adj.* Que causa horror. 2 fam. Muy feo. 3 fam. Muy malo, pésimo: *fue un viaje ~.* 4 fam. Muy grande.

hortaliza *f.* Planta comestible que se cultiva en las huertas.

hortelano, -na *adj.* Relativo a huertas. – 2 *m. f.* Persona que tiene por oficio cuidar y cultivar huertas. – 3 *m.* Ave paseriforme de varios centímetros de longitud, con plumaje

gris verdoso en la cabeza, pecho y espalda, y de color ceniciento en las partes inferiores *(Emberiza hortulana).*

hortense *adj.* Relativo a las huertas.

hortensia *f.* Arbusto saxifragáceo de jardín, de flores en inflorescencias globulosas blancas, rosadas o azuladas *(Hydraagea hortensia).* 2 Flor de esta planta.

hortera *f.* Escudilla o cazuela de palo. – 2 *com.* Persona de clase modesta que pretende aparentar más de lo que realmente es, especialmente con su forma de vestir. – 3 *adj.-s.* Chabacano, vulgar, de mal gusto.

hortícola *adj.* Hortelano (de huertas): *productos hortícolas.*

horticultura *f.* Cultivo de los huertos. 2 Parte de la agricultura que trata de este cultivo.

hortofruticultura *f.* Cultivo de hortalizas y frutas.

hosco, -ca *adj.* [color] Moreno muy obscuro. 2 fig. Ceñudo, áspero e intratable. 3 [tiempo, lugar, ambiente] Poco acogedor, desagradable, amenazador, etc.

hospedador, -ra *adj.-s.* Vegetal o animal en cuyo cuerpo se aloja un parásito.

hospedaje *m.* Alojamiento y asistencia que se da a una persona. 2 Cantidad que se cobra por ello.

hospedar *tr.-prnl.* Recibir uno huéspedes en su casa y darles alojamiento o alojarse uno: *hospedarse en la fonda.*

hospedería *f.* Habitación reservada para los huéspedes en las comunidades. 2 Casa destinada al alojamiento de visitantes o viandantes. 3 Hospedaje (alojamiento).

hospicio *m.* Casa destinada para albergar peregrinos y pobres. 2 Asilo en que se da mantenimiento y educación a niños pobres o huérfanos.

hospital *m.* Establecimiento en que se curan enfermos. 2 Casa para recoger pobres y peregrinos por tiempo ilimitado.

hospitalario, -ria *adj.* Que socorre y alberga a los extranjeros y necesitados: *nación hospitalaria; casa hospitalaria; orden religiosa hospitalaria.*

hospitalidad *f.* Liberalidad que consiste en acoger y prestar asistencia a los necesitados. 2 Buen recibimiento que se hace a los visitantes. 3 Estancia de los enfermos en el hospital.

hospitalizar *tr.* Enviar a un hospital [a un enfermo] o recibirlo en él. ◇ ** CONJUG. [4] como *realizar.*

hostal *m.* Establecimiento de hostelería de similar categoría que la pensión, que facilita alojamiento y comidas.

hostelería *f.* Conjunto de hosteleros. 2 Conjunto de servicios prestados por empresas y establecimientos dedicados de modo profesional y habitual al alojamiento y alimentación de personas mediante el pago de un precio establecido.

hostelero, -ra *m. f.* Persona que tiene a su cargo una hostería. – 2 *adj.* Relativo a la hostelería.

hostería *f.* Hostal.

hostia *f.* Lo que se ofrece a Dios en sacrificio. 2 Oblea blanca que el sacerdote consagra y ofrece en el sacrificio de la misa. 3 vulg. Golpe, tortazo.

hostiario *m.* Caja para guardar hostias no consagradas. 2 Molde en que se hacen.

hostigar *tr.* Azotar, dar latigazos: ~ *al caballo.* 2 fig. Perseguir, molestar. 3 MIL. Hostilizar, molestar [al enemigo] con ataques de poca importancia. 4 *Amér.* Empalagar. ◇ ** CONJUG. [7] como *llegar.*

hostigo *m.* Parte de la pared o muralla, expuesta al daño de los vientos recios y lluvias. 2 Golpe de viento o de agua, que hiere y maltrata la pared.

hostil *adj.* Contrario o enemigo.

hostilizar *tr.* Molestar, acometer [a los enemigos]. 2 Atacar, agredir, molestar [a alguien], aun levemente, pero con insistencia. ◇ ** CONJUG. [4] como *realizar.*

hotel *m.* Establecimiento de hostelería que ocupa total o parcialmente un edificio con uso exclusivo de sus servicios, que facilita alojamiento y comidas, y dispone al menos de un diez por ciento de habitaciones individuales. 2 Casa aislada de las colindantes y habitada por una sola familia.

hotelero, -ra *adj.* Propio del hotel o relativo a él. – 2 *m. f.* Persona que administra un hotel.

hotentote, -ta *adj.-s.* De una raza sudafricana negroide y dolicocéfala. – 2 *m.* Lengua hablada por los hotentotes.

hovercraft *m.* Vehículo que se desplaza sobre la superficie del agua sustentado por una capa de aire a presión.

hoy *adv. t.* En el día presente: ~ *cumplo veinte años; de* ~ *a mañana,* muy pronto. 2 En el tiempo presente: ~ *se gasta mucho más que antaño.*

hoya *f.* Hoyo grande en la tierra. 2 Llano extenso entre montañas. 3 *Amér.* Cuenca de un río. 4 *Amér.* Concavidad en la garganta de ciertos animales.

hoyada *f.* Terreno bajo que no se descubre hasta estar cerca de él.

hoyanca *f.* Fosa común de los cementerios.

hoyo *m.* Concavidad en la tierra. 2 Concavidad de algunas superficies: *los hoyos de las viruelas.*

hoyuela *f.* Hoyo en la parte inferior de la garganta donde comienza el pecho.

hoyuelo *m.* Hoyo en el centro de la barba y en las mejillas de algunas personas. 2 Juego de muchachos, en que, tiradas a distancia, se procura meter monedas o bolitas en un hoyo.

I) hoz *f.* Instrumento para segar, de hoja corva y cortante, con dientes o con filo por la parte cóncava, enastada a un mango de madera.

II) hoz *f.* Angostura de un valle, o de un río que corre entre dos sierras.

hozar *tr.* Levantar el cerdo o el jabalí [la tierra] con el hocico. ◇ ** CONJUG. [4] como *realizar.*

huairo *m.* Árbol indígena del Perú, de flores hermosas (gén. *Erythrina).*

huairuro *m.* Fruto del huairo.

hubara *f.* Ave gruiforme zancuda de 60 cms. de longitud, de color ocre con un moño de plumas blancas y negras que cuelgan a los lados del cuello (*Chlamydotis undulata).*

hucha *f.* Alcancía (vasija). 2 Dinero que se ahorra y guarda: *José tiene buena* ~.

huchear *intr.* Gritar, dar grita. 2 Lanzar los perros en la cacería dando voces.

huebra *f.* Yugada. 2 Par de mulas y mozo que se alquila para un día. 3 Barbecho.

hueca *f.* Muesca espiral que se hace al huso para que trabe en él la hebra que se va hilando.

hueco, -ca *adj.-s.* Cóncavo o vacío. – 2 *adj.* Mullido y esponjoso: *tierra, lana hueca.* 3 fig. Presumido, vano. 4 fig. Afectado, que expresa conceptos vanos o triviales: *estilo, lenguaje* ~. 5 Retumbante y profundo: *voz hueca.* – 6 *m.* Intervalo de tiempo o lugar. 7 fig. Empleo o puesto vacante.

huecograbado *m.* Procedimiento de fotograbado, en cilindros de cobre adaptables a las máquinas rotativas. 2 Grabado obtenido por este procedimiento.

huecorrelieve *m.* Tipo de relieve en el que el motivo escultórico está por debajo del nivel de la superficie de fondo.

huélfago *m.* Enfermedad de los animales que se manifiesta con respiración fatigosa.

huelga *f.* Tiempo en que uno no está sin trabajar. 2 Cesación en el trabajo de los obreros hecha de común acuerdo con el fin de imponer ciertas condiciones a los patronos: ~ *de celo,* forma de protesta laboral consistente en aplicar los trabajadores las disposiciones reglamentarias, interpretándolas literalmente y aplicándolas con suma lentitud, para que descienda el rendimiento y se retrasen los servicios; ~ *de hambre,* abstinencia total de alimentos que se impone a sí misma una persona como protesta pública, mostrando de este modo su decisión de morirse si no consigue lo que pretende. 3 Tiempo que media sin labrarse la tierra.

huelgo *m.* Aliento, resuello. 2 Holgura. 3 Hueco entre dos piezas que deben encajar.

huelguista *com.* Persona que toma parte en una huelga (cesación).

huelveño, -ña *adj.-s.* De Huelva.

huella *f.* Señal que deja el pie en la tierra

que pisa. 2 Señal, vestigio en general: ~ *de fractura en un cerrojo;* ~ **digital** o **dactilar,** marca dejada por la yema de los dedos de las manos en los objetos. 3 Impresión profunda o duradera: *sus palabras dejaron* ~ *en nosotros.*

huello *m.* Terreno que se pisa: *esta senda tiene buen* ~. 2 Hablando de los caballos, acción de pisar. 3 Superficie o parte inferior del casco del animal, con herradura o sin ella.

huérfano, -na *adj.-s.* Persona de menor edad que pierde a su padre y madre o a alguno de los dos. – 2 *adj.* fig. Falto de amparo.

huero, -ra *adj.* fig. Vano, vacío y sin substancia.

huerta *f.* Terreno destinado al cultivo de árboles frutales, y especialmente hortalizas. 2 En algunas partes, toda la tierra de regadío.

huertano, -na *adj.-s.* [pers.] De algunas comarcas de regadío, como la huerta de Murcia.

huerto *m.* Lugar de corta extensión en que se plantan verduras, legumbres y especialmente árboles frutales.

huesecillo *m.* Hueso pequeño. 2 *m. pl.* Estructuras óseas del interior del **oído medio.

huesillo *m. Amér. Merid.* Durazno secado al sol.

huesista *com. Amér. Central.* Empleado del Estado.

hueso *m.* Pieza dura y resistente, formada por substancia orgánica y sales minerales, y envuelta por una membrana fibrosa, que, con otras muchas, constituye el esqueleto de la mayoría de los vertebrados: ~ **grande, tercer hueso de la segunda fila del carpo; **mano. 2 Endocarpio leñoso de las drupas, con la semilla que contiene: ~ *de melocotón.* 3 Parte de la piedra de cal que no se ha cocido y que sale cerniéndola. 4 fig. Cosa difícil, trabajosa o desagradable: *esta lección es un* ~. 5 fig. Persona de carácter desagradable o de trato difícil. 6 fig. y fam. Lo inútil, de poco precio y mala calidad. 7 fig. Profesor que suspende mucho. 8 *Amér. Central.* Destino, empleo oficial.

huésped, -da *m. f.* Persona alojada en casa ajena: ~ *de su tío;* ~ *en su casa.* 2 Persona alojada en un hotel, fonda, etc.

hueste *f.* Ejército en campaña: *las huestes de Napoleón.* 2 fig. Conjunto de secuaces.

huesudo, -da *adj.* Que tiene mucho hueso.

hueva *f.* Masa que forman los huevecillos de ciertos pescados en una bolsa oval.

huevar *intr.* Comenzar las aves a tener huevos.

huevero, -ra *m. f.* Persona que trata en huevos. – 2 *f.* Utensilio en forma de copa pequeña, en que se come el huevo pasado por agua. 3 Utensilio metálico, de cartón, de plástico, etc., para guardar o llevar huevos. 4 Oviducto de las aves donde se forma la clara y la cáscara de los huevos.

huevo *m.* Célula germinal femenina madura de un animal metazoo; **ave; **anfibios. 2 Huevo de la gallina: **huevos hilados,** composición de huevos y azúcar que forma hilos o hebras. 3 Pedazo de madera que usan los zapateros para amoldar en él la suela. 4 vulg. Testículo.

huevón, -vona *adj.* Tranquilo, cachazudo, indolente.

hugonote, -ta *adj.-s.* Calvinista francés; esp., el miembro del movimiento organizado desde 1559.

huida *f.* Ensanche que se deja en mechinales y otros agujeros. 2 Acción de apartarse el caballo, súbita y violentamente, de la dirección en que lo lleva el jinete. 3 fig. Subterfugio, pretexto.

huidero *adj.* Huidizo, fugaz. – 2 *m.* Lugar adonde huyen las reses o piezas de caza.

huidizo, -za *adj.* Que huye fácilmente.

HUESO

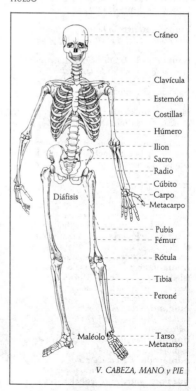

Cráneo
Clavícula
Esternón
Costillas
Húmero
Ilion
Sacro
Radio
Cúbito
Carpo
Metacarpo
Pubis
Fémur
Rótula
Tibia
Peroné
Diáfisis
Maléolo
Tarso
Metatarso

V. CABEZA, MANO y PIE

huillón, -llona *adj. Amér.* Que huye, huidizo.

huipil *m. Amér. Central y Méj.* Camisa de mujer.

huir *intr.-prnl.* Alejarse rápidamente para evitar un daño o peligro: *~ al desierto.* 2 Escaparse, fugarse. – 3 *intr.* fig. Alejarse velozmente: *la nave huye del puerto; huyen los años; huye la vida.* – 4 *intr.-tr.* fig. Apartarse de una cosa mala o perjudicial, evitarla: *~ del pecado; huye el puerto fatal; huye el pecado.* ◇ ** CONJUG. [62].

huisachar *intr. Amér. Central.* Pleitear, litigar.

hule *m.* Tela pintada al óleo y barnizada, para hacerla impermeable. 2 fam. Mesa de operaciones. 3 *Amér. Central y Méj.* Caucho (árbol). – 4 *m. pl. Amér. Central.* Ligas de goma elástica.

hulear *intr. Amér. Central y Méj.* Extraer hule de las plantas.

hulería *f. Amér.* Establecimiento de explotación de hule en la industria rural.

hulla *f.* Carbón fósil que tiene entre un 75 y un 90 por ciento de carbono, y se conglutina al arder.

humanamente *adv. m.* Con humanidad: *fue tratado ~.* 2 Según las fuerzas humanas: *ser algo ~ imposible.*

humanidad *f.* Condición de ser humano: *la ~ y la divinidad de Jesucristo.* 2 Género humano: *un bienhechor de la ~.* 3 Benignidad, benevolencia, compasión: *tratar con ~ a los prisioneros.* – 4 *f. pl.* Las letras clásicas consideradas como instrumento de formación; estudio de las mismas. 5 p. ext. Las letras humanas.

humanismo *m.* Cultivo de las humanidades. 2 Movimiento intelectual desarrollado en Europa durante los siglos XIV y XV que pretendía descubrir al hombre y dar un sentido racional a la vida tomando como maestros a los clásicos griegos y latinos.

humanista *adj.* Perteneciente o relativo al humanismo. – 2 *com.* Persona instruida en humanidades. 3 Partidario del humanismo.

humanitario, -ria *adj.* Que se interesa por el bien de la humanidad: *filósofo ~; doctrinas humanitarias.* 2 Benigno, caritativo.

humanizar *tr.* Hacer más humano. 2 Hacer [algo] más acogedor. – 3 *prnl.* Ablandarse, desenojarse, hacerse benigno. ◇ ** CONJUG. [4] como *realizar.*

humano, -na *adj.* Relativo al hombre: *el linaje ~; la inteligencia humana.* 2 fig. Compasivo, generoso.

humanoide *m.* Ser con ciertos rasgos de hombre.

humareda *f.* Abundancia de humo.

humazo *m.* Humo denso y copioso.

humear *intr.-prnl.* Exhalar, echar de sí humo. 2 Arrojar una cosa vaho que se parece al humo: *~ la sangre.* – 3 *tr. Amér.* Fumigar.

humectador *m.* Aparato que se emplea para humedecer la atmósfera de un espacio cerrado.

humedad *f.* Calidad de húmedo. 2 Agua de que está impregnado un cuerpo. 3 Cantidad relativa de vapor de agua que contiene el aire atmosférico.

humedecer *tr.-prnl.* Producir o causar humedad: *~ el pan con,* o *en, agua.* ◇ ** CONJUG. [43] como *agradecer.*

húmedo, -da *adj.* Que participa de la naturaleza del agua. 2 Ligeramente impregnado de algún líquido. 3 [aire] Cargado de vapor de agua. 4 [región, clima, país] Que tiene un alto índice de pluviosidad y el aire cargado de humedad.

humeral *adj.* Relativo al húmero: *arteria ~; vena ~;* **circulación.* – 2 *adj.-m.* Paño blanco que se pone el sacerdote sobre los hombros para coger la custodia o el copón.

húmero *m.* **Hueso del brazo entre el hombro y el codo.

humero *m.* Cañón de chimenea.

humícola *adj.* ZOOL. Que vive en terreno vegetal o humus.

humidificador *m.* Aparato que contiene agua y hace que ésta se evapore para aumentar el grado de humedad relativa en algún lugar.

humildad *f.* Ausencia completa de orgullo 2 Sumisión voluntaria. 3 Condición inferior especialmente la social: *la ~ de su cuna, de su trabajo, de sus méritos.*

humilde *adj.* Que tiene humildad: *mostrarse ~; carácter, súplica, cuna ~.*

humillante *adj.* Que humilla. 2 Degradante, depresivo.

humillar *tr.* Bajar, inclinar [la cabeza, el cuerpo, etc.] en señal de acatamiento. 2 fig Abatir el orgullo o altivez [de uno]. – 3 *prnl.* Hacer actos de humildad: *humillarse a una persona; humillarse ante Dios.* 4 Bajar el toro la cabeza.

I) humita *f.* Silicato que cristaliza en el sistema rómbico, y se presenta en cristales redondeados de color blanquecino, castaño o amarillo, con brillo vítreo.

II) humita *f. Amér.* Manjar compuesto de maíz rallado y algunas especias, que, envuelto en las hojas de la mazorca, se cuece en agua o se asa en el rescoldo.

humo *m.* Producto gaseoso de la combustión de materias orgánicas que la presencia de pequeñas partículas de carbón hace visible. 2 Vapor que exhala algo que fermenta. 3 Substancia con apariencia de humo. 4 *Echar ~,* estar muy enfadado, enojado. – 5 *m. pl* Hogares o casas. 6 fig. Vanidad, altivez: *subirse los humos.*

humor *m.* Líquido del cuerpo del animal o de la planta: ~ **ácueo** o **acuoso,** líquido que se halla en el globo del ojo delante del cristalino; ~ **vítreo,** masa gelatinosa que se halla en el globo del **ojo entre el cristalino y la retina. 2 fig. Genio, índole, disposición del ánimo, especialmente cuando se manifiesta exteriormente: *estar de buen,* o *mal,* ~. 3 fig. Buen humor. 4 fig. Facultad del humorista. 5 ~ **negro,** humorismo que se ejerce a propósito de cosas que suscitarían, contempladas desde otra perspectiva, piedad, terror, lástima y emociones parecidas.

humorada *f.* Dicho o hecho festivo, extravagante.

humorado, -da *adj.* Que tiene humores: *bien* o *mal* ~, que tiene buen o mal humor.

humoralismo *m.* Doctrina médica según la cual la alteración orgánica fundamental de la enfermedad consiste en un desorden de los humores.

humorismo *m.* Manera de enjuiciar, afrontar y comentar las situaciones con cierto distanciamiento ingenioso, burlón y, aunque sea en apariencia, ligero.

humorista *adj.* [pers.] Que se expresa o manifiesta con humorismo. – 2 *adj.-com.* Autor en cuyos escritos predomina el humorismo.

humoso, -sa *adj.* Que despide abundante humo.

humus *m.* Mantillo (parte del suelo).

hundimiento *m.* Acción de hundir o hundirse. 2 Efecto de hundir o hundirse. 3 Variedad de fractura en que el fragmento óseo fracturado queda completamente separado y a diferente nivel del resto del hueso.

hundir *tr.-prnl.* Sumir, meter en lo hondo [alguna cosa]: ~ *en el cieno.* 2 fig. Abrumar, abatir. 3 Confundir [a uno], vencerle con razones. 4 Destruir, arruinar. 5 *prnl.* Arruinarse un edificio, sumergirse una cosa: *hundirse en el agua.* 6 fig. Desaparecer una cosa sin que se sepa cómo. 7 Trastornarse, desordenarse a causa de alborotos o disensiones: *la asamblea se hunde.*

húngaro, -ra *adj.-s.* De Hungría, nación de Europa. – 2 *m.* Magiar (idioma).

huno, -na *adj.-s.* Pueblo bárbaro asiático que en el s. V, con Atila, asoló Europa.

huracán *m.* Viento muy impetuoso que gira a modo de torbellino. 2 Viento muy fuerte. 3 fig. Persona muy impetuosa.

huraño, -ña *adj.* Que huye de las gentes.

hurgar *tr.* Menear o remover [una cosa], especialmente en los dedos, con un palo, un punzón, etc. 2 fig. Incitar, conmover. 3 fig. Fisgar en asuntos de otros. ◇ ** CONJUG. [7] como *llegar.*

hurguillas *com.* Persona bullidora y apremiante.

hurí *f.* Mujer de gran belleza que, según el Corán, acompaña a los creyentes en el paraíso islámico.

hurón *m.* Mamífero carnívoro mustélido, pequeño, de cuerpo largo y flexible, que se emplea en la caza de los conejos *(Putorius furo).* 2 Mamífero americano parecido al europeo *(Galictis vittata).* 3 fig. Persona que se mete por todo, que todo lo averigua. 4 fig. Persona huraña.

huronear *tr.* Cazar con hurón. 2 fig. Procurar saber y escudriñar cuanto pasa.

huronera *f.* Madriguera del hurón. 2 fig. Guarida, asilo.

¡hurra! Interjección con que se denota alegría o entusiasmo.

hurta *f.* Pez marino teleósteo perciforme, con el cuerpo oval, de hasta 1 cm. de longitud, de color rosa vinoso punteado de azul *(Sparus caeruleostictus).*

hurtadillas (a ~) *loc. adv.* Furtivamente, sin que nadie lo note.

hurtar *tr.* Robar a escondidas sin intimidación ni violencia. 2 No dar el peso o medida cabal. 3 fig. Entrarse el mar o los ríos en las tierras y llevárselas. 4 fig. Servirse de dichos o escritos ajenos como si fuesen propios. 5 fig. Desviar, apartar: ~ *el cuerpo.*

hurto *m.* Acción de hurtar. 2 Cosa hurtada.

húsar *m.* Soldado de caballería ligera vestido a la húngara.

I) husillo *m.* Tornillo de las prensas y máquinas análogas.

II) husillo *m.* Canal de desagüe.

husita *adj.-com.* Partidario de la herejía de Juan Huss (1369-1415). Precursora del protestantismo, considera la Iglesia como la reunión de los predestinados, combate la jerarquía eclesiástica e insiste sobre el valor de la Escritura como única fuente de doctrina.

husmear *tr.* Rastrear con el olfato. 2 fig. Andar indagando con disimulo.

huso *m.* Instrumento para torcer y arrollar, en el hilado a mano, el hilo que se va formando. 2 Pieza de hierro que sirve en ciertas máquinas de hilar para colocar en ella los carretes o bobinas en que se arrolla el hilo fabricado. 3 Instrumento para devanar la seda. 4 Cilindro de un torno. 5 Molusco gasterópodo marino, provisto de una concha de pequeño tamaño arrollada en forma de cono y de color rojo pardusco *(Fusus rostratu).*

huta *f.* Choza en donde se esconden los monteros para echar los perros a la caza.

¡huy! Interjección con que se denota dolor físico agudo, melindre, o asombro pueril. ◇ Suele usarse repetida.

huyuyo, -ya *adj. Amér.* fam. Huraño, arisco, montaraz.

¡huyuyuy! Interjección con que se denota admiración.

I

I, i *f.* Décima letra del alfabeto español que representa gráficamente a la vocal alta o cerrada y anterior o palatal. 2 *I*, cifra romana equivalente a uno.

iatrogenia *f.* PAT. Producción de efectos nocivos debidos a la actuación médica.

ibérico, -ca, -rio, -ria *adj.* Ibero.

iberismo *m.* Forma o fenómeno lingüístico con que las lenguas ibéricas contribuyeron a la formación del castellano.

ibero, -ra, íbero, -ra *adj.-s.* De la Iberia europea, antiguo nombre de España. – 2 *m.* Lengua hablada por los antiguos iberos.

iberoamericano, -na *adj.-s.* Perteneciente o relativo a los países de América colonizados por España y Portugal. 2 [pers.] Perteneciente o relativo a estos países y a España y Portugal.

íbice *m.* Cabra montés.

ibídem *adv.* De allí mismo, o en el mismo lugar. ◇ Se emplea especialmente en índices, citas, etc.

ibis *f.* Ave ciconiforme de pico largo y encorvado en la punta, plumaje blanco, excepto en la cabeza, cola y extremidad de las dos alas, donde es negro, que se alimenta de moluscos fluviales *(Threskiornis; Oetiopica).* ◇ Pl.: *ibis.*

ícaro *f.* Mariposa diurna de pequeño tamaño, azul celeste el macho, y parda la hembra *(Polyommatus icarus).*

iceberg *m.* Témpano o gran masa flotante de hielo en los mares polares. ◇ Pl.: *icebergs.*

icefield *m.* ANGLIC. Vasta extensión de hielo en las regiones polares.

iceria *f.* Insecto homóptero muy perjudicial debido a los estragos que hace en los cultivos de agrios *(Icerya purchas).*

icneumón *m.* Mangosta. 2 Insecto himenóptero cuyas larvas son parásitos de las larvas de otros insectos *(Ichneumon Panzeri).*

icnografía *f.* Delineación de la planta de un edificio.

iconicidad *f.* Grado de semejanza del signo con su referente.

icono *m.* Imagen religiosa, venerada entre los orientales, pintada en tablilla de madera o plancha metálica; **bizantino. 2 Signo en que hay una relación de semejanza con lo representado: *el rojo es ~ de la sangre.*

iconoclasta *adj.-com.* Hereje que niega el culto debido a las sagradas imágenes, especialmente de una secta bizantina. – 2 *adj.* Perteneciente o relativo a este movimiento o a su doctrina. 3 p. ext. Que no respeta los valores tradicionales en cualquier actividad humana: *poesía ~; filósofo ~.*

iconografía *f.* Descripción de imágenes, retablos, estatuas o monumentos, especialmente los antiguos. 2 Tratado descriptivo o colección de imágenes o retratos.

iconolatría *f.* Adoración de las imágenes.

iconología *f.* Representación de las virtudes, vicios y otras cosas morales o naturales, con la figura o apariencia de personas. 2 Ciencia que estudia las imágenes, emblemas, alegorías y monumentos con que los artistas han representado a los personajes mitológicos, religiosos o históricos.

iconomanía *f.* Pasión exagerada por las obras de escultura y de pintura.

iconoscopio *m.* Tubo electrónico para someter a barrido las imágenes en las cámaras de televisión.

iconostasio *m.* Biombo con puerta colocado delante del altar en las iglesias griegas, que se cierra para ocultar al sacerdote durante la consagración; **bizantino.

icosaedro *m.* GEOM. **Sólido de veinte caras.

icoságono, -na *adj.-m.* Polígono de veinte ángulos.

ictericia *f.* Enfermedad caracterizada por la coloración amarilla de la piel y de los ojos, debida a un exceso de pigmento biliar en la sangre como resultado de ciertos trastornos hepáticos.

ictíneo, -a *adj.* Semejante a un pez. – 2 *m.* Buque submarino.

ictiófago, -ga *adj.-s.* Que se mantiene de peces.

ictiofauna *f.* Conjunto de los peces de un mar, un lago o un río.

ictiografía *f.* Parte de la zoología que trata de la descripción de los peces.

ictiología *f.* Parte de la zoología que trata de los peces.

ictionimia *f.* LING. Estudio del origen y significación de los nombres de los peces.

ictiosauro *m.* Reptil fósil marino, gigantesco, de cráneo alargado, cuerpo pisciforme y miembros en forma de aleta, que vivió en la era secundaria.

ictiosis *f.* Enfermedad cutánea hereditaria, caracterizada por una descamación incesante de la epidermis. ◇ Pl.: *ictiosis.*

ictus *m.* En la versificación, apoyo rítmico sobre una sílaba larga o acentuada. ◇ Pl.: *ictus.*

ida *f.* Acción de ir de un lugar a otro. 2 fig. Ímpetu o acción inconsiderada e impensada.

idea *f.* En la filosofía platónica, realidad independiente y anterior a las cosas sensibles, de las cuales constituye los ejemplares eternos, inmutables y universales. 2 En la filosofía moderna, todo objeto de pensamiento en tanto que pensado. 3 Concepto, considerado no en sentido lógico, sino como fenómeno mental en un espíritu determinado; esp., representación mental de una cosa real o imaginaria: *ley de la asociación de las ideas; ~ innata; hombre de ideas claras.* 4 Noción elemental de una cosa, opinión formada de una persona o cosa: *no tener ~ del asunto; tener buena ~ de uno.* 5 Concepción en el espíritu de una cosa por realizar; plan, proyecto; intención de hacer una cosa: *formar la ~ de un discurso; explicar su ~; llevar ~ de robar el cuadro.* 6 Parte principal, substancial de una doctrina, razonamiento, etc.: *ardiente defensor de las ideas revolucionarias.* 7 Ingenio para disponer, para inventar: *ser hombre de ~.* – 8 *f. pl.* Convicciones, creencias, opiniones.

ideación *f.* Formación y enlace de las ideas en la mente.

ideal *adj.* Que constituye una idea, un prototipo perfecto que es excelente en su línea: *mujer de belleza ~.* 2 Que no tiene existencia física, sino sólo en la imaginación o en el pensamiento: *los sólidos geométricos son ideales.* 3 [cosa] A que se aspira por considerarlo el mayor bien. – 4 *m.* Prototipo, modelo o ejemplar de perfección.

idealismo *m.* Doctrina epistemológica y ontológica que niega realidad al objeto del conocimiento, es decir, que niega la existencia de cosas independientes de la conciencia. 2 Tendencia a idealizar, a dejarse influir más por ideales que por consideraciones prácticas. 3 Doctrina estética que afirma la preeminencia de la imaginación sobre la copia fiel de la realidad.

idealista *adj.* Relativo al idealismo: *doctrina, filosofía, escuela ~.* – 2 *adj.-com.* Partidario del idealismo. 3 Que idealiza, que se deja guiar más por ideales que por consideraciones prácticas.

idealizar *tr.* Elevar [las cosas] sobre la realidad sensible por medio de la inteligencia o fantasía. ◇ ** CONJUG. [4] como *realizar.*

idear *tr.* Formar idea [de una cosa], especialmente inventando: *~ un mecanismo.* 2 Formar el propósito [de hacer algo].

ideario *m.* Repertorio o conjunto de las principales ideas de un autor, doctrina, partido político, etc.: *el ~ comunista.*

ideático, -ca *adj. Amér.* Venático, caprichoso, maniático.

ídem *pron.* Lo mismo. ◇ Se usa para repetir las citas de un autor, y, en las cuentas o listas, para denotar partidas de la misma especie.

idéntico, -ca *adj.-s.* Lo que en substancia y accidentes es lo mismo que otra cosa con que se compara. – 2 *adj.* Muy parecido.

identidad *f.* Calidad de idéntico. 2 Hecho de ser una persona o cosa la misma que se supone o se busca: *comprobar la ~ de una persona, de una firma.* 3 Igualdad de una cosa con ella misma.

identificación *f.* Acción de identificar. 2 Efecto de identificar. 3 Proceso psicológico fundamental en el desarrollo de la personalidad, gracias al cual un individuo adopta las características de otro sujeto al que toma como modelo.

identificar *tr.-prnl.* Demostrar o reconocer la identidad [de una cosa] con otra: *~ la energía mecánica con la calorífica;* demostrarse una cosa igual a otra: *las diferentes energías se identifican.* 2 *tr.* Reconocer [que una persona o cosa] es la misma que se busca o se supone. – 3 *prnl.* Tener dos o más personas las mismas ideas, voluntad, etc. 4 Solidarizarse, hacer causa común con alguien. ◇ ** CONJUG. [1] como *sacar.*

ideografía *f.* Representación de las ideas por medio de imágenes o símbolos.

ideograma *m.* Imagen convencional o símbolo que significa un ser o una idea, pero no palabras o frases fijas que las representen. 2 Signo o elemento de la escritura ideográfica.

ideología *f.* Disciplina filosófica que estudia las ideas, sus caracteres, sus leyes y especialmente su origen. 2 Conjunto de ideas que caracterizan a una escuela, persona, colectividad, autor, movimiento cultural, religioso, político, etc.

ideológico, -ca *adj.* Relativo a la ideología. 2 [diccionario] Que, agrupando las palabras por conceptos, permite encontrar la que se requiere.

ideólogo, -ga *m. f.* Persona versada en ideología. 2 Persona ilusa, soñadora, que forja utopías.

idílico, -ca *adj.* Perteneciente o relativo al idilio.

idilio *m.* Composición poética que tiene por asuntos las cosas del campo y los afectos amorosos de los pastores. 2 fig. Coloquio amoroso; p. ext., relación entre enamorados.

idioblástico, -ca *adj.* [roca] Que presenta cristales bien formados, delimitados por caras planas.

idioeléctrico, -ca *adj.* [cuerpo] Capaz de electrizarse por frotamiento.

idiolecto *m.* Variedad de habla individual.

idioma *m.* Lengua de una nación o de un país, o común a varios. 2 Modo particular de hablar de algunos o en algunas ocasiones: ~ *de la corte.*

idiomático, -ca *adj.* Propio y peculiar de una lengua determinada.

idiomorfo, -fa *adj.* [cristal] Que impone su forma a los demás cristales que lo rodean.

idiosincrasia *f.* Índole del temperamento y carácter de cada individuo, principalmente en fisiología.

idiota *adj.-s.* Que padece de idiotez. 2 fig. Persona engreída sin fundamento para ello. – 3 *adj.* Ignorante.

idiotez *f.* Trastorno mental, caracterizado por la falta congénita de las facultades intelectuales. 2 Dicho o hecho propio de un idiota. 3 fig. Tontería, imbecilidad: *hacer, decir idioteces.*

idiotismo *m.* Ignorancia, falta de letras e instrucción. 2 GRAM. Modismo. 3 PAT. Grado extremo de insuficiencia de las facultades mentales.

idiotizar *tr.-prnl.* Embrutecer [a uno] hasta la idiotez. ◇ ** CONJUG. [4] como *realizar.*

I) ido, -da, *adj.* Chiflado, que está mal de la cabeza, maniático.

II) ido *m.* Lengua artificial que ha sido propuesta para el uso internacional.

idolatrar *tr.* Adorar [ídolos]. 2 fig. Amar [a una persona o cosa] con idolatría.

idolatría *f.* Adoración de los ídolos. 2 fig. Culto, amor excesivo a una persona o cosa.

ídolo *m.* Figura de una falsa deidad a que se da adoración. 2 fig. Persona o cosa excesivamente amada, que es objeto de un culto.

idolología *f.* Ciencia que trata de los ídolos.

idóneo, -a *adj.* Que tiene aptitud para alguna cosa. 2 Adecuado, conveniente.

idus *m. pl.* En el antiguo calendario romano, el día 15 de marzo, mayo, julio y octubre, y el 13 de los demás meses. ◇ Pl.: *idus.*

iglesia *f.* Congregación de fieles que siguen la religión de Jesucristo: ~ *primitiva; los padres de la* ~. 2 Congregación de fieles católicos: *la* ~ *católica* o simplemente *la Iglesia; los mártires de la* ~. 3 p. ext. Religión disidente del catolicismo, en general: ~ *anglicana, protestante, cismática, griega.* 4 Conjunto de todos los ministros y fieles de un territorio, etc.: *la* ~ *americana, española; la* ~ *tarraconense.* 5 Estado eclesiástico. 6 Gobierno eclesiástico general. 7 Templo cristiano: ~ *parroquial;* ~ *en cruz latina, en cruz griega.*

iglú *m.* Cabaña o choza de hielo con una única abertura, cerrada con un témpano de hielo o con pieles de oso. ◇ Pl.: *iglúes.*

ígneo, -a *adj.* lit. *y* científ. De fuego o que tiene alguna de sus cualidades. 2 De color de fuego. 3 GEOL. [roca volcánica] Procedente de la masa en fusión existente en el interior de la Tierra.

ignición *f.* lit. *y* científ. Acción de estar un cuerpo ardiendo o incandescente. 2 lit. *y* científ. Efecto de estar un cuerpo ardiendo o incandescente.

ignícola *adj.-com.* Que adora al fuego.

ignífugo, -ga *adj.* Que protege contra el incendio: *pintura, tapicería ignífuga.* – 2 *m.* Substancia utilizada para hacer ininflamables las substancias combustibles.

ignito, -ta *adj.* Que tiene fuego o está encendido.

ignominia *f.* Afrenta pública que uno padece.

ignominioso, -sa *adj.* Que es ocasión o causa de ignominia.

ignorancia *f.* Falta general de instrucción. 2 Falta de conocimiento acerca de una materia dada.

ignorante *adj.-com.* Que ignora. 2 Que no tiene conocimiento de las cosas.

ignorantismo *m.* Creencia de los que rechazan la instrucción como nociva.

ignorar *tr.* No saber [una cosa] o no tener noticia de ella. 2 No tener en cuenta, prescindir [de alguien o de algo]; no hacer caso.

ignoto, -ta *adj.* No conocido ni descubierto.

igual *adj.* Que no difiere en naturaleza, forma, cantidad o calidad de otra cosa: *dos cantidades iguales; no he visto cosa* ~. 2 Proporcionado, en conveniente relación. 3 Indiferente. 4 Constante, no variable; que no es diverso en sus partes, liso, uniforme: *la ley es* ~ *para todos; hombre de carácter* ~. – 5 *adj.-s.* De la misma clase, rango, condición, etc.: *rey entre sus iguales.* – 6 *adj.-m. pl.* DEP. En el juego del tenis, pelota vasca y tenis de mesa igualdad de puntos. – 7 *m.* MAT. Signo de la igualdad [=].

iguala *f.* Ajuste o pacto en los tratos. 2 Estipendio o cosa que se da en virtud de ajuste, especialmente cantidad fija anual con que se pagan los servicios médicos, farmacéuticos, veterinarios, etc. 3 Listón de madera con que los albañiles reconocen la llanura de las tapias o de los suelos.

igualado, -da *adj.* [ave] Que ya ha arrojado el plumón y tiene igual la pluma. 2 [pers.] Que asegura tener igual por algunos servicios.

igualar *tr.* Poner al igual con otra [a una persona o cosa]: ~ *dos sumas; las cantidades al final se igualan.* 2 Allanar (poner llana; superar). 3 Convenirse con pacto [sobre una cosa]: ~ *una venta.* 4 fig. Juzgar a uno como igual a otro: *yo le igualo a su hermano; yo igualo sus méritos a los de su hermano.* – 5 *tr.-intr.* TAUROM. Colocarse el toro con sus cuatro extremidades perpendiculares y paralelas entre sí. – 6 *intr.-prnl.* Ser una cosa igual a otra: *iguala* o *se iguala a,* o *con, su hermano.*

igualatorio, -ria *adj.* Que tiende a establecer la igualdad. – 2 *m.* Régimen de asistencia médica, veterinaria, farmacéutica, etc., por iguala. 3 Establecimiento donde se atiende a los igualados.

igualdad *f.* Condición de ser una cosa igual que otra; calidad de igual: *la ~ de dos cantidades; ~ de ánimo.* 2 Correspondencia y proporción que resulta de muchas partes que uniformemente componen un todo.

igualitario, -ria *adj.* Que entraña igualdad o tiende a ella.

igualitarismo *m.* Tendencia a la igualdad política, social, etc., entre los hombres.

igualmente *adv. m.* Con igualdad. 2 También, asimismo.

iguana *f.* Reptil saurio del centro y sur América, de hasta un metro de longitud, provisto de una gran papada y de una cresta espinosa a lo largo del dorso *(Iguana tuberculata).*

iguanodonte *m.* Reptil saurio, fósil, gigantesco, con las extremidades posteriores mucho más largas que las anteriores, que vivió en la era secundaria *(gén. Iguanodon).*

ijada *f.* Cavidad que se halla colocada a uno y otro lado, simétricamente, entre las costillas falsas y los huesos de las caderas; ****caballo.** 2 Dolor o mal que se padece en estas partes. 3 En los peces, parte anterior e inferior del cuerpo.

ikastola *f.* Escuela de carácter popular en la cual las enseñanzas se imparten en vascuence.

ikebana *m.* Arte de disponer las flores, según una antigua tradición japonesa, para transmitir una idea místico religiosa de perfección.

ikurriña *f.* Bandera oficial del País Vasco.

ilación *f.* Acción de inferir una cosa de otra. 2 Efecto de inferir una cosa de otra. 3 Trabazón o nexo con que se siguen las partes de un discurso, razonamiento, etc. 4 GRAM. Relación gramatical que establecen las conjunciones ilativas.

ilapso *m.* Éxtasis contemplativo, durante el cual se suspenden las sensaciones exteriores, quedando el espíritu en estado de arrobamiento.

ilativo, -va *adj.* Que se infiere o puede inferirse. – 2 *adj.-f.* GRAM. ****Conjunción ilativa,** la consecutiva que enuncia una ilación o consecuencia de lo anteriormente manifestado.

ilécebra *f.* Halago engañoso; cariñosa ficción que atrae y convence.

ilegal *adj.* Que es contra la ley.

ilegible *adj.* Que no puede o no debe leerse.

ilegitimar *tr.* Privar [a uno] de la legitimidad.

ilegítimo, -ma *adj.* No legítimo.

íleon *m.* Última sección del intestino delgado, que va desde el yeyuno al ciego; ****digestivo (aparato).**

ileso, -sa *adj.* Que no ha recibido lesión.

iletrado, -da *adj.* Falto de cultura.

ilíaco, -ca, iliaco, -ca *adj.* Relativo al íleon: *vena, arteria ilíaca;* ****circulación.**

ilicitano, -na *adj.-s.* De Ilici, antigua ciudad del sudeste de la España Tarraconense, actual Elche.

ilícito, -ta *adj.* No permitido legal ni moralmente.

ilimitado, -da *adj.* Que no tiene límites.

ilion *m.* ****Hueso del coxal que forma el saliente de la cadera.**

iliterario, -ria *adj.* [lengua o dialecto] Que carece de literatura escrita.

ilógico, -ca *adj.* Que carece de lógica.

ilota *com.* fig. El que se halla desposeído de los derechos de ciudadano.

iluminación *f.* Adorno de muchas luces. 2 Especie de pintura al temple. 3 Distribución de la luz en un cuadro. 4 Ilustración miniada de los manuscritos. 5 p. ext. Coloreado de grabados antiguos.

iluminado, -da *adj.-s.* Miembro de ciertas sectas heréticas, y especialmente de la secta racionalista fundada en 1776 por Adán Weishaupt (1748-1830), contraria al catolicismo: *los iluminados se extendieron por Holanda.* 2 Persona que se cree inspirada por un poder sobrenatural para cometer una acción o predecir un acontecimiento.

iluminador, -ra *adj.-s.* Que ilumina. – 2 *m. f.* Persona que adorna libros, estampas, etc., con colores.

iluminancia *f.* FÍS. Cantidad de luz que recibe por segundo una unidad de superficie.

iluminar *tr.* Alumbrar. 2 Adornar con luces [una fachada, un templo, etc.]. 3 Dar color [a las figuras o letras de una estampa, libro, etc.]; esp., poner detrás [de las estampas] tafetán o papel de color. 4 fig. Ilustrar (dar luz).

iluminaria *f.* Luminaria en señal de fiesta o regocijo público.

ilusión *f.* Falsa percepción de un objeto que aparece en la conciencia distinto de como es en realidad. 2 Esperanza sin fundamento real. 3 Esperanza cuyo cumplimiento parece especialmente atractivo. 4 Gran complacencia en una persona, cosa, tarea, etc. 5 ~ *óptica,* error en la estimación de las dimensiones, forma o color de los objetos.

ilusionar *tr.* Hacer que [uno] se forje ilusiones. 2 Despertar esperanzas, generalmente atractivas. – 3 *prnl.* Forjarse ilusiones (esperanzas).

ilusionismo *m.* Arte de producir fenómenos que parecen contradecir las leyes naturales. 2 Doctrina filosófica para la cual todo es simple apariencia.

ilusionista *adj.-com.* Prestidigitador, jugador de manos; transformista (actor).

ilusivo, -va *adj.* Falso, engañoso, aparente.

iluso, -sa *adj.-s.* Engañado, seducido. – 2 *adj.* Propenso a ilusionarse.

ilusorio, -ria *adj.* Capaz de engañar. 2 Nulo y sin efecto.

ilustración *f.* Estampa, grabado o dibujo que adorna un libro. 2 Publicación, generalmente periódica, con textos, láminas y dibujos. 3 Espíritu característico de la cultura del siglo XVIII, y conjunto de los escritores y hombres de ciencia que lo cultivan y representan. 4 Conjunto de conocimientos adquiridos por alguien, instrucción.

ilustrado, -da *adj.-s.* [pers.] Docto o instruido. 2 [libro, folleto, revista, etc.] Que contiene grabados o ilustraciones.

ilustrar *tr.-prnl.* Dar luz, iluminar [al entendimiento] con ciencias y estudios. 2 p. anal. Instruir, civilizar. – 3 *tr.* p. ext. Aclarar [un punto o materia]. 4 Adornar [un impreso] con láminas o grabados.

ilustre *adj.* De distinguida prosapia, casa, origen, etc. 2 Insigne, célebre. 3 Título de dignidad: *al ~ señor.*

ilustrísimo, -ma *adj.* Superlativo de *ilustre.* Se aplica como tratamiento a los obispos y otras personas constituidas en dignidad.

imagen *f.* Apariencia visible de una persona o cosa imitada por el dibujo, la pintura, la escultura: *una ~ de Jesucristo y la Virgen; las imágenes de los Santos.* 2 Semejanza: *Dios hizo al hombre a su ~.* 3 Reproducción, concreta o mental, generalmente debilitada, de una sensación pasada, sin el estímulo directo del objeto sensible: *~ visual, auditiva, táctil, muscular; ~ consecutiva.* 4 Idea hecha sensible al espíritu por alguna analogía material: *una ~ poética.* 5 Palabra o expresión que se emplea para sugerir algo con lo que tiene cierta analogía o relación. 6 FÍS. Reproducción de la figura de un objeto formada por la reflexión o refracción de los rayos de luz que de él dimanan. 7 RET. Representación viva y eficaz de una cosa por medio del lenguaje.

imaginación *f.* Facultad de formar imágenes mentales. 2 Facultad de combinar simultánea o sucesivamente imágenes en serie, que no representan nada real o existente: *~ creadora.* 3 Aprensión falsa de una cosa que no hay en realidad o no tiene fundamento.

imaginar *tr.* Formar la imagen (reproducción) [de una cosa], representarla mentalmente; crear [algo] en la imaginación. 2 Presumir, sospechar.

imaginaria *f.* MIL. Guardia que no presta efectivamente el servicio de tal, pero está dispuesta para prestarlo en caso necesario. 2 MIL. Soldado que por turno vela en cada dormitorio de un cuartel.

imaginario, -ria *adj.* Que sólo existe en la imaginación. – 2 *adj.-s.* Imaginero.

imaginativa *f.* Potencia o facultad de imaginar. 2 Sentido común, facultad interior.

imaginativo, -va *adj.* Que continuamente imagina o piensa.

imaginería *f.* Bordado que imita en lo posible la pintura. 2 Arte de bordar de imaginería. 3 Talla o pintura de efigies sagradas.

imaginero *m.* Estatuario o pintor de imágenes.

imago *m.* Insecto que ha experimentado su última metamorfosis y ha alcanzado su desarrollo perfecto.

I) imán *m.* Magnetita. 2 Substancia que atrae al hierro, por condición natural o adquirida.

II) imán *m.* Encargado de presidir y dirigir la oración del pueblo entre los mahometanos. 2 Guía, jefe de una sociedad, generalmente religiosa, de musulmanes.

imanado, -da *adj.* [hierro o acero] Que tiene las propiedades del imán (substancia que atrae al hierro).

imanar *tr.* Magnetizar [un cuerpo].

imantar *tr.* Imanar.

imbatido, -da *adj.* Invicto, que nunca ha sido vencido.

imbebible *adj.* Que no se puede beber.

imbécil *adj.* Alelado, escaso de razón.

imbecilidad *f.* Alelamiento, escasez de razón, idiotez. 2 Tontería, acción o dicho imbécil.

imberbe *adj.* [joven] Que no tiene barba.

imbornal *m.* Agujero por donde se vacía el agua de lluvia de los terrados; en las calles, el que se abre para conducir el agua a la alcantarilla. 2 Agujero en los trancaniles de la embarcación para dar salida a las aguas.

imborrable *adj.* Indeleble.

imbricado, -da *adj.* Dispuesto a la manera de las tejas de un tejado. 2 BOT. y ZOOL. [órgano animal o vegetal] Que está sobrepuesto a otro como las tejas de un tejado: *hojas imbricadas; semillas imbricadas.* 3 ZOOL. [concha] De superficie ondulada.

imbricar *tr.-prnl.* Disponer [una serie de cosas iguales] de manera que se superpongan parcialmente a manera de las escamas de los peces. ◇ ** CONJUG. [1] como *sacar.*

imbuir *tr.* Infundir, persuadir: *~ a uno de, o en, opiniones erróneas.* ◇ ** CONJUG. [62] como *huir.*

imilla *f. Argent., Bol.* y *Perú.* Muchacha india al servicio de una casa.

imitación *f.* Objeto o cosa imitada. 2 Producto fabricado para substituir a otro en ciertos usos y que se parece a este bastante.

imitar *tr.* Hacer [una cosa] a semejanza de otra; tomarla como modelo; hacer lo mismo que hace [una persona o animal].

imitativo, -va, imitatorio, -ria *adj.*
Relativo a la imitación.

impaciencia *f.* Falta de paciencia.

impacientar *tr.* Hacer [que uno] pierda la paciencia. – 2 *prnl.* Perder la paciencia.

impaciente *adj.* Que no tiene paciencia: ~ *con, de,* o *por, la tardanza.*

impactar *tr.* Causar un choque físico. 2 Impresionar, desconcertar a causa de un acontecimiento o noticia. 3 Influir [en alguien o algo].

impacto *m.* Choque del proyectil en el blanco. 2 Señal que deja en él. 3 Choque violento de un objeto con otro. 4 Efecto de una fuerza aplicada bruscamente. 5 fig. Golpe emocional producido por una noticia.

impagado, -da *adj.* [documento de crédito] Que no ha sido pagado.

impago, -ga *adj.* Que se debe y no está pagado. 2 *Amér.* [pers.] A quien no se le ha pagado. – 3 *m.* Hecho de no pagar lo que se debe.

impala *m.* Antílope de mediano tamaño, pelaje de color pardo amarillento con el vientre blanco, y cuernos, sólo presentes en el macho, en forma de lira *(Aepyceros malampus).*

impalpable *adj.* Que no produce sensación al tacto. 2 fig. Que apenas la produce.

impar *adj.* Que no tiene par o igual. – 2 *adj.-m.* MAT. Número impar.

imparable *adj.* Que no se puede parar o detener.

imparcial *adj.-s.* Que juzga o procede con imparcialidad. 2 Que no se adhiere a ningún partido o no entra en ninguna parcialidad.

imparidígito, -ta *adj.* ZOOL. [animal] Que tiene un número de dedos impar.

imparisílabo, -ba *adj.* [palabra, verso, etc.] Que tiene un número impar de sílabas.

impartible *adj.* Que no puede partirse.

impartir *tr.* Repartir, comunicar a otros [lo que uno posee]: ~ *la gloria;* ~ *enseñanza.*

impasible *adj.* Incapaz de padecer. 2 Indiferente a las emociones.

impasse *m.* Punto muerto o situación en la que no se encuentra salida.

impavidez *f.* Denuedo, valor, entereza.

impávido, -da *adj.* Libre de pavor; imperturbable. 2 *Amér.* Fresco, descarado.

impecable *adj.* Incapaz de pecar. 2 fig. Perfecto.

impedancia *f.* FÍS. Resistencia aparente de un circuito dotado de capacidad y autoinducción al flujo de una corriente eléctrica alterna, equivalente a la resistencia efectiva cuando la corriente es continua.

impedido, -da *adj.-s.* Que no puede usar de sus miembros.

impedimenta *f.* Bagaje que suele llevar la tropa.

impedimento *m.* Obstáculo, estorbo para

una cosa. 2 Circunstancia que hace ilícito o nulo el matrimonio: ~ *dirimente,* el que anula el matrimonio.

impedir *tr.* Estorbar, imposibilitar la ejecución [de una cosa]. ◇ ** CONJUG. [34] como *servir.*

impeler *tr.* Dar empuje [a una cosa] para hacerla mover. 2 fig. Incitar: ~ *a uno a trabajar; impelido de la necesidad; impelido por el ejemplo.*

impenetrable *adj.* Que no se puede penetrar. 2 fig. Difícil de entender o de descifrar: ~ *a todos;* ~ *en el secreto.* 3 fig. [pers.] Que no deja traslucir lo que sabe, lo que cree o lo que siente.

impenitencia *f.* Obstinación en el pecado.

impenitente *adj.-com.* Que muestra impenitencia. 2 fam. Que persiste en su error.

impensable *adj.* Que después de concebido se rechaza de plano mentalmente. 2 Increíble, inimaginable, imprevisible. 3 Que es de difícil o imposible realización.

impensado, -da *adj.* [cosa] Que sucede sin pensar en ella o sin esperarla.

impepinablemente *adv. m.* Con toda seguridad.

imperar *intr.* Ejercer la dignidad imperial. 2 Dominar, mandar con autoridad absoluta.

imperativo, -va *adj.-m.* Que impera o manda. 2 GRAM. *Modo* ~, v. modo.

imperatoria *f.* Planta umbelífera, de tallo hueco y estriado, hojas divididas en tres hojuelas lobuladas, flores blancas en umbela casi plana y fruto seco con semillas menudas *(Peucedanum ostruthium).*

imperceptible *adj.* Que no se puede percibir.

impercuso, -sa *adj.* [medalla] Que tiene el grabado en hueco en lugar de tenerlo en relieve.

imperdible *adj.* Que no puede perderse. – 2 *m.* Alfiler que se abrocha metiendo su punta dentro de una cavidad que hay en el otro extremo.

imperdonable *adj.* Que no se debe o puede perdonar.

imperecedero, -ra *adj.* Que no perece. 2 fig. Inmortal, eterno.

imperfección *f.* Falta de perfección. 2 Defecto moral.

imperfectivo, -va *adj.* [acción verbal] De larga duración, que no necesita llegar a su término para que se realice: *querer, desear, conocer.*

imperfecto, -ta *adj.* No perfecto. 2 GRAM. [tiempo] Que presenta la acción en su continuidad o transcurso, sin que nos interese su comienzo ni su fin. V. **verbo.

imperial *adj.* Relativo al emperador o al imperio. – 2 *f.* Tejadillo o cobertura de las carrozas. 3 Sitio con asientos que algunos carruajes tienen encima de la cubierta.

imperialismo *m.* Sistema político y económico que pretende la extensión, dominación y preponderancia de un estado sobre otro u otros.

imperialista *adj.* Perteneciente o relativo al imperialismo. – 2 *com.* Partidario del imperialismo. 3 Partidario del régimen imperial en el estado.

impericia *f.* Falta de pericia.

imperio *m.* Acción de imperar: *el ~ de la justicia y del orden.* 2 Dignidad de emperador y tiempo que dura su gobierno. 3 Conjunto de estados sujetos a un emperador; p. ext., estado que impone su autoridad moderadora y extiende su lengua y su cultura sobre otras naciones o países: *~ inglés; ~ colonial francés.* 4 Tiempo durante el cual hubo emperadores en determinado país. 5 Estilo que predominó en las artes durante el período de Napoleón Bonaparte (1769-1821). 6 fig. Altanería, orgullo.

imperioso, -sa *adj.* Que manda con imperio. 2 Que es necesario o indispensable. 3 Autoritario: *orden imperiosa.* 4 Que conlleva fuerza o exigencia. 5 Dominante.

imperito, -ta *adj.* Que carece de pericia.

impermeabilizar *tr.* Hacer impermeable [una cosa]. ◇ ** CONJUG. [4] como *realizar.*

impermeable *adj.* Impenetrable al agua o a otro fluido. 2 fig. Indiferente a una emoción, sentimiento, etc. – 3 *m.* Sobretodo hecho con tela impermeable.

impermutable *adj.* Que no puede permutarse.

impersonal *adj.* Que no tiene o no manifiesta personalidad: *estilo ~.* 2 Que no se aplica a nadie personalmente. 3 [tratamiento] Que no emplea ninguna de las voces comunes, como *tú, usted, señoría,* etc.: *el amigo quiere volverse* por *usted quiere volverse.* 4 *Verbo ~,* v. verbo. 5 *Tiempo ~,* el del verbo que no acepta las personas gramaticales. 6 *Oración ~,* la que no se atribuye a un sujeto determinado: *dicen que ha llegado; se afirma que han ocurrido sucesos graves.*

impersonalizar *tr.* Usar como impersonal algún verbo que por su índole es personal: *hace calor; hay manteca.* ◇ ** CONJUG. [4] como *realizar.*

impersonalmente *adv. m.* Con tratamiento impersonal. 2 GRAM. Sin determinación de persona, especialmente cuando se trata de verbos que suelen determinarla: *se dice; cuentan.*

impersuasible *adj.* No persuasible.

impertérrito, -ta *adj.* [pers.] A quien nada intimida.

impertinencia *f.* Dicho o hecho fuera de propósito. 2 Nimia susceptibilidad nacida de un humor desazonado y displicente. 3 Importunidad molesta y enfadosa. 4 Curiosidad, nimio cuidado de una cosa.

impertinente *adj.* Que no viene al caso. – 2 *adj.-com.* Nimiamente susceptible; que se desagrada de todo y pide o hace impertinencias. – 3 *m. pl.* Anteojos con manija que suelen usar las señoras.

imperturbable *adj.* Que no se perturba.

impetra *f.* Facultad, permiso.

impetrar *tr.* Conseguir [una gracia] que se ha solicitado. 2 Solicitar [una gracia] con ahínco: *~ el perdón del superior.*

ímpetu *m.* Movimiento acelerado y violento. 2 La misma fuerza o violencia.

impetuoso, -sa *adj.* Violento, precipitado.

impiedad *f.* Falta de piedad o de religión.

impío, -a *adj.* Falto de piedad. 2 fig. Irreligioso.

implacable *adj.* Que no se puede aplacar: *~ en la ira.*

implantación *f.* Acción de implantar. 2 Efecto de implantar. 3 Anidamiento del huevo fecundado en la mucosa uterina.

implantar *tr.-prnl.* Establecer, instaurar [una reforma, una costumbre, una moda, etc.]. – 2 *tr.* Plantar, injertar, poner, encajar. 3 MED. Colocar en el cuerpo [algún aparato o sustituto de órgano que ayuda a su funcionamiento].

implar *tr.* Llenar, inflar.

implaticable *adj.* Que no admite plática.

implementar *tr.* Activar.

implemento *m.* LING. Término utilizado por algunos lingüistas para designar el complemento directo.

implicación *f.* Contradicción. 2 Estado de la persona envuelta en un delito. 3 Consecuencia, repercusión de algún dicho o hecho. 4 Cosa implicada en otra.

implicancia *f. Amér.* Incompatibilidad o impedimento legal. 2 *Amér.* Consecuencia, secuela.

implicar *tr.* Envolver, enredar: *implicarse con alguno; implicarse en algún enredo.* 2 Incluir en esencia, contener como consecuencia [una cosa]: *eso implica una guerra.* 3 Interesar, comprometer [a alguien en un asunto]. 4 Obstar, envolver contradicción. ◇ ** CONJUG. [1] como *sacar.*

implícito, -ta *adj.* Que se entiende incluido en otra cosa sin expresarlo.

implorar *tr.* Pedir con ruegos o lágrimas [una cosa].

implosión *f.* Hundimiento hacia dentro de un recipiente en donde se ha hecho el vacío. 2 FON. Modo de articulación de las consonantes implosivas, y más estrictamente, parte de la pronunciación de los sonidos oclusivos correspondiente al momento en que se forma la oclusión.

implosivo, -va *adj.* FON. [articulación, sonido] Que por ser final de sílaba, termina sin la abertura súbita de las consonantes explosivas; como la *p* de *apto* o la *c* de *néctar*.

implume *adj.* Que no tiene plumas.

impluvio *m.* Espacio descubierto en medio del atrio de las casas **romanas, por donde entraban las aguas de lluvia, recogidas en un pequeño depósito que tenía en el centro.

impoluto, -ta *adj.* Limpio, inmaculado.

imponderable *adj.* Que no puede pesarse. 2 fig. Que excede a toda ponderación. – 3 *m.* Circunstancia difícil de prever; factor que no puede medirse, pero que influye en una situación dada: *los imponderables que actúan en las cotizaciones bursátiles.*

imponente *adj.-s.* Que impone. – 2 *adv.* fam. Muy bien.

imponer *tr.* Poner [carga, obligación u otra cosa]: ~ *una penitencia;* ~ *silencio.* 2 Instruir [a uno] en una cosa; enseñársela o informarle de ella: *le impuse en sus obligaciones; le impuse en gramática; se ha impuesto del contenido de la carta.* 3 Imputar falsamente a otro una cosa: ~ *un falso testimonio.* 4 Infundir [respeto, miedo o asombro]; dominar: *se impuso a la multitud; es un hombre que impone.* 5 Poner [dinero] a rédito o en depósito: ~ *una cantidad en el Banco.* 6 Poner [a alguien] el nombre que va a llevar. 7 IMPR. Disponer para la tirada [las planas de composición] con sus márgenes correspondientes. 8 LITURG. Consagrar o bendecir poniendo las manos encima. ◇ ** CONJUG. [78] como *poner;* pp. irreg.: *impuesto.*

impopular *adj.* Que no es grato a la multitud.

importación *f.* Acción de importar (introducir productos comerciales). 2 Conjunto de cosas importadas.

importancia *f.* Calidad de importante. 2 Representación de una persona por su dignidad o calidades: *hombre de* ~.

importante *adj.* Que importa. 2 Que es muy conveniente o interesante, o de mucha entidad, consecuencia, dignidad o calidad. ◇ GALIC.: *una factura, un saldo importante 250.000 ptas.,* por *que importa, que suma, que asciende a.*

I) importar *intr.* Convenir, hacer al caso; ser de mucha entidad o consecuencia: *importa mucho a tu padre.* – 2 *tr.* Hablando de precios, cuentas, facturas, montar, sumar, valer [tal o cual cantidad]. 3 Llevar consigo: ~ *necesidad,* ~ *violencia.*

II) importar *tr.* Introducir en un país [productos comerciales, costumbres, juegos, etc., extranjeros]: ~ *géneros de Francia;* ~ *a, o en, España.*

importe *m.* Cuantía de un precio, crédito, cuenta, etc.

importunar *tr.* Incomodar [a uno], especialmente con una pretensión o solicitud: ~ *con sus pretensiones.*

importuno, -na *adj.* Inoportuno. 2 Molesto, enfadoso.

imposibilidad *f.* Falta de posibilidad.

imposibilitado, -da *adj.* Impedido.

imposibilitar *tr.* Quitar la posibilidad de hacer o conseguir [una cosa]. – 2 *prnl.* Quedar impedido o tullido.

imposible *adj.* No posible. 2 Inaguantable, intratable: *estar,* o *ponerse,* ~. 3 Muy deseado y repugnante. – 4 *adj.-m.* Sumamente difícil: *hacer los imposibles para lograr algo.*

imposición *f.* Carga, tributo u obligación que se impone. 2 Cantidad que se impone de una vez en cuenta, depósito, etc.

impositivo, -va *adj.* Que se impone. 2 Relativo al impuesto público.

impostar *intr.* Fijar la voz en las cuerdas vocales para emitir el sonido en su plenitud, sin vacilación ni temblor.

impostergable *adj.* Que no puede postergarse.

impostor, -ra *adj.-s.* Persona que calumnia. 2 Persona que engaña con apariencia de verdad. 3 Suplantador, persona que se hace pasar por quien no es.

impostura *f.* Imputación calumniosa. 2 Engaño con apariencia de verdad.

impotable *adj.* Que no es potable.

impotente *adj.* Que no tiene potencia: ~ *contra la mala fortuna;* ~ *para el bien.* – 2 *adj.-s.* [pers.] Incapaz de realizar el coito.

impracticable *adj.* Que no se puede practicar. 2 [camino, paraje] Difícil de transitar. 3 [puerta, ventana, etc.] Que no se puede abrir ni cerrar.

imprecar *tr.* Proferir palabras con que se pide o se manifiesta desear vivamente que alguien reciba [un mal, daño, desgracia, etc.]. ◇ ** CONJUG. [1] como *sacar.*

imprecisión *f.* Falta de precisión.

impreciso, -sa *adj.* No preciso, vago, indefinible. 2 [palabra, expresión] Confuso, que se presta a equívocos y falsas interpretaciones.

impredecible *adj.* Que no se puede predecir.

impregnar *tr.-prnl.* Introducir entre las moléculas [de un cuerpo] las de otro sin que se combinen. 2 Empapar.

impremeditado, -da *adj.* No premeditado, irreflexivo.

imprenta *f.* Arte de imprimir (en papel). 2 Oficina o lugar donde se imprime. 3 Impresión (calidad o forma). 4 fig. Lo que se publica impreso.

imprescindible *adj.* Que no se puede prescindir.

imprescriptible *adj.* Que no se puede prescribir.

impresentable *adj.* Que no es digno de presentarse o de ser presentado.

impresión *f.* Acción de imprimir: *la* ~ *de un folleto; primera* ~ *de un libro; obra de* ~ *esmerada.* 2 Efecto de imprimir. 3 Calidad o forma de letra con que está impresa una obra. 4 Obra impresa. 5 Marca que una cosa deja en otra apretándola. 6 Efecto que causa en un cuerpo otro extraño. 7 fig. Efecto, especialmente vivo, que las cosas causan en el ánimo. 8 fig. Opinión formada a partir de este efecto.

impresionante *adj.* Que impresiona.

impresionar *tr.-prnl.* Persuadir por un movimiento afectivo: *mis palabras le han impresionado;* conmover: *las luchas le impresionan.* 2 Actuar a la luz o hacer que la luz actúe [sobre la placa fotográfica]: *el sol ha impresionado la placa; hemos impresionado la placa.*

impresionismo *m.* Escuela pictórica que floreció en Francia hacia el año 1874, por obra de Monet (1840-1926) y otros artistas, que pretende trasladar sobre el lienzo su particular impresión del objeto considerado, haciendo, para ello, centro del cuadro la atmósfera luminosa que rodea este objeto. 2 p. ext. Manera artística o literaria de considerar y reproducir la naturaleza, atendiendo más que a su realidad objetiva a la impresión subjetiva o personal.

impreso *m.* Obra impresa. 2 Formulario impreso con espacios en blanco para llenar a mano o a máquina.

impresor, -ra *adj.* Que imprime. – 2 *m. f.* Persona que imprime. 3 Persona que dirige o es dueña de una imprenta. – 4 *f.* INFORM. Máquina periférica de los ordenadores electrónicos que sirve para escribir sobre papel los resultados de las operaciones.

imprestable *adj.* Que no se puede prestar.

imprevisible *adj.* Que no se puede prever.

imprevisto, -ta *adj.* No previsto. – 2 *m. pl.* En lenguaje administrativo, gastos para los cuales no hay crédito habilitado y distinto.

imprimar *tr.* Preparar con los ingredientes necesarios [las cosas que han de ser pintadas o teñidas].

imprimir *tr.* Dejar en el papel u otra materia análoga por medio de la presión mecánica, la huella [de un dibujo o texto grabados sobre una plancha metálica o compuestos de letras o caracteres movibles debidamente ordenados y apretados en una forma o molde]: ~ *con,* o *de, letra nueva.* 2 Estampar [un sello u otra cosa análoga] sobre papel, tela, etc., por medio de la presión: ~ *sobre cera.* 3 Dejar una huella sobre una cosa, en general: ~ *los pasos en la arena.* 4 fig. Fijar en el ánimo [algún afecto o especie]. 5 En el lenguaje científico, impulsar, transmitir: ~ *un movimiento.* ◇ Para formar los tiempos compuestos utiliza el pp. reg.: *imprimido* o, preferiblemente, el pp. irreg.: *impreso.*

improbable *adj.* No probable.

ímprobo, -ba *adj.* Falto de probidad. 2 [trabajo] Excesivo y continuado.

improcedente *adj.* No conforme a derecho. 2 Infundado, extemporáneo, inadecuado.

improductivo, -va *adj.* Que no produce.

improfanable, *adj.* Que no se puede profanar.

impronta *f.* Reproducción de imágenes en hueco o de relieve, en cualquier materia blanda o dúctil. 2 Marca que dejan los matasellos. 3 fig. Señal o carácter peculiar: *su estilo tiene la ~ de una gran personalidad literaria.*

impronunciable *adj.* Imposible de pronunciar o de muy difícil pronunciación. 2 Inefable, indecible. 3 fig. Que no debería ser dicho, para no ofender la moral, el buen gusto, etc.

improperio *m.* Injuria grave de palabra y especialmente la empleada para echar en cara una cosa. – 2 *m. pl.* Versículos que se cantan en el oficio del Viernes Santo, durante la adoración de la cruz.

impropiedad *f.* Cualidad de impropio. 2 Falta de propiedad en el lenguaje.

impropio, -pia *adj.* Falto de las cualidades convenientes: ~ *a, de, en,* o *para, su edad.* 2 Ajeno, extraño.

improporcionado, -da *adj.* Que carece de proporción.

improrrogable *adj.* Que no se puede prorrogar.

improvisación *f.* Acción de improvisar. 2 Efecto de improvisar. 3 Cosa improvisada. 4 MÚS. Composición imaginada o desarrollada por un músico durante el transcurso de la ejecución, basándose en un tema dado o en su fantasía.

improvisar *tr.* Hacer [una cosa, especialmente un discurso o poesía] de pronto, sin estudio ni preparación alguna.

improviso, -sa *adj.* Que no se prevé o previene.

imprudencia *f.* Falta de prudencia. 2 Acción imprudente.

imprudente *adj.-com.* Que no tiene prudencia.

impúber, impúbero, -ra *adj.-s.* Que no ha llegado aún a la pubertad.

impublicable *adj.* Que no se puede, o no se debe, publicar.

impudente *adj.* Desvergonzado, sin pudor.

impúdicamente *adv. m.* De manera impúdica. 2 Con cinismo, descaradamente.

impúdico, -ca *adj.* Deshonesto, falto de pudor.

impudor *m.* Falta de pudor y de honestidad. 2 Cinismo (desvergüenza).

impuesto *m.* Tributo, carga.

impugnar *tr.* Combatir, refutar: *impugnado de,* o *por, todos.*

impulsar *tr.* Impeler. 2 fig. Estimular, promover [una acción o actividad].

impulsivo, -va *adj.* Que impele o puede impeler. 2 [pers.] Que, llevado de la impresión del momento, habla o procede sin reflexión ni cautela.

impulso *m.* Acción de impeler. 2 Efecto de impeler. 3 Instigación, incitación. 4 Fuerza que lleva aquello que se mueve, crece, se desarrolla, etc. 5 fig. Deseo o motivo afectivo que induce a hacer algo de manera súbita, sin reflexionar.

impune *adj.* Que queda sin castigo.

impunidad *f.* Falta de castigo.

impureza *f.* Mezcla de partículas extrañas a un cuerpo o materia. 2 Falta de pureza o castidad. 3 fig. Mancha o defecto moral.

impurificar *tr.* Hacer impura [a una persona o cosa]. 2 Causar impureza. ◇ ** CONJUG. [1] como *sacar.*

impuro, -ra *adj.* No puro.

imputar *tr.* Atribuir a uno la culpa, la responsabilidad [de un delito, de una acción, etc.]. 2 Señalar la aplicación [de una cantidad], sea al entregarla, sea al tomar razón de ella en cuenta.

imputrescible *adj.* Que no puede pudrirse.

inabarcable *adj.* Que no se puede abarcar.

inabordable *adj.* Que no se puede abordar.

inacabable *adj.* Que no se puede acabar.

inaccesible *adj.* No accesible.

inacción *f.* Falta de acción.

inacentuado, -da *adj.* Que no tiene acento; esp., las vocales de las sílabas o de las palabras.

inaceptable *adj.* No aceptable.

inacostumbrado, -da *adj.* No acostumbrado, desacostumbrado.

inactivar *tr.-prnl.* Hacer perder la actividad.

inactivo, -va *adj.* Sin acción.

inactual *adj.* No actual, falto de actualidad.

inadaptación *f.* Acción de no adaptarse. 2 Efecto de no adaptarse.

inadaptado, -da *adj.-s.* Hombre o ser vivo que no se adapta o aviene a ciertas condiciones o circunstancias.

inadecuación *f.* Falta de adecuación. 2 Calidad de inadecuado.

inadecuado, -da *adj.* No adecuado.

inadmisible *adj.* No admisible.

inadoptable *adj.* No adoptable.

inadvertencia *f.* Falta de advertencia. – 2 *f. pl.* Cosas inadvertidas, desconciertos, desatenciones.

inadvertido, -da *adj.* Que no advierte o repara en las cosas que debiera. 2 No advertido.

inagotable *adj.* Que no se puede agotar.

inaguantable *adj.* Que no se puede aguantar.

inalámbrico, -ca *adj.* [telegrafía, telefonía] Sin hilos; relativo a ellas: *comunicación inalámbrica; teléfono* ~.

inalcanzable *adj.* Que no se puede alcanzar.

inalienable *adj.* Que no se puede enajenar.

inalterable *adj.* Que no se puede alterar. 2 Impasible, que no se inmuta.

inalterado, -da *adj.* Que no tiene alteración.

inamistoso, -sa *adj.* No amistoso, o poco amistoso.

inamovible *adj.* Que no es movible.

inanalizable *adj.* No analizable.

inane *adj.* Vano, fútil, inútil.

inanición *f.* Extrema debilidad física, especialmente por falta de alimento.

inanimado, -da *adj.* Que no tiene vida.

inánime *adj.* Exánime. 2 Inanimado.

inapagable *adj.* Que no puede apagarse.

inapeable *adj.* Que no se puede apear. 2 Intransitable. 3 fig. Incomprensible. 4 fig. Porfiado.

inapelable *adj.* [sentencia, fallo] Que no se puede apelar: ~ *de su opinión.* 2 fig. Irremediable, inevitable.

inapetencia *f.* Falta de apetito.

inapetente *adj.* Que no tiene apetencia o apetito.

inaplazable *adj.* Que no se puede aplazar.

inaplicable *adj.* Que no se puede aplicar.

inapreciable *adj.* Que no se puede apreciar.

inaprensible *adj.* Que no se puede coger. 2 Sutil en extremo, imposible de comprender.

inaprensivo, -va *adj.* Que no tiene aprensión, desaprensivo.

inarmónico, -ca *adj.* Falto de armonía.

inarrugable *adj.* Que no se arruga.

inarticulado, -da *adj.* No articulado. 2 [sonido de la voz] Que no forma palabras.

inasequible *adj.* No asequible.

inasible *adj.* Que no se puede asir.

inasistencia *f.* Falta de asistencia.

inatacable *adj.* Que no puede ser atacado.

inaudito, -ta *adj.* Nunca oído. 2 fig. Monstruoso.

inaugurar *tr.* Dar principio a una cosa con cierta pompa; celebrar el estreno de una obra, edificio o monumento. 2 esp. Abrir solemnemente un establecimiento. 3 fig. Iniciar [algo nuevo], introducirlo: ~ *una corriente artística.* ◇ INCOR.: *inagurar.*

inaveriguable *adj.* Que no se puede averiguar.

inca *adj.-s.* Perteneciente o relativo al pueblo amerindio que habitaba la fachada del Océano Pacífico desde el actual Ecuador hasta Chile. – 2 *com.* Individuo de dicho pueblo.

incachable *adj. Amér. Central.* Inútil.

incaico, -ca *adj.* Relativo a los incas.

incalculable *adj.* Que no puede calcularse.

incalificable *adj.* Que no se puede calificar. 2 Muy vituperable.

incalmable *adj.* Que no se puede calmar.

incalumniable *adj.* Que no puede ser calumniado.

incandescente *adj.* Candente.

incansable *adj.* Incapaz o muy difícil de cansarse.

incantable *adj.* Que no se puede cantar.

incapacidad *f.* Falta de capacidad o cabida: *la ~ de los depósitos causa escasez de agua.* 2 Carencia de entendimiento, preparación, medios u otras circunstancias para un acto: *la ~ del director hizo fracasar la empresa; ~ de una industria para desarrollarse.* 3 Falta de aptitud legal: *~ para testar.* 4 *~ laboral*, pérdida de la aptitud laboral como secuela de una enfermedad o un accidente.

incapacitar *tr.* Hacer imposible [a uno] la ejecución de cualquier acto: *el ser forastero me incapacita para protestar.* 2 Declarar la falta de aptitud legal: *~ para administrar sus bienes; ~ para un cargo.*

incapaz *adj.* Falto de cabida: *el local es ~ para tanta gente.* 2 Carente de aptitud o de medios: *~ de entender, de producir.* 3 fig. Necio, tonto: *hombre ~.*

incardinar *tr.* Admitir un obispo como súbdito propio [a un eclesiástico de otra diócesis].

incario *m.* Período de tiempo que duró el imperio de los incas. 2 Estructura política y social del imperio incaico.

incasable *adj.* Que no puede casarse. 2 Que tiene gran repugnancia al matrimonio.

incasto, -ta *adj.* Que no tiene castidad, deshonesto.

incautarse *prnl.* Tomar posesión una autoridad competente, especialmente un tribunal, de dinero o bienes de otra clase. 2 Apoderarse alguien de una cosa arbitrariamente.

incauto, -ta *adj.* Que no tiene cautela. 2 Que no tiene malicia y es fácil de engañar.

incendaja *f.* Materia combustible a propósito para incendiar: *quemaron incendajas.*

incendiar *tr.* Causar el incendio [de una cosa no destinada a arder]: *~ una casa, las mieses.* ◇ ** CONJUG. [12] como *cambiar.*

incendiario, -ria *adj.-s.* [pers.] Que maliciosamente incendia. – 2 *adj.* Que causa incendio. 3 fig. Escandaloso, subversivo: *discurso ~.*

incendio *m.* Fuego grande que abrasa lo que no está destinado a arder. 2 fig. Afecto que acalora y agita violentamente el ánimo.

incensar *tr.* Dirigir con el incensario el humo del incienso [hacia una persona o cosa]. 2 fig. Adular. ◇ ** CONJUG. [27] como *acertar.*

incensario *m.* Braserillo con cadenillas y tapa que sirve para incensar.

incensurable *adj.* Que no se puede censurar.

incentivar *tr.* Estimular para que algo se acreciente o aumente.

incentivo, -va *adj.-m.* Que mueve o excita a una cosa. – 2 *m.* Estímulo directo o indirecto que se ofrece a un elemento o a un sector de la economía para elevar su contribución a la actividad económica.

incertidumbre *f.* Falta de certidumbre, duda.

incesable *adj.* Que no cesa o no puede cesar.

incesante *adj.* Que no cesa.

incesto *m.* Ayuntamiento carnal entre parientes, dentro de los grados en que está prohibido el matrimonio.

incestuoso, -sa *adj.-s.* Que comete incesto. – 2 *adj.* Relativo al incesto.

incidencia *f.* Lo que sobreviene en el curso de un asunto o negocio y tiene con él alguna conexión. 2 Consecuencia, efecto, influencia, repercusión. 3 GEOM. Caída de una línea, de un plano o de un cuerpo, o la de un rayo de luz, sobre otro cuerpo, plano, línea o punto.

incidental *adj.* Incidente. 2 [hecho, cosa] Accesorio, de menor importancia. – 3 *adj.-s. Oración ~*, la de relativo o adjetiva que se limita a expresar una circunstancia con él antecedente sin especificarlo: *los excursionistas, que eran decididos, continuaron la marcha.*

incidente *adj.-s.* Que sobreviene en el discurso de un asunto o negocio; pequeño suceso que interrumpe más o menos el curso de otro: *los incidentes de una narración, de un debate.* – 2 *m.* Disputa, riña, pelea entre dos o más personas.

incidir *intr.* Incurrir en una falta, error, etc. 2 Llegar un proyectil, un rayo de luz, etc., a una superficie. 3 Sobrevenir, ocurrir. 4 Caer sobre algo o alguien. 5 Causar efecto [una cosa en otra].

incienso *m.* Gomorresina aromática obtenida del abrótano, que se quema en las ceremonias de culto. 2 Mezcla de materias resinosas que al arder despiden buen olor.

incierto, -ta *adj.* No cierto, falso: *~ del triunfo; ~ en sus opiniones.* 2 Inconstante, no seguro. 3 Desconocido, ignorado.

incinerar *tr.* Reducir [una cosa] a cenizas: *~ un cadáver.*

incipiente *adj.* Que empieza.

incircunciso, -sa *adj.* No circuncidado.

incircunscripto, -ta *adj.* No comprendido dentro de determinados límites.

incisión *f.* Hendedura hecha con instrumento cortante.

incisivo, -va *adj.* Apto para abrir, o cortar. – 2 *adj.-s. ** Diente ~*, v. diente. 3 fig. Punzante, mordaz.

inciso, -sa *adj.* Cortado (estilo). – 2 *m.* Relato o suceso que se intercala en un discurso, charla, etc., para explicar algo poco relacionado con el tema.

incisorio, -ria *adj.* Que corta o puede cortar.

incitar *tr.* Mover vivamente, estimular [a uno] para que ejecute una cosa: *~ a alguno a rebelarse contra otro; ~ para pelear.*

incivil *adj.* Falto de civismo, inculto. 2 Grosero, mal educado.

inclasificable *adj.* Que no se puede clasificar.

inclaustración *f.* Ingreso en una orden monástica.

inclemencia *f.* Falta de clemencia. 2 fig. Rigor del tiempo atmosférico.

inclinación *f.* Acción de inclinar o inclinarse. 2 Efecto de inclinar o inclinarse. 3 Reverencia que se hace con la cabeza o el cuerpo. 4 fig. Disposición natural o adquirida del ánimo, propensión a una cosa. 5 GEOM. Dirección que una línea o superficie tiene con relación a otra línea o superficie, especialmente horizontal o vertical.

inclinar *tr.-prnl.* Desviar [una cosa] de la posición vertical u horizontal o de cualquier otra que tenga algún carácter estable: ~ *el cuerpo hasta el suelo; el camino se inclina a la derecha.* – 2 *tr.* fig. Persuadir [a uno] a que haga o diga una cosa a la cual oponía resistencia. – 3 *intr.-prnl.* Parecerse un tanto un objeto a otro: *el chico inclina, o se inclina, a su madre.* – 4 *prnl.* Propender a una cosa: *se inclina a la virtud; me inclino a creerlo.*

ínclito, -ta *adj.* Ilustre, esclarecido.

incluir *tr.* Poner [una cosa] dentro de otra o dentro de sus límites: ~ *a uno en el número de,* o *entre, los buenos.* 2 Contener una cosa [a otra] o llevarla implícita. 3 esp. Comprender [un número menor] en otro mayor o [una parte] en su todo. ◇ ** CONJUG. [62] como *huir.*

inclusa *f.* Casa en donde se recogen y crían los niños expósitos.

inclusero, -ra *adj.-s.* Que se cría o se ha criado en la inclusa.

inclusión *f.* Acción de incluir. 2 Efecto de incluir. 3 Amistad o conexión de una persona con otra.

inclusive *adv. m.* Con inclusión. ◇ INCOR.: su empleo como adjetivo: *ambas páginas inclusives.*

incluso *adv. m.* Con inclusión de.

incoar *tr.* Comenzar [una cosa]: ~ *un proceso, un pleito.* ◇ No suele usarse en la 1ª persona singular del presente de indicativo.

incoativo, -va *adj.* Que denota el principio de una cosa o de una acción; esp., los verbos que expresan acción incipiente: *florecer, amanecer.*

incógnita *f.* MAT. Cantidad desconocida que es preciso determinar en una ecuación. 2 fig. Causa o razón oculta de un hecho que se examina: *el móvil de su acción es una* ~.

incógnito, -ta *adj.-m.* No conocido: *una persona incógnita; el rey guarda el* ~; *de* ~, sin darse a conocer, procurando no ser tratado con la etiqueta correspondiente: *el embajador viajaba de* ~.

incognoscible *adj.* Que no se puede conocer.

incoherencia *f.* Falta de coherencia. 2 Cosa que contradice a otra, o no guarda con ella una relación lógica.

incoherente *adj.* No coherente. 2 GEOL. [roca] Cuyos componentes están poco unidos entre sí, por lo que se separan con facilidad.

incoloro, -ra *adj.* Que carece de color.

incólume *adj.* Sano, sin lesión ni menoscabo.

incombustible *adj.* Que no se puede quemar. 2 fig. [pers.] Desapasionado, incapaz de enamorarse. 3 fig. [pers.] Que consigue mantenerse en un cargo público pese a los cambios políticos.

incomestible *adj.* Que no es comestible.

incomible *adj.* Que no se puede comer.

incomodado, -da *adj.* Molesto, disgustado.

incomodar *tr.* Causar incomodidad [a uno]. – 2 *prnl.* Enojarse, enfadarse, disgustarse.

incomodidad, incomodo *f.* Falta de comodidad. 2 eufem. Molestia. 3 Disgusto, enojo.

incómodo, -da *adj.* Que incomoda. 2 Que carece de comodidad.

incomparable *adj.* Que no tiene o no admite comparación.

incomparecencia *f.* Hecho de no comparecer o no presentarse una persona o grupo en el lugar y tiempo señalados. 2 Sanción impuesta por esta falta.

incompasivo, -va *adj.* Que carece de compasión.

incompatibilidad *f.* Calidad de incompatible. 2 Imposibilidad legal para ejercer una función determinada o para ejercer dos o más cargos a la vez.

incompatible *adj.* No compatible: *caracteres incompatibles; cargos incompatibles.*

incompetencia *f.* Falta de competencia o jurisdicción. 2 Ineptitud.

incompleto, -ta *adj.* No completo.

incomplexo, -xa *adj.* Desunido y sin trabazón ni adherencia.

incomposición *f.* Falta de composición o de debida proporción en las partes que componen un todo.

incomprendido, -da *adj.-s.* Que no ha sido debidamente comprendido. 2 [pers.] Cuyo mérito no ha sido generalmente apreciado.

incomprensible *adj.* Que no se puede comprender: ~ *a,* o *para, los hombres.*

incomprensivo, -va *adj.* [pers.] Reacio a comprender el sentimiento o la conducta de los demás. 2 [pers.] Poco dúctil y razonable, intolerante.

incompresible *adj.* Que no se puede comprimir.

incomunicación *f.* Acción de incomunicar o incomunicarse. 2 Efecto de incomunicar o incomunicarse. 3 Aislamiento temporal de procesados o testigos.

incomunicar *tr.* Privar de comunicación [a una persona o cosa]: ~ *a un preso; el terremoto incomunicó a toda la provincia.* – 2 *prnl.* Aislarse, negarse al trato con otras personas. ◇ ** CON- JUG. [1] como *sacar.*

inconcebible *adj.* Que no puede concebirse (en la mente). 2 fig. Extraordinario.

inconciliable *adj.* Que no puede conciliarse.

inconcluso, -sa *adj.* No terminado.

inconcuso, -sa *adj.* Firme, sin duda ni contradicción.

incondicional *adj.* Absoluto, sin restricción. – 2 *adj.-com.* Adepto a una persona o idea, sin limitación o condición ninguna.

inconexo, -xa *adj.* Que no tiene conexión con una cosa.

inconfesable *adj.* Que, por ser vergonzoso, no puede confesarse o manifestarse.

inconfeso, -sa *adj.* Que no confiesa el delito que se le imputa.

inconforme *adj.* No conforme, disconforme.

inconformismo *m.* Actitud o tendencia del que no acepta los principios morales, políticos, etc., de la sociedad en la que se encuentra.

inconfortable *adj.* Que no es confortable.

inconfundible *adj.* No confundible.

incongruencia *f.* Falta de congruencia.

inconmensurable *adj.* No conmensurable.

inconmovible *adj.* Que no se puede conmover o alterar.

inconmutable *adj.* Inmutable.

inconquistable *adj.* Que no se puede conquistar. 2 fig. Que no se deja vencer.

inconsciencia *f.* Estado en que el individuo no tiene exacta conciencia del alcance de sus palabras o acciones.

inconsciente *adj.* No consciente. 2 p. ext. Irreflexivo.

inconsecuencia *f.* Falta de consecuencia. 2 Cosa dicha o hecha sin reflexión.

inconsideración *f.* Falta de consideración o reflexión.

inconsistencia *f.* Falta de consistencia.

inconsolable *adj.* Que no puede consolarse. 2 fig. Difícil de consolarse.

inconstancia *f.* Falta de constancia. 2 Inestabilidad.

inconstitucional *adj.* No conforme con la constitución del estado.

inconstitucionalidad *f.* Oposición a los preceptos de la constitución.

inconsútil *adj.* Sin costura: *velo* ~.

incontable *adj.* Que no puede contarse, innumerable; numerosísimo.

incontaminado, -da *adj.* No contaminado.

incontenible *adj.* Que no puede ser contenido o refrenado.

incontestable *adj.* Que no se puede dudar ni impugnar.

incontinencia *f.* Vicio opuesto a la continencia; falto de continencia.

incontinente *adj.* Desenfrenado en las pasiones de la carne. 2 Que no se contiene.

incontinuo, -nua *adj.* No interrumpido, continuo.

incontrastable *adj.* Que no se puede contrastar, vencer o impugnar. 2 fig. Que no se deja reducir o convencer.

incontrolado, -da *adj.-s.* Que actúa o funciona sin control, orden, disciplina ni sujeción.

incontrovertible *adj.* Que no admite discusión.

inconvencible *adj.* Que no se deja convencer con razones.

inconveniencia *f.* Incomodidad, desconveniencia. 2 Falta, grosería en el trato social.

inconveniente *adj.* No conveniente. – 2 *m.* Impedimento, dificultad. 3 Daño que resulta de ejecutar una cosa.

incoordinación *f.* MED. Falta de coordinación de dos o más funciones o de los movimientos musculares.

incordiar *tr.* Fastidiar, molestar [a alguien]. ◇ ** CONJUG. [12] como *cambiar.*

incorporal *adj.* Incorpóreo. 2 [cosa] Que no puede tocarse.

incorporar *tr.* Unir [una o más cosas] con otras para que hagan un todo: ~ *una materia a, con, o en, otra.* – 2 *tr.-prnl.* Levantar la parte superior [del cuerpo] el que está echado. 3 Destinar [a un funcionario, en especial a un militar] al cuerpo o unidad en que debe prestar servicio. – 4 *prnl.* Agregarse una o más personas a otras para formar un cuerpo, especialmente ingresar los soldados en filas.

incorpóreo, -a *adj.* No corpóreo. 2 Inmaterial.

incorrección *f.* Calidad de incorrecto. 2 Dicho o hecho incorrecto.

incorrecto, -ta *adj.* No correcto.

incorregible *adj.* No corregible. 2 [pers.] Que no se quiere enmendar.

incorrupción *f.* Estado de una cosa incorrupta. 2 fig. Pureza de vida y costumbres.

incorruptible *adj.* No corruptible. 2 fig. Que no se puede pervertir. 3 Insobornable.

incorrupto, -ta *adj.* Que está sin corromperse. 2 fig. No dañado ni pervertido. 3 [mujer] Puro.

increado, -da *adj.* No creado.

incredibilidad *f.* Calidad de lo increíble.

incredulidad *f.* Repugnancia en creer una cosa. 2 Falta de fe y de creencia religiosa.

incrédulo, -la *adj.-s.* Que no cree en los dogmas religiosos. 2 Que no cree con facilidad y de ligero.

increíble *adj.* Que no puede creerse. 2 fig. Muy difícil de creer: ~ *a,* o *para, muchos.*

incrementar *tr.* Aumentar, añadir.

increpar *tr.* Reprender [a uno] con dureza y severidad.

incriminar *tr.* Acriminar [a uno] con fuerza o insistencia. 2 Acriminar (exagerar).

incristalizable *adj.* Que no se puede cristalizar.

incruentamente *adv. m.* Sin derramamiento de sangre.

incruento, -ta *adj.* No sangriento; esp., el sacrificio de la misa.

incrustación *f.* Acción de incrustar. 2 Cosa incrustada. 3 Capa pedregosa que se forma alrededor de ciertos cuerpos que permanecen en un agua calcárea. 4 Depósito de carbonato de cal que se forma en las paredes de las calderas de vapor. 5 Punto que se utiliza para unir sólidamente un encaje o tela en otra tela. 6 PAT. Depósito de substancia sólida en el interior de tejidos blandos u órganos huecos.

incrustar *tr.* Cubrir la superficie [de una cosa] con una costra dura. 2 Embutir en la superficie lisa y dura [de una cosa] piedras, metales, maderas, etc., formando dibujos. 3 Adherirse fuertemente. 4 fig. Grabarse: *incrustarse una cosa en la memoria.* 5 Intercalar [un encaje o tela] en otra. — 6 *prnl.* Penetrar [un cuerpo] en otro con violencia, o quedar adherido a él.

incubación *f.* Acción de incubar. 2 Efecto de incubar. 3 ~ *artificial,* modo de comunicar el calor necesario a los huevos para su desarrollo sin el concurso de las aves.

incubadora *f.* Aparato o local destinado a la incubación artificial. 2 Urna de cristal acondicionada, donde los niños nacidos antes de tiempo o en circunstancias anormales permanecen para facilitar el desarrollo de sus funciones orgánicas.

incubar *tr.* Encobar, empollar (calentar). 2 Iniciarse el desarrollo de [una tendencia o movimiento político, cultural, religioso, etc.] antes de su manifestación. 3 Desarrollar el organismo [una enfermedad] desde que empieza a obrar la causa morbosa hasta que se manifiestan sus efectos.

incuestionable *adj.* No cuestionable.

inculcar *tr.* fig. Infundir en el ánimo de uno [una idea, un concepto, etc.] a fuerza de repetirlo con ahínco: ~ *un deseo en el ánimo.* — 2 *prnl.* fig. Obstinarse uno en lo que siente o prefiere. ◇ ** CONJUG. [1] como *sacar.*

inculpabilidad *f.* Exención de culpa.

inculpar *tr.* Culpar, acusar [a uno] de algo.

incultivable *adj.* Que no puede cultivarse.

inculto, -ta *adj.* Que no tiene cultivo ni labor: *terrenos incultos.* 2 fig. De modales rústicos o de corta instrucción. 3 fig. [estilo] Desaliñado y grosero.

incultura *f.* Falta de cultivo o de cultura.

incumbencia *f.* Obligación que el cargo, empleo, etc., impone.

incumbir *intr.* Estar a cargo de uno una cosa: *eso no me incumbe;* ~ *al notario.*

incumplir *tr.* No cumplir [un mandato, ley o precepto].

incunable *adj.-m.* Edición hecha desde la invención de la imprenta hasta principios del s. XVI.

incurable *adj.* Que no se puede curar. 2 Muy difícil de curarse. 3 fig. Que no tiene enmienda.

incuria *f.* Falta de cuidado, negligencia.

incurrir *intr.* Con la preposición *en,* caer en culpa, error, o merecer pena o castigo a consecuencia de una acción: ~ *en error, en castigo,* etc. 2 Con la misma preposición, causar o atraerse odio, ira, desprecio, etc.: ~ *en el enojo de su jefe, en menosprecio.*

incursión *f.* Acción de incurrir. 2 Correría (hostilidad).

incursionar *intr. Amér.* Realizar una incursión de guerra. 2 fig. Hablando de un escritor o de un artista plástico, hacer una obra de género distinto del que cultiva habitualmente.

indagar *tr.* Tratar de llegar al conocimiento [de una cosa] discurriendo o por conjeturas y señales. ◇ ** CONJUG. [7] como *llegar.*

indebido, -da *adj.* Que no es obligatorio ni exigible. 2 Ilícito.

indecencia *f.* Falta de decencia o de modestia. 2 Acto vituperable.

indecible *adj.* Que no se puede decir o explicar.

indecisión *f.* Falta de decisión.

indeciso, -sa *adj.* Pendiente de resolución: *fallo ~.* 2 Irresoluto, dudoso.

indeclinable *adj.* Que necesariamente tiene que hacerse o cumplirse: *obligación ~.*

indecoroso, -sa *adj.* Que carece de decoro, o lo ofende.

indefectible *adj.* Que no puede faltar o dejar de ser.

indefensión *f.* Falta de defensa. 2 fig. Abandono, desamparo.

indefenso, -sa *adj.* Que carece de defensa.

indeficiente *adj.* Que no puede faltar.

indefinible *adj.* Que no se puede definir.

indefinido, -da *adj.* No definido. 2 Que no tiene término señalado o conocido. 3 GRAM. **Pretérito ~,** el que expresa acción pasada absoluta. V. **verbo.**

indeformable *adj.* Que no se deforma.

indehiscente *adj.* [órgano vegetal] Que no se abre de forma espontánea.

indeleble *adj.* Que no se puede borrar o quitar.

indeliberado, -da *adj.* Hecho sin deliberación ni reflexión.

indelicadeza *f.* Falta de delicadeza, de cortesía, etc.

indemne *adj.* Libre o exento de daño.

indemnidad *f.* Estado o situación del que está libre de padecer daño o perjuicio.

indemnización *f.* Acción de indemnizar o indemnizarse. 2 Efecto de indemnizar o indemnizarse. 3 Cosa con que se indemniza.

indemnizar *tr.* Resarcir [a uno] de un daño o perjuicio: ~ *a uno del perjuicio.* ◇ ** CONJUG. [4] como *realizar.*

indemorable *adj.* Que no puede demorarse.

indemostrable *adj.* No demostrable.

independencia *f.* Falta de dependencia. 2 Libertad, autonomía, especialmente la de un estado que no depende de otro. 3 Entereza, firmeza de carácter.

independentismo *m.* En un país que no tiene independencia política, movimiento que la propugna o reclama.

independiente *adj.* Exento de dependencia. 2 Autónomo. 3 fig. Que sostiene sus derechos u opiniones sin que le doblen respetos, halagos ni amenazas: ~ *en sus opiniones.*

independizar *tr.-prnl.* Hacer independiente [a una persona, corporación, territorio]: *la metrópoli quería ~ a sus colonias de un modo gradual; el artista se ha independizado de sus maestros.* ◇ ** CONJUG. [4] como *realizar.*

indescifrable *adj.* Que no se puede descifrar.

indescriptible *adj.* Que no se puede describir.

indeseable *adj.* [pers. generalmente extranjera] Cuya permanencia en un país consideran peligrosa las autoridades. 2 p. ext. [pers.] Que, por su ruindad moral, se considera indigna de trato. 3 Indigno de ser deseado.

indesignable *adj.* Imposible o muy difícil de señalar.

indestructible *adj.* Que no se puede destruir.

indeterminable *adj.* Que no se puede determinar. 2 Indeterminado (no resuelto).

indeterminación *f.* Falta de determinación en las cosas, o de resolución en las personas.

indeterminado, -da *adj.* No determinado, o que no implica determinación alguna. 2 Que no se resuelve a una cosa. 3 GRAM. Relativo a los adjetivos determinativos y pronombres *uno, otro, cierto, cualquier -a, quienquier -a, tal, cual, quien, mismo, cada, ambos, entrambos, sendos, demás, alguno, ninguno, nada, nadie, todo, mucho, poco, demasiado, harto, tanto, cuanto.*

indeterminismo *m.* Doctrina que considera el acto volitivo como absolutamente espontáneo, es decir, sin que esté determinado de una manera necesaria e ineluctable.

indiada *f.* Conjunto o muchedumbre de indios. 2 Dicho o acción propia de indios.

indialita *f.* Silicato que cristaliza en el sistema hexagonal.

indiana *f.* Tela de hilo o algodón, estampada por un solo lado.

indianismo *m.* Modismo de las lenguas de la India. 2 Ciencia de la lengua y civilización indias.

indianista *com.* Persona que cultiva la literatura y las lenguas indostánicas.

indiano, -na *adj.-s.* De América. 2 [pers.] Que vuelve rico de América. – 3 *adj.* Perteneciente o relativo a las Indias Orientales.

indicación *f.* Acción de indicar. 2 Efecto de indicar. 3 Dato, informe. 4 Corrección, observación hecha a alguien. 5 Prescripción médica.

indicador, -ra *adj.-s.* Que indica o sirve para indicar: *poste* ~. – 2 *m.* Dispositivo o señal que sirve para poner de manifiesto un fenómeno: ~ *de radar,* tubo de rayos catódicos con su equipo asociado, que permite una visualización de la señal de eco captada por el radar. 3 Ave pisciforme de 10 a 25 cms. de longitud, con el pico corto y grueso, alas largas y afiladas y marcado dimorfismo sexual (gén. *Indicator*).

indicar *tr.* Dar a entender [una cosa] con indicios y señales: ~ *a uno el camino; la altura del mercurio en el termómetro indica la temperatura.* 2 Exponer o esbozar brevemente: *ahora sólo indicaremos los resultados generales de la operación.* 3 Advertir, aconsejar. ◇ ** CONJUG. [1] como *sacar.*

indicativo, -va *adj.* Que indica o sirve para indicar. – 2 *adj.-m.* GRAM. *Modo* ~, v. modo y **verbo. – 3 *m.* Elemento que permite individualizar, caracterizar, clasificar o dirigir una información, una llamada, etc.

índice *adj.-m.* Dedo índice; **mano. – 2 *m.* Aguja, señal, etc., de un instrumento graduado que indica alguna cosa: *el* ~ *de un barómetro, de un termómetro.* 3 Manecilla (saetilla). 4 Indicio, señal. 5 Gnomon de un cuadrante solar. 6 Cifra que indica la evolución de una cantidad: ~ *de precios.* 7 Relación entre dos dimensiones. 8 Lista ordenada del contenido de un libro, de los objetos de una colección, etc.: ~ *de autores de una biblioteca.* 9 MAT. Número o letra que indica el grado de una raíz. 10 QUÍM. Número que indica la proporción de una substancia.

indiciado, -da *adj.-s.* Que tiene contra sí la sospecha de haber cometido un delito.

indiciar *tr.* Dar indicios [de una cosa]. 2 Sospechar [una cosa] o venir en conocimiento [de ella] por indicios. 3 Indicar. ◇ ** CONJUG. [12] como *cambiar.*

indicio *m.* Acción o señal que da a conocer lo oculto o desconocido. 2 Signo en que hay una relación de contigüidad con lo representado: *el humo es* ~ *de fuego.* 3 Cantidad pequeñísima de algo, que no acaba de manifestarse como mensurable o significativa.

indiferencia *f.* Estado del ánimo en que no

se siente inclinación ni repugnancia a una cosa.

indiferenciado, -da *adj.* Que no se diferencia, que no posee caracteres diferenciados.

indiferente *adj.* No determinado por sí a una cosa más que a otra. 2 Que no importa que sea o se haga de una o de otra forma. 3 Sin interés.

indiferentismo *m.* Indiferencia en materias de religión o de política.

indígena *adj.-s.* Originario del país de que se trata. 2 Establecido en un país desde tiempo inmemorial.

indigencia *f.* Falta de medios para alimentarse, vestirse, etc.

indigenismo *m.* Estudio, cultivo y exaltación de los caracteres y antigua cultura de ciertos pueblos autóctonos de América. 2 Doctrina y partido que propugna reivindicaciones políticas, sociales y económicas para las clases trabajadoras de indios y mestizos en las repúblicas hispanoamericanas. 3 Vocablo, giro, rasgo fonético, gramatical o semántico, peculiar de una lengua hablada en un determinado territorio, que se incorpora a otra lengua que, importada, se extiende más tarde por ese mismo territorio.

indigente *adj.-com.* Falto de medios para pasar la vida.

indigestarse *prnl.* Sufrir indigestión. 2 No sentar bien a uno un manjar o comida. 3 fig. No agradarle a uno alguien.

indigestión *f.* Falta de digestión; digestión difícil o defectuosa. 2 fig. Saciedad, hartazgo.

indigesto, -ta *adj.* Que no se digiere o se digiere con dificultad. 2 Que está sin digerir. 3 fig. Confuso y desordenado. 4 fig. Áspero, difícil en el trato.

indignación *f.* Enojo, enfado, ira contra una persona o contra sus actos.

indignar *tr.-prnl.* Irritar, enfadar vehementemente [a uno]: *indignarse con, o contra, alguno; indignarse de, o por, una mala acción.*

indignidad *f.* Calidad de indigno. 2 Cosa indigna.

indigno, -na *f.* Que no tiene mérito ni disposición para una cosa. 2 Que no corresponde a las circunstancias de un sujeto o es inferior a la calidad y mérito de la persona con quien se trata. 3 Vil, ruin.

índigo *m.* Añil (arbusto y substancia).

I) indio *m.* Metal blanco parecido al estaño, pero más fusible y estable, que en el espectroscopio presenta una raya azul característica. Su símbolo es *In.*

II) indio, -dia *adj.* De color azul.

III) indio, -dia *adj.-s.* De la India, es decir, de las Indias Orientales. 2 Antiguo poblador de América, es decir, de las Indias Occidentales, y descendiente de aquél sin mezcla de otra raza. − 3 *adj.* Relativo a los indios: *cos-*

tumbres indias; lengua india. 4 *Cuba, P. Rico, Méj. y Nicar.* [gallo de pelea] De plumaje colorado y pechuga negra.

indirecta *f.* Medio indirecto de que uno se vale para no significar claramente una cosa y darla, sin embargo, a entender.

indirecto, -ta *adj.* Que no va rectamente a un fin, aunque se encamine a él. 2 GRAM. *Complemento* ∼, v. complemento. 3 GRAM. *Estilo* ∼, v. estilo.

indiscernible *adj.* Que no se puede discernir.

indisciplina *f.* Falta de disciplina.

indisciplinar *tr.* Causar indisciplina: *sus palabras indisciplinaron a los estudiantes.* − 2 *prnl.* Quebrantar la disciplina.

indiscreción *f.* Falta de discreción. 2 Dicho o hecho indiscreto.

indiscreto, -ta *adj.-s.* Que obra sin discreción. − 2 *adj.* Que se hace sin discreción.

indiscriminadamente *adv. m.* Sin discriminación. 2 Sin la debida discriminación.

indisculpable *adj.* Que no tiene disculpa.

indiscutible *adj.* No discutible.

indisociable *adj.* Que no se puede disociar o separar.

indisoluble *adj.* Que no se puede disolver o desatar.

indispensable *adj.* Que no se puede dispensar. 2 Que es necesario.

indisponer *tr.-prnl.* Privar [una cosa] de la disposición conveniente para algún fin: ∼ *un proyecto de viaje.* 2 Malquistar: *indisponerse con, o contra, uno.* 3 Causar indisposición o falta de salud, experimentarla: *el calor me indispone; se ha indispuesto.* ◇ ∗∗ CONJUG. [78] como *poner;* pp. irreg.: *indispuesto.*

indisposición *f.* Falta de disposición y preparación para una cosa. 2 Desazón o quebranto leve de salud.

indispuesto, -ta *adj.* Que siente indisposición en la salud. 2 Enfadado.

indistinguible *adj.* Que no se puede distinguir. 2 fig. Muy difícil de distinguir.

indistinto, -ta *adj.* Que no se distingue de otra cosa. 2 [cuenta corriente, depósito, etc.] Hecho por dos o más personas, del cual puede disponer cualquiera de ellas sin distinción.

individual *adj.* Relativo al individuo. 2 Propio y característico de una cosa.

individualidad *f.* Calidad particular de una persona o cosa por la cual se da a conocer o se señala singularmente.

individualismo *m.* Principio de gobierno que favorece la libertad de acción del individuo, evitando la interferencia del estado. 2 Doctrina ética que afirma como objeto en el que ha de realizarse la acción moral los individuos humanos. 3 Egoísmo de cada cual, en los afectos, intereses, etc. 4 Propensión a obrar según el propio albedrío y no de concierto con la colectividad.

individuar *tr.* Especificar, distinguir [una cosa] de otras por cualidades peculiares. 2 Distinguir [un individuo] de otros de la especie. ◇ ** CONJUG. [11] como *actuar.*

individuo, -dua *adj.* Individual. 2 Indivisible. – 3 *m.* Ser organizado, animal o vegetal, respecto de la especie a que pertenece. 4 Persona perteneciente a una clase, corporación, etc. 5 La propia persona u otra, con abstracción de las demás.

indivisible *adj.* Que no puede ser dividido.

indiviso, -sa *adj.* No dividido en partes.

indizar *tr.* Hacer índices. 2 Registrar ordenadamente [datos e informaciones] para elaborar un índice de ellos. ◇ ** CONJUG. [4] como *realizar.*

indoafgano, -na *adj.-s.* [pers.] De la raza blanca extendida desde el sur de Irán hasta el norte de la India.

indoario, -ria *adj.-s.* Indoiranio.

indoblegable *adj.* Que no desiste de su opinión, propósito, conducta, etc.

indocto, -ta *adj.* Falto de instrucción, inculto.

indoctrinado, -da *adj.* Inculto, ignorante.

indocumentado, -da *adj.* Que no lleva consigo o carece de documentos de identificación personal. 2 Que no tiene prueba fehaciente o testimonio válido. 3 fig. Sin arraigo, ni respetabilidad. 4 fig. Ignorante, inculto.

indochino, -na *adj.-s.* De Indochina, península del sudeste de Asia.

indoeuropeo, -a *adj.-s.* De una vasta familia de pueblos de raza blanca que hablan lenguas de flexión procedentes de un tronco común, subagrupados en familias menores, a saber, india, irania, armenia, griega, albanesa, neolatina, celta, germánica, báltica, eslava, con las respectivas lenguas muertas; como el sánscrito antiguo, el griego antiguo, el latín, las lenguas itálicas, etc.

indoiranio, -nia *adj.-s.* [familia de lenguas indoeuropeas] Que está compuesto por el grupo de lenguas indias e iranias.

índole *f.* Condición e inclinación natural propia de cada uno. 2 Naturaleza y condición de las cosas.

indolente *adj.* Que no duele. 2 Que no se conmueve. 3 Flojo, perezoso. 4 Insensible, que no siente el dolor.

indoloro, -ra *adj.* Que no causa dolor: *operación quirúrgica indolora.*

indomable *adj.* Que no se puede domar. 2 fig. [pers.] Que no se deja someter.

indómito, -ta *adj.* No domado. 2 Que no se puede domar. 3 Difícil de sujetar o reprimir.

indonésico, -ca *adj.-s.* De Indonesia, nación insular del sudeste de Asia.

indostaní *adj.-m.* Del Indostán, región de la India. – 2 *m.* Lengua indoaria hablada en la India y el Pakistán.

indubitado, -da *adj.* Cierto y que no admite duda.

inducción *f.* Acción de inducir. 2 Efecto de inducir. 3 Razonamiento que va de lo particular a lo general, de las partes al todo, de los hechos y fenómenos a las leyes, de los efectos a las causas, etc. 4 Acción que un campo eléctrico o magnético ejerce sobre un conductor u otro campo situado dentro de su esfera de influencia.

inducir *tr.* Instigar, mover [a uno]: ~ *a uno a pecar;* ~ *en error.* 2 Inferir [algo] por inducción (razonamiento). 3 Producir por inducción una carga, una corriente eléctrica o un imán [fenómenos eléctricos o magnéticos] en un cuerpo o en un campo. ◇ ** CONJUG. [46] como *conducir.*

inductancia *f.* Propiedad de los circuitos eléctricos por la cual se produce una fuerza electromotriz cuando existe una variación de la corriente.

inductor, -ra *adj.* Que induce. – 2 *m.* En una dinamo o motor eléctrico, circuito productor del campo magnético que origina la corriente en el inducido.

indudable *adj.* Que no puede dudarse.

indulgencia *f.* Facilidad en perdonar o disimular las culpas o en conceder gracias. 2 Remisión que la autoridad eclesiástica concede de la pena temporal debida por los pecados.

indulgente *adj.* Fácil en perdonar y disimular los yerros o en conceder gracias: ~ *con,* o *para con, sus amigos;* ~ *en sus juicios.*

indultar *tr.* Perdonar [a uno] el todo o parte de la pena que tiene impuesta: ~ *a uno de la pena de muerte.*

indulto *m.* Privilegio concedido a uno para que pueda hacer lo que sin él no podría. 2 Gracia por la cual el superior remite el todo o parte de una pena o la conmuta.

indumentaria *f.* Estudio histórico del traje. 2 Vestido.

indusio *m.* Excrecencia membranosa o vellosa que protege los soros de algunos helechos.

industria *f.* Destreza o artificio para hacer una cosa. 2 Aplicación especial del trabajo humano a un fin económico en virtud del cual se transforman las primeras materias hasta hacerlas aptas para satisfacer las necesidades del hombre. 3 Conjunto de operaciones materiales ejecutadas para la obtención, transformación o transporte de uno o varios productos. 4 Conjunto de las industrias de un mismo o de varios géneros, de todo un país o de parte de él: *la* ~ *fabril, metalúrgica; la* ~ *catalana.*

industrial *adj.* Relativo a la industria. – 2 *com.* El que vive del ejercicio de una industria. 3 Propietario de una industria, empresario.

industrialismo *m.* Tendencia al predominio de los intereses industriales. 2 Mercantilismo.

industrializar *tr.* Hacer que [una cosa] sea objeto de industria o elaboración. 2 Dar predominio a las industrias en la economía de un país. 3 Aplicar los métodos de la industria a [otra actividad económica]. ◇ ** CONJUG. [4] como *realizar.*

industriar *tr.* Instruir, amaestrar [a uno]. – 2 *prnl.* Ingeniarse, sabérselas componer. ◇ ** CONJUG. [12] como *cambiar.*

industrioso, -sa *adj.* Que obra con industria. 2 Que se hace con industria. 3 Que se dedica con ahínco al trabajo.

inedia *f.* Estado de una persona que pasa sin tomar alimento más tiempo del ordinario.

inédito, -ta *adj.* [lo escrito] No publicado; [autor] cuyas obras no se han publicado aún. 2 No conocido, nuevo.

ineducación *f.* Falta de educación.

inefable *adj.* Que con palabras no se puede explicar.

ineficacia *f.* Falta de eficacia.

ineficaz *adj.* No eficaz.

ineficiente *adj.* Inefectivo, ineficaz, inoperante.

inejecución *f.* No ejecución, falta de ejecución.

inelegancia *f.* Falta de elegancia.

inelegible *adj.* Que no se puede elegir.

ineluctable *adj.* Aquello contra lo cual no puede lucharse; inevitable.

ineludible *adj.* Que no se puede eludir.

inenarrable *adj.* Indecible. 2 Maravilloso, sorprendente, admirable.

inepto, -ta *adj.-s.* No apto para una cosa. 2 Necio o incapaz.

inequívoco, -ca *adj.* Que no admite duda.

inercia *f.* Flojedad, inacción. 2 Falta de energía física o moral. 3 Incapacidad que tienen los cuerpos de modificar por sí mismos el estado de reposo o movimiento en que se encuentran. 4 fig. Resistencia pasiva que consiste sobre todo en no obedecer.

inerme *adj.* Que está sin armas. 2 H. NAT. Desprovisto de púas, espinas, aguijones, etc.

inerte *adj.* Que tiene inercia. 2 QUÍM. Que no cambia fácilmente por medios químicos.

inervación *f.* Conjunto de las acciones nerviosas. 2 Acción del sistema nervioso en las funciones de los demás órganos. 3 Distribución de los nervios en una parte, órgano o región.

inescrupuloso, -sa *adj.* Que carece de escrúpulos. 2 Dicho o hecho sin escrúpulos.

inescrutable *adj.* Que no se puede saber ni averiguar.

inesperado, -da *adj.* Que sucede sin esperarse.

inestabilidad *f.* Falta de estabilidad. 2

Situación del sistema económico en que las magnitudes tienden a no coincidir con la posición de equilibrio. 3 METEOR. Situación que se da en la atmósfera cuando cualquier movimiento vertical que se produce en ella muestra una tendencia natural a amplificarse.

inestable *adj.* No estable. 2 [pers.] De carácter desprovisto de unidad y consistencia, y cuyo talante es caprichoso.

inestimable *adj.* Que no puede ser estimado en su valor. 2 De gran valor.

inevitable *adj.* Que no se puede evitar.

inexactitud *f.* Falta de exactitud.

inexacto, -ta *adj.* Que carece de exactitud.

inexcusable *adj.* Que no se puede excusar.

inexhaustible *adj.* Que no puede agotarse.

inexistente *adj.* Que carece de existencia. 2 fig. Que aunque existe se considera totalmente nulo.

inexorable *adj.* Que no se deja vencer por ruegos. 2 Inevitable, ineluctable.

inexperto, -ta *adj.-s.* Falto de experiencia.

inexpiable *adj.* Que no se puede expiar.

inexplicable *adj.* Que no se puede explicar.

inexplorado, -da *adj.* No explorado.

inexplotable *adj.* Que no puede explotarse.

inexpresable *adj.* Que no se puede expresar.

inexpresivo, -va *adj.* Que carece de expresión.

inexpugnable *adj.* Que no se puede expugnar. 2 fig. Que no se deja vencer ni persuadir.

inextenso, -sa *adj.* Que carece de extensión.

inextinguible *adj.* No extinguible. 2 fig. De larga o perpetua duración.

inextirpable *adj.* Que no puede ser extirpado.

inextricable *adj.* Difícil de desenredar; muy intrincado y confuso.

infalibilidad *f.* Calidad de infalible. 2 TEOL. Don especial de Dios a su Iglesia, que asegura la conservación, sin pérdida ni falseamiento de la verdad revelada por Dios.

infalible *adj.* Que no puede engañar ni engañarse. 2 Seguro, cierto.

infamar *tr.* Quitar la honra y buen nombre, cubrir de ignominia [a una persona o cosa personificada].

infame *adj.-com.* Que carece de honra, crédito y estimación. – 2 *adj.* Muy malo y vil en su especie.

infamia *f.* Descrédito, deshonra. 2 Maldad, vileza en cualquier línea.

infancia *f.* Período de la vida del niño desde que nace hasta los comienzos de la pubertad. 2 fig. Conjunto de los niños de tal edad. 3 fig. Primer estado de una cosa después de su nacimiento o creación.

infando, -da *adj.* Torpe e indigno de que se hable de ello.

infante, -ta *m. f.* Niño durante la infancia. 2 Hijo legítimo del rey, nacido después del príncipe o de la princesa. 3 Pariente del rey que por gracia real obtiene este título. – 4 *m.* Soldado de infantería.

infantería *f.* Tropa que sirve a pie en la milicia: ~ *de marina,* la destinada a dar la guarnición a los buques de guerra, arsenales y departamentos marítimos.

infanticida *adj.-com.* [pers.] Que mata a un niño o infante.

infanticidio *m.* Muerte dada violentamente a un niño.

infantil *adj.* Relativo a la infancia. 2 fig. Inocente, cándido.

infantilismo *m.* Calidad de infantil. 2 Anomalía de desarrollo caracterizada por la persistencia, en una persona adolescente o adulta, de los caracteres orgánicos y psíquicos propios de la niñez. 3 fig. Falta de madurez, excesiva puerilidad o ingenuidad.

infantilizar *tr.* Favorecer o mantener una mentalidad infantil [en el adulto]. ◇ ** CONJUG. [4] como *realizar.*

infarto *m.* MED. Hinchazón u obstrucción de un órgano o parte del cuerpo, en especial del corazón: ~ *de miocardio,* lesión isquémica que conduce a la necrosis de una porción del músculo cardíaco, y cuadro clínico que depara.

infatigablemente *adv. m.* Sin fatigarse; con persistencia tenaz.

infatuar *tr.* Volver [a uno] fatuo, engreírle: *infatuarle con los aplausos.* ◇ ** CONJUG. [11] como *actuar.*

infausto, -ta *adj.* Desgraciado.

infección *f.* Acción de infectar: ~ *intestinal.* 2 Efecto de infectar.

infeccioso, -sa *adj.* Que es causa de infección o tiene carácter de tal: *germen ~; enfermedad infecciosa.*

infectar *tr.* Inficionar. 2 Contaminar [un organismo o una cosa] con los gérmenes de una enfermedad: ~ *una herida, unas tijeras.*

infecundidad *f.* Falta de fecundidad.

infecundo, -da *adj.* No fecundo.

infelicidad *f.* Desgracia (caso funesto).

infeliz *adj.-s.* Desgraciado. 2 Bondadoso y apocado.

inferior *adj.* Situado debajo de otra cosa o más bajo que ella: *el nivel medio del Sáhara no es* ~ *al del Mediterráneo; la parte* ~ *de un monolito.* 2 [lugar o país] Situado en el nivel más bajo de la cuenca de los ríos: *el Egipto* ~. 3 fig. Que es menos que otra persona o cosa en calidad, cantidad, rango, importancia, etc.: ~ *a otro;* ~ *en talento.* 4 fig. Muy malo: *paño de calidad* ~. – 5 *com.* Persona sujeta o subordinada a otra: *mis inferiores.*

inferir *tr.* Sacar una consecuencia de una cosa: ~ *una cosa de,* o *por, otra.* 2 Llevar consigo, conducir a un resultado: *estos fríos han inferido las heladas.* 3 Tratándose de ofensas, heridas, etc., hacerlas o causarlas. ◇ ** CONJUG. [35] como *hervir.*

infernáculo *m.* Juego de muchachos parecido a la rayuela.

infernal *adj.* Que es del infierno o relativo a él. 2 fig. Muy malo, perjudicial en su línea. 3 fig. Hiperbólicamente, que causa sumo disgusto o enfado: *calor, ruido* ~.

infero, -ra *adj.* ZOOL. [abertura de los peces] Que no es terminal, sino ventral, situada debajo del hocico.

infestar *tr.* Causar estragos con hostilidades o correrías. 2 Invadir [un lugar] los animales o plantas perjudiciales: *las ratas infestan el puerto.* – 3 *tr.-prnl.* Apestar, propagarse una infección: *la gripe infesta la ciudad;* fig., ~ *un pueblo con,* o *de, malas doctrinas.* 4 fig. Llenar [un sitio], o haber en [un sitio], mucha cantidad de personas o cosas. 5 PAT. Invadir [el organismo] parásitos macroscópicos.

inficionar *tr.* Corromper, contagiar: ~ *las aguas.* 2 Envenenar, emponzoñar. 3 fig. Corromper con malas doctrinas o ejemplos.

infidelidad *f.* Falta de fidelidad.

infidencia *f.* Falta a la confianza y fe debida a otro.

infiel *adj.* Falto de fidelidad: ~ *a, con, para,* o *para con, sus amigos.* 2 Falto de exactitud: *relato, memoria* ~. – 3 *adj.-com.* Que no profesa la fe verdadera; esp., no cristiano.

infiernillo *m.* Cocinilla (hornillo).

infierno *m.* Lugar adonde creían los paganos que iban las almas de los muertos. 2 Lugar destinado por la divina justicia para eterno castigo de los réprobos, según la religión católica. 3 Limbo. 4 Uno de los cuatro novísimos. 5 Lugar subterráneo en que sienta la rueda y artificio con que se mueve la máquina de la tahona. 6 Pilón adonde van las aguas empleadas en escaldar la pasta de la aceituna. 7 fig. Lugar en que hay mucho alboroto y discordia. 8 fig. La misma discordia.

infigurable *adj.* Que no puede tener figura corporal; inimaginable.

infijo -m. *adj.* Afijo con función o significado propios que se introducen en el interior de una palabra.

infiltrado, -da *m. f.* Persona que se introduce en una organización con ánimo de conocer sus actividades y denunciarlas o comunicarlas a aquellos para quien trabaja.

infiltrar *tr.* Introducir gradualmente [un líquido] en los poros o intersticios de un cuerpo sólido. 2 fig. Infundir en el ánimo [una idea o doctrina]. – 3 *prnl.* Penetrar subrepticiamente en alguna parte: *infiltrarse en las filas enemigas, en un sindicato.*

ínfimo, -ma *adj.* Que en su situación está muy bajo. 2 En el orden y graduación de las cosas, que es última y menos que las demás. 3 Que es lo más vil y despreciable en cualquier línea.

infinible *adj.* Que no se acaba o no puede tener fin.

infinidad *f.* Calidad de infinito. 2 fig. Gran muchedumbre.

infinitesimal *adj.* MAT. [cantidad] Infinitamente pequeño.

infinitivo *adj.-m.* GRAM. *Modo* ~. ◇ V. Apéndice gramatical.

infinito, -ta *adj.* Que no tiene ni puede tener fin ni término. 2 Muy numeroso y grande. – 3 *m.* Espacio sin límites. 4 MAT. Signo en forma de un ocho tendido [∞] que expresa un valor mayor que cualquiera cantidad asignable. – 5 *adv. m.* Excesivamente, muchísimo.

inflación *f.* fig. Engreimiento y vanidad. 2 fig. Subida permanente de los precios a lo largo del tiempo, que puede ser debida a causas muy diversas. 3 p. ext. *y* fig. Amplitud, extensión o propagación excesiva de un fenómeno. ◇ INCOR.: *inflacción.*

inflacionario, -ria *adj.* [política o situación económica] Que produce inflación.

inflador *m.* Aparato para inflar.

inflagaitas *com.* Tonto, estúpido, majadero. ◇ Pl.: *inflagaitas.*

inflamable *adj.* Fácil de inflamarse.

inflamación *f.* Reacción de un tejido al contacto de agentes patógenos, caracterizada generalmente por enrojecimiento, calor, tumefacción y dolor.

inflamar *tr.* Encender [una cosa] levantando llama. 2 fig. Enardecer las pasiones o afectos del ánimo: *inflamarse de,* o *en, ira.* – 3 *prnl.* Producirse inflamación en una parte del organismo.

inflar *tr.* Hinchar. 2 fig. Exagerar, abultar [hechos, noticias]. – 3 *prnl.* fig. Ensoberbecerse, engreírse. 4 fam. Hartarse: *se infló de trabajar.*

inflexible *adj.* Rígido, que no es posible doblarlo o torcerlo. 2 fig. Que no se conmueve ni se doblega ni desiste de su propósito: ~ *a los ruegos;* ~ *en su dictamen.*

inflexión *f.* Torcimiento de una cosa que estaba recta o plana. 2 Elevación o atenuación hecha con la voz, quebrándola o pasando de un tono a otro. 3 FÍS. Desviación. 4 GEOM. Punto de la curva en que cambia de sentido su curvatura. 5 GRAM. Terminación que toma la palabra variable.

infligir *tr.* Imponer [un castigo o pena corporal]. 2 Producir [un daño]. ◇ ** CONJUG. [6] como *dirigir.*

**inflorescencia *f.* Disposición que toman y orden en que aparecen y se desarrollan las flores en una planta cuyos brotes florales se ramifican.

influencia *f.* fig. Poder, valimiento, autoridad de una persona para con otra u otras. 2

INFLORESCENCIAS

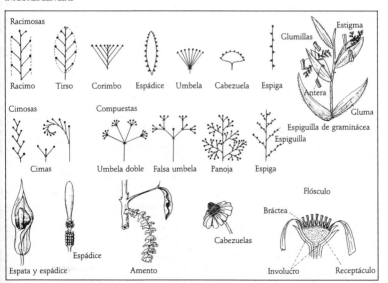

Racimosas: Racimo, Tirso, Corimbo, Espádice, Umbela, Cabezuela, Espiga, Estigma, Glumillas, Antera, Gluma

Cimosas: Cimas

Compuestas: Umbela doble, Falsa umbela, Panoja, Espiga, Espiguilla de graminácea, Espiguilla

Espata y espádice, Espádice, Amento, Cabezuelas, Flósculo, Bráctea, Involucro, Receptáculo

fig. Gracia o inspiración que Dios envía a las almas. 3 fís. Efecto producido a distancia.

influenciar *intr.* Influir (producir, contribuir). ◇ ** CONJUG. [12] como *cambiar.*

influente *adj.* Influyente. – 2 *m.* Río de las regiones secas que pierde agua por evaporación.

influir *intr.* Producir unas cosas sobre otras, de una manera indirecta o insensible, una acción o efecto: *el imán influye sobre el hierro; el calor influye en la vegetación.* 2 fig. Ejercer una persona o cosa predominio o fuerza moral en el ánimo: ~ *con el jefe;* ~ *para el indulto.* 3 fig. Contribuir al éxito de un negocio. ◇ ** CONJUG. [62] como *huir.*

influjo *m.* Influencia. 2 Flujo (de la marea).

influyente *adj.* Que influye. 2 Que goza de influencia y poder.

infolio *m.* Libro en folio.

información *f.* Acción de informar o informarse. 2 Efecto de informar o informarse. 3 Averiguación jurídica o legal de un hecho o delito. 4 Noticia o noticias que uno trata de saber: ~ *mercantil, extranjera; agencia de* ~. 5 Pruebas de la calidad y circunstancias necesarias en un sujeto para un empleo u honor. 6 Comunicación o adquisición de conocimientos que permiten ampliar o precisar los que se poseen sobre una materia determinada.

informal *adj.* Que carece de formalidad. 2 ANGLIC. No oficial, oficioso, extraoficial.

informar *tr.* Enterar, dar noticia [a alguno] de alguna cosa: ~ *al público de, en,* o *sobre, los incidentes de la lucha; prnl.,* procurarse noticias: *se ha informado mal.* 2 Dar forma substancial [a una cosa]. – 3 *intr.* Dictaminar un cuerpo consultivo o una persona perita. 4 Hablar en estrados los fiscales y abogados.

informática *f.* Conjunto de conocimientos científicos y técnicos que se ocupan del tratamiento de la información por medio de ordenadores electrónicos.

informático, -ca *adj.-s.* Perteneciente o relativo a la informática. – 2 *m. f.* Persona que trabaja o investiga en el sector de la informática.

informativo, -va *adj.* Que informa (entera). 2 [corporación, junta, comisión, etc.] De carácter consultivo. – 3 *m.* Espacio dedicado a difundir las noticias en radio y televisión.

informatizar *tr.-prnl.* Introducir o aplicar los medios o métodos de la informática. ◇ ** CONJUG. [4] como *realizar.*

I) informe *m.* Noticia que se da de un negocio o suceso, o acerca de una persona. 2 Acción de informar (dictaminar). 3 Efecto de informar (dictaminar). 4 Exposición, en radio y televisión, de datos, causas y circunstancias documentales que rodean una información, con un estilo impersonal.

II) informe *adj.* Que no tiene forma, figura y perfección que le corresponde. 2 De forma vaga e indeterminada.

infortunio *m.* Suerte, hecho o acaecimiento desgraciado. 2 Estado desgraciado de una persona.

infracción *f.* Quebrantamiento de una ley o tratado, o de una norma moral, lógica o doctrinal.

infraclase *f.* Grupo de animales que forman una categoría taxonómica entre la superclase y el orden o el superorden.

infracto, -ta *adj.* Constante y que no se conmueve fácilmente.

infractor, -ra *adj.-s.* Transgresor.

infraespinoso, -sa *adj.-m.* ANAT. **Músculo de la zona inferior del omóplato cuya función es la rotación externa del húmero.

infraestructura *f.* Parte de una construcción que está bajo el nivel del suelo. 2 Conjunto de medios necesarios para el desarrollo de una actividad. 3 p. ext. Lo fundamental, básico y necesario para algo.

in fraganti *loc. adv.* En flagrante.

infraglotal *adj.-s.* Consonante articulada por el aire procedente de los pulmones.

infrahumano, -na *adj.* Inferior a lo humano: *conducta infrahumana; condiciones infrahumanas de vida.*

infrangible *adj.* Que no se puede quebrantar.

infranqueable *adj.* Imposible o difícil de franquear (desembarazar).

infrarrojo, -ja *adj.* [radiación del espectro luminoso] Que tiene mayor longitud de onda y se encuentra más allá del rojo visible; se caracteriza por sus efectos térmicos, pero no luminosos ni químicos.

infrascrito, -ta *adj.-s.* Que firma al fin de un escrito. – 2 *adj.* Dicho abajo o después de un escrito.

infrasonido *m.* Vibración de frecuencia inferior a las audibles por el oído humano.

infrautilizar *tr.* Utilizar [algo] por debajo de las posibilidades que ofrece ◇ ** CONJUG. [4] como *realizar.*

infravalorar *tr.* No apreciar lo suficiente el valor de [una cosa].

infrecuente *adj.* Que no es frecuente.

infringir *tr.* Quebrantar [la ley, un convenio, etc.]. ◇ ** CONJUG. [6] como *dirigir.*

infructífero, -ra *adj.* Que no produce fruto. 2 fig. Inútil.

infructuoso, -sa *adj.* Ineficaz, inútil.

infrutescencia *f.* Fructificación formada por la agrupación de varios frutillos procedentes de las flores de una inflorescencia, y con apariencia de unidad; como la del moral; **fruto.

ínfula *f.* Cinta ancha que pende por la parte posterior de la mitra episcopal. – 2 *f. pl.* fig. Presunción o vanidad.

infundado, -da *adj.* Que carece de fundamento.

infundio *m.* Mentira, patraña, especialmente cuando se propaga como noticia o rumor público: *esta información es un ~.*

infundir *tr.* fig. Comunicar Dios al alma [un don o gracia]. 2 fig. Causar en el ánimo [un impulso moral o afectivo]: ~ *valor a,* o *en, alguno.* ◇ pp. reg.: *infundido*; irreg.: *infuso.*

infusión *f.* Acción de infundir. 2 Efecto de infundir. 3 En el sacramento del bautismo, acción de echar el agua sobre el que se bautiza. 4 Acción de tratar con agua caliente una substancia para extraer de ella las partes solubles, especialmente hasta el momento de iniciarse la ebullición. 5 Producto líquido así obtenido. 6 Administración de líquidos por vía intravenosa.

infuso, -sa *adj.* [conocimiento, aptitud] Que Dios infunde en los hombres. 2 Conseguido sin trabajo, caído del cielo: *ciencia infusa.*

ingeniar *tr.* Trazar o inventar ingeniosamente [una cosa]. – 2 *prnl.* Discurrir trazas para conseguir o ejecutar una cosa: *ingeniarse a,* o *para, ir viviendo; ingeniarse con poco, en alguna cosa.* ◇ ** CONJUG. [12] como *cambiar.*

ingeniería *f.* Arte de aplicar los conocimientos científicos a la invención, perfeccionamiento y utilización de la técnica industrial en todas sus determinaciones: ~ *genética,* la relativa al mejoramiento de los individuos de una especie. 2 Profesión y ejercicio del ingeniero.

ingeniero, -ra *m. f.* Persona que profesa o ejerce la ingeniería: ~ *agrónomo,* el que entiende en todo lo que se refiere a la práctica de la agricultura; ~ *de montes,* en la cría y aprovechamiento de los montes; ~ *de caminos, canales y puertos,* en la traza, ejecución y conservación de obras públicas; ~ *de minas,* en el laboreo de las minas; ~ *industrial,* en todo lo concerniente a la industria fabril; ~ *naval* o *de marina,* el que tiene por profesión proyectar, ejecutar y conservar toda clase de construcciones navales; ~ *técnico,* perito.

ingenio *m.* Espíritu de invención, facultad para discurrir o crear con prontitud y facilidad. 2 Individuo dotado de esta facultad. 3 Habilidad, industria, maña para conseguir o ejecutar una cosa. 4 Máquina o artificio mecánico.

ingenioso, -sa *adj.* Que tiene ingenio. 2 Hecho o dicho con ingenio.

ingénito, -ta *adj.* No engendrado. 2 Congénito.

ingente *adj.* Muy grande.

ingenuidad *f.* Sinceridad, candor, buena fe.

ingenuo, -nua *adj.-s.* Sincero, candoroso, sin doblez.

ingerir *tr.* Introducir por la boca la comida, bebida o medicamentos. ◇ ** CONJUG. [35] como *hervir.*

ingle *f.* Parte del **cuerpo en que se juntan los muslos con el vientre.

inglés, -glesa *adj.-s.* De Gran Bretaña. – 2 *m.* Lengua inglesa.

inglete *m.* Ángulo de 45 grados que con cada uno de los catetos forma la hipotenusa del cartabón. 2 Unión a escuadra de los trozos de una moldura.

ingletear *tr.* Formar con ingletes.

ingobernable *adj.* Que no se puede gobernar.

ingrato, -ta *adj.* Desagradecido: ~ *a los amigos.* 2 Desabrido, desagradable. 3 Que no corresponde al trabajo que cuesta.

ingrávido, -da *adj.* Que no tiene peso: *los espíritus son ingrávidos.* 2 [cuerpo material] Que se halla fuera, total o parcialmente, del campo gravitatorio de la Tierra o de otro astro. 3 fig. Ligero, leve, tenue, como la gasa o la niebla.

ingrediente *m.* Cosa que entra con otras en un compuesto. 2 fig. Elemento que puede contribuir a definir una situación, hecho, problema, etc.

ingresar *intr.-tr.* Entrar una cosa, y especialmente dinero. – 2 *intr.* Entrar (en un conjunto). 3 Entrar en un establecimiento sanitario para someterse a un tratamiento. 4 Aprobar el examen de ingreso de un centro o escuela especial. 5 Ganar regularmente por algún concepto cierta cantidad de dinero. ◇ GRAM. En la primera acepción, tratándose de dinero, se ha generalizado el uso transitivo: *ayer ingresé 6.000 pesetas en mi cuenta corriente.*

ingresivo, -va *adj.* GRAM. [aspecto verbal] Que designa el comienzo de la acción. En español está representado generalmente por perífrasis como *echó a llorar, se puso a escribir,* etc.

ingreso *m.* Acción de ingresar. 2 Entrada. 3 Examen que se hace para ingresar en un colegio, facultad, etc. 4 Caudal que entra en poder de uno, y que le es de cargo en las cuentas. 5 Pie del altar. – 6 *m. pl.* Sueldo, rentas.

íngrimo, -ma *adj.* *Amér.* Completamente solo, sin compañía.

inguinal *adj.* Inguinario.

inguinario, -ria *adj.* Perteneciente o relativo a las ingles.

inhábil *adj.* Torpe, desmañado. 2 Inepto, incapaz, incompetente. 3 Inadecuado al fin que se pretende.

inhabilitar *tr.* Imposibilitar para alguna acción. 2 Incapacitar para ejercer un derecho, empleo, etc.

inhabitable *adj.* No habitable.

inhalador *m.* Aparato para inhalar.

inhalar *tr.* Aspirar, con fin terapéutico [un gas, un vapor, un líquido pulverizado].

inherencia *f.* Calidad de inherente. 2 Unión de cosas inseparables por su naturaleza, o que sólo se pueden separar mentalmente y por abstracción.

inherente *adj.* Esencial, permanente, que no se puede separar: *la debilidad ~ a la naturaleza humana.* 2 FIL. [determinación de un sujeto] Que es afirmada de este sujeto y sólo por él tiene existencia. 3 FIL. [determinación, constante o inconstante, de un sujeto] Que constituye un modo de ser intrínseco a este sujeto y no una relación con otra cosa. 4 GRAM. [propiedad] Que pertenece a una unidad gramatical con independencia de las relaciones que ésta pueda establecer en la oración.

inhibición *f.* Acción de inhibir o inhibirse. 2 Efecto de inhibir o inhibirse.

inhibir *tr.* DER. Impedir que [un juez] intervenga o prosiga en el conocimiento de una causa. – 2 *prnl.* Echarse fuera de un asunto, o abstenerse de intervenir en él: *inhibirse de, o en, el conocimiento de una cosa.* – 3 *tr.-prnl.* MED. Suspender transitoriamente [una función o actividad del organismo] mediante la acción de un estímulo adecuado.

inhospedable, -pitable *adj.* p. us. Inhospitalario.

inhospital, -lario, -ria *adj.* Falto de hospitalidad. 2 Poco humano para con los extraños. 3 Que no ofrece seguridad ni abrigo.

inhóspito, -ta *adj.* Inhospital.

inhumano, -na *adj.* Falto de humanidad, cruel.

inhumar *tr.* Enterrar [un cadáver].

iniciado, -da *adj.-s.* [pers.] Que participa en el conocimiento de algún secreto.

inicial *adj.* Relativo al origen o al comienzo de las cosas.

iniciar *tr.* Admitir [a uno] a la participación de una cosa secreta; enterarle de ella: *~ a uno en los misterios.* 2 Instruir [a uno] en alguna enseñanza: *~ en los arcanos de la metafísica; prnl., iniciarse en teología.* 3 Comenzar o promover una acción o serie de acciones: *~ un debate.* – 4 *prnl.* Recibir las órdenes menores. ◇ ** CONJUG. [12] como *cambiar*.

iniciático, -ca *adj.* Que inicia a alguien en algo.

iniciativa *f.* Derecho de hacer una propuesta. 2 Acto de ejercerlo. 3 Acción de adelantarse a los demás en hablar u obrar. 4 Cualidad personal que inclina a esta acción. 5 Idea que sirve para empezar a hacer una cosa.

inicio *m.* Comienzo, principio.

inicuo, -cua *adj.* Contrario a la equidad. 2 Injusto, malvado.

inigualable *adj.* Que no se puede igualar por extraordinario, bueno, etc.

inimaginable *adj.* No imaginable.

inimitable *adj.* No imitable.

ininteligible *adj.* No inteligible.

ininterrumpido, -da *adj.* Continuado, sin interrupción.

iniquidad *f.* Injusticia grande, maldad.

injeridor *m.* Instrumento que sirve para injertar.

injerir *tr.* Introducir [una cosa] en otra: *~ cemento en una grieta; ~ a púa; ~ de escudete; ~ una rama en un árbol.* 2 fig. Incluir [una cosa en otra], haciendo mención de ella: *injería los refranes muy a cuento.* – 3 *prnl.* Entremeterse en una dependencia o negocio: *injerirse en asuntos ajenos.* ◇ ** CONJUG. [35] como *hervir*.

injertar *tr.* Aplicar [una parte de una planta provista de una o más yemas] a una rama o tronco de otra planta de modo que se establezca una unión permanente. 2 p. anal. Implantar [una porción de un tejido vivo: carne, piel, hueso] en una lesión, de modo que se establezca una unión orgánica. ◇ pp. reg.: *injertado*; irreg. usado sólo como substantivo: *injerto*.

injerto *m.* Acción de injertar. 2 Modo de injertar: *~ de cañutillo,* el que se hace adaptando un rodete de corteza con una o más yemas sobre el tronco del patrón; *~ de corona* o *de coronilla,* el que se hace introduciendo una o más púas entre la corteza y la albura del tronco del patrón; *~ de escudete,* el que se hace introduciendo entre el líber y la albura del patrón una yema con parte de la corteza a que está unida, cortada ésta en forma de escudo; *~ inglés* o *de lengüeta,* el que se hace practicando una incisión en la sección obtenida de cortar el tallo del patrón horizontalmente, donde se introduce la punta afilada de una rama joven que contenga dos o tres yemas, y se ata para favorecer la unión. 3 Parte de una planta que se injerta en otra. 4 p. anal. Porción de un tejido vivo que se injerta en otro. 5 Planta injertada.

injuria *f.* Ofensa que se hace al nombre o al honor de uno, con palabras o con hechos. 2 Dicho o hecho contra razón y justicia. 3 fig. Daño o molestia que causa una cosa.

injuriar *tr.* Inferir injuria o injurias [a alguno]. 2 Dañar, menoscabar. ◇ ** CONJUG. [12] como *cambiar*.

injusticia *f.* Acción contraria a la justicia. 2 Falta de justicia.

injustificado, -da *adj.* No justificado.

injusto, -ta *adj.* Contrario a la justicia.

inlandsis *m.* GEOL. Masa glaciar de enormes dimensiones que corresponde a los casquetes polares. ◇ Pl.: *inlandsis.*

inllevable *adj.* Que no se puede soportar, aguantar o tolerar.

inmaculado, -da *adj.* Que no tiene mancha.

inmaduro, -ra *adj.-s.* Que todavía no ha alcanzado la madurez. 2 Inexperto.

inmanente *adj.* FIL. Que es inherente a un ser o a un conjunto de seres, y no es el resultado de una acción exterior a ellos.

inmarcesible *adj.* Que no se puede marchitar o atajar.

inmaterialismo *m.* Sistema filosófico que niega la existencia de la materia.

inmaterializar *tr.-prnl.* Hacer inmaterial [algo]. ◇ ** CONJUG. [4] como *realizar*.

inmediación *f.* Calidad de inmediato. – 2 *f. pl.* Contorno (afueras).

inmediatamente *adv. m.* Sin interposición de cosa alguna. – 2 *adv. t.* Luego, al instante.

inmediato, -ta *adj.* Contiguo o muy cercano: ~ *a la corte.* 2 Que sucede en seguida, sin tardanza.

inmejorable *adj.* Que no se puede mejorar.

inmemorial *adj.* Tan antiguo que no hay memoria de cuándo comenzó.

inmenso, -sa *adj.* Tan grande que no puede medirse: *el ~ océano; la inmensa cantidad de estrellas.* 2 fig. Muy grande: *una inmensa muchedumbre.*

inmensurable *adj.* Que no puede medirse. 2 fig. De muy difícil medida.

inmerecido, -da *adj.* No merecido.

inmersión *f.* Acción de introducir o introducirse una cosa en un líquido. 2 Entrada de un astro en el cono de sombra que proyecta otro.

inmerso, -sa *adj.* Sumergido, absorto.

inmigración *f.* Acción de inmigrar. 2 Efecto de inmigrar.

inmigrar *intr.* Llegar a un país para establecerse en él el que es de otro país. 2 p. ext. Instalarse los animales en un territorio, trasladándose desde otro.

inminente *adj.* Que amenaza o está para suceder prontamente.

inmisario, -ria *adj.* [curso de agua] Que desemboca en un curso de agua o en el mar.

inmiscible *adj.* Que no se puede mezclar.

inmiscuir *tr.* Poner [una substancia] en otra para que resulte una mezcla. – 2 *prnl.* fig. Entremeterse en un asunto o negocio. ◇ CONJUG.: por excepción es regular, según la Academia. Así el presente de Indicativo hace: *inmiscúo, inmiscúes,* etc. Suelen, no obstante, usarse las formas *inmiscuyo, inmiscuyes,* etc., según el paradigma de *huir.*

inmisión *f.* Infusión o inspiración.

inmobiliario, -ria *adj.* Relativo a cosas inmuebles. – 2 *f.* Empresa o sociedad que se dedica a construir, arrendar, vender y administrar viviendas.

inmoderado, -da *adj.* Que no tiene moderación.

inmodesto, -ta *adj.* No modesto.

inmódico, -ca *adj.* Excesivo, inmoderado.

inmolar *tr.* Sacrificar degollando [una víctima]; en gral., sacrificar (ofrecer, dar). – 2 *prnl.* Dar la vida, la hacienda, etc., en provecho u honor de una persona, ideal, etc.

inmoral *adj.* Opuesto a la moral.

inmortal *adj.* No mortal. 2 fig. Destinado a perdurar indefinidamente en la memoria de los hombres.

inmortalidad *f.* Calidad de inmortal: *la ~ de Dios.* 2 fig. Duración indefinida de una cosa en la memoria de los hombres: *la ~ de un poema.* 3 Tesis de que el alma del hombre sobrevive sin término a la muerte del cuerpo.

inmortalizar *tr.* Hacer perpetua [una cosa] en la memoria de los hombres. ◇ ** CONJUG. [4] como *realizar*.

inmotivado, -da *adj.* Sin motivo.

inmoto, -ta *adj.* Que no se mueve.

inmovilismo *m.* Oposición sistemática a toda innovación.

inmovilizado *m.* Conjunto de bienes de cualquier naturaleza adquiridos o creados por una empresa para utilizarlos de forma duradera al ejercer su actividad.

inmovilizar *tr.* Hacer que una cosa quede inmóvil. 2 Invertir [un caudal] en bienes de lenta o difícil realización. – 3 *prnl.* Quedarse o permanecer inmóvil. ◇ ** CONJUG. [4] como *realizar.*

inmueble *m.* Casa, edificio.

inmundicia *f.* Suciedad, basura. 2 fig. Impureza, deshonestidad.

inmundo, -da *adj.* Sucio y asqueroso. 2 fig. Impuro.

inmune *adj.* Exento de ciertos oficios, cargos, gravámenes o penas. 2 No atacable por ciertas enfermedades. – 3 *m.* Suero que contiene anticuerpos específicos.

inmunidad *f.* Calidad de inmune. 2 Resistencia natural o adquirida de un organismo vivo a un agente infeccioso o tóxico. 3 Privilegio de los representantes en el parlamento de no poder ser detenidos más que en circunstancias especiales, ni procesados sin autorización de dicha institución: ~ *parlamentaria.*

inmunitario, -ria *adj.* MED. Perteneciente o relativo a la inmunidad.

inmunizar *tr.* Hacer inmune. ◇ ** CONJUG. [4] como *realizar.*

inmunología *f.* Parte de la medicina que estudia las reacciones inmunitarias del organismo, su génesis y los trastornos que resultan de estas reacciones.

inmunoterapia *f.* MED. Inyección de anticuerpos específicos, generalmente contenidos en un suero, con fines curativos.

inmutable *adj.* No mudable.

inmutar *tr.* Alterar [una cosa]. – 2 *prnl.* fig. Sentir cierta conmoción repentina del ánimo, manifestándola por un ademán o por la alteración del semblante o de la voz.

innato *adj.* Relativo a la naturaleza de un ser y que no es el resultado de lo que éste ha experimentado, hecho o percibido a partir de su nacimiento.

innavegable *adj.* No navegable. 2 [embarcación] Cuyo estado imposibilita navegar con ella.

innecesario, -ria *adj.* No necesario.

innegable *adj.* Que no se puede negar.

innegociable *adj.* Que no puede negociarse.

innoble *adj.* Que no es noble. 2 esp. Que es vil y abyecto.

innocuo, -cua *adj.* Que no hace daño.

innominado, -da *adj.* Que no tiene nombre especial.

innovación *f.* Acción de innovar. 2 Efecto de innovar.

innovar *tr.* Introducir una novedad [en una cosa].

innumerable *adj.* Que no se puede reducir a número, incontable. 2 Copioso, muy abundante. ◇ Se usa sólo con substantivos en plural: *estrellas innumerables*, excepto cuando se trata de colectivos: *ejército ~; ejércitos innumerables.*

inobservancia *f.* Falta de observancia.

inocencia *f.* Condición de inocente: *la ~ del acusado; la ~ de un niño.* 2 Estado del alma que desconoce el mal: *la ~ de Adán y Eva.* 3 Simplicidad, tontería. 4 Inexperiencia sexual.

inocentada *f.* Acción o palabra candorosa o simple. 2 Engaño ridículo en que uno cae por descuido o por falta de malicia. 3 Broma del día de Inocentes.

inocente *adj.-s.* Libre de culpa: *condenar a un ~; ~ del crimen; ~ en su conducta.* 2 Que no conoce el mal, que no ha llegado a la edad de discreción: *la degollación de los santos Inocentes.* 3 fig. Sin malicia, fácil de engañar. – 4 *adj.* [acción y cosa] De la persona inocente: *los inocentes juegos de los niños.* 5 Que no daña, que no es nocivo.

inocibe *m.* Seta agarical pequeña con el sombrero fibroso y de color claro *(Inocybe* sp.*).*

inocular *tr.* Comunicar por medios artificiales [una enfermedad contagiosa]. 2 fig. Pervertir [a uno] con el mal ejemplo o la falsa doctrina.

inodoro, -ra *adj.-s.* Que no tiene olor. – 2 *m.* Aparato que se coloca en los retretes para evitar el mal olor. 3 p. ext. Retrete provisto de sifón.

inofensivo, -va *adj.* Incapaz de ofender. 2 Innocuo.

inolvidable *adj.* Que no puede o no debe olvidarse.

inoperable *adj.* Que no puede ser operado.

inoperante *adj.* Ineficaz, inactivo.

inopia *f.* Pobreza, indigencia. 2 *Estar en la ~,* fig. *y* fam., estar distraído.

inopinado, -da *adj.* Que sucede sin pensar o sin esperarse.

inoportuno, -na *adj.* Fuera de tiempo o de propósito.

inordenado, -da, -dinado, -da *adj.* Desordenado, o no ordenado.

inorgánico, -ca *adj.* No orgánico; esp., seres minerales, en contraposición a animales y vegetales. 2 Falto de organización.

inosilicatos *m. pl.* Conjunto de silicatos cuya estructura cristalina se organiza en cadenas sencillas o dobles, formando cristales alargados o fibrosos.

inosita *f.* Alcohol presente en los cereales, frutas, etc., de sabor dulce.

inotrópico, -ca *adj.* Perteneciente o relativo a la fuerza contráctil muscular, especialmente la del miocardio.

inoxidable *adj.* Que no se puede oxidar: *acero ~.*

input *m.* Factor que se utiliza en un proceso productivo. 2 Conjunto de dispositivos y señales que permiten la introducción de información en un sistema. 3 Bornes de entrada de una red eléctrica.

inquebrantable *adj.* Sin quebranto o que no puede quebrantarse.

inquietar *tr.* Causar inquietud, turbar el sosiego [de uno]: *~ a los vecinos; inquietarse con, de, o por, las habillas.*

inquieto, -ta *adj.* Que no está quieto, o es de índole bulliciosa. 2 Desasosegado por una agitación del ánimo. 3 fig. [cosa] En que no se ha tenido o gozado quietud: *tener un sueño ~.* 4 *Amér. Central.* Inclinado, propenso, aficionado.

inquietud *f.* Falta de quietud, desasosiego, desazón. 2 Alboroto, conmoción. 3 Inclinación del ánimo hacia algo, especialmente en el campo de las artes.

inquilinato *m.* Arriendo de una casa o parte de ella. 2 Derecho que adquiere el inquilino en la casa arrendada. 3 *Argent., Colomb.* y *Urug.* Casa de vecindad.

inquilino, -na *m. f.* Persona que ha tomado una casa o parte de ella en alquiler para habitarla. 2 Arrendatario, comúnmente de finca urbana. 3 Animal que vive en el nido de otro o que hace uso del alimento de otro animal. 4 *Amér.* Habitante.

inquina *f.* Aversión, mala voluntad.

inquinar *tr.* Manchar, contagiar.

inquirir *tr.* Indagar o examinar cuidadosamente [una cosa]. ◇ ** CONJUG. [30] como *adquirir.*

inquisición *f.* Acción de inquirir: *hacer ~,* fig., examinar los papeles para quemar los inútiles. 2 Efecto de inquirir. 3 Tribunal eclesiástico, establecido para inquirir y castigar los delitos contra la fe, y casa donde se reunía.

inquisidor, -ra *adj.-s.* Que inquiere. – 2 *m.* Juez del tribunal de la Inquisición.

inquisitivo, -va *adj.* Perteneciente o relativo a la indagación.

inquisitorial *adj.* Perteneciente o relativo

al inquisidor o a la Inquisición. 2 fig. [procedimiento] Parecido a los usados por la Inquisición.

inri *m.* Nombre que resulta de leer como una palabra las iniciales de *Iesus Nazarenus Rex Iudaeorum,* rótulo latino de la Santa Cruz. 2 fig. Nota de burla o de afrenta.

insaciable *adj.* Que no se puede saciar: ~ *de dinero; ~ en sus apetitos.*

insacular *tr.* Poner en un saco, urna, etc. [papeletas con números o con nombres de personas o cosas] para sacar una o más por suerte.

insalivar *tr.* Mezclar [los alimentos] con la saliva en la cavidad bucal.

insalubre *adj.* Malsano (dañoso).

insano, -na *adj.* Malsano. 2 Demente, furioso. 3 Que no reúne condiciones higiénicas y es perjudicial para la salud.

insatisfacción *f.* Falta de satisfacción. 2 eufem. Disgusto.

insatisfecho, -cha *adj.* No satisfecho.

inscribir *tr.* Grabar letreros en metal, piedra, etc. 2 Apuntar el nombre [de una persona] entre los de otras para algún fin. 3 Impresionar. 4 GEOM. Trazar [una figura] dentro de otra de manera que estén ambas en contacto sin cortarse en varios de los puntos de sus perímetros. ◇ pp. irreg.: *inscrito* o *inscripto.*

inscripción *f.* Acción de inscribir o inscribirse. 2 Efecto de inscribir o inscribirse. 3 Escrito sucinto grabado en piedra, metal, etc. 4 Letrero rectilíneo en las monedas y medallas.

INSECTO

I) insecable *adj.* Que no se puede secar o es muy difícil de secarse.

II) insecable *adj.* Que no se puede cortar o dividir.

insecticida *adj.-s.* Que sirve para matar insectos.

insectívoro, -ra *adj.* Que se alimenta de insectos. 2 [planta] Que aprisiona los insectos entre sus hojas y los digiere. – 3 *adj.-m.* Animal del orden de los insectívoros. – 4 *m. pl.* Orden de mamíferos placentarios, de pequeño tamaño, unguiculados y plantígrados, con la dentición a propósito para comer principalmente insectos y gusanos; como el topo y el erizo.

**insecto *m.* Animal de la clase de los insectos: ~ *hoja,* insecto fasmidóptero de cuerpo aplanado y expansiones laminares de aspecto foliáceo en las patas, cuya forma y coloración le permite confundirse con los limbos de las hojas donde se encuentra (gén. *Phyllium*); ~ *palo,* fasmidóptero de cuerpo largo y fino con patas largas, cuyo aspecto de ramita y color verde o pardo hace que se mimetice con los pequeños tallos y pecíolos de las plantas donde se encuentra (*Bacillus* sp.); ~ *social,* el que vive formando parte de una comunidad constituida por numerosos individuos de aspectos diferentes, que de manera jerarquizada cumplen cometidos específicos, según normas o pautas innatas y estereotipadas de comportamiento, tal como ocurre en las colmenas de las abejas o en los hormigueros. – 2 *m. pl.* Clase de artrópodos mandibulados de respiración traqueal, con un par de antenas,

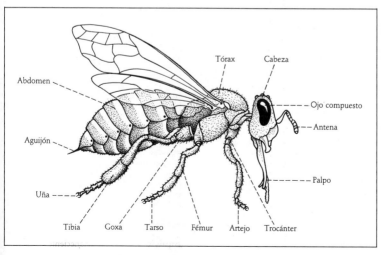

INSECTO

Tórax · Cabeza · Ojo compuesto · Antena · Palpo · Abdomen · Aguijón · Uña · Tibia · Coxa · Tarso · Fémur · Artejo · Trocánter

tres pares de patas y el cuerpo diferenciado en cabeza, tórax y abdomen; como la abeja, la mosca y la pulga; incluye dos subclases: apterigotas y pterigotas.

inseguro, -ra *adj.* Falto de seguridad.

inselberg *m.* GEOL. Prominencia rocosa que sobresale en terrenos llanos o escasamente ondulados, originada a partir de la erosión diferencial de los materiales.

inseminación *f.* Siembra. 2 Depósito del semen masculino en las vías genitales femeninas: ~ *artificial,* introducción del esperma en las vías genitales femeninas sin que haya cópula.

inseminar *tr.* Producir o producirse inseminación.

insensatez *f.* Falta de sensatez, necedad. 2 fig. Dicho o hecho insensato.

insensato, -ta *adj.* Necio, fatuo, sin sentido.

insensibilizar *tr.* Hacer insensible [a uno]. 2 Anestesiar. ◇ ** CONJUG. [4] como *realizar*.

insensible *adj.* Que carece de sensibilidad. 2 fig. Duro de corazón. 3 Privado de sentido. 4 Imperceptible.

inseparable *adj.* Que no se puede separar. 2 fig. Difícil de separar. 3 GRAM. [partícula] Que entra en la formación de voces compuestas; como *in, hiper.* – 4 *adj.-com.* fig. [pers.] Unido estrechamente a otra persona.

insepulto, -ta *adj.* No sepultado.

insertar *tr.* Incluir [una cosa, especialmente un texto o escrito] en otra. – 2 *prnl.* H. NAT. Estar un órgano introducido entre las partes de otro o adherido a su superficie. ◇ pp. reg.: *insertado*; irreg.: *inserto*.

inservible *adj.* No servible.

insidia *f.* Asechanza.

insidioso, -sa *adj.-s.* Que arma asechanzas. – 2 *adj.* Que se hace con asechanzas. 3 Malicioso o dañino, con apariencias inofensivas. 4 MED. [enfermedad] Que es grave a pesar de su apariencia benigna.

insigne *adj.* Célebre, famoso, señalado.

insignia *f.* Señal, distintivo o divisa honorífica. 2 Pendón, imagen o medalla de una hermandad o cofradía. 3 Bandera que, puesta al tope de uno de los palos del buque, denota la graduación del jefe que lo manda o de otro que va con él.

insignificante *adj.* Que nada significa. 2 Pequeño, baladí.

insincero, -ra *adj.* No sincero, simulado, doble.

insinuación *f.* Acción de insinuar o insinuarse. 2 Efecto de insinuar o insinuarse. 3 Manera sutil de indicar una cosa. 4 Cosa que se da a comprender, sin decirla claramente.

insinuar *tr.* Dar a entender [una cosa] no haciendo más que indicarla ligeramente; sugerir. – 2 *prnl.* Introducirse mañosamente en el

ánimo de alguno captando su voluntad y afecto: *insinuarse con los poderosos; insinuarse en el ánimo del rey.* 3 fig. Introducirse suavemente en el ánimo un afecto, un vicio, etc. ◇ ** CONJUG. [11] como *actuar*.

insípido, -da *adj.* Falto de sabor: ~ *al gusto.* 2 fig. Falto de gracia, soso: ~ *para la gente.*

insistir *intr.* Descansar una cosa sobre otra. 2 Instar reiteradamente; mantenerse firme en una cosa: ~ *en,* o *sobre, alguna cosa.* 3 Repetir o hacer hincapié en algo.

insobornable *adj.* Que no puede ser sobornado. 2 Que no se deja llevar por ninguna influencia ajena; auténtico, arraigado.

insociable *adj.* Intratable y huraño.

insolación *f.* Exposición a los rayos del sol. 2 Exposición a la luz de una preparación sensible a ella. 3 Malestar o enfermedad interna producidos por una exposición excesiva a los rayos solares. 4 Tiempo que durante el día luce el sol sin nubes.

insolar *tr.* Poner al sol [una cosa] para facilitar su fermentación o secarla. – 2 *prnl.* Sufrir una insolación (enfermedad).

insolencia *f.* Calidad de insolente: *la ~ de su criado.* 2 Dicho o hecho insolente: *cometió numerosas insolencias.* 3 Acción desusada y temeraria: *la ~ del enemigo.*

insolente *adj.-com.* Que usa palabras irrespetuosas con un superior suyo; que falta groseramente al respeto debido a la gente. 2 Arrogante. – 3 *adj.* Que implica falta del debido respeto: *una palabra ~.*

insólito, -ta *adj.* Desacostumbrado; no común ni ordinario.

insolubilizar *tr.* Hacer insoluble [una cosa]. ◇ ** CONJUG. [4] como *realizar*.

insoluble *adj.* Que no puede disolverse ni diluirse. 2 Que no se puede resolver.

insoluto, -ta *adj.* No pagado.

insolvente *adj.-s.* Que no tiene con qué pagar.

insomne *adj.* Que no duerme, desvelado.

insomnio *m.* Vigilia, desvelo.

insondable *adj.* Que no se puede sondear. 2 fig. Que no se puede averiguar.

insonorizar *tr.* Acondicionar [un lugar, habitación, etc.] para aislarlo acústicamente. 2 Hacer que un motor, máquina, etc., funcione con el menor ruido posible. ◇ ** CONJUG. [4] como *realizar*.

insoportable *adj.* Insufrible, intolerable. 2 fig. Muy molesto y enfadoso.

insoslayable *adj.* Que no puede soslayarse, ineludible.

insospechado, -da *adj.* No sospechado.

insostenible *adj.* Que no se puede sostener. 2 fig. Que no se puede defender con razones.

inspección *f.* Acción de inspeccionar. 2 Efecto de inspeccionar. 3 Cargo de velar sobre una cosa. 4 Casa u oficina del inspector.

inspeccionar *tr.* Examinar, reconocer atentamente [una cosa].

inspector, -ra *adj.-s.* Que inspecciona. – 2 *m. f.* Empleado público o particular que tiene a su cargo la inspección y vigilancia en el ramo a que pertenece y del cual toma título especial el destino que desempeña: ~ *de policía, de aduanas, de enseñanza.*

inspiración *f.* Acción de inspirar; **respiración. 2 Efecto de inspirar. 3 fig. Ilustración o movimiento sobrenatural que Dios comunica a la criatura. 4 fig. Efecto de sentir el escritor, el orador o el artista aquel singular y eficaz estímulo que le hace producir como si fuese espontáneamente y sin esfuerzo. 5 fig. Cosa inspirada, en cualquiera de las acepciones figuradas de inspirar.

inspirar *tr.* Aspirar (atraer el aire). 2 Soplar (correr el viento). 3 fig. Infundir en el ánimo [afectos, ideas, designios, etc.]; esp., sugerir [ideas] para la composición de obras literarias o artísticas: ~ *una idea a,* o *en, alguno.* 4 fig. Iluminar Dios el entendimiento [de uno] o excitar su voluntad: *Dios le ha inspirado.* – 5 *prnl.* Sentir inspiración el literato, el orador, etc.; con la preposición *en,* tomar como materia de inspiración una cosa determinada: *inspirarse en una frase de Cervantes.*

inspirómetro *m.* MED. Aparato que mide el volumen del aire inspirado.

instalación *f.* Acción de instalar o instalarse. 2 Efecto de instalar o instalarse. 3 Conjunto de cosas instaladas.

instalar *tr.* Poner [a uno] en posesión de un empleo o beneficio. 2 Colocar; esp., acomodar [a una persona] en su domicilio: ~ *a uno en su casa.* 3 Colocar en un edificio o en otro lugar [los aparatos o enseres para algún servicio como agua, luz, etc.]. – 4 *prnl.* Establecerse.

instancia *f.* Acción de instar. 2 Efecto de instar. 3 Solicitud escrita en demanda de algo. 4 ANGLIC. Muestra, ejemplo.

instantánea *f.* Placa fotográfica que se impresiona en un instante; fotografía obtenida con ella.

instantáneo, -a *adj.* Que sólo dura un instante. 2 Que se produce en un instante.

instante *m.* Momento, espacio de tiempo brevísimo.

instar *tr.* Insistir en una petición o súplica: *le insté a que resolviera.* – 2 *intr.* Urgir la pronta ejecución de una cosa: ~ *para el logro de un empleo;* ~ *por una solicitud;* ~ *sobre un negocio.*

instaurar *tr.* Renovar, restaurar. 2 p. ext. Establecer de nuevo.

instigar *tr.* Incitar, inducir [a uno] a que haga una cosa. ◇ ** CONJUG. [7] como *llegar.*

instilar *tr.* FARM. Echar gota a gota [un licor] en una cosa. 2 fig. Infundir insensiblemente en el ánimo [una doctrina, afecto, etc.].

instintivo, -va *adj.* Que es obra o resultado de un instinto; determinado por un instinto: *movimientos instintivos.*

instinto *m.* Complejo de reacciones exteriores, determinadas, hereditarias, comunes a todos los individuos de la misma especie y adaptadas a una finalidad, de la que el sujeto que obra generalmente no tiene conciencia: ~ *de conservación, de reproducción; el* ~ *de nidificar en las aves.* 2 p. ext. Actividad, especialmente mental, adaptada a una finalidad, que entra en juego espontáneamente sin que sea el resultado de la experiencia ni de la educación, y sin que exija reflexión: *poseer el* ~ *del ritmo.*

institución *f.* Acción de instituir. 2 Cosa instituida: *la Universidad es una* ~ *pública.* 3 Ley u organización fundamental. 4 Casa de educación o instrucción. – 5 *f. pl.* Órganos constitucionales del poder soberano en un estado. 6 Colección metódica de los principios de una ciencia, arte, etc.: *instituciones de derecho civil.*

institucional *adj.* Relativo a la institución.

institucionalizar *tr.-prnl.* Convertir [algo] en institucional. 2 Conferir [a algo] el carácter de institución. 3 Reconocer la existencia legal [de algo]. 4 Estabilizar, fortalecer el funcionamiento [de algún organismo, asociación, entidad, etc.]. ◇ ** CONJUG. [4] como *realizar.*

instituir *tr.* Fundar (crear). 2 Enseñar o instruir. ◇ ** CONJUG. [62] como *huir.*

instituto *m.* Constitución o regla que prescribe cierta forma y método de vida o de enseñanza, especialmente el de las órdenes religiosas. 2 Corporación científica, literaria, benéfica, etc., y edificio en que funciona. 3 ~ *de Bachillerato,* ~ *de segunda enseñanza* o ~ *de Enseñanza Media,* establecimiento oficial donde se cursan los estudios de Bachillerato. 4 Nombre adoptado por diversos establecimientos comerciales: ~ *de belleza.*

institutriz *f.* Maestra encargada de la educación o instrucción de uno o varios niños en el hogar doméstico.

instrucción *f.* Acción de instruir o instruirse. 2 Caudal de conocimientos adquiridos. 3 Conjunto de reglas para algún fin. 4 Iniciación y curso de un proceso.

instructor, -ra *adj.-s.* Que instruye. 2 Persona encargada de hacer la instrucción militar en un cuartel, o gimnástica en un colegio.

instruir *tr.* Comunicar sistemáticamente [conocimientos o doctrinas]; enseñar, doctrinar. 2 Informar a uno acerca [de una cosa] o comunicarle [avisos o reglas de conducta]: ~ *a uno de, en,* o *sobre, las prácticas, los peligros,* etc.; *prnl., instruirse de,* o *en,* etc. 3 Formalizar un proceso o un expediente. ◇ ** CONJUG. [62] como *huir.*

instrumental *adj.* Perteneciente o relativo al instrumento. 2 Que sirve de instrumento o tiene función de tal. – 3 *m.* Conjunto de instrumentos de una orquesta o banda. 4 Conjunto de instrumentos profesionales del médico o del cirujano. 5 p. ext. Conjunto de instrumentos de cualquier clase.

instrumentalizar *tr.* Considerar [a una persona o cosa] como un instrumento válido para conseguir algo. ◇ ** CONJUG. [4] como *realizar.*

instrumentar *tr.* Escribir las partes [de una pieza de música] que han de tocar los diferentes instrumentos de una orquesta, banda, etc. 2 CIR. Proporcionar los instrumentos necesarios al cirujano, durante una intervención quirúrgica. 3 TAUROM. Ejecutar las varias suertes de la lidia.

instrumentista *com.* Músico que toca un instrumento. 2 Fabricante de instrumentos músicos, quirúrgicos, etc.

instrumento *m.* Objeto fabricado, formado de una o varias piezas combinadas, para el ejercicio de artes y oficios, efectuar una operación, etc.: *instrumentos quirúrgicos, topográficos, de labranza;* ~ *músico* o simplemente ~, el que produce sonidos musicales por la vibración de las cuerdas de que está provisto: ~ *de cuerda;* golpeándolo con badajos o varillas: ~ *de percusión;* o impeliendo aire dentro de él: ~ *de viento.* 2 Aquello que se utiliza para hacer una cosa. 3 fig. Persona o cosa que sirve de medio para lograr un resultado.

insubordinar *tr.* Provocar la insubordinación [de uno]. – 2 *prnl.* Faltar a la subordinación, sublevarse.

insubsistente *adj.* No subsistente. 2 Infundado.

insubstancial *adj.* De poca o ninguna substancia. 2 Desabrido, soso.

insudar *tr.* Afanarse o poner mucho trabajo y diligencia [en una cosa].

insuficiencia *f.* Falta de suficiencia. 2 Escasez de una cosa.

insuficiente *adj.* No suficiente.

insuflar *tr.* Introducir soplando [un gas, vapor, etc.] en una cavidad del cuerpo.

insufrible *adj.* Que no se puede sufrir. 2 fig. Muy difícil de sufrir.

ínsula *f.* Isla (porción de tierra).

insulano, -na, -lar *adj.-s.* [pers.] Isleño.

insulina *f.* Hormona segregada por el páncreas, cuya función es regular la cantidad de glucosa de la sangre.

insulso, -sa *adj.* Desabrido, insípido, soso. 2 fig. Falto de gracia y viveza.

insultar *tr.* Ofender [a uno] provocándole con palabras o acciones.

insulto *m.* Acción de insultar. 2 Efecto de insultar.

insumable *adj.* Que no se puede sumar o es difícil de sumarse; exorbitante.

insumergible *adj.* No sumergible.

insumiso, -sa *adj.* No sometido, inobediente.

insuperable *adj.* No superable.

insurgente *adj.-s.* Insurrecto.

insurrección *f.* Acción de insurreccionarse un pueblo, una nación, etc.

insurreccionar *tr.* Provocar la insurrección [de un pueblo, nación, etc.]. – 2 *prnl.* Levantarse contra la autoridad pública, contra el gobierno establecido.

insurrecto, -ta *adj.-s.* Levantado contra la autoridad pública; rebelde.

insustituible *adj.* Que no puede sustituirse.

intacto, -ta *adj.* No tocado o palpado. 2 fig. Que no ha padecido alteración, menoscabo o deterioro. 3 fig. Puro, sin mezcla. 4 fig. No ventilado o de que no se ha hablado.

intachable *adj.* Que no admite o merece tacha.

intangible *adj.* Que no puede tocarse.

integración *f.* Acción de integrar. 2 Efecto de integrar. 3 Proceso de unificación de varias entidades.

integracionista *adj.-com.* Partidario de la integración de una comunidad en otra, y especialmente de la integración racial.

integral *adj.* Completo. 2 [parte] Que entra en la composición de un todo. – 3 *f.* Resultado de integrar una expresión diferencial. 4 Signo [∫] con que se indica la integración.

integrar *tr.* Dar integridad [a una cosa]: ~ *un producto;* componer [un todo] sus partes integrantes: *los factores que integran este producto.* 2 Reintegrar. 3 Determinar por el cálculo [una cantidad] conociendo sólo la expresión diferencial. 4 Hacer entrar. – 5 *prnl.* Incorporarse.

integridad *f.* Calidad de íntegro. 2 Virginidad.

integrismo *m.* Doctrina basada en el mantenimiento de la integridad de la tradición.

íntegro, -gra *adj.* [cosa] En que no falta ninguna de sus partes. 2 fig. De una perfecta probidad, incorruptible: *juez* ~.

intelectivo, -va *adj.* Que tiene virtud de entender.

intelecto *m.* Entendimiento (facultad).

intelectual *adj.* Perteneciente o relativo al entendimiento. 2 Espiritual o sin cuerpo. – 3 *adj.-com.* [pers.] Dedicado preferentemente al trabajo intelectual.

intelectualidad *f.* Entendimiento (facultad). 2 fig. Conjunto de los intelectuales de un país, región, etc.

intelectualismo *m.* Doctrina epistemológica que media entre el racionalismo y el empirismo, afirmando que el valor del conocimiento depende tanto de su elemento sensible como del inteligible, pero que éste deriva de la experiencia. 2 Doctrina psicológica, opuesta al voluntarismo, que considera los procesos intelectuales de la percepción, de la representación y del pensar como el fundamento o la fuente de todos los demás procesos anímicos. 3 Doctrina ética opuesta al sentimentalismo, que exige de la voluntad moral que sólo se determine por motivos intelectuales, es decir, por la comprensión y deliberación razonable del fin moral.

intelectualizar *tr.* Dar carácter o interpretación intelectual predominante [a facultades psíquicas, valores morales, etc.]. ◇ ** CONJUG. [4] como *realizar.*

inteligencia *f.* Acción de comprender una cosa: *la ~ de un texto, de las verdades de la fe.* 2 Facultad de comprender, capacidad mayor o menor de saber o aprender: *hombre de ~ privilegiada.* 3 Conjunto de todas las funciones que tienen por objeto el conocimiento, a saber, sensación, asociación, memoria, imaginación, entendimiento, razón y conciencia: *~, sentimiento y voluntad; ~ artificial,* la de los ordenadores de la v generación, que podrán realizar las funciones básicas del entendimiento humano. 4 Habilidad, destreza. 5 Ser espiritual, en oposición a cuerpo. 6 Comunicación secreta de dos o más personas o naciones entre sí.

inteligente *adj.-s.* Sabio, instruido: *~ en matemáticas.* – 2 *adj.* Dotado de inteligencia.

inteligible *adj.* Que puede ser entendido. 2 Que es materia de puro conocimiento, sin intervención de los sentidos. 3 Que se oye clara y distintamente.

intemperancia *f.* Falta de templanza.

intemperante *adj.* Falto de templanza, descomedido.

intemperie *f.* Destemplanza o desigualdad del tiempo.

intempestivo, -va *adj.* Que es fuera de tiempo y sazón.

intemporal *adj.* No temporal, independiente del curso del tiempo.

intención *f.* Determinación de la voluntad en orden a un fin: *primera ~,* modo de proceder franco y sin detenerse a reflexionar mucho; *segunda ~,* o simplemente *segunda,* modo de proceder doble y solapado. 2 fig. Instinto dañino de algunos animales: *toro de ~.* 3 Cautelosa advertencia con que uno habla o procede.

intencionado, -da *adj.* Que tiene alguna intención: *bien, mal, mejor, peor ~.*

intencional *adj.* Relativo a los actos interiores del alma. 2 [acto] Referido a un objeto; [objeto] que es término de esa referencia. 3 Deliberado, hecho a sabiendas.

intendencia *f.* Dirección y gobierno de una cosa. 2 Empleo del intendente. 3 Distrito a que se extiende su jurisdicción. 4 Casa u oficina del intendente. 5 Cuerpo de administración militar.

intendente *m.* Jefe superior económico. 2

Jefe de fábricas u otras empresas explotadas por cuenta del erario. 3 En el ejército y en la marina, jefe supremo de los servicios de administración militar.

intensidad *f.* Magnitud de una fuerza, cualidad, efecto, etc., por unidad de espacio o de tiempo, o comparada con otra que sirve de unidad. 2 *~ del sonido* o *de la voz,* cualidad por la cual se les oye a mayor o menor distancia y que depende de la mayor o menor amplitud de las vibraciones sonoras. 3 fig. Vehemencia de los afectos y operaciones del ánimo.

intensificar *tr.* Hacer más intenso [el trabajo, fuerza, atención, color, sonido, etc.]. ◇ ** CONJUG. [1] como *sacar.*

intenso, -sa *adj.* Que tiene intensidad. 2 fig. Muy vehemente y vivo.

intentar *tr.* Tener intención de hacer [una cosa]; procurar, pretender: *~ salir del atajo; ~ una acusación a,* o *contra, alguno.* 2 Preparar o iniciar la ejecución [de un empeño]: *está intentando un artefacto.*

intento *m.* Propósito, designio. 2 Cosa intentada.

intentona *f.* desp. Intento temerario, especialmente si se ha frustrado: *~ de robo; ~ de sublevación.*

interaccionar *intr.* Ejercer una acción recíproca.

interamericano, -na *adj.* Concerniente a las relaciones entre naciones de América.

interandino, -na *adj.* Situado entre las sierras andinas.

interarticular *adj.* Que está situado en las articulaciones.

interastral *adj.* Que media entre los astros.

interatómico, -ca *adj.* Situado entre los átomos o dentro de ellos.

intercadencia *f.* Desigualdad en la conducta o en los afectos. 2 Desigualdad defectuosa en el lenguaje, estilo, etc.

intercalado, -da *adj.* Interpuesto o situado entre dos o más elementos o partes de un conjunto.

I) intercalar *adj.* Que está intercalado: *día ~.*

II) intercalar *tr.* Poner entre los elementos o términos de una serie [un elemento nuevo].

intercambiar *tr.-prnl.* Cambiar mutuamente dos o más personas o entidades [ideas, proyectos, informes, publicaciones, etc.]. ◇ ** CONJUG. [12] como *cambiar.*

intercambio *m.* Cambio mutuo entre dos cosas: *un ~ de ideas.* 2 Reciprocidad de consideraciones y servicios entre corporaciones análogas de diversos países. 3 Comercio o relación económica entre dos países.

interceder *intr.* Rogar por otro para alcanzarle una gracia o librarle de un mal: *~ con alguno; ~ por otro.*

intercelular *adj.* Situado entre células.

interceptar *tr.* Apoderarse [de una cosa] antes que llegue al lugar o a la persona a que se destina. 2 Destruir [una comunicación], en general. 3 DEP. En algunos juegos, obstaculizar [una jugada o combinación], apoderarse un jugador [del balón]. 4 GEOM. Cortar una línea o superficie a [otra línea o superficie].

intercesor, -ra *adj.-s.* Que intercede.

interclasista *adj.* Perteneciente o relativo a varias clases sociales.

intercomunicación *f.* Comunicación recíproca. 2 Comunicación telefónica entre las distintas dependencias de un edificio o recinto.

intercomunicador *m.* Aparato destinado a la intercomunicación.

interconectar *tr.* Unir entre sí [centros de producción o redes de distribución de electricidad].

interconexión *f.* Acción de interconectar. 2 Efecto de interconectar. 3 ELECTR. Conexión entre dos o más sistemas de producción y distribución de energía eléctrica para el intercambio de corriente.

intercontinental *adj.* Que está entre dos continentes: *cable ~.*

intercostal *adj.* Que está entre las costillas: *músculo ~.*

intercultural *adj.* Perteneciente o relativo a diferentes culturas.

intercurrente *adj.* [enfermedad] Que sobreviene durante el curso de otra.

interdecir *tr.* Vedar, prohibir [una cosa]. ◇ ** CONJUG. [69] como *decir* excepto la 2.ª pers. sing. del imperat.: *interdice* (tú); pp. irreg.: *interdicho.*

interdental *adj.-f.* Consonante que se articula poniendo la punta de la lengua entre los incisivos superiores y los inferiores, como la *c* y *z* españolas.

interdependencia *f.* Dependencia mutua entre personas, entidades, naciones, principios, etc.: *la ~ económica de los países europeos.*

interdigital *adj.* [membrana, músculo, etc.] Situado entre los dedos.

interdisciplinario, -ria *adj.* Propio o relativo a varias disciplinas científicas.

interés *m.* Lo que a uno le afecta por el provecho o utilidad que le reporta; sentimiento egoísta que incita a buscar el provecho: *obras de ~ público; guiarse por su ~.* 2 Valor que en sí tiene una cosa. 3 Ganancia producida por un capital prestado o que nos deben. 4 Inclinación del ánimo hacia una persona o cosa que le atrae o conmueve: *sentir ~ por las carreras, por la ciencia, por su sobrino.* – 5 *m. pl.* Bienes de fortuna. 6 Conveniencia o necesidad de carácter colectivo en el orden moral o material: *los intereses de una ciudad.*

interesado, -da *adj.-s.* Que tiene interés en una cosa. 2 En lenguaje administrativo, el que firma una solicitud, promueve un expediente, pleito, etc., por cuenta propia. 3 Que se deja llevar del interés, o sólo se mueve por él.

interesar *tr.* Dar parte [a uno] en un negocio o comercio: *le interesé en mi empresa.* 2 Hacer tomar parte o empeño [a uno] en los negocios ajenos: *la cuestión me interesa mucho.* 3 Cautivar [la atención y el ánimo] con lo que se dice o escribe; inspirar afecto o causar emoción [a una persona]. 4 Afectar (producir alteración). – 5 *prnl.* Tener interés en una cosa: *interesarse en alguna empresa.* 6 Preguntar por algo o por el estado de alguien: *interesarse por otro.*

interestatal *adj.* Concerniente a las relaciones entre los Estados.

interestelar *adj.* Situado entre las estrellas. 2 [espacio] Comprendido entre dos o más astros.

interfascicular *adj.* [substancia petrificada] Que, junto con los haces conjuntivos, forma la substancia intercelular del tejido óseo.

interfaz *f.* ELECTR. Zona de comunicación o acción de un sistema sobre otro. 2 ELECTR. Dispositivo que conecta dos aparatos o circuitos. 3 INFORM. Dispositivo capaz de transformar las señales generadas por un aparato en señales comprensibles por otro.

interfecto, -ta *adj.-s.* DER. Persona muerta violentamente.

interferencia *f.* FÍS. Acción recíproca de las ondas, de que resulta aumento, disminución o neutralización del movimiento ondulatorio. 2 Acción de interferir. 3 Efecto de interferir. 4 Mezcla de las señales de dos emisoras próximas que produce ruido en los receptores. 5 fig. Acción de interponerse una persona o cosa.

interferir *tr.* Interponerse o mezclarse una acción o movimiento en otro. 2 FÍS. Causar interferencia. ◇ ** CONJUG. [35] como *hervir.*

interferómetro *m.* Aparato de medida basado en las interferencias luminosas.

interfluvio *m.* Extensión de terreno situado entre dos cauces fluviales.

interfoliar *tr.* Intercalar entre las hojas [de un libro] otras en blanco. ◇ ** CONJUG. [12] como *cambiar.*

interfono *m.* Red telefónica interior, especialmente en los edificios de viviendas. 2 Aparato para hablar en dicha red.

intergaláctico, -ca *adj.* Perteneciente o relativo a los espacios existentes entre las galaxias.

interglaciar *adj.* GEOL. [período] Comprendido entre dos glaciaciones.

intergubernamental *adj.* Perteneciente o relativo a dos o más gobiernos.

interhumano, -na *adj.* Propio o relativo a las relaciones humanas de toda índole.

ínterin *m.* Interinidad (tiempo). – 2 *adv. t.* Entretanto o mientras. ◇ Pl.: *intérines*. ◇ INCOR.: *ínterin*.

interindividual *adj.* Que concierne a la relación entre individuos humanos como tales, a diferencia de lo social o colectivo.

interinidad *f.* Calidad de interino. 2 Tiempo que dura el desempeño interino de un cargo.

interino, -na *adj.-s.* [pers.] Que sirve por algún tiempo en substitución de otra persona o cosa.

interinsular *adj.* [tráfico y relaciones de cualquier índole] Entre dos o más islas.

interior *adj.* Que está en la parte de adentro. 2 [habitación] Que no tiene vistas a la calle. 3 fig. Que sólo se siente en el alma. 4 Perteneciente o relativo a la nación de que se habla, en contraposición al extranjero: *ministerio del ~; política ~.* – 5 *m.* Ánimo (alma). 6 Parte interior de una cosa. 7 Parte central de un país, en oposición a las zonas costeras o fronterizas. – 8 *m. pl.* Entrañas.

interioridad *f.* Calidad de interior. – 2 *f. pl.* Cosas privativas, generalmente secretas, de las personas, familias o corporaciones.

interjección *f.* GRAM. Voz que expresa por sí sola los estados afectivos súbitos, como sorpresa, júbilo, dolor, sin necesidad de conexión gramatical con el discurso.

interjectivo, -va *adj.* [palabra, frase, entonación del lenguaje, etc.] Que tiene carácter de interjección.

interlineado *m.* Escritura hecha entre líneas.

interlineal *adj.* Escrito o impreso entre dos renglones.

interlocutor, -ra *m. f.* Persona que toma parte en un diálogo.

intérlope *adj.* [comercio de una nación] Que es fraudulento en las colonias de otra; [buque] dedicado a este tráfico sin autorización.

interludio *m.* Composición musical breve que sirve de introducción o intermedio.

interlunio *m.* Tiempo de la conjunción en que no se ve la Luna.

intermaxilar *adj.* Que se halla entre los huesos maxilares.

intermediario, -ria *adj.-s.* Que media entre dos o más personas para algún fin, especialmente que comercia con artículos que no ha producido. 2 Mediador.

intermedio, -dia *adj.* Que está en medio de los extremos de lugar o tiempo. – 2 *m.* Espacio que hay de un tiempo a otro o de una acción a otra. 3 Espacio de tiempo entre dos actos de una obra dramática, entre dos partes de un concierto, etc. 4 Baile, música, etc., ejecutado entre los actos de una obra dramática. 5 En cine y televisión, tiempo durante el que

se interrumpe una representación o retransmisión y que se aprovecha para la emisión de publicidad, comentarios, etc.

intermezzo *m.* Breve composición poética, dramática, musical o coreográfica.

interminable *adj.* Que no tiene término o fin. 2 fig. Que dura mucho tiempo.

interministerial *adj.* Que se refiere a varios ministerios o los relaciona entre sí.

intermitente *adj.* Que se interrumpe o cesa y prosigue o se repite. – 2 *m.* Señal de tráfico que se enciende y apaga regularmente. 3 Dispositivo del automóvil o la **motocicleta que enciende y apaga periódicamente una luz lateral para señalar un cambio de dirección en la marcha.

intermolecular *adj.* Que se encuentra entre las moléculas o dentro de ellas.

intermuscular *adj.* Que está situado entre los músculos.

internacional *adj.* Relativo a dos o más naciones. 2 Relativo a todas ellas. – 3 *f.* Organización socialista, de alcance internacional. 4 Himno revolucionario de los trabajadores. – 5 *adj.-com.* Deportista que toma parte en pruebas internacionales.

internacionalismo *m.* Sistema socialista que preconiza la asociación internacional de los obreros. 2 Principios, intereses, cooperación internacionales. 3 Doctrina o creencia de que puede alcanzarse la paz del mundo mediante la asociación amistosa de todas las naciones, sin sacrificio del carácter nacional.

internacionalizar *tr.* Convertir en internacional [un territorio, servicio, jurisdicción, etc.] que era de una sola nación: *~ un puerto.* ◇ ** CONJUG. [4] como *realizar*.

internado, -da *adj.-s.* [alumno] Interno de un colegio. 2 [pers.] Encerrado en un manicomio, campo de concentración, etc. – 3 *m.* Estado y régimen del alumno interno. 4 Conjunto de alumnos internos de un establecimiento de enseñanza y local en que habitan. – 5 *f.* DEP. Entrada rápida en el área contraria.

internar *tr.* Conducir [a una persona o cosa] tierra adentro; esp., mandar trasladar [a uno] su residencia tierra adentro. 2 Conducir [a una persona] a cierto lugar, como un sanatorio, clínica, campo de concentración, etc. 3 Encerrar. – 4 *intr.-prnl.* Avanzar hacia adentro, penetrar: *los árabes internaron,* o *se internaron, en España.* – 5 *prnl.* Introducirse o insinuarse en los secretos y amistad de uno. 6 Profundizar en una materia.

internista *adj.-com.* Médico especialista en enfermedades internas.

interno, -na *adj.* Interior. – 2 *adj.-s.* Alumno que vive dentro de un establecimiento de enseñanza.

internodio *m.* Espacio que hay entre dos nudos.

interoceánico, -ca *adj.* Que pone en comunicación dos océanos.

interóseo, -a *adj.* Que está situado entre los huesos.

interparlamentario, -ria *adj.* [comunicación y organización] Que enlaza la actividad internacional entre las representaciones legislativas de diferentes países.

interpelar *tr.* Dirigir la palabra [a uno] pidiéndole auxilio o solicitando su protección. 2 Compeler [a uno] a que dé explicaciones sobre un hecho cualquiera. 3 esp. En el parlamento, plantear un diputado [al gobierno o a un ministro] una discusión ajena a los proyectos de ley o a las proposiciones.

interplanetario, -ria *adj.* [espacio] Existente entre dos o más planetas. 2 Propio o relativo a dicho espacio.

I) interpolar *tr.* Interponer (poner entre): *~ una cosa con,* o *entre, otras.* 2 Introducir en un texto antiguo o en escritos ajenos [palabras o frases que no se hallaban en el original]. 3 Interrumpir la continuación [de una cosa] volviendo luego a proseguirla. 4 Asignar a una cantidad un valor intermedio entre dos valores directamente calculados u observados.

II) interpolar *adj.* Que está situado entre los dos polos o bornes de un circuito eléctrico.

interponer *tr.-prnl.* Poner [una cosa] entre otras: *la Luna se interpone entre el Sol y la Tierra.* 2 Poner por intercesor [a uno]: *interponerse entre los contendientes.* ◇ ** CONJUG. [78] como *poner;* pp. irreg.: *interpuesto.*

interprender *tr.* Tomar u ocupar por sorpresa [una cosa].

interpretar *tr.* Explicar el sentido [de una cosa] especialmente el de los textos faltos de claridad. 2 Traducir [de una lengua] a otra: *~ del griego al latín; ~ en castellano.* 3 Atribuir [una acción] a determinado fin o causa: *~ un sueño;* esp., entender o tomar en buena o mala parte [una acción o palabra]. 4 Expresar bien o mal [el asunto o materia de que se trata]; esp., representar un actor su papel; ejecutar una composición musical. 5 Concebir, ordenar o expresar de un modo personal [la realidad].

interpretativo, -va *adj.* Que sirve para interpretar una cosa.

intérprete *com.* Persona que interpreta. 2 Persona que se ocupa en explicar a otros, en idioma que entienden, lo dicho en lengua que les es desconocida. 3 fig. Cosa que sirve para dar a conocer los afectos y movimientos del alma.

interregno *m.* Espacio de tiempo en que un estado no tiene soberano. 2 p. ext. Espacio de tiempo en que están suspendidas las funciones gubernamentales.

interrelación *f.* Correspondencia mutua entre personas, cosas o fenómenos.

interrogación *f.* Pregunta. 2 Signo ortográfico [¿ ?] que se pone a principio y fin de palabra o cláusula interrogativa.

interrogante *adj.-s.* Que interroga. 2 Signo ortográfico de interrogación. – 3 *amb.* Pregunta. 4 Problema no aclarado, cuestión dudosa, incógnita.

interrogar *tr.* Preguntar algo [a uno]. ◇ ** CONJUG. [7] como *llegar.*

interrogativo, -va *adj.* Que implica o denota pregunta: *ademán ~; actitud interrogativa.* 2 *Entonación interrogativa,* inflexión que la voz toma en las preguntas, caracterizada en general por la elevación del tono en las últimas sílabas. 3 *Oración interrogativa,* la que formula un juicio incompleto y espera que el interlocutor lo complete con la respuesta. – 4 *adj.-m.* Pronombre *qué, cuál, quién, cúyo* y adverbio *cuándo, cuánto, dónde* y *cómo,* los cuales figuran, fuertemente acentuados, en diversos tipos de oraciones interrogativas.

interrogatorio *m.* Serie de preguntas, generalmente formuladas por escrito. 2 Papel o documento que las contiene. 3 Acto de dirigirlas a quien las ha de contestar.

interrumpir *tr.* Impedir la continuación [de una cosa]. 2 Suspender (detener). 3 Atravesarse uno con su palabra mientras [otro está hablando].

interruptor, -ra *adj.-s.* Que interrumpe. – 2 *m.* Aparato destinado a interrumpir el paso de una corriente eléctrica por un circuito.

intersección *f.* Punto común a dos **líneas, dos superficies o dos sólidos que recíprocamente se cortan.

intersexualidad *f.* BIOL. Fenómeno relativo a la existencia de estados intermedios entre el macho y el de hembra.

intersideral *adj.* Perteneciente o relativo al espacio situado entre dos astros.

intersticio *m.* Espacio pequeño que media entre dos cuerpos o entre dos partes de un mismo cuerpo. 2 Intervalo (espacio o distancia).

intertidal *adj.* [espacio de tierra costera] Situado entre los límites extremos alcanzados por las mareas más intensas.

intertónica *adj.-f.* GRAM. Vocal protónica no final.

intertropical *adj.* Perteneciente o relativo a los países situados entre los dos trópicos, y a sus habitantes.

interurbano, -na *adj.* [relaciones y servicios de comunicación] Entre poblaciones distintas.

intervalo *m.* Espacio o distancia que hay de un tiempo a otro, de un lugar a otro o entre dos fenómenos físicos, fisiológicos, etc. 2 Conjunto de valores que toma una magnitud entre dos límites dados. 3 MÚS. Distancia o diferencia de entonación que media de un sonido a otro. ◇ INCOR.: *intérvalo.*

intervención *f.* Acción de intervenir. 2 Efecto de intervenir. 3 Oficina del interventor. 4 Operación quirúrgica.

intervencionismo *m.* Intervención de una nación en los conflictos surgidos entre otros países. 2 Sistema político que preconiza la intervención activa del Estado en la economía y situación social de los ciudadanos.

intervenir *intr.* Tomar parte en un asunto: ~ *por alguno.* 2 Interponer uno su autoridad: ~ *en el reparto.* 3 Mediar (interponer), en general. 4 Sobrevenir, acaecer: *una lluvia intervino a tiempo.* – 5 *tr.* Examinar [cuentas] con autoridad para ello; fiscalizar [la administración de aduanas]. 6 Ofrecer a un tercero aceptar o pagar [una letra de cambio]. 7 Dirigir, limitar o suspender una autoridad [el libre ejercicio de actividades o funciones]. 8 Vigilar una autoridad [la comunicación privada]. 9 MED. Operar. ◇ ** CONJUG. [90] como *venir.*

interventor, -ra *adj.-s.* Que interviene. – 2 *m. f.* Funcionario que autoriza y fiscaliza ciertas operaciones a fin de que se hagan con legalidad. 3 En las elecciones, elector designado oficialmente por un candidato para vigilar la regularidad de la votación y autorizar el resultado de la misma en unión del presidente y demás individuos de la mesa.

intervertebral *adj.* Que está entre dos vértebras.

interviú, interview *m.* ANGLIC. Entrevista o conferencia. ◇ Pl.: *interviús* o *interviews.*

intervocálico, -ca *adj.* [consonante] Que se halla entre dos vocales.

interyacente *adj.* Que está en medio o entre dos cosas.

intestado, -da *adj.-s.* DER. Que muere sin hacer testamento válido.

intestino, -na *adj.* Interno, interior. 2 fig. Civil, doméstico. – 3 *m.* Porción tubular del aparato **digestivo que se extiende desde el estómago al ano, donde se completa la digestión de los alimentos y se verifica la absorción de los productos útiles resultantes, y que en los animales superiores se halla plegado en varias vueltas, dentro de la cavidad abdominal: ~ *ciego,* parte del intestino grueso entre el íleon y el colon; ~ *delgado,* parte del intestino de los mamíferos, a continuación del estómago, que tiene menor diámetro; ~ *grueso,* parte del intestino de los mamíferos, a continuación del delgado, que tiene mayor diámetro; **ave; **moluscos.

intimar *tr.* Notificar, hacer saber [una cosa]: ~ *una noticia;* esp., hacer saber con autoridad o de modo conminatorio: ~ *una orden;* ~ *la rendición de una plaza.* – 2 *prnl.* Introducirse una materia por las porosidades de otra. – 3 *prnl.-intr.* fig. Introducirse en el afecto o ánimo de uno: *intimarse,* o ~, *con él.*

intimidad *f.* Amistad íntima. 2 Parte reservada o más particular de los pensamientos, afectos o asuntos interiores de una persona, familia o colectividad.

intimidar *tr.* Causar o infundir miedo [a uno]. 2 Amenazar.

intimismo *m.* Calidad de intimista. 2 Tendencia artística que muestra predilección por asuntos de la vida familiar o íntima. 3 Carácter de las obras artísticas de los intimistas.

intimista *adj.-com.* Artista que expresa en un tono confidencial los sentimientos más secretos del alma.

íntimo, -ma *adj.* Más interior o interno. 2 fig. Que forma parte de la esencia de una cosa. 3 [amistad] Muy estrecho; [amigo] de confianza.

intina *f.* Capa interna de celulosa que envuelve los granos de polen y las esporas.

intitular *tr.* Poner título [a un libro o escrito]. 2 Dar un título particular [a una persona o cosa].

intolerable *adj.* Que no se puede tolerar.

intolerancia *f.* Falta de tolerancia. 2 MED. Imposibilidad del organismo para asimilar ciertas substancias.

intonso, -sa *adj.* Que no tiene cortado el pelo. – 2 *adj.-s.* fig. Ignorante, rústico. – 3 *adj.* fig. [libro] Encuadernado sin cortar las barbas a los pliegos.

intoxicar *tr.-prnl.* Envenenar (emponzoñar). – 2 *tr.* fig. Proporcionar una información excesivamente abundante o errónea con el fin de despistar o confundir. ◇ ** CONJUG. [1] como *sacar.*

intracelular *adj.* Que está situado u ocurre dentro de una célula o células.

intradós *m.* Superficie cóncava o interior de un **arco o de una bóveda. 2 Cara de una dovela que corresponde a esta superficie. 3 Superficie interior de un ala de avión. ◇ Pl.: *intradoses.*

intraducible *adj.* Que no se puede traducir.

intrahistoria *f.* Vida tradicional que sirve de fondo permanente a la historia cambiante y visible.

intramuros *adv. l.* Dentro de una ciudad, villa o lugar.

intramuscular *adj.* Que está o se pone en el interior de los músculos: *inyección* ~.

intranquilidad *f.* Falta de tranquilidad; inquietud.

intranquilizar *tr.* Quitar la tranquilidad [a una persona, animal, etc.]. ◇ ** CONJUG. [4] como *realizar.*

intransferible *adj.* No transferible.

intransigente *adj.* Que no transige. 2 Que no se presta a transigir.

intransitable *adj.* [lugar o sitio] Por donde no se puede transitar.

intransitivo, -va *adj.-s.* GRAM. Verbo o

acción verbal que no tiene complemento directo. 2 *Oración intransitiva,* la formada por un verbo intransitivo o usado como tal.

intransmisible *adj.* Que no puede ser transmitido.

intransmutable *adj.* Que no se puede transmutar.

intransportable *adj.* Imposible o muy difícil de transportar.

intraocular *adj.* Perteneciente o relativo al interior del ojo.

intratable *adj.* No tratable ni manejable. 2 fig. Insociable o de genio desabrido.

intrauterino, -na *adj.* Que está situado u ocurre dentro del útero.

intravenoso, -sa *adj.* Que está o se produce en el interior de las venas: *inyección intravenosa.*

intrepidez *f.* Arrojo, valor en los peligros. 2 Osadía e indeliberación.

intrépido, -da *adj.* Que no teme en los peligros. 2 fig. Que obra o habla irreflexivamente.

intriga *f.* Manejo cauteloso para conseguir un fin. 2 Enredo, embrollo.

intrigar *intr.* Emplear intrigas, usar de ellas. – 2 *tr.* Excitar la curiosidad o el interés [de alguien]: *me intriga ese silencio.* ◇ ** CONJUG. [7] como *llegar.*

intrincado, -da *adj.* Enredado, complicado, confuso.

intrincar *tr.* Enredar o enmarañar [una cosa]. 2 fig. Confundir [los pensamientos o conceptos]. ◇ ** CONJUG. [1] como *sacar.*

íntríngulis *m.* fam. Intención solapada o razón oculta. 2 p. ext. Dificultad o complicación que tiene una cosa. ◇ Pl.: *intríngulis.*

intrínseco, -ca *adj.* Íntimo, esencial.

introducción *f.* Acción de introducir o introducirse: ~ *de una sonda;* ~ *de un nuevo personaje.* 2 Efecto de introducir o introducirse. 3 Preparación, disposición para llegar al fin propuesto: ~ *al estudio de la Filosofía.* 4 fig. Entrada y trato familiar e íntimo con una persona. 5 Prólogo, preámbulo de una obra o discurso.

introducir *tr.* Dar entrada [a una persona] en un lugar: *el criado me introdujo en,* o *por, la sala; los ladrones se introdujeron en casa; introducirse entre las filas; introducirse con los que mandan.* 2 Hacer entrar [una cosa] en otra: ~ *la sonda en una herida.* 3 fig. Hacer [que uno] sea recibido en un lugar o granjearle el trato, la amistad de otra persona: *me introdujeron en la corte; introducirse entre las amistades.* 4 fig. Hacer figurar [un personaje] en una novela, un drama, etc. 5 fig. Hacer adoptar, poner en uso: ~ *una industria en un país.* 6 fig. Atraer, ocasionar: ~ *el desorden.* – 7 *prnl.* Entrometerse uno en lo que no le toca. ◇ ** CONJUG. [46] como *conducir.* ◇ INCOR.: *introduciste* por *introdujiste.*

introito *m.* Principio de un escrito o de una oración. 2 Lo primero que dice el sacerdote en el altar al dar principio a la misa.

intromisión *f.* Acción de entrometer o entrometerse. 2 Efecto de entrometer o entrometerse.

introspección *f.* Observación que uno hace de su propia conciencia con fines especulativos.

introversión *f.* Acción de penetrar el alma dentro de sí misma, abstrayéndose de los sentidos. 2 Efecto de penetrar el alma dentro de sí misma, abstrayéndose de los sentidos.

introverso, -sa *adj.* [espíritu o alma] Que penetra dentro de sí, abstrayéndose de los sentidos.

introvertido, -da *adj.-s.* [pers.] Habitualmente introverso, que hace poco caso del mundo exterior.

intrusión *f.* Acción de introducirse sin derecho.

intrusismo *m.* Intrusión. 2 Ejercicio fraudulento de una profesión sin títulos para ello.

intrusivo, -va *adj.* [roca] Que resulta de la solidificación de un magma ascendente entre las rocas sólidas de la corteza terrestre ya existentes.

intruso, -sa *adj.* Que se ha introducido sin derecho. – 2 *adj.-s.* Detentador de alguna cosa alcanzada por intrusión. 3 Que alterna con personas de condición superior a la suya propia. 4 [pers.] Que ejerce una profesión sin título legal para ello.

intubar *tr.* Introducir un tubo a través de la boca u orificios nasales hasta llegar a la tráquea, para asegurar la respiración.

intuición *f.* Conocimiento inmediato de una cosa, idea o verdad, sin el concurso de razonamientos.

intuicionismo *m.* Doctrina epistemológica que admite un conocimiento intuitivo junto al discursivo racional. 2 Doctrina ética que declara los principios morales como inmediatamente seguros y cognoscibles por la intuición.

intuir *tr.* Percibir clara e instantáneamente [una idea o verdad] sin el proceso del razonamiento. ◇ ** CONJUG. [62] como *huir.*

intuitivo, -va *adj.* Perteneciente o relativo a la intuición. 2 [pers.] En que predomina la intuición sobre el razonamiento.

intuito *m.* Vista, ojeada o mirada.

intumescente *adj.* Que se va hinchando.

intususcepción *f.* Modo de crecer los animales y vegetales por los elementos que asimilan interiormente, por oposición a *yuxtaposición,* que es el modo de crecer los minerales.

inulina *f.* Cuerpo parecido al almidón, que se encuentra en algunas plantas.

inundación *f.* Acción de inundar o inundarse. 2 Efecto de inundar o inundarse. 3 fig. Multitud excesiva de una cosa.

inundar *tr.-prnl.* Cubrir el agua [un terreno, una población, etc.]: fig., ~ *de, o en, sangre el suelo.* 2 fig. Llenar [un país] de gentes extrañas o de otras cosas.

inurbano, -na *adj.* Falto de urbanidad.

inusitado, -da *adj.* No usado. 2 Inhabitual, raro.

inusual *adj.* No usual, inusitado, insólito, raro.

inútil *adj.* No útil. – 2 *adj.-com.* [pers.] Que no puede trabajar o moverse por impedimento físico.

inutilizar *tr.* Hacer inútil [una cosa]. ◇ ** CONJUG. [4] como *realizar.*

invadeable *adj.* Que no se puede vadear.

invadir *tr.* Entrar por fuerza [en un territorio] para ocuparlo, saquearlo: *los hunos invadieron Europa;* p. ext., *la langosta ha invadido los campos marroquíes.* 2 fig. Entrar injustificadamente [en funciones ajenas]. 3 fig. Apoderarse de [alguien] un estado de ánimo dominándolo por completo.

invaginar *tr.* Doblar los bordes de la boca de un tubo, o de una vejiga, haciendo que se introduzcan en el interior del mismo.

invalidar *tr.* Hacer inválida [una cosa].

invalidez *f.* Calidad de inválido. 2 Incapacidad laboral de un trabajador, permanente o transitoria, debida a un accidente o enfermedad.

inválido, -da *adj.-s.* Que no tiene fuerza ni vigor. 2 [pers.] Que adolece de un defecto físico o mental, congénito o adquirido, el cual le impide o dificulta alguna de sus actividades: *viejo ~; ~ de guerra.* 3 fig. Falto de vigor y de solidez en el entendimiento o en la razón: *argumento ~.* 4 fig. Nulo por no tener las condiciones que exigen las leyes: *acuerdo ~.*

invalorable *adj.* Que no se puede valorar.

invaluable *adj.* Inestimable, inapreciable.

invar *m.* Aleación de acero y níquel de un coeficiente de dilatación muy pequeño.

invariable *adj.* Que no padece variación. 2 GRAM. [palabra] Que no sufre ninguna modificación en su forma.

invariante *adj.* Que no varía. – 2 *f.* Magnitud, relación o propiedad que permanece invariable en una transformación de naturaleza física o matemática.

invasión *f.* Acción de invadir. 2 Efecto de invadir. 3 DER. Estado de hecho derivado de la ocupación de guerra. 4 PAT. Penetración masiva de microorganismos patógenos.

invectiva *f.* Discurso o escrito acre y violento contra personas o cosas.

invencible *adj.* Que no puede ser vencido.

invención *f.* Acción de inventar. 2 Cosa inventada, invento. 3 Hallazgo (acción y efecto). 4 Engaño, ficción. 5 Breve composición musical para piano, a dos o tres voces.

invendible *adj.* Que no puede venderse.

inventar *tr.* Hallar o descubrir con ingenio y estudio [una cosa nueva o no conocida]. 2 Crear [su obra] el poeta o el artista. 3 Imaginar [hechos falsos].

inventariar *tr.* Hacer inventario: ~ *los bienes de una persona.* ◇ ** CONJUG. [13] como *desviar.*

inventario *m.* Asiento de los bienes y demás cosas pertenecientes a una persona o comunidad, hecho con orden y distinción. 2 Instrumento en que están escritas dichas cosas.

inventiva *f.* Facultad y disposición para inventar.

inventivo, -va *adj.* Que tiene disposición para inventar.

invento *m.* Invención.

inventor, -ra *adj.-s.* Que inventa. 2 Que finge o discurre sin más fundamento que su voluntariedad y capricho.

invernáculo *m.* Lugar cubierto y abrigado artificialmente, para defender las plantas de la acción del frío.

invernadero *m.* Lugar a propósito para pasar el invierno. 2 Paraje para que pasten los ganados en dicha estación. 3 Invernáculo.

invernal *adj.* Relativo al invierno. – 2 *m.* Establo en los invernaderos.

invernante *adj.-s.* Que pasa los meses fríos en una estación invernal.

invernar *intr.* Pasar el invierno en una parte. 2 Ser tiempo de invierno. ◇ ** CONJUG. [27] como *acertar.*

inverosímil *adj.* Que no tiene apariencia de verdad.

inversión *f.* Acción de invertir. 2 Efecto de invertir. 3 Acción de emplear capital en negocios productivos. 4 Homosexualidad. 5 Creación de bienes de capital mediante la colocación de disponibilidades líquidas. 6 Cambio de sentido de la corriente eléctrica.

inversionista *com.* Persona que hace una inversión de capital.

inverso, -sa *adj.* Alterado, trastornado.

inversor, -ra *adj.-s.* Que invierte.

invertebrado, -da *adj.-m.* Animal metazoo que no tiene vértebras.

invertido *m.* Homosexual.

invertina *f.* Fermento contenido en ciertas levaduras que tienen la propiedad de descomponer la sacarosa.

invertir *tr.* Trastornar, alterar [las cosas] colocándolas en dirección u orden opuesto al que tenían. 2 Emplear [los caudales] en aplicaciones productivas: ~ *el dinero en fincas.* 3 Ocupar [el tiempo] de una u otra manera. ◇ ** CONJUG. [35] como *hervir.*

investidura *f.* Carácter que se adquiere con la toma de posesión de ciertos cargos o dignidades.

investigación *f.* Acción de investigar: ~ *policíaca; ~ científica; ~ fiscal.* 2 Efecto de investigar.

investigar *tr.* Hacer diligencias para descubrir [algo]. 2 Profundizar en el estudio de una disciplina. ◇ ** CONJUG. [7] como *llegar.*

investir *tr.* Conferir una dignidad o cargo importante: ~ *del,* o *con el, cargo de canciller.* ◇ ** CONJUG. [34] como *servir.*

inveterado, -da *adj.* Antiguo, arraigado.

inveterarse *prnl.* Envejecer (durar) una costumbre, tradición, fórmula.

inviable *adj.* Que no tiene posibilidades de ser llevado a cabo.

invicto, -ta *adj.* No vencido, siempre victorioso.

invidente *adj.-com.* Que no ve; ciego.

invierno *m.* Estación del año que, astronómicamente, principia en el solsticio del mismo nombre y termina en el equinoccio de primavera. 2 En los países ecuatoriales, temporada de lluvias que dura aproximadamente unos seis meses. 3 Época más fría del año, que en el hemisferio septentrional corresponde a los meses de diciembre, enero y febrero, y, en el austral, a nuestro verano.

invigilar *intr.* Cuidar solícitamente de una cosa.

inviolabilidad *f.* Calidad de inviolable. 2 Prerrogativa personal del monarca, declarada en la constitución del estado: ~ *parlamentaria,* v. inmunidad.

inviolable *adj.* Que no se debe o no se puede violar o profanar. 2 Que goza la prerrogativa de inviolabilidad.

inviolado, -da *adj.* Que se conserva con toda su integridad y pureza.

invisible *adj.* Que no puede ser visto.

invitación *f.* Acción de invitar. 2 Efecto de invitar. 3 Célula o tarjeta con que se invita.

invitado, -da *m. f.* Persona que ha recibido invitación.

invitar *tr.* Convidar. 2 Incitar.

invocación *f.* Acción de invocar. 2 Efecto de invocar. 3 Parte del poema en que el poeta invoca a un ser divino, verdadero o falso.

invocar *tr.* Pedir con ruegos [la ayuda, la protección de uno]: ~ *la clemencia divina; ~ a Dios y a la Virgen.* 2 fig. Alegar [una ley, costumbre o razón] para acogerse a ella. ◇ ** CONJUG. [1] como *sacar.*

involución *f.* Evolución regresiva de un órgano o función, especialmente del útero después del parto. 2 p. ext. Cambio retrógrado o proceso regresivo de otra índole; detención y retroceso de una evolución política, cultural, económica, etc., que se considera positiva.

involucionista *adj.* Perteneciente o relativo a la involución. – 2 *adj.-com.* Partidario de una involución en política, cultura, etc.

involucrar *tr.* Injerir en un discurso o escrito [cuestiones o asuntos extraños a su objeto principal]. 2 Envolver, implicar.

involucro *m.* Verticilo de brácteas que acompaña una flor o el arranque de una **inflorescencia.

involuntario, -ria *adj.* No voluntario: *ofensa involuntaria.* 2 Independiente de la voluntad: *movimiento ~; turbación involuntaria.*

involutivo, -va *adj.* Perteneciente o relativo a la involución.

involuto *adj.* ZOOL. Muy arrollado; como las conchas de los gasterópodos.

invulnerable *adj.* Que no puede ser herido. 2 fig. Que no resulta afectado por lo que se hace o dice en su contra.

inyección *f.* Acción de inyectar. 2 Efecto de inyectar. 3 Fluido inyectado. 4 Introducción de un combustible fluido a presión en un motor de explosión. 5 p. ext. Aportación de energía o fuerzas nuevas o suplementarias. 6 Aportación masiva y repentina de dinero para relanzar una actividad. 7 Introducción de cemento a presión en un terreno a fin de consolidarlo.

inyectable *adj.* [medicamento] Que se aplica en inyección: *solución ~.* – 2 *m.* Ampolla (tubito).

inyectar *tr.* Introducir [un líquido] en un cuerpo con un instrumento.

inyector, -ra *adj.* Que inyecta: *bomba inyectora.* – 2 *m.* Aparato que divide el combustible en gotas pequeñísimas y que lo distribuye en la carga de aire contenida en el conducto de admisión o en la cámara de combustión.

ion *m.* En la electrólisis, substancia que aparece, cada una en un polo, como resultado de la descomposición del electrólito; la que aparece en el cátodo es electropositiva y se llama *catión,* y la que aparece en el ánodo es electronegativa y se llama *anión.* ◇ Pl.: *iones.*

ionizar *tr.-prnl.* Cargar de iones. ◇ ** CONJUG. [4] como *realizar.*

ionona *f.* Substancia química de olor de violeta empleada en perfumería.

ionosfera *f.* Capa elevada de la atmósfera situada entre los 80 y los 400 kms. de altura, y en la cual se reflejan las ondas hertzianas.

iota *f.* Novena letra del alfabeto griego, equivalente a nuestra *i.*

iotacismo *m.* Uso excesivo de la letra *i* en un idioma.

ipecacuana *f.* Planta rubiácea de la América meridional, cuya raíz es muy usada en medicina *(Cephaellis ipecacuanha).* 2 Raíz de esta planta.

ípsilon *f.* Vigésima letra del alfabeto griego, equivalente a la *u* del francés.

ipsófono *m.* Dispositivo de algunos aparatos telefónicos, que recoge la comunicación en ausencia del abonado.

ir *intr. pseudorreflexivo* Moverse de un lugar hacia otro: ~, o *irse a*, o *hacia, Cádiz;* ~ *hasta Roma; voy en coche; voy por ferrocarril; voy bajo custodia.* – 2 *intr.* p. ext. Úsase para denotar dónde se dirige un camino, un río, etc.: *este camino va a la aldea; va a parar,* o *a dar, en la mar.* 3 En varios juegos de naipes, disputar una apuesta. 4 Caminar de acá para allá: ~ *de un lado a otro.* 5 Extenderse una cosa de un punto a otro: *la costa va de Cádiz a Almería.* 6 p. anal. Diferenciarse una persona o cosa de otra: *¡lo que va del padre al hijo!* 7 Obrar, proceder: *el coche va,* o *anda, lentamente; va con tiento, con miedo; va contra la corriente.* 8 Añade al sentido dinámico el de intención: *va para usted; va de veras;* el importar, interesar: *va la vida en eso;* el transcurrir: *va de paso; va de mal en peor.* 9 Por el sentido de intención, acomodarse, conformarse una cosa con otra: *a Juan le va,* o *le viene, bien este vestido; tal cosa fue,* o *vino, de perilla.* – 10 *v. auxiliar* Acompañando a los gerundios, intensifica la significación durativa: *vamos caminando; iba anocheciendo.* 11 Con los participios añade a la forma pasiva el sentido de pasar o durar: ~ *vendido;* ~ *atenido.* 12 Con la preposición *a* y un verbo en infinitivo expresa acción que comienza o que se ha de realizar inmediatamente: *voy a salir; iba a replicar.* – 13 *prnl.* Deslizarse, perder el equilibrio: *irse los pies, irse la pared.* 14 Salirse un líquido insensiblemente del recipiente que lo contiene: *se va el agua del barreño; se aplica también al recipiente: el barreño, la cuba se va.* 15 Estarse muriendo o morir: *temo que esta noche se nos vaya el enfermo.* 16 Gastarse, consumirse una cosa; esp., desgarrarse o envejecer una tela. 17 Ventosear o hacer uno sus necesidades sin sentir o involuntariamente. 18 Con la preposición *de* y tratándose de las cartas de la baraja, descartarse de una o varias: *se fue de los ases.* ◇ INCOR.: el empleo del impersonal *ves* (tú) por *ve* (tú); y la forma *iros* (vosotros) por *idos* (vosotros). ◇ ** CONJUG. [74].

ira *f.* Pasión violenta que mueve a indignación y enojo. 2 Deseo de venganza, según orden de justicia. 3 Deseo de injusta venganza. 4 fig. Furia de los elementos. – 5 *f. pl.* Repetición de actos de saña o venganza.

iracundo, -da *adj.-s.* Propenso a la ira.

iranés, -nesa, iranio, -nia *adj.-s.* Natural o habitante del Irán. – 2 *adj.* Perteneciente o relativo a esta región del sudoeste de Asia o a sus pobladores.

iraní *adj.-s.* Del moderno Estado del Irán.

iraqués, -esa, iraquí *adj.-s.* De Irak, nación del sudoeste de Asia.

irascible *adj.* Propenso a irritarse.

iridáceo, -a *adj.-f.* Planta de la familia de las iridáceas. – 2 *f. pl.* Familia de plantas monocotiledóneas, herbáceas, de raíces generalmente tuberculosas o bulbosas, hojas enteras, flores de ovario ínfero y fruto en cápsula trilocular; como el azafrán.

iridio *m.* Metal blanco, quebradizo, muy difícilmente fusible y casi tan pesado como el oro. Su símbolo es *Ir.*

iris *m.* Diafragma musculoso, opaco y contráctil, situado ante el cristalino del **ojo y en cuyo centro está la pupila. 2 Rizoma de ciertos lirios, usado en perfumería. 3 Mosca artificial, cebo para pescar.

irisar *intr.* Presentar un cuerpo fajas variadas o reflejos de luz. – 2 *tr.* Comunicar [a algo] los colores del arco iris.

irlanda *f.* Cierto tejido de lana y algodón. 2 Cierta tela fina de lino.

irlandés, -desa *adj.-s.* De Irlanda, isla del oeste de Europa. – 2 *m.* Lengua de los irlandeses. – 3 *adj.-m.* Café con güisqui y crema de leche o nata.

ironía *f.* Burla fina y disimulada. 2 Figura retórica que consiste en dar a entender lo contrario de lo que se dice. 3 fig. Contraste fortuito que parece una burla.

irónico, -ca *adj.* Que denota o implica ironía, o relativo a ella.

ironizar *tr.* Hablar con ironía, ridiculizar. ◇ ** CONJUG. [4] como *realizar.*

irracional *adj.* Que carece de razón: *animales irracionales.* 2 Opuesto a la razón o que va fuera de ella. – 3 *adj.-m.* MAT. *Número* ~, [cantidad radical] que no puede expresarse exactamente con números enteros ni fraccionarios.

irracionalidad *f.* Calidad de irracional.

irracionalismo *m.* Tendencia filosófica o artística que da la preferencia a lo irracional sobre lo racional.

irradiar *tr.* Despedir un cuerpo radiaciones luminosas, térmicas, magnéticas, etc. 2 Someter [un cuerpo] a la acción de ciertos rayos. 3 fig. Propagar una acción, efecto, influencia, etc. 4 *Amér.* fig. Expulsar [a alguien] de una corporación, sociedad, etc.: ~ *a un alumno de la universidad.* ◇ ** CONJUG. [12] como *cambiar.*

irreal *adj.* No real; falto de realidad.

irrealizable *adj.* Que no se puede realizar.

irrebatible *adj.* Que no se puede rebatir.

irreconciliable *adj.* [pers.] Que no quiere reconciliarse con otro. 2 Incompatible.

irreconocible *adj.* Que no se puede reconocer.

irrecuperable *adj.* Que no se puede recuperar.

irrecusable *adj.* Que no se puede recusar.

irredentismo *m.* Partido político italiano formado hacia 1878, que se proponía incorporar a Italia varias regiones de población italiana sometidas al dominio extranjero. 2 Doctrina de este partido. 3 p. ext. Movimiento análogo en otros países.

irredento, -ta *adj.* [territorio] Que una nación reclama como suyo por razones históricas o étnicas.

irredimible *adj.* Que no se puede redimir.

irreducible *adj.* Que no se puede reducir. 2 fig. Que no transige. 3 MAT. [fracción] Cuyo numerador y denominador son números primos entre sí.

irreemplazable, irremplazable *adj.* No reemplazable.

irreflexión *f.* Falta de reflexión.

irreflexivo, -va *adj.* Que no reflexiona. 2 Dicho o hecho sin reflexionar.

irreformable *adj.* Que no se puede reformar.

irrefragable *adj.* Que no se puede contrarrestar.

irrefrenable *adj.* Que no se puede refrenar.

irrefutable *adj.* Que no se puede refutar.

irregular *adj.* Que va fuera de regla; contrario a ella. 2 Que no sucede ordinariamente. 3 Que no es constante, puntual. 4 [**polígono, poliedro] Que no es regular. GRAM. [palabra] Cuya flexión o formación no se ajusta a la regla general: *verbo ~; participio ~.*

irrelevante *adj.* Que carece de importancia o significación.

irreligioso, -sa *adj.-s.* Falto de religión. – 2 *adj.* Que se opone al espíritu de la religión.

irremediable *adj.* Que no se puede remediar. ◇ No se debe confundir con *irremisible.*

irremisible *adj.* Que no se puede remitir o perdonar. ◇ No se debe confundir con *irremediable.*

irremunerado, -da *adj.* No remunerado.

irrenunciable *adj.* Que no se puede renunciar.

irreparable *adj.* Que no se puede reparar.

irrepetible *adj.* Que no puede o no debe ser repetido.

irreprensible *adj.* Que no merece reprensión.

irrepresentable *adj.* Que no se puede representar como espectáculo público: *comedia ~.* 2 Que no se puede representar en la imaginación; inimaginable, infigurable.

irreprimible *adj.* Que no se puede reprimir.

irreprochable *adj.* Que no puede ser reprochado.

irrescindible *adj.* Que no puede rescindirse.

irresistible *adj.* Que no se puede resistir. – 2 *adj.-com.* fig. [pers.] De mucho atractivo o simpatía.

irresoluble *adj.* Que no se puede resolver o determinar.

irresoluto, -ta *adj.-s.* Que carece de resolución. – 2 *adj.* Que no ha sido resuelto.

irrespirable *adj.* Que no puede respirarse. 2 Que difícilmente puede respirarse. 3 fig.

[ambiente social] Que hace que uno se sienta molesto o disgustado.

irresponsable *adj.-com.* [pers.] Que adopta decisiones importantes sin la debida meditación. 2 [pers.] A quien no se puede exigir responsabilidad. – 3 *adj.* [acto] Resultante de una falta de previsión o meditación.

irreverencia *f.* Falta de reverencia. 2 Dicho o hecho irreverente.

irreverente *adj.-com.* Contrario a la reverencia o respeto debido.

irreversible *adj.* Que no es reversible.

irrevocable *adj.* Que no se puede revocar.

irrigar *tr.* Rociar con un líquido [una parte del cuerpo]. 2 Llevar agua a las tierras mediante canales, acequias, etc. 3 Regar. 4 FISIOL. Aportar sangre [a los tejidos] mediante los vasos sanguíneos. ◇ ** CONJUG. [7] como *llegar.*

irrisible *adj.* Digno de risa y desprecio.

irrisión *f.* Burla con que se provoca a risa. 2 Persona o cosa que la motiva.

irrisorio, -ria *adj.* Que mueve o provoca a risa y burla. 2 Insignificante, de poca estimación: *un precio ~.*

irritable *adj.* Capaz de irritarse (enojar): *fibra, genio ~.*

irritar *tr.-prnl.* Hacer sentir ira: *~ a sus servidores; irritarse con,* o *contra, todos.* 2 Excitar vivamente [los afectos o inclinaciones]: *~ los celos, el odio,* etc. 3 Causar o producirse excitación morbosa en una parte del cuerpo.

írrito, -ta *adj.* Nulo, sin fuerza ni obligación.

irrogar *tr.* Causar [un perjuicio o daño]. ◇ ** CONJUG. [7] como *llegar.*

irrompible *adj.* Que no se puede romper.

irruir *tr.* Acometer con ímpetu, invadir [un lugar]. ◇ ** CONJUG. [7] como *huir.*

irrumpir *intr.* Entrar violentamente en un lugar. 2 Invadir súbitamente.

irrupción *f.* Acometimiento impetuoso e impensado. 2 Invasión.

irupé *m. Amér. Merid.* Planta ninfeácea gigantesca, célebre por sus hermosas flores blancas con el centro rojo de hasta 40 cms. de diámetro, cuyas hojas forman discos de hasta dos metros de diámetro *(Victoria regia).*

isa *f.* Baile popular de las Islas Canarias en compás de tres por cuatro. 2 Música y canto de este baile.

isabelino, -na *adj.* Perteneciente o relativo a cualquiera de las reinas que llevaron el nombre de Isabel en España o Inglaterra. 2 [estilo artístico] Que se desarrolló en Inglaterra durante el reinado de Isabel I (1533-1603). 3 [estilo] Que imperaba en España durante el reinado de Isabel II, cuyas características más definidas deben buscarse en los muebles, en los cuales, a determinadas formas napoleónicas, se sobrepone el jugueteo de superficies curvadas. 4 [caballo] De color de perla o entre blanco y amarillo.

isatide *f.* Planta crucífera, robusta y erecta, bienal o perenne, de flores pequeñas de color amarillo *(Isatis tinctoria)*.

isba *f.* Casa rústica de madera de abeto que construyen algunos pueblos del norte de Europa y de Asia.

isla *f.* Porción de tierra rodeada enteramente de agua. 2 p. ext. En aeropuertos, estaciones, vías públicas, etc., recinto o zona claramente delimitada del espacio circundante. 3 Manzana (bloque). 4 fig. Conjunto de árboles aislados que no esté junto a un río.

islam *m.* Islamismo. 2 Conjunto de los pue-blos que tienen esta religión. ◇ No se usa en plural.

**islámico, -ca *adj.* Perteneciente o rela-tivo al Islam: *arte ~*.

islamismo *m.* Conjunto de dogmas y pre-ceptos que constituyen la religión de Mahoma (h. 570-632).

islamita *adj.-com.* [pers.] Que profesa el islamismo.

islamizar *intr.-prnl.* Adoptar la religión, prácticas, usos y costumbres islámicos. ◇ ** CONJUG. [4] como *realizar*.

islandés, -desa *adj.-s.* De Islandia, nación

ISLÁMICO (ARTE)

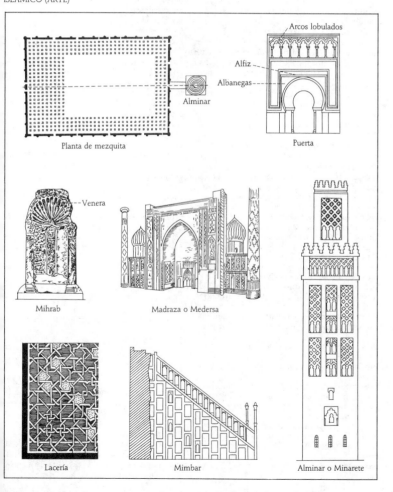

Planta de mezquita

Arcos lobulados

Alfiz

Albanegas

Alminar

Puerta

Venera

Mihrab

Madraza o Medersa

Lacería

Mimbar

Alminar o Minarete

insular del norte de Europa. – 2 *m.* Idioma islandés.

islario *m.* Descripción de las islas de un mar, continente o nación. 2 Mapa en que están representadas.

isleño, -ña *adj.-s.* [pers.] De una isla. 2 De las Islas Canarias.

isleo *m.* Isla pequeña junto a otra mayor. 2 Porción de terreno circuida por todas partes de otros de distinta clase.

islote *m.* Isla pequeña y despoblada. 2 Peñasco muy grande, rodeado de mar.

ismo *m.* Tendencia de orientación innovadora, principalmente en las artes, que se opone a lo ya existente.

isobárico, -ca *adj.* [lugar] Que tiene igual presión atmosférica a otro u otros.

isobaro, -ra, isóbaro, -ra *adj.* Isobárico. 2 QUÍM. [elemento] Que tiene igual masa atómica que otro, pero distinto número atómico. – 3 *f.* Línea imaginaria que pasa por todos los puntos de la superficie terrestre que tienen la misma altura barométrica media; y también la que pasa por los puntos que tienen la misma altura barométrica en un momento dado.

isobático, -ca *adj.* [lugar] De igual profundidad a otro u otros.

isobato, -ta *adj.* Isobático. – 2 *f.* Línea imaginaria que une los puntos del fondo del mar de igual profundidad.

isocalórico, -ca *adj.* [alimento] Que a igual peso que otro produce la misma cantidad de calorías. 2 [reacción química] En que se mantiene la temperatura constante.

isóclino, -na *adj.* Que tiene la misma inclinación magnética. – 2 *f.* Línea imaginaria que pasa por los puntos de la superficie terrestre que tienen la misma inclinación magnética.

isocoro, -ra *adj.* De volumen constante. – 2 *f.* FÍS. Curva que relaciona las magnitudes medidas a volumen constante.

isocromático, -ca *adj.* Que tiene el mismo color. 2 Que tiene un tinte o matiz uniforme.

isocronismo *m.* Igualdad de duración en los movimientos de un cuerpo: *el ~ del péndulo.*

isócrono, -na *adj.* Que se efectúa en tiempos iguales.

isodáctilo, -la *adj.* Que tiene los dedos iguales.

isodinámico, -ca *adj.* Que tiene la misma fuerza o intensidad. 2 [alimento] De igual poder energético a otro, y que, por tanto, puede teóricamente substituirse en la dieta. – 3 *f.* Línea imaginaria que une todos los puntos de la superficie terrestre en que la componente horizontal del campo magnético es la misma.

isodonte *adj.* Con todas las piezas dentarias iguales.

isoédrico, -ca *adj.* [cristal] Que tiene todas las caras iguales.

isoeléctrico, -ca *adj.* [cuerpo] Neutro eléctricamente, que posee el mismo número de cargas positivas que negativas. 2 De igual potencial eléctrico.

isoetáceo, -a *adj.-f.* Planta de la familia de las isoetáceas. – 2 *f. pl.* Familia de plantas pteridofitas de tallo grueso, con abundantes frondes y esporangios generalmente cubiertos por indusio.

isoetal *adj.-f.* Planta del orden de las isoetales. – 2 *f. pl.* Orden de plantas acuáticas que viven total o parcialmente sumergidas, y producen dos tipos de esporas, macroscópicas y microscópicas.

isófilo, -la *adj.* [planta] Que presenta todas las hojas del vástago iguales.

isofónico, -ca *adj.* [sonido] Que tiene igual sonoridad que otro.

isofoto, -ta *adj.* De igual intensidad luminosa. – 2 *f.* Línea imaginaria que une entre sí puntos de la misma intensidad luminosa.

isogamia *f.* Reproducción sexual en que los dos gametos son iguales.

isoglosa *adj.-f.* Línea imaginaria que en un atlas lingüístico pasa por todos los puntos en que se manifiesta un mismo fenómeno.

isógono, -na *adj.* [cuerpo cristalizado] De ángulos iguales. – 2 *f.* Línea imaginaria que pasa por los puntos de la superficie terrestre que tienen la misma declinación magnética.

isohieto, -ta *adj.* De igual pluviosidad. – *f.* Línea imaginaria que une los puntos con la misma pluviosidad media anual.

isohipso, -sa *adj.* De igual altura. – 2 *f.* Línea imaginaria que une los puntos de una superficie situada a la misma altura, y que por tanto, tienen la misma presión atmosférica.

isómero, -ra *adj.* [compuesto] Que tiene la misma fórmula que otro u otros, pero que difiere en algunas propiedades, a causa de una diferencia en la estructura molecular.

isometría *f.* Aplicación geométrica que conserva las distancias existentes entre rectas, longitudes y ángulos.

isomorfo, -fa *adj.* [cuerpo] De diferente composición química que otro u otros, pero con la misma estructura molecular e igual forma cristalina.

isonefo, -fa *adj.* De igual nubosidad. – 2 *f.* Línea imaginaria que une los puntos con la misma nubosidad.

isoperímetro, -tra *adj.* [figura geométrica] Que siendo diferente a otra u otras tiene igual perímetro.

isópodo, -da *adj.* De patas o pies iguales. – 2 *adj.-m.* Crustáceo del orden de los isópodos. – 3 *m. pl.* Orden de crustáceos malacostráceos, con los ojos sentados, sin caparazón, el cuerpo ancho y deprimido y la cabeza soldada al primer segmento torácico; como la cochinilla.

isóptero *adj.-m.* Insecto del orden de los isópteros. − 2 *m. pl.* Orden de insectos pterigotas con la boca de tipo masticador, dos pares de alas membranosas iguales y metamorfosis sencilla; como el termes.

isoquímeno, -na *adj.* De igual temperatura invernal. − 2 *f.* Línea imaginaria que une todos los puntos de la superficie terrestre que tienen la misma temperatura media en invierno.

isósceles *adj.* GEOM. V. triángulo ~. ◇ Pl.: *isósceles.*

isosilábico, -ca *adj.* [forma, sistema de versificación] Que asigna un número fijo de sílabas a cada verso.

isosísmico *adj.* De igual intensidad sísmica. − 2 *f.* Línea imaginaria que une los puntos donde un seísmo ha tenido la misma intensidad.

isosista *f.* Línea isosísmica.

isostasia *f.* Teoría del estado de equilibrio de las masas en el interior de la corteza terrestre.

isotermo, -ma *adj.* De igual temperatura. − 2 *m.* Camión, vagón, tanque, etc., aislado térmicamente, pero sin instalación productora de frío. − 3 *f.* Línea imaginaria que pasa por todos los puntos de la superficie terrestre que tienen la misma temperatura media anual.

isótopo *m.* y QUÍM. Especie del mismo elemento que, teniendo el mismo número atómico que otra u otras, se diferencia por las masas de sus átomos: ~ *radiactivo,* el empleado en medicina para el diagnóstico y tratamiento de ciertas enfermedades.

isótropo, -pa *adj.* [cuerpo] Que tiene la propiedad de transmitir igualmente en todos sentidos cualquier acción recibida en un punto de su masa.

isquemia *f.* Detención o disminución de la circulación de sangre a través de las arterias de una determinada zona.

isquiático, -ca *adj.* Relativo a la cadera o al isquion.

isquion *m.* Hueso posterior e inferior de los tres que forman el coxal.

israelí *adj.-s.* Del Estado de Israel. − 2 *adj.* Perteneciente o relativo a dicho estado.

israelita *adj.-s.* Hebreo. 2 Del reino de Israel.

istmeño, -ña *adj.* Natural de un istmo. 2 Perteneciente o relativo a un istmo.

istmo *m.* Lengua de tierra que une dos continentes o una península con un continente. 2 Parte o paso estrecho entre dos órganos o cavidades; **boca.

italianismo *m.* Vocablo, giro o modo de

expresión propio de la lengua italiana empleado en otro idioma.

italianista *com.* Persona versada en la lengua y cultura italianas.

italianizar *tr.* Hacer tomar carácter italiano o inclinación a las cosas italianas. 2 Dar forma italiana a las voces de otra lengua; cometer italianismos. ◇ ** CONJUG. [4] como *realizar.*

italiano, -na *adj.-s.* De Italia, nación del sur de Europa. − 2 *m.* Lengua italiana.

itálico, -ca *adj.* Italiano, especialmente en lo que pertenece a la antigua Italia.

italohablante *adj.* [pers.] De lengua materna italiana.

itea *f.* Género de plantas saxifragáceas de jardín, de flores pequeñas en glomérulos, generalmente alargados, y fruto en cápsula.

ítem *adv.* Asimismo, igualmente. − 2 *m.* fig. Artículo o capítulo, según la distribución de una escritura. 3 fig. Aditamento, añadidura. 4 LING. Elemento de un conjunto gramatical, léxico, etc., considerado como término particular. ◇ La primera acepción se usa para hacer distribución de artículos o capítulos en una escritura u otro instrumento, y también como señal de adición.

iterar *tr.* Repetir.

iterativo, -va *adj.* Que tiene la condición de reiterarse.

iterbio *m.* Elemento químico del grupo de las tierras raras. Su símbolo es *Yb.*

itinerante *adj.* Ambulante.

itinerario, -ria *adj.* Relativo a caminos: *medida itineraria.* − 2 *m.* Descripción de un camino o viaje, expresando los lugares por donde se ha de transitar.

itrio *m.* Metal trivalente que forma un polvo brillante y negruzco, y se extrae de algunos minerales raros. Su símbolo es *Y.*

ixoda, ixodes *m.* Especie de ácaro terrestre, parásito de los vertebrados (gén. *Ixodes*).

izar *tr.* MAR. Hacer subir [una cosa] tirando de la cuerda de que está colgada, la cual pasa por un punto más elevado. ◇ ** CONJUG. [4] como *realizar.*

izquierdista *adj.* Relativo a la izquierda política. − 2 *adj.-com.* Partidario de ella.

izquierdo, -da *adj.* [órgano del cuerpo] Que está situado del lado del corazón: *pulmón, brazo* ~. 2 Que está situado, con respecto al hombre, del lado del corazón: *el ala izquierda de un ejército, de un edificio.* 3 [parte de un río] Que queda a la izquierda de quien se coloca mirando hacia donde corren las aguas. 4 Torcido, no recto. 5 Zurdo. − 6 *f.* Mano izquierda. 7 Posición que ocupa lo situado con respecto al hombre al lado del corazón. 8 p. ext. Conjunto de personas que postulan una modificación del sistema político y social en un sentido no conservador.

J

J, j *f.* Jota, undécima letra del alfabeto español que representa gráficamente a la consonante fricativa, velar y sorda.

¡ja, ja, ja! Interjección con que se denota risa.

jaba *f. Amér.* Cesto de varillas gruesas, usado para el transporte de objetos frágiles.

jabado, -da *adj.* Que tiene la piel de varios colores, especialmente el toro. 2 *Cuba, P. Rico* y *Venez.* De color blanco y pardo o negro, especialmente el gallo y la gallina.

jabalcón *m.* Madero ensamblado en uno vertical, que sirve de apoyo a otro horizontal o inclinado.

jabalí *m.* Mamífero artiodáctilo, de piel gruesa, especie de cerdo salvaje, de pelaje tupido y fuerte, jeta prolongada y colmillos grandes y salientes *(Sus serofa)*. 2 *Amér.* Pécari. ◇ Pl.: *jabalíes.*

jabalina *f.* Arma, a manera de venablo, que se usaba en la caza mayor. 2 DEP. Barra de fibra o metal con que se efectúa una de las pruebas atléticas de lanzamiento.

jabardillo *m.* Multitud susurradora e inquieta de insectos o avecillas. 2 fig. Remolino, multitud de gente.

jabardo *m.* Enjambre pequeño producido por una colmena. 2 fig. Jabardillo (remolino).

jabato *m.* Cachorro del jabalí. 2 fig. y fam. Joven valiente y atrevido.

jábega *f.* Red muy larga, compuesta de un copo y dos bandas, de las cuales se tira desde tierra.

I) jabeque *m.* Velero de tres palos, con velas latinas.

II) jabeque *m.* fig. y fam. Herida de arma blanca en el rostro: *pintarle un ~ a uno.*

jabillo *m.* Árbol euforbiáceo de América tropical, cuya madera se emplea para hacer canoas *(Hura crepitans).*

jabino *m.* Variedad enana del enebro.

jabón *m.* Producto sólido obtenido por la acción de un álcali sobre una grasa, que sirve, disolviéndolo en el agua, para lavar la piel, la ropa, etc.: *dar ~*, fig., adular. 2 p. ext. Sal de un ácido graso, en general.

jabonada *f. Amér.* Jabonado o jabonadura.

jabonado *m.* Jabonadura (acción y efecto).

2 Conjunto de ropa blanca que se jabona. 3 fam. Reprensión.

jabonadura *f.* Acción de jabonar. 2 Efecto de jabonar. – 3 *f. pl.* Agua que queda mezclada con el jabón y su espuma. 4 Espuma que se forma al jabonar.

jabonar *tr.* Fregar [la ropa u otra cosa] con jabón y agua. 2 Humedecer [la barba] con agua jabonosa para afeitarla. 3 fig. y fam. Reprender.

jaboncillo *m.* Pastilla de jabón aromatizado. 2 Árbol sapindáceo de América, la pulpa de cuyo fruto da una especie de jabón *(Sapindus saponaria).* 3 Variedad de talco blanco o verdoso, blando y suave, que usan los sastres para hacer señales en las telas.

jabonero, -ra *adj.* De color blanco sucio: *toro ~. – 2 m.* Persona que tiene por oficio hacer o vender jabón. – 3 *f.* Caja que hay para el jabón en lavabos y tocadores. 4 Hierba cariofilácea cuyo zumo da la espuma y sirve para lavar ropa *(Saponaria officinalis).*

jabonoso, -sa *adj.* Que es de jabón, o de naturaleza de jabón.

jaborandi *m.* Arbusto poco ramificado, de hojas compuestas y alternas, utilizadas como sudorífico y diurético, y con numerosas flores pequeñas de color purpúreo *(Policarpus pinnafolius).*

jaca *f.* Caballo cuya alzada no llega a siete cuartas. 2 Caballo castrado. 3 Cangrejo de caparazón redondo, muy duro y patas pequeñas. 4 *And., Can., Murc.* y *Amér.* Gallo inglés de pelea al que se dejan crecer los espolones.

jacal *m. Amér.* Choza o casa humilde.

jacana *f.* Ave caradriforme de América meridional, de brillantes colores cuya voz parece una carcajada *(Jacana spinosa).*

jácara *f.* Romance alegre, escrito en germanía, sobre la vida de malhechores y rufianes. 2 Música y baile que acompañaba el canto de este romance. 3 Breve pieza teatral, especie de entremés, en la que se representaba este romance, alternando música y diálogo. 4 Ronda nocturna de gente alegre. 5 fig. Molestia o enfado. 6 fig. Cuento, historia, razonamiento. 7 fig. Mentira, patraña.

jacarandá *m.* Género de plantas bignoniáceas de América.

jacarandina *f.* Junta de ladrones o rufianes. 2 Lenguaje de germanía. 3 Jácara (música).

jacarandoso, -sa *adj.* fam. Donairoso, alegre, desenvuelto.

jácena *f.* Viga maestra.

jacinto *m.* Planta liliácea, de flores acampanadas de diversos colores, agrupadas en racimos *(Hyacinthus orientalis)*. 2 Flor de esta planta.

jack *m.* Dispositivo de conexión o conmutación usado para enlazar el cableado de un circuito. ◇ Se pronuncia *yac*.

jaco *m.* Caballo pequeño y ruin.

jacobeo, -a *adj.* Relativo al apóstol Santiago: *fiestas jacobeas.*

jacobinismo *m.* Sistema político del partido más exaltado de la Revolución francesa. 2 p. ext. Tendencia política de un radicalismo violento impuesto en nombre de la democracia.

jacobino, -na *adj.-s.* [pers.] Partidario del jacobinismo. 2 p. ext. Demagogo partidario de la revolución violenta y sanguinaria.

jactancia *f.* Alabanza propia, desordenada y presuntuosa.

jactancioso, -sa *adj.-s.* Que se jacta.

jactarse *prnl.* Alabarse presuntuosamente: ~ *de noble.*

jaculatorio, -ria *adj.* Breve y fervoroso. – 2 *f.* Oración breve y muy fervorosa.

jade *m.* Piedra muy dura, compacta, blanquecina o verdosa y susceptible de pulimento, formada esencialmente por silicato de calcio y magnesio.

jadear *intr.* Respirar anhelosamente por efecto del cansancio.

jaén *adj.-s.* Especie de uva blanca, de hollejo duro, procedente de Jaén.

jaenés, -nesa *adj.-s.* De Jaén.

jaez *m.* Adorno de las caballerías. 2 fig. Calidad, carácter: *persona de mal ~; desp., gente de ese ~.*

jaguar *m.* Mamífero carnívoro félido, especie de pantera de América *(Felis onca).*

jaguarzo *m.* Arbusto cistáceo de flores blancas en grupos terminales *(Cistus clusti).*

jagüey *m. Amér.* Balsa, pozo o zanja llena de agua, ya artificialmente, ya por filtraciones del terreno.

jaibón *adj.-com. Amér.* [pers.] Altanero o que presume de hidalgo sin serlo.

jainismo *m.* Una de las tres grandes religiones históricas de la India.

jalado, -da *adj. Amér.* Demacrado, ebrio, borracho.

jalapa *f.* Hierba convolvulácea trepadora y perenne, con el tallo rojizo y estriado, propia de Méjico, cuya raíz se utiliza como purgante *(Exogonium purga)*. 2 Raíz de esta planta. 3 Planta asiática, de cuyas flores se extrae un colorante amarillo utilizado en repostería, y cuya semilla se emplea en cosmética *(Ipomea purga).*

jalar *tr.* Halar. 2 Tirar, atraer. 3 Comer con apetito. 4 *Amér. Central.* Hacer el amor. – 5 *prnl. Amér.* Emborracharse.

jalbegue *m.* Blanqueo de las paredes. 2 Lechada de cal dispuesta para blanquear o enjalbegar. 3 fig. Afeite para enjalbegar (componer el rostro).

jalea *f.* Conserva transparente y gelatinosa hecha de zumo de algunas frutas.

jalear *tr.* Llamar [a los perros] a voces. 2 Animar con palmadas y expresiones [a los que bailan y cantan]. 3 fam. Excitar, soliviantar, hacer ruido.

jaleo *m.* Baile popular andaluz, en compás ternario, ejecutado por un bailarín único, con acompañamiento de castañuelas. 2 Música y letra de este baile. 3 Jarana. 4 Alboroto, desorden. 5 *Amér. Central.* Amorío, galanteo.

jalifa *m.* Autoridad suprema de la zona del protectorado español en Marruecos, que ejercía sus poderes por delegación del sultán.

I) jalón *m.* Vara con regatón de hierro que se clava en tierra para determinar puntos fijos. 2 fig. Fin de una etapa y comienzo de otra en el desarrollo de una acción u obra. 3 fig. Hito, situación importante, o punto de referencia [en la vida de alguien o en el desarrollo de algo]. 4 *Amér. Central.* Trecho, distancia.

II) jalón *m.* Tirón. 2 *Amér. Central.* Novio, galán.

jalona *adj. Amér. Central.* [mujer] Coqueta, veleidosa.

jalonar *tr.* Señalar por medio de jalones: ~ *un camino.* 2 fig. Determinar, marcar. – 3 *intr.* Plantar jalones.

jaloque *m.* Viento sudeste.

jamaica *f.* Madera que se produce en Jamaica.

jamaicano, -na *adj.-s.* De Jamaica, nación insular de las Antillas.

jamancia *f.* fam. Comida. 2 fam. Hambre.

jamar *tr.* vulg. Comer.

jamás *adv. t.* Nunca. 2 Detrás de *nunca* o de *siempre*, intensifica el sentido negativo del primero, y el afirmativo del segundo.

jamba *f.* Elemento vertical, de diversos materiales, que a manera de pilar, sostiene el **arco o dintel de un vano; **chimenea; **románico. 2 Superficie interna vertical de cada uno de estos elementos.

jambaje *m.* Conjunto de las dos jambas y el dintel. 2 Todo lo relativo al ornato de las jambas y el dintel.

jamelgo *m.* fam. Caballo flaco y desgarbado.

jameo *m.* Cavidad volcánica en una corrida de lava.

jamerdana *f.* Estercolero del matadero.

jamerdar *tr.* Limpiar los vientres [de las reses]. 2 Lavar mal y de prisa.

jamete *m.* Tela de seda, que solía entretejerse de oro.

jamón *m.* Pernil del cerdo: ~ *en dulce,* el que se cuece con vino blanco y se come fiambre. 2 Anca, pierna.

jamona *adj.-f.* fam. [mujer] Que ha pasado de la juventud, especialmente cuando es gruesa. – 2 *f.* Galardón, gratificación o regalo que consiste principalmente en perniles u otros comestibles.

jamugas *f. pl.* Silla de tijera que se coloca sobre el aparejo para montar a mujeriegas.

janano, -na *adj.-s. Guat., Nícar.* y *Salv.* Labihendido, persona con labio leporino.

jangada *f.* Salida o idea necia y fuera de tiempo. 2 Trastada. 3 Balsa (conjunto de maderos). 4 *Amér.* Balsa o armadía de troncos limpios que se transportaban río abajo.

janiforme *adj.* De dos caras.

jansenismo *m.* Doctrina herética propagada por Cornelio Jansen (1585-1638), quien afirmaba que el hombre sólo podía alcanzar la salvación a través de la gracia divina. 2 p. ext. Piedad y virtud austeras.

japonés, -nesa *adj.-s.* Del Japón, nación insular de Asia oriental. – 2 *m.* Idioma del Japón.

japuta *f.* Pez marino teleósteo perciforme, de cuerpo alto y comprimido, de color pardo grisáceo en el dorso, y plateado en los flancos y vientre *(Brama raii).*

jaque *m.* Lance del ajedrez, en que el rey de un bando está amenazado por alguna pieza del otro. 2 Palabra con que se avisa. 3 Valentón, perdonavidas.

jaqueca *f.* Dolor de cabeza intermitente que sólo ataca en una parte de ella.

jaquelado, -da *adj.* Labrado con facetas cuadradas, especialmente las piedras preciosas.

jaquetón *m.* Tiburón muy temido porque a la acometividad propia de los escuálidos de su grupo une una talla considerable que llega a los 10 metros *(Charcharodon carcharias).*

jáquima *f.* Cabezada de cordel. 2 *Amér. Central.* Borrachera.

jara *f.* Arbusto cistáceo de hasta 3 m. de altura con las hojas lanceoladas, pubescentes por el envés, y flores pentámeras de color blanco *(Cistus ladaniferus).* 2 Palo de punta endurecida al fuego que se empleaba como arma arrojadiza.

jarabe *m.* Bebida compuesta de azúcar cocido en agua y zumos refrescantes o substancias medicinales. 2 fig. Bebida muy dulce, en general.

jaral *m.* Terreno poblado de jaras. 2 fig. Lo que está muy enredado o intrincado.

jaramago *m.* Planta crucífera, muy común entre los escombros, de 0,5 m. de altura, con las hojas dispuestas en roseta basal y flores de color amarillo *(Diplotaxis virgata).*

jaramugo *m.* Pececillo nuevo de cualquier especie.

jarana *f.* fam. Diversión bulliciosa de gente ordinaria. 2 fam. Pendencia, tumulto. 3 Trampa, engaño, fraude. 4 *Amér.* Baile popular. 5 *Amér.* Chanza, burla. 6 *Amér. Central.* Deuda.

jaranero, -ra *adj.* Aficionado a jaranas.

jarbe *m.* Turno de riego.

jarcia *f.* Conjunto de aparejos y cabos de un buque: *las jarcias de un velero;* ~ *muerta,* la que está fija y mantiene la arboladura. 2 Conjunto de instrumentos y redes para pescar. 3 fig. Conjunto de cosas diversas o de una misma especie pero sin orden ni concierto.

jarcha *f.* Estrofa final, escrita en romance, de una composición poética árabe llamada *moaxaja.*

jardín *m.* Terreno donde se cultivan plantas y flores ornamentales. 2 Retrete de los buques. 3 Mancha que deslustra y afea la esmeralda. 4 ~ *de infancia,* escuela de párvulos.

jardinera *f.* Mueble para colocar plantas de adorno. 2 Carruaje descubierto, de cuatro ruedas y cuatro asientos, cuya caja suele ser de mimbres. 3 Autobús que transporta a los viajeros entre la terminal de un aeropuerto y el avión.

**jardinería *f.* Arte y oficio del jardinero.

jardinero, -ra *m. f.* Persona que tiene por oficio cuidar un jardín.

jareta *f.* Dobladillo para meter en él una cinta o cordón.

jaretón *m.* Dobladillo muy ancho.

jarilla *f.* Arbusto de ramas vellosas, hojas largas y delgadas, y flores pequeñas *(Halimium umbellatum).*

jarocho, -cha *adj.-s.* [pers.] De modales bruscos e insolentes.

jarope *m.* Jarabe. 2 fig. Trago amargo o bebida desabrida.

jarra *f.* Vasija de barro cocido, boca y cuello anchos, y con una o más asas. 2 *loc. adv. De,* o *en, jarras,* con los brazos arqueados y las manos en la cintura.

jarrear *intr.* Sacar frecuentemente agua o vino con el jarro. 2 Sacar frecuentemente agua de un pozo, a fin de que no se cieguen los veneros.

jarretar *tr.* fig. Enervar, quitar las fuerzas o el ánimo.

jarrete *m.* Corva (parte de la pierna). 2 Corvejón I. 3 Parte alta y carnuda de la pantorrilla hacia la corva.

jarretera *f.* Liga con hebilla.

jarro *m.* Vasija a manera de jarra y con sólo una asa. 2 Cantidad de líquido que cabe en ella.

jarrón *m.* Pieza arquitectónica, ornamental, en forma de jarro. 2 Vaso labrado para adorno.

jaserán *m.* Cadena de oro para suspender medallones.

jaspe *m.* Calcedonia opaca de colores variados, generalmente formando vetas.

jaspear *tr.* Pintar [la pared, la madera] imitando el jaspe: ~ *de negro.*

jaspón *m.* Mármol de grano grueso.

jatía *f.* Árbol de América, de madera correosa que se emplea en ebanistería. El nombre se aplica a dos especies distintas *(Phyllostilon brasiliensis; Ampelocera cubensis).*

jauja *f.* Prototipo de prosperidad y abundancia.

jaula *f.* Caja hecha con mimbres, alambre, etc., dispuesta para encerrar animales. 2 Encierro formado con enrejados de hierro o de madera como los que se hacen para asegurar a las fieras. 3 Embalaje formado con tablas o listones colocados a cierta distancia unos de otros. 4 Cuadrilátero, generalmente de madera, donde se pone a los niños de corta edad. 5 Compartimiento de un garaje. 6 Cabina del ascensor.

jauría *f.* Conjunto de perros que cazan dirigidos por un mismo perrero. 2 fig. Conjunto de personas que van en contra de otra.

javanés, -nesa *adj.-s.* De Java, isla indonésica del archipiélago de la Sonda. – 2 *m.* Idioma javanés.

jayán, -yana *m. f.* Persona de gran estatura y de muchas fuerzas.

jazmín *m.* Arbusto oleáceo de jardín, de flores blancas muy olorosas *(Jasminum officinale).* 2 Flor de esta planta. 3 Perfume que se saca de él.

jazz *m.* Música de danza de origen negro americano, caracterizada por una melodía sincopada que contrasta con la permanencia rítmica de la batería. 2 Orquesta que ejecuta esta música. ◇ Se pronuncia *yas.*

jazzman *m.* Músico especialista en jazz. ◇ Pl.: *jazzmen.* Se pronuncia *yasman, yasmen.*

¡je! Interjección con que se denota risa.

jean *m.* Pantalón vaquero. ◇ Se pronuncia *yin.*

jeep *m.* Automóvil todo terreno. ◇ Se pronuncia *yip.*

jefa *f.* Superiora o cabeza de un cuerpo u oficio.

jefatura *f.* Dignidad de jefe. 2 Puesto de guardia de seguridad bajo las órdenes de un jefe.

jefazo *m.* fam. Jefe autoritario e importante.

jefe *m.* Superior, adalid, guía o cabeza de un cuerpo, oficio, partido, corporación o escuela: ~ *del negociado.* 2 Cuerpo en la jerarquía militar que comprende desde el grado superior a capitán hasta el inferior a general. 3 Forma de tratamiento con mezcla de respeto y confianza: *¡oiga, ~!* 4 BLAS. Tercio superior de la superficie del campo del escudo.

jején *m. Amér.* Insecto díptero, más pequeño que el mosquito y de picada más irritante *(Oecacta furens; Simulia philippi).*

jeme *m.* Distancia que media desde la extremidad del dedo pulgar a la del dedo índice, separando el uno del otro todo lo posible. 2 fig. Palmito (cara de mujer).

jengibre *m.* Planta cingiberácea, de rizoma aromático, que se usa en medicina y como

JARDINERÍA

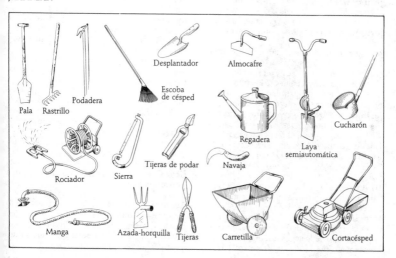

Desplantador · Almocafre · Pala · Rastrillo · Podadera · Escoba de césped · Regadera · Cucharón · Laya semiautomática · Rociador · Sierra · Tijeras de podar · Navaja · Manga · Azada-horquilla · Tijeras · Carretilla · Cortacésped

especia (*Zingiber officinale*). **2** Rizoma de esta planta.

jenízaro, -ra *adj.* fig. Mezclado de dos especies. – **2** *m.* Soldado de infantería de la antigua guardia del emperador turco.

jeque *m.* Régulo que entre los musulmanes y otros pueblos orientales gobierna un territorio.

jerarca *m.* Superior y principal en la jerarquía eclesiástica y, por extensión, en otras jerarquías.

jerarquía *f.* Orden y subordinación de categorías, poderes y dignidades: ~ *militar*. **2** Persona o grupo de personas que toman las decisiones en una organización, empresa, institución, etc.: *la ~ religiosa*. **3** fig. Categoría: *persona de ~*.

jerarquizar *tr.* Organizar jerárquicamente [una agrupación, sociedad, etc.]. ◇ ** CONJUG. [4] como *realizar*.

jeremías *m.* Persona que se lamenta continuamente.

jeremiquear *intr.* And. y Amér. Lloriquear, gimotear. **2** Amér. Rogar con insistencia.

jerez *m.* Vino blanco de fina calidad elaborado en Jerez de la Frontera.

jerezano, -na *adj.-s.* De Jerez de los Caballeros o de la Frontera, ciudades de España.

jerga *f.* Lenguaje especial que usan los individuos de ciertas profesiones y oficios. **2** Lenguaje de mal gusto, difícil de entender.

jergón *m.* Colchón de paja, esparto o hierbas y sin bastas. **2** fig. Persona gruesa, tosca y perezosa.

jeribeque *m.* Guiño, visaje, contorsión: *hacer jeribeques*.

jerife *m.* Descendiente de Mahoma por su hija Fátima. **2** Individuo de la dinastía reinante en Marruecos. **3** Jefe de la ciudad de La Meca.

jerigonza *f.* Jerga. **2** Acción extraña y ridícula.

jeringa *f.* Instrumento para aspirar o impeler líquidos, compuesto de un tubo dentro del cual juega un émbolo; esp., el que sirve para poner ayudas o inyecciones. **2** Instrumento de igual clase dispuesto para introducir materias blandas; como en la confección de embutidos.

jeringar *tr.* Arrojar o inyectar un líquido por medio de la jeringa. **2** fig. Molestar o enfadar [a alguno]. ◇ ** CONJUG. [7] como *llegar*.

I) jeringuilla *f.* Arbusto saxifragáceo de flores blancas, olorosas y de hojas grandes y ovaladas (*Philadelphus coronarius*). **2** Flor de esta planta.

II) jeringuilla *f.* Jeringa pequeña que sirve para inyectar substancias medicamentosas en el interior de tejidos u órganos.

jeroglífico, -ca *adj.* Perteneciente o relativo a la escritura de algunos pueblos antiguos, especialmente la de los egipcios, que usaron primitivamente signos ideográficos y más tarde estos mismos caracteres combinados con otros fonéticos que representaban ya un sonido o una sílaba. – **2** *m.* Carácter usado en esta escritura. **3** Escrito en que se han substituido total o parcialmente las letras por signos ideográficos, y cuyo descifre constituye generalmente un pasatiempo. **4** Emblema (símbolo).

jerpa *f.* Sarmiento estéril de las vides.

jerricote *m.* Guisado o potaje compuesto de almendras, azúcar, salvia y jengibre, cocido todo en caldo de gallina.

jerrycan *m.* Bidón para transportar gasolina.

jersey *m.* Especie de chaqueta hecha con tejido de punto. **2** Amér. Tejido de lana, seda, rayón o hilo, de punto de malla. ◇ Pl.: *jerseyes*. La Academia autoriza *jerséis*.

jesuita *adj.-m.* Religioso de la Compañía de Jesús, fundada por San Ignacio de Loyola (1494-1556) en 1534.

jesuítico, -ca *adj.* Relativo a la Compañía de Jesús. **2** fig. Cauteloso.

jet *m.* ANGLIC. Reactor o avión a reacción. ◇ Se pronuncia *yet*.

jeta *f.* Boca saliente por su configuración o por tener los labios muy abultados. **2** Cara (parte de la cabeza). **3** Hocico del cerdo. **4** fam. y fig. Cara dura. **5** fam. y fig. Desfachatez, descaro.

jet set *f.* Grupo social económicamente fuerte, asiduo de los lugares que están de moda y que por ello es noticia. ◇ Se pronuncia *yet set*.

¡ji, ji, ji! Interjección con que se denota risa, a veces con algo de ironía. **2** Interjección con que se expresa júbilo.

jibá *f.* Cuba, Méj. y S. Dom. Arbusto silvestre de propiedades medicinales, de hojas ovaladas y frutos de color rojo (*Erythroxylon havanense*).

jíbaro, -ra *adj.* Amér. Campesino, silvestre.

jibia *f.* Molusco cefalópodo de cuerpo oval, con diez tentáculos y una concha caliza, en el dorso, cubierta por la piel (gén. *Sepia*).

jibión *m.* Concha de la jibia.

jícama *f.* Amér. Nombre de varias plantas tuberculosas, medicinales o comestibles (gén. *Pachyrrhizus; Stenolobium; Calopogonium; Phaseolus*). **2** Tubérculo comestible de las mismas.

jícara *f.* Vasija pequeña utilizada para tomar chocolate. **2** Amér. Vasija en forma de escudilla, hecha con materia de origen vegetal. **3** Amér. Fruto del jícaro.

jícaro *m.* Amér. Central, Ant. y Méj. Güira.

jicote *m.* Amér. Insecto himenóptero (gén. *Bombus*).

jicotera *f.* Amér. Nido de jicotes o avispas.

jiennense *adj.-s.* Jaenés.

jigua *f.* Amér. Árbol de tronco muy grueso, cuya madera es sólida y pesada, por lo cual se usa en ebanistería (*Geoffrea superba*).

jijona *f.* Turrón fino originario de Jijona, ciudad de Alicante.

jilguero *m.* Ave paseriforme cantora, de plumaje pardo por el lomo, blanco con una mancha roja en la cara, y en las alas y cola, negro manchado de amarillo y blanco *(Carduelis carduelis).*

jilote *m. Amér.* Mazorca del maíz, cuando sus granos no han cuajado aún.

jimelga *f.* MAR. Chapuz, refuerzo de madera que se da algunas veces a los palos.

I) jineta *f.* Mamífero carnívoro vivérrido, pequeño, de color gris obscuro, con la cola larga listada transversalmente de blanco y negro, cuya piel es apreciada *(Genetta genetta).*

II) jineta *f.* Arte de montar a caballo con los estribos cortos.

jinete *m.* El que monta a caballo. 2 El que es diestro en la equitación.

jinetear *intr.* Andar a caballo alardeando de gala y primor. – 2 *tr. Amér.* Domar [caballos cerriles].

jiñicuite *m.* Árbol, especie de terebinto, que se utiliza para setos vivos *(Terebinthus americana).*

jiote *m. Amér.* Empeine (enfermedad cutánea).

jipa *f. Amér.* Jipi.

jipar *intr. Amér.* Hipar, jadear.

jipato, -ta *adj. Amér.* [pers.] De color amarillento, muy pálido.

jipi *m.* Sombrero de jipijapa.

jipiar *intr.* Hipar, gemir, gimotear. 2 Cantar con voz semejante a un gemido. ◊ ∗∗ CONJUG. [13] como *desviar.*

jipijapa *f.* Bombonaje. 2 Tira que se saca de las hojas del bombonaje y sirve para tejer sombreros. – 3 *m.* Sombrero que se hace de ella.

jipío *m.* Hipido. 2 Lamento en el cante andaluz.

jiquilete *m.* Planta leguminosa, común en las Antillas, de cuyas hojas, por maceración y añadiendo al líquido una disolución de cal, se obtiene añil *(Indigofera cytisoides).*

I) jira *f.* Pedazo algo grande y largo que se corta o rasga de una tela.

II) jira *f.* Banquete o merienda campestre.

jirafa *f.* Mamífero rumiante jiráfido, de unos 5 m. de altura, cuello alto y esbelto, cuernos cortos cubiertos por la piel, miembros posteriores más bajos que los anteriores, y pelaje entre rubio y amarillento con manchas leonadas *(Giraffa giraffa).* 2 fig. Brazo articulado que sostiene un micrófono.

jiráfido *adj.-m.* Mamífero de la familia de los jiráfidos. – 2 *m. pl.* Familia de rumiantes con breves prominencias frontales cubiertas de piel, mandíbula superior sin caninos ni incisivos, y extremidades anteriores más largas que las posteriores, a la que sólo pertenecen la jirafa y el okapi.

jirón *m.* Faja que se echa en el ruedo del sayo o saya. 2 Pedazo desgarrado de una ropa. 3 fig. Parte pequeña de un todo.

jironado, -da *adj.* Roto, hecho jirones. 2 Guarnecido con jirones.

jiste *m.* Espuma de la cerveza.

¡jo! Interjección ¡so! 2 Exclamación que denota sorpresa.

job *m.* Hombre de mucha paciencia. ◊ Pl.: *jobs.*

jobo *m. Amér. Central, Ant., Colomb. y Venez.* Árbol terebintáceo americano, de fruto amarillo parecido a la ciruela *(Spondias lutea).* 2 Fruto de dicho árbol.

jockey *m.* Yóquey.

joco, -ca *adj. Amér. Central.* Agrio, acre, fermentado.

jocoserio, -ria *adj.* Que participa de lo serio y de lo jocoso: *drama ∼.*

jocosidad *f.* Calidad de jocoso. 2 Chiste, donaire.

jocoso, -sa *adj.* Gracioso, chistoso, festivo.

jocundo, -da *adj.* Jovial, alegre, jocoso.

joder *tr.* fam. Practicar el coito. – 2 *tr.-prnl.* fig. *y* fam. Molestar, fastidiar. 3 fig. *y* fam. Estropear, destrozar, arruinar, echar a perder. 4 fig. *y* fam. Lastimar, hacer daño.

¡joder! Interjección con que se denota sorpresa, contrariedad, molestia y enfado.

jodido, -da *adj.* fig. *y* fam. Maldito, despreciable. 2 fig. *y* fam. Fastidioso, desagradable, enojoso, molesto. 3 fig. *y* fam. Difícil, complicado. 4 fig. *y* fam. Roto, estropeado. 5 fig. *y* fam. Lastimado.

jofaina *f.* Vasija ancha y poco profunda que sirve especialmente para lavarse la cara y las manos.

joggin *m.* Ejercicio físico consistente en correr durante cierto tiempo a poca velocidad, dentro o fuera de la ciudad, solo o en grupo, sin afán competitivo. ◊ Se pronuncia *yoguin.*

jojoba *f.* Arbusto dioico, cuyas semillas son comestibles y de las cuales se obtiene un aceite de uso industrial *(Simmondsia californica).*

jóker *m.* Comodín de los juegos de cartas. ◊ Se pronuncia *yóquer.*

joles *m. pl. Amér. Central.* Dinero, reales.

jolgorio *m.* Holgorio.

¡jolín! ¡jolines! Interjección con que se denota molestia o enfado.

jollín *m.* fam. Gresca, holgorio.

jomeinista *adj.-com.* Partidario o seguidor de las ideas político-religiosas del dirigente iraní Ruhollah Jomeini (1900-1989).

jondear *tr. Amér. Central.* Tirar, arrojar [un objeto].

jondo *adj. Cante ∼,* cante flamenco.

jónico, -ca *adj.-s.* De Jonia, región de Asia Menor y de Grecia. 2 Relativo al ∗∗orden jónico. – 3 *m.* Dialecto jónico.

jora *f. Amér.* Maíz preparado para hacer chicha.

jordano, -na *adj.-s.* De Jordania, nación del Oriente Medio.

jorfe *m.* Muro de sostenimiento de tierras. 2 Peñasco tajado que forma despeñadero.

jornada *f.* Camino que se anda en un día de viaje. 2 Todo el camino o viaje. 3 Expedición militar. 4 Tiempo de duración de un trabajo o una diversión: ~ *deportiva*. 5 fig. Tiempo que dura la vida de un hombre. 6 fig. Tránsito del alma de esta vida a la eterna. 7 fig. Acto (parte escénica) del antiguo poema dramático español. 8 Episodio de una película o novela. 9 fig. Lance, circunstancia. 10 *Amér.* Tiempo dedicado a una actividad especial.

jornal *m.* Estipendio que se gana por cada día de trabajo. 2 Este mismo trabajo.

jornalear *intr.* Trabajar a jornal.

jornalero, -ra *m. f.* Persona que trabaja a jornal.

joroba *f.* Corcova. 2 fig. Impertinencia y molestia enfadosa.

jorobado, -da *adj.-s.* Corcovado.

jorobar *tr.- prnl.* Molestar, fastidiar. 2 fam. Estropear. – 3 *prnl.* fam. Aguantarse.

joropo *m.* Baile popular venezolano de origen colonial. 2 Música y canto de este baile.

josa *f.* Huerto sin cerca.

josco, -ca *adj. Amér.* Hosco, color obscuro del ganado.

josefinismo *m.* Sistema político absolutista que propugna la sumisión de la Iglesia al Estado en todas las materias no estrictamente dogmáticas. Se aplicó especialmente en los siglos XVII y XVIII.

I) jota *f.* Nombre de la letra *j*. 2 Con negación, cosa mínima: *no entender* o *saber, uno* ~, o *una* ~, ser muy ignorante en una cosa; *no ver uno ni* ~, no ver nada.

II) jota *f.* Baile popular de distintas regiones españolas. 2 Música y canto de este baile.

III) jota *f.* Potaje de verduras, rehogado en caldo de la olla.

joule *m.* Julio (unidad de trabajo), en la nomenclatura internacional.

joven *adj.-com.* De poca edad. – 2 *com.* Persona que está en la juventud. ◇ Como adjetivo se aplica a cualquier ser vivo: *árbol, caballo, persona* ~ . Como substantivo se usa sólo para personas.

jovenado *m.* Tiempo que en algunas órdenes están bajo la dirección de un maestro los religiosos profesos.

jovial *adj.* Alegre, festivo, apacible.

joya *f.* Objeto de metal precioso, a veces con perlas y piedras finas, para adorno de las personas. 2 fig. Cosa o persona ponderada, de mucha valía. – 3 *f. pl.* Conjunto de ropas y alhajas que lleva una mujer cuando se casa.

joyante *adj.* [seda] Fina y de mucho lustre.

joyel *m.* Joya pequeña.

joyería *f.* Establecimiento donde se cons-

truyen o venden joyas. 2 Comercio de joyas.

joyero *m.* El que tiene por oficio hacer o vender joyas. 2 Estuche, caja o armario para guardar joyas. 3 Molusco lamelibranquio de valvas desiguales *(Chama gryphoides)*.

joyuyo *m.* Ave anseriforme americana de plumaje muy vistoso y de carne muy apreciada *(Aix sponsa)*.

juanas *f. pl.* Palillos que usan los guanteros para ensanchar los guantes.

juanete *m.* Pómulo muy abultado. 2 Hueso del nacimiento del dedo grueso del pie, cuando sobresale demasiado. 3 MAR. Verga que se cruza sobre las gavias, y las velas que en aquéllas se envergan.

jubete *m.* Jubón cubierto de malla de hierro que usaron los soldados españoles.

jubilación *f.* Acción de jubilar o jubilarse. 2 Efecto de jubilar o jubilarse. 3 Haber pasivo de la persona jubilada.

jubilado, -da *adj.-s.* [pers.] Que se ha retirado del ejercicio de sus funciones y forma parte de la clase pasiva.

I) jubilar *adj.* Relativo al jubileo.

II) jubilar *tr.* Eximir del servicio [a un funcionario] por razón de ancianidad o enfermedad: ~ *a alguno del empleo*. 2 fig. Desechar por inútil [alguna cosa]. – 3 *intr.-prnl.* Alegrarse, regocijarse: *jubilemos en el Señor; jubilarse en el Señor*. – 4 *prnl.* Conseguir la jubilación: *mañana me jubilo*. 5 *Amér. Central* y *Venez.* Faltar, hacer novillos. 6 *Colomb.* Dementarse, perder la chaveta. 7 *Cuba* y *Méj.* Instruirse en un asunto, adquirir práctica.

jubileo *m.* Fiesta pública que celebraban los hebreos cada cincuenta años, en la cual se devolvían las heredades a sus antiguos dueños y los esclavos recobraban su libertad. 2 Espacio de cincuenta años entre los judíos. 3 Indulgencia plenaria, solemne y universal concedida por el Papa: *ganar el* ~. 4 fig. Entrada y salida frecuente de muchas personas.

júbilo *m.* Viva alegría manifestada con signos exteriores.

jubón *m.* Vestidura que cubre desde los hombros hasta la cintura, ceñida y ajustada al cuerpo.

judaico, -ca *adj.* Relativo a los judíos.

judaísmo *m.* Hebraísmo (sistema religioso). 2 Religión monoteísta basada en las doctrinas del Antiguo Testamento, especialmente en las del Pentateuco, y en el Talmud.

judaizante *adj.-s.* Que judaíza. 2 Cristiano o converso que practicaba ocultamente ritos judíos. 3 Judío converso que, en el siglo primero de la Iglesia, sostenía que para salvarse no bastaba practicar la doctrina de Jesucristo, sino que, además, debía mantenerse la observación de la ley mosaica, incluso por parte de los paganos convertidos.

judaizar *intr.* Abrazar la religión de los

judíos. 2 Practicar ritos y ceremonias de la ley judaica. – 3 *tr.* Poblar de habitantes judíos. ◊ ** CONJUG. [24] como *enraizar.*

judas *m.* fig. Hombre alevoso, traidor, delator. 2 fig. Muñeco de paja y trapos que se pone en la calle y se quema después. 3 fig. Gusano de seda que se engancha al subir al embojo y muere colgado sin hacer su capullo. 4 fig. Mirilla de las celdas de la cárcel. ◊ Pl.: *judas.*

judeocristianismo *m.* Doctrina de los primeros tiempos del cristianismo, según la cual era necesaria la iniciación al judaísmo para entrar en la Iglesia de Cristo.

judeoespañol, -la *adj.-s.* Judío expulsado de España en el s. xv y que conserva la lengua y las tradiciones españolas. – 2 *adj.-m.* Español hablado por los descendientes de los judíos expulsados de España.

judería *f.* Barrio de los judíos. 2 Impuesto que pagaban los judíos. 3 *Amér.* fig. Travesura de muchachos, diablura, barrabasada.

judía *f.* Planta papilionácea hortense de tallos volubles, hojas trifoliadas, flores blancas y legumbres largas y aplastadas con varias semillas *(Phaseolus vulgaris).* 2 Fruto y semilla de esta planta.

judiada *f.* Hecho propio de judíos. 2 Muchedumbre o conjunto de judíos. 3 fig. Acción inhumana. 4 fig. Lucro excesivo y escandaloso.

judicatura *f.* Ejercicio de juzgar. 2 Cuerpo constituido por los jueces de un país. 3 Empleo de juez y tiempo que dura.

judicial *adj.* Perteneciente o relativo al juicio, a la administración de justicia o a la judicatura.

judío, -a *adj.-s.* Hebreo. 2 De Judea, región de Asia antigua. – 3 *adj.* Avaro, usurero.

judión *m.* Variedad de judía, de tamaño mayor que la normal *(Phaseolus lunatus).*

juego *m.* Acción de jugar: ~ de niños. 2 Diversión, ejercicio recreativo sometido a ciertas reglas y en la cual se gana o se pierde: ~ de azar, de ingenio; ~ de naipes o simplemente ~; *juegos florales,* certamen literario en el que se otorgan premios, generalmente flores naturales, a las composiciones poéticas merecedoras de ellos. 3 Lugar donde se ejecutan ciertos juegos: *el ~ de pelota.* 4 Conjunto de ciertas cosas que sirven y se destinan al mismo fin: *un ~ de botones, de café, de naipes.* 5 Conjunto de cartas de un jugador: *tener buen ~.* 6 Unión de dos cosas que permite que una se mueva en relación con la otra: *el ~ de la llave en la cerradura.* 7 Movimiento resultante de esta unión. 8 Visos o cambiantes que resultan de la disposición particular o mezcla de algunas cosas: ~ de luces, de colores, de aguas. 9 fig. Habilidad para lograr algo. 10 fig. Papel desempeñado [por alguien o algo]: *el ~ del*

ministro en la negociación ha sido decisivo. 11 ~ *de manos,* agilidad de manos con que los prestidigitadores burlan la vista de los espectadores con varios géneros de entretenimientos. 12 DEP. División de un set de tenis. – 13 *m. pl.* Luchas corporales, ejercicios atléticos, regatas, etc., y espectáculos públicos a que daban lugar, entre los antiguos: *los juegos olímpicos.* 14 *Juegos malabares,* ejercicios de destreza que consisten en lanzar y recoger objetos diversos, como platos, pelotas, puñales, botellas, etc., con rapidez y sin que caigan al suelo, o sostenerlos en equilibrio.

juerga *f.* Diversión, jarana, especialmente con canto y baile.

juerguearse *prnl.* fam. Irse de juerga. 2 Divertirse. 3 Burlarse, reírse de alguien.

juerguista *adj.-com.* Aficionado a divertirse.

jueves *m.* Quinto día de la semana. ◊ Pl.: *jueves.*

juez *com.* Persona que tiene a su cargo aplicar las leyes con autoridad para juzgar y sentenciar: ~ *arbitrador* o *árbitro,* aquel en quien las partes se comprometen a que juzgue y arregle sus diferencias. 2 Persona designada para decidir en un concurso, discusión, etc., para emitir su opinión sobre algo: *tomar a uno por ~.*

jugada *f.* Acción de jugar cuando toca el turno: *perdió todo el dinero en una ~.* 2 Lance del juego. 3 fig. Treta, mala pasada.

jugador, -ra *adj.-s.* Que juega. 2 Que tiene el vicio de jugar. 3 Hábil en el juego.

jugar *intr.* Hacer algo con el solo fin de entretenerse o divertirse: ~ *de manos.* 2 Tomar parte en un juego organizado para pasar el tiempo o por incitación del azar: ~ *a los naipes;* ~ *unos con otros.* 3 Actuar de jugador cada vez que ha de intervenir. 4 Entrar, tomar sobre sí el empeño de ganar la apuesta en ciertos juegos de naipes. 5 Entretenerse los niños o poner en función sus órganos o potencias a través del ejercicio imitativo del juego; p. ext., se dice también de los cachorros: ~ *a los bolos, al escondite.* 6 Travesear, retozar: ~ *con,* burlarse de alguno. 7 fig. Tomar parte en un negocio: *Antonio juega en este asunto;* ~ *limpio,* proceder en un negocio con lealtad y buena fe. 8 Hacer juego, convenir una cosa con otra: *estos muebles no juegan bien con el decorado.* – 9 *tr.* Llevar a cabo [un juego o una partida de juego]: ~ *un tresillo, una partida de ajedrez, un partido de fútbol.* 10 Hacer uso [de las cartas o piezas del juego]: ~ *una carta, una torre.* 11 Arriesgar: *Luis ha jugado cuanto tenía; jugarse la cabeza.* – 12 *prnl.* Sortearse: *se juega hoy.* – 13 *intr.-prnl. Amér.* Moverse una cosa dentro de otra por no estar muy ajustada. ◊ ** CONJUG. [53].

jugarreta *f.* fam. Jugada mal hecha. 2 fig. Truhanería, mala pasada.

juglandáceo, -a *adj.-f.* Planta de la familia de las juglandáceas. – 2 *f. pl.* Familia de plantas que incluye árboles dicotiledóneos de hojas imparipinnadas, flores unisexuales y fruto en drupa; como el nogal.

juglar *m.* El que por estipendio o dádivas iba por cortes, castillos y fiestas recitando, cantando, bailando o haciendo juegos y truhanerías.

juglaría *f.* Oficio de juglar.

jugo *m.* Líquido contenido en ciertos tejidos de cuerpos orgánicos que puede extraerse por presión, cocción, etc., o se desprende por secreción: ~ *de limón, de la carne;* ~ **gástrico,** secreción de las glándulas del estómago. 2 fig. Lo útil y substancial de cualquier cosa.

jugoso, -sa *adj.* Que tiene jugo. 2 fig. Substancioso, sabroso.

juguete *m.* Objeto hecho expresamente para jugar los niños. 2 Persona o cosa dominada por una fuerza material o moral: ~ *de las olas, de las pasiones.*

juguetear *intr.* Entretenerse jugando y retozando.

juguetería *f.* Fábrica o comercio de juguetes.

juguetón, -tona *adj.* Que juega y retoza con frecuencia.

juicio *m.* Facultad del entendimiento, en cuya virtud el hombre puede distinguir el bien del mal y lo verdadero de lo falso. 2 Estado de la sana razón: *estar en su cabal* ~. 3 fig. Seso, cordura: *no tener* ~. 4 Opinión: *a mi* ~, *no vale la pena.* 5 Acción de juzgar. 6 Resultado de juzgar. 7 Conocimiento de una causa, en la cual el juez ha de pronunciar la sentencia. 8 LÓG. Comparación entre dos ideas para conocer sus relaciones. 9 TEOL. ~ **final** o **universal,** el que hará Jesucristo al fin del mundo para premiar o castigar solemne y públicamente a cada hombre, según la doctrina cristiana.

juicioso, -sa *adj.-s.* Que tiene juicio. – 2 *adj.* Hecho con juicio. 3 Atinado, acertado.

julepe *m.* Poción de agua destilada, jarabes y otras materias medicinales. 2 fig. Reprimenda, castigo. 3 fig. Consumo o esfuerzo excesivos. 4 *Amér.* Susto, miedo. 5 *Amér.* Ajetreo, trabajo, fatiga.

julepear *tr.* fam. Dar una reprimenda [a alguien]. 2 fam. Azotar, cascar [a alguien]. 3 *Amér.* Asustar [a una persona]. 4 *Amér.* Atormentar, fatigar [a alguien].

julia *f.* Pez marino teleósteo, hermafrodita, de cabeza afilada y cuerpo alargado y deprimido *(Coris julis).*

juliana *f.* Planta crucífera de jardín *(Hesperis matronalis).*

I) julio *m.* Séptimo mes del año.

II) julio *m.* FÍS. Unidad de trabajo mecánico, equivalente a 10 millones de ergios.

julo *m.* Res o caballería que va a la cabeza del rebaño o de la recua.

jumento, -ta *m. f.* Asno.

jumera *f.* fam. Borrachera.

jumilla *m.* Vino abocado de alta graduación originario de Jumilla, ciudad de Murcia.

jumper *m. Amér.* Vestido de mujer sin mangas y escotado.

jumping *m.* DEP. Concurso hípico de saltos de obstáculos celebrado en local abierto. ◇ Se pronuncia *yampin.*

juncáceo, -a *adj.-f.* Planta de la familia de las juncáceas. – 2 *f. pl.* Familia de plantas monocotiledóneas, herbáceas, de hojas estrechas, flores en inflorescencias cimosas y fruto capsular; como el junco.

juncagináceo, -a *adj.-s.* Planta de la familia de las helobiales.

juncal *adj.* fig. Flexible, airoso, especialmente el cuerpo humano.

juncia *f.* Planta ciperácea, olorosa y medicinal, especialmente por su rizoma *(Cyperus longus).*

junciana *f.* fig. Baladronada, jactancia.

junciera *f.* Vaso de barro, con que se ponen hierbas o raíces aromáticas en infusión con vinagre, para perfumar.

junciforme *adj.* [planta] Que tiene aspecto de junco.

I) junco *m.* Planta juncácea de tallos largos, lisos y cilíndricos, que se cría en parajes húmedos *(Juncus effusus).* 2 Tallo de esta planta. 3 Varilla para enmarcar un cuadro.

II) junco *m.* Embarcación pequeña usada en las Indias Orientales.

jungla *f.* Selva aguanosa e intrincada de la India. 2 p. ext. Selva.

junio *m.* Sexto mes del año.

júnior *m.* Religioso que pasa el juniorado. 2 El más joven entre dos del mismo apellido. – 3 *adj.-s.* DEP. Categoría que engloba a deportistas de edad comprendida entre los 18 y 21 años. – 4 *com.* DEP. Deportista perteneciente a esta categoría. ◇ Pl.: *juniores,* nunca *júniors.* Debe escribirse con acento en la penúltima sílaba. Se pronuncia *yúnior* en todas las acepciones.

juniorado *m.* Tiempo que media entre la profesión simple y la solemne en algunas órdenes religiosas y que se destina generalmente al estudio. 2 Casa o habitación en que habitan los juniores. 3 Conjunto de juniores.

junquillo *m.* Planta amarilidácea de jardín, de flores muy olorosas y tallo liso, parecido al junco *(Narcissus ionquilla).* 2 ARQ. Moldura redonda y más delgada que el bocel. 3 Bastón delgado.

junta *f.* Reunión de varias personas para tratar de un asunto. 2 Reunión formada por el decano de una Facultad o el director de un centro académico y los representantes de todos los estamentos de dicha Facultad o centro. 3 Conferencia o sesión celebrada por dichas personas. 4 Conjunto de los individuos nombrados para dirigir los asuntos de una colectividad. 5 Unión de dos o más cosas. 6 Pieza de cartón, cáñamo, caucho u otra materia compresible que se coloca en la unión de dos tubos u otras partes de un aparato o máquina para impedir el escape del cuerpo fluido que contienen. 7 ARQ. Espacio que queda entre las superficies de las piedras o ladrillos contiguos de una pared, y que suele rellenarse con mezcla o yeso. 8 *Amér.* Confluencia de dos ríos.

juntar *tr.* Unir unas cosas con otras: ~ *una tabla a, o con, otra.* 2 Acopiar: ~ *dinero, víveres.* 3 Entornar [las puertas y ventanas]. 4 Congregar. 5 Acompañar, andar [con uno]. – 6 *prnl.* Cohabitar maritalmente. 7 Acercarse mucho a uno. 8 Amancebarse. ◇ pp. reg.: *juntado;* irreg.: *junto.* Se usa sólo como adjetivo y adverbio.

juntera *f.* Garlopa para cepillar el canto de las tablas.

junto, -ta *adj.* Unido, cercano: *dos tablas juntas.* – 2 *adv. l.* ~ *a,* cerca de: ~ *a la mesa.* – 3 *adv. m.* Juntamente, a la vez: *tocaban, cantaban y bailaban, todo* ~.

juntura *f.* Parte o lugar en que se juntan dos o más cosas. 2 Unión de dos huesos.

Júpiter *m.* Planeta del sistema **solar, el mayor de todos y el más brillante después de Venus.

jura *f.* Juramento (afirmación): *la* ~ *en Santa Gadea.* 2 Acción individual o colectiva de jurar obediencia a los preceptos constitucionales de un país, a un príncipe o a la bandera.

jurado, -da *adj.* Que ha prestado juramento: *intérprete* ~. – 2 *m.* Institución de origen inglés, integrada por cierto número de ciudadanos que, junto con uno o más magistrados, forman un tribunal para juzgar en materia criminal; su cometido esencial es determinar la cuestión de hecho, dejando al cuidado de los magistrados la imposición de la pena. 3 Individuo de dicha institución. 4 Grupo de personas competentes al cual se constituye en tribunal examinador en concursos, exposiciones, etc. 5 Persona de dicho grupo. 6 Grupo de personas que dirige en su aspecto técnico una prueba deportiva.

juramentar *tr.* Tomar juramento [a uno]. – 2 *prnl.* Obligarse con juramento.

juramento *m.* Afirmación de una cosa poniendo por testigo a Dios o invocando algo sagrado o de transcendencia. 2 Voto, reniego.

jurar *tr.* Afirmar [una cosa] con juramento: ~ *decir la verdad;* ~ *en vano;* ~ *por su nombre;* ~ *sobre los Evangelios;* ~ *en falso.* 2 Reconocer y acatar solemnemente [la soberanía de un príncipe o de otra institución de gobierno]. – 3 *intr.* Echar votos y reniegos.

jurásico, -ca *adj.-s.* Período geológico de la era secundaria que sigue al triásico. 2 Terreno sedimentario correspondiente a este período. – 3 *adj.* Relativo al jurásico.

jurel *m.* Pez marino teleósteo perciforme, de hasta 50 cms. de longitud, con dos aletas dorsales, cola ahorquillada y cuerpo alto y grisáceo *(Trachurus trachurus).*

jurero, -ra *m. f. Amér.* Testigo falso.

jurídico, -ca *adj.* Que atañe o se ajusta al derecho.

jurisconsulto *m.* El que profesa la ciencia del derecho, dedicándose generalmente a escribir sobre él y a resolver consultas legales.

jurisdicción *f.* Potestad de juzgar y de aplicar las leyes generales a casos particulares. 2 Territorio en que se ejerce. 3 Término de un lugar o provincia. 4 Autoridad o dominio sobre otro.

jurisdiccional *adj.* Relativo a la jurisdicción: *aguas jurisdiccionales,* las que bañan las costas de un estado y están sujetas a su jurisdicción hasta un límite determinado.

jurisperito *m.* Versado en jurisprudencia.

jurisprudencia *f.* Ciencia del derecho. 2 Enseñanza doctrinal que dimana de las decisiones o fallos de autoridades gubernativas o judiciales. 3 Norma de juicio que suple omisiones de la ley, y que se funda en las prácticas seguidas en casos iguales o análogos.

jurista *com.* Persona que por profesión o estudio se dedica al derecho.

justa *f.* Combate singular, a caballo y con lanza. 2 Torneo. 3 fig. Certamen en un ramo del saber: ~ *literaria.*

justamente *adv. m.* Con justicia. 2 Cabalmente, ni más ni menos: *ha sucedido* ~ *como yo pensaba.* 3 Ajustadamente: *el vestido viene* ~ *al cuerpo.* 4 En el mismo lugar o tiempo en que sucede una cosa: *al llegar yo, Antonio se hallaba* ~ *en aquel pueblo.*

justeza *f.* Precisión, exactitud.

justicia *f.* Virtud que inclina a obrar y juzgar teniendo por guía la verdad y dando a cada uno lo que le pertenece. 2 Virtud cardinal que consiste en arreglarse a la suprema justicia y voluntad de Dios. 3 Lo que debe hacerse según derecho o razón; poder para hacerlo y ejercicio del mismo: *pedir, obtener* ~; *la* ~ *divina; la* ~ *humana.* 4 Ejercicio de la justicia por los ministros y tribunales encargados de ello: *administrar* ~, aplicar las leyes en los juicios civiles o criminales y hacer cumplir las sentencias. 5 Castigo de muerte: *asistir a una* ~. 6 Pena o castigo público. 7 Calidad de lo que se hace según justicia y razón: *la* ~ *de una causa.* 8 Ministro encargado de ejercer la justicia. 9 Tribunal encargado de hacer justicia.

justicialismo *m.* Nombre que se dio a la política social durante el régimen del general Perón (1895-1974) en la Argentina.

justiciar *tr.* Condenar (declarar culpable). ◇ ** CONJUG. [12] como *cambiar.*

justiciero, -ra *adj.* Que observa y hace observar estrictamente la justicia. 2 Que observa estrictamente la justicia en el castigo de los delitos.

justificación *f.* Acción de justificar o justificarse. 2 Efecto de justificar o justificarse. 3 Conformidad con lo justo. 4 Prueba convincente de una cosa.

justificar *tr.* Hacer Dios justo [a uno] dándole la gracia. 2 Probar [una cosa] con razones, testigos y documentos: ~ *una denuncia.* 3 Arreglar o hacer justa [una cosa] con exactitud: *justificaron las cuentas.* – 4 *tr.-prnl.* Probar la inocencia de uno: *el defensor justificó al reo; justificarse con, para,* o *para con, el superior, ante el juez, de algún cargo.* ◇ ** CONJUG. [1] como *sacar.*

justillo *m.* Prenda de vestir interior, ceñida y sin mangas, que no baja de la cintura. 2 Corsé.

justiprecio *m.* Aprecio o tasación de una cosa.

justo, -ta *adj.* Que obra según justicia y razón: *príncipe* ~. 2 Arreglado según justicia y razón: *sentencia justa.* 3 Que vive según la ley de Dios: *los justos alcanzarán misericordia.* 4 Exacto, que tiene lo que ha de tener: *peso* ~. 5 Apretado, que ajusta bien: *este vestido va* ~. – 6 *adv. m.* Justamente, debidamente. 7 Apretadamente, con debida proporción o cabalmente, a punto fijo.

juvenil *adj.* Relativo a la juventud. – 2 *adj.-s.* DEP. Categoría que engloba a deportistas de edad comprendida entre los 15 y 18 años. – 3 *com.* DEP. Deportista perteneciente a esta categoría.

juventud *f.* Edad que media entre la niñez y el comienzo de la edad adulta. 2 Estado de la persona joven. 3 Conjunto de jóvenes. 4 Primeros tiempos de alguna cosa. 5 Energía, vigor, frescura.

juzgado *m.* Junta de jueces que concurren a dar sentencia. 2 Tribunal de un solo juez. 3 Sitio donde se juzga. 4 Territorio de jurisdicción de un juez.

juzgamundos *com.* fam. Persona murmuradora. ◇ Pl.: *juzgamundos.*

juzgar *tr.* Decidir en favor o en contra, y especialmente pronunciar como juez una sentencia [acerca de alguna cuestión o sobre alguno]: ~ *entre partes;* ~ *según fuero.* 2 Creer, estar convencido [de algo]: ~ *a,* o *por, deshonra no comparecer;* ~ *en alguna materia;* ~ *sobre apariencias.* ◇ ** CONJUG. [7] como *llegar.*

K

K, k *f.* Ka, duodécima letra del alfabeto español que representa gráficamente a la consonante oclusiva, velar y sorda.

ka *f.* Nombre de la letra *k.*

kabuki *m.* Drama popular en la literatura japonesa.

kafkiano, -na *adj.* Que tiene el carácter trágicamente absurdo de la situaciones descritas por el escritor checo Franz Kafka (1883-1924).

kainita *f.* Sulfato de magnesia, cloro y potasa.

káiser *m.* Emperador de Alemania.

kamikaze *m.* Avión suicida pilotado por un voluntario. – 2 *com.* Piloto voluntario de un avión suicida. 3 p. ext. Extremista fanático que arriesga su vida en una misión suicida. 4 fig. Persona temeraria o que corre muchos riesgos del tipo que sean.

kan *m.* Príncipe o jefe de los tártaros. 2 Mercado público en Oriente. 3 Lugar destinado al descanso de las caravanas.

kantismo *m.* Sistema filosófico de Immanuel Kant (1724-1804), basado principalmente en la crítica del conocimiento.

kappa *f.* Décima letra del alfabeto griego, equivalente a nuestra *k.*

karata *adj.-f.* Planta del género de las karatas. – 2 *f. pl.* Género de plantas herbáceas, de hojas estrechas dispuestas en roseta, en general muy espinosas, e inflorescencias sésiles en panículo, en el centro de la roseta.

kárate *m.* Deporte de lucha, de origen japonés, basado en golpes secos dados con el filo de la mano, los codos o los pies.

karst *m.* Paisaje calcáreo modelado por la acción del agua rica en anhídrido carbónico que disuelve la caliza.

kart *m.* Pequeño vehículo automóvil de carácter deportivo con motor de dos tiempos, sin carrocería, ni caja de cambios ni suspensión. ◇ Pl.: *karts.*

kasolita *f.* Silicato hidratado de uranio y plomo.

kastán *m.* Turbante turco.

katiuska *f.* Bota impermeable. ◇ Generalmente se usa en plural.

kayac *m.* Canoa de pesca de Groenlandia, hecha con piel de foca sobre un armazón de madera. 2 Canoa semejante, hecha con tela alquitranada, usada para paseo o competición deportiva.

kéfir *m.* Leche fermentada artificialmente y que contiene ácido láctico, alcohol y ácido carbónico.

keniata *adj.-com.* De Kenia, nación del este de África ecuatorial.

kermés *f.* Fiesta de carácter popular con feria y diversiones, a veces organizada con fines caritativos. 2 Lugar donde tiene lugar esa fiesta. 3 Pintura o tapiz flamenco, generalmente del siglo XVI, en que se representan fiestas populares.

ketchup *m.* Condimento o salsa preparado a base de tomate sazonado con especias. ◇ Se pronuncia *cadchup.*

keynesianismo *m.* Doctrina económica según la cual el capitalismo puede evitar la crisis y alcanzar el pleno empleo gracias a la intervención del Estado.

kibutz *m.* Granja colectiva en Israel.

kieserita *f.* Sulfato natural de magnesio hidratado que cristaliza en el sistema monoclínico.

kilo *m.* Kilogramo. 2 vulg. Millón de pesetas.

kiloamperio *m.* Unidad de electricidad, equivalente a mil amperios.

kilocaloría *f.* Unidad de energía térmica, equivalente a mil calorías.

kilociclo *m.* FÍS. Unidad eléctrica, equivalente a mil ciclos o períodos.

kilográmetro *m.* Unidad de trabajo mecánico capaz de levantar un kilogramo a un metro de altura.

kilogramo *m.* Unidad de masa, en el sistema métrico decimal, equivalente a mil gramos: ~ *fuerza,* unidad de fuerza equivalente al peso de un kilogramo sometido a la gravedad normal. ◇ INCOR.: *kilógramo.*

kilojulio *m.* Unidad de trabajo, en el sistema M.K.S., equivalente a mil julios.

kilolitro *m.* Unidad de capacidad, en el sistema métrico decimal, equivalente a mil litros, o sea, un metro cúbico.

kilometraje *m.* Cantidad de kilómetros recorridos o existentes de un punto a otro.

kilometrar *tr.* Medir [algo] en kilómetros.

kilométrico *adj.* Que se cuenta por kilómetros: *billete* ~. 2 *fig.* Muy largo: *un sermón, un escrito* ~.

kilómetro *m.* Unidad de longitud, en el sistema métrico decimal, equivalente a mil metros: ~ *cuadrado,* unidad de superficie, en el sistema métrico decimal, correspondiente a un cuadrado de un kilómetro de lado.

kilopondio *m.* Kilogramo fuerza al nivel del mar y a 45° de latitud.

kilotón *m.* Unidad que sirve para evaluar la potencia de una bomba nuclear, equivalente a mil toneladas métricas de trinitrotolueno.

kilovatio *m.* Unidad de potencia, en el sistema M.K.S., equivalente a 1.000 vatios.

kilovoltio *m.* Unidad de tensión eléctrica, equivalente a 1.000 voltios.

kilt *m.* Faldilla de los escoceses.

kindergarten *m.* Escuela de párvulos.

king *m.* Libro chino de filosofía, particularmente los reunidos por Confucio (h. 551-h. 479 a.C.).

kirial *m.* Libro que contiene los cantos del ordinario de la misa.

kirie *m.* En la misa, invocación después del introito. 2 En las letanías, oficio divino: *cantar los kiries.*

kirsch *m.* Aguardiente que se extrae de las cerezas.

kit *m.* Conjunto de piezas que se venden sueltas, cuyo montaje es fácil de realizar por un inexperto gracias a las instrucciones que las acompañan.

kitsch *adj.-s.* De mal gusto; inspirado en una estética burguesa. – 2 *m.* Objeto de mal gusto.

kiwi *m.* Ave apterigiforme, cuya hembra mide unos 50 cms. de longitud y el macho, la mitad, de plumas largas y lacias a manera de pelos, y pico largo y delgado *(Apterix australis).* 2 Arbusto trepador originario de China, de fruto comestible tanto crudo como en conserva *(Actinidia chinensis).* 3 Fruto de dicho arbusto.

knock-out *m.* DEP. Golpe decisivo del boxeo que pone a uno de los contendientes fuera de combate, al derribarlo por más de diez segundos. 2 *fig. y fam.* **Dejar** ~, dejar [a alguien] sin opción a contestar o a intervenir en un asunto.

k.-o. *m.* Abreviación de knock-out.

koala *m.* Mamífero marsupial de Australia cuyas cuatro patas son prensiles y provistas de uñas afiladas, de abundante pelo gris rojizo *(Phascolarctus cinereus).*

koch *m.* V. bacilo de koch.

koljoz *m.* Cooperativa de producción agrícola en el sistema soviético.

koré *f.* Figura de mujer de la escultura griega arcaica.

krausismo *m.* Sistema filosófico de Friedrich Krause (1781-1832) fundado esencialmente en el panenteísmo.

kremlin *m.* Residencia del gobierno de Moscú.

krilio *m.* Substancia sintética que se emplea para el acondicionamiento del terreno de cultivo.

krill *m.* Conjunto de pequeños crustáceos marinos planctónicos que sirven de alimento a las ballenas.

kukuxklán *m.* Sociedad secreta del sur de Estados Unidos de América que pretende la segregación racial.

kumis *m.* Bebida fermentada que fabrican los pueblos nómadas de Asia con leche de yegua.

kurós *m.* Figura de varón de la escultura griega arcaica.

L

L, 1 *f.* Ele, decimotercera letra del alfabeto español que representa gráficamente a la consonante alveolar, lateral y sonora. 2 *L*, cifra romana equivalente a cincuenta.

I) la Forma del artículo *el* en género femenino y número singular: ~ *casa;* ~ *mujer.* 2 *pron. pers.* Forma átona de 3ª persona para el objeto directo en género femenino y número singular. No admite preposición y puede usarse enclítico: ~ *miré; mírala;* ~ *tengo;* **pronombres. V. laísmo.

II) la *m.* Nota musical, sexto grado de la escala fundamental. ◇ Pl.: *las.*

labela *f.* ZOOL. Extremidad expansionada del labio de ciertos dípteros.

labelo *m.* Pétalo superior de las orquídeas.

laberinto *m.* Lugar formado de intrincados caminos para que, confundiéndose el que está dentro, no pueda acertar con la salida. 2 Composición poética cuyos versos pueden leerse de maneras distintas. 3 Parte del **oído interno. 4 fig. Cosa confusa y enredada. 5 Bizcocho relleno con mermelada y rebozado con dulce de yema.

labia *f.* fam. Verbosidad persuasiva y gracia en el hablar.

labiado, -da *adj.* [corola o cáliz cigomorfo] Que está dividido en dos partes desiguales en forma de labios. – 2 *adj.-f.* Planta de la familia de las labiadas. – 3 *f. pl.* Familia de plantas dicotiledóneas, de hojas opuestas, cáliz persistente, corola labiada y fruto compuesto de cuatro aquenios.

labial *adj.* Relativo a los labios. – 2 *adj.-s.* Sonido en cuya articulación intervienen los labios. 3 Letra que representa este sonido.

labihendido, -da *adj.* Que tiene hendido o partido el labio superior.

lábil *adj.* Que resbala fácilmente. 2 Frágil, caduco, débil.

labio *m.* Parte exterior, carnosa y movible de la **boca, que cubre la dentadura de cada uno de los maxilares: ~ *del hombre,* hendido por defecto congénito; **diente; **cabeza. 2 Órgano del habla: *su ~ enmudeció.* 3 Gajo, superior e inferior, de la corola o el cáliz de algunas plantas.

labiodental *adj.-s.* Consonante que se articula acercando el labio inferior a los incisivos superiores.

labor *f.* Trabajo. 2 Operación agrícola, en general. 3 Vuelta de arado que se da a la tierra. 4 Obra de coser, bordar, etc. 5 Adorno ejecutado en una tela. 6 fig. *Sus labores,* dedicación no remunerada de la mujer a las tareas de su hogar.

laborable *adj.* Que se puede laborar o trabajar: *tierra ~.* 2 Que se dedica al trabajo: *día ~.*

laboral *adj.* Relativo al trabajo: *régimen ~; jornada ~.* 2 Dedicado a la enseñanza de ciertos oficios especializados: *Universidad ~.*

laboralista *adj.-com.* Especialista en derecho laboral: *abogado ~.*

laborar *tr.* Labrar. – 2 *intr.* Gestionar o intrigar con algún designio.

laboratorio *m.* Local dispuesto para ejecutar en él los experimentos científicos y operaciones químicas, farmacéuticas, etc. 2 p. ext. Local en que se revelan los negativos de las filmaciones y fotografías, y se hacen ampliaciones y copias.

laborioso, -sa *adj.* [pers.] Trabajador, aficionado al trabajo. 2 [cosa o acto] Trabajoso, penoso.

laborismo *m.* Ideología política inglesa de carácter reformista y moderado, cuya base social es la clase trabajadora.

laborterapia *f.* Tratamiento para la curación de las enfermedades mentales o psíquicas mediante el trabajo.

labrada *f.* Tierra barbechada y dispuesta para sembrarla al año siguiente.

labrador, -ra *adj.-s.* Que labra la tierra. – 2 *m. f.* Persona que posee hacienda de campo y la cultiva. – 3 *m. Cuba, S. Dom.* y *Parag.* El que labra la madera sacando la corteza de los árboles cortados para convertirlos en rollizos.

labrantío, -a *adj.-m.* Campo o tierra de labor.

labranza *f.* Cultivo de los campos. 2 Hacienda de campo o tierras de labor: *tierras de ~.*

labrar *tr.* Trabajar, preparar [una materia]: ~ *la madera a martillo;* ~ *piedra.* 2 Cultivar [la tierra]. 3 Arar. 4 fig. Hacer, causar: ~ *la felicidad de alguno;* ~ *una fortuna.*

labriego, -ga *m. f.* Labrador rústico.

labro *m.* Labio superior de los insectos.

laca *f.* Substancia resinosa formada en las ramas de varios árboles de la India, con la exudación producida por las picaduras de ciertos insectos. 2 Barniz duro y brillante hecho con esta substancia. 3 Substancia albuminosa colorida empleada en pintura: ~ *amarilla.* 4 Substancia incolora que se aplica al cabello para fijarlo.

lacado, -da *adj.* Que tiene la superficie brillante como barnizada. 2 Que está cubierto de laca.

lacaria *f.* Seta con el sombrero y pie de color amatista, de carne apreciada *(Laccaria amethystina).*

lacayo *m.* Soldado de a pie que solía acompañar, con otro, a los caballeros en la guerra. 2 Criado de librea que acompaña a su amo. 3 Persona aduladora y servil.

lacear *tr.* Adornar o atar con lazos. 2 Disponer [la caza] para que venga al tiro, tomándole el aire. 3 Coger con lazos [la caza menor].

lacerante *adj.* Hiriente, molesto. 2 [dolor] Agudo, punzante. 3 Desgarrador.

I) lacerar *tr.* Lastimar, magullar, herir. 2 fig. Dañar, vulnerar: ~ *la honra;* ~ *la reputación.* 3 fig. Desgarrar.

II) lacerar *intr.* Padecer, pasar trabajos y miserias.

lacería *f.* Conjunto de lazos, especialmente en labores de adorno y en la ornamentación arquitectónica; **islámico (arte).

lacero *m.* Hombre diestro en manejar el lazo para apresar animales. 2 Empleado municipal encargado de recoger los perros vagabundos. 3 El que se dedica a coger con lazos la caza menor, por lo común furtivamente.

lacinia *f.* Segmento estrecho en que se dividen las hojas, sépalos o pétalos de algunas plantas.

lacio, -cia *adj.* Marchito, ajado. 2 Flojo, sin vigor. 3 [cabello] Que cae sin formar ondas ni rizos.

lacón *m.* Brazuelo del cerdo.

lacónico, -ca *adj.* Breve, conciso, que expresa el pensamiento con pocas palabras: *lenguaje* ~; *escritor* ~.

lacra *f.* Señal de una enfermedad. 2 Defecto, tara, vicio. 3 Plaga, miseria. 4 *Amér.* Costra que se forma en las llagas o heridas.

I) lacrar *tr.* Dañar la salud [de uno]: *lacrarse con el trabajo excesivo.* 2 fig. Dañar o perjudicar [a uno] en sus intereses.

II) lacrar *tr.* Cerrar con lacre.

lacre *m.* Pasta de goma laca y trementina, que se emplea, derretida, para cerrar y sellar cartas, documentos, etc.

lacrimógeno, -na *adj.* Que produce lagrimeo: *gases lacrimógenos; una novela lacrimógena.*

lacrimoso, -sa *adj.* Que tiene lágrimas:

tenía *los ojos lacrimosos.* 2 Que mueve a llanto.

lactancia *f.* Período de la vida en que la criatura mama. 2 Secreción de la leche.

lactante *adj.-s.* Que mama.

lácteo, -a *adj.* Relativo a la leche: *régimen* ~; *industrias lácteas.*

láctico, -ca *adj.* Relativo a la leche: *fermento* ~. 2 *Ácido* ~, líquido incoloro producto de la fermentación del azúcar de la leche.

lactífero, -ra *adj.* Que contiene o trae leche. 2 [conducto] Por donde pasa la leche para llegar a los pezones.

lactosa *f.* Azúcar de leche.

lactucario *m.* Jugo lechoso usado como calmante, que se obtiene de la lechuga espigada.

lactumen *m.* Erupción cutánea que suelen padecer los niños de pecho.

lacustre *adj.* Relativo a los lagos. 2 Que habita en ellos o cerca de ellos: *planta* ~.

ladear *tr.* Inclinar, torcer hacia un lado: ~ *el cuerpo a,* o *hacia, la derecha.* 2 fig. Soslayar, esquivar. – 3 *intr.* Andar o caminar por las laderas. 4 Desviarse del camino derecho: *ladeo por el bosque.* – 5 *prnl.* Inclinarse: *el poste se ladea; se ladeó al partido contrario.*

ladera *f.* Declive de un **monte.

ladería *f.* Llanura pequeña en la ladera de un monte.

ladilla *f.* Insecto anopluro, diminuto, parásito del hombre *(Pediculus pubis).*

ladino, -na *adj.* Moro que hablaba latín o romance. 2 p. ext. El que sabe hablar lenguas extranjeras. 3 fig. Sagaz, taimado. – 4 *m.* Rético (grupo de lenguas). 5 Lengua religiosa de los sefardíes. 6 Dialecto judeoespañol de oriente. – 7 *adj.-s. Amér.* Indio que habla bien el castellano.

lado *m.* Parte derecha o izquierda del tronco o del cuerpo de un hombre o de un animal. 2 Lo que está a la derecha o a la izquierda de un todo: *los dos lados de una mesa, de un río; se colocaron a ambos lados de la cama.* 3 Cara de un objeto opuesta a otra similar: *los dos lados de una moneda, de una tela.* 4 Línea genealógica: ~ *paterno.* 5 Opinión, punto de vista, partido. 6 Línea que, junto con otra, forma un ángulo. 7 Línea que, junto con otras, limita una superficie: *los tres lados de un **triángulo; los lados de un **polígono.* 8 Generatriz de la superficie lateral del cono y del cilindro. 9 Parte del espacio existente alrededor de un cuerpo: *por el* ~ *del mar; al* ~, muy cerca; *al* ~ *de,* en comparación con; *dar de* ~ *a uno,* evitar su compañía. 10 fig. Sitio: *hazle* ~; *déjale un* ~.

ladrar *intr.* Dar ladridos el perro. 2 fig. Amenazar sin acometer: ~ *a la luna.*

ladrido *m.* Voz del perro. 2 fig. *y* fam. Grito o respuesta áspera.

ladrillo *m.* Masa de arcilla cocida en forma de prisma, usada en albañilería: ~ *hueco,* el moldeado mecánicamente que presenta canales prismáticos o redondos interiores en el sentido de su longitud. 2 fam. Libro o discurso difícil de soportar. 3 fam. Cosa muy pesada.

ladrón, -drona *adj.-s.* Que hurta o roba. – 2 *m.* Portillo hecho en un río para sangrarle o en las acequias para robar el agua. 3 Pavesa encendida que, separándose del pabilo, se pega a la vela. 4 Toma clandestina de electricidad. 5 Enchufe para tomar corriente que se adapta al casquillo de una lámpara. 6 Enchufe que multiplica las tomas de electricidad.

ladronamente *adv. m.* fig. Disimuladamente, a hurtadillas.

ladronzuelo, -la *m. f.* Ratero (ladrón).

lagar *m.* Recipiente donde se pisa la uva, se prensa la aceituna o se machaca la manzana para obtener el mosto, el aceite o la sidra. 2 Edificio donde hay un lagar. 3 Suerte de tierra de poca extensión, plantada de olivar, y en la cual hay edificio y artefactos para extraer el aceite.

lagarta *f.* Hembra del lagarto. 2 Insecto lepidóptero perjudicial a los árboles *(Lymantria dispar)*. 3 fig. Mujer pícara, taimada.

lagartera *f.* Madriguera del lagarto.

lagartija *f.* Lagarto de pequeñas dimensiones *(Lacerta muralis; L. viridis)*.

lagartina *f.* Pez marino teleósteo perciforme, de color gris, beige u oliváceo jaspeado con pequeñas manchas obscuras, que son blanquecinas en los flancos, panzudo y con un tentáculo supraorbital *(Blennius sanguinolentus)*.

lagarto *m.* Reptil saurio de cuerpo largo y casi cilíndrico, cola larga y cónica, cuatro patas cortas y piel cubierta de laminillas escamosas (gén. *Lacerta;* esp. *Lacerta ocellata)*. 2 Pez marino teleósteo perciforme de pequeño tamaño que tiene un espolón armado de varias espinas en la parte anterior del opérculo, de cabeza ancha y cuerpo deprimido *(Callionymus maculatus)*. 3 ~ *real*, pez marino teleósteo, de cuerpo alargado, boca muy hendida, color verdusco manchado de obscuro, y con los primeros radios de la aleta dorsal muy prolongados en el macho *(Aulopus filamentosus)*. – 4 *adj.-m.* Hombre pícaro, taimado.

¡lagarto! Entre gente supersticiosa, interjección con que se intenta ahuyentar la mala suerte, especialmente cuando alguien nombra la culebra. 2 Interjección con que se denota sorpresa o admiración ante algo que se acaba de saber o descubrir y que no es de conformidad con la opinión del hablante. ◇ Se usa generalmente repetida.

lagartón, -tona *adj.-s.* fam. [pers.] Taimado y astuto.

lago *m.* Gran masa permanente de agua depositada en hondonadas del terreno.

lagomorfo *adj.-m.* Mamífero del orden de los lagomorfos. – 2 *m. pl.* Orden de mamíferos placentarios, de pequeñas dimensiones

y aspecto similar a los roedores, de los que se diferencian por presentar dos pares de incisivos dispuestos uno delante del otro; como el conejo y la liebre.

lagotería *f.* fam. Zalamería para congraciarse con una persona o lograr una cosa.

lágrima *f.* Gota del humor que segrega la glándula lagrimal, y que es vertida por los ojos: *lágrimas de cocodrilo,* fig., las que vierte una persona hipócritamente; *llorar a ~ viva,* llorar con gran aflicción. 2 Gota del humor que destilan ciertos árboles después de la poda. 3 Porción muy corta de cualquier licor. 4 ~ *de David* o *de Job,* planta graminácea de jardín, de cuyas semillas se hacen rosarios y collares *(Coix lacrima Jobi).* – 5 *f. pl.* fig. Pesadumbres, adversidades, dolores. – 6 *m.* Vino dulce de Málaga de uva destilada en cuba o lagar antes de haber sido prensada.

lagrimal *adj.* Que segrega y expele lágrimas: *glándula, conducto, saco ~.* – 2 *m.* Extremidad del ojo próxima a la nariz. 3 Úlcera que suele formarse en la axila de las ramas cuando éstas se desgajan algo del tronco. 4 Hueso par, muy pequeño y delgado, situado en la parte anterior e interna de las órbitas, que contribuye a formar los conductos lacrimal y nasal.

lagrimear *intr.* Secretar lágrimas con facilidad y frecuencia. 2 Acudir lágrimas a los ojos sin llegar a llorar del todo.

lagrimeo *m.* Flujo producido por no poder pasar las lágrimas del lagrimal a las fosas nasales o ser su secreción muy abundante por irritación del ojo.

laguna *f.* Depósito natural de agua, de menores dimensiones que el lago. 2 fig. En lo manuscrito o impreso, hueco, omisión o parte borrada. 3 fig. Solución de continuidad en un conjunto o serie. 4 fig. Lo que falta para que una cosa sea completa.

laicado *m.* Condición de los fieles de la Iglesia no clérigos. 2 Conjunto de dichos fieles.

laicismo *m.* Doctrina que defiende la independencia del hombre o de la sociedad, y especialmente la del estado, de toda influencia religiosa.

laico, -ca *adj.-s.* Lego (seglar). 2 Que prescinde de la instrucción religiosa: *escuela laica.*

laísmo *m.* Empleo de la forma *la* como objeto indirecto del pronombre personal femenino de 3ª persona: *la regalaron una bicicleta,* en vez de *le.*

lalación *f.* Habla balbuciente de los niños, falta de precisión en el mecanismo articulatorio de la palabra.

l) lama *f.* Cieno blando del fondo del mar o de los ríos, o en los parajes donde hay agua estancada. 2 MIN. Lodo de mineral molido que se deposita en los canales por donde corren las aguas que salen de los aparatos trituradores. 3 *Amér.* Verdín que se forma en las aguas dulces.

II) lama *f.* Tela de oro o plata en que los hilos de estos metales forman el tejido y brillan por su haz sin pasar al envés.

III) lama *m.* Sacerdote del lamaísmo.

lamaísmo *m.* Secta budista extendida especialmente en el Tíbet, influida por las supersticiones locales, y de un carácter eminentemente sacerdotal.

lambel *m.* Adorno en forma de marco o cuadro de tres lados; **ventana.

lambrucio, -cia *adj.* fam. Goloso, glotón.

lamé *m.* Tela brillante, con hilos de oro o plata.

lamedal *m.* Terreno con mucho cieno.

lamelibranquio *adj.-m.* Molusco de la clase de los lamelibranquios. – 2 *m. pl.* Clase de moluscos de simetría bilateral, con la cabeza rudimentaria, las branquias en forma de láminas y el pie en forma de hacha encerrado en un manto que segrega una concha bivalva; como la ostra, la almeja y el mejillón.

lamelicornio *adj.-m.* Insecto del suborden de los lamelicornios. – 2 *m. pl.* Suborden de insectos coleópteros que comprende aquellos cuyas antenas están divididas en laminillas; como los abejorros.

lamelirrostro *adj.-m.* Ave del grupo de los lamelirrostros. – 2 *m. pl.* Grupo de aves que tienen el pico provisto de laminillas; como los patos.

lamentable *adj.* Que es digno de lamentarse. 2 Que infunde tristeza y horror.

lamentación *f.* Queja con alguna muestra de dolor.

lamentar *tr.* Sentir [una cosa] con llanto u otra manifestación del dolor: *lamento tu desgracia; es cosa de ~; se lamentaba de,* o *por, la desgracia.* – 2 *prnl.* Quejarse.

lamento *m.* Lamentación (queja).

lameplatos *com.* fam. Persona que se alimenta de sobras. 2 fig. *y* fam. Goloso. ◇ Pl.: *lameplatos.*

lamer *tr.* Pasar la lengua [por una cosa]: *lamerse los dedos.* 2 fig. Tocar blanda y suavemente: *el arroyo lame las arenas.* 3 fig. Adular.

lameteo *m.* fam. Adulación interesada.

lametón *m.* Acción de lamer con ansia.

lamia *f.* Monstruo fabuloso con cabeza de mujer y cuerpo de dragón. 2 Tiburón de la misma familia que el cazón y la tintorera, que alcanza unos tres metros de longitud (*Carcharhinus commersonii*).

lamido, -da *adj.* fig. [pers.] Flaco. 2 fig. [pers.] Pálido y limpio.

lámina *f.* Plancha delgada, especialmente de un metal. 2 Plancha metálica en la cual está grabado un dibujo para estamparlo. 3 Parte ancha y delgada de los órganos, tejidos, etc., de los seres orgánicos. 4 Aspecto, figura, facha.

laminador, -ra *m. f.* Aparato o máquina para reducir a láminas los metales maleables, haciéndolos pasar a presión entre dos cilindros que giran en sentido contrario.

I) laminar *adj.* De forma de lámina. 2 Que tiene una estructura formada de láminas u hojas sobrepuestas y paralelamente colocadas.

II) laminar *tr.* Tirar láminas o planchas [de metal] con el laminador: *~ el acero.* 2 Cubrir con láminas. 3 Cortar en láminas o rebanadas delgadas.

laminaria *f.* Alga feofícea de gran tamaño y con aspecto de cinta arrugada (*Laminaria rodriguezi*).

laminariales *f. pl.* Algas de talos laminares de gran tamaño.

lamio *m.* Planta dicotiledónea labiada, anual, de flores de color púrpura rosa dispuestas en verticilos (*Lamium amplexicaule*).

lamiscar *tr.* fam. Lamer aprisa y con ansia. ◇ ** CONJUG. [1] como *sacar.*

lampadario *m.* Lámpara de pie.

lámpara *f.* Utensilio para dar luz provisto de uno o varios mecheros para la materia combustible, o de una bombilla para el gas o de una o varias bombillas eléctricas: *~ electrónica,* la que tiene un tubo pequeño con gas noble y que produce una iluminación muy fuerte bajo el efecto de una descarga de un condensador. 2 Bombilla eléctrica. 3 Elemento de los antiguos aparatos de radio y de televisión de forma parecida a la bombilla eléctrica. 4 Mancha de aceite o de grasa en la ropa.

lamparilla *f.* Diminutivo de *lámpara.* 2 Mariposa (luz). 3 Plato o vaso en que ésta se pone.

lamparón *m.* Enfermedad de los solípedos, acompañada de tumores linfáticos. 2 Lámpara, mancha.

lampazo *m.* Planta compuesta bienal utilizada en la medicina popular contra las enfermedades de la piel y para purificar la sangre (*Lappa maior; Arctium lappa*). 2 Manojo de filásticas para enjugar las cubiertas y costados de los buques. 3 Escobón de los hornos de fundición de plomo.

lampiño, -ña *adj.* Que no tiene barba. 2 Que tiene poco pelo o vello.

lamprea *f.* Animal ciclóstomo pisciforme, marino, de cerca de 1 m de largo, hematófago y ectoparásito (*Petromyzon marinus*). 2 ~ **de río,** de menor tamaño que la anterior, es también hematófaga y ectoparásita, y vive en los ríos en su fase larvaria, y en los lagos o en el mar, en la época adulta (*Lampetra fluviatilis*).

lampuga *f.* Pez marino teleósteo perciforme de cuerpo comprimido lateralmente (*Coriphaena hippurus*).

lana *f.* Pelo de las ovejas y carneros y, por extensión, de otros animales que lo tienen parecido al de estas reses. 2 Hilo o tela elaborado con lana. 3 Vestido hecho con este hilo o tela. 4 ~ **de vidrio,** material parecido al algodón, de naturaleza mineral, incombustible, poco conductor del calor y amortiguador de sonidos. – 5 **m.** *Amér. Central.* Persona de ínfima clase social. 6 *Amér. Central.* Tramposo, bandido.

lanada *f.* Instrumento para limpiar y refrescar el alma de las piezas de artillería después de haberlas disparado.

lanar *adj.* [ganado o res] Que tiene lana: *ganado ~,* ganado ovino.

lance *m.* Acción de lanzar: *el ~ de la red.* 2 Efecto de lanzar. 3 Pesca que se saca de una vez. 4 Accidente notable que ocurre en el juego. 5 Jugada de naipes. 6 Trance u ocasión crítica. 7 Encuentro, riña: *~ de honor,* duelo I. 8 Aventura: *~ de amor.* 9 TAUROM. Suerte de capa. 10 **De ~,** que se compra barato, aprovechando una coyuntura.

lanceolado, -da *adj.* De figura semejante al hierro de la lanza: ***hoja lanceolada.*

lancería *f.* Conjunto de lanzas. 2 Tropa de lanceros.

lancero *m.* Soldado que pelea con lanza.

lanceta *f.* Instrumento de acero, de corte en ambos lados y punta agudísima, para sangrar, abrir tumores, etc.

lancinante *adj.* [dolor] Semejante al dolor que produciría una herida de lanza.

lancinar *tr.* Punzar, desgarrar. 2 fig. Obsesionar, atormentar.

lancha *f.* Barca grande para servicios auxiliares en buques, puertos y lugares costeros: *~ rápida,* embarcación automóvil al servicio de buques de guerra o de vigilancia costera; *~ de desembarco,* la empleada para situar en tierra las tropas y medios bélicos de un buque de guerra; *~ torpedera,* la rápida, equipada para lanzar torpedos. 2 Chalupa, bote, barca.

landa *f.* Llanura en que sólo se crían plantas silvestres.

landó *m.* Coche de cuatro ruedas, con capotas delantera y trasera. ◇ Pl.: *landós.*

landre *f.* Tumor del tamaño de una bellota formado en el cuello, los sobacos y las ingles. 2 Bolsa escondida en la capa o vestido para ocultar el dinero.

landrilla *f.* Larva de ciertos insectos que se fija debajo de la lengua y en las fosas nasales de algunos mamíferos. 2 Grano que levanta con su picadura.

lángaro, -ra *adj. Amér. Central.* Vagabundo.

langosta *f.* Insecto ortóptero, saltador, de costumbres migratorias, que se reproduce copiosamente, llegando a constituir verdaderas plagas para la agricultura *(Pachytylus cinerascens).* 2 **Crustáceo decápodo macruro, marino, comestible, de 4 a 6 dms. de largo, de ojos prominentes, dos pares de antenas, las laterales muy largas, y color pardo obscuro que se vuelve rojo con la cocción *(Palinurus vulgaris).*

langostín, -tino *m.* Crustáceo decápodo macruro, marino, comestible, de 12 a 14 cms. de largo, antenas largas, abdomen largo y comprimido, caparazón poco consistente y color grisáceo que se vuelve rojo con la cocción *(Penaeus caramote).*

languidecer *intr.* Adolecer de languidez. 2 Carecer de animación. ◇ ** CONJUG. [43] como *agradecer.*

languidez *f.* Calidad de lánguido.

lánguido, -da *adj.* Flaco, débil, fatigado. 2 De poco espíritu, valor y energía.

lanilla *f.* Pelillo que le queda al paño por el haz. 2 Tejido de poca consistencia hecho con lana fina.

lanolina *f.* Substancia grasa de color amarillo blancuzco, obtenida de los caballos y de la lana de carneros, que se emplea como excipiente en numerosas pomadas por ser fácilmente absorbida por la piel y no enranciarse.

lantánido *adj.-s.* Elemento químico perteneciente al grupo de los lantánidos. – 2 *m. pl.* Grupo formado por elementos químicos cuyo número atómico está comprendido entre el 57 y el 71.

lántano *m.* Metal raro de color gris plomo. Su símbolo es *La.*

lantina *f.* Molusco gasterópodo marino, de concha pequeña de color violeta *(Lanthina exigua).*

lanuginoso, -sa *adj.* Que tiene lanosidad.

lanugo *m.* Vello muy fino que cubre el feto en el momento de su nacimiento.

lanza *f.* Arma ofensiva compuesta de un asta con un hierro puntiagudo y cortante en su extremo. 2 Pieza larga de madera unida por uno de sus extremos al juego delantero de un coche o carro, según su eje longitudinal, y a cada lado de la cual se engancha una caballería. 3 Tubo de metal con que rematan las mangas de las bombas para dirigir bien el chorro de agua. – 4 *f. pl.* Servicio de dinero que pagaban al rey los grandes y títulos, en lugar de los soldados con que debían asistirle en campaña.

lanzacohetes *adj.-s.* Aparato para lanzar cohetes. ◇ Pl.: *lanzacohetes.*

lanzada *f.* Golpe dado o herida causada con una lanza. 2 Movimiento que se enseña al caballo.

lanzadera *f.* Instrumento de figura de barquichuelo, con una canilla dentro, que usan los tejedores para tramar. 2 Pieza de figura semejante de las máquinas de coser. 3 Instrumento parecido, pero sin canilla, que se emplea en varias labores femeninas. 4 Sortija con un adorno en forma de lanzadera. 5 Vehículo capaz de transportar al espacio un objeto (misil, satélite, etc.) y que se puede utilizar varias veces por ser recuperable después de haber desalojado su carga.

lanzagranadas *adj.-s.* Aparato para lanzar granadas; **armas. ◇ Pl.: *lanzagranadas.*

lanzallamas *adj.-s.* Tubo o aparato para lanzar llamas. ◇ Pl.: *lanzallamas.*

lanzamiento *m.* Acción de lanzar una cosa. 2 Acción de enviar un cohete fuera de la atracción terrestre. 3 DEP. Acción de lanzar la pelota, balón, bola, etc., especialmente para castigar una falta, en algunos juegos que se practican con ellos. 4 DEP. Prueba atlética consistente en lanzar el peso, el disco, el martillo o la jabalina a la mayor distancia posible: ~*de peso; ~de disco; ~de martillo; ~de jabalina.* 5 MAR. Proyección de un buque por la proa y la popa con relación al largo de la quilla.

lanzamisil, lanzamisiles *adj.-m.* Plataforma de lanzamiento de misiles: *submarino, lancha, camión lanzamisiles.*

lanzaplatos *m.* DEP. Aparato que lanza los discos para que se ejerciten los tiradores de tiro al plato. ◇ Pl.: *lanzaplatos.*

lanzar *tr.-prnl.* Arrojar: ~ *dardos al,* o *contra el, adversario;* ~ *del puesto; lanzarse al,* o *en el, mar; lanzarse sobre la presa.* – 2 *tr.* Dejar caer, echar: ~ *octavillas;* ~ *paracaidistas;* ~ *bombas.* 3 Hacer correr [un rumor]. 4 Dar a conocer [al público]: ~ *un libro, un medicamento nuevo, una moda.* 5 Dirigir, echar: ~ *una mirada.* – 6 *prnl.* Meterse: *lanzarse a la política.* 7 Emprender bruscamente o con decisión una acción. ◇ ** CONJUG. [4] como *realizar.*

lanzaroteño, -ña *adj.-s.* De Lanzarote, isla de Canarias.

lanzatorpedos *adj.-s.* Aparato que sirve para lanzar torpedos: *tubo* ~. ◇ Pl.: *lanzatorpedos.*

laña *f.* Grapa (pieza de hierro).

lañador *m.* El que por medio de lañas compone objetos rotos, especialmente de barro, loza, etc.

lañar *tr.* Trabar, unir con lañas. 2 Abrir el pescado para salarlo.

laosiano, -na *adj.-s.* De Laos, nación del sudeste de Asia.

I) lapa *f.* Telilla formada en la superficie de algunos líquidos por vegetaciones criptógamas.

II) lapa *f.* Molusco gasterópodo comestible que vive adherido a las rocas de la costa *(Patella vulgata).* 2 fig. y fam. Persona pegajosa.

lapachar *m.* Terreno cenagoso o excesivamente húmedo.

lapacho *m. Amér. Merid.* Árbol bignoniáceo notable por su utilidad y belleza (gén. *Tubezuza).*

laparotomía *f.* Apertura de la pared abdominal.

lapicero *m.* Instrumento en que se coloca el lápiz. 2 Lápiz.

lápida *f.* Piedra llana en que generalmente se pone una inscripción.

lapidar *tr.* Apedrear, matar a pedradas. 2 *Amér.* Labrar piedras preciosas.

lapidario, -ria *adj.* Relativo a las inscripciones en lápidas. 2 fig. Muy conciso: *estilo* ~. – 3 *m.* El que tiene por oficio labrar piedras preciosas o que comercia en ellas.

lapidícola *adj.* ZOOL. Que vive debajo de las piedras.

lapilli *m. pl.* GEOL. Trocitos de lava que caen en una erupción volcánica, parecidos a las bombas volcánicas pero del tamaño de una nuez.

lapislázuli *m.* Mineral de color azul intenso, silicato de alúmina, cal y sosa, que se emplea en pintura y en la ornamentación.

lápiz *m.* Nombre genérico de varias substancias minerales que sirven para dibujar. 2 Barrita de grafito envuelta en papel o madera, que sirve para dibujar o escribir. 3 Técnica de dibujo en la que se emplea dicha barrita. 4 Barra formada de diversas substancias, destinada al maquillaje: ~ *de labios;* ~ *de ojos.*

lapizar *tr.* Dibujar o rayar [una cosa] con lápiz. ◇ ** CONJUG. [4] como *realizar.*

lapo *m.* Cintarazo; bastonazo, bofetada. 2 fig. Trago (de líquido). 3 vulg. Escupidura.

lapón, -pona *adj.-s.* De Laponia, región del norte de Europa. – 2 *m.* Idioma lapón.

lapso *m.* Espacio de tiempo transcurrido. 2 Caída en una culpa o error. ◇ En la primera acepción no se debe confundir *lapso* con *lapsus* (espacio de tiempo).

lapsus *m.* Equivocación, omisión involuntaria. ◇ Pl.: *lapsus.*

laquear *tr.* Barnizar [algo] con laca.

laquismo *m.* Escuela poética prerromántica que floreció en Gran Bretaña en el s. XIX, cuyos seguidores vivían en la región de los lagos y se distinguieron en la descripción de la naturaleza.

lar *m.* En Roma, dios de la casa o del hogar. 2 Hogar (sitio de la lumbre). – 3 *m. pl.* fig. La casa o el hogar: *volver a los lares.*

lardar, lardear *intr.* Untar con lardo o grasa [lo que se está asando y, por extensión, otras cosas].

lardero *adj.* [jueves] Que precede a las carnestolendas.

lardo *m.* Lo gordo del tocino. 2 Grasa de los animales, especialmente del cerdo.

larga *f.* Taco de billar de mayor longitud que los demás. 2 Pedazo de suela o de fieltro que ponen los zapateros en la parte posterior de la horma. 3 Dilación, aplazamiento: *dar largas a un asunto.*

largamente *adv. m.* Con extensión, cumplidamente. 2 fig. Con anchura; sin estrechez: *Juan tiene con que pasarlo* ~. 3 fig. Con liberalidad: *el generoso da* ~. – 4 *adv. t.* Por largo tiempo.

largar *tr.* Aflojar poco a poco, soltar, dejar

libre: ~ *el cable.* 2 fam. Soltar, decir: ~ *una palabrota.* 3 fig. y fam. Hablar, hablar mal [de alguien]. 4 fig. Arrojar. 5 fig. Dar: *le largó una bofetada.* 6 fig. y fam. Tirar, deshacerse [de algo]. 7 MAR. Desplegar [la bandera, las velas, etc.]. – 8 *prnl.* Irse uno con presteza o disimulo: *largarse a la francesa.* 9 Amér. Lanzarse a hacer algo, arrancarse a. ◇ ** CONJUG. [7] como *llegar.*

largo, -ga *adj.* Que tiene más extensión en una de las direcciones del plano que en otra: *una hoja larga.* 2 Que tiene longitud considerable o que dura mucho tiempo: *una calle larga; una sesión larga.* 3 [pers.] Muy alto. 4 fig. Dilatado, extenso: *una obra larga.* 5 fig. Liberal, dadivoso: *es un hombre muy ~ en dar.* 6 fig. Copioso, abundante: *hubo una larga cosecha.* 7 fig. Pronto, expedito, listo, astuto: *es hombre muy ~; ~ en trabajar, ~ en alcances.* – 8 *adj.-s.* GRAM. Vocal o sílaba larga que tiene mayor duración que las demás de la misma palabra. En la prosodia clásica se consideraba que la sílaba larga equivalía a dos breves. Se indica con el signo - sobre la vocal correspondiente: *ā, ē, ī, ō, ū.* – 9 *m.* Longitud: *el caballo ganó por un* ~, por la longitud de un caballo. – 10 *adv.* Sin escasez, con abundancia. – 11 *loc. adv.* A lo ~, según la longitud de una cosa: *a lo ~ del río;* a lo lejos, a mucha distancia: *a lo ~ del mar;* difusamente, con mucha extensión: *hablar a lo ~.*

¡largo! Interjección con que se manda a una o más personas que se vayan: *¡~ de ahí* o *de aquí!*

largometraje *m.* Película cinematográfica de larga duración, alrededor de noventa minutos o más. ◇ Pl.: *largometrajes.*

larguero *m.* Palo que, con otro igual, se pone a lo largo de una obra de carpintería; como los de las **puertas y **ventanas. 2 p. ext. Palo horizontal que une los dos postes de una portería de fútbol. 3 Elemento longitudinal principal del chasis de automóviles, aviones, etc.

largueza *f.* Liberalidad, generosidad.

larguirucho, -cha *adj.* fam. Desproporcionadamente largo: *joven ~.*

largura *f.* Longitud.

**laringe *f.* Órgano de la voz que forma parte del conducto respiratorio y está situado entre la tráquea y la faringe. Tiene forma conoide y está revestido interiormente de una membrana mucosa con cuatro repliegues, dos de los cuales son las cuerdas vocales; **boca.

laringitis *f.* Inflamación de la laringe. ◇ Pl.: *laringitis.*

laringología *f.* Parte de la patología que estudia las enfermedades de la laringe.

laringoscopio *m.* Instrumento que permite la exploración de la laringe.

laringotomía *f.* CIR. Abertura que se hace en la laringe.

larva *f.* Insecto joven cuando es marcadamente distinto del adulto y debe pasar por un estadio pupal antes de convertirse en adulto; como las orugas.

larvado, -da *adj.* [enfermedad] Que se presenta con síntomas que ocultan su verdadera naturaleza. 2 [fenómeno, emoción] Que no se manifiesta abiertamente.

las Forma del artículo en género femenino y número plural: ~ *casas;* ~ *mujeres.* 2 *pron. pers.* Forma átona de 3ª persona para el objeto directo en género femenino y número plural. No admite preposición y puede usarse enclítico: ~ *miré; míralas;* ~ *tengo;* **pronombre; v. laísmo.

lasaña *f.* Plato de origen italiano consistente en cuadrados o tiras de pasta cocinadas generalmente con carne y cubierto con queso rallado.

lasca *f.* Trozo pequeño y delgado desprendido de una piedra. 2 Lonja de jamón.

lascivia *f.* Propensión a la lujuria.

lascivo, -va *adj.* Relativo a la lascivia. 2 Errático, de movimiento blando y libre. 3 Juguetón, alegre. – 4 *adj.-s.* Que tiene el vicio de la lascivia.

láser *m.* Dispositivo que, gracias a un fenómeno de emisión estimulada, produce un haz luminoso monocromático y coherente de gran energía.

laserpicio *m.* Planta umbelífera de flores blancas y fruto que, en su madurez, se fragmenta en dos aquenios (*Laserpitium latifolium*). 2 Semilla de esta planta.

lasitud *f.* Desfallecimiento, cansancio, fatiga.

laso, -sa *adj.* lit. Cansado, falto de fuerzas. 2 Flojo, macilento.

lastán *m.* Hierba perenne de la familia de las ciperáceas que crece en zonas húmedas (*Carex vulpina*).

lástima *f.* Compasión. 2 Cosa que la excita. 3 Quejido, expresión lastimera. 4 Cosa que causa disgusto: *es ~ que no vengas.*

lastimar *tr.-prnl.* Herir o hacer daño: *lastimarse con,* o *contra, una piedra.* 2 Agraviar, ofender: *tus palabras lastimaron su orgullo.* – 3 *prnl.* Dolerse del mal de uno. 4 Quejarse, dar muestras de dolor o sentimiento: *lastimarse de la noticia.*

lastimero, -ra, lastimoso, -sa *adj.* Que mueve a lástima: *queja lastimera; su estado es lastimoso.*

lastón *m.* Planta graminácea (*Brachypodium pinnatum*).

lastrar *tr.* Poner lastre [a la embarcación]. 2 Afirmar [una cosa] cargándola de peso.

I) lastre *m.* Piedra de mala calidad y lajas resquebrajadas, que se halla en la superficie de la cantera.

II) lastre *m.* Peso puesto en la embarcación

para que ésta se sumerja hasta donde convenga. 2 fig. Cosa pesada y molesta de la que se puede uno librar: *la televisión es un ~ que dificulta su trabajo.*

I) lata *f.* Hojalata. 2 Envase de hojalata: *una ~ de **aceite.* 3 Tabla delgada sobre la cual se aseguran las tejas. 4 fam. Dinero: *estar sin ~.*

II) lata *f.* Discurso o conversación fastidiosa y, en general, todo lo que cansa o hastía por prolijo, pesado: *dar la ~,* fastidiar, molestar, importunar, acarrear complicaciones.

latania *f.* Género de palmeras, con hojas en forma de abanico, de color verde claro, que alcanzan un metro de longitud.

latazo *m.* fam. Cosa pesada y fastidiosa.

latear *tr. Amér.* Dar la lata, molestar, fastidiar [a uno].

latente *adj.* Oculto, que existe sin manifestarse al exterior: *enfermedad ~.* 2 BIOL. [estado de reposo o de desarrollo] Suspendido, pero capaz de volverse activo en condiciones favorables.

lateral *adj.* Que está al lado de una cosa: *yema ~;* **brote. 2 fig. Que no viene en línea recta: *parentesco ~.* – 3 *adj.-s.* **Sonido articulado en cuya pronunciación la lengua impide al aire espirado su salida normal por el centro de la boca, dejándole paso por uno o los dos lados; como en la *l* y la *ll.* 4 Letra que representa este sonido. – 5 *m.* Lado de una avenida separado de la parte central por un seto o por un camino para peatones.

lateralizar *tr.-prnl.* Transformar en consonante lateral la que no lo era: *la d del latín medica en la l de mielga.* ◇ ** CONJUG. [4] como *realizar.*

latería *f. And. y Amér.* Hojalatería.

laterita *f.* Roca de origen sedimentario, constituida fundamentalmente por hidróxidos de aluminio y hierro de color rojo.

látex *m* Jugo contenido en ciertos vasos de algunos vegetales, que se coagula al contacto del aire y constituye las gomas, resinas, etc. ◇ Pl.: *látex.*

laticífero *adj.* [vaso vegetal] Que conduce el látex.

latido *m.* Movimiento alternativo de contracción y dilatación del corazón y las arterias. 2 Golpe producido por este movimiento.

latifundio *m.* Finca rústica de gran extensión, especialmente cuando pertenece a un solo dueño y es inculta o está poco cultivada.

latigazo *m.* Golpe dado con el látigo. 2 Chasquido del látigo. 3 fig. Daño impensado que se hace a uno. 4 fig. Reprensión áspera e inesperada.

látigo *m.* Azote con que se aviva y castiga a las caballerías. 2 Cuerda o correa con que se asegura y aprieta la cincha. 3 Atracción de feria que consiste en un circuito elíptico recorrido por una cinta a la que están unidas unas vagonetas, que al llegar a las curvas aumentan la velocidad, produciendo sacudidas. 4 *Amér.* Latigazo.

latigueada *f. Amér.* Azotaina.

latiguillo *m.* fig. y fam. Exceso declamatorio del actor u orador, para lograr un aplauso. 2 fig. y fam. Estribillo, frase o palabra que se repite constantemente. 3 fig. y fam. Triquiñuela, artificio.

latín *m.* Lengua del Lacio, que los romanos hablaron y difundieron por todo el Imperio. Es idioma de flexión, perteneciente al grupo ario o indoeuropeo. A través de su larga historia pueden aplicársele las siguientes denominaciones: *~ arcaico,* el de los primeros monumentos literarios, que comprende aproximadamente los siglos III y II a. C.; *~ clásico,* el que desarrolla las formas fundamentales, cultas y literarias, y comprende los últimos

LARINGE

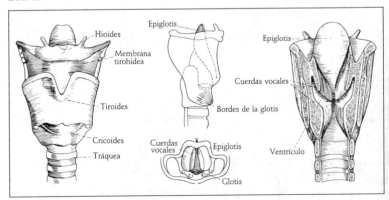

años de la República; ~ *imperial,* el de los autores que escribieron bajo el imperio de Augusto (63 a. C.-14); ~ *tardío* o *bajo* ~, el usado en la Edad Media, el cual, a partir del s. VII aproximadamente, suele llamarse ~ *medieval* ; ~ *moderno,* el empleado por los escritores del Renacimiento y épocas posteriores. Todas estas variedades pertenecen en general al latín escrito. La lengua hablada por el pueblo en todas las épocas se llama ~ *vulgar,* del que procede la base principal de las lenguas romances, románicas o neolatinas.

latinajo *m.* fam. *y* desp. Cita en latín. 2 fam. *y* desp. Latín macarrónico, mal compuesto.

latinidad *f.* Latín (lengua): *estudios de ~.* 2 Conjunto de los pueblos latinos en cualquiera de los aspectos étnico, geográfico, cultural o lingüístico.

latiniparla *f.* desp. Lenguaje de los que emplean voces latinas más o menos españolizadas. – 2 *adj.-com.* Pedante.

latinismo *m.* Vocablo, giro o modo de expresión propio de la lengua latina, empleado en otro idioma.

latinista *com.* Persona que cultiva la lengua y literatura latinas.

latinizar *tr.* Dar forma latina [a voces de otra lengua]. 2 Asimilar a la cultura latina pueblos o países de otro origen. ◇ ** CONJUG. [4] como *realizar.*

latino, -na *adj.-s.* Del Lacio, antigua región de Italia, o de los pueblos italianos de que era metrópoli Roma. – 2 *adj.* Perteneciente o relativo a la lengua latina o propio de ella. 3 Natural de algún pueblo en que se hable una lengua derivada del latín. 4 [embarcación y aparejo] De vela triangular.

latinoamericano, -na *adj.-s.* [país de América] Que fue colonizado por las naciones latinas de Europa. – 2 *adj.* Relativo a este país.

latir *intr.* Dar latidos el corazón y las arterias. 2 p. ext. Dar punzadas una herida o tumor.

latirrostro, -tra *adj.* De pico aplastado.

latitud *f.* Extensión de un territorio. 2 La menor de las dos dimensiones principales de una figura plana cualquiera, formando ángulo recto con la mayor o longitud. 3 Distancia de un lugar al ecuador determinada por el arco de meridiano que va de dicho lugar al ecuador: *la ~ de Barcelona es de 41° 23′ norte.* 4 Distancia angular de un astro a la eclíptica.

latitudinarismo *m.* Doctrina de una secta inglesa del s. XVII que aspiraba a lograr la tolerancia religiosa distinguiendo entre lo esencial y lo no esencial del dogma.

lato, -ta *adj.* Dilatado. 2 fig. [sentido] Que se da a una palabra, frase o texto fuera de su sentido literal.

latón *m.* Aleación de cobre y cinc, de color amarillo, susceptible de un gran pulimento.

latoso, -sa *adj.* Fastidioso, pesado.

latría *adj.-f.* Adoración, culto que sólo se debe a Dios.

latrocinio *m.* Hurto o costumbre de hurtar.

laucha *f. Amér.* Ratoncillo. 2 *Amér.* fig. Hombre listo.

laúd *m.* Antiguo instrumento músico de **cuerda, de caja cóncava en su parte inferior, que se toca pulsando las cuerdas. 2 Tortuga marina de concha coriácea y con siete líneas salientes a lo largo del carapacho, semejantes a las cuerdas del laúd *(Dermochelys coriacea)* .

laudable *adj.* Digno de alabanza.

láudano *m.* Tintura o extracto de opio. 2 Preparación compuesta de opio, azafrán, vino blanco y otras substancias.

laudatorio, -ria *adj.* Que alaba o contiene alabanza. – 2 *f.* Escrito u oración en alabanza de personas o cosas.

laudes *f. pl.* Parte del oficio divino que se dice después de maitines. 2 Aclamaciones litúrgicas que tienen lugar después de la coronación del Papa.

laudo *m.* DER. Fallo de los árbitros o amigables componedores.

lauráceo, -a *adj.* Parecido al laurel. – 2 *adj.-f.* Planta de la familia de las lauráceas. – 3 *f. pl.* Familia de plantas dicotiledóneas que incluye árboles o arbustos de hojas coriáceas persistentes, que llevan en su parénquima un aceite esencial, flores en umbela o panoja y fruto en baya o drupa.

laureado, -da *adj.* Que ha sido recompensado con honor y gloria. 2 Coronado de laureles.

lauredal *m.* Terreno poblado de laureles.

laurel *m.* Árbol lauráceo, de hojas lanceoladas, perigonio petaloide blanco, y fruto en baya *(Laurus nobilis).* 2 fig. Corona, triunfo, premio: *el ~ de la victoria.* 3 ~ *alejandrino,* arbusto esmiláceo de jardín *(Ruscus hypophyllum).* 4 Mariposa diurna afín a la hechicera, de tamaño mediano y color leonado *(Brenthis dafne).*

lauréola *f.* Corona de laurel.

lauro *m.* Laurel. 2 fig. Gloria, alabanza, triunfo.

lauroceraso *m.* Árbol rosáceo de cuyas hojas se obtiene una agua muy venenosa, empleada en medicina y perfumería *(Prunus laurocerasus).*

lava *f.* Materia en fusión que sale de un **volcán y que, una vez fría y sólida, sirve para los mismos usos que la piedra.

lava *f.* Operación de lavar los metales.

lavabo *m.* Antiguo mueble con jofaina, espejo y demás recado para el aseo personal. 2 Recipiente de loza esmaltada, dotado de grifos de agua corriente y un desagüe con sifón, que colocado en el cuarto de baño o aseo, se usa para lavarse las manos, cara, etc. 3 Habitación de la casa donde está instalado. 4 p. ext. Servicios en un establecimiento público. 5 Parte de la misa que sigue al ofertorio y en que el sacerdote se lava los dedos. 6 Paño con que se los enjuga.

lavacaras *com.* fig. *y* fam. Persona aduladora. ◇ Pl.: *lavacaras.*

lavacoches *m.* En los garajes y talleres de automóviles, empleado que tiene a su cargo lavar los coches y ayudar en otros trabajos subalternos. ◇ Pl.: *lavacoches.*

lavadero *m.* Lugar en que se lava. 2 *Amér.* Paraje a orillas de un río, donde se recogen y lavan arenas auríferas.

lavado *m.* Lavamiento (acción y efecto). 2 fam. Reprimenda. 3 ~ **de cerebro,** acción psicológica ejercida sobre una persona para modificar sus convicciones, y transformar su mentalidad en la manera que se desea.

lavador, -ra *adj.-s.* Que lava. – 2 *f.* Máquina con motor eléctrico que sirve para lavar la ropa.

lavafrutas *m.* Recipiente con agua que se pone en la mesa para lavar las frutas que se comen sin mondar. ◇ Pl.: *lavafrutas.*

lavaje *m.* Lavado de las lanas. 2 CIR. Lavado de heridas, cavidades, etc., con líquidos antisépticos.

lavamanos *m.* Depósito de agua con llave y pila para lavarse las manos. 2 Palanganero. 3 Jofaina, palangana. ◇ Pl.: *lavamanos.*

lavanda *f.* Espliego, especialmente en perfumería. 2 Clase de agua de colonia.

lavandería *f.* Establecimiento industrial para el lavado de la ropa.

lavándula *f.* Género de plantas labiadas al que pertenecen el espliego y el cantueso.

lavaojos *m.* Copita de cristal cuyo borde tiene forma adecuada para adaptarse a la órbita del ojo con el fin de aplicar a éste un líquido medicamentoso. ◇ Pl.: *lavaojos.*

lavaplatos *com.* Persona que tiene por oficio lavar platos. – 2 *m.* Lavavajillas (máquina). ◇ Pl.: *lavaplatos.*

lavar *tr.* Limpiar con agua u otro líquido. 2 fig. Purificar, quitar [un defecto o mancha]: ~ *la ofensa con,* o *en, sangre.*

lavareto *m.* Pez de agua dulce, cupleiforme, de la familia de los salmónidos, de color plateado (*Coregonus lavaretus*).

lavativa *f.* Ayuda (medicamento). 2 Instrumento manual para echar ayudas (medicamentos).

lavatorio *m.* Acción de lavar o lavarse. 2 En la religión católica, ceremonia de lavar los pies a algunos pobres que se hace el Jueves Santo en memoria de haberlos lavado Jesucristo a sus apóstoles la noche de la cena. 3 Cocimiento medicinal para limpiar una parte externa del cuerpo. 4 *Amér.* Lavabo.

lavavajillas *m.* Máquina que sirve para

lavar la vajilla, cubertería, batería de cocina, etc. 2 Detergente que sirve para lavar la vajilla. ◇ Pl.: *lavavajillas.*

lavazas *f. pl.* Agua mezclada con las impurezas de lo que se lavó en ella.

lavotear *tr.-prnl.* Lavar aprisa y mal.

laxante *adj.-s.* Que laxa o ablanda. – 2 *m.* Medicamento para mover el vientre.

laxar *tr.* Aflojar, disminuir la tensión; ablandar, suavizar: ~ *un arco.* 2 Purgar por medio de un laxante: ~ *el vientre.*

laxismo *m.* Estado de conciencia inclinado a considerar leve lo que es grave, y permitido lo que está prohibido.

laxitud *f.* Calidad de laxo: ~ *de las fibras.* ◇ INCOR.: *lasitud.*

laxo, -xa *adj.* Flojo o sin la tensión debida. 2 fig. De moral relajada. 3 fig. Libre, amplio: *en sentido* ~.

lay *m.* Composición poética narrativa o lírica, de origen bretón, generalmente en versos cortos, muy extendida entre los provenzales y franceses en la Edad Media. ◇ Pl.: *layes.*

I) laya *f.* Pala fuerte de hierro con cabo de madera, que puede tener dos o más puntas y una manija en su extremo para apretar con ambas manos y que sirve para labrar la tierra y revolverla; **jardinería (herramientas).

II) laya *f.* Calidad, especie, calaña, ralea. 2 vulg. Vergüenza, pundonor.

lazada *f.* Nudo que se desata fácilmente tirando de uno de sus cabos.

lazar *tr.* Coger o sujetar con lazo. ◇ ** CONJUG. [4] como *realizar.*

lazareto *m.* Estación y desinfección a los viajeros procedentes de lugares atacados por alguna epidemia. 2 Hospital de leprosos.

lazarillo *m.* Muchacho que guía a un ciego. 2 p. ext. Persona o animal que guía o acompaña a otra necesitada de alguna ayuda.

lazarino, -na *adj.-s.* Leproso o que padece elefancía.

lazarista *m.* El que pertenece a la orden hospitalaria de San Lázaro, fundada por los Cruzados y dedicada a asistir leprosos. – 2 *adj.-s.* Religioso de la Congregación de la Misión, fundada en 1625 por San Vicente de Paúl, para la propagación del cristianismo y el cuidado de los enfermos.

lázaro *m.* Pobre andrajoso.

lazo *m.* Atadura o nudo de cintas que sirve de adorno. 2 Adorno de metal, imitando al lazo de la cinta. 3 Lazada corrediza hecha con hilos de alambre para coger conejos, o de cerda para cazar ciertas aves. 4 Cuerda con una lazada corrediza para sujetar los toros, caballos, etc. 5 fig. Unión, vínculo, obligación. 6 fig. Ardid, asechanza: *caer uno en el* ~.

le *pron. pers.* Forma átona de tercera persona para el objeto indirecto en género mas-

culino y femenino y número singular: ~ *daré la carta; dale la carta (a él o a ella);* **pronombre.
2 Forma átona de tercera persona para el objeto directo en número singular y sólo en género masculino, en concurrencia con la forma *lo*. No admite preposición y puede usarse enclítico: ~ *siguió* y *lo siguió; siguióle* y *siguiólo;* **pronombre. V. leísmo.

leal *adj.-s.* Que guarda la debida fidelidad, incapaz de traicionar: *un súbdito ~; una conducta, una palabra ~.* 2 [animal] Que muestra un comportamiento leal al hombre: *un perro ~; un caballo ~.*

lealtad *f.* Calidad de leal.

leasing *m.* Arrendamiento con opción a compra. ◇ Se pronuncia *lísin.*

lebeche *m.* Viento sudoeste, en el litoral del Mediterráneo.

lebrato, lebratón *m.* Liebre nueva o de poco tiempo.

lebrel, -la *adj.-s.* Perro que se caracteriza por tener el labio superior y las orejas caídas, hocico recio, lomo recto, cuerpo largo y piernas retiradas atrás, que es muy a propósito para cazar liebres.

lebrero, -ra *adj.* Aficionado a las cacerías o carreras de liebres. 2 [perro] Que sirve para cazar liebres.

lebrillo *m.* Vasija más ancha por el borde que por el fondo, usada para lavar, generalmente de barro.

lebrón *m.* fig. Hombre tímido y cobarde.

lección *f.* Lectura (acción). 2 Inteligencia de un texto. 3 Fragmento de texto sagrado que se lee o canta en la misa de ciertos días y en los maitines. 4 Discurso que en las oposiciones a cuerpos docentes o beneficios eclesiásticos se compone dentro de un término prescrito. 5 Capítulo, en algunos escritos. 6 Conjunto de conocimientos que en cada vez da un maestro a sus discípulos o les señala para que lo estudien: ~ *magistral,* la que prepara un opositor para exponerla ante el tribunal que lo juzga, la teórica pronunciada por un profesor ante un grupo de alumnos. 7 fig. Amonestación, ejemplo ajeno que nos enseña el modo de conducirnos.

lecitidáceo, -a *adj.-f.* Planta de la familia de las lecitidáceas. – 2 *f. pl.* Familia de plantas tropicales con grandes frutos que contienen semillas comestibles.

lecitina *f.* Lipoide que se encuentra en la yema del huevo, en el sistema nervioso, en la leche, etc., y se usa en medicina como reconstituyente.

lectivo, -va *adj.* Destinado a dar lección en los centros docentes: *período ~; día ~.*

lector, -ra *adj.-s.* Que lee. – 2 *m. f.* Profesor extranjero que enseña su lengua materna. 3 Colaborador que lee los originales enviados a un editor. – 4 *m.* Aparato que sirve para ver, y en algunos casos también para reproducir, lo que se halla inscrito en ciertos documentos: ~ *de microfilmes; ~ de microfichas.* – 5 *adj.-s.* Dispositivo que permite la reproducción electrónica de lo codificado en cintas magnéticas.

lectorado *m.* Segunda de las órdenes menores. 2 Cargo de lector (profesor).

lectura *f.* Acción de leer. 2 Cosa leída: *aficionarse a las malas lecturas.* 3 Interpretación del sentido de un texto según sus valores, y estudio de él según sus variantes. 4 Lección (inteligencia y discurso). 5 Cultura de una persona: *es hombre de mucha ~.* 6 Operación de acceso para extraer información de la memoria de un ordenador electrónico y transmitirla a un registro fijo exterior a la memoria.

lecha *f.* Licor seminal de los peces. 2 Bolsa que, en número de dos, lo contiene.

lechada *f.* Masa fina de cal, yeso o argamasa, usada para blanquear paredes y para unir piedras o hiladas de ladrillo. 2 Masa de trapo molido para hacer papel.

lechal *adj.-s.* [animal] Que aún mama.

I) lechar *adj.* Que cría o tiene virtud para criar leche: *vaca ~; hierba ~.*

II) lechar *tr. Amér.* Ordeñar [las vacas, cabras, etc.].

leche *f.* Líquido blanco y opaco que se forma en los pechos de las hembras de los mamíferos, para alimento de sus hijos. Es una solución acuosa de caseína, lactosa, sales inorgánicas y pequeñas cantidades de otras substancias, que lleva en suspensión diminutos glóbulos de grasa: ~ *de vaca, de cabra;* ~ **frita,** postre que consiste en una masa dulce compuesta de harina cocida en leche que, una vez fría, se parte en cuadrados y se fríe rebozada en huevo; ~ **merengada,** la que se prepara con claras de huevo, batidas o no, azúcar y canela. 2 Líquido de apariencia semejante a la de la leche: ~ **de almendras,** la que se extrae machacándolas. 3 Cosmético líquido o semifluido. 4 fig. Golpe fuerte, puñetazo: *darse una ~; pegar una ~.* 5 **Mala** ~, mala intención.

¡leche! ¡leches! Interjección con que se denota sorpresa, asombro, enfado, desaprobación, negación, etc.

lechecillas *f. pl.* Mollejas de cabrito, cordero, ternera, etc. 2 Asadura (de un animal).

lechería *f.* Establecimiento donde se vende leche.

lechero, -ra *adj.* Perteneciente o relativo a la leche: *industria lechera.* 2 Que contiene leche o tiene alguna de sus propiedades. 3 [animal hembra] Que se tiene para aprovechar su producción de leche. – 4 *m. f.* Persona que tiene por oficio vender o repartir leche. – 5 *f.* Vasija en que se guarda, transporta o sirve la leche. 6 fig. Automóvil blanco de la policía. 7 *Amér.* Planta de abundante jugo blanco y picante, parecido a la leche *(Euphordia serpens).*

lechetrezna *f.* Planta euforbiácea, cuyo jugo lechoso y acre se ha usado en medicina *(Euphorbia helioscopia)*.

lecho *m.* Cama (armazón). 2 Porción de algunas cosas extendidas horizontalmente sobre otras. 3 fig. Madre (terreno).

lechón *m.* Cochinillo que todavía mama.

lechoso, -sa *adj.* Que tiene cualidades o apariencia de leche. 2 [planta o fruto] Que tiene un jugo blanco semejante a la leche.

lechuga *f.* Planta hortense, anual y compuesta, con las hojas enteras y gruesas, dispuestas en roseta basal, que puede comerse en ensalada *(Lactuca sativa):* **ser más fresco que una ~,** ser muy descarado. 2 **~ de mar,** alga marina comestible del orden de las clorofíceas, de talo ondulado y translúcido *(Ulva lactuca).* 3 Fuelle formado en la tela a semejanza de las hojas de la lechuga. 4 fig. *y* pop. Billete de mil pesetas. – 5 *adj.* fig. Sinvergüenza.

lechuguino *m.* Lechuga pequeña antes de ser trasplantada. 2 Petimetre. 3 Muchacho imberbe que se las da de hombre hecho.

lechuza *f.* Ave rapaz estrigiforme de 34 cms. de longitud, con el plumaje de color dorado claro con pequeñas manchas en la parte superior, y blanco en la cara y parte inferior del cuerpo, y con el disco facial en forma de corazón *(Tito alba).* 2 fig. Persona trasnochadora. 3 fig. Mujer fea y perversa.

lechuzo *m.* fig. El que se envía a ejecutar despachos de apremio y otros semejantes. – 2 *adj.-s.* fig. Persona que se asemeja a la lechuza en alguna de sus propiedades. 3 fig. Tonto, poco despabilado.

leer *tr.* Pasar la vista [por los signos de la palabra escrita] para interpretar el sentido [de los textos]: ~ *a Cervantes;* ~ *de corrido,* hacerlo sin dificultad; ~ *entre líneas,* adivinar el pensamiento de lo escrito, sin estar explícitamente manifiesto; ~ *pruebas,* corregir pruebas de imprenta. 2 Deletrear, pronunciar en alta voz el contenido [de los textos]. 3 Interpretar [cualquier clase de signos, entre ellos los musicales]: ~ *en el porvenir;* ~ *una sonata.* 4 Decir en público [el discurso propio de ciertos ejercicios académicos]: ~ *la tesis.* 5 fig. Penetrar [en el interior de uno] o adivinarle [un secreto]: ~ *en la cara;* ~ *el pensamiento.* ◇ ** CONJUG. [61].

lega *f.* Monja que sirve en las haciendas caseras del convento.

legacía *f.* Cargo de legado. 2 Asunto encargado a un legado.

legación *f.* Legacía. 2 Cargo diplomático que confiere un gobierno a un individuo para que le represente cerca de otro gobierno extranjero. 3 Personal que el legado tiene a sus órdenes. 4 Casa u oficina del legado.

legado *m.* Manda que el testador deja en su testamento o codicilo. 2 p. ext. Lo que se deja o transmite a los sucesores. 3 Persona que una suprema potestad eclesiástica o civil envía a otra.

legadura *f.* Cuerda, tomiza u otra cosa que sirve para liar o atar.

legajo *m.* Atado de papeles o conjunto de los reunidos por tratar de una misma materia.

legal *adj.* Prescrito por ley y conforme a ella. 2 Verídico, puntual, fiel y recto en el cumplimiento de su cargo.

legalista *adj.* Que antepone a toda otra consideración la aplicación literal de las leyes.

legalizar *tr.* Dar estado legal [a una cosa]. 2 Certificar la autenticidad [de un documento o firma]. ◇ ** CONJUG. [4] como *realizar.*

légamo *m.* Cieno, lodo pegajoso, limo.

legaña *f.* Humor segregado por las glándulas sebáceas de los párpados, que se cuaja en el borde de éstos y en los ángulos de la abertura ocular.

legar *tr.* Dejar una persona a otra [alguna manda] en su testamento o codicilo. 2 fig. Transmitir [algo] a los que siguen en el tiempo: ~ *a la posteridad una obra.* ◇ ** CONJUG. [7] como *llegar.*

legatario, -ria *m. f.* Persona favorecida por un legado.

legendario, -ria *adj.* Perteneciente o relativo a las leyendas: *héroe ~.*

legión *f.* Cuerpo de tropa romana compuesto de infantería y caballería. 2 Cuerpo militar de élite, cuya tropa, a veces integrada por extranjeros, está adiestrada como fuerza de choque: *la ~ extranjera.* 3 fig. Número indeterminado y copioso de personas o espíritus.

legionario, -ria *adj.* Relativo a la legión. – 2 *m.* Soldado que servía o sirve en una legión.

legislación *f.* Conjunto de las leyes de un estado o relativas a una materia determinada.

legislar *intr.* Dar o establecer leyes.

legislativo, -va *adj.* [poder] Que tiene la misión de hacer leyes.

legislatura *f.* Tiempo durante el cual funcionan los cuerpos legislativos del estado. 2 Cuerpo legislativo en actividad. 3 Período de sesiones de Cortes durante el cual subsisten la mesa y las comisiones permanentes elegidas en cada cuerpo colegislador. 4 *Amér.* Congreso o Asamblea legislativa.

legitimar *tr.* Justificar la verdad [de una cosa] o la calidad [de una persona o cosa] conforme a las leyes. 2 Hacer legítimo [al hijo natural]. 3 Habilitar para un oficio o empleo.

legítimo, -ma *adj.* Conforme a las leyes. 2 Cierto, genuino y verdadero.

lego, -ga *adj.-s.* Que no tiene órdenes clericales. – 2 *adj.* Falto de letras o noticias. 3 Profano, no iniciado.

legra *f.* CIR. Instrumento cortante para legrar.

legrar *tr.* CIR. Raer la superficie [de los huesos] con la legra. 2 CIR. Raer la mucosa del útero.

legua *f.* Medida itineraria, equivalente a 5,5727 kms. o veinte mil pies.

leguleyo, -ya *m. f.* Persona que trata de leyes no conociéndolas sino vulgar y escasamente.

legumbre *f.* **Fruto seco de vaina dehiscente por las suturas dorsal y ventral. 2 Todo fruto o semilla que se cría en vainas. 3 p. ext. Hortaliza.

leguminal *adj.-f.* Planta del orden de las leguminales. – 2 *f. pl.* Orden de plantas que incluye árboles, arbustos y hierbas de hojas simples o pinnaticompuestas y flores actinomorfas o cigomorfas.

leguminoso, -sa *adj.* De la naturaleza de las legumbres. – 2 *adj.-f.* Planta de la familia de las leguminosas. – 3 *f. pl.* Familia de plantas dicotiledóneas cuyos frutos son legumbres. .

leído, -da *adj.* [pers.] Que ha leído mucho y es muy erudito.

leitmotiv *m.* Tema musical conductor. 2 p. ext. Frase, motivo central que se repite en una obra o en general en un escrito, en un discurso, etc.

leísmo *m.* Empleo de la forma *le* como objeto directo del pronombre personal de 3ª persona: *este libro no te le doy,* por lo.

lejano, -na *adj.* Que está lejos o a gran distancia en el espacio o en el tiempo: *~ de mi casa; siglos lejanos.*

lejía *f.* Agua que tiene en disolución álcalis o sales alcalinas, especialmente la que se usa para la colada.

lejos *adv. l. t.* A gran distancia; en lugar o tiempo remoto: *~ de casa;* fig., *~ de mi ánimo.* – 2 *loc. adv.* A lo *~, de ~, de muy ~, desde ~,* a larga distancia.

lelo, -la *adj.-s.* Chiflado, simple y como pasmado.

lema *m.* Argumento que precede a ciertas composiciones literarias. 2 Contraseña que se escribe en los pliegos de algunos concursos, para conocer, después del fallo, a quién pertenece cada obra. 3 Norma que regula o parece regular la conducta de alguien. 4 Proposición que es preciso demostrar antes de establecer un teorema. 5 Voz que se emplea como entrada de un artículo de diccionario, y que representa a todas las formas paradigmáticas que pueda tener.

lemnáceo, -a *adj.-f.* Planta de la familia de las lemnáceas. – 2 *f. pl.* Familia de plantas dicotiledóneas, acuáticas, de forma muy simple, e inflorescencia en espádice.

lemniscata *f.* **Curva plana parecida a un 8.

lemosín, -sina *adj.-s.* De Limoges o de Lemosín, ciudad y región del sur de Francia, respectivamente. – 2 *adj.-m.* Dialecto de la lengua de oc, hablado principalmente en Limoges. 3 p. ext. Lengua de oc.

lempira *m.* Unidad monetaria de Honduras.

lemúrido *adj.-m.* Primate de la familia de los lemúridos. – 2 *m. pl.* Familia de primates prosimios trepadores y de hocico prolongado propios de Madagascar.

lencería *f.* Ropa blanca, especialmente la usada por la mujer. 2 p. ext. Ropa de cama, lavabo y mesa. 3 Establecimiento donde se vende la ropa blanca, y la de cama, lavabo y mesa.

lendakari *m.* Presidente del gobierno autonómico vasco.

lengua *f.* Órgano muscular muy movible, situado en la cavidad de la **boca; en el hombre es blando y carnoso, y sirve para gustar, para deglutir y para articular los sonidos de la voz. 2 Órgano de la palabra: *ligero* o *suelto de ~,* que no sabe callar lo que debe; *media ~,* pronunciación imperfecta, o persona que tiene este defecto. 3 Cosa que tiene más o menos forma de lengua: *~ de fuego; ~ de tierra,* pedazo de tierra largo y estrecho que entra en el mar. 4 Lenguaje de una nación o común a varias: *la ~ española; ~ de oc,* conjunto de dialectos hablados en la Edad Media en el Mediodía de Francia, de los que surgió la lengua literaria cultivada por los trovadores; *~ de oil,* conjunto de dialectos hablados en la mitad norte de Francia, actualmente en decadencia; *~ materna,* la que, transmitida de padres a hijos, se habla corrientemente por sus usuarios; *segunda ~,* la no aprendida de boca de los padres, por oposición a la materna; *~ muerta,* la que no se habla ya en la vida ordinaria de ningún pueblo. 5 p. ext. Lenguaje propio de una época, de una clase, de ciertas materias: *~ de la prosa; ~ poética, del pueblo, medieval,* etc. 6 Pez marino de cuerpo oval, boca asimétrica, línea lateral muy arqueada, y de color pardusco o grisáceo, con pequeñas manchas más o menos visibles *(Limanda limanda).* 7 *~ de buey,* planta boraginácea que abunda en los sembrados *(Anchusa officinalis).*

lenguado *m.* Pez marino teleósteo pleuronectiforme, comestible, de cuerpo oblongo y muy comprimido, boca lateral y torcida y ojos en un mismo lado del cuerpo *(Solea vulgaris).*

lenguaje *m.* Facultad privativa del hombre para la expresión de pensamientos y afectos. 2 Conjunto de palabras y formas de expresión por medio de las cuales se relaciona una comunidad de hombres determinada; idioma o lengua. 3 Modo de hablar: *~ culto; ~ grosero.* 4 Estilo: *~ conciso.* 5 Conjunto de ademanes o signos convencionales que traducen la palabra hablada o escrita: *~ de los sordomudos.* 6 Manifestación de los afectos por medio de sonidos inarticulados, gestos o ademanes: *~ emotivo.* 7

p. ext. Conjunto de señales mediante las que se comunican los animales: *el ~ de las abejas.*

lenguaraz *adj.-com.* Deslenguado, atrevido en el hablar. 2 Hablador, charlatán.

lengüeta *f.* Objeto de forma semejante a la de una lengua. 2 Laminilla móvil que en el tubo de algunos instrumentos músicos de viento produce el sonido. 3 Fiel de una balanza o romana. 4 Hierro en forma de anzuelo de las garrochas, saetas, etc. 5 Espiga prolongada que se labra en el canto de una tabla para que encaje en una ranura. 6 Tabiquillo que separa unos de otros los cañones de chimenea. 7 Tira de piel que suelen tener los zapatos en la parte del cierre por debajo de los cordones. 8 *Amér.* Charlatán.

lengüetear *intr.* Sacar repetidamente la lengua con movimientos rápidos. 2 *Amér.* Hablar mucho y sin substancia.

lengüicorto, -ta *adj.* fam. Tímido al hablar, reservado.

lengüilargo, -ga *adj.* fam. Lenguaraz (deslenguado).

lenidad *f.* Blandura en exigir el cumplimiento de los deberes o en castigar las faltas.

leninismo *m.* Doctrina política de Lenin (1870-1924). 2 Conjunto de partidos que se inspiran en dicha doctrina.

lenitivo, -va *adj.-s.* Que tiene virtud de ablandar y suavizar.

lenocinio *m.* Alcahuetería (acción y oficio): *casa de ~,* casa de prostitución.

lente *amb.* Cristal o medio refringente limitado por dos caras curvas o una curva y otra plana: *~ convergente,* la que hace converger los rayos que la atraviesan; *~ divergente,* la que hace divergir los rayos. 2 *~ de contacto,* disco pequeño de materia plástica o vidrio, cóncavo de un lado, convexo del otro, que se aplica directamente sobre la córnea para corregir los vicios de refracción del ojo. – 3 *m. pl.* Anteojos que, generalmente, pueden sujetarse en la nariz. 4 Cubierta transparente y permanente del ojo de las serpientes y de algunos lagartos. – 5 *f.* Dispositivo electromagnético que sustituye en sus funciones a los cristales ópticos de ciertos aparatos.

lenteja *f.* Planta leguminosa papilionácea de semillas discoidales y pequeñas, muy alimenticias *(Lens esculenta; L. culinaris).* 2 Fruto de esta planta. 3 *~ de agua,* planta arácea sin hojas ni tallos verdaderos, pero con estructuras foliosas ovales, que vive en aguas dulces remansadas *(Lemna polyrhiza).* 4 Pesa en forma de lenteja que remata la péndola del **reloj.

lentejuela *f.* Laminilla redonda de metal que se cose a la ropa por adorno.

lentibularia *f.* Planta lentibulariácea con tallos sumergidos y tallos florales emergidos, insectívora *(Utricularia vulgaris).*

lentibulariácea *adj.-f.* Planta de la familia

de las lentibulariáceas. – 2 *f. pl.* Familia de plantas insectívoras con flores cigomorfas y fruto en cápsula.

lenticular *adj.* De forma parecida a la lenteja. – 2 *m.* Huesecillo, el más pequeño, del **oído medio, situado detrás del tímpano.

lentilla *f.* Lente de contacto: *lentillas duras; lentillas blandas.*

lentisco *m.* Arbusto terebintáceo, de hojas paripinnadas, coriáceas y persistentes, cuya madera se utiliza en ebanistería *(Pistacia lentiscus).*

lentitud *f.* Tardanza en ejecutar una cosa. 2 Velocidad escasa en el movimiento.

lento, -ta *adj.* Tardo o pausado: *~ en resolverse; ~ para comprender.* 2 Poco vigoroso y eficaz: *fuego ~.* 3 [movimiento] Poco veloz: *marcha lenta.*

leña *f.* Parte de los árboles y matas que se destina para la lumbre. 2 fig. Castigo, paliza. 3 fig. Añadir, o echar, *~ al fuego,* acrecentar un mal; dar incentivo a un afecto o vicio.

leñazo *m.* fam. Garrotazo. 2 fam. Golpe fuerte.

¡leñe! Interjección con que se denota fastidio y molestia.

leño *m.* Parte más consistente del tallo de los vegetales. 2 Trozo de árbol cortado y limpio de ramas. 3 fig. Persona de poco talento y habilidad.

leñoso, -sa *adj.* [parte] De mayor consistencia en el **tallo de los vegetales. 2 Que tiene consistencia como la de la madera: *planta leñosa; hacecillos leñosos.*

león *m.* Mamífero carnívoro félido, muy corpulento, de pelaje entre amarillo y rojo, cabeza grande y cola larga terminada en un fleco de cerdas. El macho tiene una larga melena que le cubre la nuca y el cuello *(Panthera leo).* 2 *~ marino,* o simplemente *~,* mamífero pinnípedo de cerca de 3 m. de largo que pesa unos 500 kilos *(Otaria iubata).* 3 fig. Hombre audaz y valiente.

leona *f.* Hembra del león. 2 fig. Mujer valiente, atrevida. 3 fig. Mujer experimentada y provocadora.

leonado, -da *adj.-m.* Color rubio obscuro, como el del pelaje del león. 2 De color leonado.

leonera *f.* Lugar en que se tienen encerrados los leones. 2 Aposento en que se guardan muchas cosas en desorden. 3 *Argent., Ecuad.* y *P. Rico.* Cuarto donde se tienen muchos presos o detenidos en común.

leonés, -nesa *adj.-s.* De León. – 2 *m.* Dialecto romance occidental.

leonesismo *m.* Vocablo, giro o modo de expresión propio del dialecto leonés. 2 Amor o apego a las cosas características de León.

leonino, -na *adj.* Relativo al león. 2 [contrato] Que es oneroso, pues toda la ventaja se atribuye a una de las partes, sin equitativa conmutación entre éstas.

leontina *f.* Cadena del reloj.

leopardo *m.* Mamífero carnívoro félido, de Asia y África, de pelaje rojizo con manchas negras y redondas regularmente distribuidas *(Felis pardus)*. 2 Piel de dicho animal: *un abrigo de ~*.

leotardo *m* Antiguo traje sin mangas, muy ajustado al cuerpo, usado por gimnastas y trapecistas. 2 p. ext. Prenda muy ajustada, generalmente de punto, que cubre desde el pie a la cintura. ◇ En la acepción 2 se usa generalmente en plural.

lépero, -ra *adj. Amér. Central y Méj.* [pers.] Soez, ordinario, poco decente.

lepidio *m.* Planta crucífera medicinal que abunda en los terrenos húmedos *(Lepidium latifolium)*.

lepidóptero *adj.-m.* Insecto del orden de los lepidópteros. – 2 *m. pl.* Orden de insectos pterigotas de metamorfosis complicada con espiritrompa y cuatro alas cubiertas de escamillas imbricadas. Sus larvas son las orugas; como las mariposas y la polilla.

lepiota *f.* Seta de tamaño mediano cuyo sombrero es de color pardo rojizo y está provisto de finas escamas *(Lepiota clypeolaria)*.

lepisma *f.* Género de insectos tisanuros que roen el azúcar, el papel y la tela *(Lepisma sacharina* sp.*)*.

lepórido *adj.-m.* Animal de la familia de los lepóridos. – 2 *m. pl.* Familia de mamíferos lagomorfos de cuerpo alargado y arqueado, de labio superior hendido y extremadamente móvil (labio leporino), y patas posteriores más desarrolladas que las anteriores; como la liebre y el conejo.

lepra *f.* Enfermedad crónica infecciosa, debida al *Bacillus leprae*, que se manifiesta por manchas, tubérculos, ulceraciones y caquexia. 2 fig. Vicio que se extiende como la lepra.

leproso, -sa *adj.-s.* Que padece lepra.

leptita *f.* Roca vítrea ácida recristalizada por un proceso de metamorfismo.

leptorrino, -na *adj.* Que tiene la nariz larga y delgada. 2 ZOOL. [animal] Que tiene el pico o el hocico delgado y muy saliente.

lercha *f.* Junquillo con que se ensartan aves o peces muertos.

lerdear *intr.* Tardar, hacer algo con lentitud, moverse con pesadez o torpeza.

lerdera *f. Amér. Central.* Pereza, pesadez.

lerdeza *f. Amér. Central.* Pereza, cachaza.

lerdo, -da *adj.* Pesado y torpe.

leridano, -na *adj.-s.* De Lérida.

les *pron. pers.* Forma átona de 3ª persona para el objeto indirecto en género masculino y femenino y número plural. No admite preposición y puede usarse enclítico: *~ daré la carta; dales la carta, a ellos o a ellas;* **pronombre; **anfibología.

lesbianismo *m.* Inclinación sexual de la mujer hacia personas del mismo sexo.

lesión *f.* Daño corporal causado por una herida, golpe o enfermedad. 2 Daño o perjuicio en general; como el causado en un contrato. 3 DER. Delito o falta derivados del daño corporal inferido a una persona sin ánimo de matar: *~ grave; ~ leve*.

lesivo, -va *adj.* Que causa o puede causar lesión, especialmente en el orden moral y jurídico: *~ a su dignidad; ~ para sus intereses*.

lesnordeste *m.* Viento medio entre el este y el nordeste. 2 Parte de donde sopla este viento.

leso, -sa *adj.* Agraviado, lastimado, ofendido: *un delito de lesa majestad*. 2 [juicio, entendimiento o imaginación] Pervertido, trastornado. 3 *Amér.* Tonto, necio. ◇ En su primera acepción se aplica generalmente a la cosa que recibe el daño, y precede al nombre.

lesueste *m.* Viento medio entre el este y el sueste. 2 Parte de donde sopla este viento.

letal *adj.* Mortífero: *dosis ~; gas ~*.

letanía *f.* Plegaria formada por una serie de invocaciones y súplicas, cada una de las cuales es dicha o cantada por uno y repetida, contestada o completada por otro: *~ del Nombre de Jesús, de San José, del Sagrado Corazón de Jesús, de todos los santos*. 2 Procesión de rogativas y de penitencia en la que se cantan letanías. 3 fig. Lista, retahíla, enumeración larga.

letargo *m.* Estado patológico de somnolencia profunda y prolongada de la cual es difícil despertar. 2 Estado de sopor en que viven muchos reptiles y otros animales durante ciertas épocas. 3 fig. Modorra, enajenamiento del ánimo.

letífico, -ca *adj.* Que alegra.

letón, -tona *adj.-s.* De Letonia, república de la Unión Soviética. – 2 *adj.-m.* Lengua hablada principalmente en esta república soviética.

letra *f.* Signo con que se representa un sonido de un idioma. 2 Forma de la letra, o sea, modo particular de escribir de un individuo, de un país o de una época. 3 Pieza de metal fundida en forma de prisma rectangular, con una letra u otra figura cualquiera relevada en una de las bases, para que pueda estamparse. 4 Dibujo de estas figuras o forma que se les da al escribir: *~ versalilla* o *versalita,* la mayúscula igual en tamaño a la minúscula de la misma fundición; *~ bastarda,* la de mano, inclinada hacia la derecha y rotunda en las curvas; *~ mayúscula, versal, capital* o *de caja alta,* la que con mayor tamaño y generalmente distinta que la minúscula, se emplea como inicial de todo nombre propio, en principio de período, etc.; *~ minúscula* o *de caja baja,* la que se emplea constantemente en la escritura, sin más excepción que la de los casos en que se debe usar la mayúscula; ~ *de molde,* la impresa; ~ *cursiva, bastardilla* o *itálica,* la de imprenta que imita a la bastarda; ~ *negrita, egipcia* o *negrilla,* la especial gruesa que se destaca de los tipos ordinarios; ~ *florida,* la mayúscula abierta en lámina con algún adorno alrededor de ella. 5 Sentido propio de las palabras empleadas en un texto, a diferencia del sentido figurado. 6 Conocimiento: *hombre de letras.* 7 Conjunto de palabras puestas en música para que se canten: *la ~ de una copla.* 8 ~ *de cambio* o simplemente ~, documento mercantil que comprende el giro de cantidad cierta en efectivo que hace el librador a la orden del tomador, al plazo que se expresa y a cargo del pagador. 9 ~ *menuda,* astucia, sagacidad. 10 LING. Conjunto de los artículos de un diccionario cuyo lema comienza por la misma letra (signo). – 11 *f. pl.* Carta, nota: *me envió unas letras.* 12 Diversos ramos del saber, generalmente opuestos a las ciencias no humanísticas y culturales: *letras humanas; bellas* o *buenas letras,* literatura; *letras sagradas* o *divinas,* la Biblia o la Sagrada Escritura; *primeras letras,* conocimiento del arte de leer y escribir, y rudimentos de aritmética y de otras materias.

letrado, -da *adj.* Sabio, docto o instruido. 2 fam. Que presume de discreto y habla mucho sin fundamento. – 3 *m. f.* Abogado en derecho.

letrero *m.* Palabra o conjunto de palabras escritas para noticiar o publicar alguna cosa.

letrilla *f.* Composición poética de versos cortos que suelen ponerse en música. 2 Composición poética dividida en estrofas, al fin de las cuales se repite un estribillo.

letrina *f.* Lugar destinado para expeler en él los excrementos. 2 fig. Cosa que parece sucia y asquerosa.

leucemia *f.* Enfermedad que se manifiesta por un exceso de leucocitos en la sangre.

leucita *f.* Silicato de aluminio y potasio que se encuentra en las lavas recientes.

leucocito *m.* Fagocito que se encuentra en la sangre y también en la linfa y en el tejido conjuntivo, cuya función es defensiva y antiinfecciosa; **circulación.

leucocitoma *m.* Tumor formado por acumulación de leucocitos.

leucón *m.* Porífero caracterizado por tener un mesodermo de gran espesor, con infinidad de cámaras redondeadas, tapizadas por los coanocitos.

leucopenia *f.* Disminución del número de leucocitos en la sangre.

leucorrea *f.* Flujo blanquecino producido por la inflamación de la membrana mucosa del útero y la vagina.

I) leva *f.* Partida de las embarcaciones del puerto. 2 Recluta de gente para el servicio de un Estado. 3 Palanca; **cerradura. 4 Dispositivo para convertir el movimiento rotatorio continuo en movimiento lateral recíproco, o viceversa.

II) leva *f. Amér. Central* y *Colomb.* Treta, engaño.

levada *f.* En la cría de los gusanos de seda, porción de éstos que se alza y muda de una parte a otra.

levadizo, -za *adj.* Que se puede levantar: **puente ~.

levadura *f.* Masa constituida principalmente por microorganismos capaces de actuar como fermentos. 2 Hongo ascomicete unicelular que se utiliza para conseguir una fermentación industrial *(Saccharomyces cerevisiae).* 3 p. ext. Substancia que hace fermentar el cuerpo con que se la mezcla: ~ *de cerveza.* 4 fig. Germen de alguna pasión, inclinación, pensamiento, etc.

levantamiento *m.* Acción de levantar o levantarse. 2 Efecto de levantar o levantarse. 3 Alzamiento, alboroto popular.

levantar *tr.-prnl.* Mover de abajo hacia arriba: ~ *el brazo.* 2 Poner [una cosa] en un lugar más alto. 3 Poner derecho. – 4 *tr.* Quitar, recoger [la tienda, manteles, etc.]: ~ *un cadáver.* 5 Construir, edificar, alzar: ~ *una casa, un plano,* etc. 6 Abandonar un sitio, llevándose [lo que en él hay] para trasladarlo a otro lugar. 7 Hacer que salga lo que hay oculto o es secreto: ~ *la caza.* 8 Producir, causar, hacer: ~ *un chichón, ampollas,* etc. 9 Suprimir [ciertas penas o prohibiciones]: ~ *la excomunión.* 10 Dar instancia [de algo]: ~ *acta de la reunión.* 11 Concluir: ~ *la sesión.* 12 fig. Dar mayor fuerza a la voz, hacer que suene más. 13 fig. Vigorizar [el ánimo, la moral, etc.]; engrandecer, alzar; impulsar hacia cosas altas [el pensamiento, el corazón, etc.]. – 14 *prnl.* Sobresalir de una superficie. 15 Salir de la cama. 16 Aparecer un astro por el horizonte: *levantarse el sol.* 17 Ponerse de pie. 18 Sublevarse.

levante *m.* Oriente (punto cardinal). 2 Viento que sopla de la parte oriental. 3 Países que caen a la parte oriental del Mediterráneo. 4 Nombre genérico de las comarcas mediterráneas de España.

levantino, -na *adj.-s.* De Levante.

levantisco, -ca *adj.* De genio inquieto y turbulento.

levar *tr.* Arrancar o suspender el ancla fondeada.

leve *adj.* Ligero de peso. 2 fig. De poca importancia, venial.

leviatán *m.* Monstruo marino bíblico, inhumano y destructor. 2 fig. Cosa de gran tamaño y difícil de controlar. 3 Recipiente metálico de gran tamaño empleado para lavar la lana en la industria textil. 4 fig. Organización estatal de carácter absolutista y oprimente.

levirrostro *adj.* De pico ligero. – 2 *adj.-s.* Ave trepadora cuyo pico es de gran tamaño y de poco peso.

levita *f.* Vestidura de hombre, hoy poco usada, ceñida al cuerpo y con mangas, cuyos faldones cruzan por delante.

levitación *f.* Acto de levantar una persona u objeto por la sola potencia de la voluntad. 2 Sensación de mantenerse en el aire sin apoyo alguno.

levitar *intr.* Elevarse [en el espacio personas, animales o cosas] sin intervención de agentes físicos conocidos. 2 FÍS. Hacer que algo más pesado que el fluido que lo rodea se levante o permanezca suspendido sin medios visibles, por ejemplo, mediante fuerzas magnéticas.

levógiro, -ra *adj.* [substancia] Que desvía a la izquierda el plano de polarización de la luz.

lexema *m.* Unidad básica del léxico, portadora de significado propio.

lexía *f.* Unidad léxica de la lengua, ya construida.

lexicalizar *tr.-prnl.* Convertir en uso léxico general el que antes era figurado. 2 Transformar una unidad lingüística cualquiera en unidad léxica autónoma. ◊ ** CONJUG. [4] como *realizar*.

I) léxico *m.* Conjunto de voces de una lengua determinada, o pertenecientes al uso de una región, actividad, etc. 2 Repertorio donde se recoge dicho conjunto. 3 Conjunto de voces, giros o modismos empleados por un autor, o en una sola obra o grupo de ellas, con sus correspondientes explicaciones. 4 Repertorio donde se recoge dicho conjunto. 5 Diccionario de una lengua.

II) léxico, -ca *adj.* Perteneciente o relativo al léxico o al vocabulario.

lexicografía *f.* Técnica de componer léxicos o diccionarios. 2 Disciplina lingüística que se ocupa del estudio de los principios teóricos de la elaboración de diccionarios.

lexicología *f.* Disciplina lingüística que se ocupa del estudio de las unidades léxicas, y de sus relaciones sistemáticas, orientado hacia la confección de diccionarios.

lexicón *m.* Léxico (diccionario).

ley *f.* Regla universal a la que están sujetos los fenómenos de la naturaleza; relación constante entre términos: *la ~ de la gravedad; las leyes de Kepler.* 2 Regla de acción impuesta por una autoridad superior: ~ *de Dios;* ~ **de los cristianos, de los mahometanos,** etc., su respectiva religión; ~ **de bases,** la que sólo contiene las normas generales sobre una materia; ~ **marcial,** la de orden público, una vez declarada la guerra; ~ **orgánica,** la inmediatamente derivada de la Constitución del estado y que sirve para su mejor aplicación; ~ **sálica,** la que excluía del trono a las mujeres y sus descen-

dientes. 3 Calidad, peso o medida legal que deben tener las cosas; esp., cantidad de metal fino en las ligas de metales preciosos fijada por las leyes: ~ *de la moneda; oro de* ~. 4 Lealtad, fidelidad, amor: *tener,* o *tomar,* ~ *a una persona.* 5 Poder: *la ~ del más fuerte.* 6 Condición moral o material: *ser de buena* ~. 7 ~ **del embudo,** la que no se usa con igualdad. 8 ~ **de la ventaja,** DEP., principio reglamentario según el cual un árbitro no debe castigar aquellas faltas que puedan favorecer directamente al equipo infractor.

leyenda *f.* Relación de sucesos, generalmente con un fondo real desarrollado y transformado por la tradición: ~ **negra,** interpretación de la historia desfavorable para los españoles. 2 Composición poética de alguna extensión, de relato más o menos maravilloso. 3 Invención fabulosa. 4 Inscripción de moneda, medalla, lápida, etc., o del pie de un cuadro, grabado o mapa.

lezna *f.* Instrumento de que usan los zapateros para agujerear y coser.

lía *f.* Soga de esparto machacado, tejido como trenza.

liana *f.* Bejuco. 2 p. ext. Enredadera o planta trepadora.

liar *tr.* Ligar, atar [los fardos y cargas] con lías. 2 Envolver [una cosa] sujetándola. 3 fig. Engañar [a uno], envolverle en un compromiso. – 4 *prnl.* Envolverse, mezclarse entre otros: *liarse la persiana; al caer los papeles se liaron.* 5 Amancebarse. 6 fig. Trabucarse. 7 Con la preposición *a* y un infinitivo, ponerse a ejecutar con vehemencia lo que éste significa: *liarse a pegar voces;* esp., pegarse: *liarse a palos* ◊ ** CONJUG. [13] como *desviar*.

liaza *f.* Conjunto de lías para atar odres. 2 Conjunto de mimbres para la construcción de botas.

libación *f.* Acción de libar. 2 Rito pagano que consistía en derramar determinado líquido sobre el suelo, fuego o víctima, después de probado.

libanés, -nesa *adj.-s.* Del Líbano, nación del oeste de Asia.

libar *tr.* Chupar el jugo [de una cosa]. 2 Probar o gustar [un licor]. – 3 *intr.* Hacer la libación para el sacrificio.

libelo *m.* Escrito infamatorio contra personas o cosas.

libélula *f.* Insecto odonato, de abdomen largo y delgado, ojos compuestos muy grandes, antenas cortas y dos pares desiguales de alas largas y estrechas (gén. *Aeshna; Cordulegaster; Gomphus; Cordulia; Libellula*).

líber *m.* Parte interior de la corteza de los vegetales dicotiledóneos; **tallo.

liberado, -da *adj.* [pers.] Que no tiene las trabas impuestas por la sociedad o por la moral: *mujer liberada.* 2 [pers.] Que ha quedado libre de un compromiso, trabajo o castigo. – 3 *adj.-s.* [pers.] Afiliado a un partido político u organización sindical, remunerado por su dedicación exclusiva a ellos.

liberal *adj.* Que obra con liberalidad. – 2 *adj.-com.* [pers.] Que profesa el liberalismo. 3 Indulgente, tolerante.

liberalidad *f.* Virtud que consiste en distribuir uno generosamente sus bienes sin esperar recompensa. 2 Generosidad, desprendimiento.

liberalismo *m.* Doctrina que afirma la primacía de la libertad individual y la garantía de su ejercicio en la organización política del estado. 2 Partido político, sistema económico o político basado en el liberalismo. 3 Sistema político-religioso que proclama la absoluta independencia del estado, en su organización y funciones, de toda religión positiva. 4 fig. Amplitud de miras.

liberalizar *tr.* Hacer liberal en el orden político [a una persona o cosa]. 2 Conferir mayor libertad, especialmente en el comercio. ◇ ∞ CONJUG. [4] como *realizar*.

liberar *tr.* Librar (sacar y eximir). 2 Libertar. 3 Librar [a un país de la dominación externa]. 4 Adquirir acciones la propia sociedad que las emitió. – 5 *prnl.* Hacer caso omiso de las trabas de orden social o moral.

liberiano, -na *adj.* Correspondiente al líber o propio de él: *hacecillos liberianos.*

liberileñoso, -sa *adj.* BOT. Compuesto de líber y leño: *hacecillos liberileñosos.*

líbero *m.* Jugador de fútbol que refuerza la defensa de su equipo.

libertad *f.* Ausencia de necesidad o carencia de determinación en el obrar: ∼ *de culto;* ∼ *condicional,* medida por la que el condenado a una pena privativa de libertad es liberado antes de cumplir la totalidad del castigo; ∼ *provisional,* la que se concede al procesado no sometido a prisión preventiva. 2 Estado o condición del que es libre, del que no está sujeto a un poder extraño o a una autoridad arbitraria o no está constreñido por una obligación, deber, disciplina, etc.: *la ∼ es un atributo de la voluntad; poner a un preso en ∼; conseguir la ∼ de la patria;* ∼ *de conciencia, de opinión* o *de pensamiento,* la que permite manifestar, defender y propagar las propias ideas, criticando a las contrarias sin ninguna oposición por parte de la autoridad pública. 3 Licencia, libertinaje. 4 Franqueza, despejo. 5 Exención de etiquetas: *en los pueblos se pasea con ∼.* 6 Facilidad, disposición natural para obrar con destreza. – 7 *f. pl.* Manera de tratar demasiado atrevida.

libertar *tr.* Poner [a uno] en libertad; sacarle de esclavitud o sujeción. 2 Eximir [a uno] de una deuda u obligación.

libertinaje *m.* Desenfreno en la conducta.

2 Falta de respeto a la religión o a las leyes.

libertino, -na *adj.-s.* Entregado al libertinaje.

liberto, -ta *adj.-s.* Esclavo a quien se había dado la libertad.

libes *m. pl. Amér. Merid.* Boleadoras cortas que emplean los niños para tirar a los pájaros.

líbido *f.* Deseo sexual considerado como impulso y raíz de varias manifestaciones psíquicas.

libio, -bia *adj.-s.* De Libia, nación del norte de África.

libra *f.* Peso antiguo, que equivale en Castilla a 460 grs. o dieciséis onzas, en Aragón, Baleares, Cataluña y Valencia, a doce onzas, en el País Vasco, a diecisiete, y en Galicia, a veinte. 2 Medida de capacidad para líquidos. 3 ∼ *esterlina,* o simplemente ∼, unidad monetaria de Gran Bretaña y de muchas de sus ex-colonias. 4 Moneda peruana de oro, equivalenta a diez soles.

libración *f.* Movimiento como de oscilación que un cuerpo, ligeramente perturbado en su equilibrio, efectúa hasta recuperarlo poco a poco. 2 Balanceo real o aparente de un astro: ∼ *de la Luna.*

librador, -ra *m. f.* Persona que libra una letra de cambio.

libranza *f.* Orden de pago que se da, generalmente por carta, contra uno que tiene fondos a disposición del que la expide y que no precisa aceptación.

librar *tr.-prnl.* Sacar o preservar de un trabajo o peligro: ∼ *a uno de riesgos.* – 2 *tr.* Poner [confianza] en una persona o cosa: *libro las esperanzas en Dios.* 3 Construido con ciertos substantivos, dar o expedir [lo que éstos significan]: ∼ *sentencia.* 4 Expedir [documentos de crédito]: ∼ *una letra, un cheque a cargo de,* o *contra, uno;* ∼ *sobre una plaza.* 5 Eximir [a una persona o cosa] de una obligación: ∼ *una finca de gravámenes.* – 6 *intr.* fam. Disfrutar del día de descanso.

libre *adj.* Que tiene facultad para obrar a su gusto y para escoger; no sujeto a un poder extraño o a una autoridad arbitraria, ni constreñido por una obligación, deber, disciplina, etc.: *un hombre ∼; país ∼; comercio ∼;* ∼ *de pasiones;* ∼ *de penas;* ∼ *de cuidados.* 2 Soltero. 3 Atrevido, desenfrenado: ∼ *en el hablar.* 4 Que no ofrece obstáculos: *al aire ∼; entrada ∼; tiempo ∼.* 5 [verso] Suelto y que no rima con otro.

librea *f.* Traje que ciertas personas o entidades dan a sus criados, generalmente uniforme y con distintivos. 2 fig. Pelaje de los venados y otras reses.

librecambismo *m.* Doctrina opuesta al proteccionismo, según la cual la actividad económica debe desenvolverse sin la intervención del estado, basada únicamente en el interés individual, coincidente con el colectivo, y en el principio de la oferta y la demanda.

librepensamiento *m.* Doctrina que reclama para la razón individual independencia absoluta de todo dogma religioso.

librería *f.* Biblioteca (local y conjunto). 2 Establecimiento donde se venden libros. 3 Oficio del librero. 4 Mueble con estantes para colocar libros. 5 Conjunto de programas de un ordenador electrónico.

libresco, -ca *adj.* Relativo al libro. 2 [autor] Que se inspira en la lectura de los libros y no en la realidad.

libreta *f.* Cuaderno en que se escriben anotaciones, cuentas, etc.

libreto *m.* Obra dramática escrita para ser puesta total o parcialmente en música. 2 Guión de radio, cine o televisión.

librillo *m.* Cuaderno de papel de fumar. 2 Especie de bisagra diminuta para las cajas muy pequeñas.

libro *m.* Conjunto de hojas de papel, vitela, etc., manuscritas o impresas, ordenadas para la lectura y reunidas formando volumen: *~ de pocas páginas.* 2 Obra que forma o puede formar un volumen: *un ~ de arte; un buen ~; ~ de texto; **libros de caballerías,* novelas en que se contaban aventuras heroicas y amorosas de caballeros andantes; ***libros sagrados,*** los de la Biblia; *~ **de horas,*** devocional para laicos, generalmente decorado profusamente con miniaturas; *~ **amarillo, azul, blanco, rojo,*** etc., el que contiene documentos diplomáticos y publican en determinados casos los gobiernos; p. ext., aquel que contiene un programa de actuación pública, generalmente de carácter político. 3 Registro: *~ de cuentas; ~ de comercio; ~ **de oro,*** aquel en que se registran los visitantes ilustres de un lugar; *~ **escolar,*** aquel en que están consignadas las calificaciones de un alumno; *~ de caja; ~ **mayor,*** COM., aquel en que se consignan las entradas y salidas de dinero. 4 fig. Contribución o impuesto: *andan cobrando los libros.* 5 Tercera de las cuatro cavidades del estómago de los rumiantes.

licantropía *f.* Manía en que el enfermo se figura estar convertido en lobo.

licencia *f.* Facultad o permiso para hacer una cosa. 2 Documento en que consta la licencia. 3 Libertad abusiva: *~ **poética,*** infracción de las leyes del lenguaje o del estilo que puede cometerse lícitamente en la poesía. 4 Autorización para la práctica de un deporte. 5 *Amér.* Permiso de conducir automóviles. – 6 *f. pl.* Permisos que se dan a los eclesiásticos para celebrar, predicar, etc., por tiempo indefinido.

licenciado, -da *m. f.* Persona que ha obte-

LIBRO

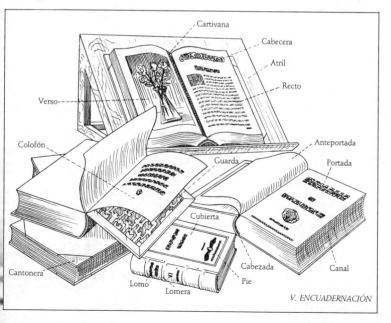

V. ENCUADERNACIÓN

nido en una facultad el grado que le habilita para ejercer. – 2 *m.* Soldado que ha recibido su licencia. 3 *Amér.* p. ant. Abogado.

licenciar *tr.* Dar permiso o licencia [a uno]. 2 Conferir el grado de licenciado [a uno]. 3 Dar [a los soldados] su licencia absoluta o temporal. – 4 *prnl.* Tomar el grado de licenciado. ◇ ** CONJUG. [12] como *cambiar.*

licenciatura *f.* Grado de licenciado. 2 Acto de recibirlo. 3 Estudios necesarios para obtenerlo.

licencioso, -sa *adj.* Libre, atrevido, disoluto.

liceo *m.* En algunos países, establecimiento de enseñanza. 2 Sociedad literaria o recreativa.

licitar *tr.* Ofrecer precio [por una cosa] en subasta o almoneda.

lícito, -ta *adj.* Justo, legítimo, legal.

licnobio, -bia *adj.-s.* Que hace su vida ordinaria con luz artificial y duerme de día.

licoperdal *adj.-m.* Hongo del orden de los licoperdales. – 2 *m. pl.* Orden de hongos con los basidios completamente encerrados.

licopodiáceo, -a *adj.* Relativo al licopodio. – 2 *adj.-f.* Planta de la familia de las licopodiáceas. – 3 *f. pl.* Familia de plantas licopodiales cuyas hojas esporíferas se agrupan en el ápice de sus tallos.

licopodial *adj.-f.* Planta del orden de las licopodiales. – 2 *f. pl.* Orden de plantas pteridofitas de brote ramificado dicotómicamente, con multitud de hojas escamosas imbricadas unas sobre otras y esporangios agrupados en la base o en la axila de ciertas hojas.

licopodíneo, -a *adj.-f.* BOT. Planta de la clase de las licopodíneas. – 2 *f. pl.* BOT. Clase de plantas criptógamas pteridofitas, con ramificación dicotómica su tallo y raíz.

licopodio *m.* Hierba licopodiácea cuyas esporas constituyen el azufre vegetal o polvo de licopodio, usado en farmacia *(Licopodium clavatum).*

licopodófito *adj.-s.* Planta de hojas muy pequeñas, dispuestas en espiral y con un solo nervio. – 2 *m. pl.* División de estas plantas.

licópside *f.* Planta boraginácea, muy cerdosa, de hojas lanceoladas oblongas, dentadas, y flores azules *(Anchusa arvensis).*

licor *m.* Cuerpo líquido. 2 Bebida espiritosa obtenida por destilación.

licorera *f.* Utensilio de mesa donde se colocan las botellas de licor y los vasitos o copas en que se sirve.

licorería *f.* Fábrica de licores. 2 Establecimiento donde se venden.

licuado *m. Amér.* Batido, refresco.

licuadora *f.* Aparato que sirve para licuar frutas u otros alimentos; **cocina.

licuar *tr.* Liquidar (hacer líquido). 2 Fundir

[un metal] sin que se derritan las demás materias con que se encuentra combinado. ◇ ** CONJUG. [11] como *actuar.*

licurgo, -ga *adj.* fig. Inteligente, astuto. – 2 *m.* fig. Legislador.

lid *f.* Combate, pelea. 2 fig. Disputa, controversia.

lida *f.* Insecto himenóptero que ataca a los árboles frutales *(gén. Neurotoma).*

líder *com.* Dirigente, jefe. 2 *adj.-s.* Que va a la cabeza en una clasificación: *es la empresa* ~ *en publicidad; el* ~ *de la carrera.*

lidiar *intr.* Batallar, pelear: ~ *con,* o *contra, infieles;* ~ *por la fe.* 2 Hacer frente a uno, oponérsele. 3 Tratar con personas enfadosas. – 4 *tr.* Correr, sortear [al toro o animales semejantes]; torear. ◇ ** CONJUG. [12] como *cambiar.*

liebre *f.* Mamífero lagomorfo lepórido, muy veloz, de unos 7 dms. de largo, pelo suave, cabeza pequeña, orejas largas, cuerpo estrecho, cola corta y extremidades posteriores más largas que las anteriores *(Lepus europaeus, L. timidus).* 2 fig. Hombre cobarde.

liencillo *m. Amér.* Tela ordinaria de algodón, parecida al ruán, pero de calidad inferior.

liendre *f.* Huevecillo del piojo.

lientera, -ría *f.* Diarrea de alimentos no digeridos.

lienza *f.* Tira estrecha de tela.

lienzo *m.* Tela de lino, de cáñamo o de cualquier otro material; esp., la usada para pintar. 2 Pintura sobre lienzo: *un* ~ *de Zurbarán.* 3 Pared de un edificio o porción de muralla comprendida entre dos baluartes. 4 *Amér.* Trozo de cerca.

liga *f.* Cinta o listón con que se aseguran las medias y los calcetines. 2 Venda o faja. 3 Unión o mezcla. 4 Unión, confederación, alianza. 5 Materia viscosa de algunas plantas, que se utiliza para cazar pájaros. 6 DEP. Competición en la cual se enfrentan todos los equipos de una misma categoría, unos después de otros, siendo el vencedor el que obtiene mayor número de puntos.

ligado *m.* Unión o enlace de las letras en la escritura. 2 Modo de ejecutar una serie de notas diferentes sin interrupción de sonido entre unas y otras.

ligadura *f.* Acción de ligar. 2 Efecto de ligar. 3 Vuelta que se da apretando una cosa con alguna atadura. 4 Atadura de una vena o arteria. 5 Sujeción (unión).

ligamaza *f.* Viscosidad, especialmente la que envuelve las semillas de algunas plantas. 2 Humor dulce que emiten los pulgones por el ano.

ligamento *m.* Cordón fibroso que liga los huesos de las articulaciones o pliegue membranoso que sostiene en la debida posición cualquier órgano; **músculos.

ligar *tr.* Atar. 2 Alear [metales], especialmente mezclados al oro y la plata. 3 Unir, conciliar: ~ *intereses.* 4 Obligar (una fuerza moral y ganar la voluntad): *con este contrato quedo ligado para siempre.* 5 fam. Conquistar [a una persona del sexo contrario] con fines amistosos o sexuales pasajeros. 6 *Amér. Central* y *Méj.* Mirar, curiosear. – 7 *intr.* En algunos juegos de naipes, juntar dos o más cartas adecuadas al lance. 8 *Amér. Central* y *Perú.* Realizarse un deseo. – 9 *prnl.* Confederarse, unirse para algún fin. ◇ ** CONJUG. [7] como *llegar.*

ligazón *f.* Unión, trabazón.

ligereza *f.* Calidad de ligero. 2 Prontitud, agilidad. 3 fig. Dicho o hecho de alguna importancia, pero irreflexivo. 4 fig. Inconstancia, volubilidad, inestabilidad.

ligero, -ra *adj.* Que pesa poco. 2 Ágil, veloz, pronto: ~ *de pies; ~ en afirmar; a la ligera,* de prisa, brevemente, sin aparato ni ceremonia. 3 Que se interrumpe con facilidad, especialmente el sueño. 4 Leve, de poca importancia. 5 Que se digiere fácilmente: *alimento* ~. 6 fig. Inconstante, que muda con facilidad de opinión. – 7 *adv. t. Amér.* Pronto.

lignario, -ria *adj.* De madera. 2 Relativo a la madera.

lignícola *adj.* BOT. Que vive en la madera o en los árboles. 2 ZOOL. Que se alimenta de madera; como la carcoma y ciertas especies de termites.

lignificar *tr.* BOT. Dar contextura de madera. – 2 *prnl.* BOT. Tomar consistencia de madera; en el proceso de desarrollo de muchas plantas, pasar de la consistencia herbácea a la leñosa. ◇ ** CONJUG. [1] como *sacar.*

lignito *m.* Carbón de piedra de formación más reciente que la hulla, en el cual aún se distingue la textura de la madera.

lignívoro, -ra *adj.* [animal] Que se alimenta de madera.

ligón, -gona *adj.-s.* fam. Que tiene suerte en el juego. 2 fam. Que liga con facilidad o frecuencia, conquistador. 3 fam. Que contrae amistad fácilmente.

ligue *m.* fam. Relación amistosa y amorosa pasajera. 2 fam. Persona con la que se mantiene esa relación.

liguero *m.* Especie de cinturón o falda estrecha a la que se sujeta el extremo superior de las ligas de las mujeres.

liguilla *f.* Liga o venda estrecha. 2 DEP. Liga en la que interviene un reducido número de equipos.

lígula *f.* Apéndice, generalmente membranoso, que se halla en la línea de unión del limbo y el pecíolo de la **hoja, y de ciertos pétalos en su base.

liguliforme *adj.* De forma de lengüeta.

ligustral *adj.-f.* Planta del orden de las ligustrales. – 2 *f. pl.* Orden de plantas leñosas de flores muy variadas.

lija *f.* Pez marino seláceo escualiforme, muy voraz, del cual se utiliza la carne, la piel y el aceite que se saca de su hígado *(Scylliorhinus canicula).* 2 Piel seca de este pez o de otro seláceo que se emplea para pulir. 3 Papel de lija.

lijadora *f.* Máquina para alisar o lijar.

lijar *tr.* Alisar y pulir con lija o cualquier otro abrasivo.

I) lila *f.* Arbusto oleáceo, de jardín, de flores olorosas de color morado claro, en racimos piramidales *(Syringa vulgaris).* 2 Flor de este arbusto. – 3 *adj.-m.* Color morado; como el de la flor de la lila. 4 De color lila.

II) lila *adj.-com.* fam. Tonto, fatuo.

lilaila *f.* fam. Astucia, treta: *andar con lilailas.*

lilao *m.* fam. Ostentación, fatuidad.

liliáceo, -a *adj.-f.* Planta de la familia de las liliáceas. – 2 *f. pl.* Familia de plantas monocotiledóneas, generalmente herbáceas, raíz bulbácea o tuberculosa, hojas radicales o a veces sobre el tallo, flores terminales y fruto capsular; como el tulipán y la cebolla.

lilial *adj.* Cándido, blanquísimo. – 2 *adj.-f.* Planta del orden de las liliales. – 3 *f. pl.* Orden de plantas herbáceas, leñosas, con flores hermafroditas y actinomorfas.

liliputiense *adj.-com.* fig. [pers.] Muy pequeño.

I) lima *f.* Instrumento de acero estriado, propio para desgastar y alisar metales, maderas, etc. 2 fig. Corrección y enmienda de las obras, especialmente intelectuales. 3 fig. Lo que imperceptiblemente va consumiendo una cosa. 4 Molusco lamelibranquio de concha blanca asimétrica *(Lima hians).*

II) lima *f.* Madero colocado en el ángulo que forman dos vertientes de una **cubierta, y en el cual se apoyan los pares cortos de la armadura. 2 Este mismo ángulo: ~ *tesa,* si es saliente; **cubierta.

limaciforme *adj.* Que tiene forma de babosa.

limadora *f.* Especie de cepilladora para obtener molduras y perfiles.

limaduras *f. pl.* Partículas que se desprenden al limar un metal.

limalla *f.* Conjunto de limaduras.

limantria *f.* ZOOL. Mariposa nocturna muy perjudicial para los arbustos *(Lymantria monacha).*

limar *tr.* Pulir, desbastar [la madera, los metales] con la lima. 2 fig. Pulir [una obra del entendimiento]. 3 fig. ~ **asperezas,** suavizar disensiones entre dos o más personas.

limatón *m.* Lima redonda y gruesa. 2 *Amér.* Lima (instrumento de acero). 3 *Amér.* Lima (madero del tejado).

limaza *f.* Babosa (molusco gasterópodo).

limazo *m.* Viscosidad, baba.

limbo *m.* Lugar donde las almas de los justos del Antiguo Testamento esperaban la redención del género humano. 2 Lugar a donde van las almas de los que, antes del uso de razón, mueren sin bautismo: *estar en el ~,* fig., estar distraído. 3 Borde de una cosa, especialmente orla o extremidad de la vestidura. 4 Placa que lleva grabada una escala, por lo general con algunos de sus trazos numerados, que se emplea en diversos aparatos de medida para leer la posición que ocupa un índice móvil. 5 Contorno aparente de un astro. 6 Lámina de las **hojas, sépalos o pétalos.

limeño, -ña *adj.-s.* De Lima, capital de Perú.

limero *m.* Árbol rutáceo, de flores blancas y olorosas y fruto en hesperidio, esferoidal, de corteza amarilla y pulpa jugosa y dulce *(Citrus limetta).*

limeta *f.* Botella de vientre ancho y cuello largo.

limícola *adj.* Que vive en el cieno del fondo del mar o de los lagos.

liminar *adj.-s.* Que está al principio. 2 Referente al dintel, a la entrada.

limitación *f.* Acción de limitar o limitarse. 2 Efecto de limitar o limitarse. 3 Término o distrito.

limitado, -da *adj.* De corto entendimiento: *~ de talento; ~ en ciencia.* 2 [sociedad o casa mercantil] De responsabilidad limitada al capital escriturado.

limitar *tr.* Poner límites [a un terreno]. 2 Fijar la extensión [de atribuciones, derechos, jurisdicción, etc.]. 3 fig. Acortar, reducir, ceñir, restringir: *~ las iniciativas.* – 4 *intr.* Lindar, confinar: *España limita al oeste con Portugal.*

límite *m.* Término, confín, lindero: *~ de una provincia, de una heredad,* etc. 2 fig. Fin, término. – 3 *adj.* Que no se puede o debe sobrepasar. Se usa invariable en casos como *hora ~; velocidad ~; situación ~.*

limítrofe *adj.* Contiguo, colindante. ◇ Usado especialmene en geografía o tratando de territorios extensos.

limo *m.* Lodo o légamo.

I) limón *m.* Fruto del limonero. 2 Limonero (árbol).

II) limón *m.* Limonera. 2 Larguero de la escalera. 3 Palo torneado que, con otros iguales, colocado verticalmente forma los costados del carro.

limonada *f.* Bebida compuesta de agua, azúcar y zumo de limón. 2 *~ de vino,* sangría, limonada en que se sustituye el agua por vino.

limonar *m.* Terreno plantado de limoneros.

limoncillo *m.* Árbol de América central, de madera amarilla usada en taracea *(Chloroxylon swietenia).*

limonera *f.* Vara de un carruaje, o el conjunto de las dos que puede tener. 2 Hierba labiada, perenne, cuyas hojas huelen a limón *(Melissa officinalis).* 3 Mariposa diurna, de color amarillo limón el macho y blanco verdoso la hembra *(Gonepterix rhamni).*

I) limonero *m.* Árbol rutáceo, de flores rosadas y olorosas, y fruto en hesperidio, ovoide, de corteza amarilla y pulpa jugosa, de agradable sabor ácido *(Citrus limonum).*

II) limonero, -ra *adj.-s.* [caballería] Que va entre las varas de un carruaje.

limonita *f.* Hidróxido de hierro nativo.

limosna *f.* Dádiva caritativa.

limosnear *intr.* Pordiosear.

limosnero, -ra *adj.* Caritativo. – 2 *m. f. Can.* y *Amér.* Mendigo, pordiosero.

limpiabotas *m.* El que se dedica a limpiar y lustrar botas y zapatos. ◇ Pl.: *limpiabotas.*

limpiamanos *m.* Toalla, servilleta. ◇ Pl.: *limpiamanos.*

limpiaparabrisas *m.* En los **automóviles, varilla articulada, con movimiento automático, que limpia el cristal del parabrisas de la lluvia o nieve que dificulta la visión. – 2 *com.* Persona que limpia el cristal del parabrisas de los automóviles detenidos en semáforos o cruces en busca de una pequeña compensación económica. ◇ Pl.: *limpiaparabrisas.*

limpiapipas *m.* Instrumento de metal con que se ataca y limpia la pipa. ◇ Pl.: *limpiapipas.*

limpiar *tr.* Quitar la suciedad [a una cosa]: *limpiarse con,* o *en, el pañuelo; ~ de broza.* 2 fig. Purificar: *~ de culpas.* 3 fig. Ahuyentar [de un lugar] a las personas que son perjudiciales: *~ de maleantes la ciudad.* 4 fig. Quitar [a los árboles] las ramas pequeñas que se dañan entre sí. 5 fig. Hurtar: *me limpiaron la cartera.* ◇ CONJUG. [12] como *cambiar.*

limpiaúñas *m.* Instrumento para limpiar las uñas. ◇ Pl.: *limpiaúñas.*

límpido, -da *adj.* lit. Limpio, claro, transparente.

limpieza *f.* Calidad de limpio. 2 Acción de limpiar o limpiarse. 3 Efecto de limpiar o limpiarse. 4 Pureza, castidad. 5 Integridad, honradez; rectitud, sinceridad: *~ de manos; ~ de corazón.* 6 Precisión, destreza, perfección. 7 fig. En los juegos, observancia de las reglas.

limpio, -pia *adj.* Que no tiene mancha ni suciedad: *cara limpia.* 2 Que no tiene mezcla de otras cosas; esp., las personas que no tienen mezcla de razas o de clases sociales vilipendiadas. 3 Que tiene el hábito del aseo y la limpieza: *~ en su traje.* 4 Libre de gastos, descuentos, etc., cuando se trata de ingresos, cantidades, etc.: *cobra 60.000 pesetas limpias.* 5 fig. Sin culpa: *manos limpias; corazón ~.* 6 fig. y fam. Sin dinero. – 7 *adv. m.* Con limpieza: *jugar ~.*

limpión *m.* Limpiadura ligera: *dar un ~ a los zapatos.* 2 *Amér.* Paño con que se secan y limpian los platos.

limusina *f.* Antiguo carruaje de carrocería cerrada para los ocupantes del asiento posterior, y abierta para el asiento delantero. 2 Automóvil lujoso de gran tamaño.

lináceo, -a *adj.-f.* Planta de la familia de las lináceas. – 2 *f. pl.* Familia de plantas dicotiledóneas, herbáceas o leñosas, de hojas alternas, flores generalmente pentámeras, y fruto en cápsula o drupa; como el lino.

linaje *m.* Ascendencia o descendencia de cualquier familia: ~ *humano.* 2 fig. Clase o condición de una cosa. – 3 *m. pl.* Vecinos nobles de una localidad.

linaria *f.* Planta escrofulariácea de flores de color azulado que se ha empleado en medicina *(Linaria vulgaris; L. arvensis).*

linaza *f.* Simiente del lino, cuyo aceite se emplea en la fabricación de pinturas.

lince *m.* Mamífero carnívoro félido, parecido al gato, con las orejas terminadas en un pincel de pelos *(Felis lynx).* 2 fig. Persona astuta, sagaz, perspicaz. – 3 *adj.* [vista, mirada] Perspicaz: *ojos linces.*

linchar *tr.* Ejecutar [a una persona] tumultuosamente o sin proceso.

lindar *intr.* Estar contiguos dos países, terrenos, locales, etc.

linde *amb.* Término o línea que divide una heredad de otra.

lindero *m.* Linde.

lindeza *f.* Calidad de lindo. 2 Hecho o dicho gracioso. – 3 *f. pl.* irón. Insultos.

lindo, -da *adj.* Apacible y grato a la vista. 2 fig. Perfecto, exquisito. – 3 *m.* Hombre presumido: *el ~ don Diego.*

lindón *m.* Caballete en que los hortelanos suelen poner las esparragueras y otras plantas.

**línea *f.* GEOM. Extensión continua de una sola dimensión: ~ *recta,* la más corta que se puede imaginar desde un punto a otro; ~ *curva,* aquella cuyos elementos sucesivos cambian continuamente de dirección sin formar ángulo; ~ *quebrada,* la formada por una sucesión de rectas que forman ángulo cada una con la siguiente; ~ *mixta,* la formada por una alternación de segmentos rectos y curvos; ~ *vertical,* la perpendicular al horizonte; ~ *perpendicular,* la que forma ángulo recto con otra; ~ *horizontal,* la que está sobre el horizonte o es paralela a él. 2 Raya (señal): ~ *de la **mano.* 3 Vía terrestre, marítima o aérea: ~ *del Norte;* ~ *de Barcelona a Nueva York;* ~ *de Madrid a Méjico.* 4 Renglón (serie de palabras). 5 Serie de miembros de una misma familia: *somos parientes por* ~ *materna.* 6 Serie de personas o cosas situadas una detrás de otra o una al lado de la otra. 7 Serie de productos destinados a una misma categoría de usuarios. 8 Clase, género, especie. 9 Medida de longitud, equivalente a 2 mms. o doce puntos. 10 Silueta: *guardar la* ~. 11 DEP. Raya que delimita en cada uno de sus extremos los campos de fútbol o de otros juegos: ~ *de meta,* aquella en que se encuentran las porterías; ~ *de marca,* en el juego del rugby, la situada a la altura de las porterías. 12 Conjunto de jugadores de un equipo que suelen desempeñar una misión semejante: ~ *delantera;* ~ *media* o *medular.*

lineación *f.* GEOL. Textura propia de las rocas metamórficas en la que los minerales se disponen orientados de forma linear.

lineal *adj.* Relativo a la línea. 2 Que consiste en líneas: *dibujo* ~. 3 Proporcional: *aumento* ~ *de las tarifas.*

lineamiento *m.* Amér. Líneas generales de una política; orientación, directriz.

LÍNEA

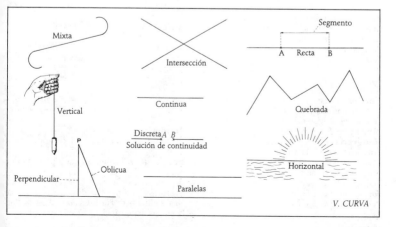

V. CURVA

I) linear *adj.* Parecido a una línea: ****hoja* ~.
II) linear *tr.* Tirar líneas [sobre un papel]. 2 Bosquejar [un dibujo, plano, etc.].

linfa *f.* Líquido coagulable, casi incoloro, débilmente alcalino, que corre por los vasos llamados linfáticos y sirve de intermediario en los cambios nutritivos entre la sangre y los tejidos. 2 Zumo blanquecino de ciertas plantas.

linfático, -ca *adj.-s.* Que abunda en linfa. 2 Relativo a la linfa. 3 Que padece linfatismo. 4 fig. Apático, indolente. – 5 *m.* Individuo cuyo temperamento se caracteriza por la blancura de la piel, la poca fuerza de los músculos, la falta de energía, etc.

linfatismo *m.* Estado constitucional de un organismo en el cual está anormalmente desarrollado el sistema linfático, especialmente el ganglionar.

linfocito *m.* Leucocito de pequeño tamaño de 5 a 8 micras, con núcleo esférico muy rico en cromatina, rodeado de una pequeña franja de protoplasma, que se forma en los ganglios linfáticos.

linfoideo, -a *adj.* Semejante o relativo a la linfa o a los ganglios linfáticos.

lingotazo *m.* vulg. Trago de bebida alcohólica.

lingote *m.* Trozo o barra de metal en bruto. 2 Barra o paralelepípedo de metal que sirve para balancear la estiba en los buques.

lingual *adj.* Relativo a la lengua (órgano de la boca). 2 [consonante] Que se pronuncia con intervención de la lengua.

linguete *m.* Barra de hierro, que impide el movimiento de retroceso de un cabrestante u otra máquina.

lingüiforme *adj.* De forma de lengua.

lingüista *com.* Persona que por profesión o estudio se dedica a la lingüística.

lingüística *f.* Ciencia del lenguaje: ~ *general,* la que indaga las leyes del lenguaje humano; ~ *particular,* la que limita su estudio a uno o varios idiomas: ~ *española, románica, indoeuropea,* etc.

linier *m.* DEP. En el juego del fútbol, juez de línea.

linimento *m.* Preparación de aceite y bálsamos que se aplica en fricciones.

lino *m.* Planta anual linácea, de tallos rectos, hojas uninervias y flores azuladas *(Linum usitatissimum).* 2 Materia textil obtenida de esta planta y tejido de esta materia.

linografía *f.* IMPR. Estampación sobre tela.

linóleo *m.* Tela impermeable de yute cubierto con una capa de corcho en polvo amasado con aceite de linaza. 2 Técnica de grabado a base de huecorrelieve.

linón *m.* Tela de hilo muy ligera, clara y engomada. 2 Tejido de lino o de algodón, más fino que la batista.

linotipia *f.* IMPR. Máquina de componer, provista de un crisol, que funde el metal en piezas que contienen cada una de ellas las letras de una línea. 2 Arte de componer con esta máquina.

linterna *f.* Farol portátil, con una cara de vidrio y un asa en la opuesta. 2 Utensilio portátil, de variadas formas y tamaños, provisto de pilas, que sirve para alumbrar. 3 Torrecilla con ventanas que remata algunos edificios; **cubierta. 4 Tipo de engranaje formado por dos discos horizontales y paralelos, unidos por una serie de barrotes cilíndricos dispuestos en círculos, que actúan como los dientes de un engranaje.

linternón *m.* Farol de popa. 2 Remate vidriado de una cúpula que da luz y ventilación.

liño *m.* Línea de árboles o plantas.

lío *m.* Porción de cosas atadas: ~ *de ropa.* 2 fig. Embrollo, jaleo, desorden: *armar un* ~, embrollar. 3 fig. Relaciones amorosas ilícitas.

liofilizar *tr.* Deshidratar mediante temperaturas muy bajas productos o elementos orgánicos para asegurar su conservación: *alimento liofilizado.* ◇ ** CONJUG. [4] como *realizar.*

liófilo *m.* Seta comestible de sombrero gris con laminillas blancas y pie claro *(Lyophyllum aggregatum).*

liorna *f.* fig. y fam. Algazara, desorden, confusión.

lioso, -sa *adj.-s.* fam. Embrollador, complicado: *hombre* ~. – 2 *adj.* Embrollado: *asunto* ~.

lipasa *f.* Fermento contenido en el jugo pancreático, que desdobla las grasas en glicerina y ácidos grasos.

lipemia *f.* Presencia de grasa en la sangre.

lipidia *f. Amér. Central.* Miseria, pobreza.

lipidioso, -sa *adj. Amér.* Majadero, fastidioso.

lípido *m.* Substancia orgánica llamada comúnmente grasa.

lipiria *f.* Fiebre continua o intermitente, acompañada de calor excesivo por dentro y frío glacial por fuera.

lipograma *m.* FILOL. Escrito en que se omite una letra determinada.

lipoide *m.* Substancia existente en el organismo, de composición parecida a la de las grasas; como la lecitina.

lipoma *m.* Tumor adiposo.

liposoluble *adj.* Soluble en las grasas o los aceites.

lipotimia *f.* Pérdida súbita y pasajera del sentido.

liquen *m.* Planta criptógama constituida por la asociación simbiótica de un hongo y una alga. 2 Enfermedad de la piel caracterizada por la presencia de pápulas pequeñas y rojizas.

liquidación *f.* Venta por menor, con rebaja de precios, que hace una casa de comercio.

liquidámbar *m.* Líquido balsámico de propiedades emolientes, que se extrae del ocozol.

liquidar *tr.* Hacer líquido [un cuerpo sólido o gaseoso]. 2 fig. Poner término [a una cosa]. 3 fig. Desistir [de un negocio o empeño]. 4 fig. Hacer el ajuste formal [de una cuenta]. 5 fig. Saldar, pagar. 6 p. ext. Hacer ajuste [de cuentas] una casa de comercio por cesar en el negocio o transformarlo. 7 fam. Quitar de en medio, matar [a una persona].

liquidez *f.* Calidad de líquido. 2 COM. Calidad del activo de un banco que puede fácilmente transformarse en dinero efectivo.

líquido, -da *adj.-m.* Cuerpo en que se equilibran las fuerzas de atracción y de repulsión molecular, por lo cual no tiene forma propia sino que se adapta a la forma de la cavidad que lo contiene y tiende siempre a ponerse a nivel. 2 A disposición: *dinero* ~. 3 [saldo] Resultante de la comparación del debe con el haber: *deuda líquida; beneficio* ~. 4 ~ **imponible,** cuantía fijada oficialmente a la riqueza del contribuyente, como base para señalar su cuota tributaria. – 5 *adj.-f.* Sonido consonántico fricativo que forma sílaba con la consonante que le precede cuando va agrupado con un sonido consonántico oclusivo o una *f* y seguido de una vocal; como la *l* y la *r*: *gloria, drama, flor;* **ese líquida,** ese inicial de palabra y seguida de consonante, que constituye sílaba por sí sola, especialmente en palabras latinas o extranjeras: *sketch, smog, stop.* – 6 *m.* Bebida, alimento líquido. 7 Cosa en estado líquido. 8 Humor orgánico. – 9 *adj. Amér.* Exacto, hablando de cuentas o cosas que se miden.

I) lira *f.* Antiguo instrumento músico de **cuerda, que se toca con ambas manos o con un plectro. 2 Combinación métrica de cinco versos, endecasílabos el segundo y quinto, y heptasílabos los otros tres, en la cual riman el primero con el tercero y los restantes entre sí. 3 Combinación métrica de seis versos de distinta medida, en la que riman los cuatro primeros alternadamente y los dos últimos entre sí.

II) lira *f.* Unidad monetaria de Italia.

lírico, -ca *adj.* Perteneciente o relativo a la lira o a la poesía propia para el canto. 2 Propio de la lírica: *talento, estilo* ~. 3 fig. Lleno de entusiasmo o de inspiración. – 4 *adj.-s.* Autor de obras líricas. – 5 *adj.-f.* [género de poesía o composición poética] Que expone los sentimientos personales e íntimos del poeta.

lirio *m.* Planta iridácea de flores terminales, grandes, de seis pétalos, azules, moradas o blancas *(Iris germanica).* 2 Planta perenne que da una sola flor, grande, de color violeta con una mancha anaranjada en la base de los tépa-

los exteriores *(Iris xiphium).* 3 Pez marino teleósteo perciforme, de cuerpo alto y comprimido de color gris verdoso en el dorso y plateado en el vientre *(Caesiomorus vadigo).*

lirismo *m.* Cualidad de lírico. 2 Intimidad, subjetividad en la expresión literaria, musical o de cualquier arte. 3 *Amér.* Fantasía, ilusiones.

lirón *m.* Mamífero roedor, parecido al ratón, que vive en los árboles, de cuyos frutos se alimenta, y que pasa el invierno adormecido *(Myoxus glis).* 2 fig. Persona dormilona.

lisa *f.* Pez marino teleósteo perciforme que puede adentrarse en aguas dulces próximas al mar, de cuerpo rechoncho, labio superior muy grueso, y con una mancha opercular poco visible de color amarillo *(Mugil provensalis).*

lisboeta, lisbonense, lisbonés, -nesa *adj.-s.* De Lisboa, capital de Portugal.

lisérgico, -ca *adj. Ácido* ~, el derivado de un alcaloide del cornezuelo del centeno.

lisiado, -da *adj.-s.* Baldado, tullido. 2 Que padece lesión permanente, especialmente en las extremidades.

lisiar *tr.-prnl.* Producir lesión [a alguno], especialmente si es permanente. ◇ ** CONJUG. [12] como *cambiar.*

lisis *f.* MED. Período de remisión gradual de la fiebre y en general, del estado de enfermedad. ◇ Pl.: *lisis.*

liso, -sa *adj.* Igual, sin asperezas. 2 Sin labrar o adornar: *tela, vestido* ~. 3 Exento de obstáculos. 4 BOT. De bordes sin senos ni resaltos: *región lisa de una* **raíz. – 5 *adj.-s. Amér.* Desvergonzado, fresco.

lisonja *f.* Alabanza afectada.

lisonjear *tr.* Adular. – 2 *tr.-prnl.* Dar motivo de envanecimiento: *lisonjearse con,* o *de, esperanzas.* 3 fig. Deleitar, agradar: *esta canción lisonjea.*

lista *f.* Tira (pedazo largo). 2 Línea de color en un cuerpo cualquiera, especialmente en los tejidos. 3 Catálogo, relación de personas o cosas: *pasar* ~, llamar en alta voz para que respondan las personas cuyos nombres figuran en un catálogo o relación. 4 Papel en que se encuentra. 5 ~ *de correos,* oficina a la cual se dirigen las cartas y paquetes cuyos destinatarios han de ir a ella a recogerlos.

listadillo *m. Amér.* Tela de algodón con que suele vestirse la gente pobre.

listado, -da *adj.* Que forma o tiene listas (tiras y líneas). – 2 *m.* Resultado de los cálculos efectuados por un ordenador escritos en papel por una impresora. 2 Pez marino teleósteo perciforme, sin escamas, de color azul en el dorso y blanco con rayaduras longitudinales en el vientre *(Euthynnus pelamys).*

listín *m.* Lista pequeña o extractada de otra más extensa. 2 ~ *de teléfonos,* guía telefónica.

listo, -ta *adj.* Diligente, expedito. 2 Apercibido, preparado para hacer una cosa: *ya estoy*

~; *todo está* ~. 3 Sagaz, avisado: *un sujeto* ~.
4 fam. **Estar, andar** o **ir** ~, tener [el hablante]
la convicción de que el propósito o esperanza
[de alguien] saldrán fallidos.

¡listo! Interjección con que se denota que
algo está bien hecho o acabado.

listón *m.* Cinta de seda más angosta que la
colonia. 2 Pedazo de tabla angosto.

lisura *f.* Calidad de liso (igual). 2 fig. Ingenuidad. 3 *Amér.* Dicho o hecho del liso o desvergonzado.

litantrácido *m.* Carbón parecido al lignito,
pero con menor contenido en agua, mayor
densidad y mayor poder calorífico.

litarge, litargirio *m.* Óxido de plomo en
escamas de color amarillo rojizo, que se
obtiene calentando el plomo en contacto del
aire y dejándolo cristalizar.

litera *f.* Vehículo antiguo, a manera de caja
de coche, para ser llevado por hombres o por
caballerías; **cama. 2 Cama fija de los cama-
rotes de un buque y de ciertos vagones de
ferrocarril. 3 p. ext. Mueble formado por dos
o más **camas superpuestas. 4 Cama que
forma parte de dicho mueble.

literal *adj.* Conforme a la letra del texto o
al sentido exacto y propio de las palabras. 2
Que respeta fielmente el original: *traducción* ~;
copia ~ *de unas palabras; cita* ~.

literato, -ta *adj.-s.* Persona versada en literatura, o que por profesión o estudio se dedica
a ella.

literatura *f.* Arte de la expresión por medio
de la palabra. 2 Teoría de la composición literaria. 3 Conjunto de las producciones literarias de un país, de una época, de un género;
p. ext., conjunto de obras que versan sobre
una ciencia o arte: ~ *griega;* ~ *médica.* 4 Suma
de conocimientos adquiridos en las obras literarias: *se dedica a la* ~. 5 Información escrita
sobre un tema específico: *no hay* ~ *para el
manejo de la máquina.*

litiasis *f.* Formación de cálculos, especialmente en las vías urinarias y biliares. ◇ Pl.:
litiasis.

litificación *f.* Proceso mediante el cual un
material se convierte en roca compacta en la
corteza terrestre.

litigar *tr.* Pleitear, disputar en juicio [sobre
alguna cosa]. – 2 *intr.* fig. Altercar, contender.
◇ ** CONJUG. [7] como *llegar.*

litigio *m.* Pleito (discusión y resolución). 2
fig. Disputa, contienda.

litio *m.* Metal alcalino, de color blanco de
plata, blando y muy ligero. Su símbolo es *Li.*

litófago *adj.* Que come piedra. – 2 *adj.-s.*
Molusco lamelibranquio que taladra las rocas
para vivir en ellas.

litofania *f.* Arte de fabricar imágenes transparentes en porcelana, cristal opaco, etc.

litogenesia *f.* Parte de la geología que trata
de la formación de las rocas.

litogénesis *f.* Conjunto de procesos que
dan lugar a la formación de una roca. ◇ Pl.:
litogénesis.

litografía *f.* Arte de reproducir dibujos,
escritos, etc., grabándolos sobre piedra preparada al efecto. 2 Reproducción obtenida por
este procedimiento.

litología *f.* Parte de la mineralogía que trata
de las rocas.

litoral *adj.* Relativo a la costa del mar. – 2
m. Costa de un mar, país o territorio. 3
Argent., Parag. y *Urug.* Orilla o franja de tierra
al lado de los ríos.

litosfera *f.* Conjunto de las partes sólidas
del globo terráqueo.

litotricia *f.* Operación de pulverizar o de
reducir a pedazos muy menudos, dentro de la
vejiga de la orina, el riñón o la vesícula, las
piedras o cálculos que allí haya.

litráceo, -a *adj.-f.* Planta de la familia de
las litráceas. – 2 *f. pl.* Familia de plantas que
incluye hierbas y arbustos dicotiledóneos, de
hojas enteras, receptáculo floral cóncavo y
fruto capsular.

litri *adj.* fam. Cursi, lechuguino.

litro *m.* Unidad de capacidad, en el sistema
métrico decimal, que equivale al contenido de
un decímetro cúbico.

litrona *f.* Botella de cerveza, de capacidad
de un litro o litro y medio.

lituano, -na *adj.-s.* De Lituania, país báltico. – 2 *m.* Idioma lituano.

liturgia *f.* Culto público y oficial que la Iglesia rinde a Dios. 2 p. ext. El de cualquier religión. 3 Modo de celebrar dicho culto: ~
mozárabe. 4 Ciencia que estudia el origen,
desarrollo, simbolismo y normas de la liturgia.

liviandad *f.* Calidad de liviano. 2 fig.
Acción liviana. 3 fig. Ligereza, frivolidad.

liviano, -na *adj.* Leve, ligero. 2 fig. Fácil,
inconstante. 3 fig. Lascivo, incontinente. 4 fig.
De poca importancia. – 5 *m.* Asno que sirve
de guía a la recua. – 6 *f.* Canto popular andaluz.

lívido, -da *adj.* Amoratado, especialmente
el color de la cara, de una herida, etc. 2 Pálido.
3 p. ext. Sorprendido, sin capacidad de reaccionar.

lixiviar *tr.* QUÍM. Separar por medio del agua
u otro disolvente [una substancia soluble] de
otra insoluble. ◇ ** CONJUG. [12] como *cambiar.*

liza *f.* Campo dispuesto para la lid. 2 Lid.

lizarra *f.* Arbusto ericáceo, de ramas largas
y erectas, y flores de color lila, rosa, o blanco
en racimos largos y densos *(Erica vagans).*

lizo *m.* Hilo fuerte usado como urdimbre
para ciertos tejidos. 2 Hilo en que los tejedores
dividen el estambre para que pase la lanzadera
con la trama.

lo Forma del artículo en género neutro y

número singular: ~ *bueno;* ~ *futuro.* 2 *pron.* *pers.* Forma átona de 3ª persona para el objeto directo en género masculino o neutro y número singular; en masculino, se usa en concurrencia con la forma *le.* No admite preposición y puede usarse enclítico: *le siguió* o ~ *siguió; siguióle* o *siguiólo;* **pronombre. V. laísmo y loísmo.

loa *f.* En el teatro antiguo, prólogo, discurso o diálogo con que solía darse principio a la función. 2 Composición dramática breve, que servía de introducción al poema dramático. 3 Breve poema dramático en que se celebra a una persona o acontecimiento.

lob *m.* En el juego del tenis, pelota bombeada que, lanzada por un jugador, pasa por encima del adversario.

I) loba *f.* Hembra del lobo. 2 fig. Mujer experimentada y provocadora. 3 Mariposa diurna de tamaño mediano y coloración parda, con ocelos de pupila blanca en los ápices de las alas anteriores *(Maniola jurtina).* – 4 *com.* Astuto, cauteloso.

II) loba *f.* Lomo no removido por el arado, entre surco y surco.

lobanillo *m.* Tumor indolente, generalmente enquistado, que se forma debajo de la piel. 2 En los árboles, excrecencia leñosa cubierta de corteza.

lobato *m.* Cachorro del lobo.

lobear *intr.* fig. Andar a la manera de los lobos, al acecho y persecución de alguna presa.

lobectomía *f.* Operación quirúrgica mediante la que se extirpa el lóbulo de una víscera.

lobelia *f.* Planta silvestre campanulácea cuyas hojas tienen propiedades medicinales *(Lobelia inflata).*

lobeliáceo, -a *adj.-f.* Planta de la familia de las lobeliáceas. – 2 *f. pl.* Familia de plantas dicotiledóneas, hierbas o matas leñosas, a menudo lactíferas, de flores cigomorfas y frutos en cápsula o baya.

lobero, -ra *adj.* Relativo a los lobos: *piel lobera.* – 2 *m.* El que caza lobos para ganar una remuneración ofrecida. – 3 *f.* Monte en que hacen guarida los lobos.

lobezno *m.* Lobo pequeño. 2 Lobato.

lobito *f.* Mariposa diurna de color leonado naranja, con fuertes manchas pardas y ocelos de pupila blanca *(Hyponephele lycaon).*

I) lobo *m.* Mamífero carnívoro cánido, parecido al perro, muy voraz, de 1 m. de largo, pelaje gris obscuro, orejas tiesas y cola larga peluda *(Canis lupus).* 2 Pez teleósteo comestible, de pequeño tamaño, que vive en arroyos de aguas limpias y de fondo de grava, entre cuyas piedras suele esconderse *(Cobitis barbatula).* 3 fig. Borrachera: *coger un* ~. 4 ~ **marino,** mamífero carnívoro pinnípedo de la familia

otaria *(Arctocephalus australis).* 5 ~ **de mar,** fig. y fam., marino viejo y experimentado en su profesión. 6 *Amér. Central* y *Méj.* Coyote.

lóbrego, -ga *adj.* Obscuro, tenebroso. 2 fig. Triste, melancólico.

lobulado, -da *adj.* Dividido en lóbulos: **hoja lobulada.* 2 Que tiene lóbulos: *arco* ~. 3 zool. Con forma de lóbulo.

lóbulo *m.* Parte redonda y saliente de una cosa: ~ *de un arco.* 2 Parte inferior carnosa de la **nariz o la oreja; **oído. 3 División de un órgano marcada por un pliegue profundo de su superficie: ~ *del pulmón;* **respiración.

local *adj.* Relativo al lugar. 2 Municipal o provincial. 3 De un sitio determinado. – 4 *m.* Lugar cerrado y cubierto.

localidad *f.* Lugar o pueblo. 2 Plaza o asiento en un local de espectáculos públicos. 3 Billete de entrada a un lugar o espectáculo público.

localismo *m.* Excesiva preocupación de uno por el lugar en que ha nacido. 2 Palabra, giro o modo de expresión de carácter o empleo local. 3 Fenómeno confinado dentro de un área geográfica limitada.

localizar *tr.* Limitar en un punto determinado: ~ *una epidemia en una región.* 2 Determinar el lugar donde se halla [una persona o cosa]. ◇ ** conjug. [4] como *realizar.*

locatario, -ria *m. f.* Persona arrendataria.

locatis *com.* fam. Loco, chiflado. ◇ Pl.: *locatis.*

locativo *m.* Caso de la declinación, en algunas lenguas indoeuropeas, que expresa relación de lugar.

locaut *m.* Cierre de fábricas y talleres por parte de las empresas. 2 Despido en masa de los obreros para contrarrestar una huelga o para imponerles determinadas condiciones de trabajo.

loción *f.* Fricción o masaje sobre una parte del cuerpo con un líquido preparado para su limpieza o como medicación. 2 Producto líquido para el cuidado de la piel o el cabello.

loco, -ca *adj.-s.* Que ha perdido el juicio: *volverse* ~; fig., ~ *con su suerte;* ~ *de amor;* ~ *en sus acciones;* ~ *por los versos.* 2 De poco juicio, disparatado e imprudente: ~ *de atar,* fig., que procede en sus acciones como loco. 3 fig. Extraordinario, excesivo: *suerte loca.*

locomoción *f.* Traslación de un punto a otro.

locomotor, -ra *adj.* Propio de la locomoción, o que la produce.

locomotora *f.* Máquina que, montada sobre ruedas y movida por medio de vapor, motor térmico o electricidad, arrastra los vagones de un tren. 2 fig. Elemento dinámico que provoca un movimiento o evolución de otros elementos: *la construcción es la* ~ *de la economía.*

locomóvil *adj.-s.* Que puede llevarse de un sitio a otro. – 2 *f.* Máquina móvil de vapor, montada sobre ruedas.

locro *m. Amér. Merid.* Especie de olla podrida formada por varios ingredientes.

locuacidad *f.* Calidad de locuaz.

locuaz *adj.* Que habla mucho o demasiado.

locución *f.* Expresión, giro o modo de expresión: *es una ~ castiza.* 2 Conjunto de palabras que tienen el valor de una sola, modo: *~, o modo, adverbial, prepositiva,* etc.

locuelo, -la *adj.-s.* [pers.] De corta edad, vivo y atolondrado.

loculicida *adj.* [dehiscencia de un fruto capsular] Que se realiza longitudinalmente por el nervio medio de cada carpelo.

lóculo *m.* Nicho sepulcral de forma rectangular de las catacumbas. 2 Compartimiento en que están encerradas las semillas de un fruto.

locura *f.* Privación del juicio o del uso de la razón. 2 Acción inconsiderada o gran desacierto. 3 fig. Exaltación del ánimo.

locutor, -ra *m.-f.* Profesional de la radio o televisión que da avisos, noticias y comunicaciones a la audiencia.

locutorio *m.* Departamento dividido comúnmente por una reja, donde reciben las visitas las monjas o los penados. 2 Departamento individual en el que hay un teléfono para uso del público.

lodazal, -zar *m.* Terreno lleno de lodo.

loden *m.* Tejido grueso de lana parecido al fieltro. 2 Abrigo confeccionado con él.

lodo *m.* Barro que forma la lluvia en el suelo. 2 Líquido muy denso que se hace circular en el interior de un pozo petrolífero para evitar hundimientos y lubrificar el trépano de una máquina de perforación. 3 Pasta para tapar intersticios en los empalmes de máquinas, aparatos químicos, etc. 4 fig. Deshonra, descrédito, mala reputación: *su comportamiento cubrió de ~ nuestro apellido.*

loess *m.* Limo muy fino, sin estratificaciones ni fósiles, que se origina en las regiones áridas y es transportado por el viento.

lofiforme *adj.-m.* Pez del orden de los lofiformes. – 2 *m. pl.* Orden de peces teleósteos con el cuerpo deprimido y la boca muy grande; como el rape.

lofofórido *adj.-m.* Animal del grupo de los lofofóridos. – 2 *m. pl.* Denominación sin categoría taxonómica que incluye a varios grupos de animales acuáticos portadores de lofóforos; como forónidos, braquiópodos y ectoproctos.

lofóforo *m.* Órgano formado por un conjunto de tentáculos con funciones alimenticias.

loganiáceo, -a *adj.-f.* Planta de la familia de las loganiáceas. – 2 *f. pl.* Familia de plantas que incluye hierbas, árboles o arbustos tropicales, de hojas opuestas con estípulas y fruto en cápsula, baya o drupa.

logaritmo *m.* Exponente de una potencia de un número fijo, llamado base, que iguala a un número dado, llamado antilogaritmo.

loggia *f.* ARQ. Galería sin columnas.

logia *f.* Galería exterior techada y cubierta por delante. 2 Local donde se celebran las asambleas de francmasones. 3 Reunión de francmasones. 4 Conjunto de individuos que la constituyen.

lógica *f.* Disciplina que estudia los principios formales del conocimiento humano. 2 Razonamiento, método: *esta obra carece de ~.*

logicial *m.* Software.

lógico, -ca *adj.* Relativo a la lógica. 2 Que se produce de acuerdo con las leyes del pensamiento o que se sigue de los antecedentes o de las circunstancias concurrentes.

logística *f.* Rama de la lógica que emplea en sus deducciones los métodos y el simbolismo de las matemáticas. 2 MIL. Técnica del movimiento de las tropas y de su transporte y avituallamiento. 3 p. ext. Método y medio de organización.

logodédalo, -la *adj.* FILOL. [pers.] Que estudia y emplea con astucia y rebuscamiento las palabras.

logogrifo *m.* Enigma en que, para dar con la palabra que constituye la solución, es necesario adivinar primero otras formadas con elementos de aquélla y de las cuales se da una indicación que facilita su acierto. 2 fig. Discurso ininteligible.

logomaquia *f.* Discusión en que se atiende a las palabras y no al fondo del asunto.

logómetro *m.* Instrumento empleado para medir la relación existente entre dos magnitudes eléctricas.

logopedia *f.* Tratamiento de los defectos de pronunciación.

logos *m.* En la filosofía de Platón (427 ó 428-347 ó 348 a. C.), Dios como principio de las ideas. 2 Entre los neoplatónicos, uno de los aspectos de la divinidad. 3 En teología cristiana, el Verbo de Dios, segunda persona de la Trinidad.

logotipo *m.* Grupo de signos fundidos en un solo bloque para facilitar la composición tipográfica. 2 Dibujo o símbolo gráfico adoptado por una empresa, entidad o institución para usarlo en sus productos, publicaciones, cartas, etc., como distintivo o etiqueta característica.

logrado, -da, *adj.* Bien hecho, de buena apariencia, bien concebido.

lograr *tr.* Conseguir [lo que se intenta o desea]. 2 Gozar o disfrutar [una cosa]. – 3 *prnl.* Llegar a su perfección una cosa: *una canción muy lograda.*

logrero, -ra *m. f.* Persona que da dinero a

logro. 2 Persona que acapara mercancías para venderlas a precio excesivo. 3 *Amér.* Gorrista, gorrón.

logro *m.* Acción de lograr. 2 Efecto de lograr. 3 Lucro. 4 Usura. 5 Éxito.

logroñés, -ñesa *adj.-s.* De Logroño.

loísmo *m.* Empleo de la forma *lo* como objeto indirecto del pronombre personal de 3ª persona.

loma *f.* Altura pequeña y prolongada.

I) lombardo, -da *adj.-s.* De Lombardía, región de Italia. – 2 *m.* Dialecto de Lombardía. 3 Banco de crédito sobre mercancías. – 4 *f.* Variedad de repollo pigmentada de rojo *(Brassica oleracea capitala).*

II) lombardo, -da *adj.* [toro castaño] Cuya parte superior y media del tronco es de color más claro que el resto del cuerpo.

lombricida *m.* Remedio contra las lombrices.

lombriguera *f.* Agujero que hacen en la tierra las lombrices. 2 Sitio donde hay muchas lombrices.

lombriz *f.* Gusano anélido oligoqueto, lucífugo, de color blanco rojizo, de cuerpo blando, cilíndrico y muy alargado (gén. *Lumbricus).* 2 ~ *intestinal,* gusano nematodo parásito de los intestinos del hombre y de los animales *(Ascaris lumbricoides).*

lomera *f.* Correa que, acomodada en el lomo de la caballería, mantiene las demás piezas de la guarnición. 2 Piel o tela que forma el lomo del **libro encuadernado en media pasta.

lomillería *f. Amér. Merid.* Taller donde se hacen lomillos, riendas, lazos, etc., y tienda donde se venden.

lomillo *m.* Labor hecha con dos puntadas cruzadas. 2 Parte superior de la albarda. 3 *Amér.* Pieza del recado de montar que se aplica sobre la carona. – 4 *m. pl.* Aparejo con dos almohadillas largas y estrechas para las caballerías, que dejan libre el lomo.

lomo *m.* Parte inferior y central de la espalda: *dolor de lomos.* 2 Todo el espinazo de los cuadrúpedos; **caballo. 3 Carne de cerdo que forma el lomo. 4 Parte del **libro opuesta al corte de las hojas. 5 Parte de los instrumentos cortantes opuesta al filo. 6 Tierra que levanta el arado entre surco y surco. – 7 *m. pl.* Costillas.

lompa *f.* ZOOL. Pez marino teleósteo con cuatro hileras de placas óseas y sin escamas *(Cyclopterus lumpus).*

lona *f.* Tela fuerte de algodón o cáñamo, usada para velas de navío, toldos, etc. 2 DEP. En boxeo, lucha, etc., piso del cuadrilátero.

lonche *m. Amér.* Refrigerio, piscolabis, tentempié, refresco. 2 *Amér.* Almuerzo (comida del mediodía).

londinense *adj.-s.* De Londres, capital de Gran Bretaña.

longanimidad *f.* Grandeza y constancia de ánimo en las adversidades.

longaniza *f.* Especie de embutido largo y angosto, de carne de cerdo.

longevo, -va *adj.* Muy anciano.

longitud *f.* La mayor de las dos dimensiones principales de una figura plana cualquiera, en contraposición a la menor o latitud. 2 Distancia de un lugar al primer meridiano, generalmente el de Greenwich, determinada por el arco del ecuador comprendido entre dicho primer meridiano y el del lugar dado.

longobardo, -da *adj.-s.* De una tribu germánica que pobló a partir del s. VI el valle del Po, sede del reino lombardo.

I) lonja *f.* Parte larga, ancha y poco gruesa que se corta o separa de otra: ~ *de jamón.*

II) lonja *f.* Edificio donde se reúnen los comerciantes para sus tratos u operaciones: ~ *de pescado;* **puerto. 2 Tienda de ultramarinos. 3 Atrio algo levantado a la entrada de un edificio.

lontananza *f.* PINT. Términos de un cuadro más distantes del plano principal. 2 *En ~,* a lo lejos.

looping *m.* Ejercicio de acrobacia aérea consistente en dar una vuelta de campana. ◇ Se pronuncia *lupin.*

loor *m.* Alabanza.

loquear *intr.* Decir o hacer locuras. 2 Regocijarse con bulla y alboroto.

loquero, -ra *m. f.* Persona que tiene por oficio cuidar y guardar locos. – 2 *f. Amér.* irón. Locura, desacierto.

loquios *m. pl.* Líquido que sale por los órganos genitales de la mujer durante el sobreparto.

loran *m.* Procedimiento radioeléctrico que permite a un avión o a un barco determinar su posición comparando los impulsos rítmicos emitidos por tres estaciones.

lorantáceo, -a *adj.-f.* Planta de la familia de las lorantáceas. – 2 *f. pl.* Familia de plantas dicotiledóneas parásitas, siempre verdes, de hojas enteras y opuestas, flores unisexuales, las masculinas con corola y las femeninas con cuatro pétalos carnosos y fruto en baya.

lorcha *f.* Barca ligera y rápida para la navegación de cabotaje empleada en China. 2 Pez marino, alargado y comprimido, de dorso pardo amarillento o rosado y vientre blanquecino, que se oculta en los fondos dejando sobresalir sólo la cabeza y la cola *(Ophidion barbatum).*

lord *m.* Título de honor dado en Gran Bretaña a los individuos de la primera nobleza. También llevan anejo este tratamiento algunos cargos oficiales. ◇ Pl.: *lores.*

lorenzo, -za *adj.* Paleto, palurdo.

lorica *f.* Película o lámina, lisa o escamosa que recubre superficialmente las semillas.

loriga *f.* Coraza de láminas pequeñas de acero; **armadura. 2 Armadura del caballo para el uso de la guerra.

lorí *m.* Primate lemúrido de la India y Ceilán, de pequeño tamaño y con las extremidades largas y delgadas *(gén. Loris).*

I) loro *m.* Papagayo (ave de América). 2 fig. y fam. Mujer fea o vieja. 3 fig. Persona que habla mucho o que habla sin entender lo que dice.

II) loro, -ra *adj.-m.* Color moreno obscuro. 2 De color loro. – 3 *m.* Arbusto o arbolillo obscuro y perennifolio, de flores blancas y fruto rojo al principio y después de color negro purpúreo *(Prunus lusitanica).*

los Forma del artículo *el* en género masculino y número plural: ~ *hombres;* ~ *árabes.* 2 *pron. pers.* Forma átona de 3ª persona para el objeto directo en género masculino y número plural. No admite preposición y puede usarse enclítico: ~ *busco; búsquelos;* **pronombre.

losa *f.* Piedra llana y de poco grueso, que sirve para varios usos.

loseta *f.* Baldosa pequeña.

lota *f.* Pez teleósteo gadiforme de agua dulce, de hasta 40 cms. de longitud, cuerpo alargado de color pardo y cabeza ancha con un barbillón bajo el mentón *(Lota lota).*

lote *m.* Parte en que se divide un todo para su distribución: ~ *de víveres;* ~ *de la lotería.* 2 En las ferias de ganado, grupo muy reducido de caballos, mulos, etc., que tienen ciertos caracteres comunes. 3 Conjunto de objetos similares que se agrupan con un fin determinado: ~ *de libros, de muebles,* etc.

lotería *f.* Especie de rifa en que se sortean diversos premios. 2 Juego público de azar en que se premian con diversas cantidades varios billetes sacados a la suerte entre un gran número de ellos que se ponen a la venta: ~ *primitiva,* juego público de azar en que se premian con diversas cantidades los boletos que contienen las combinaciones de seis números sacados a la suerte de entre cuarenta y nueve. 3 Bingo. 4 Casa legalmente autorizada para despachar billetes de lotería. 5 fig. Cosa incierta o azarosa: *el matrimonio es una ~.*

lotiforme *adj.* En forma de loto: *capitel, columna ~.*

I) loto *m.* Planta ninfeácea, abundante en las orillas del Nilo y el Ganges, de hojas grandes y coriáceas; flores terminales, solitarias, de gran diámetro, blancas y olorosas, y fruto globoso parecido al de la adormidera *(Nymphœa lotus).* 2 Flor o fruto de esta planta.

II) loto *m.* Lotería primitiva.

loxodromia *f.* Curva trazada sobre una superficie esférica que forma ángulos iguales con todos los meridianos.

loza *f.* Barro fino, cocido y barnizado de que están hechos platos, tazas, etc. 2 Conjunto de estos objetos.

lozanía *f.* Frondosidad en las plantas. 2 Vigor, robustez, gallardía en el hombre y los animales. 3 Orgullo, altivez.

lozano, -na *adj.* Que tiene lozanía. – 2 *m.* Inflexión del tejado cuando se une a una de las paredes exteriores del edificio.

lubina *f.* Pez marino teleósteo perciforme de hasta 80 cms. de longitud y 6 kgs. de peso, con la boca grande y bien armada, que presenta una mancha negra en cada opérculo y dos aguijones *(Roccus labrax).*

lubricán *m.* Crepúsculo matutino.

lubricante *adj.-m.* Substancia útil para lubricar.

lubricar *tr.* Hacer lúbrica o resbaladiza [una cosa]. 2 Suministrar lubricante [a un mecanismo para que sus piezas se deslicen mejor]. ◇ ** CONJUG. [1] como *sacar.*

lúbrico, -ca *adj.* Resbaladizo. 2 fig. Propenso a la lujuria.

lucano *m.* Género de coleópteros que comprende especies de gran tamaño; como el ciervo volante (gén. *Lucanus*).

lucense *adj.-s.* De Lugo, ciudad de Galicia.

lucera *f.* Ventana o claraboya abierta en la parte alta de los edificios.

lucerna *f.* Araña grande para alumbrar. 2 Lumbrera (en un techo); **ventana.

lucernario *m.* **Ventana o claraboya abierta en el techo de un edifico para permitir su iluminación interior.

lucero *m.* Astro grande y brillante: ~ *del alba;* ~ *de la mañana;* ~ *de la tarde.* 2 Lunar blanco y grande en la frente de algunos cuadrúpedos. 3 Postigo de las ventanas por donde entra la luz. 4 fig. Lustre, esplendor.

lucido, -da *adj.* Que obra con gracia, liberalidad y esplendor. 2 fig. Bien ejecutado: *un libro ~.* 3 fig. Elegante.

lúcido, -da *adj.* fig. Claro en el razonamiento o en las expresiones, estilo, etc. 2 Clarividente, capaz de ver las cosas tal como son. 3 En estado mental normal.

luciérnaga *f.* Insecto coleóptero, de cuerpo blando, cuya hembra carece de alas, y está dotada de un aparato fosforescente *(Lampyris noctiluca).*

Lucifer *m.* El príncipe de los ángeles rebeldes. 2 fig. Hombre soberbio y maligno.

lucífero, -ra *adj.* poét. Resplandeciente, que da luz. – 2 *m.* Lucero de la mañana.

lucífilo, -la *adj.* [animal o planta] Que busca la luz.

lucífugo, -ga *adj.* Que huye de la luz: *ave lucífuga.*

lucillo *m.* Urna de piedra en que se solía sepultar a personas de distinción.

lucímetro *m.* Instrumento para medir la cantidad de energía luminosa recibida en un día en un punto determinado.

lucio *m.* Pez teleósteo clupeiforme de agua dulce, de cuerpo alargado y algo comprimido, con el rostro aplanado, ancho y encorvado hacia arriba, muy voraz *(Esox lucius)*.

lución *m.* Reptil saurio que carece de extremidades, de color pardo con líneas o manchas obscuras *(Anguis fragilis)*. 2 Coleóptero americano.

lucioperca *m.* Pez teleósteo perciforme, parecido a la perca común, pero de forma más alargada *(Lucioperca sandra)*.

lucir *intr.* Brillar, resplandecer. 2 fig. Corresponder el provecho al trabajo en cualquier obra: *le luce el trabajo.* – 3 *intr.-prnl.* fig. Sobresalir, aventajarse: *luce mucho en sus estudios.* – 4 *tr.* Iluminar, comunicar luz y claridad. 5 fig. Manifestar [las cualidades y ventajas]: *~ las habilidades.* 6 Enlucir. – 7 *prnl.* Vestirse y adornarse con esmero. 8 irón. Caer en ridículo: *me quedé lucido.* ◇ ** CONJUG. [45].

lucrar *tr.* Lograr [lo que se desea]. – 2 *prnl.* Sacar provecho de un negocio o trabajo. 3 Enriquecerse.

lucrativo, -va *adj.* Que produce lucro.

lucro *m.* Ganancia, utilidad.

luctuoso, -sa *adj.* Triste y digno de llanto.

lucubración *f.* Vigilia consagrada al estudio.

lucubrar *tr.* Trabajar asiduamente velando [en obras de ingenio]. 2 Imaginar sin mucho fundamento, divagar.

lúcumo *m. Amér.* Árbol frutal sapotáceo (gén. *Lucuma*).

lucha *f.* Acción de luchar (dos personas). 2 Lid, combate. 3 fig. Disputa.

luchar *intr.* Contender dos personas cuerpo a cuerpo: *~ con*, *o contra, alguno*; *~ por recobrar algo.* 2 Pelear, combatir. 3 fig. Disputar, bregar.

lucharniego, -ga *adj.* [perro] Acostumbrado a cazar de noche.

ludibrio *m.* Escarnio, desprecio, mofa.

lúdico, -ca *adj.* Perteneciente o relativo al juego.

ludión *m.* Aparato destinado a hacer palpable la teoría del equilibrio de los cuerpos sumergidos en los líquidos.

ludir *tr.* Frotar [una cosa] con otra.

ludo *m. Argent., Parag. y Urug.* Juego con fichas de distintos colores que se colocan en las casillas de un tablero, en el que gana la ficha que llega primero a la casilla central.

ludoteca *f.* Lugar donde se guardan, prestan e intercambian juegos y juguetes.

luego *adv. t.* Prontamente, sin dilación. 2 Después. – 3 *conj. ilativa* Denota la consecuencia inferida de un antecedente: *pienso, ~ existo.* – 4 *loc. adv. Desde ~*, inmediatamente; de conformidad; sin duda. – 5 *loc. conj. ~ como* o *~ que*, así que. Expresa sucesión inmediata de dos acciones. – 6 *adv. t. Amér.* Algunas veces.

lueguito *adv. t. Amér.* Enseguida, inmediatamente, al instante.

luengo, -ga *adj.* Largo.

lugano *m.* Ave paseriforme de 12 cms. de longitud, con el plumaje de color verde amarillento; el macho se distingue por la frente negra *(Carduelis spinus)*.

lugar *m.* Porción determinada del espacio: *Dios está en todo ~; en ~ de,* en vez de. 2 Espacio de una persona o cosa: *está en su ~.* 3 Espacio no material que ocupa uno: *quedar en segundo ~; citar,* o *nombrar, en primer ~.* 4 Ciudad, pueblo, especialmente si es pequeño. 5 Ocasión, motivo: *dio ~ a que lo prendieran.*

lugareño, -ña *adj.* [pers.] De un lugar o población pequeña.

lugarteniente *m.* El que tiene autoridad y poder para substituir a otro en algún cargo.

lúgubre *adj.* Triste, funesto, melancólico.

lugués, -guesa *adj.-s.* Lucense.

luisa *f.* Planta verbenácea, aromática, de jardín, cuyas hojas se usan en infusión *(Lippia triphylla)*.

lujo *m.* Demasía en el adorno, en la pompa y en el regalo. 2 Gasto en bienes de consumo no necesarios: *impuesto de ~,* aquel con que se recargaban los bienes no estrictamente necesarios. 3 fig. Abundancia: *con ~ de detalles.*

lujuria *f.* Concupiscencia de la carne. 2 Exceso, demasía.

lulú *m.* Perro pequeño y lanudo.

lumaquela *f.* Roca calcárea alóctona de origen orgánico, formada por los restos de conchas de moluscos y otros animales.

lumbago *m.* Dolor reumático en los lomos.

lumbar *adj.* Relativo a los lomos.

lumbre *f.* Luz (energía). 2 Materia combustible encendida: *aún queda ~ en el fogón.* 3 Fuego. 4 fig. Brillo, esplendor. 5 Hueco de una puerta, ventana, etc., por donde entra la luz: *~ del agua,* su superficie. 6 Parte anterior de la herradura.

lumbrera *f.* Cuerpo luminoso. 2 Abertura en un techo por donde entran el aire y la luz; **ventana. 3 Abertura central de los cepillos, garlopas, etc., por donde salen las virutas. 4 fig. Persona insigne, sabia y virtuosa.

lumen *m.* Unidad de flujo luminoso equivalente al flujo emitido por una fuente luminosa de una candela de intensidad e interceptado por una superficie esférica de 1 cm. de radio.

luminancia *f.* Medida de la intensidad de la luz que consiste en el cociente de la intensidad luminosa de una superficie partido por el área aparente de esa superficie.

luminar *m.* Astro que despide luz y claridad. 2 fig. Lumbrera (persona insigne).

luminaria *f.* Luz que se pone para adorno: *las luminarias de las fiestas públicas.* 2 Luz que arde continuamente en las iglesias delante del Santísimo Sacramento.

luminiscencia *f.* Propiedad de emitir una luz muy débil, sin elevación de temperatura.

luminismo *m.* Procedimiento pictórico que trata de captar la incidencia de la luz sobre los objetos como simple exaltación cromática de estos.

luminoso, -sa *adj.* Que despide luz. 2 fig. Excelente: *idea luminosa*.

luminotecnia *f.* Arte de la iluminación por medio de la electricidad.

**luna *f.* Satélite de la tierra que ofrece diferentes aspectos o fases según que el Sol ilumine una parte mayor o menor de su disco. Es un astro, cuya superficie, de aspecto volcánico, carece de atmósfera y de vida: ~ *llena*, la Luna en el tiempo de su oposición con el Sol, en que presenta su disco totalmente iluminado; ~ *nueva*, la Luna en el tiempo de su conjunción con el Sol, en que su disco resulta invisible; ~ *creciente* y *menguante*, la Luna desde su conjunción hasta el plenilunio y desde éste hasta su conjunción respectivamente, en que su disco resulta visible sólo en parte; **eclipse. 2 Cristal de un espejo, de un escaparate, etc. 3 Lunación: ~ *de miel*, primeros tiempos de matrimonio, p. ext., período de buenas relaciones tras un acuerdo establecido entre personas, colectividades, estados, etc. 4 fig. Supuesta influencia de la Luna sobre las personas, especialmente las dementes: *tener lunas; estar de buena* o *mala* ~, estar de buen o mal humor. 5 *Media* ~, figura igual o parecida a la que presenta la Luna cuando sólo está iluminada la cuarta parte de su disco; adorno o joya que tiene esta figura; fig., islamismo, imperio turco.

LUNA

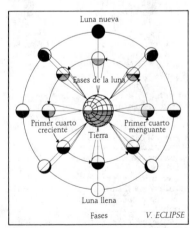

Luna nueva

Fases de la luna

Primer cuarto creciente   Primer cuarto menguante

Tierra

Luna llena

Fases   *V. ECLIPSE*

lunación *f.* Tiempo comprendido entre dos conjunciones consecutivas de la Luna con el Sol.

lunanco, -ca *adj.* [cuadrúpedo] Que tiene una anca más alta que la otra, derrengado.

lunar *m.* Pequeña mancha en la piel. 2 fig. Mancha, vituperio. 3 fig. Dibujo redondo: *vestido de lunares*. 4 fig. Defecto o imperfección leve.

lunarejo, -ja *adj. Amér.* [animal] Que tiene uno o más lunares en el pelo. 2 *Amér.* [pers.] Que tiene uno o más lunares.

lunaria *f.* Especie de helecho, de frondes divididas *(Botrychium lunaria)*.

lunático, -ca *adj.-s.* Que padece locura intermitente. 2 Maniático.

lunatismo *m.* Influencia de los cambios lunares en la evolución de algunas enfermedades psíquicas.

lunch *m.* Comida ligera, especialmente la que se ofrece a los asistentes a algún acontecimiento social, por lo general compuesta de platos fríos. ◇ Se pronuncia *lanch*.

lunes *m.* Segundo día de la semana. ◇ Pl.: *lunes*.

luneta *f.* Lente de los anteojos. 2 Adorno en figura de media luna. 3 Dispositivo de ciertas máquinas que sirve de apoyo intermediario a las piezas muy largas. 4 Ventanilla trasera del automóvil.

luneto *m.* Bovedilla en forma de media luna, para dar luz a la **bóveda principal.

lunfardo *m. Argent., Perú* y *Urug.* Ratero, ladrón. 2 Jerga de la delincuencia porteña de Buenos Aires.

lúnula *f.* Figura formada por dos arcos de circunferencia que tienen los extremos comunes y la convexidad hacia el mismo lado. 2 Espacio blanquecino semilunar de la raíz de las uñas; **mano. 3 p. ext. Mancha de esa misma forma.

lupa *f.* Lente de aumento provista de un mango.

lupanar *m.* Mancebía (casa).

lupulino *m.* Polvo resinoso de los frutos del lúpulo, que se emplea en medicina como tónico.

lúpulo *m.* Planta cannabácea trepadora, cuyos frutos, desecados, se emplean para aromatizar y dar sabor amargo a la cerveza *(Humulus lupulus)*.

lupus *m.* Afección de la piel, de origen tuberculoso. ◇ Pl.: *lupus*.

lura *f.* Molusco cefalópodo, muy parecido al calamar, aunque mayor *(Ommatostrophes sagittatus)*.

lusitanismo *m.* Vocablo, giro o modo de expresión propio de la lengua portuguesa empleado en otro idioma.

lusitano, -na *adj.-s.* De Lusitania, antigua región de España, aproximadamente el actual territorio de Portugal. 2 Portugués.

lustrar *tr.* Abrillantar, dar lustre [a los metales, piedras, etc.]. 2 Andar, peregrinar, recorrer [un país o comarca].

lustre *m.* Brillo de las cosas tersas y pulidas. 2 fig. Esplendor, gloria.

lustrina *f.* Tela vistosa, de seda, oro y plata, empleada en ornamentos de iglesia. 2 Tela ordinaria, lustrosa por una cara y mate por la otra.

lustro *m.* Espacio de cinco años.

lutecio *m.* QUÍM. Cuerpo simple metálico, del grupo de las tierras raras. Su símbolo es *Lu.*

luteína *f.* Pigmento amarillo en los vegetales y en la yema de huevo. 2 Hormona del ovario.

lúteo, -a *adj.* De lodo.

luteranismo *m.* Doctrina predicada por Lutero (1483-1546). Sostiene que la fe sola justifica al hombre, siendo su única fuente la Biblia interpretada por la razón individual.

luto *m.* Duelo causado por la muerte de una persona. 2 Señal exterior de este duelo en vestidos, ropas, adornos y otros objetos. – 3 *m. pl.* Aparatos fúnebres que se ponen en las casas de los difuntos y en la iglesia durante las exequias.

lux *m.* Unidad de iluminación que equivale a la iluminación de una superficie que recibe, normal y uniformemente repartido, un flujo luminoso de 1 lumen por metro cuadrado.

luxación *f.* Dislocación de un hueso.

luxemburgués, -guesa *adj.-s.* De Luxemburgo, capital y nación del centro de Europa.

luxómetro *m.* Aparato medidor de luz.

luz *f.* Forma de energía que actuando sobre nuestros ojos nos hace ver los objetos: ~ *cenital,* la que se recibe por el techo; *dar a ~,* publicar una obra, parir (la mujer); *dar ~ verde,* autorizar a que se haga algo; *sacar a la ~,* publicar una obra; *ver la ~,* nacer. 2 Tiempo que dura la claridad del sol. 3 Destello [de una piedra preciosa]. 4 Imitación de la luz en una pintura. 5 Dimensión horizontal inferior de un vano. 6 Faro de un automóvil o **motocicleta. 7 Ventana o tronera que da luz a un edificio. 8 Utensilio para alumbrar, como una vela, lámpara, etc. 9 fig. Persona o cosa capaz de ilustrar y guiar; ~ *de la razón.* 10 vulg. Electricidad: *el recibo de la ~.* – 11 *m. pl.* Ilustración, cultura: *el siglo de las luces.*

luzula *f.* Planta juncácea cuyas hojas están provistas de pelos blancos, y flores de color castaño *(Luzula campestris).*

LL

Ll, ll *f.* Elle, decimocuarta letra del alfabeto español que representa gráficamente a la consonante palatal fricativa lateral y sonora; **sonidos.

llaga *f.* Úlcera (de pus). 2 fig. Daño o infortunio que causa pena, dolor y pesadumbre. 3 Junta entre dos ladrillos de una misma hilada.

I) llama *f.* Masa gaseosa en combustión, que surge de los cuerpos que arden. 2 fig. Vehemencia de una pasión.

II) llama *f.* Mamífero rumiante camélido, variedad doméstica del guanaco, propio de América del sur *(Lama glama).*

llamada *f.* Llamamiento (acción). 2 Además con que se llama la atención de uno con el fin de engañarle o distraerle. 3 Señal en impresos y manuscritos para llamar la atención desde un lugar hacia otro en que se pone cita, nota, corrección o advertencia. 4 Invitación para inmigrar, dirigida al futuro emigrante, con pago de viaje y envío de billete. 5 Excitación, invitación a una acción: ~ *de la sangre.* 6 Acción de llamar por teléfono. 7 fig. Impulso, atracción. 8 MIL. Toque para que la tropa tome las armas y entre en formación.

llamador, -ra *m.* Aldaba (picaporte); **cerradura. 2 Botón (de timbre eléctrico).

llamamiento *m.* Acción de llamar. 2 Inspiración con que Dios mueve los corazones. 3 MIL. Acción de llamar a los soldados de una quinta: ~ *a filas.*

llamar *tr.* Dar voces [a uno] o hacer ademanes para que atienda: ~ *a gritos;* ~ *por señas.* 2 Nombrar, dar el nombre [a una persona o cosa]; conferir un calificativo: *le llaman el Tonto; la llaman coqueta;* ~ *de tú a otro,* tutearle. 3 Invocar, pedir auxilio oral o mentalmente: ~ *al cielo.* 4 Convocar, citar: ~ *a cortes.* 5 fig. Atraer [una cosa] hacia una parte: ~ *la atención,* atraer la curiosidad, el interés, etc.; advertir a alguien sobre una falta, culpa, peligro, etc., en su conducta. 6 DER. Hacer llamamiento o designación [de personas o estirpes] para una sucesión, cargo, etc. – 7 *intr.* Hacer sonar la aldaba o campanilla o golpear para que acudan a abrir, a servir, etc.: ~ *a la puerta.* 8 Comunicar: ~ *por teléfono.* – 9 *prnl.* Tener tal o cual nombre. 10 Tener por título: *la película se llama así.*

llamarada *f.* Llama que se apaga pronto. 2 fig. Encendimiento repentino y momentáneo del rostro. 3 fig. Movimiento repentino del ánimo.

llamaritada *f. And., La Mancha, Colomb. y Ecuad.* Llamarada grande.

llamativo, -va *adj.* fig. Que llama la atención exageradamente, vistoso: *un vestido* ~; *colores llamativos.*

llamazar *m.* Terreno pantanoso donde queda retenida el agua que mana de él.

llambrega *f.* Pez marino teleósteo, pequeño, de color pardo marrón, que elimina los parásitos crustáceos de la epidermis de otros peces *(Crenilabrus cœruleus; Symphodus melanocerus).*

llambria *f.* Parte de una peña que forma un plano muy inclinado.

llameado *m.* Conjunto de reflejos metálicos, obtenidos por reducción del cobre sobre la loza, porcelana o gres, a alta temperatura.

llamear *intr.* Echar llamas.

llana *f.* Herramienta de que usan los albañiles para extender el yeso y la argamasa.

llanamente *adv. m.* Con llaneza. 2 fig. Con ingenuidad y sencillez.

llanear *intr.* Andar por lo llano, evitando pendientes.

llanero, -ra *m. f.* Habitante de las llanuras.

llaneza *f.* fig. Sencillez, moderación, familiaridad en el trato, sin cumplimiento.

llanito, -ta *adj.-s.* fam. Gibraltareño.

llano, -na *adj.* Que tiene el parecido de un plano geométrico; igual y extendido, sin altos ni bajos: *un campo* ~. 2 Accesible, sencillo, sin presunción; [vestido] sin adornos. 3 Que no goza de privilegios: *clase llana; estado* ~. 4 [estilo] Sencillo y sin ornato. 5 GRAM. Grave (**acento). 6 *A la llana,* claramente, sin ceremonia ni pompa. – 7 *m.* Llanura (planicie).

I) llanta *f.* Berza que no repolla y cuyas hojas se van arrancando a medida que crece la planta. 2 Planta, especialmente la del semillero o plantel.

II) llanta *f.* Cerco metálico exterior de las ruedas de coches, carros, **bicicletas, etc. 2 Pieza de hierro más ancha que gruesa. 3 *Amér.* Neumático.

llantén *m.* Hierba plantaginácea de hojas radicales, anchas y ovaladas cuyo cocimiento se usa en medicina *(Plantago maior)*.

llanto *m.* Efusión de lágrimas acompañada generalmente de lamentos y sollozos.

llanura *f.* Igualdad de la superficie de una cosa. 2 Terreno igual y dilatado, sin altos ni bajos.

llapango, -ga *adj.* Que no usa calzado: *indio ~.*

llares *f. pl.* Cadena de hierro pendiente en el cañón de la **chimenea, con garabatos para colgar la caldera. ◇ También se usa como masculino plural.

llareta *f. Amér.* Planta umbelífera de cuyo tallo destila una resina balsámica de uso medicinal *(Laretia acaulis)*.

llave *f.* Instrumento de metal, con guardas, para correr o descorrer el pestillo de una **cerradura: *~ maestra,* la que abre y cierra las diferentes cerraduras de una casa. 2 Aparato de metal que, movido por los dedos, abre o cierra el paso del aire en ciertos instrumentos músicos de **viento. 3 Instrumento para facilitar o impedir el paso de un fluido por un conducto. 4 Interruptor de electricidad. 5 Clave (signo en el pentagrama). 6 Instrumento para apretar o aflojar las tuercas: *~ inglesa,* la que tiene graduables las partes que han de adaptarse a la tuerca. 7 Corchete (signo); **puntuación. 8 Instrumento de metal para dar cuerda a los relojes. 9 fig. Medio para descubrir lo oculto o secreto. 10 DEP. Movimiento o manera de asir al contrario para inmovilizarlo o vencerlo en la lucha.

llavero *m.* Objeto que sirve para guardar las llaves.

llavín *m.* Llave pequeña. 2 Clave con que se abre una puerta con picaporte o cierre de golpe.

lleco, -ca *adj.-s.* Campo erial.

llegada *f.* Acción de llegar a un sitio. 2 Efecto de llegar a un sitio. 3 Término o meta de una carrera deportiva.

llegar *intr.* Venir, alcanzar el término de una traslación o camino: *~ a la posada; ~ de Italia.* 2 p. anal. Alcanzar el término en el tiempo; conseguir el fin a que aspira: *~ hasta la vejez; llegó a ser general.* 3 Ascender, importar: *el gasto llegó a diez mil pesetas.* 4 Alcanzar, tocar una cosa a otra: *la falda llega a las rodillas.* 5 Suceder [una cosa] o venir el tiempo de hacerse una cosa: *le llegó lo que esperaba; llegó el momento deseado.* 6 Con la preposición *a* y un infinitivo, forma frases verbales de carácter perfectivo: *he llegado a creer que no hay peligro;* con algunos verbos añade una significación de esfuerzo o dificultad: *llegó a oír; llegó a dominar su oficio.* – 7 *tr.* Arrimar [una cosa a otra]: *llegó la escalera a la pared.* – 8 *prnl.* Acercarse una cosa a otra: *se llegó a mí a causa del frío.* 9 Ir a

un paraje que está cercano: *llegarse a la tienda.* ◇ ** CONJUG. [7].

llena *f.* Crecida que hace salir de madre a un río o arroyo.

llenador, -ra *m. f.* Empleado que se ocupa de llenar barriles. – 2 *m.* Aparato para llenar recipientes. – 3 *adj.-s. Argent., Chile y Urug.* Alimento o bebida que produce pronto hartura o saciedad.

llenar *tr.-prnl.* Hacer que alguna cosa ocupe enteramente [un espacio vacío]; ocuparse un espacio vacío: *~ el vaso de agua; ~ el hoyo con tierra; el hoyo se llena.* 2 p. anal. Poner gran cantidad: *~ de pájaros; llenarse de polvo.* – 3 *tr.* fig. Emplear: *llena su tiempo haciendo cosas.* 4 fig. Parecer bien [a uno], satisfacerle una cosa: *los motivos de Pedro me llenaron.* 5 fig. Colmar abundantemente: *le llenó de favores; ~ de injurias.* 6 fig. Fecundar el macho a [la hembra]. – 7 *intr.* Llegar la luna al plenilunio. – 8 *prnl.* Hartarse de comida o bebida. 9 fig. Irritarse a copia de burlas o molestias. 10 fig. Mancharse.

llenazo *m.* Gran concurrencia en un espectáculo público.

llenero, -ra *adj.* Cumplido, cabal, pleno.

lleno, -na *adj.* Que contiene todo lo que su capacidad permite. 2 Regordete. – 3 *m.* Plenilunio. 4 Gran concurrencia en un espectáculo público: *hubo un ~.*

lleta *f.* Tallo recién nacido de una planta.

llevadero, -ra *adj.* Fácil de sufrir, tolerable.

llevar *tr.* Transportar [una cosa] de una parte a otra: *llevó la carta a su destino; lleva la maleta en tren.* 2 Vestir [una prenda], o guardar [alguna cosa] en el bolsillo, faltriquera, etc.: *lleva chaqueta; lleva dinero en el bolsillo.* 3 Guiar, dirigir: *este camino lleva a la ciudad.* 4 Cobrar el precio a los derechos [de una cosa]: *no nos llevó cara la ropa el sastre.* 5 Tolerar, sufrir: *~ una pena sobre el corazón; ~ con paciencia un sufrimiento.* 6 Persuadir [a uno]: *le hemos llevado a nuestra apreciación.* 7 Haber pasado cierto tiempo: *lleva cinco días ausente;* p. anal., con ciertos participios, haber realizado lo que ellos significan: *lleva estudiadas varias lecciones; lleva conseguidas varias victorias;* en este uso tiene a menudo la función de verbo auxiliar. 8 Cuidar, encargarse [de ciertas cosas], correr [con ellas]: *~ una finca; ~ los libros de comercio.* 9 Exceder [en tiempo, distancia, velocidad, mérito] con relación a otra persona o cosa: *mi hijo lleva al tuyo un año.* 10 Reservar en una operación parcial aritmética [las unidades de orden superior que han de ser adicionadas a la nueva operación parcial]. 11 En varios juegos de naipes, ir a robar con un número determinado de puntos o cartas. 12 Con la preposición *por* y algunos nombres, ejecutar lo que éstos significan: *~ por tema; ~ por cortesía.*

llicilla *f. Amér. Merid.* Manta que llevan las indias en la espalda.

llorar *intr.* Derramar lágrimas. – 2 *intr.-tr.* Derramar lágrimas a causa de un afecto muy vivo: *lloraba todo el día;* ~ *sus duelos;* ~ *de gozo;* ~ *en,* o *por, la felicidad ajena.* 3 p. anal. Destilar licor algunas plantas: *la vid llora por primavera.* – 4 *tr.* fig. Sentir vivamente [una cosa]: ~ *la muerte de un amigo.* 5 fig. Encarecer [lástimas o necesidades], generalmente con inoportunidad o con fines interesados: ~ *las miserias del país.*

llorera *f.* fam. Lloro fuerte y continuado.

llorica *com.* Persona que llora con frecuencia y por cualquier motivo.

lloriquear *intr.* frecuent. Gimotear.

llorón, -rona *adj.-s.* Que llora mucho o fácilmente. – 2 *m.* Penacho de plumas largas, flexibles y péndulas; como las ramas de un sauce llorón.

llorona *f.* Plañidera. 2 *Amér.* Espuela grande vaquera.

lloroso, -sa *adj.* Que tiene señales de haber llorado. 2 Que causa llanto o tristeza.

llosa *f. Ast., Sant. y Vizcaya.* Terreno labrantío cercado, por lo común próximo a la casa o barriada a que pertenece.

llovedera *f. Amér.* Acción continua o frecuente de llover.

llovedizo, -za *adj.* [techo o cubierta] Que, por defecto, deja pasar el agua de lluvia.

llover *impers.* Caer agua de las nubes: ~ *a cántaros.* – 2 *intr.-tr.* fig. Caer sobre uno en abundancia una cosa: ~ *desgracias en,* o *sobre, una familia.* – 3 *prnl.* Calarse y gotear con las lluvias las bóvedas y cubiertas. ◇ ** CONJUG. [32] como *mover.*

llovizna *f.* Lluvia menuda que cae blandamente.

lloviznoso, -sa *adj. Amér.* [tiempo] De frecuentes lloviznas.

lluvia *f.* Acción de llover: ~ *ácida,* la que tiene un alto contenido de ácido sulfúrico, procedente de las emanaciones contaminantes de determinadas industrias; ~ *atómica,* residuos radiactivos que se depositan sobre la tierra después de una explosión atómica en la atmósfera. 2 Agua llovediza. 3 fig. Muchedumbre; abundancia momentánea e inesperada, llegada generosa: ~ *de trabajos, de millones, de octavillas;* ~ *de estrellas,* aparición de estrellas fugaces. 4 ~ *de oro,* árbol pequeño, muy venenoso, que da numerosas flores de color amarillo con rayas pardas *(Laburnum anagyroides).*

lluvioso, -sa *adj.* [tiempo o lugar] En que llueve mucho.

M

M, m *f.* Eme, decimoquinta letra del alfabeto español que representa gráficamente a la consonante oclusiva, nasal, bilabial y sonora. 2 *M,* cifra romana equivalente a mil.

mabolo *m.* Árbol de Filipinas, de la familia de las ebenáceas, cuyo fruto es muy semejante al melocotón, pero de carne dura y desabrida (*Diospyros discolor*).

maca *f.* Señal que queda en la fruta por algún daño recibido. 2 Daño ligero: *la ~ del paño*. 3 fig. Disimulación, fraude. 4 fig. Defecto moral, vicio.

macabro, -bra *adj.* Que participa de lo feo y repulsivo de la muerte. 2 Tétrico, lúgubre.

macacinas *f. pl. Amér. Central.* Zapatos toscos de cuero, sin tacón.

I) macaco *m.* Mono catarrino cercopitécido, de cola corta, con callosidades isquiáticas (*Macaca* sp).

II) macaco, -ca *adj. Amér.* Feo, deforme, por alusión al mono de este nombre.

III) macaco, -ca *adj.-s. Amér.* Colono chino.

macadam, -dán *m.* Pavimento formado con piedra machacada y aglomerada por rulos compresores. ◇ Pl.: *macadams* o *macadanes.*

macagua *f.* Ave rapaz falconiforme, diurna, de América meridional, de color amarillo pardusco y con el pico dentado (*Herpetotheres cachinnans*).

macana *f.* Palo corto y grueso. 2 fig. Broma, camelo, disparate. 3 fig. Artículo de comercio que por su deterioro o falta de novedad queda sin fácil salida. 4 *Amér.* Cosa mal hecha, chapuza, disparate, tontería. 5 *Bol., Colomb., Ecuad. y Venez.* Especie de chal o manteleta, casi siempre de algodón, que usan las mujeres mestizas.

macanazo *m.* Golpe de macana. 2 *Amér.* Acción brusca. 3 *Amér.* fam. Disparate grande. 4 *Amér.* fam. Lata, fastidio.

macanear *tr. Amér.* Contar o inventar paparruchas.

macanudo, -da *adj.* Chocante por lo grande y extraordinario. ◇ Voz humorística o plebeya, según los casos.

macaón *m.* Mariposa muy bella, cuyas alas posteriores se prolongan formando una cola puntiaguda o espatulada (*Papilio machaon*).

macaquear *tr. Amér. Central.* Robar [algo].

macarelo *m.* Hombre pendenciero y camorrista.

macareo *m.* Oleada que sube río arriba al crecer la marea.

macarra *adj.-m.* Proxeneta, chulo. 2 Pendenciero, agresivo. 3 De mal gusto, de baja clase.

macarro *m.* Panecillo de forma alargada y de una libra de peso. 2 Bollo de pan de aceite, largo y estrecho.

macarrón *m.* Pasta alimenticia de harina de trigo dispuesta en canutos largos: *macarrones a la italiana.* 2 p. ext. Canuto muy largo, generalmente de materia plástica.

macarronea *f.* Composición burlesca en que se mezclan palabras latinas con otras de una lengua vulgar a las cuales se da terminación latina.

macarrónico, -ca *adj.* Propio o relativo a la macarronea, al latín muy defectuoso y al lenguaje vulgar que peca contra las leyes de la gramática.

macarse *prnl.* Empezar a pudrirse [los frutos] a consecuencia de golpes o magulladuras. ◇ ** CONJUG. [1] como *sacar.*

macasar *m.* Cubierta de punto, encaje u otra labor que se pone en los respaldos de ciertos asientos para que no se ensucien al apoyar en ellos la cabeza.

macear *tr.* Golpear con el mazo o la maza. – 2 *intr.* fig. Machacar (porfiar).

macedonia *f.* Ensalada de frutas.

macedonio, -nia *adj.-s.* De Macedonia, región de la antigua Grecia.

macerar *tr.* Ablandar [una cosa] golpeándola, estrujándola o manteniéndola por algún tiempo sumergida en un líquido. 2 Extraer las partes solubles [de una substancia] por este último procedimiento. 3 fig. Mortificar, extenuar [el cuerpo] con penitencias.

macero *m.* El que lleva la maza delante de los cuerpos o personas que usan esta señal de dignidad.

maceta *f.* Vaso de barro cocido y que, lleno de tierra, sirve para criar plantas. 2 Pie para los ramilletes de flores artificiales.

macetero *m.* Aparato para colocar macetas de flores.

macfarlán *m.* Gabán con esclavina y sin mangas.

maciega *f. Amér.* Hierba inútil o perjudicial que nace en los sembrados.

macilento, -ta *adj.* Flaco, descolorido, triste.

macillo *m.* Pieza del piano con la cual, a impulso de la tecla, se hiere la cuerda correspondiente.

macizo, -za *adj.-m.* Lleno, sin hueco, sólido. – 2 *adj.* Sólido y bien fundado. 3 Grueso, fuerte. – 4 *m.* Conjunto de montañas que culminan en uno o más picos. 5 Conjunto de construcciones cercanas entre sí. 6 Conjunto de plantas que decoran los cuadros de los jardines. 7 Cebo de baja calidad que utilizan los pescadores, constituido por una mezcla de residuos de pescados triturados.

macla *f.* Asociación simétrica de dos o más cristales simples de una misma especie mineral.

macolla *f.* Conjunto de vástagos, flores o espigas que nacen de un mismo pie.

macollar *intr.-prnl.* Formar macolla las plantas.

macramé *m.* Tejido de nudos, cuya estructura se parece al encaje de bolillos. 2 Hilo con que se prepara este tejido.

macrobiótica *f.* Doctrina o régimen encaminado a prolongar la vida por medio de reglas dietéticas e higiénicas.

macrobiotismo *m.* Régimen alimenticio a base de cereales integrales, legumbres y frutas.

macrocardia *f.* Desarrollo anormalmente grande del corazón.

macrocéfalo, -la *adj.-s.* De cabeza muy grande.

macrocosmo *m.* Gran mundo o universo, en oposición al microcosmo.

macroeconomía *f.* Estudio de los sistemas económicos como un todo, empleando magnitudes colectivas o globales.

macromolécula *f.* Agrupación molecular de gran número de átomos.

macroquímica *f.* Estudio de la composición y propiedades químicas de la materia en general.

macroscópico, -ca *adj.* Que se ve a simple vista, sin auxilio del microscopio: *caracteres macroscópicos.*

macrostomia *f.* Desarrollo anormalmente grande de la boca.

macrosurco *m.* Surco fonográfico de gran tamaño. 2 Disco fonográfico grabado con dicho surco.

macrozoom *m.* Zoom con una distancia focal ampliamente variable. ◇ Se pronuncia *macrozún.*

macruro *adj.-m.* Crustáceo del grupo de los macruros. – 2 *m. pl.* Grupo de crustáceos decápodos de abdomen muy desarrollado; como la langosta.

macsura *f.* Recinto reservado, en una mezquita, para el califa o el imán, o para sepulcro de un santón.

macuba *f.* Tabaco aromático que se cultiva en Macuba, población de la Martinica.

macuca *f.* Planta umbelífera, de flores blancas muy pequeñas y fruto parecido al del anís *(Brunium macuca; Conopodium maius).*

macuco, -ca *adj. Amér.* Grande, macanudo. – 2 *m. Amér.* Muchacho grandullón.

mácula *f.* Mancha (señal; deshonra). 2 Engaño, trampa. 3 Parte obscura que se observa en el disco del **Sol.

maculada *f.* Mariposa diurna de color leonado naranja, con fuertes manchas pardas y ocelos de pupila blanca *(Pararge aegeria).*

maculatura *f.* Pliego defectuoso o manchado que se desecha.

macuquero, -ra *m. f.* Persona que sin permiso extrae metales de las minas abandonadas.

macuto *m.* MIL. Morral (saco). 2 *Cuba, S. Dom. y Venez.* Cesto de caña, o saco de palma o cabuya, que usan los mendigos para recoger las limosnas.

machaca *f.* Instrumento con que se machaca. – 2 *com.* fig. Persona pesada.

machacante *m.* Soldado destinado a servir a los sargentos de una compañía. 2 vulg. Moneda de 5 ptas.

machacar *tr.* Quebrantar a golpes: ~ *avellanas.* – 2 *intr.* fig. Porfiar e insistir importuna y pesadamente sobre una cosa. 3 fig. Estudiar con ahínco. ◇ ** CONJUG. [1] como *sacar.*

machacón, -cona *adj.-s.* Importuno, pesado.

machaconería *f.* Insistencia, prolijidad, pesadez.

machada *f.* Hato de machos cabríos. 2 fig. Necedad. 3 fig. Acción ostentosa e inútil o absurda.

machado *m.* Hacha para cortar madera.

machaje *m. Amér.* Conjunto de animales machos.

machamartillo (a ~) *loc. adv.* Con fuerte trabazón o firmeza material o moral: *clavado a ~.* 2 Insistentemente.

machar *tr.* Machacar. – 2 *prnl. Amér. Merid.* Emborracharse.

machear *tr.* Fecundar las palmeras mediante el sacudimiento de las inflorescencias masculinas [sobre los pies femeninos]. – 2 *intr.* Engendrar los animales más machos que hembras. 3 fig. Echárselas de hombre.

macheta *f.* Cuchilla de hoja muy fuerte y ancha, usada para picar carne especialmente.

machete *m.* Arma más corta que la espada, ancha, pesada y de un solo filo. 2 Cuchillo grande para desmontar, cortar la caña de azúcar, etc.

machetero, -ra *m. f.* Persona que desmonta con machete los pasos embarazados con arbustos y matorral. 2 Persona que corta las cañas de azúcar.

machihembrar *tr.* CARP. Ensamblar [dos piezas de madera].

machina *f.* Cabria o grúa grande usada en puertos y arsenales.

machinar *tr.* Maquinar. – 2 *prnl.* *Amér. Central.* Amancebarse.

machismo *m.* Discriminación sexual, de carácter dominante, adoptada por los hombres.

machista *adj.-com.* Partidario del machismo. – 2 *adj.* Perteneciente o relativo al machismo.

I) macho *m.* Animal del sexo masculino: ~ *cabrío.* 2 Borla pendiente del canesú en las chaquetillas de luces de los toreros. 3 Pieza que entra dentro de otra: *el ~ del corchete, de la tuerca.* 4 Pilar de fábrica, que sostiene o fortalece alguna cosa. 5 Tratamiento coloquial amistoso. – 6 *adj.* fig. Fuerte, robusto: *pelo ~.* 7 Varonil, viril. – 8 *m. Cuba., Colomb. y Guat.* Casulla, grano de arroz con cáscara.

II) macho *m.* Mazo grande de herrero. 2 Banco en que los herreros tienen el yunque.

¡macho! Interjección con que se denota asombro, sorpresa, enfado.

machón *m.* Macho (pilar). – 2 *adj. Amér.* Marimacho.

machorro, -rra *adj.* Estéril, infructífero. – 2 *f.* Hembra estéril. 3 Mujer de aspecto o modales hombrunos.

I) machote *loc. adv.* A ~, a golpe de mazo. – 2 *m. Amér.* Borrador, dechado, modelo.

II) machote *adj.-m.* fam. Muy hombre, viril.

machucar *tr.* Maltratar [una cosa] causándole contusión o magullamiento. 2 Machacar. ◇ ** CONJUG. [1] como *sacar.*

machucho, -cha *adj.* Sosegado, juicioso. 2 Entrado en días.

machuna *adj.* [cabra] Que tiene los cuernos derechos hacia arriba.

madama *f.* Tratamiento afectado de cortesía o título de honor dado a las señoras. 2 *Amér. Merid.* vulg. Partera, comadre.

madamero *adj.-m.* Cura aficionado a las mujeres.

madapolán *m.* Especie de percal blanco y de buena calidad.

madefacción *f.* FARM. Acción de humedecer ciertas substancias para preparar con ellas un medicamento.

madeja *f.* Hilo recogido en vueltas iguales para que se pueda devanar fácilmente. 2 Persona sin orden ni concierto. 3 Hombre flojo y dejado.

madera *f.* Substancia dura y fibrosa de los árboles debajo de la corteza. 2 Pieza de madera labrada: ~ *de hilo,* la que se labra a cuatro caras; ~ *enteriza,* el mayor madero escuadrado que se puede sacar de un tronco; ~ *aserradiza* o *de sierra,* la que resulta de subdividir con la sierra la enteriza. 3 Materia de que se compone el casco de las caballerías. 4 fig. Disposición natural de las personas para determinada actividad: *tiene ~ de estudiante, de orador.*

maderable *adj.* [árbol, bosque, etc.] Que da madera útil para construcciones o ebanistería.

maderaje, maderamen *m.* Conjunto de vigas y maderas que se emplea para la construcción de un edificio.

maderar *tr.* Aprovechar [árboles] para obtener madera: ~ *un bosque.*

maderero, -ra *adj.* De la madera. – 2 *m.* El que trata en maderas. 3 Carpintero (oficio).

madero *m.* Pieza larga de madera escuadrada o rolliza. 2 fig. Nave, buque. 3 fig. Persona necia, torpe, insensible. 4 vulg. Policía.

madona *f.* Virgen Santísima. 2 Cuadro o imagen que la representa.

mador *m.* Ligera humedad que baña el cuerpo sin llegar a ser sudor.

madrás *m.* Tejido fino de algodón que se usa para camisas y trajes femeninos.

madrastra *f.* Mujer del padre respecto de los hijos que éste tiene de un matrimonio anterior. 2 fig. Madre mala. 3 fig. Cosa molesta o dañosa.

I) madraza *f.* fam. Madre que mima a sus hijos.

II) madraza *f.* Escuela musulmana de estudios superiores; **islámico (arte).

madre *f.* Hembra que ha parido. 2 Hembra respecto de su hijo o hijos: *ciento y la ~,* abundancia de personas; ~ *de leche,* nodriza. 3 fam. Mujer anciana del pueblo. 4 Título dado a las religiosas de varias órdenes. 5 fig. Aquello en que figuradamente concurren circunstancias propias de la maternidad: *Sevilla es ~ de forasteros;* ~ *patria,* país que ha fundado una colonia. 6 Causa u origen de una cosa: *la ~ del cordero,* la razón real y positiva de un hecho o suceso. 7 Acequia principal. 8 Alcantarilla o cloaca maestra. 9 Terreno por donde corren las aguas de un río o arroyo. 10 Heces del mosto, vino o vinagre: *las madres del vino.* 11 Madero que sirve de sujeción y apoyo a otras partes de ciertos armazones: ~ *del cabestrante, del timón, del tajamar.*

¡madre! Interjección con que se denota admiración o sorpresa.

madrear *prnl.* Ahilarse la levadura, el vino.

madreclavo *m.* Clavo de especia que ha estado en el árbol dos años.

madreperla *f.* Molusco lamelibranquio con la concha de unos 20 cms. de diámetro, cuyo interior está recubierto por una gruesa capa de nácar *(Pteria margaritifera).* 2 Molusco lamelibranquio de agua dulce, con la concha de color obscuro, casi negro, de unos 12 a 15 cms. de diámetro y forma arriñonada, cuyo interior presenta una gruesa capa de nácar *(Margaritana margaritifera).*

madrépora *f.* Pólipo de los mares intertropicales que forma un polípero pétreo arborescente *(gén. Acropora).*

madrero, -ra *adj.* Que está muy encariñado con su madre.

madreselva *f.* Arbusto sarmentoso caprifoliáceo, de hojas ovales y flores olorosas en cabezuelas terminales sobre largo pedúnculo, con corola amarillenta, tubular y partida por el borde en cinco lóbulos *(Lonicera implexa).*

madrigado, -da *adj.-f.* Mujer casada en segundas nupcias. – 2 *adj.* [animal macho] Que ha padreado, especialmente el toro. 3 fig. [pers.] Práctico y experimentado.

madrigal *m.* Composición lírica muy breve, de carácter amoroso y de gran delicadeza, generalmente escrita en silva. 2 Composición vocal de contenido amoroso y música generalmente alegre, característica del Renacimiento.

madrigalesco, -ca *adj.* fig. Elegante y delicado en la expresión de los afectos.

madrigalizar *tr.* Componer madrigales. 2 Alabar o ensalzar la belleza de una mujer. ◇ ** CONJUG. [4] como *realizar.*

madriguera *f.* Cuevecilla estrecha y generalmente profunda en que habitan ciertos animales. 2 fig. Lugar donde se oculta la gente de mal vivir.

madrileño, -ña *adj.-s.* De Madrid, capital de España.

madrina *f.* Mujer que presenta o asiste a una persona en el sacramento del bautismo, de la confirmación, del matrimonio, o del orden, al recibir un honor o grado, o a una religiosa al profesar; en la bendición de una bandera, botadura de un barco, etc. 2 fig. Protectora: *~ de guerra,* la que protege a un soldado que está en campaña. 3 Correa con que se enlazan los bocados de las dos caballerías que forman pareja en un tiro. 4 Yegua que guía una recua.

madroño *m.* Arbusto ericáceo, de hojas lanceoladas, persistentes y coriáceas, flores de corola globosa, y fruto esférico, encarnado, verrugoso y comestible *(Arbutus unedo).* 2 Fruto de este arbusto. 3 Borlita de forma parecida a la del madroño.

madrugada *f.* Amanecer (alba). 2 Horas que siguen a la medianoche.

madrugador, -ra *adj.-s.* Que acostumbra madrugar. 2 fam. Astuto.

madrugar *intr.* Levantarse temprano. 2 fig. Ganar tiempo, ser diligente. 3 fig. y fam. Ade-

lantarse a ganar por la mano al que quiere hacer algún daño o agravio. ◇ ** CONJUG. [7] como *llegar.*

madrugón, -gona *adj.* Madrugador. – 2 *m.* Acción de levantarse muy temprano.

madurar *tr.* Volver maduro: *el sol madura los frutos.* 2 fig. Volver experimentado. 3 fig. Meditar [una idea, un proyecto, etc.]. – 4 *intr.* Ir sazonándose los frutos. 5 Crecer en edad y juicio.

madurez *f.* Sazón de los frutos. 2 Buen juicio, prudencia. 3 Edad adulta. 4 Estado del desarrollo completo de un fenómeno.

maduro, -ra *adj.* Que está en sazón. 2 Juicioso, prudente. 3 Entrado en años: *hombre ~.*

maestranza *f.* Sociedad de caballeros, cuyo instituto es ejercitarse en la equitación. 2 Conjunto de talleres donde se construyen y recomponen los montajes para las piezas de artillería. 3 Local o edificio ocupado por estos talleres. 4 Conjunto de operarios que trabajan en ellos o en los demás de un arsenal.

maestrazgo *m.* Dignidad de maestre. 2 Territorio de la jurisdicción del maestre.

maestre *m.* Superior de cualquiera de las órdenes militares.

maestrear *tr.* Actuar como maestro [en una operación]. 2 Podar [la vid] dejando corto el sarmiento para preservarlo de los hielos.

maestresala *m.* Criado principal que presenta y distribuye los manjares en la mesa.

maestrescuela *m.* Dignatario de algunas catedrales, encargado antiguamente de enseñar las ciencias eclesiásticas.

maestría *f.* Arte, destreza: *trabajar con ~.* 2 Título del maestro. 3 En las órdenes regulares, dignidad o grado de maestro.

maestril *m.* Celdilla de panal donde se transforma la larva de la abeja maestra.

maestro, -tra *adj.* De relevante mérito: *obra maestra; palo ~,* palo principal. – 2 *m. f.* Persona que enseña una ciencia, arte u oficio y especialmente las primeras letras. – 3 *m.* Perito en una materia. 4 Artesano que ejerce su oficio independientemente y enseña a aprendices: *~ sastre.* 5 El que dirige el personal o las operaciones de un servicio: *~ de cocina; ~ de ceremonias,* el que dirige el ceremonial de un palacio. 6 Compositor de música o director de alguna agrupación musical. 7 Tratamiento popular respetuoso: *oiga, ~; buenas tardes, ~.* 8 TAUROM. Matador. – 9 *f.* Escuela de niñas: *ir a la maestra.* 10 Listón de madera o hilera de piedras que sirve de guía a los albañiles. 11 fig. Cosa que instruye o enseña: *la historia es la maestra de la vida.*

mafia *f.* Organización clandestina de criminales sicilianos. 2 p. ext. Organización clandestina de criminales. 3 p. ext. Organización o grupo que no observa métodos rectos para la obtención de los fines que persigue, sea realmente o en el pensamiento ajeno.

magancería *f.* Engaño, trapacería.
magancés *adj.* Traidor, dañino, avieso.
maganto, -ta *adj.* Triste, macilento.
maganzón, -zona *adj.-s.* Amér. fam. Holgazán.
magaña *f.* Ardid, astucia. 2 Defecto de fundición del alma de un cañón de artillería. 3 p. ext. Picadura de los cañones de escopetas y rifles.
magazín *m.* ANGLIC. Revista ilustrada. 2 Programa de radio o televisión cuyo contenido es muy variado.
I) magdalena *f.* Bollo pequeño de forma preferentemente redonda y bombeada, hecho de masa de bizcocho.
II) magdalena *f.* fig. Mujer penitente o muy arrepentida de sus pecados.
magdaleniense *adj.-m.* Último período del paleolítico, caracterizado por el pulimento de huesos y por las pinturas rupestres.
magdaleón *m.* FARM. Rollito largo de emplasto.
magenta *adj.-s.* Color carmesí obscuro, que resulta de una mezcla de rojo y azul, y que, con el amarillo y el cian, se emplea en las emulsiones de fotografía. 2 Colorante que produce ese color.
magia *f.* Ciencia oculta que pretende producir efectos con ayuda de seres sobrenaturales o de fuerzas secretas de la naturaleza: ~ *blanca* o *natural,* la que por medio de causas naturales obra efectos que parecen sobrenaturales; ~ *negra,* arte supersticioso que pretende obrar cosas extraordinarias con ayuda del demonio. 2 fig. Encanto o atractivo con que una cosa deleita y suspende.
mágico, -ca *adj.* Relativo a la magia. 2 Maravilloso, estupendo. – 3 *m. f.* Persona que profesa y ejerce la magia.
magín *m.* fam. Imaginación.
magiscopio *m.* CINEM. Procedimiento para filmar en decorados de pequeñas dimensiones. 2 CINEM. Aparato para realizar filmaciones con ese procedimiento.
magisterio *m.* Enseñanza y gobierno que el maestro ejerce con sus discípulos. 2 Cargo o profesión de maestro. 3 Conjunto de los maestros de una nación, provincia, etc.
magistrado, -da *m. f.* Superior en el orden civil, especialmente miembro de la judicatura: *un ~ del Tribunal Supremo.*
magistral *adj.* Perteneciente o relativo al ejercicio del magisterio. 2 Que se hace con maestría: *sostuvo razones magistrales; tono ~.* 3 [instrumento de precisión] Que sirve para comparar las indicaciones de los ordinarios de su especie. – 4 *m.* Medicamento que sólo se prepara por prescripción facultativa.
magistratura *f.* Dignidad y cargo de magistrado. 2 Tiempo que dura su ejercicio. 3 Conjunto de los magistrados. 4 Tribunal integrado por representantes de los asalariados y los empresarios, encargado de resolver los litigios de tipo profesional.
magma *m.* Masa espesa, viscosa y de consistencia gelatinosa. 2 Materias en fusión ígnea, cuya solidificación ha dado origen a ciertos minerales, como las rocas eruptivas.
magmatismo *m.* Conjunto de fenómenos relativos a la formación y actividad del magma.
magnalio *m.* Aleación ligera de aluminio y magnesio.
magnanimidad *f.* Grandeza y elevación de ánimo.
magnascopio *m.* Dispositivo de un proyector de imágenes que permite variar el tamaño de éstas sobre la pantalla.
magnate *m.* Persona muy principal, por su cargo o su poder.
magnavisión *f.* Sistema de grabación de videodiscos.
magnesia *f.* Óxido de magnesio, substancia blanca, terrosa, ligeramente alcalina.
magnesio *m.* Metal blanco, maleable, dúctil, ligero, que arde con llama muy brillante. Su símbolo es *Mg.*
magnético, -ca *adj.* Relativo al imán o que tiene sus propiedades: *hierro ~.* 2 Perteneciente o relativo al magnetismo: *fenómeno ~; sueño ~.* 3 fig. Que tiene influencia misteriosa.
magnetismo *m.* Fuerza atractiva de un imán. 2 Conjunto de fenómenos atractivos y repulsivos producidos por los imanes y las corrientes eléctricas. 3 Ciencia que estudia esos fenómenos. 4 ~ *terrestre,* propiedad de la Tierra de ejercer una acción sobre la aguja imantada. 5 ~ *animal,* acción que una persona ejerce sobre otra, infundiéndole un sueño especial durante el cual la hace obrar según su voluntad.
magnetita *f.* Mineral formado por una combinación de dos óxidos de hierro, muy pesado, de color negruzco, que tiene la propiedad de atraer el hierro, el acero y algún otro cuerpo.
magnetizar *tr.* Convertir [un cuerpo] en imán. 2 Someter [a una persona] a los efectos del magnetismo animal. 3 fig. Ejercer una atracción potente y misteriosa. ◇ ** CONJUG. [4] como *realizar.*
magneto *f.* Generador de electricidad, usado especialmente en los motores de explosión; como el del automóvil.
magnetófono *m.* Aparato para el registro y reproducción de sonidos por medio de una cinta cubierta de óxido magnético. ◇ INCOR.: *magnetofón.*
magnetómetro *m.* Aparato utilizado para comparar la intensidad de los campos y de los momentos magnéticos.
magnetón *m.* FÍS. Unidad empleada en

física nuclear para medir el momento magnético de las partículas cargadas de electricidad.

magnetoscopio *m.* Aparato que graba en cintas magnéticas imágenes y sonido.

magnetosfera *f.* Parte exterior de la atmósfera terrestre.

magnetrón *m.* ELECTR. Tubo de vacío que contiene un ánodo y un cátodo que se calienta, usado para producir oscilaciones de alta frecuencia.

magnicidio *m.* Asesinato de persona principal por su cargo o poder. 2 Asesinato de grandes masas.

magnificar *tr.* Engrandecer, alabar, ensalzar mucho. 2 fig. Exagerar, desorbitar. ◇ ** CONJUG. [1] como *sacar.*

magnífico, -ca *adj.* Espléndido, suntuoso: *palacio* ~. 2 Excelente, admirable: *tiempo* ~. 3 Liberal, generoso: *un rey* ~. 4 Título de gran honor: *Magnífico Señor.*

magnitud *f.* Tamaño de un cuerpo. 2 Cualidad de un cuerpo o fenómeno que, referida a una unidad de la misma especie, se expresa por un número. 3 Tamaño aparente de un astro por razón de la mayor o menor intensidad de su brillo. 4 Resultado de una medición. 5 fig. Grandeza, importancia.

magno, -na *adj.* Grande moralmente: *Alejandro Magno.* 2 [cosa] De cierta dignidad o nobleza: *aula magna.*

magnolia *f.* Flor del magnolio.

magnoliáceo, -a *adj.-f.* Planta de la familia de las magnoliáceas. – 2 *f. pl.* Familia de plantas dicotiledóneas, que incluye árboles de Asia tropical y Norteamérica, de hojas sencillas, flores grandes, regulares y solitarias y fruto en folículo múltiple.

magnolio *m.* Árbol magnoliáceo de jardín, de hojas persistentes y coriáceas, y flores de gran tamaño, blancas y muy olorosas (gén. *Magnolia).*

mago, -ga *adj.-s.* Que ejerce la magia. 2 *Reyes Magos,* los que fueron a adorar a Jesús recién nacido.

magostar *intr.-tr.* Asar castañas en el magosto. – 2 *intr.* Celebrar una fiesta o reunión de personas para hacer magosto.

magosto *m.* Hoguera para asar castañas al aire libre. 2 Castañas asadas en la hoguera.

magra *f.* Lonja de jamón.

magrear *tr.* vulg. Sobar, palpar, manosear lascivamente [a alguien].

magro, -gra *adj.* Flaco, enjuto, sin grosura. – 2 *m.* Carne magra del cerdo, próxima al lomo.

maguey *m. Amér.* Pita, planta amarilidácea.

magulladura *f.* Acción de magullar o magullarse. 2 Efecto de magullar o magullarse.

magullar *tr.-prnl.* Causar [a un cuerpo] contusiones o cardenales sin herida. 2 Dañar la fruta golpeándola contra algo.

maharajá *m.* Título que significa gran rey y se aplica a casi todos los príncipes de la India.

mahatma *m.* Asceta, jefe espiritual, en la India.

mahometano, -na *adj.-s.* Que profesa el mahometismo. – 2 *adj.* Perteneciente o relativo a Mahoma (h. 570-632) o a su religión.

mahometismo *m.* Islamismo, religión monoteísta predicada por Mahoma (h. 570-632) en Arabia, y extendida después por otros muchos países.

mahona *f.* Embarcación turca de transporte.

mahonesa *f.* Salsa mahonesa, mayonesa. 2 Plato aderezado con salsa mahonesa.

maicena *f.* Harina muy fina de maíz.

maillot *m.* GALIC. Traje de baño, bañador. 2 Camiseta, jersey de ciclista.

maimona *f.* Palo de la tahona en que se encaja y mueve el peón.

maimonismo *m.* Sistema filosófico del judío español Maimónides (1134-1204) y sus discípulos.

mainel *m.* ARQ. Miembro arquitectónico largo y delgado, que divide un hueco en dos partes verticalmente; **gótico; **románico.

maitines *m. pl.* Primera de las horas del oficio divino que antiguamente se rezaba, y en algunas iglesias se reza todavía, antes de amanecer. Suelen constar de tres nocturnos.

maíz *m.* Planta graminácea monoica, de tallo macizo, flores masculinas en racimo, flores femeninas en espigas axilares sobre un eje esponjoso y granos gruesos amarillos, muy nutritivos *(Zea Mays);* **cereales. 2 Grano de esta planta.

maja *f.* Mano de almirez. 2 Vencejo con que se sujeta a la argolla o a la estaca el collar de las caballerías cuando están en el pesebre.

majada *f.* Lugar donde se recogen el ganado y los pastores. 2 Estiércol de los animales. 3 *Amér.* Manada o hato de ganado lanar.

majadear *intr.* Hacer noche el ganado en una majada. 2 Abonar la tierra con estiércol.

majaderear *tr.-intr. Amér.* Importunar, molestar.

majadería *f.* Dicho o hecho necio, porfiado, imprudente.

majadero, -ra *m.* Maza para majar. – 2 *adj.-s.* fig. Necio, porfiado.

majal *m.* Banco de peces.

majano *m.* Montón de cantos sueltos. 2 fig. Hombre rústico, escaso de entendederas.

majar *tr.* Machacar [alguna cosa] aplastándola o desmenuzándola. 2 fig. Molestar, importunar.

majara, majareta *adj.-com.* fam. Chiflado, loco.

majear *tr.* Preparar una vianda para su posterior cocción.

majestad *f.* Grandeza, sublimidad capaz de

infundir admiración y respeto. 2 Título que se da a Dios, y también a emperadores y reyes: *Su Divina Majestad,* Dios. 3 Imagen de Cristo crucificado, vestido con túnica y coronado, peculiar de la escultura bizantina, y, en ocasiones, románica.

majestuoso, -sa *adj.-s.* Que tiene majestad.

majeza *f.* fam. Calidad de majo. 2 fam. Ostentación de esta cualidad.

majo, -ja *adj.-s.* [pers.] Perteneciente a la artesanía madrileña del siglo XIX, que se distinguía por su forma de hablar castiza y su traje vistoso. 2 Ataviado, lujoso. 3 Hermoso, guapo, bonito. 4 fam. Simpático.

majuela *f.* Correa con que se ajustan y atan los zapatos.

majuelo *m.* Viña nueva que ya da fruto.

I) mal *adj.* Apócope de *malo:* ~ *tiempo;* ~ *negocio.*

II) mal *m.* Lo contrario al bien como ley suprema y especialmente como ley moral. 2 Lo que se aparta de lo lícito y honesto. 3 Daño u ofensa que uno recibe en su persona o en sus bienes. 4 Desgracia, calamidad. 5 Enfermedad, dolencia: ~ *de piedra,* el que ocasionan los cálculos en las vías urinarias. 6 *Amér. Central y Perú.* Epilepsia. 7 *Amér. Central y Perú.* Pataleta.

III) mal *adv. m.* Contrariamente a lo que es debido: *se conduce* ~. 2 Desacertadamente: *juega muy* ~; *de* ~ *en peor,* cada vez con menos acierto, más infaustamente. 3 Contrariamente a lo que se espera o apetece: *salió* ~ *de las oposiciones; el enfermo va* ~. 4 Difícilmente: ~ *puedo yo saberlo si no lo he visto.* 5 Insuficientemente: *te has enterado* ~.

malabar *adj.* V. juegos malabares.

malabarismo *m.* Juego malabar, ejercicio de destreza, habilidad y equilibrio. 2 fig. Habilidad, destreza en general.

malaca *f. Amér.* Caña especial para bastones.

malacia *f.* MED. Deseo de comer cosas impropias para la nutrición; como arena, carbón, yeso, etc.

malacitano, -na *adj.-s.* Malagueño.

malacología *f.* Parte de la zoología que trata de los moluscos.

malaconsejado, -da *adj.-s.* Que se deja llevar de malos consejos.

malacostráceo *adj.-m.* Crustáceo de la subclase de los malacostráceos. – 2 *m. pl.* Subclase de crustáceos de organización superior con el cuerpo dividido en veinte segmentos, siete de los cuales corresponden al abdomen; a esta subclase corresponden tres órdenes: anfípodos, isópodos y decápodos.

malacostumbrado, -da *adj.* Que tiene malos hábitos y costumbres. 2 Que está muy mimado y consentido.

málaga *m.* Vino dulce de Málaga.

malagana *f.* fam. Desfallecimiento, desmayo.

malagradecido, -da *adj.* Desagradecido, ingrato.

malagueña *f.* Cante flamenco de coplas de cuatro versos octosílabos.

malagueño, -ña *adj.-s.* De Málaga.

malagueta *f. Amér.* Planta cingiberácea cuyas semillas se usan como condimento *(Aframomum melegueta).* 2 Semilla de diversos árboles tropicales, usada como especia.

malaleche *com.* fig. *y* vulg. Persona de mala intención o mal carácter. – 2 *f.* Mal carácter o mala intención.

malamañado, -da *adj.* [pers.] Torpe, sin habilidad.

malandante *adj.* Desafortunado, infeliz.

malandar *m.* Cerdo que no se destina para entrar en vara.

malandrín, -drina *adj.-s.* Maligno, perverso, bellaco.

malapata *com.* Persona de mala suerte. – 2 *f.* Mala suerte.

malaquita *f.* Carbonato básico de cobre nativo, verde y susceptible de hermoso pulimento.

malar *adj.* Perteneciente o relativo a la mejilla. – 2 *m.* Pómulo, hueso de la **cabeza.

malaria *f.* Paludismo.

malasangre *adj.-com.* [pers.] De condición aviesa.

malasombra *com.* Persona patosa. – 2 *f.* Falta de gracia.

malatoba *m. Amér.* Gallo de color almagrado claro, con las alas algo más obscuras y algunas plumas negras en la pechuga.

malaúva *f.* Mala intención. – 2 *adj.-com.* Persona de esta condición.

malaventura *f.* Desventura, infortunio. ◇ Pl.: *malaventuras.*

malaxar *tr.* Amasar o sobar [una substancia o una parte del cuerpo].

malayo, -ya *adj.-s.* De una raza, esparcida especialmente en la Oceanía occidental, de estatura baja, piel obscura y rasgos faciales con cierta tendencia al mogolismo. – 2 *m.* Idioma malayo.

malbaratar *tr.* Vender a bajo precio. 2 Disipar [la hacienda].

malcarado, -da *adj.* Que tiene mala cara o aspecto repulsivo.

malcasar *tr.-intr.-prnl.* Casar [a una persona] sin las circunstancias que se requieren para la felicidad del matrimonio.

malcaso *m.* Traición, acción infame.

malcocinado *m.* Menudo de las reses. 2 Sitio donde se vende.

malcomer *intr.* Comer escasamente.

malcontento, -ta *adj.-s.* Revoltoso, rebelde. – 2 *m.* Juego de naipes que consiste en ir trocándose los jugadores las cartas de que están descontentos, perdiendo el que se queda con la más baja.

malcriado, -da *adj.* Falto de buena educación; descortés.

malcriar *tr.* Educar mal [a los hijos]. ◇ ** CONJUG. [13] como *desviar*.

maldad *f.* Calidad de malo. 2 Acción mala.

maldecir *tr.* Echar maldiciones [contra una persona o cosa]: ~ *a su padre;* ~ *su mala suerte.* – 2 *intr.* Hablar con mordacidad, denigrar: ~ *de todo.* ◇ ** CONJUG. [79] como *predecir*. Para formar los tiempos compuestos utiliza el pp. reg.: *maldecido,* excepto en el subjuntivo independiente de la voz pasiva, que utiliza el pp. irreg.: *maldito: maldito seas.* ◇ INCOR.: *maldeciste* por *maldijiste*.

maldición *f.* Imprecación, acción de maldecir.

maldispuesto, -ta *adj.* Indispuesto (de salud). 2 Que no tiene la disposición de ánimo necesaria para una cosa.

maldito, -ta, *adj.* Perverso, de malas costumbres. – 2 *adj.-s.* Condenado por la justicia divina: *vete,* ~ *de Dios.*

maleable *adj.* [metal] Que puede batirse y extenderse en planchas o láminas. 2 p. ext. Que se puede modelar o labrar fácilmente. 3 fig. Dócil.

maleante *adj.* Que malea o daña. – 2 *adj.-com.* Burlador, maligno. 3 Persona que vive al margen de la ley y que se dedica al robo, contrabando, etc.

malear *tr.* Dañar o echar a perder [una cosa]. – 2 *tr.-prnl.* fig. Pervertir uno [a otro].

malecón *m.* Murallón para defensa de las aguas.

maleducado, -da *adj.-s.* Malcriado, sin educación.

maleficio *m.* Daño causado por arte de hechicería. 2 Hechizo con que se pretende causarlo.

maléfico, -ca *adj.* Que hace daño con maleficios. 2 Que ocasiona o puede ocasionar daño. – 3 *m.* Hechicero.

malencarado, -da *adj.* Mal educado e insolente.

malentendido *m.* Equívoco, incomprensión, mala interpretación, mal entendimiento. ◇ Pl.: *malentendidos.*

maléolo *m.* **Hueso, interior y exterior, que forma la protuberancia del tobillo.

malestar *m.* Desazón, incomodidad. 2 fig. Inquietud moral.

I) maleta *f.* Bolsa de mano, generalmente de forma rectangular, de lona o cuero, para llevar ropa y otros efectos. – 2 *com.* fam. Persona que practica con torpeza su profesión: *este torero es un* ~. 3 p. ext. Persona torpe o desacertada. – 4 *f.* Amér. Lío de ropa.

II) maleta *adj.* Amér. Malo, perverso. 2 Amér. Central. fam. [pers.] Despreciable.

maletero *m.* El que tiene por oficio hacer o vender maletas. 2 El que por oficio transporta maletas o, en general, equipajes. 3 Lugar destinado en los vehículos para llevar maletas o equipajes.

maletilla *m.* Persona joven que aspira a abrirse camino en el toreo.

maletín *m.* Especie de maleta pequeña que se usa para llevar los útiles de aseo personal o documentos.

malévolo, -la *adj.-s.* Inclinado a hacer mal.

maleza *f.* Abundancia de hierbas malas de los sembrados. 2 Espesura de arbustos.

malformación *f.* Deformidad o defecto congénito.

malgastar *tr.* Gastar [el dinero, el tiempo, la paciencia, etc.] en cosas malas o inútiles.

malhablado, -da *adj.-s.* Desvergonzado, atrevido en el hablar.

malhadado, -da *adj.* Infeliz, desventurado.

malhecho, -cha *adj.* De cuerpo mal formado o contrahecho. – 2 *m.* Acción mala o fea.

malhechor, -ra *adj.-s.* Que comete acciones culpables.

malherir *tr.* Herir gravemente. ◇ ** CONJUG. [35] como *hervir*.

malhojo *m.* Hojarasca y desperdicio de las plantas.

malhumorado, -da *adj.* Que tiene malos humores. 2 Que está de mal humor.

malicia *f.* Maldad (calidad). 2 Inclinación a lo malo. 3 Perversidad, malignidad: *pecar de* ~. 4 Calidad que hace una cosa perjudicial y maligna. 5 Solapa y bellaquería con que se procede, ocultando la intención. 6 Interpretación siniestra y maliciosa; propensión a pensar mal: *ésa es* ~ *tuya.* 7 Penetración, sagacidad. 8 Sospecha o recelo: *tengo mis malicias sobre el caso.*

maliciar *tr.-prnl.* Sospechar, presumir [algo] con malicia: ~ *de cualquiera;* ~ *en cualquier cosa.* ◇ ** CONJUG. [12] como *cambiar*.

malignar *tr.* Viciar, inficionar. 2 Hacer maligno [una cosa]. – 3 *prnl.* Corromperse, empeorarse.

malignizar *tr.-prnl.* MED. Adquirir carácter maligno una formación patológica, tumoral o no, que antes no lo tenía. ◇ ** CONJUG. [4] como *realizar*.

maligno, -na *adj.-s.* Propenso a pensar u obrar mal. – 2 *adj.* De índole perniciosa. 3 MED. [lesión o enfermedad] Que evoluciona de modo desfavorable, especialmente los tumores cancerosos.

malilla *f.* Carta que es la segunda en valor en ciertos juegos de naipes. 2 Juego de naipes en que la carta superior de cada palo es el nueve.

malintencionado, -da *adj.-s.* Que tiene mala intención.

malmandado, -da *adj.* Desobediente.

malmaridada *adj.-f.* [mujer] Que ha realizado un matrimonio infeliz.

malmeter *tr.* Malbaratar, malgastar. 2 Inducir [a uno] a hacer cosas malas. 3 Malquistar.

malmirado, -da *adj.* Malquisto, desconceptuado. 2 Descortés, inconsiderado.

malnacido, -da *adj.-s.* Mala persona, indeseable.

malo, -la *adj.* Que carece de la bondad que debiera tener según su naturaleza: *cerveza mala;* ~ *de condición.* 2 Propenso al mal, de mala vida: *es un hombre* ~ *con, para, o para con, su padre.* 3 Contrario a la ley moral: *malas lecturas.* 4 Nocivo a la salud, peligroso: *es un trabajo* ~. 5 Enfermo: *está* ~. 6 Difícil, dificultoso: *es* ~ *de entender; lo* ~ *es,* lo difícil es. 7 Desagradable, molesto: *he pasado un mal rato.* 8 Travieso: *este niño es muy* ~. 9 Deslucido, deteriorado: *el chaleco está* ~. 10 fam. Bellaco, malicioso. ◇ Cuando va delante del substantivo se apocopa en *mal.*

maloca *f. Amér. Merid.* Invasión en tierra de indios, con pillaje y exterminio.

malófago *adj.-m.* Insecto del orden de los malófagos. – 2 *m. pl.* Orden de insectos pterigotas microscópicos o casi microscópicos, parásitos de aves y mamíferos, que se alimentan de pelos y plumas.

malograr *tr.* No aprovechar [el tiempo, la ocasión, etc.]. – 2 *prnl.* Frustrarse lo que se pretendía o se esperaba conseguir. 3 No llegar una persona o cosa a su natural desarrollo.

maloliente *adj.* Que exhala mal olor.

malón *m. Amér.* Irrupción o ataque inesperado de indios. 2 *Amér.* p. ext. Grupo de personas que provocan desórdenes. 3 *Amér. Merid.* fig. Felonía inesperada. 4 *Amér. Merid.* Asalto en casa de amigos.

maloquear *intr. Amér.* Hacer malones o malocas. 2 *Amér. Merid.* Atacar, sorprender. 3 *Amér. Merid.* Comerciar de contrabando.

malparado, -da *adj.* Que ha sufrido notable menoscabo: *salir* ~ *de un negocio.*

malparir *intr.* Abortar la mujer.

malpasar *intr.* fam. Vivir pobremente o con estrechez.

malpensado, -da *adj.-s.* Que juzga aviesamente.

malpensar *intr.* Pensar mal en los casos dudosos. ◇ ** CONJUG. [27] como *acertar.*

malquerencia *f.* Mala voluntad, aversión.

malquerer *tr.* Tener mala voluntad [a una persona o cosa]. ◇ ** CONJUG. [80] como *querer.*

malquistar *tr.* Poner mal [a una persona] con otra: *le malquistaron con el rey.*

malrotar *tr.* Disipar, malgastar [la hacienda].

malsano, -na *adj.* Dañoso a la salud. 2 Enfermizo.

malsín *m.* Cizañero, soplón.

malsonante *adj.* Que suena mal. 2 Contrario a la moral o a la decencia de personas piadosas y de buen gusto: *doctrinas, palabras malsonantes.*

malta *f.* Cebada germinada, preparada para la fabricación de cerveza. 2 Granos de cebada o de trigo tostados para sustituir el café.

maltasa *f.* Fermento existente en el organismo, especialmente en los jugos digestivos y que transforma la maltosa en glucosa.

malteado, -da *adj.* Mezclado con malta. – 2 *m.* Operación por la cual la cebada se transforma en malta.

maltés, -tesa *adj.-s.* De Malta, nación insular del Mediterráneo.

maltón, -tona *adj. Amér.* [animal o persona] Joven, pero de desarrollo precoz: *cordero* ~; *una niña maltona.*

maltosa *f.* QUÍM. Azúcar que resulta de la sacarificación incompleta del almidón.

maltraer *tr.* Maltratar, injuriar [a alguien]: *llevar a* ~, importunar de modo constante. ◇ ** CONJUG. [88] como *traer.*

maltraído, -da *adj. Amér.* Desaliñado, descuidado en el traje.

maltrapillo *m.* Pilluelo mal vestido; golfo.

maltratar *tr.* Tratar mal [a uno] de palabra u obra. 2 Menoscabar, echar a perder [una cosa].

maltrato *m.* Acción de maltratar. 2 Efecto de maltratar.

maltrecho, -cha *adj.* Maltratado, malparado.

maltusianismo *m.* Teoría del economista Malthus (1766-1834), quien afirma que la población tiende a crecer en progresión geométrica, mientras que los alimentos sólo aumentan en progresión aritmética. 2 Restricción voluntaria de la natalidad.

malucho, -cha *adj.* fam. Que está algo enfermo.

malva *f.* Planta malvácea de tallo ramoso y velludo, hojas lobuladas y dentadas, flores grandes y violáceas que se usan en infusión como pectoral, y fruto poliaquenio (*M. sylvestris*). – 2 *adj.-m.* Color violeta pálido tirando a rosáceo como el de la flor de la malva. – 3 *adj.* De color malva.

malváceo, -a *adj.-f.* Planta de la familia de las malváceas. – 2 *f. pl.* Familia de plantas dicotiledóneas, herbáceas o leñosas, de hojas estipuladas, lobuladas o partidas, flores vistosas con brácteas soldadas al pedúnculo formando un epicáliz y fruto capsular o poliaquenio.

malvado, -da *adj.-s.* Muy malo, perverso.

malvar *tr.* Corromper o hacer mala [a una persona o cosa].

malvarrosa *f.* Geranio de olor muy agradable cultivado para la extracción de esencias (*Pelargonium capitatum*).

malvasía *f.* Uva muy dulce y fragante, producida por una variedad de vid importada de la isla de Quío por los catalanes durante las cruzadas. 2 Vino que se hace de esta uva. 3 Pato de cabeza grande, cuerpo regordete y cola larga y puntiaguda, con frecuencia levantada *(Oxyura leucocephala)*.

malvavisco *m.* Planta malvácea cuya raíz se usa como emoliente *(Althœa officinalis)*.

malvender *tr.* Malbaratar (vender).

malversación *f.* Acción de malversar. 2 Efecto de malversar.

malversar *tr.* Invertir ilícitamente [los caudales ajenos que uno tiene a su cargo].

malvís *m.* Tordo de plumaje verde obscuro manchado de negro y rojo. Es ave de paso en España *(Turdus musicus)*. ◇ Pl.: malvís.

malvivir *intr.* Vivir mal.

malla *f.* Cuadrilátero del tejido de la red. 2 Tejido de pequeños eslabones o anillos de metal enlazados entre sí: *portamonedas de ~; cota de ~;* **armadura. 3 Anillo de que se forma este tejido. 4 Vestido de tejido de punto muy fino que, ajustado al cuerpo, usan en sus actuaciones los artistas de circo, bailarines, deportistas, etc. 5 Tejido semejante al de malla. 6 ELECTR. Circuito cerrado formado por varios conductores. 7 *Amér.* Traje de baño.

malleta *f.* MAR. Cabo con que se cobra un arte de pesca.

mallo *m.* Juego en que se hacen correr unas bolas por el suelo dándoles con unos mazos. 2 Terreno dispuesto para dicho juego.

mallorquín, -quina *adj.-s.* De Mallorca. – 2 *m.* Dialecto mallorquín.

mama *f.* Teta (órgano).

mamá *f.* fam. Madre. ◇ Pl.: mamás.

mamacallos *m.* fig. *y* fam. Tonto, mentecato. ◇ Pl.: mamacallos.

mamacona *f.* Mujer virgen y anciana dedicada al servicio de los templos entre los antiguos incas, y a cuyo cuidado estaban las vírgenes del Sol.

mamada *f.* Acción de mamar. 2 Lo que una criatura mama cada vez que se pone al pecho. 3 *Amér.* Ganga o ventaja a poca costa.

mamadera *f.* Instrumento para descargar los pechos de las mujeres cuando tienen exceso de leche. 2 *Amér.* Biberón.

mamado, -da *adj.* vulg. Ebrio, borracho.

mamantón, -tona *adj.* [animal] Que mama todavía.

mamar *tr.* Chupar con los labios y la lengua [la leche de los pechos]: *el niño mama bien.* 2 fam. Comer, engullir. 3 fig. Aprender en la infancia: *~ un vicio con,* o *en, la leche.* 4 fig. Obtener sin mérito o esfuerzo: *se ha mamado un buen destino.* – 5 *prnl.* fam. Emborracharse.

mamarrachada *f.* Acción defectuosa y ridícula.

mamarracho *m.* Figura o cosa defectuosa

y ridícula. 2 Cosa sin valor ninguno. 3 Hombre informal no merecedor de respeto. – 4 *adj.-m.* fam. [pers.] Imbécil, tonto.

mambo *m.* Baile cubano.

mamelón *m.* Colina baja en forma de pezón de teta. 2 Cumbre de igual forma.

mameluco *m.* fig. Hombre necio, bobo. 2 *Amér.* Prenda de vestir enteriza, especialmente de niños, que comprende la camiseta y los calzoncillos.

mamella *f.* Apéndice largo y ovalado que cuelga del cuello de algunos animales.

mamerto, -ta *adj.* Apocado, estúpido, tonto.

mamey *m.* Árbol gutífero de América, de flores blancas, olorosas, y fruto casi redondo, de pulpa amarilla, aromática y sabrosa *(Mammea americana)*. 2 Fruto de este árbol. 3 Árbol sapotáceo de América, de flores de color blanco rojizo y fruto ovoide, de pulpa roja, dulce y muy suave *(Achras mamuosa)*. 4 Fruto de este árbol.

mamía *f.* [cabra] De una sola ubre.

mamífero *adj.-m.* Animal de la clase de los mamíferos. – 2 *m. pl.* Clase de animales vertebrados caracterizados por presentar glándulas mamarias que sólo son funcionales en las hembras y que utilizan para alimentar a sus crías; salvo algunas excepciones, son homeotermos, vivíparos y tienen el cerebro muy desarrollado; se agrupan en tres subclases: prototerios, metaterios y placentarios.

mamiforme *adj.* De figura de mama o teta.

mamila *f.* Teta de la hembra, exceptuando el pezón. 2 Tetilla del hombre.

mamitis *f.* Inflamación de las mamas. 2 fam. Apego a la madre. ◇ Pl.: mamitis.

mamografía *f.* Radiografía de la mama de la mujer.

mamola *f.* Caricia o burla que se hace poniendo uno la mano debajo de la barba de otro. 2 fig. *y* fam. Engaño con caricias fingidas, tratándole de bobo.

mamón, -mona *adj.-s.* Que todavía mama. 2 Que mama demasiado. 3 vulg. [pers.] De poca formalidad, despreciable. – 4 *m.* Chupón (vástago). 5 Árbol sapindáceo de América tropical, de fruto en drupa, cuya fruta es ligeramente ácida y comestible, como la almendra del hueso *(Melicoccus bijugatus)*. 6 Fruto de este árbol. 7 *Amér.* fam. Borracho.

mamotreto *m.* Libro o cuaderno de apuntes. 2 fig. Libro o legajo muy abultado. 3 Armatoste.

mampara *f.* Cancel movible que se pone en las habitaciones.

mamparra *f.* Pesca que se verifica colocando una luz en un bote alrededor del cual se tienden las redes. 2 Embarcación construida y dotada para este tipo de pesca.

mamperlán *m.* Listón de madera con que

se guarnece el borde de los peldaños en las escaleras de fábrica.

mamporrero *m.* Persona que dirige el miembro del caballo en el acto de la generación.

mamporro *m.* fam. Golpe que hace poco daño.

mampostería *f.* Obra hecha con mampuestos colocados y ajustados unos con otros sin sujeción a determinado orden de hiladas o tamaños. 2 Oficio de mampostero.

mampresar *tr.* Empezar a domar [las caballerías cerriles].

mampuesto *m.* Piedra sin labrar que se puede colocar en obra con la mano. 2 Reparo, parapeto. 3 *Amér.* Objeto en que se apoya el arma de fuego para tomar mejor la puntería.

mamujar *tr.* Mamar dejando [el pecho] y volviéndolo a tomar.

mamullar *tr.* Comer o mascar con los ademanes y gestos que hace el que mama.

mamut *m.* Especie fósil del elefante, perteneciente a la época cuaternaria *(Elephas primigenius).* ◇ Pl.: *mamuts.*

I) mana *m.* Poder oculto al que, según ciertas religiones primitivas, se atribuye el origen de la idea de causa.

II) mana *f. Amér.* Maná. 2 *Amér. Central y Colomb.* Manantial.

maná *m.* Alimento que, según la Biblia, Dios envió milagrosamente a los israelitas en el desierto. 2 fig. Alimento abundante y poco costoso. 3 Líquido azucarado que fluye de ciertos vegetales, como el fresno y el eucalipto, y que se solidifica rápidamente. Es algo purgante. ◇ No se usa en plural.

I) manada *f.* Hato de ganado al cuidado de un pastor, especialmente de cuadrúpedos. 2 Conjunto de animales de la misma especie que andan reunidos.

II) manada *f.* Porción de una cosa que puede cogerse de una vez con la mano: *~ de mies.*

management *m.* Técnica de la dirección y gestión de una empresa.

manager *com.* Gerente, administrador. 2 Persona que se ocupa de los intereses de un deportista profesional, de un cantante, etc.; apoderado.

manantial *adj.* [agua] Que mana. – 2 *m.* Nacimiento de las aguas. 3 Fuente, supuración. 4 Fuente de energía. 5 fig. Origen y principio de una cosa.

manar *intr.-tr.* Brotar de una parte un líquido: *la sangre mana de la herida; la herida mana sangre.* – 2 *intr.* fig. Abundar, tener copia de una cosa: *el campo mana en agua.*

manatí, manato *m.* Mamífero sirenio de América, herbívoro, de unos 4 m. de largo, de cola larga y redondeada y miembros torácicos muy desarrollados *(Trichechus manatus).* 2

Látigo flexible hecho de la piel de este animal.

manazas *adj.-com.* fam. Persona torpe, especialmente con las manos; desmañado. ◇ Pl.: *manazas.*

mancaperro *m.* Planta leñosa que suele criarse en Sierra Nevada, y se cultiva en los jardines *(Erinacea Anthyllis).*

mancar *tr.-prnl.* Lisiar, herir [a uno] en las manos, imposibilitándole el libre uso de ambas o de una de ellas. – 2 *tr.* p. ext. Imposibilitar el uso de otros miembros. ◇ ** CONJUG. [1] como *sacar.*

mancarrón, -rrona *adj. Amér.* [pers.] Que se ha inutilizado para el trabajo.

manceba *f.* Concubina.

mancebía *f.* Casa de rameras. 2 Mocedad (travesura y diversión deshonesta).

mancebo *m.* Mozo joven. 2 Hombre soltero. 3 Oficial, dependiente; esp., el auxiliar de farmacia.

máncer *adj.-m.* Hijo de mujer pública.

mancerina *f.* Plato con abrazadera para sujetar la jícara.

mancilla *f.* fig. Mancha, desdoro.

mancillar *tr.* fig. Manchar (la buena fama). 2 Deslucir, afear.

mancipación *f.* Forma solemne contractual del antiguo derecho romano, usada especialmente para la enajenación de la propiedad. 2 Venta y compra.

mancipar *tr.-prnl.* Sujetar, hacer esclavo [a uno].

manco, -ca *adj.-s.* Falto de un brazo o mano, o que ha perdido su uso. – 2 *adj.* fig. Defectuoso, incompleto: *verso ~.*

mancomún (de ~) *loc. adv.* Mancomunadamente.

mancomunadamente *adv. m.* De acuerdo dos o más personas, o en unión de ellas.

mancomunar *tr.-prnl.* Unir [personas, fuerzas o caudales] para un fin: *~ los esfuerzos; mancomunarse con otros.* 2 DER. Obligar [a dos o más personas] de mancomún al pago o ejecución de una cosa.

mancomunidad *f.* Corporación y entidad legalmente constituidas por agrupación de municipios o provincias.

mancorna *f. Amér.* Gemelos o juego de dos botones iguales.

mancornar *tr.* Derribar [a un novillo] fijándole los cuernos en tierra. 2 Atar una cuerda a la mano y cuerno [de las vacuna] para impedir que huya. 3 Colocar la mano [de la res derribada] sobre el cuerno del mismo lado para impedir que se levante. 4 Atar [las reses] por los cuernos para que anden juntas. 5 fig. Unir [dos cosas desapareadas]. ◇ ** CONJUG. [31] como *contar.*

mancuerda *f.* Tormento que consistía en apretar las ligaduras que ataban al supuesto reo mediante las vueltas de una rueda, hasta que aquél confesaba o corría peligro su vida.

mancuerna *f.* Pareja de animales o cosas mancornadas. 2 Correa con que se mancuernan las reses.

mancha *f.* Señal que una cosa hace en un cuerpo ensuciándolo. 2 Banco de peces, majal, manjúa. 3 Mácula del sol. 4 Parte de una cosa con distinto color del general en ella: ~ *luminosa,* pequeña marca luminosa producida en la pantalla de un tubo de rayos catódicos, al incidir sobre ésta el haz electrónico. 5 Pedazo de terreno que se distingue de los inmediatos por alguna calidad. 6 fig. Deshonra, desdoro.

manchar *tr.* Hacer manchas [en una cosa]: ~ *la ropa con, en,* o *de, lodo.* 2 fig. Deslustrar la buena fama [de una persona, familia o linaje]. – 3 *tr.-prnl.* PINT. Disponer las grandes masas de claro y oscuro.

manchego, -ga *adj.-s.* De La Mancha, región de España. 2 Queso de oveja originario de La Mancha.

manchón *m.* En los sembrados, sitio donde nacen las plantas tupidas.

manda *f.* Oferta, donación. 2 Legado (por testamento).

mandado, -da *m.* Mandamiento (de un superior). 2 Negocio, comisión, embajada, recado. – 3 *m. f.* Persona que ejecuta una comisión por encargo ajeno.

mandador *m. Amér.* Látigo de mango de palo.

mandamás *adj.-com.* desp. Jefe o persona que tiene mando. 2 Mandón, persona que ostenta demasiado su autoridad. 3 Personaje influyente y poderoso. ◇ Pl.: *mandamases.*

mandamiento *m.* Precepto u orden de un superior a un inferior. 2 Precepto del Decálogo y de la Iglesia. 3 DER. Orden escrita del juez, mandando ejecutar o cumplimentar una cosa.

mandanga *f.* Pachorra. 2 Marihuana. – 3 *f. pl.* Cuentos, chismes, tonterías.

mandante *com.* Persona que confía a otra su representación o la gestión de sus negocios.

mandar *tr.* Obligar, imponer a uno [la realización de una cosa]. 2 Legar [una cosa] en testamento. 3 Enviar: *mandó un libro; le mandé de emisario.* 4 Encargar: ~ *por dulces.* 5 Regir, gobernar: *en mi casa mando yo.* 6 EQUIT. Dominar [al caballo]. – 7 *prnl.* Moverse, manejarse uno por sí mismo. 8 Comunicarse una pieza con otra [de un edificio]: *el gabinete se manda con el despacho.* – 9 *tr.-prnl.* Servirse de un medio de comunicación: *me mandó por la escalera; se mandan por una puerta secreta.* 10 *Amér.* Marcharse, irse, largarse. – 11 *tr. Amér.* Convidar a [la ejecución de alguna cosa]. 12 *Amér.* Dar, tirar, arrojar. ◇ En la acepción *11* se usa con los verbos *apear, entrar, salir, sentar,* y algún otro.

mandarín *m.* Antiguo alto funcionario, civil o militar, de China. 2 fig. Persona que ejerce un cargo y es tenida en poco. 3 fig. Persona muy influyente.

I) mandarina *adj.-f.* Lengua sabia de la China.

II) mandarina *adj.-f.* Especie de naranja de cáscara muy fácil de separar y pulpa muy dulce.

mandarinero *m.* Arbolito rutáceo espinoso, de hasta 8 metros, que produce frutos casi globosos, con cáscara delgada y de color anaranjado vivo en la madurez *(Citrus reticulata).*

mandarria *f.* Maza de hierro de que usan los calafates.

mandatario, -ria *m. f.* Persona que acepta del mandante el encargo de representarle o gestionar sus negocios.

mandato *m.* Orden o precepto. 2 Antigua soberanía temporal ejercida por un país en un territorio, en nombre de la Sociedad de Naciones. 3 DER. Contrato consensual, por el que una de las partes, llamada mandante, confía su representación personal o la gestión de uno o más negocios a la otra, llamada mandatario.

mandíbula *f.* Quijada; **cabeza; **cuerpo humano. 2 Pieza córnea que, con otra, forma el pico de las aves. 3 Pieza dura que otras especies de animales tienen a los lados o alrededor de la boca y les sirven para la prensión de los alimentos; **crustáceos. 4 Pieza del cepo encargada, con otra igual, de apresar.

mandibulado *adj.-m.* Artrópodo del subtipo de los mandibulados. – 2 *m. pl.* Subtipo de artrópodos con antenas, apéndices masticadores en la boca y ojos laterales, que incluye dos clases, crustáceos e insectos, y un grupo, el de los miriápodos.

mandil *m.* Delantal de cuero o tela fuerte que cuelga del cuello hasta por debajo de las rodillas. 2 Delantal (prenda). 3 Insignia de que usan los masones. 4 Pedazo de bayeta para limpiar las caballerías. 5 Red de pescar de mallas estrechas. 6 *And., Argent.* y *Chile* Paño con que se cubre el lomo de la cabalgadura.

mandilete *m.* Pieza de la armadura que cubre y defiende la mano. 2 Portezuela que cierra la tronera de una batería.

mandilón *m.* fam. Hombre pusilánime.

mandinga *adj.-com.* [pers.] De una raza negra de África.

mandioca *f.* Arbusto euforbiáceo de América, de cuya raíz se extrae almidón, harina y tapioca *(Manihot utilissima).*

mando *m.* Autoridad, poder del superior sobre sus subordinados: *tener el ~ de un regimiento.* 2 Persona u organismo que tiene dicha autoridad: *el ~ militar lo dispone así.* 3 Botón, llave, palanca u otro artificio para iniciar, regular o suspender el funcionamiento de un mecanismo, desde el lugar que ocupa el operador: ~ *a distancia,* accionamiento a distancia de un mecanismo, máquina, vehículo, etc.

mandoble *m.* Cuchillada o golpe violento que se da esgrimiendo el arma con ambas manos. 2 fam. Espada grande. 3 fig. Reprensión áspera. 4 fig. Bofetada.

mandolina *f.* Instrumento músico parecido a la bandurria, de caja abombada por debajo, con 4 ó 6 **cuerdas pareadas, dispuestas como las del violín, que se toca con púa.

mandón, -dona *adj.-s.* Que ostenta y usa del mando más de lo que le toca. – 2 *m. Amér.* Capataz de mina.

mandorla *f.* Aureola en forma de óvalo que en el arte medieval rodeaba algunas imágenes religiosas.

mandrágora *f.* Planta solanácea narcótica, sin tallo, de hojas anchas y rugosas, flores malolientes en figura de campanilla, y fruto en baya ovoide *(Mandragora officinalis).*

mandria *adj.-com.* Apocado, pusilánime.

I) mandril *m.* Primate catarrino cercopitécido, con rayas azules a ambos lados de la nariz, y callosidades isquiáticas rojas *(Papio mormon).*

II) mandril *m.* Eje cilíndrico que, colocado en un agujero de la pieza que hay que tornear, la sujeta fuertemente. 2 CIR. Vástago que, introducido en ciertos instrumentos huecos, facilita su penetración en determinadas cavidades.

manduca *f.* fam. Comida, alimento.

manducar *tr.-intr.* fam. Comer. ◇ ** CONJUG. [1] como *sacar.*

maneador *m. Amér.* Tira larga de cuero que sirve para atar el caballo, apiolar animales y otros usos.

manear *tr.* Poner maniotas [a una caballería].

manecilla *f.* Signo impreso, en figura de mano con el índice extendido, para llamar la atención. 2 Saetilla de algunos instrumentos: ~ *del reloj.* 3 Broche de algunos objetos: ~ *de un devocionario.* 4 Palanquilla, llave de ciertos mecanismos.

manejable *adj.* Que se maneja fácilmente.

manejar *tr.* Traer entre las manos [una cosa]: ~ *una tela.* 2 Dar movimiento con las manos [a una cosa]: ~ *los remos.* 3 Gobernar [los caballos] según arte. 4 Gobernar, dirigir: ~ *un negocio; manejarse bien.* – 5 *prnl.* Moverse después de haber estado impedido. – 6 *tr. Amér.* Conducir [un automóvil].

manejo *m.* Acción de manejar o manejarse. 2 Arte de manejar los caballos. 3 Funcionamiento. 4 fig. Dirección y gobierno de un negocio. 5 fig. Treta, ardid. 6 *Amér.* Conducción de un automóvil.

manera *f.* Forma particular con que se ejecuta o acaece una cosa. 2 Porte y modales: *tu amigo tiene buenas maneras.*

manes *m. pl.* MIT. Almas de los muertos.

maneto, -ta *adj. Amér.* Deforme de una o ambas manos.

manfla *f.* fam. Mujer con quien se tiene trato ilícito.

manflorita *m.* Afeminado, homosexual.

I) manga *f.* Parte del vestido que cubre total o parcialmente el brazo: ~ *corta,* la que no llega al codo; ~ *ranglán,* la que empieza en el cuello y cubre el hombro. 2 Especie de maleta manual, abierta por las dos extremidades. 3 Tubo largo y flexible de lona, goma o cuero: ~ *de riego;* **jardinería. 4 Red de forma cónica para pescar, que se mantiene abierta con un aro que le sirve de boca. 5 Utensilio de tela, de forma cónica, provisto de un pico de metal u otro material duro, que se utiliza para añadir nata a algunos postres, decorar tartas, etc. 6 Tubo de tela, o material semejante, de forma troncocónica, utilizado para señalar la dirección y velocidad del viento. 7 Nube en forma de embudo, animada de un rápido movimiento giratorio, que se extiende desde la parte inferior de un cúmulo hasta la superficie del mar, de un lago o de la tierra: ~ *de tornado.* 8 – *de agua,* turbión (chaparrón). 9 – *de viento,* remolino de viento. 10 Anchura mayor de un buque. 11 Parte del eje de un carro o carruaje donde entra y voltea la rueda. 12 DEP. Parte de que consta una carrera o competición deportiva: *la primera ~ del gran premio automovilístico; una carrera de esquí consta de dos mangas.* 13 *Amér.* Espacio comprendido entre dos palanqueras o estacadas que van convergiendo hasta la entrada de un corral o de un embarcadero, formando calle o vía para el tránsito de los ganados. 14 *Amér.* Turba, multitud. 15 *Amér. Central.* Manta de jerga con que se abriga la gente pobre.

II) manga *f.* Árbol de los países intertropicales, variedad del mango, con el fruto sin escotadura *(Mangifera indica).* 2 Fruto de este árbol.

mangajarro *m.* Manga desaseada y demasiado larga.

mangana *f.* Lazo que se arroja a las manos de un caballo o toro, para hacerle caer y sujetarlo.

manganesa *f.* Mineral de manganeso, empleado para la obtención del oxígeno y el cloro, y la fabricación del acero, el vidrio, etc.

manganeso *m.* Metal de color y brillo acerados, duro, quebradizo y muy oxidable. Su símbolo es *Mn.*

mangangá *m. Argent., Parag.* y *Urug.* Abejón muy zumbador cuya picadura produce hinchazón, dolor y fiebre, y que hace sus panales en tierra (gén. *Xilocopa).* 2 *Argent., Bol., Parag.* y *Urug.* fig. Fastidioso.

manganilla *f.* Engaño, treta, ardid de guerra, sutileza de manos.

manganina *f.* Aleación de cobre, manganeso y níquel.

manganita *f.* Mineral de la clase de los óxidos e hidróxidos, que cristaliza en el sistema monoclínico, de color negro o gris y brillo metálico.

mangante *adj.-s.* Que manga (roba). – 2 *com.* Sablista. 3 Sinvergüenza, truhán, vividor.

manganzón, -zona *adj.* *Amér.* Zángano, holgazán.

mangar *tr.-prnl.* Vestirse [una prenda de mangas]. – 2 *tr.* fam. Robar, hurtar. ◇ ** CONJUG. [7] como *llegar*.

I) mangle *m.* Arbusto rizoforáceo, tropical, dotado de raíces aéreas, cuyas hojas, frutos y corteza se emplean en tenería *(Rhizophora mangle)*.

II) mangle *f.* Máquina de rodillo con artesa, que se emplea para prensar las telas de lino y yute.

I) mango *m.* Parte estrecha y larga por donde se coge con la mano un utensilio para usar de él; **bicicleta.

II) mango *m.* Árbol terebintáceo, originario de la India, de fruto aromático y astringente *(Mangifera indica).* 2 Fruto de este árbol.

mangona *f.* Jaula de gran tamaño para encerrar los pollos de perdiz.

mangonear *intr.* Entremeterse uno donde no le llaman. 2 desp. Mandar, dirigir, manipular. 3 *Amér.* Lucrar por medios ilícitos.

mangoneo *m.* desp. Acción de mangonear (entremeterse). 2 desp. Efecto de mangonear (entremeterse). 3 *Amér.* Robo, chanchullo.

mangorrero, -ra *adj.* [cuchillo] Tosco y mal forjado.

mangosta *f.* Mamífero carnívoro vivérrido, propio de los climas cálidos *(Herpestes fasciatus).*

mangostán *m.* Arbusto gutífero de las Molucas *(Garcinia mangostana).* 2 Fruto de este arbusto.

mangote *m.* Manga ancha y larga. 2 Manga postiza usada por los oficinistas.

mangual *m.* Arma antigua formada por unas bolas de hierro sujetas con unas cadenillas a un mango de madera.

manguardia *f.* Murallón que refuerza por los lados los estribos de un puente.

manguear *tr.* *Amér.* Ojear, espantar [la caza] hacia los cazadores. 2 *Amér.* fig. y fam. Atraer [a alguien] con halagos y maña. – 3 *intr.* *Amér.* Aparentar que se trabaja. 4 *Amér.* Vagar, mangonear.

manguera *f.* Manga (tubo), especialmente la de lona alquitranada para sacar agua de las embarcaciones. 2 Tubo de ventilación. 3 Manga, tromba. 4 *Amér.* Corral para el ganado.

mangueta *f.* Vejiga con pitón para echar ayudas. 2 Tubo que en los retretes une el sifón con el conducto de bajada. 3 Madero que enlaza el par con el tirante, o con un puente, en la armadura de una cubierta. 4 En los extremos del eje delantero de un automóvil, piezas que permiten el cambio de dirección de la rueda.

manguito *m.* Rollo de piel que usaban las señoras para llevar abrigadas las manos. 2 Media manga de punto de que usan las mujeres. 3 Tela de forma cónica para filtrar líquidos. 4 Tubo de hierro o acero con que se refuerzan los cañones, vergas, etc. 5 Tubo para empalmar dos piezas cilíndricas iguales. 6 Bizcocho en figura de rosca. 7 Manopla para lavarse. – 8 *m. pl.* Hierba primulácea de hojas anchas y arrugadas, y flores amarillas en forma de embudo agrupadas en una umbela *(Primula elatior).*

maní *m.* Cacahuete. ◇ Pl.: *manises.*

manía *f.* Violento trastorno mental, especialmente forma de locura del que está dominado por una idea fija. 2 Ojeriza. 3 Pasión violenta, deseo desordenado: *tiene ~ por las modas.* 4 Extravagancia, tema, capricho.

maníaco, -ca, maniaco, -ca *adj.-s.* Que padece manía. 2 Propio de la manía: *delirio ~.*

maniatar *tr.* Atar las manos [a uno].

maniático, -ca *adj.-s.* Que tiene manías.

manicomio *m.* Hospital para enfermos mentales.

manicuro, -ra *m. f.* Persona que tiene por oficio cuidar las manos, especialmente las uñas. – 2 *f.* Cuidado de las manos y las uñas: *hacerse la manicura.*

manida *f.* Guarida, vivienda.

manido, -da *adj.* Sobado, pasado de sazón. 2 [carne, pescado u otros comestibles] Que empieza a pudrirse. 3 [asunto, tema] Muy trillado.

manierismo *m.* Forma del arte que se manifestó en Italia en el s. XVI, entre el Renacimiento y la época barroca, y que se caracterizó por su falta de naturalidad y su afectación.

manifestación *f.* Acción de manifestar o manifestarse. 2 Reunión pública, generalmente al aire libre, en la que los concurrentes manifiestan sus deseos o sentimientos.

manifestador *m.* Dosel o templete donde se expone el Santísimo Sacramento a la adoración de los fieles.

manifestante *com.* Persona que toma parte en una manifestación.

manifestar *tr.* Declarar, dar a conocer abiertamente: *manifestó su sorpresa; Dios se nos manifiesta siempre.* 2 Descubrir, poner a la vista: *el error quedó manifiesto.* – 3 *intr.* Hacer una demostración colectiva pública. – 4 *prnl.* Darse a conocer. 5 Tomar parte en una manifestación. ◇ ** CONJUG. [3] como *acertar*; pp. reg.: *manifestado*; irreg., usado como adjetivo y locución adverbial: *manifiesto.*

manifiesto, -ta *adj.* Patente, ostensible, claro: *verdad manifiesta.* – **2 m.** Escrito que una persona, partido o agrupación dirige a la opinión pública.

manigero *m.* Capataz de una cuadrilla de trabajadores del campo.

manigua *f. Amér.* Terreno cubierto de malezas. 2 fig. Abundancia desordenada de alguna cosa.

manija *f.* Mango o manubrio de ciertos utensilios. 2 Empuñadura que sirve para abrir la puerta del automóvil.

manila *f.* Cigarro elaborado en las islas Filipinas. 2 Tabaco procedente de Filipinas.

manilargo, -ga *adj.* De manos largas. 2 fig. Pródigo, manirroto. 3 fig. Propenso a tomar lo ajeno.

manilla *f.* Grillete para las muñecas. 2 Manecilla de un reloj. 3 *Can., P. Rico y Venez.* Cuadernillo de cinco hojas de papel. 4 *Argent., Chile y Venez.* Manija del automóvil.

manillar *m.* En la **bicicleta y en la **motocicleta, encornadura de metal para dar dirección a la máquina.

maniobra *f.* Operación que se ejecuta con las manos. 2 Conjunto de los cabos o aparejos de una embarcación, de uno de sus palos, etc. 3 Faena que se hace a bordo con ellos. 4 Arte de gobernar las embarcaciones. 5 Artificio y manejo con que uno entiende en un negocio. 6 Movimiento o serie ordenada de movimientos que se ejecutan en el ejército como ejercicio táctico o simulando un combate. – 7 *f. pl.* Operaciones que se hacen en las estaciones y cruces de vías, para la formación o paso de los trenes. 8 Operaciones que se hacen con otros vehículos para cambiar de rumbo.

maniobrable *adj.* Que se maniobra fácilmente.

maniobrar *intr.* Ejecutar maniobras.

maniota *f.* Cuerda o cadena con que se atan las manos de un animal.

manipulador *m.* Aparato telegráfico transmisor. 2 Vehículo especial usado en los talleres metalúrgicos para transportar las piezas grandes.

manipular *tr.* Trabajar [especialmente en substancias químicas] con las manos. 2 Manejar [aparatos científicos]. 3 fig. Manejar [los negocios], o mezclarse [en los ajenos], mangonear. 4 Mezclar, combinar, o someter a procesos indebidos un producto: *el aceite estaba manipulado.* 5 fig. Influir voluntariamente [sobre individuos, colectividades, etc.] a través de medios de presión o información. 6 fig. Intervenir para modificar el juego de la libre competencia.

manípulo *m.* Especie de estola pequeña que el sacerdote lleva sujeta al antebrazo izquierdo, sobre la manga del alba.

maniqueísmo *m.* Secta gnóstica cristiana fundada en el s. III, que se basaba en la existencia de dos principios eternos y absolutos, el bien y el mal, en perpetua pugna entre sí.

maniquete *m.* Mitón de tul negro con calados y labores.

maniquí *m.* Figura de madera articulada, para uso especialmente de pintores y escultores. 2 Armazón en figura de cuerpo humano usado para exponer, probar y arreglar prendas de ropa. – 3 *com.* Persona empleada por las casas de modas para probarse y exhibir sobre su cuerpo los nuevos modelos. 4 fig. Persona sin carácter y sin voluntad. 5 fig. Persona muy bien vestida y arreglada. ◊ Pl.: *maniquíes.*

manir *tr.* Dejar que [las carnes] se ablanden y sazonen durante algún tiempo antes de guisarlas. – 2 *prnl.* Oliscar la carne o el pescado. ◊ Verbo defectivo; se usa sólo en el infinitivo y participio.

manirroto, -ta *adj.-s.* Demasiado liberal, pródigo.

manita *f.* Hongo ramificado con aspecto de coliflor, de color amarillo *(Clavaria aurea).* 2 – *de cerdo,* pie de cerdo guisado. – 3 *adj.-s. pl.* Persona habilidosa.

manito *m.* Producto blanco y muy dulce que se extrae del maná (líquido azucarado).

manitú *m.* Personaje poderoso.

manivacío, -a *adj.* Que viene o se va con las manos vacías.

manivela *m.* Manubrio, cigüeña.

manjar *m.* Comestible.

I) **mano** *f.* Parte del **cuerpo humano que comprende desde la muñeca hasta la punta de los dedos: ~ *diestra,* mano derecha; ~ *siniestra, zoca* o *zurda,* mano izquierda. 2 p. ext. En algunos animales, extremidad cuyo dedo pulgar puede oponerse perfectamente a los dedos. 3 En los cuadrúpedos, pie delantero. 4 fig. Persona que ejecuta una cosa: *en buenas manos está el negocio;* ~ *oculta,* persona que interviene secretamente en un asunto. 5 Serie: *le dio una ~ de palos.* 6 Mujer pretendida por esposa: *pedir la ~ de María.* 7 Habilidad, destreza: *darse buena ~.* 8 Poder, mando, facultades: *tener ~ con uno,* tener influjo con él. 9 Patrocinio, favor: *dar la ~ a uno,* alargársela; ampararle, favorecerle. 10 Auxilio, socorro: *echar una ~ a una cosa,* ayudar a su ejecución. 11 Represión, castigo: *sentar* o *asentar la ~ a uno,* castigarle con golpes; reprenderle con severidad. 12 Lado en que cae o sucede una cosa respecto de la situación de otra: *pasar a ~ izquierda del río; ir uno por su* ~. 13 Instrumento, especialmente en forma de maza, para desmenuzar una cosa: ~ *de mortero, de almirez.* 14 Capa de pintura: *una ~ de barniz; dar la última* ~, fig., repasar una obra. 15 Conjunto de cinco cuadernillos de papel. 16 Lance entero de varios juegos: *vamos a echar una* ~ *de dominó.* 17 El primero en orden de los que juegan: *yo soy* ~; *ganar a uno por la* ~, fig., anticipársele en lograr una cosa. 18 ~ *de obra,* trabajo manual empleado en una obra; conjunto de obreros necesarios para efectuar un trabajo. 19 ~ *de santo,* remedio muy eficaz. 20 *Amér.* Lance, aventura, mala pasada. 21 *Amér.* Hablando de plátanos, un gajo, sea cualquiera su número.

II) mano *m. f. Amér.* vulg. Amigo, compañero.

manojo *m.* Hacecillo que se puede coger de una vez con la mano.

manolo, -la *m. f.* Mozo o moza del bajo pueblo de Madrid, que se distinguía por su porte y desenfado.

manomanista *adj.* Perteneciente o relativo al juego de pelota en el que se emplea la mano, y no una pala o una cesta.

manómetro *m.* Instrumento para medir la presión de los gases.

manopla *f.* Pieza de la **armadura que cubre y defiende la mano. 2 Guante sin separaciones para los dedos. 3 Guante que sirve para lavarse. 4 Guante aislante que sirve para asir objetos muy calientes. 5 Látigo corto.

manorreductor *m.* Aparato para reducir y regular la presión de un fluido que circula por una conducción o sale de un depósito.

manoscopio *m.* Instrumento que indica las variaciones de la presión atmosférica.

manosear *tr.* Tocar repetidamente [una cosa] con las manos.

manóstato *m.* Dispositivo regulador de la presión de un fluido en una canalización en un recinto donde se halla comprimido.

manotear *intr.* Hacer ademanes o movimientos con las manos al hablar.

manquedad *f.* Falta de mano o brazo. 2 Impedimento del uso de cualquiera de estos miembros. 3 fig. Falta, defecto.

manriqueño, -ña *adj. Estrofa manriqueña,* la formada por cuatro octosílabos y dos tetrasílabos, que riman el primero con el cuarto, el segundo y el quinto, y el tercero y el sexto.

mansalva (a ~**)** *loc. adv.* Sin ningún peligro.

mansamente *adv. m.* Con mansedumbre. 2 fig. Lentamente. 3 fig. Quedito y sin hacer ruido.

mansarda *f.* **Cubierta donde las vertientes se quiebran y acentúan la pendiente en la parte inferior, donde generalmente se abren ventanas a la manera de buhardilla.

mansedumbre *f.* Calidad de manso. 2 Suavidad, benignidad; esp., en los animales y las cosas insensibles.

mansión *f.* Detención, permanencia: *hacer* ~, detenerse. 2 Morada, albergue. 3 Casa lujosa. 4 fig. Vivienda.

manso, -sa *adj.* Benigno, suave: ~ *de condición;* ~ *en su gobierno.* 2 [animal] Que no es bravo. 3 Sosegado, apacible: *la mansa corriente.* – 4 *m.* Res que sirve de guía a las demás en un rebaño.

mansurrón, -rrona *adj.* Manso con exceso.

manta *f.* Trozo rectangular de un tejido grueso y tupido, para abrigarse en la cama, en los viajes, etc. 2 Prenda suelta que usa la gente del pueblo para abrigarse; tela ordinaria de algodón que se fabrica en Méjico. 3 Cubierta que sirve de abrigo a las caballerías. 4 Pluma que en número de doce tiene el ave de rapiña

MANO

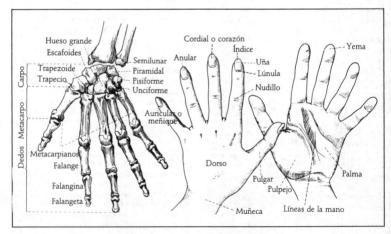

a continuación de las aguaderas. 5 Mantelete que sirve de defensa a los soldados. – 6 **com.** Persona que no rinde lo esperado. – 7 **loc. adv. A ~,** modo de regar el terreno cubriéndolo con una capa de agua; abundantemente. – 8 **f.** *Amér.* Costal de pita que se usa en las minas para transportar minerales. 9 *Amér. Merid.* Poncho, prenda de vestir.

mantaterilla **f.** Tela de urdimbre de bramante y trama de tirillas de paño.

manteado **m.** *Amér. Central* y *Méj.* Tienda de campaña.

mantear **tr.** Hacer saltar en una manta [a una persona, animal o mamarracho] tirando de las orillas varias personas.

manteca **f.** Gordura de los animales, especialmente la del cerdo. 2 Substancia crasa y oleosa de la leche y de algunos frutos. – 3 **f. pl.** fam. Gordura, adiposidad.

mantecado **m.** Bollo amasado con manteca de cerdo. 2 Sorbete de leche, huevos y azúcar.

mantecón **adj.-m.** fig. y fam. Sujeto regalón y delicado.

mantel **m.** Tejido con que se cubre la mesa para comer. 2 Lienzo mayor con que se cubre la mesa del altar.

mantelado **adj.** BLAS. [escudo] Cortinado, partido en forma de cortina doble abierta.

mantcladura **f.** Pelo del lomo de los mamíferos cuando es de color distinto del resto de la piel.

mantelería **f.** Juego de mantel y servilletas.

manteleta **f.** Especie de esclavina grande, usada para abrigo o adorno.

mantelete **m.** Vestidura con dos aberturas para sacar los brazos, que traen los obispos y prelados sobre el roquete.

mantelillo **m.** Centro de mesa, mantelito bordado que se pone encima del principal.

mantenedor, -ra **m. f.** En los certámenes literarios, miembro del jurado que examina el mérito de las composiciones presentadas y mantiene los temas declarados desiertos. 2 Persona que, en dichos concursos, pronuncia el discurso en nombre del jurado. – 3 **m.** Caballero encargado de mantener un torneo, justa, etc.: *~ en, o de, un torneo.*

mantenencia **f.** Alimento, sustento, víveres.

mantener **tr.** Conservar [una cosa] en su ser o estado: *~ en buen uso; ~ en equilibrio; ~ sano; ~ entero el humor.* 2 Proseguir [en lo que se está haciendo]: *~ la conversación; ~ correspondencia con uno.* 3 Tener lugar, celebrar: *~ una entrevista, una reunión.* 4 Defender [una opinión, sistema, etc.]: *~ ideas erróneas.* 5 Sostener [un torneo, justa, etc.]. 6 Proveer del alimento necesario: *~ a la familia.* 7 DER. Amparar [a uno] en la posesión de una cosa. – 8 **tr.-prnl.** Alimentarse: *mantenerse con pan y agua; mantenerse de hierbas.* – 9 **prnl.** Estar un cuerpo en

un medio, sin caer o haciéndolo muy lentamente. 10 No variar de estado o resolución: *mantenerse en paz; mantenerse en sus ideas.* ◊ ** CONJUG. [87] como *tener.*

mantenida **f.** Concubina, amante.

mantenimiento **m.** Efecto de mantener o mantenerse. 2 Manjar o alimento.

manteo **m.** Capa larga con cuello estrecho, que traen los eclesiásticos sobre la sotana, y antiguamente usaban los estudiantes.

mantequera **f.** Vasija en que se hace la manteca. 2 Vasija en que se sirve a la mesa.

mantequilla **f.** Grasa de la leche separada por centrifugación, agitación o mazado. 2 Manteca de vaca batida y mezclada con azúcar.

mantés, -tesa **adj.-s.** fam. Pícaro, pillo.

mantilla **f.** Prenda de seda, tul, encaje, etc., de que usan las mujeres para cubrirse la cabeza. 2 Paño con que se cubre el lomo de la cabalgadura. 3 Pieza con que se abriga y envuelve a los niños por encima de los pañales.

mantillo **m.** Parte orgánica del suelo formada por la descomposición parcial de materias animales y vegetales. 2 Abono que resulta de la fermentación del estiércol.

mantillón **m.** *Amér.* Gualdrapa muy gruesa.

mantis **f.** *~ religiosa,* santateresa.

mantisa **f.** Fracción decimal, siempre positiva, que sigue a la característica en un logaritmo.

manto **m.** Ropa suelta a modo de capa con que las mujeres se cubren de pies a cabeza. 2 Especie de mantilla grande. 3 Capa que llevan algunos religiosos sobre la túnica. 4 Rica vestidura de ceremonia, que en forma de capa cubre todo el cuerpo hasta arrastrar por tierra. 5 Ropa talar que usan en algunos colegios sus individuos y alumnos. 6 Repliegue cutáneo que envuelve el cuerpo de los gusanos, braquiópodos, de los **moluscos y de las ascidias. 7 Capa mineral que yace casi horizontalmente. 8 Fachada de la campana de una **chimenea. 9 Manteca o sebo en que nace envuelta la criatura. 10 fig. Lo que encubre y oculta una cosa. – 11 **m. pl.** Grasas del redaño que envuelve las vísceras de los animales, especialmente las del cerdo.

mantón **m.** Pañuelo grande y, generalmente, de abrigo: *~ de Manila,* el de seda y bordado. 2 Pañuelo grande que se echa sobre los hombros.

mantudo, -da **adj.** Alicaído: *ave mantuda.* – 2 **m. f.** *Amér. Central.* Máscara, persona disfrazada.

manual **adj.** Que se ejecuta con las manos. 2 fig. Fácil de entender. – 3 **m.** Libro en que se compendia lo más substancial de una materia.

manualidad **f.** Trabajo llevado a cabo con las manos.

manuar *m.* Máquina usada en la hilatura del algodón para el estirado, laminado o doblado de las fibras textiles.

manubrio *m.* Empuñadura de un instrumento. 2 Cigüeña (de las máquinas). 3 En las medusas, parte tubulosa del animal que cuelga de la umbrela y de la cual salen los brazos.

manudo, -da *adj. Amér. Central y Argent.* De manos grandes.

manuella *f.* Barra del cabrestante.

manufactura *f.* Obra hecha a mano o con auxilio de máquinas. 2 Fábrica (donde se fabrica).

manufacturado, -da *adj.* Resultante de la transformación industrial de ciertas materias en una manufactura: *producto ~.*

manufacturar *tr.* Producir [objetos o mercancías] por manufactura; fabricar.

manumitir *tr.* DER. Conceder la libertad [a un esclavo].

manuscrito *adj.* Escrito a mano. – 2 *m.* Papel o libro escrito a mano, especialmente el de algún valor o antigüedad. 3 Original de un libro.

manutención *f.* Acción de mantener o mantenerse. 2 Efecto de mantener o mantenerse. 3 Conservación y amparo. ◊ INCOR.: *manutención.*

manutigio *m.* Fricción ligera practicada con la mano.

manzana *f.* Fruto del manzano: *~ de Adán,* nuez (de la laringe). 2 Pomo de la espada. 3 En las poblaciones, conjunto aislado de varias casas contiguas. 4 Espacio cuadrado de terreno circunscrito por calles. 5 *Amér. Central.* Unidad de diez mil varas cuadradas.

manzanahígo *f.* Variedad de manzana que sale sin flor.

manzanilla *f.* Hierba compuesta de cabezuelas olorosas, solitarias y con el centro amarillo y la circunferencia blanca *(Matricaria chamomilla).* 2 Flor de esta planta. 3 Infusión de flores de manzanilla. 4 Remate en forma de manzana que sirve de adorno en camas, balcones, etc. 5 Vino blanco, aromático y seco, que se hace en Andalucía. 6 Aceituna que produce el manzanillo.

manzanillo, -lla *adj.-s.* Variedad de olivo que produce una aceituna muy pequeña.

manzano *m.* Árbol **frutal rosáceo de hojas ovales, acuminadas y dentadas, flores sonrosadas en umbela, y fruto en pomo *(Malus domestica).*

maña *f.* Destreza, habilidad: *darse uno ~,* ingeniarse, disponer sus negocios con habilidad. 2 Artificio o astucia. 3 Vicio o mala costumbre: *malas mañas.*

mañana *f.* Tiempo desde la medianoche hasta el mediodía, especialmente a partir del alba: *de ~,* al amanecer, en las primeras horas del día. – 2 *m.* Tiempo futuro próximo. – 3

adv. t. En el día después del de hoy: *pasado ~,* en el día después del de mañana. 4 En tiempo venidero.

mañanero, -ra *adj.* Madrugador.

mañanica, -ta *f.* Especie de manteleta, generalmente de punto, que usan las mujeres para estar sentadas en la cama.

mañero, -ra *adj.* Sagaz, astuto. 2 Fácil de tratarse, ejecutarse o manejarse.

maño, -ña *m. f.* fig. Aragonés.

mañoso, -sa *adj.* Que tiene maña. 2 Que se hace con maña. 3 Que tiene mañas.

maoísmo *m.* Transformación del leninismo debida a Mao Ze-Dong (1893-1976) y aplicada a la revolución comunista china. 2 Movimiento político inspirado en la doctrina de Mao.

maorí *adj.-com.* Indígena de Nueva Zelanda.

mapa *m.* Representación geográfica de la Tierra o parte de ella en una superficie plana: *~ mudo,* el que no lleva escritos los nombres.

mapache *m.* Mamífero carnívoro prociónido, con el pelaje de color amarillo grisáceo con una característica mancha negra en los ojos y la mejilla *(Procyon lotor).*

mapamundi *m.* Mapa que representa la superficie de la tierra dividida en dos hemisferios.

mapón *m.* Relación de los despachos y correspondencia que hayan de ser entregados a una expedición postal.

maque *m.* Laca (barniz).

maquear *tr.* Adornar con maque o laca: *~ un mueble.* – 2 *prnl.* fam. Arreglarse, componerse.

maqueta *f.* Modelo en tamaño reducido de un monumento, edificio, construcción o conjunto de ellos. 2 Boceto de ilustración y presentación de un libro, disco o casete.

maqueto, -ta *adj.-s.* Emigrante de una región española asentado en el País Vasco.

maquia *f.* Comunidad vegetal degradada, formada por malezas.

maquiavelismo *m.* Doctrina de Maquiavelo (1469-1527), según la cual todas las grandes acciones llevan en sí su propia moral. 2 Sistema de política, atribuido a Maquiavelo, según el cual para lograr el fin no hay que reparar en los medios. 3 fig. Modo de proceder con astucia, doblez y perfidia.

maquila *f.* Porción de grano, harina o aceite que corresponde al molinero por la molienda. 2 Medida con que se maquila. 3 Medio celemín.

maquilar *tr.* Retirar el molinero la maquila [de una molienda].

maquillaje *m.* Substancia cosmética utilizada para maquillar.

maquillar *tr.-prnl.* Componer con afeites el rostro para embellecerlo. 2 Pintar el rostro con preparados artificiales para obtener en teatro, cine o televisión determinados efectos. – 3 *tr.* fig. Alterar para producir una apariencia engañosa.

máquina *f.* Conjunto de aparatos combinados para recibir cierta forma de energía, transformarla y restituirla en otra más adecuada, o para producir un efecto determinado: ~ *de coser,* la que permite hacer mecánicamente casi todos los puntos de costura y bordado; ~ *de escribir,* aparato que permite escribir con gran velocidad, con ayuda de un teclado; ~ *de vapor,* aquella cuya fuerza motriz es el vapor de agua; ~ *eléctrica,* aquella cuya fuerza motriz es la electricidad, o la que produce electricidad. 2 Locomotora. 3 fig. Organismo: ~ *humana;* ~ *del mundo,* el universo. 4 fig. Edificio grande y suntuoso. 5 Tramoya (en el teatro). 6 fig. Intervención de lo maravilloso en el desarrollo de una obra épica o dramática.

maquinal *adj.* Perteneciente o relativo a los movimientos y efectos de la máquina. 2 Que se ejecuta sin deliberación: *acción, movimiento* ~.

maquinar *tr.* Tramar ocultamente: ~ *una conspiración contra el rey.*

maquinaria *f.* Arte de construir máquinas. 2 Conjunto de máquinas para un fin determinado. 3 Mecanismo que da movimiento a un artefacto: *la* ~ *de un juguete, de un **reloj.* 4 Conjunto de órganos destinados a un mismo fin: *la* ~ *de la justicia.*

maquinilla *f.* Aparato para afeitar o cortar el pelo: ~ *de afeitar,* o simplemente ~, la formada por un mango y una pieza perpendicular a éste que sujeta una cuchilla con la que afeita; ~ *eléctrica,* la que afeita en seco mediante la vibración o rotación de múltiples hojas.

maquinillero *m.* MAR. Marinero encargado del manejo de las máquinas auxiliares para la carga y descarga.

maquinismo *m.* Técnica de la producción moderna, que substituye con máquinas el trabajo del hombre.

maquinista *com.* Persona que inventa máquinas. 2 La que tiene por oficio fabricarlas, dirigirlas o gobernarlas. 3 CINEM. Ayudante del operador de cámara.

maquinizar *tr.* Emplear [en la producción industrial, agrícola, etc.] máquinas que substituyen o mejoran el trabajo del hombre. ◇ ** CONJUG. [4] como *realizar.*

maquis *com.* Persona que, huida a los montes, vive en rebeldía y oposición armada al sistema político establecido. 2 Organización de esa oposición. ◇ Pl.: *maquis.*

mar *amb.* Masa de agua salada que cubre la mayor parte de la superficie de la Tierra: *alta* ~ o ~ *ancha,* parte del mar alejada de la costa; ~ *de fondo* o *de leva,* gran agitación de las aguas del mar; ~ *de fondo,* fig., inquietud o agitación más o menos latente que enturbia y dificulta el curso de un asunto cualquiera. 2 Parte de mar situada en una región determinada: ~ *Mediterráneo.* 3 p. ext. Lago: ~ *Muerto.* 4 fig. Gran cantidad de agua o de cualquier líquido: *un* ~ *de sangre; un* ~ *de arena.* 5 fig. Abundancia extraordinaria: *la* ~ *de trabajo; llorar, llover,* o *sudar, a mares.* ◇ Entre marinos se usa habitualmente como femenino.

marabú *m.* Ave ciconiforme de África, parecida a la cigüeña, una parte de cuyo plumaje es blanco y se usa para adorno *(Leptotilus crumenifer).* 2 Adorno hecho de este plumaje. ◇ Pl.: *marabúes.*

marabunta *f.* Enjambre de hormigas propias de América del Sur, esencialmente carnívoras, que acometen contra la vegetación y todo tipo de animales. 2 fig. *y* fam. Desorden y destrucción.

maraca *f.* Instrumento músico popular de origen americano, hecho de la higuera o calabaza seca, de metal o de materias plásticas, del tamaño de una naranja, lleno de pedrezuelas y con un palo que lo atraviesa por mango. – 2 *com.* Colomb., P. Rico y Venez. fam. Zoquete, persona de poco juicio.

maragato, -ta *adj.-s.* De la Maragatería, región de la provincia de León. – 2 *m.* Adorno que antiguamente llevaban las mujeres en el escote.

maragota *f.* Pez marino teleósteo perciforme, de cuerpo ovoide cubierto por grandes escamas y color variable, según la edad y el estado fisiológico *(Labrus berggylta).*

marantáceo, -a *adj.-f.* Planta de la familia de las marantáceas. – 2 *f. pl.* Familia de plantas angiospermas monocotiledóneas, herbáceas, con flores hermafroditas irregulares y fruto en cápsula, baya o nuez.

maraña *f.* Maleza (espesura). 2 Conjunto de hebras bastas que forman la parte exterior de los capullos de seda. 3 Tejido hecho con esta maraña. 4 fig. Enredo de los hilos o del cabello. 5 fig. Lance intrincado y de difícil salida. 6 fig. Embuste para enredar o descomponer un negocio.

marañoso, -sa *adj.-s.* Amigo de marañas, enredador.

marañuela *f.* Dulce típico asturiano, especie de rosquilla en forma de ocho, cocida al horno.

marasmo *m.* Grado extremo de extenuación o enflaquecimiento. 2 fig. Suspensión, inmovilidad, en lo moral o en lo físico. 3 fig. Disminución de la actividad económica o comercial.

maratón *m.* Carrera pedestre de los Juegos Olímpicos, con un recorrido de unos 42 kms. 2 p. ext. Competición deportiva de resistencia. ◇ INCOR.: el uso en femenino, que se está generalizando.

maratoniano, -na *adj.* fig. Agotador, de duración anormalmente larga: *jornada, negociación, encuentro, discusión, sesión maratoniana.*

maravedí *m.* Moneda española, efectiva o imaginaria, de diferentes valores y calificativos. ◇ Pl.: *maravedís, -dises* o *-díes.*

maravilla *f.* Suceso o cosa extraordinaria que causa admiración: *las siete maravillas del mundo.* 2 Admiración (acción y cosa). 3 Planta compuesta, de flores terminales, cuyo cocimiento se ha usado como antiespasmódico *(Calendula officinalis).*

maravillar *tr.-prnl.* Admirar: *~ a los oyentes; maravillarse con,* o *de, una noticia.*

maravilloso, -sa *adj.* Extraordinario, admirable.

marbete *m.* Cédula que se adhiere a un objeto para indicar la marca de fábrica, contenido, cualidades, precio, etc. 2 Cédula pegada en los equipajes para anotar el punto de destino y el número del registro. 3 Orilla, perfil, filete.

marca *f.* Provincia, distrito fronterizo: *Marca Hispánica.* 2 Tamaño que debe tener una cosa: *de ~,* fig., que sobresale en su línea. 3 Señal hecha en una persona, animal o cosa, para distinguirla de otra, o denotar calidad o pertenencia: *~ de ganadería; ~ de fábrica; ~ registrada,* la reconocida legalmente para su uso exclusivo. 4 Señal en la costa para saber a bordo la situación de la nave. 5 En los deportes, cifra máxima alcanzada hasta ahora en velocidad, distancia, altura, partidas ganadas, etc.

I) marcación *f.* MAR. Ángulo que la visual dirigida a una marca o a un astro forma con un rumbo determinado del buque. 2 *Amér.* Hierro para marcar ganado.

II) marcación *f.* Cerco en que encajan puertas y ventanas. 2 Conjunto de tales cercos.

marcado, -da *adj.* GALIC. Señalado, insistente, evidente, manifiesto.

marcador *m.* Contraste (el que contrasta). 2 Martillo de herrero. 3 DEP. Aparato en que se marcan los tantos de cada bando o jugador; **estadio.** 4 IMPR. Operario que coloca los pliegos de papel en las máquinas.

marcapasos *m.* Aparato eléctrico que sirve para estimular el ritmo cardíaco. ◇ Pl.: *marcapasos.*

marcar *tr.* Poner una marca [a una cosa]; esp., bordar [en la ropa] las iniciales o blasones: *~ a fuego; ~ con hierro; ~ por suyo.* 2 fig. Señalar [a uno], distinguiendo en él una cualidad singular. 3 Actuar [sobre alguien o algo] imponiéndole carácter o dejándole huella moral. 4 Anotar, tomar nota de algo. 5 Aplicar, destinar, prescribir, fijar: *marco la labor de*

los obreros. 6 Indicar un aparato señales o magnitudes: *el reloj marca las tres; el peso marca medio kilo.* 7 Poner el precio de lo que se ha de vender. 8 Señalar la situación o dirección de lo que se busca. 9 Mostrar [algo] destacándolo. 10 Ondular [el cabello]. 11 Dar pauta o señalar un orden en ciertos movimientos: *~ el paso,* mover rítmicamente los pies sin avanzar. 12 Componer en el teléfono las cifras [del número que se quiere llamar]. 13 DEP. Contrarrestar un jugador el juego [de un contrario respectivo]. 14 DEP. Obtener [goles, tantos]. ◇ ** CONJUG. [1] como *sacar.*

marcasita *f.* Mineral de la clase de los sulfuros, que cristaliza en el sistema rómbico, de color bronceado, brillo metálico, y cuya raya es gris verdosa o gris negruzca.

marcear *tr.* Esquilar [las bestias] después del invierno. – 2 *impers.* Hacer el tiempo propio del mes de marzo.

marceo *m.* Corte que se hace en los panales en primavera para limpiarlos.

marcescente *adj.* Que se marchita o se seca sin caer: *cubierta floral ~; hoja ~.*

marcial *adj.* Perteneciente o relativo a la guerra o a la milicia: **artes marciales,** conjunto de deportes de combate de origen japonés. 2 fig. Bizarro, varonil, franco.

marciano, -na *adj.* Relativo al planeta Marte, o propio de él. – 2 *m.* Supuesto habitante de Marte.

marcir *tr.* Mustiar, marchitar. ◇ ** CONJUG. [3] como *zurcir.*

marco *m.* Peso usado para el oro y la plata, equivalente a 230 grs., o sea, media libra. 2 Patrón o tipo para las pesas y medidas. 3 Unidad monetaria alemana. 4 Cerco que rodea o en que encajan algunas cosas: *el ~ de una pintura, de una **puerta, de una **ventana.* 5 Conjunto de dimensiones, de determinación variada según las zonas, que debe tener la madera de hilo para su venta. 6 Hacha con el peto en forma de martillo, y con letras o marcas en acero, invertidas y en relieve, destinada a señalar los árboles. 7 Figura geométrica adoptada para repartir regularmente una plantación en terreno adecuado. 8 fig. Ámbito, límites en que se encuadra un problema, cuestión, etapa histórica, etc. 9 DEP. Portería.

marcofilia *f.* Coleccionismo y estudio de marcas postales estampadas.

márcola *f.* Vara con un hierro de figura de hocino para desmarojar.

marconi *m.* Radiotelegrafista de un buque.

marconigrama *m.* Telegrama transmitido por telegrafía sin hilos.

marcha *f.* Acción de marchar. 2 Toque de tambor o de clarín para que marche la tropa o para hacer los honores supremos militares. 3 Pieza de música, de ritmo muy determinado, destinada a regularizar el paso de la tropa o de un cortejo: ~ *militar;* ~ *fúnebre.* 4 fig. Curso, desenvolvimiento de un asunto, negocio, operación: *la* ~ *de los acontecimientos; de un comercio.* 5 fig. y fam. Diversión, alegría, juerga. 6 pop. Animación, disposición para divertirse: *fulano tiene mucha* ~. 7 fig. Manifestación, por lo común no violenta, de grupos organizados que, andando, demuestran su descontento o solidaridad con algo o alguien. 8 MEC. Movimiento regular de un mecanismo, de un móvil; funcionamiento: *la* ~ *del reloj; poner en* ~. 9 MEC. Posición del cambio de velocidades.

marchamo *m.* Señal que los aduaneros ponen en los fardos ya reconocidos.

marchante, -ta *m. f.* Traficante, especialmente el de obras de arte. 2 *And.* y *Amér.* Parroquiano de una tienda o comercio.

marchapié *m.* MAR. Cuerda en la que se ponen los pies para aguantarse.

marchar *intr.* Andar o moverse un artefacto: *el tren marcha.* 2 Funcionar o desenvolverse una cosa: *los negocios marchan bien.* 3 MIL. Caminar la tropa con cierto orden. – 4 *intr.-prnl.* Ir de un sitio a otro, partir de un lugar: ~ *a Madrid; marcharse de vacaciones.*

marchitar *tr.-prnl.* Ajar, secar, poner mustios [los vegetales, etc.]. 2 fig. Enflaquecer, quitar el vigor: *la joven se ha marchitado.*

marchito, -ta *adj.* Ajado, falto de vigor.

marchoso, -sa *adj.* fam. Alegre, juerguista; decidido.

marea *f.* Movimiento periódico y alternativo de ascenso, o flujo, y de descenso, o reflujo, de las aguas del mar debido a las atracciones combinadas del Sol y de la Luna. 2 Viento suave que sopla del mar; p. ext., el que sopla en las cuencas de los ríos, o en los barrancos. 3 Rocío, llovizna. 4 Inmundicia que se barre por las calles, facilitando su arrastre con agua. 5 Parte de la ribera del mar que invaden las aguas de éste en el flujo o pleamar. 6 Período ininterrumpido de pesca de duración variable según los lugares y el tipo de pesca. 7 Cantidad de pesca capturada por una embarcación en una jornada. 8 fig. Cantidad muy considerable: *la* ~ *humana.* 9 ~ *negra,* polución de las costas marítimas causada por la presencia de grandes cantidades de productos petrolíferos que han llegado al mar como consecuencia de un accidente o de la limpieza de las bodegas de un petrolero.

marear *tr.* Gobernar [una nave]: *el piloto mareaba la nave con acierto.* – 2 *prnl.* Sentir mareo. 3 Averiarse los géneros en el mar. – 4 *intr.-tr.* Molestar, fastidiar: *el niño marea o me marea.* – 5 *prnl.* Argent., Cuba y P. Rico. Perder una tela el buen colorido.

marejada *f.* Movimiento tumultuoso de grandes olas. 2 fig. Rumor y murmuración de la multitud, que suele preceder al alboroto.

marejadilla *f.* Marejada cuyas olas son de menor tamaño y fuerza.

maremagno, mare mágnum *m.* fam. Abundancia desordenada, confusión.

maremoto *m.* Seísmo en el fondo del mar, que origina movimientos de las aguas.

marengo *m.* Tela de lana tejida con hilos de distintos colores y que da el aspecto de mezclilla. – 2 *adj.* De color gris obscuro.

mareo *m.* Desasosiego y turbación de la cabeza y del estómago que se experimenta especialmente en la navegación. 2 fig. Enfado, molestia, ajetreo.

mareógrafo *m.* Instrumento para medir y registrar las variaciones de las mareas.

mareómetro *m.* Instrumento para medir la amplitud de las mareas.

mareomotor, -triz *adj.* Accionado por la fuerza de las mareas.

marés *m.* Arenisca poco consistente, formada por arenas de origen eólico de la época cuaternaria.

mareta *f.* Movimiento de las olas del mar, cuando empiezan a levantarse o a sosegarse. 2 fig. Rumor de la muchedumbre. 3 fig. Alteración del ánimo.

marfil *m.* Parte dura de los **dientes de los mamíferos, debajo del esmalte. 2 Substancia que la forma, compacta, dura, muy blanca y pesada. Se obtiene, en gran cantidad, de las defensas del elefante y de otros animales, como la morsa y el narval.

marfilina *f.* Composición que imita el marfil.

I) marga *f.* Roca sedimentaria compuesta de arcilla y carbonato de cal, de colores variados, que se usa como abono y para la obtención de cemento.

II) marga *f.* Jerga (tela de lana) empleada para sacas, jergones, etc.

margar *tr.* Abonar [la tierra] con marga. ◇ ** CONJUG. [7] como *llegar.*

margarina *f.* Grasa comestible obtenida a partir de aceites vegetales y con la misma apariencia de la mantequilla.

margarita *f.* Perla. 2 Molusco gasterópodo marino de concha finamente rayada *(Trivia europaea).* 3 Planta herbácea compuesta, muy común en los sembrados, de cabezuelas terminales amarillas en el centro y blancas en la circunferencia *(Chrysantemum leucanthemum).* 4 fig. Corona intercambiable de ciertas máquinas de escribir en la que se hallan todas las letras, números y signos que se puede reproducir. – 5 *m.* Cóctel de tequila, zumo de lima y licor de naranja.

margen *amb.* Extremidad, orilla: *el,* o *la,* ~ *del río, del campo.* 2 Espacio en blanco que se deja alrededor de una página. 3 Ocasión, motivo: *dar* ~ *para una cosa.* 4 COM. Cuantía del beneficio que se puede obtener en un negocio. 5 CONSTR. Espacio o faja de terreno libre que se deja entre una fachada y el límite del solar para aislar el edificio de las demás construcciones o de la vía pública. ◇ El uso actual prefiere el femenino para la primera acepción, y el masculino para las acepciones 2 y 4.

marginación *f.* Acción de marginar. 2 Efecto de marginar. 3 ~ **social,** situación de un individuo o grupo de individuos que, por su condición de vida, no están integrados en la sociedad a que pertenecen.

marginado, -da *adj.-s.* No integrado en la sociedad: *persona marginada; grupo ~.*

marginador *m.* Dispositivo de las máquinas de escribir por el que se regula el ancho de los márgenes laterales de las hojas.

marginal *adj.* Que está al margen: *nota ~.* 2 fig. Secundario, accesorio. 3 Que no se ajusta a las normas establecidas. 4 De escasa importancia: *una discusión ~; un producto ~.* 5 Minoritario, de escasas influencias: *un partido ~.*

marginar *tr.* Dejar márgenes [en el papel] al escribir o imprimir. 2 fig. Dejar al margen un asunto o cuestión, no entrar en su examen al tratar de otros. 3 fig. Poner o dejar a una persona o grupo en condiciones sociales de inferioridad.

margrave *m.* Título de dignidad de ciertos príncipes de Alemania.

maría *f.* Moneda española de plata del s. XVII, equivalente a doce reales de vellón. 3 Disciplina sin importancia, o fácil de aprobar, en las carreras universitarias. 4 Mujer de poca cultura, o dedicada a las labores de la casa.

mariachi *m.* Orquesta y música mejicanas.

marialuisa *f.* Arbusto dicotiledóneo cuyas hojas desprenden un aroma muy agradable *(Lippia citriodora).*

marianismo *m.* Culto o devoción a la Virgen María.

marianista *m.* Religioso de la Compañía de María, congregación fundada en Burdeos en 1877, para la enseñanza.

marica *f.* Sota de oros en el juego del truque. – 2 *m.* fig. Hombre afeminado y de poco ánimo y esfuerzo.

maricón *m.* fig. *y* fam. Hombre afeminado. 2 fam. Persona despreciable.

mariconada *f.* Acción propia del maricón. 2 fig. Mala pasada, acción malintencionada o indigna contra otro. 3 fig. *y* fam. Tontería.

mariconera *f.* Bolso de mano para hombres.

maricultura *f.* Cultivo de las plantas y animales marinos, como alimento o para otros fines.

maridable *adj.* Propio del marido y la mujer: *vida ~; unión ~.*

maridaje *m.* Unión y conformidad de los casados. 2 Unión, analogía de unas cosas con otras.

maridar *intr.* Contraer matrimonio: *mañana maridamos.* 2 Hacer vida marital: *maridamos bien.* – 3 *tr.* fig. Unir, enlazar: *~ la vid con el olmo.*

marido *m.* Hombre casado, con respecto a su mujer.

marihuana *f.* Estupefaciente obtenido mediante la mezcla de hojas y flores secas del cáñamo índico.

marimacho *m.* fam. Mujer que en su aspecto o acciones parece hombre.

marimandona *f.* Mujer autoritaria, que mangonea.

marimanta *f.* fam. Fantasma con que se pone miedo a los niños.

marimba *f.* Especie de xilófono que se toca en América.

marimbero, -ra *adj. Amér. Central.* Poco diestro.

marimorena *f.* fam. Camorra. 2 fam. Tumulto.

marina *f.* Parte de tierra, junto al mar. 2 Pintura que representa el mar. 3 Ciencia o arte de navegar. 4 Conjunto de barcos de guerra o mercantes de un estado o de una compañía de navegación: ~ *de guerra,* armada (conjunto de fuerzas navales); ~ *mercante,* los que se emplean en el comercio. 5 Conjunto de las personas que sirven en la marina de guerra. 6 Conjunto inmobiliario y turístico hecho al borde del mar junto a un puerto deportivo.

marinada *f.* Conjunto de víveres destinados a los buques. 2 Adobo en el que se ponen a macerar los alimentos antes de cocinarlos.

marinar *tr.* Dar cierta sazón [a la carne o al pescado] para conservarlo. 2 Tripular [un buque].

marine *m.* Soldado de infantería de las fuerzas navales británicas y norteamericanas.

marinear *intr.* Trabajar como marinero.

marinera *f.* Blusa usada por los marineros, y cuyo empleo se ha extendido a las mujeres y niños. 2 *Amér.* Baile popular ejecutado con acompañamiento de guitarra, caja y palmas de los espectadores. 3 *Amér.* Música y canto, formado por tres estrofas, de este baile.

marinerazo *m.* Práctico en las cosas del mar.

marinería *f.* Profesión u oficio de hombre de mar. 2 Conjunto de marineros. 3 MIL. Cuerpo de la armada correspondiente en la jerarquía militar a la clase de tropa en los otros ejércitos.

marinero, -ra *adj.* [buque] Fácil de gobernar. 2 Perteneciente a la marina o a los marineros. – 3 *m.* Hombre de mar que sirve en las maniobras de las embarcaciones. 4 Individuo que sirve en la marina de guerra con el grado inferior: ~ *distinguido.*

marinismo *m.* Gusto poético conceptuoso y barroco, análogo al culteranismo, cuyo maestro fue el poeta italiano Marini (1569-1625).

marino, -na *adj.* Perteneciente o relativo al mar. – 2 *m.* El que se ejercita en la náutica. 3 El que sirve en la marina o tiene un grado militar o profesional en ella. – 4 *m. pl. Amér.* Infantería de marina.

mariología *f.* Estudio de lo relativo a la Virgen María.

marioneta *f.* Títere.

mariposa *f.* Insecto lepidóptero en general. 2 Candelilla que afirmada en una ruedecilla de corcho se pone en un vaso con aceite para conservar luz de noche. 3 Luz encendida a este efecto. 4 Tuerca de forma de mariposa que puede ser apretada o desenroscada sin llave. 5 Llave de forma de mariposa que cierra una cañería. 6 Llave o válvula del carburador del automóvil. 7 Difusor usado para suavizar la luz de un foco. 8 fig. Homosexual. – 9 *adj.-s.* DEP. Modalidad de natación en que se realizan movimientos circulares hacia adelante con los dos brazos simultáneamente, mientras las piernas se agitan juntas arriba y abajo.

mariposear *intr.* fig. Variar con frecuencia de ocupaciones y caprichos. 2 fig. Andar o vagar insistentemente en torno de alguien.

mariposón *m.* fam. Hombre muy galanteador. 2 *Amér.* Homosexual, maricón.

mariquita *f.* Insecto coleóptero que se alimenta de pulgones *(Coccinella septempunctata).* 2 Chinche de color rojo con manchas negras *(Lygæs militaris).* 3 Chinche de color rojo con dos puntos negros que suele encontrarse sobre las malvas arbóreas *(Pyrrhocoris apterus).*

marisabidilla *f.* Mujer presumida de sabia.

mariscal *m.* Oficial muy preeminente en la milicia, antiguo rango inferior al condestable. 2 ~ *de campo,* oficial general de división.

mariscar *intr.* Coger mariscos. ◇ ** CONJUG. [1] como *sacar.*

marisco *m.* Molusco, crustáceo, especialmente el comestible.

marisma *f.* Terreno bajo o anegadizo, en las orillas del mar o de las rías; **costa.

marista *adj.-m.* Miembro del Instituto de Hermanos Maristas, fundado en 1817 por el Venerable Champagnat, para la educación cristiana de la juventud. 2 Religioso que pertenece a la congregación denominada Sociedad de María, fundada en Francia en 1823. – 3 *adj.* Perteneciente o relativo a dichas congregaciones.

marital *adj.* Relativo al marido o a la vida conyugal.

maritalmente *adv. m.* De modo marital, conyugal.

maritates *m. pl. And.* y *Amér. Central.* Trastos, trebejos.

maritornes *f.* burl. Moza de servicio, ordinaria, fea y hombruna. ◇ Pl.: *maritornes.*

I) marjal *m.* Terreno bajo y pantanoso.

II) marjal *m.* Medida agraria, equivalente a 5 áreas y 25 centiáreas.

marjoleto *m.* Espino arbóreo de madera muy dura *(Cratægus oxyacantha)* .

marjor *m.* Cabra de cuernos muy desarrollados, retorcidos en espiral y dirigidos hacia arriba, cuyo pelaje es de color pardo o blancuzco *(Capra falconeri).*

marketing *m.* Mercadotecnia.

marlín *m.* Pez marino teleósteo perciforme, de gran tamaño y cuerpo alargado, con el dorso azul negruzco y el vientre plateado *(Tetrapterus belone).*

marlo *m. Amér.* Espiga de maíz desgranada.

marlota *f.* Vestidura morisca a modo de sayo baquero.

marmita *f.* Olla de metal, con tapadera ajustada.

marmitón *m.* Pinche de cocina. 2 MAR. Ayudante de cocina en un buque mercante.

mármol *m.* Piedra caliza metamórfica, de textura compacta y cristalina, susceptible de buen pulimento y mezclada generalmente con substancias que le dan colores diversos o figuran manchas o vetas. 2 Obra artística de mármol. 3 Objeto de mármol: *el ~ de una cómoda.* 4 En los hornos y fábricas de vidrio, plancha de hierro en que se labran las piezas y se trabaja la materia para formarlos.

marmolear *tr.* Imitar con pintura las vetas del mármol o del jaspe.

marmolillo *m.* fig. Zoquete (persona ruda).

marmolina *f.* Mármol artificial.

marmosa *f.* Mamífero marsupial de unos 25 cms. de longitud, con una larga cola prensil *(Marmosa elegans).*

marmosete *m.* Grabado alegórico que suele ponerse al fin de un libro o capítulo.

marmota *f.* Mamífero roedor, de unos 50 cms. de largo, pelaje espeso, cabeza gruesa y orejas pequeñas, que habita los altos montes de Europa y pasa el invierno dormido (gén. *Marmota).* 2 Gorra hecha de estambre. 3 fig. Persona que duerme mucho. 4 fig. *y* fam. Mujer de pueblo, mujer dedicada al servicio doméstico, criada.

maro *m.* Planta labiada, de olor fuerte y sabor amargo, que se usa como antiespasmódica *(Teucrium marum).*

marojo *m.* Hojas inútiles o que sólo se aprovechan para el ganado. 2 Planta muy parecida al muérdago pero con los frutos de color rojo *(Viscum cruciatum).*

marolo *m.* Molusco lamelibranquio, cuya concha, de hasta 10 cms., tiene los bordes dentados, valvas iguales, y veintidós costillas espinosas; su color es amarillento *(Cardium aculeatum).*

maroma *f.* Cuerda gruesa de esparto o cáñamo. 2 *Amér.* Función de volatines o maromeros. 3 *Amér.* Volatín, voltereta o pirueta de un acróbata. 4 *Amér.* fig. Voltereta política, cambio oportunista de opinión o partido.

maromear *intr. Amér.* Bailar el volatinero en la maroma o hacer volatines en ella. 2 *Amér.* Vacilar para resolverse; inclinarse, según las circunstancias, a uno u otro bando. 3 *Amér.* Mecerse en una hamaca.

maromo *m.* vulg. Individuo, fulano.

maronita *adj.-com.* Miembro de la comunidad cristiana que habita en el Líbano, la cual está unida a la Iglesia romana, pero conserva su liturgia propia en lengua siríaca.

marquear *tr.* Marcar un terreno para plantar en él.

marqués *m.* Título nobiliario intermedio entre los de duque y conde.

marquesa *f.* Mujer de un marqués. 2 La que por sí goza este título. 3 Pastel con chocolate. 4 Adorno largo de piedras preciosas que se pone atravesado en los anillos de mujer.

marquesina *f.* Cobertizo que cubre una puerta, escalinata, etc.

marquesita *f.* Pirita.

marquesota *f.* Cuello blanco, alto y almidonado, que usaban los hombres como prenda de adorno.

marquesote *m. Amér. Central* y *Méj.* Torta de figura de rombo, hecha de harina de arroz o de maíz, con huevo, azúcar, etc.

marqueta *f.* Pan de cera sin labrar.

marquetería *f.* Ebanistería. 2 Técnica del chapado en madera por la que los motivos en marfil, metal o también madera se sitúan sobre la base, en adición superficial distinguiéndose así de la taracea.

marquista *m.* Propietario de una marca de vino que comercia con él sin tener bodega. 2 DEP. En ciclismo, corredor que actúa por cuenta de una marca o fábrica de bicicletas.

marra *f.* Falta de una cosa donde debiera estar.

marrajo, -ja *adj.* [toro] Taimado, malicioso. – 2 fig. Hipócrita, astuto. – 3 *m.* Pez marino seláceo escualiforme, muy voraz, de hocico puntiagudo, aleta caudal casi simétrica y cuerpo esbelto de color gris azulado *(Isurus oxyrhynchus)*.

marrana *f.* Eje de la rueda de la noria.

marranchón, -chona *m. f.* Marrano o lechón. – 2 *m.* Jabalí pequeño.

marranear *tr.-intr.-prnl.* Ensuciar, emporcar. – 2 *intr.* Comportarse indignamente.

I) marrano, -na *m. f.* Cerdo. – 2 Converso que judaizaba ocultamente. – 3 *adj.-s.* fig. [pers.] Sucio y desaseado. 4 fig. [pers.] Que se porta mal.

II) marrano *m.* Madero fuerte empleado como trabazón y para moderar la presión de algunas máquinas.

marrar *intr.* Faltar, errar. 2 fig. Desviarse de lo recto.

marrasquino *m.* Licor hecho con el zumo de ciertas cerezas amargas y mucho azúcar.

marrazo *m.* Especie de hacha de dos bocas para cortar leña.

marrillo *m.* Palo corto y algo grueso.

marro *m.* Juego en que se tira con el marrón a un bolo hincado en el suelo. 2 Juego en que los jugadores, divididos en dos bandos, procuran atraparse mutuamente. 3 Ladeo del cuerpo que se hace para no ser atrapado. 4 Falta, yerro. 5 Palo con que se juega a la raba.

I) marrón *m.* Piedra para jugar al marro. 2 Martillo grande de herrero.

II) marrón *adj.-s.* Color castaño. – 2 *adj.* De color marrón. – 3 *m.* GALIC. Castaña confitada. ◇ En las acepciones 1 y 2 no se emplea para los ojos y cabello.

marronazo *m.* TAUROM. Acción de marrar alguna suerte del toreo, especialmente la de varas, cuando el picador no logra colocar bien la garrocha y ésta resbala por el lomo del toro.

marroquí *adj.-s.* De Marruecos, nación del norte de África. – 2 *m.* Tafilete. ◇ Pl.: *marroquíes.*

marroquinería *f.* Tafiletería.

marrubio *m.* Planta labiada, de flores medicinales *(Marrubium vulgare).*

marrullería *f.* Astucia con que, halagando a uno, se pretende alucinarle. 2 Trampa de juego.

marsellés, -llesa *adj.-s.* De Marsella, ciudad de Francia. – 2 *m.* Chaquetón de paño burdo, con adornos sobrepuestos de pana o pañete.

marsellesa *f.* Himno patriótico francés, que fue compuesto en 1792 para el ejército del Rhin, pero que fue propagado por los federados marselleses.

marsopa *f.* Cetáceo odontoceto, propio de todos los mares, que entra en los ríos persiguiendo a los salmones y lampreas *(Phocœna phocœna).*

marsupial *adj.-m.* Mamífero del orden de los marsupiales. – 2 *m. pl.* Orden de mamíferos metaterios no placentarios, cuyas hembras, en la mayoría de sus especies, llevan una bolsa abdominal, formada por la piel, donde sus crías terminan su desarrollo.

marsupio *m.* BOT. Saco que desarrollan las formas foliosas de las hepáticas, para contener el embrión. 2 ZOOL. Bolsa ventral exterior de los mamíferos marsupiales.

marta *f.* Mamífero carnívoro mustélido, de cabeza pequeña, cuerpo delgado, cola larga, y pelaje espeso y suave *(Martes martes).* 2 Piel de este animal.

I) martagón *m.* Planta liliácea medicinal y de jardín *(Lilium martagon).*

II) martagón, -gona *m. f.* fam. Persona astuta y difícil de engañar.

martajar *tr.* *Amér.* Picar, quebrantar [el maíz u otra cosa].

Marte *m.* Planeta, el más próximo a la Tierra. Tiene dos pequeños **satélites, y es notable por su luz rojiza; **solar (sistema). 2 Entre los romanos, dios de la guerra. 3 fig. La guerra. 4 En alquimia, el hierro.

martelo *m.* Celos. 2 Pena y aflicción que nace de ellos. 3 Enamoramiento, galanteo.

martellina *f.* Martillo de cantero con dos bocas guarnecidas de dientes prismáticos.

martes *m.* Tercer día de la semana. ◇ Pl.: *martes.*

martillar *tr.* Batir, golpear repetidamente con el martillo. – 2 *tr.-prnl.* fig. Oprimir, atormentar.

martillo *m.* Herramienta de percusión, compuesta de una cabeza de hierro o acero enastada en un mango, generalmente de madera. 2 Maza pesada que golpea el gongo en un reloj que da las horas. 3 En los vertebrados superiores, uno de los huesecillos del **oído medio. 4 Pieza del mecanismo de percusión de las armas de fuego que golpea la cápsula o el percutor para que se inflame la carga. 5 fig. El que persigue una cosa con el fin de acabar con ella: *~ de las herejías.* 6 fig. Establecimiento donde se subasta. 7 DEP. Esfera metálica, con un cable de acero y una empuñadura, con la que se efectúa una de las pruebas atléticas de lanzamiento.

martín pescador *m.* Ave coraciforme de pico recto y prolongado, que vive junto a los ríos y lagos y se alimenta de pececillos *(Alcedo atthis).* ◇ Pl.: *martín pescadores.*

martina *f.* Pez teleósteo anguiliforme, muy parecido al congrio, de unos 80 centímetros de longitud, que presenta cuerpo cilíndrico, hocico puntiagudo, aletas pectorales pequeñas y la dorsal y la anal muy grandes *(Echelus myrus).*

I) martinete *m.* Ave ciconiforme de paso, de pico largo y grueso, que vive junto a los ríos y lagos y se alimenta de peces y sabandijas *(Nycticorax nycticorax).* 2 Penacho de plumas de esta ave.

II) martinete *m.* Macillo del piano. 2 Mazo de gran peso para batir algunos metales, abatanar, etc. 3 Edificio industrial en que hay estos mazos. 4 Máquina para clavar estacas, especialmente debajo del agua. 5 Cante flamenco sin acompañamiento, de aire triste, cuyas coplas son de cuatro versos octosílabos.

martingala *f.* Artimaña (astucia). 2 Combinación que permite ganar en el juego. 3 GALIC. Trabilla, especie de cinturón de algunas prendas. 4 fig. Asunto fastidioso, incómodo o pesado.

martiniqués, -quesa *adj.-s.* De Martinica, isla del Caribe.

mártir *com.* Persona que padece martirio. 2 fig. Persona perseguida por sus opiniones: *un ~ de su ideal.* 3 fig. Persona que padece grandes afanes y trabajos.

martirio *m.* Tormentos o muerte que uno padece por sostener la verdad de su creencia. 2 fig. Trabajo penoso o sufrimiento grande.

martirizar *tr.* Hacer sufrir el martirio [a uno]. 2 Afligir, atormentar: *~ un animal.* ◇ ** CONJUG. [4] como *realizar.*

martirologio *m.* Catálogo de los mártires, y por extensión, el de todos los santos. 2 fig. Lista de víctimas. ◇ INCOR.: *martiriologio.*

maruca *f.* Pez marino teleósteo gadiforme, de gran tamaño y cuerpo alargado, que habita entre rocas hasta gran profundidad *(Molva molva).*

marxismo *m.* Conjunto de las doctrinas de C. Marx (1818-1883) y F. Engels (1820-1895) y de las corrientes doctrinales derivadas de aquéllas, que son la base teórica del socialismo y del comunismo contemporáneos. 2 Conjunto de partidos que se inspiran en dicha doctrina.

marxismo-leninismo *m.* Doctrina comunista inspirada en Marx (1818-1883), Engels (1820-1895) y Lenin (1870-1924).

marzas *f. pl.* Coplas que cantan de noche los mozos santanderinos por las casas de las aldeas. 2 Obsequio de manteca, morcilla, etc., que se da a los que cantan marzas.

marzo *m.* Tercer mes del año.

mas *conj. advers.* Sustituye a *pero* en su significación restrictiva más atenuada. En la actualidad se usa casi exclusivamente en la lengua escrita: *no tenía celada, ~ a esto suplió su industria.*

más *adv. comp.* Denota mayor cantidad numérica, o mayor intensidad de las cualidades y acciones en comparación expresa o sobrentendida. Sirve para formar comparativos de superioridad de adjetivos y adverbios, y oraciones subordinadas comparativas de superioridad: *tengo ~ dinero; es ~ sucio; está ~ lejos; corre ~.* 2 En comparación expresa lleva como correlativo la conjunción *que: es ~ noble que su hermano; corre ~ que tú; habla ~ que hace.* 3 Cuando el término de comparación es un número o una expresión cuantitativa lleva la preposición *de* en vez de *que,* denotando limitación indeterminada: *~ de cien hombres; son ~ de mil.* 4 Con verbos como *querer, desear,* etc., denota preferencia: *~ quiero perder la honra que perder el caudal.* 5 En comparación absoluta y denotando superioridad entre todos los de su clase, va precedido del artículo determinado en todos sus géneros y números, y en correlación con la preposición *de,* excepto cuando la comparación absoluta es implícita: *es el ~ de todos; es el ~ blanco; lo ~ probable. – 6 loc. adv. A lo ~,* a lo sumo. 7 *A ~ y mejor,* indica intensidad de acción: *llovía a ~ y mejor.* 8 *De*

~, de sobra: *hay mil pesetas de* ~. 9 *En* ~, en mayor grado o cantidad: *aprecio mi virtud en* ~ *que mi vida*. 10 *Ni* ~ *ni menos*, en el mismo grado, sin faltar ni sobrar. 11 *No* ~, sólo, únicamente: *a ti no* ~; *váyase no* ~. 12 *Sin* ~ *ni* ~, sin consideración, precipitadamente, por sorpresa. – 13 *loc. conj.* ~ *bien*, antes bien: *no debe nada,* ~ *bien es su acreedor*. 14 ~ *que*, sino: *nadie lo sabe* ~ *que Anselmo*. 15 *Por* ~ *que*, aunque. 16 *Tanto* ~... *cuanto que*, se usa en comparaciones correlativas: *tanto* ~ *deseo veros, cuanto que mañana estaré ausente*. – 17 *m*. Suma, adición: ~ *y el menos*. 18 Signo de suma o adición [+]. ◇ Son vulgares las expresiones *más mayor, más mejor, más peor, más antes, más buenísimo*. ◇ La acepción *11* es muy usual en América.

masa *f.* Agregación de partículas o cosas que forman un cuerpo, especialmente de gran tamaño: *una gran* ~ *líquida*. 2 p. ext. Conjunto de cosas que forman un todo: ~ *de bienes*; ~ *de la herencia*. 3 Mezcla consistente y homogénea hecha incorporando un líquido con una materia pulverizada, especialmente la del agua con harina y levadura para hacer el pan. 4 Gran concurrencia de personas o cosas; multitud: *vinieron todos en* ~; *la rebelión de las masas*. 5 El pueblo. 6 ELECTR. Conjunto de las piezas metálicas que se hallan en comunicación con el suelo. 7 FÍS. Cantidad de materia que contiene un cuerpo.

masacrar *intr.* Asesinar en masa.

masacre *f.* Matanza.

masaje *m.* Operación que consiste en presionar, frotar o golpear rítmicamente con intensidad adecuada determinadas regiones del cuerpo, principalmente las masas musculares, con fines terapéuticos, deportivos, estéticos, etc.

masato *m. Amér.* Bebida fermentada, especie de chicha que se hace de maíz, o con plátano, yuca o mandioca. 2 *Amér. Central.* Especie de mazamorra de maíz, plátano y yuca, que hacen los indios de la selva.

mascabado, -da *adj.* [azúcar] Que se envasa junto con su melaza.

mascabellotas *com.* Persona simple. ◇ Pl.: *mascabellotas*.

mascada *f. Amér.* Mascadura, porción de tabaco que se masca. 2 *Amér. Central y Ecuad.* Tesoro, ganancia y, por extensión, dinero.

mascadijo *m.* Substancia aromática, comúnmente vegetal, que se lleva en la boca mascándola para perfumar el aliento.

mascadura *f.* Acción de mascar. 2 Pedazo de tabaco para mascar.

mascar *tr.* Partir y desmenuzar [el manjar] con la dentadura. – 2 *prnl.* fig. *y* fam. Considerarse como inminente un hecho inmediato: *se mascaba la revolución*. ◇ ** CONJUG. [1] como *sacar*.

máscara *f.* Figura de cartón, tela, etc., imitando una cara, con que uno se tapa el rostro para no ser conocido: *los actores del teatro griego usaban* ~. 2 Careta para impedir la entrada de gases tóxicos en las vías respiratorias. 3 Traje con que alguno se disfraza. 4 fig. Apariencia engañosa: *quitarse uno la* ~, dejar el disimulo y decir lo que siente. – 5 *com.* fig. Persona enmascarada.

mascarada *f.* Sarao de personas enmascaradas. 2 Comparsa de máscaras. 3 fig. Ficción, falacia, simulación.

mascarilla *f.* Máscara que sólo cubre la parte superior del rostro. 2 Vaciado que se saca sobre el rostro de una persona o escultura. 3 Aparato utilizado por los anestesistas que se aplica sobre la nariz y la boca del paciente. 4 ~ *cosmética,* capa de diversos productos cosméticos con que se cubre la cara o el cuello durante cierto tiempo, generalmente breve, con fines estéticos.

mascarón *m.* Cara disforme o fantástica usada como adorno arquitectónico.

mascota *f.* Persona, animal o cosa a los cuales se atribuyen virtudes para alejar desdichas o atraer la buena suerte. 2 Figura u objeto que constituye el emblema de una manifestación, como una Olimpiada, un campeonato mundial de fútbol, etc.

masculillo *m.* Juego de muchachos consistente en coger a otro dando golpes con su trasero. 2 fig. Porrazo, golpe.

masculinizar *tr.* Dar [a algo] carácter masculino. ◇ ** CONJUG. [4] como *realizar*.

masculino, -na *adj.* Dotado de órganos para fecundar. 2 Perteneciente o relativo al ser así dotado. 3 Lo que es propio del varón. 4 fig. Varonil, enérgico. – 5 *m.* Género masculino.

mascullar *tr.* Hablar entre dientes o pronunciar mal [las palabras].

máser *m.* Dispositivo semejante en sus fundamentos al láser, con la diferencia de que la radiación emitida no pertenece al espectro visible, sino al de las microondas.

masera *f.* Paño con que se abriga la masa para que fermente.

masetero *adj.-m.* **Músculo elevador de la mandíbula inferior, situado en la parte posterior de la mejilla.

masía *f.* Casa de campo y de labor de Cataluña y Aragón.

masificar *tr.* Hacer de un grupo de personas una masa amorfa. 2 Adaptar a la masa. ◇ ** CONJUG. [1] como *sacar*.

masilla *f.* Mezcla de aceite de linaza y tiza, que se usaba para sujetar los cristales. 2 Material aglutinante que se endurece al cabo de algún tiempo, obtenido con óxido de cinc o de plomo y aceites secantes.

masivo, -va *adj.* Que actúa o se hace en gran cantidad: *ataque* ~ *a una posición enemiga; importación masiva de cereales*.

maslo *m.* Tronco de la cola de los cuadrúpedos; **caballo.

masoca *adj.-com.* vulg. Masoquista.

I) masón *m.* Bollo de harina y agua, para cebar las aves.

II) masón, -sona *m. f.* Miembro de la masonería.

masonería *f.* Asociación secreta que declara aspirar a la fraternidad universal, basada en la tolerancia religiosa y en los principios del humanitarismo. Usa varios símbolos tomados de la albañilería.

masoquismo *m.* Perversión sexual del que goza con verse humillado o maltratado por una persona de otro sexo.

masoquista *adj.-com.* [pers.] Que padece masoquismo. 2 p. ext. [pers.] Que persiste en un pensamiento, acto o situación desagradable o doloroso.

masora *f.* Estudio crítico de los textos bíblicos, hecho por doctores judíos.

masoreta *m.* Doctor hebreo que se dedica a la masora.

mass-media *m. pl.* Conjunto de los medios de difusión masiva de información o de cultura.

mastalgia *f.* Dolor que se siente en el seno.

mastelerillo *m.* Palo menor que se coloca en las embarcaciones sobre los masteleros.

mastelero *m.* Palo menor que se coloca en las embarcaciones sobre cada uno de los mayores.

I) masticador *m.* Instrumento para triturar los alimentos.

II) masticador, -ra *adj.-s.* Insecto que mastica sus alimentos, a diferencia de los chupadores. – 2 *adj.* ZOOL. [aparato bucal] Apto para la masticación. 3 ZOOL. [animal] Que tiene este aparato bucal.

masticar *tr.* Mascar. 2 fig. Rumiar [pensar] o meditar. ◇ ** CONJUG. [1] como *sacar.*

mastigador *m.* Filete de tres anillas que se pone al caballo para excitarle la salivación.

mástil *m.* Palo (madero redondo). 2 Mastelero. 3 Tallo grueso y leñoso de una planta. 4 Palo derecho que mantiene una cosa. 5 En ciertas grandes máquinas, torre, pieza o estructura vertical de gran altura respecto a la base. 6 Parte del astil de la pluma, en cuyos costados nacen las barbas. 7 MÚS. Parte más estrecha de algunos instrumentos músicos de **cuerda.

mastín *adj.-s.* V. perro mastín.

mástique *m.* Pasta de yeso mate y agua de cola que sirve para igualar las superficies que se han de pintar o decorar.

mastitis *f.* Inflamación del seno. ◇ Pl.: *mastitis.*

mastodonte *m.* Mamífero fósil, parecido al mamut y al elefante, cuyos restos se encuentran en los terrenos terciarios. – 2 *com.* fig. Persona o cosa muy voluminosa.

mastodóntico, -ca *adj.* De dimensiones muy grandes.

mastoides *adj.* Semejante a un pezón (mama). – 2 *adj.-f.* ANAT. Apófisis del hueso temporal situada detrás y debajo de la oreja; **cabeza. ◇ Pl.: *mastoides.*

mastología *f.* MED. Tratado de la mama, sus funciones y sus enfermedades.

mastozoología *f.* Parte de la zoología que trata de los mamíferos.

mastranto, mastranzo *m.* Planta labiada, aromática y medicinal que crece junto a las corrientes de agua *(Mentha rotundifolia).*

mastuerzo *m.* Planta crucífera hortense que se come en ensalada y se da al ganado como alimento *(Lepidium sativum).* – 2 *adj.-m.* fig. [hombre] Torpe o majadero.

masturbarse *prnl.* Procurarse solitariamente goce sexual.

I) mata *f.* Planta de tallo ramificado y leñoso, que vive varios años: *a salto de ~,* fig. *y* fam., al día, de manera insegura. 2 Pie de una hierba: *~ de hierbabuena.* 3 Porción de terreno poblado de árboles de una misma especie. 4 *~ de pelo,* porción grande de cabello.

II) mata *f.* Sulfuro múltiple que se forma al fundir menas azufrosas crudas o incompletamente calcinadas.

matabuey *f.* Amarguera, adelfilla.

matacaballos *m.* Hierba dicotiledónea campanulácea perenne, de hojas obovadas y dentadas y flores azules o purpúreas dispuestas en espigas *(Lobelia urens).* ◇ Pl.: *matacaballos.*

matacabras *m.* Bóreas, cuando es muy fuerte y frío. ◇ Pl.: *matacabras.*

matacán *m.* Composición venenosa para matar perros. 2 Planta trepadora perenne asclepiadácea con flores dispuestas en umbelas blancas o rosadas, y cuyo jugo es un enérgico purgante *(Cynanchum acutum).* 3 Obra voladiza en lo alto de un muro, de una torre o de una puerta fortificada, con parapeto y aspilleras para arrojar proyectiles al enemigo. 4 Piedra grande de ripio. 5 Liebre ya corrida de los perros. 6 En el juego de naipes, dos de bastos.

matacandelas *m.* Apagador fijo al extremo de una caña para las velas o cirios colocados en lo alto. ◇ Pl.: *matacandelas.*

matacandil *m.* Planta crucífera, propia de los terrenos húmedos, que se ha usado contra el escorbuto *(Sisymbrium irio).* 2 Hongo basidiomicete comestible, de sombrero ovoide y cilíndrico de color blanco sucio, y pie esbelto con un anillo membranoso *(Coprinus comatus).*

matacandiles *m.* Planta liliácea, propia de los terrenos secos y sueltos *(Ornithogalum nutans).* ◇ Pl.: *matacandiles.*

I) matachín *m.* Antiguo baile de ritmo

binario, parodia de las danzas guerreras de la antigüedad.

II) matachín *m.* Matarife. 2 fig. Hombre pendenciero, camorrista.

matadero *m.* Sitio donde se mata y desuella el ganado. 2 fig. Trabajo muy penoso.

matador, -ra *adj.-s.* Que mata. 2 fam. Penoso, cansado. – 3 *m.* Espada (torero).

matadura *f.* Llaga que se hace la bestia por ludirle el aparejo.

matafuego *m.* Instrumento para apagar los fuegos. 2 Bombero.

matagallos *m.* Aguavientos. ◇ Pl.: *matagallos.*

matahambre *m.* *Amér.* Carne de costillas.

matahombres *m.* Trabajo duro o largo. ◇ Pl.: *matahombres.*

matalahúga, matalahúva *f.* Anís (planta y semilla).

matalascallando *adj.-com.* Persona astuta que persigue sus fines sin aparentarlo; hipócrita. ◇ Se escribe también *mátalas callando.*

matalobos *m.* Acónito. ◇ Pl.: *matalobos.*

matalón, -lona *adj.-s.* [caballería] Flaco y lleno de mataduras.

matalotaje *m.* Provisión de comida en una embarcación. 2 Equipaje y provisiones que se llevan a lomo en los viajes por tierra. 3 fig. Conjunto de objetos mal ordenados.

matalote *m.* Buque anterior y buque posterior a cada uno de los que forman una columna.

matamata *f.* Tortuga de espalda de unos 20 cms. de longitud, un poco convexo, con placas dispuestas de forma piramidal *(Chelus fimbriatus).*

matamoros *adj.* Valentón. ◇ Pl.: *matamoros.*

matamoscas *m.* Instrumento para matar moscas. 2 Tira de papel o lienzo pegajoso para el mismo uso. ◇ Pl.: *matamoscas.*

matanza *f.* Acción de matar. 2 Mortandad de personas ejecutada en una batalla, asalto, etc. 3 Acción y época de matar los cerdos y preparar su carne. 4 Carne de cerdo preparada de diversos modos. 5 fig. *y* fam. Instancia y porfía de una pretensión u otro negocio. 6 *Amér. Central.* Carnicería o sitio donde se vende carne por menor.

mataojo *m.* Árbol sapotáceo americano, cuyo humo irrita mucho los ojos *(Lucuma nerifolia).*

matapalo *m.* Árbol moráceo americano que da caucho y de cuya corteza se hacen sacos (gén. *Ficus).*

mataperrear *intr.* *Amér.* Travesear, proceder como un mataperros.

mataperros *com.* fig. *y* fam. Muchacho callejero y travieso. ◇ Pl.: *mataperros.*

matapolvo *m.* Lluvia o riego pasajero y menudo.

matar *tr.-prnl.* Quitar la vida, causar la muerte: ~ *a palos;* ~ *a disgustos; los pesares le han matado;* ~ *el tiempo,* distraerse, entretenerse. 2 Llagar [a una bestia] el roce de un aparejo. – 3 *tr.* fig. Alterar la salud: *el trabajo le mata.* 4 Incomodar [a uno] con pesadeces: *me mata a preguntas.* 5 Apagar [la luz o el fuego; la cal; el brillo de los metales; un color o un tono]. 6 Matasellar. – 7 *intr.* Hacer la matanza del cerdo. – 8 *prnl.* fig. Trabajar con afán, o hacer vivas diligencias para conseguir alguna cosa: *se mata a leer; matarse por comer bien.* 9 Acongojarse de no poder conseguir un intento. ◇ La Academia admite el uso de *muerto* por *matado: habíamos muerto,* o *matado, mucha caza.*

matarife *m.* El que tiene por oficio matar y descuartizar las reses.

matarile *m.* Estribillo de una canción infantil.

matarrata *f.* Juego de naipes parecido al truque.

matarratas *m.* Raticida, substancia para matar ratas. 2 Aguardiente fuerte de ínfima calidad. ◇ Pl.: *matarratas.*

matasanos *m.* desp. Curandero, mal médico. ◇ Pl.: *matasanos.*

matasellar *tr.* Cancelar, inutilizar [un sello de correos].

matasellos *m.* Estampilla con que se inutilizan los sellos de las cartas. ◇ Pl.: *matasellos.*

matasiete *m.* burl. Fanfarrón. ◇ Pl.: *matasiete.*

matasuegras *m.* Tubo de papel arrollado en espiral, que, al soplar por un extremo, se extiende. ◇ Pl.: *matasuegras.*

matate *m.* *Amér. Central.* Red en forma de bolsa para llevar fruta y otras cosas.

matazón *f.* *Amér.* Matanza de animales para el abastecimiento de una población. 2 *Amér.* Gran mortandad.

match *m.* DEP. Lucha, contienda. ◇ Se pronuncia *mach.*

I) mate *m.* Lance del juego de ajedrez que pone término a la partida por estar amenazado y sin posibilidad de defensa uno de los reyes. 2 DEP. Golpe fuerte hacia abajo de una pelota alta.

II) mate *m.* Planta aquifoliácea de América meridional, de hojas lampiñas, oblongas y aserradas, flores axilares, blancas, en ramilletes apretados, y fruto drupáceo *(Ilex paraguaiensis).* 2 Hojas secas de esta planta. 3 Infusión de estas hojas tostadas, que se toma a manera de té en toda la América meridional. 4 *Amér. Merid.* Calabaza que, seca, vaciada y convenientemente abierta y cortada, sirve para muchísimos usos domésticos.

III) mate *adj.* Amortiguado, sin brillo: *oro, sonido* ~.

mateado *m.* Pérdida o disminución del lustre o brillo en una superficie pintada o barnizada.

I) matear *tr.* Sembrar [las simientes] o plantar [las matas] a cierta distancia unas de otras. – 2 *intr.-prnl.* Macollar el trigo y otros cereales echando muchos hijuelos. – 3 *intr.* Registrar las matas el perro en busca de la caza.

II) matear *intr. Amér. Merid.* Tomar mate.

matemáticamente *adv. m.* Exactamente.

matemáticas *f. pl.* Ciencia que trata de la cantidad, ya sea en abstracto, ya sea en relación a objetos o fenómenos determinados: ~ *puras;* ~ *mixtas, aplicadas.*

matematismo *m.* Tendencia de algunos filósofos modernos a tratar los problemas metafísicos en términos cuantitativos de masa y movimiento, según el espíritu y método propios de las matemáticas.

matematizar *tr.* Introducir métodos matemáticos [en cualquier disciplina]. ◇ ** CONJUG. [4] como *realizar.*

materia *f.* Aquello de que una cosa está hecha; substancia extensa, divisible, impenetrable e inerte, susceptible de toda clase de formas: *la ~ de una estatua; primera ~ o ~ prima,* la que una industria transforma; ~ *gris,* parte del sistema nervioso formado por el cuerpo de las neuronas; ~ *orgánica,* conjunto de materiales vegetales y animales, total o parcialmente descompuestos por la acción de los microorganismos presentes en el suelo. 2 Substancia corpórea en oposición a espíritu. 3 Asunto de que se compone una obra literaria, científica, etc. 4 Lo que es fundamento de un juicio, de un estudio; asunto, negocio del que se habla o escribe: *esa es ~ larga; entrar en ~,* empezar a tratar de un asunto; *en ~ de,* tratándose de. 5 fig. Causa, ocasión, motivo.

material *adj.* Relativo a la materia; opuesto a espiritual o formal: *la fuerza ~; los elementos materiales del universo.* 2 Que concierne a la naturaleza física del hombre: *placer ~; intereses materiales.* 3 fig. Que da excesiva importancia a las cosas del cuerpo: *hombre muy ~.* – 4 *m.* Conjunto de cosas necesarias en una explotación, servicio o profesión, o que entran en la construcción de una obra: ~ *de incendios;* ~ *quirúrgico;* ~ *de guerra; los materiales de una casa;* fig., *los materiales de que se ha servido este autor.* 5 fig. Grosero, sin ingenio ni agudeza.

materialismo *m.* Doctrina metafísica, opuesta al espiritualismo, según la cual la materia y el espíritu, lo físico y lo psíquico no constituyen una dualidad irreductible, sino que en último análisis la materia es la única realidad. 2 ~ *histórico,* doctrina filosófica que explica el curso de la historia por causas materiales y económicas afirmando que la estructura social y la vida colectiva son determinadas por la estructura y la vida eco-

nómicas de la sociedad. Sus principales representantes son Marx (1818-1883) y Engels (1820-1895).

materialista *adj.-com.* Partidario del materialismo. 2 Que tiene mucho apego a las cosas materiales.

materializar *tr.* Considerar como material [una cosa que no lo es] o hacerla material: ~ *el alma;* ~ *una idea.* – 2 *prnl.* Ir abandonando uno las cosas espirituales por las materiales. – 3 *tr.-prnl.* fig. Dar efectividad y concreción a una idea, proyecto, proposición, etc. ◇ ** CONJUG. [4] como *realizar.*

materialmente *adv. m.* Con materialidad. 2 De hecho, realmente, enteramente.

maternidad *f.* Estado o calidad de madre. 2 Establecimiento benéfico de tocología.

maternizar *tr.* Conferir propiedades de madre o tratar como madre. 2 Dotar a la leche vacuna de propiedades que posee la de mujer. ◇ ** CONJUG. [4] como *realizar.*

matinal *adj.* Matutino.

matinée, matiné *f.* GALIC. Espectáculo por la mañana o a primeras horas de la tarde. 2 Peinador de señora.

matiz *m.* Unión de varios colores mezclados con proporción. 2 Gradación que puede tener un color, o percibirse de él: *dos matices de amarillo.* 3 fig. Rasgo y tono de vario colorido y expresión en las obras literarias. 4 fig. Pequeña diferencia que distingue dos cosas parecidas o próximas, rasgo.

matizar *tr.* Armonizar los diversos colores [de varias cosas]: ~ *las sedas de un bordado;* ~ *una pared de,* o *con, rojo y amarillo.* 2 Dar [a un color] un determinado matiz: ~ *bien estos verdes.* 3 fig. Graduar delicadamente [sonidos, expresiones, conceptos, etc.]. ◇ ** CONJUG. [4] como *realizar.*

matojo *m.* Mata barrillera quenopodiácea *(Haloxylon articulatum).* 2 Matorral.

matón *m.* fig. *y* fam. Espadachín, pendenciero, bravucón, valentón.

matonear *intr.* Alardear de matón. 2 fam. Chulear. – 3 *tr. Amér. Central.* Asesinar [a alguien]. 4 *Amér. Central.* Rozar, desherbar.

matorral *m.* Terreno inculto lleno de malezas.

matraca *f.* Rueda de tablas con badajos de madera entre las paletas, usada en Semana Santa en substitución de las campanas. 2 Instrumento músico de percusión que produce un sonido desagradable. 3 fig. Insistencia molesta en un tema o pretensión. 4 fig. *y* fam. Burla, chasco, molestia, lata.

matracalada *f.* Revuelta, muchedumbre de gente.

matraquear *intr.* Hacer ruido continuado con la matraca. 2 fig. Dar matraca, chasquear. 3 fig. *y* fam. Ser pesado, importunar.

matraz *m.* Frasco esférico de cuello angosto y recto.

matrero, -ra *adj.* Perspicaz, astuto, sagaz. – 2 *adj.-s. Amér.* Bandolero, vagabundo.

matriarcado *m.* Organización social, tradicionalmente atribuida a algunos pueblos primitivos, en que el mando residía en las mujeres. 2 *fig.* Predominio o fuerte ascendiente femenino en una sociedad o grupo.

matricaria *f.* Planta compuesta, perenne y erecta, muy olorosa, con flores radiales de color blanco *(Chrysanthemum parthenium).*

matricidio *m.* Delito de matar uno a su madre.

matrícula *f.* Lista de los nombres de las personas o cosas que se asientan para un fin determinado por las leyes o reglamentos: ~ *universitaria.* 2 Documento acreditativo de este asiento. 3 Acción de matricular o matricularse. 4 Efecto de matricular o matricularse. 5 Conjunto de gente matriculada. 6 Inscripción oficial y placa que llevan los vehículos para indicar el número de matriculación; **automóvil. 7 ~ *de honor,* mejora de la nota de sobresaliente, que se concede en los exámenes, y da derecho a una inscripción gratuita en el curso siguiente. 8 ~ *de buques,* registro que se lleva en las comandancias de marina, en el que constan los dueños y las características de las naves mercantes de su demarcación.

matricular *tr.* Inscribir o hacer inscribir el nombre [de uno] en la matrícula: *me he matriculado en el instituto.* 2 Inscribir [las embarcaciones, automóviles, etc.] en sus respectivos registros. – 3 *prnl.* Hacer uno se inscriban su nombre en la matrícula.

matrimonialista *adj.-com.* Especialista en asuntos del matrimonio: *abogado ~.*

matrimoniar *intr.* Contraer matrimonio. ◊ ** CONJUG. [12] como *cambiar.*

matrimonio *m.* En el catolicismo y otras confesiones cristianas, sacramento que une indisolublemente a un hombre y una mujer, y les da la gracia de convivir santamente y de educar cristianamente a sus hijos: ~ *canónico,* el celebrado de acuerdo a los cánones y normas de la Iglesia católica. 2 Contrato bilateral por el cual se unen un hombre y una mujer libres, con arreglo a derecho: ~ *civil,* el celebrado ante la autoridad civil, sin intervención del párroco; ~ *morganático* o *de la mano izquierda,* el contraído entre un príncipe y una mujer de linaje inferior, o viceversa, en el cual cada cónyuge conserva su condición anterior; ~ *mixto,* el celebrado entre personas de diferente religión. 3 Marido y mujer: *en esta casa vive un ~.*

matritense *adj.-s.* Madrileño.

matriz *f.* Órgano de la hembra de los mamíferos en que se desarrolla el feto. 2 Molde en que se funden objetos de metal que han de ser idénticos. 3 Molde de cualquier clase con que se da forma a alguna cosa. 4 Parte del libro talonario que queda encuadernada al separar los talones que lo forman. 5 Elemento que reproduce un original. 6 Original del que se extraen copias. 7 Roca en cuyo interior se ha formado un mineral. – 8 *adj. fig.* Principal, generadora: *iglesia ~; lengua ~.*

matrona *f.* Madre de familia respetable. 2 Partera, especialmente la legalmente autorizada. 3 Encargada de registrar a las mujeres en las aduanas.

matroneo *m.* ARQ. Lugar reservado a la mujer en los edificios para el culto cristiano en la época paleocristiana. 2 ARQ. Galería o tribuna construida sobre las naves laterales en la **basílica, abierta a la central, desde donde asistían al culto las mujeres.

matrónimo *adj.-s.* Nombre de familia que tiene su origen en el de la madre.

matufia *f. Argent., Parag. y Urug.* fam. Engaño, trampa.

matungo, -ga *adj. Amér.* Desmedrado, flacucho, cojo.

maturación *f.* Procedimiento para aumentar la sensibilidad de una emulsión fotográfica en curso de fabricación consistente en mantenerla durante cierto tiempo a una temperatura determinada.

maturranga *f.* Treta, marrullería: *malas maturrangas.*

maturrango, -ga *adj. Amér.* Mal jinete. 2 *Amér.* Español o europeo.

matusalén *m.* Hombre de muchos años.

matute *m.* Introducción fraudulenta de géneros en una población: *entrar algo de ~.* 2 Género así introducido. 3 Casa de juegos prohibidos.

matutino, -na *adj.* Perteneciente o relativo a las horas de la mañana. 2 Que ocurre o se hace por la mañana.

maula *f.* Cosa inútil y despreciable. 2 Engaño o artificio encubierto. – 3 *com. fig.* Persona tramposa o mala pagadora. 4 *fig.* Persona pesada. 5 *fig. y* fam. Persona perezosa y poco cumplidora de sus obligaciones.

maullar *intr.* Dar maullidos el gato. ◊ ** CONJUG. [16] como *aunar.*

maullido *m.* Voz del gato.

maurismo *m.* Conjunto de principios políticos representados por Antonio Maura (1853-1925).

mauritano, -na *adj.-s.* De Mauritania, nación del oeste de África.

máuser *m.* Fusil de repetición inventado por Máuser (1838-1915). ◊ Pl.: *máuseres* y *máusers.*

mausoleo *m.* Sepulcro monumental y suntuoso. ◊ INCOR.: *mausóleo.*

mavorte *m.* poét. Marte (dios y hierro).

maxila *f.* ZOOL. Apéndice situado inmediatamente después de la boca de los artrópodos, y modificado con relación a la alimentación.

maxilar *adj.* Relativo a la quijada o mandíbula: *arterias, venas maxilares.* – 2 *adj.-m.* Hueso de la cara situado en la región anterior e inferior: ~ *superior,* el compuesto por dos huesos que se articulan entre sí y contribuyen a formar la bóveda del paladar, el suelo de la órbita y las fosas nasales; en su borde inferior se implantan los dientes superiores y en su interior se sitúan los senos maxilares; **cabeza; **nariz; ~ *inferior,* hueso único, grueso, resistente y compacto, que constituye la armazón del mentón; es el único movible de la cara; **cabeza; **diente.

máxima *f.* Regla, principio o proposición generalmente admitida por los que profesan una facultad. 2 Sentencia que contiene un precepto moral. 3 Norma a que se ajusta la manera de obrar.

maximalista *adj.-com.* Durante la revolución rusa, partidario de llevar a cabo gran número de reformas radicales; bolchevique. 2 p. ext. Partidario de la adopción de posturas extremas.

máxime *adv. m.* Principalmente.

máximo, -ma *adj.* Que es tan grande en su especie, que no lo hay mayor ni igual. – 2 *m.* Límite superior o extremo a que puede llegar una cosa. – 3 *f.* Temperatura más alta en un sitio y tiempo determinados.

maxisingle *m.* MÚS. Disco de mayor duración que el single, pero menor que el elepé.

maxura *f.* Zona de la mezquita inmediatamente anterior al mihrab, destinada al soberano, y con exuberante decoración.

I) maya *f.* Planta compuesta, de flor única, terminal, de centro amarillo, y circunferencia blanca o matizada de rojo *(Bellis perennis).* 2 Niña a quien en algunos pueblos visten galanamente el día de la Cruz de Mayo, para pedir dinero a los transeúntes. 3 Persona que se vestía con cierto disfraz para divertir al pueblo en las funciones públicas. 4 Canción que se entona en las fiestas de mayo.

II) maya *adj.-s.* De un pueblo indio que habita en Yucatán, norte de Guatemala y Honduras británica. – 2 *adj.-m.* Lengua precolombina hablada en América central.

mayal *m.* Palo del cual tira la caballería que mueve los molinos de **aceite, tahonas o malacates. 2 Instrumento formado por dos palos con que se golpea el centeno para desgranarlo. – 3 *f.* Masa o cilindro central de los trapiches.

mayear *impers.* Hacer el tiempo propio del mes de mayo.

mayestático, -ca *adj.* Perteneciente o relativo a la majestad. 2 GRAM. *Plural* ~, el de los pronombres personales y posesivos que se aplica a personas de alta jerarquía: *Nos, el Pontífice; Nuestra bendición.*

mayo *m.* Quinto mes del año. 2 Palo adornado que se pone durante el mes de mayo en algún lugar público en que han de celebrarse diversos festejos. 3 Enramada que ponen los novios a las puertas de sus novias. 4 Muchacho que, en algunos lugares, acompañaba y servía a la maya. – 5 *m. pl.* Música y canto con que en la última noche de abril obsequian los mozos a las solteronas.

mayólica *f.* Loza común de esmalte metálico.

mayonesa *f.* Salsa mahonesa.

mayor *adj.* Comparativo de *grande;* más grande; que excede en cantidad, tamaño o calidad a otra cosa de la misma especie: *vela, palo* ~. 2 De edad avanzada, adulto, viejo. – 3 *adj.-com.* Mayor de edad. – 4 *m.* Superior o jefe de una comunidad o cuerpo. 5 En algunos ejércitos, denominación equivalente a comandante. 6 *Por* ~, o *al por* ~, en cantidad grande, en grueso: *vender por* ~ o *al por* ~. – 7 *m. pl.* Ascendientes.

mayoral *m.* Pastor principal que cuida de los rebaños o cabañas. 2 Superior en jerarquía, especialmente el capataz de cualquier clase de trabajadores del campo. 3 El que gobernaba el tiro de algunos coches de camino.

mayorazgo *m.* Institución destinada a perpetuar en una familia la propiedad de ciertos bienes. 2 Conjunto de estos bienes. 3 Poseedor de ellos. 4 Hijo mayor de un mayorazgo (poseedor). 5 fam. Primogénito de cualquier persona. 6 fam. Primogenitura.

mayordomear *tr.* Administrar o gobernar [una hacienda o casa].

mayordomía *f.* Cargo de mayordomo o administrador. 2 Oficina del mayordomo. 3 Servicio de comidas destinadas a los pasajeros de los aviones.

mayordomo *m.* Criado principal encargado del gobierno económico de una casa o hacienda. – 2 *m.* Oficial que en las cofradías cuida de la satisfacción de los gastos y gobierno de las funciones.

mayoría *f.* Parte mayor de los componentes de una colectividad o asamblea. 2 Mayor número de votos: ~ *absoluta,* la que consta de más de la mitad de los votos; ~ *relativa,* la formada por el mayor número de votos, con relación al número que obtiene cada una de las personas o cuestiones votadas a la vez. 3 Mayor edad.

mayorista *com.* Comerciante que vende al por mayor. – 2 *adj.* [comercio] En que se vende y compra al por mayor.

mayoritario, -ria *adj.* Que forma la mayoría de un país, asamblea, etc.: *partido, raza, grupo* ~.

mayormente *adv. m.* Principalmente, con especialidad.

mayúsculo, -la *adj.* Algo mayor que lo ordinario en su especie. 2 fam. Muy grande:

un susto ~. – 3 *adj.-f.* Letra mayúscula. ◇ V. Apéndice gramatical.

maza *f.* **Arma antigua de hierro o de palo, a modo de bastón con la cabeza gruesa. 2 fig. Persona pesada y molesta. 3 fig. Persona que tiene gran autoridad en todo lo que dice. 4 fig. Palabras sentenciosas o verdades desnudas que impresionan a quien las oye. 5 Insignia de los maceros. 6 Instrumento para machacar lino y para otros usos parecido a la antigua maza. 7 Pelota con mango de madera, para tocar el bombo.

mazacote *m.* Hombre molesto y pesado. 2 Vianda seca, dura y pegajosa. 3 fig. Objeto de arte tosco. 4 *Amér.* Mezcla confusa.

mazagrán *m.* Refresco a base de café y limón, a veces con aguardiente o ron, y agua.

mazamorra *f.* Bizcocho averiado. 2 Migajas de galleta de barco que restan en el fondo del saco. 3 fig. Cosa desmenuzada. 4 fig. Tumor producido por cierto parásito en las patas del caballo. 5 *Amér. Central y Colomb.* Irritación en los dedos de los pies. 6 *Amér. Merid.* Comida a base de maíz hervido.

mazapán *m.* Pasta de almendras molidas y azúcar, cocida al horno. 2 Pedazo de miga de pan con que los obispos se enjugan los dedos después de bautizar a los príncipes.

mazar *tr.* Batir [la leche] para que se separe la manteca. ◇ ** CONJUG. [4] como *realizar*.

mazarí *adj.-m.* Baldosa usada para solados. ◇ Pl.: *mazaríes*.

mazarota *f.* Masa de metal que, cuando se funden grandes piezas en moldes verticales, se deja sobrante en la parte superior.

mazazo *m.* Golpe dado con la maza o el mazo. 2 Cosa que causa una fuerte impresión: *el despido fue un duro ~ para los empleados*.

mazdeísmo *m.* Antigua religión de los persas, que creían en la existencia de dos principios divinos en eterna lucha, uno bueno y creador del mundo, Ormuz, y otro malo y destructor, Ahrimán.

mazmorra *f.* Prisión subterránea.

maznar *tr.* Amasar, ablandar o estrujar con las manos. 2 Machacar [el hierro] cuando está caliente.

mazo *m.* Martillo grande de madera. 2 Porción de cosas atadas formando grupo. 3 fig. Hombre molesto y pesado.

mazonería *f.* Fábrica de cal y canto. 2 Obra de relieve.

mazorca *f.* Espiga en que se crían los frutos muy juntos y dispuestos alrededor de un eje; como la del maíz; **cereales. 2 Labor que tienen algunos balaustres de hierro en su mitad.

mazorral *adj.* Grosero, rudo.

mazuelo *m.* Mango o mano como de almirez, con que se toca el morterete.

mazurca *f.* Baile de origen polaco en compás de tres por cuatro, de movimiento más moderado que el vals. 2 Música de este baile.

mazut *m.* Residuo combustible de la destilación del petróleo bruto.

me *pron. pers.* Forma de 1ª persona para el objeto directo e indirecto sin preposición en género masculino y femenino y en número singular. Se puede usar como enclítico: ~ *oyó* ~ *mandó la carta; óyeme, mándame la carta;* **pronombre.

meada *f.* Orina expelida de una vez. 2 Sitio que moja o señal que hace.

meandro *m.* Recoveco de un camino o **río. 2 Curva sinuosa empleada como motivo ornamental.

meapilas *com.* Persona beata o santurrona; hipócrita. ◇ Pl.: *meapilas.*

mear *intr.-prnl.* Orinar. 2 pop. Tener mucho miedo.

meato *m.* Orificio o conducto del cuerpo: ~ *auditivo;* ~ *urinario.*

meca *f.* Ciudad que se constituye en centro de singular importancia en una actividad.

mecánica *f.* Parte de la física que trata del movimiento y el equilibrio, y de las fuerzas que los producen; esp., ciencia y arte de idear, construir, reparar o manejar máquinas. 2 Aparato o resorte interior que da movimiento a un ingenio o artefacto. 3 Policía interior y manejo por menudo de los intereses y efectos de los soldados.

mecánicamente *adv. m.* De un modo mecánico. 2 Irreflexivamente.

mecanicismo *m.* Doctrina metafísica y biológica que explica todos los fenómenos naturales, incluso los vitales, con las leyes mecánicas del movimiento y con la más absoluta exclusión de toda finalidad en la naturaleza.

mecánico, -ca *adj.* Perteneciente o relativo a la mecánica. 2 Relativo a los oficios manuales. 3 [agente físico material] Que puede producir efectos como choques, rozaduras, erosiones, etc. 4 Efectuado con una máquina. 5 Maquinal. 6 Que una obra con arreglo a las leyes del movimiento y de las fuerzas, sin efecto químico: *la fuerza mecánica de las mareas.* – 7 *m. f.* Persona que por profesión se dedica a la mecánica. 8 Persona dedicada al manejo y arreglo de las máquinas. 9 p. ant. Conductor de vehículos automóviles. 10 ~ *dentista,* persona que ayuda al dentista en la preparación de dientes y dentaduras artificiales.

mecanismo *m.* Estructura, complejo ordenado de las partes de una máquina o de una cosa adaptada a producir un efecto. 2 Medios prácticos que se emplean en las artes. 3 Conjunto de varios órganos que concurren a una misma tarea. 4 Funcionamiento, modo de obrar.

mecanizado *m.* Proceso de elaboración mecánica.

mecanizar *tr.* Motorizar. 2 Someter a elaboración mecánica [una materia, un producto]. 3 fig. Convertir en maquinal o indeliberado [cualquier trabajo o acto humano] por medio del ejercicio, el hábito, etc. ◇ ** CONJUG. [4] como *realizar*.

mecano *m.* Juguete de niños formado por piezas articulables.

mecanografía *f.* Arte de escribir con máquina.

mecanoterapia *f.* Empleo de aparatos especiales para producir movimientos activos o pasivos en el cuerpo humano, con objeto de curar o aliviar ciertas enfermedades.

mecapal *m. Amér. Central y Méj.* Pedazo de cuero en forma ovalada irregular con una oreja en cada extremo por las cuales pasa una cuerda corrediza sobre la que descansa la carga.

mecatazo *m. Amér. Central y Méj.* Latigazo, o golpe dado con cuerda, bramante, etc.

mecate *m. Amér. Central, Méj. y Filip.* Cuerda de pita, y por extensión cordel o bramante en general.

mecedor, -ra *adj.* Que mece o sirve para mecer. − 2 *m.* Instrumento de madera usado para mecer líquidos. 3 Columpio.

mecedora *f.* Silla de brazos para mecerse, cuyos pies terminan en forma de curva.

mecenas *com.* Protector de las letras y las artes: *es un ~ de los artistas.* ◇ Pl.: *mecenas*.

mecer *tr.* Remover [un líquido] para que se mezcle. − 2 *tr.-prnl.* Mover compasadamente de un lado a otro: *~ la cuna.* ◇ ** CONJUG. [2].

meco, -ca *adj. Amér. Central y Méj.* Grosero, inculto.

mecóptero *adj.-m.* Insecto del orden de los mecópteros. − 2 *m. pl.* Orden de insectos pterigotas y depredadores, con las cuatro alas membranosas y boca masticadora; como la mosca escorpión.

mecha *f.* Torcida de una lámpara o bujía. 2 Tubo de algodón relleno de pólvora o cuerda preparada para pegar fuego a barrenos, cargas de pólvora, etc. 3 Atado de hilas (hebras). 4 Gasa retorcida que se emplea en cirugía para facilitar la salida del exudado de una herida. 5 Lonjilla de tocino gordo para mechar. 6 Hurto disimulado entre la propia ropa u objetos personales. 7 *Amér.* Burla, broma, chanza. 8 *Amér.* Espiga que se adapta al taladro o útil de hierro cuya extremidad está preparada para agujerear hierro, madera, etc.

mechar *tr.* Introducir mechas de tocino gordo [en la carne o vianda que se ha de asar].

mechero, -ra *m. f.* Persona que roba en establecimientos de venta al público. 2 Hojalatero. − 3 *m.* Utensilio provisto de mecha, utilizado para dar luz o calor. 4 p. ext. Encendedor (aparato). 5 Canutillo que contiene la mecha para alumbrar. 6 Cañón de los candeleros donde se coloca la vela. − 7 *f.* Máquina empleada en hiladura para preparar las mechas para las máquinas de hilar, uniformándolas, torciéndolas y plegándolas en bobinas. − 8 *adj.-f.* Aguja de mechar.

mechificar *intr. Amér.* Burlarse, mofarse. ◇ ** CONJUG. [1] como *sacar*.

mechinal *m.* Agujero que se deja en las paredes de un edificio para formar los andamios. 2 fig. Habitación muy pequeña.

mechón *m.* Porción de pelos, hebras o hilos.

mechonear *tr.-prnl. Amér.* Mesar, desgreñarse [el cabello].

medalla *f.* Moneda conmemorativa. 2 Pedazo de metal batido o acuñado con alguna figura, símbolo o relieve. 3 Distinción honorífica concedida en exposiciones y certámenes: *~ militar*.

medallero *m.* DEP. Relación del número y clases de medallas obtenidas por las naciones participantes en una competición internacional.

medallón *m.* Bajo relieve de figura redonda o elíptica. 2 Joya en forma de caja pequeña donde se guardan objetos de recuerdo. 3 Alimento cortado en rodajas: *un ~ de pescado, de ternera.*

médano, medano *m.* Duna. 2 Banco de arena casi a flor de agua.

medersa *f.* Madraza; **islámico (arte).

media *f.* Calzado de punto que cubre pie y pierna. 2 Cantidad que representa el promedio de varias otras. 3 *Amér.* Calcetín.

mediacaña *f.* Moldura cóncava de sección semicircular. 2 Listón con que se guarnecen frisos, etc. 3 Formón de boca arqueada. 4 Lima semicilíndrica terminada en punta. 5 Tenacillas. 6 Pieza de la serreta, que se apoya en la nariz del caballo. 7 Canal, corte delantero y acanalado de un libro encuadernado. ◇ Pl.: *mediascañas.*

mediación *f.* Procedimiento de derecho internacional público o de derecho de trabajo, que propone una solución a las partes en litigio, pero sin imponerla como en el arbitraje.

mediado, -da *adj.* Que sólo contiene la mitad de su cabida: *está el jarro ~.*

mediador, -ra *m. f.* Persona encargada de hacer respetar los derechos de dos partes, o de defender sus intereses.

mediagua *f. Amér.* Tejado con declive en una sola dirección para la caída de las aguas, y edificio cuyo tejado está construido de esa forma.

medialuna *f.* Instrumento empleado para desjarretar toros o vacas. 2 Fortificación delante de los baluartes. 3 Bollo o panecillo. 4 Símbolo de los musulmanes y en particular de los turcos. 5 *Amér.* Pedazo de vidrio que se pone en la cola de una cometa para cortar el cordel de otra.

mediana *f.* Taco de billar, algo mayor que los comunes. 2 GEOM. En el **triángulo, línea que une un vértice con el punto medio del lado opuesto. 3 Zona intermedia en una **carretera o autopista que impide el paso de los vehículos al carril de dirección contraria.

medianejo, -ja *adj.* fam. Menos que mediano.

medianero, -ra *adj.* Que está en medio de dos cosas: *pared medianera.* – 2 *adj.-s.* Que media o intercede por alguien. – 3 *m.* Aparcero, mediero, labrador que trabaja a medias con otro en una finca.

medianía *f.* Término medio entre dos extremos. 2 fig. Carencia de prendas relevantes. 3 fig. Persona con esta carencia. 4 Situación económica modesta.

medianil *m.* Parte de un terreno inclinado.

mediano, -na *adj.* De calidad intermedia; ni bueno ni malo; ni grande ni pequeño: ~ *de cuerpo;* ~ *en capacidad.* 2 fig. Casi malo: *un trabajo ~.* 3 Que divide una cosa en dos partes iguales.

medianoche *f.* Hora en que el Sol está en el punto opuesto al de mediodía. 2 Instante que señala el término de un día y el inicio del siguiente: *a ~.* 3 fig. Bollo pequeño relleno de carne, jamón, etc. ◇ Pl.: *mediasnoches.*

mediante *adj.* Que media: *iré Dios ~.* – 2 *prep.* Por medio de. – 3 *f.* Tercera nota o grado de las escalas diatónicas, que determina el modo. ◇ INCOR.: ~ *a.*

mediar *intr.* Llegar a la mitad de una cosa. 2 Interceder: ~ *por un amigo.* 3 Interponerse entre dos que riñen: ~ *en una cuestión;* ~ *entre los contrarios.* 4 Existir o estar una cosa en medio de otras: ~ *con alguna cosa.* 5 Dicho del tiempo, transcurrir: *mediaron quince días.* 6 Ocurrir, entremediar una cosa: *medió entonces su llegada.* ◇ ** CONJUG. [12] como *cambiar.*

mediastino *m.* Espacio irregular entre una y otra pleura.

mediateca *f.* Colección de documentos difundidos por los medios de comunicación social. 2 Lugar donde se guarda dicha colección.

mediatinta *f.* Tono medio entre la luz y la sombra.

mediatizar *tr.* Influir de modo decisivo [en el poder, autoridad o negocio que otro ejerce]: *el ejército mediatizaba la autoridad del gobierno; una nación está mediatizada por otra; un grupo financiero mediatiza la economía del país.* ◇ ** CONJUG. [4] como *realizar.*

mediato, -ta *adj.* Que en grado, tiempo o lugar está próximo a una cosa, mediando otra entre las dos.

mediatriz *f.* MAT. Perpendicular levantada en el punto medio de un segmento de recta.

medicación *f.* Empleo terapéutico de los medicamentos: *una ~ eficaz.* 2 Conjunto de medicamentos.

medicamento *m.* Substancia empleada como remedio (de enfermedad).

medicamentoso, -sa *adj.* Que tiene la propiedad de curar.

medicar *tr.* Prescribir [a un enfermo] un sistema de curación. – 2 *prnl.* Seguir un tratamiento. ◇ ** CONJUG. [1] como *sacar.*

medicina *f.* Ciencia que trata de precaver y curar las enfermedades del cuerpo humano. 2 Profesión de médico. 3 Medicamento.

medicinar *tr.* Administrar medicinas [al enfermo].

médico, -ca *m. f.* Persona que por profesión se dedica a la medicina: ~ *de cabecera,* el que asiste normalmente a una familia; ~ *forense,* el oficialmente adscrito a un juzgado de instrucción.

medida *f.* Acción de medir. 2 Expresión comparativa de las dimensiones o cantidades. 3 Instrumento o recipiente que sirve para medir; **aceite. 4 Proporción: *se paga el jornal a ~ del trabajo.* 5 Disposición, prevención: *tomar, o adoptar, sus medidas.* 6 Cordura, prudencia: *hablar sin ~.* 7 Número y clase de sílabas que ha de tener el verso.

medidor *m. Amér.* Contador de agua, gas o electricidad.

mediero, -ra *m. f.* Persona que tiene por oficio hacer o vender medias. 2 Persona que va a medias con otra en un negocio o empresa.

medieval *adj.* Relativo a la Edad Media de la historia.

medievalismo *m.* Carácter medieval. 2 Estudio de la Edad Media.

medievo *m.* Edad Media.

medio, -dia *adj.* Que es igual a la mitad de una cosa: *media peseta;* se pospone cuando va precedido de otro numeral: *cinco libras y media.* 2 Que está entre dos extremos: *clase media, edad media.* – 3 *m.* Parte que en una cosa equidista de sus extremos: *el ~ de la plaza.* 4 Tercer dedo de la mano. 5 Diligencia conveniente para conseguir una cosa: *tomar el ~, o los medios necesarios.* 6 Elemento en que vive un ser y, por extensión, las circunstancias en que vive una persona: *el ~ de los pájaros es el aire, el ~ en que Juan se formó;* ~ *ambiente,* conjunto de circunstancias físicas que rodean a los seres vivos, p. ext., conjunto de circunstancias físicas, culturales, económicas, sociales, etc., que rodean a las personas. 7 BIOL. Substancia nutritiva, generalmente de consistencia líquida o pastosa, en la que se cultivan los tejidos o microorganismos. 8 FÍS. Substancia fluida o sólida en que se desarrolla un fenómeno determinado. 9 MAT. Quebrado que tiene por denominador el número 2. – 10 *m. pl.* Caudal, renta o hacienda que uno posee o goza. 11 Elementos: *los medios de producción, de transporte, audiovisuales, de comunicación,* etc. – 1...

adv. No del todo, no enteramente. Con verbos en infinitivo va precedido de la preposición *a:* ~ *asado; a* ~ *vestir.* – 13 *loc.* **adv. A medias,** tanto a uno como a otro: *repartido a medias;* algo, pero no del todo: *dormido a medias.* 14 *En* ~, en lugar igualmente distante de los extremos; entre tanto: *en* ~ *de eso.*

mediocre *adj.-com.* [pers.] De poca importancia, talento, eficacia, etc.

mediodía *m.* Hora en que está el Sol en el más alto punto de su elevación sobre el horizonte. 2 Período de imprecisa extensión alrededor de las doce de la mañana. 3 Sur.

medioluto *f.* Mariposa de color blanco con manchas obscuras *(Melanargia* sp.).

mediometraje *m.* Filmación con una duración aproximada de 60 minutos.

mediopaño *m.* Tejido de lana, más delgado y de menos duración que el paño. ◇ Pl.: *mediopaños.*

mediopensionista *adj.-com.* [pers.] Que vive en alguna institución, sometido a régimen de media pensión.

mediopié *m.* ANAT. Parte media del pie, formada por el escafoides, el cuboides y las tres cuñas.

medir *tr.* Determinar la longitud, extensión, volumen o capacidad [de una cosa]: ~ *a palmos, por varas;* ~ *una cosa con otra;* ~ *por,* o *con, un rasero.* 2 Examinar [si los versos tienen la medida correspondiente a los de su clase]. 3 Comparar [una actividad, aptitud, etc.] con otra: ~ *las fuerzas;* ~ *el ingenio.* – 4 *tr.-prnl.* Moderarse en decir o ejecutar [una cosa] ajustándose a sus facultades: *medirse uno consigo mismo; medirse con sus fuerzas, en las palabras.* 5 Reñir, pelearse. ◇ ** CONJUG. [34] como *servir.*

meditabundo, -da *adj.* Que medita o reflexiona en silencio.

meditación *f.* Aplicación del espíritu en un asunto. 2 Escrito sobre un tema religioso o filosófico. 3 Oración mental, reflexión sobre un punto religioso.

meditar *tr.* Aplicar con atención el pensamiento a la consideración [de una cosa]. 2 Discurrir con atención sobre los medios de conseguir [una cosa] o realizar [un proyecto]. – 3 *intr.* Entregarse a la meditación: *meditaremos durante una hora.*

mediterráneo, -a *adj.* Que está rodeado de tierra: *mar* ~. 2 Perteneciente o relativo al mar Mediterráneo, o a los territorios que baña.

médium *com.* Persona a la que se considera dotada de facultades paranormales que le permiten actuar de mediadora en la consecución de fenómenos parapsicológicos o de hipotéticas comunicaciones con los espíritus. ◇ Pl.: *médium.*

medra *f.* Aumento, progreso, mejora.

medrar *intr.* Crecer, mejorar los animales y plantas. 2 fig. Mejorar uno de fortuna.

medroso, -sa *adj.-s.* Temeroso, pusilánime. – 2 *adj.* Que infunde o causa miedo.

medula, médula *f.* Tejido adiposo que se halla dentro de los huesos de los animales. 2 Porción central del pelo donde las células están rodeadas de una gran cantidad de aire en forma de burbujas. 3 Porción central del **tallo y de la raíz encerrada en un cilindro vascular. 4 fig. Lo más substancioso de una cosa no material. 5 ~ *espinal,* prolongación del encéfalo que ocupa el conducto vertebral, desde el agujero occipital hasta la región lumbar; **cerebro. ◇ *Medula* es la acentuación que corresponde a su etimología, pero está muy generalizado *médula.*

medular *adj.* Relativo a la medula: *parénquima* ~.

medusa *f.* Cnidario escifozoo que se caracteriza por tener forma de paraguas y carecer de esqueleto.

mefistofélico, -ca *adj.* Diabólico, perverso.

mefítico, -ca *adj.* Que, respirado, puede causar daño, especialmente si es fétido.

megaciclo *m.* FÍS. Unidad de la corriente eléctrica formada por un millón de ciclos o períodos.

megafonía *f.* Técnica que se ocupa de los aparatos e instalaciones precisos para aumentar el volumen del sonido. 2 Conjunto de aparatos electrónicos que, debidamente coordinados, aumentan el volumen del sonido en un lugar de gran concurrencia.

megáfono *m.* Aparato que amplifica la voz.

megahercio *m.* FÍS. Unidad de frecuencia, equivalente a un millón de hercios.

megalito *m.* Monumento prehistórico construido con grandes piedras sin labrar.

megalocardia *f.* Desarrollo excesivamente grande del corazón.

megalocéfalo, -la *adj.* De cabeza muy grande.

megalocito *m.* MED. Glóbulo rojo, no nucleado, anormalmente grande.

magalomanía *f.* Manía o delirio de grandeza.

megalópolis *f.* Ciudad de grandes proporciones. ◇ Pl.: *megalópolis.*

megalóptero *adj.-m.* Insecto del orden de los megalópteros. – 2 *m. pl.* Orden de insectos pterigotas de cuerpo muy alargado y alas membranosas muy desarrolladas; las larvas son acuáticas.

megapodio *m.* Ave galliforme de plumaje blanco grisáceo con manchas pardas, y listas negras en la garganta y el pecho *(Leipoa ocellata).*

megarón *m.* Patio rectangular del palacio cretense y micénico, destinado a audiencias y reuniones.

megaterio *m.* Mamífero edentado fósil, de

unos 6 m. de longitud, correspondiente al período cuaternario *(Megatherium).*

megatón *m.* Unidad empleada para valorar la potencia de las bombas atómicas, equivalente a la fuerza de un millón de toneladas de trinitrotolueno.

megatonelada *f.* Unidad de fuerza, equivalente a un millón de toneladas. ◇ INCOR.: *megatón,* si bien su uso se ha extendido mucho.

megavatio *m.* Unidad de potencia, equivalente a un millón de vatios.

meiosis *f.* BIOL. Proceso de reducción cromática en la que se reduce a la mitad el número de cromosomas, gametos o células reproductoras. ◇ Pl.: *meiosis.*

meistersinger *m. pl.* Poetas y músicos menestrales alemanes agrupados en corporaciones y gremios que, a imitación de la inspirada lírica cortesana minnesinger, crearon un nuevo tipo de poesía burguesa y formulista, de carácter alegórico y religioso.

mejicanismo *m.* Vocablo, giro o modo de expresión propio de los mejicanos. 2 Amor o apego a las cosas características de Méjico. ◇ V. mejicano.

mejicano, -na *adj.-s.* De Méjico y de Ciudad de Méjico, nación de América del norte y capital de esta nación, respectivamente. ◇ La grafía oficial en Méjico es *México, mexicanismo, mexicano,* con *x,* cuya pronunciación es *j.*

mejido, -da *adj.* [huevo o yema] Batido con azúcar y disuelto en leche o agua caliente.

mejilla *f.* Prominencia que hay en el rostro humano debajo de cada uno de los ojos; **cuerpo humano.

mejillón *m.* **Molusco lamelibranquio marino, comestible, de concha casi triangular y de color negro azulado *(Mytilus edulis).*

mejor *adj.* Comparativo de *bueno;* más bueno; que es superior a otra cosa y que la excede en una cualidad natural o moral. – 2 *adv.* Comparativo de *bien;* más bien, de manera más conforme a lo bueno o lo conveniente; antes, más, denotando idea de preferencia: *~ quiero pedir limosna que cometer una villanía.*

mejorana *f.* Arbusto labiado, de hojas aovadas y vellosas, y flores olorosas y en espiga, usado como antiespasmódico *(Origanum maiorana).*

mejorar *tr.* Hacer pasar [una cosa] de un estado a otro mejor. – 2 *intr.-prnl.* Restablecerse o aliviarse el enfermo. 3 Ponerse el tiempo más benigno. 4 Medrar uno en su posición social o económica: *~ de condición.*

mejoría *f.* Alivio en una enfermedad.

mejunje *m.* Cosmético o medicamento formado por la mezcla de diversos ingredientes. 2 fig. Brebaje, mezcla cualquiera.

melado, -da *adj.* De color de miel: *caballo ~.* – 2 *m.* Torta pequeña de miel y cañamones. – 3 *f.* Tostada untada con miel. 4 Pedazos de mermelada seca. – 5 *m. Amér.* Jarabe que se obtiene en la fabricación del azúcar de caña.

meladucha *adj.* Especie de manzana dulzona, pero poco substanciosa.

melancolía *f.* Tristeza vaga, profunda y permanente. 2 Monomanía en que dominan las afecciones morales tristes.

melancolizar *tr.* Entristecer o afligir [a uno]. 2 Dar un aspecto triste [a una cosa]. ◇ ** CONJUG. [4] como *realizar.*

melanesio, -sia *adj.-s.* Negro aborigen de las islas de Melanesia. 2 Perteneciente o relativo a Melanesia o a los melanesios.

melanina *f.* ZOOL. Pigmento de color negro o pardo negruzco que se halla en ciertas células de los vertebrados.

melanismo *m.* BIOL. Situación en la que una proporción de una población animal está constituida por individuos negros. 2 ZOOL. Situación causada por una producción excesiva de melanina.

melanita *f.* Variedad de granate de color negro.

melanoma *m.* Tumor formado por células con abundante melanina.

melanosis *f.* Alteración de los tejidos orgánicos, caracterizada por el color obscuro que presentan. ◇ Pl.: *melanosis.*

melanterita *f.* Mineral de la clase de los sulfatos que cristaliza en el sistema monoclínico, de brillo vítreo, y transparente o traslúcido.

melanuria *f.* Fenómeno morboso consistente en la coloración negra de la orina.

I) melar *adj.-s.* Que sabe a miel.

II) melar *intr.-tr.* En los ingenios de azúcar, dar la segunda cochura al zumo de la caña. 2 Hacer las abejas la miel y ponerla en las celdillas [de los panales]. ◇ ** CONJUG. [27] como *acertar.*

melastomatáceo, -a *adj.-f.* Planta de la familia de las melastomatáceas. – 2 *f. pl.* Familia de plantas leñosas o herbáceas, angiospermas, dicotiledóneas.

melaza *f.* Líquido espeso y dulce que queda como residuo de la cristalización del azúcar.

melcocha *f.* Miel concentrada y caliente que se echa en agua fría y sobándola queda muy correosa. 2 Pasta comestible hecha con ella.

melcochudo, -da *adj. Amér.* Correoso como la melcocha.

melé *f.* DEP. En el juego del rugby, fase en que las delanteras de ambos equipos, agrupadas previamente entre sí, se empujan mutuamente con los hombros para apoderarse del balón introducido entre ellas y gana

espacio. 2 p. ext. Aglomeración o lío de gente.
I) melena *f.* Cabello largo, colgante y suelto. **2** Crin del león. **3** Yugo de la campana; viga sobre la que gira la campana para voltear.
II) melena *f.* Deposición o vómito de sangre negra.
melenera *f.* Parte superior del testuz de los bueyes. **2** Almohadilla o piel que se pone a los bueyes en la frente al uncirlos.
meleno *adj.* [toro] Que tiene un mechón sobre la frente. – **2** *m.* Payo, hombre del campo.
melenudo, -da *adj.* Que tiene abundante y largo el pelo.
melera *f.* Daño que sufren los melones por efecto de la lluvia o granizo.
melero, -ra *m. f.* Persona que tiene por oficio vender miel, o trata en ella. **2** Aficionado a la miel. – **3** *m.* Sitio donde se guarda la miel.
melgo *adj.* [pers.] Gemelo.
meliáceo, -a *adj.-f.* Planta de la familia de las meliáceas. – **2** *f. pl.* Familia de plantas dicotiledóneas que incluye árboles o arbustos tropicales, de hojas pinnaticompuestas, y flores en panoja; muchas de sus especies dan excelente madera.
mélico, -ca *adj.* Perteneciente o relativo al canto. **2** Relativo a la poesía lírica, especialmente griega.
melificar *intr.-tr.* Hacer las abejas la miel o sacarla [de las flores]. ◇ ** CONJUG. [1] como *sacar.*
melifluo, -flua *adj.* Que tiene miel o se parece a ella. **2** fig. Suave como la miel: *conversación meliflua.*
melilita *f.* Silicato del grupo de los sorosilicatos, que forma cristales aplanados incoloros o de color amarillo, pardo o gris, con brillo vítreo. – **2** *f. pl.* Rocas magmáticas compuestas por melilita y olivino con otros minerales.
I) meliloto *m.* Planta leguminosa papilionácea, cuyas flores se usan como emolientes *(Melilotus officinalis).*
II) meliloto, -ta *adj.-s.* Insensato, abobado.
melillense *adj.-s.* De Melilla, ciudad española de África.
melindre *m.* Fruta de sartén, hecha con miel y harina. **2** Dulce de pasta de mazapán bañado en azúcar blanco. **3** fig. Delicadeza afectada.
melisma *m.* Canción o melodía breve. **2** MÚS. Grupo de notas sucesivas, que forman un neuma o adorno sobre una misma vocal.
melito *m.* Jarabe de miel y una substancia medicamentosa.
melocotón *m.* Melocotonero. **2** Fruto de este árbol: ~ **romano**, el muy grande, sabroso y que tiene el hueso colorado.
melocotonero *m.* Árbol frutal, variedad del pérsico; su fruto es el melocotón *(Prunus persica).*

melodía *f.* Dulzura y suavidad de la voz o de un instrumento. **2** Sucesión de sonidos de una composición que se destacan en los demás por su fuerza de expresión. **3** Conjunto de varias frases que forman un concepto musical completo.
melodrama *m.* Ópera (poema dramático). **2** Drama popular que trata de conmover al auditorio por la violencia de las situaciones y la exageración de los sentimientos. **3** fig. Situación patética.
melodreña *adj.* Que sirve para amolar: *piedra* ~.
meloe *m.* Escarabajo de color negro azulado con los élitros blandos y pequeños. Si se ve en peligro desprende una secreción tóxica oleosa de color rojizo *(Meloe proscarabaeus).*
melografía *f.* Arte de escribir música.
meloja *f.* Lavaduras de miel.
melojo *m.* Árbol cupulífero de hasta 20 m. de altura, con las hojas muy pubescentes por el envés y con cuatro u ocho pares de lóbulos estrechos y muy alargados *(Quercus pyrenaica).*
melomanía *f.* Afición desmedida a la música.
melón *m.* Planta cucurbitácea de tallos tendidos, hojas lobuladas y flores solitarias y amarillas, cuyo fruto es una pepónide grande y comestible *(Cucumis melo).* **2** Fruto de esta planta. **3** ~ **de agua**, sandía. **4** fig. Hombre torpe, bobo, falto de expresión.
meloncillo *m.* Mamífero carnívoro vivérrido, de cuerpo rechoncho y cola terminada en un mechón de pelos, de los que se hacen pinceles *(Herpestes ichneumon).*
melopea, melopeya *f.* Arte de producir melodías. **2** Entonación rítmica con que puede recitarse algo. **3** vulg. Borrachera.
meloso, -sa *adj.* De calidad o naturaleza de miel. **2** fig. Blando y suave: *razonamiento* ~; *discurso* ~. **3** fig. De dulzura afectada.
meluza *f.* Zumo de la caña de azúcar que se pega a las manos o a los vestidos.
melva *f.* Pez marino teleósteo perciforme, de unos 60 cms. de longitud, con la región anterior del cuerpo cubierta de grandes escamas, la región dorsal de color azulado con franjas negras y la ventral plateada *(Auxis thazard).*
mella *f.* Rotura o hendidura en el filo de un arma o herramienta o en el borde de un objeto. **2** Vacío que queda en una cosa por faltar la que la ocupaba: *las mellas de la dentadura.* **3** fig. Merma, menoscabo.
mellado, -da *adj.-s.* Falto de uno o más dientes.
mellar *tr.* Hacer mellas (roturas): ~ *un plato.* **2** fig. Mermar o menoscabar [una cosa no material]: ~ *la honra.*
mellizo, -za *adj.-s.* [pers.] Gemelo.
melloco *m.* Planta baselácea trepadora cuyo tubérculo es comestible *(Ullucus tuberosus).*

mellotrón *m.* Aparato en el que están grabados diversos sonidos para ser utilizados como efectos sonoros en el cine.

membrana *f.* Piel delgada o túnica a modo de pergamino. 2 Lámina muy delgada de un metal u otra substancia. 3 Lámina delgada y flexible del tejido animal o vegetal que envuelve ciertos órganos o bien absorbe, exhala o segrega ciertos fluidos; **célula. 4 ~ *virginal,* himen. 5 ~ *del tímpano,* tímpano (membrana del **oído).

membrete *m.* Anotación provisional de una cosa. 2 Aviso o nota por escrito. 3 Nombre o título de una persona o corporación puesto a la cabeza de la primera plana o al final del escrito que se les dirige, o bien estampado en la parte superior del papel que usan para escribir.

membrillo *m.* Árbol frutal rosáceo, muy ramoso, de hojas enteras y aovadas, flores róseas, solitarias y de cáliz persistente y fruto en pomo *(Cydonia vulgaris).* 2 Fruto de este arbusto. 3 Carne de membrillo.

membrudo, -da *adj.* Robusto de cuerpo y miembros.

memela *f. Hond., Guat.* y *Méj.* Tortilla de maíz más gruesa que la ordinaria y de forma ovalada.

memento *m.* Oración del canon de la misa; son dos, en una se hace conmemoración de fieles vivos y en otra de difuntos. 2 Libro de memoria o apuntes.

memez *f.* Simpleza, tontería.

memo, -ma *adj.-s.* Tonto, simple, mentecato.

memorable *adj.* Digno de memoria.

memorándum *m.* Librito de apuntes. 2 Comunicación diplomática, generalmente no firmada, en que se recapitulan hechos y razones para que se tengan presentes en un asunto grave. 3 Nota de pedido en el comercio. ◊ Pl.: *memorándum,* y mejor emplear la forma plural latina: *memoranda.* Debe evitarse *memorándums.*

memorar *tr.* lit. Recordar [una cosa]; hacer memoria [de ella].

memoria *f.* Facultad del alma por la cual reproducimos mentalmente objetos ya conocidos, refiriéndolos al pasado de nuestra vida: ~ *fiel; flaco de* ~, olvidadizo; *de* ~, reteniendo puntualmente algo en la memoria: *aprender de* ~; *hablar de* ~, fig., hablar sin reflexión ni fundamento. 2 Recuerdo: *hecho digno de* ~. 3 Disertación escrita. 4 Relación de los actos o trabajos de una corporación, o de los gastos de un negociado. 5 Reputación, buena o mala, que deja al morir una persona. 6 Obra pía o aniversario que instituye o funda uno y en que se conserva su memoria. 7 Órgano esencial de un ordenador electrónico que permite recoger y almacenar informacio-

nes que se tratarán con posterioridad. 8 Soporte de esas informaciones. – 9 *f. pl.* Saludo afectuoso a un ausente por medio de tercera persona. 10 Relación escrita de algunos acontecimientos particulares: *las memorias del cardenal de Retz.* 11 Libro cuaderno o papel en que se apunta una cosa para tenerla presente. 12 Dos o más anillos que se traen y ponen en el dedo con objeto de que sirvan de recuerdo.

memorial *m.* Libro o cuaderno en que se apunta una cosa para un fin. 2 Boletín o publicación oficial de algunas colectividades.

memorioso, -sa *adj.-s.* Que tiene feliz memoria.

memorizar *tr.* Aprender de memoria [un discurso, poesía, lista, etc.]. ◊ ** CONJUG. [4] como *realizar.*

mena *f.* Mineral metalífero, tal como se extrae del criadero.

menaje *m.* Muebles y accesorios de una casa. 2 En algunos cuerpos militares, vajilla y cubertería, servicio de mesa en general. 3 Material pedagógico de una escuela.

menar *tr.* Dar vueltas [a la cuerda] en el juego de la comba.

menarquía *f.* Época de la vida de la mujer, caracterizada por la aparición del primer período menstrual.

mención *f.* Recuerdo o memoria que se hace de una persona o cosa. 2 ~ *honorífica,* distinción o recompensa inferior al premio y al accésit. ◊ INCOR.: *hacer* ~ *a,* en vez de *hacer* ~ *de.*

mencionar *tr.* Hacer mención [de una persona o cosa].

menchevique *com.* Partidario del socialismo moderado que fue derrotado en Rusia por los bolcheviques.

menda *pron. pers.* vulg. El que habla. – 2 *pron. indef.* Uno, uno cualquiera. ◊ En la primera acepción se usa con el verbo en 3.ª persona.

mendacidad *f.* Costumbre de mentir.

mendaz *adj.-s.* Mentiroso.

mendelismo *m.* Ley de herencia biológica descubierta por Mendel (1822-1884), en virtud de la cual los caracteres de los hijos no representan un tipo intermedio de los padres, sino que predominan en ellos ciertos caracteres de uno u otro de los progenitores.

mendicante *adj.-s.* Que mendiga. 2 Orden religiosa cuyos miembros no pueden poseer individual ni colectivamente, y que por instituto viven de limosna y del trabajo personal; como los franciscanos.

mendicidad *f.* Estado y situación de mendigo.

mendigar *intr.* Pedir limosna. – 2 *tr.* Pedir [algo] a título de limosna. 3 fig. Solicitar [algo] con importunidad y humillación. ◊ ** CONJUG. [7] como *llegar.*

mendigo, -ga *m. f.* Persona que habitualmente pide limosna.

mendo *m.* Pez marino teleósteo perciforme, de cuerpo ovalado y alargado, de coloración gris pardusca con manchas negras *(Glyptocephalus cynoglossus).*

mendrugo *m.* Pedazo de pan duro o desechado. – 2 *adj.* fig. *y* fam. Tonto, zoquete.

menear *tr.* Mover o agitar [una cosa]. 2 fig. Dirigir [una dependencia o negocio]. – 3 *prnl.* fig. Obrar con prontitud y diligencia, y especialmente andar de prisa. 4 Moverse.

meneo *m.* Acción de menear o menearse. 2 Efecto de menear o menearse. 3 fig. Vapuleo. 4 fig. Contoneo al andar. 5 fig. *y* fam. Dificultad, obstáculo.

menester *m.* Necesidad de una cosa: *haber ~; ser ~ una cosa.* 2 Ejercicio, empleo o ministerio. – 3 *m. pl.* Necesidades corporales. 4 Cosas necesarias para ciertos usos.

menestra *f.* Guisado de hortalizas y trocitos de carne. 2 Legumbres secas.

menestral, -la *m. f.* Persona que profesa un arte mecánico.

mengano, -na *m. f.* Voz usada en la misma acepción que fulano y zutano, pero siempre después del primero, y antes o después del segundo.

mengua *f.* Falta que hace incompleta una cosa. 2 Pobreza, escasez. 3 fig. Descrédito, deshonra.

menguado, -da *adj.-s.* Cobarde, pusilánime. 2 Tonto, necio. 3 Miserable, mezquino. 4 Reducido. – 5 *m.* Punto que se embebe al hacer media.

menguante *adj.* Que mengua. – 2 *f.* Estiaje de los ríos o arroyos. 3 Marea descendente. 4 fig. Decadencia o decrecimiento de una cosa. 5 *~ de Luna,* intervalo que media entre el plenilunio y el novilunio.

menguar *intr.* Disminuir o irse consumiendo una cosa. 2 Hacer los menguados en las calcetas. 3 Disminuirse la parte iluminada de la Luna. 4 fig. Decaer, venir a menos. ◇ ** CONJUG. [22] como *averiguar.*

menhir *m.* Megalito formado por una piedra larga hincada verticalmente en el suelo; **prehistoria.

menina *f.* Dama que desde niña entraba a servir a la reina o a las infantas niñas.

meninge *f.* Membrana de naturaleza conjuntiva que, junto con otras dos, envuelve el encéfalo y la medula espinal.

meningítico, -ca *adj.-s.* Perteneciente o relativo a la meningitis. 2 Afectado de meningitis. 3 desp. Tonto, estúpido.

meningitis *f.* Inflamación de las meninges. ◇ Pl.: *meningitis.*

meningococo *m.* MED. Microorganismo que es causa de diversas enfermedades; como la meningitis.

menisco *m.* Vidrio cóncavo por una cara y convexo por la otra: *~ convergente,* lente concavoconvexa; *~ divergente,* lente convexocóncava. 2 Superficie libre del líquido contenido en un tubo estrecho; es cóncava o convexa, según que el líquido moje o no las paredes del tubo. 3 ANAT. Cartílago de forma semilunar y de espesor que disminuye de la periferia al centro; se aplica especialmente al ligamento de la rodilla.

menispermáceo, -a *adj.-f.* Planta de la familia de las menispermáceas. – 2 *f. pl.* Familia de plantas tropicales dicotiledóneas, dioicas, sarmentosas, flexibles, de hojas enteras o palmeadas, flores pequeñas, generalmente en racimos axilares, y frutos capsulares o en baya y, raras veces, en drupa.

menopausia *f.* Cesación natural de la menstruación de la mujer.

menor *adj.* Comparativo de *pequeño;* más pequeño; que tiene menos cantidad, tamaño o calidad que otra cosa de la misma especie. – 2 *adj.-com.* Menor de edad. – 3 *m.* Religioso de la orden de San Francisco. 4 *Por ~,* menudamente, por extenso, con detalle: *referir por ~ las circunstancias de un suceso.* 5 *Por ~,* o *al por ~,* en pequeñas cantidades, no en grueso: *vender por ~ o al por ~.*

menoría *f.* Inferioridad y subordinación.

menorquín, -quina *adj.-s.* De Menorca.

menorragia *f.* MED. Hemorragia de la matriz durante el período menstrual, o sea menstruación excesiva.

I) menos *adv. comp.* Denota menor cantidad numérica o menor intensidad de las cualidades y acciones en comparación expresa o sobrentendida. Sirve para formar comparativos de inferioridad de adjetivos y adverbios, y oraciones subordinadas comparativas de inferioridad: *tengo ~ dinero; es ~ sucio; está ~ lejos; corre ~.* 2 En comparación expresa lleva como correlativo la conjunción *que:* es *~ noble que su hermano; corre ~ que tú; habla ~ que hace.* 3 Cuando el término de la comparación es un número o una expresión cuantitativa lleva la preposición *de* en vez de *que,* denotando limitación indeterminada: *~ de cien hombres; son ~ de mil.* 4 Con verbos como *querer, desear,* etc., denota idea opuesta a la de preferencia: *~ quiero perder la honra que perder el caudal.* 5 En comparación absoluta y denotando inferioridad entre todos los de su clase, va precedido del artículo determinado en todos sus géneros y números, y en correlación con la preposición *de,* excepto cuando la comparación absoluta es implícita: *es el ~ noble de todos; es el ~ blanco; lo ~ probable.* – 6 *adv. m.* Excepto: *todo ~ esto.* – 7 *loc. adv. De ~,* denota falta de número, peso o medida: *aquí hay dinero de ~.* – 8 *loc. conj. Al ~, a lo ~,* o *por lo ~,* denota una excepción o salvedad: *nadie ha venido, al,* *a lo,* o *por lo,* ~ *que yo sepa.* 9 A ~ *que,* a no ser que. – 10 *m.* Resta, substracción: *el más y el* ~. 11 Signo de substracción o resta [-].

menoscabar *tr.-prnl.* Mermar [una cosa] quitándole una parte. – 2 *tr.* fig. Deslucir o deteriorar [una cosa]. 3 fig. Causar mengua [en la honra o en la fama].

menospreciar *tr.* Tener [una cosa o una persona] en menos de lo que merece. 2 Despreciar. ◇ ** CONJUG. [12] como *cambiar.*

menosprecio *m.* Poco aprecio. 2 Desprecio, desdén.

menostasia *f.* MED. Retención de la regla en la mujer por obstáculo mecánico a su salida.

mensáfono *m.* Aparato para enviar mensajes sonoros a pequeña distancia.

mensaje *m.* Recado oral o escrito que una persona manda a otra. 2 Comunicación oficial que el soberano o jefe del poder ejecutivo lee o manda al parlamento, o que se cursa entre el legislativo y el ejecutivo, o entre dos asambleas legislativas. 3 Comunicación escrita de carácter político o social que una colectividad dirige a un poder público. 4 Significado profundo y orientador de una obra literaria o artística, o aportación personal. 5 Conjunto de señales, signos o símbolos que son objeto de una comunicación. 6 Contenido de esta comunicación.

mensajerías *f. pl.* Buques que periódicamente navegan entre puertos determinados.

mensajero, -ra *adj.* Que lleva un mensaje: *paloma mensajera.* – 2 *m. f.* Persona cuyo empleo es ir a buscar, allí donde sus servicios son requeridos, cartas y paquetes de pequeño tamaño para llevarlos a su destinatario en un plazo muy breve de tiempo, en general dentro de una misma población.

menstruo *m.* Sangre que todos los meses evacuan naturalmente las mujeres y las hembras de ciertos animales.

mensual *adj.* Que se repite cada mes. 2 Que dura un mes.

mensualidad *f.* Sueldo o salario de un mes.

ménsula *f.* Repisa o apoyo para sustentar cualquier cosa. 2 ARQ. Miembro arquitectónico saliente para sostener alguna cosa.

mensurar *tr.* Medir.

menta *f.* Hierbabuena. 2 Licor preparado con la esencia de estas plantas. 3 ~ *de agua,* hierba erecta de hojas más o menos peludas con olor a menta, que crece en sitios húmedos (*Mentha aquatica*).

mentado, -da *adj.* Que tiene fama. 2 Mencionado.

mentalidad *f.* Capacidad, actividad mental. 2 Cultura, modo de pensar: ~ *de un pueblo;* ~ *de una persona.*

mentalizar *tr.-prnl.* Hacer que un individuo o grupo tome conciencia de un hecho,

problema, situación, etc., de manera que decidan actuar de forma teórica o práctica. ◇ ** CONJUG. [4] como *realizar.*

mentalmente *adv. m.* Sólo con el pensamiento o la mente.

mentar *tr.* Nombrar o mencionar [una cosa]. ◇ ** CONJUG. [27] como *acertar.*

mente *f.* Conjunto de las facultades intelectuales de un hombre. 2 Pensamiento, propósito, voluntad: *tener en la* ~ *una cosa,* tenerla pensada o prevenida.

mentecato, -ta *adj.-s.* Tonto, necio, de escaso juicio.

mentidero *m.* Sitio donde concurre la gente ociosa.

mentir *intr.* Dar por cierto deliberadamente lo contrario de lo que se tiene por verdadero. 2 Inducir a error: *las esperanzas mienten.* 3 Desdecir una cosa de otra o no conformar con ella: *este color miente con el otro.* – 4 *tr.* Faltar [a lo pactado o prometido]: *ha mentido su promesa.* ◇ ** CONJUG. [35] como *hervir.*

mentira *f.* Expresión contraria a la verdad: ~ *oficiosa,* la que se dice para agradar o servir a uno; *parece* ~, expresión hiperbólica con que se da a entender la extrañeza o admiración que causa alguna cosa. 2 fig. Vanidad, error, ilusión.

mentirosamente *adv. m.* Fingidamente, con falsedad, engaño y cautela.

mentiroso, -sa *adj.-s.* Que tiene costumbre de mentir. – 2 *adj.* Que tiene muchas erratas: *libro* ~. 3 Engañoso, aparente, fingido y falso.

mentís *m.* Voz injuriosa con que se desmiente a uno. 2 Hecho o demostración que contradice o niega categóricamente un aserto ◇ Pl.: *mentís.*

mentol *m.* Parte sólida de la esencia de menta.

mentón *m.* Barbilla o prominencia de la mandíbula inferior; **cabeza; **cuerpo humano.

mentor *m.* fig. Consejero o guía de otro.

menú *m.* Conjunto de platos que constituyen una comida. 2 Carta del día donde se relacionan las comidas, postres y bebidas. 3 INFORM. Lista de acciones que son presentadas por un ordenador y que éste puede realizar ◇ Pl.: *menús.*

menudear *tr.* Hacer [una cosa] a menudo – 2 *intr.* Suceder una cosa a menudo: ~ *las gotas;* ~ *los trabajos.* 3 Contar las cosas muy por menudo o contar o escribir menudencias.

menudencia *f.* Pequeñez de una cosa. 2 Cosa de poco aprecio y estimación. 3 Esmero y exactitud con que se considera y reconoce una cosa. – 4 *f. pl.* Despojos de las canales destrozadas del tocino. 5 en gral. Despojos de cerdo.

menudillo *m.* En los cuadrúpedos, articu

lación entre la caña y la cuartilla; **caballo. – 2
m. pl. Higadillo, molleja y otras vísceras de las
aves.

menudo, -da *adj.* Pequeño, chico. 2 Despreciable, de poca importancia. 3 Exacto,
minucioso. 4 [carbón mineral lavado] Que
tiene sus trozos del tamaño reglamentario, es
decir, que no exceden de doce milímetros – 5
adj.-m. pl. Dinero en moneda divisionaria o
pequeña: *plata ~; no tengo menudos.* – 6 *m. pl.*
Entrañas, manos y sangre de las reses; entrañas, pescuezo, pies y alones de las aves.

meñique *adj.* Muy pequeño. – 2 *adj.-m.*
Dedo meñique o auricular; **mano.

meollar *m.* MAR. Especie de cordel que se
forma torciendo varias filásticas.

meollo *m.* Encéfalo. 2 Medula. 3 fig. Substancia, fondo de una cosa. 4 fig. Juicio, entendimiento.

meón, -ona *adj.* Que mea mucho o frecuentemente. 2 fig. Recién nacido.

mequetrefe *com.* Persona entremetida,
bulliciosa y de poco provecho.

meramente *adv. m.* Solamente, sin mezcla
de otra cosa.

merar *tr.* Mezclar [un licor] con otro para
aumentar su fuerza o para templarla; esp.,
mezclar agua con vino.

mercachifle *m.* Buhonero. 2 desp. Mercader de poca monta. 3 fig. *y* desp. Persona
dominada por el mercantilismo (espíritu).

mercader, -ra *m. f.* Persona que comercia
con géneros vendibles.

mercadería *m.* Mercancía.

mercadillo *m.* Mercado de pequeñas
dimensiones en el que se venden géneros
baratos, generalmente en días determinados.

mercado *m.* Contratación pública en paraje
destinado al efecto. 2 Sitio público destinado
para comerciar (comprar). 3 Concurrencia de
gente en un mercado. 4 Plaza o país de especial importancia en un orden comercial cualquiera. 5 fig. Lugar teórico donde se
encuentran la oferta y la demanda y se forma
el precio. 6 ~ *común,* forma de integración
económica de dos o más países que proceden
a la adopción de un arancel aduanero común
frente a terceros países. 7 ~ *negro,* estraperlo.

mercadotecnia *f.* Conjunto de técnicas
comerciales para hacer más rentable un producto.

mercallita *f.* Mineral de la clase de los sulfatos, que forma pequeños cristales de color
azulado o incoloro.

mercancía *f.* Trato de comerciar (comprar
y vender). 2 Todo género vendible. 3 fig. Cosa
que se hace objeto de trato o venta.

mercante *adj.* Mercantil, especialmente la
marina en oposición a militar o de guerra. – 2
m. Mercader.

mercantil *adj.* Relativo al mercader, a la

mercancía o al comercio. 2 fig. Que tiene afán
de lucro.

mercantilismo *m.* Espíritu mercantil, especialmente aplicado a cosas que no deben ser
objeto de comercio. 2 Sistema económico iniciado en el s. XVII, según el cual la riqueza de
la nación se funda principalmente en su
reserva de numerario, para acrecentar la cual
es preciso obtener que el valor de las exportaciones supere al de las importaciones.

merced *f.* Premio que se da por el trabajo:
a ~ o a mercedes, sin salario conocido; a
voluntad de un amo: *estar, servir a ~.* 2 Dádiva
o cualquier beneficio gracioso: *las mercedes de
un rey.* 3 Voluntad o arbitrio: *estar a ~ de uno.*
4 *Orden de Nuestra Señora de la Merced,*
orden religiosa fundada en Barcelona en 1218,
por San Pedro Nolasco (h. 1189-1256), para el
rescate de cristianos cautivos de los moros. 5
Tratamiento o título de cortesía.

mercedario, -ria *adj.-s.* Religioso o religiosa de la Orden de Nuestra Señora de la
Merced.

mercenario, -ria *adj.-s.* Tropa que sirve a
un país extranjero por cierto estipendio. 2
Codicioso, ansioso por ganar. – 3 *m.* Jornalero
del campo. 4 El que sirve por estipendio.

mercería *f.* Comercio de cosas menudas y
de poco valor, como alfileres, cintas, etc. 2
Tienda en que se venden. 3 *Amér.* Tienda de
paños y tejidos.

mercerizar *tr.* Tratar [los hilos y tejidos de
algodón] con una solución de sosa cáustica,
para que resulten brillantes. ◇ ** CONJUG. [4]
como *realizar.*

mercurial *adj.* Perteneciente o relativo al
dios mitológico o al planeta Mercurio. 2 Relativo al mercurio o que lo contiene: *sales mer-
curiales.* – 3 *f.* Planta euforbiácea de flores
verdosas cuyo zumo se ha empleado como
purgante *(Mercurialis annua).*

Mercurio *m.* Planeta que entre todos los del
sistema **solar es el que se halla más próximo
al Sol.

mercurio *m.* Metal blanco y brillante como
la plata, más pesado que el plomo y líquido a
temperatura ordinaria. Su símbolo es *Hg.*

merchante *com.* Persona que comercia sin
tener tienda fija.

merdellón, -llona *m. f.* Criado o criada
que sirve con desaseo. 2 Persona sin ninguna
delicadeza en el trato o en la realización de su
trabajo.

merdoso, -sa *adj.* Asqueroso, sucio.

merecer *tr.* Hacerse uno digno [de premio
o de castigo]. 2 Lograr: *mereció el fin apetecido.*
3 Tener cierta estimación una cosa: *no ~ respuesta; merece ser comprobado.* – 4 *intr.* Hacer
méritos, ser digno de premio: *este alumno
merece mucho; ~ con, de, o para con, alguno; ~
bien de uno,* ser acreedor a su gratitud. ◇
** CONJUG. [43] como *agradecer.*

merecidamente *adv. m.* Dignamente, con razón y justicia.

merecido *m.* Castigo de que se juzga digno a uno: *llevó su ~.*

merendar *intr.* Tomar la merienda; en algunas partes, comer al mediodía. 2 fig. Acechar con curiosidad lo que otro hace. – 3 *tr.* Comer en la merienda [una cosa]: *~ fruta y almíbar.* ◇ ** CONJUG. [27] como *acertar.*

merendero *m.* Sitio en que se merienda. 2 Establecimiento campestre donde se va a merendar o a comer.

merendola, merendona *f.* fig. Merienda espléndida y abundante.

merengar *tr.* Batir [la leche] hasta ponerla como merengue. ◇ ** CONJUG. [7] como *llegar.*

merengue *m.* Dulce de claras de huevo batidas y azúcar, cocido al horno. 2 Alfeñique, persona delicada. 3 *Argent., Parag. y Urug.* Lío, desorden, trifulca.

meretriz *f.* Ramera.

mericarpo *m.* Fruto que resulta de la separación de los carpelos de un ovario dividido en varios compartimientos.

meridiano, -na *adj.* Relativo a las horas del mediodía. 2 fig. Clarísimo, luminosísimo: *una verdad meridiana.* – 3 *m.* **ASTRON. En la esfera celeste, círculo máximo que pasa por los polos. 4 GEOGR. En la esfera **terrestre, círculo máximo que pasa por los polos, o semicírculo que va de polo a polo.

meridional *adj.* Perteneciente o relativo al Sur.

merienda *f.* Comida ligera que se toma por la tarde.

merillo *m.* Pez marino teleósteo perciforme, parecido al mero, pero mucho más pequeño, muy voraz, y de color pardo o gris *(Paracentropristis hepatus; Serranus h.).*

merino, -na *adj.* Perteneciente o relativo a una raza de carneros u ovejas que da una lana muy fina y rizada: *carnero ~,* el de esta raza; *lana merina,* la obtenida de animales de esta raza. – 2 *m.* Tejido fino, fabricado con lana merina, por lo común de color negro.

meristemo *m.* En los vegetales superiores, tejido joven o embrionario que se halla en los lugares de crecimiento de la planta y está formado por células que se dividen continuamente para originar otros tejidos.

mérito *m.* Derecho a la recompensa: *acción digna de ~.* 2 Lo que da valor a una cosa: *el ~ de un cuadro; de ~,* notable y recomendable: *cuadro de ~.*

meritorio, -ria *adj.* Digno de premio. – 2 *m. f.* Persona que trabaja sin sueldo, sólo para hacer méritos. 3 Aprendiz de un despacho.

merlán *m.* Pez marino teleósteo gadiforme, de 40 ó 70 cms., según las razas, pariente del bacalao, de carne muy apreciada *(Merlangius merlangus).*

merlo *m.* Pez marino teleósteo perciforme, de cuerpo ovoide y algo alargado, y coloración grisácea con las aletas bordeadas de azul *(Labrus merula).*

merluza *f.* Pez marino teleósteo gadiforme, de cuerpo alargado y mandíbula prominente, de color grisáceo claro y que puede alcanzar los 5 kgs. de peso; abunda en nuestros mares, y su carne es muy apreciada *(Merluccius merluccius).* 2 fig. y fam. Borrachera, embriaguez.

merluzo, -za *adj.-s.* fam. Bobalicón.

merma *f.* Porción que se consume naturalmente o se substrae de una cosa.

mermar *intr.-prnl.* Bajar o disminuirse una cosa, o consumirse naturalmente una parte de ella. – 2 *tr.* Quitar una parte [de aquello que a uno le corresponde]: *~ la ración.*

mermelada *f.* Conserva hecha de fruta cocida con miel o azúcar.

I) mero *m.* Pez marino teleósteo perciforme, de carne muy fina y delicada, de color pardo chocolate o rojizo, que puede llegar a medir casi un metro y medio de longitud y a pesar 65 kgs. de peso *(Epinephelus gigas; Serranus guaza).*

II) mero, -ra *adj.* Puro, simple, sin mezcla, especialmente en sentido moral e intelectual. Se coloca siempre delante del nombre: *~ examen.* 2 Insignificante, sin importancia.

merodear *intr.* Apartarse algunos soldados del cuerpo en que marchan, en busca de lo que puedan coger o robar. 2 p. ext. Vagar por el campo una persona o cuadrilla, viviendo de lo que coge o roba. 3 p. ext. Dar rodeos en torno a un lugar para espiar o sisar.

merostoma *m.* Animal de la clase de los merostomas. – 2 *m. pl.* Clase de artrópodos marinos quelicerados, con respiración branquial, cefalotórax prolongado lateralmente y abdomen terminado en una larga espina móvil.

merovingio, -gia *adj.* Perteneciente o relativo a la dinastía de los primeros reyes de Francia. – 2 *adj.-s.* Rey de esta dinastía.

mes *m.* Período de tiempo de duración igual o parecida a otros once con los que suma un año. 2 Espacio de tiempo que media entre un día y el de igual fecha del mes siguiente: *dentro de cuatro meses.* 3 Mensualidad. 4 Menstruo de las mujeres.

mesa *f.* Mueble compuesto por una tabla lisa sostenida por uno o varios pies: *~ de noche,* mesa con cajones que se pone junto a la cabecera del lecho; *~ camilla,* v. camilla; *~ de operaciones,* estructura metálica articulable, con una superficie superior plana, usada en las intervenciones quirúrgicas para instalar al paciente. 2 Mesa en que se come: *sentarse a la ~; levantar la ~; ~ redonda,* aquella en la que no hay ningún lugar preferente, y, en las fondas, aquella en la que todos comen lo mismo y a hora fija. **3** fig. Comida: *amante de la buena* ~. **4** Conjunto de personas que dirigen una asamblea: ~ *electoral.* **5** Conjunto de negocios que pertenecen a un oficial, en las secretarías y oficinas. **6** Terreno elevado y llano, de gran extensión, rodeado de valles o barrancos. **7** Meseta o descanso de una escalera. **8** En jardinería, macizos densos de arrayán, boj, etc., cortados horizontalmente a no gran altura del suelo. **9** Megalito formado por una piedra plana horizontal sostenida por otra vertical.

mesalina *f.* fig. Mujer de costumbres disolutas.

mesana *f.* MAR. Mástil que está más a popa en el buque de tres palos. **2** MAR. Vela atravesada que en él se coloca.

mesar *tr.-prnl.* Arrancar o estrujar [los cabellos o barbas con las manos]: *mesarse el cabello de ira.*

mescalina *f.* Alucinógeno obtenido a partir de las flores de algunas especies de cactus originarios de Méjico, cuyo consumo crea hábito.

mesencéfalo *m.* Parte media o central del encéfalo.

mesenterio *m.* Repliegue del peritoneo que mantiene en su posición los intestinos uniéndolos a la pared posterior de la cavidad abdominal.

meseta *f.* Descansillo. **2** Planicie o elevación situada a considerable altura sobre el nivel del mar. **3** En las plazas de toros, lugar llano sobre el chiquero, y localidades correspondientes a él.

mesianismo *m.* Creencia en la venida del Mesías. **2** fig. Confianza en un mesías.

mesías *m.* Redentor y liberador futuro de Israel. **2** Para los cristianos, Cristo. **3** fig. Sujeto real o imaginario en cuyo advenimiento hay puesta confianza inmotivada o desmedida. ◇ Pl.: *mesías.*

mesilla *f.* Dinero que daba el rey diariamente a sus criados cuando estaba en jornada. **2** Piedra superior de un antepecho o balaustrada; **chimenea. **3** fig. Represión dada con poca seriedad.

mesmerismo *m.* Método psicoterápico, expuesto en el s. XVIII por Mésmer (1734-1815), basado especialmente en la utilización del magnetismo animal. **2** Doctrina del magnetismo animal.

mesnada *f.* Compañía de gente de armas que servía a un rey o a un noble. **2** fig. Compañía, junta, congregación.

mesoamericano, -na *adj.* Perteneciente a Mesoamérica, región de América central.

mesocardia *f.* MED. Cambio de la posición del corazón hacia el centro de la caja torácica.

mesocarpio, mesocarpo *m.* BOT. Parte intermedia del pericarpio, entre el epicarpio y el endocarpio; **fruto.

mesocéfalo, -la *adj.* [pers.] De índice craneal superior a 0,77 e inferior a 0,80. – **2** *m.* Protuberancia situada en la parte inferior y media del cerebro.

mesocracia *f.* Forma de gobierno en que prepondera la clase media. **2** fig. Burguesía.

mesodermo *m.* Capa u hoja media de las tres en que se disponen las células del blastodermo después de haberse efectuado la segmentación.

mesófita *adj.-f.* Planta que crece en terrenos de humedad media.

mesolítico, -ca *adj.-m.* Período prehistórico comprendido entre el paleolítico y el neolítico. – **2** *adj.* Perteneciente o relativo a este período.

mesomería *f.* QUÍM. Estructura química intermediaria de una substancia a la cual se pueden atribuir varias fórmulas.

I) mesón *m.* Venta (posada). **2** Restaurante generalmente decorado a la usanza antigua. •

II) mesón *m.* Partícula electrizada en los rayos cósmicos, que en el estado de reposo tiene una masa comprendida entre la del electrón y la del protón.

mesopotámico, -ca *adj.-s.* De Mesopotamia.

mesosfera *f.* Región de la atmósfera terrestre inmediatamente superior a la estratopausa e inferior a la ionosfera.

mesoterapia *f.* MED. Tratamiento de las enfermedades mediante múltiples inyecciones intradérmicas, de pequeñas dosis de distintos medicamentos, practicadas en la región afecta.

mesotórax *m.* Segmento medio del tórax de los insectos. **2** Parte media del pecho. ◇ Pl. *mesotórax.*

mesozoico, -ca *adj.-m.* Secundario (era y terreno). – **2** *adj.* Perteneciente o relativo a dicha era.

mesozona *f.* Zona media sometida a presión y temperatura moderadas en un proceso metamórfico donde se forman rocas como el mármol.

mesta *f. pl.* Aguas de dos o más corrientes en el punto de confluencia.

mester *m.* ant. Arte, oficio. **2** ~ *de clerecía*, género de poesía erudita de la Edad Media, cultivada especialmente por los clérigos, de temas históricos, devotos o clásicos, escrita en cuaderna vía. **3** ~ *de juglaría*, género de poesía popular, cultivada por los juglares, que se distingue de la anterior por lo irregular de la versificación y el sentido tradicional y popular de los temas y del estilo.

mestique *m.* Amér. Central. Concreción pétrea que se forma en el interior del fruto de los cocoteros.

mestizaje *m.* Cruce de razas. **2** Conjunto de mestizos.

mestizo, -za *adj.-s.* [pers.] Hijo de padres de raza distinta. 2 Descendiente de blanco e india. – 3 *adj.* [animal o vegetal] Que resulta del cruzamiento de dos razas.

mestura *m.* Trigo mezclado con centeno.

mesura *f.* Gravedad y compostura. 2 Reverencia, cortesía. 3 Moderación, comedimiento.

mesurar *tr.* Infundir mesura [en la actitud y el semblante]. – 2 *prnl.* Contenerse, moderarse.

meta *f.* Pilar cónico situado en cada uno de los extremos de la espina en el circo romano. 2 Término señalado de una carrera. 3 fig. Fin a que tiende una persona. 4 DEP. Portería.

metabolismo *m.* Conjunto de los cambios químicos y biológicos que se producen continuamente en las células vivas.

metacarpiano *adj.* ANAT. Relativo al metacarpo: *huesos metacarpianos;* **mano.

metacarpo *m.* Parte de la **mano comprendida entre el carpo y los dedos; **hueso.

metacentro *m.* FÍS. En un cuerpo simétrico flotante, punto en que la vertical que pasa por el centro de flotación corta, cuando aquél se desvía de su posición de reposo, la dirección que toma en tal caso la línea que pasaba antes por los centros de gravedad y de flotación, y que era vertical.

metacrilato *m.* Compuesto orgánico acrílico a partir del cual se obtienen ciertos polímeros.

metadona *f.* Producto farmacéutico parecido a la morfina, usado para desintoxicar a los drogadictos.

metafase *f.* BIOL. Segunda fase de la cariocinesis, en que la membrana nuclear desaparece y los cromosomas se sitúan en el plano ecuatorial del huso acromático.

metafísica *f.* Disciplina filosófica que trata de la esencia de la realidad total y entraña una concepción total de la vida y del universo: ~ *general,* la que trata de la naturaleza del ser en sí mismo, independientemente de sus diversas manifestaciones o fenómenos; ~ *especial,* la que se ocupa de algún ser en especial, como la cosmología, la teología natural y la psicología.

metafísico, -ca *adj.* fig. Abstracto y difícil de comprender.

metáfora *f.* Tropo que consiste en trasladar el sentido recto de las voces en otro figurado, en virtud de una comparación tácita: *la primavera de la vida;* ~ *continuada,* alegoría en que unas palabras se toman en sentido recto y otras en sentido figurado.

metagoge *f.* Metáfora que consiste en aplicar voces significativas de cualidades o propiedades de los sentidos a cosas inanimadas: *reírse el campo.*

metal *m.* Cuerpo simple, sólido a la temperatura ordinaria, a excepción del mercurio, conductor del calor y la electricidad, más o menos dúctil y maleable, dotado de un brillo característico, y que con el oxígeno forma óxido básico. 2 Aleación, especialmente la empleada en la industria. 3 ~ *noble* o *precioso,* el que posee una gran resistencia al ataque de los ácidos y agentes corrosivos, y resiste a la oxidación atmosférica, como el oro, plata, platino, etc. 4 fig. Timbre de la voz. 5 fig. Calidad o condición de una cosa: *eso es de otro ~.* 6 MÚS. Instrumento de viento de una orquesta. 7 BLAS. Oro o plata, representados respectivamente con los colores amarillo y blanco. 8 *El vil ~,* fig., el dinero.

metaldehído *m.* QUÍM. Forma polímera del acetaldehído; es un sólido, forma agujas largas y brillantes; se usa como combustible.

metalenguaje *m.* Lenguaje natural o formalizado que se utiliza para describir o hablar de una lengua.

metalepsis *f.* Metonimia que consiste en tomar el antecedente por el consiguiente, o al contrario, trasladando, a veces, el sentido de toda una oración: *acuérdate de lo que me ofreciste,* por *cúmplelo.* ◇ Pl.: *metalepsis.*

metálico, -ca *adj.* De metal o relativo a él. 2 Semejante al metal o que tiene sus propiedades.

metalismo *m.* Teoría económica según la cual el dinero ha de tener un valor intrínseco.

metalizar *tr.* Hacer que [un cuerpo] adquiera propiedades metálicas. 2 Cubrir [una substancia] de una capa ligera de metal o impregnarla de compuestos metálicos. 3 Conferir a un color, mediante ciertos procesos, reflejos metálicos. – 4 *prnl.* Convertirse una cosa en metal o impregnarse de él. 5 fig. Llegar uno a no tener otro móvil que el amor al dinero. ◇ ** CONJUG. [4] como *realizar.*

metalogénesis *f.* Proceso mediante el cual se origina un yacimiento metálico en una zona determinada. ◇ Pl.: *metalogénesis.*

metalografía *f.* Rama de la metalurgia que estudia la estructura y constitución de los metales sólidos y sus aleaciones.

metaloide *m.* Cuerpo simple no metal, mal conductor del calor y la electricidad y que, con el oxígeno, forma anhídrido.

metaloterapia *f.* Aplicación terapéutica de los metales.

metalurgia *f.* Arte o industria cuyo objeto es extraer los metales de los minerales que los contienen.

metámero *m.* Porción del cuerpo de un animal de simetría bilateral, segmentado transversalmente; como en los gusanos y artrópodos.

metamórfico, -ca *adj.* Relativo al metamorfismo o que lo ha sufrido: *roca metamór-*

fica, la que resulta del metamorfismo de rocas preexistentes.

metamorfismo *m.* Transformación natural ocurrida en una roca, después de su consolidación definitiva.

metamorfosi, -sis *f.* Transformación de una cosa en otra. 2 En ciertos animales, serie de cambios que experimenta el individuo desde que sale del huevo hasta que adquiere la forma y organización propia del adulto; como en los insectos y anfibios. 3 fig. Cambio extraordinario en la fortuna, el carácter o el estado de una persona. ◇ Pl.: *metamorfosis.*

metanero *adj.-s.* Buque construido especialmente para el transporte del metano u otro gas licuado.

metano *m.* Hidrocarburo gaseoso, CH_4, producido por descomposición de substancias vegetales en el cieno de algunos pantanos, en las minas de carbón, etc. Forma con el aire una mezcla inflamable. V. grisú.

metanol *m.* Alcohol metílico, líquido incoloro y tóxico que se obtiene por destilación de la madera.

metapiles *m. pl. Amér. Central.* Lingotes de cobre para la amalgamación en caliente.

metaplasma *m.* Parte del contenido de una célula que no es materia viva.

metaplasmo *m.* Alteración de una palabra por adición, supresión o cambio de lugar de los sonidos. 2 Figura de dicción, en general.

metasfera *f.* Zona de la atmósfera terrestre inmediatamente inferior a la protonosfera.

metasomatismo *m.* Reacción química que supone el reemplazamiento de un mineral por otro diferente.

metatarsiano *adj.* ANAT. Relativo al metatarso: *huesos metatarsianos;* **pie.

metatarso *m.* Parte del **pie comprendida entre el tarso y los dedos; **hueso.

metaterio *adj.-m.* Mamífero de la subclase de los metaterios. − 2 *m. pl.* Subclase de mamíferos primitivos representados por un solo orden: los marsupiales.

metátesis *f.* Metaplasmo que consiste en alterar el orden de los sonidos de un vocablo: *perlado* por *prelado.* ◇ Pl.: *metátesis.*

metatizar *tr.* Pronunciar o escribir [una palabra] cambiando de lugar uno o más de sus sonidos o letras. ◇ ** CONJUG. [4] como *realizar.*

metatórax *m.* Tercer segmento del tórax de los insectos. ◇ Pl.: *metatórax.*

metazoo *adj.-m.* Animal del subreino de los metazoos. − 2 *m. pl.* Subreino formado por todos los animales no protozoos ni parazoos, o sea, los pluricelulares constituidos por células diferenciadas y agrupadas en tejidos y órganos.

metedor *m.* Paño que se pone debajo del pañal a los niños pequeños. 2 Tablero en que se pone el papel que se va a imprimir.

metempsícosis, metempsicosis *f.* Creencia de origen oriental, según la cual el alma del hombre, después de la muerte, transmigra a otros cuerpos más o menos perfectos, conforme a los méritos alcanzados en la existencia anterior. ◇ Pl.: *metempsícosis.*

metemuertos *m.* Empleado que en los teatros retira los muebles en las mutaciones escénicas. 2 fig. Persona que se mete en lo que no le importa. ◇ Pl.: *metemuertos.*

meteorismo *m.* Distensión del tubo digestivo por acumulación de gases.

meteorito *m.* Aerolito.

meteorizar *tr.* Causar o padecer meteorismo. − 2 *prnl.* Recibir la tierra la influencia de los meteoros. ◇ ** CONJUG. [4] como *realizar.*

meteoro *m.* Cualquier fenómeno atmosférico, sea aéreo, acuoso, luminoso o eléctrico; como el viento, la lluvia, el arco iris o el rayo. 2 fig. Persona o cosa que brilla con resplandor vivísimo y fugaz.

meteorofobia *f.* Temor morboso a los fenómenos atmosféricos.

meteorología *f.* Parte de la física que trata de los meteoros.

metepatas *com.* fam. Persona inoportuna en sus intervenciones. ◇ Pl.: *metepatas.*

meter *tr.-prnl.* Introducir o incluir [una cosa] dentro de otra: *~ dinero en el cofre; ~ una hoja entre otras.* − 2 *tr.* fig. y p. anal. Introducir [algo] de contrabando: *~ una tela, una máquina,* etc. 3 Estrechar o apretar las cosas en poco espacio: *~ letra, renglones,* etc. 4 Embeber tela en una costura. 5 Causar, producir: *~ chismes, enredos; ~ miedo, ruido.* 6 Dedicar [a alguien] a una ocupación u oficio: *~ en un negocio.* 7 Poner. − 8 *prnl.* Introducirse en una parte sin ser llamado: *meterse entre los convidados.* 9 Entrometerse, inmiscuirse en cuestiones ajenas sin haber sido solicitado o sin tener capacidad para ello: *meterse a juez, a maestro; meterse uno en todo.* 10 Sumirse, abstraerse: *está muy metido en sí mismo.* 11 Seguir o abrazar una profesión u oficio: *se metió fraile, soldado,* etc.

meticuloso, -sa *adj.-s.* Nimiamente puntual; escrupuloso, concienzudo.

metida *f.* Las yemas y brotes subsiguientes de una planta correspondiente a cada período de actividad vital. 2 fam. Herida, puñalada. 3 fam. Zurra, azotaina. 4 fig. Impulso o avance que se da a una tarea. 5 fig. Tute, acometida que se da a una cosa en su uso o consumo: *dar una ~.*

metido, -da *adj.* Abundante en ciertas cosas: *~ en carnes.* 2 *Amér.* Entremetido. − 3 *m.* Tela metida en las costuras de una prenda. 4 fig. y fam. Represión, refutación o impugnación hecha rigurosa o desconsideradamente.

metilación *f.* Substitución de uno o más

átomos de hidrógeno de un compuesto orgánico por radicales metilos.

metilo *m.* Radical monovalente, CH_3, derivado del metano por pérdida de un átomo de hidrógeno.

metimiento *m.* fig. Privanza, influencia, ascendiente.

metisaca *f.* TAUROM. Mala ejecución del acto de matar en la cual el diestro clava el estoque en la res y lo saca rápidamente sin soltarlo, por considerar imperfecta la estocada.

metodismo *m.* Doctrina de una secta protestante de origen inglés, iniciada por Juan Carlos Wesley (1703-1791) en 1729, que busca un nuevo método de salvación en la oración, la lectura en común de la Biblia y la vigilancia recíproca. 2 Sistema que atribuía todas las enfermedades a la estrechez o dilatación de los poros del cuerpo humano.

metodizar *tr.* Poner orden y método [en una cosa]. ◇ ** CONJUG. [4] como *realizar.*

método *m.* Modo ordenado de proceder para llegar a un resultado o fin determinado, especialmente para descubrir la verdad y sistematizar los conocimientos. 2 Obra destinada a enseñar los elementos de un arte o ciencia: *~ de lectura.*

metodología *f.* Parte de la lógica que estudia los métodos. Se divide en dos partes: la sistemática, que fija las normas de la definición, de la división, de la clasificación y de la prueba, y la inventiva, que fija las normas de los métodos de investigación propios de cada ciencia. 2 En pedagogía, estudio de los métodos de enseñanza.

metomentodo *adj.-com.* Persona entrometida o chismosa.

metonimia *f.* Tropo que consiste en designar una cosa con el nombre de otra tomando el efecto por la causa o viceversa, el signo por la cosa significada, etc.: *las canas* por *la vejez.*

metonomasia *f.* Defecto que se produce cuando se traduce un nombre propio.

metopa, métopa *f.* ARQ. Espacio que media entre dos tríglifos en el friso dórico; **órdenes.

metraje *m.* Longitud, extensión de una película cinematográfica: *obra de gran ~.*

metralla *f.* Conjunto de pedazos menudos de hierro, cobre, etc., especialmente aquellos con que se cargaban antes las piezas de artillería y se cargan ahora ciertos artefactos explosivos. 2 Fragmento en que se divide un proyectil al estallar. 3 Conjunto de cosas inútiles o desechadas. 4 MIN. Conjunto de pedazos menudos de hierro colado que saltan fuera de los moldes al hacer los lingotes.

metralleta *f.* Arma de fuego automática, portátil y de repetición.

métrica *f.* Ciencia y arte que trata del ritmo, estructura y combinaciones de los versos.

metrificar *intr.-tr.* Versificar. ◇ ** CONJUG. [1] como *sacar.*

metritis *f.* Inflamación de la matriz. ◇ Pl.: *metritis.*

I) metro *m.* Verso con relación a la medida peculiar que a cada especie de versos corresponde: *poesía con variedad de metros.* 2 Unidad de longitud, equivalente a la diezmillonésima parte del cuadrante del meridiano terrestre que pasa por París, base del sistema métrico decimal. 3 *~ cuadrado,* unidad de superficie, en el sistema métrico decimal, correspondiente a un cuadrado de un metro de lado. 4 *~ cúbico,* unidad de volumen, en el sistema métrico decimal, correspondiente a un cubo de un metro de arista, con capacidad de mil litros.

II) metro *m.* Abreviación usual de *metropolitano* (ferrocarril subterráneo o aéreo).

metrología *f.* Ciencia que estudia los sistemas de pesas y medidas.

metrónomo *m.* Instrumento mecánico que sirve para indicar con exactitud el tiempo musical.

metrópoli *f.* Nación respecto a sus colonias. 2 Ciudad principal, cabeza de provincia o estado. 3 Iglesia arzobispal de la cual dependen otras sufragáneas.

metropolitano *m.* Ferrocarril subterráneo o aéreo que enlaza los barrios extremos de las grandes ciudades. 2 Arzobispo que preside a los obispos de su provincia eclesiástica. ◇ En la primera acepción suele decirse y escribirse abreviadamente *metro.*

mexicanismo *m.* Mejicanismo. ◇ La *x* se pronuncia como *j.*

mexicano, -na *adj.-s.* Mejicano. ◇ La *x* se pronuncia como *j.*

mezcal *m.* Variedad de pita (*Agave tequilana*). 2 *Méj.* Aguardiente que se saca de esta planta.

mezcla *f.* Agregación de substancias que no tienen entre sí acción química. 2 Reunión confusa de personas. 3 Reunión de cosas diversas. 4 Argamasa. 5 Tejido de hilo de diferentes clases y colores. 6 Grabación simultánea en la cinta sonora cinematográfica de todos los sonidos necesarios; como palabras, música, etc.

mezclador *m.* Horno grande que se emplea como depósito del hierro colado en los altos hornos. 2 Circuito con dos o más entradas y una salida que combina linealmente varias señales de entrada para obtener una sola señal de salida: *~ de imagen,* el que combina las imágenes de dos o más cámaras de televisión.

mezclar *tr.-prnl.* Juntar, incorporar [cosas diversas] obteniendo cierta homogeneidad: *~ vinagre con aceite; ~ agua en el vino; ~ pimienta a la harina.* 2 Reunir personas o cosas distintas. 3 Desordenar, revolver. – 4 *prnl.* Introducir o meterse uno entre otros: *se mezcló entre los espectadores;* **mezclarse uno en una cuestión,** tomar parte en ella o en su manejo. 5 Enlazarse las familias o linajes unos con otros.

mezcolanza *f.* desp. Mezcla extraña y confusa y a veces ridícula.

mezquinar *intr.-tr. Amér.* Obrar con mezquindad; escasear, negar.

mezquindad *f.* Calidad de mezquino. 2 Cosa mezquina.

mezquino, -na *adj.* Pobre. 2 Avaro, miserable. 3 Pequeño, diminuto. 4 Desdichado, desgraciado, infeliz.

mezquita *f.* Edificio en que los mahometanos practican sus ceremonias religiosas; **islámico (arte).

mí *pron. pers.* Forma tónica de 1ª persona en género masculino y femenino y en número singular que, siempre precedida de preposición, se usa para todos los complementos: *a ~, hacia ~, de ~, en ~,* etc. 2 Usado con la preposición *con,* forma la voz *conmigo.* 3 Acompañado de *me,* su uso es expletivo: *a ~ me parece; para ~ me han traído una carta.*

I) mi *adj. poses.* Apócope de los posesivos *mío, mía,* usado únicamente antes del nombre: *~ padre; ~ madre; mis padres; mis tías.* ◇ Pl.: *mis.*

II) mi *m.* Nota musical; tercer grado de la escala fundamental. ◇ Pl.: *mis.*

miagro *m.* Planta dicotiledónea de flores amarillas en racimos, cuya semilla tiene una grasa de utilidad industrial; de sus tallos se obtiene una fibra textil *(Chamaelina sativa).*

mialgia *f.* Dolor muscular, miodinia.

miasma *m.* Efluvio maligno que se desprende de cuerpos enfermos o materias en descomposición.

miau *m.* Maullido. ◇ Pl.: *miaus,* según indica la Academia en el *Esbozo de una nueva gramática de la lengua española.*

mica *f.* Silicato nativo múltiple, de coloraciones diversas, caracterizado por separarse en láminas transparentes y elásticas. Es uno de los mejores aisladores eléctricos.

micción *f.* Acción de mear.

micelio *m.* Aparato vegetativo de los hongos.

micena *f.* Hongo basidiomicete de pequeño tamaño, sombrero pequeño de color gris y pie largo *(Mycena vulgaris).*

micénico, -ca *adj.* De Micenas, antigua ciudad de la Argólida; esp., de su civilización (1400-1100 a.C.) que precedió a la griega.

micetología *f.* Micología.

mico, -ca *m.* Mono de cola larga. 2 fig. Hombre lujurioso. 3 fig. *y* fam. Hombre pequeño, joven. – 4 *m. f.* fig. *y* fam. Persona muy fea.

micoderma *m.* Levadura que se cría en la superficie de las bebidas fermentadas y azucaradas.

micología *f.* Parte de la botánica que trata de los hongos.

micorriza *f.* Conjunto de hifas de un hongo que se unen a las raíces de una planta con las cuales establecen una relación de simbiosis.

micosis *f.* Infección producida por hongos en alguna parte del organismo. ◇ Pl.: *micosis.*

micra *f.* Medida micrométrica, equivalente a la millonésima parte de un metro.

micro *m.* Microbús. 2 Micrófono. 3 Microordenador.

microamperio *m.* Unidad de intensidad de corriente eléctrica, equivalente a una millonésima parte del amperio.

microanálisis *m.* Análisis químico de masas muy pequeñas de diversas substancias que requiere el uso de instrumentos especiales. ◇ Pl.: *microanálisis.*

microauricular *m.* Combinación normal de un micrófono y un auricular en una sola pieza.

microbio *m.* Nombre genérico de los seres unicelulares, microscópicos, ya sean vegetales o animales.

microbiología *f.* Ciencia que estudia los microbios.

microbús *m.* Autobús de pequeño tamaño que se emplea en el transporte urbano.

microcéfalo, -la *adj.-s.* De cabeza pequeña.

microcinematografía *f.* Técnica cinematográfica consistente en la reproducción mediante el microscopio de objetos invisibles a simple vista. 2 Grabación efectuada mediante dicha técnica.

microcinta *f.* Cinta cinematográfica más estrecha que la ordinaria.

microcircuito *m.* Circuito electrónico constituido de componentes miniaturizados.

microcirugía *f.* Cirugía que se realiza mediante microscopio sobre estructuras vivas muy pequeñas.

microclima *m.* Conjunto de condiciones climáticas particulares de un espacio homogéneo de extensión muy reducida.

micrococo *m.* Bacteria del tipo coco que se presenta aislada de otras iguales a ella.

microcomponente *m.* Conjunto de elementos conectados para formar un circuito electrónico.

microcomputador, -ra *m. f.* Microordenador.

microcopia *f.* Copia fotográfica de tamaño muy reducido que se ha de leer o examinar mediante un aparato óptico que amplía considerablemente la imagen. 2 Reproducción de textos por este procedimiento.

microcosmo *m.* Según ciertos filósofos, el hombre considerado como un resumen del universo o macrocosmo. 2 Sociedad, grupo humano muy reducido.

microeconomía *f.* Estudio de la economía en función de las actividades individuales.

microedición *f.* Edición [de libros] en tiradas pequeñas.

microelectrónica *f.* Concepción y fabricación de material electrónico de muy pequeñas dimensiones.

microfaradio *m.* ELECTR. Unidad práctica de capacidad de un condensador, equivalente a la millonésima parte de un faradio.

microficha *f.* Conjunto de fotografías de tamaño extremadamente pequeño en forma de fichas que pueden ser vistas a través de un aparato adecuado.

microfilmar *tr.* Obtener microfilmes [de textos, estampas, imágenes, etc.].

microfilme *m.* Película que se usa principalmente para fijar en ella, en tamaño reducido, imágenes de impresos, manuscritos, etc., y ampliarlas después en proyección o fotografía.

microfísica *f.* Física del átomo.

micrófono *m.* Aparato que en los teléfonos, emisoras de radiotelefonía, etc., sirve para aumentar la intensidad de los sonidos y para transmitirlos.

microfotografía *f.* Fotografía de las preparaciones microscópicas.

microgameto *m.* Gameto masculino.

micrografía *f.* Descripción de objetos microscópicos.

microgramo *m.* Millonésima parte de un gramo.

micrometría *f.* Medición de cuerpos y distancias de muy pequeñas dimensiones.

micrómetro *m.* Instrumento para medir cantidades lineales o angulares muy pequeñas.

micromódulo *m.* Circuito lógico o aritmético miniaturizado de una calculadora electrónica que reúne, en un soporte aislante de pequeñas dimensiones, los circuitos, las resistencias y los semiconductores necesarios para una operación dada.

microonda *f.* Onda electromagnética comprendida entre los mil y los tres mil megahercios.

microordenador *m.* Pequeño ordenador electrónico diseñado para aplicaciones concretas, que suele llevar incorporado el programa específico, y es de tamaño y potencia muy reducidos. ◇ Se pronuncia *micrordenador.*

microorganismo *m.* Microbio.

micropliegue *m.* Textura propia de las rocas metamórficas, generalmente afectada por movimientos tectónicos.

microprocesador *m.* Circuito constituido por millares de transistores integrados en una ficha o pastilla.

microscopia *f.* Empleo del microscopio. 2 Conjunto de métodos empleados en las investigaciones por medio del microscopio.

microscópico, -ca *adj.* Perteneciente o relativo al microscopio. 2 Hecho con la ayuda del microscopio. 3 Que por su pequeñez sólo puede observarse con el microscopio. 4 p. ext. Que es muy pequeño.

microscopio *m.* Instrumento óptico consistente en un sistema de lentes, para observar objetos extremadamente pequeños, de los cuales da una imagen muy amplificada. 2 ~ *electrónico,* tipo de microscopio que utiliza electrones para iluminar el objeto. La imagen obtenida, mucho más amplificada que en un microscopio óptico, se observa en una pantalla fluorescente.

microsegundo *m.* Unidad de tiempo, equivalente a la millonésima parte de un segundo.

microsismo *m.* Terremoto casi imperceptible.

microsurco *m.* Ranura extremadamente fina de ciertos discos de fonógrafo, cuyo paso reducidísimo permite una larga audición. 2 El mismo disco.

microtaxi *m.* Forma abreviada con que se designa usualmente al *microtaxímetro* .

microtaxímetro *m.* Taxímetro de pequeño tamaño y tarifa reducida.

micrótomo *m.* Instrumento para cortar los objetos que se han de observar con el microscopio.

michelín *m.* fam. Pliegue de grasa en determinadas partes del cuerpo.

micho, -cha *m. f.* Gato (mamífero).

midriasis *f.* Dilatación anormal de la pupila con inmovilidad del iris. ◇ Pl.: *midriasis.*

miedica *com.* fam. Miedoso, cobarde.

miedo *m.* Perturbación angustiosa del ánimo por un peligro real o imaginario. 2 Recelo o aprensión que uno tiene de que le suceda una cosa contraria a lo que deseaba. 3 *De* ~, mucho, muchísimo.

miel *f.* Substancia viscosa y muy dulce que elaboran las abejas, en una distensión del esófago, con el jugo de las flores y luego depositan en las celdillas de sus panales: ~ *de romero; dulce como la* ~; ~ *virgen,* la que fluye de los panales sin prensarlos ni derretirlos. 2 FARM. ~ *rosada,* preparación de consistencia de jarabe, hecha con agua de rosas y miel. 3 fig. Dulzura.

mielga *f.* Pez marino seláceo escualiforme, de color gris pardusco, a veces con manchas blancas, de algo más de 1 m. de longitud, provisto de dos aguijones venenosos *(Squalus acanthias).*

mielina *f.* Substancia que envuelve y protege las fibras nerviosas.

mielitis *f.* Inflamación de la medula espinal. ◇ Pl.: *mielitis.*

mielocito *m.* BIOL. Glóbulo blanco que se origina en la medula ósea y que moviliza el organismo en las infecciones piógenas.

miembro *m.* Extremidad del hombre o de los animales. 2 Órgano de la generación en el hombre y en algunos animales. 3 Individuo que forma parte de una comunidad o cuerpo moral. 4 Parte de una cosa separada de ella. 5 Parte de un todo unida con él.

mientras *adv. t.* En tanto, entre tanto. 2 En las oraciones temporales indica simultaneidad de las acciones expresadas por los verbos principal y subordinado: ~ *unos aplaudían, otros censuraban aquellas palabras; él juega ~ yo estudio.* 3 En las locuciones conjuntivas ~ *que* y ~ *tanto,* las palabras *que* y *tanto* actúan como simple refuerzo de su carácter conjuntivo, pero nada añaden a su significado, y pueden omitirse: ~ *(que, tanto) unos velaban, otros dormían.* 4 Cuando hay oposición o contrariedad entre dos verbos, la oración adquiere matiz adversativo: *te amo ~ tú me aborreces.*

miera *f.* Aceite medicinal obtenido de las bayas y ramas del enebro. 2 Trementina del pino.

miércoles *m.* Cuarto día de la semana: ~ *de ceniza,* primer día de la Cuaresma. ◇ Pl.: *miércoles.*

mierda *f.* Excremento humano. 2 p. ext. El de algunos animales. 3 fig. Grasa, suciedad o porquería.

mierdecilla *com.* fig. *y* fam. Individuo delicado, melindroso, insignificante.

mies *f.* Cereal maduro: *segar las mieses.* 2 Tiempo de la siega y cosecha de granos. 3 fig. Muchedumbre de gentes convertida al cristianismo o pronta a su conversión. – 4 *f. pl.* Sembrados. ◇ Pl.: *mieses.*

miga *f.* Migaja (porción pequeña). 2 Parte más blanda del pan. 3 fig. Substancia y virtud interior de las cosas: *discurso de ~; hombre de ~.* – 4 *f. pl.* Pan desmenuzado, humedecido y frito.

migaja *f.* Porción pequeña de cualquier cosa: *las migajas del pan; tiene una ~ de inteligencia.* – 2 *f. pl.* fig. Desperdicios o sobras de uno, de que se sirven otros. 3 fig. Nada o casi nada.

migajón *m.* Miga de pan o parte de ella. 2 fig. Miga (substancia).

migar *tr.* Desmenuzar [el pan] en pedazos muy pequeños. 2 Echar migas [en un líquido]: ~ *la leche.* ◇ ** CONJUG. [7] como *llegar.*

migración *f.* Acción de pasar de un país a otro para residir en él. 2 Efecto de pasar de un país a otro para residir en él. 3 Viaje periódico de las aves de paso.

migrar *intr.* Hacer migraciones.

miguelete *m.* Antiguo fusilero de montaña en Cataluña. 2 Individuo de la milicia foral de Guipúzcoa.

mihrab *m.* Hornacina adonde han de mirar los que oran en las mezquitas; **islámico (arte). ◇ Pl.: *mihrabs.*

mijediega *f.* Planta dicotiledónea leguminal, arbustiva, pubescente y perenne, cuyas flores son blancas *(Dorycnium pentaphyllum).*

mijo *m.* Planta graminácea de tallo robusto, flores en panojas terminales y grano redondo, pequeño y amarillento *(Panicum miliaceum);* **cereales. 2 Grano de esta planta. 3 En algunas partes, maíz.

mil *adj.* Diez veces ciento. 2 Milésimo: *año ~.* 3 Millar: *vale algunos miles de pesetas.* 4 fig. Número o cantidad indefinidamente grande: ~ *excusas;* ~ *gracias.*

milagrero, -ra *adj.* Que tiende a tomar por milagros cosas que acaecen naturalmente. 2 Que finge milagros.

milagro *m.* Hecho sensible superior al orden natural, producido por Dios. 2 Suceso o cosa rara, extraordinaria y maravillosa. 3 Denominación de ciertas formas del drama religioso en la Edad Media. 4 Prosperidad, éxito espectacular e inesperado, especialmente económico, del que se beneficia una colectividad importante: *el ~ alemán.*

milagroso, -sa *adj.* Que excede a las fuerzas de la naturaleza. 2 Asombroso, maravilloso, pasmoso. 3 Que obra o hace milagros.

milamores *f.* Hierba valerianácea de flores rojas con un solo estambre *(Centranthus ruber).*

milán *m.* Tela de lino que se fabricaba en Milán.

milanés, -nesa *adj.-s.* De Milán, ciudad de Italia. – 2 *f.* Filete de carne empanada.

milano *m.* Ave rapaz falconiforme, de plumaje rojizo y cola y alas muy largas *(Milvus milvus).*

mildiu *m.* Enfermedad de la vid producida por un hongo microscópico *(Plasmopara viticola)* que ataca las hojas, el tallo y los frutos. ◇ La sílaba tónica es *mil.*

milenario, -ria *adj.* Perteneciente o relativo al número mil o al millar. – 2 *adj.-s.* [pers.] Que creía en el milenarismo. 3 fig. Muy antiguo. – 4 *m.* Espacio de mil años. 5 Día en que se cumplen uno o más milenios de algún suceso famoso. 6 Fiestas con que se celebra: *el ~ de Castilla.*

milenarismo *m.* Creencia según la cual Cristo reinaría sobre la tierra por espacio de mil años antes del día del Juicio. 2 Creencia según la cual el fin del mundo habría acaecido el año 1000 de la era cristiana.

milenio *m.* Período de mil años.

mileno, -na *adj.* [tela] Con urdimbre compuesta de mil hilos.

milenrama *f.* Planta compuesta, el cocimiento de cuyas flores se ha usado como tónico y astringente *(Achillea millefolium).* ◇ Pl.: *milenramas.*

milésimo, -ma *adj.-s.* Parte que, junto a otras novecientas noventa y nueve iguales, constituye un todo; **numeración. – 2 *adj.*

Que ocupa el último lugar en una serie ordenada de mil.

milgranar *m.* Campo plantado de granados.

milhombres *m.* fam. *e* irón. Hombre altanero y de baja estatura. ◇ Pl.: *milhombres*.

mili *f.* fam. Servicio militar.

miliamperio *m.* Milésima parte del amperio.

I) miliar *adj.* Del tamaño o forma de un grano de mijo. – 2 *adj.-f.* Erupción de vejiguillas del tamaño de los granos de mijo, y también la fiebre que la acompaña.

II) miliar *adj.* [columna, piedra, etc.] Que indicaba antiguamente la distancia de mil pasos.

miliárea *f.* Unidad de superficie, en el sistema métrico decimal, equivalente a la milésima parte de un área.

milibar *m.* Unidad de presión atmosférica, equivalente a una milésima de bar. ◇ Pl.: *milibares*.

milicia *f.* Arte de hacer la guerra y de disciplinar a los soldados para ella. 2 Servicio o profesión militar. 3 Tropa o gente de guerra: ~ **urbana** o **nacional**, conjunto de cuerpos militares sedentarios, formado por individuos del orden civil.

miligramo *m.* Unidad de masa, en el sistema métrico decimal, equivalente a la milésima parte de un gramo. ◇ INCOR.: *milígramo*.

mililitro *m.* Unidad de capacidad, en el sistema métrico decimal, equivalente a la milésima parte de un litro, o sea, 1 cm^3. ◇ INCOR.: *mililítro*.

milímetro *m.* Unidad de longitud, en el sistema métrico decimal, equivalente a la milésima parte de un metro.

milimicra *f.* Unidad de longitud, equivalente a una milésima parte de la micra.

I) militar *adj.* Perteneciente o relativo a la milicia o a la guerra: *servicio ~; arte ~.* – 2 *com.* Persona que por profesión se dedica a la milicia.

II) militar *intr.* Servir en la guerra o profesar la milicia. 2 p. ext. Figurar en un partido o colectividad. 3 fig. Concurrir y hacer fuerza en un negocio, alguna circunstancia particular: *la carta milita a favor de tu tesis.*

militarada *f.* Intentona militar de carácter político. 2 Acción propia de militares.

militarismo *m.* Predominio del elemento militar en el gobierno del estado. 2 Doctrina que lo defiende.

militarizar *tr.* Inculcar [en otros] el espíritu militar. 2 Organizar militarmente [un cuerpo o servicio civil]. ◇ ** CONJUG. [4] como *realizar*.

militermia *m.* Caloría grande o milésima parte de la termia.

milmillonésimo, -ma *adj.-s.* Parte que,

junto a otras novecientas noventa y nueve millones novecientas noventa y nueve mil novecientas noventa y nueve iguales, constituye un todo; **numeración. – 2 *adj.* Que ocupa el último lugar en una serie ordenada de mil millones.

miloca *f.* Ave rapaz estrigiforme muy parecida al búho *(Ægolius tengmalmi).*

milocha *f.* Cometa (armazón).

milonga *f. Amér. Merid.* Baile popular en compás de dos por cuatro, de ritmo lento y monótono, acompañado de la guitarra. 2 *Amér. Merid.* Música y canto, en versos octosílabos, de este baile. 3 *Amér.* Fiesta familiar con baile. 4 *Amér.* Enredo, chisme.

milord *m.* Tratamiento que se da en España a los señores de la nobleza inglesa. ◇ Pl.: *milores*.

milpa *f. Amér. Central* y *Méj.* Maizal.

milrayas *m.* Tejido con rayas de color muy apretadas. ◇ Pl.: *milrayas*.

miltomate *m. Hond., Guat.* y *Méj.* Fruto de una planta parecido al tomate, pero blanco y pequeño.

milla *f.* Medida itineraria, especialmente en la marina, equivalente a 1,852 kms., o sea, la tercera parte de la legua. 2 Medida itineraria inglesa, equivalente a 1.609,3 metros o 1.760 yardas.

millar *m.* Conjunto de mil unidades. 2 Número grande indeterminado: *los compré a millares.* 3 Signo usado para indicar que son millares los guarismos colocados delante de él.

millerita *f.* Mineral de la clase de los sulfuros que cristaliza en el sistema trigonal, de color amarillo y brillo metálico.

millón *m.* Mil millares; **numeración. 2 Número grande indeterminado: *un ~ de gracias.*

millonada *f.* Cantidad como de un millón. 2 fig. Cantidad muy grande de dinero.

millonario, -ria *adj.* [suma] De gran cuantía económica. – 2 *adj.-s.* [pers.] Muy rico, acaudalado.

millonésimo, -ma *adj.-s.* Parte que, junto a otras novecientas noventa y nueve mil novecientas noventa y nueve iguales, constituye un todo; **numeración. – 2 *adj.* Que ocupa el último lugar en una serie ordenada de un millón.

mimar *tr.* Halagar, acariciar. 2 Tratar con excesivo regalo o condescendencia [especialmente a los niños].

mimbar *m* Púlpito o cátedra en las mezquitas; **islámico (arte).

mimbrar *tr.* Abrumar, humillar [a uno].

mimbre *amb.* Mimbrera (arbusto). 2 Rama de la mimbrera, especialmente la desnuda que se usa en cestería.

mimbreño, -ña *adj.* De naturaleza de mimbre, flexible.

mimbrera *f.* Arbusto salicáceo, de hojas lanceoladas y estrechas, flores en amento y fruto capsular, cuyas ramas, largas, delgadas y flexibles, se emplean en cestería *(Salix viminalis)*.

mimeografiar *tr.* Reproducir en copias por medio del mimeógrafo. ◇ ** CONJUG. [13] como *desviar*.

mimeógrafo *m.* Aparato que reproduce material impreso o escrito por medio de un estarcido de papel con una capa de parafina.

mimesis *f.* Imitación que se hace de una persona en el modo de hablar y gesticular, generalmente para burlarse de ella. ◇ Pl.: *mimesis*.

mimetismo *m.* Parecido superficial de algunos animales con seres y objetos del medio en que viven, que sirve a los primeros para protegerse o disimular su presencia. 2 Reproducción maquinal de gestos o de actitudes.

mímica *f.* Arte de imitar, representar o expresarse por medio de gestos, ademanes y actitudes.

mimo *m.* Entre griegos y romanos, representación teatral ligera y festiva. 2 Actor que representaba estas farsas. 3 fig. Cariño, halago.

mimodrama *f.* Pantomima dramática.

mimología *f.* Imitación de la voz y de los gestos.

mimosa *f.* Árbol, variedad de acacia, de hasta 30 m. de altura, de corteza lisa, gris verdosa, y flores en cabezuela de color amarillo vivo *(Acacia dealbata)*.

mimosáceo, -a *adj.-f.* Planta de la subfamilia de las mimosáceas. – 2 *f. pl.* Subfamilia de plantas leguminosas que incluye árboles o arbustos de hojas bipinnadas o tripinnadas que se pliegan al ponerse el sol, y de flores muy pequeñas, frecuentemente reunidas en cabezuelas dispuestas en racimos.

I) mina *f.* Antigua moneda griega, equivalente a cien dracmas.

II) mina *f.* Criadero (venero). 2 fig. Aquello que abunda en cosas dignas de aprecio o de que puede obtenerse mucha ganancia con poco trabajo: *este libro es una ~ de noticias; este negocio es una ~; encontrar uno una ~*, fig., hallar medios de enriquecerse con poco trabajo. 3 Excavación subterránea o a cielo abierto para extraer un mineral. 4 Paso subterráneo para establecer una comunicación, alumbrar o conducir aguas, o para volar las fortificaciones de una plaza, derribar muros, etc., poniendo en él una recámara llena de explosivo. 5 Substancia mineral que sirve para dibujar o escribir con lápiz. 6 Artefacto dispuesto para hacer explosión al ser rozado su dispositivo: *colocar minas en el mar, en terreno fortificado;* **armas.

III) mina *f. Amér. Merid.* Mujer cualquiera, concubina.

minar *tr.* Abrir minas (pasos subterráneos) [debajo de un terreno, edificio o fortificación]. 2 fig. Hacer grandes diligencias para conseguir [alguna cosa]. 3 fig. Consumir, destruir poco a poco [alguna cosa]: ~ *la salud*. 4 Poner barrenos.

minarete *m.* Alminar; **islámico (arte).

mineral *adj.* Inorgánico. 2 Perteneciente o relativo a las substancias inorgánicas: *reino ~*. – 3 *m.* Substancia inorgánica existente en la corteza terrestre, especialmente aquella cuya explotación ofrece interés: ~ *de hierro, de aguas minerales.* 4 fig. Origen y fundamento que produce abundantemente alguna cosa.

mineralizar *tr.* Comunicar una substancia [a otra], en el seno de la tierra, las condiciones de mineral: *el azufre mineraliza el hierro.* – 2 *prnl.* Cargarse el agua de substancias minerales. ◇ ** CONJUG. [4] como *realizar*.

mineralogénesis *f.* Origen y formación de los minerales en la corteza terrestre. ◇ Pl.: *mineralogénesis*.

mineralogía *f.* Parte de la historia natural que trata de los minerales.

mineralurgia *f.* Tratamiento a que se someten los minerales para extraer de ellos substancias útiles.

minería *f.* Arte de laborear las minas. 2 Conjunto de los individuos que se dedican a ello. 3 Conjunto de las minas de una nación o comarca.

minero, -ra *adj.* Perteneciente o relativo a la minería. – 2 *m. f.* Persona que trabaja en las minas. – 3 *m.* Mina (criadero o excavación).

mineromedicinal *adj.* [agua] De origen mineral y que posee alguna propiedad curativa.

minerva *f.* Inteligencia: *de propia ~*, de propia invención. 2 Mariposa diurna de color leonado con manchas, líneas y estrías negras *(Mellicta parthenoides)*. 3 IMPR. Prensa tipográfica de cortas dimensiones para tirar impresos pequeños.

minestrone *f.* Sopa de legumbres.

I) miniatura *f.* Pintura de pequeñas dimensiones, hecha generalmente sobre vitela u otra superficie delicada. 2 Letra capital o dibujo que adornaban los manuscritos antiguos.

II) miniatura *f.* Objeto de arte de pequeñas dimensiones y delicadamente trabajado. 2 fig. Persona muy bonita y delicada.

miniaturizar *tr.* Reducir al tamaño mínimo [un objeto, aparato, etc.]. ◇ ** CONJUG. [4] como *realizar*.

minicomputador *m.* Pequeño computador electrónico de aplicaciones generales.

minifalda *f.* Falda muy corta.

minifundio *m.* Por oposición a latifundio, finca rústica que, por su reducida extensión, no puede ser objeto por sí misma de cultivo remunerador.

minifundismo *m.* Tipo de distribución de la propiedad de la tierra en que predominan los minifundios.

minigolf *m.* Juego parecido al golf que se practica en un terreno de dimensiones reducidas.

minimalista *adj.-com.* Durante la revolución rusa, partidario de un mínimo de reformas; opuesto a maximalista.

minimizar *tr.* Empequeñecer o reducir al mínimo la importancia o el valor [de algo]. ◇ ** CONJUG. [4] como *realizar.*

mínimo, -ma *adj.* Que es tan pequeño en su especie, que no lo hay menos ni igual. – 2 *adj.-s.* Religioso o religiosa de la orden mendicante de San Francisco de Paula. – 3 *m.* El valor más pequeño que puede tener una cosa variable.

minino, -na *m. f.* fam. Gato (animal).

minio *m.* Óxido de plomo, de color rojo, muy usado en pintura.

ministerial *adj.* Perteneciente o relativo al ministerio (gobierno) o a alguno de sus ministros. – 2 *adj.-s.* Persona que apoya habitualmente a un ministerio: *diputado ~.*

ministerio *m.* Funciones, empleo o cargo, especialmente noble y elevado: *~ sagrado; ~ fiscal,* el representante de la ley ante los tribunales. 2 Cargo de ministro de un estado y tiempo que dura su ejercicio. 3 Departamento de un gobierno que es responsable de la administración de una determinada área política: *~ de Asuntos Exteriores.* 4 Edificio que ocupan las oficinas de un ministerio. 5 Cuerpo de ministros de un estado: *formar ~.* 6 Gobierno del estado.

ministrar *tr.-intr.* Servir [un oficio, o ministerio]: *ministra en la Audiencia; ministra la justicia.* – 2 *tr.* Dar, suministrar [una cosa].

ministro, -tra *m.* El que ejerce un ministerio (cargo): *~ anglicano,* sacerdote de la religión anglicana. – 2 *m. f.* Jefe de cada ministerio (departamento): *~ de Asuntos Exteriores; ~ sin cartera,* el que participa en la responsabilidad general política del gobierno, pero no tiene a su cargo ningún ministerio; *primer ~,* jefe del gobierno. 3 Representante diplomático inferior al embajador. 4 fig. El que ejecuta los proyectos de otro: *~ de Dios,* sacerdote. ◇ Debe decirse *la ministra,* no *la ministro; la primera ministra,* no *la primer ministro.*

minnesinger *m. pl.* Poetas caballerescos alemanes que en los s. XII y XIII crearon una lírica amorosa muy semejante a la trovadoresca francesa de su tiempo.

minorar *tr.-prnl.* Disminuir, reducir a menos [una cosa].

minoría *f.* Parte menor de los componentes de una colectividad. 2 Conjunto de votos opuestos a la opinión de la mayoría. 3 Fracción de una asamblea que no forma parte de la mayoría. 4 Parte de la población de un estado que difiere de la mayoría de ella por su raza, lengua o religión. 5 Menor edad. 6 Tiempo durante el cual una persona es menor.

minorista *m.* Clérigo de menores. – 2 *com.* Comerciante por menor.

minoritario, -ria *adj.* Del partido, raza, grupo, opinión, etc., que está en minoría.

minucia *f.* Menudencia.

minucioso, -sa *adj.* Que se detiene en los menores detalles: *examen ~.*

minué *m.* Antiguo baile de origen francés de ritmo ternario y movimiento moderado, muy difundido en el s. XIII. 2 Música de este baile.

minuendo *m.* MAT. Cantidad de la que ha de restarse otra.

minúsculo, -la *adj.* De muy pequeñas dimensiones o de poca entidad. – 2 *adj.-f.* Letra minúscula.

minusvalía *f.* Detrimento o disminución del valor de alguna cosa.

minusválido, -da *adj.-s.* [pers.] Incapacitado, por lesión congénita o adquirida, para ciertos trabajos, movimientos, deportes, etc.

minusvalorar *tr.* Subestimar, valorar alguna cosa menos de los debido.

minuta *f.* Borrador o extracto de un contrato, escritura, etc. 2 Apuntación de una cosa para tenerla presente. 3 Cuenta que de sus honorarios presentan los profesionales libres. 4 Lista o catálogo de personas o cosas. 5 Lista de los platos que se sirven en una comida.

minutar *tr.* Cronometrar. 2 Ordenar [algo] con arreglo al tiempo de que se dispone.

minutario *m.* Cuaderno en que el notario guarda las minutas de las escrituras que se otorgan ante él.

minutero *m.* Manecilla del **reloj que señala los minutos.

minutisa *f.* Planta cariofilal cuyas flores son rojas con manchas blancas *(Dianthus barbatus).*

minuto, -ta *adj.* Menudo. – 2 *m.* Sexagésima parte de un grado de círculo. 3 Sexagésima parte de una hora.

miñango *m. Amér.* Pedazo pequeño.

miñón *m.* Soldado de tropa ligera destinado a la persecución de malhechores o a la custodia de los bosques reales. 2 Individuo de la milicia foral alavesa o vizcaína.

mío, mía *adj.-pron. poses.* Forma de 1ª persona que expresa que la cosa es poseída por la persona que habla. Como adjetivo se usa siempre detrás del nombre, o se apocopa en *mi* si lo precede: *pariente ~, mi pariente; libros míos, mis libros;* como pronombre no acompaña al nombre y va siempre precedido del artículo: *el ~; las mías;* con la terminación del masculino singular se usa también como pronombre neutro: *lo ~ interesa.* ◇ V. posesivo. INCOR.: *delante mío* por *delante de mí.*

miocardio *m.* Parte muscular del corazón.

miocarditis *f.* Inflamación del miocardio.
◇ Pl.: *miocarditis.*

mioceno, -na *adj.-m.* Primer período geológico con que se inicia el neógeno de la era terciaria, y terreno a él correspondiente. – 2 *adj.* Perteneciente o relativo a dicho período.

miografía *f.* Descripción de los músculos.

miología *f.* Parte de la anatomía que trata de los músculos.

mioma *m.* Tumor formado por elementos musculares.

miopatía *f.* Enfermedad de los músculos en general.

miope *adj.-s.* Que padece de miopía. 2 fig. Corto de alcances o de miras. ◇ INCOR.: *míope.*

miopía *f.* Ametropía ocasionada por una curvatura excesiva del cristalino, que hace reunirse un poco antes de llegar a la retina los rayos de luz procedentes de los objetos lejanos. 2 fig. Incapacidad para ver con perspicacia [algún asunto].

miopótamo *m.* Roedor de pelaje castaño en el dorso y negro en el vientre, que vive en la proximidad de los ríos (*Myocastor coipus*).

miosis *f.* Contracción anormal permanente de la pupila del ojo. ◇ Pl.: *miosis.*

miotasis *f.* Tensión y alargamiento de un músculo. ◇ Pl.: *miotasis.*

mira *f.* En ciertos instrumentos, pieza para dirigir una visual: *la ~ del fusil.* 2 En las fortalezas antiguas, obra avanzada o elevada que permitía ver mucho terreno. 3 Regla graduada para las operaciones topográficas. 4 Reglón que al levantar un muro se fija verticalmente para asegurar en él la cuerda que va indicando las hiladas. 5 fig. Intención en la ejecución de una cosa: *ignoro cuáles son sus miras en este asunto;* **andar, estar** o **quedar a la ~ de una cosa,** observarla con cuidado para aprovechar alguna contingencia. – 6 *f. pl.* MAR. Cañones a ambos lados del bauprés.

¡mira! Interjección con que se avisa o amenaza, o se expresa asombro o alegría.

mirabel *m.* Planta herbácea quenopodiácea de jardín (*Chenopodium scoparia*).

mirabilita *f.* Mineral de la clase de los sulfatos que cristaliza en el sistema monoclínico, incoloro y de brillo vítreo.

mirado, -da *adj.* Cauto, circunspecto, reflexivo: *ser muy ~.* 2 Merecedor de buen o mal concepto: *estar bien o mal ~.* 3 Cuidadoso.

mirador *m.* Corredor, galería o terrado para explayar la vista. 2 Balcón cubierto y cerrado con cristales o persianas.

miraguano *m.* Palmera de América y Oceanía, de cuyo fruto se obtiene una materia algodonosa con que se rellenan almohadas, edredones, etc. (*Trinax parviflora*).

miramiento *m.* Acción de mirar o considerar una cosa. 2 Respeto y circunspección en la ejecución de una cosa.

miranda *f.* Paraje alto desde el cual se descubre mucho terreno.

mirar *tr.* Fijar la vista con atención en alguien o algo: *~ a los niños; ~ las nubes.* 2 Tener o llevar un fin: *sólo mira a su provecho.* 3 Observar, considerar, premeditar, buscar, inquirir, informarse: *~ las dificultades; ~ un problema; ~ un arreglo.* 4 Reconocer, respetar, atender [a uno]: *le miran como un sabio; ~ bien* o *mal, con buenos,* o *con malos, ojos,* con simpatía o antipatía. 5 Hallarse frente a algo; estar orientado hacia determinada dirección: *mi balcón miraba al mar.* 6 Con la preposición *por,* proteger, amparar, defender: *mira por los pobres.* – 7 *prnl.* Tener cuidado, reflexionar antes de obrar: *mirarse en alguno.* – 8 **unipers.** Atañer, guardar relación: *lo que mira a nuestros intereses.* 9 En imperativo se usa al principio de frase o intercalado como expresión superflua o expletiva: *mira, yo creo que es lo mejor; mira, yo sólo pretendía ser amable.*

miríada *f.* Conjunto de diez mil unidades. 2 Cantidad indefinidamente grande.

miriagramo *m.* Medida de peso, equivalente a diez mil gramos.

mirialitro *m.* Medida de capacidad, equivalente a diez mil litros.

miriámetro *m.* Medida de longitud, equivalente a diez mil metros.

miriápodo *adj.-m.* Artrópodo del grupo de los miriápodos. – 2 *m. pl.* Grupo de artrópodos mandibulados, sin categoría taxonómica, que incluye animales dotados de muchas patas y repartidos en cuatro clases: diplópodos, quilópodos, paurópodos y sínfilos.

miricáceo, -a *adj.-f.* Planta de la familia de las miricáceas. – 2 *f. pl.* Familia de plantas que incluye árboles o arbustos monoicos de hojas sencillas y aromáticas.

mirificar *tr.* Hacer admirable, enaltecer [una cosa]. ◇ ** CONJUG. [1] como *sacar.*

mirilla *f.* Abertura practicada en el suelo, en la pared o en la puerta, para observar quién llama. 2 Pequeña abertura que en algunos instrumentos topográficos sirve para dirigir visuales.

miriñaque *m.* Saya interior de tela rígida y a veces con aros, para dar vuelo a las faldas.

mirística *f.* Árbol miristicáceo de la India cuyo fruto es la nuez moscada (*Myristica fragans*).

miristicáceo, -a *adj.-f.* Planta de la familia de las miristicáceas. – 2 *f. pl.* Familia de plantas dicotiledóneas, dioicas, que incluye árboles o arbustos de hojas enteras, flores de perianto sencillo y fruto en baya.

mirlarse *prnl.* fam. Entonarse, afectando gravedad y señorío.

mirliflor *com.* Persona vanidosa o presumida.

mirlo *m.* Ave paseriforme, fácilmente domesticable, que aprende a imitar los sonidos y aun la voz humana. El macho es negro y la hembra de color pardo obscuro *(Turdus merula).* 2 fig. *y* fam. Gravedad y afectación en el semblante.

mirmidón *m.* Hombre muy pequeño.

mirobálano, -nos *m.* Árbol combretáceo de India, cuyos frutos, parecidos a la ciruela, se usan en medicina y tintorería *(Terminalia bellerica).* 2 Fruto de este árbol.

mirón, -rona *adj.-s.* Que mira, y especialmente que mira demasiado o con curiosidad. 2 [pers.] Que, sin jugar, presencia una partida de juego.

mirra *f.* Gomorresina procedente de un árbol terebintáceo de Arabia y Abisinia, roja, aromática y amarga. 2 Árbol del que se extrae dicha gomorresina *(Commiphora abyssinica; C. myrrha).*

mirsináceo, -a *adj.-f.* Planta de la familia de las mirsináceas. – 2 *f. pl.* Familia de plantas tropicales angiospermas, dicotiledóneas, con hojas esparcidas.

mirtáceo, -a *adj.-f.* Planta de la familia de las mirtáceas. – 2 *f. pl.* Familia de plantas dicotiledóneas que incluye árboles o arbustos ricos en aceites esenciales, de hojas opuestas, flores regulares tubulosas y fruto capsular.

mirtal *adj.-f.* Planta del orden de las mirtales. – 2 *f. pl.* Orden de plantas leñosas, dicotiledóneas, de flores actinomorfas.

mirtídano *m.* Pimpollo que nace al pie del mirto.

mirtiforme *adj.* De forma de hoja de mirto: *músculo* ~; **nariz.

mirto *m.* Arrayán.

misa *f.* En el culto católico, sacrificio incruento en que, bajo las especies de pan y vino, ofrece el sacerdote al Eterno Padre el cuerpo y sangre de Jesucristo: ~ *cantada,* la medio solemne que se celebra con canto un sacerdote, sin asistentes; ~ *de campaña,* la que se celebra al aire libre para fuerzas armadas, y, por extensión, para un gran concurso de gente; ~ *de cuerpo presente,* la que se dice generalmente estando presente el cadáver; ~ *de difuntos* o *de réquiem,* la señalada por la Iglesia para que se diga por ellos; ~ *del gallo,* la que se celebra la noche de Navidad; ~ *solemne,* la cantada en que acompañan al sacerdote el diácono y subdiácono.

misacantano *m.* Sacerdote que celebra misa, especialmente cuando canta la primera.

misal *adj.-m.* Libro litúrgico que contiene las ceremonias, oraciones y lecturas para la celebración de la misa.

misandria *f.* Aversión de la mujer al hombre.

misántropo *m.* El que odia a los hombres o siente aversión al trato humano. 2 De humor desapacible.

miscelánea *f.* Mezcla de cosas diversas. 2 Obra o escrito en que se tratan materias inconexas y mezcladas.

miscible *adj.* Mezclable.

miserable *adj.* Pobre, desdichado, infeliz. 2 Abatido, sin valor ni fuerza. 3 Avariento, mezquino. 4 Perverso, canalla. 5 Ínfimo, escaso.

miserear *intr.* fam. Portarse o gastar con escasez y miseria.

miserere *m.* Salmo penitencial que empieza con esta palabra. 2 Canto compuesto sobre dicho salmo.

miseria *f.* Desgracia, trabajo, infortunio. 2 Estrechez, pobreza extremada. 3 Avaricia, mezquindad.

misericordia *f.* Virtud que inclina el ánimo a compadecer las miserias ajenas y a tratar de aliviarlas debidamente. 2 Atributo divino en cuya virtud Dios perdona y remedia los pecados de sus criaturas.

mísero, -ra *adj.* Miserable (pobre; abatido; avariento).

misil, mísil *m.* Proyectil autopropulsado, durante toda su trayectoria o parte de ella, mediante la combustión interior de un agente propulsor sólido o líquido, y la expulsión de los gases de esta combustión por una o varias toberas situadas en la parte posterior o cola: ~ *teledirigido;* ~ *autodirigido;* **armas. ◇ Pl.: *misiles.*

misión *f.* Poder que se da a un enviado para desempeñar algún cometido: ~ *diplomática.* 2 Predicación del Evangelio, especialmente en tierras de infieles. 3 Territorio donde se lleva a cabo esta predicación: *ir a misiones.* 4 Período corto e intenso de predicación, sermones, ejercicios piadosos, etc., que se celebra en una parroquia, generalmente a cargo de sacerdotes de otra. 5 Acto religioso que se celebra durante este período: *voy a la* ~. 6 Alimento que se señala a los segadores por su trabajo. 7 Viaje de estudio, de exploración, etc. 8 Deber moral que a cada hombre le impone su condición o estado.

misionar *intr.* Predicar o dar misiones. 2 Extender el Evangelio en tierra de infieles.

misionario *m.* Misionero. 2 Persona enviada con un encargo: *los misionarios de la diputación.*

misionero, -ra *adj.* Perteneciente o relativo a la misión. – 2 *m. f.* Persona dedicada a misionar.

misivo, -va *adj.* lit. [escrito] Que contiene un mensaje: *cartas misivas.* – 2 *f.* Este mismo escrito.

mismidad *f.* Condición de ser uno mismo. 2 Aquello por lo cual se es uno mismo. 3 La identidad personal.

mismo, -ma *adj.-pron. dem.* Indica, como demostrativo de identidad, que es una la persona o cosa que se presenta en circunstancias distintas o que se relaciona con otras diferentes: *es el ~ hombre que vimos ayer; estos tres libros son del ~ autor;* se usa como pronombre cuando no acompaña al nombre, por hallarse éste ya expresado, y va precedido del artículo: *este hombre es el ~; digo lo ~.* 2 Semejante o igual: *tiene la misma cara que su padre; soy de la misma opinión.* 3 Se usa pleonásticamente junto a pronombres, adverbios y substantivos para reforzar la identificación o para hacer resaltar la participación en un acto: *yo ~; aquí ~; ella misma hablará; el padre ~ lo dijo; vienen contra mí ~.*

misogamia *f.* Aversión al matrimonio.
misoginia *f.* Aversión a las mujeres.
misoneísmo *m.* Aversión a las novedades.
misquito *adj.-com.* Indígena centroamericano que habita en la parte central y septentrional de la región costera de Nicaragua y la oriental de Honduras.
miss *f.* Tratamiento que se da a las señoritas en los países de lengua inglesa. 2 fig. Ganadora de un concurso, generalmente de belleza. ◇ Pl.: *misses.*
mistacoceto *adj.-m.* Mamífero del suborden de los mistacocetos. – 2 *m. pl.* Suborden de mamíferos cetáceos, con los orificios nasales independientes y cuya boca, en vez de dientes, tiene dos series de láminas córneas, insertas verticalmente y deshilachadas en su borde; como la ballena.
mistagógico, -ca *adj.* [discurso o escrito] Que pretende revelar alguna doctrina oculta o maravillosa.
mistela *f.* Bebida hecha de aguardiente, agua, azúcar y canela. 2 Líquido resultante de la adición de alcohol al zumo de uva, en cantidad suficiente para que no se produzca la fermentación.
míster *m.* Tratamiento inglés equivalente a señor. 2 DEP. Entrenador de fútbol.
misterio *m.* En las religiones antiguas, rito secreto al que sólo eran admitidos los iniciados: *los misterios de Eleusis.* 2 Dogma cristiano inaccesible a la razón y que es objeto de fe: *el ~ de la Santísima Trinidad.* 3 Paso de la vida, pasión y muerte de Jesucristo; su representación con imágenes. 4 Representación escénica medieval, de asunto religioso, que se celebraba en los templos, o junto a ellos en ciertas festividades: *el ~ de Elche.* 5 fig. Cosa secreta: *los misterios de la política.* 6 fig. Cosa incomprensible: *los misterios de la naturaleza.*
misterioso, -sa *adj.* Que implica un misterio o sentido oculto. 2 Que da a entender cosas recónditas donde no las hay.
mística *f.* Parte de la teología que trata de la unión del hombre con la divinidad, de los grados de esta unión y especialmente de la contemplación de Dios.

misticismo *m.* Estado extraordinario de perfección religiosa que consiste esencialmente en cierta unión inefable del alma con Dios por el amor. 2 Doctrina religiosa y filosófica que enseña la comunicación directa entre el hombre y la divinidad, en la visión intuitiva o en el éxtasis.
I) místico *m.* MAR. Velero de aparejo costero usado en el Mediterráneo.
II) místico, -ca *adj.-s.* Que escribe o trata de mística. 2 Que se dedica a la vida espiritual.
misticón, -cona *adj.-s.* fam. Que afecta mística y santidad.
mistificar *tr.* Embaucar, burlar, engañar. 2 Falsificar, deformar. ◇ ** CONJUG. [1] como *sacar.*
mitad *f.* Parte que, con otra igual, constituye un todo: *~ y ~,* por partes iguales.
mitayera *f. Amér.* Canoa para los víveres.
miticultura *f.* Técnica de la cría de mejillones.
mitificar *tr.* Transformar en mito. 2 Rodear de extraordinaria estima [algo]. ◇ ** CONJUG. [1] como *sacar.*
mitigar *tr.* Moderar o suavizar [una cosa áspera o rigurosa]: *~ un dolor.* ◇ ** CONJUG. [7] como *llegar.*
mitin *m.* Reunión donde se discuten públicamente asuntos políticos o sociales: *dar el ~,* fig. *y* fam., llamar mucho la atención. 2 DEP. Reunión, encuentro deportivo, especialmente de atletismo o ciclismo. ◇ Pl.: *mítines.*
mitinear *intr.* Dar mítines o hablar en ellos.
mito *m.* Tradición fabulosa basada en los dioses, héroes, etc., o en un hecho real, histórico o filosófico: *los mitos de Grecia; el ~ del sol.* 2 fig. Cosa fabulosa: *el caballo Pegaso era un ~.*
mitocondria *f.* Estructura presente en el citoplasma de las **células eucariotas, cuya función es intervenir en la respiración celular.
mitografía *f.* Ciencia que trata de los mitos.
mitología *f.* Historia fabulosa de los dioses y héroes de la antigüedad. 2 Conjunto de mitos de un pueblo.
mitomanía *f.* Manía de decir mentiras o relatar cosas fabulosas.
mitón *m.* Guante de punto que deja los dedos al descubierto.
mitote *m. Amér.* Fiesta casera. 2 *Amér.* Melindre, aspaviento. 3 *Amér.* Bulla, pendencia, alboroto.
mitra *f.* Toca o adorno que usaban los persas, de quienes pasó a otros pueblos. 2 Prenda alta y apuntada, con que en las funciones solemnes se cubren la cabeza los cardenales, arzobispos, obispos y otros eclesiásticos que gozan de tal privilegio. 3 Dignidad de arzobispo u obispo. 4 Cúmulo de rentas de una diócesis o archidiócesis. 5 Rabadilla de las aves.

mitrado, -da *adj.* [eclesiástico] Que puede usar mitra. – 2 *m.* Arzobispo u obispo.

mitral *adj.* En forma de mitra. 2 *Válvula* ~, la situada en el orificio auriculoventricular izquierdo del corazón; **circulación.

mitridatismo *m.* Resistencia a los efectos de un veneno, adquirida por la administración progresiva del mismo, empezando por dosis inofensivas.

mixedema *m.* MED. Edema producido por infiltración de substancia mucosa en la piel, por insuficiencia de las glándulas tiroides.

mixiniforme *adj.-m.* Animal de la clase de los mixiniformes. – 2 *m. pl.* Clase de animales ciclóstomos parásitos; como el mixino.

mixino *m.* Animal ciclóstomo marino, de cuerpo cilíndrico, sin escamas y muy viscoso. Presenta una boca alargada y rodeada por ocho cirros *(Myxine glutinosa).*

mixomatosis *f.* Enfermedad infecciosa del conejo. ◇ Pl.: *mixomatosis.*

mixomicete *adj.-m.* Hongo del grupo de los mixomicetes. – 2 *m. pl.* Grupo de hongos con categoría de división, cuyo talo se reduce a una masa de protoplasma provista de numerosos núcleos.

mixteco, -ca *adj.-s.* Pueblo amerindio que en época precolombina ocupó parte de los actuales estados mejicanos de Oaxaca, Guerrero y Puebla.

mixtifori *m.* fam. Embrollo o mezcla de cosas heterogéneas.

mixtilíneo, -a *adj.* Con lados rectos y curvos: *figura mixtilínea; arco* ~.

mixto, -ta *adj.* Mezclado. 2 Mestizo (híbrido). – 3 *adj.-m.* Formado por la reunión de elementos de naturaleza distinta: **línea mixta.* – 4 *m.* Fósforo (cerilla). 5 Mezcla inflamable usada en la guerra para los artificios incendiarios, explosivos o de iluminación.

mixtura *f.* Mezcla o incorporación de varias cosas: ~ *farmacéutica.* 2 Pan de varias semillas.

mízcalo *m.* Hongo comestible de sabor almizclado *(Lactarius deliciosus).*

mizo *m.* fam. Gato.

mnemotécnica *f.* Arte de desarrollar la memoria. 2 Método para fijar los conocimientos en la memoria.

moaxaja *f.* Composición estrófica árabe que termina con una estrofa en árabe vulgar o mozárabe, la jarcha.

mobiliario *m.* Moblaje.

moblaje *m.* Conjunto de muebles de una casa.

moca *m.* Café de buena calidad, tostado y molido.

mocán *m.* Árbol de las Islas Canarias, de hojas lanceoladas, flores en racimos axilares de color blanco crema, y fruto en cápsula ovalada marrón grisácea, de sabor ligeramente dulzón *(Visnea mocanera).*

mocárabe *m.* Motivo decorativo de prismas yuxtapuestos y dirigidos hacia abajo, que acaban en un estrechamiento también prismático, cuya superficie inferior es cóncava.

mocarrera *f.* fam. Moco abundante.

mocasín *m.* Calzado que usan los indios de América del Norte. 2 Zapato de una sola pieza en cuero muy flexible y con la pala cerrada; **calzado.

mocear *intr.* Portarse como la gente moza. 2 Desmandarse en travesuras deshonestas.

mocedad *f.* Época de la vida humana desde la pubertad hasta la edad adulta. 2 Travesura o desorden con que suelen vivir los mozos. 3 Diversión deshonesta y licenciosa.

mocerío *m.* Grupo o conjunto de gente moza: *el* ~ *se divierte mucho.*

mocetón, -tona *m. f.* Persona joven y robusta.

moción *f.* Acción de moverse o ser movido. 2 fig. Alteración del ánimo que se mueve e inclina a una especie que le han sugerido. 3 Inspiración interior que Dios ocasiona en el alma en orden a las cosas espirituales. 4 Proposición que se hace en una junta que delibera. 5 Vocal u otro signo que acompaña a las consonantes de las lenguas semíticas.

mocionar *tr. Argent., Hond.* y *Parag.* Presentar una moción.

mocito, -ta *adj.-s.* Que está en el principio de la mocedad.

moco *m.* Humor espeso y pegajoso segregado por una membrana mucosa, especialmente la nasal. 2 Materia medio fluida y pegajosa. 3 Extremo del pabilo de una luz encendida. 4 Porción derretida de las velas que se solidifica a lo largo de ellas. 5 Percha que pende de la cabeza del baiprés. 6 Escoria que sale del hierro encendido en la fragua cuando se martilla y apura.

mocoso, -sa *adj.* Que tiene las narices llenas de mocos. 2 fig. Insignificante, de ninguna importancia. – 3 *adj.-s.* Niño atrevido o malmandado, mozo imprudente.

mochada *f.* Topetada.

mocheta *f.* Extremo romo y contundente opuesto a la parte punzante o cortante de ciertas herramientas. 2 Ángulo diedro entrante en la esquina de una pared. 3 Rebajo en el marco de una **puerta o ventana, donde encaja el renvalso.

mochila *f.* Caja de tabla delgada, forrada en cuero, que, sujeta a la espalda con correas, usaban los soldados para llevar el equipo. 2 Saco o bolsa de tela fuerte que llevan sujeta a la espalda los cazadores y excursionistas. 3 Provisión de víveres que cada soldado lleva consigo en campaña, y también el forraje para su caballo.

mocho, -cha *adj.* Falto de la punta o sin la debida terminación: *este toro sin cuernos es* ~. 2

fig. Pelado o cortado el pelo. – 3 *m.* Remate grueso y romo de un instrumento o utensilio largo: *el ~ de un fusil.* – 4 *adj. Amér.* Mutilado.

mochón *m.* Pez marino de pequeño tamaño, muy común, de cuerpo alargado, de gran variedad de formas *(Atherina mochon; A. boyeri).*

mochuelo *m.* Ave rapaz estrigiforme, de unos 20 cms. de altura, que se alimenta de roedores y reptiles *(Athene noctua).* 2 fig. y fam. Asunto o trabajo enojoso o difícil: *cargar uno con el ~; echarle o tocarle a uno el ~.* – 3 **com.** fig. Persona inepta o inútil.

moda *f.* Uso pasajero que regula, según el gusto del momento, el modo de vestirse, de vivir, etc.

modal *adj.* Que incluye modo o determinación particular. 2 GRAM. Referente a las formas y empleos de los modos del verbo. – 3 *m. pl.* Acciones externas con que uno da a conocer su buena o mala educación.

modalidad *f.* Modo de ser o de manifestarse una cosa.

modelado *m.* Morfología de un terreno en función de la acción erosiva. Según el agente geológico externo predominante el modelado se denomina: *glaciar, fluvial, marino,* etc.

modelar *tr.* Formar de cera, barro, etc. [una figura o adorno]. 2 En pintura, representar con exactitud el relieve [de las figuras]. – 3 *prnl.* Ajustarse a un modelo.

modelismo *m.* Arte y técnica de construcción de modelos.

modelo *m.* Lo que ha de servir de objeto de imitación: *~ de escritura.* 2 fig. Ejemplar digno de ser imitado por su perfección física o moral. 3 Figura de barro, yeso o cera que se ha de reproducir en madera, mármol o metal. 4 Reproducción a escala reducida de un edificio, máquina, etc. 5 Tipo industrial protegido por una patente. 6 Vestido original en una colección de alta costura. 7 Esquema teórico de un sistema o realidad compleja que se elabora para facilitar su comprensión y estudio. – 8 **com.** Persona que sirve para el estudio en el dibujo o pintura. 9 Persona que en las casas o en los desfiles de moda, exhibe los nuevos modelos de costura. – 10 *adj.* Perfecto en su género.

modem *m.* INFORM. Aparato que convierte datos en señales que se pueden transmitir a través de la línea telefónica, o viceversa.

moderación *f.* Acción de moderar o moderarse. 2 Cordura, templanza en las palabras y acciones. 3 Virtud que nos mantiene entre los extremos.

moderado, -da *adj.* Que tiene moderación. 2 Que guarda el medio entre los extremos. – 3 *adj.-s.* Partidario del moderantismo (sistema político).

moderador, -ra *m. f.* Persona que dirige

un debate en una asamblea. – 2 *m.* En algunas iglesias protestantes, jerarca que dirige las reuniones y regula los acuerdos. 3 Substancia empleada en las pilas atómicas para retardar la emisión de neutrones procedentes de una fisión nuclear y que provoca una reacción en cadena.

moderantismo *m.* Costumbre de obrar con moderación. 2 Sistema político que procede con moderación en las reformas y mantiene el principio de autoridad.

moderar *tr.-prnl.* Templar, ajustar, arreglar [una cosa], evitando el exceso: *~ la temperatura; ~ las pasiones; moderarse en las pasiones.*

modernamente *adv. m.* Recientemente; de poco tiempo a esta parte. 2 En los tiempos actuales.

modernidad *f.* Calidad de moderno.

modernismo *m.* Afición excesiva a las tendencias, gustos, etc., modernos, especialmente en artes y literatura. 2 Corriente literaria de principios del siglo actual, cuyo principal representante fue Rubén Darío (1867-1916). 3 ARQ. Movimiento romántico, individualista y antihistórico que entre 1890 y 1910 se difundió por Europa y tuvo principalmente tendencia decorativa y acentuó el valor ornamental de la línea curva de carácter floral o geométrico.

modernizar *tr.* Dar forma o aspecto moderno [a cosas antiguas]. ◇ ** CONJUG. [4] como *realizar.*

moderno, -na *adj.* Perteneciente o relativo a la edad moderna de la historia. 2 Que existe desde hace poco tiempo o ha sucedido recientemente. 3 Que lleva poco tiempo ejerciendo un empleo. – 4 *m.* En ciertas comunidades, el que es nuevo, o no de los más antiguos.

modestia *f.* Virtud del que no siente ni muestra una elevada opinión de sí mismo. 2 Cualidad de humilde, falta de engreimiento o de vanidad. 3 Falta de ostentación y lujo. 4 Pobreza, escasez de medios, recursos, bienes, etc. 5 Honestidad, decencia en acciones y palabras.

modesto, -ta *adj.-s.* Que tiene modestia.

módico, -ca *adj.* Moderado, limitado en cantidad.

modificación *f.* BIOL. Cambio que por influencia del medio se produce en los caracteres anatómicos o fisiológicos de un ser vivo y que no se transmite por herencia a los descendientes.

modificar *tr.* Cambiar [una cosa] en sus caracteres no esenciales, produciendo variedades en su línea: *~ una ley; ~ una mesa,* etc. 2 Limitar o determinar el sentido [de una palabra]: *el adverbio modifica al verbo.* ◇ ** CONJUG. [1] como *sacar.*

modillón *m.* Saliente, generalmente en forma de ménsula, con que se adorna por debajo una cornisa. 2 Elemento sustentador de desarrollo vertical, formado por una serie de cavetos decorados con rollos, sobre el que descansa el pilar en las arquerías islámicas.

modismo *m.* GRAM. Frase o manera de hablar propia o característica de una lengua: *tomar las de Villadiego* por *marcharse; no dar pie con bola* por *estar desacertado.*

modista *com.* Persona que tiene por oficio hacer prendas de vestir para señoras. – 2 *f.* La que tiene tienda de modas.

modistería *f.* Amér. Tienda de modas.

modistilla *f.* fam. Modista de poco valor en su arte. 2 fam. Joven oficiala o aprendiza de modista.

modo *m.* Cualidad accidental variable y transitoria de un ser. 2 Forma o manera particular de hacer una cosa. 3 Urbanidad en el porte o trato: *le recibió con malos modos.* 4 GRAM. Accidente gramatical que expresa la manera como se concibe la acción verbal por parte del que habla: ~ *imperativo,* el que se usa para mandar, rogar o exhortar; ~ *indicativo,* el que expresa la acción o estado como real; ~ *infinitivo,* el que indica simplemente la idea verbal sin relaciones de tiempo, número ni persona; ~ *optativo,* en la conjugación griega y de otras lenguas indoeuropeas, denota deseo de que la acción se realice; ~ *potencial,* enuncia la acción como posible; ~ *subjuntivo,* no atribuye realidad objetiva a la acción, sino sólo la existencia en la mente del que habla. En latín y en español expresa acción dudosa, posible, necesaria o deseada. 5 GRAM. Frase o locución equivalente a una parte de la oración: ~ *adverbial, conjuntivo, prepositivo,* etc. 6 MÚS. Disposición de los sonidos que forman una escala musical: ~ *mayor;* ~ *menor.* ◇ En la acepción 3 suele usarse en plural.

modorra *f.* Sueño muy pesado. 2 Enfermedad del ganado lanar causada por la presencia de las larvas de cierto helminto en el cerebro de las reses.

modorrar *tr.* Causar modorra [a una persona o animal]. – 2 *prnl.* Ponerse la fruta blanda, como si fuese a pudrirse.

modoso, -sa *adj.* Que tiene buenos modales.

modulación *f.* Modificación de la frecuencia o amplitud de las ondas eléctricas para la mejor transmisión de las señales. 2 MÚS. Cambio ininterrumpido de una modalidad a otra en el curso de una composición musical.

modular *tr.* Dar con buena entonación inflexiones variadas [a la voz].

módulo *m.* Medida comparativa de las partes del cuerpo humano en los tipos étnicos de cada raza; **dibujo. 2 Radio de la parte inferior de una columna tomado como unidad de medida para establecer las proporciones de un orden arquitectónico. 3 Unidad de medida

que relaciona las diversas partes de una unidad arquitectónica o plástica. 4 Elemento prefabricado que se puede agrupar de distintas maneras con otros semejantes: *un edificio por módulos; un mueble por módulos.* 5 Unidad integral de un vehículo espacial capaz de funcionar independientemente: ~ *lunar.* 6 Aparato dispuesto para regular la cantidad de agua que entra en un canal o pasa por un orificio. 7 Media anual del caudal de un río o canal. 8 Diámetro de una medalla o moneda. 9 MAT. Cantidad expresiva de la medida de una función, propiedad o efecto.

modus operandi *loc.* Manera especial de actuar o trabajar para alcanzar el fin propuesto.

mofa *f.* Burla, escarnio: *hacer ~ de uno.*

mofeta *f.* Gas mefítico, en general, que se desprende de las minas y otros sitios subterráneos. 2 Mamífero carnívoro, parecido a la comadreja, que vive en América, y cuando se ve perseguido lanza un líquido de olor infecto *(Mephitis suffocans).* 3 Fumarola de emisiones relativamente frías.

moflete *m.* Carrillo grueso y carnoso.

mofletudo, -da *adj.* Que tiene mofletes.

mogol, -la *adj.-s.* De la Mogolia, región de la Tartaria china. – 2 *m.* Idioma mogol.

mogollón *m.* fam. Gran cantidad: *había un ~ de gente.* 2 fam. Lío, confusión. 3 *De ~,* de balde, gratuitamente, de gorra. 4 *A ~,* de golpe.

mogón, -gona *adj.* Falto de un asta, o que la tiene rota por la punta, especialmente las reses vacunas.

mogote *m.* Montículo aislado, de forma cónica y rematado en punta roma; esp., el que es visible desde el mar. 2 Hacina piramidal. 3 Cornamenta poco crecida de los gamos y venados.

mogrollo *m.* Gorrista. 2 Sujeto tosco y grosero.

mohair *m.* Pelo de cabra de Angora. 2 Tejido hecho con este pelo.

moharra *f.* Punta de lanza, comprendiendo la cuchilla y el cubo; **armas.

moharrache, -cho *m.* Persona que en una función se disfraza ridículamente. 2 fig. y fam. Mamarracho.

mohatra *f.* Venta fingida y fraudulenta. 2 Fraude, engaño.

mohedal *m.* Monte alto con malezas.

mohín *m.* Mueca, gesto.

mohína *f.* Enojo, enfado. 2 Melancolía, tristeza.

mohíno, -na *adj.* Triste, melancólico, disgustado. – 2 *adj.-s.* Ganado caballar y vacuno que tiene el pelo, y especialmente el hocico, de color muy negro. – 4 *m.* En el juego, aquel contra quien van los demás jugadores.

moho *m.* Nombre de varias especies de hongos ficomicetos que se crían formando capas en la superficie de algunos cuerpos orgánicos y producen su descomposición. 2 Capa que se forma por alteración química en la superficie de un cuerpo metálico, como la herrumbre o el cardenillo. 3 *fig.* Desidia o dificultad de trabajar, producida por un exceso de ocio.

moisés *m.* Cuna sin pies. ◇ Pl.: *moisés.*

mojada *f.* fam. Herida con arma punzante.

mojado, -da *adj.* [sonido] Pronunciado con un contacto relativamente amplio del dorso de la lengua contra el paladar.

mojador *m.* Receptáculo pequeño o tacita con una esponja empapada en agua para mojarse la punta de los dedos, o mojar los sellos antes de pegarlos. 2 IMPR. Cuba de agua en que se mojan las hojas de papel antes de la impresión.

mojama *f.* Cecina de atún.

mojar *tr.* Adherirse el agua u otro líquido a la superficie [de un cuerpo] o penetrarlo: *el agua moja los cristales.* 2 Hacer que el agua u otro líquido moje [un cuerpo]: *moja esta tela; no te mojes.* 3 *fig. y fam.* Dar de puñaladas [a uno]. 4 *fig. y fam.* Remojar, convidar, celebrar. – 5 *tr.-prnl. fig. y fam.* Orinar. – 6 *intr.* fig. Introducirse o tener parte en un negocio: *¿también tú mojas en eso?* – 7 *prnl.* Comprometerse en algo.

mojarra *f.* Pez marino teleósteo perciforme, de cuerpo oval, comprimido y boca protráctil, armada de dientes afilados *(Diplodus vulgaris).* 2 Lancha pequeña al servicio de las almadrabas. 3 *Amér.* Cuchillo ancho y corto.

mojarrilla *com.* fam. Persona alegre y chancera.

moje *m.* Caldo de cualquier guisado.

mojel *m.* MAR. Cajeta de meollar para dar vuelta al cable y al virador, cuando se zarpa el ancla.

mojicón *m.* Especie de bizcocho cortado en trozos y bañado. 2 Bollo fino que suele comerse principalmente mojado en chocolate. 3 fam. Puñetazo dado en la cara.

mojiganga *f.* Fiesta pública con máscaras y disfraces ridículos. 2 Obrilla dramática jocosa. 3 *fig.* Burla, broma.

mojigato, -ta *adj.-s.* Disimulado, que afecta humildad o cobardía. 2 Beato, santurrón que se escandaliza fácilmente.

mojinete *m.* Argent., Chile, Parag., y Urug. Frontón, hastial de un edificio.

mojito *m.* Cóctel a base de ron, azúcar, zumo de limón, gaseosa y yerbabuena.

mojo *m.* Salsa picante de origen canario.

mojón *m.* Hito (poste); p. ext., señal que sirve de guía en un despoblado. 2 Porción compacta de excremento humano que se expele de una vez.

mol *m.* Unidad de peso de un elemento o de un compuesto igual a su peso molecular en gramos. ◇ Pl.: *moles.*

mola *f.* Harina de cebada, tostada y mezclada con sal, usada por los gentiles en sus sacrificios.

I) molar *adj.* Perteneciente o relativo a la muela. 2 Apto para moler. – 3 *m.* Muela: *los molares trituran los alimentos;* **diente;** **nariz.

II) molar *intr.* pop. Gustar, agradar. 2 pop. Presumir.

molaridad *f.* QUÍM. Concentración de una solución expresada en el número de moles disueltos por litro de disolución.

molasa *f.* Arenisca de origen marino con cemento calcáreo.

molcajete *m.* Mortero o almirez de piedra con tres pies.

moldado *m.* Operación que consiste en el martilleo de una pieza metálica sobre un yunque, hasta que aquella adquiera una forma cóncava.

molde *m.* Objeto hueco que da su forma a la materia fundida que en él se vacía; **cocina. 2 Instrumento que sirve para estampar o dar forma o cuerpo a una cosa. 3 *fig.* Persona que por llegar al sumo grado en una cosa, puede servir de regla o norma en ella. 4 IMPR. Conjunto de letras o forma ya dispuesta para imprimir. – 5 *loc. adj. De* ~, lo impreso, a distinción de lo manuscrito.

moldeador *m.* Instrumento para moldear: ~ *para el cabello.*

moldear *tr.* Sacar el molde [de una figura]. 2 Vaciar (formar en el molde). 3 Peinar el cabello dándole una determinada forma, generalmente ondas o rizos.

moldeo *m.* METAL. Proceso por el que se obtienen piezas echando materiales fundidos en un molde.

moldura *f.* Parte saliente y corrida que sirve para adornar obras de arquitectura, carpintería, etc.

mole *f.* Cosa de gran bulto o corpulencia. 2 Corpulencia o bulto grande.

molécula *f.* Agrupación definida y ordenada de átomos, de volumen pequeñísimo, que constituye la menor porción de un cuerpo que existe y puede subsistir en libertad sin dejar de participar de la naturaleza del todo.

moledera *f.* Piedra en que se muele.

moledor, -ra *adj.-s.* fig. [pers.] Que cansa por su pesadez.

molendero, -ra *m. f.* Persona que muele o que lleva alguna cosa al molino para ser molida. 2 Persona que tiene por oficio moler y labrar el chocolate. – 3 *m. Amér. Central.* Tabla o mesa donde se muele.

moleña *f.* Pedernal (cuarzo).

moleño, -ña *adj.* [roca] Que sirve para hacer piedras de molino.

moler *tr.* Quebrantar [un cuerpo] reduciéndolo a menudísimas partes o a polvo. 2 fig. Maltratar, destruir: *le molió a palos.* 3 Con la preposición *de,* cansar o fatigar mucho materialmente: *me muelen de andar; estoy molido de trabajar.* ◇ ** CONJUG. [32] como *mover.*

molesquín *m.* Paño de algodón que se asemeja bastante al cuero.

molestar *tr.* Causar molestia [a alguno]. – 2 *prnl.* Picarse u ofenderse a causa de alguna palabra o acción ofensiva.

molestia *f.* Perturbación del bienestar material del cuerpo o de la tranquilidad del ánimo, causada por una fatiga, daño, fastidio, etc.

molesto, -ta *adj.* Que causa molestia: ~ *para todos; ~ en el trato.* 2 fig. Que siente molestia: *me encuentro ~ en este lugar.* 3 fig. Enfadado, enojado.

moleta *f.* Piedra usada para moler drogas, colores, etc. 2 Instrumento para moler la tinta en el tintero. 3 Aparato para alisar y pulir el cristal.

molibdeno *m.* Metal de color y brillo plomizos, maleable, difícilmente fusible, que se emplea en la fabricación de aceros. Su símbolo es *Mo.*

molicie *f.* lit. Blandura (calidad). 2 fig. Afición a vivir regaladamente.

molienda *f.* Lo que se muele de una vez. 2 El mismo molino. 3 Temporada que dura la molienda de caña de azúcar o aceituna. 4 fig. Molimiento, molestia. 5 fig. Cosa que causa molestia.

molificar *tr.-prnl.* MED. Ablandar o suavizar [una cosa]. ◇ ** CONJUG. [1] como *sacar.*

molimiento *m.* fig. Fatiga, molestia.

molinada *f.* Molienda que se hace de una vez del trigo necesario en una casa para una temporada.

molinero, -ra *m. f.* Persona que tiene a su cargo un molino. 2 Persona que trabaja en él.

molinete *m.* Ruedecilla giratoria con aspas que se pone en las vidrieras de una habitación para renovar el aire. 2 Juguete de niños que consiste en una caña o palo a cuyo extremo va sujeta una rueda o estrella de papel que gira impulsada por el viento. 3 Movimiento circular que se hace con el bastón, espada, etc., para defenderse. 4 TAUROM. Pase de capa o muleta en que el engaño pasa por detrás de la cabeza.

I) molinillo *m.* Instrumento pequeño para moler: ~ *de café.*

II) molinillo *m.* Palillo cilíndrico con una rueda gruesa en su extremo inferior, para batir el chocolate y otras cosas.

molinismo *m.* Doctrina sobre el libre albedrío y la gracia, del jesuita español Luis Molina (1536-1600).

molino *m.* Máquina para moler, laminar o estrujar alguna cosa: ~ *de harina; ~ de papel; ~ de **aceite; ~ de viento,* el de aspas de

madera y lona extendida sobre ellas, que es movido por el viento; ~ *hidráulico,* el que funciona por la fuerza de una corriente de agua. 2 Edificio donde está instalada dicha máquina. 3 fig. Persona muy inquieta y bulliciosa o molesta. 4 fig. *y* fam. Boca, porque en ella se muele la comida.

molinosismo *m.* Especie de quietismo, doctrina herética predicada en el s. XVII por el español Miguel de Molinos (1628-1696).

moloc *m.* Lagarto de Australia de unos 20 cms. de longitud, con el cuerpo cubierto de aguijones, y de color amarillo con grandes manchas pardas *(Moloch horridus).*

molón, -lona *adj.* Que gusta o agrada. 2 Bonito, bello, elegante, vistoso.

molondro *m.* fam. Hombre torpe y perezoso.

molonquear *tr. Amér. Central y Méj.* Moler a golpes [a alguien].

molso, -sa *adj.* Desgarbado, desaseado, sucio.

molturar *tr.* Moler (quebrantar).

****molusco** *adj.-m.* Animal del tipo de los moluscos. – 2 *m. pl.* Tipo de metazoos de simetría bilateral, con el cuerpo blando, sin apéndices articulados, y protegido casi siempre por una concha calcárea, que incluye siete clases: monoplacóforos, aplacóforos, poliplacóforos, escafópodos, lamelibranquios, gasterópodos y cefalópodos.

molla *f.* Parte magra de la carne. 2 Miga del pan. 3 Pulpa, parte blanda y carnosa de algo. 4 fig. Lo mejor de cualquier cosa.

mollar *adj.* Blando y fácil de partir o quebrantar: *fruto ~; mujer ~.* 2 [carne] Sin hueso. 3 [lana] Que carece de grasa y es desigual. 4 fig. [cosa] Que da mucha utilidad, sin carga considerable. 5 fig. [pers.] Que es fácil de engañar. 6 fig. De buena calidad.

mollear *intr.* Ceder una cosa a la fuerza o presión. 2 Doblarse por su blandura.

molledo *m.* Parte carnosa y redondeada de un miembro. 2 Miga del pan.

I) molleja *f.* Segundo estómago de las **aves, de paredes gruesas y musculosas, donde los alimentos sufren una trituración.

II) molleja *f.* Apéndice carnoso formado generalmente por infarto de las glándulas.

mollejón *m.* fam. Hombre grueso y flojo. 2 fig. *y* fam. Hombre muy blando de genio.

móllera *f.* Pez marino teleósteo de unos 40 cms. de longitud, de color pardo amarillento o rosáceo, con una mancha negra en la axila de los pectorales *(Gadus minutus; Trisopterus m.).*

mollera *f.* Parte más alta de la cabeza, junto a la comisura coronal. 2 Fontanela situada en la parte más alta de la frente. 3 fig. Caletre, seso: *ser uno cerrado de ~,* ser rudo, incapaz; *ser uno duro de ~,* ser testarudo, o duro para aprender. 4 fig. Cabeza.

molleta *f.* Torta hecha con flor de harina.
mollete *m.* Panecillo ovalado, esponjado y de poca cochura.
moma *f.* Pez marino teleósteo perciforme, de pequeño tamaño y cuerpo alargado comprimido en la región caudal *(Blenius montagui).*
momentáneo, -a *adj.* Que dura sólo un momento. 2 Que prontamente se ejecuta.
momento *m.* Pequeño espacio de tiempo en relación con otro. 2 Tiempo en que ocurre algo, actualidad, oportunidad, coyuntura: *el ~ político; su proceder era impropio del lugar y el ~ en que nos hallábamos.* 3 p. ext. Importancia, entidad o peso: *cosa de poco ~.* 4 MEC. Producto de la intensidad de una fuerza por su distancia a un punto o a una línea o por la distancia de su punto de aplicación a un plano: *~ angular* o *cinético,* producto vectorial del vector de posición de un punto material por su cantidad de movimiento. ‑
momería *f.* Acción burlesca con gestos y figuras.
momia *f.* Cadáver que, naturalmente o por haber sido preparado al efecto, se deseca con el transcurso del tiempo sin entrar en descomposición. 2 fig. Persona muy seca y morena.
momificar *tr.-prnl.* Convertir en momia [un cadáver]. ◇ ** CONJUG. [1] como *sacar.*
momio *m.* Ganga, todo aquello apreciable que se adquiere a poca costa o con poco trabajo.

momisco *m.* Parte de la muela cubierta por la encía.
momo *m.* Gesto, figura o mofa ridícula.
I) mona *f.* Hembra del mono. 2 Primate cercopitécido de unos 75 cms. de longitud, pelaje gris amarillento y desprovisto de cola, que se cría en el norte de África y en el Peñón de Gibraltar *(Macaca sylvana).* 3 fig. Persona que hace las cosas por espíritu de imitación. 4 Borrachera (embriaguez). 5 Juego de naipes en el que se deben ir emparejando las cartas hasta que sólo quede una, cuyo poseedor perderá. 6 *Amér. Central y Colomb.* Trompo sin cabeza.
II) mona *f.* Bollo dulce con un huevo cocido y entero en medio.
monacato *m.* Estado o profesión de monje. 2 Institución monástica.
monacordio *m.* Antiguo instrumento músico de teclado, parecido a la espineta.
monada *f.* fig. Gesto o figura afectada y enfadosa. 2 fig. Halago, zalamería. 3 fig. Cosa pequeña y primorosa.
mónada *f.* Según ciertos filósofos, ser indivisible completo, de naturaleza distinta, cuya esencia la es la fuerza, que constituye en sí una imagen esencial del mundo. 2 Unidad orgánica microscópica.
monadelfo, -fa *adj.* [planta, **flor] Que tiene los estambres soldados por los filamentos en un solo cuerpo.
monaguillo *m.* Niño empleado en ayudar a misa y a otros ministerios del altar.

MOLUSCOS

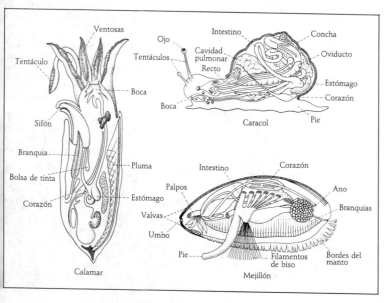

monarca *m.* Soberano de una monarquía.

monarquía *f.* Forma de gobierno en que la soberanía es ejercida con carácter vitalicio, de un modo total o limitado, por un rey o una reina. 2 Estado regido por esta forma de gobierno; su territorio. 3 fig. Tiempo que dura este régimen político.

monasterio *m.* Casa, generalmente fuera de poblado, donde vive una comunidad de monjes. 2 p. ext. Casa de religiosos o religiosas.

monda *f.* Tiempo a propósito para mondar (poda). 2 Exhumación de huesos que se hace en un cementerio en un tiempo prefijado. 3 *Ser la ~,* ser el colmo; ser muy gracioso.

mondadientes *m.* Instrumento para limpiarse los dientes. ◊ Pl.: *mondadientes.*

mondadura *f.* Despojo de las cosas que se mondan: *las mondaduras de una fruta.*

mondar *tr.* Limpiar [una cosa] quitándole lo superfluo o extraño. 2 Limpiar el cauce [de un río o canal]. 3 Podar, escamondar. 4 Desbriznar [la flor del azafrán]. 5 Quitar la piel, cáscara o vaina [a tubérculos o frutos]. 6 Carraspear o toser repetidas veces para limpiar [el pecho o la garganta]. – 7 *prnl. Mondarse de risa,* fam., reír mucho.

mondejo *m.* Relleno de la panza del cerdo o del carnero.

mondo, -da *adj.* Limpio de cosas superfluas o extrañas.

mondón *m.* Tronco de árbol sin corteza.

mondongo *m.* Intestinos y panza de las reses y del cerdo.

mondrigón *m.* Bribón, mamarracho, monigote.

monear *intr.* fam. Hacer monadas. 2 *Amér.* Presumir, envanecerse.

moneda *f.* Pieza de metal, acuñada, que sirve de medida común para el precio de las cosas y para facilitar el cambio: *batir, labrar* o *acuñar ~; ~ fiduciaria,* la que representa un valor que intrínsecamente no tiene, como el billete de banco. 2 ECON. Conjunto de signos representativos del dinero circulante en cada país.

monedero *m.* Portamonedas.

monegasco, -ca *adj.-s.* De Mónaco, nación de Europa, en el sur de Francia.

monema *m.* FILOL. Mínima unidad significativa.

mónera *f.* ZOOL. Ser vivo que presenta la transición más sencilla entre los vegetales y los animales.

monería *f.* fig. Gesto o acción graciosa de los niños.

monetario, -ria *adj.* Perteneciente o relativo a la moneda: *sistema ~; crisis monetaria.* – 2 *m.* Colección numismática. 3 Conjunto de estantes o cajones donde se guardan.

monetarismo *m.* Doctrina económica según la cual los fenómenos monetarios desempeñan una función determinada en las fluctuaciones económicas.

monetizar *tr.* Dar curso legal como moneda [a billetes de banco u otros signos pecuniarios]. 2 Amonedar, convertir en moneda. ◊ ** CONJUG. [4] como *realizar.*

mongólico, ca *adj.* Mogol. 2 Que padece mongolismo.

mongolismo *m.* Enfermedad caracterizada por el aspecto mongólico del rostro y por un desarrollo mental anormal.

monigote *m.* fig. Persona ignorante y de ningún valer. 2 Muñeco o figura ridícula. 3 Pintura o estatua mal hecha.

monillo *m.* Jubón de mujer, sin mangas.

monimiáceo, -a *adj.-f.* Planta de la familia de las monimiáceas. – 2 *f. pl.* Familia de plantas leñosas angiospermas dicotiledóneas, con hojas opuestas o verticiladas, rara vez esparcidas, flores comúnmente unisexuales, carpelos con un solo óvulo y fruto indehiscente.

monín, -nina, monino, -na *adj.* fam. Mono, gracioso.

monipodio *m.* Convenio de personas asociadas para fines ilícitos.

monís *f.* Cosa pequeña o pulida.

monismo *m.* Doctrina metafísica, según la cual la materia y el espíritu, lo físico y lo psíquico, como fenómenos o aspectos de la realidad, son idénticos en su esencia.

mónita *f.* Artificio, astucia, con suavidad y halago.

monitor, -ra *m. f.* Persona que amonesta o avisa. 2 Persona que enseña ciertos deportes: *~ de gimnasia, de esgrima, de esquí.* – 3 *m.* Barco de guerra de pequeño calado, muy artillado y acorazado. 4 Aparato detector para hacer ciertas comprobaciones: *~ fisiológico,* CIR., el que se emplea para registrar los cambios de condición fisiológica del paciente. 5 Receptor de televisión que sirve para comprobar la salida de las imágenes de un transmisor o amplificador.

monitorio, -ria *adj.* Que sirve para avisar; [pers.] que avisa. – 2 *m.* Amonestación que el Papa o los prelados dirigen a los fieles para averiguar ciertos hechos o para señalar normas de conducta.

monitorizar *tr.* Dotar de monitores. 2 Controlar a través de monitores. ◊ ** CONJUG. [4] como *realizar.*

monja *f.* Religiosa de alguna de las órdenes aprobadas por la Iglesia, que se liga con los tres votos solemnes y generalmente está sujeta a clausura. – 2 *f. pl.* fig. Partículas encendidas que quedan cuando se quema un papel y se van apagando poco a poco.

monje *m.* Solitario o anacoreta. 2 Religioso de una de las antiguas órdenes monacales cuyos miembros viven en monasterios y

observan vida de comunidad: *un ~ benedictino.*
3 Perdiz macho cuya hembra está incubando.

monjía *f.* Plaza y derechos que el monje tiene en su monasterio. 2 Estado de monje o monja. 3 Monasterio, convento.

monjil *m.* Hábito o túnica de monja.

monjío *m.* Estado de monja. 2 Entrada de una monja en religión. 3 Convento de monjas. 4 Conjunto de monjas.

mono, -na *adj.* Pulido, delicado o gracioso. – 2 *m.* Nombre genérico con que se designa a cualquiera de los mamíferos cuadrumanos del suborden de los antropoides. 3 fig. Persona que hace gestos monescos: *estar de monos dos o más personas,* estar enojadas o reñidas. 4 fig. Persona muy fea. 5 fig. Joven de poco seso y de modales afectados. 6 fig. Figura humana o de animal, pintada, dibujada o hecha de cualquier materia, etc. 7 fig. Traje de faena, generalmente de lienzo azul, propio de mecánicos, motoristas, etc. 8 fig. Síndrome de abstinencia en los drogadictos.

monoatómico, -ca *adj.* Que sólo contiene un átomo: *molécula monoatómica.*

monobásico, -ca *adj.* [ácido] Que sólo contiene un átomo de hidrógeno reemplazable.

monobloc *adj.* Compuesto de una sola pieza: *camión de cabina ~.*

monocarpelar *adj.* Formado por un solo carpelo.

monocárpico, -ca *adj.* [planta] Que no florece más que una vez.

monocito *m.* Variedad de leucocitos mononucleares.

monoclinal *adj.* GEOL. [pliegue] Cuya curvatura se produce sólo en una dirección.

monoclínico, -ca *adj.* **CRIST. [sistema cristalino] De forma holoédrica con un centro de simetría, un eje binario y un plano perpendicular a él. 2 Perteneciente a este sistema.

monocorde *adj.* [instrumento músico] De una sola cuerda. 2 p. ext. Grito o canto que repite una misma nota. 3 p. ext. Monótono.

monocordio *m.* Antiguo instrumento músico de caja armónica y una sola cuerda; **arco (instrumento de).

monocotiledóneo, -a *adj.-f.* Planta de la clase de las monocotiledóneas. – 2 *f. pl.* Clase de plantas fanerógamas angiospermas, cuyos embriones poseen un solo cotiledón.

monocromático, -ca *adj.* FÍS. [tipo de radiación] Compuesto de vibraciones de la misma frecuencia: *luz monocromática.*

monocromía *f.* Calidad de monocromo. 2 Arte de pintar con un solo color. 3 Cuadro pintado de esta forma.

monocromo, -ma *adj.* De un solo color. ◇ INCOR.: *monócromo.*

monocular *adj.* De un solo ojo: *visión ~.*

monóculo, -la *adj.-s.* Que tiene un solo ojo. – 2 *m.* Lente para miopes o présbitas, con armadura que permite acercársela a un solo ojo. 3 Vendaje que se aplica a un solo ojo.

monocultivo *m.* Práctica agrícola que consiste en dedicar toda la tierra disponible a un cultivo único.

monodia *f.* Canto en que interviene una sola voz con acompañamiento musical.

monofásico, -ca *adj.* [corriente alterna] Que es simple, por oposición a la polifásica.

monofilo, -la *adj.* [órgano vegetal] Que consta de una sola hoja o de varias soldadas entre sí.

monofisismo *m.* Doctrina herética predicada especialmente por Eutiques (h. 378-h. 454), que sólo reconoce en Cristo la naturaleza divina.

monofonía *f.* Sistema de grabación, reproducción, emisión o recepción de sonido que emplea un solo canal.

monogamia *f.* Régimen familiar que veda la pluralidad de esposas. 2 Estado o calidad del monógamo.

monógamo, -ma *adj.-s.* Casado con una sola mujer. 2 Que se ha casado una sola vez. – 3 *adj.* [animal macho] Que sólo se aparea con una hembra.

monogenismo *m.* Doctrina antropológica, según la cual todas las razas humanas descienden de un tipo primitivo único.

monografía *f.* Estudio sobre un punto especial de historia, ciencia, etc.

monohidratado, -da *adj.* Que se encuentra en el primer grado de hidratación.

monoico, -ca *adj.* [planta] De flores unisexuales, que tiene las flores masculinas y femeninas en un mismo pie.

monokini *m.* Traje de baño femenino que sólo consta de la parte inferior.

monolingüe *adj.-s.* Que habla una lengua. 2 Que está escrito en una sola lengua: *un diccionario ~.*

monolítico, -ca *adj.* Perteneciente o relativo al monolito. 2 Que está hecho de una sola piedra. 3 De una cohesión perfecta.

monolito *m.* Monumento de piedra de una sola pieza.

monologar *intr.* Recitar soliloquios o monólogos. ◇ ** CONJUG. [7] como *llegar.*

monólogo *m.* Soliloquio. 2 Obra dramática en que habla un solo personaje.

monomanía *f.* Alienación mental sobre una sola idea.

monomaquia *f.* Desafío singular, o de uno a uno.

monómero *adj.-s.* Compuesto químico constituido por moléculas simples.

monometalismo *m.* Sistema monetario en que rige un patrón único.

monomio *m.* MAT. Expresión algebraica que consta de un solo término.

monomotor *adj.* De un solo motor.

monopastos *m.* Polea simple. ◇ Pl.: *monopastos.*

monopatín *m.* Juguete que consta de una tabla con dos o cuatro ruedas; **patín.

monopétalo, -la *adj.* Gamopétalo.

monoplacóforo *adj.-m.* Molusco de la clase de los monoplacóforos. – 2 *m. pl.* Clase de moluscos primitivos con el cuerpo todavía segmentado, que viven en el Pacífico a grandes profundidades; por su aspecto recuerdan a algunos gasterópodos, de los que se diferencian por tener cinco pares de branquias.

monoplano *m.* Aeroplano formado por un solo plano de alas.

monoplaza *adj.* Que tiene una sola plaza: *avión* ~. 2 p. ext. Automóvil de carreras.

monopolio *m.* Privilegio exclusivo concedido a un individuo o sociedad de vender o explotar alguna cosa en un territorio determinado: ~ *de tabacos.* 2 Derecho poseído por un número limitado de personas. 3 Ejercicio exclusivo de una actividad, con el dominio o influencia consiguiente. 4 fig. Posesión exclusiva.

monopolizar *tr.* Tener, adquirir o atribuirse el monopolio [de alguna cosa]. ◇ ** CONJUG. [4] como *realizar.*

monopsonio *m.* ECON. Situación comercial en que hay un solo comprador para determinado producto o servicio.

monóptero, -ra *adj.* [edificio] Redondo y formado por un círculo de columnas que sostienen un techo sin paredes.

monoptongar *tr.-intr.-prnl.* Fundir en una sola vocal los elementos de un diptongo. ◇ ** CONJUG. [7] como *llegar.*

monoptongo *m.* Vocal que resulta de monoptongar.

monorraíl *m.* Sistema de transporte ferroviario en que el tren corre sobre un solo carril y el equilibrio se obtiene por un sistema giroscópico.

monorrimo, -ma *adj.* De una sola rima.

monorrítmico, -ca *adj.* De un solo ritmo.

monosabio *m.* Mozo que en las plazas de toros cuida de los caballos y ayuda a los picadores, limpia el ruedo, etc.

monosacáridos *m. pl.* Azúcares de fórmula $C_6H_{12}O_6$; como la glucosa.

monosilabismo *m.* Uso exclusivo de monosílabos. 2 Carácter de un escrito o de una lengua en que sólo se usan monosílabos.

monosílabo, -ba *adj.-m.* Palabra de una sola sílaba.

monospermo, -ma *adj.* [fruto] Que sólo contiene una semilla.

monóstrofe *f.* Composición poética de una sola estrofa.

monote *m.* fam. Persona inmóvil y atontada. 2 Riña, alboroto.

monoteísmo *m.* Religión o doctrina teológica que afirma la existencia de un solo Dios.

monotelismo *m.* Doctrina herética del s. VII, que admitía en Cristo las dos naturalezas, pero sólo una voluntad divina.

monotipo *m.* IMPR. Máquina para componer que funde los tipos uno por uno. 2 IMPR. Piedra única de grabado obtenida por medio de impresión calcográfica.

monotonía *f.* Uniformidad, igualdad de tono. 2 fig. Falta de variedad.

monótono, -na *adj.* Que adolece de monotonía: *paisaje* ~; *orador* ~.

monotrema *adj.-m.* Mamífero del orden de los monotremas. – 2 *m. pl.* Orden de mamíferos prototerios, exclusivos de la región australiana, formado por especies muy primitivas, pues todavía ponen huevos, y cuyo aparato digestivo, excretor y reproductor desembocan además en un mismo orificio, la cloaca; como el ornitorrinco.

monótropa *f.* Planta compuesta, sin clorofila y parásita sobre raíces de plantas leñosas, de hojas amarillas o pardas y flores acampanadas en racimos densos *(Monotropa hypopitys).*

monovalente *adj.* Que tiene un solo valor. 2 QUÍM. Que tiene una sola valencia.

monóxilo *m.* Barco hecho de un solo tronco o leño.

monroísmo *m.* Doctrina de Monroe (1758-1831), presidente de los Estados Unidos de América, que propugnaba la no intervención de Europa en los países americanos. Suele formularse diciendo: «América para los americanos».

monseñor *m.* Título de honor que concede el Papa a determinados eclesiásticos.

monserga *f.* fam. Lenguaje confuso y embrollado. 2 fam. Lata, pesadez.

monstruo *m.* Producción contra el orden regular de la naturaleza. 2 Cosa excesivamente grande o extraordinaria. – 3 *com.* Persona o cosa muy fea. 4 Persona muy cruel y perversa. – 5 *adj.-com.* Persona de cualidades extraordinarias: *Lope fue un* ~ *de la literatura; esta niña será una pianista* ~.

monstruoso, -sa *adj.* Que es contra el orden natural. 2 Excesivamente grande, extraordinario. 3 Enormemente vituperable o execrable.

monta *f.* Cría caballar. 2 Arte de montar a caballo. – 3 *m.* Toque de clarín para que monte la caballería. 4 Valor intrínseco de una cosa: *no puedo perder el tiempo en un asunto de tan poca* ~.

montacargas *m.* Ascensor que sirve para el transporte vertical de pesos. 2 p. ext. Aparato elevador de cargas, como las máquinas de extracción de las minas, cargadoras de altos hornos, etc. ◇ Pl.: *montacargas.*

montado, -da *adj.-s.* Que va a caballo: *soldado ~.* – 2 *m.* fig. Bocadillo de carne.

montador *m.* Poyo para montar fácilmente en las caballerías. 2 Obrero especializado en el montaje de máquinas o aparatos. 3 Especialista en el montaje de películas de cine.

montaje *m.* Combinación de las diversas partes de un todo. 2 En cinematografía, televisión y radio, selección y unión en una banda definitiva de las escenas de un filme. 3 Ajuste o coordinación de todos los elementos de la representación teatral, sometiéndolos al plan artístico del director del espectáculo. 4 Grabación compuesta conseguida por la combinación de dos o más grabaciones. 5 Ajuste y acoplamiento de las diversas partes de una joya. 6 fig. Apariencia de una cosa. 7 fig. Lo que no responde a la realidad. 8 *~ fotográfico,* fotografía conseguida con trozos de otras fotografías y diversos elementos con fines decorativos, publicitarios, etc.

montanera *f.* Pasto de bellotas o hayucos que el ganado de cerda tiene en los montes o dehesas.

montante *m.* Espadón de grandes gavilanes, que se esgrime con ambas manos; **armas. 2 Pie derecho de una máquina o armazón. 3 Pieza vertical de sostén. 4 Listón o columnita que divide el vano de una ventana. 5 Ventana sobre la puerta de una habitación. 6 Suma o importe. – 7 *f.* Flujo o pleamar.

montantear *intr.* Gobernar o jugar el montante en la esgrima. 2 fig. Hablar con jactancia y manejar con superioridad las cosas de otros.

**montaña *f.* Monte (elevación). 2 Territorio cubierto de montes. 3 fig. Amontonamiento, abundancia de personas o cosas: *~ de libros, de preocupaciones.* 4 *~ rusa,* montículo en que se practica un camino ondulado, recto o tortuoso, por el cual se desliza, merced al declive, un carrito que ocupan las personas

que gustan de este deporte; vía férrea estrecha y en declive, con altibajos y revueltas, para deslizarse por ella en carritos como diversión. 5 *Amér.* Monte de árboles y arbustos.

montañismo *m.* Alpinismo.

montar *intr.-prnl.* Subirse encima de una cosa. – 2 *intr.-tr.-prnl.* Subir en una cabalgadura o en un vehículo: *~ en la grupa del caballo; montarse al asno; ~ el asno de una vez.* – 3 *intr.-tr.* Estar o andar en una cabalgadura; cabalgar: *monta muy bien; monta un alazán.* – 4 *intr.* Ser una cosa de importancia o entidad: *tanto monta Isabel como Fernando.* 5 fig. Seguido de la preposición *en* y voces como *cólera, ira,* etc., manifestar estas disposiciones. – 6 *tr.* Batir enérgicamente la nata de leche o las claras de huevo hasta que estén esponjosas. 7 Acaballar, cubrir (juntarse). 8 En las cuentas, importar [una cantidad total]. 9 Armar [las piezas de cualquier aparato o máquina]: *~ una máquina o las piezas de una máquina.* 10 p. anal. Disponer o preparar la representación de [una obra teatral, espectáculo, etc.]. 11 En cinematografía, televisión y radio, realizar el montaje. 12 Establecer: *~ un negocio.* 13 Engastar las piedras preciosas. 14 Amartillar un arma de fuego. ◇ INCOR.: en la acepción *8 monta a cien pesetas* por *monta cien pesetas.*

montaraz *adj.* Que anda o está hecho a andar por los montes o se ha criado en ellos. 2 fig. De genio y propiedades agrestes y feroces. – 3 *m.* Guarda de montes o heredades.

montarral *m. Amér. Central* y *Venez.* Matorral, breña.

montazgo *m.* Tributo pagado por el tránsito de ganado por un monte.

monte *m.* Grande elevación natural de terreno. 2 fig. Grave estorbo difícil de superar. 3 Tierra sin roturar: *~ alto,* el poblado de árboles grandes; *~ bajo,* el poblado de arbustos, matas o hierbas. 4 Naipes que quedan para robar después de repartidos a cada juga-

MONTAÑA

Sistema montañoso — Cañón

V. VOLCÁN

dor los que le tocan. 5 Juego de envite y azar en el que se apuesta a cuatro cartas, dos que se extraen de encima del montón y dos de debajo. 6 ~ **de piedad,** establecimiento público que hace préstamos a interés módico sobre ropas o alhajas.

montea *f.* Dibujo de tamaño natural que se hace de una obra arquitectónica, para hacer el despiezo, sacar las plantillas y señalar los cortes.

montear *tr.* Buscar y perseguir [la caza] u ojearla hacia un paraje. 2 Trazar la montea [de una obra].

montepío *m.* Depósito de dinero que para socorros mutuos forman los miembros de un cuerpo o sociedad. 2 Establecimiento público o particular fundado con el propio objeto. 3 Pensión que se recibe de un montepío.

montera *f.* Prenda para abrigo de la cabeza. 2 Gorro de terciopelo negro y pasamanería de seda que lleva el torero en armonía con el traje de luces; **toros. 3 Cubierta de cristales sobre un patio, galería, etc. 4 Cubierta convexa de la caldera de un **alambique. 5 Parte superficial de un yacimiento de minerales.

montería *f.* Caza mayor. 2 Arte de cazar.

montero, -ra *m. f.* Persona que busca, persigue y ojea la caza en el monte.

montés *adj.* Que anda, está o se cría en el monte.

montevideano, -na *adj.-s.* De Montevideo, departamento y capital del Uruguay.

montgolfier *m.* Globo aerostático inflado con aire caliente.

montículo *m.* Pequeño monte aislado, obra de la naturaleza o de la mano del hombre.

montón *m.* Conjunto de cosas puestas sin orden unas sobre otras. 2 fig. Número considerable: *tengo un ~ de cosas.* 3 fig. **A, de,** o **en, ~,** juntamente; sin separación o distinción. 4 fig. **Ser uno del ~,** ser adocenado y vulgar. 5 fig. **A montones,** abundantemente, sobrada y excesivamente.

montonero *m.* El que por cobardía sólo provoca una lucha cuando está rodeado de sus partidarios.

montubio, -bia *m. f. Amér.* Campesino de la costa.

montuno, -na *adj.* Perteneciente o relativo al monte. 2 *And.* y *Amér.* Rudo, rústico, montaraz.

montura *f.* Cabalgadura (bestia para cabalgar). 2 Conjunto de los arreos de una caballería de silla. 3 Soporte mecánico de los instrumentos astronómicos. 4 Armazón que sostiene las partes de algo.

monuelo *adj.-m.* Mozalbete afectado y sin seso.

monumental *adj.* Perteneciente o relativo al monumento (obra pública; edificio; obra memorable). 2 fig. Muy excelente o señalado en su línea. 3 fig. Muy grande, gigantesco.

monumentalismo *m.* ARQ. Movimiento arquitectónico que se desarrolla entre 1939 y 1948.

monumento *m.* Obra pública de arquitectura, escultura o grabado hecha para perpetuar el recuerdo de una persona o hecho memorable. 2 Edificio notable; sepulcro (obra). 3 Altar adornado en el cual el día del Jueves Santo se expone la urna que contiene la hostia consagrada que se guarda para consumirla el Viernes Santo. 4 Objeto o documento de utilidad para la historia, o para la averiguación de cualquier hecho. 5 Obra que se hace memorable por su mérito excepcional.

monzón *amb.* Viento que sopla en el Océano Índico en direcciones opuestas según los meses.

moña *f.* Lazo con que se adornan la cabeza las mujeres. 2 Lazo de cintas negras que se sujetan los toreros a la coleta. 3 Adorno de cintas o flores colocado en la divisa de los toros.

moño *m.* Castaña o rodete que se hace con el pelo. 2 Lazo de cintas. 3 Penacho (de plumas). – 4 *m. pl.* Adornos superfluos o de mal gusto usados por las mujeres: *ponerse moños,* presumir.

moquear *intr.* Echar mocos. 2 Llorar.

moqueta *f.* Tela fuerte de lana con trama de cáñamo para hacer alfombras.

moquete *m.* Puñetazo dado en el rostro, especialmente en las narices.

moquillo *m.* Enfermedad catarral de algunos animales.

moquita *f.* Moco claro que fluye de la nariz.

mora *f.* Fruto del moral y de la morera. 2 *Argent., C. Rica* y *P. Rico.* Árbol de madera amarilla anaranjada, muy estimada en tintorería *(Maclura tinctoria).*

morabito *m.* Especie de ermitaño mahometano. 2 Especie de ermita en que vive.

moráceo, -a *adj.-f.* Planta de la familia de las moráceas. – 2 *f. pl.* Familia de plantas dicotiledóneas, generalmente árboles o arbustos, laticíferos, de flores unisexuales, a veces con las cubiertas florales acrescentes y fruto carnoso.

morada *f.* Casa o habitación. 2 Estancia en un lugar.

morado, -da *adj.-s.* Color entre carmín y azul. – 2 *adj.* De color morado.

moraga *f.* Asado al aire libre. 2 Espiga de trigo tostada.

I) moral *adj.* Perteneciente o relativo a la forma y modos de la vida pública en relación con las categorías del bien y del mal: *ley ~.* 2 Conforme a los principios de lo que es bueno y justo: *libro, discurso ~.* 3 Perteneciente o relativo al mundo de la conciencia: *fuerza, flaqueza ~; autoridad ~,* la que deriva de la estima o el afecto. – 4 *f.* Ciencia o doctrina de la conducta y de las acciones humanas en orden a su bondad o malicia: *profesor de ~*. 5 Conjunto de costumbres y normas de conducta que regulan la vida pública y privada: *una ~ relajada*. 6 Conjunto de facultades del espíritu, por contraposición a físico; esp. en las colectividades, disposición de ánimo, para el cumplimiento de su misión: *la ~ de los soldados se mantiene*. 7 Enseñanza que se puede sacar de un discurso, un cuento, una fábula, etc.

II) moral *m.* Árbol moráceo monoico, de hojas pubescentes acorazonadas, flores en amento y fruto comestible formado por muchas bayas de color rojo obscuro *(Morus nigra)*.

moraleja *f.* Enseñanza provechosa que se deduce de un cuento, fábula, etc.

moralidad *f.* Conformidad con los preceptos de la moral. 2 Cualidad de las acciones humanas que las hace buenas. – 3 *f. pl.* Representación teatral alegórica de la Edad Media, de origen francés, con intención moral.

moralina *f.* Moralidad inoportuna, superficial o falsa.

moralismo *m.* Predominio de la moral en una doctrina.

moralizar *tr.* Hacer moral [una cosa, especialmente los hábitos y costumbres]. – 2 *intr.* Hacer reflexiones morales. ◇ ** CONJUG. [4] como *realizar*.

morar *intr.* Residir habitualmente en un lugar: *~ en despoblado, en un palacio*.

moratoria *f.* Plazo concedido para el pago de una deuda vencida.

mórbido, -da *adj.* Que padece enfermedad o la ocasiona. 2 Blando, delicado, suave.

morbífico, -ca *adj.* Que lleva consigo el germen de las enfermedades, o las ocasiona.

morbilidad *f.* Número proporcional de personas o animales que enferman en lugar y tiempo determinados.

morbo *m.* Enfermedad: *~ comicial,* epilepsia; *~ regio,* ictericia.

morbosidad *f.* Conjunto de casos patológicos que caracterizan el estado sanitario de un país.

morboso, -sa *adj.* Enfermo. 2 Que causa enfermedad, o concierne a ella. 3 Que provoca reacciones moralmente insanas o que es resultado de ellas.

morcal *m.* Tripa gruesa para embutidos. 2 Embutido hecho con esta tripa. 3 Variedad de aceituna gruesa.

morceguila *f.* Excremento o estiércol de los murciélagos.

morcella *f.* Chispa que salta del pabilo de una luz.

morcilla *f.* Trozo de tripa rellena de sangre cocida con especias. 2 fig. Añadidura de palabras de su invención que hace un actor en su papel.

I) morcillo *m.* Parte carnosa del brazo desde el hombro hasta cerca del codo.

II) morcillo, -lla *adj.* [caballería] De color negro con viso rojizo.

morcillón *m.* Estómago de una res, relleno como la morcilla.

morcón *m.* Morcilla del intestino ciego del animal. 2 fig. Persona rechoncha y floja. 3 fig. Persona sucia y desaseada.

mordante *m.* IMPR. Regla doble que usan los cajistas.

mordaz *adj.* Corrosivo. 2 Áspero, picante al gusto. 3 fig. Que ofende o critica con acritud o malignidad.

mordaza *f.* Instrumento que se pone en la boca para impedir hablar. 2 Aparato para disminuir el retroceso de las piezas de artillería.

mordente *m.* Quiebro, adorno musical de dos, tres o cuatro notas que se ejecutan rápidamente antes de otra.

mordedura *f.* Herida o señal dejada al morder.

morder *tr.* Asir con los dientes [alguna cosa] clavándolos en ella. 2 Asir una cosa [a otra] haciendo presa en ella. 3 Gastar, arrancar poco a poco partes pequeñas: *la lima muerde el acero*. 4 Corroer el agua fuerte [la parte dibujada de la plancha]. 5 fig. Murmurar o satirizar ofendiendo en la fama o crédito. 6 fig. *y* fam. Manifestar uno de algún modo su ira o enojo extremos: *está que muerde*. ◇ ** CONJUG. [32] como *mover*.

mordicante *adj.* Acre, corrosivo.

mordido, -da *adj.* fig. Menoscabado, desfalcado. – 2 *f. Bol., Colomb., Méj., Nicar. y Pan.* Provecho o dinero obtenido de un particular por un funcionario o empleado, con abuso de las atribuciones de su cargo.

mordiente *adj.* Que muerde. – 2 *m.* Substancia que en ciertas artes sirve para fijar los colores o los panes de oro. 3 Agua fuerte con que se muerde una plancha para grabarla.

mordiscar *tr.* Morder con frecuencia [una cosa] sin hacer presa o sacando porciones muy pequeñas. ◇ ** CONJUG. [1] como *sacar*.

mordisco *m.* Mordedura leve. 2 Bocado que se saca de una cosa.

I) morena *f.* Pez marino teleósteo anguiliforme, comestible, de cuerpo cilíndrico alargado, sin aletas pectorales y con la dorsal y la anal unidas con la cola *(Muræna helena)*.

II) morena *f.* Hogaza o pan moreno.

III) morena *f.* Montón de piedras que se forma en los heleros.

morenata *f.* Pez teleósteo anguiliforme que vive en los fondos marinos, de cuerpo alargado de unos 50 cms. de longitud, y color rojo amarillento jaspeado de obscuro *(Caecula caeca, Apterichthus caecus)*.

morenero *m.* Muchacho que en el rancho de esquileo lleva el plato o la cazuela del morenillo.

morenillo *m.* Masa de carbón molido y vinagre, con que los esquiladores curan las cortaduras.

moreno, -na *adj.* Del color obscuro que tira a negro. 2 Del color menos claro en la raza blanca: ~ *de cara.* – 3 *adj.-s.* Negro (individuo) o mulato obscuro.

morera *f.* Árbol moráceo, del mismo género que el moral, pero con el fruto blanco, cuyas hojas se dan como alimento al gusano de seda *(Morus alba).*

morería *f.* Barrio de los moros. 2 País o territorio propio de moros.

moretón *m.* fam. Equimosis.

morfema *m.* Elemento significativo más pequeño del enunciado, indivisible en unidades menores portadoras de sentido.

morfina *f.* Substancia narcótica, alcaloide del opio, cuyas sales, muy venenosas, se emplean en medicina como calmante.

morfinomanía *f.* Deseo irresistible de tomar morfina.

morfogénesis *f.* Proceso de formación de un elemento a partir de estructuras diferenciadas. 2 Conjunto de fenómenos que conducen a la formación del relieve del terreno. ◇ Pl.: *morfogénesis.*

morfología *f.* Parte de la historia natural que trata de la forma de los seres orgánicos. 2 Parte de la gramática que trata de la forma de las palabras.

morfosintaxis *f.* Descripción de las reglas de combinación de los morfemas para constituir palabras, sintagmas y oraciones. ◇ Pl.: *morfosintaxis.*

morganático, -ca *adj.* V. matrimonio morganático. 2 Que contrae este matrimonio.

morganita *f.* Piedra preciosa rara de tonalidad rosada.

morgue *f.* GALIC. Depósito de cadáveres.

moribundo, -da *adj.-s.* [pers.] Que está muriendo o muy cercano a morir.

moriche *m.* Palmera americana de gran altura, que da un licor azucarado potable *(Mauritia flexuosa; vinifera).* 2 Chinchorro fabricado con hilo de esta palmera. 3 Ave paseriforme americana, domesticable, de pluma negra y luciente y muy estimada por su canto *(Icterus chrysacephalus).*

morigeración *f.* Templanza en las costumbres y modo de vida.

morigerar *tr.* Contener, evitar los excesos [de los afectos y acciones].

morillo *m.* Caballete para sustentar la leña en el hogar. 2 Tapadera de un puchero de barro.

moriondo, -da *adj.* Hablando de reses lanares, lujurioso en el celo.

morir *intr.-prnl.* Dejar de vivir: ~ *a manos del contrario;* ~ *de mano airada;* ~ *de poca edad, de la peste;* ~ *en gracia;* ~ *entre infieles;* ~ *para*

el mundo; ~ *por Dios.* 2 p. ext. *y* fig. Acabar del todo cualquier cosa: *las tradiciones murieron para siempre.* 3 fig. Apagarse el fuego, la luz, etc. 4 fig. Hiperbólicamente, sentir con violencia algún afecto o pasión: ~, *morirse, de frío, de dolor; morirse por lograr alguna cosa.* – 5 *intr.* fig. Cesar una cosa en su curso o acción: ~ *los ríos, la saeta.* – 6 *prnl.* fig. Quedar insensible un miembro del cuerpo como si estuviera muerto. ◇ ** CONJUG. [33] como *dormir*; pp. irreg.: *muerto.*

morisco, -ca *adj.* Moro (relativo). – 2 *adj.-s.* Moro bautizado que se quedó en España terminada la Reconquista.

morisma *f.* Secta de los moros. 2 Multitud de ellos.

morisqueta *f.* Treta propia de moros. 2 fig. Acción con que uno pretende engañar, burlar o despreciar a otro.

morlaco, -ca *adj.-s.* Que finge tontería o ignorancia. 2 fam. Toro de lidia.

mormón, -mona *m. f.* Persona que profesa el mormonismo.

mormonismo *m.* Secta religiosa fundada en el s. XIX en los Estados Unidos de América, que practica la poligamia. 2 Conjunto de ritos, máximas, etc., de esta secta.

moro, -ra *adj.-s.* [pers.] De la región norteafricana situada enfrente de España, de sangre árabe o bereber. 2 Hombre muy celoso y que domina absolutamente a su mujer. – 3 *adj.* Perteneciente o relativo a los moros. 4 [caballo] Negro y calzado, con una mancha blanca en la frente. 5 fig. [pers.] Sin bautizar; [vino] sin aguar.

morocada *f.* Topetada de carnero.

morocota *f. Amér.* Onza de oro.

morocho, -cha *adj.-s. Amér.* [pers.] Robusto y bien conservado. 2 *Amér. Merid.* Moreno, trigueño.

morón *m.* Montecillo de tierra. 2 fig. Persona de inteligencia débil.

morondanga *f.* fam. Mezcla de cosas inútiles y de poca entidad. 2 Enredo, confusión.

morondo, -da *adj.* Pelado o mondado de cabellos o de hojas.

morosidad *f.* Lentitud, tardanza. 2 Falta de actividad o puntualidad.

moroso, -sa *adj.* Que incurre en morosidad. 2 Que la denota o implica. 3 Retrasado en el pago de impuestos o deudas.

I) morra *f.* Parte superior de la cabeza.

II) morra *f.* Juego entre dos personas que a un mismo tiempo dicen un número que no pase de diez y extienden los dedos de una mano, ganando el que lo dijo igual a la suma de los dedos extendidos. 2 Puño cerrado, que en este juego vale por cero.

morrada *f.* Golpe dado con la cabeza. 2 fig. Guantada, bofetada.

morragute *m.* Pez marino teleósteo perciforme, de color gris plomizo con una mancha dorada sobre el opérculo, y otras negras en la base de las aletas pectorales *(Mugil ramada; M. capito).*

morral *m.* Talego que con el pienso se cuelga a la cabeza de las bestias. 2 Saco que usan los cazadores, soldados y viandantes para llevar la caza, las provisiones, etc. 3 fig. Hombre zote y grosero.

morralero *adj.-s.* Criado del cazador que ayuda a éste aligerándole de alguna carga.

morralla *f.* Boliche (pescado). 2 fig. Multitud de personas o cosas de escaso valer.

morrear *intr.-tr.-prnl.* vulg. Besar en la boca largo tiempo.

morrena *f.* Derrubios transportados y depositados por los glaciares.

morreras *f. pl.* Inflamación de los labios.

morrillo *m.* Porción carnosa que tienen las reses en la parte superior y anterior del cuello. 2 fam. y p. ext. Cogote abultado.

morriña *f.* fig. Tristeza, melancolía, especialmente la nostalgia de la tierra natal.

morrión *m.* Parte del yelmo que cubre y defiende la cabeza. 2 Casco antiguo que suele tener un adorno en lo alto; **armadura. 3 Prenda militar, a manera de sombrero de copa sin alas y con visera.

morro *m.* Cosa redonda de figura semejante a la de la cabeza: ~ *de la pistola.* 2 Saliente que forman los labios abultados. 3 Monte o peñasco redondo. 4 Guijarro redondo. 5 Extremo de un malecón.

morrocotudo, -da *adj.* hum. De mucha importancia o dificultad; grande, formidable.

morrón *adj.* V. pimiento ~. – 2 *m.* fam. Golpe.

morronguear *intr.* *Amér.* Chupar o beber.

morroñoso, -sa *adj.* *Amér. Central.* Áspero, rugoso. 2 *Amér. Central.* Roñoso, egoísta.

morsa *f.* Mamífero pinnípedo, parecido a la foca, pero de mayor tamaño, con dos largos caninos de más de medio metro en la mandíbula superior *(Odobœnus rosmarus).*

morsana *f.* Arbolillo cigofiláceo de Asia y África, cuyos brotes tiernos se comen encurtidos *(Zygophyllum fabago).*

Morse *m.* **Alfabeto telegráfico formado por puntos, rayas y espacios.

mortadela *f.* Embutido grueso de carne de cerdo picada.

mortaja *f.* Vestidura con que se envuelve el cadáver. 2 *Amér. Merid.* fig. Papel con que se lía el tabaco del cigarrillo.

mortal *adj.-s.* [pers.] Sujeto a la muerte: *los mortales,* los hombres. – 2 *adj.* Que está próximo a morir o parece muerto. 3 Que causa la muerte: *herida, veneno ~.* 4 Que llega a mueve a desear a uno la muerte: *enemigo, odio ~.* 5 Angustioso, fatigoso, abrumador: *fue una*

espera ~; hay cuatro leguas mortales. 6 Decisivo, concluyente: *señas mortales.*

mortalidad *f.* Número proporcional de defunciones en población o tiempo determinados.

mortandad *f.* Multitud de muertes debidas a una causa extraordinaria.

mortecino, -na *adj.* fig. Apagado, sin vigor: *color, fuego ~.*

mortera *f.* Especie de cuenco de madera que sirve para beber o llevar la merienda.

morterete *m.* Pieza pequeña de hierro cuyo disparo imita la salva de artillería. 2 Mortero o vaso parecido, a cuyo son baila la gente rústica. 3 Especie de candileja que sirve para las iluminaciones.

mortero *m.* Vaso de cavidad semiesférica en que se machacan especias, drogas, etc.; **cocina. 2 Piedra plana que forma el suelo del alfarje; **aceite. 3 Argamasa. 4 Pieza de artillería de gran calibre y corta longitud destinada para tiros con grandes ángulos de elevación.

morteruelo *m.* Guisado de hígado de cerdo, carne de pollo, perdiz, conejo y liebre, machacado y desleído con especias y pan rallado.

mortífero, -ra *adj.* Que ocasiona o puede ocasionar la muerte.

mortificar *tr.-prnl.* Privar de vitalidad [alguna parte del cuerpo]. 2 fig. Domar las pasiones castigando el cuerpo y refrenando la voluntad: *mortificarse con ayunos.* 3 fig. Afligir, causar pesadumbre o molestia. 4 fig. Dejar envejecer una carne que se ha de comer para que se ablande. ◇ ** CONJUG. [1] como *sacar.*

mortinatalidad *f.* Proporción de niños nacidos muertos.

mortual *m.* *Amér. Central y Méj.* Sucesión, bienes heredados.

mortuorio, -ria *adj.* Perteneciente o relativo al muerto o a las honras que por él se hacen. – 2 *m.* Preparativos para enterrar los muertos.

morucha *f.* vulg. Muchacha morena, obscura, de pelo rizado.

morueco *m.* Carnero padre.

mórula *f.* Masa esférica de aspecto de mora que resulta de la primera segmentación del huevo fecundado al iniciarse el desarrollo embrionario.

mosaico, -ca *adj.* Relativo a Moisés. – 2 *adj.-m.* Obra taraceada de piedras, vidrios, etc., de varios colores; **bizantino. 3 fig. Obra en general, compuesta de trozos diversos: ~ *epistolar.*

mosaísmo *m.* Ley de Moisés. 2 Civilización mosaica.

mosca *f.* **Insecto díptero muy común y molesto, de unos 6 mms. de largo, con las alas transparentes y provisto de una trompa para chupar las substancias jugosas de que se alimenta *(Musca domestica)*. 2 Nombre de varios insectos parecidos al anterior: ~ *de burro* o *de mula,* aquel cuyas larvas viven parásitas en el estómago de caballos y asnos *(Gastrophilus equi);* ~ *azul,* ~ *de la carne,* ~ *verde,* moscarda; ~ *escorpión,* insecto mecóptero con dos pares de alas membranosas y cuyos machos presentan un aguijón en la parte abdominal del abdomen parecido al del escorpión *(Panorpa sp.).* 3 fig. Persona impertinente y molesta. 4 ~ *muerta,* persona aparentemente de ánimo encogido, pero que no pierde ocasión de su provecho o no deja de explicar lo que siente. 5 Desazón, mal humor: *con la ~ en la oreja,* que está receloso o advertido. 6 Pelo que nace al hombre debajo del labio inferior. 7 Cebo para pescar.

moscarda *f.* Mosca de tamaño mediano o grande, con el color del cuerpo a menudo vistoso, azul y verde con brillo metálico; la carroña y otros materiales en descomposición son los alimentos larvarios más importantes, pero algunas especies son chupadoras de sangre: ~ *azul,* la que es menos peligrosa que la mosca doméstica, debido a que no es atraída por los alimentos humanos *(Calliphora vomitoria);* ~ *verde,* la que pone los huevos sobre animales muertos, pero también en las heridas de animales domésticos *(Lucilia caesar);* ~ *de la carne,* la que pone los huevos sobre cualquier trozo de carne o pescado *(Sarcophaga carnaria).*

moscardón *m.* Estro. 2 Moscón (mosca grande). 3 Moscarda (mosca). 4 fig. Hombre molesto e impertinente.

moscareta *f.* Ave paseriforme insectívora, de canto agradable y vuelo corto, que habita en las rocas y peñascos *(Muscicapa striata).*

I) moscatel *adj.-m.* Variedad de uva, de grano redondo y muy dulce. – 2 *adj.* [viñedo] Que la produce; [vino] que sacan de ella.

II) moscatel *m.* fig. y fam. Hombre pesado e importuno. 2 Tonto, pazguato.

moscón *m.* Mosca grande, zumbadora, que deposita sus huevos en las carnes frescas *(Calliphora vomitoria).* 2 fig. Hombre porfiado e impertinente.

moscona *f.* Mujer desvergonzada.

mosconear *tr.* Molestar [a uno] con impertinencia y pesadez. – 2 *intr.* Porfiar para lograr un propósito. 3 Zumbar como el moscón.

moscovita *adj.-s.* De Moscovia, antiguo nombre de la región de la Gran Rusia. 2 Ruso. – 3 *f.* Mica potásica, de brillo nacarado, con reflejos metálicos de plata, incolora, utilizada como aislante eléctrico.

mosén *m.* Título que se da a los clérigos en la antigua corona de Aragón; antes se daba también a los nobles de segunda clase. ◇ Pl.: *mosenes.*

mosqueado, -da *adj.* Salpicado de pintas. 2 fig. y fam. Molesto, enfadado.

mosqueador *m.* Especie de abanico para ahuyentar las moscas. 2 fig. Cola de una caballería o de una res vacuna.

mosquear *tr.* Ahuyentar las moscas. 2 fig. Azotar, vapulear. – 3 *prnl.* fig. Resentirse uno por el dicho de otro. 4 fig. Sospechar. – 5 *tr.* *Colomb., Cuba y Guat.* Ensuciar [algo] las moscas.

mosquerío *m.* *Amér.* Mosquero, multitud de moscas.

mosquero *m.* Haz de hierba o conjunto de tiras de papel atado a la punta de un palo para espantar las moscas; empegado, se cuelga del techo para que se cojan en él. 2 *Amér.* Hervidero o multitud de moscas.

mosquerola, mosqueruela *adj.-s.* Especie de pera pequeña, de carne granujienta y muy dulce.

mosqueta *f.* Rosal de tallos flexibles, muy espinoso, de flores blancas de olor almizclado en panojas terminales *(Kerria japonica).*

mosquete *m.* Arma de fuego antigua, más larga y de mayor calibre que el fusil.

mosquetero *m.* Soldado armado de mosquete. 2 En los corrales de comedia, el que la veía de pie desde la parte posterior del patio.

mosquetón *m.* Carabina corta. 2 Anilla que se abre y cierra mediante un muelle; **barca.

mosquitero *m.* Pabellón de cama hecho de gasa para impedir el acceso a los mosquitos. 2 Pequeño artefacto para espantar o matar las moscas o mosquitos. 3 Ave paseriforme, pequeña, insectívora, de plumaje pardo oliváceo por encima y blanco ocráceo por debajo *(Phylloscopus collybita).*

mosquito *m.* Insecto díptero, de cuerpo esbelto, aparato bucal perforador y con dos alas transparentes (gén. *Anopheles; Aëdes; Culex):* ~ *común,* el de palpos cortos y cuerpo de color pardo obscuro, que posa paralelamente a la superficie *(Culex pipiens).* 2 Larva de la langosta. 3 Mosca (cebo). 4 fig. y fam. El que acude frecuentemente a la taberna.

mostacera *f.* Tarro en que se prepara y sirve la mostaza para la mesa.

mostacilla *f.* Munición del tamaño de la semilla de mostaza, empleada para cazar animales pequeños. 2 Abalorio muy menudo.

mostacho *m.* Bigote (sobre el labio).

mostachón *m.* Especie de bollo de almendras, harina y especias.

mostaza *f.* Planta crucífera de hojas alternas, flores amarillas en espiga y fruto en silicua con varias semillas negras y muy pequeñas, cuya harina se usa en medicina y como condimento *(Brassica nigra).* 2 Semilla de esta planta. 3 Salsa hecha con esta semilla.

mostear *intr.* Destilar las uvas el mosto. 2 Llevar o echar mosto en las tinajas o cubas.

mostellar *m.* Árbol rosáceo de fruto ovoide, rojo y dulce, cuya madera se emplea en ebanistería y tornería *(Sorbus aria).*

mostillo *m.* Mosto cocido condimentado con anís, canela o clavo. 2 Salsa hecha con mosto y mostaza.

mosto *m.* Zumo exprimido de la uva, antes de fermentar. 2 p. ext. Vino en general. 3 Zumo de cualquier fruto, empleado para la fabricación del alcohol, sidra, etc. 4 Heces de la miel; residuo fétido del zumo de la caña de azúcar.

mostrador *m.* Mesa o tablero que hay en las tiendas para presentar los géneros. 2 Especie de mesa, cerrada en su parte exterior, que en los bares, cafeterías y otros establecimientos análogos, se utiliza para servir lo que piden los clientes. 3 Esfera de reloj. 4 Dispositivo destinado a hacer visible la información que da un aparato de medida.

mostrar *tr.* Exponer a la vista [una cosa]; indicarla con la mano, con un signo. 2 Explicar [una cosa] para convencer de su certidumbre. 3 Hacer patente [un afecto]: ~ *alegría;* dar a conocer [una calidad del ánimo]: ~ *valor, liberalidad.* – 4 *prnl.* Darse a conocer de alguna manera: *mostrarse amigo.* ◇ ** CONJUG. [31] como *contar.*

mostrenco, -ca *adj.* fig. Que no tiene hogar o amo conocido. – 2 *adj.-s.* fig. Ignorante o tardo de entendimiento. 3 [sujeto] Muy gordo y pesado.

mota *f.* Nudillo o granillo que se forma en el paño. 2 Partícula de hilo u otra cosa que se pega a los vestidos o a otras partes. 3 fig. Defecto muy ligero en las cosas inmateriales. 4 *Amér.* Mechón de pelo corto y muy ensortijado y pegado a la cabeza; como el de los negros.

I) mote *m.* Sentencia breve que incluye un secreto que necesita explicación. 2 Empresa (símbolo) de los antiguos caballeros. 3 Apodo.

II) mote *m. Amér.* Maíz desgranado y cocido con sal.

I) motear *tr.* Salpicar de motas una tela.

II) motear *intr. Amér. Merid.* Comer mote.

motejar *tr.* Notar, censurar las acciones [de uno] con motes o apodos: ~ *a alguno de ignorante.*

motel *m.* Establecimiento de hostelería de similar categoría que el hotel, situado en las proximidades de una carretera, que facilita alojamiento en apartamentos con garaje y entrada independiente para estancias de corta duración.

motete *m.* Breve composición musical sobre versículos de la Escritura. 2 *Amér.* Especie de cuévano. 3 *Amér. Central.* Atado, lío, envoltorio.

motilar *tr.* Cortar [el pelo] o raparlo.

motilidad *f.* Facultad de moverse que tiene la materia viva ante ciertos estímulos.

motilón, -lona *adj.-s.* Pelón (que no tiene pelo). – 2 *m.* fig. Lego (en los conventos). 3 Indio de Colombia y Venezuela.

motín *m.* Tumulto sedicioso.

motivación *f.* Motivo, causa de algo. 2 Ensayo mental preparatorio de una acción. Úsase mucho para referirse al intérprete que va a desempeñar un papel.

motivar *tr.* Dar motivo [para una cosa]. 2 Explicar el motivo que se ha tenido para hacer [una cosa]: ~ *el decreto con,* o *en, buenas razones.* 3 Hacer que [alguien] sienta interés [por algo].

motivo, -va *adj.* Que mueve, o tiene virtud para mover. – 2 *m.* Causa o razón que mueve a obrar una cosa. 3 Dibujo ornamental repetido. 4 MÚS. Tema de una composición.

moto *f.* Abreviación de motocicleta.

motobomba *f.* Bomba impulsada por un motor.

motocarro *m.* Vehículo automóvil de tres ruedas, con motor, para transportar cargas ligeras.

**motocicleta *f.* Vehículo automóvil de dos ruedas, con motor, que puede transportar a una o dos personas.

motociclismo *m.* Deporte de los aficionados a la motocicleta.

motociclista *com.* Persona que conduce una motocicleta.

motociclo *m.* Velocípedo movido por un motor, en general.

motocompresor *m.* Compresor que forma cuerpo con su propio motor.

motocross *m.* Carrera de motocicletas en terreno accidentado.

motocultivo *m.* Aplicación del motor mecánico a la agricultura.

motocultor *m.* Arado pequeño provisto de un motor de arrastre.

motolito, -ta *adj.-s.* Necio, bobalicón.

motón *m.* MAR. Polea cuya caja cubre enteramente la rueda; **barca.

motonáutica *f.* Deporte de la navegación en pequeñas embarcaciones de motor.

motonave *f.* Nave de motor destinada al transporte de pasaje o de mercancías.

motonería *f.* MAR. Conjunto de poleas de una embarcación.

motopesquero *m.* Barco pesquero movido por motor.

motopropulsión *f.* Propulsión por medio de un motor.

motor, -ra *adj.* Que produce movimiento. – 2 *m.* Aparato generador de fuerza que da movimiento a una máquina: ~ *de combustión interna,* o ~ *de explosión,* aquel en el que se logra calor mediante la explosión del combustible en el interior del cilindro; **automóvil; ~ *de arranque,* el eléctrico de automóvil que engrana con el principal para el arranque; ~ *de combustión externa,* aquel en el que la generación de calor se efectúa en un horno o reactor en el exterior del cilindro del motor; ~ *de gasolina,* el de combustión interna en el que la carga de aire es carburada mediante gasolina pulverizada por un carburador o por inyección directa; **motocicleta; ~ *diesel,* el de combustión interna, en el cual la mezcla de aire y combustible entra en ignición por el calor producido con la presión en el cilindro; ~ *eléctrico,* electromotor; ~ *fuera borda, fuera bordo, fuera de borda* o *fuera de bordo,* pequeño motor provisto de una hélice que se coloca en la parte exterior de la popa de embarcaciones de recreo; ~ *de reacción,* aquel en que la acción mecánica es producida por reacción al proyectarse al exterior uno o varios chorros gaseosos a la mayor velocidad posible; **avión. 3 Lo que comunica movimiento; como el viento, el agua, el vapor. 4 Causa de acción. – 5 *f.* Embarcación pequeña provista de motor.

motorismo *m.* Deporte de los aficionados a viajar en vehículo automóvil, y especialmente en motocicleta.

motorista *com.* Persona que conduce o viaja en moto.

motorizar *tr.* Mover por medio de motores

mecánicos [lo que se movía de otro modo]: ~ *los transportes;* esp., equipar [un ejército] con material movido por motor. 2 Dotar de motor [a una máquina]. – 3 *prnl.* fam. Adquirir un vehículo de motor. ◇ ** CONJUG. [4] como *realizar.*

motorreactor *m.* Motor de reacción.

motovelero *m.* Buque de vela con motor auxiliar de propulsión.

motovolquete *m.* Dispositivo mecánico para descargar de una sola vez un vagón, etc.

motricidad *f.* Acción del sistema nervioso central que determina la contracción muscular.

motril *m.* Muchacho del servicio de una tienda.

motriz *adj.-f.* Motora: *fuerza ~.* ◇ Es sólo femenino, y no puede aplicarse a nombres masculinos.

movedizo, -za *adj.* Fácil de ser movido. 2 Inseguro, que no está firme. 3 fig. Inconstante, tornadizo.

mover *tr.-prnl.* Hacer que [un cuerpo o parte de él] ocupe posición o lugar distinto del que ocupa: *el viento mueve las hojas de una parte a otra; no muevas la cabeza.* 2 p. ext. Menear [una cosa o parte de algún·cuerpo]. 3 Hacer

MOTOCICLETA

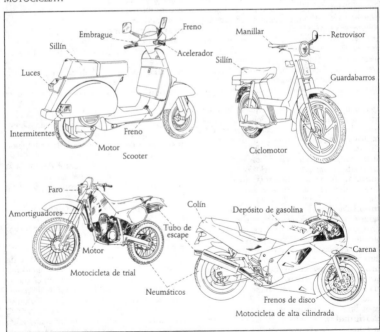

MOTOCICLETA

Embrague — Freno — Manillar — Retrovisor
Sillín — Acelerador — Sillín
Luces — Guardabarros
Intermitentes — Freno
Motor — Ciclomotor
Scooter

Faro — Colín — Depósito de gasolina
Amortiguadores — Tubo de escape
Motor — Carena
Motocicleta de trial
Neumáticos — Frenos de disco
Motocicleta de alta cilindrada

obrar, inducir, persuadir: *te mueve la pasión; moverse por el interés, con lo que dicen.* – **4** *tr.* Suscitar, originar: ~ *guerra, polvareda.* **5** Con la preposición *a,* causar, ocasionar: ~ *a compasión, a lágrimas.* **6** fig. Alterar, conmover. ◇ ** CONJUG. [32].

movible *adj.* Que puede moverse o ser movido. **2** fig. Variable, voluble.

movido, -da *adj.* Agitado. **2** fig. Activo, inquieto. **3** Borroso: *fotografía movida.* **4** *Amér. Central* y *Chile.* Enteco, raquítico. – **5** *f.* fig. Ambiente muy moderno de creación cultural y de diversión.

móvil *adj.* Movible. **2** Que no tiene estabilidad. – **3** *m.* Cuerpo que está en movimiento. **4** Lo que mueve material o moralmente a una cosa.

movilizar *tr.* Poner en actividad o movimiento [tropas, partidos políticos, capitales, etc.]. **2** Incorporar a filas, poner en pie de guerra [tropas u otros elementos militares]. ◇ ** CONJUG. [4] como *realizar.*

movimiento *m.* FÍS. Cambio de posición de un cuerpo en el espacio: ~ *de rotación, de traslación;* ~ *continuo,* el que se pretende hacer durar por tiempo indefinido sin gasto de trabajo motor; ~ *acelerado,* el de un móvil que va ganando velocidad; ~ *ondulatorio,* el que efectúa la superficie del agua, o las partículas de un medio elástico, al paso de las ondas, con transporte de energía pero no de materia; ~ *retardado,* el de un móvil que va perdiendo velocidad; ~ *turbulento,* el de un fluido en el que la presión y velocidad en cada punto fluctúan muy irregularmente; ~ *uniforme,* el de un móvil cuya velocidad es constante; ~ *variado,* el de un móvil cuya velocidad no es constante. **2** Circulación: ~ *de las riquezas, de una calle, de un puerto.* **3** Acción colectiva de trabajadores [para apoyar una reivindicación, manifestar un descontento, solidaridad, etc.]: *un ~ reivindicativo.* **4** Corriente de opinión o tendencia artística de un época determinada. **5** Variación numérica en las estadísticas, cuentas, precios, etc. **6** fig. Alteración, conmoción; primera manifestación de un afecto, sentimiento, etc.: ~ *de celos, de ira, de risa.* **7** fig. Variedad y animación en una obra artística. **8** fig. Levantamiento, sublevación, alzamiento.

moviola *f.* Máquina que se emplea en los estudios cinematográficos y de televisión para proyectar películas permitiendo examinar el filme, cortar o intercalar escenas y sincronizar sus bandas sonoras.

moxa *f.* Substancia inflamable que se quema sobre la piel para cauterizarla. **2** Cauterización así conseguida.

I) moyana *f.* Antigua pieza de artillería de calibre mayor que la culebrina. **2** fig. Mentira o ficción.

II) moyana *f.* Pan de salvado, dado a los perros de ganado.

moza *f.* Criada que sirve en menesteres humildes. **2** Pala de las lavanderas. **3** Pieza de las trébedes en que se asegura el rabo de la sartén.

mozalbete, mozalbillo *m.* Mozo de pocos años.

mozancón, -cona *m. f.* Persona moza, alta y fornida.

mozárabe *adj.-com.* Cristiano que vivía entre los moros de España. – **2** *adj.* Perteneciente o relativo a los mozárabes: *arte ~; rito ~,* el usado por los mozárabes y que aún se conserva en una capilla de la catedral de Toledo y en otra de la de Salamanca. – **3** *m.* Romance hablado por los mozárabes.

mozarabismo *m.* Rasgo lingüístico peculiar de los mozárabes. **2** Elemento artístico típico del arte mozárabe. **3** Conjunto de caracteres socioculturales de los mozárabes.

mozo, -za *adj.-s.* Joven: *buen ~, buena moza,* hombre, mujer de alta estatura y gallarda presencia. **2** Camarero. **3** Soltero. – **4** *m.* Hombre que sirve en oficios humildes: ~ *de café;* ~ *de espuela;* ~ *de estoques.* **5** Individuo sometido a servicio militar, desde que es alistado hasta que ingresa en la caja de reclutamiento. **6** Tentemozo (puntal).

mozuelo, -la *m. f.* Muchacho.

mu *m.* Onomatopeya de la voz del toro o de la vaca. **2** Mugido.

muaré *m.* Tela fuerte de seda tejida de manera que forma aguas. **2** IMPR. Defecto que se produce en los impresos a varias tintas cuando las tramas de los clichés no se hallan correctamente inclinadas e interfieren unos colores con otros. ◇ Pl.: *muarés.*

mucamo, -ma *m. f. Amér.* Sirviente o criado de una casa.

muceta *f.* Esclavina abotonada por delante que usan el Papa, los cardenales, los obispos y otras dignidades, y también los licenciados y doctores universitarios.

mucílago, mucilago *m.* Substancia viscosa, generalmente hialina, que contienen algunas plantas. **2** Substancia viscosa que se prepara disolviendo en agua materias gomosas.

mucina *f.* Albuminoide que se encuentra en las secreciones salivales o mucosas.

mucosidad *f.* Secreción viscosa de las membranas mucosas.

mucoso, -sa *adj.* Semejante al moco. – **2** *f.* Membrana que tapiza las cavidades interiores del cuerpo y segrega una especie de moco.

múcura *f. Amér.* Anfora de barro para transportar y conservar agua.

mucus *m.* Mucosidad, moco. ◇ Pl.: *mucus.*

muchachada *f.* Acción propia de muchachos. **2** Grupo de muchachos.

muchacho, -cha *m. f.* Niño o niña que no ha llegado a la adolescencia. **2** Mozo o moza que sirve en una casa. 3 fam. Persona que se halla en la mocedad.

muchedumbre *f.* Abundancia, multitud de personas o cosas.

mucho, -cha *adj.-pron. indef.* Denota, como indefinido cuantitativo, abundante, numeroso, o que excede a lo ordinario y preciso: *hay mucha gente; tengo muchos libros; mi padre tiene ~; son muchos los que vendrán; muchos de los presentes no lo saben.* – 2 *adv. c.* Con abundancia, en gran cantidad, más de lo regular: *las chicas trabajan ~.* 3 Antepuesto a ciertos adverbios sirve para comparar: *~ antes; ~ más;* precedido de *muy* forma una locución adverbial pleonástica de uso exclusivamente literario: *importa muy ~ que se decida pronto.* – 4 *adv. t.* Largo tiempo: *hace ~ que no te veo.* – 5 *loc. conj. Ni ~ menos,* expresión con que se niega una cosa o se encarece su inconveniencia. 6 *Por ~ que,* por más que.

muda *f.* Acción de mudar una cosa. 2 Ropa que se muda de una vez.

mudada *f. Amér.* Muda de ropa.

mudadizo, -za *adj.* Mudable, inconstante.

mudanza *f.* Cambio de domicilio. 2 Cambio de movimiento que se hace siguiendo el compás en los bailes. 3 Inconstancia de los afectos o de los dictámenes.

mudar *tr.-prnl.* Cambiar una persona o cosa [el aspecto, la naturaleza, el estado, etc.]: *~, o mudarse, los colores, el oficio, la cara; ~ de intento, el azul en amarillo.* 2 Dejar [una cosa] y tomar otra en su lugar: *~ casa, vestido; mudarse de casa, de vestido.* – 3 *tr.* Remover de un sitio o empleo: *~ la máquina a otro piso; ~ el cargo de uno.* 4 Experimentar un animal la caída [de la pluma] o la renovación [de la epidermis]. 5 Experimentar un muchacho el cambio [de la voz] en la adolescencia. 6 Variar, cambiar una persona la norma de actuación: *~ de dictamen, de idea.* 7 Cambiar los pañales a un niño. – 8 *prnl.* Irse uno del lugar o concurrencia en que estaba.

mudéjar *adj.-com.* Mahometano que, rendido un lugar, quedaba, sin mudar de religión, por vasallo de los reyes cristianos. – 2 *adj.* Relativo a dichos mahometanos. – 3 *adj.-s.* Estilo arquitectónico que floreció en España desde el s. XIII al XVI, caracterizado por la fusión de los elementos románicos y góticos con el arte árabe.

mudenco, -ca *adj.* Tartamudo. 2 *Amér. Central.* Tonto, necio.

mudo, -da *adj.-s.* Privado físicamente de la facultad de hablar. – 2 *adj.* Que no habla o en que no se habla: *personaje ~; escena muda.* 3 Que no lleva nada escrito: *mapa ~.* 4 *fig.* Muy silencioso o callado. 5 GRAM. *Consonante muda,* sonido consonántico oclusivo sordo; letra escrita que no se pronuncia.

mueble *adj.* Movible, por oposición a inmueble: *bienes muebles.* – 2 *m.* Objeto móvil que sirve para comodidad o adorno en una casa.

mueca *f.* Contorsión del rostro, generalmente burlesca.

muela *f.* Disco de piedra que gira rápidamente sobre la solera, para moler lo que entre ambas piedras se interpone. 2 Cantidad de agua que basta para mover una rueda de molino. 3 Diente posterior a los caninos: *~ cordal o del juicio,* la que ocupa el último lugar de cada mandíbula y suele nacer en la edad adulta. 4 Piedra redonda de asperón, usada para afilar. 5 Cerro escarpado, alto y con cima plana.

muelo *m.* Montón, especialmente el de forma cónica, en que se recoge el grano después de limpio en la era.

muellaje *m.* Impuesto que se cobra a toda embarcación que entra en un puerto.

I) muelle *adj.* Suave, blando, delicado. 2 Voluptuoso. – 3 *m.* Pieza elástica, generalmente de metal, de la que se utiliza la fuerza que hace para recobrar su posición natural cuando ha sido separada de ella; **cerradura; **automóvil.* – 4 *m. pl.* Tenazas grandes que usan en las casas de moneda para agarrar los rieles y tejos durante la fundición.

II) muelle *m.* Obra construida en la orilla del mar o de un río para facilitar el embarque y desembarque; **puerto.* 2 Andén alto en las estaciones de ferrocarril para la carga y descarga de mercancías.

muequear *intr.* Hacer muecas.

muérdago *m.* Planta lorantácea que vive parásita sobre los troncos y ramas de los árboles, y cuyo fruto es una baya pequeña llena de un jugo pegajoso *(Viscum album).*

muermo *m.* Enfermedad de las caballerías, transmisible al hombre, caracterizada por ulceración y flujo de la mucosa nasal e infarto de los ganglios linfáticos próximos. 2 *fig.* Malestar, decaimiento. 3 *fig.* Cosa o situación enojosa o pesada. 4 *fig.* Persona pesada o aburrida.

muerte *f.* Cesación de la vida: *~ natural; ~ violenta; a ~,* hasta morir uno de los contendientes: *duelo a ~; guerra a ~; de ~,* fig., implacablemente, con ferocidad: *odiar, perseguir de ~.* 2 Separación del cuerpo y del alma, uno de los cuatro novísimos. 3 Homicidio. 4 Personificación de la muerte; generalmente es un esqueleto con una guadaña. 5 *fig.* Destrucción, ruina: *la ~ de una nación.*

muerto, -ta *adj.-s.* [pers.] Que está sin vida. – 2 *adj.* Apagado, sin actividad; marchito, deslucido: *cal muerta; color ~; genio ~.* 3 En ciertas expresiones con la significación que en ellas se especifica: *~ de risa, de celos.* – 4 *m.* Artículo de comercio que no se vende.

muesca *f.* Concavidad que hay o se hace en

una cosa para encajar otra. 2 Corte que, como señal, se hace al ganado vacuno en la oreja.

mueso *m.* Porción de comida que entra de una vez en la boca. 2 p. ext. Pequeña cantidad de comida. 3 Mordedura que se hace con los dientes. 4 Pedazo arrancado con la boca. 5 Parte del freno que entra en la boca de la caballería.

I) muestra *f.* Rótulo o signo convencional que sobre las puertas o fachadas de las tiendas indica la naturaleza del comercio: *la ~ de una taberna.* 2 Pequeña cantidad de una mercancía que se enseña para dar a conocer su calidad. 3 Ejemplar que se ha de imitar o copiar: *una ~ de escritura, de bordado.* 4 Primera señal de fruto que se advierte en las plantas: *hay mucha ~ de uva.* 5 Porte, ademán. 6 Fracción representativa de un grupo de personas consultadas en una encuesta. 7 fig. Señal, demostración, indicio: *daba muestras de alegría;* **hacer ~,** manifestar o aparentar.

II) muestra *f.* Feria de muestras, exposición.

muestrario *m.* Colección de muestras (pequeñas cantidades).

muestreo *m.* Acción de escoger muestras representativas de la calidad o condiciones medias de un todo. 2 Técnica empleada para esta selección.

muévedo *m.* Feto abortado o expelido antes de tiempo.

mufla *f.* Hornillo colocado dentro de un horno para someter un cuerpo a la acción del fuego sin que entre en contacto con las llamas. 2 Horno de porcelana.

muflón *m.* Mamífero rumiante de pelaje color castaño y blanco en el vientre, cuyo macho posee unos grandes cuernos arqueados hacia atrás en forma de círculo y con estrías transversales *(Ovis musimon).*

muftí *m.* Jurisconsulto musulmán con autoridad pública, cuyas decisiones son consideradas como leyes. ◇ Pl.: *muftíes.*

muga *f.* Desove. 2 Fecundación de las huevas.

mugido *m.* Voz de las reses vacunas.

mugilicultura *f.* Cultivo de peces de la familia de los mugílidos.

mugílido *adj.-m.* Pez de la familia de los mugílidos. – 2 *m. pl.* Familia de peces marinos teleósteos perciformes, costeros, que a veces se internan en aguas continentales, omnívoros, de cuerpo fusiforme, musculoso, de color gris plomizo con líneas horizontales más obscuras, y el vientre plateado.

mugir *intr.* Dar mugidos las reses vacunas. ◇ ** CONJUG. [6] como *dirigir.*

mugre *f.* Grasa o suciedad. 2 *Amér.* Cosa sin valor.

mugrón *m.* Sarmiento acodado de la vid. 2 Vástago de otras plantas.

muguete *m.* Planta vivaz liliácea con sólo dos hojas oblongas y flores acampanadas de color blanco y olor almizclado *(Convallaria maialis).* 2 Enfermedad de las mucosas debida a un honguillo que se desarrolla en la boca de los recién nacidos.

mujer *f.* Persona del sexo femenino. 2 La que ha llegado a la pubertad: *~ de gobierno,* criada que gobierna económicamente una casa; *~ mundana, pública, de la vida airada,* ramera. 3 La casada con relación al marido.

mujeriego, -ga *adj.* [hombre] Dado a mujeres.

mujic *m.* Campesino ruso.

mújol *m.* Pardete.

mula *f.* Hembra del mulo: *~ de paso,* la que sirve de cabalgadura; *~ mecánica,* fig., motocultor. 2 fam. [pers.] Bruto. 3 Pez marino teleósteo signatiforme, de colores variados, pero siempre con bandas verticales alternadas claras y obscuras, de cuerpo muy alargado y con el hocico ligeramente comprimido *(Syngnathus acus).*

mulada *f.* Hato de ganado mular. 2 fig. *y* fam. Animalada, brutalidad, tontería.

muladar *m.* Lugar donde se echa el estiércol o basura de las casas. 2 fig. Lo que ensucia o inficiona moral o materialmente.

muladí *adj.-com.* Cristiano español que durante la dominación árabe abrazaba el islamismo. ◇ Pl.: *muladíes.*

mulata *f.* Crustáceo decápodo braquiuro, de color pardo muy obscuro, común en las costas del Cantábrico *(Pachygrapsus marmoratus).*

mulato, -ta *adj.-s.* Descendiente de blanco y negra. – 2 *adj.* De color moreno. – 3 *m.* *Amér.* Mineral de plata de color obscuro o verde cobrizo.

muleque *m.* *Amér.* Negrito esclavo. 2 *Argent., Cuba y Urug.* Muchacho de color.

muleta *f.* Bastón con un extremo adaptado para colocar el antebrazo o un travesaño que se coloca debajo del sobaco, para apoyarse al andar. 2 fig. Cosa que ayuda a mantener a otra. 3 fig. Porción pequeña de alimento que se suele tomar antes de la comida regular. 4 TAUROM. Palo de que cuelga un paño encarnado, que el torero emplea para engañar al **toro en ciertos lances. 5 TAUROM. Dicho paño.

muletilla *f.* Muleta (en el toreo). 2 Bastón cuyo puño forma travesaño. 3 Travesaño, como el de la muleta. 4 Voz o frase que, por vicio, repite una persona frecuentemente en la conversación. 5 Apéndice de los botones no cosidos.

muleto, -ta *m. f.* Mulo de poca edad o cerril.

muletón *m.* Tela de algodón o lana afelpada, de mucho abrigo.

mulillas *f. pl.* Tiro de mulas que arrastran fuera de la plaza al toro muerto.

mulita *f.* Armadillo de Sudamérica, de 40 cms. de longitud y hábitos nocturnos *(Dasypus novemcinctus).*

mulo *m.* Híbrido de asno y yegua, o de caballo y asna: ~ **castellano,** el nacido de asno y yegua. 2 fam. Bruto, animal.

mulso, -sa *adj.* Mezclado con miel o azúcar: *vino ~.*

multa *f.* Pena pecuniaria.

multar *tr.* Imponer una multa [a uno].

multicaule *adj.* Que tiene muchos tallos. 2 [planta] Que se ramifica desde el arranque del tallo.

multicelular *adj.* Formado de muchas células.

multicolor *adj.* De muchos colores.

multicopista *f.* Aparato para sacar varias copias de un escrito.

multidimensional *adj.* Que tiene varias dimensiones. 2 fig. Que concierne varios aspectos [de un asunto].

multifamiliar *adj.-s.* Amér. Edificio de varias plantas, con numerosos apartamentos, cada uno de los cuales está destinado para habitación de una familia.

multifloro, -ra *adj.* Que lleva o produce muchas flores: *pedúnculo ~.*

multiforme *adj.* Que tiene muchas o varias formas.

multigrado, -da *adj.* [aceite lubricante] Que puede utilizarse en cualquier época del año.

multilaminar *adj.* [madera] Que se ha fabricado por superposición de capas muy delgadas, encoladas entre sí.

multilátero, -ra *adj.* [polígono] De más de cuatro lados.

multimedia *m. pl.* Conjunto de medios tecnológicos que sirven para la comunicación. 2 Sistema de comunicación que utiliza varios medios combinados.

multimillonario, -ria *adj.* [suma] Que asciende a varios millones de pesetas. – 2 *adj.-s.* [pers.] Que tiene fortuna por valor de varios millones.

multinacional *adj.* Perteneciente o relativo a varias naciones. – 2 *adj.-s.* Sociedad mercantil, industrial, etc., cuyos intereses y actividades se hallan establecidos en varios países.

multípara *adj.* Que tiene varios hijos de un solo parto. 2 [mujer] Que ha tenido más de un parto.

múltiple *adj.* Que no es uno ni simple; vario, de muchas maneras: *eco ~; opiniones múltiples.*

múltiplex *adj.-s.* Aparato telegráfico que permite transmitir simultáneamente varios telegramas por la misma línea. – 2 *m.* Sistema que permite transmitir en directo emisiones de radio o televisión procedentes de diversos lugares. ◇ Pl.: *múltiplex.*

multiplicación *f.* Operación de multiplicar.

multiplicador, -ra *adj.-s.* Que multiplica. 2 ECON. Coeficiente de crecimiento de la renta nacional en relación con otras variables, como el gasto, la inversión, las exportaciones, etc. 3 MAT. Factor que en una multiplicación indica las veces que el multiplicando se ha de tomar como sumando.

multiplicando *adj.-s.* MAT. Factor que en una multiplicación debe tomarse como sumando tantas veces como indica el multiplicador.

multiplicar *tr.-prnl.* Aumentar en número considerablemente los individuos o unidades de una especie: ~ *los beneficios; multiplicarse los pájaros.* – 2 *tr.* MAT. Dados dos números, hallar abreviadamente la suma de tantos sumandos iguales [a uno de ellos], como unidades o fracciones de unidad tiene el otro. – 3 *intr.-prnl.* Reproducir por generación: *creced y multiplicaos.* 4 Afanarse, desvelarse. ◇ ** CONJUG. [1] como *sacar.*

multiplicidad *f.* Abundancia excesiva de algunos hechos, especies o individuos.

múltiplo, -pla *adj.-s.* [número o cantidad] Que contiene a otro u otra varias veces exactamente.

multiprocesador *m.* Ordenador electrónico que emplea dos o más unidades bajo control integrado.

multiprogramación *f.* Modo de explotación de un ordenador que permite ejecutar distintos programas con una misma máquina.

multisecular *adj.* Viejo, de muchos siglos.

multitratamiento *m.* Ejecución simultánea de varios programas de informática en distintos procesadores de un mismo ordenador.

multitud *f.* Número grande de personas o cosas. 2 fig. Vulgo.

multiuso *adj.* Que puede tener varios usos.

mullida *adj.-f.* Montón de juncos, paja, etc., que suele haber en los corrales para cama del ganado. 2 Jergón, colchón.

mullido *m.* Cosa blanda con que se rellenan colchones, asientos, etc.

mullir *tr.* Esponjar [una cosa] para que esté blanda. 2 Esponjar [la tierra] alrededor de las cepas. 3 fig. Disponer [las cosas] industriosamente para conseguir un intento. ◇ ** CONJUG. [41].

mundanear *intr.* Atender demasiado a las pompas y placeres del mundo.

mundano, -na *adj.* Relativo al mundo. 2 Que mundanea. 3 Que frecuenta las fiestas y reuniones de la buena sociedad.

mundial *adj.* Perteneciente o relativo al mundo entero. – 2 *m.* Campeonato en el que participan representantes de un gran número de países.

mundialismo *m.* Doctrina que propugna la unificación de todos los países del mundo en una sola comunidad política.

mundialista *adj.-com.* Partidario del mundialismo. 2 [deportista] Que ha participado en algún campeonato del mundo.

mundificar *tr.* Limpiar, purgar, purificar [una cosa]. ◇ ** CONJUG. [1] como *sacar.*

mundillo *m.* Almohadilla para hacer encaje. 2 Arbusto caprifoliáceo de jardín, de flores blancas agrupadas formando a manera de globos (*Viburnum opulus*). 3 Grupo de estas flores. 4 irón. *y* desp. Conjunto de personas de calidad determinada: *el ~ periodístico, político, bursátil.*

mundo *f.* Conjunto de todas las cosas creadas: *la creación del ~.* 2 Tierra (planeta). 3 Parte de la Tierra: *el ~ antiguo,* Europa, Asia y África; *el Nuevo ~,* América y Oceanía, especialmente América; *el Tercer ~,* conjunto de países, en general antiguas colonias de países europeos, en proceso de desarrollo económico y mundial. 4 Planeta, astro, en general: *se sospecha que hay otros mundos habitados.* 5 Totalidad de los hombres que pueblan el mundo, especialmente en cuanto constituyen la sociedad humana: *el Redentor del ~; el comercio del ~; medio ~,* mucha gente; *todo el ~,* la generalidad de las personas; *el otro ~,* la otra vida. 6 Parte de la sociedad humana caracterizada por alguna cualidad común a sus individuos: *el ~ pagano, cristiano; el ~ de las letras.* 7 Vida secular, en oposición a la monástica: *dejar el ~.*

mundología *f.* irón. Conocimiento del mundo y de los hombres.

mundonuevo *m.* Cajón que contiene un cosmorama portátil o una colección de figuras de movimiento.

mundovisión *f.* Transmisión de imágenes de televisión por medio de satélites que giran alrededor de la Tierra.

munición *f.* Pertrechos y bastimentos necesarios de un ejército o de una plaza fuerte: *municiones de guerra, de boca.* 2 Carga de las armas de fuego. 3 Perdigones para la caza menor.

municipal *adj.* Perteneciente o relativo al municipio: *ley ~.* – 2 *m.* Individuo de la guardia municipal.

municipalizar *tr.* Asignar al municipio [un servicio] que estaba a cargo de una empresa privada. ◇ ** CONJUG. [4] como *realizar.*

munícipe *com.* Vecino de un municipio. 2 Concejal.

municipio *m.* En la antigua Roma, ciudad libre cuyos vecinos obtenían los derechos de ciudadanía romana. 2 Conjunto de habitantes de un término jurisdiccional regido por un ayuntamiento. 3 El mismo ayuntamiento.

munificencia *f.* Generosidad espléndida. 2 Liberalidad.

munitoria *f.* Arte de fortificar una plaza contra las máquinas de guerra.

muñeca *f.* Parte del **cuerpo humano, en donde se articula la **mano con el antebrazo. 2 Trapo pequeño con que se envuelve algún ingrediente para que no se mezcle con el líquido en que se sumerge. 3 Lío de trapo, de forma redondeada, que sirve para varios usos: *~ de barnizar.* 4 Figurilla de niña que sirve de juguete. 5 Maniquí para trajes de mujer. 6 fig. Mozuela frívola y presumida. 7 fig. Muchacha o niña hermosa y delicada.

muñeco *m.* Figurilla de niño que sirve de juguete. 2 Figurilla de hombre. 3 fig. *y* fam. Persona que se deja llevar por otra. 4 fig. Mozuelo afeminado e insubstancial. 5 fig. Dibujo mal hecho.

muñeira *f.* Baile popular de Galicia en compás de seis por ocho, de movimiento moderado. 2 Música y canto de este baile.

muñequería *f.* fam. Exceso o demasía en los adornos y trajes.

muñequero, -ra *m. f.* Persona que se dedica a la fabricación o venta de muñecos. – 2 *f.* Cinta de materia elástica o de cuero para sujetar la muñeca.

muñequilla *f.* Mazorca tierna del maíz. 2 Muñeca para barnizar.

muñidor *m.* Criado de cofradía encargado de convocar a los cofrades. 2 Persona que gestiona activamente para concertar tratos, fraguar intrigas, etc.

muñir *tr.* Convocar los muñidores [a los individuos] que han de concurrir a juntas, actos o servicios. 2 Concertar, disponer, manejar [asuntos]. ◇ ** CONJUG. [40].

muñón *m.* Parte de un miembro cortado que permanece adherida al cuerpo. 2 Músculo deltoides y región del hombro limitada por él. 3 ARTILL. Pieza cilíndrica que tiene el cañón a cada lado para sostenerse en la cureña y girar en un plano vertical.

mural *adj.-s.* Pintura realizada por cualquier medio sobre un muro o una pared; **románico.

muralla *f.* Muro defensivo que rodea una plaza fuerte o protege un territorio. 2 *Chile, Ecuad., Guat.* y *P. Rico.* Pared.

murallón *m.* Muro robusto.

murar *tr.* Cercar con muro [una población, fortaleza o recinto]. 2 Cazar el gato [a los ratones].

murcianismo *m.* Voz, giro o modo de expresión propio del castellano hablado en la región de Murcia. 2 Amor o apego a las cosas de Murcia.

murciano, -na *adj.-s.* De Murcia.

murciégalo, murciélago *m.* Mamífero del orden de los quirópteros, en general.

murcielaguina *f.* Estiércol de los murciélagos que se acumula en las cuevas en que se albergan estos animales durante el día. Es un abono muy apreciado.

murete *m.* Pequeña pared de piedra.

murga *f.* Compañía de músicos callejeros. 2 Latazo, molestia.

múrice *m.* Molusco gasterópodo marino, de branquias pectiniformes, perteneciente a la misma familia que la púrpura y que, como ésta, segrega un licor muy usado en tintorería por los antiguos *(Murex brandaris; M. trunculus).*

múrido *adj.-m.* Animal de la familia de los múridos. – 2 *m. pl.* Familia de roedores con clavículas, el hocico largo puntiagudo y la cola larga y escamosa; como la rata y el ratón.

murmujear *intr.-tr.* Murmurar o hablar quedo.

murmullo *m.* Ruido sordo y confuso que hacen varias personas hablando a un tiempo, las aguas corrientes, el viento, etc.

murmurar *intr.* Hacer ruido blando y apacible la corriente de las aguas, las hojas de los árboles, etc. – 2 *intr.-tr.* Hablar entre dientes manifestando queja o disgusto: *siempre murmura; murmura todo lo que le ordeno.*

muro *m.* Pared o tapia: ~ *cortina,* el que no cumple una función substantante, sino más bien de cierre y distribución o compartimentación; ****casa.** 2 Muralla.

I) murria *f.* fam. Tristeza, melancolía.

II) murria *f.* Medicamento antiguo compuesto de ajos, vinagre y sal, usado como antipútrido.

murrina *f. Amér.* Enfermedad del ganado.

murrio, -rria *adj.* Triste, melancólico.

mus *m.* Juego de naipes en el cual se envida.

musa *f.* fig. Numen, inspiración de un poeta: *la ~ de Calderón.* 2 fig. Poesía: *la ~ española.* – 3 *f. pl.* Las ciencias y las artes liberales: *cultivar las musas.*

musáceo, -a *adj.-f.* Planta de la familia de las musáceas. – 2 *f. pl.* Familia de plantas herbáceas tropicales, muy altas, de hojas gigantescas con pecíolos abrazadores que se aplican unos sobre otros formando un falso tallo. El fruto es una baya o una cápsula.

musaraña *f.* Mamífero insectívoro de unos 12 cms. de longitud, de pelaje gris pardo con el vientre gris amarillento, y costumbres nocturnas *(Crocidura russula).* 2 p. ext. Sabandija, insecto o animal pequeño. 3 fig. Figura contrahecha o fingida de una persona. 4 fig. Especie de nubecilla que se suele poner delante de los ojos: *mirar uno a las musarañas,* fig., mirar, por distracción, a otra parte que a la que debe. 5 *Chile, Salv. y Nicar.* fig. *y* fam. Ademán grotesco, gesticulación ridícula.

muscardino *m.* Mamífero roedor de coloración parda, de cabeza grande y larga cola, cuya vida es exclusivamente nocturna, mientras que de día permanece en su nido en forma de globo *(Muscardinus avellanarius).*

musco, -ca *adj.* De color pardo obscuro.

musculatura *f.* Conjunto de los músculos de todo el cuerpo o parte de él.

**músculo *m.* Órgano o masa de tejido compuesto de fibras contráctiles que sirve para producir el movimiento en el hombre y en los animales: ~ *abductor;* ~ *aductor.*

musculoso, -sa *adj.* Que tiene muchos músculos. 2 De músculos abultados.

muselina *f.* Tela muy fina y poco tupida.

museo *m.* Lugar destinado para el estudio de las ciencias, letras humanas y artes liberales. 2 Lugar en que se guardan y exponen objetos notables relativos a las ciencias y a las artes. 3 Institución, sin fines de lucro, abierta al público, cuya finalidad consiste en la adquisición, conservación, estudio y exposición de los objetos que mejor ilustran las actividades del hombre, o culturalmente importantes para el desarrollo de los conocimientos humanos. 4 p. ext. Lugar donde se exhiben objetos o curiosidades que pueden atraer el interés del público, con fines turísticos.

museografía *f.* Conjunto de técnicas y prácticas relativas al funcionamiento de un museo.

museología *f.* Ciencia que trata del museo, su historia, su influjo en la sociedad, las técnicas de conservación y catalogación, etc.

muserola *f.* Correa de la brida que pasa por encima de la nariz del caballo.

musgo *m.* Planta de la clase de los musgos. – 2 *m. pl.* Clase de plantas briofitas, muy pequeñas, de aparato vegetativo diferenciado en falso tallo y falsas hojas que crecen formando capa sobre la tierra, las rocas, los troncos de los árboles y hasta en el agua.

música *f.* Arte de combinar los sonidos. Es una de las seis artes tradicionales. 2 Teoría de este arte. 3 Concierto de instrumentos o voces, o de ambas cosas a la vez. 4 Compañía de músicos que actúan juntos: *la ~ del regimiento.* 5 Obra musical: ~ *de cámara,* la compuesta para reducidas combinaciones vocales o instrumentales; ~ *instrumental,* la compuesta sólo para instrumentos; ~ *ligera,* la alegre y juguetona, de carácter comercial, en la que el compositor se abstiene de emplear las formas serias, complicadas o rebuscadas; ~ *vocal,* la compuesta para voces, solas o acompañadas de instrumentos. 6 Papeles, cuadernos o libros en que están escritas las composiciones musicales.

musicalizar *tr.* Poner música: ~ *una palabra.* ◇ ** CONJUG. [4] como *realizar.*

musicasete *f.* Casete que se vende grabada con música.

music hall *m.* Establecimiento nocturno con orquesta y espectáculo. ◇ Se pronuncia *miúsic jol.*

músico, -ca *adj.* Perteneciente o relativo a

MÚSCULOS

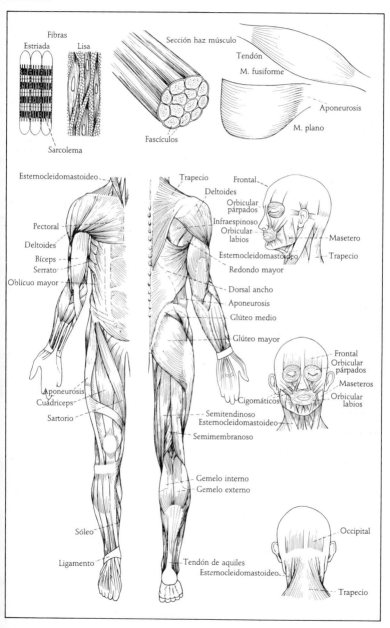

la música. **2 m. f.** Persona que por profesión o estudio se dedica a la música: ~ **mayor,** el director y jefe de una música militar.

musicología *f.* Estudio científico de la teoría y de la historia de la música.

musicomanía *f.* Melomanía.

musiquero *m.* Mueble a propósito para guardar música (papeles).

musiquilla *f.* fam. Música fácil, sin valor. 2 Tonillo en la pronunciación.

musitar *intr.* Susurrar o hablar entre dientes.

muslera *f.* Venda elástica que protege o sujeta el muslo.

muslo *m.* Parte de la pierna, desde la cadera hasta la rodilla; ****cuerpo humano. 2 Parte análoga en los animales; **caballo.

musmón *m.* Híbrido de carnero y cabra.

musola *f.* Pez marino seláceo escualiforme, de gran tamaño, cuerpo largo y esbelto, rostro afilado, y de color gris uniforme, a veces con manchas negras *(Mustelus mustelus)* .

mustaco *m.* Bollo de harina amasada con mosto, manteca y otras cosas.

mustango *m.* Caballo que vive en estado semisalvaje en las pampas de América del Sur o en otros países americanos.

mustela *f.* Comadreja. 2 Pez marino seláceo, comestible, de metro y medio de largo *(Mustelus vulgaris).*

mustélido *adj.-m.* Mamífero de la familia de los mustélidos. – 2 *m. pl.* Familia de mamíferos carnívoros, semiplantígrados, con el cuello largo, el cuerpo muy flexible, patas cortas y uñas semirretráctiles; como la comadreja y la nutria.

musteriense *adj.-m.* Período del paleolítico medio, asociado al hombre de Neanderthal, y caracterizado por el uso del sílex y del hueso.

mustiarse *prnl.* Marchitarse. ◇ ** CONJUG. [12] como *cambiar.*

mustio, -tia *adj.* Melancólico, triste. 2 Lánguido, marchito: *flor mustia.*

musulmán, -mana *adj.-s.* Mahometano.

mutación *f.* Cambio de la decoración escénica. 2 Destemple de la estación en determinado tiempo del año. 3 BIOL. Cambio brusco

en el fenotipo de un ser vivo y que se transmite por herencia.

mutante *m.* BIOL. Nuevo gen, cromosoma o genoma que ha surgido por mutación de otro preexistente. 2 BIOL. Célula, organismo o individuo en el que se ha producido un cambio hereditario de material genético. 3 BIOL. Descendiente de dicha célula, organismo o individuo.

mutar *tr.-prnl.* Mudar, transformar. 2 Mudar, remover o apartar de un puesto o empleo.

mutilado, -da *adj.-s.* [pers.] Que ha sufrido una mutilación.

mutilar *tr.-prnl.* Cortar [un miembro o parte del cuerpo]. 2 Quitar una parte o porción de otra cosa cualquiera. 3 Romper, destruir.

mutis *m.* Voz que se usa en el teatro para que un actor se retire de la escena. 2 Acto de retirarse. 3 *Hacer ~,* callar. ◇ Pl.: *mutis.*

mutismo *m.* Mudez. 2 Silencio voluntario o impuesto.

mutualidad *f.* Régimen de prestaciones mutuas en que se basan determinadas asociaciones. 2 Denominación de algunas de estas asociaciones: ~ *obrera.*

mutualismo *m.* Conjunto de asociaciones basadas en la mutualidad. 2 Doctrina que considera a la humanidad como una asociación en la que los servicios prestados y recibidos deben equilibrarse. 3 Simbiosis beneficiosa a los dos seres asociados.

mútulo *m.* ARQ. Adorno del entablamento dórico, colocado bajo el goterón.

mutuo, -a *adj.-s.* Lo que recíprocamente se hace entre dos o más personas, animales o cosas. – 2 *m.* Contrato real en el que uno da una cosa fungible, obligándose el que la recibe a restituir otra tanta cantidad de igual género en día señalado.

muy *adv.* Con que se denota grado sumo o superlativo de significación: ~ *alto;* ~ *pronto;* ~ *de prisa.*

muz *m.* MAR. Punta del tajamar.

muzo, -za *adj.-s.* Lima de grano muy fino.

my *f.* Duodécima letra del **alfabeto griego, equivalente a la *m.*

N, n *f.* Ene, decimosexta letra del alfabeto español que representa gráficamente a la consonante oclusiva, nasal, alveolar y sonora.

nabería *f.* Conjunto de nabos. 2 Potaje hecho con ellos.

nabina *f.* Semilla del nabo, redonda, pardusca y muy oleaginosa.

nabiza *f.* Hoja tierna del nabo: *caldo de nabizas.*

nabo *m.* Planta anual crucífera de raíz carnosa, comestible, ahusada, blanca o amarillenta; se cultiva mucho en las huertas *(Brassica rapa).* 2 Raíz de esta planta. 3 Raíz gruesa y principal de cualquier planta. 4 Tronco de la cola de las caballerías. 5 vulg. Pene. 6 Cilindro vertical colocado en el centro de una armazón. 7 Alma de la escalera de caracol.

nácar *m.* Substancia dura, blanca, irisada y compuesta de carbonato cálcico, materia orgánica y agua, que se forma en el interior de ciertas conchas.

nacarado, -da *adj.* De aspecto de nácar. 2 Adornado con nácar. – 3 *f.* Mariposa diurna, de color leonado vivo con rayas plateadas en el reverso de las alas posteriores *(Argynnis paphia).*

nacarón *m.* Nácar de inferior calidad.

nacatamal *m.* *Amér. Central y Méj.* Tamal relleno de carne de cerdo.

nacatete *m.* *Amér. Central y Méj.* Pollo que aún no ha echado la pluma.

nacatón, -tona *m. f.* *Amér. Central.* Pollo sin plumas.

nacer *intr.* Adquirir, recibir existencia en el mundo: ~ *en Andalucía;* ~ *con fortuna;* **haber nacido de pie,** tener mucha suerte; **volver a** ~, librarse de un grave peligro; salir bien parado de un accidente. 2 Salir el animal del claustro materno o del huevo: ~ *de buena madre.* 3 p. anal. Salir el vegetal de su semilla o del suelo; salir el vello, pelo o pluma en el cuerpo del animal; aparecer las hojas, flores, frutos o brotes en la planta. 4 Descender de una familia o linaje. 5 fig. Criarse un hábito o costumbre: *el vicio nace en la ociosidad.* 6 fig. Empezar a ser, tener su origen: *la astronomía nació en Caldea;* ~ *una sospecha.* 7 fig. Empezar

a levantarse un astro en el horizonte. 8 fig. Prorrumpir o brotar las fuentes. 9 fig. Empezar una cosa como saliendo de otra, inferirse una cosa de otra: *la ciencia nace de la curiosidad humana.* 10 fig. Con las preposiciones *a* o *para,* tener disposición o estar destinado a un fin: ~ *para poeta;* ~ *a cierto destino.* – 11 *prnl.* Entallecerse una raíz o semilla al aire libre: *estas patatas se han nacido.* ◇ ** CONJUG. [42].

nacido, -da *adj.-s.* Ser humano, en general: *los nacidos del padre Adán;* **bien** o **mal** ~, de noble linaje o bajo nacimiento.

naciente *adj.* Muy reciente. 2 Recién formado en una creación química, y por consiguiente muy activo. – 3 *m.* Oriente (punto cardinal).

nacimiento *m.* Acción de nacer: ~ *de Nuestro Señor Jesucristo;* **de** ~, de un modo congénito: *ciego, sordo de* ~. 2 Linaje, origen: *de ilustre* ~; *de humilde* ~. 3 Principio de una cosa. 4 Lugar o tiempo en que nace o se origina algo: ~ *de un río;* ~ **de agua,** manantial. 5 Representación, por medio de figuras, del nacimiento de Jesús en el portal de Belén, que suele montarse por Navidad.

nación *f.* Sociedad natural de hombres a los que la unidad de territorio, de origen e historia, de cultura, de costumbres o de idioma, inclina a la comunidad de vida y crea la conciencia de un destino común. 2 Conjunto de habitantes de un país regido por el mismo gobierno. 3 Territorio de ese mismo país.

nacional *adj.* Relativo a una nación: *lengua* ~. 2 Natural de una nación en oposición a extranjero. – 3 *m.* Individuo de la milicia nacional.

nacionalidad *f.* Carácter nacional: *la* ~ *de esta obra es evidente.* 2 Solidaridad racial, política e institucional que constituye una nación. 3 Estado propio de la persona nacida o naturalizada en una nación: *este niño es de* ~ *española.*

nacionalismo *m.* Amor o apego a las cosas de la propia nación y cuanto le pertenece. 2 Doctrina que exalta en todos los órdenes la personalidad nacional completa.

nacionalizar *tr.-prnl.* Naturalizar (a un extranjero y un vocablo). 2 Hacer pasar al

nacionalsindicalismo 792

Estado [una propiedad, explotación o servicio que estaba en poder de particulares]. 3 Hacer que pasen a manos de los naturales de un país [bienes o títulos de deuda del Estado o de empresas particulares que se hallaban en poder de extranjeros]. ◇ ** CONJUG. [4] como *realizar*.

nacionalsindicalismo *m.* Ideología política y social inspirada en el fascismo, propugnada por la Falange Española Tradicionalista y de las J.O.N.S.

nacionalsocialismo *m.* Movimiento político y social del tercer Reich alemán (1933-1945) de carácter pangermanista, fascista y antisemita.

naco *m. Amér. Merid.* Pedazo de tabaco negro, en trenza, para mascar. 2 *Amér. Central.* fig. Cobarde, marica.

nacra *f.* Molusco lamelibranquio, con la concha, de gran tamaño, en forma de abanico y de color pardusco *(Pinna fragilis)*.

I) nada *f.* El no ser o la carencia absoluta de todo ser: *crear de la ~; reducir a la ~*.

II) nada *pron. indef.* Ninguna cosa: *¿qué quieres? Nada; ~ quiero.* 2 Poco o muy poco: *~ ha que vino; en ~ estuvo que no riñésemos; por ~ lloras.* – 3 *adv. neg.* En ningún modo: *jamás escribe ~; por ~ del mundo haría eso; no lo hará ~* (muy usado en América). – 4 *loc. adj. De ~*, de escaso valor, sin importancia: *un concierto, un premio de ~;* expresión usada para responder a quien da las gracias. – 5 *loc. adv. Como si ~*, sin dar la menor importancia: *lo hizo como si ~.* ◇ GRAM. En la primera acepción es invariable, si se usa solo o antes del verbo; detrás del verbo y precediendo a éste una negación, conserva el sentido etimológico: *no quiero ~; nunca pedía ~.* En la acepción 3 es siempre correlativo de otra negación, a la cual refuerza con el sentido etimológico.

nadador, -ra *adj.-s.* Que nada. – 2 *m. f.* Persona diestra en nadar.

nadar *intr.* Mantenerse y avanzar dentro del agua moviendo principalmente las extremidades. 2 Flotar: *la madera nada sobre el agua.* 3 fig. Abundar en una cosa: *~ en riqueza; ~ en suspiros.* 4 fig. *y* fam. Estar una cosa muy holgada dentro de otra.

nadería *f.* Cosa baladí.

nadie *pron. indef.* Ninguna persona: *¿quién hay? Nadie; ~ me ha visto.* – 2 *m.* Persona insignificante: *lo dijo un ~; dos nadies lo proclamaron.* ◇ INCOR.: *~ de vosotros*, por *ninguno de vosotros.* ◇ GRAM. En la primera acepción es invariable; se usa solo o antes del verbo; detrás del verbo y precediendo a éste una negación, conserva el sentido etimológico afirmativo: *no me ha visto ~.*

nadir *m.* Punto de la esfera celeste diametralmente opuesto al cenit; **astronomía.

nafta *f.* Líquido incoloro, volátil, inflamable, compuesto de hidrocarburos de poco peso molecular; se obtiene de la destilación del petróleo. 2 *Amér.* Gasolina.

naftalina *f.* Hidrocarburo sólido, blanco, cristalino, de olor característico; se obtiene del alquitrán de hulla.

nagra *f.* Magnetófono profesional que registra los sonidos con control de modulación.

nagüeta *f. Amér. Central.* Sobrefalda.

nahua *adj.-com.* Individuo perteneciente a un pueblo indígena americano que habitó en América central hasta la conquista española. – 2 *adj.* Perteneciente o relativo a dicho pueblo. – 3 *adj.-m.* Náhuatle.

nahuatlatismo *m.* Vocablo, giro o modo de expresión propio de la lengua nahua empleado en otro idioma.

náhuatle *adj.-m.* Lengua principal de los indios mejicanos.

naif *adj.* Ingenuo: *arte ~*, el creado por individuos no profesionales y, a imitación de estos, por artistas insertos en el mercado del arte.

naife *m.* Diamante de gran calidad.

nailon *m.* Amida polimerizada sintética capaz de tomar forma de fibra muy resistente y elástica.

naipe *m.* Cartulina rectangular que lleva pintados en una de las caras una figura o cierto número de objetos correspondientes a cada uno de los cuatro palos de la baraja.

najadáceo, -a *adj.-s.* Planta acuática del orden helobial, cuyas flores masculinas tienen un solo estambre y las femeninas un carpelo. – 2 *f. pl.* Familia de dichas plantas.

najarse *prnl.* vulg. Largarse, irse, marcharse, huir.

nalga *f.* Parte carnosa que constituye cada una de las dos mitades del trasero del hombre: *le zurraron las nalgas.* 2 Parte superior de los muslos de varios animales.

nalguear *intr.* Mover exageradamente las nalgas al andar.

nana *f.* Abuela: *el año de la ~*, en tiempo muy antiguo. 2 Canción de cuna. 3 Nodriza.

¡nanay! fam. Interjección con que se niega rotundamente una cosa.

nanismo *m.* FISIOL. Anomalía en el desarrollo de los enanos.

nanómetro *m.* Medida de longitud, equivalente a la milmillonésima parte del metro.

nanosegundo *m.* Medida de tiempo, equivalente a la milmillonésima parte de un segundo.

nansa *f.* Estanque pequeño para tener peces.

nao *f.* lit. Nave.

naonato, -ta *adj.-s.* [pers.] Nacido en una embarcación que navega.

napa *f.* Conjunto de las fibras textiles que se agrupan, al salir de una máquina cardadora, para formar un conjunto continuo de espesor constante y de igual anchura que la máquina. 2 ~ *de agua,* capa de agua en la superficie de la tierra o subterránea. 3 ~ *de gas,* capa de gas pesado que se extiende por el suelo.

napalm *m.* Materia inflamable a base de gasolina gelatinizada destinada a cargar bombas incendiarias.

napar *tr.* Recubrir totalmente [un preparado con algo].

napias *f. pl.* fam. Narices (órgano olfativo).

napiforme *adj.* Que tiene forma de nabo; **raíz.

napolitano, -na *adj.-s.* De Nápoles, antiguo reino y actual ciudad de Italia.

naranja *f.* Fruto del naranjo: ~ **china,** la de piel más fina y delgada que las demás; ~ **mandarina** o **tangerina,** la pequeña, aplastada, de cáscara muy fácil de separar y pulpa muy dulce. 2 fam. *Media* ~, cónyuge, novio. 3 ARQ. *Media* ~, cúpula: *bóveda de media* ~, bóveda esférica. − 4 *adj.-m.* Color de la naranja: *el* ~ *del espectro.* − 5 *adj.* De color naranja.

naranjada *f.* Zumo de naranja con agua y azúcar. 2 fig. Dicho o hecho grosero.

¡naranjas! Interjección con que se denota asombro, extrañeza o desahogo. 2 Nones.

naranjilla *f.* Naranja verde de que se suele hacer conserva.

naranjo *m.* Árbol rutáceo, de hojas coriáceas persistentes, flores blancas, aromáticas y fruto en hesperidio, comestible, agridulce y con la corteza de un color encarnado amarillento *(Citrus sinensis).* 2 Madera de este árbol. 3 ~ *amargo,* árbol parecido al anterior, cuyas flores, también blancas, son más aromáticas, y de ellas se extrae el agua de azahar *(Citrus aurantium).* 4 fig. Hombre rudo e ignorante.

narcisismo *m.* Enamoramiento de sí mismo.

narciso *m.* Planta amarilidácea de jardín, de hojas radicales y flores blancas o amarillas, olorosas, de perigonio partido en seis lóbulos y corona central acampanada *(Narcissus poeticus).* 2 fig. El que cuida demasiado de su adorno o se precia de galán.

narcoanálisis *m.* Estudio del subconsciente de una persona sometida a la acción de un estupefaciente. ◇ Pl.: *narcoanálisis.*

narcomanía *f.* Hábito irrefrenable para los narcóticos.

narcosis *f.* Producción del narcotismo; modorra, embotamiento de la sensibilidad. ◇ Pl.: *narcosis.*

narcótico, -ca *adj.* [droga o medicamento] Que produce sopor.

narcotina *f.* Alcaloide blanco e insípido que se obtiene del opio.

narcotismo *m.* Estado de sopor producido por el uso de los narcóticos. 2 Conjunto de efectos producidos por el narcótico.

narcotizar *tr.* Producir narcotismo. ◇ ** CONJUG. [4] como *realizar.*

narcotraficante *com.* Traficante de drogas.

narcotráfico *m.* Tráfico de drogas.

nardo *m.* Planta liliácea de jardín, de hojas radicales y flores blancas, muy olorosas, en espiga, con el perigonio en forma de embudo *(Polianthes tuberosa).*

narguile *m.* Pipa oriental, con un largo tubo flexible y un vaso lleno de agua perfumada, a través de la cual se aspira el humo.

¡narices! Interjección con que se denota desaprobación o negación.

narigón *m.* Agujero en la ternilla de la nariz. 2 Cuerda o argolla en las narices de una res vacuna.

nariguera *f.* Pendiente que se ponen algunos indios en la ternilla que divide las dos ventanas de la nariz.

nariz *f.* Órgano olfativo que consiste en dos cavidades, llamadas fosas nasales, revestidas de una membrana mucosa, la pituitaria, que por la parte posterior comunican con la faringe; esp., parte prominente de la cara entre la frente y la boca en la que abren los orificios con que las fosas nasales comunican con el exterior: ~ *aguileña,* la delgada y algo corva; ~ *respingona,* aquella cuya punta tira hacia arriba; *narices remachadas,* las llanas o chatas; **cabeza; **cuerpo humano. 2 Orificio de la nariz; **caballo. 3 fig. Sentido del olfato: *darle a uno en la* ~ *una cosa,* percibir su olor; sospechar, barruntar algo. 4 Parte saliente o aguda de algunas cosas. 5 Hierro en forma de nariz donde encaja un picaporte o pestillo; **cerradura. ◇ Usado en la primera acepción en plural alude a los dos orificios de la nariz y tiene, en general, un sentido familiar o vulgar.

narizota *f.* Nariz sumamente grande y fea. − 2 *com. pl.* Persona de gran nariz.

narración *f.* Relato.

narrar *tr.* Contar, referir, relatar.

narrativa *f.* Habilidad en narrar las cosas.

narria *f.* Cajón o escalera de carro, a propósito para llevar arrastrando cosas de gran peso. 2 fig. Mujer gruesa y pesada.

nártex *m.* Parte de la **basílica cristiana que antiguamente se reservaba a los catecúmenos y a ciertos penitentes. ◇ Pl.: *nártex.*

narval *m.* Mamífero cetáceo odontoceto, de unos 6 m. de largo, con sólo dos dientes, uno pequeño y otro que se prolonga horizontalmente hasta cerca de 3 m *(Monodon monoceros).*

nasa *f.* Arte de pesca, formada por un cilindro de juncos, red, etc. con una especie de embudo dirigido hacia adentro en una de sus bases. 2 Cesta de boca estrecha en que los pescadores echan la pesca. 3 Cesto o vasija para guardar pan, harina, etc. 4 Red para capturar patos.

nasal *adj.* Relativo a la **nariz: *fosas nasales; orificio* ~; **pez. – 2 *adj.-m.* ANAT. Hueso laminar y rectangular que, en número de dos, se articula, por arriba, con el frontal, a los lados con el maxilar, y en el borde interno, con su homólogo, la espina nasal del frontal y la lámina perpendicular del etmoides; **cabeza; **nariz. – 3 *adj.-f.* **Sonido en cuya producción el aire espirado pasa total o parcialmente por la nariz. Son nasales en español las consonantes *m, n* y *ñ.*

nasalizar *tr.* Hacer nasal o pronunciar como tal [un sonido]; como la *o* de *canon.* ◇ ** CONJUG. [4] como *realizar.*

nasardo *m.* Registro del órgano que imita la voz nasal.

naso *m.* fam. Nariz grande.

nasofaríngeo, -a *adj.* Que está situado en la faringe por encima del velo del paladar y detrás de las fosas nasales.

nata *f.* Substancia grasa, algo amarillenta que forma una capa sobre la leche dejada en reposo. 2 Substancia espesa de algunos licores que sobrenada en ellos. 3 fig. La mejor parte de una cosa. – 4 *f. pl.* Nata batida con azúcar.

natación *f.* Acción de nadar. 2 Deporte que consiste en nadar una distancia determinada en el menor tiempo posible.

natal *adj.* Relativo al nacimiento. 2 Nativo (del lugar).

natalicio, -cia *adj.-m.* Relativo al día del nacimiento. – 2 *m.* El día del nacimiento y cada uno de sus aniversarios.

natalidad *f.* Número proporcional de nacimientos en población y tiempos determinados.

natillas *f. pl.* Plato de dulce que se hace cociendo yemas de huevo, azúcar y leche.

natío, -a *adj.* Natural, nativo: *oro* ~. – 2 *m.* Nacimiento, naturaleza.

natividad *f.* Nacimiento, especialmente el de Jesucristo, el de la Virgen María y el de San Juan Bautista, únicos que celebra la Iglesia católica. 2 Navidad.

nativismo *m.* Innatismo. 2 *Amér.* Indigenismo.

NARIZ

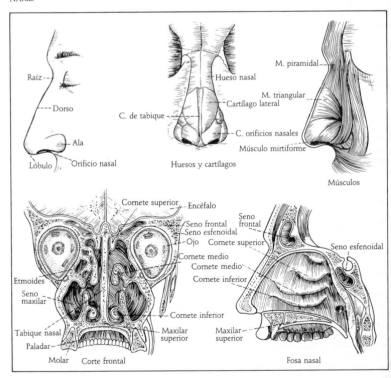

nativo, -va *adj.* Que nace naturalmente. 2 Relativo al lugar donde uno ha nacido: *suelo* ~. 3 Natural, nacido. 4 Innato. 5 [elemento] Que se encuentra puro en la naturaleza.

nato, -ta *adj.* Nacido. 2 [título o cargo] Que está anejo a un empleo o a la calidad de un sujeto: *es un músico* ~.

natrón *m.* Carbonato sódico usado en las fábricas de jabón, vidrio y tintes.

natura *f.* Naturaleza. 2 Partes genitales.

natural *adj.* Relativo a la naturaleza; producido por ella, no debido a fuerzas sobrenaturales, a la mano del hombre, ni a la educación: *ley* ~; *fenómeno* ~; *puerto* ~; *bondad* ~; *al* ~, sin arte, compostura o variación. 2 Consubstancial a la persona, inherente, propio: *simpatía* ~; *buen gusto* ~. 3 Conforme a la razón: *es* ~ *pagar lo que se debe.* 4 Sin afectación, sin doblez, ingenuo: *persona* ~; *lenguaje* ~. 5 Relativo o conforme a la naturaleza propia de un ser, a las condiciones o circunstancias de un caso, etc., no anormal, regular: *inclinación* ~; *alimento* ~. 6 TAUROM. *pase* ~ o simplemente ~, pase de muleta dado con la mano izquierda y sin ayuda del estoque. – 7 *adj.-com.* Originario de un pueblo, ciudad o nación. – 8 *m.* Índole, genio, temperamento de una persona; instinto de los animales. 9 ESC. Y PINT. Forma natural de un objeto que sirve de modelo: *copiar del* ~, copiar el modelo vivo.

naturaleza *f.* Conjunto de las cosas del universo y de las fuerzas que en él se manifiestan: *los tres reinos de la* ~; *los fenómenos de la* ~; ~ *humana,* conjunto de todos los hombres. 2 Conjunto de las obras de la creación por oposición a las del hombre, el arte: *amar la* ~, amar los campos, bosques, montañas, el mar, etc. 3 Esencia, atributos propios de un ser; esp., conjunto de cualidades físicas y morales del hombre: ~ *divina;* ~ *humana; la* ~ *fogosa del caballo; la* ~ *de un clima, de un fenómeno, de un acto.* 4 Calidad que da derecho a ser tenido por natural de un pueblo, ciudad o nación para ciertos efectos civiles: *carta de* ~. 5 Sentimiento que nace de las uniones de la sangre.

naturalidad *f.* Calidad de natural. 2 Ingenuidad, sencillez, falta de afectación.

naturalismo *m.* Toda doctrina filosófica que tiende a no admitir nada fuera de la naturaleza, y por consiguiente a explicar las cosas únicamente por leyes naturales. 2 Escuela literaria del siglo XIX, opuesta al romanticismo, que halla su forma estética en el realismo y su expresión perfecta en la filosofía positivista.

naturalizar *tr.-prnl.* Conceder [a un extranjero] los derechos de los naturales en un país o adquirirlos él por sí mismo. 2 Introducir o adoptar en un país [vocablos, costumbres, etc., de otros países]. 3 Aclimatar [una especie animal o vegetal]. – 4 *prnl.* Vivir en un país

persona extranjera como si fuese natural. ◇ ** CONJUG. [4] como *realizar.*

naturismo *m.* Doctrina que preconiza el empleo de los agentes naturales para la conservación de la salud y tratamiento de las enfermedades. 2 Desnudismo.

naufragar *intr.* Irse a pique o perderse la embarcación; hallarse uno en la embarcación que naufraga. 2 fig. Salir mal un intento o negocio. ◇ ** CONJUG. [7] como *llegar.*

naufragio *m.* Hecho de naufragar. 2 fig. Ruina completa.

naumanita *f.* Mineral de la clase de los seleniuros que cristaliza en el sistema rómbico, de color negro y brillo metálico.

naumaquia *f.* En la antigua Roma, espectáculo que representaba un combate naval. 2 Lugar destinado a este espectáculo.

náusea *f.* Basca: *sentir náuseas.* 2 fig. Repugnancia, asco grande.

nauta *m.* lit. Marinero, marino, navegante.

náutica *f.* Ciencia o arte de navegar.

nautilo *m.* Molusco cefalópodo cubierto por una concha en espiral y dividida en cámaras, la última de las cuales es ocupada por el animal *(Nautilus* sp.*)*.

nava *f.* Llanura entre montañas: *las Navas de Tolosa.*

navaja *f.* Cuchillo cuya hoja puede doblarse para guardar el filo entre dos cachas: **armas: ~ *de afeitar;* ~ **jardinera*. 2 Colmillo de algunos animales. 3 Aguijón cortante de algunos insectos. 4 Espuela del gallo de pelea. 5 Molusco lamelibranquio comestible, de conchas casi rectangulares *(Ensis ensis).*

navajero, -ra *adj.-s.* Que emplea la navaja como arma, especialmente [delincuente] que atraca con ella. – 2 *m.* Estuche en que se guardan las navajas de afeitar. 3 Paño o taza metálica con borde de caucho en que se limpian.

naval *adj.* Relativo a las naves y a la navegación.

navarca *m.* Jefe de una armada griega. 2 Jefe de un buque romano.

navarín *m.* Ragú de cordero, preparado con cebollitas y nabos o patatas.

navarrismo *m.* Amor o apego a las cosas propias de Navarra. 2 Movimiento político defensor de la autonomía de Navarra, y de su independencia del País Vasco. 3 Doctrina de dicho movimiento.

navarro, -rra *adj.-s.* De Navarra.

navarroaragonés, -nesa *adj.-s.* Perteneciente o relativo a Navarra y Aragón. – 2 *m.* Dialecto romance nacido en Navarra y Aragón como evolución del latín, de uso cancilleresco y literario hasta el siglo XV, y conservado en el Alto Aragón.

nave *f.* Barco (construcción), especialmente el de cubierta y con velas. 2 Espacio que en las iglesias y otros edificios se extiende a lo largo entre muros o filas de arcadas; **gótico; **románico: ~ *central, colateral;* **basílica. 3 ~ *del espacio* o *espacial,* astronave.

navegable *adj.* [río, lago, etc.] Que se puede navegar. 2 Que puede navegar.

navegación *f.* Acción de navegar; náutica: ~ *aérea;* ~ *marítima;* ~ *submarina;* ~ *de altura,* la que se hace por mar fuera de la vista de la tierra.

navegar *intr.* Hacer viaje o andar por el agua con embarcación: ~ *a,* o *para, Indias;* ~ *en un vapor;* ~ *hacia el Polo.* 2 Andar una embarcación: *el buque navega con viento fresco, de bolina, contra la corriente, entre dos aguas.* 3 Andar por el aire en globo o en aeroplano. 4 fig. Andar de una parte a otra o trajinar mucho: *siempre está navegando entre sus libros.* ◇ ** CONJUG. [7] como *llegar.*

naveta *f.* Construcción megalítica funeraria propia de la isla de Menorca y que tiene la apariencia de nave con la quilla al aire; **prehistoria. 2 Vaso, generalmente en forma de navecilla, en que se guarda el incienso.

navicular *adj.* De forma de navecilla: *hoja* ~; *hueso* ~, escafoides.

navidad *m.* Pastel hecho a base de puré de castañas y chocolate.

Navidad *f.* Fiesta conmemorativa del nacimiento de Jesucristo y día en que se celebra. 2 Tiempo inmediato a dicho día: *se pagará por* ~ o *por las Navidades.* 3 fig. Año: *Juan tiene muchas Navidades.*

navideño, -ña *adj.* Perteneciente o relativo al tiempo de Navidad: *fruta navideña,* la que se guarda para estes tiempo.

naviero, -ra *adj.* Relativo a naves o a navegación: *la compañía naviera ha fletado un nuevo barco.* – 2 *m.* Dueño de un navío o barco. 3 El que avitualla un buque mercante.

navío *m.* Nave grande, de cubierta, con velas y muy fortificada: ~ *de guerra;* ~ *mercante.*

náyade *f.* MIT. Ninfa de los ríos y fuentes. 2 Mariposa diurna de pequeño tamaño, con las alas de color azul en el anverso y blancas en el reverso *(Calastrina argiolus).*

nazareno, -na *adj.-s.* De Nazaret, ciudad de Galilea. 2 Hebreo que se consagraba especialmente al culto del Señor. 3 fig. Cristiano de los primeros tiempos. – 4 *m.* Penitente que en las procesiones de Semana Santa lleva túnica generalmente morada. 5 Árbol ramnáceo de América, cuya madera, cocida en agua, da un tinte amarillo muy duradero *(Maytenus lineaus).* 6 Hierba bulbosa perenne de flores casi globulares de color violeta *(Muscari botryoides).* – 7 *f.* Mariposa diurna de pequeño tamaño, con las alas de color azul brillante en el anverso y grisáceas en el reverso *(Quercusia quercus).* – 8 *f. pl.* Espuela usada por los gauchos, de enorme rodaja.

nazismo *m.* Nacionalsocialismo.

Neanderthal *m.* Raza humana prehistórica, intermedia entre el pitecántropo y el hombre actual.

neánico, -ca *adj.* ZOOL. [período] Adolescente en el ciclo de vida de un individuo.

nébeda *f.* Planta labiada de sabor y olor parecidos a los de la menta *(Nepeta cataria).*

nebladura *f.* Daño que causa la niebla a los sembrados.

neblina *f.* Niebla espesa y baja. 2 Niebla ligera.

nebrina *f.* Fruto del enebro.

nebrisense *adj.-s.* De Nebrija o Lebrija, ciudad de Sevilla. – 2 *adj.* Perteneciente o relativo al humanista Antonio de Nebrija (1444-1522).

nébula *f.* Opacidad líquida en la córnea del ojo.

nebulización *f.* Preparación que se emplea con pulverizador.

nebulizar *tr.* Proyectar un líquido en pequeñísimas gotas. ◇ ** CONJUG. [4] como *realizar.*

nebulón *m.* Hombre taimado e hipócrita.

nebulosa *f.* Masa de materia cósmica celeste, difusa y luminosa, que tiene aspecto de nube.

nebuloso, -sa *adj.* Velado u obscurecido por la niebla o las nubes. 2 fig. Falto de lucidez o claridad. 3 fig. Sombrío, tétrico.

necedad *f.* Calidad de necio. 2 Dicho o hecho necio.

necesario, -ria *adj.* Que no puede dejar de ser o suceder: *consecuencia necesaria de un principio.* 2 Que es menester indispensablemente, o hace falta para un fin: *el aire es* ~ *para la vida.*

neceser *m.* Caja o estuche con diversos objetos de tocador o costura.

necesidad *f.* Imposibilidad de que una cosa deje de ser, una vez dadas las circunstancias en que se produce: ~ *metafísica;* **obedecer a la** ~, fig., obrar como exigen las circunstancias. 2 Lo que es imprescindible para uno: *tener* ~ *de trabajar para vivir; de primera* ~, indispensable para la vida. 3 Evacuación corporal por deposición u orina. 4 Falta de lo necesario para vivir, especialmente la de alimento: *caerse de* ~. 5 Riesgo que exige pronto auxilio. ◇ En la acepción 3 se usa especialmente en plural.

necesitar *tr.* Tener necesidad [de alguien o de alguna cosa].

necio, -cia *adj.-s.* Que no sabe lo que podía o debía saber. 2 Imprudente, terco o porfiado. – 3 *adj.* [cosa] Ejecutado con ignorancia, imprudencia o presunción.

nécora *f.* Cangrejo de mar decápodo braquiuro, de cuerpo liso y elíptico, cuyo caparazón es de color rojo pardusco, cubierto de pilosidad y dentado cerca de los ojos *(Macropipus puber).*

necrocomio *m.* Depósito judicial de cadáveres no identificados.

necrófago, -ga *adj.-s.* Que se alimenta de cadáveres. 2 [insecto coleóptero] Que se alimenta de carroñas o deposita sus huevos en ellas.

necrofilia *f.* Coito con un cadáver. 2 Inclinación anormal hacia los muertos.

necrofobia *f.* Temor morboso a los muertos. 2 Temor exagerado a la muerte.

necróforo, -ra *adj.-s.* [coleóptero] Que entierra los cadáveres de otros animales para depositar en ellos sus huevos: *escarabajo* ~.

necrolatría *f.* Adoración tributada a los muertos.

necrología *f.* Noticia biográfica de una persona notable, muerta recientemente. 2 Lista o noticia de muertos en estadísticas y periódicos.

necrópolis *f.* Cementerio, especialmente el antiguo: *una* ~ *ibérica.* ◇ Pl.: *necrópolis.*

necrosis *f.* Mortificación o gangrena de una parte circunscrita de los tejidos del organismo. ◇ Pl.: *necrosis.*

néctar *m.* MIT. Bebida de los dioses. 2 Líquido azucarado que contienen ciertas flores. 3 fig. Licor delicioso.

nectario *m.* Glándula secretora de néctar, existente en ciertas flores.

nectópodo *m.* Apéndice adaptado para nadar.

neerlandés, -desa *adj.-s.* [pers.] Holandés. – 2 *m.* Lengua germánica que se habla en el norte de Bélgica y en Holanda.

nefando, -da *adj.* Horriblemente malo, execrable.

nefario, -ria *adj.* Sumamente malvado, detestable.

nefasto, -ta *adj.* Triste, funesto, ominoso: *día, mes, año* ~; *época nefasta.*

nefelibata *adj.-com.* fig. [pers.] Que anda por las nubes, soñador.

nefelina *f.* Feldespatoide de varios colores y brillo vítreo, utilizado como materia prima en la industria del vidrio y cerámica.

nefelio *m.* Pequeña sombra que se forma en la córnea transparente.

nefelismo *m.* Conjunto de caracteres con que se nos presentan las nubes.

nefelómetro *m.* Instrumento para medir la turbidez de un fluido o para determinar la concentración y tamaño de las partículas en suspensión, por medio de la luz que difunden en un tubo.

nefrectomía *f.* Operación consistente en extirpar un riñón.

nefridio *m.* Órgano excretor rudimentario de los animales inferiores.

nefrita *f.* Piedra preciosa que forma parte del jade.

nefritis *f.* Inflamación de los riñones. ◇ Pl.: *nefritis.*

nefrología *f.* Rama de la medicina que estudia el riñón y sus enfermedades.

negación *f.* GRAM. Partícula negativa. 2 Falta total de una cosa.

negado, -da *adj.-s.* Incapaz o inepto: ~ *de entendimiento;* ~ *para todo.*

negar *tr.* Declarar no conforme o inexacto [lo que se afirma, supone o pregunta]: ~ *la verdad de los hechos.* 2 Decir que no [a lo que se pretende o se pide], no concederlo: ~ *la autorización pedida.* 3 Prohibir, vedar: ~ *la lectura de ciertos libros.* 4 Olvidarse o retirarse [de lo que se ha estimado]: *San Pedro negó a Jesús.* 5 Desdeñar [a una persona o cosa], no reconocerla como propia: *negó a su hijo.* 6 No confesar el acusado [el delito]. – 7 *prnl.* Excusarse de hacer una cosa: *negarse al trato.* 8 Declararse ausente para no ser importunado. 9 *Negarse a la razón* o *a la evidencia,* obcecarse, obstinarse. ◇ ** CONJUG. [48] como *regar.*

negativismo *m.* Doctrina que niega toda realidad y creencia.

negativo, -va *adj.* Que expresa, implica o contiene negación: *una respuesta negativa;* *crítica negativa,* la desfavorable; *oración negativa;* *juicio* ~. – 2 *m.* Prueba fotográfica que reproduce los claros y obscuros del original, pero invertidos. ◇ INCOR.: su uso con el significado de *no.*

negatoscopio *m.* Pantalla luminosa constituida por un cristal esmerilado y alumbrado por detrás, sobre el cual se ponen radiografías u otros clisés para observarlos por transparencia.

negligé *adj.* GALIC. Descuidado, desaliñado. – 2 *m.* Salto de cama, bata casera de mujer.

negligencia *f.* Descuido, omisión. 2 Falta de aplicación.

negligente *adj.-com.* Descuidado, omiso: ~ *en,* o *para, sus negocios.* 2 Falto de aplicación.

negociado *m.* Sección de una oficina. 2 *Amér.* Negocio ilícito.

negociador, -ra *adj.-s.* Que negocia. 2 Que gestiona asuntos diplomáticos.

negociante *m.* Comerciante: ~ *en vinos;* ~ *al por mayor.*

negociar *intr.* Comerciar en mercaderías o valores: ~ *con papel;* ~ *en granos;* ~ *en Francia.* – 2 *tr.* Ajustar el traspaso o descuento [de un efecto comercial]: ~ *una letra.* 3 Tratar [asuntos especialmente de carácter público]: ~ *un tratado de comercio.* ◇ ** CONJUG. [12] como *cambiar.*

negocio *m.* Ocupación en la que se emplea trabajo, atención o tiempo, especialmente la hecha por lucro o interés. 2 Utilidad o interés que se logra negociando. 3 Dependencia, pretensión, tratado o agencia.

negocioso, -sa *adj.* Diligente, cuidadoso de sus negocios.

negra *f.* MÚS. Figura cuya duración es equivalente a la mitad de una blanca.

negrear *intr.* Mostrar una cosa la negrura que en sí tiene. 2 Tirar a negro.

negrecer *intr.-prnl.* Ponerse negro. ◇ ** CONJUG. [43] como *agradecer.*

negrero, -ra *adj.-s.* [pers.] Que se dedica a la trata de negros. 2 p. ext. Cruel, inhumano con los inferiores.

negrilla *f.* Hongo parásito que ataca a los olivos, naranjos y limoneros (gén. *Antennaria; Apiosporium; Capnodium).* 2 Enfermedad causada por dicho hongo. 3 Seta pequeña de sombrero escamoso de color gris obscuro, y el resto blanco *(Tricholoma terreum).*

negrismo *m.* Expresión literaria o artística de lo que es propio de los negros.

negrito, -ta *adj-f.* V. letra negrita. – 2 *m.* Tiburón de unos 90 cms. de longitud, cuyas espinas dorsales son largas y con el extremo libre; su vientre, luminiscente, es más obscuro que el dorso *(Etmopterus spinax).*

negritud *f.* Perteneciente a la raza negra. 2 Conjunto de valores culturales y espirituales de la raza negra.

negrizal *m.* Terreno negruzco y generalmente muy fértil.

negro, -gra *adj.-m.* Color totalmente obscuro; en realidad es la falta de todo color: *el color ~; el ~.* – 2 *adj.-s.* Individuo de la raza negra: *trata de negros.* – 3 *adj.* De color negro: *un vestido ~.* 4 Moreno, o sin la blancura o color que le corresponde: *pan ~; nube negra.* 5 Privado totalmente de luz: *noche negra.* 6 [novela, cine] De carácter policíaco, que combina violencia, realismo e ironía con una visión crítica de la sociedad. 7 fig. Triste, melancólico; infausto. – 8 *m.* El que trabaja anónimamente para lucimiento de otro, especialmente en trabajos literarios. ◇ CONSTR.: En la acepción 7, como adjetivo, va delante del nombre en algunas frases hechas: *mi negra suerte, negra honrilla.*

negrófilo, -la *m. f.* Enemigo de la esclavitud y trata de negros.

negroide *adj.* Característico del negro (individuo), o semejante a él: *labios negroides; raza ~.*

negrón *m.* Pato de unos 48 cms. de longitud, con el plumaje totalmente negro los machos, y las hembras de color pardo obscuro con la garganta y mejillas claras *(Melanitta nigra).*

negroni *m.* Cóctel preparado a base de ginebra, vermut y campari.

negruzco, -ca *adj.* De color moreno algo negro.

neguijón *m.* Enfermedad de los dientes que los carcome y ennegrece.

neguilla *f.* Planta cariofilácea lanuginosa y fosforescente que abunda en los sembrados, de flores de color rojizo *(Agrostemma githago).* 2 Semilla de esta planta. 3 Mancha negra en

la cavidad de los dientes de las caballerías que sirve para conocer la edad del animal.

nemato *m.* Insecto himenóptero de pequeño tamaño y color negro, cuyas larvas defolian los groselleros *(Nematus ribeii).*

nematócero *adj.-m.* Insecto del suborden de los nematóceros. – 2 *m. pl.* Suborden de insectos dípteros, con cuerpo esbelto, alas estrechas y largas, patas delgadas y antenas largas; como los mosquitos.

nematocisto *m.* Vesícula urticante de los celentéreos.

nematodo *adj.-m.* Gusano del tipo de los nematodos. – 2 *m. pl.* Tipo de gusanos unisexuales, de cuerpo cilíndrico y delgado, sin segmentar, y cubierto por una cutícula; existen formas libres y parásitas; como la lombriz.

nemertino *adj.-m.* Gusano del tipo de los nemertinos. – 2 *m. pl.* Tipo de gusanos acintados dotados de trompa evaginable armada con espinas venenosas; son marinos y depredadores.

némesis *f.* fig. Castigo.

nemoroso, -sa *adj.* poét. Relativo al bosque. 2 poét. Cubierto de bosques.

nene, -na *m. f.* fam. Niño pequeño. 2 Expresión de cariño, especialmente en femenino . – 3 *m.* fig. e irón. Hombre temible por sus fechorías.

nenia *f.* Composición poética que en la antigüedad gentilicia se cantaba en las exequias de una persona. 2 La que se hace en alabanza de un difunto.

nenúfar *m.* Planta ninfeácea acuática, de rizoma largo y nudoso, hojas redondas y peltadas que flotan en la superficie del agua, flores blancas, grandes y solitarias, y fruto capsular *(Nymphœa alba).*

neo *adj.* fam. Católico tradicionalista.

neobarroco *m.* Movimiento artístico de recuperación de los modelos propios del barroco no clásico, desarrollado en los años centrales del siglo XIX.

neocapitalismo *m.* Capitalismo moderno que admite la intervención del Estado en algunos dominios.

neocatolicismo *m.* Doctrina política y religiosa que aspira a restablecer en todo su vigor las tradiciones católicas en la vida social y en el gobierno del estado. 2 Tendencia a introducir en el catolicismo ciertas ideas modernas opuestas a sus tradiciones y aun al dogma.

neocelandés, -desa *adj.-s.* De Nueva Zelanda, nación de Oceanía.

neoclasicismo *m.* Corriente europea literaria y artística de la segunda mitad del siglo XVIII, que aspiraba a restaurar el gusto y normas de la antigüedad griega y romana.

neocolonialismo *m.* Nuevo sistema de colonialismo con el que se intenta dominar económicamente a los países subdesarrollados.

neocriticismo *m.* Sistema filosófico basado en el criticismo kantiano.

neodarvinismo *m.* Teoría renovadora de las ideas del naturalista inglés Carlos Darwin (1809-1882) sobre la evolución, basada en la selección natural y en las mutaciones.

neoescolasticismo *m.* Forma nueva de escolasticismo que surgió en el siglo XIX.

neófito, -ta *m. f.* Persona, especialmente adulta, recién bautizada. 2 p. ext. El que recientemente se ha adherido a una opinión, colectividad, etc.

neofobia *f.* Horror ante todo lo nuevo.

neógeno *m.* Segundo período geológico base de la era terciaria que comprende el mioceno y el plioceno.

neogongorismo *m.* Tendencia literaria de la llamada Generación del 27, que aspira a revalorizar el estilo del poeta Luis de Góngora (1561-1627).

neogótico *m.* Movimiento artístico de recuperación del estilo gótico que tuvo lugar desde mediados del siglo XVIII hasta comienzos del siglo XIX.

neoimpresionismo *m.* Movimiento pictórico desarrollado en la última fase del impresionismo.

neokantismo *m.* Movimiento filosófico actual, basado en el pensamiento de Emmanuel Kant (1724-1804), dedicado a investigaciones de tipo psicológico, lógico y moral.

neolatino, -na *adj.* Que procede o se deriva de los latinos. 2 *Lenguas neolatinas,* las derivadas del latín vulgar.

neoliberalismo *m.* Movimiento basado en el liberalismo, que concede al Estado una intervención limitada en los asuntos jurídicos y económicos.

neolítico, -ca *adj.-s.* Período de la edad de piedra que sigue al paleolítico.

neologismo *m.* Vocablo, giro o modo de expresión nuevo en una lengua. 2 Uso de estos vocablos o giros.

neomaltusianismo *m.* Doctrina surgida en el siglo XIX que evita el exceso de población valiéndose de medios anticonceptivos.

neomedievalismo *m.* Movimiento artístico y socio-político de vuelta al mundo medieval desarrollado en el ámbito europeo de mediados del siglo XVIII hasta principios del siglo XIX, y con mayor intensidad hasta el primer tercio del siglo XIX.

neomenia *f.* Luna nueva.

neón *m.* Elemento gaseoso, poco activo, incoloro e inodoro; es uno de los gases nobles. Su símbolo es *Ne*.

neonato, -ta *adj.* Recién nacido.

neonatología *f.* Parte de la pediatría que se ocupa de los recién nacidos.

neopitagorismo *m.* Movimiento filosófico de los primeros siglos de nuestra Era, basado en la doctrina de Pitágoras (s. VI a. C.).

neoplasma *m.* Formación anormal, en alguna parte del cuerpo, de un tejido cuyos elementos substituyen invasoramente a los de los tejidos normales.

neoplastia *f.* Reparación de una zona del cuerpo humano destruida, por medio de la aplicación de injertos.

neoplasticismo *m.* Movimiento pictórico y teórico defendido por el pintor holandés Mondrian (1872-1944), desarrollado dentro del arte abstracto, próximo a los planteamientos constructivistas.

neoplatonismo *m.* Sistema filosófico inspirado en la doctrina de Platón (428-348 a. C.). 2 Escuela filosófica que floreció en Alejandría durante los siglos II y III, y que trató de conciliar la doctrina de Platón con todo el pensamiento antiguo; su principal representante fue Plotino (s. III).

neopositivismo *m.* Doctrina filosófica basada en las ideas de Augusto Comte (1798-1857).

neorama *m.* Especie de panorama en el que se representa el interior de un edificio.

neorrealismo *m.* Movimiento nacido en el cine italiano y extendido luego a otros campos artísticos, que consiste en presentar la realidad cotidiana sin artificios: *literatura neorrealista.*

neorrococó *m.* Movimiento de recuperación de la estética y estilo propios del Rococó, desarrollado a mediados del siglo XIX.

neotenia *f.* Persistencia de caracteres larvales más allá del período normal, como en ciertos anfibios maduros que mantienen la apariencia de renacuajos.

neotomismo *m.* Movimiento filosófico basado en la doctrina de Santo Tomás (1225-1274).

neovitalismo *m.* Doctrina filosófica de finales del XIX que declara insuficientes las fuerzas físico-químicas del organismo para provocar los fenómenos vitales.

neoyorquino, -na *adj.-s.* De Nueva York, ciudad de los Estados Unidos de América.

neozoico, -ca *adj.-s.* Cuaternario.

nepalés, -lesa *adj.-s.* De Nepal, nación del centro de Asia.

nepentáceo, -a *adj.-f.* Planta de la familia de las nepentáceas. – 2 *f. pl.* Familia de plantas carnívoras que se caracterizan por presentar las hojas modificadas en forma de urna con o sin tapadera.

nepente *m.* fig. Bebida mágica, remedio contra la tristeza.

nepotismo *m.* Favoritismo para con los parientes o protegidos: *el ~ de los papas del Renacimiento.*

neptunismo *m.* Hipótesis que atribuye exclusivamente a la acción del agua la formación de la corteza terrestre.

Neptuno *m.* Planeta mucho mayor que la Tierra y el más alejado del **Sol, después del pequeño planeta Plutón.

nereida *f.* MIT. Ninfa del mar.

nerita *f.* Molusco gasterópodo marino comestible de concha gruesa y redonda y espira casi plana.

nerítico, -ca *adj.* [zona marítima] Que se corresponde con la plataforma continental. 2 BIOL. [organismo] Que vive en la zona superficial del mar y de los lagos, en la proximidad del litoral.

nerítido *adj.-m.* Molusco de la familia de los neríticos. – 2 *m. pl.* Familia de moluscos gasterópodos de concha globulosa o algo cónica, de cabeza ancha, tentáculos largos, ojos pedunculados y pie ovalado, que viven en los mares calientes y templados.

neroli, nerolí *m.* Producto que se obtiene destilando flores de distintos naranjos, en particular las del naranjo amargo. Se compone de un hidrocarburo y de un líquido oleoso, oxigenado, y se emplea en perfumería. 2 Substancia química que tiene el mismo olor de dicha esencia natural.

nerón *m.* fig. Hombre muy cruel.

nervado, -da *adj.* Provisto de nervios. 2 Semejante a los nervios.

nervadura *f.* Moldura saliente en un ángulo o arista; **gótico. 2 Conjunto de los nervios de una hoja o del ala de un insecto.

nervio *m.* Cordón fibroso blanquecino que, partiendo del cerebro, la médula espinal u otros centros, se distribuye por el cuerpo y sirve para transmitir las impresiones y los impulsos motores: ~ *óptico;* **ojo; ~ *acústico;* ~ *auditivo;* **oído; **diente. 2 fig. Parte de una cosa que se considera la fuente de su vitalidad, fuerza, etc.; vigor físico o mental: *el ~ de una cuestión; poesía sin ~;* **tener** *~,* tener carácter, firmeza. 3 p. ext. Aponeurosis, tendón. 4 Motor principal. 5 Haz vascular que forma el esqueleto fibroso de las **hojas vegetales, y tubo quitinoso que da rigidez a las alas de los insectos. 6 Cuerda de los instrumentos músicos. 7 Cordón que une los cuadernillos en el lomo de un libro encuadernado. 8 Saliente en la piel o tela del lomo de un libro producido por este cordón; **encuadernación. 9 Arco saliente en el intradós de una **bóveda; **románico.

nervioso, -sa *adj.* Que tiene nervios: *carne nerviosa.* 2 Relativo a los nervios: *célula nerviosa; temperamento ~.* 3 De nervios irritables: *hombre ~.* 4 fig. Que tiene nervio (fuerza): *estilo ~.*

nervosidad *f.* Fuerza y actividad de los nervios. 2 Flexibilidad de algunos metales preciosos. 3 fig. Fuerza y eficacia de un razonamiento.

nervura *f.* Conjunto de los nervios del lomo de un libro encuadernado.

nesga *f.* Pieza triangular que se agrega a un vestido para darle vuelo. 2 fig. Pieza triangular unida a otras.

nesgar *tr.* Cortar [una tela] en dirección oblicua a la de sus hilos. ◇ ** CONJUG. [7] como *llegar.*

nestorianismo *m.* Doctrina herética predicada por Nestorio en el siglo V, según la cual la unión de las dos naturalezas de Jesucristo sólo era moral, de lo que concluía la existencia en Él de dos personas.

netamente *adv. m.* Con limpieza y distinción: *dos cuestiones ~ separadas.*

neto, -ta *adj.* Limpio, puro. 2 Que resulta líquido en la suma, precio o valor de una cosa, después de deducir los gastos o de haber comparado la data con el cargo: *beneficio ~; producto ~.* – 3 *m.* ARQ. Pedestal de una columna considerándolo sin molduras.

neumático, -ca *adj.* Que opera con aire: *máquina neumática; martillo ~.* – 2 *m.* Tubo de goma lleno de aire que sirve de llanta a las ruedas del **automóvil, **bicicleta, **motocicleta, etc. – 3 *f.* Parte de la física que trata de las propiedades mecánicas de los gases.

neumatocisto *m.* Cavidad de aire usada como flotador; vejiga natatoria de los peces.

neumoconiosis *f.* Enfermedad producida por la infiltración en el aparato respiratorio del polvo de substancias minerales. ◇ Pl.: *neumoconiosis.*

neumogástrico *m.* Nervio que se extiende desde el bulbo a las cavidades del tórax y el abdomen.

neumología *f.* Rama de la medicina que estudia las enfermedades de los pulmones o de las vías respiratorias en general.

neumonía *f.* Pulmonía.

neumostoma *m.* Orificio **respiratorio de los moluscos gasterópodos terrestres.

neumotórax *m.* MED. Introducción, natural o provocada, de aire u otros gases en la cavidad de la pleura.

neuralgia *f.* Dolor vivo a lo largo de un nervio y sus ramificaciones.

neurálgico, -ca *adj.* De la mayor importancia: *momento ~.*

neurastenia *f.* Debilidad nerviosa que produce una depresión de las fuerzas vitales.

neurita *f.* Prolongación filiforme que arranca de la célula nerviosa y termina formando una ramificación terminal.

neuritis *f.* Inflamación de un nervio. ◇ Pl.: *neuritis.*

neurobiología *f.* Disciplina que estudia el funcionamiento del sistema nervioso central.

neurocirugía *f.* Cirugía del sistema nervioso.

neuroendocrinología *f.* Estudio de las hormonas secretadas por ciertas estructuras del sistema nervioso central.

neuroesqueleto *m.* Esqueleto interno, formado por piezas óseas o cartilaginosas, de los animales vertebrados.

neurofisiología *f.* Rama de la fisiología que estudia las funciones del sistema nervioso.

neuroglia *f.* Substancia difundida por el sistema nervioso que constituye su elemento de sostén, sirviendo a la vez para aislar las células y fibras nerviosas.

neurografía *f.* Descripción de los nervios.

neuroléptico, -ca *adj.-s.* Que ejerce una acción sedante sobre el sistema nervioso: *medicamento* ~.

neurolingüística *f.* Disciplina lingüística que estudia las relaciones entre las lesiones cerebrales y los trastornos del lenguaje que provocan.

neurología *f.* Rama de la medicina que estudia el sistema nervioso y sus enfermedades.

neuroma *m.* Tumor formado por tejido nervioso.

neurona *f.* Célula nerviosa con sus prolongaciones protoplásmicas y su cilindroeje.

neuropatía *f.* Enfermedad nerviosa.

neuropatología *f.* Tratado de las enfermedades del sistema nervioso. 2 Anatomía patológica del sistema nervioso.

neuropsicología *f.* Ciencia que estudia las relaciones entre las funciones psicológicas y las estructuras cerebrales.

neuropsiquiatría *f.* Rama de la medicina que se ocupa de las enfermedades nerviosas y mentales.

neuróptero *adj.-m.* Insecto del orden de los neurópteros. – 2 *m. pl.* Antiguo orden de insectos pterigotas, con cuatro alas membranosas y reticuladas; en la actualidad sus componentes se han agrupado en tres órdenes: megalópteros, rafidiópteros y planipennes.

neuroquímico, -ca *adj.* Propio o relativo a los fenómenos químicos que se producen en el sistema nervioso. – 2 *f.* Estudio de estos fenómenos.

neurosis *f.* Enfermedad funcional nerviosa. ◇ Pl.: *neurosis.*

neutonio *m.* FÍS. Unidad de fuerza, equivalente a cien mil dinas.

neutral *adj.* Que, entre dos partes que contienden, permanece sin inclinarse a ninguna de ellas; que no es de uno ni de otro: *espectador* ~; *estado* ~; *territorio* ~. 2 [región, estado, nación] Que en una guerra entre dos o más potencias mantiene con imparcialidad las mismas relaciones que con ellas tenía al iniciarse el conflicto, absteniéndose de todo acto que las pueda favorecer directa o indirectamente.

neutralización *f.* En fonología, fenómeno que se produce cuando una oposición entre dos fonemas deja de ser distintiva. 2 FÍS. Anu-

lación de efectos perjudiciales en circuitos eléctricos.

neutralizador *m.* Condensador variable que se emplea para corregir una neutralización.

neutralizar *tr.-prnl.* Hacer neutral [una región, estado o nación]. 2 Hacer neutra [una substancia]. 3 Debilitar [el efecto de una causa] por la concurrencia de otra opuesta. ◇ ** CONJUG. [4] como *realizar.*

neutro, -tra *adj.* Que no presenta ni uno ni otro de dos caracteres opuestos. 2 No definido, indeterminado. 3 Que no presenta fenómeno alguno eléctrico o magnético: *zona neutra.* 4 GRAM. Que no es ni masculino ni femenino: *género* ~. 5 H. NAT. No apto para la generación; como la abeja obrera, y como ciertas flores en que los pétalos se han acrecentado a expensas del androceo y el gineceo; como la hortensia. 6 En política, indiferente. 7 QUÍM. Que no es ácido ni básico.

neutrón *m.* Constituyente corpuscular del núcleo atómico, de carga eléctrica nula, y masa aproximadamente igual a la del núcleo de hidrógeno: *bomba de neutrones.*

nevada *f.* Cantidad de nieve caída sin interrupción sobre la tierra.

nevado, -da *adj.* Cubierto de nieve. 2 fig. Blanco como la nieve. 3 fig. [animal] Que tiene manchas de color blanco en su pelo, especialmente la vaca.

nevar *impers.* Caer nieve. – 2 *tr.* fig. Poner blanca [una cosa]. ◇ ** CONJUG. [27] como *acertar.*

nevera *f.* Sitio en que se guarda o conserva nieve. 2 Mueble frigorífico para el enfriamiento o conservación de alimentos y bebidas: ~ *de hielo;* ~ *eléctrica.* 3 fig. Habitación demasiado fría.

nevisca *f.* Nevada corta de copos menudos.

I) newton *m.* Unidad de fuerza, equivalente a la fuerza que comunica una aceleración de un metro por segundo a una masa de un kilogramo. Su símbolo es *N.*

II) newton *m.* Nombre del neutonio en la nomenclatura internacional.

nexo *m.* Nudo, unión, vínculo.

ni *conj. copul.* Enlaza oraciones negativas o términos dependientes de una oración negativa: *no descansa* ~ *de día* ~ *de noche; nadie lo poseerá,* ~ *tú* ~ *yo;* cuando la oración negativa está precedida del adverbio *no,* puede suprimirse delante del primer término que se ha de negar: *no descansa de día* ~ *de noche;* cuando el verbo va al final de la oración, es obligatorio el uso de *ni* delante de cada término, e incorrecto el empleo de *no* ante el verbo: ~ *de día* ~ *de noche descansa.* – 2 *adv. neg.* Y no: *perdió el caudal y la honra,* ~ *podía esperarse otra cosa de su conducta.* – 3 *loc. adv.* ~ *bien,* en oraciones de sentido contrapuesto, no del todo: ~

bien de corte, ~ *bien de aldea.* 4 ~ *que,* en oraciones exclamativas, como si: *¡~ que fuese tonto!* ◇ V. las reglas de **concordancia.

niara *f.* Especie de pajar hecho en el campo, en cuyo interior se suele conservar el grano.

nica *adj.-s.* *Amér. Central.* fest. Natural de Nicaragua.

nicaragüense, nicaragüeño, -ña *adj.-s.* De Nicaragua, nación de América central.

nicotina *f.* Alcaloide venenoso que se extrae del tabaco.

nicotismo *m.* Estado morboso producido por el abuso del tabaco.

nicromo *m.* Aleación de níquel y cromo.

nictagináceo, -a *adj.-f.* Planta de la familia de las nictagináceas. – 2 *f. pl.* Familia de plantas tropicales, herbáceas o arbóreas, de hojas opuestas, flores solitarias o dispuestas en glomérulos y envueltas a menudo en brácteas coloreadas, y fruto en aquenio.

nictalopía *f.* Enfermedad del que, viendo bien de día, ve poco o nada por la noche o con luz débil. 2 Por error y más comúnmente, enfermedad del que ve mejor de noche que de día.

nicho *m.* Concavidad formada en un muro para colocar alguna cosa, especialmente un cadáver.

nidada *f.* Conjunto de los huevos o pajarillos de un nido.

nidal *m.* Lugar donde las aves domésticas suelen poner sus huevos. 2 Huevo que se deja en un paraje señalado para que la gallina acuda a poner allí. 3 fig. Sitio adonde uno acude con frecuencia. 4 fig. Fundamento o motivo de que suceda o prosiga una cosa.

nidícola *adj.* [ave] Que permanece en el nido paterno algún tiempo después de su nacimiento.

nidificar *intr.* Hacer nidos (las aves). ◇ ** CONJUG. [1] como *sacar.*

nidífugo, -ga *adj.* [ave] Que abandona el nido al poco de nacer.

nido *m.* Especie de lecho, de formas y materiales distintos, que hacen las aves para poner sus huevos y criar sus pollos. 2 p. ext. Lugar donde procrean otros animales: *un ~ de ratones; ~ de insectos.* 3 Nidal (paraje y fundamento). 4 fig. Casa, patria o habitación de uno. 5 fig. Lugar donde se juntan gentes de mala conducta: *un ~ de bribones.* 6 fig. Lugar donde se agrupan ciertas cosas: *~ de ametralladoras.* 7 fig. Lugar originario de ciertas cosas inmateriales: *~ de discordias.*

niebla *f.* Condensación del vapor de agua de la atmósfera, especialmente cuando forma una capa extensa en contacto con la Tierra. 2 fig. Confusión y oscuridad en las cosas o negocios.

nietastro, -tra *m. f.* Hijo o hija del hijastro o de la hijastra, respecto de una persona.

nieto, -ta *m. f.* Hijo o hija del hijo o de la hija, respecto de una persona. 2 p. ext. Descendiente de una línea a partir de la tercera generación: *~ segundo; ~ tercero,* etc.

nieve *f.* Hielo en forma de pequeños cristales provenientes de la congelación de partículas de agua en suspensión en la atmósfera, que se agrupan al caer y llegan al suelo en copos blancos. 2 Temporal en que nieva mucho: *en tiempo de nieves.* 3 fig. Suma blancura de cualquier cosa: *la ~ de tus canas.* 4 fig. Repostería a base de claras de huevo y azúcar. 5 fig. Interferencia que presenta el aspecto de la nieve al caer y se observa en los receptores de televisión. 6 En el lenguaje de la droga, cocaína. 7 *Amér.* Helado.

nife *m.* GEOL. Núcleo de la tierra que se considera formado por níquel y hierro; su densidad es superior a 7, y su radio de unos 5.000 kms.

nigeriano, -na *adj.-s.* De Nigeria, nación de África occidental.

nigerio, -ria *adj.-s.* De Níger, nación de África occidental.

night club *m.* Sala de fiestas que funciona por la noche. ◇ Se pronuncia *naitclab.*

nigromancia, -mancía *f.* Arte supersticioso de adivinar lo futuro evocando a los muertos y consultándolos. 2 Magia negra.

nigua *f.* Insecto americano parecido a la pulga *(Pulex penetrans).*

nihilidad *f.* Condición de no ser nada.

nihilismo *m.* Doctrina que niega la existencia de una realidad substancial correspondiente a las intuiciones sensibles. 2 Comunismo anárquico de los revolucionarios rusos desde mediados del siglo XIX hasta el bolchevismo.

nilón *m.* Nailon.

nimbo *m.* Aureola (círculo luminoso). 2 Nube baja, obscura, de aspecto uniforme. 3 Círculo que en ciertas medallas romanas rodea la cabeza del emperador.

nimio, -mia *adj.* Insignificante, sin importancia. 2 Prolijo, minucioso, escrupuloso.

ninfa *f.* Divinidad femenina que vivía en las fuentes, los bosques, los montes y los ríos; como las dríadas, sílfides, náyades, etc. 2 fig. Mujer hermosa. 3 Insecto que ha pasado ya del estado de larva y prepara su última metamorfosis.

ninfeáceo, -a *adj.-f.* Planta de la familia de las ninfeáceas. – 2 *f. pl.* Familia de plantas dicotiledóneas, acuáticas, con rizoma rastrero y carnoso, hojas grandes, flotantes y de largo pecíolo, flores terminales con muchos pétalos, y fruto globoso; como el nenúfar.

ninfomanía *f.* Furor uterino en la mujer o en la hembra.

ningún *adj. indef.* Apócope de *ninguno;* no se emplea sino antepuesto a nombre masculino: *~ hombre; ~ tiempo.*

ninguno, -na *adj. indef.* Ni uno solo; se usa después del nombre: *no tengo libro* ~ *;* antes del nombre masculino se dice *ningún: no tengo ningún libro.* 2 *pron. indef.* Sirve para reforzar la negación: *no tiene valor* ~. 3 Nadie: *no ha venido* ~*;* ~ *ha venido;* ~ *de los presentes;* ~ *entre tantos.*

ninot *m.* Muñeco de proporciones regulares, que se pone en las calles de Valencia durante las fallas.

niña *f.* Pupila (del ojo). 2 *Niñas de los ojos,* fig., persona o cosa del mayor cariño o aprecio de uno.

niñato, -ta *adj.-s.* [joven] Inexperto. – 2 *m. f.* desp. Persona que habla y actúa irreflexivamente o con mala educación; petulante, presuntuoso.

niñera *f.* Criada para cuidar niños.

niñería *f.* Acción de niños. 2 Pequeñez: *déjate de niñerías.*

niñez *f.* Primer período de la vida humana que llega hasta la adolescencia. 2 fig. Principio de cualquier cosa.

niño, -ña *adj.-s.* Que se halla en la niñez: *es muy* ~ *aún.* 2 p. ext. Que tiene pocos años. 3 fig. Sin experiencia o reflexión. 4 *m. f.* fig. *y* fam. Persona soltera, aunque tenga muchos años. 5 *Amér.* Tratamiento cariñoso que dan los sirvientes a los señores, en vez de don o doña: ~ *Pedro murió a los 50 años.* 6 *Niña bonita,* número quince, especialmente en los sorteos.

niobe *f.* Mariposa diurna de color leonado, con manchas y lúnulas blancas brillantes en el reverso de las alas posteriores *(Fabriciana niobe).*

nipa *f.* Palmera de Oceanía con cuyas hojas se tejen esteras y con cuya savia se hacen bebidas espirituosas *(Nipa fructicans).* 2 Hoja de este árbol.

nipis *m.* Tejido de color amarillo de paja, que se fabrica con las fibras más finas de la nipa. ◇ Pl.: *nipis.*

nipón, -pona *adj.-s.* Japonés.

níquel *m.* Metal duro, maleable, dúctil, de aspecto semejante al de la plata, y difícil de fundir y de oxidar. Su símbolo es *Ni.* 2 Moneda de este metal.

niquelar *tr.* Cubrir con un baño de níquel [otro metal].

niquers *m. pl.* Calzones amplios, holgados y ajustados debajo de las rodillas.

niqui *m.* Especie de blusa de punto.

nirvana *m.* En el budismo, suprema y eterna beatitud que consiste en una existencia despojada de todo atributo corpóreo.

nisán *m.* Séptimo mes del calendario judío, que va de mediados de marzo a mediados de abril.

níspero *m.* Árbol rosáceo, de tronco delgado, ramas abiertas y algo espinosas, hojas

grandes, lanuginosas por el envés, flores blancas axilares y fruto aovado, comestible cuando está pasado *(Mespilus germanica).*

níspola *f.* Fruto del níspero. 2 Mariposa diurna de pequeño tamaño, con las alas de color amarillo beige y estrechos bordes marginales grises *(Cœnonympha pamphilus).*

nistagmos *m. pl.* Movimientos inconscientes y rápidos del globo ocular, ocasionados por una afección del cerebro.

nítido, -da *adj.* Neto, terso, claro, resplandeciente.

nitración *f.* Tratamiento químico mediante el ácido nítrico.

nitrado, -da *adj.* [cuerpo] Obtenido por nitración.

nitratar *tr.* Abonar [la tierra] con nitratos.

nitrato *m.* Sal o éster del ácido nítrico.

nítrico, -ca *adj.* Relativo al nitro o al nitrógeno: *ácido* ~, el que se obtiene por acción del ácido sulfúrico sobre un nitrato.

nitrificar *tr.* Fijar los microorganismos del nitrógeno atmosférico [en la tierra]. ◇ ** CONJUG. [1] como *sacar.*

nitrito *m.* Sal o éster del ácido nitroso.

nitro *m.* Nitrato de potasio que se encuentra en forma de agujas o polvillo en la superficie de terrenos húmedos o salados.

nitrobenceno *m.* Líquido oleoso derivado nitrado de la bencina.

nitrobencina *f.* Cuerpo resultante de la combinación del ácido nítrico con la bencina.

nitrofosfato *m.* Abono obtenido por reacción de fosfato tricálcico (roca fosfática) y ácido nítrico.

nitrogelatina *f.* Explosivo formado por una mezcla de nitroglicerina, nitrato de sodio y serrín.

nitrógeno *m.* Elemento gaseoso, incoloro, inodoro e insípido, que no sirve para la respiración ni la combustión y forma la mayor parte del aire atmósférico. Su símbolo es *N.*

nitroglicerina *f.* Líquido pesado, aceitoso y explosivo, que resulta de la acción del ácido nítrico en la glicerina.

nitroso, -sa *adj.* Que tiene nitro o salitre. 2 [compuesto] En que el nitrógeno tiene una valencia más baja que en los nítricos.

nitrotolueno *m.* Compuesto nitrado del tolueno, que se utiliza en la fabricación de explosivos.

nitrurar *tr.* Endurecer superficialmente los metales ferrosos mediante acción del nitrógeno caliente.

nivación *f.* Erosión producida por la nieve.

nivel *m.* Aparato para comprobar la horizontalidad o verticalidad de una línea o de un plano o para determinar la diferencia de altura entre dos puntos: ~ *de agua.* 2 Grado de elevación de una línea o plano horizontal: *ha subido el* ~ *de las aguas;* ~ *hidrostático;* fig., ~

social; ~ *moral;* fig., ~ *de vida,* grado de bienestar, principalmente material, alcanzado por la generalidad de los habitantes de un país, los componentes de una clase social, los individuos que ejercen una misma profesión, etc.

nivelar *tr.* Echar el nivel para ver las condiciones de horizontalidad [de un cuerpo]. – 2 *tr.-prnl.* Poner [un plano] en la posición horizontal justa. 3 p. ext. Poner a igual altura [dos o más cosas]. 4 Igualar o proporcionar [una cosa con otra]: ~ *el sueldo de dos personas; nivelarse a lo justo; nivelarse con los humildes.*

níveo, -a *adj.* lit. De nieve o semejante a ella.

nixtamal *m. Amér. Central y Méj.* Maíz cocido con agua y ceniza, o con agua de cal, el cual queda dispuesto para ser lavado y molido, hasta convertirlo en masa para hacer tortillas.

no *adv. neg.* Niega o deniega la acción que expresa el verbo al que precede en la oración: ~ *sabe la lección;* entre *no* y el verbo se colocan los pronombres átonos: ~ *me lo ha dicho;* ~ *porque te hayas marchado, faltarán tus brazos;* otras palabras que refuercen la negación, como *nada, nadie, nunca, ninguno, jamás* y *ni,* deben ir pospuestas al verbo: *desde aquí* ~ *veo nada.* 2 En la respuesta a preguntas, expresa negación con valor absoluto y equivale, en algunos casos, a una oración elíptica: *¿vienes? No,* o *sea,* ~ *vengo.* 3 Repetido pleonásticamente refuerza la negación: ~, ~ *lo haré;* pero negando otra negación, afirma: ~ *diré que* ~; ~ *querrá* ~ *venir.* 4 Se antepone a substantivos y adjetivos con el mismo valor de un prefijo negativo, aunque se escribe separado: ~ *conformismo;* ~ *beligerante;* ~ *intervención.* 5 En oraciones comparativas en que hay contraposición de ideas, adquiere un valor expletivo: *es mejor ayunar que* ~ *enfermar,* o sea, *es mejor ayunar que enfermar;* o para evitar dos *que* seguidos: *es mejor que venga que no que se quede.* 6 En oraciones interrogativas, denota duda o extrañeza: *¿*~ *podríamos pasar?;* reclama o espera una respuesta afirmativa: *ya sabrías la noticia ¿*~*?* 7 Con verbos de voluntad o temor, adquiere un valor dubitativo, desposeído de significación negativa: *cuidado [que]* ~ *se nos escapen; temo [que]* ~ *vayan a divulgarlo.* 8 Seguido de la preposición *sin* o de palabras con prefijos negativos o privativos (*des-, in-, a-,* etc.), forma locuciones de significado afirmativo atenuado: *cayó* ~ *sin gloria; una casa* ~ *deshabitada.* – 9 *m.* Negación, denegación: *me dio un* ~ *por respuesta.* – 10 *loc.* *¿A que* ~*?,* expresa incredulidad desafío o incitación: *¿a que* ~ *me pegas?* – 11 *loc. ¿Cómo* ~*?,* forma amable de contestar afirmativamente, muy usual en Hispanoamérica. 12 ~ *bien,* inmediatamente que, en cuanto: ~ *bien*

cayó el talón, comenzó la ovación. 13 ~ *más,* sólo, solamente: *me dio 500 pesetas* ~ *más,* muy corriente en Hispanoamérica con significados múltiples; en giros elípticos, basta de: ~ *más rogar.* 14 ~ *menos,* denota ponderación: *en el terremoto murieron* ~ *menos de mil personas.* ◇ INCOR.: el uso del imperativo con *no* u otra negación: *no entrad,* por *no entréis; no servid,* por *no sirváis.* ◇ Pl.: *noes.*

nobiliario, -ria *adj.* De la nobleza. – 2 *adj.-s.* Libro que trata de la nobleza y sus linajes.

noble *adj.* Preclaro, ilustre, generoso: ~ *en sus obras.* 2 Honroso, estimable. 3 [cosa] Singular, selecto, aventajado a los demás elementos de sus misma clase: *los bargueños son muebles artesanales hechos con maderas nobles.* 4 QUÍM. [substancia] Que no reacciona con otras y permanece inalterable. – 5 *adj.-com.* [pers.] Que por su nacimiento o por merced del soberano usa algún título que la distingue de las demás, confiriéndole ciertos privilegios: ~ *de cuna;* ~ *por su origen.*

nobleza *f.* Calidad de noble. 2 Conjunto de los nobles de una región, estado o nación.

noblote, -ta *adj.* Que procede con nobleza llana. ◇ El sufijo aumentativo añade al primitivo *noble* la idea de fuerza, tosquedad, rusticidad de maneras, falta de afectación: *un caballo noblote.*

noca *f.* Crustáceo marino comestible, de caparazón liso, fuerte y muy convexo *(Cancer pagurus).*

nocautear *tr.* Noquear (en boxeo).

noción *f.* Conocimiento; idea que se tiene de una cosa. 2 Conocimiento elemental: *las primeras nociones de cálculo.*

nocivo, -va *adj.* Dañoso, perjudicial u ofensivo.

noctámbulo, -la *adj.* [pers.] Que acostumbra a andar por la noche.

noctiluco, -ca *adj.* Que luce en la obscuridad.

noctovisión *f.* Sistema de televisión en el que la exploración del sujeto se efectúa mediante rayos infrarrojos.

nocturnidad *f.* Circunstancia agravante de responsabilidad, que resulta de perpetrarse de noche ciertos delitos.

nocturno, -na *adj.* [animal] Que se oculta de día y busca su alimento por la noche; [planta] cuyas flores sólo están abiertas por la noche. – 2 *m.* LITURG. Parte del oficio de maitines, compuesta de antífonas, salmos y lecciones. 3 MÚS. Composición de movimiento moderado y de carácter poético y sentimental.

noche *f.* Tiempo comprendido entre la puesta y la salida del sol: *en invierno las noches son largas;* ~ *de perros,* la desapacible, fría y ventosa; *pasar la* ~ *en blanco,* fr. fig., pasarla en claro, sin dormir; *de la ~ a la mañana,* fig., inopinadamente, de pronto; *~ y día,* fig., siempre o continuamente. 2 Tiempo que hace durante la noche: *~ cubierta; ~ despejada.*

nochebuena *f.* Noche de la vigilia de Navidad.

nochebueno *m.* Torta de almendras, piñones, etc., para la colación de nochebuena. 2 Leño grande que suele quemarse en nochebuena.

nochecita *f. Amér.* Crepúsculo vespertino.

nocherniego, -ga *adj.* Que anda de noche.

nodátil *adj.* [juntura] Que forman dos huesos entrando la cabeza de uno en la cavidad del otro.

nodo *m.* **ASTRON.** Punto en que la órbita de un planeta, vista desde el Sol, corta a la elíptica: *~ ascendente* o *boreal; ~ descendente* o *austral.* 2 Fís. Punto en que la interferencia entre dos ondas que se propagan produce una onda estacionaria. 3 MED. Tumor duro, redondeado, que se forma sobre los huesos o tendones y que dificulta el movimiento.

nodriza *f.* Ama (niñera). 2 Depósito suplementario, que alimenta una caldera o motor. 3 *Avión ~, barco ~,* el que se emplea para abastecer a otros aviones o barcos.

nódulo *m.* Concreción mineral de composición distinta a la roca en que se encuentra.

noema *f.* FIL. Pensamiento como contenido objetivo del pensar, a diferencia del acto intencional o noesis. 2 LING. En algunas escuelas lingüísticas, rasgo semántico que, junto con otros, compone un semema.

noesis *f.* FIL. Visión intelectual, pensamiento. ◇ Pl.: *noesis.*

nogada *f.* Salsa hecha con nueces y algunas especias.

nogal *m.* Árbol juglandáceo frutal, de tronco corto y robusto, copa extensa, hojas grandes oficinales y fruto en drupa de epicarpio duro *(Juglans regia).* 2 Madera de este árbol, muy apreciada en ebanistería. – 3 *adj.-m.* Color noguerado.

nogalina *f.* Color obtenido de la cáscara de la nuez.

noguerado, -da *adj.-m.* Color pardo obscuro como el de la madera del nogal. – 2 *adj.* De color noguerado.

noma *f.* Gangrena de la boca y de la cara.

nómada, -de *adj.* [individuo, grupo humano o especie animal] Que anda vagando sin domicilio fijo: *persona ~; pueblo ~.*

nomadismo *m.* Estado social y económico primitivo propio de los pueblos que, viviendo principalmente de la caza, la agricultura y el pastoreo, fijan su residencia según las necesidades del momento.

nomarquía *f.* División administrativa en la Grecia actual.

nombradía *f.* Nombre (fama).

nombrado, -da *adj.* Célebre, famoso.

nombramiento *m.* Acción de nombrar. 2 Efecto de nombrar. 3 Documento en que se hace constar.

nombrar *tr.* Decir el nombre o hacer mención particular [de una persona o cosa]. 2 Elegir o señalar [a uno] para un cargo o función.

nombre *m.* Palabra con que se distingue y designa una persona o cosa: *no conozco el ~ de esta persona; aquel paraje no tiene ~; el ~ de este libro es bonito.* 2 *~ de pila,* el que se da cuando se bautiza. 3 Fama, reputación: *se ha hecho un ~.* 4 Autoridad o poder en virtud del cual se obra o al cual se invoca: *en ~ del presidente; en el ~ del Padre, del Hijo y del Espíritu Santo.* 5 Palabra con que se distinguen los seres de una especie de los de otra: *el ~ de estos árboles es el pino, el de los otros más corpulentos el roble.* 6 GRAM. Parte de la oración o del discurso que tiene por función designar las personas, animales o cosas materiales o mentales; **substantivo**: *~ absoluto,* el que no exige un complemento preposicional; *~ abstracto,* el que designa realidades no sensibles por sí mismas, como blancura, bondad, esperanza; *~ colectivo,* el que en singular comprende un conjunto de cosas de la misma especie, como docena, enjambre; *~ común, genérico* o *apelativo,* el que conviene a todos los seres de una misma clase, género o especie, como hombre, caballo, herramienta; *~ concreto,* el que designa seres que tienen existencia sensible; puede ser común o propio; *~ numeral,* el que expresa número en sí mismo, puede ser cardinal, ordinal, positivo y múltiplo o proporcional, como uno, decena, millar. *~ propio,* el que se atribuye a una persona o cosa determinada; se opone a nombre común.

nomenclátor *m.* Catálogo de nombres.

nomenclatura *f.* Lista de nombres de personas o cosas. 2 Conjunto de las voces técnicas de una ciencia: *~ química.* 3 Conjunto de las entradas de un diccionario. 4 Repertorio lexicográfico en el que las voces se ordenan temáticamente.

nomeolvides *f.* Flor de la raspilla. 2 Pulsera que lleva el nombre grabado. ◇ Pl.: *nomeolvides.*

nómina *f.* Relación nominal de empleados que han de percibir sus haberes en una empresa. 2 Suma de dichos haberes.

nominal *adj.* Relativo al nombre: *lista ~.* 2 Que tiene nombre de una cosa y le falta la realidad de ella en todo o en parte: *sueldo ~; valor ~.*

nominalismo *m.* Doctrina metafísica opuesta al realismo, según la cual los universales carecen de toda existencia tanto en la realidad como en el pensamiento.

nominar *tr.* Nombrar. ◇ Es anglicismo su

uso por *proponer, presentar, seleccionar, proclamar candidato.*

nominativo, -va *adj.* [título del estado o de las sociedades mercantiles] Que ha de llevar el nombre de su propietario, en oposición a los que son al portador. – 2 *m.* GRAM. Caso de la declinación, en algunas lenguas, en el que se pone la palabra que designa el sujeto de la oración.

nominilla *f.* Autorización que se entrega a los que cobran como pasivos, para que puedan percibir su haber. 2 Nómina breve añadida a la principal.

nomograma *m.* Gráfico a base de líneas que permite leer la solución de cálculos sin necesidad de efectuarlos.

non *adj.-m.* Impar. – 2 *m. pl.* Negación repetida de una cosa, o acción de negar enfáticamente: *decir nones.*

nona *f.* Última de las cuatro partes iguales en que los romanos dividían el día artificial. – 2 *f. pl.* En el antiguo calendario romano, día noveno antes de los idus, que era el 7 de marzo, mayo, julio y octubre y el 5 de los demás meses.

nonada *f.* Cosa de poca importancia.

nonagenario, -ria *adj.-s.* Que ha cumplido noventa años y no llega a ciento.

nonagésimo, -ma *adj.-s.* Parte que, junto a otras ochenta y nueve iguales, constituye un todo; **numeración. – 2 *adj.* Que ocupa el último lugar en una serie ordenada de noventa.

nonágono, -na *adj.-m.* Eneágono.

nonato, -ta *adj.* No nacido naturalmente, sino extraído mediante la operación cesárea. 2 fig. [cosa] No acaecida, o no existente aún.

noneco, -ca *adj. Amér. Central.* Tonto, simple.

noningentésimo, -ma *adj.-s.* Parte que, junto a otras ochocientas noventa y nueve iguales, constituye un todo; **numeración. – 2 *adj.* Que ocupa el último lugar en una serie ordenada de novecientos.

nonio *m.* Pieza que se aplica sobre una regla o limbo graduados, para apreciar las fracciones de las divisiones menores de la graduación.

nono, -na *adj.* Noveno.

nónuplo, -pla *adj.* Que contiene un número nueve veces exactamente.

noosfera *f.* Conjunto que forman los seres inteligentes con el medio en que viven.

nopal *m.* Chumbera.

noque *m.* Pequeño estanque en que se ponen a curtir las pieles. 2 Pie formado de capachos de aceituna molida, sobre los cuales carga la viga en los molinos de aceite. 3 Tronco de árbol ahuecado. 4 *Amér.* Saco de cuero vacuno.

noquear *tr.* En boxeo, poner fuera de combate [al adversario]. 2 Golpear una parte de una máquina contra otra, produciendo al hacerlo un sonido metálico.

nordeste *m.* Punto del horizonte equidistante del norte y del este. 2 Viento que sopla de esta parte.

nórdico, -ca *adj.* Escandinavo. – 2 *adj.-m.* Grupo de lenguas germánicas del norte de Europa; como el noruego, el sueco, el danés y el islandés.

noria *f.* Máquina para elevar agua, compuesta generalmente de una gran rueda horizontal movida con una palanca de que tira una caballería. Engrana con otra vertical a la que va colgada una cuerda o cadena sin fin, con varios cangilones. 2 Pozo donde se coloca este aparato. 3 Recreo de feria consistente en una gran rueda vertical con varias vagonetas para personas que gira sobre un eje horizontal. 4 fig. Cosa en que, sin adelantar nada, se trabaja mucho.

noriega *f.* Pez marino seláceo rayiforme, de gran tamaño y cuerpo romboidal cubierto de espinas *(Raia batis).*

norma *f.* Escuadra usada para ajustar y arreglar maderas, piedras, etc. 2 Regla que se debe seguir o a que se debe ajustar la conducta. 3 Procedimiento a que se ajusta un trabajo, industria, etc., y patrón o modelo a que se aspira. 4 Regla que determina las dimensiones, composición y demás características que ha de tener un objeto o producto industrial. 5 Conjunto de caracteres lingüísticos a los que se ajusta la corrección gramatical.

normal *adj.* Que se halla en su estado natural. 2 Que sirve de norma (regla). 3 Que se ajusta a ciertas normas fijadas de antemano. 4 Corriente, ordinario, usual.

normalizar *tr.* Someter [una cosa] a norma (regla). 2 Poner en buen orden [lo que no lo estaba]: ~ *un servicio;* ~ *uno su vida.* ◇ ** CONJUG. [4] como *realizar.*

normando, -da *adj.-s.* De ciertos pueblos escandinavos de raza germánica que desde el s. IX hicieron incursiones por todo el Occidente, estableciéndose en Francia, Italia, etc. 2 De Normandía, región de Francia.

normar *tr.* Regir, amoldar [algo]. – 2 *intr. Amér.* Fijar normas.

normativo, -va *adj.* Normal (que sirve de norma). – 2 *f.* Conjunto de normas aplicables a una determinada materia o actividad.

nornordeste *m.* Punto del horizonte equidistante del norte y del nordeste. 2 Viento que sopla de esta parte.

nornoroeste, nornorueste *m.* Punto del horizonte equidistante del norte y del noroeste. 2 Viento que sopla de esta parte.

noroeste *m.* Punto del horizonte equidistante del norte y el oeste. 2 Viento que sopla de esta parte.

nortada *f.* Viento fresco del norte cuando sopla sin interrupción por algún tiempo.

norte *m.* Punto cardinal situado frente a un observador a cuya derecha está el oriente. 2 Viento que sopla de esta parte. 3 Lugar de la tierra o de la esfera celeste que cae del lado del polo ártico, respecto de otro con el cual se compara. 4 Polo ártico. 5 Estrella polar. 6 fig. Guía, con alusión a la estrella polar que sirve de orientación a los navegantes.

norteafricano, -na *adj.* Del norte de África.

norteamericano, -na *adj.-s.* De América del norte; esp., de los Estados Unidos de América.

norteño, -ña *adj.* [gentes, tierras o cosas] Situado hacia el norte, especialmente las del norte de España.

noruego, -ga *adj.-s.* De Noruega, nación del norte de Europa. – 2 *m.* Idioma noruego.

nos *pron. pers.* Forma de primera persona para el objeto directo e indirecto sin preposición de género masculino y femenino y en número plural: *~ miró a la cara;* **pronombre. 2 Puede usarse como enclítico: *míranos;* en este caso, la primera persona del plural del verbo pierde la *s* final: *sentémonos.* 3 Con mayúscula lo usan como signo de distinción algunas personas de elevada jerarquía: *Nos, el Obispo.* ◇ ** CONCORDANCIA.

nosogenia *f.* Origen y desarrollo de las enfermedades. 2 Parte de la nosología que estudia estos fenómenos.

nosología *f.* Parte de la medicina que tiene por objeto describir, diferenciar y clasificar las enfermedades.

nosomanía *f.* Creencia injustificada de que se padece una enfermedad.

nosomántica *f.* Supuesto modo de curar por encantamiento o ensalmo.

nosotros, -tras *pron. pers.* Forma de la primera persona para el sujeto en género masculino y femenino y en número plural; precedido de preposición se usa para los complementos; **pronombre. 2 En el objeto directo e indirecto, con la preposición *a* es con frecuencia pleonástico: *a ~ no nos corresponde; a ~ no nos quiere.* 3 Como plural de modestia, suelen algunos escritores aplicarse este pronombre en vez del *yo.* ◇ ORTOGR.: en fin de línea puede separarse *nos-otros* o *no-sotros;* **SÍLABA.

nostalgia *f.* Pena de verse ausente de la patria o de los deudos o amigos. 2 fig. Pesar que causa el recuerdo de algún bien perdido. 3 fig. Recuerdo del pasado.

nostras *adj.* [mal, enfermedad] Propio de los países europeos: *cólera ~.* ◇ Pl.: *nostras.*

nota *f.* Señal (marca); cualidad característica: *una ~ de distinción; una ~ infamante; un escritor de ~,* ilustre, famoso; *dar la ~,* fig., sin-

gularizarse, en sentido negativo. 2 Advertencia, explicación, comentario, etc., que en impresos o manuscritos va fuera de texto: *una traducción con notas; ~ marginal.* 3 Apuntamiento de alguna cosa (lección, conferencia, etc.) para recordarla o tratarla con más extensión: *tomar ~ o notas.* 4 Comunicación oficial sobre un punto determinado: *una ~ diplomática.* 5 Indicación dada por un maestro sobre la aplicación, conducta, etc., de un alumno, por un jefe sobre las cualidades o circunstancias de sus subordinados; calificación de un tribunal de examen. 6 Signo que representa un sonido indicando el tono con su posición en el pentagrama y la duración con su forma: *conocer las notas.* 7 Sonido de la nota musical.

notabilidad *f.* Calidad de notable. 2 Persona notable por sus cualidades o méritos.

notable *adj.* Digno de nota, reparo, atención o cuidado. 2 Grande en su línea. – 3 *m.* En la calificación de exámenes, nota inmediatamente inferior a la de sobresaliente. – 4 *m. pl.* Personas principales en una localidad o en una colectividad: *reunión de notables.*

notación *f.* Representación por medio de signos convencionales: *~ musical; ~ química; ~ matemática.*

notar *tr.* Señalar [una cosa] para que se advierta: *~ con cuidado.* 2 Reparar, observar o advertir: *~ faltas en obra ajena.* 3 Apuntar brevemente [una cosa] y especialmente poner notas o reparos [a los libros o escritos]. 4 Dictar uno para que otro escriba. 5 Censurar, reprender [las acciones de uno]. 6 Causar descrédito o infamia: *~ a Juan de mal poeta.* 7 Percibir una sensación o darse cuenta de ella: *~ calor; ~ gusto a pimienta en una comida.*

notaría *f.* Profesión de notario. 2 Oficina donde despacha el notario.

notariado, -da *adj.* Autorizado ante notario o abonado con fe notarial. – 2 *m.* Carrera o profesión de notario. 3 Colectividad de notarios.

notarial *adj.* Relativo al notario. 2 Hecho o autorizado por notario: *acta ~.*

notario, -ria *m. f.* Funcionario público autorizado para dar fe de los contratos, testamentos y otros actos extrajudiciales, conforme a las leyes.

noticia *f.* Noción (conocimiento elemental). 2 Suceso o novedad reciente que se comunica a quien la desconoce: *las noticias del periódico.* – 3 *f. pl.* Conocimientos diversos en cualquier arte o ciencia, que hacen docto o erudito a alguno.

noticiario *m.* Película cinematográfica, emisión de radio o televisión, o sección de los periódicos, dedicada a dar noticias de actualidad: *~ cinematográfico, teatral, deportivo, gráfico.*

notición *m.* Noticia extraordinaria o increíble.

notificación *f.* Acción de notificar. 2 Efecto de notificar. 3 Documento en que se hace constar.

notificar *tr.* Hacer saber a uno [una resolución oficial] con las formalidades prescritas. 2 p. ext. Dar noticia [de cualquier otra cosa] con propósito cierto. ◊ ** CONJUG. [1] como *sacar.*

notocordio *m.* Cuerda cartilaginosa que tienen en el dorso los animales del tipo de los cordados, y que en los vertebrados se convierte en columna vertebral.

notoriedad *f.* Nombradía, fama.

notorio, -ria *adj.* Conocido de todos.

notostráceo *adj.-m.* Crustáceo del orden de los notostráceos. – 2 *m. pl.* Orden de crustáceos entomostráceos de pequeño tamaño y con el primer par de apéndices más desarrollado y adaptado a la natación.

nova *f.* Estrella cuyo brillo experimenta bruscas variaciones.

noval *adj.* [tierra] Que se trabaja por primera vez: *fruto ~,* el producido por esta tierra.

novatada *f.* Vejamen y molestias causadas en las colegios mayores, academias, campamentos militares, etc., por los veteranos a los novatos, quintos, etc.: *pagar la ~,* sufrirla. 2 p. ext. Contrariedad que proviene de inexperiencia en algún asunto.

novato, -ta *adj.-s.* Nuevo o principiante en cualquier facultad o materia.

novecentismo *m.* Movimiento arquitectónico que se desarrolla entre 1910 y 1928 que busca encontrar unas formas tipo, aptas para la totalidad de un grupo humano, con un sentido colectivo, sistemático y formativo.

novecientos, -tas *adj.* Nueve veces ciento; **numeración. 2 Noningentésimo (lugar): *año ~.* – 3 *m.* Guarismo del número novecientos.

novedad *f.* Calidad de nuevo (recién hecho y oído). 2 Mutación de las cosas que tienen o se creía que debían tener estado fijo. 3 fig. Extrañeza o admiración que causan las cosas nuevas (vistas u oídas). – 4 *f. pl.* Mercancías adecuadas a la moda.

novedoso, -sa *adj.* Que tiene novedad. 2 *Amér.* Novelero, novelesco.

novel *adj.-com.* [pers.] Novato, sin experiencia.

novela *f.* Narración imaginaria, en prosa, normalmente extensa, que permite al autor un desarrollo más completo en cuanto al argumento y los personajes, que los relatos breves o cuentos: *las novelas de Galdós; ~ bizantina,* variedad de relato novelesco muy extendido en Europa durante los siglos XVI y XVII, en el que se narran las múltiples aventuras, guiadas

por el azar, por las que pasan sus protagonistas, generalmente dos enamorados, antes de poder finalmente reunirse; *~ corta,* variedad de relato novelesco cuya extensión está entre el cuento y la novela; *~ de tesis,* variedad de relato novelesco propia del siglo XIX y de los primeros años del XX, en la que el autor expone y demuestra con los hechos que narra su propia posición ideológica ante un problema general, principalmente de carácter social; *~ gótica,* variedad de relato novelesco, antecedente de las formas del romanticismo, caracterizada por el misterio, el terror y la sensualidad; *~ histórica,* variedad de relato novelesco cultivada especialmente en el romanticismo, en la que se narran hechos, si bien imaginarios, ambientados en circunstancias reales y concretas del pasado, por lo que es frecuente la aparición de personajes históricos auténticos; *~ rosa,* variedad de relato novelesco, cultivado en época moderna, con personajes y ambientes muy convencionales, en el cual se narran las vicisitudes de dos enamorados, cuyo amor triunfa frente a la adversidad. 2 Género literario constituido por estas narraciones: *la ~ española.* 3 fig. Ficción o mentira.

novelar *intr.* Componer o escribir novelas. 2 fig. Contar novelas, cuentos y patrañas. – *tr.* Dar forma de novela [a la relación de un suceso, a una biografía, etc.].

novelero, -ra *adj.-s.* Amigo de novedades, fábulas o novelas. 2 Deseoso de novedades o que las esparce. 3 Inconstante y vario en el modo de proceder.

novelesco, -ca *adj.* Propio de las novelas. 2 Que parece de novela: *historia novelesca; lance ~; imaginación novelesca.*

novelista *com.* Persona que escribe novelas (narración).

novelística *f.* Tratado histórico o preceptivo de la novela. 2 Literatura novelesca.

novelizar *tr.* Dar [a alguna narración] forma y condiciones novelescas. ◊ ** CONJUG. [4] como *realizar.*

novena *f.* Espacio de nueve días que se dedican especialmente a un determinado culto o devoción. 2 Libro en que se contienen las oraciones de una novena. 3 Sufragios y ofrendas por los difuntos.

noveno, -na *adj.-s.* Parte que, junto a otras ocho iguales, constituye un todo; **numeración. – 2 *adj.* Que ocupa el último lugar en una serie ordenada de nueve.

noventa *adj.* Nueve veces diez. 2 Nonagésimo (lugar): *año ~.* – 3 *m.* Conjunto de signos con que se representa el número noventa.

noventavo, -va *adj.* Nonagésimo (parte).

noviazgo *m.* Estado de novio o novia. 2 Tiempo que dura.

noviciado *m.* Tiempo de prueba por que

pasa un religioso antes de profesar. 2 Casa o departamento en que habitan los novicios. 3 Régimen y ejercicio de los novicios. 4 Conjunto de los novicios. 5 *fig.* Aprendizaje de una facultad u oficio.

novicio, -cia *f.* Religioso que aún no ha profesado. – 2 *adj.-s. fig.* Principiante en un arte, oficio o facultad.

noviembre *m.* Undécimo mes del año.

noviero, -ra *adj. Amér. Central* y *Méj.* Enamoradizo.

novilunio *m.* Conjunción de la Luna con el Sol.

novillada *f.* Conjunto de novillos. 2 Lidia de novillos.

novillero *m.* El que cuida de los novillos. 2 Lidiador de novillos. 3 Corral donde separan los novillos. 4 Parte de dehesa muy fértil en la que pacen los novillos y las vacas. 5 El que hace novillos.

novillo, -lla *m. f.* Toro o vaca de dos o tres años. – 2 *m. pl.* Novillada o lidia de novillos. 3 *Hacer novillos,* dejar de asistir a alguna parte contra lo debido o acostumbrado: *hacer novillos los alumnos.* – 4 *m. Amér.* Buey nuevo, especialmente sin domar.

novio, -via *m. f.* Persona recién casada. 2 Persona que mantiene relaciones amorosas con intención de casarse. – 3 *m. fig.* El que entra de nuevo en una dignidad o estado. 4 *Colomb., Ecuad.* y *Venez.* Planta geraniácea de flores rojas, rosadas, blancas y jaspeadas, muy común en los jardines *(Pelargonium zonale).*

novísimo, -ma *adj.* Último en el orden de las cosas. – 2 *m.* En la religión cristiana, etapa de las cuatro últimas por donde ha de pasar el hombre: muerte, juicio, infierno y gloria.

noyó *m.* Licor de aguardiente, azúcar y almendras amargas. ◇ Pl.: *noyoes.*

nubada *f.* Chaparrón local. 2 *fig.* Abundancia de algo.

nubarrado, -da *adj.* Con colorido en forma de nubes, especialmente las telas.

nubarrón *m.* Nube grande y densa, separada de las otras.

nube *f.* Acumulación de pequeñas partículas de agua o hielo procedentes de la condensación del vapor de agua de la atmósfera, que, mantenidas en suspensión por corrientes de aire ascendentes, forman una masa de color variable según como recibe la luz solar: ~ *de verano,* la tempestuosa con lluvia fuerte, repentina y pasajera; fig., disturbio o disgusto pasajero. 2 *fig.* Agrupación de cosas que, a semejanza de las nubes, obscurece el sol: *una* ~ *de polvo;* ~ *de humo;* ~ *de pájaros.* 3 Pequeña mancha blanquecina que se forma en la capa exterior de la córnea, obscureciendo la vista. 4 *fig.* Cosa que obscurece la visión, ofusca la inteligencia o altera la serenidad.

núbil *adj.* Que está en edad de contraer matrimonio: *muchacha* ~.

nublado, -da *adj.* [cielo] Cubierto de nubes. – 2 *m.* Nube, especialmente la tempestuosa: *descargar el* ~, llover, nevar o granizar copiosamente; fig., desahogarse la cólera o enojo de uno con expresiones vehementes. 3 *fig.* Suceso que produce riesgo inminente, o especie que turba el ánimo. 4 Multitud, copia excesiva de cosas.

nublar *tr.* Anublar.

nubloso, -sa *adj. fig.* Triste, cabizbajo.

nubosidad *f.* Estado o condición de nuboso.

nuboso, -sa *adj.* Cubierto de nubes. 2 *fig.* Desgraciado, adverso.

nuca *f.* Parte superior de la cerviz; **cabeza; **cuerpo humano.

nuclear *adj.* Relativo o propio del núcleo, especialmente del átomo: *energía* ~.

nuclearización *f.* Sustitución de las fuentes tradicionales de energía por las de origen nuclear. 2 Instalación, proliferación de armas atómicas: *la* ~ *del espacio.*

nuclearizar *tr.* Instalar una industria atómica. 2 Dotar de armamento atómico. ◇ ** CONJUG. [4] como *realizar.*

núcleo *m.* Semilla de los frutos de cáscara leñosa. 2 Hueso de la fruta. 3 Parte o masa compacta que forma el centro de ciertas cosas. 4 Parte más densa y luminosa de un astro; **solar (sistema). 5 Corpúsculo esencial de la **célula. 6 Parte central del átomo en la que radica su masa, formada por protones y neutrones. 7 *fig.* Elemento primordial al cual se agregan otros para formar un todo.

nucléolo *m.* Cuerpecillo esferoidal existente dentro del núcleo de las **células.

nucleónica *f.* Ciencia que estudia los cambios de los núcleos atómicos.

núcula *f.* Fruto seco indehiscente, de pericarpio óseo o coriáceo. 2 Pequeño hueso de un fruto.

nudillo *m.* Articulación de las falanges de los dedos; **mano. 2 Punto que forma la costura de las medias. 3 Zoquete de madera que se empotra en el muro para clavar en él alguna cosa.

nudo *m.* Entrelazamiento estrecho de uno o más cuerpos delgados y flexibles (hilos, cuerdas, cintas, etc.), generalmente hecho de tal modo que mientras más se tira de cualquiera de los cabos, más se aprieta: ~ *marinero,* el muy seguro y fácil de deshacer a voluntad. 2 *fig.* Unión, lazo, vínculo: *el* ~ *del matrimonio.* 3 *fig.* Principal dificultad o duda en algunas materias: *he aquí el* ~ *de la cuestión.* 4 Parte en que los obstáculos complican la marcha de la acción que precede al desenlace, en los poemas épico y dramático y en la novela. 5 Protuberancia en los tejidos de una planta; excrecencia dura formada en el punto de inserción de una rama en el tronco; disco transversal del tallo en el que se inserta una hoja o verticilo foliar: *los nudos de una caña;* **tallo. 6 Punto donde se cruzan dos o más líneas, vías de comunicación, montañas, nervios, etc. 7 MAR. Unidad de velocidad naval, equivalente a una milla por hora.

nuececilla *f.* BOT. Masa parenquimatosa que está rodeada por dos membranas y constituye la mayor parte del óvulo de los vegetales. 2 Molusco lamelibranquio, de concha pequeña con las valvas similares y el borde crenulado *(Nucula nucleus).*

nuégado *m.* Pasta de harina, miel y nueces, cocida al horno: *comer nuégados.* – 2 *m. pl.* fig. y fam. Diversión bulliciosa, juerga.

nuera *f.* Mujer del hijo, respecto de los padres de éste.

nuestro, -tra *pron. adj.* Posesivo de 1.ª persona en género masculino, femenino y neutro; es plural: en cuanto a los poseedores, y singular o plural: en cuanto a la cosa poseída: ~ *padre; los libros nuestros; estos libros son los nuestros; ha llegado nuestra hermana.* 2 El uso autoriza, por dignidad o modestia, que, tratándose de personas de elevada categoría o de escritores, pueda entenderse un solo poseedor. 3 *Los nuestros,* los que son del mismo partido, profesión, naturaleza, etc., del que habla.

nueva *f.* Noticia que no se había dicho ni oído: *cogerle a uno de nuevas una cosa,* saberla inopinadamente; *hacerse uno de nuevas,* dar a entender hipócritamente que se desconoce una noticia que se sabe de cierto.

nueve *adj.* Ocho y uno; **numeración. 2 Noveno (lugar): *año* ~; *el* ~ *de octubre.* – 3 *m.* Guarismo del número nueve.

nuevo, -va *adj.* Recién hecho o fabricado: *he comprado un libro* ~. 2 Que se ve o se oye por primera vez. 3 Reiterado para renovarlo. 4 Precediendo al nombre, otro; que se añade a lo que había, o lo substituye: *he comprado un* ~ *libro; un* ~ *coche.* 5 Distinto de lo que se tenía aprendido. 6 Recién llegado: *Juan es* ~ *en la escuela.* 7 Poco o nada usado: *un pantalón* ~. 8 Novicio (principiante). 9 De cosecha recentísima, por oposición a lo almacenado de cosechas anteriores: *vino* ~; *patatas nuevas.*

nuevomejicano, -na *adj.* De Nuevo Méjico.

nuez *f.* Fruto del nogal. 2 Fruto de otros árboles que tienen alguna semejanza con el del nogal: ~ *de coco,* ~ *de areca;* ~ *moscada,* fruto de la mirística, empleado como condimento; ~ *vómica,* semilla de un árbol de Oceanía, muy tóxica, empleada como emética y febrífuga. 3 Fruto aquenio de pericarpio leñoso no adherido a la semilla; como la avellana. 4 Prominencia que forma la laringe en la parte anterior del cuello. 5 Pieza movible que en el extremo inferior del arco del violín

o de instrumentos análogos sirve para regular la tensión de las crines.

nueza *f.* Planta cucurbitácea, trepadora, dioica, de hojas grandes partidas en cinco gajos, flores de color verde amarillento y fruto encarnado en baya *(Bryonia dioica).*

nulidad *f.* Calidad de nulo: *la* ~ *de un documento; la* ~ *de un empleado.* 2 Vicio que anula un acto. 3 fig. Persona incapaz, inepta: *ese hombre es una* ~.

nulo, -la *adj.* Falto de valor legal. 2 Incapaz, inepto para algo. 3 Ninguno [ni uno], en estilo latinizante.

numbat *m.* Mamífero marsupial de unos 40 cms. cuyo pelaje es de color castaño con bandas blancas y el vientre blanco amarillento. La hembra carece de bolsa marsupial *(Myrmecobius fasciatus).*

numen *m.* Deidad pagana. 2 Inspiración (estímulo).

numeración *f.* Acción de numerar. 2 Efecto de numerar. 3 Arte o sistema de expresar todos los números con una cantidad limitada de vocablos y caracteres: ~ *arábiga,* la hoy día casi de uso universal que, con el valor absoluto y la posición relativa de diez signos de origen árabe, puede expresar cualquier cantidad; ~ *romana,* la que, usada antiguamente por los romanos, expresa los números por medio de siete letras del alfabeto latino: *I, V, X, L, C, D* y *M.* ◇ V. Apéndice gramatical.

numerada *f.* Mariposa diurna de color negro, con una banda transversal roja y manchas blancas en las alas anteriores y borde marginal rojo en las posteriores *(Vanesa atalanta).*

numerador *m.* Término de la fracción que indica cuántas partes de la unidad contiene aquélla. 2 Aparato para imprimir números sucesivos.

numeradora *f.* IMPR. Máquina para numerar correlativamente los ejemplares de un modelo u obra.

numerar *tr.* Contar [las cosas de una serie] por el orden de los números. 2 p. anal. Marcarlas con números sucesivos. 3 Expresar numéricamente [la cantidad].

numerario, -ria *adj.* Que es del número o relativo a él. – 2 *m.* Moneda acuñada o dinero efectivo. – 3 *adj.-s.* Funcionario que ocupa su plaza en propiedad.

número *m.* MAT. Expresión de la relación existente entre la cantidad y la unidad: ~ *abstracto,* el que no se refiere a unidad de especie determinada; ~ *atómico,* el de un elemento en la clasificación periódica igual al número total de cargas positivas que hay en el núcleo; ~ *cardinal,* el que forma la serie infinita de los enteros, como *uno, dos,* etc.; ~ *complejo,* el formado por la suma algebraica de un número real con uno imaginario; ~ *com-*

puesto, el que se expresa con dos o más cifras; ~ *concreto,* el que expresa la cantidad de especie determinada; ~ *dígito,* el que puede expresarse con una sola cifra; ~ *entero,* el que consta de una o varias unidades enteras; ~ *imaginario,* raíz cuadrada de -1 que se representa por la letra *i;* ~ *impar,* el que no es exactamente divisible por dos; ~ *mixto,* el compuesto de entero y quebrado; ~ *ordinal,* el que expresa orden o sucesión, como *primero, segundo,* etc.; ~ *par,* el exactamente divisible por dos; ~ *primo,* el divisible sólo por sí mismo o por la unidad; ~ *quebrado* o *fraccionario,* el que expresa una o varias partes alícuotas; ~ *redondo,* el aproximado que no expresa más que cantidades completas de cierto orden sin tener en cuenta las de órdenes inferiores. 2 Signo o conjunto de signos con que se representa el número. 3 Conjunto de personas o cosas de determinada especie: *un gran ~ de curiosos; un infinito ~ de pájaros; de ~,* [pers.] que pertenece a una sociedad de limitado número de miembros; *sin ~,* gran número, innumerables. 4 Parte, acto o ejercicio del programa de un espectáculo. 5 Hoja o cuaderno correspondiente a distinta fecha de edición, en la serie cronológica respectiva, de las publicaciones periódicas. 6 Billete de lotería o rifa. 7 GRAM. Accidente que expresa si una palabra se refiere a una sola persona o cosa o a más de una: ~ *singular,* el que expresa una sola persona o cosa; ~ *dual,* el que en ciertas lenguas, como el griego y el sánscrito, expresa dos o más personas o cosas; ~ *plural,* el que expresa más de una persona o cosa. 8 MIL. Soldado sin graduación. – 9 *m. pl.* Cuarto libro del Pentateuco. 10 *Hacer números,* calcular las posibilidades de un negocio. 11 *En números rojos,* con saldo negativo en una cuenta bancaria. ◊ V. Apéndice gramatical.

numeroso, -sa *adj.* Que incluye gran número de cosas. – 2 *m. pl.* Muchos. ◊ En la acepción 2 se usa especialmente ante substantivo.

numismática *f.* Ciencia que trata de las monedas y medallas, especialmente de las antiguas.

numulario *m.* Persona que comercia o trata con dinero.

numulita *f.* Género de protozoos rizópodos foraminíferos fósiles, que caracterizan diversos niveles de los depósitos terciarios inferiores.

nunca *adv. t.* En ningún tiempo, ninguna vez. 2 Usado en correlación con el adverbio *no* refuerza la negación: *no lo ha visto ~.*

nunciatura *f.* Dignidad de nuncio. 2 Tribunal de la Rota de la Nunciatura Apostólica en España. 3 Casa en que vive el nuncio y radica su tribunal.

nuncio *m.* Persona que lleva aviso o noticia de un sujeto a otro. 2 fig. Anuncio o señal: *la golondrina, ~ de la primavera.* 3 ~ *apostólico,* o simplemente ~, representante diplomático del Papa que, además, como legado, ejerce ciertas facultades pontificias.

nupcias *f. pl.* lit. Boda.

nuraga *f.* Construcción megalítica en forma de torreón troncocónico o cilíndrico, propia de la isla de Cerdeña.

nurse *f.* Niñera. 2 *Amér.* Enfermera de un hospital o clínica.

nutación *f.* Ligera oscilación periódica del eje de la Tierra causada principalmente por la atracción lunar. 2 Cambio de dirección y posición de ciertos órganos de una planta, por causas inherentes a su crecimiento. 3 FÍS. Oscilación de escasa amplitud a que se halla sometido el extremo libre de un eje de rotación.

nutria *f.* Mamífero carnívoro mustélido de unos 9 dms. de longitud, orejas pequeñas, cuerpo delgado, patas cortas, dedos unidos por una membrana, cola larga y gruesa y pelaje espeso y muy fino (*Lutra lutra*).

nutrición *f.* Acción de nutrir o nutrirse. 2 Efecto de nutrir o nutrirse.

nutrido, -da *adj.* fig. Lleno, abundante.

nutrimento, -miento *m.* Nutrición. 2 Substancia de los alimentos. 3 fig. Causa de aumento, actividad o fuerza de una cosa.

nutriología *f.* Ciencia de los procesos nutritivos en los seres vivos, en especial en el hombre.

nutrir *tr.-prnl.* Proporcionar [a un organismo viviente] las substancias que necesita para su crecimiento y para reparar sus pérdidas: *nutrirse con manjares sabrosos.* 2 fig. Acrecentar o dar nuevos alientos, especialmente en el orden moral: *nutrirse de, o en, sabiduría.*

nutritivo, -va *adj.* Que sirve para nutrir.

Ñ, ñ *f.* Eñe, decimoséptima letra del alfabeto español que representa gráficamente a la consonante oclusiva, palatal, nasal y sonora.

ña *f. And.* y *Amér.* vulg. Doña, señora (tratamiento).

ñacanina *f. Argent.* Víbora grande y venenosa *(gén. Spilotes).*

ñácara *f. Amér. Central.* Úlcera, llaga.

ñacundá *m. Argent.* Ave nocturna, de color acanelado con algo de negro y blanco *(Podager ñacunda).*

ñacurutú *m. Amér.* Ave nocturna, especie de lechuza de color amarillento y gris *(Bubo cassirostris).*

ñame *m.* Planta dioscórea originaria de Asia, de tallos endebles, hojas grandes, flores pequeñas y verdosas y raíz tuberculosa comestible *(Dioscorea batatas).* – **2** *adj. Amér.* fam. Muy grande.

ñandú *m.* Ave reiforme, parecida al avestruz, pero con tres dedos en cada pata *(Rhea americana).* ◇ Pl.: *ñandúes.*

ñandubay *m. Amér.* Árbol de madera rojiza muy dura e incorruptible *(Prosopis ñandubay).*

ñandutí *m. Argent.* y *Parag.* Encaje hecho a mano que imita el tejido de la telaraña y que sirve para toda clase de ropa blanca.

ñanga *f. Amér. Central.* Estero de fondo pantanoso.

ñangada *f. Amér. Central.* Mordisco. **2** *Amér. Central.* Acción disparatada y dañina.

ñango, -ga *adj. Amér.* Bajo, patojo. **2** *Argent.* y **Urug.** Desairado. **3** *Méj.* Flaco, canijo.

ñaña *f. Amér. Central.* Excremento humano. **2** *Argent.* y *Chile* Hermana mayor.

ñaño, -ña *m. f. Amér.* Hermano. **2** *Amér.* Muy amigo.

ñapa *f. Amér.* Dádiva de poca importancia que hace el vendedor al comprador.

ñapindá *m. Argent.* Especie de zarza muy espinosa, con flores amarillentas y de grato aroma *(Acacia riparia).*

ñaque *m.* Conjunto de cosas inútiles y ridículas.

ñatas *f. pl. Amér.* Narices.

ñato, -ta *adj. Amér.* Chato, romo. **2** *Argent.* Feo, mal hecho. **3** *Argent.* Felón, perverso.

ñau *m. Amér.* Onomatopeya con que se representa la voz del gato.

ñeque *adj. Amér.* Fuerte, vigoroso. **2** *Amér. Central* y *Cuba.* Valiente. **3** *Amér. Central* y *Cuba.* [pers.] Que trae desgracia. – **4** *m. Amér.* Fuerza, vigor, energía. **5** *Amér. Central* y *Méj.* Golpe, bofetada.

ñiquiñaque *m.* fam. Sujeto o cosa muy despreciable.

ñisca *f. Amér. Central* y *Colomb.* Excremento. **2** *Amér.* Pizca, pedacito.

ño *m. Amér.* vulg. Señor.

ñoclo *m.* Especie de melindre de harina, azúcar, huevos, vino y anís.

ñoco, -ca *adj. Amér.* [pers.] Falto de un dedo o una mano.

ñoñería *f.* Acción o dicho propio de persona ñoña.

ñoño, -ña *adj.-s.* fam. [pers.] Sumamente apocado y quejumbroso. **2** [cosa] Soso, de poca substancia. **3** *Amér.* Viejo, chocho. **4** *Perú, P. Rico* y *S. Dom.* Engreído, inclinado a los mimos y lagoterías.

ñoqui *m. pl.* Pasta italiana preparada con patatas, harina de trigo, mantequilla, leche, huevo y queso rallado. – **2** *m.* Panecillo de masa de maíz, de arroz o de patata.

ñora *f.* Pimiento muy picante que se utiliza seco para condimentar.

ñu *m.* Antílope propio del África del sur *(Connochœtes taurinus).*

ñuto, -ta *adj. Argent., Colomb., Ecuad.,* y *Perú* Puro, sin hueso, especialmente la carne.

o

I) O, o *f.* Decimoctava letra del alfabeto español que representa gráficamente a la vocal media y posterior o velar. ◇ Pl.: *oes*, no *os*.

II) o *conj. disyunt.* Denota alternativa o contraposición: *blanco ~ negro; lo harás, ~ de grado, ~ por fuerza;* se convierte por eufonía en *u* cuando precede inmediatamente a otra palabra que empiece por *o,* o por *ho.* 2 Denota idea de equivalencia; o sea, esto es, o lo que es lo mismo: *el protagonista, ~ personaje principal, de la fábula es Hércules.*

oasis *m.* Paraje con vegetación, y a veces con manantiales, en medio de un desierto. 2 fig. Tregua, descanso. ◇ Pl.: *oasis.*

obcecación *f.* Ofuscación tenaz.

obcecar *tr.-prnl.* Cegar, deslumbrar u ofuscar. ◇ ** CONJUG. [1] como *sacar.*

obedecer *tr.* Cumplir la voluntad de quien manda; ceder [a los mandatos]: *~ a los jefes; ~ a la fuerza de la ley.* 2 Ejecutar los animales, especialmente las caballerías, los movimientos que se les indican: *~ al látigo, a la espuela, a su amo.* 3 fig. Ceder una cosa inanimada [al esfuerzo que se hace sobre ella]. – 4 *intr.* fig. Provenir, dimanar: *muchas virtudes obedecen a la caridad.* ◇ ** CONJUG. [43] como *agradecer.*

obediencia *f.* Acción de obedecer. 2 Precepto del superior, especialmente en las órdenes regulares.

obediente *adj.* Propenso a obedecer. 2 Que obedece.

obelisco *m.* Monumento en forma de pilar muy alto, de cuatro caras iguales un poco convergentes y terminado por una punta piramidal achatada.

obenque *m.* MAR. Cabo grueso que sujeta la cabeza de un palo o de un mastelero a los costados del buque o a la cofa correspondiente.

obertura *f.* Pieza instrumental con que se da principio a una ópera, oratorio u otra composición lírica o musical.

obeso, -sa *adj.* [pers.] Excesivamente grueso.

óbice *m.* Obstáculo, impedimento. ◇ Usado sobre todo en la frase negativa: *no es ~ para.*

obispado *m.* Dignidad de obispo. 2 Territorio o distrito sometido a la jurisdicción de un obispo. 3 Local o edificio donde funciona la curia episcopal.

obispar *intr.* Obtener un obispado; ser nombrado para él.

obispillo *m.* Morcilla grande y gruesa que se hace cuando se matan los puercos. 2 Rabadilla de las aves.

obispo *m.* Prelado dotado de jurisdicción sobre una diócesis en la que ejerce la triple potestad de enseñar, gobernar y santificar, conferida por Cristo a la Iglesia cristiana. 2 Pez teleósteo abisal, de cuerpo serpentiforme de hasta 40 cms. de longitud; su cabeza termina en un rostro puntiagudo y aplanado que recuerda una mitra *(Myliobatis bovina).* 3 *Méj.* Borrego con cuatro cuernos.

óbito *m.* Fallecimiento de una persona.

obituario *m.* Libro parroquial en que se anotan las partidas de defunción y de entierro. 2 Sección necrológica de un periódico.

objeción *f.* Razón que se propone o dificultad que se presenta para combatir una afirmación o impugnar una proposición. 2 *~ de conciencia,* oposición a cumplir el servicio militar, apoyándose en razones éticas o religiosas.

objetar *tr.* Oponer [reparo] a una opinión o designio; proponer [una razón contraria] a lo que se ha dicho o intentado: *no tengo nada que ~.*

objetivamente *adv. m.* En cuanto al objeto, o por razón del objeto. 2 De manera objetiva, sin pasión.

objetivar *tr.* Hacer objetivo [algo]. 2 Independizar [algo] del sujeto.

objetivo, -va *adj.* Relativo al objeto en sí, y no a nuestro modo de pensar y de sentir. 2 Imparcial. 3 FIL. Que existe realmente, fuera del sujeto que lo conoce. – 4 *m.* Lente o sistema de lentes colocadas en el extremo de un microscopio, anteojo, etc., en la parte dirigida hacia los objetos. 5 Objeto. 6 Parte de un aparato **fotográfico que contiene las lentes que deben atravesar los rayos luminosos antes de penetrar en la cámara obscura. 7 Punto, línea o zona de terreno que se ha de bombardear o atacar militarmente.

objeto *m.* Todo lo que puede ser materia de

conocimiento o sensibilidad de parte del sujeto. 2 Lo que sirve de materia o asunto al ejercicio de las facultades mentales. 3 Término o fin de los actos de las potencias. 4 Fin o intento a que se dirige una acción u operación. 5 Materia de una ciencia. 6 GRAM. ~ *directo* o *indirecto*, v. complemento.

objetor *adj.-m.* Persona que alega objeciones de conciencia para no prestar el servicio militar.

oblación *f.* Acción de ofrecer algo a Dios; ofrenda y sacrificio que se hace a Dios: ~ *de las especies eucarísticas.*

oblada *f.* Ofrenda que se lleva a la iglesia y se da por los difuntos; generalmente un pan o rosca. 2 Pez teleósteo marino de cuerpo oblongo y color gris azulado o pardusco, con una gran mancha negra bordeada de blanco sobre el pedúnculo caudal *(Oblada melanura).*

oblata *f.* Dinero que se da al sacristán o a la fábrica de la iglesia por el gasto de vino, hostias, cera u ornamentos para decir las misas. 2 En la misa, hostia ofrecida y puesta sobre la patena, y vino en el cáliz, antes de ser consagrados. 3 Parte de la misa desde el credo hasta la consagración.

oblea *f.* Hoja muy delgada de masa de harina y agua, cocida en molde, y cuyos trozos servían para pegar sobres, etc. 2 Trozo de esta hoja. 3 Trocito generalmente circular, hecho de goma arábiga preparada en láminas, usado para cerrar cartas. 4 fig. *y* fam. Persona o animal extremadamente escuálidos o desmedrados. 5 ELECTRÓN. Lámina delgada de cristal semiconductor en la que se forman circuitos integrados por depósitos de materiales.

oblicuángulo *adj.* [figura o poliedro] Que no tiene recto ninguno de sus ángulos.

oblicuidad *f.* Calidad de oblicuo (no paralelo). 2 GEOM. Inclinación que aparta del ángulo recto la línea o el plano que se considera respecto de otro u otro.

oblicuo, -cua *adj.* Que no es perpendicular ni paralelo a un plano, a una recta o a una dirección determinada: ***línea oblicua.* – 2 *adj.-m.* **Músculo, mayor y menor, del abdomen cuya función es la de espirador y compresor de las vísceras abdominales.

obligación *f.* Imposición o exigencia moral que debe regir la voluntad libre. 2 Vínculo que sujeta a hacer o abstenerse de hacer una cosa: *falta a su ~; las obligaciones de un funcionario, de un maestro, de un sacerdote.* 3 Documento notarial o privado en que se reconoce una deuda o se promete su pago u otra prestación o entrega. 4 Título, generalmente amortizable, al portador y con interés fijo, que representa una suma prestada, y exigible por otro concepto, a la persona o entidad que lo emitió. 5 Motivo de agradecimiento. 6 Carga, miramiento o reserva inherentes al estado, dignidad o condición de una persona. – 7 *f. pl.* Familia que uno tiene que mantener. ◇ INCOR.: ~ *a hacer* por ~ *de hacer.*

obligado, -da *adj.* Forzoso, inexcusable. – 2 *m. f.* Persona que ha contraído legalmente una obligación a favor de otra.

obligar *tr.* Ligar una fuerza moral [a uno] moviéndole o impulsándole a hacer algo: *el deber me obliga a salir; el contrato le obliga a vender su casa;* compeler, excitar: *me va usted a ~ a que me marche.* 2 Ganar la voluntad [de uno] con beneficios u obsequios. 3 Hacer fuerza [en una cosa] para conseguir un efecto: *tendrá que ~ la mecha para que entre en la muesca.* – 4 *prnl.* Comprometerse a cumplir una cosa. – 5 *tr.* Argent. y Chile. Invitar a beber. ◇ ** CONJUG. [7] como *llegar.*

obligatorio, -ria *adj.* Que obliga a su cumplimiento o ejecución. 2 p. ext. Exigido por las convenciones sociales.

obliterar *tr.* Anular, tachar, borrar. 2 Matasellar, cancelar, inutilizar [un sello de correos]. – 3 *tr.-prnl.* MED. Obstruir o cerrar [un conducto o cavidad de un cuerpo organizado].

oblongo, -ga *adj.* Más largo que ancho: ***hoja oblonga.*

obnubilación *f.* Ofuscamiento. 2 Visión de los objetos como a través de una nube.

obnubilar *tr.-prnl.* Obscurecer, ofuscar.

oboe *m.* Instrumento músico de **viento, formado por un tubo cónico de madera, con agujeros y llaves, dividido en tres piezas. – 2 *com.* Músico que toca este instrumento.

óbolo *m.* Antigua moneda griega de plata, equivalente a unos 14 céntimos. 2 fig. Cantidad exigua con que se contribuye para un fin determinado. 3 FARM. Medio escrúpulo.

obovado, -da *adj.* Que tiene su parte más ancha por encima de la central: *hoja obovada.*

obra *f.* Aplicación de la actividad humana a un fin: *meter en,* o *poner por,* ~ *una cosa,* emprenderla; dar principio a ella. 2 Trabajo que cuesta o tiempo que requiere la ejecución de una cosa: *la joya tiene mucha ~.* 3 Labor que tiene que hacer un artesano. 4 Medio, virtud o poder: *por* ~ *de la Divina Providencia.* 5 Acción humana en cuanto a su conformidad con los deberes morales y religiosos: ~ *de caridad,* o *buena* ~. 6 Resultado de la aplicación de la actividad a un fin, cosa hecha o producida por un agente: *las obras de la industria humana.* 7 Producción del entendimiento: *las obras de un escritor, de un artista.* 8 Libro, volumen o volúmenes que contienen un trabajo literario completo. 9 Edificio en construcción: *este arquitecto tiene muchas obras.* 10 Reparo o innovación que se hace en un edificio: *en mi casa hay obras.* 11 MAR. ~ *muerta,* parte del casco de un barco que está por encima de la línea de flotación; ~ *viva,* fondo de un buque. ◇ En singular se usa a menudo con sentido

815

obstetricia

colectivo: *la ~ de un escritor, de un pintor; la ~ de la Seo.*

obrador, -ra *adj.-s.* Que obra. – 2 *m.* Taller artesanal; esp., el de confitería y repostería.

obraje *m.* Manufactura. 2 Fábrica de paños u otras cosas. 3 *Argent., Bol.* y *Parag.* Establecimiento de explotación forestal.

obrajero *m.* Capataz de una obra.

obrar *intr.* Dedicar la actividad a un fin tácito o no material; proceder: *~ con malicia; ~ por amor de Dios; ~ a ley.* 2 Existir una cosa en sitio determinado. 3 Exonerar el vientre: *aún no ha obrado.* – 4 *tr.* Hacer [una cosa]; trabajar [en ella]: *~ la madera.* 5 Construir, edificar: *están obrando un palacio.* 6 Causar efecto una cosa: *el remedio no le ha obrado.*

obrerismo *m.* Régimen económico fundado en el predominio del trabajo obrero como elemento de producción y creador de riqueza. 2 Movimiento económico en pro del mejoramiento y dignificación de la condición social de los obreros y la elevación de su nivel de vida. 3 Conjunto de obreros considerado como entidad económica.

obrero, -ra *adj.-s.* Que trabaja. – 2 *m. f.* Trabajador manual retribuido: *~ de villa,* albañil. – 3 *m.* El que cuida de las obras en las iglesias o comunidades. – 4 *f.* En los insectos sociales, individuos de una casta de estériles que hace todo el trabajo de la colonia.

obsceno, -na *adj.* Impúdico, torpe, ofensivo al pudor.

obscurantismo *m.* Oposición sistemática a la difusión de la cultura entre el pueblo.

obscurecer *tr.* Privar de luz o claridad: *~ la estancia.* 2 *fig.* Privar de la normal recepción de una transmisión televisiva [a una zona]. 3 *fig.* Disminuir la estimación [de las cosas]; desacreditarlas: *~ el patriotismo.* 4 *fig.* Ofuscar [la razón] alterando y confundiendo la realidad de las cosas. 5 *fig.* Volver poco inteligible: *~ el estilo, una demostración.* – 6 *impers.* Ir anocheciendo. – 7 *prnl.* Nublarse el cielo. 8 *fig.* y *fam.* Desaparecer una persona o cosa. ◇ ** CONJUG. [43] como *agradecer* .

obscuridad *f.* Falta de luz o de claridad para percibir las cosas. 2 *fig.* Falta de luz y conocimiento en el alma o en las potencias intelectuales. 3 *fig.* Falta de claridad en lo escrito o hablado. 4 *fig.* Humildad de condición social. 5 *fig.* Falta de noticias o de datos acerca de algo. 6 *fig.* Estado de lo no conocido con certeza.

obscuro, -ra *adj.* Falto de luz o claridad. 2 *fig.* Confuso, poco inteligible: *lenguaje ~; persona obscura.* 3 *fig.* Humilde, poco conocido. Dícese especialmente de los linajes. 4 *fig.* Incierto, peligroso, temeroso. – 5 *adj.-m.* Color casi negro o que se contrapone a otro más claro de su misma clase: *marrón ~.*

obsequiar *tr.* Agasajar [a uno] con atenciones, servicios o regalos. 2 Galantear. ◇ ** CONJUG. [12] como *cambiar.*

obsequio *m.* Acción de obsequiar. 2 Regalo (dádiva). 3 Cortesía, afabilidad.

obsequioso, -sa *adj.* Rendido, cortesano y dispuesto a hacer la voluntad de otro: *~ con, para,* o *para con, sus huéspedes.* 2 Que gusta de hacer regalos.

observación *f.* Acción de observar. 2 Efecto de observar. 3 Nota aclaratoria en libros o escritos. 4 Objeción, advertencia.

observador, -ra *adj.-s.* Que observa. 2 Persona que es admitida en congresos, reuniones, etc., sin ser miembro de pleno derecho.

observancia *f.* Cumplimiento exacto y puntual de lo que se manda ejecutar: *la ~ de una ley, de la religión.* 2 Honor, acatamiento que hacemos a los mayores y a los superiores constituidos en dignidad.

observar *tr.* Guardar y cumplir exactamente [lo que se manda]: *~ las prescripciones de la ley, del médico.* 2 Examinar [una cosa] con atención: *~ los síntomas de una enfermedad; ~ las estrellas; ~ los cambios atmosféricos.* 3 Advertir, reparar: *observo que cojea.* 4 Atisbar.

observatorio *m.* Lugar apropiado para observaciones. 2 Edificio, con inclusión del personal e instrumentos apropiados para las observaciones, generalmente meteorológicas o astronómicas.

obsesión *f. fig.* Apoderamiento del espíritu por una idea o preocupación persistente; la misma idea o preocupación.

obsesionar *tr.-prnl.* Causar obsesión [a alguien].

obsesivo, -va *adj.* Relativo a la obsesión.

obseso, -sa *adj.* Que padece obsesión.

obsidiana *f.* Mineral volcánico vítreo, de color negro o verde muy obscuro, estructura compacta y fractura concoidea.

obsolescente *adj.* Que está volviéndose obsoleto, que está cayendo en desuso.

obsoleto, -ta *adj.* Poco usado. 2 Anticuado, que ha caído en desuso; no adecuado a las condiciones actuales.

obstaculizar *tr.* Poner obstáculos [a algo o alguien]. ◇ ** CONJUG. [4] como *realizar.*

obstáculo *m.* Lo que se opone al paso: *una carrera de obstáculos.* 2 *fig.* Lo que se opone al cumplimiento de un propósito.

obstante (no ~) *loc. adv.* Sin embargo, sin que estorbe ni perjudique para una cosa. ◇ INCOR.: *No ~ de, no ~ a, no ~ que.*

obstar *intr.* Impedir, estorbar, hacer contradicción y repugnancia: *~ una cosa a,* o *para, otra.* – 2 *unipers.* Oponerse o ser contraria una cosa a otra.

obstetricia *f.* Parte de la medicina que trata de la gestación, el parto y el puerperio.

obstinación *f.* Mantenimiento tenaz de una resolución, propósito, opinión, etc.

obstinado, -da, *adj.* Testarudo, tenaz, persistente.

obstinarse *prnl.* Mantenerse uno tenazmente en una resolución, propósito, opinión, etc., sin dejarse vencer por razonamientos, ruegos o amonestaciones, ni por obstáculos o reveses: ~ *contra alguien;* ~ *en alguna resolución.* 2 Negarse el pecador a las persuasiones cristianas.

obstrucción *f.* Acción de obstruir u obstruirse. 2 Efecto de obstruir u obstruirse. 3 En asambleas políticas u otros cuerpos deliberantes, táctica enderezada a impedir o retardar los acuerdos.

obstruccionismo *m.* Ejercicio de la obstrucción (política).

obstruir *tr.-prnl.* Estorbar [el paso]; cerrar [un conducto o camino]. – 2 *tr.* Impedir [la acción]: *le han obstruido los planes.* 3 fig. Impedir la operación [de un agente]: *esta pared obstruye el viento.* ◇ ** CONJUG. [62] como *huir.*

obtener *tr.* Alcanzar, conseguir [una cosa que se solicita o merece]. 2 Producir [un cuerpo u otra cosa], especialmente por medio de operaciones químicas. 3 Tener, conservar. ◇ ** CONJUG. [87] como *tener.*

obturador, -ratriz *adj.-s.* Que sirve para obturar. – 2 *m.* FOT. Aparato que sirve para cerrar y abrir el objetivo a voluntad, para dar paso a la luz. 3 MEC. Órgano mecánico que sirve para cerrar un recinto, o interrumpir la comunicación entre dos recintos o tramos de una canalización.

obturar *tr.* Tapar o cerrar [una abertura o conducto].

obtusángulo *adj.* GEOM. V. triángulo ~.

obtuso, -sa *adj.* Romo, sin punta. 2 y fig. Torpe.

obús *m.* Pieza para disparar granadas, de longitud mayor que la del mortero y menor que la del cañón de iguales calibres. 2 Proyectil que se dispara con esta pieza. 3 Piececita que sirve de cierre a la válvula del neumático.

obvención *f.* Utilidad, fija o eventual, además del sueldo que se disfruta: *las obvenciones de un empleado.*

obviar *tr.* Evitar, poner obstáculos, oponerse [a un efecto que se teme]. – 2 *intr.* Obstar, oponerse. ◇ ** CONJUG. [12] como *cambiar.*

obvio, -via *adj.* Visible y manifiesto. 2 fig. Muy claro o sin dificultad.

oca *f.* Ganso (ave). 2 Ave anseriforme parecida al ganso, pero más corpulenta y generalmente con el plumaje blanco *(Anser fabalis).* 3 Juego en que se utilizan dados y un cartón sobre el que están pintadas, formando una espiral, 63 casillas numeradas que representan ocas, ríos, puentes, etc., y señalan diversos accidentes de la partida; cada jugador mueve su ficha según los números marcados por el dado, y gana el que primero llega a la casilla sesenta y tres.

ocal *adj.* [fruto, y rosa] Muy gustoso y delicado: *pera, manzana, rosa* ~.

ocarina *f.* Instrumento músico de **viento de forma ovoide más o menos alargada, con ocho agujeros que modifican el sonido según se tapan con los dedos. Es de timbre muy dulce.

ocasión *f.* Oportunidad de tiempo o lugar para hacer o conseguir algo. 2 Peligro o riesgo. 3 Causa o motivo de una cosa.

ocasionado, -da *adj.* Expuesto a contingencias y peligros.

ocasional *adj.* Que ocasiona. 2 Que sobreviene accidentalmente.

ocasionalismo *m.* Doctrina metafísica que afirma el dualismo cartesiano de las dos substancias, cuerpo y alma, «res extensa» y «res cogitans», pero niega toda eficacia mutua real entre ambos, pues ningún cuerpo tiene la fuerza de moverse a sí mismo, y ningún espíritu finito puede mover cuerpo alguno mediante su propia voluntad.

ocasionar *tr.* Ser causa o motivo [de alguna cosa]. 2 Mover o excitar. 3 Poner en peligro.

ocaso *m.* Puesta del Sol o de otro astro por el horizonte. 2 Occidente (punto cardinal). 3 fig. Decadencia, declinación.

occidental *adj.* Situado en el occidente o relativo a él. 2 [planeta] Que se pone después de puesto el Sol.

occidente *m.* Punto cardinal del horizonte, por donde se pone el Sol en los días equinocciales. 2 Lugar de la Tierra o de la esfera celeste que, respecto de otro con el cual se compara, cae hacia donde se pone el Sol. 3 fig. Conjunto de naciones de la parte occidental de Europa. 4 fig. Conjunto de países de varios continentes, cuyas lenguas y culturas tienen su origen principal en Europa.

occiduo, -dua *adj.* Relativo al ocaso.

occipital *adj.* Relativo al occipucio. – 2 *adj.-m.* Hueso de la **cabeza correspondiente al occipucio. 3 **Músculo de la parte posterior del cráneo cuya función es tirar del cuello cabelludo hacia atrás.

occipucio *m.* ANAT. Parte inferoposterior de la cabeza.

occiso, -sa *adj.* Muerto violentamente.

oceánico, -ca *adj.* Relativo al océano.

oceanicultura *f.* Cultivo de las plantas y animales oceánicos, como alimento o para otros fines.

océano *m.* Masa total de agua salada que cubre aproximadamente las tres cuartas partes de la Tierra. 2 Gran subdivisión de esta masa: ~ *Atlántico, Pacífico, Índico, Boreal, Austral.* 3 fig. Gran extensión de algunas cosas: *un* ~ *de dificultades.*

oceanografía *f.* Ciencia que estudia los mares, con sus fenómenos, su fauna y su flora.

ocelo *m.* Órgano visual rudimentario de algunos animales inferiores, formado por un grupo de células fotosensibles, mediante el cual el animal percibe la luz, pero no la imagen de los objetos. 2 Mancha redonda y bicolor en las alas de algunos insectos o en las plumas de ciertas aves.

ocelote *m.* Mamífero félido americano, de un metro de largo, cuerpo esbelto y pelaje suave y brillante con dibujos de varios matices *(Felis pardalis).*

ociar *intr.* Dejar el trabajo, darse al ocio. ◇ ** CONJUG. [12] como *cambiar.*

ocio *m.* Cesación del trabajo, inacción o total omisión de la actividad. 2 Diversión u ocupación reposada, especialmente en obras de ingenio, por descanso de otras tareas. – 3 *m. pl.* Obras de ingenio que uno forma en los ratos libres de preocupaciones principales.

ociosamente *adv. m.* Sin ocupación o ejercicio. 2 Sin fruto ni utilidad. 3 Sin necesidad.

ociosidad *f.* Vicio de no trabajar, perder el tiempo o gastarlo inútilmente. 2 Efecto del ocio.

ocioso, -sa *adj.-s.* Que está en ocio (inacción). 2 Desocupado, exento de obligaciones. – 3 *adj.* Que no tiene uso ni ejercicio en aquello a que está destinado. 4 Inútil, sin fruto, provecho ni substancia.

oclocracia *f.* Gobierno de la muchedumbre o de la plebe.

oclofobia *f.* Temor morboso a la multitud o al hacinamiento.

ocluir *tr.-prnl.* MED. Cerrar [un conducto] con algo que lo obstruya, o [un orificio] de modo que no se pueda abrir naturalmente: *ocluirse un intestino; ocluirse el orificio de los párpados.* ◇ ** CONJUG. [62] como *huir.*

oclusión *f.* Acción de ocluir u ocluirse. 2 Efecto de ocluir u ocluirse. 3 METEOR. Superposición de un frente frío y uno cálido. 4 QUÍM. Propiedad de algunos metales de absorber los gases y conservarlos en el vacío.

oclusivo, -va *adj.* Relativo a la oclusión. 2 Que la produce. – 3 *adj.-f.* Consonante explosiva, la cual se produce cerrando momentáneamente la salida del aire en algún lugar de la boca; como *p, t, k, m.*

ocráceo, -a *adj.* Pardo amarillento; de color de ocre.

ocre *m.* Mineral terroso, óxido de hierro hidratado, de color amarillo, que se emplea en pintura. 2 Mineral terroso de color amarillo, en general: *~ de antimonio; ~ de bismuto.* – 3 *adj.-m.* Color amarillo obscuro. – 4 *adj.* De color ocre.

ocróptero, -ra *adj.* ZOOL. Que tiene las alas amarillas.

octaedro *m.* GEOM. **Sólido de ocho caras:

~ regular, aquel cuyas caras son triángulos equiláteros; **cristalografía.

octagonal *adj.* Relativo al octágono.

octágono, -na *adj.-m.* **Polígono de ocho ángulos.

octanaje *m.* Número de octanos de un carburante.

octano *m.* Hidrocarburo saturado líquido existente en el petróleo.

octante *m.* Instrumento astronómico, análogo al sextante, cuyo sector comprende sólo la octava parte del círculo.

octava *f.* Espacio de ocho días, durante los cuales celebra la Iglesia una fiesta solemne o hace conmemoración del objeto de ella. 2 Último de estos ocho días. 3 Librito en que se contiene el rezo de una octava. 4 Combinación métrica de ocho versos: *~ real* o simplemente *~,* la compuesta de endecasílabos; riman el primero, tercero y quinto; el segundo, cuarto y sexto, y el séptimo y octavo. 5 Intervalo entre una nota musical y la octava superior o inferior de la escala. 6 Nota musical respecto de otra, de la que está separada por este intervalo; el número de vibraciones de ambas está en la relación de dos a uno.

octavario *m.* Período de ocho días. 2 Fiesta que se hace en los ocho días de una octava.

octavilla *f.* Octava parte de un pliego de papel. 2 p. ext. Hoja de propaganda, aunque no tenga este tamaño. 3 Combinación métrica de ocho versos de arte menor, cuya ordenación de rimas es variable.

octavo, -va *adj.-s.* Parte que, junto a otras siete iguales, constituye un todo; **numeración. – 2 *adj.* Que ocupa el último lugar en una serie ordenada de ocho.

octeto *m.* Composición para ocho instrumentos o voces. 2 Conjunto de estas voces o instrumentos.

octocoralario *adj.-m.* Animal de la subclase de los octocoralarios. – 2 *m. pl.* ZOOL. Subclase de cnidarios antozoos cuya boca está rodeada por ocho tentáculos.

octogenario, -ria *adj.* Que tiene ochenta años de edad y no ha llegado a los noventa.

octogésimo, -ma *adj.-s.* Parte que, junto a otras noventa y nueve iguales, constituye un todo; **numeración. – 2 *adj.* Que ocupa el último lugar en una serie ordenada de ochenta.

octonario *adj.-m.* Verso de dieciséis sílabas, dividido en dos octosílabos.

octópodo *adj.-m.* Molusco del orden de los octópodos. – 2 *m. pl.* Orden de moluscos cefalópodos dibranquiados que tienen ocho tentáculos provistos de ventosas.

octosílabo, -ba *adj.* De ocho sílabas.

octóstilo, -la *adj.* Que tiene ocho columnas.

octubre *m.* Décimo mes del año.

octuplicar *tr.* Multiplicar por ocho. ◇ ** CONJUG. [1] como *sacar.*

óctuplo, -pla *adj.* Que contiene ocho veces una cantidad.

ocular *adj.* Relativo a los ojos o que se hace por medio de ellos. – 2 *m.* Lente o sistema de lentes colocado en la parte por donde mira el observador en los instrumentos ópticos compuestos, y que amplia la imagen dada por el objetivo.

oculista *com.* Médico dedicado especialmente a las enfermedades de los ojos.

ocultar *tr.* Esconder; impedir que sea vista [una persona o cosa]: ~ *un objeto a,* o *de, alguien; ocultarse en la sombra.* 2 p. anal. Callar [lo que se debiera decir]; disfrazar [la verdad]: ~ *un delito;* ~ *las riquezas.* 3 Reservar.

ocultismo *m.* Conjunto de doctrinas y prácticas misteriosas, espiritistas y hasta mágicas, que pretenden conocer, explicar y someter al dominio humano los más misteriosos fenómenos de la vida material y psíquica. 2 Dedicación a las ciencias ocultas.

oculto, -ta *adj.* Que no se da a conocer ni se deja ver ni sentir.

ocume *m.* Árbol de Guinea, de la familia de las burseráceas, que se usa en ebanistería. 2 Madera de este árbol.

ocupación *f.* Acción de ocupar: ~ *militar,* permanencia en un territorio de ejércitos de otro estado que, sin anexionarse aquél, interviene en su vida pública y la dirige. 2 Efecto de ocupar. 3 Trabajo o cuidado que impide emplear el tiempo en otra cosa. 4 Empleo, oficio o dignidad.

ocupacional *adj.* Propio de la ocupación o trabajo habitual. 2 [enfermedad] De carácter profesional.

ocupar *tr.* Tomar posesión, apoderarse [de una cosa]: *el enemigo ocupó la ciudad.* 2 p. anal. Llenar [un espacio o lugar]; esp., habitar una casa. 3 Obtener, gozar [un empleo o dignidad]. 4 p. ext. Dar qué hacer o en qué trabajar [a uno]: *ocupa un centenar de obreros.* 5 Embarazar, estorbar [a uno]: *no me ocupes con tus chismes.* 6 fig. Llamar la atención [de uno]: *haz una señal que le ocupe.* – 7 *prnl.* Emplearse en un trabajo o ejercicio. 8 Aplicar la reflexión en un asunto. 9 Yacer la prostituta en las casas de lenocinio.

ocurrencia *f.* Encuentro, suceso casual, ocasión o coyuntura. 2 Especie inesperada, pensamiento, dicho agudo u original.

ocurrente *adj.* [pers.] Que tiene ocurrencias originales.

ocurrir *unipers.* Acaecer, acontecer alguna cosa: *el suceso ocurrió en mi casa; ocurre a veces que te distraes.* 2 p. anal. Venir de repente una especie a la imaginación: *se le ocurrió escribir.*

ochava *f.* Octava parte de un todo. 2 Cha-

flán, esquina de un edificio. 3 Parte de la acera correspondiente al chaflán. 4 *Amér.* Esquina.

ochavado, -da *adj.* [figura] Con ocho ángulos iguales, que tiene cuatro lados alternados iguales y los otros cuatro también iguales entre sí.

ochavar *tr.* Dar figura ochavada [a una cosa]. 2 *Amér.* Recortar un ángulo o esquina.

ochavo *m.* Antigua moneda de cobre del s. XVII, equivalente a dos maravedís. 2 fig. Cosa insignificante, de poco o ningún valor. 3 Edificio o lugar de forma ochavada. 4 Pez marino teleósteo, de cuerpo ovalado y comprimido, y carne blanca y fina *(Capros aper).*

ochenta *adj.* Ocho veces diez; **numeración. – 2 *m.* Guarismo del número ochenta.

ocho *adj.* Siete y uno; **numeración. 2 Octavo (lugar). – 3 *m.* Guarismo del número ocho. 4 Carta o naipe que tiene ocho señales.

ochocientos, -tas *adj.* Ocho veces ciento; **numeración. – 2 *m.* Guarismo del número ochocientos.

oda *f.* Composición poética del género lírico, especialmente la dividida en estrofas o partes iguales: ~ *sagrada, heroica, moral, anacreóntica.* 2 Composición poética de gran elevación y arrebato, en general.

odalisca *f.* Concubina turca.

odeón *m.* Teatro o lugar destinado en Grecia para los espectáculos musicales. 2 Teatro moderno, especialmente el dedicado al canto.

odiar *tr.* Tener odio: ~ *a su hermano;* ~ *el trabajo.* ◇ ** CONJUG. [12] como *cambiar.*

odio *m.* Antipatía y aversión hacia alguna persona o cosa cuyo mal se desea.

odioso, -sa *adj.* Digno de odio. 2 Fastidioso, antipático, repelente.

odisea *f.* Peregrinaje largo de un lado para otro, lleno de aventuras adversas y favorables, antes de conseguir el fin que se propone el viajero. 2 Conjunto de hechos heroicos y gloriosos atribuidos a determinados personajes o realizados por él. 3 Conjunto de penalidades y dificultades que pasa alguien.

odonato *adj.-m.* Insecto del orden de los odonatos. – 2 *m. pl.* Orden de insectos pterigotas de gran tamaño y colores vistosos; se caracterizan por tener los ojos enormes y las alas grandes pero primitivas, pues sólo se pueden mover perpendicularmente al cuerpo; como el caballito del diablo.

odontalgia *f.* Dolor de dientes o de muelas.

odóntico *adj.* Relativo a los dientes.

odontoceto *adj.-m.* Mamífero del suborden de los odontocetos. – 2 *m. pl.* Suborden de mamíferos cetáceos con las mandíbulas provistas de dientes y los orificios nasales fundidos en uno solo; como el delfín y el cachalote.

odontofobia *f.* Temor morboso a los dientes, generalmente de animales. 2 Temor morboso a las operaciones dentarias.

odontología *f.* Parte de la medicina que estudia los dientes y el tratamiento de sus dolencias.

odontólogo, -ga *m.* *f.* Persona que por profesión o estudio se dedica a la odontología.

odontoma *m.* Tumor duro que se origina en un diente.

odontómetro *m.* Escala graduada que sirve para medir el dentado de los sellos de correos.

odorífero, -ra *adj.* Que tiene buen olor o fragancia.

odre *m.* Cuero, generalmente de cabra, que cosido y empegado sirve para contener líquidos, especialmente vino.

oenoteráceo, -a *adj.-f.* Planta de la familia de las oenoteráceas. – 2 *f.* *pl.* Familia de plantas que incluye matas o arbustos angiospermos dicotiledóneos.

oersted *m.* ELECTR. Unidad cegesimal electromagnética de intensidad del campo magnético.

oesnoroeste, -rueste *m.* Punto del horizonte equidistante del oeste y del noroeste. 2 Viento que sopla de esta parte. ◇ No se usa en plural.

oeste *m.* Occidente (punto cardinal). 2 Viento que sopla de esta parte. 3 p. ext. País situado al oeste. ◇ No se usa en plural.

oesudoeste, -dueste *m.* Punto del horizonte equidistante del oeste y del sudoeste. 2 Viento que sopla de esta parte.

ofender *tr.* Hacer daño [a uno] físicamente, maltratarle. 2 Injuriar de palabra o denostar [a uno]. 3 Causar molestia, fastidio o asco: *este manjar te ha ofendido; hay olores que ofenden.* – 4 *prnl.* Picarse o enfadarse por un dicho o hecho: *ofenderse con,* o *de, las finezas; ofenderse por todo.*

ofensa *f.* Acción de ofender u ofenderse. 2 Efecto de ofender u ofenderse.

ofensiva *f.* Situación o estado del que trata de ofender o atacar: *tomar la ~,* prepararse para acometer al enemigo, acometerle. 2 fig. Ser el primero en una competencia, pugna, etc.

ofensivo, -va *adj.* Que ofende o puede ofender.

oferente *adj.-s.* Que ofrece.

oferta *f.* Promesa de dar, cumplir o ejecutar una cosa. 2 Presentación de mercancías en solicitud de venta. 3 Don presentado a uno para que lo acepte. 4 Propuesta para contratar. 5 Precio que se paga por una cosa que se subasta o vende. 6 Producto que se vende con precio rebajado.

ofertar *tr.* Ofrecer en venta [un producto]. 2 Ofrecer en venta [un producto] con precio rebajado. 3 *Amér.* Ofrecer, prometer [algo]. ◇ Este verbo no debe desplazar a *ofrecer.*

ofertorio *m.* Parte de la misa en que el sacerdote ofrece a Dios la hostia y el vino del cáliz, antes de la consagración.

off *adj.* Desconectado, fuera de funcionamiento. 2 Fuera de lugar. – 3 *loc. adj.* ANGLIC. ~ *the record,* confidencial, extraoficial, no divulgable.

office *m.* Antecocina, parte de una casa donde se prepara lo que depende del comedor. ◇ Se pronuncia *ofis.*

offset *m.* Sistema de impresión consistente en un rodillo de caucho que toma la tinta del molde para transportarla al papel. – 2 *adj.-s.* Máquina que emplea este sistema.

oficial *adj.* Que tiene autenticidad y emana de la autoridad constituida; que es de oficio y no particular o privado: *boletín, acto, noticia, candidato ~.* – 2 *m.* El que trabaja en un oficio. 3 El que en un oficio manual ha terminado el aprendizaje y no es maestro todavía. 4 Verdugo (ejecutor). 5 Empleado que bajo las órdenes de un jefe estudia y prepara el despacho de los negocios en una oficina. 6 En concejo o municipio, el que tiene cargo; como alcalde, regidor, etc. 7 MIL. Cuerpo en la jerarquía militar que comprende desde el grado de alférez hasta el de capitán inclusive.

oficialía *f.* Empleo de oficial de secretaría o cosa semejante. 2 Calidad de oficial que adquirían los artesanos.

oficialidad *f.* Conjunto de oficiales de ejército. 2 Carácter o cualidad de oficial: *no me consta la ~ de esa orden.*

oficialismo *m.* *Amér.* Conjunto de tendencias o fuerzas políticas que apoyan al gobierno.

oficializar *tr.* Dar carácter oficial [a algo]. ◇ ** CONJUG. [4] como *realizar.*

oficialmente *adv. m.* Con carácter oficial. 2 fig. Autorizadamente, en el orden privado.

oficiante *m.* El que oficia en las iglesias; preste.

oficiar *intr.* Ayudar a cantar la misa y demás oficios divinos; esp., celebrar de preste la misa. 2 p. ext., fig. *y* fam. Con la preposición *de,* obrar con el carácter que se determina: ~ *de conciliador.* – 3 *tr.* Comunicar [una cosa] oficialmente y por escrito. ◇ ** CONJUG. [12] como *cambiar.*

oficina *f.* Sitio donde se hace, prepara o trabaja una cosa. 2 Laboratorio de farmacia. 3 Departamento donde trabajan los empleados públicos o privados. 4 fig. Lugar donde se fragua y dispone algo inmaterial: ~ *de la mentira.* – 5 *f.* *pl.* Piezas bajas de las casas, que sirven para ciertos menesteres domésticos.

oficinal *adj.* [planta] Usado en medicina. 2 [medicamento] Preparado de antemano en las boticas.

oficinista *com.* Persona empleada en una oficina (departamento).

oficio *m.* Ocupación habitual. 2 Profesión de algún arte mecánica: ~ *de albañil.* 3 Función propia de alguna cosa. 4 Acción o gestión en beneficio o en daño de uno: *buenos oficios,* diligencias eficaces en pro de otro. 5 Comunicación escrita referente a los asuntos del servicio público en las dependencias del estado y, por extensión, la que media entre individuos de varias corporaciones particulares sobre asuntos concernientes a ellos. 6 Rezo diario compuesto de las horas canónicas a que los eclesiásticos están obligados. 7 Función de Iglesia, especialmente cada una de las de Semana Santa: ~ *de difuntos,* el que tiene destinado la Iglesia para rogar por los muertos. 8 *De* ~, oficialmente; DER., [diligencia] que se practica judicialmente sin instancia de parte, y [costa] que, según lo sentenciado, nadie debe pagar.

oficioso, -sa *adj.* Hacendoso y solícito en ejecutar lo que está a su cuidado. 2 Que se complace en ser útil y agradable a uno. 3 Que se entremete en oficio o negocio que no le incumbe. 4 Provechoso, eficaz para determinado fin. 5 En diplomacia, [tercera potencia] que media benévolamente. 6 Hecho o dicho por una autoridad u hombre público, pero sin carácter oficial. 7 [periódico ministerial] Con cierta conexión con los gobernantes.

ofidio *adj.-m.* Reptil del orden de los ofidios. – 2 *m. pl.* Orden de reptiles escamosos ápodos, de cuerpo largo y estrecho revestido de piel escamosa, que tienen las mandíbulas dotadas de gran movilidad y carecen de esternón, lo cual les permite engullir grandes presas; como la culebra y la serpiente.

ofidismo, *m.* Envenenamiento por mordedura de una serpiente.

ofimática *f.* Conjunto de material informático para oficinas.

ofioglosal *adj.-f.* Planta del orden de las ofioglosales. – 2 *f. pl.* Orden de plantas herbáceas perennes, de tamaño mediano o pequeño.

ofita *f.* Roca de color y textura variable, compuesta de feldespato, piroxeno y nódulos calizos o cuarzosos.

ofiuroideo *adj.-m.* Equinodermo de la clase de los ofiuroideos. – 2 *m. pl.* Clase de equinodermos eleuterozoos caracterizados por tener los brazos largos y serpentiformes, y claramente separados del disco.

ofrecer *tr.* Presentar y dar voluntariamente [una cosa]. 2 p. anal. Dedicar o consagrar a Dios o a un santo [la obra buena que se hace o el daño que se padece]. 3 Dar una limosna, dedicándola a Dios en la misa o en otras funciones eclesiásticas. 4 Prometer (obligarse): ~ *su asistencia; ofrezco veinte mil pesetas por la cartera.* 5 Mostrar y poner patente una cosa: *la ciudad ofrece un aspecto muy triste.* 6 Decir o exponer qué cantidad se está dispuesto a pagar por algo. 7 Entrar a beber en la taberna. – 8 *prnl.* Entregarse voluntariamente a otro para ejecutar alguna cosa: *ofrecerse de acompañante; ofrecerse en holocausto; ofrecerse de servidor; ofrecerse a los peligros.* – 9 *unipers.* Venirse impensadamente una cosa a la imaginación. 10 Ocurrir o sobrevenir. ◊ ** CONJUG. [43] como *agradecer.*

ofrenda *f.* Don que se ofrece y dedica a Dios o a los santos. 2 Pan, vino u otras cosas que se llevan a la iglesia por sufragio de los difuntos. 3 Lo que se da en algunos pueblos al tiempo de los entierros, para la manutención de los ministros de la Iglesia. 4 p. ext. Dádiva o servicio en muestra de gratitud y amor.

ofrendar *tr.* Ofrecer [dones y sacrificios] a Dios en acción de gracias o en señal de rendimiento y adoración. 2 Contribuir [con dinero u otros dones] para un fin.

ofris *m.* Planta orquidácea utilizada en medicina y en el apresto de los tejidos *(Ophrys).*

oftalmía *f.* MED. Inflamación de los ojos.

oftálmico, -ca *adj.* Relativo a los ojos. 2 Relativo a la oftalmía.

oftalmología *f.* Parte de la patología que trata de las enfermedades de los ojos.

oftalmólogo, -ga *m. f.* Oculista.

oftalmoscopio *m.* Instrumento para reconocer las partes interiores del ojo.

ofuscación *f.* Turbación de la vista. 2 Obscuridad de la razón.

ofuscar *tr.-prnl.* Deslumbrar, obscurecer o turbar [la vista]. 2 fig. Trastornar o confundir [las ideas], obscurecer [la razón]; alucinar. – 3 *tr.* Obscurecer y hacer sombra [a una cosa]. ◊ ** CONJUG. [1] como *sacar.*

ogro *m.* Según los cuentos y creencias populares, gigante que se alimentaba de carne humana. 2 fam. Persona feroz.

¡oh! Interjección con que se denota sorpresa, admiración, pena, alegría, desaprobación, etc.

ohm *m.* En la nomenclatura internacional, ohmio. ◊ Pl.: *ohms.*

ohmio *m.* Unidad de resistencia eléctrica equivalente a la que existe entre dos puntos de un conductor cuando una diferencia de potencial constante de un voltio, aplicada entre ellos, produce una corriente de un amperio.

oídio *m.* Hongo ascomicete parásito, especialmente de la vid, cuyo micelio forma sobre las hojas de esta planta una red de filamentos blanquecinos y polvorientos *(Uncinula spiralis).* 2 Enfermedad producida en una planta por estos hongos.

oído *m.* Sentido por el cual se perciben los sonidos. 2 Órgano o aparato de la audición. En el hombre y en los animales superiores es par, se halla situado a uno y otro lado de la cabeza, y consta de tres partes: ~ *externo* u *oreja,* ~ *medio* o *caja del tímpano,* y ~ *interno* o *laberinto.* 3 fig. Aptitud para percibir y reproducir el tono relativo de los sonidos musicales: **tener ~ o **buen** ~, tener disposición para la música. 4 Parte interior del aparato auditivo. 5 Agujero que en la recámara tienen algunas armas de fuego para comunicar éste a la carga. 6 Orificio que se deja en el taco de un barreno para colocar la mecha.

¡oiga!, ¡oigan! Interjección con que se denota extrañeza, enfado o represión.

oír *tr.* Percibir [los sonidos] por medio del sentido del oído: ~ *una canción; oigo sin dificultad;* aplícase a las cosas que suenan o hacen ruido: *oigo un violín, un caballo.* 2 Hacerse uno cargo [de aquello de que le hablan]. 3 Atender [los ruegos o avisos] de uno. 4 DER. Admitir la autoridad, peticiones, razonamientos o pruebas de las partes antes de resolver. ◇ ** CONJUG. [75].

ojal *m.* Hendedura, generalmente reforzada en sus bordes a propósito para abrochar un botón, muletilla, etc. 2 Agujero que atraviesa algunas cosas. 3 Defecto que presentan algunos hilos de seda y que consiste en un bucle del capullo sin deshacer.

¡ojalá! Interjección con que se denota vivo deseo de que suceda una cosa.

ojaranzo *m.* Variedad de jara ramosa, de tallos algo rojizos *(Cistus).*

ojeada *f.* Mirada rápida.

ojeador *m.* El que ojea (la caza).

I) ojear *tr.* Dirigir los ojos y mirar [a determinada parte]. 2 Aojar (mal de ojo).

II) ojear *tr.* Espantar [la caza] y acosarla hasta que llega al sitio donde se le ha de tirar o coger con redes, lazos, etc. 2 fig. Espantar, ahuyentar de cualquier suerte.

ojén *m.* Aguardiente dulce anisado.

ojeo *m.* Acción de ojear II. 2 Efecto de ojear II. 3 Camino que se señala a la caza ojeada.

ojera *f.* Coloración más o menos lívida, alrededor de la base del párpado inferior: *el enfermo tiene ojeras.*

ojeriza *f.* Odio o mala voluntad contra uno.

ojeroso, -sa *adj.* Que tiene ojeras.

ojete *m.* Ojal redondo, generalmente reforzado, para meter por él un cordón o cosa que afiance. 2 Agujero con que se adornan algunos bordados.

ojímetro (a ~) *loc. adv.* fam. Sin peso, sin medida, a bulto.

ojiva *f.* Figura compuesta de dos arcos de círculo iguales que se cortan en uno de sus extremos formando un ángulo curvilíneo y volviendo la concavidad el uno al otro. 2 Parte delantera superior de un proyectil, a veces cargada de explosivos o de cualquier otro material: ~ *nuclear.*

ojival *adj.* De figura de ojiva. 2 **Estilo** ~, estilo arquitectónico gótico que dominó en Europa durante los tres últimos siglos de la Edad Media, y cuyo fundamento consistía en el empleo de la ojiva para toda clase de arcos, como simple ornato.

**ojo *m.* Órgano de la visión, formado esencialmente por una vesícula o cámara cerrada, con una parte anterior transparente que da acceso a la luz, y, en el interior, un medio

OÍDO

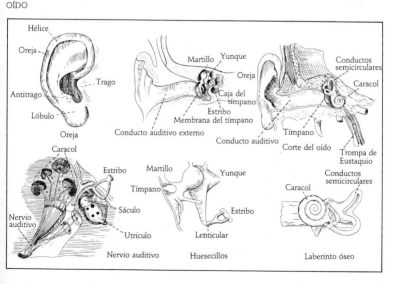

Hélice · Oreja · Trago · Antitrago · Lóbulo · Oreja

Martillo · Yunque · Oreja · Caja del tímpano · Estribo · Membrana del tímpano · Conducto auditivo externo

Conductos semicirculares · Caracol · Tímpano · Conducto auditivo · Corte del oído · Trompa de Eustaquio

Caracol · Estribo · Nervio auditivo · Sáculo · Utrículo · Nervio auditivo

Martillo · Yunque · Tímpano · Estribo · Lenticular · Huesecillos

Conductos semicirculares · Caracol · Laberinto óseo

refringente que hace converger los rayos en una zona sensible, la retina, donde se forma la imagen: *el ~ derecho; el ~ izquierdo;* **nariz; **crustáceos. 2 Abertura o agujero que atraviesa de parte a parte alguna cosa: *~ de la aguja.* 3 Anillo de algunas herramientas, para que entren por él los dedos o el astil o mango: *el ~ del martillo; los ojos de las tijeras.* 4 Anillo de la llave que sirve de cabeza para agarrarla y hacer fuerza sobre ella. 5 Agujero de la **cerradura, por donde entra en ella la llave. 6 Cavidad que tienen las cosas esponjosas: *los ojos del pan, del queso.* 7 Espacio entre dos estribos o pilas de un **puente. 8 Malla de la red. 9 Manantial que surge en un llano. 10 Gota de aceite o grasa que nada en otro líquido. 11 Círculo de colores que en el extremo de cada una de las plumas caudales tiene el pavo real. 12 Grueso en los caracteres tipográficos. 13 Atención, cuidado o advertencia que se pone en una cosa. 14 Palabra que se pone como señal al margen de manuscritos o impresos, para llamar la atención. 15 *A ~,* sin peso, ni medida, a bulto; fig., a juicio o discreción de uno. 16 *Al ~,* cercanamente o a la vista. 17 *~ clínico* o *médico,* aptitud para conocer prontamente y apreciar con exactitud las enfermedades. 18 *~ de buey,* **ventana o claraboya circular; **casa. 19 *~ de gallo,* o *de pollo,* callo redondo y algo cóncavo hacia el centro que suele formarse en los dedos de los pies. 20 *~ de la escalera,* espacio vacío que queda dentro de las vueltas de los tramos cuando los peldaños no están adheridos a una alma central. 21 *~ de la tempestad,* rotura de las nubes que cubren la zona de calma que hay en el vórtice de un ciclón, por la cual suele

verse el azul del cielo. 22 FOT. *~ de pez,* objetivo de angular extremadamente grande.

¡ojo! Interjección para llamar la atención sobre alguna cosa.

ojoso, -sa *adj.* Que tiene muchos ojos (cavidades); como el pan, el queso, etc.

ojota *f. Amér.* Calzado a manera de sandalia, hecho de cuero o de filamento vegetal, que usan los campesinos. 2 Cuero de piel curtida de la llama.

O.K. fam. ANGLIC. Bien, de acuerdo. ◇ Se pronuncia *okey.*

okapi *m.* Mamífero rumiante de la familia jiráfidos, de pelaje ocre, cuyos cuartos traseros tienen rayas como las de las cebras *(Okapia johnstoni).*

ola *f.* Onda de gran amplitud formada en la superficie de las aguas. 2 Fenómeno atmosférico que produce variación repentina en la temperatura: *~ de calor.* 3 fig. Oleada (de gente o de protestas). 4 Fenómeno de gran amplitud y de duración limitada. ◇ HOMÓF.: *hola* (interjección).

ole, olé *m.* Baile popular de Andalucía en compás de tres por ocho, de movimiento moderado. 2 Música de este baile.

¡ole!, ¡olé! Interjección con que se denota ánimo y elogio.

oleáceo, -a *adj.-f.* Planta de la familia de las oleáceas. – 2 *f. pl.* Familia de plantas dicotiledóneas que incluye árboles o arbustos de hojas opuestas; flores actinomorfas, algunas veces unisexuales, y fruto en cápsula, baya o drupa; como el olivo.

oleada *f.* Ola grande. 2 Embate y golpe de la ola. 3 fig. Movimiento impetuoso de mucha gente apiñada.

OJO

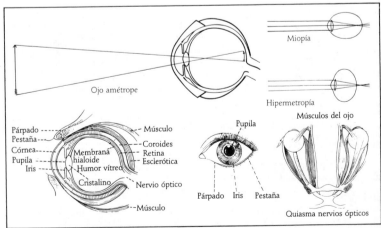

Ojo amétrope

Miopía

Hipermetropía

Músculos del ojo

Párpado
Pestaña
Córnea
Pupila
Iris
Membrana hialoide
Humor vítreo
Cristalino
Músculo
Coroides
Retina
Esclerótica
Nervio óptico

Pupila

Párpado   Iris   Pestaña

Quiasma nervios ópticos

oleaginoso, -sa *adj.* Aceitoso.

oleaje *m.* Sucesión continuada de olas.

olear *tr.* Administrar [a un enfermo] el sacramento de la extremaunción. – 2 *intr.* Hacer o producir olas como el mar.

oleato *m.* Sal o éster del ácido oleico.

oledero, -ra *adj.* Que despide olor.

oledor, -ra *adj.-s.* Que exhala olor o lo percibe.

olefinas *f. pl.* Hidrocarburos etilénicos.

oleico *adj. Ácido* ~, substancia sólida, cristalina, oxidable en el aire, que se encuentra en el aceite y otras grasas.

oleicultor, -ra *m. f.* Persona que se dedica a la oleicultura.

oleicultura *f.* Fabricación y conservación de aceites; eleotecnia.

oleífero, -ra *adj.* [planta] Que contiene aceite.

oleiforme *adj.* [líquido] Que tiene la consistencia del aceite.

oleína *f.* Oleato de glicerina, substancia grasa, líquida a la temperatura ordinaria, que se encuentra en las grasas animales y vegetales.

óleo *m.* Aceite. 2 p. ant. El que usa la Iglesia en los sacramentos y otras ceremonias: *los santos óleos,* los de la extremaunción.

oleodinámico, -ca *adj.* [mecanismo, instalación] Que se acciona mediante aceite a presión: *excavadora oleodinámica.*

oleoducto *m.* Tubería para la conducción de petróleo desde los lugares de producción a los de embarque; o desde el lugar de descarga al de refino.

oleografía *f.* Cromo que imita la pintura al óleo. 2 Forma de impresión con colores que imitan los de la pintura al óleo.

oleómetro *m.* Instrumento para medir la densidad de los aceites.

oleonafta *f.* Nafta que se obtiene de la destilación del petróleo.

oleorresina *f.* Jugo líquido, procedente de algunas plantas, formado por resina disuelta en aceite volátil.

oleoso, -sa *adj.* Aceitoso.

oler *tr.* Aspirar el aire por la nariz para percibir los olores: *huelo una rosa.* 2 fig. Inquirir con curiosidad [lo que hacen otros]. – 3 *tr. prnl.* p. anal. Adivinar una cosa oculta. – 4 *intr.* Exhalar olor o hedor. 5 fig. Parecer, o tener visos de una cosa, generalmente mala: *este hombre huele a hereje.* ◇ ** CONJUG. [60].

olfatear *tr.* Oler con ahínco y persistentemente [una cosa]. 2 fig. Indagar, averiguar [las cosas] con viva curiosidad y empeño.

olfativo, -va *adj.* Relativo al sentido del olfato: *nervio* ~.

olfato *m.* Sentido con que se perciben los olores. 2 fig. Sagacidad para descubrir o entender lo que está disimulado.

oliera *f.* Vaso en que se guarda el santo óleo o crisma.

oligarquía *f.* Forma de gobierno en que el poder está en manos de un reducido grupo de personas, generalmente pertenecientes a una misma clase social. 2 fig. Conjunto de algunos poderosos negociantes que se unen para que todos los negocios dependan de su arbitrio.

oligisto *m.* Mineral óxido de hierro de color gris negruzco, o pardo rojizo, muy duro, de textura compacta, granujienta o terrosa.

oligoceno, -na *adj.-m.* Período geológico que sigue al eoceno, con que finaliza el paleógeno de la era terciaria, y terreno a él correspondiente. – 2 *adj.* Perteneciente o relativo a dicho período.

oligoelemento *m.* BIOL. Substancia indispensable para el organismo vivo y que se halla en muy pequeñas cantidades.

oligofrenia *f.* Insuficiencia psíquica congénita.

oligopolio *m.* ECON. Mercado en el que abundan los compradores y escasean los vendedores.

oligoqueto *adj.-m.* Gusano de la clase de los oligoquetos. – 2 *m. pl.* Clase de gusanos anélidos de cuerpo cilíndrico y alargado, provisto de unas cuantas quetas poco visibles; la mayoría son terrestres o de agua dulce; como la lombriz de tierra.

oligotrofia *f.* Propiedad de las aguas de lagos profundos de alta montaña, con pocas substancias nutritivas, poco fitoplancton y aguas muy limpias.

olimpíada, olimpiada *f.* Fiesta o juego que se hacía cada cuatro años en la antigua ciudad de Olimpia. 2 Período de cuatro años comprendido entre dos celebraciones consecutivas de juegos olímpicos. 3 Juegos olímpicos.

olímpico, -ca *adj.* Relativo a Olimpia, antigua ciudad de Grecia. 2 Relativo a los juegos públicos que se celebraban en esta ciudad. 3 Relativo al Olimpo. 4 fig. Altanero, soberbio: ~ *desprecio.* 5 *Juegos olímpicos,* competición universal de juegos atléticos que se celebra modernamente cada cuatro años en lugar señalado de antemano.

olimpismo *m.* Conjunto de todo lo concerniente a los modernos juegos olímpicos.

oliscar *tr.* Oler con cuidado y persistencia buscando por el olfato [alguna cosa]. 2 fig. Averiguar o procurar saber [una noticia]. – 3 *intr.* Empezar a oler mal una cosa. ◇ ** CONJUG. [1] como *sacar.*

olisco, -ca *adj.-m.* Que huele mal. – 2 *adj.* Que tiene indicios o sospechas, husmeador.

olismear *tr.* fig. Husmear noticias, curiosear.

olisquear *tr.* Oler una persona o un animal [alguna cosa]. 2 fig. Husmear, curiosear.

oliva *f.* Olivo. 2 Aceituna. 3 Adorno arquitectónico. 4 fig. Paz. – 5 *adj.-m.* Color amarillo verdoso. – 6 *adj.* De color oliva.

oliváceo, -a *adj.* Aceitunado.

olivar *m.* Terreno plantado de olivos.

olivarda *f.* Ave falconiforme, variedad del neblí, de plumaje amarillo verdoso *(gén. Falco).* 2 Planta compuesta, leñosa, con las hojas cubiertas de pelillos glandulosos que segregan una especie de resina *(Inula viscosa).*

olivarero, -ra *adj.* Relativo al cultivo del olivo y al comercio o aprovechamiento de sus frutos: *sindicato ~; región olivarera; industria olivarera.*

olivenita *f.* Mineral de la clase de los arseniatos, que cristaliza en el sistema rómbico, de color verde, brillo vítreo, y translúcido.

olivícola *adj.* Relativo a la olivicultura.

olivicultor, -ra *m. f.* Persona que se dedica a la olivicultura.

olivicultura *f.* Cultivo del olivo. 2 Arte de cultivarlo.

olivilla *f.* Arbusto con los tallos de color blanco, hojas lanceoladas y flores de color azul *(Teucrium fruticans).*

olivo *m.* Árbol oleáceo, de hojas enteras, persistentes, verdes y lustrosas por el haz y blanquecinas por el envés; flores blancas en racimos axilares, y fruto en drupa ovoide, verde, con el hueso grande y duro, de la cual se extrae el **aceite *(Olea europœa).* 2 Madera del olivo.

olmeca *adj.-s.* Pueblo que habitó la costa del Golfo de Méjico.

olmera *f.* Mariposa diurna de color marrón anaranjado con manchas negras y bordes marginales obscuros *(Nymphalis polychloros).*

olmo *m.* Árbol ulmáceo, de tronco robusto y derecho, copa ancha, hojas elípticas vellosas por el envés, flores de color blanco rojizo y fruto en sámara de alas anchas *(Ulmus campester).*

ológrafo, -fa *adj.-m.* Testamento o memoria testamentaria de puño y letra del testador. – 2 *adj.* Autógrafo.

olor *m.* Sensación que las emanaciones de ciertos cuerpos producen en el olfato. 2 Lo que es capaz de producir esa sensación. 3 fig. Fama, reputación: *morir en ~ de santidad.* 4 fig. Lo que motiva una sospecha en cosa oculta o por suceder. 5 fig. Esperanza, promesa u oferta de una cosa.

oloroso, -sa *adj.* Que exhala de sí fragancia. – 2 *m.* Variedad muy aromática del vino de Jerez.

olvidadizo, -za *adj.* Que con facilidad se olvida de las cosas. 2 fig. Ingrato.

olvidar *tr.-prnl.* Perder la memoria que se tenía [de una cosa]. 2 Dejar el cariño que antes se tenía [a una persona o cosa]. 3 Descuidar; dejar u omitir inadvertidamente [una cosa]. 4

No agradecer [los favores, la ayuda, etc.]. 5 No tener en cuenta alguna cosa: *olvida los agravios que te hicieron.* ◇ La forma pronominal se construye con *de: me olvidé de,* y la forma transitiva se construye sin *de: ~ que.*

olvido *m.* Falta de memoria o cesación de la que se tenía de una cosa. 2 Cesación de un cariño que se tenía. 3 Descuido de algo que se debía tener presente.

olla *f.* Vasija para cocer manjares, calentar agua, etc., redonda, de barro o metal, con una o dos asas: *~ a presión,* la de metal con tapa atornillada, en la que la presión interior del vapor contribuye a cocer los alimentos con rapidez; **cocina. 2 Guiso de carne, tocino, legumbres y hortalizas, cocido y sazonado: *~ podrida,* la que tiene en abundancia jamón, aves, embutidos, etc. 3 fig. *~ de grillos,* lugar en que hay gran desorden y confusión. 4 Remolino que forman las aguas de un río en ciertos parajes.

ollao *m.* MAR. Ojete reforzado que se abre en las velas, toldos, etc.

ollar *m.* Orificio de la nariz de las **caballerías.

ollería *f.* Establecimiento del ollero. 2 Conjunto de ollas y otras vasijas de barro.

ollero, -ra *m. f.* Persona que tiene por oficio hacer y vender ollas y demás cosas de barro para los usos comunes. – 2 *m.* Cerco semicircular que sirve para sujetar los pucheros junto al fuego.

omaso *m.* Tercer estómago de los rumiantes.

omatidio *m.* Elemento de que está formado el ojo compuesto de los insectos.

ombligo *m.* Cicatriz que se forma en medio del vientre después de romperse y secarse el cordón umbilical; **cuerpo humano. 2 Cordón umbilical. 3 fig. Medio o centro de cualquier cosa.

ombliguero *m.* Venda que sujeta el pañito que cubre el ombligo de los recién nacidos.

ombudsman *m.* Defensor del pueblo.

omega *f.* Vigésima cuarta y última letra del alfabeto griego equivalente a la *o* larga. 2 *Alfa y ~,* el principio y el fin.

omento *m.* Pliegue del peritoneo, adherido al estómago y al colon transversal, que cubre por delante de los intestinos.

ómicron *f.* Decimoquinta letra del alfabeto griego equivalente a la *o* breve. ◇ Pl.: *omicrones.*

ominoso, -sa *adj.* Azaroso, de mal agüero, abominable, vitando.

omisión *f.* Cosa omitida. 2 Falta por haber omitido la ejecución en todo o en parte de una cosa. 3 Descuido del que está encargado de una cosa.

omiso, -sa, *adj.* Negligente y descuidado.

omitir *tr.* Dejar de hacer [una cosa]. 2 Pasar en silencio [una cosa].

ómnibus *m.* Vehículo de gran capacidad, para transportar personas dentro de las poblaciones. ◇ Pl.: *ómnibus* .

omnímodo, -da *adj.* Que lo abraza y comprende todo.

omnipotencia *f.* Poder omnímodo, atributo exclusivo de Dios. 2 fig. Poder muy grande.

omnipresente *adj.* Ubicuo.

omnisapiente *adj.* Que tiene omnisciencia. 2 fig. Que tiene sabiduría y conocimiento de muchas cosas.

omnisciencia *f.* Conocimiento de todas las cosas reales y posibles, atributo exclusivo de Dios. 2 fig. Conocimiento de muchas materias.

ómnium *m.* Competición ciclista sobre pista. 2 Carrera de caballos de todas las categorías. 3 Compañía que se dedica a toda clase de operaciones, industriales o financieras.

omnívoro, -ra *adj.-s.* [animal] Que se alimenta de toda clase de substancias orgánicas, tanto vegetales como animales.

omofagia *f.* Costumbre de comer carne cruda.

omóplato, omoplato *m.* Hueso plano, triangular, que forma la parte posterior del hombro y con el cual se articula el húmero.

on *adj.* Conectado, en funcionamiento.

onagra *f.* Arbusto onagráceo, de hojas parecidas a las del almendro, con flores de muchos pétalos y raíz blanca, que, una vez seca, huele a vino *(Oenothera biennis)*.

onagráceo, -a *adj.-f.* Planta de la familia de las onagráceas. – 2 *f. pl.* Familia de plantas dicotiledóneas, de hojas alternas; flores regulares, solitarias o dispuestas en espigas o racimos y fruto en cápsula, baya o drupa; como la fucsia.

onagro *m.* Asno salvaje de Asia central, de 1 m. de alzada y pelaje fino, brillante, de color plateado *(Equus onager)*.

once *adj.* Diez y uno; **numeración. 2 Undécimo (lugar). – 3 *m.* Guarismo del número once.

onceavo, -va *adj.-m.* Undécimo (parte).

oncogén *m.* Gen que por mutación induce a la formación de cáncer en una célula.

oncogénico, -ca *adj.* Que causa cáncer.

oncología *f.* Parte de la medicina que trata de los tumores.

onda *f.* Elevación que se produce en un medio líquido, que produce ondas, como conjunto, se produzca ningún desplazamiento permanente: *las ondas del mar, de un lago.* 2 fís. En la propagación del movimiento vibratorio dentro de un medio o cuerpo elástico, conjunto de partículas vibrantes que se encuentran en fases distintas intermedias entre dos fases iguales: *~ luminosa; ~ sonora; ~ eléctrica, electromagnética* o *hertziana.* 3 Parte que en una

línea curva, en un cuerpo filiforme, etc., toma la forma del perfil de la sección plana de una onda en el sentido de su propagación: *las ondas del pelo, de una tela.* 4 Recorte, a manera de semicírculo, con que se adornan las guarniciones de vestidos y otras prendas. 5 fig. Reverberación y movimiento de la llama.

ondear *intr.* Hacer ondas el agua. 2 fig. Formar ondas los pliegues que se hacen en una cosa: *el pelo, el vestido ondea.* – 3 *intr.-tr.* Ondular. – 4 *prnl.* Mecerse en el aire sostenido por alguna cosa; columpiarse.

ondímetro *m.* Aparato que sirve para medir la longitud y la frecuencia de las ondas de una señal recibida, o para graduar un receptor a la longitud de onda de una emisora determinada.

ondoso, -sa *adj.* Que tiene ondas o se mueve haciéndolas.

ondulación *f.* Acción de ondular. 2 Efecto de ondular. 3 Movimiento de vaivén en un fluido elástico propagado entre sus partículas sin que éstas se trasladen en la dirección de la propagación.

ondulado, -da *adj.* Que forma ondas pequeñas.

ondular *intr.* Moverse una cosa formando ondas: *~ una culebra, una bandera,* etc. – 2 *tr.* Hacer ondas [en el pelo].

ondulatorio, -ria *adj.* Que se extiende en forma de ondulaciones. 2 Que ondula.

oneroso, -sa *adj.* Pesado, molesto o gravoso.

ónice *m.* Calcedonia en capas de distintos colores, dispuestas en planos paralelos, usada para hacer camafeos.

onicofagia *f.* Costumbre de roerse las uñas.

onírico, -ca *adj.* Relativo a los sueños.

oniromancia, -mancía *f.* Arte supersticioso de adivinar el porvenir interpretando los sueños.

onomancia, -mancía *f.* Arte supersticioso de adivinar, por su nombre, el porvenir de una persona.

onomasiología *f.* Estudio semántico de las denominaciones que parte del concepto para llegar al signo.

onomástico, -ca *adj.* Relativo a los nombres y especialmente a los propios: *día ~.* – 2 *f.* Conjunto de los nombres propios de persona, de un país, época, etc.: *onomástica hispano-latina.*

onomatopeya *f.* Imitación del sonido de una cosa en el vocablo que se forma para significarla. 2 El mismo vocablo: *miau, tris, talán, quiquiriquí.*

onomatopéyico, -ca *adj.* Relativo a la onomatopeya; formado por onomatopeya.

onoquiles *f.* Planta boraginácea, vellosa, de tallos gruesos y carnosos, flores purpúreas, fruto seco y raíz gruesa, de que se saca una tintura roja usada por perfumistas y confiteros *(Alkana tinctorea).* ◇ Pl.: *onoquiles.*

ontina *f.* Planta compuesta, de tallos leñosos, hojas pequeñas y carnosas, y flores amarillentas, muy pequeñas, en racimo *(Artemisia Herba-alba).*

ontogenia *f.* Formación y desarrollo individual de un organismo, considerado independientemente de la especie.

ontología *f.* Metafísica general que trata del concepto del ser, sus modos o flexiones, sus principios, sus propiedades, sus divisiones y sus causas.

onubense *adj.-s.* Huelveño.

I) onza *f.* Unidad de peso, equivalente a 28,70 grs., o sea, la dieciseisava parte de la libra. 2 División de una tableta de chocolate.

II) onza *f.* Mamífero carnívoro félido, de unos 6 dms. de altura, con el pelaje parecido al del leopardo y aspecto de perro; vive en los desiertos de las regiones meridionales de Asia y África, es domesticable *(Felis onca).*

oogonio *m.* Órgano sexual femenino donde se forman las oosferas de ciertas plantas talofitas.

oolito *m.* Roca calcárea, algunas veces ferruginosa, formada por pequeños granos ovoides.

oosfera *f.* Óvulo de los vegetales.

opa *adj. Amér.* Tonto, idiota.

opacar *tr.* Hacer opaco [algo]. – 2 *prnl.* Nublarse, obscurecerse. – 3 *tr. Méj.* Superar a otra persona en alguna cualidad. ◇ ** CONJUG. [1] como *sacar.*

opaco, -ca *adj.* Que impide el paso a la luz. 2 Obscuro, sombrío. 3 fig. Triste.

opal *m.* Tejido fino de algodón, parecido a la batista, pero más liso y tupido, y algo sedoso.

opalino, -na *adj.* Relativo al ópalo. 2 De color entre blanco y azulado con reflejos irisados. – 3 *f.* Positivo fotográfico realizado sobre vidrio opalino.

ópalo *m.* Mineraloide silíceo, más blando y menos denso que el cuarzo, que contiene una cantidad variable de agua.

opción *f.* Libertad o facultad de elegir. 2 Elección. 3 Derecho que se tiene a un oficio, dignidad, etc. ◇ INCOR.: su uso con el sentido de *candidatura.*

opcional *adj.* Relativo a la opción, o que la contiene y depende de ella.

open *adj.-m.* DEP. Competición abierta a todas las categorías.

ópera *f.* Poema dramático puesto en música en su totalidad. 2 Poema dramático escrito para este fin; letra de la ópera. 3 Música de la ópera. 4 Lugar donde se representa.

operación *f.* Acción de operar: *una ~ quirúrgica; una ~ bancaria, de bolsa.* 2 Efecto de operar. 3 Ejecución de una cosa. 4 Ejecución

de un cálculo determinado sobre uno o varios números. 5 Maniobra, acción de guerra: *las operaciones se desarrollan conforme al plan previsto.* 6 ANGLIC. Funcionamiento, manejo. ◇ Usado en la acepción 5 generalmente en plural.

operador, -ra *adj.-s.* Que opera. 2 Técnico encargado de la parte fotográfica del rodaje de una película cinematográfica. 3 Técnico encargado de proyectar la película cinematográfica.

operar *tr.* CIR. Ejecutar [sobre un cuerpo vivo], generalmente con instrumentos, algún trabajo para producir un efecto curativo o correctivo: *~ una hernia; ~ a una mujer; **abs.**, el médico está operando.* – 2 *intr.* Hacer una cosa, especialmente las medicinas, el efecto para que se destinan; obrar. 3 COM. Especular sobre valores o efectos; negociar a crédito o por mayor sobre mercancías. 4 Realizar operaciones matemáticas. 5 Robar, estafar, llevar a cabo actos delictivos. – 6 *tr.-intr.* ANGLIC. Funcionar, manejar, explotar, administrar [una empresa, una máquina, etc.].

operario, -ria *m. f.* Obrero (trabajador).

operativo, -va *adj.* Que obra y hace su efecto. 2 Que funciona o es válido para algo.

opercular *adj.* Que sirve de opérculo. – 2 *m.* En los peces, hueso membranoso dorsal del opérculo.

opérculo *m.* Pieza que a modo de tapadera sirve para cerrar ciertas aberturas, como las agallas de la mayor parte de los **peces, la concha de muchos moluscos univalvos o las cápsulas de algunos frutos; **respiración.

opereta *f.* Ópera de poca extensión. 2 Ópera cómica de carácter frívolo o burlesco. 3 Obra teatral ligera, en que los actores cantan y recitan o declaman alternativamente.

opiáceo, -a *adj.* Compuesto con opio o extraído de él.

opilar *tr.* MED. Obstruir, atascar [un conducto del cuerpo].

opinable *adj.* Que puede ser defendido en pro y en contra.

opinar *intr.* Formar o tener opinión. 2 Hacer conjeturas acerca de una cosa. 3 Expresar la opinión de palabra o por escrito: *~ en, o sobre, alguna cosa.*

opinión *f.* Modo de juzgar sobre una cuestión, concepto que se forma o tiene de una cosa cuestionable: *prevalecer una ~; cambiar de ~; ~ **pública**,* sentir o estimación en que coincide la generalidad de las personas acerca de un asunto. Modernamente se usa en forma absoluta; *la ~ lo avasalla todo,* por *la ~ pública,* etc. 2 Fama o concepto en que se tiene a una persona o cosa: *la buena ~ que tengo de ti, de tu valer.*

opio *m.* Narcótico que se obtiene desecando el jugo de las cabezas de adormideras verdes.

2 fig. Lo que motiva embrutecimiento moral.

opíparo, -ra *adj.* Copioso y espléndido, tratándose de comida.

opistobranquio, -quia *adj.-s.* Molusco que tiene las branquias situadas en la parte posterior del cuerpo. – 2 *m. pl.* Orden de estos moluscos gasterópodos.

opistogástrico, -ca *adj.* MED. Situado detrás del estómago.

oploteca *f.* Colección o museo de armas.

opobálsamo *m.* Resina amarga, olorosa y medicinal que fluye del árbol anacardiáceo *Balsamodendron gileadense.*

oponente *adj.-com.* Que opone o se opone. 2 [pers.] Que opina de forma contraria.

oponer *tr.* Poner [una cosa] contra otra para estorbarle o impedirle su efecto: ~ *una barrera al ímpetu del viento; una barrera se oponía al viento.* 2 esp. Proponer [una razón o discurso] contra lo que otro dice o siente. – 3 *prnl.* Ser una cosa contraria a otra: *estas fuerzas se oponen.* 4 Estar una cosa colocada enfrente de otra: *las dos casas se oponen.* 5 Impugnar, estorbar un designio: *oponerse a la sinrazón.* ◇ ** CONJUG. [78] como *poner;* pp. irreg.: *opuesto.*

opopónaco *m.* Gomorresina amarga y aromática que se obtiene de la pánace y algunas otras umbelíferas; se usa en farmacia y perfumería.

oporto *m.* Vino tinto producido principalmente en Oporto, ciudad de Portugal.

oportunidad *f.* Calidad de oportuno: *la ~ de su visita.* 2 Circunstancia oportuna: *aprovechar la ~.*

oportunismo *m.* Sistema político de transigencia y contemporización, que subordina en cierta medida los principios fundamentales a las oportunidades. 2 Pericia para aprovechar las oportunidades: *el ~ del delantero del equipo de fútbol.*

oportunista *adj.* Relativo al oportunismo. – 2 *com.* Partidario del oportunismo. 3 Persona que busca y practica el oportunismo. – 4 *adj.-com.* Que sabe aprovechar las oportunidades.

oportuno, -na *adj.* Que se hace o sucede en tiempo a propósito y conveniente. 2 Que es ocurrente y pronto en la conversación.

oposición *f.* Acción de oponer u oponerse; calidad de opuesto. 2 Efecto de oponer u oponerse. 3 Disposición de algunas cosas, de modo que estén unas enfrente de otras. 4 Contrariedad o repugnancia de una cosa con otra. 5 Contradicción o resistencia a lo que otro u otros hacen o dicen. 6 Situación relativa de los astros cuando sus longitudes difieren en 180°. 7 Conjunto de las fuerzas políticas o sociales que son adversas a un régimen, gobierno o autoridad constituida. 8 Concurso de los pretendientes a una cátedra, empleo, premio, etc., por medio de ejercicios en que

demuestran su suficiencia. ◇ Usado en la acepción 8 especialmente en plural.

opositar *intr.* Hacer oposiciones [a una cátedra, prebenda, empleo, etc.].

opositor, -ra *m. f.* Persona que se opone a otra. 2 Pretendiente a un puesto que se ha de proveer por oposición. 3 *Amér.* Partidario de la oposición política.

opoterapia *f.* Procedimiento curativo por el empleo de órganos animales crudos, de sus extractos o de las hormonas aisladas de las glándulas endocrinas.

opresor, -ra *adj.-s.* Que oprime a alguno.

oprimir *tr.* Ejercer presión [sobre una cosa]. 2 fig. Sujetar demasiado [a uno], vejándolo, afligiéndolo o tiranizándolo: ~ *al pueblo;* ~ *bajo el peso;* ~ *con el poder.*

oprobiar *tr.* Vilipendiar, infamar, causar oprobio. ◇ ** CONJUG. [12] como *cambiar.*

oprobio *m.* Ignominia, deshonra pública.

opsofagia *f.* Afición excesiva a la comida.

optar *tr.* Entrar en la dignidad o empleo al que se tiene derecho: ~ *la canonjía.* – 2 *intr.* Con la preposición *a,* aspirar: ~ *a un cargo, empleo;* con *por* o *entre,* escoger: ~ *entre dos candidatos.*

optativo, -va *adj.* Que depende de opción o la admite. 2 [oración gramatical] Que expresa deseo. – 3 *f.* Asignatura que, en algunas carreras, se puede elegir entre varias.

óptica *f.* Parte de la física que trata de la luz y de los fenómenos luminosos. 2 Aparato compuesto de lentes y espejos que sirve para ver estampas y dibujos agrandados y como de bulto. 3 Arte de construir espejos, lentes e instrumentos de óptica.

óptico, -ca *adj.* Relativo a la óptica o a la visión: *nervio ~.* – 2 *m. f.* Persona que fabrica o vende instrumentos de óptica.

optimar *tr.* Lograr el resultado óptimo [en un proceso físico, industrial, etc.].

optimismo *m.* Doctrina metafísica que no consiste en negar la existencia del mal, sino en afirmar que el mundo, tal como es, es el mejor de los mundos posible. Su principal representante es el filósofo y matemático alemán Leibnitz (1646-1716). 2 Propensión a ver y juzgar las cosas en su aspecto más favorable.

optimista *adj.* Relativo al optimismo. – 2 *adj.-com.* Partidario del optimismo (doctrina). 3 [pers.] Que tiene optimismo (carácter). 4 Confiado, esperanzado.

óptimo, -ma *adj.* Sumamente bueno, excelente.

optófono *m.* Aparato empleado para transformar el signo gráfico en señal sonora.

optometría *f.* Graduación científica de la vista, con el fin de prescribir lentes.

optómetro *m.* Instrumento para medir los límites de la visión distinta.

opuesto, -ta, adj. [hoja u otro órgano vegetal] Que, en número de dos, se halla a un mismo nivel en el tallo, uno a cada lado.

opugnar *tr.* Hacer oposición con fuerza y violencia; esp., asaltar o combatir [una plaza o ejército]. 2 Contradecir y rechazar [las razones de alguno].

opulencia *f.* Gran riqueza. 2 fig. Gran abundancia.

opulento, -ta *adj.* Que tiene opulencia.

opus *m.* En la producción de un compositor, indicación que designa una obra musical. ◇ Pl.: *opus.*

opúsculo *m.* Obra científica o literaria de poca extensión.

oquedad *f.* Espacio hueco en el interior de un cuerpo. 2 fig. Falta de substancia de lo que se habla o escribe.

ora *conj. distrib.* Aféresis de *ahora: ~ andando, ~ corriendo, ~ descansando.*

oración *f.* Discurso (razonamiento). 2 GRAM. Expresión de un juicio que consta esencialmente de predicado, siempre expreso, y sujeto que puede ser implícito. Tanto el sujeto como el predicado pueden llevar voces y oraciones complementarias: ~ *simple,* la que consta de un solo verbo y un solo sujeto, éste expreso o callado: *Pedro pasea por el parque;* ~ *compuesta,* la que consta: a) de más de un sujeto o un verbo; b) de una serie de oraciones simples; c) de otras oraciones en función de complemento: *Juan lee y Pedro pasea; Juan y Pedro pasean; Antonio lee y pasea; el libro que me has comprado tiene bellas ilustraciones;* ~ *coordinada,* es la oración compuesta de los tipos a) y b); ~ *principal,* en la oración compuesta del tipo c), la que subordina formalmente a las demás del período, expresando el juicio fundamental; ~ *subordinada,* en la oración compuesta del tipo c), la que hace oficio de complemento del sujeto del verbo o de otro complemento de la principal; ~ *adverbial,* en la oración compuesta del tipo c), la subordinada que hace el oficio de complemento circunstancial del verbo; ~ *adjetiva* o *de relativo,* en la oración compuesta del tipo c), la subordinada que hace el oficio de complemento del sujeto o de otro complemento de la principal; ~ *substantiva,* en la oración compuesta del tipo c), la subordinada que hace el oficio de sujeto, complemento directo o complemento indirecto de la principal; ~ *absoluta,* la que mantiene su independencia dentro de la frase en que se halla; *parte de la* ~ o *del discurso,* cada una de las distintas clases de palabras que tienen en la oración diferente oficio; como el nombre o substantivo, o nombre substantivo, nombre adjetivo o adjetivo, artículo, pronombre, verbo, adverbio, preposición, conjunción e interjección. 3 Súplica, deprecación, ruego que se hace a Dios o a los santos; elevación de la mente a Dios

para alabarle o pedirle mercedes. 4 Deprecación que en la misa, en el rezo eclesiástico, etc., empieza o se distingue con la voz *Oremos* e incluye la conmemoración del santo de la festividad del día. 5 Hora a la que se toca en las iglesias la campana para que los fieles recen el Avemaría.

oracional *adj.* Relativo a la oración gramatical. – 2 *m.* Libro que contiene oraciones o trata de ellas.

oráculo *m.* Entre los gentiles, contestación dada por las pitonisas y sacerdotes en nombre de los dioses a las consultas que se hacían ante sus ídolos: *interpretar un ~.* 2 Lugar donde se daba el oráculo: ~ *de Delfos; consultar el ~.* 3 Respuesta que de Dios o por sí o por sus ministros. 4 fig. Persona sabia y autorizada cuyo dictamen se considera como indiscutible.

orador, -ra *m. f.* Persona que ejerce la oratoria. 2 Persona que pide y ruega.

oraje *m.* Tiempo muy crudo de lluvias, nieve, piedra o viento recio. 2 Estado del tiempo, temperatura, etc.

oral *adj.* Expresado verbalmente o con la palabra: *juicio, examen, tradición ~.* 2 ZOOL. Relativo a la boca.

orangután *m.* Primate catarrino póngido de las selvas de Borneo y Sumatra, de unos 2 m. de altura, cabeza gruesa, frente estrecha, nariz chata, hocico saliente, piernas cortas y brazos muy largos *(Pongo pygmaeus).*

orar *intr.* Hablar en público: ~ *en favor de uno.* 2 Hacer oración a Dios vocal o mentalmente: ~ *por los difuntos.*

orate *com.* Persona que ha perdido el juicio. 2 fig. Persona de poco juicio y prudencia.

oratoria *f.* Arte de hablar con elocuencia, empleando el pensamiento y la palabra para la consecución de un fin determinado.

I) oratorio *m.* Lugar destinado para orar. 2 Capilla. 3 Congregación de presbíteros fundada por San Felipe Neri (1515-1595). 4 Composición dramática y musical sobre asunto sagrado.

II) oratorio, -ria *adj.* Relativo a la oratoria, a la elocuencia o al orador.

orbe *m.* Redondez o círculo. 2 Esfera celeste o terrestre. 3 Mundo (cosas creadas). 4 Órbita o plano de la órbita de un cuerpo celeste.

orbícula *adj.* Que se halla en todos los lugares del globo.

orbicular *adj.* Redondo o circular. – 2 *adj. m.* **Músculo doble que determina una abertura en forma de ojal cuya función es la de ocluir la abertura que rodea: ~ *de la boca;* ~ *de los labios;* ~ *de los párpados.*

órbita *f.* Curva que describe un **astro o un satélite artificial en su movimiento de traslación; **solar (sistema); **astronomía. 2 fig. Esfera, ámbito, límite; área de influencia:

829 **orden**

salirse de la ~ de sus competencias; la ~ económica de Europa. 3 Cuenca del ojo.
orbitar *intr.* Girar describiendo órbitas. 2 fig. Estar [algo] en relación de dependencia estrecha [con otra cosa].
orca *f.* Cetáceo odontoceto de unos 10 metros de largo, que vive en los mares del Norte *(Orca gladiator).*
orco *m.* Infierno.
orchilla *f.* Liquen con ramificaciones aplanadas que penden y son de color gris azulado.
órdago *m.* Envite del resto en el juego del mus. 2 fam. *De ~,* excelente, de superior calidad.
ordalía *f.* Prueba que en la Edad Media hacían los acusados y servía para averiguar su culpabilidad o inocencia; como la del duelo, del fuego, del hierro candente, etc.
**orden *m.* Disposición regular de las cosas

entre sí, en el espacio o en el tiempo, según determinado criterio: *los alumnos se sentaban por ~ alfabético;* **orden del día,** indicación de los asuntos que han de ser tratados en una asamblea o corporación. 2 Correspondencia armónica de las partes que constituyen un conjunto organizado: *en esta casa no se guarda ningún ~, todos salen y entran a su antojo.* 3 Normalidad, tranquilidad en un grupo, institución o colectividad: *el gobierno mantiene el ~.* 4 Fila de granos que forman la espiga. 5 Disposición y proporción de los cuerpos principales que componen un edificio; en arquitectura clásica, cada uno de los estilos de construcción que se distinguen especialmente por las formas, proporciones y ornamentación del pedestal, columna y entablamento: *~ **dórico**,* el que tiene la columna de unos ocho módulos de altura, el capitel sencillo y el friso adornado

ÓRDENES

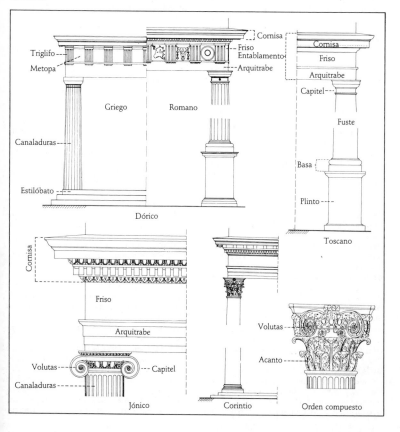

con metopas y tríglifos; ~ *jónico,* el que tiene la columna de unos nueve módulos de altura, el capitel adornado con grandes volutas y dentículos en la cornisa; ~ *corintio,* el que que tiene la columna de unos diez módulos de altura, el capitel adornado con hojas de acanto y caulículos, y la cornisa con modillones; ~ *toscano,* el derivado del dórico, pero más sólido y sencillo que éste; ~ *compuesto,* el que en el capitel de sus columnas reúne las volutas del jónico con las dos filas de hojas de acanto del corintio, guarda las proporciones de éste para lo demás y lleva en la cornisa dentículos y modillones sencillos. 6 Grupo de animales o plantas que forman una categoría de clasificación entre la clase o subclase y la familia. 7 MIL. Formación de tropas. 8 *Adverbio de* ~, el que expresa relación o respecto a otra cosa: *antes, después, primeramente, sucesivamente, últimamente.* – 9 *f.* Cuerpo de personas unidas por alguna regla común o por una distinción honorífica; esp., instituto religioso aprobado por el Papa y cuyos individuos viven bajo las reglas establecidas por su fundador, o instituto creado para premiar por medio de condecoraciones a las personas beneméritas: ~ *franciscana;* ~ *militar.* 10 Mandato que se debe obedecer como emanado de una autoridad competente: ~ *ministerial.* 11 Pedido. – 12 *amb.* Sexto de los siete sacramentos de la Iglesia, por el cual son instituidos los sacerdotes y los ministros del culto. 13 Grado del ministerio sacerdotal.

ordenación *f.* Disposición, prevención. 2 Acción de ordenar u ordenarse. 3 Efecto de ordenar u ordenarse. 4 Orden (disposición y correspondencia). 5 Orden (mandato). 6 Oficina de cuenta y razón; como la ordenación de pagos en algunos ministerios. 7 Parte de la arquitectura que trata de la capacidad que debe tener cada pieza del edificio, según su destino.

ordenada *f.* Coordenada vertical en un plano cartesiano rectangular.

ordenado, -da *adj.* [pers.] Que guarda orden y método en sus acciones. – 2 *m.* Sacerdote ordinario.

ordenador, -ra *adj.-s.* Que ordena. – 2 *m.* Jefe de una ordenación (oficina). 3 Computador electrónico.

ordenamiento *m.* Acción de ordenar. 2 Efecto de ordenar. 3 Ley, pragmática u ordenanza que da el superior. 4 Breve código de leyes promulgadas al mismo tiempo, o colección de disposiciones referentes a una materia.

ordenancista *adj.* [jefe u oficial] Que cumple y aplica con rigor la ordenanza. 2 p. ext. [superior] Que exige de los subordinados el riguroso cumplimiento de sus deberes.

ordenanza *f.* Método, orden y concierto en las cosas que se ejecutan. 2 Conjunto de preceptos, especialmente los hechos para el régimen de los militares y buen gobierno de las tropas, o para el de una ciudad o comunidad: *las ordenanzas municipales, religiosas.* 3 Mandato, disposición, arbitrio y voluntad de uno. – 4 *m.* Soldado que está a las órdenes de un oficial o de un jefe para los asuntos del servicio. 5 Empleado subalterno en ciertas oficinas.

ordenar *tr.* Poner en orden [una o varias cosas]: ~ *una habitación;* ~ *en filas;* ~ *por materias.* 2 Encaminar y dirigir [una cosa] a un fin: ~ *los esfuerzos a, o para, tal fin.* 3 Mandar [que se haga una cosa]: *le ordené que volviera.* 4 Conferir las órdenes [a uno]: ~ *a uno de sacerdote.* – 5 *prnl.* Recibir la tonsura, los grados o las órdenes sagradas.

ordeñador, -ra *adj.-s.* Que ordeña. – 2 *f.* Aparato mecánico, que se emplea para extraer la leche de las ubres de la vaca.

ordeñar *tr.* Extraer la leche exprimiendo la ubre: ~ *la vaca; leche recién ordeñada.* 2 fig. Coger [la aceituna, la hoja de ciertos árboles, etc.] rodeando el ramo con la mano y haciéndola correr a lo largo del mismo para que la vaya soltando. 3 fig. y fam. Obtener todo el provecho posible [de algo o de alguien].

ordinal *adj.* Tocante o perteneciente al orden. – 2 *adj.-s.* GRAM. *Adjetivo numeral* ~, el que indica orden de sucesión o colocación: *primero, segundo, tercero, etc.;* **numeración.

ordinariez *f.* Falta de urbanidad y cultura.

ordinario, -ria *adj.* Común, regular, usual, que sucede habitualmente. 2 Falto de distinción en su línea. 3 Bajo, vulgar y de poca estimación. 4 Contrapuesto a noble; plebeyo. – 5 *adj.-s.* Gasto diario y de la comida habitual de una casa. 6 Juez o tribunal de justicia civil, en oposición a los del fuero privilegiado, y también obispo diocesano. 7 Obispo que gobierna una diócesis. 8 [correo] Que se despacha por tierra o por mar, para diferenciarlo del aéreo y del certificado.

ordovícico, -ca *adj.-m.* Período geológico de la era primaria o paleozoica posterior al cámbrico y anterior al silúrico, y terreno a él correspondiente. – 2 *adj.* Perteneciente o relativo a dicho período.

orear *tr.* Ventilar o poner al aire [una cosa] para refrescarla, secarla o quitarle el olor: *el viento orea la casa; hemos oreado las pieles; los campos se han oreado.* – 2 *prnl.* Salir uno a tomar el aire.

orégano *m.* Hierba labiada, de tallos vellosos, hojas pequeñas, flores purpúreas en espigas y fruto seco globoso; es aromática y sus hojas y flores se usan como condimento *(Origanum vulgare).*

oreja *f.* Oído (sentido y órgano). 2 Repliegue cutáneo sostenido por una lámina cartilaginosa que en el hombre y en los mamíferos forma la parte externa del **oído; **cabeza; **caballo; **cuerpo humano. **3** fig. Persona aduladora y chismosa. **4** Parte del zapato que, sobresaliendo de un lado y otro, sirve para ajustarlo al empeine del pie, por medio de cintas, botones o hebillas. **5** Cosa más o menos semejante por su forma o posición a las orejas de un animal: *las orejas de un arma, de una herramienta.* **6** Asa de una vasija. **7** Esquina o ángulo saliente de los respaldos de los sillones.

orejano, -na *adj.-s.* [res] Que no tiene marca. **2** *Amér.* [animal] Arisco; [pers.] huraño.

orejar *tr. Amér.* Escuchar [algo] con disimulo.

orejeado, -da *adj.* Que está prevenido o avisado para que cuando otro le hable pueda responderle o no crea lo que oiga.

orejear *intr.* Mover las orejas un animal. **2** fig. Hacer algo de mala gana y con violencia. **3** *Méj. y P. Rico.* Desconfiar, temer.

orejera *f.* Pieza de la gorra o montera que cubre las orejas y se ata debajo de la barba.

orejero, -ra *adj.* [bestia] Que empina las orejas. **2** *Amér.* Receloso, orejeado. **– 3** *m. Argent.* Entre campesinos, hombre de confianza del patrón.

orejeta *f.* Buñuelo pequeño, perfumado con ron y azahar.

I) orejón *m.* Pedazo de melocotón o de otra fruta, secado al aire y al sol: *confitura de orejones.* **2** Tirón de orejas.

II) orejón, -jona *adj. Amér.* Zafio, tosco, tonto.

orejudo, -da *adj.* Que tiene orejas grandes o largas. **– 2** *m.* Especie de murciélago de grandes orejas (*Plecotus auritus*).

orejuela *f.* Asa pequeña de algunas escudillas, bandejas, etc.

orensano, -na *adj.-s.* De Orense.

oreo *m.* Soplo del aire que da suavemente en una cosa. **2** Ventilación.

oreoselino *m.* Hierba umbelífera de tallo estriado, hojas grandes y anchas, divididas en gajos, y flores pequeñas y blanquecinas (*Peucedanum oreoselinum*).

orfanato *m.* Asilo de huérfanos. ◊ GALIC.: *orfelinato.*

orfandad *f.* Estado en que quedan los hijos por la muerte de sus padres o de uno de los dos. **2** Pensión que disfrutan algunos huérfanos. **3** fig. Falta de ayuda o favor en que se encuentra una persona o cosa.

orfebre *com.* Artífice que trabaja en orfebrería. **2** Persona que vende objetos de orfebrería.

orfebrería *f.* Obra o bordadura de oro o plata. **2** Oficio de orfebre.

orfeón *m.* Sociedad de canto coral.

órfico, -ca *adj.* Perteneciente o relativo al orfismo. **2** lit. Capaz de conmover los sentidos o la naturaleza.

orfismo *m.* Doctrina esotérica de la antigua Grecia, cuya fundación se atribuía a Orfeo.

orfo *m.* Variedad de besugo, de color rubio, ojos grandes y dientes como de sierra (gén. *Pagellus*).

organdí *m.* Muselina blanca, que ha recibido un apresto, muy fina y transparente. ◊ Pl.: *organdíes.*

organicismo *m.* Doctrina médica que atribuye todas las enfermedades a lesión material de un órgano. **2** Movimiento de la arquitectura contemporánea basado en el predominio de las estructuras. **3** Doctrina filosófica basada en la analogía entre el mundo físico y humano y los seres vivientes.

orgánico, -ca *adj.* Que es un ser viviente. **2** Relativo a los órganos, al organismo o a los seres vivientes: *materia orgánica; estructura orgánica; restos orgánicos.* **3** Relativo a un gran número de substancias existentes en los seres vivientes, cuyo componente constante es el carbono, y a la parte de la química que estudia estas substancias. **4** Que tiene armonía y consonancia. **5** fig. Que atañe a la constitución de corporaciones o entidades colectivas, o a sus funciones o ejercicios.

organigrama *m.* Esquema gráfico, cuadro sinóptico, de la organización de una empresa, organismo, etc. **2** p. ext. Representación gráfica de los subconjuntos de un sistema y de sus relaciones mutuas.

organillo *m.* Órgano pequeño o piano portátil que se hace sonar por medio de un cilindro con púas, movido por un manubrio.

organismo *m.* Conjunto de los órganos que constituyen un ser viviente. **2** Ser viviente. **3** fig. Conjunto de leyes, usos y costumbres por que se rige un cuerpo o institución social. **4** fig. Conjunto de oficinas, dependencias y empleos que forman un cuerpo o institución.

organización *f.* Acción de organizar u organizarse. **2** Efecto de organizar u organizarse. **3** Disposición de los órganos de la vida, o manera de estar organizado el cuerpo animal o vegetal. **4** fig. Disposición, arreglo, orden. **5** fig. Organismo, asociación, agrupación: ~ *de Estados Americanos;* ~ *Nacional de Ciegos Españoles.*

organizado, -da *adj.* Orgánico (ser viviente). **2** Provisto de órganos; que tiene el carácter de un organismo.

organizar *intr.* Disponer el órgano para que esté acorde y templado. **– 2** *tr.* Establecer o reformar [algo], sujetando a reglas el número, orden, armonía y dependencia de sus partes. **3** fig. Preparar [algo]. **– 4** *prnl.* Tomar una forma regular. ◊ ** CONJUG. [4] como *realizar.*

organizativo, -va *adj.* Que organiza o tiene capacidad para organizar.

órgano *m.* Instrumento músico de viento, compuesto de muchos tubos donde se produce el sonido mediante el aire impelido mecánicamente por un fuelle. 2 Conjunto de unidades funcionales de un organismo multicelular, iguales o diferentes, que constituyen una unidad estructural y realizan una función localizada. 3 fig. Persona o cosa que sirve para la ejecución de un acto o un designio. 4 fig. Periódico portavoz de un partido, agrupación, etc.: ~ *del partido liberal;* ~ *de Acción Católica.* 5 fig. Medio o conducto que pone en comunicación dos cosas.

organogenia *f.* Estudio de la formación y desarrollo de los órganos.

organografía *f.* Parte de la zoología y de la botánica que tiene por objeto la descripción de los órganos de los animales o vegetales.

organología *f.* Estudio de los órganos de los animales y las plantas.

órganon *m.* Conjunto de libros lógicos de Aristóteles (384-322 a. C.). 2 Tratado de lógica.

orgánulo *m.* Estructura o parte de una célula que en ésta cumple la función de un órgano.

orgasmo *m.* Eretismo. 2 Satisfacción final en la excitación sexual.

orgía, -gia *f.* Festín en que se come y bebe inmoderadamente, y se cometen otros excesos. 2 fig. Desenfreno en la satisfacción de apetitos o pasiones.

orgiástico, -ca *adj.* Relativo a la orgía.

orgullo *m.* Exceso de estimación de sí mismo y de los propios méritos, por la cual se cree uno superior a los demás. 2 Sentimiento legítimo de la propia estimación, nacido de causas nobles y virtuosas.

orgulloso, -sa *adj.-s.* Que tiene orgullo.

oriental *adj.-s.* De Oriente. 2 Uruguayo. – 3 *adj.* Que orienta.

orientalismo *m.* Conocimiento de la civilización y costumbres de los pueblos orientales. 2 Predilección por las cosas de Oriente. 3 Carácter oriental.

orientalista *com.* Persona que cultiva las lenguas, literaturas, historia, etc., de los países de Oriente.

orientar *tr.* Colocar [una cosa] en posición determinada respecto a los puntos cardinales. 2 Determinar la posición de [una cosa] respecto de los puntos cardinales. 3 esp. Señalar [en un mapa o plano] la dirección septentrional para situar todos los puntos del mismo. 4 Informar [a uno] de lo que ignora acerca de un negocio, estudio, etc., para que sepa manejarse en él. 5 fig. Dirigir o encaminar [una cosa] hacia un fin determinado.

oriente *m.* Nacimiento de una cosa. 2 Punto cardinal del horizonte por donde nace el Sol en los equinoccios. 3 Lugar de la Tierra o de la esfera celeste que, respecto de otro con el cual se compara, cae hacia donde sale el Sol.

4 Asia y las regiones inmediatas a ella de Europa y África. 5 Viento que sopla de la parte de Oriente. 6 Brillo especial de las perlas. 7 fig. Mocedad o edad temprana del hombre.

orificar *tr.* Rellenar con oro la picadura de una muela o de un diente. ◇ ** CONJUG. [1] como *sacar.*

orífice *m.* Artífice que trabaja en oro.

orificio *m.* Boca o agujero. 2 ANAT. Abertura de ciertos conductos o cavidades; **cabeza; **nariz.

origen *m.* Aquello de que una cosa procede o arranca; momento de su nacimiento. 2 País donde uno ha nacido o tuvo principio la familia, o de donde una cosa proviene. 3 Ascendencia o familia. 4 fig. Principio, motivo o causa moral de una cosa.

original *adj.* Que se remonta al origen, relativo a él: *pecado* ~. 2 [lengua] En que se ha escrito una obra, en oposición al idioma a que se ha traducido. 3 Que no es copiado ni imitado, sino fruto de la creación espontánea y se distingue por su novedad, en letras y artes. 4 Que sabe dar a sus obras este carácter de novedad. – 5 *adj.-s.* Obra producida directamente por su autor sin ser copia, traducción o imitación de otra. 6 Singular, extraño, contrario a lo acostumbrado, general o común: *muchacha, indumentaria, capricho* ~. – 7 *m.* Manuscrito o impreso que se da a la imprenta para que con arreglo a él se haga la impresión o reimpresión de una obra. 8 Escrito que se copia.

originalmente *adv. m.* De un modo original. 2 En su original, o según el original. 3 Por su principio, desde su nacimiento u origen.

originar *tr.* Ser o dar origen o principio [a una cosa]. – 2 *prnl.* Traer una cosa su origen o principio de otra.

originariamente *adv. m.* Por origen y procedencia; originalmente.

originario, -ria *adj.* Que da origen a una persona o cosa: *manantial* ~ *de un río.* 2 Que trae su origen de algún lugar, persona o cosa: *una familia originaria de Asturias.*

orilla *f.* Parte extrema de una extensión superficial, que toca una de las líneas que la limitan. 2 Extremo o remate de una tela o vestido. 3 Parte de tierra más próxima al mar, o a un lago, río, etc. 4 Senda que en las calles se toma para poder andar por ella arrimado a las casas. 5 fig. Límite, término o fin de una cosa inmaterial. – 6 *f. pl. La Mancha, Argent.* y *Méj.* Arrabales.

orillar *tr.* Dejar orillas [al paño u otra tela]. 2 Guarnecer la orilla [de una tela o ropa]. 3 fig. Concluir, arreglar, desenredar un asunto. – 4 *intr.-prnl.* Llegarse o arrimarse a las orillas.

orillero, -ra *adj. Amér.* Arrabalero.

orillo *m.* Orilla del paño, hecha generalmente de la lana más basta y de uno o más colores.

I) orín *m.* Óxido rojizo que se forma en la superficie del hierro.

II) orín *m.* Orina: *analizar los orines.*

orina *f.* Secreción líquida de los riñones, conducida a la vejiga por los uréteres y expelida por la uretra. ◇ Pl.: *orines.*

orinal *m.* Recipiente de loza, metal, plástico, etc., para recoger la orina y las evacuaciones del vientre.

orinar *intr.-prnl.* Expeler la orina. – 2 *tr.* Expeler por la uretra [algún otro líquido].

oriniento, -ta *adj.* Tomado de orín o moho. 2 fig. Entorpecido por no usarse.

orinque *m.* Cabo que une y sujeta una boya a un ancla fondeada.

orión *m.* Fibra textil sintética.

oriundo, -da *adj.* Originario (que trae su origen).

orla *f.* Orilla de telas, vestidos u otras cosas, con algún adorno que las distingue. 2 Adorno en torno de lo escrito o impreso o de un retrato, viñeta, cifra, etc. 3 Lámina de cartulina, papel, etc., en que se agrupan los retratos de los condiscípulos de una promoción escolar o profesional cuando terminan sus estudios u obtienen el título correspondiente, junto con los de sus profesores.

orlar *tr.* Adornar [un vestido, tela, etc.] con guarniciones al canto.

orlo *m.* Oboe rústico, de boca ancha y encorvada. 2 Registro del órgano que imita el sonido del orlo.

ormesí *m.* Tela fuerte de seda, que hace visos y aguas. ◇ Pl.: *ormesíes.*

ornamentación *f.* Acción de ornamentar. 2 Efecto de ornamentar.

ornamental *adj.* Relativo a la ornamentación o adorno.

ornamentar *tr.* Adornar (engalanar).

ornamento *m.* Adorno, compostura, atavío. 2 fig. Calidades y prendas morales del sujeto. – 3 *m. pl.* Vestiduras sagradas y adornos del altar.

ornato *m.* Adorno, atavío, aparato.

ornitofilia *f.* Polinización por las aves.

ornitofobia *f.* Temor morboso a los pájaros.

ornitología *f.* Parte de la zoología que estudia las aves.

ornitomancia, -mancía *f.* Adivinación supersticiosa por el vuelo y canto de las aves.

ornitorrinco *m.* Mamífero monotrema originario de Australia, del tamaño de un conejo, de cabeza redonda, mandíbulas ensanchadas y cubiertas por una lámina córnea, pies palmeados y cuerpo y cola cubiertos de pelo gris, muy fino (*Ornithorhynchus anatinus*).

ornitura *adj.-f.* Ave del grupo de las orni-

turas. – 2 *f. pl.* Antiguo grupo de aves todas las especies actuales y algunas formas extinguidas.

oro *m.* Metal amarillo, el más dúctil y maleable de todos, muy pesado, sólo atacable por el cloro y el bromo y el agua regia. Su símbolo es *Au:* ~ **negro**, fig., petróleo. 2 Substancia en que entra el oro o que se le asemeja. 3 Moneda o monedas de oro. 4 Joyas y otros adornos mujeriles de oro. 5 fig. Caudal, riquezas. 6 fig. Cosa excelente en su línea. 7 fig. Cosa de mucho valor: *conseguir un triunfo de* ~. – 8 *adj.-m.* Color amarillo como el del metal de su nombre. – 9 *adj.* De color oro. – 10 *m. pl.* Palo de la baraja española, en cuyos naipes se representan monedas de oro.

orobanca *f.* Planta orobancácea que vive parásita sobre las raíces de algunas legumbres (*Orobanche crenata*).

orobancáceo, -a *adj.-f.* Planta de la familia de las orobancáceas. – 2 *f. pl.* Familia de plantas dicotiledóneas herbáceas que viven adheridas a las raíces de otras plantas, con escamas en lugar de hojas y fruto capsular con multitud de semillas menudas; como la orobanca.

orogénesis *f.* Formación de las montañas. 2 Plegamiento. ◇ Pl.: *orogénesis.*

orogenia *f.* Parte de la geología que estudia la formación de las montañas.

orografía *f.* Parte de la geografía física que trata de las montañas. 2 Conjunto de montes de una comarca, región, país, etc.

orondo, -da *adj.* [vasija] De mucha concavidad. 2 fam. Hueco, esponjado. 3 fig. Lleno de presunción.

oronimia *f.* Parte de la toponimia que estudia el origen y significación de los nombres de cordilleras, montañas, etc.

oronja *f.* Hongo agarical de sombrerillo rojo anaranjado; el pie y las laminillas son amarillentas, siempre de un tono más bajo que el sombrerillo (*Amanita caesarea*).

oropel *m.* Lámina de latón, muy batida y adelgazada, que imita al oro. 2 fig. Cosa de poco valor y mucha apariencia. 3 fig. Adorno o requisito de una persona.

oropéndola *f.* Ave paseriforme de plumaje amarillo, con las alas, la cola y las patas negras, y el pico blanco o negro (*Oriolus oriolus*).

orquesta *f.* Conjunto de músicos y de las varias clases de instrumentos que intervienen en la interpretación de una obra instrumental o acompañan la música religiosa, la coral y la escénica. 2 En los **teatros, lugar destinado para los músicos, y comprendido entre la escena y las butacas. 3 En el teatro **romano lugar destinado a los senadores.

orquestar *tr.* Instrumentar [música] para orquesta. 2 Organizar, dirigir [un estado de opinión, una manifestación, etc.].

orquestina *f.* Orquesta reducida, formada por instrumentos variados, que generalmente ejecuta música de baile.

orquidáceo, -a *adj.-f.* Planta de la familia de las orquidáceas. – 2 *f. pl.* Familia de plantas monocotiledóneas, herbáceas, de flores cigomorfas muy vistosas; como la orquídea.

orquídea *f.* Planta orquidácea de flores muy vistosas blancas, rosas o violáceas *(gén. Orchis).* 2 Flor de una planta orquidácea.

ortega *f.* Ave columbiforme, poco mayor que la perdiz, de alas cortas, plumaje rojizo ceniciento en general, blanco en la garganta y en la punta de la cola y negro en el abdomen *(Pterocles orientalis).*

ortiga *f.* Hierba urticácea dioica, de tallos prismáticos, hojas agudas, aserradas, cubiertas, lo mismo que los tallos, de pelos urentes; flores verdosas en racimos colgantes, y fruto seco y comprimido *(Urtica dioica).*

ortiguera *f.* Mariposa diurna con alas anteriores de color rojo con manchas negras y amarillas, y las posteriores con amplia área basal obscura *(Aglais corticae).*

orto *m.* Salida del Sol o de otro astro por el horizonte.

ortocromático, -ca *adj.* [placa fotográfica] Que es sensible a todos los colores.

ortodoncia *f.* Rama de la odontología que procura corregir los defectos y malformaciones de la dentadura.

ortodoxia *f.* Creencia recta, conforme a la doctrina y dogmas de la Iglesia católica. 2 p. ext. Calidad de ortodoxo en general. 3 Conjunto de las Iglesias cristianas.

ortodoxo, -xa *adj.-s.* [pers.] Conforme con el dogma católico: *filósofo ~; institución ortodoxa; es un ~ a pesar de su radicalismo.* 2 Relativo a la iglesia griega, fundada en el s. ix por el patriarca de Constantinopla Focio (820-895). – 3 *adj.* p. ext. Conforme con la doctrina fundamental de cualquier secta o sistema.

ortoedro *m.* Paralelepípedo recto rectangular.

ortofonía *f.* Técnica de reeducación de enfermos que padecen defectos de pronunciación. 2 Correcta pronunciación [de un sonido, de una lengua].

ortogénesis *f.* Planificación de los nacimientos. ◇ Pl.: *ortogénesis.*

ortogonal *adj.* Que está en ángulo recto.

ortografía *f.* Escritura correcta de las palabras de un idioma, respetando sus reglas. 2 Parte de la gramática que enseña esta escritura por el acertado empleo de letras y signos auxiliares. ◇ V. Apéndice gramatical.

ortografiar *tr.* Escribir [una palabra o un texto] según su ortografía. ◇ ** CONJUG. [13] como *desviar.*

ortográfico, -ca *adj.* Relativo a la ortografía.

ortología *f.* Arte de pronunciar bien. 2 Prosodia.

ortopedia *f.* Corrección o prevención de las deformidades del cuerpo por medio de aparatos o tratamientos especiales.

ortóptero *adj.-m.* Insecto del orden de los ortópteros. – 2 *m. pl.* Orden de insectos pterigotas con la boca de tipo masticador, y metamorfosis sencilla; las alas del primer par están endurecidas por una capa de quitina que no llega a ocultar las nerviaciones, y debajo de las cuales se pliegan como un abanico las del segundo par, que son membranosas; como el saltamontes.

ortorrómbico, -ca *adj.* [prisma] Recto con base de rombo.

oruga *f.* Hierba crucífera, de tallos verdosos, flores de pétalos blancos con venas moradas y hojas lanceoladas, de sabor picante, que se usan como condimento *(Eruca sativa).* 2 Salsa que se hace de esta planta, con azúcar o miel, vinagre y pan tostado. 3 Larva de los insectos lepidópteros; es vermiforme, con doce anillos, tiene la cabeza córnea, la boca masticadora, y generalmente se alimenta de hojas. 4 MEC. Llanta articulada, a manera de cadena sin fin, que se aplica a las ruedas de cada lado del vehículo.

orujo *m.* Hollejo de la uva, después de exprimida. 2 Aguardiente extraído de dicho hollejo. 3 Residuo de la aceituna molida y prensada.

orza *f.* Vasija vidriada de barro, alta y sin asas.

orzaga *f.* Planta arbustiva quenopodiácea, barrillera, de tallos herbáceos, hojas blanquecinas, arrugadas, flores pequeñas y verdosas y fruto esférico, casi leñoso *(Atriplex halimus).*

orzar *intr.* Inclinar la proa hacia la parte de donde viene el viento. ◇ ** CONJUG. [4] como *realizar.*

orzuelo *m.* Divieso pequeño que nace en el borde de uno de los párpados.

os *pron. pers.* Forma de 2ª persona para el objeto directo e indirecto, sin preposición, del pronombre personal en género masculino y femenino y número plural: *~ buscaba; ~ buscaba un libro;* **pronombre. 2 Puede usarse como enclítico: *amaos; amándoos;* en este caso la segunda persona del plural del imperativo pierde la *d: amaos;* se exceptúa únicamente el verbo ir: *idos.* 3 En el tratamiento de vos, hace indistintamente el oficio de singular y plural: *yo ~ perdono,* puede referirse a una sola persona o a dos o más.

osadía *f.* Atrevimiento, audacia. 2 Tomado en mala parte, desvergüenza.

osado, -da *adj.* Que tiene osadía.

osamenta *f.* Esqueleto (armazón). 2 Conjunto de huesos del esqueleto.

osar *intr.* Atreverse; emprender algo con audacia.

osario *m.* Lugar destinado para reunir los huesos que se sacan de las sepulturas. 2 Lugar donde se hallan huesos.

óscar *m.* Estatuilla concedida anualmente como premio por la academia norteamericana de artes y ciencias cinematográficas por diversos conceptos. 2 fig. Primer premio de cualquier manifestación, cultural o no. ◇ Pl.: *óscar.*

oscense *adj.-s.* De Huesca.

oscilador *m.* Aparato para producir corrientes oscilatorias, especialmente el que se usa en radiotelegrafía y radiotelefonía.

oscilar *intr.* Moverse alternativamente un cuerpo a un lado y otro de su posición de equilibrio determinada por un punto fijo o un eje: ~ *el péndulo.* 2 fig. Variar o fluctuar dentro de ciertos límites determinadas manifestaciones o fenómenos: ~ *los precios, la temperatura,* etc. 3 fig. Vacilar (titubear).

oscilatorio, -ria *adj.* [movimiento de un cuerpo] Que oscila. 2 De extraordinaria frecuencia, especialmente la corriente eléctrica alterna producida por la descarga disruptiva de un condensador.

osciloscopio *m.* Aparato que permite ver y medir en su pantalla las oscilaciones de ondas.

osco, -ca *adj.-s.* De uno de los antiguos pueblos de la Italia central. – 2 *m.* Lengua osca.

ósculo *m.* Beso. 2 Boca o abertura de la cavidad atrial de las esponjas.

oscurantismo *m.* Obscurantismo.

oscurecer *tr.* Obscurecer. ◇ ** CONJUG. [43] como *agradecer.*

oscuridad *f.* Obscuridad.

oscuro, -ra *adj.* Obscuro.

óseo, -a *adj.* De hueso. 2 De la naturaleza del hueso.

osera *f.* Guarida del oso.

osezno *m.* Cachorro del oso.

osificarse *prnl.* Convertirse en hueso o adquirir consistencia de tal un tejido orgánico. ◇ ** CONJUG. [1] como *sacar.*

osiforme *adj.* Que tiene forma de hueso.

osmático, -ca *adj.* Del sentido del olfato.

osmio *m.* Metal semejante al platino, duro, de color blanco azulado y el más pesado de todos los cuerpos conocidos. Su símbolo es *Os.*

osmometría *f.* Parte de la física que trata de la medición de las presiones osmóticas para determinar las masas moleculares de los cuerpos disueltos y su grado de disolución electrónica.

ósmosis, osmosis *f.* Difusión que tiene lugar entre dos líquidos o gases capaces de mezclarse a través de un tabique o membrana permeable. 2 fig. Penetración, influencia recíproca. ◇ Pl.: *ósmosis* u *osmosis.*

osmótico, -ca *adj.* Relativo a la ósmosis.

2 *Presión osmótica,* la que ejercen sobre el tabique permeable las substancias entre las cuales se produce la ósmosis.

oso *m.* Mamífero de la familia de los úrsidos: ~ *blanco* o *polar,* el de gran tamaño, con la cabeza aplastada, hocico puntiagudo y pelaje liso y blanco, que vive en los países marítimos más septentrionales *(Ursus maritimus);* ~ *común* o *pardo,* el de pelaje pardo, cabeza grande, ojos pequeños, extremidades fuertes y gruesas, con uñas rectas y cola corta, que vive en las montañas *(Ursus arctos).* 2 p. ext. Nombre que se da a otros animales: ~ *hormiguero,* mamífero edentado de América, de un metro de largo, pelaje áspero, cuerpo pequeña, hocico muy prolongado y lengua larga casi cilíndrica y pegajosa, con la cual recoge las hormigas, de que se alimenta después de destruir el hormiguero con sus potentes garras *(Myrmecophaga tridactyla);* ~ *marino,* carnívoro pinnípedo de cuello corto, cuerpo robusto y aletas anteriores cubiertas de una piel suave y plegable, y de pelos lanosos largos en el cuello y hocico *(Callorhinus allascanus).*

ososo, -sa *adj.* Relativo al hueso. 2 Que tiene hueso o huesos; óseo.

ossobuco *m.* Plato típico italiano, especie de estofado de carne de ternera cortada con el hueso.

ostealgia *f.* Dolor en un hueso.

osteíctio *adj.-m.* Pez de la subclase de los osteíctios. – 2 *m. pl.* Subclase de peces caracterizados por tener el esqueleto osificado y por presentar una sola hendidura branquial cubierta por el opérculo; a esta subclase pertenecen tres infraclases: actinopterigios, braquiopterigios y crosopterigios.

ostensible *adj.* Visible, manifiesto.

ostensión *f.* Manifestación de una cosa.

ostentación *f.* Jactancia y vanagloria. 2 Magnificencia exterior y visible.

ostentar *tr.* Mostrar o hacer patente [una cosa]. 2 Hacer gala de grandeza, lucimiento y boato: ~ *un lujo desenfrenado;* ~ *sus riquezas.*

ostento *m.* Prodigio, cosa milagrosa o monstruosa.

ostentoso, -sa *adj.* Magnífico, suntuoso, pomposo.

osteoblasto *m.* Célula productora de la substancia ósea.

osteolito *m.* Hueso fósil.

osteología *f.* Parte de la anatomía que trata de los huesos.

osteopatía *f.* Enfermedad del esqueleto en general.

osteoplastia *f.* Sustitución de un hueso, o parte de él, por otro.

I) ostial *m.* Entrada de un puerto o canal.

II) ostial *m.* Concha que cría la perla.

ostium *m.* ZOOL. Abertura parecida a una boca.

ostra *f.* Molusco lamelibranquio de conchas rugosas, de color pardo verdoso por fuera y lisas, blancas y algo nacaradas por dentro *(Ostrea edulis).* 2 Concha de la madreperla. – 3 **adj.** fig. Misántropo, de carácter aburrido.

ostracismo *m.* fig. Exclusión voluntaria o forzosa de los oficios públicos, a la cual suelen dar ocasión los trastornos políticos.

ostrácodo *adj.-m.* Crustáceo del orden de los ostrácodos. – 2 *m. pl.* Orden de crustáceos entomostráceos con caparazón bivalvo y dos o tres pares de apéndices.

¡ostras! Interjección con que se denota admiración o sorpresa.

ostrero, -ra *adj.* Relativo a las ostras. – 2 *m.* Ave caradriforme limícola de unos 40 cms. de longitud, con la cabeza negra, largo pico de color rojo anaranjado, comprimido lateralmente, y las patas rosadas *(Haematopus ostralegus).*

ostrícola *adj.* Relativo a la cría y conservación de las ostras.

ostricultura *f.* Arte de criar ostras.

ostro *m.* Molusco cuya tinta servía a los antiguos para dar a las telas el color de la púrpura.

ostrogodo, -da *adj.-s.* De la Gotia Oriental, antigua región de Europa. – 2 *m. pl.* Rama de los godos, que a mediados del s. IV fundaron un gran reino al norte del mar Negro.

ostrón *m.* Especie de ostra mayor y más basta que la común *(Gryphaea angulata).*

otacústico, -ca *adj.* [aparato] Que ayuda y perfecciona el sentido del oído.

otalgia *f.* Dolor de oídos.

otaria *f.* Mamífero pinnípedo provisto de orejas, a diferencia de las focas, que durante la marcha puede dirigir las extremidades posteriores hacia delante para andar. Reciben este nombre especies distintas *(Eumetopias stelleri; Zatophus californianus; Callorhinus alascanus).*

otate *m. Méj.* Bastón flexible y resistente.

otear *tr.* Registrar desde lugar alto [lo que está abajo]. 2 Escudriñar, registrar o mirar con cuidado.

otero *m.* Cerro aislado que domina un llano.

otitis *f.* Inflamación del órgano del oído. ◇ Pl.: *otitis.*

otocisto *m.* Órgano del oído en los animales invertebrados, consistente en una vesícula revestida de células sensoriales ciliadas, en conexión con las fibrillas del nervio acústico.

otología *f.* Parte de la patología que estudia las enfermedades del oído.

otomán *m.* Tejido de seda, algodón o estambre, que forma cordoncito en sentido horizontal.

otomano, -na *adj.-s.* Turco.

otoñal *adj.* Propio del otoño o relativo a él. – 2 *adj.-com.* [pers.] De edad madura.

otoñar *intr.* Pasar el otoño. 2 Brotar la yerba en el otoño. – 3 *prnl.* Sazonarse la tierra en el otoño.

otoño *m.* Estación del año que, astronómicamente, principia en el equinoccio del mismo nombre y termina en el solsticio de invierno. 2 Época templada del año; en nuestro hemisferio corresponde a los meses de septiembre, octubre y noviembre y en el austral a nuestra primavera. 3 Segunda hierba o heno que producen los prados en la estación de otoño. 4 fig. Período de la vida humana en que ésta declina de la plenitud hacia la vejez.

otorgamiento *m.* Consentimiento, licencia, parecer favorable. 2 Acción de otorgar un instrumento; como poder, testamento, etc. 3 Escritura de contrato o de última voluntad.

otorgar *tr.* Consentir [en una cosa], condescender [a ella] o concederla. ◇ ** CONJUG. [7] como *llegar.*

otorrino *com.* fam. Otorrinolaringólogo.

otorrinolaringología *f.* Parte de la patología que estudia las enfermedades del oído, nariz y garganta.

otorrinolaringólogo, -ga *m. f.* Especialista en otorrinolaringología.

otoscopio *m.* Instrumento para reconocer el oído.

otro, -tra *adj.-pron. indef.* Persona o cosa distinta de aquella de que se habla: ∼ *libro; quiero el* ∼. 2 Denota algunas veces la suma semejanza entre dos personas o cosas distintas: *es* ∼ *Cid.* 3 Con artículo y ante substantivos como *día, tarde, noche,* los sitúa en un pasado cercano: *la otra tarde vino Juan.* 4 Con *a* y artículo, ante sustantivos como *día, semana, mes, año,* equivale a *siguiente: a la otra semana empiezan las vacaciones.* ◇ INCOR.: el uso de *otro* ante substantivos femeninos que empiecen por *a.* Se debe decir *otra águila* y no *otro águila.*

otrora *adv. m.* En otro tiempo.

ova *f.* Alga verde que forma ramificaciones filamentosas, sencillas o articuladas, se cría en las aguas corrientes o estancadas, y flota o está fija al fondo por apéndices radicosos *(Enteromorpha intestinalis).*

ovación *f.* Triunfo menor que concedían los romanos por victorias de poca consideración. 2 fig. Aplauso ruidoso tributado colectivamente a una persona o cosa.

ovacionar *tr.* Tributar una ovación (aplauso) [a una persona, acto, párrafo, etc.].

ovachón *m. Méj.* Persona de muchas carnes que suda mucho y es floja para el trabajo. 2 *Méj.* Caballo castrado que engorda mucho por ejercicio escaso y suda mucho en cuanto trabaja.

ovado, -da *adj.* [ave hembra] Cuyos huevos han sido fecundados.

oval *adj.* De figura de óvalo o de huevo: **hoja* ∼.

ovalado, -da *adj.* Oval.

ovalar *tr.* Dar [a una cosa] figura de óvalo.

óvalo *m.* Curva cerrada, de forma parecida a la de la elipse, con dos ejes de simetría perpendiculares, compuesta de varios arcos de circunferencia tangentes entre sí. 2 Figura plana, oblonga y curvilínea, especialmente la que tiene la forma de la sección longitudinal de un huevo: *el ~ de la cara.*

ovario *m.* ZOOL. Órgano de la reproducción propio de las hembras, donde se producen los óvulos. 2 BOT. Parte inferior del pistilo, que contiene los óvulos; forma una cámara cerrada que puede ser independiente o integrada por la asociación de dos o más ovarios: *~ súpero,* cuando se halla encima de los demás verticilos; *~ ínfero,* cuando se halla debajo porque el tálamo floral ha crecido formando copa cerrada alrededor, y está como encerrado por el receptáculo; *~ semiínfero,* cuando ocurre lo mismo, pero el tálamo forma copa abierta; **flor.

oveja *f.* Hembra del carnero. 2 fig. *~ negra,* persona que en una familia o colectividad difiere desfavorablemente de los demás. 3 *Amér.* Llama (mamífero).

overbooking *m.* Sobreventa. ◇ Se pronuncia *oberbukin.*

overear *tr. Amér. Merid.* Tostar [una cosa] hasta que tome color dorado.

overo, -ra *adj.-s.* Animal de color parecido al del melocotón. 2 [ojo] Que resalta lo blanco. 3 *Amér.* [animal] Remendado o pío.

overol *m. Amér.* Mono, traje de faena de una pieza.

ovetense *adj.-s.* De Oviedo.

ovicida *adj.-s.* [producto químico] Que se emplea contra los insectos y ácaros en la fase de huevo.

oviducto *m.* Conducto que desde los ovarios lleva los óvulos al exterior; **molusco.

oviforme *adj.* Que tiene forma de huevo.

ovillar *intr.* Hacer ovillos. – 2 *prnl.* Encogerse y recogerse haciéndose un ovillo.

ovillejo *m.* Combinación métrica de tres versos octosílabos que alternan con tres de pie quebrado, y de una redondilla cuyo último verso se compone de los tres pies quebrados.

ovillo *m.* Bola formada devanando un hilo de lino, de algodón, seda, lana, etc. 2 fig. Cosa enredada y de figura redonda. 3 fig. Montón o multitud de cosas sin trabazón ni arte.

ovino, -na *adj.* [ganado] Lanar. – 2 *adj.- m.* Animal de la subfamilia de los ovinos. – 3 *m. pl.* Subfamilia de rumiantes bóvidos de pequeño tamaño, con el hocico peludo y los cuernos anillados, mayores en los machos que en las hembras, y en aquéllos retorcidos en espiral; como el carnero y la cabra.

ovíparo, -ra *adj.-s.* Animal cuyo desarrollo embrionario se verifica dentro de las cubiertas del huevo, el cual es expulsado por la madre mucho antes del nacimiento; como las aves y los insectos.

oviscapto *m.* Órgano de las hembras de ciertos insectos que les sirve para abrir agujeros en la tierra o en los tejidos vegetales o animales, donde depositan sus huevos.

ovni *m.* Objeto volador no identificado.

ovocélula *f.* BOT. Gameto femenino.

ovogénesis *f.* Formación de los gametos femeninos entre los animales. ◇ Pl.: *ovogénesis.*

ovopositor *m.* Aparato destinado a la puesta de los huevos, propio de la hembra de los insectos.

ovotestis *f.* Glándula genital hermafrodita, que puede producir sucesiva o simultáneamente óvulos y espermatozoides. ◇ Pl.: *ovotestis.*

ovovivíparo, -ra *adj.-s.* Animal de generación ovípara que verifica la ruptura del huevo en el trayecto de las vías uterinas.

ovulación *f.* Desprendimiento natural del óvulo en el ovario para que pueda recorrer su camino y ser fecundado.

I) ovular *intr.* Salir el óvulo del ovario.

II) ovular *adj.* Perteneciente o relativo al óvulo.

óvulo *m.* ZOOL. Gameto sexual femenino. 2 BOT. En las plantas fanerógamas, órgano contenido en el ovario y en cuyo interior se forma la oosfera; **flor; **gimnospermas.

oxalidáceo, -a *adj.-f.* Planta de la familia de las oxalidáceas. – 2 *f. pl.* Familia de plantas dicotiledóneas, generalmente herbáceas, de hojas compuestas, con los folíolos inversamente acorazonados, flores en umbela o solitarias, axilares y frutos en cápsula o baya.

oxiacanto, -ta *adj.* BOT. Que tiene muchas púas o espinas.

oxidación *f.* Acción de oxidar u oxidarse. 2 Efecto de oxidar u oxidarse. 3 Toda operación que implica la pérdida de electrones de los átomos.

oxidar *tr.-prnl.* Combinar [una substancia] con oxígeno. 2 Quitar hidrógeno [a un compuesto] por la acción del oxígeno.

óxido *m.* Combinación del oxígeno con un elemento: *~ nitroso,* gas hilarante, N_2O, empleado para producir una anestesia de corta duración.

oxigenado, -da *adj.* Que contiene oxígeno. 2 Descolorado por el oxígeno.

oxigenar *tr.* Oxidar. – 2 *prnl.* fig. Airearse, respirar al aire libre.

oxígeno *m.* Cuerpo simple gaseoso, esencial para la respiración, que se encuentra libre en la atmósfera y es uno de los componentes del agua y de gran número de substancias orgánicas. Su símbolo es *O*.

oximetría *f.* Determinación de la cantidad de ácido libre contenido en una substancia.

oxímoron *m.* RET. Figura consistente en reunir dos palabras aparentemente contradictorias.

oxítono, -na *adj.-s.* GRAM. Vocablo agudo.

oxiuro *m.* Gusano nematodo de pequeño tamaño, parásito intestinal de diversos animales, especialmente del hombre *(Oxyuris vermicularis).* – 2 *m. pl.* Género de estos vermes.

oyente *adj.-com.* Que oye. 2 Asistente a un aula no matriculado como alumno.

ozonización *f.* Transformación en ozono. 2 Esterilización de las aguas por el ozono.

ozonizar *tr.* Convertir el oxígeno en ozono. 2 Combinar con ozono. ◇ ** CONJUG. [4] como *realizar.*

ozono *m.* Gas muy oxidante, de color azulado y olor a marisco, que es un estado alotrópico del oxígeno producido por la electricidad, y se encuentra en pequeñas proporciones en la atmósfera después de las tempestades.

ozonosfera *f.* Capa atmosférica situada entre los 15 y los 60 kms. de altitud, que comprende parte de la estratosfera y la mesosfera, caracterizada por la presencia de ozono.

P

P, p *f.* Pe, decimonovena letra del alfabeto español que representa gráficamente a la consonante oclusiva, bilabial y sorda.

pabellón *m.* Tienda de campaña en forma de cono, sostenida interiormente por un palo hincado en tierra y sujeta al terreno con cuerdas y estacas. 2 Grupo de fusiles con las culatas apoyadas en el suelo y las bayonetas enlazadas. 3 Dosel plegadizo de una cama, trono, altar, etc. 4 Edificio, generalmente aislado, que depende de otro o está contiguo a él. 5 Construcción o edificio que forma parte de un conjunto, como los de una exposición, ciudad universitaria, hospital, cuartel, etc. 6 Ensanche cónico con que termina la boca de algunos instrumentos de **viento: *el ~ de la corneta, del clarinete.* 7 Nación a que pertenecen las naves mercantes, simbolizada en su bandera. 8 Bandera nacional: *el ~ cubre la mercancía.* 9 fig. Protección que se dispensa o a la que uno se acoge. 10 ANAT. Dilatación en el extremo de un tubo, sonda o conducto: *~ de la oreja,* oreja.

pábilo, pabilo *m.* Torcida que está en el centro de la vela o antorcha. 2 Parte carbonizada de esta torcida.

pábulo *m.* Pasto, comida, alimento para la subsistencia o conservación. 2 fig. Sustento en las cosas inmateriales.

I) paca *f.* Mamífero roedor de América del Sur, de unos 50 cms. de largo, de pelaje espeso y lacio, hocico agudo y orejas pequeñas y redondas *(Cœlogenys paca).*

II) paca *f.* Fardo, especialmente de forrajes, lana o algodón en rama.

pacato, -ta *adj.-s.* De condición nimiamente pacífica y moderada. 2 De poco valor, insignificante. 3 Timorato, que tiene o manifiesta excesivos escrúpulos.

pacedero, -ra *adj.* Que tiene hierba para pasto.

pacense *adj.-s.* De Badajoz.

pacer *intr.-tr.* Comer el ganado [la hierba de los campos]: *las ovejas pacen en la dehesa.* – 2 *tr.* Comer, roer o gastar [una cosa]. 3 fact. Apacentar. ◇ **CONJUG. [42] como *nacer.*

paciencia *f.* Virtud del que sabe sufrir y tolerar los infortunios y adversidades con for-

taleza, sin lamentarse. 2 Calidad del que sabe esperar con calma una cosa que tarda, o sufrir la duración de un trabajo: *es una operación que requiere ~.* 3 Bollo redondo y muy pequeño, hecho con harina, huevo, almendra, azúcar y cocido en el horno. 4 fig. Tolerancia o consentimiento en mengua del honor.

paciente *adj.* Que tiene paciencia. – 2 *com.* Persona que padece una enfermedad, un mal físico. – 3 *m.* Persona paciente. 4 FIL. Sujeto que recibe o padece la acción del agente.

pacificar *tr.* Establecer la paz [donde había guerra]; reconciliar [a los que están opuestos]. – 2 *intr.* Tratar de asentar paces: *conviene ~.* – 3 *prnl.* Sosegarse y aquietarse las cosas insensibles: *pacificarse los vientos.* ◇ ** CONJUG. [1] como *sacar.*

pacífico, -ca *adj.* Quieto, sosegado y amigo de paz. 2 Que no tiene o no halla oposición o alteración en su estado.

pacifismo *m.* Conjunto de doctrinas encaminadas a mantener la paz entre las naciones; doctrina de los que estiman la paz como el estado ideal de las naciones. 2 Conjunto de proyectos y actos dirigidos a evitar las guerras, con soluciones jurídicas en los conflictos internacionales y sirviéndose de medios como el desarme o reducción de armamentos, establecimiento de tribunales internacionales, etc.

paco, -ca *adj.-m.* *Argent.* y *Chile* Color bayo, rojizo. – 2 *m. Amér.* Celador o sereno, gendarme. 3 *Amér. Merid.* Mineral de plata con ganga ferruginosa.

pacota *f. Argent.* Grupo que acompaña a alguien. 2 *Méj.* Objeto de mala clase o de calidad inferior; persona de escaso valer.

pacotilla *f.* Porción de géneros que los marineros u oficiales de un barco pueden embarcar por su cuenta libres de flete. 2 fig. Género de inferior calidad.

pactar *tr.* Asentar o poner [condiciones] o consentir [estipulaciones] para concluir un negocio u otra cosa entre partes, obligándose mutuamente a su observancia; esp., contemporizar una autoridad: *~ alguna cosa con otro; ~ entre sí; ~ con el enemigo.*

pacto *m.* Concierto o asiento en que se convienen dos o más personas o entidades que se obligan a su observancia. 2 Lo estatuido por tal concierto. 3 Convenio que se supone hecho con el demonio para obrar por medio de él cosas extraordinarias, embustes y sortilegios.

pachá *m.* fig. Persona que se da buena vida. ◇ Pl.: *pachaes.*

pachaco, -ca *adj. Amér. Central.* Inútil; enclenque.

pachamanca *f. Amér. Merid.* Carne que se asa entre piedras caldeadas o en un agujero que se abre en la tierra y se cubre con piedras calientes.

pachanga *f.* Diversión, jolgorio ruidoso y desordenado.

pachanguero, -ra *adj.* [espectáculo, fiesta, música] De escasa calidad, fácil, bullicioso, pegadizo: *orquesta pachanguera.*

pachiquil *m. Argent.* Rodete que se pone sobre la cabeza para llevar en ella cosas pesadas.

pacho, -cha *adj. Amér. Central y Chile* fam. Bajo, regordete. 2 *Amér. Central.* Chato, aplanado.

pachón, -chona *m.* fam. Hombre calmoso y flemático. 2 *Amér.* Capote de palma de los indios. – 3 *adj.-s. Amér.* Peludo, lanudo.

pachorra *f.* fam. Flema, indolencia, tardanza.

pachorrear *intr. Amér.* Gastar pachorra.

pachucho, -cha *adj.* Pasado de puro maduro. 2 fig. Flojo, débil, desmadejado.

pachulí *m.* Planta labiada muy olorosa, de cuyos tallos y hojas se obtiene por destilación un perfume muy usado *(Pogostemon patchouli).* 2 Perfume de esta planta. ◇ Pl.: *pachulíes.*

pada *f.* Molusco gasterópodo marino sedimentívoro y comedor de algas, cuya concha tiene muchas espiras esculpidas *(Cerithium vulgatum).*

padecer *tr.* Recibir la acción [de una cosa que causa daño o dolor físico o moral]: ~ *una enfermedad, una ofensa.* 2 Soportar (tolerar). 3 eufem. Con palabras como *error, engaño, desilusión,* etc., incurrir, caer en ellas. – 4 *intr.* Sentir física o moralmente un daño o dolor: ~ *con las impertinencias de otro;* ~ *de los nervios;* ~ *en la honra;* ~ *por Dios;* ~ *mucho; hemos de* ~. 5 fig. Recibir daño las cosas: *la madera padece de los golpes que le das; la cuerda padece.* ◇ **CONJUG. [43] como *agradecer.*

padilla *f.* Sartén pequeña. 2 Horno de pan con una abertura en el centro de la plaza, por donde entra el aire para la combustión y se saca la ceniza.

padrastro *m.* Marido de la madre respecto de los hijos que ésta tiene de un matrimonio anterior. 2 fig. Mal padre. 3 fig. Obstáculo, impedimento que estorba o hace daño en una materia. 4 fig. Pedacito de pellejo levantado de la carne inmediata a las uñas de las manos, que causa dolor y estorbo.

padrazo *m.* fam. Padre muy indulgente con sus hijos.

padre *m.* Varón que ha engendrado. 2 Varón respecto de su hijo o hijos: ~ *político,* p. ext., padrastro (marido de la madre); suegro. 3 ***Padre Eterno,*** o simplemente ***Padre,*** primera persona de la Santísima Trinidad; ***Padre nuestro,*** oración dominical que comienza con estas palabras. 4 Título dado a los religiosos y sacerdotes: ~ *santo,* el sumo pontífice. 5 Miembro de ciertas congregaciones religiosas: *los padres jesuitas.* 6 fig. Cosa de quien proviene otra como de su principio: *el ocio es* ~ *de todos los vicios.* 7 fig. Creador, inventor de alguna cosa: *Esquilo es el* ~ *de la tragedia.* 8 Macho destinado en el ganado para la procreación. – 9 *m. pl.* El padre y la madre. 10 Abuelos, antepasados. – 11 *adj.* fam. Muy grande: *un susto* ~.

padrear *intr.* Parecerse uno a su padre en las facciones o en las costumbres. 2 Ejercer el macho las funciones de la generación.

padrillo *m. Amér.* Caballo semental.

padrinazgo *m.* Acto de asistir como padrino a un bautizo o a una función pública. 2 Título o cargo de padrino. 3 fig. Protección, favor que uno dispensa a otro.

padrino *m.* El que presenta o asiste a una persona en el sacramento del bautismo, de la confirmación, del matrimonio o del orden, si se trata de un varón, o que profesa, si se trata de una religiosa, al recibir un honor, grado, etc. 2 El que asiste a otro para sostener sus derechos en certámenes literarios, torneos, desafíos, etc. 3 fig. El que favorece o protege a otro en sus pretensiones, designios, etc. – 4 *m. pl.* El padrino y la madrina.

padrón *m.* Nómina o lista que se hace en los pueblos para saber por sus nombres el número de vecinos o moradores. 2 Columna o pilar con una lápida o inscripción que recuerda un suceso notable. 3 Nota pública de infamia o desdoro que queda en la memoria por una mala acción. 4 *Amér.* Caballo semental.

padrote *m.* fam. Padrazo. 2 *Amér. Central, Colomb., Pan., P. Rico y Venez.* Macho destinado en el ganado a la reproducción. 3 *Méj.* Rufián, alcahuete.

paella *f.* Sartén grande y poco profunda en que se hace un plato de arroz seco, con carne, legumbres, etc., originario de la región valenciana. 2 p. ext. Dicho plato.

paellera *f.* Paella (sartén). 2 Foco de grandes dimensiones utilizado para dar luz de fondo en decorados.

¡paf! Voz onomatopéyica del ruido de una caída o de un choque.

paga *f.* Acción de pagar, especialmente lo que se debe. 2 Cantidad de dinero que se paga. 3 Sueldo mensual de un empleado o militar. **4** Aguinaldo que se da a los niños todas las semanas o los días de fiesta. **5** Satisfacción de la culpa, delito o yerro, por medio de una pena o cantidad. **6** Correspondencia al afecto, cariño u otro beneficio.

pagadero, -ra *adj.* Que se ha de pagar y satisfacer a cierto tiempo señalado. **2** Que puede pagarse fácilmente. – **3** *m.* Tiempo u ocasión en que uno ha de pagar lo que debe, o satisfacer con la pena lo que ha hecho.

pagado, -da *adj.* Ufano, satisfecho de alguna cosa o de sí mismo.

pagador, -ra *adj.-s.* Que paga. – **2** *m. f.* Persona encargada por el estado, una corporación, o un particular, de satisfacer sueldos, pensiones, créditos, etc.

pagaduría *f.* Lugar público donde se paga.

paganismo *m.* Gentilidad.

paganizar *intr.* Profesar el paganismo el que no era pagano. – **2** *tr.* Conformar [una cosa] con el paganismo. ◇ ** CONJUG. [4] como *realizar.*

I) pagano, -na *adj.-s.* Idólatra, especialmente los antiguos griegos y romanos. **2** p. ext. Mahometano, o cualquier otro sectario monoteísta o infiel no bautizado.

II) pagano, -na *adj.-s.* irón. [pers.] Que paga; aplícase generalmente al pagador de quien otros abusan y al que sufre perjuicio por culpa ajena.

pagar *tr.* Dar a uno lo que se le debe: ~ *a los obreros;* ~ *con palabras;* ~ *a,* o *en, dinero.* **2** Satisfacer, especialmente en dinero, [el valor de lo que se compra o adquiere]: *a luego* ~, al contado. **3** Satisfacer [una deuda o una carga pública]: ~ *la contribución.* **4** esp. Adeudar [derechos] los géneros que se introducen: *el aceite paga consumos; este artículo no paga.* **5** fig. Satisfacer [el delito o yerro] por medio de la pena correspondiente: *ha pagado sus culpas; intr., ha pagado por otro.* **6** fig. Corresponder [al afecto o a un beneficio]. – **7** *prnl.* Prendarse, aficionarse. **8** Ufanarse de una cosa; hacer ostentación de ella. ◇ ** CONJUG. [7] como *llegar.*

pagaré *m.* Papel de obligación por una cantidad que ha de pagarse a tiempo determinado. ◇ Pl. *pagarés.*

pagaza *f.* Ave caradriforme marina, de cola ahorquillada, pico robusto y capirote negro, que pierde en invierno, volviéndosele la frente de color blanco *(Gelochelion nilotica).*

pagel *m.* Pez marino teleósteo perciforme, comestible, de unos 20 cms. de largo, cabeza y ojos grandes, lomo rojizo, vientre plateado y aletas y cola encarnadas *(Pagellus erytrinus).*

página *f.* Plana de la hoja de un libro o cuaderno. **2** Lo escrito o impreso en cada página. **3** fig. Suceso, lance, en el curso de una vida o empresa. **4** *Páginas amarillas,* parte de la guía telefónica en que se hallan los datos de profesionales, establecimientos, empresas, etc., agrupados según los diferentes tipos de servicios que prestan.

paginación *f.* Serie de las páginas de un escrito o impreso.

paginar *tr.* Numerar las páginas [de un escrito o impreso].

I) pago *m.* Entrega de un dinero o especie que se debe. **2** Satisfacción, premio o recompensa.

II) pago *m.* Distrito determinado de tierras o heredades, especialmente de viñas u olivares. **2** *Amér.* País, pueblo.

pagoda *f.* Templo oriental con forma de torre de pisos superpuestos, separados por cornisas o tejados en varias vertientes, que encierra reliquias de Buda o de santos budistas. **2** Ídolo oriental.

paica *f. Argent.* fam. Muchacha que ha llegado a la edad de la pubertad.

paidología *f.* Ciencia que estudia todo lo relativo a la infancia y su buen desarrollo físico e intelectual.

paila *f.* Vasija grande de metal, redonda y poco profunda. **2** Dispositivo metálico que permite calentar el agua en las cocinas de carbón. **3** *Amér.* Sartén, vasija.

pailebot, -te *m.* MAR. Goleta pequeña, sin gavias, muy rasa y fina. ◇ Pl.: *pailebotes.*

pailón *m. Bol., Ecuad. y Hond.* Hondonada redonda.

pailona *f.* Pez selácio escualiforme, de color pardo negruzco obscuro, de un poco más de un metro de longitud *(Centroscymnus cœlolepis).*

paipái, paipay *m.* Abanico de palma en forma de pala y con mango. ◇ Pl.: *paipáis.*

pairar *intr.* MAR. Estar quieta la nave con las velas tendidas y largas las escotas.

pairo *m.* Acción de pairar la nave: *estar al* ~.

país *m.* Región, reino, provincia o territorio. **2** Pintura o dibujo que representa cierta extensión de terreno. **3** Papel, piel o tela que cubre la parte superior del varillaje del **abanico. ◇ INCOR.: la pronunciación *país* es frecuente en Vizcaya y algunas partes de América.

paisaje *m.* País (pintura). **2** Porción de terreno considerada en su aspecto artístico.

paisajismo *m.* Pintura de paisajes.

paisajista *adj.-com.* Pintor de paisajes.

paisano, -na *adj.-s.* Que es del mismo país, provincia o lugar que otro. – **2** *m. f.* Campesino, labrador. – **3** *m.* El que no es militar.

paja *f.* Caña de trigo, cebada, centeno y otras gramíneas, después de seca y separada del grano. **2** Conjunto de estas cañas. **3** Arista o parte pequeña y delgada de una hierba o cosa semejante. **4** Pajilla para sorber líquidos, especialmente refrescos. **5** fig. Cosa ligera, de poca consistencia o entidad. **6** fig. Lo inútil y desechado en cualquier materia.

pajada *f.* Paja mojada y revuelta con salvado, que se suele dar a las caballerías.

pajar *m.* Almiar. 2 Lugar donde se encierra y conserva paja.

pájara *f.* Pájaro (ave). 2 Cometa (armazón). 3 Papel cuadrado que dándole varios dobleces viene a quedar con cierta figura como de pájaro. – 4 *adj.-f.* Mujer astuta, sagaz y cautelosa. – 5 *f.* DEP. Desfallecimiento súbito que impide a un deportista continuar su esfuerzo, especialmente a los ciclistas.

pajarear *intr.* Cazar pájaros. 2 fig. Andar vagando, sin trabajar en cosa útil. 3 *Amér.* Espantarse una caballería. – 4 *tr. Amér.* Ahuyentar los pájaros [de los sembrados].

pajarera *f.* Jaula grande o aposento donde se crían los pájaros.

pajarería *f.* Abundancia de pájaros. 2 Tienda donde se venden pájaros y otros animales domésticos.

pajarero, -ra *adj.* Perteneciente o relativo a los pájaros. 2 fam. [pers.] Alegre y chancero. 3 fam. [tela, pintura] De colores chillones y discordantes. – 4 *m. f.* Persona que tiene por oficio cazar, criar o vender pájaros.

pajarete *m.* Vino licoroso, muy fino y delicado.

pajarita *f.* Pájara (de papel). 2 Corbata de lazo. 3 Molusco lamelibranquio, cuya concha, de gran tamaño, presenta una rara asimetría; se halla fijada a piedras en aguas bastante profundas *(Pteria hirundo)*. 4 Planta escrofulariácea, de hojas alternas, lanceoladas, y flores de color amarillo azufre, agrupadas en densas inflorescencias *(Linaria vulgaris)*.

pájaro *m.* Nombre genérico que se da a todo género de aves, y especialmente a las del orden de los paseriformes: ~ *bobo,* ave esfenisciforme de unos 40 cms. de largo, de pico negro, comprimido y alesnado, lomo negro y pecho y vientre blancos, que vive en las costas circumpolares del hemisferio sur, y del que existen numerosas especies; como el pájaro bobo real *(Aptenodytes patagonica),* adelia *(Pygoscelis adeliae)* o de Magallanes *(Sphenicus magellanicus);* ~ *carpintero,* ave pisciforme de plumaje negro manchado de blanco y pico largo y delgado, pero muy fuerte, que se alimenta de insectos que caza entre las cortezas de los árboles, picándolas con fuerza y celeridad *(Picus viridis Sharpei).* – 2 *adj.-m.* fig. Hombre astuto, sagaz y cauteloso. – 3 *m. pl.* fam. Ideas de la persona desatinada y alocada: *tener pájaros en la cabeza.*

pajarraco, -rruco *m.* desp. Pájaro grande desconocido. 2 fig. Hombre disimulado y astuto.

pajaza *f.* Desecho de la paja larga que comen los caballos.

paje *m.* Criado joven para acompañar a sus amos, asistir en las antesalas, servir a la mesa,

etc. 2 fig. Mueble formado por un espejo con pie alto y una mesilla para utensilios de tocador.

pajear *intr.* Comer bien mucha paja las caballerías. 2 Portarse, conducirse: *cada uno tiene su modo de* ~.

pajera *f.* Pajar pequeño que suele haber en las caballerizas.

pajilla *f.* Cigarrillo hecho en una hoja de maíz. 2 Caña delgada de avena, centeno u otras plantas gramíneas, o tubo artificial de forma semejante, que sirve para sorber líquidos, especialmente refrescos.

pajizo, -za *adj.* Hecho o cubierto de paja. 2 De color de paja.

pajo *m.* Especie de mango filipino, pero mucho menor, del que se hace dulce, y puesto en salmuera sirve en lugar de aceitunas *(Mangifera altissima).*

pajolero, -ra *adj.-s.* [pers.] Impertinente y molesto. – 2 *adj.* Despreciable, fastidioso, embarazoso.

I) pajón *m.* Caña alta y gruesa de las rastrojeras. 2 *Cuba, S. Dom.* y *Venez.* Toda hierba delgada que el ganado sólo come cuando no encuentra otra cosa.

II) pajón, -jona *adj. Méj.* fam. Crespo, rizado.

pajote *m.* Estera de cañas y paja con que cubren ciertas plantas los agricultores.

pajuela *f.* Paja de centeno, tira de cañaheja o torcida de algodón, cubierta de azufre, que arde con llama. 2 *Cuba* y *Méj.* Cordel entretejido que se pone al extremo del látigo.

pajuerano, -na *m. f. Argent., Bol.* y *Urug.* Persona procedente del campo o de una pequeña población, que ignora las costumbres de la ciudad.

pajuye *m. Argent.* y *Bol.* Conserva de plátano.

pala *f.* Herramienta formada por una lámina de madera o hierro de forma rectangular o trapezoidal, adaptada a un mango, de tamaño muy variado según la diversidad de sus usos; **cocina; **jardinería; **panadería. 2 Hoja de hierro de forma trapezoidal con filo por un lado y un ojo en el opuesto para enastarla: *la* ~ *de un azadón;* **armas. 3 Parte ancha y delgada de diversos instrumentos: *las palas de una bisagra; la* ~ *de un remo, del timón.* 4 Órgano terminal del brazo de las excavadoras: ~ *cargadora;* ~ *excavadora.* 5 Lo ancho y plano de los dientes. 6 Parte superior del calzado, que abraza el pie por encima. 7 Parte lisa de la charretera, de la cual pende el fleco. 8 Raqueta (bastidor). 9 Cuchilla rectangular, con mango corto y perpendicular al dorso, usada por los curtidores para descarnar las pieles. 10 División del tallo del nopal. 11 Diente que muda el potro a los treinta meses. 12 Aleta o parte activa de una hélice. 13 fig. Destreza o habilidad de un sujeto. 14 fig. Socio compinche. 15 fig. *y* fam. Astucia o artificio para conseguir o averiguar una cosa.

palabra *f.* Sonido o conjunto de sonidos articulados que expresan una idea, y, por convención, última unidad del discurso: ~ *simple,* la que no se compone de otras de la misma lengua; ~ *compuesta,* la que está formada por composición. 2 Representación gráfica de estos sonidos, o sea, grupo de letras unidas entre sí y separadas de los demás grupos por un pequeño espacio. 3 Facultad de expresar el pensamiento por medio del lenguaje articulado; facultad oratoria: *no tiene el don de la ~; perder la ~.* 4 Empeño que hace uno de su fe y probidad en testimonio de lo que refiere o afirma: ~ *de honor.* 5 Promesa. 6 Derecho o turno para hablar en asambleas o reuniones. – 7 *f. pl.* Dichos vanos que no responden a ninguna realidad. 8 Pasaje o texto de un autor: *palabras de Cervantes.* 9 INFORM. Conjunto ordenado de caracteres que constituye la unidad normal en que se la información puede ser almacenada, transmitida o manejada en una computadora.

palabrear *intr.* Charlar, hablar. – 2 *tr.-prnl. Amér.* Dar [a alguien] palabra de matrimonio.

palabreja *f.* desp. Palabra de escasa importancia o interés en el discurso. 2 Palabra rara por su poco uso o porque no se entiende bien.

palabrería *f.* Abundancia de palabras vanas y ociosas.

palabrero, -ra *adj.-s.* Que habla mucho. 2 Que ofrece fácilmente y después no cumple. – 3 *m.* fam. Diccionario, vocabulario.

palabrita *f.* Palabra sensible o que lleva mucha intención.

palabrota *f.* Dicho ofensivo, indecente o grosero.

palacete *m.* Casa de recreo construida y alhajada como un palacio, pero más pequeña.

palaciano, -na, palaciego, -ga *adj.* Perteneciente o relativo al palacio real. – 2 *adj.-s.* [pers.] Que sirve o asiste en palacio real.

palacio *m.* Edificio grande y suntuoso destinado para residencia de un rey, de un gran personaje, de una corporación elevada, etc.: ~ *real;* ~ *del condestable de Borbón;* ~ *del Congreso;* ~ *de Comunicaciones.* 2 Casa solariega de una familia noble.

palada *f.* Porción que la pala puede coger de una vez. 2 Golpe que se da al agua con la pala del remo. 3 Revolución de una hélice.

paladar *m.* Parte interior y superior de la **boca** de los animales; **nariz**. 2 fig. Gusto y sabor que se percibe de los manjares: *vino de buen ~.* 3 fig. Gusto, sensibilidad para discernir, aficionarse o repugnar alguna cosa en lo material o espiritual: *mi hermano tiene ~ exquisito; buen ~ en materias literarias.*

paladear *tr.* Tomar poco a poco el gusto [de una cosa]: ~ *un dulce; paladearse con un dulce.* 2 Limpiar [la boca o el paladar a los animales] para que apetezcan el alimento. 3 Poner [en el paladar del recién nacido] miel u otra cosa suave para que mame. 4 fig. Aficionar [a alguien] a una cosa o quitar el deseo de ella por medio de otra que dé gusto y entretenga. – 5 *intr.* Empezar el niño recién nacido a querer mamar.

paladín *m.* Caballero que en la guerra se distingue por sus hazañas. 2 fig. Defensor denodado de alguna persona o cosa.

paladino, -na *adj.* Público y manifiesto.

paladio *m.* Metal raro, parecido al platino, dúctil, maleable e inalterable al aire. Su símbolo es *Pd* .

paladión *m.* fig. Objeto en que estriba la defensa y seguridad de una cosa.

palafito *m.* Vivienda lacustre primitiva, construida sobre estacas; **prehistoria**.

palafrén *m.* Caballo manso en que solían montar las damas y a veces reyes y príncipes. 2 Caballo en que va montado el criado de un jinete.

palafrenero *m.* Criado que lleva del freno el caballo. 2 Mozo de caballos.

palamenta *f.* Conjunto de los remos de una embarcación.

palanca *f.* Barra inflexible que se apoya y puede girar sobre un punto y sirve para remover o levantar pesos. 2 Manecilla para el accionamiento manual de cierto órganos de máquinas: ~ *de arrastre, de rebobinado, de una cámara **fotográfica;* ~ *de cambio,* barra o manecilla para el accionamiento y gobierno del cambio de un **automóvil o **bicicleta**. 3 Fortín construido de estacas y tierra. 4 Plataforma fija colocada a cierta altura al borde de una piscina, desde donde se efectúan saltos.

palancón, -cona *adj. Argent.* [buey] De grandes proporciones.

palangana *f.* Jofaina. 2 *Amér. Central* y *Colomb.* Fuente, plato grande.

palanganero *m.* Mueble de madera o hierro, donde se coloca la palangana o un jarro de agua, jabón y otras cosas para el aseo personal.

palangre *m.* Cordel largo y grueso del cual penden a trechos unos ramales con anzuelos en sus extremos; se cala en parajes de mucho fondo donde no se puede pescar con redes.

palanquear *tr. Amér.* Apalancar. 2 *Amér.* Buscar influencia para conseguir algo.

palanqueta *f.* Barreta de hierro para forzar puertas o cerraduras. 2 Barreta de hierro con dos cabezas gruesas, que usaba la artillería de marina en lugar de bala, para romper las jarcias y arboladuras de los buques enemigos.

palanquilla *f.* Pequeña pieza de la navaja, colocada en la unión de la hoja con las cachas y que, levantándola, permite cerrarla.

I) palanquín *m.* El que se pone en sitios públicos para llevar bultos.

II) palanquín *m.* Especie de andas usadas en Oriente para llevar a los personajes.

palastro *m.* Chapa en que se coloca el pestillo de una **cerradura. 2 Hierro o acero laminado.

palatal *adj.* Perteneciente o relativo al paladar. – 2 *adj.-f.* Sonido cuya articulación se sitúa en el paladar duro: *consonante ~.*

palatalizar *tr.-prnl.* Dar [a un fonema o sonido] articulación palatal. ◇ ** CONJUG. [4] como *realizar.*

palatinado *m.* Dignidad o título de uno de los príncipes palatinos de Alemania. 2 Territorio de los príncipes palatinos.

I) palatino, -na *adj.* Perteneciente o relativo al paladar.

II) palatino, -na *adj.-s.* Relativo a palacio o propio de los palacios.

palatograma *m.* FON. Representación gráfica de la superficie en que se encuentran la lengua y el paladar durante la articulación de un sonido.

palazón *f.* Conjunto de palos de que se compone una construcción, barco, etc.

palco *m.* Localidad independiente con balcón en los **teatros, plazas de **toros, **estadios, etc. 2 Tabladillo o palenque en que se pone la gente para ver una función.

paleal *adj.* Perteneciente o relativo al manto de los moluscos.

palenque *m.* Valla de madera o estacada para la defensa de un puesto, para cerrar el terreno en que se ha de hacer una fiesta pública, etc. 2 Terreno cercado. 3 *Amér. Merid.* Estaca para amarrar animales.

palenquear *tr.* *Argent.* y *Urug.* Domar [un animal bravo], atándolo al palenque.

palentino, -na *adj.-s.* De Palencia.

paleoceno, -na *adj.-m.* Primer período geológico del paleógeno con que se inicia la era terciaria, y terreno a él correspondiente. – 2 *adj.* Perteneciente o relativo a dicho período.

paleocristiano, -na *adj.* [arte] Correspondiente a los primeros siglos del cristianismo.

paleogénesis *f.* Reproducción de caracteres ancestrales en generaciones sucesivas.

paleógeno *m.* Primer período geológico base de la era terciaria que agrupa el paleoceno, eoceno y oligoceno.

paleogeografía *f.* Ciencia que estudia la posible reconstrucción de la distribución de los mares y continentes en las épocas geológicas.

paleografía *f.* Técnica de leer las inscripciones y escritos antiguos, determinando su origen, período, etc. 2 Disciplina teórica de dicha técnica.

paleolítico, -ca *adj.-m.* Período más antiguo de la edad de piedra, o sea el de la piedra tallada. – 2 *adj.* Perteneciente o relativo al paleolítico.

paleología *f.* Estudio de las lenguas antiguas.

paleontografía *f.* Descripción de los seres orgánicos cuyos restos se encuentran fósiles.

paleontología *f.* Ciencia que trata de los seres orgánicos cuyos restos se encuentran fósiles.

paleoterio *m.* Paquidermo fósil del período eoceno, parecido al tapir *(gén. Palaeotherium).*

paleozoico, -ca *adj.-m.* Primario (era y terreno). – 2 *adj.* Perteneciente o relativo a dicha era.

palero *m.* El que tiene por oficio hacer o vender palas. 2 *Amér.* Persona que juega de acuerdo con el banquero, sirviendo de gancho a otras personas.

palestino, -na *adj.-s.* De Palestina, región de Oriente Medio.

palestra *f.* Lugar en el que antiguamente se celebraban justas y torneos. 2 fig. Sitio o

PALANCA

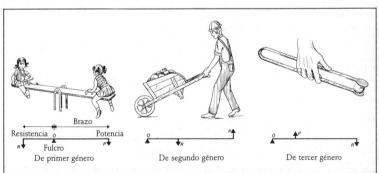

Brazo
Resistencia   Potencia
R   Fulcro   P
De primer género   De segundo género   De tercer género

paraje en que se celebran ejercicios literarios públicos o desde donde se habla o actúa en público: *salir a la ~*.

paleta *f.* Lámina de palastro, de figura triangular y mango de madera, usada por los albañiles para manejar y aplicar la argamasa. 2 Instrumento para remover la lumbre, especialmente badil. 3 Lámina de madera o de metal, plana o curva, dispuesta sobre una rueda o eje: *las paletas de un ventilador, de la hélice de una nave; las paletas de una rueda hidráulica.* 4 Tabla delgada, generalmente ovalada, sin mango y con un agujero a uno de sus extremos, por donde para sostenerla mete el pintor el dedo pulgar, y en la cual tiene ordenados los colores. 5 Cuchara grande y plana para remover lo que se está friendo. 6 Brazuelo curado. 7 Diente delantero grande. 8 *Amér. Central* y *Méj.* Dulce o helado en forma de pala, que se chupa cogiéndolo por un palito que sirve de mango. – 9 *f. pl.* Cuerna del gamo.

paletada *f.* Porción que la paleta puede coger de una vez. 2 Golpe dado con la paleta.

paletear *intr.* Remar mal, sin adelantar.

paletero *m.* Gamo de dos años.

paletilla *f.* Omóplato. 2 Paleta, brazuelo curado. 3 *Argent.* Muesca que se hace en la oreja de un animal.

paletín *m.* ALBAÑ. Paleta pequeña empleada para bruñir y rejuntar el mortero entre hiladas.

paleto, -ta *m.* Gamo. – 2 *adj.-s.* fig. [pers.] Rústico y zafio.

paletón *m.* Parte de la llave en que están los dientes y guardas; **cerradura.

pali *adj.-m.* Lengua hermana de la sánscrita, pero menos antigua, en la que Buda predicó su doctrina.

palia *f.* Lienzo sobre el que se extienden los corporales para decir misa. 2 Cortina o mampara exterior puesta delante del sagrario en que está reservado el Santísimo.

paliacate *m. Méj.* Pañuelo grande de colores vivos.

paliar *tr.* Encubrir, disimular, cohonestar: ~ *una cosa con otra.* 2 Mitigar la violencia [de una enfermedad] sin curarla. ◇ ** CONJUG. [12] como *cambiar.*

paliativo, -va *adj.* [remedio] Que se aplica a las enfermedades incurables para mitigar su violencia.

palidecer *intr.* Ponerse pálido. 2 fig. Perder o disminuir una cosa su importancia, valor o esplendor: *las previsiones palidecieron ante la realidad.* ◇ ** CONJUG. [43] como *agradecer.*

palidez *f.* Amarillez, decaimiento del color natural.

pálido, -da *adj.* [pers.] Amarillo, macilento. 2 De color desvaído. 3 fig. Desanimado, falto de expresión y colorido.

palier *m.* MEC. En algunos vehículos automóviles, semieje que, partiendo de la caja del diferencial, lleva el giro hasta las ruedas motrices.

paliforme *adj.* Que tiene forma de palo o estaca.

palilalia *f.* Trastorno del lenguaje consistente en la repetición de las mismas series de palabras varias veces seguidas.

palillero *m.* Pieza, generalmente de loza, en la que se colocan los palillos (mondadientes) para ponerlos en la mesa.

palillo *m.* Varilla por la parte inferior aguda y por la superior redonda y hueca, donde se encaja la aguja para hacer media. 2 Mondadientes de madera. 3 Varita redonda que remata en forma de perilla, para tocar el tambor; **percusión (instrumentos de). 4 Vena gruesa de la hoja del tabaco. 5 Raspa del racimo de pasas. – 6 *m. pl.* Bolillos de ciertos juegos de billar. 7 Castañuelas (instrumento). 8 fig. Primeros principios o reglas menudas de las artes o ciencias. 9 fig. Lo insubstancial o despreciable de una cosa. 10 fam. Banderillas de torear. – 11 *m. And.* Pinza para tender la ropa.

palimpsesto *m.* Manuscrito antiguo que conserva huellas de una escritura anterior borrada artificialmente. 2 Tablilla en que se podía borrar lo escrito para volver a escribir.

palíndromo *adj.* [escrito] Que tiene el mismo sentido leído de izquierda a derecha que a la inversa.

palingenesia *f.* Regeneración, renacimiento de los seres después de la muerte real o aparente.

palinodia *f.* Retractación pública de lo que se había dicho.

palio *m.* Prenda principal del traje griego, a manera de manto, sujeta al pecho por una hebilla o broche. 2 Capa o balandrán. 3 Insignia pontificial, usada por el Papa y por los arzobispos, formada por una faja circular de lana blanca que da la vuelta a los hombros, con dos apéndices que caen, uno a la espalda y otro sobre el pecho; lleva bordadas seis cruces negras. 4 Dosel colocado sobre unas varas largas bajo el cual, en las procesiones y otras ceremonias, va el Santísimo, imágenes religiosas o personalidades importantes. 5 Lo que forma una manera de dosel o cubre como él.

palique *m.* fam. Conversación de poca importancia. 2 Artículo breve de tono crítico o humorístico.

paliquear *intr.* Estar de palique, charlar.

palisandro *m.* Madera de color rojo obscuro, veteada de negro, muy estimada en ebanistería, que se obtiene de varios árboles leguminosos tropicales.

palista *com.* Persona que practica el deporte del remo.

palitoque, -troque *m.* Palo pequeño,

tosco o mal labrado. 2 Palote (escritura). 3 TAUROM. Banderilla. 4 *Amér.* Juego de bolos y lugar donde se juega.

paliza *f.* Zurra de golpes dados con palo. 2 fig. Disputa en que uno queda vencido.

palma *f.* Planta de la familia de las palmas: ~ *real,* palmera de tronco limpio y liso, hojas de 4 a 5 m. de longitud, flores blancas y menudas y fruto redondo del tamaño de la avellana *(Roystonea regia).* 2 Palmera. 3 Hoja de la palmera, especialmente la amarillenta por haber estado privada de la acción de la luz antes de cortarla de la planta. 4 fig. Gloria, triunfo: *llevarse uno la ~.* 5 Parte inferior y algo cóncava de la **mano, desde la muñeca hasta los dedos. 6 Parte inferior del casco de las **caballerías. – 7 *f. pl.* Palmadas de aplausos. 8 Palmadas con que se siguen los distintos ritmos de la danza andaluza. 9 Familia de plantas del orden de las palmales, leñosas, con las hojas grandes, palmeadas o pinnadas, que se reúnen en un penacho, flores en racimo y fruto en baya.

palmada *f.* Golpe dado con la palma de la mano. 2 Ruido que se hace golpeando una con otra las palmas de la mano: *dar palmadas.*

palmales *f. pl.* Orden de plantas monocotiledóneas, cuya única familia son las palmas.

I) palmar *adj.* De palma. 2 Perteneciente o relativo a la palma (de la mano). – 3 *m.* Terreno poblado de palmas.

II) palmar *intr.* fam. Morir.

palmarés *m.* Historial, hoja de servicios. 2 DEP. Relación de victorias. 3 Lista de triunfadores de una competición o concurso. ◇ Es galicismo.

palmario, -ria *adj.* Claro, patente y manifiesto.

palmatoria *f.* Palmeta (tabla). 2 Especie de candelero bajo, con mango y pie.

palmeado, -da *adj.* De figura de palma: **hoja palmeada. 2 [animal] Que tiene los dedos ligados entre sí por una membrana.

palmear *intr.-tr.* frecuent. Palmotear. – 2 *tr.* DEP. En el juego del baloncesto, golpear [el balón] que se encuentra en la proximidad de la canasta para que entre por el aro. 3 MAR. Trasladar [una embarcación] de un punto a otro cogiéndose con las manos a los puestos fijos.

palmejar *m.* Tablón endentado y clavado a las varengas del navío, para ligar entre sí las cuadernas.

palmera *f.* Árbol de la familia de las palmas, que crece hasta 20 m. de altura, de tronco áspero y cilíndrico coronado por las hojas, que son de unos tres metros de largo, con el nervio central recto y leñoso; flores amarillentas y fruto en bayas oblongas y comestibles, con el hueso muy duro, que penden en grandes racimos debajo de las hojas *(Phœnix dactylifera).* 2 fig. Pastelito de hojaldre.

I) palmero, -ra *adj.* De La Palma, isla de Canarias.

II) palmero, -ra *m. f.* Persona que acompaña con palmas los bailes y ritmos flamencos de Andalucía.

palmesano, -na *adj.-s.* De Palma de Mallorca.

palmeta *f.* Tabla pequeña, redonda, provista de un mango, con que los maestros castigaban a los muchachos dándoles golpes en la palma de la mano.

palmicho *m. Amér.* Palma cuyas hojas se emplean para cubrir techos de edificios rústicos.

palmiforme *adj.* De forma de palma: *capitel ~.*

palmípedo, -da *adj.-f.* Ave adaptada a la natación mediante una membrana interdigital que le permite servirse de las patas como remos; como el pato y el pelícano.

palmita *f.* Medula dulce de las palmeras.

I) palmito *m.* Planta de la familia de las palmas de tronco subterráneo o muy corto, hojas en figura de abanico, formadas por lacinias estrechas que parten de un pecíolo largo, casi leñoso, comprimido y armado de aguijones; flores amarillas y fruto rojizo, elipsoidal, de hueso muy duro *(Chamaerops humilis).* 2 Tallo blanco, comestible, que se encuentra dentro del tronco del palmito y corresponde a cada una de las hojas aún no desarrolladas.

II) palmito *m.* fig. Cara de mujer. 2 fig. y fam. Talle esbelto de la mujer.

palmo *m.* Distancia que hay con la mano abierta y extendida desde el extremo del pulgar hasta el del meñique. 2 Juego de muchachos que consiste en tirar unas monedas contra una pared; gana la moneda el que acierta a hacer caer la suya un palmo o menos de la del otro.

palmotear *intr.* frecuent. Dar golpes con las palmas de las manos una contra otra en señal de entusiasmo. – 2 *tr.* Dar [a una persona o animal] palmadas en la espalda u otra parte del cuerpo, en señal de amistad.

palo *m.* Trozo de madera mucho más largo que grueso, generalmente cilíndrico y manuable. 2 Golpe dado con un palo. 3 Pena capital ejecutada en un instrumento de palo. 4 Larga pieza de sección circular, de madera, hierro o acero que, colocada verticalmente en el plano longitudinal de un buque o embarcación, sirve para sostener las vergas y demás elementos propios para largar las velas, mover la carga, establecer puestos de observación, etc.: ~ *trinquete, mesana, bauprés* y *mayor.* 5 Madera; esp., la de algunos árboles americanos; p. ext., estos mismos árboles: ~ *Brasil* o *del Brasil,* la del árbol de este nombre, dura, compacta, de color encendido, susceptible de hermoso pulimento, que sirve principalmente para teñir de encarnado; ~ *campeche* o *de Campeche,* campeche. 6 DEP. Bastón con el que se practican ciertos deportes. 7 DEP. Madero de las porterías de ciertos deportes; como el fútbol. 8 Dulce de forma alargada relleno de crema. 9 Serie en que se divide la baraja de naipes: oros, copas, espadas y bastos en la española, y picas, tréboles, diamantes y corazones en la francesa. 10 Modalidad de cante flamenco. 11 Trazo de algunas letras que sobresale de las demás por arriba o por abajo. – 12 *m. Argent.* y *Urug.* Poste elevado perpendicularmente en tierra y bien apisonado. 13 *R. de la Plata.* Pedacito del tronco de la rama que, en la yerba mate, se mezcla con la hoja triturada. 14 *Argent.* fig. Reunión considerable de personas apiñadas en cierto espacio.

paloma *f.* Ave del orden de los columbiformes: ~ *de moño* o *moñuda,* la doméstica que tiene largas y vueltas en la punta las plumas del colodrillo; ~ *de toca* o *monjil,* la doméstica que tiene sobre la cabeza una porción de plumas blancas que caen por los lados de ella; ~ *mensajera,* la doméstica que se distingue por su instinto de volver al palomar desde largas distancias y se utiliza para llevar mensajes; ~ *rizada,* la doméstica de plumas rizadas; ~ *torcaz,* la que anida en el campo y en los árboles elevados y tiene la cabeza, dorso y cola de color gris azulado, el cuello verdoso con un collar incompleto blanco, pecho cobrizo, vientre blanquecino y patas moradas *(Columba palumbus);* ~ *zorita, zurra, zurana* o *zurita,* la que anida en los bosques y se parece a la silvestre, pero con el pico amarillo y las patas negras *(Columba oenas).* 2 Bebida compuesta de agua y aguardiente anisado. 3 fig. Persona de genio apacible y quieto. 4 fig. Partidario de la paz a toda costa o de una actitud conciliatoria.

palomadura *f.* Ligadura con que se sujeta la relinga a la vela.

palomar *m.* Edificio o paraje donde se cogen y crían las palomas.

palomear *intr.* Andar a caza de palomas. 2 Ocuparse mucho tiempo en cuidarlas.

palometa *f.* Pez marino teleósteo perciforme de cuerpo alto y comprimido de color gris azulado *(Lichia glauca).* 2 Tuerca en forma de mariposa, palomilla.

palometón *m.* Pez marino teleósteo perciforme de color gris perla más o menos obscuro, de cuerpo ancho con una línea lateral formando una *s* de hasta 2 m. de longitud y 50 kgs. de peso *(Cæsiomorus amia; Scomber a.; Lichia a.).*

palomilla *f.* Mariposa nocturna, cenicienta, de alas horizontales y estrechas y antenas verticales, que causa grandes daños en los graneros *(Sitotroga cerealella).* 2 Mariposa muy pequeña. 3 Parte anterior de la grupa de las caballerías. 4 Caballo de color muy blanco, semejante al de la paloma. 5 Tornillo con dos alas, como de mariposa, que sirven para enroscarlo con los dedos. 6 Armazón de tres piezas, en forma de triángulo rectángulo, para sostener tablas, estantes, etc. 7 *Amér.* fam. Plebe, gentuza, vulgo.

palomina *f.* Excremento de las palomas. 2 Especie de uva negra.

palomino *m.* Pollo de la paloma brava. 2 Especie apreciada de uva de Jerez. 3 fig. Joven inexperto, cándido. 4 fam. Mancha de excremento en la parte posterior de la camisa.

palomita *f.* Roseta de maíz tostado reventado. 2 Anís con agua. 3 Seta comestible de sombrero blanco con manchas moradas *(Tricholoma columbetta).*

palomo *m.* Macho de la paloma. 2 Paloma torcaz. – 3 *adj. Amér.* [caballo] Blanco, sin parar mientes en el color de sus ojos.

palote *m.* Palo mediano. 2 Trazo que se hace en papel pautado, como primer ejercicio de escritura. 3 *Argent.* y *Cuba.* Rodillo de palo usado en las cocinas.

paloteado *m.* Baile en que los bailarines hacen figuras, paloteando a compás de la música. 2 Música de este baile. 3 fig. Riña o contienda ruidosa o en que hay golpes.

palotear *intr.* Herir unos palos con otros o hacer ruido con ellos. 2 fig. Hablar mucho y contender sobre una especie.

palpable *adj.* Que puede tocarse con las manos. 2 fig. Patente, manifiesto.

palpación *f.* MED. Método exploratorio consistente en aplicar los dedos o la mano sobre las partes externas del cuerpo o las cavidades accesibles.

palpar *tr.* Tocar [una cosa] con las manos para reconocerla: ~ *la herida con tus manos.* 2 p. ext. Andar a tientas: ~ *las tinieblas; palpaba entre los obstáculos.* 3 fig. Conocer [una cosa] tan claramente como si se tocara: *usted lo palpará.*

palpebral *adj.* Perteneciente o relativo a los párpados.

palpígrado *adj.-m.* Arácnido del orden de los palpígrados. – 2 *m. pl.* Orden de arácnidos microscópicos con un largo flagelo al final del abdomen.

palpitar *intr.* Contraerse y dilatarse el corazón, especialmente aumentar la intensidad o frecuencia de estos movimientos a consecuencia de una emoción. 2 Moverse o agitarse una parte del cuerpo interiormente con movimiento trémulo e involuntario. 3 fig. Manifestarse con vehemencia un afecto: *en sus gestos palpita el rencor.*

pálpito *m.* fig. *y* fam. Corazonada, presentimiento.

palpo *m.* ZOOL. Apéndice articulado y movible que en forma y número diferentes tienen los artrópodos y ****moluscos** alrededor de la boca para palpar y sujetar lo que comen; ****insecto.**

palúdico, -ca *adj.* Relativo al terreno pantanoso. 2 Perteneciente o relativo al paludismo: *fiebre palúdica.*

paludícola *adj.* Que vive en lagunas o pantanos.

paludina *f.* Género de moluscos gasterópodos.

paludismo *m.* Enfermedad infecciosa endémica en las regiones pantanosas, debida a un protozoo específico transmitido al hombre por la picadura de la hembra de un mosquito del género *Anopheles.*

palurdo, -da *adj.-s.* desp. Tosco, grosero, rústico.

I) palustre *m.* Paleta (de los albañiles).

II) palustre *adj.* Relativo a laguna o pantano.

pallar *tr.* Entresacar la parte metálica o más rica [de los minerales].

pallete *m.* MAR. Tejido que se hace a bordo con hilos o cordones de cabos con que se protege ciertas partes del buque.

palloza *f.* Construcción en piedra, de planta redonda o elíptica con cubierta de paja, destinada en parte a vivienda y en parte al ganado.

pambiche *m. Amér.* Tela ligera para trajes de verano.

pamela *f.* Sombrero de paja, ancho de alas, que usan las mujeres, especialmente durante el verano. 2 *Argent.* fam. Hombre presumido y algo afeminado.

pamema *f.* fam. Hecho o dicho insignificante a que se ha querido dar importancia. 2 Fingimiento, melindre.

pampa *f.* Llanura de gran extensión de América del sur, sin vegetación arbórea: *las pampas argentinas.* – 2 *adj.-s. Amér. Merid.* [caballería, res] Que tiene la cabeza blanca, siendo el cuerpo de otro color.

pampajarito *m.* Planta crasulácea, formadora de alfombras, con hojas ovaladas y carnosas, con gusto a pimienta, y flores amarillas en cabezuelas ramificadas *(Sedum acre).*

pámpana *f.* Hoja de la vid.

pámpano *m.* Sarmiento tierno y delgado, o pimpollo de la vid. 2 Pez marino teleósteo perciforme de unos 50 cms. de longitud, cuerpo muy ancho, dorso gris azulado, flancos plateados con manchas alargadas, y aleta caudal muy escotada *(Stromateus fiatola).*

pampear *intr. Amér. Merid.* Recorrer la pampa.

pampero, -ra *adj.* Perteneciente o relativo a las pampas. – 2 *adj.-s. Amér.* Viento fuerte que sopla de la región de las pampas.

pampirolada *f.* Salsa de pan y ajos machacados y desleídos en agua. 2 fig. Necedad o cosa insubstancial.

pamplina *f.* Planta papaverácea, de hojas partidas en lacinias muy estrechas y agudas y flores amarillas en panojas pequeñas que infesta los sembrados de suelo arenisco *(Hypecoum grandiflorum).* 2 fig. Cosa de poca entidad, fundamento o utilidad, tontería.

pamplonés, -nesa *adj.-s.* De Pamplona, capital de Navarra.

pamplonica *adj.-com.* Pamplonés.

pamporcino *m.* Planta primulácea de rizoma grande, del que parten muchas raicillas; hojas radicales, flores de corola con tubo purpurino y divisiones róseas, y fruto capsular y redondo *(Cyclamen europœum).* 2 Fruto de esta planta.

pampringada *f.* Pringada. 2 fig. Cosa insignificante o inoportuna.

pampsiquismo *m.* Teoría que afirma que toda realidad es de naturaleza psíquica.

pamue *adj.-com.* Indígena del oeste de África perteneciente a la República de la Guinea Ecuatorial. – 2 *m.* Lengua de estos indígenas.

pan *m.* Alimento hecho de harina amasada con agua, generalmente fermentada y cocida al horno. 2 Pieza de dicho alimento que resulta de cada una de las porciones de masa que se meten en el horno. Si no se expresa el grano de que está hecha la harina que lo compone, se entiende que ésta es de trigo: *un kg. de* ~; *un* ~ *de kilo;* ~ *de centeno, de maíz, etc.;* ~ *ázimo* o *cenceño,* el que se hace sin poner levadura en la masa, por oposición al ordinario o fermentado; ~ *cateto,* hogaza; ~ *francés,* el muy esponjoso, hecho con harina de trigo; ~ *de molde,* aquel en cuya elaboración intervienen leche y materias grasas, y que se cuece en moldes; ~ *integral,* el fabricado con harina que conserva todos los componentes del trigo, previamente sometidos a limpieza; ~ *bendito,* el que suele bendecirse en la misa y se reparte al pueblo; cosa que es recibida con gran aceptación; persona buena; ~ *de Viena,* panecillo o barrita cuya masa contiene azúcar, leche y materias grasas y cuya miga es muy esponjosa; ~ *rallado,* el molido que se usa en cocina; ****panadería.** 3 Masa de otras substancias comparables al pan: ~ *de higos, de chicharrones, de sal.* 4 Masa muy sobada y delicada, dispuesta con manteca o aceite, propia para pasteles y empanadas. 5 fig. Trigo: *los campos llevan mucho* ~ *este año.* 6 fig. Todo lo que en general sirve para el sustento diario: *ganarse el* ~. 7 fig. Hoja de harina cocida entre dos hierros a la llama, de que se hacen hostias, obleas, etc. 8 fig. Hoja finísima de oro, plata u otro metal, propia para dorar o platear. 9 fig. *y* fam. Cosa muy buena. – 10 *m. pl.* Trigos, centenos, cebadas, etc., desde que nacen hasta que se siegan.

pana *f.* Tela gruesa, parecida al terciopelo.

Puede ser lisa, abordonada y labrada. 2 Tabla levadiza que, con otras, forma el suelo de una embarcación menor.

pánace *f.* Planta umbelífera de tallo estriado, hojas partidas en lóbulos acorazonados, flores amarillas, semillas aovadas y menudas y raíz gruesa y jugosa de que se saca el opopónaco *(Opopanax chironium).*

panacea *f.* Medicamento a que se atribuye eficacia para curar diversas enfermedades. 2 ~ *universal,* remedio que buscaban los alquimistas para curar todas las enfermedades.

panadear *tr.* Hacer pan para venderlo: *~ la harina; hoy panadeamos.*

**panadería *f.* Oficio de panadero. 2 Establecimiento del panadero.

panadero, -ra *m. f.* Persona que tiene por oficio hacer o vender pan. – 2 *f.* fam. Zurra, azotaina, paliza.

panadizo *m.* Inflamación aguda del tejido celular de los dedos, especialmente de su primera falange. 2 fig. *y* fam. Persona que tiene el color muy pálido y anda continuamente enferma.

panafricanismo *m.* Tendencia de los países africanos a unirse entre sí.

panal *m.* Conjunto de celdillas prismáticas hexagonales de cera, que las abejas forman dentro de la colmena para depositar la miel; **insectos. 2 Cuerpo semejante que fabrican las avispas. 3 En un tubo aerodinámico, rejilla transversal para enderezar la corriente de aire.

panamá *m.* Sombrero de pita. 2 Tejido de algodón. 3 *Amér.* Negocio fraudulento. ◇ Pl.: *panamaes.*

panameño, -ña *adj.-s.* De Panamá, nación de América central.

panamericanismo *m.* Doctrina que aspira a la estrecha colaboración entre las repúblicas del Nuevo Mundo para combatir la influencia extraña, especialmente la europea.

panarabismo *m.* Doctrina que aspira a la colaboración entre los países de lengua y civilización árabes.

panarra *m.* fam. Hombre simple y perezoso.

panatela *f.* Especie de bizcocho grande y delgado.

panavisión *f.* Sistema de filmación y proyección que emplea grandes formatos.

panca *f. Amér. Merid.* Hoja que envuelve la espiga del maíz.

pancalismo *m.* Doctrina filosófica que interpreta la realidad desde el punto de vista de la belleza.

pancarpia *f.* Corona compuesta de diversas flores.

pancarta *f.* Pergamino que contiene varios documentos. 2 Cartel con frases o emblemas, que se lleva en manifestaciones públicas.

pancera *f.* Pieza de la **armadura que cubre y defiende el vientre.

panceta *f.* Tocino veteado.

pancifloro, -ra *adj.* [árbol, planta] De pocas flores.

pancista *adj.-com.* [pers.] Que, mirando solamente a su interés personal, no pertenece a ningún partido político o de otra clase, para poder medrar o estar en paz con todos.

panclastita *f.* Explosivo líquido, muy

PANADERÍA

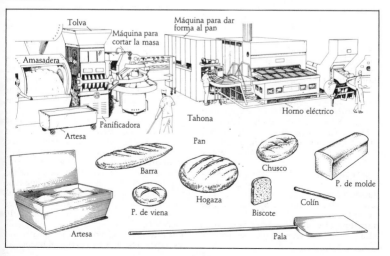

potente, formado por la mezcla de peróxido de nitrógeno con un hidrocarburo, un derivado nitrado o sulfuro de carbono.

páncreas *m.* Glándula situada en la cavidad abdominal de los vertebrados en comunicación con el intestino delgado, donde vierte un jugo parecido a la saliva, pero más complejo, que contribuye a la **digestión. ◇ Pl.: *páncreas.*

pancreático, -ca *adj.* Perteneciente o relativo al páncreas: *jugo* ~.

pancreatina *f.* Mezcla soluble de los fermentos pancreáticos obtenida del páncreas de los animales.

pancromático, -ca *adj.* [placa, película] De sensibilidad aproximadamente igual para los diversos colores.

panchito *m.* Cacahuete pelado y frito.

I) pancho *m.* Cría del besugo.

II) pancho, -cha *adj.* Tranquilo. 2 Satisfecho con algo.

panchón *m.* Pan moreno hecho con harina poco cernida.

I) panda *m.* Mamífero carnívoro prociónido, de aspecto parecido a un oso, de pelaje blanco con las extremidades, orejas, cola y zona alrededor de los ojos de color negro (*Ailuropoda melanoleucus*). 2 ~ **menor,** mamífero carnívoro prociónido, trepador, de pelaje espeso y suave, de color castaño ferruginoso, blanco en la cara y negro en las patas y vientre. Se alimenta de bambú y otros vegetales (*Ailurus fulgens*).

II) panda *f.* Galería o corredor de un claustro. 2 fam. Pandilla.

pandanáceo, -a *adj.-f.* Planta de la familia de las pandanáceas. – 2 *f. pl.* Familia de plantas monocotiledóneas arborescentes, exóticas, provistas de raíces aéreas, con hojas largas y estrechas, flores desnudas en baya o drupa; como el bombonaje.

pandear *intr.-prnl.* Torcerse una cosa encorvándose, especialmente en el medio: ~ *una pared, una viga.*

pandectas *f. pl.* Cuaderno en que se forma un índice alfabético de señas o direcciones, folios de cuentas corrientes, etc.

pandemia *f.* Enfermedad endémica que se extiende a muchos países o que ataca a casi todos los individuos de una localidad o región.

pandemónium *m.* Capital imaginaria del reino infernal. 2 fig. Lugar en que hay mucho ruido y confusión.

panderada *f.* Conjunto de muchos panderos. 2 fig. Necedad, dicho insubstancial.

pandereta *f.* Instrumento músico de **percusión de forma similar al pandero, pero de menor tamaño.

panderetear *intr.* Tocar el pandero en bulla y regocijo, o festejarse y bailar al son de él.

pandero *m.* Instrumento músico de percusión, formado por una piel estirada sobre uno o dos aros superpuestos y provistos de sonajas que suenan al menor movimiento del instrumento. 2 fig. Persona necia y habladora. 3 fig. *y* fam. Culo.

pandilla *f.* Liga o unión. 2 La que forman algunos para engañar o perjudicar a otros. 3 Grupo de amigos que suelen reunirse para conversar o solazarse. 4 Trampa, fullería, especialmente la hecha juntando cartas.

pandillaje *m.* Influjo de personas reunidas en pandilla.

pando, -da *adj.* Que pandea. 2 Que se mueve lentamente, como un río en el llano. 3 fig. [pers.] Pausado y espacioso. 4 *Méj.* Borracho. – 5 *adj.-s.* Res de lomo hundido. – 6 *m.* Terreno casi llano situado entre dos montañas.

pandora *f.* Mariposa diurna que tiene el reverso de sus alas anteriores de color rojo rosado, y verde con estrías plateadas el de las posteriores (*Pandorina pandora*).

panduro *adj.-m.* Hombre brutal y ladrón.

panecillo *m.* Pan pequeño, equivalente en peso a la mitad de una libreta. 2 Mollete esponjado, propio para el desayuno. 3 Lo que tiene forma de pan pequeño.

panegírico, -ca *adj.* Perteneciente o relativo a la oración o discurso en alabanza de una persona; laudatorio, encomiástico. – 2 *m.* Discurso en alabanza de una persona, especialmente sermón en honor de un santo. 3 Elogio de una persona hecho por escrito.

panegirizar *tr.* Hacer el panegírico [de uno]. ◇ ** CONJUG. [4] como *realizar.*

panel *m.* Compartimiento en que para su ornamentación se dividen los lienzos de pared, las hojas de puertas, etc. 2 Tabla que forma el suelo movible de algunas embarcaciones pequeñas. 3 Tablero. 4 Artesón. 5 Elemento prefabricado que se utiliza para revestimientos o divisiones verticales de viviendas y edificios. 6 Cartelera grande dedicada a la publicidad o a la información en general. 7 Salpicadero del automóvil. 8 Grupo social seleccionado para contestar periódicamente a los cuestionarios de encuestas.

panela *f.* Bizcocho de figura prismática. 2 Hoja de álamo puesta como mueble en el escudo. 3 *Amér.* Chancaca, papelón. 4 *Méj.* Queso al que no se le escurre todo el suero.

panenteísmo *m.* Doctrina teológica que no identifica a Dios con el mundo, ni lo hace parte del panteísmo, sino que afirma que Dios contiene al mundo en sí, pero que, además, lo supera; es decir, según el panenteísmo, el mundo está en Dios y es Dios, pero no es la totalidad de Dios.

panera *f.* Troje donde se guardan los cereales, el pan o la harina. 2 Cesta grande, sin asa, para transportar pan. 3 Cesta o plato en que se sirve el pan a la hora de comer. 4 fam. Sombrero femenino, ancho y bajo.

I) panero *m.* Canasta redonda para echar el pan que se va sacando del horno.

II) panero, -ra *adj.* [pers.] Que gusta de comer mucho pan.

paneslavismo *m.* Tendencia política que aspira a la confederación de todos los pueblos de origen eslavo.

panetela *f.* Especie de papas de caldo, pan rallado y otros ingredientes. 2 Cigarro puro largo y delgado.

paneuropeísmo *m.* Tendencia o doctrina que aspira a la aproximación política, económica y cultural de los países de Europa.

pánfilo, -la *adj.-s.* Muy pausado y calmoso. 2 Tonto, apocado. – 3 *m.* Juego que consiste en apagar una cerilla pronunciando la palabra *pánfilo*.

panfletario, -ria *adj.* Con el estilo propio de los panfletos.

panfleto *m.* Folleto, libelo. 2 Escrito político de carácter subversivo.

panga *f. Amér. Central.* Lancha, bote.

pangaré *adj. Amér. Central.* [caballo] De color ante, amarillento.

pange lingua *m.* Himno que empieza con estas palabras y se canta en honor y alabanza del Santísimo Sacramento.

pangermanismo *m.* Doctrina que proclama y procura la unión y predominio de todos los pueblos de origen germánico.

pango *m. Argent.* y *Bol.* Lío, enredo.

pangolín *m.* Mamífero folidoto de Asia y África, de aspecto parecido al de un lagarto con la cabeza, dorso y cola protegidos por escamas duras y puntiagudas que el animal puede erizar, especialmente cuando se arrolla en bola para defenderse (gén. *Manis*).

panhelenismo *m.* Tendencia de los griegos de los Balcanes, del mar Egeo y de Asia Menor, a unirse en una sola nación.

paniaguado *m.* Servidor de una casa, que recibe habitación, alimentación y salario. 2 fig. El allegado a una persona y favorecido por ella.

pánico, -ca *adj.-m.* Terror grande, generalmente colectivo.

panícula *f.* Panoja (inflorescencia).

panículo *m.* Capa subcutánea formada por un tejido: ~ *adiposo*.

paniego, -ga *adj.* Que come mucho pan. 2 [terreno] Que lleva trigo.

panificadora *f.* Tahona, fábrica de pan. 2 Máquina para amasar pan; **panadería.

panificar *tr.* Panadear. 2 Romper [las dehesas y tierras eriales] arándolas y haciéndolas de pan llevar. ◊ ** CONJUG. [1] como *sacar*.

panino *m. Méj.* Enjambre de avispas. 2 *Méj.* Conjunto de cosas o animales.

panislamismo *m.* Moderna tendencia de los pueblos musulmanes a lograr, mediante la unión de todos ellos, su independencia política, religiosa y cultural respecto de las demás naciones.

panizo *m.* Planta graminácea, de hojas planas, largas, estrechas y ásperas; flores en panoja grande y apretada, y grano redondo, reluciente y de color entre amarillo y rojo, que en algunas partes sirve de alimento al hombre y a las aves *(Setaria italica)*. 2 Grano de esta planta. 3 *Alm., Ar., Cuenc., Gran., Guad., Jaén* y *Sor.* Maíz.

panléxico *m.* Diccionario muy extenso que abarca los tecnicismos, regionalismos, etc.

panlogismo *m.* Doctrina filosófica que identifica la razón con el ser.

pano *adj.-s.* Familia lingüística americana extendida en las regiones entre el río Ucayali y las cabeceras del Juruá y Purús, entre Perú y Brasil.

panocha *f.* Panoja. 2 *Amér.* Torta grande, de maíz, hecha con granos de mazorca tierna.

panocho, -cha *adj.-s.* De la huerta de Murcia, huertano. – 2 *m.* Manera de hablar de los huertanos.

panoja *f.* Mazorca del maíz, del panizo o del mijo; **cereales. 2 **Inflorescencia compuesta formada por un racimo cuyos ejes laterales se ramifican de nuevo en forma de racimo o a veces de espiga. 3 Conjunto de más de dos pescados pequeños, que se fríen pegados por las colas.

panoli *adj.-s.* [pers.] Simple y sin voluntad.

panoplia *f.* Armadura completa o con todas las piezas. 2 Colección de armas ordenadamente colocadas. 3 Tabla, generalmente en forma de escudo, donde se colocan armas diversas. 4 Estudio de las armas de mano y de las armaduras antiguas. 5 p. ext. Conjunto de cosas similares.

panóptico, -ca *adj.-m.* Edificio construido de modo que toda su parte interior se pueda ver desde un solo punto.

panorama *m.* Vista pintada en un gran cilindro hueco, para contemplarla desde el centro del mismo. 2 p. ext. Vista de un horizonte muy dilatado.

panorámica *f.* Procedimiento cinematográfico, consistente en hacer girar la cámara sobre un eje horizontal o vertical, durante la toma de vistas.

panqueque *m. Amér.* Torta blanda de harina, leche, huevos y mantequilla.

pansa *f.* Variedad de uva blanca, utilizada en la elaboración de vinos blancos catalanes.

panspermia *f.* Doctrina que sostiene hallarse difundidos por todas partes gérmenes de seres organizados que no se desarrollan hasta encontrar circunstancias favorables para ello.

pantagruélico, -ca *adj.* [banquete] Opíparo, abundantísimo.

pantalán *m.* Muelle que avanza en el mar.

pantaletas *f. pl. Amér.* Pantalón interior, usado por las mujeres y las niñas.

pantalón *m.* Prenda de vestir, ceñida al cuerpo en la cintura, que baja cubriendo separadamente cada pierna, generalmente hasta los pies: *unos pantalones de lana;* ~ *bombacho,* el ancho, de perniles terminados en forma de campana abierta por el costado y con botones y ojales para cerrarla; ~ *abotinado,* aquel cuyos perniles se estrechan en la parte inferior ajustándose al calzado; ~ *corto,* el que no llega a la rodilla. 2 Prenda interior femenina, más corta que el pantalón de los hombres.

pantalla *f.* Lámina de distintas formas y materias, que se coloca ante la luz para que ésta no ofenda a los ojos o para dirigirla hacia donde se quiera. 2 Especie de mampara que se pone delante de las **chimeneas para resguardarse del exceso de calor o de luz. 3 Telón en que se proyectan imágenes. 4 Superficie fluorescente en la que se forma la imagen en los tubos catódicos, televisión, ordenador, etc. 5 Altavoz externo e independiente de la fuente productora de la onda sonora. 6 fig. Persona o cosa que, puesta delante de otra, la oculta o le hace sombra. 7 fig. Persona que, a sabiendas o sin conocerlo, llama hacia sí la atención en tanto que otra hace o logra secretamente una cosa: *servir de* ~.

pantanal *f.* Tierra pantanosa.

pantano *m.* Hondonada donde se recogen y naturalmente se detienen las aguas, con fondo más o menos cenagoso. 2 Gran depósito de agua para alimentar las acequias de riego, saltos de agua, etc., formado generalmente al cerrar la boca de un valle; **río. 3 fig. Dificultad, óbice, estorbo grande.

pantanoso, -sa *adj.* [terreno] Con pantanos, charcos o cenagales. 2 fig. Lleno de dificultades.

pantasana *f.* Arte de pesca que consiste en un cerco de redes caladas a plomo, rodeadas de otras horizontales.

panteísmo *m.* Doctrina teológica que afirma la identidad substancial de Dios y el mundo.

pantelismo *m.* Sistema filosófico que afirma que la Voluntad es la substancia del mundo.

panteón *m.* En la antigüedad, templo dedicado a todos los dioses, especialmente en **Roma. 2 Monumento funerario destinado a sepultura de varias personas. 3 Conjunto de los dioses de un país. 4 *And., Amér. Central, Colomb., Chile, Ecuad., Méj.* y *Perú* Cementerio.

pantera *f.* Mamífero carnívoro félido, especie de leopardo de manchas anilladas, que vive en África y en gran parte de Asia *(Pant-*

hera pardus). 2 Ágata amarilla, mosqueada de pardo o rojo, imitando la piel de una pantera.

pantocrátor *m.* Imagen de Dios Padre o de Cristo todopoderoso, generalmente representado, en el arte bizantino y **románico, sentado en su trono o de medio cuerpo, con la diestra levantada y sosteniendo en la mano izquierda el libro de los evangelios.

pantógrafo *m.* Instrumento que sirve para copiar **dibujos aumentando o disminuyendo su tamaño, basado en paralelogramos articulados. 2 Dispositivo colocado sobre las locomotoras eléctricas para la toma de corriente del tendido aéreo; ferrocarril.

pantómetro, -tra *m.* *f.* Compás de proporción cuyas piernas llevan marcadas en sus caras diversas escalas. 2 Instrumento de topografía para medir ángulos por medio de visuales.

pantomima *f.* Representación mímica sin palabras.

pantoque *m.* Parte casi plana del casco de un barco, que forma el fondo junto a la quilla.

pantorrilla *f.* Parte carnosa y abultada de la pierna, por debajo de la corva; **cuerpo humano.

pantorrillera *f.* Calceta gruesa que se usaba para abultar las pantorrillas. 2 Refuerzo del pantalón a la altura de la pantorrilla.

pantufla *f.* Calzado para casa, a modo de zapato sin orejas ni talón.

panza *f.* Vientre; esp., el muy abultado. 2 Parte convexa y abultada de algunas vasijas y otros objetos; **campana. 3 Primera de las cuatro cavidades que forman el estómago de los rumiantes.

panzada *f.* Golpe dado con la panza. 2 fam. Hartazgo.

pañal *m.* Lienzo en que se envuelve a los niños de corta edad. 2 Faldón de la camisa del hombre. 3 p. ext. Especie de braguita de celulosa absorbente que se pone a los niños de corta edad entre la piel y el vestido. – 4 *m. pl.* Envoltura de los niños de corta edad. 5 fig. Primeros principios de la crianza.

pañería *f.* Comercio o tienda de paños. 2 Conjunto de los mismos paños.

pañete *m.* Paño de inferior calidad o de poco cuerpo. 2 Enlucido (capa de yeso). – 3 *m. pl.* Enagüillas que ponen a las imágenes de Cristo desnudo.

paño *m.* Tela, especialmente la de lana muy tupida y con pelo más o menos corto: *paños calientes,* fig. y fam., diligencias para templar el rigor o aspereza con que se ha de proceder en una materia. 2 Tapiz u otra colgadura. 3 Velas que lleva desplegadas el navío. 4 Mancha obscura en la piel, especialmente del rostro. 5 Lo que disminuye el brillo o la transparencia de una cosa. 6 Lienzo de pared. 7 Trapo para limpiar. 8 Excrecencia membranosa que desde el ángulo externo del ojo se extiende a la córnea, impidiendo la visión. 9 Compresa. – 10 *m. pl.* Vestiduras: *paños menores,* los que se ponen debajo de los que se traen exteriormente. – 11 *m. Amér.* Extensión de terreno para cultivo.

pañol *m.* Compartimiento del buque, para guardar víveres, municiones, etc.

pañoleta *f.* Prenda triangular, a modo de medio pañuelo, que usan las mujeres al cuello. 2 Corbata estrecha de nudo, y del color de la faja, que se ponen al cuello los toreros con el traje de luces.

pañoso, -sa *adj.* [pers.] Desaliñado o harapiento.

pañuelo *m.* Pedazo de tela de hilo, algodón, seda, lana, etc., cuadrado y de una sola pieza, que sirve para diferentes usos: ~ *de bolsillo, de la mano* o simplemente ~, el usado para limpiarse el sudor o la nariz.

I) papa *m.* Sumo pontífice romano, vicario de Cristo, sucesor de San Pedro en el gobierno universal de la Iglesia católica. 2 fam. Padre.

II) papa *f. And., Can.* y *Amér.* Patata. 2 *Amér.* Masa esférica de mineral.

III) papa *f.* fam. Paparrucha. – 2 *f. pl.* fig. Comida. 3 Sopas blandas. 4 Gacha (masa blanda).

papá *m.* fam. Padre. ◇ Pl.: *papás.* Su uso es moderno. En los clásicos y entre el pueblo de algunas regiones se dice *papa.*

papable *adj.* [cardenal] Que se reputa merecedor de la tiara. 2 fig. Que se designa como sujeto probable para obtener un empleo.

papacho *m. Méj.* Caricia, sobo, friega.

papada *f.* Abultamiento carnoso anormal, debajo de la barba. 2 Pliegue cutáneo que sobresale en el borde inferior del cuello de ciertos animales.

papadilla *f.* Parte de carne que hay debajo de la barba.

papado *m.* Dignidad de papa. 2 Tiempo que dura.

papafigo *m.* Ave paseriforme de plumaje pardo verdoso en la espalda, alas y cola, ceniciento en el vientre y negro o rojizo en la cabeza, que se alimenta de insectos y frutas, especialmente de higos; canta muy bien y puede vivir enjaulado *(Pionias accipitrinus).*

papagayo *m.* Ave psitaciforme de África, de unos 30 cms. de largo, pico fuerte, grueso y muy encorvado, plumaje gris, cola encarnada y cara blanquecina *(Psitacus erithacus).* 2 Ave psitaciforme de América, parecida a la anterior, pero con el plumaje verde, la cabeza amarillenta y encarnado el encuentro de las alas, la cual, domesticada, aprende a repetir palabras y hasta frases enteras *(Amazona ochrocephala).* 3 Pez teleósteo comestible, de hocico saliente, con dobles labios carnosos, cuerpo oblongo, rojo, verde, azul y amarillo,

con el vientre plateado, y una sola aleta dorsal *(Labrus bimaculatus).* 4 Planta arácea exótica, con hojas grandes en forma de escudo y de colores muy vivos, espádice amarillento, espata blanca, y fruto en baya rojiza *(Caladium bicolor).* 5 *Amér.* Planta amarantácea de adorno, de tallo derecho y ramoso; hojas alternas de tres colores, encarnado, amarillo y verde; flores pequeñas, y semilla menuda y negra *(Amaranthus tricolor).* – 6 *adj.-m. Amér.* Hablador, charlatán.

papahígo *m.* Gorro de paño que cubre el cuello y parte de la cara. 2 Vela mayor, excepto la mesana, cuando se navega con ella sola.

papaína *f.* Producto obtenido del jugo del papayo, sucedáneo de la pepsina, que coagula la leche y digiere los albuminoides.

papalina *f.* Gorra o birrete con dos puntas, que cubre las orejas. 2 Cofia de mujer, de tela ligera y con adornos.

papamoscas *m.* Ave paseriforme insectívora, de unos 15 cms. de largo, de color gris y blanquecino con manchas pardas, y cerdas negras y largas en la comisura del pico *(Muscicapa albicollis).* ◇ Pl.: *papamoscas.*

papanatas *com.* fig. Hombre simple y crédulo. ◇ Pl.: *papanatas.*

papar *tr.* Comer [cosas blandas] sin mascar, como papas, sopas, etc. 2 fam. Comer. 3 fig. y fam. Hacer poco caso [de las cosas]; pasar [por ellas] descuidadamente: *no papa nada.*

paparda *f.* Pez marino teleósteo beloniforme, de unos 50 cms. de longitud, muy parecido a la aguja, aunque de maxilares más iguales y las espinas no son verdes *(Scomberesox saurus).*

paparrucha *f.* fam. Noticia falsa y desatinada. 2 fam. Obra insubstancial.

papaveráceo, -a *adj.-f.* Planta de la familia de las papaveráceas. – 2 *f. pl.* Familia de plantas dicotiledóneas, lactescentes, generalmente herbáceas, de hojas alternas, más o menos divididas, flores regulares y fruto capsular con muchas semillas menudas, oleaginosas; como la amapola.

papaverina *f.* QUÍM. Alcaloide cristalino contenido en el opio, y que tiene acción antiespasmódica.

papaya *f.* Fruto del papayo.

papayáceo, -a *adj.-f.* Planta de la familia de las papayáceas. – 2 *f. pl.* Familia de plantas dicotiledóneas de América, arbóreas, dioicas, de hojas palmeadas y hendidas, flores de cáliz muy pequeño, con la corola monopétala, y fruto en baya, con semillas semejantes a las de las cucurbitáceas.

papayo *m.* Arbolillo papayáceo tropical de tronco fibroso, coronado por grandes hojas palmeadas y fruto grande, oblongo, de carne amarilla y dulce, semejante a la del melón *(Carica papaya).*

papear *intr.* Balbucir, tartamudear, hablar sin sentido.

papel *m.* Substancia, en forma de hojas delgadas, hecha con pasta de fibras vegetales obtenidas de trapos, paja, madera, etc.: ~ *biblia*, el muy fino y delgado, que suele emplearse para ediciones de lujo; ~ *carbón*, *de calcar* o *de calco*, el entintado por una cara que puesto entre dos hojas de papel sirve para calcar; ~ *cebolla*, el muy fino, resistente y transparente que se usa para mapas, etc.; ~ *cuché*, el muy satinado, apto para copias fotográficas o para impresión de grabados directos; ~ *de aluminio*, ~ *de estaño*, o *de plata*, lámina muy delgada de estos metales con que se envuelven algunos productos; ~ *de barbas*, el de tina que no está recortado por los bordes; ~ *de estraza*, el muy basto, áspero, sin cola y sin blanquear; ~ *de filtro*, el poroso y sin cola, usado para filtrar: ~ *de fumar*; ~ *de lija*, hoja de papel fuerte, con vidrio molido, arena cuarzosa o polvos de esmeril, encolados en una de sus caras; ~ *de mano* o *de tina*, el de hilo hecho en molde pliego a pliego; ~ *higiénico*, el destinado a usos sanitarios, que se vende enrollado; ~ *pintado*, el que tiene impresos adornos o dibujos y es empleado para empapelar los aposentos; ~ *secante*, el esponjoso y sin cola, usado para enjugar lo escrito; ~ *vegetal*, el satinado y sulfurado, transparente, que emplean los dibujantes y delineantes. 2 Pliego, hoja o pedazo de papel. 3 Impreso que no llega a formar libro; periódico, especialmente en plural: *viene en los papeles.* 4 Carta, credencial, título, documento manuscrito o impreso. 5 Documento negociable que representa un valor en dinero: ~ *moneda*, o *simplemente* ~, el que sustituye al dinero en metálico y tiene curso como tal. 6 Parte de la obra dramática que ha de representar cada actor. 7 Personaje representado por el actor. 8 *fig.* Función que uno cumple, manera de proceder en una circunstancia: *hacer uno buen* o *mal* ~. – 9 *m. pl.* Documentos con que se acredita el estado civil o la calidad de una persona: *tener los papeles en regla.* 10 fam. Carantoñas, halagos.

papela *f.* vulg. Documento de identidad. 2 Título cualquiera. 3 fam. Documento de despido de un trabajo.

papeleo *m.* Conjunto de trámites múltiples de un asunto en las oficinas públicas.

papelera *f.* Mueble para guardar papeles. 2 Cesto para echar papeles inservibles. 3 Abundancia de papel escrito. 4 Fábrica de papel.

papelería *f.* Conjunto de papeles desordenados. 2 Tienda en que se vende papel y otros objetos.

papelero, -ra *adj.* Perteneciente o relativo al papel: *industria papelera.* – 2 *adj.-s.* Farolero, papelón.

papeleta *f.* Cédula. 2 Ficha. 3 Boletín de voto. 4 Papel en que se da la calificación de un examen. 5 *fig. y fam.* Asunto difícil de resolver.

papelillo *m.* Cigarro de papel. 2 Paquete de papel que contiene una pequeña dosis medicinal en polvo.

I) papelina *f.* Vaso para beber, estrecho por el pie y ancho por la boca. 2 Dosis de heroína.

II) papelina *f.* Tela muy delgada de seda.

papelón, -lona *adj.-s.* fam. Persona que ostenta y aparenta más que es. – 2 *m.* Papel en que se ha escrito acerca de algún asunto o negocio y que se desprecia por algún motivo. 3 Cartón delgado hecho de dos papeles pegados. 4 Cucurucho de papel. 5 *Amér.* Pan de azúcar sin refinar.

papelonear *intr.* fam. Ostentar vanamente autoridad o valimiento.

papelote, papelucho *m.* desp. Papel o escrito despreciable. 2 Desperdicios de papel y papel usado empleados para fabricar nueva pasta.

papera *f.* Bocio. 2 Parótida (tumor). 3 Tumor inflamatorio y contagioso que en los caballos jóvenes se produce a la entrada del conducto respiratorio o en los ganglios submaxilares. – 4 *f. pl.* Escrófulas, lamparones.

papi *m.* fam. Padre.

papiamento *m.* Habla criolla que el castellano ha producido bajo la influencia de la raza negra en las islas de Curazao, Oruba y Buen Aire, colonizadas por España, pero holandesas desde 1634.

papila *f.* Pequeña eminencia formada debajo de la epidermis y en la superficie de las membranas mucosas, por ramificaciones nerviosas y vasculares: *papilas táctiles;* ~ *vascular; papilas gustativas;* **boca. 2 Prominencia que forma la entrada del nervio óptico en el fondo del ojo y desde donde se extiende formando la retina. 3 En algunos órganos vegetales, célula epidérmica que forma una protuberancia cónica.

papilar *adj.* Perteneciente o relativo a las papilas.

papilionáceo, -a *adj.-f.* Planta de la familia de las papilionáceas. – 2 *f. pl.* Familia de plantas leguminosas cuyas corolas, formadas por cinco pétalos desiguales, se parecen a una mariposa con las alas extendidas; como el guisante y la habichuela.

papiloma *m.* Epitelioma caracterizado por la hipertrofia de las papilas de la piel o de las membranas mucosas. 2 Tumor pediculado en forma de botón o cabezuela.

papilla *f.* Comida hecha a base de féculas, harinas, etc., hervidas en agua o leche y destinadas a niños o enfermos. 2 *fig.* Cautela o astucia halagüeña para engañar a uno.

papillote *m.* Rizo de cabello sujeto con un papel.

papín *m.* Especie de dulce casero.

papión *m.* Primate cercopitécido terrícola de 1 m. de longitud y costumbres gregarias, que vive en el sur de África *(Papio ursinus)*.

papiráceo, -a *adj.* De textura semejante al papel.

papiro *m.* Planta ciperácea de Oriente, de hojas largas y estrechas, con tallos de 2 a 3 m. de altura, lisos, desnudos y terminados en un penacho de espigas de flores pequeñas y verdosas *(Cyperus papyrus)*. 2 Lámina sacada del tallo de esta planta, que empleaban los antiguos para escribir en ella. ◇ INCOR.: la acentuación vulgar *pápiro*.

papiroflexia *f.* Técnica de hacer pajaritas y otras figuras doblando una hoja de papel.

papirología *f.* Ciencia auxiliar de la historia que se aplica al estudio de los papiros.

papirotazo *m.* Capirotazo.

papirusa *f. Argent.* Muchacha linda.

papismo *m.* Iglesia católica, y sus organismos y doctrinas, según los protestantes y cismáticos.

papista *adj.-com.* Católico romano, según los protestantes y cismáticos porque obedece al papa y le confiesa cabeza de la Iglesia y vicario de Cristo. 2 *fam.* Partidario de la rigurosa observancia de las disposiciones del papa.

I) papo *m.* Buche de las aves. 2 Parte abultada del animal entre la barba y el cuello. 3 Pedazo de tela ahuecada que sobresalía por entre las cuchilladas en los trajes antiguos. 4 Bocio, en las regiones donde es endémico. 5 Porción de comida que se da de una vez al ave de rapiña.

II) papo, -pa *adj. Amér. Central.* Tonto, necio.

papú, papúa *adj.-s.* De la Papuasia o Nueva Guinea, isla de Oceanía. ◇ Pl.: *papúes*.

papudo, -da *adj.* Que tiene crecido y grueso el papo, especialmente en las aves.

papujado, -da *adj.* [ave, especialmente la gallina] Que tiene mucha pluma y carne en el papo. 2 *fig.* Abultado, prominente y hueco.

pápula *f.* Tumorcillo eruptivo, cutáneo, que se resuelve espontáneamente y que no deja cicatriz.

paquebot, -te *m.* Embarcación que lleva correo y pasajeros de un puerto a otro. ◇ Pl.: *paquebotes*.

paquete *m.* Envoltorio bien dispuesto y no muy abultado: *~ de libros, de comestibles*. 2 Conjunto de cartas o papeles formando mazo, o contenidas en un mismo sobre o cubierta. 3 p. ext. Conjunto de acciones, decisiones, disposiciones, prevenciones, etc., tomadas con una finalidad concreta: *el ~ de medidas económicas*. 4 Trozo de composición tipográfica en que entran aproximadamente mil letras. 5 Acompañante del conductor en una motocicleta. 6 Persona torpe y poco inteligente. 7 DEP. Pelotón de corredores en una prueba ciclista. – 8 *adj.-s.* Persona muy compuesta y que sigue la moda; casa o local bien puesto.

paquetería *f.* Género de mercancía que se guarda o vende en paquetes. 2 Comercio de este género. 3 *Argent., Parag.* y *Urug.* Compostura en el vestir o en el arreglo de casas o locales. 4 *Argent., Parag.* y *Urug.* Conjunto de prendas o adornos que una persona se pone para ir bien vestida.

paquidermo, -ma *adj.-m.* Mamífero artiodáctilo caracterizado por tener la piel muy gruesa; como el elefante, el rinoceronte y el hipopótamo.

paquistaní *adj.-s.* De Paquistán, nación del sur de Asia.

par *adj.* Igual o semejante totalmente. 2 ZOOL. [órgano] Que corresponde simétricamente a otro igual. – 3 *adj.-m.* MAT. Número par. – 4 *m.* Conjunto de dos personas o dos cosas de una misma especie: *un ~ de medias; sois un ~ de bribones; un ~ de banderillas.* 5 Conjunto de dos mulas o bueyes de labranza. 6 Título de alta dignidad en algunos estados: *los doce pares de Francia.* 7 ARQ. Madero de una armadura de cubierta que, en pareja con otro y dispuesto oblicuamente, forma la inclinación del tejado, y se apoya en la hilera por la parte superior y en los estribos en la parte inferior.

para *prep.* Expresa la dirección del movimiento con mayor indeterminación que la preposición *a* y acercándose al valor de *hacia*: *ir ~ Madrid.* 2 Establece también conexiones de tiempo relativamente futuro: *pagar ~ San Juan; la fiesta estaba anunciada ~ ayer; déjalo ~ otro día.* 3 Enlaza el verbo con su complemento indirecto, lo mismo que la preposición *a*, pero añadiendo la idea de fin o reforzándola: *compraremos un juguete al,* o *~ el, niño; traigo una carta a,* o *~, tu madre.* 4 La idea de finalidad, destino o adecuación predomina en todas las relaciones de *para*: *agradable ~ todos; bueno ~ comer; trabajar ~ merecer el premio; ¿~ qué has venido?; tela ~ un vestido; útil ~ el servicio militar; apto ~ las matemáticas.* 5 Junto con los pronombres personales *mí, sí*, etc., y con ciertos verbos, denota que la acción es interior y no se comunica a otro: *leer ~ sí;* **tengo ~ mí,** pienso. 6 Precedida de un verbo, especialmente *estar*, y seguida de infinitivo, expresa resolución, inminencia de la acción o propósito de llevarla a cabo: *el tren está ~ llegar; estaba ~ salir.* 7 Se asocia a la preposición *con* e indica en relación con, entre, en comparación con: *bueno ~ con todos; altanero ~ con sus inferiores; ¿quién es usted ~ conmigo?* 8 Cuando enlaza dos pensamientos que se oponen o contradicen en la intención del que habla, resalta su inadecuación y la expresión oscila entre adversativa y concesiva: *le alaban poco ~*

lo que merece; con buena calma vienes ~ la prisa que tengo; este matiz se acentúa en la expresión *para eso: ~ eso no hacían falta tantas palabras; ~ eso más vale que esperes.* 9 Seguido de voces como *colmo, remate, postre,* etc., se antepone al enunciado de una acción indicando una circunstancia adversa que se suma a otras anteriores: *¡~ colmo me olvidé el paragüas!* 10 Introduce oraciones finales con el verbo subordinado en infinitivo y equivale a *a, a fin de: he venido ~ ver las fiestas;* con el subordinado en forma personal se usa *para que* equivaliendo a *con el fin u objeto de que: le hice un regalo ~ que estuviese contento.* 11 Junto con algunos nombres, se usa supliendo el verbo *comprar* o con el sentido de *entregar a, obsequiar a,* etc.: *pidió un préstamo ~ el piso; lleva un ramo de flores ~ la señora.* ◇ Es vulgar la contracción *pa.*

parábasis *f.* Parte de la comedia griega en la que el coro se dirigía al público y hacía alusiones políticas o a los negocios públicos. ◇ Pl.: *parábasis.*

parabién *m.* Felicitación. ◇ Pl.: *parabienes.*

parábola *f.* Narración de un suceso fingido, de que se deduce, por comparación o semejanza, una verdad importante o una enseñanza moral. 2 **Curva abierta, simétrica con respecto a un eje, con un solo foco, que resulta de cortar un cono circular recto por un plano paralelo a una de sus generatrices.

parabolizar *tr.* Representar, ejemplificar, simbolizar [algo]. ◇ ** CONJUG. [4] como *realizar.*

paraboloide *m.* Superficie en que las secciones paralelas a una dirección dada son parábolas y las demás secciones planas, elipses o hipérbolas. 2 GEOM. **Sólido limitado por un paraboloide elíptico y un plano perpendicular a su eje.

parabrisas *f.* Bastidor con cristal que lleva el automóvil en su parte anterior para resguardar del aire a los ocupantes cuando aquél está en movimiento. ◇ Pl.: *parabrisas.*

paraca *f. Amér.* Brisa muy fuerte del Pacífico.

paracaídas *m.* Aparato de tela, en forma de gran casquete esférico, o cualquier otro, que, al soltarse desde un punto elevado, se abre y cae lentamente gracias a la resistencia que el aire opone a su movimiento de descenso; se utiliza para moderar la velocidad de caída de los cuerpos arrojados desde las aeronaves. 2 p. ext. Lo que sirve para evitar o disminuir el golpe de una caída desde un sitio elevado. 3 Dispositivo de seguridad que tienen los ascensores, montacargas y aparatos similares para evitar su caída acelerada en caso de rotura de los cables. 4 Dispositivo que tienen algunas aeronaves y astronaves para moderar la velocidad de caída o para reforzar

la frenada cuando disponen de poco espacio en un movimiento horizontal. ◇ Pl.: *paracaídas.*

paracaidismo *m.* Técnica de salto con paracaídas desde una aeronave o avión. 2 DEP. Conjunto de actividades deportivas relacionadas con dicha técnica.

paracaidista *adj.* Perteneciente o relativo al paracaidismo: *unidad ~; concurso ~.* – 2 *com.* Deportista que practica el paracaidismo. 3 Militar que ha recibido instrucción para saltar con paracaídas desde una aeronave y combatir, después, en tierra.

paracaseína *f.* Caseína coagulada o requesón de la leche.

paracentesis *f.* Punción que se hace en una cavidad del cuerpo para evacuar la serosidad acumulada. ◇ Pl.: *paracentesis.*

paracronismo *m.* Anacronismo que consiste en suponer acaecido un hecho después del tiempo en que sucedió.

parachispas *m.* Dispositivo de protección en las chimeneas. 2 ELECTR. Dispositivo que en los contactos de los aparatos eléctricos sirve para atenuar los efectos de la descarga de ruptura. ◇ Pl.: *parachispas.*

parachoques *m.* Barra de metal o dispositivo que llevan exteriormente los **automóviles y otros carruajes en la parte delantera y trasera, para amortiguar los efectos de un choque. ◇ Pl. *parachoques.*

I) parada *f.* Acción de parar o detenerse. 2 Lugar donde se para: *una ~ de coches; ~ del tranvía, del autobús.* 3 Fin o término del movimiento de una cosa, especialmente de la carrera. 4 Lugar donde se recogen las reses. 5 Lugar donde se hallan los sementales para la procreación del ganado mayor. 6 Tiro de relevo que se apostaba en un lugar para mudar las caballerías cansadas. 7 Apostadero de los tiros de relevo. 8 Cantidad de dinero que en el juego se expone a una sola suerte. 9 Escena burlesca para anunciar una comedia. 10 DEP. Detención del balón por el guardameta. 11 MIL. Formación de tropas que entra de guardia, sale a desfilar, etc., y a la que se pasa revista. 12 MIL. Lugar donde esta tropa forma. 13 *Amér.* Empaque, compostura.

II) parada *f. Amér.* GALIC. Desfile, procesión.

paradera *f.* Compuerta con que se desagua el caz del molino. 2 Red que está siempre dispuesta esperando la pesca.

paradero *m.* Lugar o sitio donde se para o se va a parar. 2 fig. Fin o término de una cosa. 3 *Amér.* Apeadero en el ferrocarril.

paradiástole *f.* Figura retórica que consiste en contrastar voces de significación muy parecida.

paradigma *m.* Ejemplo que sirve de norma, especialmente de una conjugación o declinación. 2 LING. Conjunto virtual de elementos de una misma clase gramatical, que pueden aparecer en un mismo contexto.

paradina *f.* Monte bajo de pasto, con corrales para el ganado.

paradisíaco, -ca, paradisiaco, -ca *adj.* Perteneciente o relativo al paraíso.

paradislero *m.* Cazador a espera. 2 fig. Persona que anda averiguando noticias o las inventa.

parado, -da *adj.* Remiso, tímido o flojo en palabras, acciones o movimientos. 2 Desocupado, sin ejercicio o empleo. 3 Con verbos de resultado y acompañado de *bien, mejor* o *mal, peor,* beneficiado o perjudicado: *salir bien,* o *mal, ~.* 4 Con verbos como *quedar* y *dejar,* desconcertado, estupefacto, pasmado, vacilante: *al comunicarme el accidente me quedé ~.* 5 *Amér.* Derecho o en pie.

paradoja *f.* Especie opuesta a la opinión común y, especialmente, la que parece opuesta siendo exacta. 2 Aserción inverosímil presentada con apariencias de verdadera. 3 RET. Figura de pensamiento que consiste en emplear expresiones o frases que aparentemente envuelven contradicción: *Yo, Sancho, nací para vivir muriendo.*

paradojismo *m.* Figura retórica que une palabras o frases, en sí inconciliables, bajo la forma de paradoja.

parador, -ra *adj.* Que para o se para. 2 [caballo o yegua] Que se para con facilidad. – 3 *adj.-s.* Jugador que para mucho. – 4 *m.* Establecimiento de hostelería de similar categoría que el hotel, que depende en mayor o menor medida de organismos oficiales, y presta un servicio de alta calidad con instalaciones acordes al arte, estilo o tipismo de la región en que se halle.

paraestatal *adj.* [institución, empresa, etc.] Que coopera con el Estado, pero no forma parte de su administración.

parafernalia *f.* Conjunto de utensilios, adminículos, etc., necesarios para un determinado uso. 2 fam. Aparato ostentoso, material o inmaterial, con que se rodea una persona, un acto público, etc.

parafina *f.* Substancia sólida, blanca, translúcida, inodora y fácilmente fusible; es una mezcla de hidrocarburos.

parafinar *tr.* Impregnar [algo] de parafina.

parafiscal *adj.* [impuesto] Que favorece a los organismos autónomos.

parafrasear *tr.* Hacer la paráfrasis [de un texto, de un escrito].

paráfrasis *f.* Explicación o interpretación amplificativa de un texto. 2 Traducción en verso en la cual se imita el original, sin verterlo con escrupulosa exactitud. ◇ Pl.: *paráfrasis.*

parafraste *com.* Autor de paráfrasis. 2 Persona que interpreta textos por medio de paráfrasis.

paragénesis *f.* Asociación de minerales que se han originado en las mismas condiciones.

paragoge *f.* GRAM. Metaplasmo que consiste en añadir una o más letras al final de un vocablo: *felice* por *feliz.*

paragranizo *m.* Cobertizo de tela basta para proteger contra el granizo ciertos sembrados o frutos. 2 Dispositivo que evita la caída del granizo y lo transforma en lluvia.

****paraguas** *m.* Utensilio portátil para resguardarse de la lluvia, compuesto de un bastón y un varillaje cubierto de tela que puede extenderse o plegarse. 2 fig. Protección: ~ *atómico,* protección asegurada por el armamento atómico de una nación como medio de disuasión ◇ Pl.: *paraguas.*

paraguayo, -ya *adj.-s.* Del Paraguay, nación de América del sur. – 2 *f.* Fruta de aspecto y sabor semejante al melocotón mollar, pero de forma más aplanada.

paragüero, -ra *m. f.* Persona que tiene por oficio hacer, componer o vender paraguas. – 2 *m.* Mueble para colocar los paraguas y bastones.

parahúso *m.* Instrumento manual usado para taladrar, consistente en una barrena cilíndrica que recibe el movimiento de dos cuerdas o correas que se arrollan o desenrollan alternativamente al subir y bajar un travesaño al cual están atadas.

paraíso *m.* Según la Biblia, lugar amenísimo donde Dios puso a nuestro primer padre Adán luego que lo crió. 2 Cielo (mansión celestial). 3 Conjunto de asientos del piso más alto de algunos **teatros. 4 fig. Lugar donde alguien se encuentra muy a gusto, protegido o impune: ~ *fiscal,* país donde la legislación fiscal es muy permisiva, en especial para los capitales extranjeros que pueden escapar al control de la legislación de su lugar de origen.

paraje *m.* Lugar, sitio lejano o aislado. 2 Estado y disposición de una cosa.

paraláctico, -ca *adj.* Perteneciente o relativo a la paralaje. 2 [dispositivo astronómico] Que permite seguir con un solo movimiento el aparente de los astros.

PARAGUAS

Contera
Tela
Varillaje
Varilla
Bastón
Puño

paralaje *f.* **ASTRON. Diferencia entre las posiciones aparentes que en la bóveda terrestre tiene un astro según el punto donde se supone observado.

paralela *f.* Trinchera con parapeto, abierta paralelamente a las defensas de una plaza.

paralelar *tr.* Comparar, hacer paralelo [de una persona o cosa] con otra.

paralelepípedo *m.* GEOM. Sólido terminado por seis paralelogramos, siendo iguales y paralelos cada dos opuestos entre sí.

paralelismo *m.* Calidad de paralelo. 2 Teoría psicológica según la cual los hechos psíquicos y los psicológicos se corresponden sin influirse.

paralelo, -la *adj.* Equidistante de otro y que por más que se prolonguen no pueden encontrarse: ***líneas, planos paralelos.* 2 fig. Correspondiente o semejante. – 3 *m.* Círculo menor paralelo al ecuador, que se supone descrito en cualquier posición del globo terráqueo; **tierra. 4 Círculo que en una superficie de revolución resulta de cortarla por planos perpendiculares a su eje. 5 Cotejo de una cosa con otra. 6 Comparación de una persona con otra, de palabra, o por escrito.

paralelogramo *m.* **Cuadrilátero cuyos lados opuestos son iguales y paralelos entre sí.

parálisis *f.* Pérdida total o parcial de la sensibilidad, de los movimientos voluntarios, o de unos y otros a la vez. 2 fig. Imposibilidad de actuar. ◇ Pl.: *parálisis.*

paralítico, -ca *adj.-s.* Enfermo de parálisis.

paralización *f.* fig. Detención de una cosa dotada de actividad o de movimiento.

paralizar *tr.-prnl.* Causar parálisis [a una parte del cuerpo]. 2 fig. Detener la actividad o el movimiento [de una cosa]. ◇ ** CONJUG. [4] como *realizar.*

paralogismo *m.* Razonamiento falso.

paralogizar *tr.-prnl.* Intentar persuadir [a alguien] con discursos falaces y razones aparentes. ◇ ** CONJUG. [4] como *realizar.*

paramagnético, -ca *adj.* [cuerpo] Que, sometido a la influencia de un campo magnético, se imana y orienta paralelamente a las líneas de fuerza.

paramecio *m.* **Protozoo ciliado de forma de zapatilla, visible en las aguas estancadas (*Paramœcium*).

paramédico, -ca *adj.* Que tiene relación con la medicina sin pertenecer propiamente a ella.

paramentar *tr.* Adornar o ataviar una cosa.

paramento *m.* Adorno o atavío con que se cubre una persona o una cosa. 2 Sobrecubiertas o mantillas del caballo. 3 ARQ. Cara de la pared.

parámetro *m.* Línea constante e invariable que entra en la ecuación de algunas curvas, especialmente en la de la parábola. 2 Variable

tal que otras variables pueden ser expresadas por funciones de ella. 3 fig. Elemento importante cuyo conocimiento es necesario para comprender un problema o un asunto.

paramilitar *adj.* De carácter parecido o que recuerda la organización militar.

paramnesia *f.* Perturbación de la memoria, especialmente la que hace que uno no pueda recordar el sentido de las palabras.

páramo *m.* Terreno yermo, raso y desabrigado. 2 fig. Lugar sumamente frío y desamparado. 3 *Amér. Merid.* Llovizna, calabobos.

parancero *m.* El que caza con lazos, perchas, etc.

parangón *m.* Comparación o semejanza.

parangonar *tr.* Hacer comparación [de una cosa] con otra. 2 IMPR. Justificar en una línea [las letras, adornos, etc.] de cuerpos desiguales.

paraninfo *m.* El que anuncia una felicidad. 2 En las universidades, el que pronunciaba el discurso de apertura de curso. 3 Salón de actos académicos en algunas universidades.

paranoia *f.* Monomanía.

paranormal *adj.* Que no se ajusta a las leyes físicas o psíquicas.

paranza *f.* Puesto donde el cazador de montería espera las reses. 2 Pequeño corral de cañizo para pescar.

parapente *m.* Modalidad de paracaidismo deportivo en la que el paracaidista se lanza desde una pendiente muy pronunciada para efectuar un descenso controlado, una vez desplegado el paracaídas.

parapetarse *prnl.-tr.* Resguardarse con parapetos. 2 fig. Precaverse de un riesgo por algún medio de defensa.

parapeto *m.* ARQ. Pared o baranda puesta para evitar caídas en los puentes, escaleras, etc. 2 FORT. Terraplén corto formado sobre el principal, hacia la parte de la campaña, el cual defiende de los golpes enemigos el pecho de los soldados.

paraplejía *f.* Parálisis de la mitad inferior del cuerpo. ◇ INCOR.: la acentuación *paraplejia.*

parapsicología *f.* Estudio de los fenómenos psicológicos todavía no bien conocidos científicamente.

parar *intr.-prnl.* Cesar en el movimiento o en la acción: *el coche para a la puerta; el reloj se para; pararse con alguno en la calle.* – 2 *intr.* Llegar a un término o al fin: *el tren para en Barcelona.* 3 Recaer, venir a ser propiedad de uno alguna cosa después que ha pasado por otras manos: *la joya ha parado en poder de la hija.* 4 Reducirse o convertirse una cosa en otra que no se esperaba: *¿en qué para la belleza de la juventud?* 5 Habitar, hospedarse: *pararé en casa de mi tío.* – 6 *tr.* Detener o impedir el movimiento o acción [de una persona o cosa]: ~ *el* *brazo, el reloj.* **7** Prevenir o preparar: ~ *una emboscada.* **8** Arriesgar [dinero u otra cosa de valor] en una suerte del juego. **9** Mostrar los perros [la caza] suspendiéndose al verla o de otro modo. **10** Poner [a uno] en estado diferente del que tenía: *tal me han parado que no puedo valerme;* **prnl.,** *la doncella al oírlo se paró colorada.* – **11** *prnl.* Detenerse o suspenderse la ejecución de un designio: *pararse a descansar; pararse ante una dificultad.* **12** Seguido de la preposición *a* y un infinitivo que signifique acción del entendimiento, ejecutar dicha acción con sosiego: *pararse a meditar.* – **13** *abs.* Ponerse en pie; acepción muy usual en América.

pararrayo, -yos *m.* Artificio que para proteger contra el rayo los edificios y otras construcciones se coloca en lo más alto de los mismos y está formado por una barra metálica terminada en punta y puesta en comunicación con la tierra o el agua por medio de conductores metálicos; **casa.

parasimpático *adj.* Que obra antagónicamente al componente del sistema nervioso vegetativo simpático, ya sea estimulando o retardando la actividad de los órganos: *sistema, nervio* ~.

parasíntesis *f.* Modo de formación de palabras en que se combinan la composición y la derivación; como en la voz *desalmado,* formada por *alma,* el prefijo *des* y el sufijo *ado.* ◇ Pl.: *parasíntesis.*

parasiticida *adj.* [substancia] Que se emplea para destruir los parásitos.

parasitismo *m.* Condición o cualidad de parásito. **2** H. NAT. Estado o modo de vida de los organismos parásitos.

parásito, -ta *adj.-s.* [animal o vegetal] Que vive dentro o en la superficie de otro organismo, de cuyas substancias se nutre. **2** p. anal. [ruido] Que perturba las transmisiones radiofónicas. – **3** *m. f.* fig. Persona que vive de mogollón.

parasitología *f.* Parte de la historia natural que estudia los parásitos.

parasol *m.* Sombrilla. **2** Pieza accesoria, móvil y orientable, dispuesta sobre el parabrisas, en el interior del automóvil, de manera que evita el deslumbramiento del conductor, o de su acompañante, por los rayos solares. **3** Seta comestible muy común en los claros de bosque en otoño (*Macrocepiota procera*).

parástade *m.* Pilastra colocada junto a una columna y detrás de ella, para sostener mejor la techumbre.

parata *f.* Bancal pequeño y estrecho, formado en un terreno pendiente.

parataxis *f.* GRAM. Coordinación de oraciones. ◇ Pl.: *parataxis.*

paratífico, -ca *adj.* Perteneciente o relativo a la paratifoidea. – **2** *adj.-s.* Que adolece de esta enfermedad.

paratifoidea *f.* Infección intestinal cuyos síntomas se parecen mucho a los de la fiebre tifoidea, aunque originada por un bacilo distinto.

parazoo *adj.-m.* Animal del subreino de los parazoos. – **2** *m. pl.* Subreino animal que incluye formas pluricelulares primitivas que carecen de tejidos, órganos y simetría; como los placozoos y poríferos.

parca *f.* fig. *y* poét. Muerte.

parcela *f.* Porción pequeña de terreno, generalmente sobrante de otra mayor que se ha comprado, expropiado o adjudicado. **2** En el catastro, porción de terreno de un único propietario, que constituye un pago o término. **3** Partícula (parte).

parcelar *tr.* Dividir [una finca grande] en parcelas. **2** Medir, señalar las parcelas [de una localidad] para el catastro.

parcial *adj.* Relativo a una parte del todo: *parálisis* ~; *indulgencia* ~. **2** No cabal o completo: *producto* ~. **3** Que juzga o procede con parcialidad, o que la incluye o denota: *magistrado, crítico* ~; *juicio* ~. – **4** *adj.-s.* Que sigue el partido de otro o está siempre de su parte.

parcialidad *f.* Unión de algunos que se confederan para un fin, separándose del común. **2** Conjunto de los que componen una facción separada del común. **3** Agrupación en que se dividen los pueblos primitivos. **4** Amistad, familiaridad en el trato. **5** Prevención en favor o en contra de personas o cosas, de que resulta insegura rectitud en el modo de juzgar o de proceder.

parco, -ca *adj.* Sobrio, moderado, templado: ~ *en conceder favores;* ~ *en el comer.* **2** Corto, escaso.

parche *m.* Ungüento, bálsamo, etc., pegado a un pedazo de lienzo, gasa, etc., que se pone en una herida o parte enferma del cuerpo. **2** Pedazo de tela, papel, piel, etc., que por medio de un aglutinante se pega sobre una cosa. **3** Piel del tambor. **4** Tambor (instrumento músico). **5** fig. Cosa sobrepuesta a otra y como pegada, que desdice de la principal, especialmente pegote o retoque mal hecho en la pintura. **6** fig. Arreglo o solución transitoria dada a una situación o problema económico, social o político: *poniendo parches no solucionamos nada.* **7** fig. Adición (añadidura) para adecentar, mejorar o actualizar un trabajo u obra.

parchear *tr.* Poner parches. **2** fig. Sobar o manosear [a una persona].

parchís *m.* Juego practicado en un tablero con cuatro salidas en el que cada jugador, provisto de cuatro fichas del mismo color, trata de hacerlas llegar a la casilla central. El número de casillas que se recorre en cada jugada con una de las fichas se determina tirando un dado. ◇ Pl.: *parchís.*

pardal *adj.* desp. Aldeano; por el color

pardo con que suelen vestir. – 2 *m.* Gorrión. 3 fig. *y* fam. Hombre bellaco, astuto.

pardear *intr.* Sobresalir o distinguirse el color pardo.

pardela *f.* Ave procelariforme, parecida a la gaviota; buena voladora, se desliza a ras del agua para capturar peces y cefalópodos *(Puffinus* sp.).

pardete *m.* Pez marino teleósteo perciforme, que puede adentrarse en aguas dulces próximas al mar, con la cabeza muy desarrollada, de color azulado o grisáceo, con una mancha dorada grande sobre el opérculo *(Mugil cephalus).*

pardilla *f.* Pardillo (pájaro). 2 Pez de río, omnívoro, de tamaño pequeño con una franja obscura a lo largo de la línea lateral, que vive agrupado en cardúmenes *(Rutilus lemmingii).* 3 Seta con el sombrero castaño claro y el pie casi claro, comestible aunque sienta mal a algunas personas *(Clitocybe nebularis).*

pardillo *adj.-s.* desp. Pardal (aldeano). – 2 *m.* Ave paseriforme granívora de plumaje pardo rojizo, negruzco en las alas y la cola, encarnado en la cabeza y el pecho, y blanco en el vientre *(Acanthis cannabina).*

pardo, -da *adj.-m.* Color de la tierra o de la piel del oso común, intermedio entre blanco y negro con tinte rojo amarillento, y más obscuro que el gris. – 2 *adj.* De color pardo. 3 Obscuro; esp., las nubes o el día nublado. 4 [voz] Poco vibrante y de timbre no claro.

pardusco, -a *adj.* De color que tira a pardo.

pareado, -da *adj.-m.* Estrofa de dos versos rimados entre sí.

parear *tr.* Juntar, igualar [dos cosas] comparándolas entre sí. 2 Formar pares [de las cosas] poniéndolas de dos en dos.

I) parecer *m.* Opinión, juicio o dictamen. 2 Orden de las facciones del rostro y disposición del cuerpo.

II) parecer *intr.* Dejarse ver, manifestarse: *parece delante el rey.* 2 Hallarse o encontrarse lo que se tenía por perdido; aparecer: *ha parecido,* o *aparecido, el guante.* 3 Tener determinada apariencia o aspecto. – 4 *unipers.* Dar motivos para creer u opinar algo: *parece que lloverá;* tiene el mismo significado en las locuciones adverbiales *a lo que parece, al ~.* – 5 *prnl.* Asemejarse. ◇ ** CONJUG. [43] como *agradecer.*

parecido, -da *adj.* Que se parece a otro. 2 Con los adverbios *bien* o *mal,* que tiene buena o mala disposición de facciones o aire de cuerpo; que es bien o mal visto. – 3 *m.* Semejanza (calidad).

pared *f.* Obra de fábrica, levantada a plomo, de dimensiones proporcionadas para cerrar un espacio o sostener las techumbres. 2 Tabique. 3 fig. Superficie plana y alta que forman las

cebadas y los trigos cuando están bastante crecidos y cerrados. 4 DEP. Jugada de apoyo en un jugador que devuelve rápidamente el balón, especialmente en fútbol.

paredón *m.* Pared que queda en pie, entre unas ruinas. 2 Pared junto a la que se fusila a los condenados.

pareja *f.* Conjunto de dos personas, animales o cosas que tienen entre sí alguna correlación o semejanza, y especialmente el formado por varón y mujer. 2 En las fiestas, unión de dos caballeros de un mismo traje, librea, adornos y jaeces de caballos, que corren juntos y unidos. 3 Compañero o compañera en los bailes.

parejero, -ra *adj.* Que corría parejas. 2 [caballo o yegua] Adiestrado para correrlas. 3 En varios países americanos, [pers.] que procura andar con personas de calidad e igualarse con ellas. – 4 *m.* Amér. Merid. y Méj. Caballo de carrera y en general todo caballo excelente.

parejo, -ja *adj.* Igual o semejante. 2 Liso, llano.

parellada *f.* Uva blanca empleada para la elaboración de vinos espumosos.

paremiología *f.* Tratado de proverbios (sentencias).

parénesis *f.* Exhortación o amonestación. 2 Discurso moral. ◇ Pl.: *parénesis.*

parénquima *m.* ANAT. Tejido esencial de un órgano, a distinción del que sirve de soporte o trama. 2 BOT. Tejido vegetal celular que rellena los intersticios dejados por los vasos, especialmente el de las hojas, el de la medula del **tallo o **raíz, el de las partes carnosas de los frutos, tubérculos, etc.: ~ *medular;* ~ *cortical.*

parentación *f.* Solemnidad fúnebre.

parentela *f.* Conjunto de todo género de parientes.

parenteral *adj.* [medicamento] Que no se administra a través del aparato digestivo.

parentesco *m.* Vínculo por consanguinidad o afinidad. 2 fig. Unión, vínculo o liga que tienen las cosas.

paréntesis *m.* Palabra o grupo de palabras que se intercala en el período sin enlace necesario con él ni alterar su sentido. 2 Signo ortográfico [( )] en que suele encerrarse; **puntuación. 3 fig. Suspensión o interrupción. ◇ Pl.: *paréntesis.*

pareo *m.* Prenda femenina consistente en una pieza de tela que se enrolla alrededor del cuerpo, cubriéndola por debajo de los brazos hasta las pantorrillas.

paresia *f.* Parálisis incompleta.

parestesia *f.* Sensación o conjunto de sensaciones anormales que experimentan en la piel ciertos enfermos del sistema nervioso o circulatorio.

pargo *m.* Pez marino teleósteo perciforme

de hasta 50 cms. de longitud, con el dorso y los flancos rosados y el vientre plateado *(Pagrus pagrus)*.

parhelio *m.* METEOR. Fenómeno luminoso consistente en la aparición simultánea de varias imágenes del Sol reflejadas en las nubes y, por lo general, dispuestas simétricamente sobre un halo.

parhilera *f.* Madero en que se afirman los pares y que forma el lomo de la armadura.

paria *com.* Persona de la casta ínfima de los indios que siguen la ley de Brahma. 2 fig. Persona excluida de las ventajas y trato de que gozan las demás.

parida *adj.-f.* Hembra que hace poco tiempo que parió. – 2 *f.* fam. Tontería, hecho o dicho desafortunado.

paridad *f.* Comparación de una cosa con otra por ejemplo o símil. 2 Igualdad o gran semejanza de las cosas entre sí.

paridera *adj.* [hembra] Fecunda. – 2 *f.* Sitio en que pare el ganado, especialmente lanar. 3 Acción de parir el ganado. 4 Tiempo en que pare.

paridígito, -ta *adj.* [animal] Que tiene los dedos en número par.

párido *adj.-m.* Ave de la familia de los páridos. – 2 *m. pl.* Familia de aves paseriformes, que se caracterizan por tener el pico reducido, afilado y casi cónico, con orificios nasales tapados por cortas cerdas, de costumbres arborícolas y muy insectívoros.

pariente, -ta *adj.-s.* Respecto de una persona, ascendiente, descendiente o colateral de su misma familia, por consanguinidad o afinidad. 2 fig. Allegado, semejante o parecido. – 3 *m. f.* vulg. Marido respecto de la mujer y viceversa.

parietal *adj.* Relativo a la pared. – 2 *adj.-m.* Hueso de la **cabeza que forma la bóveda craneana, entre el frontal y el occipital y por encima de los temporales. – 3 *adj.-f.* Planta del orden de las parietales. – 4 *f. pl.* Orden de plantas dicotiledóneas, de flores con el periantio doble y los óvulos insertos sobre placentas situadas en las paredes del ovario.

parietaria *f.* Planta herbácea anual, de la familia de las urticáceas. Crece ordinariamente junto a las paredes, y se ha usado en cataplasmas *(Parietaria officinalis)*.

parificar *tr.* Probar o apoyar con una paridad o ejemplo [lo que se ha dicho o propuesto]. ◇ ** CONJUG. [1] como *sacar*.

parigual *adj.* Igual o muy parecido.

parihuela *f.* Mueble compuesto de dos varas gruesas con unas tablas atravesadas en medio, donde se coloca la carga para llevarla entre dos: *llevarlo con las parihuelas*. 2 Camilla (mesa cubierta).

paripé *m.* Entono, presunción, fingimiento de importancia, saber, autoridad, etc.

parir *intr.-tr.* Expeler la hembra el feto que tenía concebido: *parió un hijo varón*. 2 fig. Explicar con acierto lo que se piensa: *el orador pare sin dificultad*. 3 fig. Salir a luz lo que estaba oculto o ignorado: *el odio de las masas ha parido*. 4 fig. Producir una cosa [otra].

parisiense *adj.-s.* De París, capital de Francia.

parisilábico, -ca, -sílabo, -ba *adj.* [vocablo o verso] De igual número de sílabas que otro.

parisino, -na *adj.* Parisiense.

paritario, -ria *adj.* [organismo social] Que tiene paridad o igualdad en el número y derechos de los representantes: *representación paritaria; junta paritaria de patronos y obreros*.

paritorio *m.* Sala de los centros hospitalarios donde se producen los alumbramientos.

parkerización *f.* Protección del hierro por medio de una capa superficial de óxido impermeable.

parking *m.* Aparcamiento, estacionamiento.

parla *f.* Acción de parlar (con desembarazo; mucho). 2 Verbosidad insubstancial.

parlamentar *intr.* Hablar o conversar unos con otros. 2 Entrar en tratos para un arreglo, capitulación, etc.

parlamentario, -ria *adj.* Perteneciente o relativo al parlamento. – 2 *m.* Persona que va a parlamentar. 3 Miembro de un parlamento.

parlamentarismo *m.* Doctrina, sistema parlamentario.

parlamento *m.* Asamblea de los grandes del reino, que bajo los primeros reyes de Francia se convocaba para tratar negocios importantes. 2 Tribunal superior de justicia que en Francia tenía además atribuciones políticas y de policía. 3 Órgano expresivo de la representación, dispuesto en la generalidad de los países para el ejercicio de la función legislativa, y predomina en la vida del estado porque precisa y resume la opinión pública. 4 Cámara de los Lores y de los Comunes en Inglaterra. 5 p. ext. Asamblea legislativa. 6 Edificio o lugar de reunión de un parlamento. 7 Razonamiento u oración que se dirigía a un congreso o junta. 8 Relación larga de un actor.

parlanchín, -china *adj.-s.* fam. Que habla mucho o que dice lo que debiera callar.

parlar *intr.* Hablar con desembarazo. 2 p. ext. Hablar mucho y sin substancia. 3 p. anal. Hablar algunas aves. – 4 *tr.* Revelar lo que se debe callar.

parlero, -ra *adj.* Que habla mucho. 2 Que lleva chismes de una parte a otra o habla con indiscreción. 3 fig. [cosa] Que de alguna manera expresa los afectos del ánimo. 4 [cosa] Que hace ruido armonioso.

parlotear *intr.* fam. Charlar mucho y sin substancia unos con otros.

parmesano, -na *adj.-s.* De Parma, ciudad y antiguo ducado del noroeste de Italia. – 2 *m.* Queso de leche de vaca originario de Lombardía y Piamonte, en Italia.

parnasianismo *m.* Movimiento poético francés de la segunda mitad del xix caracterizado por su inclinación hacia una poesía de la más serena objetividad en el fondo y la más clásica perfección de la forma.

parnaso *m.* fig. Conjunto de todos los poetas, o los de un pueblo o tiempo determinado. 2 Colección de poesías de varios autores.

parné *m.* pop. Dinero, moneda.

I) paro *m.* Nombre genérico de diversos pájaros con pico recto y fuerte, alas redondeadas, cola larga y tarsos fuertes; como el herrerillo.

II) paro *m.* Suspensión o término de la jornada industrial o agrícola. 2 Cesación de un movimiento o una acción. 3 Interrupción de un ejercicio o de una explotación por parte de los patronos, en contraposición a la huelga de operarios. 4 Situación de aquella persona que, queriendo trabajar y estando capacitada para ello, no puede hacerlo por falta de demanda: ~ *forzoso,* carencia de trabajo por causa independiente de la voluntad del obrero y de la del patrono. 5 Conjunto de los que se hallan en dicha situación.

parodia *f.* Imitación burlesca de una obra literaria seria, del estilo de un escritor, de un género de poemas, etc. 2 Imitación burlesca, remedo de una persona o cosa.

parodiar *tr.* Hacer la parodia [de una obra literaria, del estilo de un escritor, etc.]. 2 Remedar, imitar burlescamente. ◇ ** CONJUG. [12] como *cambiar.*

paroico, -ca *adj.* BOT. [planta briofita] Cuyos anteridios y arquegonios se encuentran en las mismas marcas, pero no mezclados.

parola *f.* fam. Labia, verbosidad. 2 fam. Conversación larga e insubstancial.

parónimo, -ma *adj.* [vocablo] Que tiene relación o semejanza con otro, ya por su etimología, ya por su forma o sonido: *acechar* y *asechar, diferencia* y *deferencia.*

paronomasia *f.* Semejanza fonética entre dos o más vocablos: *roja* y *reja, tejo* y *Tajo, espadilla* y *espadilla.* 2 Conjunto de vocablos que forman paronomasia.

parótida *f.* Glándula salival situada debajo de las orejas y detrás de la mandíbula inferior. 2 Tumor inflamatorio en la glándula del mismo nombre.

paroxismo *m.* Exacerbación o acceso violento de una enfermedad. 2 Exaltación extrema de los afectos y pasiones. 3 Accidente peligroso, en que el paciente pierde el sentido y la acción por largo tiempo.

paroxítono, -na *adj.-s.* Vocablo llano o grave, que lleva su acento tónico en la penúltima sílaba.

parpadear *intr.* Abrir y cerrar los ojos.

párpado *f.* Repliegue movible de naturaleza compleja y cubierto por la piel, que sirve para resguardar el **ojo de los mamíferos. 2 Órgano análogo en las aves y reptiles.

parpar *intr.* Gritar el pato.

parque *m.* Terreno acotado de gran extensión, con plantas y árboles, destinado a usos diversos, especialmente al recreo público: ~ *nacional,* área donde se protegen estrictamente la flora y la fauna; ~ *tecnológico,* recinto ocupado por industrias y sociedades públicas o privadas dedicadas a la investigación científica y tecnológica, que puede ser visitado por el público en general; ~ *zoológico,* aquel en que se conservan, cuidan o crían fieras y animales no comunes. 2 Pequeño recinto protegido de diversas formas, donde se deja a los niños que aún no andan, para que jueguen. 3 Paraje donde se colocan las municiones de guerra o los víveres y vivanderos en los campamentos. 4 Lugar destinado en las ciudades para estacionar transitoriamente automóviles y otros vehículos. 5 Conjunto de instrumentos, aparatos o materiales destinados a un determinado servicio: ~ *de bomberos;* ~ *automovilístico;* ~ *de ordenadores.* 6 ~ *móvil,* conjunto de material rodante, propiedad del Estado o de algún ministerio u organismo político.

parqué *m.* Suelo hecho con tablitas de maderas finas, que, convenientemente ensambladas, forman dibujos geométricos. ◇ Pl.: *parqués.*

parquedad *f.* Moderación económica y prudente. 2 Parsimonia (circunspección).

parqueo *m.* Amér. ANGLIC. Aparcamiento, estacionamiento.

parquímetro *m.* Aparato que mide el tiempo de estacionamiento en un lugar de aparcamiento y que cobra al usuario la cantidad debida.

parra *f.* Vid, especialmente la que está levantada artificialmente y extiende mucho sus vástagos.

parrafada *f.* fam. Conversación detenida y confidencial. 2 Período oratorio largo y pronunciado sin pausas.

parrafear *intr.* Hablar sin gran necesidad y con carácter confidencial entre dos o más personas.

párrafo *m.* División de un escrito señalada por letra mayúscula al principio del renglón y punto y aparte al final del trozo de escritura. 2 fam. Charla, conversación corta. 3 GRAM. Signo ortográfico [§] con que se denota cada una de estas divisiones.

parral *m.* Conjunto de parras sostenidas con una armazón. 2 Lugar donde hay parras. 3 Viña que ha criado muchos vástagos.

parranda *f.* fam. Holgorio, fiesta, jarana:

andar de ~. **2** Grupo de personas que salen de noche tocando o cantando para divertirse.

parrandear *intr.* Andar de parranda.

parrar *intr.* Extender mucho sus ramas los árboles y plantas, al modo de las parras.

parresia *f.* RET. Figura que consiste en decir cosas al parecer ofensivas y en realidad gratas para aquel a quien se le dicen.

parricida *com.* Persona que mata a su padre o a su madre, a un ascendiente o a un descendiente, o a su cónyuge. **2** p. ext. Persona que mata a alguno de sus parientes de los que son tenidos por padres, además de los naturales.

parricidio *m.* Muerte violenta que uno da a su padre o a su madre, a un ascendiente o a un descendiente, o a su cónyuge.

I) parrilla *f.* Botija ancha de asiento y estrecha de boca.

II) parrilla *f.* Utensilio formado de una rejilla de hierro con mango y pies, y a propósito para poner a la lumbre lo que se ha de asar o tostar: *poner las parrillas al fuego;* **cocina. **2** Rejilla del hogar de los hornos de reverbero y de las máquinas de vapor. **3** Calandra. **4** Sala de fiestas donde se sirven comidas. **5** ~ *de salida,* en los circuitos de carreras automovilísticos y motociclistas, conjunto de marcas pintadas en el suelo que señalan las posiciones de salida de los participantes.

parrillada *f.* Plato compuesto de diversos pescados o mariscos, asados a la parrilla. **2** *Argent.* Plato compuesto de carne de vaca, chorizo, morcilla y diversas achuras asadas a la parrilla.

párroco *m.-adj.* Cura que dirige una parroquia.

parroquia *f.* Iglesia en que se administran los sacramentos y se da pasto espiritual a los fieles de una feligresía. **2** Territorio que está bajo la jurisdicción del cura o de almas. **3** Clero destinado al culto y administración de sacramentos en una feligresía. **4** Conjunto de parroquianos de una tienda, establecimiento público, etc.

parroquialidad *f.* Asignación o pertenencia a determinada parroquia.

parroquiano, -na *adj.-s.* Relativo a determinada parroquia. – **2** *m. f.* Cliente que se sirve de un comerciante o industrial con preferencia a otros.

parsec *m.* Unidad astronómica de distancia que corresponde a 3,26 años luz.

parsimonia *f.* Frugalidad en los gastos. **2** Circunspección, templanza. **3** Cachaza, lentitud.

parsimonioso, -sa *adj.* Frugal, circunspecto. **2** Cachazudo, lento, flemático.

parte *f.* Fracción que resulta de dividir un todo; cosa o elemento que con otro u otros integran un todo o concurre a formar un agre-

gado o conjunto: *comió* ~ *del pastel; adquirió la cuarta* ~ *de la cosecha.* **2** División principal comprendida de otras menores, que suele haber en una obra científica o literaria. **3** Porción que se da a uno en repartimiento o cuota que le corresponde en cualquier comunidad o distribución. **4** Persona que ha contratado con otras o que tienen participación o interés en un mismo negocio. **5** Persona, grupo, ejército, secta, etc., que dialoga, se opone, lucha o contiende. **6** Lado a que uno se inclina o se opone en cuestión, riña o pendencia: *¿estáis todos de mí* ~? **7** Sitio o lugar, lado, dirección. **8** Aplicado al tiempo se usa con la preposición *a* y el demostrativo *esta* y significa el presente o la época de que se trata con relación a tiempo pasado: *de un mes a esta* ~ *mejora el tiempo.* **9** Aspecto en que se puede considerar una persona o cosa: *por una* ~. **10** ~ **de la oración,** clase de palabras que desempeñan distinto oficio en la oración. En castellano son: artículo, substantivo, adjetivo, pronombre, verbo, participio, adverbio, preposición, conjunción e interjección. **11** *m.* Escrito generalmente breve, que se envía a una persona para darle aviso o noticia urgente. **12** Comunicación transmitida por telégrafo o teléfono. **13** Comunicación de carácter militar de un inferior a un superior. – **14** *f. pl.* Fracción o partido. **15** Órganos de la generación. Llámanse también *partes naturales, pudientes* o *vergonzosas.*

partear *tr.* Asistir el facultativo o la comadrona [a la mujer que está de parto].

parteluz *m.* Columna delgada que divide en dos un hueco de **ventana, formando un ajimez.

partenogénesis *f.* H. NAT. Modificación de la reproducción sexual en que el óvulo se desarrolla sin previa fecundación, como ocurre en ciertos crustáceos e insectos y en algunas plantas inferiores. ◇ Pl.: *partenogénesis.*

partera *f.* Mujer que tiene por oficio asistir a la que está de parto.

parterre *m.* Arriate, macizo o cuadro de jardín con césped y flores.

partesana *f.* Especie de alabarda con el hierro muy grande, ancho, cortante por ambos lados, encajado en un asta de madera fuerte y regatón de hierro; **armas.

partición *f.* Reparto entre algunas personas, de hacienda, herencia o cosa semejante. **2** MAT. División.

participación *f.* Acción de participar. **2** Efecto de participar. **3** En la lotería, recibo en que un particular, poseedor de un billete, décimo o vigésimo, acredita que otra persona juega en su número una cantidad determinada. **4** Aviso o noticia que se da a uno.

participar *intr.* Tener o tomar uno parte en una cosa: ~ *en el éxito.* – **2** *tr.* Dar parte, notificar [una cosa]: ~ *la defunción de un amigo.* ◇ Es galicismo, y catalanismo, la construcción con *a.*

partícipe *adj.-s.* Que tiene parte en una cosa.

participio *m.* GRAM. Forma no personal del verbo que entra en la conjugación de los tiempos compuestos y hace el oficio de adjetivo verbal. 2 ~ *activo* o *de presente,* el que acaba en *-ante, -ente* o *-iente: paseante, oyente, pudiente.* No son muchos los verbos que pueden formarlo, y buena parte de ellos han pasado a ser adjetivos o substantivos permanentes: *escribiente, teniente.* 3 ~ *pasivo* o *de pretérito,* el que acaba en *-ado* o *-ido* si es regular. Los que tienen otra terminación se llaman irregulares: *abstracto, frito, hecho.* Se llama pasivo porque procede del participio pasivo latino; pero modernamente su significación puede ser activa, pasiva o reflexiva, según los casos. ◇ V. Apéndice gramatical.

partícula *f.* Parte pequeña. 2 GRAM. Nombre genérico que se aplica a las partes invariables de la oración: adverbio, preposición y conjunción. En sentido restringido las preposiciones y conjunciones breves: *a, para, por, si, que, y,* etc. 3 GRAM. *Partículas prepositivas,* las latinas y castellanas que se prefijan: *ad, in, en, ante,* etc. 4 FÍS. Elemento que constituye el átomo: electrón, protón, neutrón. 5 FÍS. ~ *alfa,* partícula emitida en muchas desintegraciones espontáneas formada por núcleos de átomos de helio.

particular *adj.* Propio y privativo de una persona o cosa, o que le pertenece con singularidad. 2 Singular o individual, como contrapuesto a universal o general. 3 [acto privado] Que ejecuta la persona que tiene oficio o carácter público. 4 Especial, extraordinario, pocas veces visto en su línea. – 5 *adj.-com.* [pers.] Que no tiene título o empleo que le distinga de los demás. – 6 *m.* Punto o materia de que se trata.

particularidad *f.* Singularidad, especialidad, individualidad. 2 Distinción en el trato o cariño, hecha de una persona respecto de otras. 3 Circunstancia o parte menuda de una cosa.

particularizar *tr.* Expresar una cosa con todas sus particularidades. 2 Hacer distinción especial de una persona. 3 Reducir a pocos casos o a uno solo [una explicación, doctrina, dictamen, etc.]. – 4 *prnl.* Distinguirse, singularizarse: *particularizarse con su amigo; en el trato.* ◇ ** CONJUG. [4] como *realizar.*

partida *f.* Acción de partir o salir de un punto para otro. 2 fig. Muerte. 3 Asiento de nacimiento, bautismo, matrimonio o entierro en los libros de las parroquias o del registro civil. 4 Copia certificada de uno de estos asientos. 5 Artículo parcial

que contiene una cuenta. 6 Cantidad de un género de comercio: *una ~ de trigo, aceite, madera.* 7 Conjunto poco numeroso de gente armada organizada militarmente: *una ~ de soldados, de carlistas.* 8 Conjunto de personas que se reúnen para determinados fines: ~ *de caza.* 9 Guerrilla (formación militar; tropa). 10 Parte o lugar. 11 Mano de un juego, o conjunto de ellas que se juegan en una sesión. 12 Cantidad de dinero que se atraviesa en ellas. 13 fig. Comportamiento o proceder de uno con respecto a otro: *me jugó una buena* o *una mala ~.*

partidario, -ria *adj.-s.* Que sigue un partido o bando. 2 Adicto a una persona o idea.

partidismo *m.* Celo exagerado a favor de un partido, tendencia u opinión.

partido, -da *adj.* Franco, liberal y que reparte con otros lo que tiene. – 2 *m.* Conjunto de personas que siguen y defienden una misma opinión, línea de conducta, etc. 3 Conjunto de varios jugadores que juegan contra otros tantos. 4 Resolución que uno adopta: *tomar ~.* 5 Provecho, ventaja o conveniencia: *sacar ~ de un asunto.* 6 Favor o protección de que se goza. 7 Trato, convenio o concierto. 8 Distrito o territorio de una jurisdicción o administración, que tiene por cabeza un pueblo principal: ~ *judicial.* 9 Territorio en que el médico tiene obligación de asistir a los enfermos por el sueldo que se le señala. 10 Prueba deportiva en la que dos jugadores o equipos se disputan la victoria.

partidor *m.* El que divide o reparte una cosa. 2 El que parte una cosa, rompiéndola: ~ *de leña.* 3 Instrumento con que se parte o rompe. 4 Obra que reparte por medio de compuertas en diferentes conductos las aguas de un cauce.

partir *tr.* Dividir (separar): ~ *por mitad;* ~ *en pedazos.* 2 p. anal. Hender, rajar: ~ *la cabeza;* fig., desbaratar, desconcertar a uno: *le hemos partido.* 3 Repartir (distribuir): ~ *entre amigos;* ~ *la casa con el mendigo.* 4 p. anal. Distinguir [una cosa de otra] determinando lo que a cada uno pertenece: ~ *los términos de un lugar.* 5 Distribuir o dividir en clases: ~ *los habitantes de un país.* 6 Acometer en plena batalla: ~ *al enemigo.* – 7 *intr.* Empezar a caminar, ponerse en camino: ~ *a,* o *para, Sevilla;* ~ *de Madrid.* 8 p. anal. Tomar una fecha o cualquier otro antecedente como base para un cómputo o razonamiento: *a ~ de este día;* ~ *de un supuesto falso.* 9 fig. Resolverse o determinarse al que estaba dudoso: *¿has partido ya?* – 10 *prnl.* Dividirse en opiniones o parcialidades.

partisano, -na *adj.-s.* GALIC. Partidario, guerrillero.

partitivo, -va *adj.* Que puede partirse o dividirse. 2 [numeral] Que expresa división de un todo en partes: *medio, tercio, cuarto,* etc.

partitura *f.* Texto completo de una obra musical en que las diferentes partes o voces se hallan separadas, pero superpuestas.

parto *m.* Acción de parir. 2 Ser que ha nacido. 3 fig. Producción del entendimiento o ingenio humano.

parturienta, -te *adj.-f.* [mujer] Que está de parto o recién parida.

parva *f.* Parvedad (alimento). 2 Mies tendida en la era. 3 Desayuno, entre la gente trabajadora. 4 fig. Montón o cantidad grande de una cosa. 5 fig. Multitud de chiquillos.

parvedad *f.* Pequeñez, poquedad, escasez. 2 Corta porción de alimento que se toma por la mañana en los días de ayuno.

parvificar *tr.* Achicar (menguar), empequeñecer, escasear, atenuar. ◇ ** CONJUG. [1] como *sacar.*

parvífico, -ca *adj.* Escaso, corto y miserable en el gastar.

parvo, -va *adj.* Pequeño.

párvulo, -la *adj.-s.* Niño (en la niñez). – 2 *adj.* Pequeño. 3 fig. Inocente, cándido. 4 Humilde, cuitado.

pasa *f.-adj.* Uva seca, enjugada natural o artificialmente. – 2 *f.* fig. Mechón de cabellos ensortijados de los negros.

pasable *adj.* Pasadero (inmediato).

pasacalle *m.* Marcha popular de compás muy vivo.

pasada *f.* Acción de pasar de una parte a otra. 2 Paso geométrico. 3 Renta suficiente para mantenerse. 4 Partida de juego. 5 Paso (acción). 6 Puntada larga en el cosido. 7 Acción de planchar ligeramente. 8 Efecto de planchar ligeramente. 9 Acción de dar un último repaso o retoque a un trabajo cualquiera. 10 Efecto de dar un último repaso o retoque a un trabajo cualquiera. 11 fig. Mal comportamiento de una persona con otra: *mala* ~. 12 Hilo de trama. 13 *Amér. Central.* Reprimenda.

pasadera *f.* Piedra que se pone para atravesar a pie enjuto charcos, arroyos, etc. 2 Cosa convenientemente colocada para este mismo fin.

pasadero, -ra *adj.* Que se puede pasar con facilidad. 2 Medianamente bueno de salud, de calidad, etc. – 3 *m.* Pasadera (para atravesar un río, etc.).

pasadillo *m.* Especie de bordadura que pasa por ambos lados de la tela.

pasadizo *m.* Paso estrecho. 2 fig. Medio para pasar de una parte a otra.

pasado *m.* Tiempo que pasó. 2 Paso II. – 3 *m. pl.* Ascendientes o antepasados.

pasador, -ra *adj.-s.* Que pasa de una parte a otra: *un* ~ *de contrabando.* – 2 *m.* Flecha muy aguda que se disparaba con ballesta. 3 Barrita de metal sujeta con grapas a una hoja de puerta, ventana, etc., que sirve para **cerrar

corriéndola hasta hacerla entrar en una hembrilla fija en el marco. 4 Varilla de metal que en las bisagras, charnelas, etc., une las palas y sirve de eje para su movimiento. 5 Aguja grande para sujetarse el cabello las mujeres. 6 Imperdible que se clava en el pecho de los uniformes, y al cual se sujetan una o más condecoraciones pequeñas. 7 Botón suelto con que se abrochan dos o más ojales. 8 Sortija para mantener ceñida al cuello una corbata. 9 Utensilio generalmente cónico y de hoja de lata, con fondo agujereado para colar. – 10 *m. pl.* Gemelos, botones de camisa.

pasadura *f.* Tránsito o pasaje de una parte a otra. 2 fig. Llanto convulsivo de algunos niños.

pasaje *m.* Acción de pasar de una parte a otra. 2 Lugar por donde se pasa. 3 Paso público entre dos calles, a veces cubierto. 4 Estrecho entre dos islas o entre una isla y la tierra firme. 5 Derecho que se paga por pasar por un paraje. 6 Precio que se paga por ser transportado en una nave. 7 Conjunto de pasajeros de una nave. 8 Trozo, no largo, de una composición literaria, musical, etc., que ofrece cierta particularidad. 9 Acogida que se hace a uno o trato que se le da. 10 *Amér.* Boleto o billete para un viaje.

pasajero, -ra *adj.* [lugar] Por donde continuamente pasa mucha gente. 2 Que pasa presto o dura poco. 3 Viajero, transeúnte. – 4 *adj.-s.* Que pasa o va de camino de un lugar a otro, sin tener cargo en el vehículo.

pasamanería *f.* Obra o fábrica de pasamanos.

I) pasamano *m.* Barandal (listón). 2 En los navíos, paso de proa a popa junto a la borda.

II) pasamano *m.* Especie de galón, cordones, flecos y demás adornos de oro, plata, seda, etc., usados para guarnecer, especialmente los vestidos.

pasamontañas *m.* Especie de gorra que cubre el cuello y las orejas. ◇ Pl.: *pasamontañas.*

pasante *m.* El que asiste al maestro de una facultad en el ejercicio de ella, para imponerse en su práctica. 2 Profesor, en algunas facultades, con quien van a estudiar los que han de examinarse: ~ *de Leyes;* ~ *en Teología.* 3 El que explica la lección a otro.

pasaperro *m.* Encuadernación con un cordón que atraviesa las hojas y las tapas.

pasaportar *tr.* Expedir pasaporte [a una persona]. 2 Despedir a alguien, echarlo de donde está. 3 fig. *y* fam. Matar, acabar. ◇ En la primera acepción se usa especialmente entre militares.

pasaporte *m.* Licencia por escrito dada para poder pasar libre y seguramente en un pueblo o país a otro. 2 Librito o cuaderno donde figura esta licencia. 3 fig. Licencia franca o libertad de ejecutar una cosa.

pasapurés *m.* Utensilio de cocina que sirve para colar los purés. ◇ Pl.: *pasapurés*.

pasar *intr.* Con relación a lo que está quieto, moverse o trasladarse de un lugar a otro: ~ *por la calle;* ~ *en silencio;* ~ *entre,* o *por entre, árboles.* 2 Transitar por algún sitio: *la procesión pasa por la calle; pasa por un puente todos los días.* 3 p. anal. Hablando de la moneda, ser admitida. 4 Hablando de las mercaderías o géneros vendibles, valer o tener precio. 5 En algunos juegos de naipes, no entrar, y en el dominó, dejar de poner ficha. 6 Conceder graciosamente alguna cosa: *paso en este asunto.* 7 Ser considerado: *pasa por sabio.* 8 Durar algo, estar en condiciones de ser utilizado: *este vestido puede* ~ *este verano.* 9 Seguir viviendo, actuando, aunque precariamente y con dificultades: *podemos pasarnos sin el coche; ir pasando,* vivir, tener salud. 10 Transcurrir el tiempo: *vamos pasando la tarde.* 11 Morir (fallecer). 12 Ir a un sitio sin detenerse en él mucho tiempo: *me pasaré por tu casa al salir de la oficina.* 13 Entrar: *pase usted.* 14 Empezar a hacer otra cosa a continuación de la anterior: ~ *a almorzar.* 15 Cambiar de estado, de condición: *el joven pasó de pronto a hombre.* 16 Divulgarse, propagarse: *la noticia pasó de uno a otro pueblo.* – 17 *unipers.* Ofrecerse alguna cosa ligeramente a la imaginación: *me pasa por la cabeza.* 18 Ocurrir, acontecer: *aquí ha pasado algo.* – 19 *tr.* Proyectar una película cinematográfica. 20 Llevar, conducir [a una persona o cosa] de un lugar a otro: *lo pasaron de Madrid a Zaragoza; he pasado la mesa al pasillo.* 21 Enviar, transmitir: ~ *un recado, un mensaje.* 22 Atravesar, cruzar: ~ *el río.* 23 Rebasar, ir más allá: ~ *la raya;* ~ *los límites.* 24 Penetrar o traspasar: ~ *el país.* 25 Introducir o extraer [géneros de contrabando o que adeudan derechos] sin registro. 26 Introducir [una cosa] por el hueco de otra: ~ *una hebra por el ojo de una aguja.* 27 Colar: ~ *un líquido por manga.* 28 Cerner (separar): ~ *la tierra por tamiz.* 29 Tragar (por la boca): *pasó todo lo que le dieron.* 30 Exceder, aventajar: *en ciencias pasa a su hermano.* 31 Sufrir, padecer: *ha pasado muchas penalidades;* ~ *frío.* 32 Tolerar, consentir: *ya te he pasado muchas.* 33 Asistir al estudio [de un abogado] o acompañar [al médico] en sus visitas para adiestrarse. 34 Explicar privadamente una facultad o ciencia [a un discípulo]. 35 Repasar el estudiante [la lección]; en gral., recorrer leyendo o estudiando [un libro o tratado]. 36 Desecar [una cosa] al aire, o al sol, o con lejía. 37 Aprobar [un examen]. 38 DEP. Enviar [la pelota, el balón, la bola, etc.] un jugador a otro de su mismo equipo para que continúe la jugada. – 39 *tr.-intr.* Transmitir o transferir [una cosa] de un sujeto a otro: *pasaron el anillo del padre al hijo; el anillo pasó del padre al hijo.* 40 Contagiar. – 41 *tr.-prnl.* Hacer deslizar

algo por una superficie: *pasarse la mano por la frente;* ~ *el cepillo por el pelo.* – 42 *intr.-prnl.* Cesar, acabarse una cosa: ~, o *pasarse, la cólera; cuando pase el verano.* – 43 *prnl.* Tomar un partido contrario al que antes se tenía. 44 Excederse en una calidad o propiedad: *pasarse de bueno; pasarse de listo,* equivocarse por exceso de malicia. 45 Perder la sazón o la ocasión; madurar demasiado, empezar a pudrirse las carnes, frutas, etc. 46 Olvidarse o borrarse de la memoria.

pasarela *f.* Puente pequeño o provisional. 2 En los teatros, pequeña prolongación del escenario, más o menos circular, en la que se muestran las artistas.

pasatiempo *m.* Diversión y entretenimiento en que se pasa el rato.

pasavino *m.* Embudo para trasegar el vino.

pasavolante *m.* Acción ejecutada con brevedad y sin reparo.

pascalio *m.* Unidad de presión, que equivale a la presión uniforme que ejerce una fuerza total de un newton, que actúa perpendicularmente a una superficie plana de un metro cuadrado. Su símbolo es *Pa.*

pascana *f. Amér.* Tambo, mesón. 2 *Amér.* Etapa, descanso o parada en un viaje.

pascua *f.* Fiesta la más solemne de los hebreos, que celebraban a la mitad de la luna de marzo, en memoria de la libertad del cautiverio de Egipto. 2 En la Iglesia católica, fiesta solemne de la Resurrección del Señor, que se celebra el domingo siguiente al plenilunio posterior al 20 de marzo. 3 Solemnidad del nacimiento de Cristo, de la adoración de los Reyes Magos y de la venida del Espíritu Santo sobre el Colegio apostólico. – 4 *f. pl.* Tiempo desde el nacimiento de Cristo hasta el día de Reyes inclusive.

pascual *adj.* Perteneciente o relativo a la pascua.

pase *m.* Licencia por escrito para pasar algunos géneros de un lugar a otro, para transitar por algún sitio, para entrar en un local, para viajar gratis, etc. 2 Acción de pasar en el juego. 3 Efecto de pasar en el juego. 4 DEP. Envío de la pelota, el balón, la bola, etc., que efectúa un jugador para que otro de su mismo equipo continúe la jugada. 5 Sesión (acto, proyección).

paseante *adj.-s.* Que pasea o se pasea: ~ *en corte.*

pasear *intr.-prnl.* Andar por diversión o por hacer ejercicio: ~, o *pasearse, por la calle, con otro; pasearse en,* o *por, el campo; tr.,* ~ *la calle.* 2 p. anal. Ir con iguales fines en cualquier vehículo: ~, o *pasearse, a caballo, en una canoa.* – 3 *intr.* Andar el caballo a paso natural. – 4 *tr.* fact. Hacer pasear: ~ *a un niño.* 5 fig. Llevar [una cosa] de una parte a otra, hacerla ver acá y allá. – 6 *prnl.* fig. Discurrir vagamente acerca de una materia. 7 Dicho de cosas que no son materiales, andar vagando. 8 Estar ocioso: *mi hermano se pasea.* – 9 *tr. Amér. Central.* Arruinar, echar a perder [un negocio, hacienda, etc.].

paseíllo *m.* TAUROM. Paseo o desfile de las cuadrillas. 2 fig. Recorrido que hacían los detenidos durante la Guerra Civil hasta el lugar de fusilamiento.

paseo *m.* Acción de pasear o pasearse: *dar un ~,* pasear (andar; ir). 2 Lugar público destinado para pasearse. 3 Desfile de las cuadrillas por el ruedo, antes de comenzar la lidia. V. capote de ~. 4 Distancia corta, que puede recorrerse paseando. 5 *Amér. Central.* Mascarada que recorre las calles.

pasera *f.* Lugar donde se ponen a desecar las frutas para que se hagan pasas. 2 Operación de pasar algunas frutas.

paseriforme *adj.-m.* Ave del orden de los paseriformes. – 2 *m. pl.* Orden de aves de pequeño tamaño, llamadas en general pájaros. Tienen las alas bien desarrolladas y las patas provistas de cuatro dedos, tres dirigidos hacia delante y uno hacia atrás, el pulgar; su alimentación es amplia, hay especies granívoras, insectívoras y omnívoras.

I) pasero, -ra *adj.* Caballería enseñada al paso.

II) pasero, -ra *adj.* Relativo a las pasas: *exportación pasera.*

pasible *adj.* Que puede o es capaz de padecer.

pasiego, -ga *adj.-s.* De Pas, valle de Santander. – 2 *f.* Ama de cría.

pasificación *m.* Proceso de convertir la uva fresca en pasa.

pasifloráceo, -a *adj.-f.* Planta de la familia de las pasifloráceas. – 2 *f. pl.* Familia de plantas dicotiledóneas tropicales, de hojas alternas, flores elegantes y complicadas y fruto en baya o cápsula con muchas semillas; como la pasionaria.

pasigrafía *f.* Escritura universal capaz de ser entendida por todos sin necesidad de traducción.

pasillo *m.* Pieza de paso, larga y angosta, en un edificio. 2 Puntada larga sobre que se forman los ojales y ciertos bordados. 3 Paso teatral. 4 *Hacer pasillos,* brujulear en edificios públicos o empresas privadas para obtener favores personales.

pasión *f.* Acción de padecer. 2 p. ant. La de Nuestro Señor Jesucristo. 3 Parte de cada uno de los Evangelios que describe la pasión de Jesucristo. 4 Acción, no con respecto al sujeto que la efectúa sino al que la recibe. 5 Inclinación vehemente del ánimo, acompañada de estados afectivos e intelectuales, especialmente de imágenes, y harto potente para dominar la vida del espíritu.

pasional *adj.* Relativo a la pasión, especialmente amorosa.

pasionaria *f.* Planta pasiflorácea, originaria del Brasil, de tallos trepadores, hojas verdes por el haz, flores olorosas, grandes y solitarias, corola filamentosa formando como una corona de espinas, estigmas en forma de clavo y fruto amarillo de figura de huevo *(Passiflora cœrulea).*

pasito *adv. m.* Con gran tiento, en voz baja.

pasitrote *m.* Trote corto que suelen tomar los asnos, y, raras veces, las demás caballerías.

pasivo, -va *adj.* Sujeto que recibe la acción del agente, sin cooperar a ella; que soporta algo sin oponer resistencia. 2 Que deja obrar a los otros sin hacer por sí cosa alguna. 3 GRAM. [forma verbal] Que expresa que el sujeto gramatical de un verbo no es agente de la acción que enuncia, sino receptor o paciente: *voz, verbo, participio ~; construcción pasiva; pasiva refleja,* construcción verbal formada por el pronombre *se* y el verbo en voz activa: *se firma la paz por los embajadores.* 4 [haber o pensión] Que se disfruta en virtud de los servicios prestados o del derecho ganado con ellos y que les fue transmitido. Estas personas se denominan colectivamente *clases pasivas.* – 5 *m.* COM. Importe total de los débitos y gravámenes que tiene contra sí una persona o entidad, y también el coste o riesgo que contrapesa los provechos de un negocio.

pasmado, -da *adj.* Persona torpe, inexpresiva, sin gracia.

pasmar *tr.* Enfriar mucho o bruscamente; esp., helar o helarse [las plantas]: *este frío ha pasmado las coles; pasmarse con la helada, pasmarse de frío.* 2 Causar [a uno] suspensión o pérdida de los sentidos y del movimiento. 3 fig. Asombrar con extremo. – 4 *prnl.* Contraer la enfermedad llamada pasmo.

pasmo *m.* Efecto de un enfriamiento manifestado por romadizo, dolor de huesos, etc. 2 fig. Admiración extremada, que deja como en suspenso la razón y el discurso. 3 fig. Objeto que ocasiona esta admiración. 4 *Amér.* Enfermedad endémica de los países tropicales.

pasmón, -mona *adj.-s.* [pers.] Torpe de entendimiento y voluntad, que parece estar en continua suspensión y asombro.

pasmoso, -sa *adj.* Que causa pasmo (admiración).

I) paso *m.* Movimiento que hace el hombre al andar, levantando y adelantando un pie hasta dejarlo en tierra: *dar un ~ adelante.* 2 fig. Adelantamiento en cualquier especie de ingenio, virtud, estado, ocupación, empleo, etc. 3 Acto, especialmente diligencia que se hace en solicitud de una cosa. 4 Longitud de un paso medida generalmente desde el talón de un pie al talón del otro. 5 Manera de andar una persona, movimiento más o menos rítmico de la

marcha. 6 Mudanza que se hace en los bailes.
7 Movimiento seguido con que anda un ser
animado. 8 Movimiento regular con que
camina una **caballería, teniendo sólo un pie
en el aire: *la mula iba al* ~. 9 Huella (del pie).
10 Peldaño. 11 Puntada larga que se da en la
ropa cuando, por usada, está clara y próxima
a romperse. 12 Licencia de poder pasar sin
estorbo. 13 Licencia o facultad de transferir a
otro la gracia, merced, empleo o dignidad que
uno tiene. 14 Tránsito de las aves de una
región a otra para invernar o pasar el verano.
15 Lugar por donde se puede pasar: ~ *de pea-*
tones, espacio de la calzada, a veces subterráneo, destinado al cruce de peatones de una
acera a otra, cuyo uso está regulado, generalmente, por semáforos o agentes de circulación; ~ *a nivel,* sitio en que un ferrocarril se
cruza con otro camino al mismo nivel;
**carretera. 16 Estrecho de mar. 17 Suceso de
los más notables de la vida del hombre, y
especialmente trance de la muerte o grave
conflicto. 18 Representación de uno de los
sucesos de la Pasión de Cristo que se saca en
procesión por la Semana Santa. 19 Pasaje de
un libro o escrito. 20 Pieza dramática muy
breve. – 21 *adv. m.* Blandamente, quedo, en
voz baja.
II) paso, -sa *adj.* Curado y desecado al sol
o por cualquier otro procedimiento, especialmente la fruta: *ciruela pasa.*

pasodoble *m.* Música de marcha en compás de cuatro por cuatro. 2 Baile que se ejecuta
al compás de esta música.

pasota *com.* Persona que permanece indiferente o inactiva ante todo.

paspar *tr.-prnl. Amér.* Cortarse el cutis a
causa del frío.

paspartú *m.* Recuadro de cartón o tela que
se pone entre el marco y el objeto enmarcado
para darle a éste mayor resalte. ◇ Pl.: *pas-*
partús.

paspayás *m.* Planta gramínea con las hojas
pubescentes y espigas cilíndricas (*Hordeum*
murinum) ◇ Pl.: *paspayás.*

pasquín *m.* Escrito anónimo de contenido
satírico y que se fija en sitio público. 2 Cartel
anunciador.

pasquinada *f.* Dicho agudo y satírico que
se divulga.

pasquinar *tr.* Satirizar con pasquines o pas-
quinadas.

pasta *f.* Masa blanda y plástica formada con
una substancia sólida machacada o pulverizada, mezclada íntimamente con algún
líquido. 2 Masa trabajada con manteca o
aceite y otras cosas, que sirve para hacer pasteles, hojaldres, etc. 3 Masa de harina de trigo
o de sémola que se presenta bajo diversas formas: canelones, fideos, tallarines, etc. 4 Conjunto de productos hechos con esta masa. 5

Cartón hecho de papel deshecho y machacado. 6 Encuadernación de los libros. 7 Porción de metal fundido y sin labrar. 8 ~ *de*
dientes, dentífrico. 9 fam. Dinero.

pastaflora *f.* Pasta hecha con harina, azúcar
y huevo, muy delicada.

pastaje *m. Amér.* Pasto para el ganado. 2
Amér. Lo que se paga por él.

pastar *tr.* Conducir [el ganado] al pasto. – 2
intr. Pacer (el ganado).

pastel *m.* Masa de harina y manteca en que
generalmente se envuelve crema o dulce, y a
veces carne, fruta o pescado, cociéndose después al horno. 2 Preparado culinario frío
hecho a base de carne o pescado. 3 Lápiz compuesto de una materia colorante y agua de
goma. 4 fig. Convenio secreto entre algunos
con malos fines, o con excesiva transigencia.
5 Dinero o beneficio a repartir entre varios:
por la venta de la fábrica, los obreros reclaman el
mayor trozo del ~.

pastelear *intr.* desp. Contemporizar por
miras interesadas.

pastelería *f.* Establecimiento del pastelero.
2 Arte de trabajar pasteles, pastas, etc. 3 Conjunto de pasteles o pastas.

pastelero, -ra *m. f.* Persona que tiene por
oficio hacer o vender pasteles.

pastelillo *m.* Especie de dulce hecho de
mazapán u otra masa delicada y relleno de
conservas. 2 Pastel pequeño de carne o pescado.

pastelón *m.* Pastel en que, además de la
carne picada, se ponen otros ingredientes.

pastenco, -ca *adj.-s.* Res recién destetada
que se echa al pasto.

pasteurizar *tr.* Esterilizar [la leche, el vino
y otros líquidos] según el procedimiento de
Pasteur. ◇ ** CONJUG. [4] como *realizar.*

pastiche *m.* Combinación de diversos elementos de procedencia dispar y en principio
incompatibles estéticamente, cuyo objetivo
usual es la decoración lujosa.

pastilla *f.* Porción de pasta, generalmente
pequeña y cuadrangular o redonda: ~ *de*
jabón, de mantequilla. 2 Porción pequeña de
una tableta de chocolate. 3 Porción muy
pequeña de pasta, compuesta de azúcar y
alguna substancia medicinal o simplemente
agradable: *pastillas para la tos, de aspirina, de*
menta. 4 p. ant. Píldora anticonceptiva. 5
ELECTR. Artefacto de pequeño tamaño, generalmente de forma cuadrangular y de poca
altura, empleado en la electrónica y otros
usos; **cuerda.

pastinaca *f.* Pez marino seláceo comestible,
de cabeza puntiaguda, cuerpo aplastado,
redondo, de medio metro de diámetro, amarillento con manchas obscuras en el lomo y
blanquecino por el vientre, y cola delgada,
larga, cónica y armada de un aguijón a manera
de anzuelo (*Trygon pastinaca*).

pastizal *m.* Terreno de abundante pasto para caballerías.

pasto *m.* Acción de pastar. 2 Sitio en que pasta el ganado: *en Suiza hay buenos pastos.* 3 Hierba que el ganado pace. 4 Porción de comida que se da de una vez a las aves. 5 Cosa que sirve para el sustento. 6 fig. Materia que sirve a la actividad de los agentes que consumen las cosas: *la casa fue ~ de las llamas.* 7 fig. Hecho, noticia u ocasión que sirve para fomentar alguna cosa.

pastor, -ra *m. f.* Persona que guarda, guía y apacenta el ganado. Se entiende generalmente el de ovejas. – 2 *m.* Eclesiástico que tiene súbditos y obligación de cuidar de ellos: *~ protestante,* sacerdote de esta iglesia.

pastoral *adj.* Pastoril. 2 Bucólico (relativo). 3 Perteneciente o relativo a los prelados. – 4 *f.* Carta pastoral. 5 Especie de drama bucólico, cuyos interlocutores son pastores y pastoras.

pastorear *tr.* Llevar [los ganados] al campo y cuidar de ellos mientras pacen. 2 fig. Cuidar los prelados vigilantemente [de sus fieles]. 3 *Amér.* Acechar, atisbar [a alguien]. 4 *Amér. Central.* Mimar [a alguien].

pastorela *f.* Tañido y canto al modo del que usan los pastores. 2 Composición lírica, dialogada, de tema amoroso, en que generalmente intervienen un caballero y una pastora.

pastoriego, -ga *adj.* Perteneciente o relativo o perteneciente al pastor.

pastoril *adj.* Perteneciente o relativo a los pastores: *género ~,* conjunto de obras literarias, líricas, épicas o dramáticas, que se desarrollan dentro de un marco bucólico.

I) pastoso, -sa *adj.* [cosa] Blando y suave a semejanza de la masa. 2 [voz] De timbre suave y agradable. 3 Pintado con buena masa y pasta de color.

II) pastoso, -sa *adj. Amér.* [terreno] Que tiene buenos pastos.

pastrano, -na *adj.* Que es burdo o está mal hecho: *letra pastrana.* – 2 *f.* Mentira fabulosa, patraña.

pastueño *adj.* [toro de lidia] Que acude sin recelo al engaño.

pastura *f.* Porción de comida que se da de una vez a los bueyes.

pasturaje *m.* Lugar de pasto común. 2 Derechos que se pagan para poder pastar los ganados.

pasudo, -da *adj.-s. Amér.* [pelo] Ensortijado; [pers.] que lo tiene.

pata *f.* Pie y pierna de los animales; **crustáceos. 2 fig. Pierna del hombre. 3 Pie (de mueble; base). 4 Hembra del pato. 5 ~ *de gallo,* planta graminácea, con las cañas dobladas por la parte inferior, hojas largas y flores en espigas que forman panoja, con aristas muy cortas; fig., arruga con tres surcos divergentes que se forman en el ángulo del ojo a medida que avanza la edad de la persona.

patada *f.* Golpe dado de llano con el pie o con la pata. 2 fam. Paso (al andar). 3 fig. Estampa, huella. 4 *Méj.* Rechazo, desdén.

patagorrillo *m.* Guisado hecho de la asadura picada del puerco u otro animal.

patagrás *m. Amér.* Queso blando y mantecoso.

patalear *intr.* Mover las piernas o patas violentamente y con ligereza, o para herir con ellas o en fuerza de un accidente o dolor. 2 Dar patadas en el suelo violentamente y con prisa, por enfado o pesar.

pataleta *f.* fam. *y* burl. Convulsión, especialmente cuando se cree que es fingida.

patán *m.* Aldeano o rústico. – 2 *adj.-m.* fig. Hombre tosco y grosero.

patanería *f.* Grosería, rustiquez.

patarata *f.* Cosa ridícula y despreciable. 2 Expresión afectada y ridícula de un sentimiento o exceso en cortesía.

patarra *f. And.* Falta de gracia y viveza, sosería, pesadez.

patasca *f. Amér.* Guiso de cerdo cocido con maíz. 2 *Amér. Merid. y Pan.* Alboroto, tumulto.

patata *f.* Planta solanácea, oriunda de América, de tallo ramoso, de hojas partidas, flores blancas y moradas en corimbos, fruto en baya y rizomas que llevan en sus extremos gruesos tubérculos redondeados, carnosos, muy feculentos, pardos por fuera, amarillentos y rojizos por dentro, con los que se alimenta muy nutritivo *(Solanum tuberosum).* 2 Tubérculo de esta planta. ~ *caliente,* fig., asunto o situación que requiere una solución urgente.

patatero, -ra *adj.* Perteneciente o relativo a la patata. 2 [pers.] Que con preferencia se alimenta o se supone que se alimenta con patatas. 3 fig. [oficial o jefe] Que ha ascendido desde soldado raso.

patatús *m.* fam. Congoja o accidente leve. ◇ Pl.: *patatuses.*

patay *m. Amér.* Pasta alimenticia hecha de algarroba molida.

paté *m.* Pastel de carne o pescado, foie gras. ◇ Pl.: *patés.*

patear *tr.* frecuent. Dar golpes con los pies: *~ una cosa.* 2 fig. Tratar desconsiderada y rudamente [a uno]. – 3 *intr.* fam. Dar patadas en señal de enojo, desagrado o dolor; fig., estar sumamente encolerizado o enfadado. 4 fig. Andar mucho haciendo diligencias para conseguir una cosa. – 5 *intr. Amér.* Cocear el caballo. 6 *Amér.* Dar con el arma de fuego. 7 *Amér.* Indigestarse alguna cosa.

patena *f.* Medalla grande, con una imagen esculpida que se pone al pecho, y la usan como adorno las labradoras. 2 Platillo de oro, plata o metal dorado, en el cual se pone la hostia en la misa, desde acabado el paternóster hasta el momento de consumir.

patentado *adj.* [invento, procedimiento,

marca comercial, etc.] Que goza de una patente oficial.

patentar *tr.* Conceder y expedir patente a favor [de persona o cosas]. 2 Obtener la patente [de un invento, procedimiento, etc.].

patente *adj.* Visible, evidente. – 2 *f.* Título, librado por un soberano, gobierno, etc., confiriendo ciertos derechos, privilegios: ~ *de invención,* certificado por el que se confiere el derecho exclusivo de fabricar, ejecutar o producir, vender o utilizar, el objeto de la patente, como explotación industrial o lucrativa.

patentizar *tr.* Hacer patente (evidente) [una cosa]. ◇ ** CONJUG. [4] como *realizar.*

páter *m.* Sacerdote.

paterfamilias *m.* Jefe de familia de la antigua Roma. ◇ Pl.: *paterfamilias.*

paternal *adj.* Propio del afecto o solicitud de padre.

paternalismo *m.* Carácter paternal. 2 Acti-

tud protectora de un superior respecto a sus subordinados.

paternalista *adj.* [gobierno, empresa o persona] Que practica el paternalismo. 2 [ley, conducta, organización, etc.] Del mismo carácter.

paternidad *f.* Calidad de padre. 2 Lazo jurídico entre el padre y sus hijos. 3 fig. Creación: *atribuirse la* ~ *de un invento.*

paterno, -na *adj.* Perteneciente o relativo al padre.

paternóster *m.* Padrenuestro. 2 Padrenuestro que se dice en la misa y es una de las partes de ella. 3 fig. Nudo gordo y muy apretado. ◇ Pl.: *paternóster.*

patético, -ca *adj.* Capaz de conmover y agitar el ánimo con afectos vehementes, especialmente dolor o melancolía.

patetismo *m.* Calidad de patético.

pathos *m.* Afección, emoción, pasión.

PATÍN

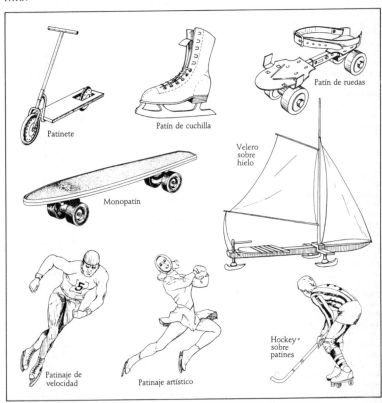

Patinete

Patín de cuchilla

Patín de ruedas

Monopatín

Velero sobre hielo

Patinaje de velocidad

Patinaje artístico

Hockey sobre patines

patiabierto, -ta *adj.* fam. Que tiene las piernas torcidas y separadas una de otra.

patibulario, -ria *adj.* Relativo al patíbulo. 2 Que por su repugnante aspecto o perversa condición produce horror o espanto.

patíbulo *m.* Tablado o lugar en que se ejecuta la pena de muerte.

patidifuso, -sa *adj.* hum. Patitieso (sorprendido).

patihendido, -da *adj.* [animal] Que tiene los pies hendidos o divididos en partes.

patilla *f.* Varilla lateral de la armazón de las gafas, generalmente curvada, que, junto a otra, las sujeta en las orejas. 2 *f.* Porción de barba que se deja crecer en cada uno de los carrillos. 3 Parte saliente de un madero para encajar en otro. 4 Gozne de las hebillas.

I) patín *m.* Ave procelariforme marina, de plumaje negro en la cabeza, cuello y espalda, blanco en el pecho; vientre y piernas, gris obscuro, con manchas blancas en las alas y la cola, que vive en bandadas y se alimenta de moluscos y peces (*gén. Procellaria*).

II) **patín *m.* Aparato que consiste en una plancha adaptable a la suela del zapato, provista de una especie de cuchilla o de cuatro ruedas, usado para patinar sobre el hielo o sobre una superficie dura, lisa y muy llana. 2 Aparato compuesto de dos flotadores paralelos unidos por dos o más travesaños y gobernado por un remo o por un sistema de paletas accionado por pedales, aunque a veces enarbola una vela. 3 Parte del tren de aterrizaje de un **avión.

pátina *f.* Especie de barniz duro, de color aceitunado y reluciente, que se forma en los objetos antiguos de bronce y otros metales. 2 Tono sentado y suave que da el tiempo a las pinturas al óleo o a ciertos objetos antiguos. 3 Este mismo tono obtenido artificialmente.

patinador, -ra *adj.-s.* Que patina.

patinaje *m.* Acción de patinar. 2 Efecto de patinar. 3 Deporte consistente en deslizarse por una superficie plana y adecuada al tipo de **patines que se emplean: ~ *artístico*, modalidad deportiva que se practica individualmente o por parejas y consiste en realizar figuras y danza; ~ *de velocidad*, modalidad deportiva que se corre sobre distancias fijas.

patinar *intr.* Deslizarse con patines sobre el hielo o sobre el pavimento duro, liso y muy llano. 2 Deslizarse o resbalar las ruedas de un vehículo sin rodar, o dar vueltas sin avanzar. 3 fig. Errar, equivocarse.

patinazo *m.* Acción de patinar bruscamente. 2 Efecto de patinar bruscamente. 3 fig. y fam. Planchazo, equivocación que avergüenza.

patinete *m.* Juguete de niño que consiste en una plancha montada sobre dos ruedas provista de una barra de dirección articulada; **patín.

patio *m.* Espacio de algunos edificios, cerrado con paredes o galerías, que se deja al descubierto: ~ *de armas,* pequeña explanada o zona interior de un recinto amurallado destinada al relevo o parada de tropas; **castillo. 2 En los **teatros, planta baja que ocupan las butacas. 3 Espacio que media entre las líneas de árboles y el término o margen de un campo. 4 *Ar., Colomb.* y *P. Rico.* Corral de una casa.

patitieso, -sa *adj.* fam. [pers.] Que, por un accidente repentino, se queda sin sentido ni movimiento en las piernas o pies. 2 fig. Que se queda sorprendido por la novedad o extrañeza que le causa una cosa. 3 fig. Que por presunción anda muy erguido y tieso.

patito, -ta *adj. Amér.* [color] Amarillo claro.

patizambo, -ba *adj.-s.* Que tiene las piernas torcidas hacia fuera y junta mucho las rodillas.

pato *m.* Ave palmípeda anseriforme de pico más ancho en la punta que en la base, cuello y tarsos cortos, y una mancha de reflejos metálicos en cada ala *(Anas platyrhyncha).* 2 *Argent.* y *Méj.* Juego de fuerza y destreza entre jinetes, que consiste en disputarse o arrebatarse un pato o pelota alada.

patochada *f.* Disparate, sandez, grosería.

patogenia *f.* Parte de la patología, que estudia el modo de engendrarse un estado morboso.

patógeno, -na *adj.* [elemento, medio] Que produce enfermedad.

patojo, -ja *adj.* Que tiene las piernas o pies torcidos e imita al pato en el andar. 2 *Amér.* [chiquillo] Del pueblo.

patología *f.* Parte de la medicina que tiene por objeto el estudio de las enfermedades.

patoso, -sa *adj.* [pers.] Que presume de chistoso y agudo sin serlo. 2 [pers.] Inhábil, desmañado.

patraña *f.* Mentira o noticia de pura invención.

patria *f.* Tierra natal o adoptiva a la que se pertenece por vínculos afectivos, históricos o jurídicos. 2 Ciudad o comarca donde se cuentan gran número de hombres, animales, etc., de un género determinado: *Grecia es la ~ de las artes.*

patriada *f. Argent.* y *Urug.* Acción arriesgada y valerosa.

patriarca *m.* Cabeza de familia; esp., ciertos personajes de la Biblia que vivieron antes de Moisés. 2 Título de dignidad concedido a los obispos de algunas iglesias principales, como las de Alejandría, Constantinopla y Jerusalén, o a algunos prelados sin ejercicio ni jurisdicción. 3 Fundador de una orden religiosa. 4 fig. Persona que por su edad y sabiduría ejerce autoridad moral en una familia o en una colectividad.

patriarcado *m.* Dignidad de patriarca. 2 Tiempo que dura dicha dignidad. 3 Territorio de la jurisdicción de un patriarca. 4 Gobierno o autoridad del patriarca. 5 Época o sistema de organización social primitiva, en que la autoridad se ejercía por un varón jefe de cada familia, extendiéndose este poder a los parientes de un mismo linaje.

patriarcal *adj.* Perteneciente o relativo al patriarca y a su autoridad y gobierno. V. **cruz ~. 2 fig. [autoridad, gobierno] Ejercido con sencillez y benevolencia.

patricio, -cia *adj.-s.* Descendiente de los primeros senadores romanos establecidos por Rómulo, cuyo conjunto constituía la clase social noble o privilegiada, a distinción de los plebeyos; tenían derecho y capacidad para administrar el Estado. – 2 *m.* Individuo que por su nacimiento, riqueza o virtudes descuella entre sus conciudadanos.

patrimonial *adj.* Perteneciente o relativo al patrimonio. 2 Relativo a uno por razón de su patria, padre o antepasados. 3 LING. [palabra, forma, giro, etc.] Tradicional en un idioma, en oposición a lo adventicio.

patrimonio *m.* Bienes que una persona hereda de sus ascendientes. 2 Conjunto de bienes pertenecientes a una persona natural o jurídica, o afectos a un fin, susceptibles de estimación económica. 3 fig. Bienes propios adquiridos por cualquier título. 4 fig. Herencia, tradición, privilegios: ~ *artístico;* ~ *de los sabios.*

patrio, -tria *adj.* Relativo a la patria. 2 Relativo al padre.

patriota *com.* Persona que tiene amor a su patria.

patriotería *f.* desp. Alarde excesivo e inoportuno de patriotismo.

patriótico, -ca *adj.* Perteneciente o relativo al patriota o a la patria.

patriotismo *m.* Amor a la patria.

patrística *f.* Estudio de la doctrina, obras y vida de los Santos Padres.

patrocinar *tr.* Defender, amparar, favorecer. 2 Sufragar una empresa, con fines publicitarios, los gastos de un programa de radio o televisión, de una competición deportiva o de un concurso.

patrocinio *m.* Protección del que patrocina alguna cosa.

patrología *f.* Patrística. 2 Colección de los escritos de los Santos Padres. 3 Tratado sobre los Santos Padres.

patrón, -trona *m. f.* Patrono. 2 Santo bajo cuya invocación y protección se halla una iglesia, un pueblo, una congregación, etc. 3 Dueño de una casa donde uno se hospeda. 4 Amo, señor. 5 Persona que emplea obreros en trabajos y oficios. – 6 *m.* El que manda y dirige un pequeño buque mercante. 7 Modelo

de papel, cartón, etc., según el cual se corta un objeto. 8 Metal que se toma como tipo para la evaluación de la moneda en un sistema monetario. 9 Unidad de referencia.

patronal *adj.* Perteneciente o relativo al patrono o al patronato. – 2 *f.* Conjunto de empresarios o patronos que actúa colectivamente como grupo de intereses frente a los obreros o el gobierno.

patronato *m.* Derecho, poder o facultad del patrono. 2 Fundación de una obra pía. 3 Cargo de cumplir algunas obras pías, benéficas, docentes, etc., que tienen las personas designadas por el fundador. 4 Consejo formado por varias personas, que ejercen funciones rectoras o de vigilancia en una fundación, en un instituto benéfico o docente, etc., para que cumpla debidamente sus fines.

patronear *tr.* Ejercer el cargo de patrón [en una embarcación].

patronímico, -ca *adj.-s.* Apellido familiar, que antiguamente se daba en España a los hijos, formado del nombre de sus padres: *Fernández,* de *Fernando.*

patrono, -na *m. f.* Defensor, protector, amparador. 2 Patrón (santo; amo). 3 El último dueño de un esclavo manumitido. 4 Persona que emplea obreros en trabajos manuales.

patrulla *f.* Pequeña partida de soldados, policías o gente armada que ronda, para mantener el orden y seguridad en ciudades, campamentos, líneas avanzadas, etc. 2 Grupo de buques o aviones en servicio. 3 Este mismo servicio.

patrullar *intr.* Rondar una patrulla. 2 Prestar servicio de patrulla.

patrullero, -ra *adj.-s.* Que patrulla. 2 Buque o avión destinado a patrullar.

patuco *m.* Zapato de bebé; **calzado.

patueco, -ca *adj.-s. Amér. Central.* Muchacho callejero, golfo.

patulea *f.* desp. Soldadesca desordenada. 2 Gente desbandada y maleante.

patullar *intr.* Pisar con fuerza y desatentadamente. 2 fig. *y* desp. Dar muchos pasos o hacer muchas diligencias sin conseguir una cosa.

paúl *m.* Terreno pantanoso cubierto de hierbas.

paular *m.* Pantano o atolladero.

paulatino, -na *adj.* Que obra lentamente.

paulina *f.* Carta de excomunión que expiden los tribunales pontificios para descubrir lo que se sospecha que ha sido robado u ocultado maliciosamente. 2 fig. Represión áspera y fuerte. 3 fig. Carta ofensiva anónima.

paulonia *f.* Árbol escrofulariáceo de jardín, de hojas grandes, flores azules, olorosas, en panojas, y fruto en caja con semillas aladas *(Paulownia tomentosa).*

pauperismo *m.* Existencia de gran número

de pobres en un estado, especialmente cuando procede de causas permanentes.

pauperización *f.* Empobrecimiento de una población o de un país.

paupérrimo, -ma *adj.* Superlativo de *pobre;* muy pobre.

paurópodo *adj.-m.* Miriápodo de la clase de los paurópodos. – 2 *m. pl.* Clase de artrópodos miriápodos de tamaño muy reducido y provistos de nueve o diez pares de patas.

pausa *f.* Breve interrupción del movimiento, acción o ejercicio: *una ~ en el discurso, en el trabajo.* 2 Tardanza, lentitud: *andar con ~.* 3 En el lenguaje, breve detención lógica o expresiva, y signo ortográfico que la representa; como la coma, el punto, etc. 4 MÚS. Intervalo en que se deja de cantar o tocar.

pausado, -da *adj.* Que obra con pausa. 2 Que se ejecuta o acaece de este modo.

pausar *intr.-tr.* Interrumpirse o retardarse un movimiento, ejercicio o acción: *la acción ha pausado; ~ un ejercicio.*

pauta *f.* Instrumento para rayar el papel en que los niños aprenden a escribir. 2 Raya o conjunto de rayas hechas con este instrumento. 3 fig. Instrumento o norma para gobernarse en la ejecución de una cosa. 4 Dechado o modelo.

pautar *tr.* MÚS. Rayar [el papel] con la pauta. 2 fig. Dar reglas o determinar el modo de hacer una acción.

I) pava *f.* Hembra del pavo. – 2 *f.-adj.* fig. Mujer sosa y desgarbada. – 3 *f.* vulg. Colilla del cigarro. 4 *Amér.* Sombrero ancho y bajo. 5 *Amér. Central* y *Colomb.* Fleco de pelo que las mujeres se echan sobre la frente.

II) pava *f.* Fuelle grande usado en ciertos hornos metalúrgicos. 2 *Argent.* y *Bol.* Caldera, cafetera o tetera.

pavada *f.* Manada de pavos. 2 Juego de niños, en que se sientan todos en corro, con las piernas extendidas, menos uno que va haciendo esconder los pies a los demás, hasta que sólo queda uno al descubierto: el niño a quien éste pertenece es el que pierde el juego. 3 fig. Sosería, insulsez.

pavana *f.* Antiguo baile cortesano de origen español, de ritmo binario y movimiento grave y pausado. 2 Música de este baile.

pavear *intr.* *Amér.* Cometer tonterías. 2 *Argent.* y *Chile* Burlarse.

pavera *f.* Cazuela para cocer los pavos.

pavero, -ra *m. f.* Persona que tiene por oficio cuidar pavadas [manadas] o vender pavos. 2 fig. Presumido, vanidoso. – 3 *m.* Sombrero de ala ancha y recta y copa de figura de cono truncado, que usan los andaluces.

pavés *m.* Escudo oblongo que cubre y defiende casi todo el cuerpo del combatiente; **armadura.

pavesa *f.* Partícula incandescente que se desprende de un cuerpo en combustión, reduciéndose a ceniza.

pavía *f.* Variedad de melocotón, cuyo fruto tiene la piel lisa y la carne jugosa y pegada al hueso. 2 Fruto de este árbol.

pavimentar *tr.* Revestir el suelo con ladrillos, losas, etc.

pavimento *m.* Superficie artificial que se hace para que el piso esté sólido y llano. 2 Superficie transitable.

pavisoso, -sa *adj.* Soso, sin gracia ni arte.

pavo *m.* Ave galliforme, oriunda de América, que en estado salvaje alcanza hasta 1 m. de alto; tiene el plumaje pardo verdoso con reflejos cobrizos y manchas blanquecinas en los extremos de las alas y de la cola; cabeza y cuello desnudos cubiertos de carúnculas rojas, así como la membrana eréctil que lleva encima del pico, tarsos fuertes y dedos largos (*Meleagris gallopavo*). 2 ~ **real**, ave galliforme, oriunda de Asia, cuyo macho tiene una cola larga, con manchas ovales, que se extiende en forma de abanico (*Pavo cristatus*). 3 fig. Timidez, falta de aplomo, sosería, languidez: *edad del ~.* 4 fig. Rubor súbito del rostro: *subírsele a uno el ~.* 5 vulg. Moneda de cinco pesetas. 6 *Amér.* Pasajero clandestino, polizón.

pavón *m.* Pavo real. 2 Capa superficial de óxido abrillantada, de color azulado, negro o café, con que se cubren las piezas de acero para mejorar su aspecto y evitar su corrosión. 3 Nombre de varias mariposas, llamadas así por tener manchas redondeadas en las alas, especialmente la nocturna de gran tamaño, que es la mayor de las especies de nuestra fauna (*Saturnia pavonia maior*).

pavonada *f.* Paseo o diversión semejante tomada por poco tiempo. 2 fig. Ostentación o pompa con que uno se deja ver.

pavonado, -da *adj.* Azulado obscuro.

pavonear *intr.-prnl.* Hacer uno vana ostentación de su gallardía o de otras prendas. – 2 *intr.* fig. Traer a uno entretenido o hacerle desear una cosa.

pavor *m.* Temor con espanto o sobresalto.

pavoroso, -sa *adj.* Que causa pavor.

paya *f.* *Argent.* y *Chile* Composición poética que los payadores improvisan y acompañan con la guitarra.

payacate *m.* *Méj.* y *Perú* Pañuelo grande.

payador *m.* *Argent., Chile* y *Urug.* Cantor popular que, acompañándose con la guitarra, improvisa canciones en competencia con otro como él.

payar *intr.* *Argent.* y *Chile* Cantar payas.

payasada *f.* Acción o dichos propios de payaso.

payasear *intr.* *Amér.* Hacer payasadas.

payaso *m.* Artista de circo que hace de gracioso, con traje, ademanes, dichos y gestos apropiados. – 2 *adj.* [pers.] De poca seriedad, propenso a hacer reír con sus dichos o hechos; ridículo II.

payé *m. Argent., Parag.* y *Urug.* Amuleto, brujería. **2** *Argent.* y *Urug.* Brujo, hechicero.

payés, -yesa *m. f.* Campesino o campesina de Cataluña o de las Islas Baleares.

payo, -ya *adj.-m.* Aldeano. **2** vulg. Tonto, mentecato, cándido. – **3** *m.* Campesino ignorante y rudo. **4** Para el gitano, el que no pertenece a su raza.

paz *f.* Estado de tranquilidad y sosiego no turbado por molestias, trabajos, etc.; esp., estado de sosiego del ánimo opuesto a la turbación y a las pasiones. **2** Tranquilidad pública, y especialmente en las familias, sosiego y buena correspondencia de unos con otros, en contraposición a las disensiones, riñas o pleitos. **3** En la misa, ceremonia en que el celebrante besa el altar y luego abraza al diácono y éste al subdiácono, y en que en las catedrales se da a besar al coro y a los que hacen cabeza del pueblo una imagen o reliquia. **4** Estado de una nación que no está en guerra con ninguna otra. **5** Convenio para dar fin a las hostilidades entre dos o más naciones: *firmar la ~.*

pazguato, -ta *adj.-s.* Simple, que se pasma de lo que ve u oye.

pazo *m.* En Galicia, casa solariega, y especialmente la edificada en el campo.

pazote *m.* Planta quenopodiácea, aromática, de tallo ramoso, hojas lanceoladas y flores pequeñas de color verdoso *(Chenopodium ambrosioides).*

¡pche! ¡pchs! Interjección con que se denota indiferencia, displicencia o reserva.

pe *f.* Nombre de la letra *p.*

pea *f.* Embriaguez, borrachera.

peaje *m.* Derecho de tránsito. **2** p. ext. Lugar donde se cobra dicho derecho; **carretera.

peal *m.* Parte de la media que cubre el pie. **2** Media sin pie que se sujeta a éste con una trabilla. **3** fig. Persona inútil, despreciable.

peana *f.* Base o apoyo para colocar encima una figura u otra cosa. **2** Tarima arrimada delante del altar.

peatón *m.* El que va a pie. **2** Valijero o correo de a pie.

peatonal *adj.* Propio o relativo a los peatones. **2** De uso exclusivo para peatones: *calle ~.*

peatonalizar *tr.* Hacer peatonal [una calle] ◇ ** CONJUG. [4] como *realizar.*

pebete *m.* Cañutillo con una masa de pólvora y otros ingredientes para encender los artificios de fuego. **2** fig. Cosa que tiene mal olor.

pebraza *f.* Seta de sombrero blanco y cóncavo que segrega una leche de sabor muy desagradable *(Lactarius piperatus).*

pebre *amb.* Salsa de pimienta, ajo, perejil y vinagre. **2** Pimienta (fruto).

peca *f.* Mancha pequeña y de color pardo que suele salir en el cutis.

pecado *m.* Transgresión voluntaria de la ley de Dios o de algún precepto de la Iglesia: ~ *original,* el de Adán y Eva, cuya consecuencia se transmite a todos nosotros; ~ *mortal, capital* o *grave,* el que destruye la gracia en el alma y hace al hombre digno de la pena eterna; ~ *venial,* el que sólo disminuye la gracia, por la parvedad de la materia, o por falta de plena advertencia; ~ *contra natura,* acto carnal contrario a la generación; ~ *nefando,* el de sodomía. **2** Lo que se aparta de lo recto y justo, o que falta a lo que es debido. **3** Exceso o defecto en cualquier línea.

pecador, -ra *adj.-s.* Que peca. **2** Sujeto al pecado o que puede cometerlo. – **3** *f.* fam. Ramera.

pecaminoso, -sa *adj.* Perteneciente o relativo al pecado o al pecador. **2** fig. [cosa] Que está o parece contaminada de pecado.

pecar *intr.* Quebrantar la ley de Dios: ~ *con la intención.* **2** Faltar a cualquier obligación o a la observancia de cualquier precepto o regla: ~ *contra la ley;* ~ *en las prácticas políticas.* **3** Dejarse llevar de la afición a una cosa: ~ *de andariego;* ~ *de confiado;* ~ *por demasía.* **4** Dar motivo para un castigo o pena: *¿en qué he pecado?* ◇ ** CONJUG. [1] como *sacar.*

pécari *m.* Mamífero artiodáctilo tayásido parecido al jabalí y propio de América, de unos 85 cms. de longitud y 50 cms. de talla, pelaje cerdoso espeso y hocico con reborde superior propio para hozar el suelo *(Tayassu tajacu).*

pecblenda *f.* Mineral de uranio, de composición muy compleja, en la que entran varios metales raros y entre ellos el radio.

pecera *f.* Vasija o globo de cristal lleno de agua para tener por recreo algunos peces. **2** fig. Local aislado mediante cristales.

pecina *f.* Cieno negruzco de los charcos donde hay materias orgánicas en descomposición.

pecio *m.* Pedazo de la nave que ha naufragado, o porción de lo que ella contiene.

pecíolo *m.* Pezón de la **hoja.

pécora *f.* Res o cabeza de ganado lanar. **2** fig. *Ser buena,* o *mala, ~,* ser una persona astuta, taimada y viciosa.

pecorear *tr.* Hurtar o robar [ganado]. **2** Salir las abejas a recoger el néctar de las flores. – **3** *intr.* Andar la soldadesca hurtando y saqueando.

pecoso, -sa *adj.* Que tiene pecas.

pectina *f.* Substancia neutra que se encuentra en muchos tejidos vegetales y forma con el agua soluciones viscosas.

pectiniforme *adj.* Que tiene forma de peine.

pectíneo, -a *adj.* Pectiniforme. – **2** *adj.-m.*

Músculo del muslo que hace doblar a éste sobre la pelvis, y también hace girar el fémur.

pectización *f.* QUÍM. Transformación de una substancia insoluble en otra soluble por efecto de acciones externas a la misma.

pectoral *adj.* Perteneciente o relativo al pecho: *aleta* ~; ****pez. – 2 *adj.-m.* Útil y provechoso para el pecho. 3 ANAT. ****Músculo, mayor y menor, de la pared anterosuperior del tórax, cuya función es la aducción y anteversión del brazo. – 4 *m.* Cruz que por insignia pontifical traen sobre el pecho los obispos y otros prelados.

pectosa *f.* Substancia contenida en los frutos sin madurar que por la acción de cierto fermento se transforma en pectina.

pecuario, -ria *adj.* Perteneciente o relativo al ganado.

peculiar *adj.* Propio o privativo de cada persona o cosa.

peculiaridad *f.* Calidad de peculiar.

peculio *m.* Dinero que particularmente tiene cada uno.

pecuniario, -ria *adj.* Relativo al dinero efectivo.

pechada *f.* vulg. Hartazgo, cantidad excesiva [de algo].

I) pechar *tr.* Pagar pecho o tributo: ~ *una gran cantidad.* – 2 *intr.-tr.* Asumir [una carga u obligación] que desagrada: ~ *el,* o *con el, compromiso de acompañarle.* – 3 *tr.* *Amér. Merid.* fam. Dar un sablazo; pedir prestado.

II) pechar *tr.* *Amér.* Empujar [a alguien], atropellarlo.

pechera *f.* Pedazo de lienzo o paño con que se abriga el pecho. 2 En algunas prendas de vestir, parte que cubre el pecho. 3 Pedazo de vaqueta forrado y relleno que se pone a las caballerías de tiro.

pechiazul *m.* Ave paseriforme de canto musical que recuerda a veces al del ruiseñor; el macho en primavera tiene la garganta de vivo color azul *(Luscinia svecica).*

pechigonga *f.* Juego de naipes en que se dan nueve cartas a cada jugador en tres veces; se puede enviar según se van recibiendo.

pechina *f.* Venera (concha). 2 ARQ. Triángulo curvilíneo que, con otros tres, forma el anillo de la cúpula con los arcos torales sobre que estriba; ****bizantino.

I) pecho *m.* Parte del ****cuerpo humano que se extiende desde el cuello hasta el vientre y en cuya cavidad se contiene el corazón y los pulmones. 2 Lo exterior de esta parte. 3 Parte anterior del tronco de los cuadrúpedos o aves inmediatamente debajo del cuello; ****caballo. 4 Mama de una mujer. 5 Repecho. 6 fig. Interior del hombre. 7 fig. Coraje, valor, constancia. 8 fig. Calidad o fuerza de la voz.

II) pecho *m.* Tributo que se pagaba al rey o señor por los bienes o haciendas. 2 fig. Contribución o censo que se paga por obligación.

pechuga *f.* Pecho del ave. 2 Parte en que, junto a otra, está como dividido el pecho del ave. 3 fig. Pecho de hombre o de mujer. 4 fig. Cuesta, pendiente. 5 *Amér.* Descaro, descoco; cinismo.

pechugón, -gona *adj.* fam. Que tiene pecho muy abultado. – 2 *m.* Manotada fuerte dada en el pecho de otro. 3 Caída o encuentro de pechos. 4 fig. Esfuerzo extremado o impulso fuerte.

pechuguera *f.* Tos pectoral y tenaz.

pedagogía *f.* Ciencia o arte de enseñar y educar a los niños. 2 p. ext. Lo que enseña y educa por doctrina o ejemplos.

pedagógico, -ca *adj.* Perteneciente o relativo a la pedagogía.

pedagogo, -ga *m.* *f.* Ayo. 2 Maestro de escuela. 3 Especialista en pedagogía. 4 fig. Persona que acompaña a otra sirviéndole de guía o consejero.

pedal *m.* Mecanismo que se acciona con el pie y produce un movimiento de rotación o un movimiento alternativo de traslación: *los pedales de una* ****bicicleta.* 2 Palanca que termina en una parte plana, destinada a recibir la acción del pie y a transmitir el esfuerzo de éste al mecanismo de mando de una máquina: ~ *del embrague, del acelerador, del freno de un* ****automóvil.* 3 Palanca movida por el pie que en el arpa eleva las cuerdas, en el piano modifica la calidad del sonido y en el armonio mueve los fuelles.

pedalada *f.* Impulso dado a un pedal.

pedalear *intr.* Poner en movimiento un pedal o los pedales, especialmente de una bicicleta.

pedaliáceo, -a *adj.-f.* Planta de la familia de las pedaliáceas. – 2 *f. pl.* Familia de plantas angiospermas dicotiledóneas.

pedáneo *adj.-s.* V. alcalde pedáneo.

pedanía *f.* Territorio o jurisdicción de un alcalde o juez pedáneos. 2 Oficio o cargo del alcalde o juez pedáneos. 3 *Amér.* Distrito.

pedante *adj.-com.* Que hace inoportuno y vano alarde de erudición, o afecta poseerla.

pedazo *m.* Parte de una cosa separada del todo. 2 Parte de un todo físico o moral considerada aparte del conjunto.

pederasta *m.* El que comete pederastia.

pederastia *f.* Abuso deshonesto cometido contra los niños. 2 Sodomía.

pedernal *m.* Variedad de cuarzo de color gris amarillento, compacto, de fractura concoidea, translúcido en los bordes, que da chispas al ser herido por el eslabón. 2 fig. Suma dureza en cualquier especie.

pedestal *m.* Cuerpo sólido, con base y cornisa, que sostiene una columna, estatua, etc. 2 Peana (base), especialmente la de cruces y cosas semejantes. 3 fig. Fundamento en que se afirma una cosa, o lo que sirve para alcanzarla.

pedestre *adj.* Que anda a pie. 2 fig. Llano, vulgar, inculto.

pedestrismo *m.* Calidad de pedestre. 2 Deporte de las carreras a pie.

pediatra *com.* Médico especialista en enfermedades de los niños.

pediatría *f.* Parte de la medicina que se ocupa en las enfermedades de los niños.

pedicelo *m.* BOT. Columna carnosa que sostiene el sombrerillo de las setas. 2 BOT. Tallo que lleva una sola flor o un solo fruto.

pedicoj *m.* Salto dado con un pie solo. ◇ Pl.: *pedicojes.*

pediculado, -da *adj.* Provisto de pedículo.

pedicular *adj.* Relativo al piojo.

pedículo *m.* Pezón (rabillo).

pediculosis *f.* MED. Enfermedad de la piel. ◇ Pl.: *pediculosis.*

pedicuro, -ra *m. f.* Callista.

pedida *f.* Petición de mano.

pedido *m.* Encargo hecho a un fabricante o vendedor de géneros de su tráfico. 2 Petición.

pedigrí *m.* Entre criadores de animales, lista o árbol genealógico de los antepasados de cada animal. Se aplica especialmente a los caballos y a los perros. ◇ Pl.: *pedigríes.*

pedigüeño, -ña *adj.-s.* Que pide con frecuencia e importunidad.

pedimento *m.* Petición (acción). 2 Escrito que se presenta ante un juez: *a ~,* a instancia, a petición. 3 GEOL. Superficie llana de erosión situada al pie de una formación montañosa, con una ligera pendiente.

pedipalpo *m.* Palpo en forma de pata que tienen los **arácnidos.

pedir *tr.* Rogar o demandar a uno que dé o haga [una cosa]; p. ant., pedir limosna: *~ para las ánimas; ~ por Dios.* 2 esp. Deducir uno ante el juez su derecho o acción contra otro: *~ contra alguno; ~ de derecho; ~ en justicia.* 3 Rogar uno a los padres o parientes [de una mujer] que la concedan en matrimonio para sí o para otro. 4 p. ext. Requerir [una cosa], exigirla como necesaria o conveniente: *pido que se me atienda.* 5 Querer, desear, apetecer: *sólo pido que digáis siempre la verdatl.* 6 Poner precio a la mercadería el que vende: *pido veinte pesetas por el lazo.* ◇ ** CONJUG. [34] como *servir.*

pedo *m.* Ventosidad ruidosa que se expele por el ano. 2 vulg. Borrachera.

pedocal *m.* GEOL. Suelo en el que, como consecuencia del lavado y evaporación del agua, se precipitan cantidades notables de carbonato cálcico.

pedofobia *f.* Temor morboso o aversión a los niños.

pedología *f.* Ciencia que estudia la tierra apta para el cultivo.

pedorrera *f.* Frecuencia de ventosidades expelidas del vientre. – 2 *f. pl.* Calzones ajustados, llamados escuderiles.

pedorreta *f.* Sonido hecho con la boca imitando al pedo.

pedrada *f.* Acción de tirar una piedra. 2 Golpe dado con ella. 3 Señal que deja. 4 fig. Expresión dicha con intención de que otro la sienta o se dé por entendido de ella.

pedral *m.* MAR. Piedra atada a un cabo o red para mantenerlos en posición vertical dentro del agua.

pedrea *f.* Acción de apedrear o apedrearse. 2 Combate a pedradas. 3 Acto de caer piedra de las nubes. 4 fig. Conjunto de premios menores en la lotería.

pedregal *m.* Terreno cubierto de piedras sueltas.

pedregoso, -sa *adj.* [terreno] Naturalmente cubierto de piedras. – 2 *adj.-s.* Que padece mal de piedra. – 3 *f.* Mariposa diurna de color pardo con manchas leonadas, mucho más vivas y extensas en la hembra *(Lasiommata maera).*

pedrera *f.* Cantera o lugar de donde se sacan las piedras. – 2 *f. pl.* Aparejo de las caballerías hecho con tablas, a modo de dos cajas de madera abiertas, para el acarreo de piedras, cepas, etc.

pedrería *f.* Conjunto de piedras preciosas.

pedrisco *m.* Piedra o granizo grueso que cae de las nubes. 2 Multitud de piedras arrojadas. 3 Conjunto o multitud de piedras sueltas.

pedriza *f.* Pedregal, sitio pedregoso. 2 Cerca o valla de piedra seca.

pedrusco *m.* Pedazo de piedra sin labrar.

pedunculado, -da *adj.* [flor, fruto u órgano animal] Que tiene pedúnculo.

pedúnculo *m.* Pezón (en las plantas). 2 Parte del animal que hace de pie o sustentáculo, como el de los ojos de ciertos crustáceos. 3 Cinta de materia blanca que une diferentes partes de la masa encefálica: *pedúnculos cerebelosos.*

peer *intr.-prnl.* Expeler la ventosidad del vientre por el ano.

pega *f.* Acción de pegar (adherir). 2 Baño de pez que se da a tinajas, pellejos, cántaros, etc. 3 Zurra (paliza). 4 Chasco, burla; pregunta capciosa o difícil de contestar en exámenes. 5 Pieza en el vestido, remiendo. 6 Contratiempo que se presenta de modo imprevisto. 7 MIN. Acción de pegar fuego a un barreno. – 8 *loc. adj. De ~,* falso, fingido: *erudito de ~.* – 9 *f. Amér.* Trabajo, empleo.

pegador *m.* Operario encargado de pegar fuego a las mechas de los barrenos.

pegajoso, -sa *adj.* Que con facilidad se pega. 2 Contagioso, que con facilidad se comunica. 3 fig. [vicio] Contagioso o de atractivo difícil de resistir. 4 fig. [oficio y empleo] Con intereses de los que fácilmente puede abusarse. 5 fig. Excesivamente suave, atractivo, meloso.

pegamento *m.* Producto para pegar.

pegamoide *m.* Celulosa disuelta con que se impregna una tela o papel para darle espesor y resistencia.

pegamoscas *f.* Planta cariofilácea, cuya flor tiene el cáliz cubierto de pelos pegajosos, en los cuales quedan pegados los insectos que llegan a tocarlos o se ponen en ellos *(Ononis natrix).* ◇ Pl.: *pegamoscas.*

pegapega *f. Amér.* Liga para cazar pájaros.

I) pegar *tr.* Adherir, conglutinar [una cosa] con otra: ~ *una tela a,* o *con, la cubierta;* ~ *un anuncio contra,* o *en, la pared.* 2 Unir o juntar [una cosa] con otra cosiéndola, atándola o de una manera análoga: ~ *un botón.* 3 Arrimar, poner en íntimo contacto [una cosa] con otra. 4 Comunicar [una cosa] a otro por el trato, el contacto, etc. – 5 *intr.* Arraigar [una planta]. 6 Prender [el fuego]. 7 Estar una cosa contigua a otra: *pega con la pared.* 8 Caer bien una cosa, ser de oportunidad: *estas razones no pegan.* 9 Tener efecto una cosa o hacer impresión en el ánimo: *sus palabras pegaron bien.* – 10 *prnl.* Quemarse un guiso por haberse adherido una parte de él en la cazuela. 11 fig. Introducirse o agregarse uno adonde no es llamado. 12 fig. Insinuarse una cosa agradable en el ánimo. 13 fig. Realizar una acción con decisión y esfuerzo. 14 fig. Aficionarse o inclinarse mucho a una cosa. ◇ ** CONJUG. [7] como *llegar.*

II) pegar *tr.-intr.* Castigar a golpes, golpear: *no le pegues tanto;* ~ *sobre el tablero.* 2 Intensivo de dar: ~ *un bofetón, un tiro, un sablazo.* 3 Unido a ciertos substantivos, expresa intensamente la acción que ellos significan: ~ *un grito, saltos, voces.* 4 Tropezar: ~ *contra la pared, con la puerta.* – 5 *rec.* Reñir, enredarse a golpes o en pelea dos o más personas. ◇ ** CONJUG. [7] como *llegar.*

pegatina *f.* Impreso autoadhesivo.

pegmatita *f.* Roca de color claro y textura laminar compuesta de feldespato y cuarzo.

pego *m.* fig. *y* fam. Engaño, fraude.

pegote *m.* Emplasto o bizma de pez u otra cosa pegajosa. 2 Adición o intercalación inútil e impertinente hecha en alguna obra literaria o artística. 3 fig. Cosa espesa y pegajosa. 4 fig. Persona impertinente que no se aparta de otra. 5 fig. *y* fam. Guisado u otra cosa que está muy espesa y se pega. 6 fig. *y* fam. Farol, mentira.

pegual *m. Amér.* Cincha con argollas para sujetar los animales cogidos con lazo o para transportar objetos pesados.

peguero *m.* El que tiene por oficio fabricar pez. 2 El que trata en ella.

pegujal *m.* fig. Corta porción de hacienda. 2 Parcela que el dueño de una finca agrícola cede al guarda o encargado para que la cultive

por su cuenta como parte de su remuneración.

pegujalero *m.* Labrador que tiene poca siembra o labor. 2 Ganadero que tiene poco ganado.

pegujón, -llón *m.* Conjunto de lanas o pelos apretados y pegados unos con otros a manera de ovillo.

peguntar *tr.* Marcar [el ganado, especialmente el lanar] con pez derretida.

peguntoso, -sa *adj.* Viscoso, pegajoso.

peinado, -da *adj.* fam. [hombre] Adornado con esmero mujeril. 2 fig. [estilo] Nimiamente cuidado. – 3 *m.* Adorno y compostura del pelo. 4 fig. Examen o control minucioso; rastreo.

peinador, -ra *adj.-s.* Que peina. – 2 *m.* Toalla o lienzo que, puesto al cuello, cubre el cuerpo del que se peina o afeita. 3 Bata de tela ligera, que usan las señoras sobre el vestido para peinarse. – 4 *f.* Máquina para peinar la lana. – 5 *m. f. Amér.* Tocador, mueble.

peinar *tr.-prnl.* Desenredar, limpiar o componer [el cabello a una persona]: ~ *las trenzas,* ~ *a su hija; se peina.* – 2 *tr.* p. ext. Desenredar o limpiar toda clase [de pelo o lana]. 3 fig. Someter [una zona, algo o alguien] a un examen o control minucioso o pormenorizado; rastrear. 4 Cortar o quitar parte de piedra o tierra de una montaña, escarpándola. 5 CARP. fig. Tocar o rozar ligeramente [una cosa] a otra.

peinazo *m.* Listón o madero entre los largueros de **puertas y ventanas, que forma los cuarterones.

peine *m.* Utensilio de madera, marfil, hueso, etc., provisto de una o de dos series de dientes espesos, para limpiar y componer el pelo. 2 Barra provista de una serie de púas, por entre las cuales pasan en el telar los hilos de la urdimbre. 3 En los teatros, enrejado con poleas situado en el telar del escenario, de donde se cuelgan las decoraciones.

peineta *f.* Peine convexo que usan las mujeres para adorno o para asegurar el peinado.

peinilla *f. Amér.* Especie de machete.

peje *m.* Pez (animal). 2 desp. Hombre taimado, desvergonzado: *¿quién es ese ~?; ¡Vaya un ~!*

pejiguera *f.* fam. Cosa de poco provecho. 2 Persona o cosa molesta o que ofrece dificultades.

pela *f.* Peladura. 2 fig. *y* fam. Peseta. – 3 *f. pl.* fig. *y* fam. Dinero.

pelada *f.* Piel de carnero u oveja, despojada de la lana después de muerta la res. 2 Pez marino teleósteo tetraodontiforme, de pequeño tamaño, cuerpo alargado, ojos muy pequeños y próximos y coloración gris pardusca *(Symphurus nigrescens).* 3 *Amér.* Error, pifia.

peladero *m.* Lugar donde se pelan los cerdos o las aves. **2** fig. Sitio donde se juega con fullerías. **3** *Amér.* Terreno pelado, desprovisto de vegetación.

peladilla *f.* Almendra confitada. **2** Canto rodado pequeño.

peladillo *m.* Variedad del pérsico cuyo fruto tiene la piel lustrosa y la carne dura y pegada al hueso (gén. *Prunus*). **2** Fruto de este árbol. – **3** *m. pl.* Lana de peladas.

pelado, -da *adj.* fig. Que carece de lo que naturalmente viste, adorna, cubre o rodea: *monte, peñasco, campo ~; hueso ~*. **2** Que ha perdido el pelo. **3** fig. Pobre, pelón, sin recursos. **4** fig. [número] Que consta de decenas, centenas o millares justos: *el cien ~*. – **5** *m.* Acción de pelar o cortar el cabello. **6** Efecto de pelar o cortar el cabello. – **7** *adj. Amér.* Desvergonzado.

peladura *f.* Acción de pelar (quitar la piel). **2** Efecto de pelar (quitar la piel). **3** Mondadura (despojo).

pelagatos *m.* desp. Hombre pobre. ◇ Pl.: *pelagatos*.

pelagianismo *m.* Doctrina del heresiarca Pelagio (s. iv - v), quien afirmaba que la gracia divina no era necesaria, ni gratuita, sino merecida naturalmente; también negaba el pecado original.

pelágico, -ca *adj.* Perteneciente o relativo al piélago. **2** BIOL. [animal y planta] Que flota o nada en el mar, a diferencia de los bentónicos.

pelagoscopio *m.* Aparato para estudiar el fondo del mar.

pelagra *f.* Enfermedad caracterizada por eritemas y perturbaciones digestivas y nerviosas.

pelaire *m.* Cardador de paños.

pelaje *m.* Naturaleza o calidad del pelo o de la lana que tiene un animal. **2** fig. Disposición y calidad de una persona o cosa.

pelambre *m.* Conjunto de pelo en todo el cuerpo o en algunas partes de él; gralte. se entiende el quitado o arrancado, y especialmente el que quitan los curtidores a las pieles. **2** Falta de pelo en las partes donde es natural tenerlo. **3** Manojo de ramas secas de la escoba.

pelambrera *f.* Porción de pelo o de vello espeso y crecido.

pelamesa *f.* Pelea en que los contendientes se asen y mesan los cabellos o barba. **2** Porción de pelo que se puede asir o mesar.

pelámide *m.* Atún de un año.

pelanas *com.* fam. Persona sin importancia.

pelandusca *f.* Ramera.

pelar *tr.* Cortar, arrancar, quitar o raer el pelo: *~ la cabeza a uno*. **2** Desplumar (quitar las plumas). **3** Quitar la piel, la película o la corteza [a una cosa]: *~ una fruta, un árbol*; esp., mondar (quitar la piel). **4** fig. Quitar con engaño o violencia los bienes [a otro]. **5** fig. En el juego, ganar [a uno] todo el dinero. **6** fig.

Criticar, murmurar, despellejar. – **7** *prnl.* Perder el pelo por enfermedad u otro accidente. **8** Sufrir desprendimiento de piel por tomar con exceso el sol, por rozadura, etc. **9** *Amér.* Quedarse con las esperanzas frustradas.

pelargonio *m.* Planta geraniácea de tallos carnosos y jugosos y hojas de nervadura palmeada, redondeadas o lobuladas *(Pelargonium odoratissimum)*.

pelarruecas *f.* fig. Mujer pobre que vive de hilar. ◇ Pl.: *pelarruecas*.

pelasgo, -ga *adj.-s.* [pers.] De un pueblo de incierto origen que en muy remota antigüedad se estableció en territorios de Grecia y de Italia.

pelaya *f.* Pez marino teleósteo pleuronectiforme, de pequeño tamaño, con el cuerpo muy comprimido y los ojos, separados por una pequeña cresta, situados sobre el mismo costado *(Phrynorhombus regius)*.

peldaño *m.* Parte de un tramo de escalera. **2** Escalón.

pelea *f.* Combate, batalla, riña, contienda; en gral., acción y efecto de pelear.

pelear *intr.* Batallar, combatir con armas o sin ellas: *~ en defensa de la patria; ~ por la patria*. **2** p. ext. Contender, disputar. **3** Combatir entre sí u oponerse las cosas unas a otras, especialmente los elementos. **4** fig. Resistir y porfiar para vencer las pasiones o apetitos. **5** fig. Afanarse, trabajar continuamente por conseguir una cosa. – **6** *prnl.* Reñir dos o más personas.

pelecaniforme *adj.-m.* Ave del orden de los pelecaniformes. – **2** *m. pl.* Orden de aves acuáticas con sus cuatro dedos unidos por una membrana; como el pelícano y el cormorán.

pelechar *intr.* Echar los animales pelo o pluma. **2** fig. Comenzar a medrar, a mejorar de fortuna o a recobrar la salud.

pelele *m.* Muñeco de figura humana de paja o trapos. **2** Traje interior de punto para niños. **3** fig. Persona simple o inútil.

pelón, -ona *adj.-s.* fam. Vino muy ordinario. – **2** *adj.* Que propende o es aficionado a pelear.

pelete *m.* En el juego de la banca y otros semejantes, el que apunta estando de pie. **2** fig. Hombre pobre, pelón.

peletería *f.* Oficio de peletero. **2** Establecimiento del peletero. **3** Comercio de pieles finas; conjunto de ellas.

peletero, -ra *m. f.* Persona que tiene por oficio adobar y componer pieles finas, hacer con ellas prendas de abrigo, emplearlas como forros y adornos o venderlas. – **2** *adj.* Perteneciente o relativo a la peletería: *industria peletera*.

peliagudo, -da *adj.* [animal] De pelo largo y delgado. **2** fig. [negocio o cosa] Dificultoso en su inteligencia o resolución. **3** [pers.] Sutil o mañoso.

pelícano, pelicano *m.* Ave pelecaniforme de más de un metro de largo, de plumaje blanco, pico ancho y muy largo, con la piel de la mandíbula inferior en forma de bolsa, donde deposita los alimentos *(Pelecanus onocrotalus).*

película *f.* Piel o cubierta membranosa, delgada y delicada. 2 Telilla que a veces cubre ciertas heridas y úlceras. 3 En **fotografía, lámina de celuloide preparada con una capa de gelatina, colodión, etc., que contiene las sales sensibles a la luz. 4 En cine, la que tiene forma de cinta y se halla impresionada por unas imágenes dispuestas para ser proyectadas en el telón del cinematógrafo. 5 Asunto representado en esta cinta. 6 fig. Narración detallada y cronológica [de un hecho].

peliculero, -ra *adj.* Perteneciente o relativo a la cinematografía. – 2 *adj.-s.* fig. y fam. [pers.] Que suele hablar de cosas imaginadas o fantásticas.

peligrar *intr.* Estar en peligro.

peligro *m.* Contingencia inminente de que suceda algún mal: *correr ~,* estar expuesto a él.

peligrosidad *f.* Calidad de peligroso.

peligroso, -sa *adj.* Que ofrece un peligro o puede ocasionar daño. 2 fig. [pers.] De carácter violento y temible.

pelillo *m.* fig. Causa muy leve de desazón, y que se debe despreciar: *echar pelillos a la mar,* reconciliarse dos o más personas.

pelirrojo, -ja *adj.* Que tiene rojo el pelo.

pelita *f.* GEOL. Roca detrítica de grano muy fino.

pelitre *m.* Planta compuesta, herbácea, de tallos inclinados, hojas partidas en lacinias muy estrechas, flores terminales de centro amarillo y circunferencia blanca por encima y roja por debajo, y raíz casi cilíndrica *(Pyrethrum cinerariæfolium).* 2 Raíz de esta planta.

pelmatozoo *adj.-m.* Equinodermo del subtipo de los pelmatozoos. – 2 *m pl.* Subtipo de equinodermos primitivos que viven fijos a un substrato por medio de un pedúnculo; incluye una clase con representantes actuales: los crinoideos.

pelmazo, -za *m. f.* fig. y fam. Persona calmosa o pesada en sus acciones. 2 fig. y fam. Persona molesta, fastidiosa e importuna. – 3 *m.* Cosa apretada o aplastada con exceso. 4 Comida que se estanca en el estómago.

pelo *m.* Filamento cilíndrico, de naturaleza córnea, que nace de la dermis de la mayor parte de los mamíferos. 2 Conjunto de pelos que cubren el cuerpo o una parte del cuerpo, especialmente conjunto de los cabellos del hombre: *al ~,* según o hacia el lado en que se inclina el pelo. 3 Hebra delgada de lana, seda, etc. 4 En los tejidos, parte que queda en su superficie y sobresale en la haz que cubre el hilo. 5 Parte fibrosa de la madera que se separa de las demás al cortarla o labrarla. 6 Raya opaca en las piedras preciosas que les quita valor. 7 Raya o grieta por donde con facilidad saltan las piedras, el vidrio o los metales. 8 fig. Cosa mínima o de poca importancia y entidad. 9 Enfermedad en los pechos de las mujeres que crían, por destrucción de los conductos de la leche. 10 BOT. ~ *rizoide,* filamento que hace las veces de raíz en ciertas plantas que carecen de ella; **helecho.

pelón, -lona *adj.-s.* Que no tiene pelo o tiene muy poco. 2 Que lleva cortado el pelo al rape. 3 fig. Pobre, escaso de recursos.

pelota *f.* Bola esférica u ovoide, de goma, de trapos comprimidos o de goma apretada con hilo o cuerda, generalmente forrada de cuero o paño, que sirve para jugar con ella. 2 Juego hecho con la pelota: ~ *vasca,* especie de pie que se juega a un número de tantos entre dos personas o equipos, lanzando la pelota contra el frontón situado en un extremo de la cancha, impulsándola con una raqueta o pala o con una cesta especial para imprimirle mayor velocidad; ~ *base,* juego entre equipos de nueve jugadores cada uno, en un campo de cuatro bases que forman un rombo. 3 Bola de materia blanca que se amasa fácilmente. 4 fig. Acumulación de deudas o desazones que, siendo una por una de la escasa entidad, juntas resultan graves. 5 com. Pelotillero (adulador, servil). 6 *Argent.* y *Bol.* Batea de piel de animal vacuno, la cual, mediante unas guascas, sirve para transportar objetos y personas de una parte a otra de un río. 7 *Cuba* y *Méj.* Deseo vehemente.

pelotari *com.* Jugador de pelota vasca.

pelotazo *m.* Golpe dado con la pelota. 2 fig. y fam. Bebida combinada de alta graduación alcohólica.

pelote *m.* Pelo de cabra, empleado para rellenar muebles y para otros usos industriales.

pelotear *tr.* Repasar [las partidas de una cuenta] cotejándolas con sus justificantes. – 2 *intr.* Jugar a la pelota por entretenimiento sin haber hecho partido. 3 fig. Arrojar una cosa de una parte a otra: ~ *con la almohada.* 4 fig. Reñir dos o más personas entre sí. 5 fig. Enviar con pretextos a una persona de un lugar a otro.

peloteo *m.* Acción de pelotear. 2 Efecto de pelotear. 3 Adulación servil.

pelotera *f.* fam. Riña, contienda.

pelotillero, -ra *adj.* Adulador, servil.

pelotón *m.* Conjunto de pelos o de cabellos unidos, apretados o enredados. 2 fig. Conjunto de personas sin orden y como en tropel. 3 Grupo de soldados, menor que una sección, al mando de un cabo o sargento.

peltre *m.* Aleación de cinc, plomo y estaño.

peluca *f.* Cabellera postiza. 2 fig. Persona que la usa. 3 fig. Represión severa.

peluche *m.* GALIC. Felpa (tejido).

peludo, -da *adj.* Que tiene mucho pelo. – 2 *m.* Ruedo afelpado de espartos largos y majados. – 3 *f.* Pez marino teleósteo pleuronectiforme, de la familia del lenguado, de cuerpo ovalado y alargado, muy comprimido (*Monachirus hispidus; Argonoglossus grohmani; Pleuronectes g.*).

peluquear *tr.-prnl.* Argent., Colomb., Parag. y Venez. Cortar el pelo [a una persona].

peluquería *f.* Tienda del peluquero. 2 Oficio de peluquero.

peluquero, -ra *m. f.* Persona que tiene por oficio peinar, cortar el pelo o hacer o vender pelucas, rizos, etc.

peluquín *m.* Peluca pequeña. 2 Peluca con bucles y coleta, usada a fines del s. XVIII.

pelusa *f.* Vello (pelusilla). 2 Pelo menudo que se desprende de las telas. 3 fig. Envidia propia de los niños.

pelvis *f.* Cavidad del cuerpo humano determinada por los dos coxales, el sacro y el cóccix, donde se alojan la terminación del tubo digestivo y algunos órganos del aparato excretor y genital. 2 Parte del esqueleto de los vertebrados que sirve de punto de unión a los huesos de los miembros posteriores. 3 Receptáculo membranoso en forma de embudo, que se halla en el interior de cada riñón y es el principio del uréter. ◇ Pl.: *pelvis.*

pella *f.* Masa unida y apretada, generalmente en forma redonda. 2 Masa de los metales fundidos o sin labrar. 3 Manteca del puerco tal como se quita de él. 4 Conjunto de los tallitos de la coliflor y otras plantas semejantes antes de florecer. 5 fig. Cantidad o suma de dinero, especialmente la que se debe o defrauda. – 6 *adj.-com.* fam. [pers.] Molesto.

pellada *f.* Porción de yeso o argamasa que se sostiene con la mano o con la llana.

pelleja *f.* Piel quitada del cuerpo del animal.

pellejería *f.* Lugar donde se adoban o venden pellejos. – 2 *f. pl.* Amér. Trabajos, contratiempos.

pellejo *m.* Piel. 2 Odre. 3 fig. y fam. Persona ebria.

pellejudo, -da *adj.* Que tiene la piel floja o sobrada.

pellica *f.* Cobertor hecho de pellejos finos. 2 Pellico hecho de pieles finas y adobadas. 3 Piel pequeña adobada.

pellico *m.* Zamarra de pastor. 2 Abrigo de pieles que se le parece.

pelliza *f.* Prenda de abrigo hecha, forrada o adornada de pieles finas. 2 Chaqueta de abrigo con el cuello y las bocamangas reforzadas de otra tela. 3 MIL. Chaqueta de paño azul con las orillas del cuello y las bocamangas revestidas de astracán, la cual se cierra sobre el pecho con trencillas de estambre negro.

pellizcar *tr.* Asir con el dedo pulgar y cualquiera de los otros una pequeña porción de piel y carne [de una persona] apretándola de suerte que cause dolor. 2 Asir o herir levemente [una cosa]. 3 Tomar o quitar pequeña cantidad [de una cosa]: ~ *el pan.* ◇ ** CONJUG. [1] como *sacar.*

pellizco *m.* Acción de pellizcar. 2 Efecto de pellizcar. 3 Porción pequeña de una cosa, que se toma o se quita.

pellón *m.* Amér. Vellón, cuero o manta de lana que se usa sobre la silla de montar.

I) pena *f.* Castigo impuesto al que ha cometido un delito o falta: ~ *capital, última* ~ o *de la vida,* la de muerte. 2 Dolor, angustia moral ocasionada por el temor, la compasión, etc. 3 Dificultad, trabajo, esfuerzo que cuesta una cosa. 4 Velo de luto riguroso que, sujeto al sombrero, llevaban las mujeres, flotante sobre la espalda. 5 Colomb., C. Rica, Cuba, Méj., Nicar., Pan. y Venez. Vergüenza.

II) pena *f.* Pluma grande del ave.

penacho *m.* Grupo de plumas que tienen algunas aves en la parte superior de la cabeza. 2 Adorno de plumas que sobresale en los cascos o morriones, en el tocado de las mujeres, en la cabeza de las caballerías engalanadas, etc. 3 fig. Lo que tiene forma de tal. 4 fig. Vanidad, presunción, soberbia. 5 Nieve acumulada por el viento en la cuesta de una montaña.

penado, -da *adj.* Penoso o lleno de penas. 2 Difícil, trabajoso. – 3 *m. f.* Delincuente condenado a una pena.

penal *adj.* Perteneciente o relativo a la pena, o que la incluye. 2 DER. Criminal (del crimen y leyes). – 3 *m.* Lugar en que los penados cumplen condenas superiores a las de arresto.

penalidad *f.* Trabajo aflictivo, molestia, incomodidad.

penalista *adj.-com.* Jurisconsulto que se dedica con preferencia al estudio de la ciencia o derecho penal.

penalización *f.* Acción de penalizar. 2 Efecto de penalizar. 3 Sanción. 4 En deportes, castigo infligido al jugador que ha cometido alguna falta.

penalizar *tr.* Imponer una sanción o castigo.

penalti *m.* DEP. Falta que se comete en el juego del fútbol dentro del área de gol. 2 DEP. Sanción correspondiente a dicha falta. 3 fig. Embarazo prematrimonial. ◇ Pl.: *penaltis.*

penar *tr.* Imponer pena [a uno]. 2 DER. Señalar la ley castigo [al que comete una falta o delito]. – 3 *intr.* Padecer, soportar un dolor o una pena: ~ *de amores;* ~ *en la otra vida;* ~ *por su hijo.* 4 Agonizar mucho tiempo. – 5 *prnl.* Afligirse, padecer una pena o sentimiento.

penates *m. pl.* Dioses domésticos de los gentiles. 2 fig. Vivienda, habitación.

penca *f.* Hoja carnosa de ciertas plantas. 2 Parte carnosa de ciertas hojas. 3 *Amér.* Racimo de plátanos.

penco *m.* fam. Jamelgo.

pendejo *m.* Pelo del pubis y las ingles. 2 fig. Hombre cobarde, pusilánime, despreciable. 3 fig. y fam. Pendón, persona de vida licenciosa. 4 *Amér.* Tonto.

pendencia *f.* Contienda, riña de palabras o de obras.

pendenciero, -ra *adj.* Propenso a riñas o pendencias.

pender *intr.* Estar colgada, suspendida o inclinada alguna cosa: ~ *de un cabello;* ~ *en la cruz.* 2 fig. Estar por resolverse o terminarse un negocio o pleito: ~ *ante el Tribunal.*

pendiente *adj.* fig. Que está por resolverse o terminarse. – 2 *m.* Arete con adorno colgante o sin él. 3 Inclinación de las armaduras de los techos para el desagüe. – 4 *f.* Cuesta o declive.

péndola *f.* Péndulo de un **reloj. 2 fig. Reloj que tiene péndola. 3 ARQ. Pieza de una armadura de cubierta que une la solera con la lima tesa, y el par con el tirante. 4 ARQ. Varilla vertical que sostiene el piso de un **puente colgante o cosa parecida.

pendolista *com.* Persona que escribe diestra y gallardamente. 2 Calígrafo.

pendolón *m.* Pieza de una armadura de cubierta que une la hilera con el tirante, y da apoyo a las tornapuntas.

pendón *m.* Bandera o estandarte pequeño, usado antiguamente como insignia de un caballero, de una mesnada, de un regimiento, etc. 2 Insignia usada por las iglesias, cofradías, etc., en las procesiones; es un estandarte largo, generalmente rematado en dos puntas. 3 Vástago que sale del tronco principal del árbol. 4 fig. Persona, especialmente mujer, muy alta, desvaída y desaliñada. 5 fig. Persona moralmente despreciable. – 6 *m. pl.* Riendas para gobernar las mulas de guías.

pendular *adj.* Propio del péndulo o relativo a él: *movimiento, oscilación* ~.

péndulo, -la *adj.* Que pende. – 2 *m.* Cuerpo que puede oscilar suspendido desde un punto fijo bajo la acción combinada de la gravedad y de la inercia: *el* ~ *de un reloj.*

pene *m.* Miembro viril; **cuerpo humano.

penene *com.* Profesor no numerario.

penetrable *adj.* Que se puede penetrar. 2 fig. Que fácilmente se entiende.

penetración *f.* Acción de penetrar. 2 Efecto de penetrar. 3 Inteligencia cabal de una cosa difícil. 4 Perspicacia de ingenio, agudeza.

penetrante *adj.* Profundo (muy adentro). 2 fig. Agudo, alto, hablando de la voz, del grito, etc.

penetrar *tr.* Introducirse un cuerpo [en otro por sus poros]: *el agua penetra la tierra.* 2 En el

acto sexual, introducir el pene dentro de la vagina. 3 Hacerse sentir con demasiada violencia una cosa, como el frío, los gritos, etc.: ~ *el frío las carnes;* ~ *hasta las entrañas.* 4 fig. Llegar lo agudo de los afectos a lo interior del alma. – 5 *tr.-prnl.* Comprender el interior [de uno o de una cosa dificultosa]: ~ *la razón* o *penetrarse de la razón.* – 6 *intr.* Introducirse en lo interior de un espacio aunque haya dificultad: ~ *en la cueva;* ~ *entre,* o *por entre, las filas;* ~ *por lo más espeso;* fig., *penetró en los círculos más escogidos de la sociedad.*

pénfigo *m.* Nombre que se da a varias enfermedades caracterizadas por la formación de ampollas cutáneas llenas de una serosidad amarilla.

penibético, -ca *adj.* Perteneciente o relativo al sistema de cordilleras que van del estrecho de Gibraltar al cabo de la Nao, en la provincia de Alicante.

penicilina *f.* Antibiótico obtenido a partir de un moho *(Penicillium notatum).* Se emplea para el tratamiento de ciertas enfermedades infecciosas.

penillanura *f.* Meseta originada por la erosión de una región montañosa.

península *f.* Tierra cercada por el agua, y que sólo por una parte relativamente estrecha, istmo, está unida con otra tierra de extensión mayor.

peninsular *adj.-com.* [pers.] De una península. – 2 *adj.* p. ant. De la península ibérica, en oposición a las islas y a las tierras españolas de África.

penique *m.* Moneda inglesa de cobre, equivalente hoy a la centésima parte de la libra, y antes a la duodécima parte del chelín.

penitencia *f.* Virtud consistente en el dolor de haber pecado y el propósito de no volver a pecar. 2 En la religión católica, sacramento en el cual, por la absolución del sacerdote, se perdonan los pecados cometidos después del bautismo al que los confiesa con dolor, propósito de la enmienda y demás requisitos. 3 Pena que impone el confesor al penitente para satisfacción del pecado: *cumplir la* ~. 4 Serie de ejercicios penosos que se hacen para mortificar las pasiones y sentidos y apagar los apetitos de la carne. 5 Acto de mortificación interior o exterior, en general. 6 fig. y fam. Cosa muy molesta que uno debe hacer o soportar: *¡menuda* ~ *me mandas con ese encargo!*

penitenciaría *f.* Establecimiento penitenciario en que sufren sus condenas los penados, sujetos a un régimen expiatorio y regenerador.

penitenciario, -ria *adj.-s.* Presbítero que tiene la obligación de confesar en una iglesia determinada. 2 Perteneciente o relativo a cualquiera de los sistemas modernos de castigo y corrección de los penados, a los establecimientos destinados a este fin y a su régimen y servicio.

penitente *adj.* Perteneciente o relativo a la penitencia. 2 Que tiene penitencia. – 3 *com.* Persona que se confiesa sacramentalmente. 4 Persona que hace penitencia. 5 Persona que en las procesiones o rogativas públicas viste túnica en señal de penitencia.

penol *m.* Punta o extremo de las vergas del buque.

penoso, -sa *adj.* Trabajoso; que causa pena o tiene gran dificultad. 2 Que padece una aflicción o pena. 3 Presumido de lindo o de galán.

pensado, -da *adj.* Precedido de los adverbios *mal* o *peor* , propenso a interpretar desfavorablemente las acciones, intenciones o palabras ajenas.

pensador, -ra *adj.* Que piensa; que lo hace con intensidad y eficacia. – 2 *m.* Hombre dedicado a estudios muy elevados; por ant., filósofo.

pensamiento *m.* Facultad de pensar. 2 Acción de pensar. 3 Efecto de pensar. 4 Idea inicial o capital de una obra cualquiera. 5 Idea o sentencia notable de un escrito. 6 fig. Sospecha, malicia, recelo.

I) pensar *intr.* Ejercitar la facultad del espíritu de concebir, razonar o inferir. – 2 *tr.* Reflexionar, examinar con cuidado una cosa para formar dictamen: ~ *en,* o *sobre, un tema;* ~ *un asunto entre,* o *para, sí,* o *para consigo.* 3 en gral. Imaginar, considerar, recordar: *pienso lo que habéis sufrido; pienso en mi hijo.* 4 Intentar o formar ánimo [de hacer una cosa]: *pienso salir.* ◇ ** CONJUG. [27] como *acertar.* ◇ INCOR.: el régimen con *de: pienso de que.*

II) pensar *tr.* Echar pienso [a los animales]. ◇ ** CONJUG. [27] como *acertar.*

pensativo, -va *adj.* Que medita intensamente y está absorto y embelesado.

pensel *m.* Flor que se vuelve al sol como los girasoles.

pensil, pénsil *adj.* Pendiente o colgado en el aire. – 2 *m.* fig. Jardín delicioso.

pensión *f.* Renta o canon anual que perpetua o temporalmente se impone sobre una finca. 2 Cantidad anual que se asigna a uno por sus méritos o servicios propios o extraños, o bien por pura gracia del que la concede: *una ~ del estado; pagar la ~ a la viuda de un soldado.* 3 Auxilio pecuniario concedido para estimular o ampliar estudios o conocimientos literarios, científicos, etc. 4 Establecimiento de hostelería que no reúne las condiciones exigidas por el hotel, y no dispone de más de doce habitaciones, facilitando, generalmente, alojamiento en régimen de pensión completa. 5 Precio que se paga por este alojamiento. 6 Conjunto de servicios (habitación y alimentación) que se ofrece al cliente en un establecimiento de hostelería: *media ~,* la constituida por la habitación, el desayuno y

una comida; ~ *completa,* la constituida por la habitación, el desayuno y las dos comidas. 7 *Argent.* y *Perú* Comida que se da a una persona que vive fuera. 8 *Amér.* Pena, pesar.

pensionado, -da *adj.-s.* Que tiene o cobra una pensión. 2 Colegio o establecimiento para pensionistas.

pensionar *tr.* Imponer una pensión o un gravamen. 2 Conceder pensión [a una persona o establecimiento].

pensionista *com.* Persona que tiene derecho a percibir una pensión. 2 Persona que paga cierta pensión por estar en un colegio o casa particular.

pentadáctilo, -la *adj.* Que tiene cinco dedos o cinco divisiones en forma de dedos.

pentadecágono, -na *adj.-m.* **Polígono de quince lados y quince ángulos.

pentaedro *m.* Sólido de cinco caras.

pentagonal *adj.* Que tiene cinco ángulos.

pentágono, -na *adj.-m.* **Polígono de cinco ángulos.

pentagrama, pentágrama *m.* MÚS. Renglonadura formada con cinco paralelas equidistantes, sobre la cual se escribe música.

pentámero, -ra *adj.* Que consta de cinco partes o piezas. 2 [flor] Que tiene los verticilos formados por cinco piezas. 3 [insecto] Que tiene cinco artejos en cada tarso.

pentano *m.* QUÍM. Hidrocarburo saturado, con cinco átomos de carbono.

pentasílabo, -ba *adj.-s.* De cinco sílabas: *verso ~.*

pentastómido *adj.-m.* Animal del tipo de los pentastómidos. – 2 *m. pl.* Tipo de metazoos celomados de aspecto aplanado y aparentemente segmentado, que miden entre 3 mms. y 15 cms. y son parásitos de las vías respiratorias de los mamíferos, reptiles y aves de las regiones tropicales.

pentateuco *m.* Parte de la Biblia que comprende los cinco primeros libros: Génesis, Éxodo, Levítico, Números y Deuteronomio.

pentatlón *m.* Conjunto de cinco ejercicios atléticos que actualmente consiste en 200 y 1500 metros lisos, salto de longitud y lanzamiento de disco y jabalina.

pentecostés *m.* Festividad de la Venida del Espíritu Santo, que celebra la Iglesia el domingo, quincuagésimo día que sigue al de Pascua de Resurrección, contando ambos. ◇ INCOR.: *pentecostes* ◇ No se usa en plural.

pentosa *f.* Monosacárido con cinco átomos de carbono.

pentotal *m.* Narcótico que impide que el paciente sea consciente de sus propias palabras.

penúltimo, -ma *adj.-s.* Inmediatamente antes de lo último.

penumbra *f.* Sombra débil entre la luz y la obscuridad. 2 En los **eclipses, sombra parcial que hay entre los espacios enteramente obscuros y los enteramente iluminados.

penuria *f.* Escasez, estrechez.

I) peña *f.* Piedra grande sin labrar, natural. 2 Monte o cerro peñascoso. 3 Pastelillo en forma de roca hecho a base de claras de huevo y coco. 4 *Ecuad., Guat. y P. Rico.* fig. Persona sorda.

II) peña *f.* Reunión de amigos o camaradas. 2 Círculo de recreo.

peñascal *m.* Terreno cubierto de peñascos.

peñasco *m.* Peña grande y elevada. 2 Tela de mucha duración. 3 Región del hueso temporal en cuyo interior se halla alojado casi todo el aparato auditivo.

peñascoso, -sa *adj.* [lugar] Donde hay muchos peñascos.

peñazo *adj.-m.* fam. Persona inoportuna y pesada.

peñón *m.* Monte peñascoso.

peón *m.* El que anda a pie. 2 En el juego de ajedrez, pieza que, en número de ocho por bando, se mueve avanzando siempre un solo escaque a lo largo de una columna, pero que mata diagonalmente; p. anal., pieza del juego de damas y de otros de tablero. 3 Jornalero que trabaja en cosas materiales que no requieren arte ni habilidad: ~ **caminero**, el destinado a la conservación y reparo de los caminos públicos. 4 Juguete de madera, de figura cónica y terminado en una púa de hierro, al cual se arrolla una cuerda para lanzarlo y hacerle bailar. 5 Árbol de la noria o de cualquiera otra máquina giratoria.

peonada *f.* Obra que un peón o jornalero hace en un día. 2 Cuadrilla o conjunto de peones.

peonaje *m.* Conjunto de peones (jornaleros).

peonería *f.* Tierra que un hombre labra en un día.

peonía *f.* Planta peoniácea, herbácea o arbustiva, de hojas grandes, divididas, y flores muy vistosas actinomorfas, blancas, rosadas, purpúreas o amarillas *(gén. Pœnia).* ◊ INCOR.: *peònia.*

peoniáceo, -a *adj.-f.* Planta de la familia de las peoniáceas. – 2 *f. pl.* Familia de plantas de flores grandes y vistosas, y el fruto en folículo.

peonza *f.* Juguete de madera, semejante al peón, que se hace bailar azotándolo con un látigo. 2 Peón, trompo. 3 fig. Persona chiquita y bulliciosa. 4 Molusco gasterópodo marino, provisto de una concha pequeña en forma de cono, con espiras bien definidas, y de color rojo pardusco con marcas blancas *(Gibbula adansoni).*

peor *adj.* Comparativo de *malo;* más malo; de mala condición o de inferior calidad respecto de otra cosa con que se compara. – 2

adv. Comparativo de *mal;* más mal; de manera contraria a lo bueno o conveniente: *el enfermo está* ~.

pepazo *m. Amér.* Pedrada; disparo; golpe.

pepenar *tr. Amér.* Recoger [algo], rebuscar.

pepinazo *m.* fam. Explosión de un proyectil. 2 DEP. Disparo potente, especialmente en fútbol.

pepinillo *m.* Pepino nuevo. 2 Variedad de pepino de pequeño tamaño, en adobo.

pepino *m.* Planta cucurbitácea de tallos blandos rastreros y vellosos, hojas partidas en lóbulos agudos, flores amarillas y fruto comestible pulposo, cilíndrico, verde o amarillo por fuera y blanco por dentro, con multitud de pepitas *(Cucumis sativus).* 2 Fruto de esta planta.

I) pepita *f.* Semilla plana y larga, como la del melón, la pera, la manzana, etc. 2 Trozo rodado de oro o de otros metales que se encuentra en los terrenos de aluvión. 3 *Amér.* Almendra de cacao.

II) pepita *f.* Enfermedad que las gallinas suelen tener en la lengua, consecutiva a diversos estados morbosos del sistema digestivo.

pepito *m.* Bocadillo pequeño de carne.

pepitoria *f.* Guisado de ave, cuya salsa tiene yema de huevo. 2 fig. Conjunto de cosas diversas y desordenadas.

peplo *m.* Vestidura exterior femenina usada en la antigua Grecia, amplia, suelta y sin mangas, que bajaba de los hombros y de la cintura, formando generalmente caídas en punta por delante.

pepona *f.* Muñeca grande de cartón.

pepónide *f.* Baya del epicarpio coriáceo, endurecido a veces, procedente de un ovario ínfero, con muchas pepitas; es propio de las cucurbitáceas; **fruto.

pepsina *f.* Fermento segregado por la membrana mucosa del estómago, que es el principio más importante del jugo gástrico.

péptico, -ca *adj.* Perteneciente o relativo al estómago o a la digestión.

péptido, -da *adj.-m.* Substancia orgánica procedente de la descomposición incompleta de los albuminoides.

peptona *f.* Substancia compleja que resulta del desdoblamiento de los albuminoides por los fermentos digestivos.

peque *com.* Niño.

pequeñez *f.* Calidad de pequeño. 2 Infancia. 3 Cosa de leve importancia. 4 Bajeza de ánimo.

pequeño, -ña *adj.* Que no llega a las dimensiones ordinarias entre cosas de una misma especie; opuesto a grande en nombre, grado, duración, valor, etc.: *un sueldo* ~; *un* ~ *grupo de estrellas; una nariz pequeña.* 2 De muy corta edad. 3 fig. Bajo, abatido y humilde, como contrapuesto a poderoso y soberbio.

pequín *m.* Tela de seda parecida a la sarga.

pequinés, -sa *adj.-s.* De Pequín, ciudad de China. – 2 *m.* Dialecto del norte de China, que suele ser lengua oficial del país. – 3 *adj.-m.* V. perro ~.

pera *f.* Fruto del peral. 2 Llamador de un timbre eléctrico o interruptor para la luz, en forma de pera. 3 Bombilla. 4 Renta o destino lucrativo o descansado. 5 Inflamación de la membrana que tiene el ganado lanar entre las dos pezuñas de las patas anteriores. 6 fig. Porción de pelo que se deja crecer en la punta de la barba. – 7 *adj.* fig. Elegante, cursi; estupendo, magnífico.

peral *m.* Árbol rosáceo, de tronco recto y liso, copa bien poblada, hojas puntiagudas, flores blancas en corimbos y frutos en pomo, de color, piel y forma que varía según las castas, con pepitas pequeñas y negras *(Pirus communis)*. 2 Madera de este árbol, apreciada para ciertos trabajos porque no se alabea ni hiende.

peralito *m.* Planta reptante y perenne de hojas ovales dispuestas en roseta, y con las flores de color blanco verdoso dispuestas en ramos asimétricos *(Orthilia secunda)*.

peraltar *tr.* ARQ. Dar [a la curva de un arco, bóveda o armadura] más altura de la correspondiente al semicírculo. 2 Dar peraltes [a una curva de vía férrea, carretera, velódromo, etc.].

peralte *m.* Lo que en la altura de un arco, bóveda o armadura excede del semicírculo. 2 ARQ. Elevación de una armadura sobre el ángulo recto o cartabón o la de una cúpula sobre el semicírculo. 3 En las carreteras, caminos, vías férreas, etc., mayor elevación de la parte exterior de una curva en relación con la interior.

perborato *m.* Sal producida por la oxidación del borato. 2 ~ **sódico,** polvo cristalino que al disolverse en el agua da borato sódico y agua oxigenada.

perca *f.* Pez teleósteo perciforme de río, comestible, de escamas duras y ásperas, cuerpo oblongo, verdoso en el lomo, plateado en el vientre y dorado con fajas negruzcas en los costados *(Perca fluviatilis)*.

percal *m.* Tela de algodón fina, teñida o, más generalmente, estampada y aprestada con cierto brillo.

percance *m.* Contratiempo o perjuicio imprevistos.

percatar *intr.-prnl.* Advertir, darse cuenta, considerar, cuidar.

percebe *m.* Crustáceo cirrópodo, de caparazón reforzado por varias placas calizas, y con un pedúnculo carnoso comestible; se cría formando grupos y es marisco muy apreciado *(Pollicipes cornucopia)*.

percepción *f.* Acción de percibir. 2 Efecto de percibir. 3 Sensación interior que resulta de una impresión material hecha en nuestros sentidos. 4 Idea (noción).

perceptible *adj.* Que se puede percibir.

perceptivo, -va *adj.* Que tiene virtud de percibir.

percibir *tr.* Recibir [una cosa] y entregarse de ella; esp., cobrar [una cantidad, sueldo, etc.]. 2 Adquirir conocimiento [del mundo exterior] por medio de las impresiones que transmiten los sentidos. 3 Comprender o conocer [una cosa].

perciforme *adj.-m.* Pez del orden de los perciformes. – 2 *m. pl.* Orden de peces teleósteos provistos de radios espinosos en las aletas; como la dorada, el atún y el mero.

percloruro *m.* Cloruro que contiene la mayor cantidad de cloro posible.

percolador *m.* Cafetera muy grande de vapor.

percuciente *adj.* Que hiere o golpea.

percudir *tr.* Maltratar o ajar la tez o el lustre [de las cosas]. 2 Penetrar la suciedad [en alguna cosa].

**percusión *f.* Acción de percutir. 2 Efecto de percutir. 3 MEC. Producto de la intensidad de una fuerza por el tiempo que dura su acción, el cual caracteriza, por ejemplo, la violencia del choque de dos cuerpos. 4 MÚS. Conjunto de instrumentos cuyo sonido se obtiene al ser golpeados.

percusionista *com.* Músico que toca algún instrumento de percusión.

percusor *m.* El que hiere. 2 Pieza que golpea en cualquier máquina, y especialmente la llave o martillo con que se hace detonar el cebo fulminante en algunas armas de fuego.

percutir *tr.* Golpear.

percutor *m.* Percusor (pieza).

percha *f.* Madero o estaca larga y delgada que suele atravesarse en otros para sostener algo. 2 Pieza o mueble con colgaderos para la ropa, etc. 3 Utensilio ligero que consta de un soporte donde se coloca un traje u otra prenda parecida, y que se cuelga por su parte superior. 4 Lazo de cazar aves. 5 Especie de bandolera que usan los cazadores para colgar en ellas las piezas que matan.

perchar *tr.* Colgar [el paño] y cardarlo.

perchel *m.* Aparato de pesca consistente en uno o varios palos dispuestos para colgar las redes. 2 Lugar en que se colocan.

perchero *m.* Conjunto de perchas o lugar en que las hay; esp., mueble que las contiene.

percherón, -rona *adj.-m.* Raza de caballos que por su fuerza y corpulencia es muy a propósito para arrastrar grandes pesos. – 2 *adj.* fig. [pers.] Fuerte, corpulento.

perder *tr.* Verse privado [de una persona o cosa], sea por culpa o descuido del poseedor, sea por contingencia o desgracia: ~ *un libro;* ~ *un compañero;* ~ *un ojo, los dientes,* etc. 2 esp. Verse privado de [un deudo] por causa de muerte o desaparición: ~ *un hijo; los vencidos perdieron muchos hombres.* 3 Desperdiciar, disipar o malgastar [una cosa]: ~ *el tiempo, el dinero.* 4 No conseguir lo que se espera o desea: ~ *el tren;* ~ *una ocasión.* 5 Ocasionar un daño [a las cosas]; deteriorarlas: *la lluvia ha perdido la cosecha.* 6 Ocasionar [a uno] ruina o daño en la honra o en la hacienda: *el vicio le ha perdido.* 7 Quedar vencido en una contienda, apuesta, lucha, etc.: ~ *la batalla; los nuestros han perdido.* 8 Decaer del crédito o estimación en que se estaba: *tu hijo pierde mi afecto.* 9 Perifrásticamente, faltar a alguna obligación debida a una persona: ~ *el respeto;* ~ *el miedo,* sentirse esforzado; ~ *la calma,* ~ *el uso de la razón,* enfurecerse, enloquecer; ~ *el hilo del discurso, de la narración,* interrumpir un relato, no saber continuarlo. – 10 *intr.* Tratándose de una tela, desteñirse, bajar de color. – 11 *prnl.* Errar uno el camino que llevaba: *nos hemos perdido; perderse en el bosque.* 12 fig. No hallar modo de salir de una dificultad. 13 esp. *y* fig. Borrarse la especie o ilación en un discurso. 14 fig. Naufragar o irse a pique. 15 fig. Ocultarse o filtrarse las aguas corrientes en la tierra. 16 fig. No percibirse una cosa por el oído o la vista. 17 fig. Dejar de ser útil una cosa. 18 fig. Entregarse ciegamente a los vicios. 19 fig. Amar mucho o con ciega pasión a una persona o cosa. 20 fig. Padecer un daño o ruina espiritual o corporal, especialmente la joven que ha sido deshonrada. ◇ ** CONJUG. [28] como *entender.*

perdición *f.* Acción de perder o perderse. 2 fig. Ruina o daño grave moral o material. 3 fig. Condenación eterna. 4 fig. Desarreglo en las costumbres o en el uso de los bienes temporales. 5 fig. Causa u ocasión de ruina o de daño. 6 fig. Pasión desenfrenada de amor.

pérdida *f.* Privación de lo que se poseía. 2 Daño o menosprecio que se recibe en una cosa. 3 Cantidad o cosa perdida. 4 Escape, fuga, cantidad de algún fluido que se pierde por filtraciones, contactos, etc.

perdidamente *adv. m.* Con exceso, con vehemencia, inconsideradamente. 2 Inútilmente, sin provecho.

perdido, -da *adj.* Que no tiene o no lleva destino determinado. 2 fam. Muy sucio: *se puso* ~ *de barro, de tinta.* – 3 *m. f.* Persona viciosa y golfa.

perdigar *tr.* Soasar [la perdiz o cualquier otra ave o vianda] para que se conserve. 2 Preparar [la carne] en cazuela con alguna grasa. 3 fig. *y* fam. Disponer o preparar [una cosa] para un fin. ◇ ** CONJUG. [7] como *llegar.*

perdigón *m.* Pollo de la perdiz. 2 Perdiz macho que emplean los cazadores como reclamo. 3 Grano de plomo que forma la munición de caza.

perdigonada *f.* Tiro de perdigones. 2 Herida que produce.

perdiguero, -ra *adj.* [animal] Que caza perdices.

perdiz *f.* Ave galliforme de tamaño mediano, cuerpo grueso, cuello corto, cabeza pequeña, pico y pies encarnados y plumaje ceniciento rojizo con manchas encarnadas, negras y blancas *(Alectoris rufa).* 2 Nombre de otros galliformes parecidos al anterior: ~ *pardilla,* especie muy parecida a la común, muy abundante en Europa y el norte de España, con pico y patas de color gris verdoso y plumaje pardo obscuro *(Perdix perdix).*

perdón *m.* Acción de perdonar (remitir). 2 Efecto de perdonar (remitir). 3 Indulgencia

PERCUSIÓN (INSTRUMENTOS DE)

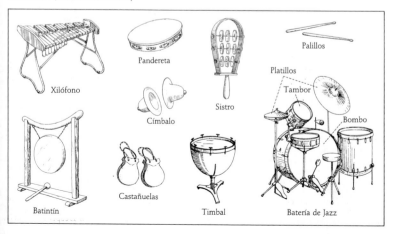

Xilófono
Pandereta
Palillos
Platillos
Tambor
Sistro
Címbalo
Bombo
Batintín
Castañuelas
Timbal
Batería de Jazz

(remisión de la pena). 4 fam. Gota de cera, aceite, etc., que cae ardiendo.

perdonar *tr.* Remitir [la deuda, falta, delito u otra cosa] que toque al que remite. 2 Exceptuar a uno [de alguna obligación general]. 3 Precedido de la negación *no* significa aprovechar, utilizar, practicar, etc., reforzando grandemente cualquiera de estas significaciones: *no ~ modo, o medio, de conseguir una cosa; no ~ baile; no ~ ni un pormenor del suceso.* 4 fig. Renunciar [a un derecho, goce o disfrute].

perdonavidas *m.* fig. Baladrón, fanfarrón, valentón. ◇ Pl.: *perdonavidas.*

perdulario, -ria *adj.-s.* Sumamente descuidado o desaliñado. 2 Vicioso incorregible.

perdurable *adj.* Perpetuo o que dura siempre. 2 Que dura mucho tiempo.

perdurar *intr.* Durar mucho, subsistir, mantenerse en un mismo estado.

perecear *tr.* Dilatar [una cosa] por negligencia o pereza.

perecedero, -ra *adj.* Temporal. Poco durable. 2 Que puede deteriorarse, echarse a perder o estropearse en un breve transcurso de tiempo: *alimentos perecederos.* – 3 *m.* fam. Necesidad, miseria.

perecer *intr.* Acabar, dejar de existir, morir. 2 fig. Padecer un daño o trabajo grande; esp., carecer de lo necesario para la manutención de la vida: *~ de angustia, de hambre.* 3 Padecer una ruina espiritual, especialmente la eterna condenación: *el que muere en pecado mortal, perecerá.* – 4 *prnl.* fig. Desear o apetecer con ansia una cosa: *perecerse por una joya.* 5 fig. Padecer con violencia un afecto o pasión: *perecerse de risa.* ◇ ** CONJUG. [43] como *agradecer.*

peregrinación *f.* Viaje por tierras extrañas. 2 Viaje a un santuario por devoción o por voto.

peregrinar *intr.* Andar uno por tierras extrañas: *~ a regiones desconocidas; ~ por el mundo.* 2 Ir en romería a un santuario. 3 fig. Estar en esta vida presente, como camino a la patria celestial. 4 fig. Andar de un lugar a otro buscando o resolviendo algo.

peregrino, -na *adj.-s.* Que peregrina [en romería], especialmente si lleva bordón y esclavina: *~ de Compostela; ~ en Jerusalén.* – 2 *adj.* Que peregrina (anda, va). 3 [ave] De paso. 4 fig. Raro, pocas veces visto. 5 fig. Adornado de singular hermosura, perfección o excelencia. 6 fig. Que está en esta vida mortal y pasa a la eterna. – 7 *m.* Tiburón de hasta 15 m. de largo y 8 t. de peso, de color gris obscuro, manchado de blanco; se alimenta de plancton *(Cetorhinus maximus).*

perejil *m.* Planta umbelífera, herbácea, de tallos angulosos, ramificados, hojas lustrosas partidas en tres gajos dentados, flores blancas o verdosas y semillas menudas, parduscas y ovaladas; se usa como condimento *(Petroseli-*

num crispum; P. hortense). 2 fig. Adorno o compostura excesiva, especialmente la que usan las mujeres en los vestidos y tocados. – 3 *m. pl.* Adornos propios de la mujer.

perendengue *m.* Arete (arillo). 2 p. ext. Adorno mujeril de poco valor. – 3 *m. pl.* fam. Complicaciones, dificultades, trabas.

perengano, -na *m. f.* Persona cuyo nombre se ignora o no se quiere expresar. Úsase después de haber aludido a otra u otras con palabras como *fulano, mengano, zutano.*

perenne *adj.* Incesante, perpetuo, que no tiene intermisión. 2 BOT. Vivaz.

perennifolio, -lia *adj.* [árbol y planta] Que conserva su follaje todo el año.

perentorio, -ria *adj.* Último plazo que se concede; [decisión] que pone fin a un asunto. 2 Concluyente, decisivo. 3 Urgente, apremiante.

pereza *f.* Negligencia, tedio en las cosas a que estamos obligados, repugnancia al trabajo. 2 Flojedad, descuido o tardanza en las acciones o movimientos.

perezoso, -sa *adj.-s.* Que tiene o muestra pereza. 2 Que por pereza se levanta tarde de la cama. – 3 *m.* Mamífero edentado de América del sur, arborícola, de movimientos lentos y pesados, cabeza redonda, cola rudimentaria, pelaje largo, áspero y pardo, y patas armadas de uñas largas y encorvadas (gén. *Bradypus; Choloepus*).

perfección *f.* Acción de perfeccionar o perfeccionarse. 2 Calidad de perfecto. 3 Cosa perfecta.

perfeccionar *tr.* Acabar enteramente una obra dándole el mayor grado posible de excelencia.

perfeccionismo *m.* Tendencia a mejorar indefinidamente un trabajo sin decidirse a considerarlo acabado.

perfectivo, -va *adj.* Que da o puede dar perfección. 2 [acción verbal] Que necesita llegar a su término para que se realice: *firmar, disparar, saltar.*

perfecto, -ta *adj.* Que tiene todas las cualidades requeridas, que posee el mayor grado posible de excelencia en su línea: *~ ante Dios; ~ en su clase.* 2 De plena eficacia jurídica: *contrato ~.* 3 GRAM. *Tiempo ~,* el que presenta la acción **verbal como acabada; son, en español, el pretérito indefinido y todos los tiempos compuestos.

perfidia *f.* Calidad de pérfido: *acción pérfida.*

pérfido, -da *adj.-s.* Desleal, traidor, que falta a la fe debida.

perfil *m.* Adorno sutil y delicado, especialmente el que se pone al canto o extremo de una cosa. 2 Trazo fino y delicado, especialmente el hecho con la pluma al escribir. 3 Postura en que no se deja ver sino una de las dos mitades laterales del cuerpo. 4 Aspecto peculiar o llamativo con que una cosa se presenta ante la vista o la mente. 5 Conjunto de cualidades o rasgos personales más significativos y caracterizadores del individuo: ~ *psicológico;* ~ *biográfico.* 6 Conjunto de rasgos característicos [de algo]. 7 GEOM. Figura que representa un cuerpo cortado real o imaginariamente por un plano vertical. – 8 *m. pl.* Complementos y retoques con que se remata algo. 9 Miramientos en la conducta o en el trato social.

perfilado, -da *adj.* [rostro] Adelgazado y largo en proporción.

perfilar *tr.* Dar, presentar o sacar los perfiles [de una cosa]. 2 fig. Afinar, rematar esmeradamente [una cosa]. – 3 *prnl.* Colocarse de perfil. 4 fig. *y* fam. Aderezarse, componerse. 5 fam. Destacarse: *el barco se perfila en el horizonte.* 6 Empezar a tomar forma.

perfoliada *f.* Planta umbelífera anual que vive en caminos, escombros y cultivos *(Bupleurum rotundifolium).*

perforación *f.* Acción de perforar. 2 Efecto de perforar. 3 Taladro, agujero hecho con máquinas o instrumentos perforadores. 4 MED. Rotura de las paredes del intestino, estómago, etc.

perforador, -ra *adj.-s.* Que perfora u horada. – 2 *f.* INFORM. Máquina accionada por medio de un teclado, utilizada para perforar fichas de cartulina o cintas de papel con el fin de representar datos. 3 MIN. Herramienta giratoria de aire comprimido o eléctrica empleada para la perforación de las rocas y, sobre todo, para abrir barrenos.

perforar *tr.* Horadar.

performance *f.* ANGLIC. Actuación de un artista. 2 Representación (teatro y cine). 3 Hazaña (hecho extraordinario).

perfumador, -ra *adj.-s.* Que tiene por objeto componer perfumes. – 2 *m.* Utensilio para perfumar.

perfumar *tr.* Sahumar, aromatizar [una cosa], quemando materias olorosas: ~ *con incienso.* 2 fig. Dar, esparcir cualquier olor bueno. – 3 *intr.* Exhalar perfume u olor agradable.

perfume *m.* Materia odorífica y aromática que puesta al fuego echa de sí un humo fragante y oloroso. 2 El mismo humo u olor. 3 fig. Materia que exhala buen olor. 4 Olor muy agradable. 5 fig. Cosa que despierta grato recuerdo.

perfumería *f.* Establecimiento del perfumista. 2 Arte de fabricar perfumes. 3 Conjunto de productos y materias de esta industria.

perfumista *com.* Persona que tiene por oficio preparar o vender perfumes.

perfusión *f.* Baño, untura.

pergamíneo, -a *adj.* Que tiene la apariencia o textura del pergamino.

pergamino *m.* Piel de la res, raída, adobada y estirada, usada para escribir en ella, encuadernar libros, etc. 2 Documento escrito en pergamino. – 3 *m. pl.* Antecedentes nobiliarios.

pergeñar *tr.* Disponer o ejecutar [una cosa] con más o menos habilidad.

pergeño *m.* Traza, esbozo, apariencia.

pérgola *f.* Emparrado. 2 Jardín sobre la techumbre de algunas casas.

periantal *adj.* Propio del perianto o relativo a él.

perianto *m.* Conjunto de las hojas florales que forman la envoltura de la **flor.

periastro *m.* Punto de la órbita de un astro más próximo de otro alrededor del cual gira.

pericardio *m.* Cubierta fibrosa con la cara interior revestida de una membrana serosa, que envuelve el corazón.

pericarpio *m.* Parte del **fruto que envuelve y protege a las semillas.

pericia *f.* Práctica, habilidad en una ciencia o arte.

periciclo *m.* BOT. Estrato celular externo del **tallo y la **raíz.

perico *m.* Especie de tocado usado antiguamente, que se hacía de pelo postizo en la parte anterior de la cabeza. 2 Ave psitaciforme, especie de papagayo pequeño, propio de Cuba y de América meridional, de pico rosáceo y pies grises, cuerpo verde con manchas rojizas en el cuello y las plumas remeras y timoneras verdes en el lado externo y amarillas en el interno; da gritos agudos y se domestica con facilidad (gén. *Melopsithacus*). 3 fig. Espárrago de gran tamaño. 4 fig. Persona que gusta de callejear, a veces de vida desenvuelta. Se aplica con más frecuencia a mujeres. 5 Mariposa diurna diminuta, de color pardo con pequeños puntos leonados dispuestos en series transversas *(Hamearis lucina).*

pericón, -cona *adj.-s.* Que suple por todos, especialmente el caballo o la mula que en el tiro hace todos los puestos. – 2 *m.* Abanico muy grande.

peridotita *f.* MIN. Roca magmática formada casi exclusivamente por peridoto, de color obscuro y densidad elevada.

peridoto *m.* Silicato de magnesia y hierro, mineral brillante de color verde amarillento, poco menos duro que el cuarzo y que suele encontrarse entre las rocas volcánicas.

perieco, -ca *adj.-s.* Morador de la **tierra con relación a otro que ocupa un punto del mismo paralelo que el primero y diametralmente opuesto a él.

periferia *f.* Circunferencia (contorno). 2 Contorno de una figura curvilínea. 3 Alrededores de una ciudad. ◊ INCOR.: *periféria.*

periférico, -ca *adj.* Perteneciente o relativo a la periferia. – 2 *m.* Unidad de un ordenador electrónico que no forma parte de la unidad central de memoria y tratamiento.

perifollo *m.* Planta umbelífera, de tallos finos y ramosos, hojas muy recortadas en lóbulos lanceolados, flores blancas y semilla menuda; sus hojas son aromáticas, de gusto agradable y se usan como condimento *(Anthriscus cerefolium)*. – 2 *m. pl.* fig. *y* fam. Adornos de mujer en el traje y peinado, especialmente los que son excesivos o de mal gusto.

perífrasis, -si *f.* Circunlocución. ◇ Pl.: *perífrasis.*

perifrástico, -ca *adj.* Perteneciente o relativo a la perífrasis; abundante en ellas. 2 *Conjugación perifrástica,* la que se forma con verbo auxiliar; esp., la que expresa obligación: *haber de cantar.*

perigallo *m.* Pellejo que con exceso pende de la barba o de la garganta. 2 fig. Persona alta y delgada.

perigeo *m.* En la órbita de la Luna, el punto más próximo a la Tierra.

perigonio *m.* Perianto.

perihelio *m.* En la órbita de un planeta, el punto más próximo al **Sol.

perilla *f.* Adorno en figura de pera. 2 Porción de pelo que se deja crecer en la punta de la barba. 3 Extremo por donde se fuma el cigarro puro.

perímetro *m.* Ámbito (contorno). 2 GEOM. Contorno de una figura.

perimisio *m.* ANAT. Membrana de tejido conjuntivo, blanca y brillante, que envuelve el músculo.

perinatal *adj.* Que tiene lugar durante el período inmediatamente anterior o posterior al nacimiento.

perinatología *f.* Parte de la medicina que tiende a reducir el número de muertes durante el período perinatal.

perineo *m.* Región comprendida entre el ano y las partes sexuales.

perinola *f.* Peonza pequeña que baila cuando se hace girar rápidamente con los dedos un manguillo que tiene en la parte superior. 2 fig. Mujer pequeña de cuerpo y vivaracha.

períoca *f.* Sumario, argumento de un libro o tratado.

**periódico, -ca *adj.* Que guarda período determinado. – 2 *adj.-m.* Impreso que se publica periódicamente; diario.

periodismo *m.* Ejercicio o profesión de periodista.

periodista *com.* Compositor, autor o editor de un periódico. 2 Persona que tiene por oficio escribir en periódicos.

período, periodo *m.* Espacio de tiempo limitado y determinado por la ocurrencia de algún fenómeno que se repite regularmente; como el que emplea un péndulo en su movimiento de vaivén, el que tarda un planeta en efectuar su movimiento de revolución, etc. 2 Espacio de determinado tiempo que comprende toda la duración de una cosa. 3 Tiempo que duran ciertos fenómenos que se observan en el curso de las enfermedades. 4 Menstruación (acción). 5 GRAM. Oración compuesta. 6 MAT. Cifra o grupo de cifras que se repiten indefinidamente en una fracción decimal limitada.

periodonto *m.* Conjunto de ligamentos que fijan el diente dentro del alveolo óseo del maxilar.

periostio *m.* Membrana de tejido conjuntivo, adherida exteriormente a los huesos, que sirve para su nutrición y regeneración; **diente.

periótico, -ca *adj.* Situado alrededor del oído interno.

peripatético, -ca *adj.-s.* Que sigue la filosofía o doctrina de Aristóteles (384-322 a. C.). – 2 *adj.* Perteneciente o relativo a esta filosofía o a sus seguidores. 3 fig. Ridículo o extravagante en sus dictámenes o máximas.

peripatetismo *m.* Doctrina filosófica de Aristóteles (384-322 a. C.).

peripecia *f.* En el drama o composición análoga, mudanza repentina de situación; accidente imprevisto que cambia el estado de las cosas. 2 fig. Accidente de esta misma clase en la vida real.

periplo *m.* Circunnavegación. 2 Obra antigua en que se refiere un viaje de circunnavegación. 3 p. ext. Viaje largo por numerosos países.

períptero, -ra *adj.-m.* Edificio rodeado de columnas.

periquete *m.* Brevísimo espacio de tiempo: *en un ~.*

periscio, -cia *adj.-s.* Habitante de las zonas polares, en torno del cual gira su sombra cada veinticuatro horas en los días de verano.

periscopio *m.* Doble cámara clara instalada en un tubo vertical, que sirve para ver los objetos por encima de un obstáculo que impide la visión directa.

perisodáctilo *adj.-m.* Mamífero del orden de los perisodáctilos. – 2 *m. pl.* Orden de mamíferos placentarios ungulados de gran tamaño y alimentación herbívora; se caracterizan por presentar el tercer dedo muy desarrollado, por lo que los demás desaparecen o están muy reducidos; a este orden pertenecen tres familias: équidos, rinoceróntidos y tapíridos.

perista *com.* germ. Comprador de cosas robadas.

peristáltico, -ca *adj.* Que causa la contracción normal y fisiológica del estómago y de los intestinos, produciendo unos movimientos por los cuales se impulsan de arriba abajo las materias contenidas en el tubo digestivo.

perístasis *f.* RET. Tema, argumento del discurso. ◇ Pl.: *perístasis*.

peristilo *m.* Galería de columnas que rodea un edificio o parte de él.

peritaje *m.* Carrera, estudios para el título de perito: ~ *industrial, químico,* etc.

perito, -ta *adj.-s.* Sabio, experimentado, práctico en una ciencia o arte. – **2** *m.* El que en alguna materia tiene título de tal, conferido por el estado.

peritoneo *m.* Membrana serosa que cubre la superficie interior del vientre, y forma varios pliegues que envuelven o sostienen las vísceras abdominales.

perjudicar *tr.* Causar o producir perjuicio [a una persona o cosa]. ◇ ** CONJUG. [1] como *sacar.*

perjudicial *adj.* Que perjudica, o puede perjudicar: ~ *a, o para, la vista.*

perjuicio *m.* Daño moral o material.

perjurar *intr.* Jurar en falso. 2 Jurar mucho o por vicio. – **3** *prnl.* Faltar a la fe ofrecida en el juramento.

perjurio *m.* Delito de jurar en falso.

perjuro, -ra *adj.-s.* Que jura en falso. 2 Que quebranta maliciosamente el juramento que ha hecho.

perla *f.* Concreción nacarada, de color blanco agrisado, reflejos brillantes y figura esferoidal, que se forma en lo interior de la concha de diversos moluscos, especialmente de la madreperla. 2 Pequeño glóbulo comparable a una perla. 3 fig. Persona de excelentes prendas o cosa perfecta en su clase. 4 fig. Gota de un líquido muy claro.

perlado, -da *adj.* En forma de perla. 2 [cebada] Mondado y redondeado a máquina.

perlar *tr.-prnl.* poét. Cubrir o salpicar de gotas de agua, lágrimas, reflejos, etc. [alguna cosa]: *los campos se perlaban de rocío; las lágrimas perlaban sus ojos.*

perlé *m.* Hilo de algodón mercerizado, muy brillante, que se usa en bordados, encajes y otras labores.

perlicultura *f.* Cultivo de las madreperlas

PERIÓDICO

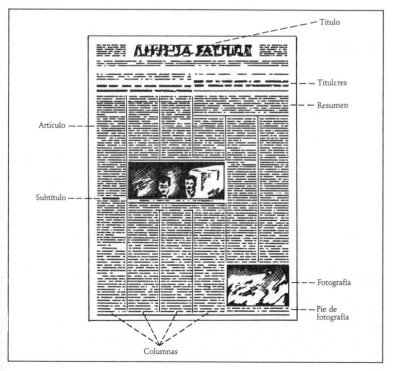

Título

Titulares

Resumen

Artículo

Subtítulo

Fotografía

Pie de fotografía

Columnas

en parques especiales para provocar en ellas la producción de perlas.

perlino, -na *adj.* De color de perla.

perlón *m.* Fibra sintética similar al nailon.

perlongar *intr.* Navegar a lo largo de la costa. ◇ ** CONJUG. [7] como *llegar*.

permaloy *m.* Aleación de níquel y hierro con pequeñas cantidades de otros metales.

permanecer *intr.* Mantenerse sin mutación en un mismo lugar, estado o calidad. ◇ ** CONJUG. [43] como *agradecer*.

permanencia *f.* Calidad de permanente. 2 Estancia en algún lugar. – 3 *f. pl.* Estudio vigilado por el profesor de un instituto o escuela.

permanente *adj.* Que permanece. – 2 *f.* Ondulación del cabello: *hacerse la ~*.

permeable *adj.* Que puede ser penetrado por el agua u otro fluido.

pérmico, -ca *adj.-m.* Último de los períodos geológicos en que se divide la era primaria o paleozoica, y terreno a él correspondiente. – 2 *adj.* Perteneciente o relativo a dicho período.

permisible *adj.* Que se puede permitir.

permisivo, -va *adj.* Que incluye la facultad o licencia de hacer una cosa, sin preceptuarla: *una ley permisiva*. 2 Que permite o consiente.

permiso *m.* Consentimiento formal, licencia dada a alguien para hacer o decir una cosa.

permistión *f.* Mezcla de algunas cosas, generalmente líquidas.

permitir *tr.* Dar uno su consentimiento para que otros hagan o dejen [de hacer una cosa]: *te permito que salgas; te permito salir; te permito el sombrero o que lleves el sombrero*. 2 No impedir [lo que se debiera evitar].

permutar *tr.* Cambiar [una cosa] por otra transfiriéndose los contratantes el dominio de ellas: *~ una finca por*, o *con*, *otra*. 2 Cambiar entre sí dos eclesiásticos o dos funcionarios públicos [los beneficios o empleos que sirven]. 3 Variar la disposición u orden en que estaban [dos o más cosas].

perna *f.* Género de moluscos lamelibranquios, propios de los mares tropicales, cuya concha tiene forma semejante a la de un pernil.

pernear *intr.* Mover violentamente las piernas. 2 *fig.* Andar mucho y con fatiga en la solicitud de un negocio. 3 *fig.* Impacientarse e irritarse por no lograr lo que se desea.

pernera *f.* Pernil (del pantalón).

pernicioso, -sa *adj.* Gravemente dañoso y perjudicial: *~ a las costumbres; ~ en el trato*.

pernil *m.* Anca y muslo del animal. 2 Parte del pantalón que cubre cada pierna.

pernio *m.* Gozne que se pone en las puertas y ventanas para que giren las hojas.

perno *m.* Pieza metálica, larga, cilíndrica, de cabeza redonda, que se asegura por el

extremo opuesto con una chaveta o tuerca, y más generalmente aún por medio del remache, para afirmar piezas de gran volumen.

pernoctar *intr.* Pasar la noche en algún sitio, fuera del propio domicilio.

I) pero *m.* Variedad de manzano cuyo fruto es más largo que grueso *(Malus domestica)*. 2 Fruto de este árbol.

II) pero *conj. advers.* Denota que un concepto se contrapone a otro anterior: *el dinero hace ricos a los hombres, ~ no dichosos;* o es ampliativo del mismo introduciendo una objeción o restricción: *le injurié, con efecto, ~ él primero me había injuriado a mí.* 2 Empléase en principio de cláusula para dar énfasis o fuerza de expresión a lo que se dice: *~ ¿dónde vas a meter tantos libros?* 3 Sino (conjunción). – 4 *m. fam.* Defecto o dificultad: *este dibujo no tiene ~; siempre tiene algún ~ que oponer.*

perogrullada *f.* Verdad que por sabida es simpleza el decirla.

perojiménez *m.* Clase de uva de Jerez. 2 Vino que se extrae de ésta.

perol *m.* Vasija de metal, de figura como de media esfera. 2 Cacerola para calentar agua.

peroné *m.* **Hueso largo y delgado, situado en la parte externa de la pierna junto a la tibia.

peronismo *m.* Partido político argentino, dirigido por Juan Domingo Perón (1895-1974).

perorar *intr.* Pronunciar un discurso; p. ext., hablar uno en la conversación familiar como si estuviera pronunciando un discurso. 2 *fig.* Pedir con instancia.

perorata *f.* Oración o razonamiento molesto o inoportuno.

peróxido *m.* En la serie de los óxidos, el que tiene la mayor cantidad de oxígeno.

perpendicular *adj.* [plano] Que forma ángulo recto con otro: *~ al plano del horizonte.*

perpendículo *m.* Plomada (pesa de metal). 2 Altura de un triángulo.

perpetrar *tr.* Cometer, consumar un delito o culpa grave.

perpetua *f.* Planta amarantácea, de tallo derecho y ramoso, hojas vellosas, flores reunidas en cabezuela globosa, con tres brácteas, y fruto en caja; las flores son pequeñas, moradas, anacaradas o jaspeadas de estos dos colores *(Gomphrena globosa).* 2 Flor de esta planta. 3 Planta de jardín, de hojas lineares y persistentes y flores de mayor tamaño y color más vivo *(gén. Helichrysum).* 4 Flor de esta planta. 5 Planta compuesta parecida a las dos anteriores, de hojas lineares, flores de color de azufre y escamas plateadas en la base de la cabezuela *(Helichrysum staechas).* 6 Flor de esta planta.

perpetuar *tr.-prnl.* Hacer perpetua o perdurable una cosa: *~ su fama o la posteridad.* 2 Dar [a las cosas] una larga duración. ◇ ** CONJUG. [11] como *actuar*.

perpetuidad *f.* Duración sin fin. 2 *fig.* Duración muy larga.

perpetuo, -tua *adj.* Que dura siempre. 2 Vitalicio: *cargo* ~.

perpiaño *m.* Piedra que atraviesa toda la pared.

perplejo, -ja *adj.* Dudoso, irresoluto.

perqué *m.* Composición poética antigua en forma de pregunta y respuesta.

perquirir *tr.* Investigar, buscar una cosa con cuidado y diligencia. ◇ ** CONJUG. [30] como *adquirir*.

perra *f.* Borrachera (efecto). 2 Rabieta de niño. 3 Pereza. 4 fam. Obstinación. – 5 *f. pl.* fam. Dinero, riqueza: *tiene muchas perras en el banco*.

perrera *f.* Lugar donde se guardan o encierran los perros: *la* ~ *del tren*. 2 Ocupación de mucho trabajo y poca utilidad. 3 Mal pagador.

perrería *f.* Conjunto de perros. 2 fig. Conjunto de personas malvadas. 3 fig. Vileza o acción desleal. 4 fig. Expresión o demostración de enojo, enfado o ira.

perrero *m.* El que en las iglesias catedrales cuida de echar fuera de ellas los perros. 2 El que es muy aficionado a tener o criar perros.

perrito caliente *m.* Panecillo con una salchicha dentro y untado con mostaza.

I) perro, -rra *adj.-s.* Muy malo, indigno: *vida perra; el muy* ~ *me burló.*

II) perro, -rra *m. f.* Mamífero carnívoro cánido, mantenido en domesticidad por el hombre desde los tiempos prehistóricos, de tamaño, forma y pelaje muy diversos según las razas (gén. *Canis*): ~ *bóxer*, el parecido al dogo, de tamaño mediano, de pelo corto y color pardo claro, es de origen alemán; ~ *buldog*, el de gran cabeza, cuerpo grueso y compacto, patas arqueadas, espalda robusta, amplio pecho y corto pelaje de color castaño; ~ *chihuahua*, el de tamaño muy pequeño, oriundo de Méjico, de cabeza redonda, hocico corto y orejas grandes; ~ *dálmata*, el de pelaje corto, de color blanco con manchas obscuras; ~ *dogo* o *de presa*, el de cuerpo y cuello gruesos y cortos, pecho ancho, cabeza redonda, hocico obtuso, labios gordos, orejas pequeñas con la punta doblada, patas muy robustas, y pelaje generalmente leonado, corto y recto; ~ *foxterrier*, variedad del terrier, de 30 a 40 cms. de altura, cráneo ancho, cara pequeña, orejas semicaídas y cola afilada; ~ *galgo*, el de cabeza pequeña, ojos grandes, hocico puntiagudo, orejas delgadas y colgantes, cuerpo delgado y cuello, cola y patas largas; es muy ligero; ~ *mastín*, el grande, fornido, de cabeza redonda, orejas pequeñas y caídas, ojos encendidos, boca rasgada, dientes fuertes, cuello corto y grueso, pecho ancho y robusto, manos y pies recios y nervudos y pelo largo y algo lanoso; ~ *pastor*, el de gran fortaleza, huesos bien proporcionados y pelaje largo o lanudo; ~ *pastor alemán*, el robusto, de orejas erguidas y pelo corto, que no resulta del cruzamiento con el lobo; es una raza conservada casi sin alteración en el centro de Europa desde tiempo inmemorial; ~ *pequinés*, el de pequeño tamaño, cabeza masiva, cráneo aplastado, morro muy corto, ojos prominentes, orejas lacias y pelo largo; ~ *perdiguero*, el de talla menuda, cuerpo recio, cuello ancho y fuerte, cabeza fina, hocico saliente, labios colgantes, orejas grandes y caídas, patas altas y nervudas, cola larga y pelaje corto y fino; ~ *podenco*, el de cuerpo alargado, cabeza redonda, orejas tiesas, lomo recto, pelo medianamente largo y cola enroscada; ~ *pointer*, el de cuerpo bien proporcionado y elegante, cola larga y fina, pelo raso y color variable; ~ *San Bernardo*, el de gran talla y muy inteligente, que toma su nombre del hospital de San Bernardo en los Alpes suizos; procede del cruzamiento del perro pastor suizo con el danés; por su destreza, resultado de una educación especial, salvan muchas veces la vida a montañeros o esquiadores; ~ *setter*, el de caza, de raza inglesa, de pelo largo, suave y ondulado; ~ *terrier*, el de una raza cuyo tipo es el foxterrier, y que comprende diversas variedades. 2 fig. Persona despreciable.

perruna *f.* Pan muy moreno hecho de harina sin cerner, que ordinariamente se da a los perros.

persa *adj.-s.* De Persia, actualmente Irán, nación asiática. – 2 *m.* Idioma de los persas.

persecución *f.* Acción de perseguir. 2 Imposición de castigo y penas corporales a los adeptos de una doctrina, religión, etc.: *la* ~ *contra los cristianos*. 3 fig. Instancia enfadosa y continua con que se acosa a uno.

persecutorio, -ria *adj.* Que persigue o implica persecución.

perseguir *tr.* Seguir [al que va huyendo] con ánimo de alcanzarlo: *perseguido de enemigos; perseguido por prófugo*. 2 fig. Seguir o buscar [a uno] por todas partes con importunidad. 3 fig. Molestar, dar que padecer [a uno]; procurar hacerle el daño posible. 4 fig. Solicitar, pretender [alguna cosa] con instancia o molestia. ◇ ** CONJUG. [56] como *seguir*.

perseverancia *f.* Firmeza y constancia en la ejecución de sus propósitos y en las resoluciones del ánimo. 2 Duración permanente o continua de una cosa.

perseverar *intr.* Persistir en una manera de ser o de obrar. 2 Durar permanentemente o por largo tiempo.

persiana *f.* Especie de celosía, formada de tablillas de madera, plástico o metal, arrollables o extensibles, que colocada en el hueco de una **ventana o balcón deja paso al aire y no al sol; **casa. 2 Tela de seda con grandes flores tejidas.

pérsico, -ca *adj.* Persa. – 2 *m.* Árbol frutal

rosáceo, originario de Persia, de hojas aovadas y aserradas, flores de color rosa claro y fruto carnoso con el hueso surcado de arrugas *(Persica vulgaris).* **3** Fruto de este árbol.

persignar *tr.-prnl.* Signar y santiguar a continuación. – **2** *prnl.* fig. Manifestar uno haciéndose cruces, admiración o extrañeza. **3** fig. Comenzar a vender.

persistencia *f.* Insistencia, constancia en el intento o ejecución de una cosa. **2** Perseverancia (duración).

persistir *intr.* Mantenerse firme o constante en una cosa. **2** Durar por largo tiempo.

persona *f.* Individuo de la especie humana: *habría un centenar de personas;* **en** ~ o *por su* ~, por uno mismo o estando presente. **2** Hombre de prendas, capacidad y prudencia. **3** Hombre distinguido en la sociedad con un empleo muy honorífico o poderoso. **4** ~ *jurídica* o *social,* ser o entidad que sin tener existencia individual física es, no obstante, capaz de derechos y obligaciones, como las corporaciones, sociedades, asociaciones y fundaciones. **5** GRAM. Accidente gramatical que altera la forma de los verbos y de los pronombres personales y posesivos para hacer referencia a los interlocutores: *primera* ~, la que habla: *yo, nosotros;* *segunda* ~, aquella a quien se habla: *tú, vosotros;* *tercera* ~, se refiere a los seres no comprendidos en las dos primeras personas.

personaje *m.* Sujeto de distinción, calidad o representación en la vida pública. **2** Ser humano, sobrenatural o simbólico, ideado por el escritor, que toma parte en la acción de una obra literaria.

personal *adj.* Relativo a la persona o propio o particular de ella: *derecho* ~; *opinión* ~. **2** GRAM. [pronombre] Que designa las tres personas gramaticales. V. persona; **declinación; **pronombre. – **3** *m.* Conjunto de las personas pertenecientes a determinada clase, corporación o dependencia: *el* ~ *de una oficina.* **4** Capítulo de las cuentas de ciertas oficinas en que se consigna el gasto del personal de ellas. – **5** *adj.-f.* DEP. En el juego del baloncesto, falta que comete un jugador al tocar o empujar a otro del equipo contrario para impedir una jugada. **6** DEP. Sanción correspondiente a dicha falta.

personalidad *f.* Conjunto de cualidades que constituyen a la persona o supuesto inteligente. **2** Diferencia individual que constituye a cada persona y la distingue de otra. **3** Dicho o escrito ofensivo o perjudicial para determinadas personas. **4** Inclinación o aversión que se tiene a una persona. **5** Personaje (sujeto).

personalismo *m.* Acción de personalizar (aludir). **2** Antagonismo entre personas. **3** Doctrina filosófica de Emmanuel Mounier (1905-1950), según la cual lo más importante es la persona humana en su totalidad.

personalista *adj.* Que se practica según la conveniencia, convicciones, arbitrio o estilo del gobernante o dirigente: *política, dirección, gerencia* ~. **2** [pers.] Que así se comporta en el mando o en el trabajo de una colectividad.

personalizar *tr.* Aludir, de modo molesto u ofensivo, a personas determinadas. **2** Adaptar [algo] al gusto o necesidades del usuario. **3** Conferir [a algo] un carácter personal o particularmente adaptado al usuario. **4** GRAM. Usar como personales verbos generalmente impersonales: *anochecí en Barcelona.* ◊ ** CONJUG. [4] como *realizar.*

personarse *prnl.* Avistarse. **2** Presentarse personalmente en una parte.

personificar *tr.* Atribuir vida o acciones propias de persona [a los seres irracionales o a las cosas inanimadas o abstractas]. **2** Representar una persona determinada [un suceso, sistema u opinión]: *Edison personifica el ingenio.* **3** Representar en los discursos o escritos bajo alusiones o nombres supuestos [personas determinadas]: *en el texto se personifica al ministro.* ◊ ** CONJUG. [1] como *sacar.*

perspectiva *f.* Arte de representar en una superficie los objetos tal como aparecen a la vista. **2** Obra o representación ejecutada con este arte: ~ *caballera,* modo convencional de representar los objetos en un plano y como si se vieran desde lo alto, conservando en la proporción debida sus formas y las distancias que los separan. **3** fig. Conjunto de objetos que desde un punto determinado se presentan a la vista, especialmente cuando están lejanos o producen una impresión de distancia: *desde mi ventana se divisa una alegre* ~. **4** fig. Aspecto con que nos representamos acontecimientos o estados más o menos lejanos: *la* ~ *de la vejez.* **5** fig. Contingencia que puede preverse en el curso de algún negocio: *se nos presentan perspectivas muy halagüeñas.* **6** fig. Apariencia o representación engañosa de las cosas.

perspicaz *adj.* [vista, mirada] Muy penetrante, que alcanza mucho; [pers. o animal] con esta virtud. **2** fig. [ingenio] Agudo y sutil. **3** fig. [pers.] Sagaz, clarividente.

perspicuo, -cua *adj.* Claro, transparente y terso. **2** Capaz de ser comprendido claramente: *persona perspicua; estilo* ~.

persuadir *tr.-prnl.* Convencer. Inducir [a uno] a creer o hacer una cosa: ~ *a hacer algo con,* o *por, buenas razones.*

persuasión *f.* Acción de persuadir o persuadirse. **2** Efecto de persuadir o persuadirse. **3** Aprehensión o juicio formado en virtud de un fundamento.

persulfuro *m.* Sulfuro que contiene la mayor proporción posible de azufre.

pertenecer *intr.* Ser propia de uno alguna cosa o serle debida. **2** Ser una cosa del cargo, oficio u obligación de uno. **3** Referirse o hacer relación una cosa a otra o formar parte integrante de ella: *este fragmento pertenece al Quijote; el pino pertenece a la familia de las coníferas.* 4 Formar parte de alguna corporación. ◇ ** CONJUG. [43] como *agradecer.*

pertenencia *f.* Acción o derecho que uno tiene a la propiedad de una cosa. 2 Espacio o término que toca a uno por jurisdicción o propiedad. 3 Cosa accesoria o consiguiente a la principal y que entra con ella en la propiedad.

pértiga *f.* Vara larga. 2 Vara de 4 a 5 m. de longitud, generalmente de fibra de vidrio, que se utiliza en una de las pruebas atléticas de salto. 3 Percha que lleva suspendido un micrófono.

pertinacia *f.* Calidad de pertinaz.

pertinaz *adj.* Obstinado, tenaz en una opinión, doctrina o propósito: ~ *de carácter;* ~ *en su yerro.* 2 fig. Muy duradero o persistente: *sequía, lluvia* ~.

pertinente *adj.* Relativo a una cosa. 2 Que viene a propósito.

pertrechar *tr.* Abastecer de pertrechos: ~ *una fortificación, un buque, un quirófano.* 2 fig. Preparar lo necesario para la ejecución de una cosa: *pertrecharse con, o de, lo necesario.*

pertrechos *m. pl.* Municiones, armas, máquinas, etc., necesarias para el ejército o la armada. 2 p. ext. Instrumentos necesarios para cualquier operación. ◇ En la primera acepción úsase también en singular.

perturbado, -da *adj.-s.* Enfermo mental, loco.

perturbar *tr.* Alterar el orden y concierto [de las cosas]: ~ *una fiesta;* trastornar la tranquilidad o el juicio [a las personas]: *al oír la noticia se perturbó.* 2 Impedir el orden del discurso [al que va hablando]: *el clamoreo perturbaba al orador.*

peruanismo *m.* Vocablo, giro o modo de expresión propio de los peruanos. 2 Amor o apego a las cosas características de Perú.

peruanizar *tr.* Dar [a algo] carácter peruano. ◇ ** CONJUG. [4] como *realizar.*

peruano, -na *adj.-s.* Del Perú, nación de América del sur.

peruétano *m.* Peral silvestre cuyo fruto es pequeño, aovado, de corteza verde y sabor agrio *(Pyrus communis).* 2 Fruto de este árbol.

perulero *m.* Vasija de barro, panzuda y estrecha de boca.

perversidad *f.* Suma maldad.

perversión *f.* Acción de pervertir o pervertirse. 2 Estado de error o corrupción de costumbres. 3 MED. Alteración de una función normal.

perverso, -sa *adj.-s.* Que hace el mal conscientemente, depravado en las costumbres. 2 Que indica perversidad.

pervertir *tr.* Perturbar el orden o estado [de las cosas]. 2 Viciar con malas doctrinas o

ejemplos [las costumbres, la fe, el gusto, etc.]. ◇ ** CONJUG. [35] como *hervir.*

pervivencia *f.* Continuidad, persistencia.

pervivir *intr.* Seguir viviendo a pesar del tiempo o de las dificultades.

pesa *f.* Pieza de determinado peso, que sirve para cerciorarse del que tienen las cosas, equilibrándola con ella en una balanza. 2 Pieza de peso suficiente que, colgada de una cuerda, se emplea para dar movimiento a ciertos **relojes, o de contrapeso para subir y bajar lámparas, etc. 3 Barra de hierro con bolas en los extremos, para hacer ejercicios gimnásticos. 4 *Amér.* Carnicería o venta de carne.

pesacartas *m.* Balanza delicada con un platillo para pesar las cartas. ◇ Pl.: *pesacartas.*

pesadez *f.* Calidad de pesado: *la* ~ *del sueño;* ~ *de cabeza; la* ~ *del trabajo.* 2 Gravedad (fuerza). 3 fig. Cargazón, exceso, duración desmedida.

pesadilla *f.* Opresión del corazón y dificultad de respirar durante el sueño. 2 Ensueño angustioso y tenaz. 3 fig. Preocupación grave y continua del ánimo causada por la resolución de un asunto importante, por un peligro inminente, etc. 4 fam. Persona o cosa enojosa, enfadosa; lata.

pesado, -da *adj.* Que pesa mucho: ~ *de cuerpo.* 2 fig. Intenso, profundo, hablando del sueño. 3 fig. Cargado de humores, vapores, etc. 4 fig. Tardo o muy lento. 5 fig. Molesto, enfadoso, impertinente, latoso. 6 fig. Ofensivo, sensible: ~ *en la conversación.* 7 fig. Duro, áspero, insufrible; fuerte, violento o dañoso. – 8 *adj.-m.* DEP. Máximo peso (categoría) del boxeo.

pesadumbre *f.* Pesadez (calidad). 2 Gravedad (fuerza). 3 fig. Desazón y disgusto en lo físico o moral. 4 fig. Motivo o causa del pesar, desazón o sentimiento en acciones o palabras. 5 fig. Riña o contienda con uno, que ocasiona desazón o disgusto.

pesaje *m.* Acción de pesar [algo]. 2 Efecto de pesar [algo].

pésame *m.* Expresión con que se significa a uno el sentimiento que se tiene de su pena o aflicción, especialmente con motivo de algún fallecimiento. ◇ Pl.: *pésames.*

pesantez *f.* Gravedad (fuerza).

I) pesar *m.* Sentimiento o dolor interior que molesta y fatiga el ánimo. 2 Dicho o hecho que causa sentimiento o disgusto. 3 Arrepentimiento o dolor de los pecados o de otra cosa mal hecha. 4 *A* ~*,* contra la voluntad o gusto de las personas; p. ext., contra la fuerza o resistencia de las cosas; no obstante: *lo hizo a* ~ *suyo; no tiene frío, a* ~ *de estar helado; a* ~ *de ser aún muy niño, es muy juicioso.* ◇ INCOR.: *a* ~ *que,* por *a* ~ *de que.*

II) pesar *intr.* Tener gravedad o peso; esp., tener mucho peso. 2 fig. Tener una cosa estimación o valor; esp., ser digna de mucho aprecio. 3 fig. Hacer fuerza en el ánimo la razón o el motivo de una cosa. – 4 *unipers.* Con los pronombres *me, te, le, nos,* etc., causar un dicho o hecho arrepentimiento o dolor: *me pesa haberte ofendido.* – 5 *tr.* Determinar el peso [de una cosa]. 6 fig. Examinar con atención o considerar con prudencia las razones [de algo].

pesaroso, -sa *adj.* Que siente un pesar: ∼ *del mal que ha hecho* o *que le han hecho.*

pesca *f.* Acción de pescar. 2 Efecto de pescar. 3 Oficio y arte de pescar: ∼ *de altura,* la que se efectúa en aguas relativamente alejadas del litoral; ∼ *de arrastre,* la que se hace arrastrando redes; ∼ *de bajura,* la efectuada por pequeñas embarcaciones, en las proximidades de la costa; ∼ *de gran altura,* la realizada en aguas muy retiradas, en cualquier lugar del océano. 4 Lo que se pesca o ha pescado.

pescadería *f.* Establecimiento del pescadero.

pescadero, -ra *m.* *f.* Persona que tiene por oficio vender pescado, especialmente por menor.

pescadilla *f.* Cría de la merluza.

pescado *m.* Pez comestible sacado del agua: ∼ *azul,* el abundante en grasa; como la sardina; ∼ *blanco,* el poco graso, que por esta razón, suele recomendarse para ciertos regímenes alimenticios; como la merluza y el lenguado.

pescador, -ra *adj.-s.* Que pesca. – 2 *m.* *f.* Persona que se dedica a la pesca por oficio o modo de vida.

pescante *m.* Pieza saliente sujeta a una pared, a un poste, al costado de un buque, etc., para sostener o colgar algo de ella. 2 En los coches, asiento exterior desde donde el cochero gobierna las caballerías. 3 Delantera de un automóvil, desde donde lo dirige el conductor. 4 En los teatros, tramoya para hacer bajar o subir en el escenario personas o figuras.

pescar *tr.* Coger [peces] con redes, cañas u otros instrumentos. 2 p. anal. Sacar [alguna cosa] del fondo del mar o del río. 3 fig. Contraer [una dolencia o enfermedad]. 4 fig. Coger, agarrar o tomar [cualquier cosa]. 5 fig. Lograr o conseguir astutamente [lo que se pretendía]. 6 fig. Coger [a uno en las palabras o en los hechos] cuando no lo esperaba: *le he pescado; le he pescado una mala acción.* ◇ ** CONJUG. [1] como *sacar.*

pescuezo *m.* Parte del cuerpo del animal, desde la nuca hasta el tronco. 2 Parte posterior del cuello humano. 3 fig. Altanería, vanidad o soberbia.

pesebre *m.* Especie de cajón donde comen las bestias. 2 Belén, nacimiento.

peseta *f.* Moneda de peso y ley diversos según los tiempos; tiene 5 g. de una aleación de nueve partes de plata y una de cobre; es la unidad monetaria en España, representada actualmente por monedas de metal inferior. – 2 *f.* *pl.* fam. Dinero, riqueza.

pésete *m.* Juramento, maldición o execración.

pesetero, -ra *adj.* [pers.] Muy aficionado al dinero; ruin, tacaño, avaricioso. 2 Que cuesta o vale una peseta.

pesgar *tr.* Hacer peso o presión. 2 fig. Abrumar, agobiar. ◇ ** CONJUG. [7] como *llegar.*

pesiar *intr.* Echar maldiciones y reniegos. ◇ ** CONJUG. [12] como *cambiar.*

pesimismo *m.* Doctrina metafísica según la cual el mundo es irremisiblemente malo y, por consiguiente, todo en la naturaleza y en la vida del hombre tiende a la producción y conservación del mal. 2 Propensión a ver y a juzgar las cosas en su aspecto más desfavorable.

pesimista *adj.* Relativo al pesimismo. – 2 *adj.-com.* Partidario del pesimismo (doctrina). 3 Persona que tiene pesimismo (propensión).

pésimo, -ma *adj.* Sumamente malo.

peso *m.* Pesantez. 2 Resultante de todas las acciones de la gravedad sobre las moléculas de un cuerpo, en virtud de la cual ésta ejerce mayor o menor presión sobre la superficie en que se apoya: ∼ *específico,* FÍS., el de un cuerpo en comparación con el de otro de igual volumen tomado como unidad; ∼ *atómico,* QUÍM., el correspondiente al átomo de cada cuerpo siempre referido al del oxígeno tomado como 16,00; ∼ *molecular,* suma de los pesos atómicos que entran en la fórmula molecular de un compuesto. 3 El que por ley o convenio debe tener una cosa. 4 El de la pesa o conjunto de pesas que se necesitan para equilibrar en la balanza un cuerpo determinado. 5 Balanza (instrumento). 6 Moneda americana de plata, de diversos valores según los países. 7 fig. Cargazón o abundancia de humores. 8 fig. Entidad, substancia e importancia de una cosa. 9 fig. Fuerza y eficacia de las cosas no materiales. 10 fig. Carga o gravamen que uno tiene a su cuidado. 11 fig. Autoridad, influencia, prestigio, importancia: *es una persona de mucho ∼.* 12 DEP. En boxeo y otros deportes, categoría y nivel de competición que se establece según el peso de los deportistas. 13 DEP. Esfera metálica con la que se efectúa una de las pruebas atléticas de lanzamiento.

pesor *m.* *Amér. Central* y *Ant.* Gravedad (fuerza).

pespuntar *tr.* Coser o labrar de pespunte o hacer pespuntes: ∼ *una tela.*

pespunte *m.* Labor de costura, con puntadas unidas, que se hacen metiendo la hebra, después de cada punto, en el mismo sitio por donde pasó antes.

pesquera *f.* Lugar donde frecuentemente se pesca.

pesquero, -ra *adj.* Que pesca. 2 Perteneciente o relativo a la pesca. – 3 *m.* Barco que se dedica a la pesca.

pesquisa *f.* Investigación que se hace de una cosa; esp., averiguación que hace la policía. – 2 *m. Argent., Ecuad. y Parag.* Policía secreta.

pestaña *f.* Pelo que nace en los bordes de los párpados; **ojo. 2 En las plantas, apéndice filiforme que, por su disposición al borde de una superficie, se parece a las pestañas. 3 Parte saliente y angosta en el borde de una cosa; como en la llanta de una rueda de locomotora, en la orilla de un papel, etc.

pestañear *intr.* Mover los párpados. 2 fig. Tener vida.

pestañeo *m.* Movimiento rápido y repetido de los párpados.

peste *f.* Enfermedad contagiosa que causa gran mortandad en los hombres o en los brutos. 2 p. ext. Enfermedad, aunque no sea contagiosa, que causa gran mortandad. 3 Mal olor. 4 fig. Cosa mala o de mala calidad en su línea, o que puede ocasionar daño grave. 5 fig. Corrupción de las costumbres y desórdenes de los vicios. 6 fig. Excesiva abundancia de cosas en cualquier línea. – 7 *f. pl.* Palabras de enojo o amenaza o execración: *echar pestes.*

pesticida *adj.-m.* Plaguicida.

pestífero, -ra *adj.* Que puede causar peste o daño grave, o que es muy malo. 2 Que tiene muy mal olor. – 3 *adj.-s.* [pers.] Que padece la peste.

pestilencia *f.* Peste.

pestilente *adj.* Pestífero.

pestillo *m.* Pasador, a modo de cerrojo, con que se asegura una puerta o ventana; **cerradura. 2 Pieza prismática que, por la acción de la llave o a impulso de un muelle, sale de la **cerradura y entra en el cerradero.

pestiño *m.* Fruta de sartén, hecha de masa de harina y huevos batidos, y bañada con miel. 2 *adj.-com.* Persona pesada y aburrida o molesta.

pestoso, -sa *adj.* Que huele mal.

pesuño *m.* Dedo, cubierto con su uña, de los animales de pata hendida.

petaca *f.* Estuche de cuero, metal u otra materia adecuada, para llevar cigarros o tabaco picado. 2 Doblez que se hace en la sábana para que, por broma, una persona no pueda meterse en la cama. 3 *Amér.* Caja o baúl de cuero, madera o mimbres a propósito para formar el tercio de la carga de una caballería. 4 *Amér. Central.* Joroba, corcova.

pétalo *m.* Hoja que forma la corola de la **flor.

petaloide *adj.* Parecido a un pétalo.

petanca *f.* Especie de juego de bochas.

petanque *m.* Mineral de plata nativa.

petaquita *com. Argent.* Persona de poca estatura y gruesa de cuerpo.

petar *tr.* fam. Agradar, complacer.

petardear *tr.* Batir una puerta con petardos. 2 fig. Estafar, pedir algo de prestado con ánimo de no volverlo.

petardo *m.* Morterete que, afianzado en una plancha de bronce, se sujeta a una puerta después de cargado y se le da fuego para hacerla saltar con la explosión. 2 Hueso, cañuto, etc., lleno de pólvora y atado y ligado fuertemente para que prendiéndole fuego, produzca una gran detonación. 3 fig. Estafa, petición de una cosa con ánimo de no volverla: *pegar un ~,* petardear (estafar). 4 fig. *y* fam. Persona o cosa muy fea. 5 fig. *y* fam. Persona o cosa muy aburrida o de escasas cualidades. 6 En el lenguaje de la droga, porro.

petate *m.* Esterilla de palma usada en los países cálidos para dormir sobre ella. 2 Lío de la cama y la ropa: *el ~ de un marinero, de un soldado, de un penado.* 3 Equipaje del que navega. 4 fig. Hombre embustero, estafador o despreciable.

petatillo *m. Amér.* Tejido fino de esparto.

petenera *f.* Aire popular parecido a la malagueña.

petequia *f.* Mancha roja viva, parecida a la picadura de la pulga, que no desaparece a la presión del dedo, debida a una hemorragia cutánea.

petereretes *m. pl.* Golosinas, bocados apetitosos.

petete *m.* Calcetín con poca pierna, y generalmente doblada, que usan las mujeres. 2 Zapato de punto para niños que no andan.

petición *f.* Acción de pedir: ~ *de mano,* fig., ceremonia para solicitar en matrimonio a una mujer. 2 Cláusula u oración con se pide.

peticionar *tr. Amér.* Presentar una petición o súplica, especialmente a las autoridades.

peticionario, -ria *adj.-s.* Que pide o solicita oficialmente una cosa.

petifoque *m.* Foque mucho más pequeño que el principal, que se orienta por fuera de él.

petigrís *m.* Entre peleteros, ardilla común; su piel.

petimetre, -tra *m. f.* Persona que cuida demasiadamente de su compostura y de seguir las modas. ◇ INCOR.: *petrimetre.*

petirrojo *m.* Ave paseriforme de color verde oliva, con la frente, cuello, garganta y pecho de color rojo vivo *(Erithacus rubecula).*

petiseco, -ca *adj.* Raquítico, marchito, rugoso.

petisú *m.* Pastelillo hueco relleno de crema. ◇ Pl.: *petisúes.*

petitorio, -ria *adj.* Relativo a petición o súplica, o que la contiene: *carta petitoria; mesa* *petitoria. – 2 m.* fam. Petición repetida e impertinente.

peto *m.* **Armadura del pecho. 2 Adorno o vestidura que se pone en el pecho para entallarse. 3 Parte de algunas herramientas opuesta a la pala y en el otro lado del ojo: *el ~ de un hacha;* **armas. 4 Parte superior de un delantal o mono. 5 TAUROM. Protección almohadillada que se pone a los caballos de los picadores. 6 ZOOL. Parte inferior del caparazón de los quelonios.

petrarquismo *m.* Estilo poético propio de Petrarca (1304-1374) o de sus seguidores.

petrel *m.* Ave procelariforme muy voladora, del tamaño de la alondra, común en todos los mares, que vive en bandadas entre las rocas y llega a enormes distancias de la tierra *(Procellaria pelagica).*

pétreo, -a *adj.* De piedra, roca o peñasco. 2 Pedregoso. 3 De la calidad de la piedra.

petrificar *tr.-prnl.* Convertir en piedra, o dar [a una cosa] la dureza de la piedra. 2 fig. Dejar [a uno] inmóvil de asombro. ◇ ** CONJUG. [1] como *sacar.*

petrodólar *m.* Unidad monetaria que designa las sumas de dinero que reporta a los países productores la venta su petróleo.

petroglifo *m.* Piedra antigua, grabada.

petrografía *f.* Parte de la geología que trata del estudio, descripción y clasificación de las rocas.

petrolear *intr.* Cargar un buque petróleo para su consumo. – 2 *tr.* Pulverizar [algo] con petróleo.

petróleo *m.* Líquido oleoso, más ligero que el agua, de color obscuro y olor fuerte, que se encuentra nativo, formando a veces grandes manantiales, en los estratos superiores de la corteza terrestre; es una mezcla de hidrocarburos, arde con facilidad, y, sometido a una destilación fraccionada, da una gran cantidad de productos volátiles. 2 Queroseno.

petroleología *f.* Estudio del petróleo.

petrolero, -ra *adj.* Perteneciente o relativo al petróleo. 2 Que tiene motor de petróleo. – 3 *adj.-s.* Incendiario que se sirve de petróleo. – 4 *adj.-m.* Buque dedicado al transporte de petróleo. – 5 *m. f.* Persona que tiene por oficio vender petróleo por menor.

petrolífero, -ra *adj.* Que contiene petróleo.

petrología *f.* Estudio de las rocas, de su origen, composición, etc.

petromizoniforme *adj.-m.* Animal del orden de los petromizoniformes. – 2 *m. pl.* Orden de animales ciclóstomos parásitos; como la lamprea.

petroquímico, -ca *adj.* Que utiliza el petróleo o el gas natural como materias primas para la obtención de productos químicos. – 2 *f.* Ciencia, técnica o industria de los productos químicos derivados del petróleo.

petulancia *f.* Insolencia, atrevimiento o descaro. 2 Vana y ridícula pretensión.

petunia *f.* Género de plantas solanáceas de jardín, de hojas alternas, aovadas y flores grandes, olorosas, de corola en forma de embudo y color blanquecino o púrpura violáceo (gén. *Petunia).*

peúco *m.* Calcetín o bolita de lana para los niños de corta edad.

peyorativo, -va *adj.* Que empeora. 2 [palabra, expresión] Que se emplea o entiende en su valor más negativo o desfavorable de los que tiene: *acepción peyorativa; sentido ~ de una palabra.*

I) **pez *m.* Animal de la clase de los peces: *~ cofre,* o simplemente *cofre,* pez teleósteo de aguas tropicales, de cuerpo poliédrico y recubierto de placas óseas (gén. *Ostracion); ~ espada,* o simplemente *espada,* pez marino teleósteo perciforme, que llega a tener 4 m. de largo, de carne muy estimada, piel áspera, sin escamas, negruzca por el lomo y blanca por el vientre; cuerpo rollizo, y cabeza apuntada con la mandíbula superior prolongada en forma de espada de dos cortes y como de un metro de largo *(Xiphias gladius); ~ martillo,* o simplemente *martillo,* pez selaceo escualiforme de hasta 4 m. de largo, cuya cabeza muy ensanchada por los lados da a su cuerpo apariencia de martillo *(Zigaena malleus); ~ sierra,* o simplemente *sierra,* pez selaceo rayiforme, de cuerpo fusiforme y cabeza pequeña con la mandíbula en forma de espada, como de un metro de largo, con espinas laterales, triangulares y muy fuertes *(Pristis pristis).* 2 fig. Estudiante que ignora la asignatura, especialmente en las frases *estar ~ o ser un ~.* 3 fig. Montón prolongado de trigo en la era. 4 fig. Bulto con esta figura. 5 fig. Cosa que se adquiere con utilidad y provecho, especialmente cuando ha costado mucho trabajo o solicitud: *cayó el ~.* 6 fig. Pieza de carne de ternera parecida al solomillo. – 7 *m. pl.* Clase de vertebrados acuáticos, ovíparos, poiquilotermos, corazón con una aurícula y un ventrículo, circulación sencilla, respiración branquial, cuerpo protegido por escamas dérmicas y glándulas mucosas y miembros en forma de aleta; a esta clase pertenecen tres subclases: placodermos, elasmobranquios y osteíctios.

II) pez *f.* Substancia negra o de color obscuro, muy viscosa, residuo de la destilación del alquitrán. 2 Nombre de varias substancias resinosas o minerales.

pezizal *adj.-m.* Hongo que presenta apotecios. – 2 *m. pl.* Orden de dichos hongos.

pezolada *f.* Porción de hilos sueltos en los principios y fines de las piezas de paño.

pezón *m.* Rabillo que sostiene la hoja, la **flor o el fruto de las plantas. 2 Protuberancia en las tetas de las hembras, por donde los hijos chupan la leche; **cuerpo humano. 3 Extremo, cabo o parte saliente de algunas cosas: *el ~ de un limón.*

pezonera *f.* Pieza de hierro que atraviesa la punta del eje de los carruajes para que no salga la rueda. 2 Especie de dedal de goma elástica, boj, etc., que se ponen las mujeres en los pezones cuando empiezan a criar.

pezuña *f.* Conjunto de los pesuños de una misma pata en los animales de pata hendida. 2 Casco de los équidos; **caballo.

pi *f.* Decimosexta letra del alfabeto griego equivalente a *p.* 2 MAT. Signo [π] usado para designar la relación entre la circunferencia y el diámetro, o sea el número inconmensurable 3,141592.

piadoso, -sa *adj.* Inclinado a la piedad y conmiseración. 2 Que mueve a compasión o se origina de ella. 3 Religioso, devoto.

piafar *intr.* Alzar el caballo cuando está parado, ya una mano, ya otra, dejándolas caer con fuerza.

pialar *tr.* *Amér.* Enlazar [un animal] por sus patas.

piamadre, -máter *f.* Meninge interna, muy fina y rica en vasos, adaptada y en contacto con la superficie **cerebral.

pianista *com.* Persona que tiene por oficio fabricar o vender pianos. 2 Músico que toca el piano.

I) piano *m.* Instrumento músico compuesto de una serie de cuerdas metálicas de diferente longitud y diámetro, ordenadas de mayor a menor en lo interior de una caja sonora; percutidas por macillos impulsados por un teclado, producen sonidos claros y vibrantes. Según su forma y dimensión los hay verticales, de cola y media cola, de mesa, etc.

II) piano *adv. m.* MÚS. Suavemente. 2 fam. Despacio, poco a poco.

pianola *f.* Piano que puede tocarse mecá-nicamente por pedales o por medio de corriente eléctrica. 2 Aparato que se une al piano y sirve para ejecutar mecánicamente las piezas preparadas al objeto.

piar *intr.* Emitir su voz los polluelos y algunas otras aves. 2 fig. Llamar, clamar con anhelo, por una cosa. 3 fam. Protestar. ◇ ** CONJUG. [13] como *desviar.*

piara *f.* Manada de cerdos, y por extensión, la de yeguas, mulas, etc.

piasava *f.* Palmera americana *(Attalea funi-fera).*

piastra *f.* Moneda turca de plata equivalente a la centésima parte de la libra. 2 Moneda de plata de diversos países.

pibe, -ba *m. f. R. de la Plata.* Pebete, chiquillo.

pica *f.* Especie de lanza larga compuesta de una asta con un hierro pequeño y agudo en el extremo superior, de que usaron los soldados de infantería; **armas. 2 Soldado armado de pica. 3 Garrocha del picador de toros. 4 Escoda de cantero con puntas piramidales en los cortes, propia para labrar piedra de poca dureza. 5 En la explotación de resinas, acto de refrescar, por finos cortes de azuela, las heridas que van formando la entalladura, por las que surge la miera. 6 *Amér.* Trocha, camino estrecho.

picacho *m.* Punta aguda, a modo de pico, que tienen algunos montes y riscos.

picadero *m.* Sitio donde los picadores doman y adiestran los caballos y las personas aprenden a montar. 2 Madero corto con una muesca en medio, donde los carpinteros aseguran las piezas que adelgazan con la azuela. 3 Madero corto, perpendicular al eje longitudinal de un dique o grada, sobre el cual descansa la quilla del buque en construcción o en carena. 4 fam. Vivienda de soltero.

picadillo *m.* Guisado de carne picada con tocino, verduras y ajos, sazonado con especies

PEZ

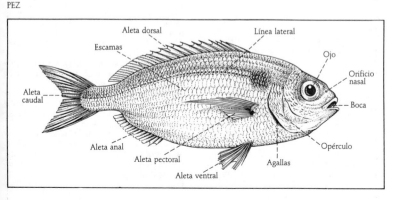

y huevos batidos. **2** Lomo de cerdo, picado y adobado para hacer chorizos. **3** *And.* Ensalada de tomate, pimiento, pepino y cebolla.

picado, -da *adj.* [patrón] Que se traza con picaduras para señalar el dibujo. **2** Que está labrado con picaduras o sutiles agujerillos puestos en orden. **3** [pers.] Que tiene huellas o cicatrices de viruelas. **4** [vino] Que comienza a avinagrarse. – **5** *m.* En aviación, descenso rápido casi vertical de un aparato: *atacar en ~*. **6** CINEM. Toma efectuada por la cámara de arriba hacia abajo. – **7** *adj. Amér.* Ebrio, achispado.

picador, -ra *m. f.* Persona que tiene por oficio domar y adiestrar caballos. – **2** *m.* Torero de a caballo que pica con garrocha a los ****toros. 3** Tajo de cocina. **4** MIN. El que tiene por oficio arrancar el mineral por medio del pico u otro instrumento semejante. – **5** *f.* Aparato electrodoméstico con cuchillas, usado para trocear carne; ****cocina.

picadura *f.* Acción de picar una cosa. **2** Efecto de picar una cosa. **3** Pinchazo. **4** En los vestidos o calzado, cisura hecha artificiosamente. **5** Mordedura o punzada de una ave o un insecto o de ciertos reptiles. **6** Tabaco picado para fumar, llamado en hebra o al cuadrado, según lo esté en filamentos o en partículas informes. **7** Principio de caries en la dentadura. **8** Agujero, grietas, etc., producidos por la herrumbre en una superficie metálica.

picajoso, -sa *adj.-s.* Que fácilmente se pica o da por ofendido.

picana *f. Amér. Merid.* Aguijada, garrocha. **2** *Amér. Merid.* Porra de alto voltaje. **3** *Amér. Merid.* Forma de tortura con esta porra.

picante *adj.* Que pica. **2** fig. Dicho con cierta mordacidad, que expresa conceptos un tanto libres, pero que se suele escuchar con gusto por tener en el modo alguna gracia. – **3** *m.* Acerbidad o acrimonia de algunas cosas que avivan el sentido del gusto. **4** Guiso que tiene mucho pimentón. **5** fig. Acrimonia o mordacidad en el decir.

I) picaño *m.* Remiendo que se echa al calzado.

II) picaño, -ña *adj.* Pícaro, holgazán.

picapedrero *m.* Cantero (persona que labra las piedras).

picapica *f.* Polvos, hojas o pelusilla vegetales que, aplicados sobre la piel de las personas, causan una gran comezón.

picapinos *m.* Ave piciforme parecida al pájaro carpintero, con grandes manchas blancas en los hombros y píleo negro *(Dentrocopos maior).* ◇ Pl. *picapinos.*

picapleitos *com.* fam. Abogado sin pleitos que anda buscándolos. ◇ Pl.: *picapleitos.*

picaporte *m.* Instrumento para ****cerrar de golpe las puertas y ventanas. **2** Llave para abrir el picaporte. **3** Llamador; aldaba; ****cerradura.

picapuerco *m.* Ave piciforme, de plumaje negro brillante por encima, manchado de blanco en las alas, ceniciento en los lados de la cabeza y cuello, y rojo vivo en la nuca y el abdomen *(Dryobates medius).*

picar *tr.* Punzar, morder [la piel] las aves, los insectos y ciertos reptiles con el pico, un aguijón, etc. **2** Herir levemente con un instrumento punzante. **3** TAUROM. Herir el picador [al toro] en el morrillo con la garrocha, procurando detenerle cuando acomete al caballo. **4** Tomar las aves [la comida] con el pico. **5** Morder el pez [el cebo puesto en el anzuelo]; p. ext., acudir [a un engaño] o caer en él. **6** En los ferrocarriles y otros vehículos, taladrar el revisor los billetes de los viajeros con un sacabocados especial. **7** Fichar un operario su hora de entrada o salida marcando su tarjeta en un reloj especial. **8** Golpear con pico, piqueta, etc., [la superficie de una piedra, pared, etc.] para labrarla, revocarla, etc. **9** Cortar o dividir en trozos muy menudos: *~ la carne.* **10** DEP. Efectuar un remate en el juego del fútbol enviando el balón desde arriba hacia abajo. **11** INFORM. y IMPR. Teclear [un texto] en el aparato apropiado para su posterior tratamiento. **12** MÚS. Hacer sonar [una nota] de manera muy clara y distinta. – **13** *tr.-intr.* Comer de una en una [cosas pequeñas]: *pica de este racimo de uvas; ~ aceitunas;* p. ext., tomar una ligera porción de un manjar o cosa comestible: *~ de, o en, todo;* picotear; esp. *y* p. us., abrir un libro a la ventura para disertar sobre el punto que aparezca a la vista. **14** Causar o experimentar escozor [en alguna parte del cuerpo]: *esta ropa pica.* **15** fig. Mover, excitar o estimular: *sus palabras me han picado.* **16** esp. Enojar, provocar [a otro] con palabras o acciones; desazonar, inquietar, dicho regularmente de los juegos. – **17** *intr.* Calentar mucho el sol. **18** Volar las aves veloz y verticalmente hacia tierra. **19** Descender un avión casi verticalmente. **20** fig. Empezar a obrar y tener su efecto algunas cosas no materiales: *~ la peste.* – **21** *prnl.* Agujerearse la ropa por la acción de la polilla; cariarse los dientes. **22** Dañar o empezar a pudrirse una cosa; avinagrarse el vino; carcomerse las semillas. **23** Formarse en la superficie del mar, a impulso del viento, olas pequeñas. **24** Corroer, horadar un metal por efecto de la oxidación. **25** *Amér.* Embriagarse. ◇ ****CONJUG. [1] como *sacar.*

picardear *tr.* Enseñar [a alguno] a hacer o decir picardías. – **2** *intr.* Decirlas o ejecutarlas. **3** Retozar, enredar, travesear. – **4** *prnl.* Resabiarse, adquirir algún vicio o mala costumbre.

picardía *f.* Acción baja, ruindad, vileza. **2** Bellaquería, astucia o disimulo. **3** Travesura de muchachos. **4** Intención o acción deshonesta e impúdica. **5** Picaresca (profesión). – **6** *m.* Conjunto de camisón corto y bragas. – **7** *f. pl.* Dichos injuriosos, denuestos.

picarel *m.* Pez marino teleósteo, de unos 20 cms. de largo, cuerpo ovalado con una mancha obscura rectangular a cada lado, y boca protráctil *(Maena chryselis)*.

picaresco, -ca *adj.* Perteneciente o relativo a los pícaros. 2 Relativo a la producción literaria en que se pinta la vida de los pícaros, y a este género de literatura.

pícaro, -ra *adj.-s.* Bajo, ruin, doloso, falto de honra y vergüenza. 2 Astuto, taimado. – 3 *adj.* fig. Dañoso y malicioso en su línea. – 4 *m.* Tipo de persona descarada, traviesa, bufona y de mal vivir, que figura en obras magistrales de la literatura española.

picatoste *m.* Rebanada de pan mojada en leche o agua, y frita.

picazo, -za *adj.-m.* Caballería de color blanco y negro mezclados formando grandes manchas.

picazón *f.* Desazón que causa una cosa que pica en alguna parte del cuerpo. 2 fig. Enojo, disgusto.

picea *f.* Árbol abietáceo parecido al abeto común del cual se distingue por tener las hojas puntiagudas y las piñas más delgadas y colgantes al extremo de las ramas superiores *(Abies excelsa)*.

piciforme *adj.-m.* Ave del orden de los piciformes. – 2 *m. pl.* Orden de aves caracterizadas por presentar cuatro dedos, dos dirigidos hacia delante y dos hacia atrás, lo que, unido a la forma de las uñas, que parecen garfios, determina que sean unas magníficas trepadoras. Tienen el pico recto, fuerte y afilado.

picnic *m.* ANGLIC. Jira campestre.

pícnico *adj.* [pers.] De cuerpo rechoncho y miembros cortos.

picnogónido *adj.-m.* Artrópodo de la clase de los picnogónidos. – 2 *m. pl.* Clase de artrópodos quelicerados marinos, con el cuerpo extraordinariamente reducido y los apéndices muy desarrollados; miden unos centímetros y se alimentan de esponjas y cnidarios.

pico *m.* Conjunto de las dos mandíbulas de un ave, revestidas de un estuche córneo, que les sirve para tomar el alimento y como arma de ataque y defensa. 2 fig. Boca (abertura y parte de crustáceo). 3 fig. Facundia, facilidad y soltura en el decir. 4 Punta acanalada que en el borde de algunas vasijas permite verter cómodamente su contenido; la tienen también otros objetos para distintos fines: ~ *de jarro, ~ de candil, de velón*. 5 Pañal de niño de corta edad. 6 Parte puntiaguda que sobresale en la superficie o en el borde de una cosa. 7 Cúspide aguda de una **montaña. 8 Montaña de cumbre puntiaguda. 9 fig. Intensidad máxima en el desarrollo de una actividad o de un fenómeno. 10 Herramienta formada por una barra de hierro acerado, de forma curva y terminando en punta por ambos extremos,

con un ojo en su parte central para enastarla en un mango de madera. 11 Parte pequeña en que una cantidad excede a un número redondo; esta misma parte cuando es indeterminada: *mil pesetas y veinte de ~; cien pesetas y ~*.

picogordo *m.* Ave paseriforme de plumaje pardo y franjas en las alas de color blanco, pico y cabeza robustas y cola corta *(Coccothraustes coccothraustes)*.

picola *f.* Especie de pico (herramienta) pequeño que tiene uso especial.

picolete *m.* Grapa interior de la cerradura, para sostener el pestillo.

picón, -cona *adj.* [caballería] Cuyos dientes incisivos superiores sobresalen de los inferiores, por lo cual no puede cortar bien la hierba. 2 fam. Que se molesta fácilmente, picajoso. – 3 *m.* Raya (pez) de hocico largo y coloración grisácea con pequeñas manchas blanquecinas en el dorso *(Raia oxyrhinincus)*. 4 Carbón vegetal muy menudo usado sólo para braseros. 5 Arroz quebrantado.

picor *m.* Escozor del paladar por haber comido alguna cosa picante. 2 Picazón (desazón).

picota *f.* Rollo o columna a la entrada de algunos lugares donde se exponían las cabezas de los ajusticiados o los reos a la vergüenza. 2 Juego de muchachos en que cada jugador tira un palo puntiagudo para clavarlo en el suelo y derribar el del contrario. 3 fig. Parte superior en punta, de una torre o montaña muy alta. 4 Variedad de cerezo, que se caracteriza por su forma algo apuntada, consistencia carnosa y muy escasa adherencia al pedúnculo. 5 fam. Nariz.

picotazo *m.* Golpe que dan las aves con el pico, o punzada de un insecto. 2 Señal que queda de ellos.

picote *m.* Tela áspera de pelo de cabra. 2 Tela de seda muy lustrosa.

picotear *tr.* Golpear o herir las aves [alguna cosa] con el pico. – 2 *intr.* fig. Mover de continuo la cabeza el caballo de arriba hacia abajo. 3 fig. Hablar mucho de cosas insubstanciales. 4 Picar, comer de diversas cosas y en ligeras porciones. – 5 *prnl.* fig. Contender y reñir las mujeres entre sí, diciéndose palabras desagradables.

pictografía *f.* Escritura ideográfica que consiste en dibujar toscamente los objetos que han de explicarse con palabras.

pictórico, -ca *adj.* Perteneciente o relativo a la pintura. 2 Adecuado para ser representado en pintura.

picual *f.* Aceituna que produce un aceite de gran calidad.

piche *adj.-s.* Variedad de trigo candeal *(Totanus flavipes)*. – 2 *adj.* Amér. Central. Ruin, mezquino, tacaño.

pícher *m.* En béisbol, el que lanza la pelota al bateador.

pichicate *adj.* Ruin, mezquino.

pichico *m. Amér. Merid.* Falange de los dedos de los animales.

pichichi *m.* DEP. En el juego del fútbol, máximo goleador de un torneo o campeonato.

pichincha *f. Amér.* Suerte, ganga.

I) pichón *m.* Pollo de la paloma casera.

II) pichón, -chona *m. f.* fig. Nombre que suele darse a las personas en señal de cariño.

pídola *f.* Salto (juego).

piduye *m.* Gusano parásito del intestino humano, especialmente en el niño *(Oxiurus vermicularis).*

**pie *m.* Parte terminal de las extremidades abdominales del hombre, que comprende el tarso, el metatarso y los dedos. Sirve para sostener el cuerpo y andar; **cuerpo humano. 2 Parte que cubre el pie en las medias, calcetines o botas. 3 Parte terminal de las patas de muchos animales, que corresponde anatómicamente al pie o a la mano del hombre; en los **moluscos, porción del tronco con función locomotora, de forma variable según la clase. 4 Base o parte en que se apoya una cosa: *la*

PIE

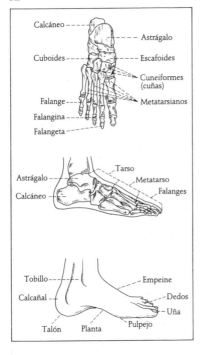

mesa tenía un solo ~ central. 5 En algunas cosas, parte opuesta a la principal llamada cabecera: *los pies de la cama; pies de la iglesia;* **románico. 6 Tallo de las plantas; tronco del árbol. 7 Planta pequeña, mata. 8 Árbol joven. 9 Poso, hez, sedimento. 10 Masa cilíndrica de uva pisada, dispuesta para ser prensada de una vez. 11 Ocasión o motivo de hacerse una cosa: *dar,* o *tomar, ~.* 12 Parte final de un escrito y espacio en blanco que queda en la parte inferior después de terminado; **libro: *al ~ de la carta.* 13 Nota explicativa, que se pone al final de una fotografía, grabado, etc.; **periódico. 14 En el juego, el último en orden de los que juegan. 15 Jugador que completa el número necesario para el juego. 16 Conjunto de dos, tres o más sílabas, de que se compone y con que se mide un verso en aquellas poesías que atienden a la cantidad prosódica: ~ *quebrado,* verso de cuatro o cinco sílabas que alterna con otros más largos en las coplas de pie quebrado. 17 Medida de longitud de diversos países, que equivale en Castilla a unos 28 cms., o sea, la tercera parte de la vara; en Inglaterra, a 30,5 cms.; y en Francia, a 33 cms. 18 ~ *de rey,* calibrador que tiene una regla metálica con una rama de medición fija y un cursor corredizo para medir pequeñas longitudes y espesores así como diámetros exteriores e interiores. 19 MAT. Punto en que se encuentra una perpendicular con una recta o un plano.

piedad *f.* Virtud que inspira, por el amor a Dios, devoción a las cosas santas, y por el amor al prójimo, actos de abnegación y compasión. 2 Respeto amoroso hacia los padres y objetos venerados. 3 Conmiseración, lástima, misericordia, compasión. 4 Pintura o escultura en que se representa el dolor de la Virgen al sostener el cadáver de Cristo descendido de la cruz.

piedra *f.* Material mineral que constituye las rocas; esp., porción de esta materia, de regular tamaño, desprendida naturalmente de una roca o extraída artificialmente de ella: ~ *afiladera, aguzadera, amoladera, de afilar, de amolar* o *melodreña,* asperón; ~ *de toque,* jaspe granoso, generalmente negro, que emplean los plateros para toque; ~ *falsa,* piedra o producto industrial que imita las piedras preciosas; ~ *fina* o *preciosa,* la dura, rara y, por lo común, transparente o al menos translúcida, que, tallada, se emplea en adorno de lujo; ~ *pómez,* la volcánica, esponjosa, frágil, de color agrisado y textura fibrosa; se usa para desgastar y bruñir. 2 Elemento mineral, más o menos duro y compacto, que se utiliza como material de construcción y en revestimientos decorativos. 3 Cálculo (concreción sólida). 4 Pedernal que da fuego en las armas de chispa. 5 Granizo grueso. 6 ~ *filosofal,* la materia con que los alquimistas pretendían hacer oro artificialmente.

piel *f.* Membrana exterior que cubre el cuerpo del hombre y de los animales. 2 Cuero curtido, especialmente cuando conserva su pelo natural: *cartera de ~; abrigo de ~.* 3 Cubierta exterior de ciertas frutas.

piélago *m.* Parte del mar muy distante de la tierra. 2 fig. Lo que por su abundancia es difícil de enumerar y contar.

pienso *m.* Porción de alimento seco que se da al ganado. 2 Alimento para el ganado, en general.

piérido *adj.-m.* Lepidóptero de la familia de los piéridos. – 2 *m. pl.* Insecto lepidóptero de alas blancas o amarillentas con manchas negras; como la mariposa de la col y la limonera.

pierna *f.* Parte del **cuerpo entre el pie y la rodilla, o comprendiendo, además, el muslo. 2 Muslo de las aves y cuadrúpedos. 3 Pieza, aguda por uno de sus extremos, que junto con otra forma el compás. 4 Trazo vertical de algunas letras; como la M y la N. 5 En los tejidos, desigualdad en las orillas o en el corte. – 6 *f. pl.* Títere, persona sin autoridad ni relieve. ◊ En la acepción *6* se usa como masculino singular.

pierrot *m.* Máscara de traje completamente blanco.

pietismo *m.* Secta protestante, iniciada en el siglo XVII por el pastor J. Spener (1635-1705), cuyos miembros oponían a la frialdad derivada de la idea de la justificación por la fe, una religión del corazón, un sentimiento más sincero y emocional.

pieza *f.* Parte que, unida con otras, forma un objeto: *las piezas de una máquina.* 2 Cosa que, unida con otras, forma una colección, un juego, etc.: *vajilla de 56 piezas; una ~ de ajedrez; una ~ del juego de damas.* 3 Espacio limitado por tabiques o paredes en que se divide una casa y que se comunica con otros directamente o por medio de corredores. 4 Cosa concebida independientemente de las otras de su misma especie: *~ de artillería; ~ de orfebrería.* 5 Animal de caza o de pesca: *maté tres piezas.* 6 Tira de tejido o de papel continuo que se fabrica de una vez. 7 Obra dramática, especialmente en un acto. 8 Ficha o figurilla utilizadas en ciertos juegos. 9 Trozo de tela con que se remienda una prenda de vestir. 10 BLAS. Figura de un escudo que no representa objetos naturales o artificiales. 11 MÚS. Composición suelta de música.

piezgo *m.* Parte correspondiente a cualquiera de las extremidades del animal con cuyo cuero se ha hecho el odre. 2 fig. Cuero preparado para transportar líquidos.

piezoelectricidad *f.* Conjunto de fenó-

menos eléctricos que se manifiestan en algunos cuerpos sometidos a presión u otra acción mecánica.

piezómetro *m.* Instrumento para medir el grado de compresibilidad de los líquidos.

pífano *m.* Flautín de tono muy agudo, usado en las bandas militares. 2 Persona que toca este instrumento.

pifia *f.* Golpe falso dado con el taco en la bola de billar o de trucos. 2 fig. *y* burl. Error, descuido. 3 *Amér.* Burla, escarnio.

pifiar *intr.* Dejar oír demasiado el soplo al tocar la flauta travesera. – 2 *tr.* En el billar o en los trucos, dar [golpe] en falso a una bola. 3 fam. Cometer una pifia. ◊ ** CONJUG. [12] como *cambiar.*

pigargo *m.* Ave rapaz falconiforme de unos 80 cms. de longitud, con el cuerpo de color pardo y la cola blanca *(Haliaetus albicilla).*

pigidio *m.* Último segmento de los anélidos y de los insectos. 2 p. ext. Porción terminal de algunos animales.

pigmentar *tr.-prnl.* Colorear [algo] con un pigmento. 2 Producir coloración anormal y prolongada en la piel y otros tejidos, por diversas causas.

pigmento *m.* Materia colorante de las substancias orgánicas. 2 Compuesto químico pulverizable, insoluble en agua y en aceite, generalmente coloreado y que se usa en la fabricación de pinturas.

pigmeo, -a *adj.-s.* Pueblo fabuloso cuyos individuos no tenían más de un codo de alto y eran muy belicosos. 2 Individuo de una raza africana de pequeña estatura. 3 fig. Muy pequeño. 4 fig. Hombre sin mérito, mequetrefe.

pignorar *tr.* Empeñar (dar o dejar) [una prenda].

pigre *adj.* Calmoso, negligente, desidioso.

pigricia *f.* Pereza, negligencia, descuido.

pihuela *f.* Correa con que se aseguran los pies de los halcones y otras aves. 2 fig. Embarazo o estorbo.

pijada *f.* vulg. Cosa insignificante. 2 Dicho o hecho inoportuno, impertinente o molesto.

pijama *m.* Traje de dormir y para casa, compuesto de pantalón y blusa de tela ligera. 2 fam. Copa de helados de varias clases, combinados con fruta en almíbar, flan, nata, etc.

pijo, -ja *adj.-s.* fam. Cursi. – 2 *m. f.* Pene. – 3 *m.* Cosa insignificante, nadería.

pijotear *intr. Amér.* Demorar un pago, escatimar.

pijotero, -ra *adj.* En numerosas regiones de España y de América, mezquino. 2 En otras, molesto, cargante.

pila *f.* Recipiente grande de piedra, fábrica, etc., donde cae o se echa el agua para varios usos: *baños de ~.* 2 El de piedra, provisto de pedestal y con tapa de madera, que hay en las iglesias parroquiales para administrar el bautismo: *nombre de* ~, el de bautismo. 3 fig. Parroquia o feligresía. 4 Montón o rimero formado por piezas o porciones de una cosa: ~ *de tocino, de lana.* 5 fam. Gran cantidad [de algo]: *tiene una* ~ *de juguetes.* 6 Conjunto de toda la lana que se corta cada año, perteneciente a un dueño. 7 Machón o pilar de puente. 8 Aparato que sirve para producir corrientes eléctricas continuas sin intervención de energía mecánica: ~ *hidroeléctrica, galvánica* o *voltaica,* aquella en que la corriente es producida por la reacción química de un líquido con dos metales. 9 METAL. Receptáculo en la delantera de los hornos de fundición, en el cual cae el metal fundido.

pilada *f.* Argamasa que se amasa de una vez. 2 Porción de paño que se abatana de una vez.

I) pilar *m.* Hito (poste). 2 Especie de pilastra, sin proporción fija entre su grueso y su altura, que se pone aislada en los edificios o sostiene otra fábrica o armazón.

II) pilar *m.* Pilón, fuente pública a veces adosada a la pared.

pilastra *f.* Columna de sección cuadrangular.

pilatuna *f. Amér.* Acción indecorosa, jugarreta, pillería.

pilcha *f. Amér.* Prenda de uso.

pilche *m. Amér.* Vasija hecha de madera o de cáscara dura de un fruto.

píldora *f.* Bolita que se hace mezclando un medicamento con un excipiente. 2 p. ext. Esteroide anovulatorio. 3 fig. Pesadumbre o mala nueva que se da a uno.

píleo *m.* Capelo de los cardenales.

pilero *m.* El que tiene por oficio amasar [con los pies] el barro destinado a la fabricación de adobes y objetos de alfarería.

pileta *f.* Pila pequeña que había en las casas y hoy suele haber en las iglesias para tomar agua bendita. 2 Paraje en que se recogen las aguas dentro de las minas. 3 Piscina. 4 *And.* y *R. de la Plata.* Pila de cocina de lavar o de abrevadero.

pilífero, -ra *adj.* Que tiene pelos: *zona pilífera de la* **raíz.

piliforme *adj.* BOT. Parecido a un pelo largo y en zig-zag. 2 ZOOL. En forma de pelo o cabello.

I) pilón *m.* Receptáculo de piedra o de fábrica, que se construye en las fuentes para recoger el agua. 2 Especie de mortero de madera o de metal, propio para majar granos u otras cosas. 3 Pesa de la romana. 4 Pan cónico de azúcar refinado. 5 Montón o pila de cal mezclada con arena y amasada con agua.

II) pilón, -lona *adj. Argent.* y *Chile* [ser u objeto] Con una sola oreja o con ninguna. – 2 *m. Amér. Central.* Novia; muchacha ligera, o simplemente jovencita.

pilongo, -ga *adj.* Flaco, extenuado.

pilono *m.* Construcción maciza de cuatro caras en forma de talud, que servía de portada de los templos del antiguo **Egipto.

piloriza *f.* Envoltura resistente que, en forma de dedo de guante, protege el meristemo terminal de la **raíz.

píloro *m.* Abertura inferior del estómago, por donde éste comunica con el intestino; **digestivo (aparato).

piloso, -sa *adj.* Peludo.

pilotaje *m.* Ciencia y arte del piloto. 2 Derecho que pagan las embarcaciones cuando han de utilizar pilotos prácticos.

pilotar *tr.* Dirigir [un buque]. 2 Dirigir [un globo, aeroplano, etc.].

pilote *m.* Madero rojizo hincado en tierra para consolidar los cimientos. 2 Pieza vertical que se utiliza en construcción, para transmitir la carga.

piloto *m.* Persona que gobierna, dirige o conduce un buque, aeronave o automóvil de carreras: ~ *automático,* equipo que, en una aeronave, suministra señales para mantenerla automáticamente en una determinada ruta. 2 El segundo en un buque mercante. 3 Persona que dirige un globo o un aeroplano. 4 Luz roja que se coloca en la parte posterior de un vehículo. 5 Lamparita que indica el funcionamiento de un aparato. 6 En los aparatos de gas, llama permanente que sirve para encenderlos. 7 fig. El que guía la acción o el discurso en una empresa o en investigaciones o estudios. – 8 Lo que sirve de modelo o que tiene carácter experimental: *piso* ~; *empresa* ~.

pilpil *m.* Guiso de pescados, generalmente bacalao u angulas, originario del País Vasco, que se hace con un sofrito de ajo y guindilla en aceite no muy caliente.

piltra *f.* vulg. Cama.

piltraca, -fa *f.* Parte de carne flaca, que casi no tiene más que el pellejo. – 2 *f. pl.* p. ext. Residuos menudos de cualquier cosa.

pilular *adj.* Que tiene forma de píldora, o que entra en la composición de éstas.

pillaje *m.* Hurto, rapiña. 2 Robo o saqueo hecho por los soldados en país enemigo.

pillar *tr.* Tomar por fuerza [una cosa]; hurtar, robar. 2 Coger, agarrar: ~ *un resfriado;* ~ *una cuerda al vuelo.* 3 fam. Sorprender [a uno] en un descuido o mentira o averiguar lo que tenía secreto.

pillastre *m.* Pillo.

pillear *intr.* Hacer la vida de pillo o conducirse como tal.

pillería *f.* Conjunto de pillos.

pillo, -lla *adj.-m.* Pícaro sin crianza. 2 Sagaz, astuto, granuja.

pimentero *m.* Arbusto piperáceo tropical, de hojas alternas aovadas, flores en espigas y fruto en baya, que contiene una semilla esférica, blanca, aromática, de sabor picante, muy usada como condimento *(Piper nigrum).* 2 Vasija en que se pone la pimienta molida, para servirse de ella en la mesa.

pimentón *m.* Polvo que se obtiene moliendo pimientos encarnados secos.

pimentonero, -ra *m. f.* Cultivador o vendedor de pimentón. – 2 *adj.-s.* De la huerta murciana.

pimienta *f.* Fruto del pimentero: ~ *blanca,* la cogida antes de madurar y despojada del pericarpio; ~ *negra,* la que conserva el pericarpio. 2 Nombre de varios frutos parecidos a la pimienta por sus propiedades. 3 Cosecha de pimientos.

pimiento *m.* Planta solanácea hortense, de tallos ramosos, hojas lanceoladas y flores pequeñas y blancas; su fruto es una baya comestible, hueca, grande y alargada, primeramente verde, después roja o amarilla, con una multitud de pequeñas semillas, sujetas a una expansión interior del pedúnculo *(Capsicum annuum).* 2 Fruto de esta planta. 3 Cosa de poco valor.

pimpampum *m.* Juego en que se procura derribar a pelotazos muñecos en fila.

pimpante *adj.* Vestido elegantemente. 2 Garboso.

pimpinela *f.* Planta rosácea, herbácea, de tallos rojizos, esquinados y ramosos, hojas compuestas de hojuelas elípticas y dentadas, flores sin corola, con el cáliz purpurino, y fruto elipsoidal con cuatro aristas, que encierra dos o tres semillas alargadas *(Poterium sanguisorba; Sanguisorba minor).* 2 Planta umbelífera, parecida en algunos de sus aspectos a las anteriores, con las flores hermafroditas y el cáliz negro y rojizo *(Pimpinella maior).*

pimplar *tr.* fam. Beber vino.

pimpollo *m.* Pino nuevo. 2 Árbol nuevo. 3 Vástago de las plantas. 4 Capullo de rosa. 5 fig. Niño o niña, o persona joven y de gran belleza: *es un ~ de oro.*

pimpón *m.* Juego semejante al tenis, que se juega sobre una mesa con pelota pequeña y ligera y con palas pequeñas a modo de raquetas.

pinacoide *m.* CRIST. Cara paralela y perpendicular a un eje que se presenta en ciertas formas cristalinas.

pinacología *f.* Estudio científico de las pinturas antiguas por medio de los rayos X, los rayos ultravioletas u otras radiaciones.

pinacoteca *f.* Galería o museo de pinturas.

pináculo *m.* Parte superior de un edificio monumental o de un templo; **gótico. 2 Juego de naipes. 3 fig. Parte más sublime de una ciencia o de otra cosa inmaterial.

pinar *m.* Terreno o lugar poblado de pinos.

pinatar *m.* Pinar o plantío de pinos nuevos.

pinaza *f.* Embarcación pequeña de remo y vela.

pincarrasco *m.* Especie de pino de tronco tortuoso, corteza resquebrajada y de color pardo rojizo, copa clara e irregular, hojas largas y poco rígidas y piñas de color canela, con piñones pequeños *(Pinus halepensis).*

pincel *m.* Haz de pelos fijos en la extremidad de un mango de madera, de pluma, etc., para que el pintor asiente los colores sobre una superficie. 2 fig. Mano o sujeto que pinta. 3 fig. Modo de pintar. 4 fig. Obra pintada. 5 Planta ramificada de hojas coriáceas y lineares, y flores tubulares de color de lila *(Coris monspeliensis).*

pincelada *f.* Trazo dado con el pincel. 2 fig. Expresión compendiosa de una idea o de un rasgo muy característico.

pincelar *tr.* Pintar (en color). 2 Retratar (a alguien).

pincelero *m.* Caja en que los pintores al óleo guardan los pinceles.

pinciano, -na *adj.-s.* Vallisoletano.

pincha *f.* Espina de plantas o pescados que pueden clavarse en el cuerpo.

pinchadiscos *com.* fam. Disc-jockey. ◇ Pl.: *pinchadiscos.*

pinchar *tr.-prnl.* Herir con una cosa aguda o punzante; picar, punzar [a alguien o algo]: *pincharse en un dedo; ~ un saco.* 2 fam. Poner inyecciones: *por su enfermedad, se pincha todos los días.* 3 fig. Picar (mover, excitar). 4 fig. Interferir la red telefónica con medios técnicos para escuchar las conversaciones mantenidas desde un determinado teléfono. – 5 *intr.* Sufrir un pinchazo en una rueda del automóvil. 6 fig. Fallar, fracasar: *Juan pinchó en el examen más importante.* – 7 *prnl.* En el lenguaje de la droga, inyectársela.

pinchaúvas *m.* fig. y fam. Hombre despreciable. ◇ Pl.: *pinchaúvas.*

pinchazo *m.* Punzadura o herida causada al pinchar. 2 Perforación que produce la salida del aire de un balón, neumático, etc. 3 fig. Hecho o dicho con que se mortifica a uno o se le incita para que tome una determinación.

pinche, -cha *m. f.* Mozo o moza ayudante de cocina.

pinchito *m.* Tapa de aperitivo.

pincho *m.* Aguijón o punta aguda. 2 Varilla de acero con que los consumeros reconocen las cargas. 3 Pinchito. 4 vulg. Guapo. 5 *Amér.* Alfiler de sombrero.

pindonguear *intr.* desp. Callejear.

pineal *adj.* De forma parecida a la de una piña.

pineda *f.* Pinar.

pineno *m.* QUÍM. Hidrocarburo que se halla en la esencia de trementina.

pingajo *m.* desp. Andrajo que cuelga de alguna parte. 2 Mujer despreciable.

pingar *intr.* Gotear lo que está empapado en algún líquido. 2 Brincar, saltar. ◇ ** CONJUG. [7] como *llegar.*

pingo *m.* desp. Pingajo. 2 fam. Persona despreciable. – 3 *m. pl.* fam. Vestidos femeninos de calidad inferior. – 4 *m. Amér. Merid.* Caballo vivo y corredor.

pingorota *f.* Parte más alta y aguda de las montañas y de otras cosas elevadas.

pingue *m.* Embarcación de carga, cuyas medidas aumentan en la bodega.

pingüe *adj.* Craso, gordo. 2 fig. Abundante, fértil.

pingüino *m.* Pájaro bobo.

pinillo *m.* Planta labiada, herbácea, de tallos velludos y ramosos, hojas partidas y flores pequeñas, amarillas, solitarias y axilares; toda la planta es viscosa y despide un olor parecido al del pino *(Ajuga chamœpytis).*

pinjante *adj.-s.* Joya que se trae colgando para adorno. 2 ARQ. Adorno que cuelga de lo superior de la fábrica.

pinnado, -da *adj.* Ramificado en ángulo recto con respecto a un eje central, con todas las ramificaciones dispuestas sobre el mismo plano; como las barbas de la pluma.

pinnatífido, -da *adj.* BOT. [hoja] Con nervadura pinnada y con el borde hendido, pero sin alcanzar el nervio central.

pinnípedo *adj.-m.* Mamífero del orden de los pinnípedos. – 2 *m. pl.* Orden de mamíferos placentarios de vida anfibia, parecidos en muchos aspectos a los carnívoros, pero con los pabellones auditivos rudimentarios y las extremidades adaptadas a la natación; como la foca y la morsa.

pinnatisecto, -ta *adj.* BOT. [hoja] Con nervadura pinnada y con el borde hendido en divisiones largas y estrechas que llegan al nervio medio.

I) pino *m.* Nombre de varias plantas coníferas abietáceas del género *Pinus,* casi todas arbóreas, de madera fibrosa y bastante dura, hojas aciculares en pequeños haces, flores masculinas y femeninas en ramas distintas y fruto en piña; **gimnospermas: ∼ *albar,* especie que alcanza hasta 30 m. de altura, de ramas gruesas, piñas pequeñas, hojas cortas y madera muy estimada en construcción *(P. sylvestris);* ∼ *cascalbo, negral, pudio* o *salgareño,* especie que alcanza hasta 40 m. de altura, hojas largas y fuertes, piñas pequeñas y madera bastante rica en resina *(P. laricio);* ∼ *doncel, manso, piñonero* o *albar,* especie que alcanza hasta 30 m. de altura, de tronco derecho, copa ancha, hojas largas y piñas aovadas, con piñones comestibles *(P. pinea);* ∼ *marítimo* o *rodeno,* especie de mediana altura, de corteza áspera, pardusca y a trechos rojiza, hojas largas, gruesas y rígidas, piñas grandes y puntiagudas, y madera abundante en resina *(P. pinaster);* ∼ *negro,* especie de 10 a 20 m. de altura, corteza bastante lisa, de color pardo obscuro, hojas cortas y piñas pequeñas *(P. montana).* 2 Madera de este árbol: *muebles de* ∼.

II) pino, -na *adj.* Muy pendiente o muy derecho. – 2 *m.* Primer paso que empiezan a dar los niños cuando se quieren soltar: *hacer pinos.*

pinocha *f.* Hoja del pino.

pinocho *m.* Pino nuevo. 2 Ramo de pino.

pinole *m. Amér. Central.* Bebida hecha de maíz tostado y molido con azúcar y hielo.

pinrel *m.* vulg. Pie.

pinsapo *m.* Árbol abietáceo de adorno, monoico, de corteza blanquecina, hojas cortas, esparcidas y casi punzantes, y piñas derechas, más gruesas que las del abeto; crece espontáneo en una parte de la serranía de Ronda *(Abies pinsapo).*

I) pinta *f.* Manchada o señal pequeña en el plumaje, pelo o piel de los animales y en la masa de un mineral. 2 Adorno en forma de lunar o mota, en ciertas cosas. 3 Señal que en los extremos de los naipes permite conocer antes de descubrirlos, de qué palo son. 4 fig. Señal o muestra exterior que permite apreciar la calidad de personas o cosas; aspecto de una persona: *tiene* ∼ *de torero, de sacristán.* – 5 *f. pl.* Juego de naipes en el que se vuelve a la cara toda la baraja junta, y la primera carta que se descubre es del contrario, y la segunda del que tiene la baraja; a continuación se sacan cartas hasta encontrar una de número igual al de cualquiera de las dos que salieron al principio, y gana aquel que encuentra con la suya tantos puntos cuantas cartas puede contar desde ella hasta dar con azar, que son el tres, el cuatro, el cinco y el seis. – 6 *f. Amér.* Color de los animales. 7 *Amér.* Linaje, casta.

II) pinta *f.* Medida para líquidos, equivalente a media azumbre escasa, o para áridos.

pintada *f.* Escrito de grandes dimensiones hecho a mano sobre la superficie de un muro, pared, etc. 2 Galliforme de plumaje negruzco con manchas blancas, cabeza pelada y cresta ósea *(Numidia maleagris).*

pintadera *f.* Instrumento para adornar con labores la cara superior del pan y otras cosas.

pintado, -da *adj.* Matizado naturalmente de diversos colores. 2 [animal] Que tiene manchas de color en su pelo, especialmente la vaca.

pintalabios *m.* Barrita de pintura para los labios. ◊ Pl.: *pintalabios.*

pintamonas *com.* fig. Pintor de corta habilidad. ◊ Pl.: *pintamonas.*

pintar *tr.* Cubrir [la superficie de una cosa] con una capa de color: ∼ *la caja de azul.* 2 Representar o figurar [personas, objetos, paisaje, etc.] en una superficie por medio del color: ∼ *una flor al pastel.* 3 Hacer labores con la pintadera. 4 fig. Describir o representar [pers. o cosas] por medio de la palabra. 5 fig.

Fingir, ponderar, exagerar [una cosa]: *lo pintas demasiado.* – 6 *intr.-prnl.* Empezar a tomar color y a madurar ciertos frutos: *las peras pintan o se pintan.* – 7 *intr.* fig. Mostrarse la pinta de las cartas cuando se talla. 8 fig. Importar, significar, valer, en frases negativas o interrogativas: *¿qué pintas tú aquí?* – 9 *prnl.* Darse colores y afeites en el rostro.

pintarroja *f.* Lija (pez).

pintiparado, -da *adj.* Parecido, igual a otro: ~ *a alguno.* 2 Que viene justo y medido a otra cosa, o es a propósito para el fin propuesto: ~ *para el caso.* 3 Emperejilado, adornado.

pintiparar *tr.* fam. Asemejar, hacer parecida [una cosa a otra]. 2 Comparar [una cosa con otra].

pinto, -ta *adj.* Adornado con pintas.

pintón, -tona *adj.* [fruto] Que va tomando color, especialmente los granos del racimo de uvas. 2 [ladrillo] Que no está bien cocido. 3 [animal] Que tiene pintas (manchas). – 4 *m.* Gusano que produce una enfermedad al maíz. 5 La misma enfermedad. – 6 *adj.* Argent. Ebrio, chispa.

pintor, -ra *m. f.* Persona que profesa o ejercita el arte de la pintura. 2 Persona que tiene por oficio pintar puertas, ventanas, paredes, etc. – 3 *adj. Amér.* Pinturero, jactancioso.

pintoresco, -ca *adj.* Que presenta una imagen agradable y deliciosa y digna de ser pintada. 2 fig. Que se utiliza para pintar viva y animadamente las cosas: *lenguaje, estilo* ~. 3 fig. Estrafalario, chocante.

pintorrear *tr.* desp. Manchar de varios colores y sin arte [una cosa].

pintura *f.* Arte de pintar. 2 Tabla, lámina o lienzo en que está pintada una cosa. 3 La misma obra pintada. 4 Color preparado para pintar. 5 Nombre que acompañado de una determinación específica designa diversos procedimientos con que se puede pintar una obra, o la obra pintada con cualquiera de ellos: ~ *a la aguada;* ~ *al fresco,* la que se hace en paredes y techos con colores disueltos en agua de cal y extendidos sobre una capa de estuco fresco; ~ *al óleo,* la hecha de colores desleídos en aceite secante; ~ *al pastel,* la hecha sobre papel con lápices blandos, pastosos y de colores variados; ~ *al temple,* la hecha con colores preparados con líquidos pegajosos y calientes, como agua de cola; ~ *de porcelana,* la hecha de esmalte, usando de colores minerales y uniéndolos y endureciéndolos con el fuego; ~ *rupestre,* la **prehistórica, que se encuentra en rocas o cavernas. 6 fig. Descripción de personas o cosas por medio de la palabra.

pinturero, -ra *adj.-s.* fam. [pers.] Que con afectación se jacta de bien parecido, fino o elegante.

pínula *f.* Tablilla con una abertura circular

o longitudinal que en los instrumentos topográficos y astronómicos sirve para dirigir visuales. 2 BOT. Lóbulo de una hoja pinnada que a su vez está dividida en partes también pinnadas. 3 ZOOL. Aleta muy pequeña, sostenida por un radio y dispuesta, con otras semejantes, en serie detrás de la aleta dorsal y anal de algunos peces; como la caballa y el atún.

pinza *f.* Instrumento de diversas formas y materias cuyos extremos se aproximan para sujetar o comprimir alguna cosa. 2 Órgano prensil formado con dos piezas que pueden aproximarse, con que terminan ciertos apéndices de algunos animales artrópodos; **crustáceos. 3 Pliegue de una tela terminada en punta. – 4 *f. pl.* Instrumento de metal, a manera de tenacillas, que sirve para coger o sujetar cosas menudas.

pinzar *tr.* Sujetar con pinza. 2 Plegar con algo muelle, con los dedos, etc., a manera de pinza, una cosa. ◇ ** CONJUG. [4] como *realizar.*

pinzón *m.* Ave paseriforme insectívora, de 16 cms. de longitud, cuyos machos tienen el plumaje de color rojo obscuro en la cara, pecho y abdomen, y pardo en el lomo; la hembra es de color pardo *(Fringilia coelebs).*

piña *f.* Fructificación propia de las abietáceas, de forma cónica o globulosa, formada por un conjunto de carpelos lignificados, imbricados o soldados, que encierran las semillas; **fruto; **gimnospermas. 2 Racimo de plátanos. 3 Masa esponjosa de plata, de figura cónica, que queda en los moldes donde se destila en los hornos de la pella sacada de los minerales argentíferos. 4 fig. Conjunto de personas o cosas unidas o agregadas estrechamente. 5 fig. Bofetada. 6 MAR. Especie de nudo que se teje con los chicotes descolchados de un cabo.

piñata *f.* Vasija llena de dulces, que se cuelga del techo para romperla a palos con los ojos vendados.

I) piñón *m.* Semilla del pino, que según las especies tiene tamaños diferentes, y es de forma elipsoidal, con tres aristas obtusas, cubierta leñosa muy dura y almendra blanca, dulce y comestible en el pino piñonero; **gimnospermas.

II) piñón *m.* Rueda dentada que engrana con otra de igual o distinto tamaño; **bicicleta.

III) piñón *m.* Pluma pequeña que los halcones tienen debajo de las alas.

piñonate *m.* Pasta dulce de piñones y azúcar. 2 Masa de harina fría cortada en pedacitos rebozados con miel o almíbar.

piñuela *f.* Tela de seda. 2 Nuez o fruto del ciprés. 3 *Amér.* Planta bromeliácea, con hojas flexibles, fibrosas, largas como espadas, y frutos comestibles *(Bromelia pinguin).*

I) pío *m.* Voz del pollo. 2 fam. Deseo vehemente de una cosa.

II) pío, -a *adj.* Devoto, piadoso. 2 Benigno, misericordioso, compasivo.

III) pío, -a *adj.* [animal] Que tiene el pelo blanco con manchas de otro color, especialmente las caballerías.

I) piocha *f.* Joya que usan las mujeres para adorno de la cabeza. 2 Flor de mano, hecha de plumas delicadas de aves.

II) piocha *f.* Herramienta con una boca cortante, a manera de pico, para desprender los revoques de las paredes y para descafilar los ladrillos.

piógeno, -na *adj.* MED. Que produce pus.

piojento, -ta *adj.* Relativo a los piojos. 2 Que tiene piojos.

piojería *f.* Abundancia de piojos. 2 fig. Miseria, escasez, menudencia.

piojillo *m.* Parásito diminuto, principalmente asociado con las aves, dotado de mandíbulas para rascar la piel y masticar plumas (gén. *Menopon; Columbicola*).

piojo *m.* Nombre de varios insectos anopluros que viven parásitos sobre el hombre y los demás mamíferos, de cuya sangre se alimentan (gén. *Pediculus*).

piojoso, -sa *adj.-s.* Que tiene muchos piojos. 2 fig. Miserable, mezquino.

piolar *intr.* Pipiar los pollos o los pajaritos.

piolet *m.* Instrumento que combina las funciones de bastón, agarradera y azada o pico, que utilizan los alpinistas para asegurar sus movimientos sobre el hielo o la nieve. ◇ Se pronuncia *piolé*.

piolín *m.* *Amér.* Cordel delgado de cáñamo, algodón u otra fibra.

pión, piona *adj.* Que pía mucho o con exceso. – 2 *m.* Pez marino teleósteo perciforme, de cuerpo largo y delgado, y con una característica mancha negra en el hocico (*Hyperoplus lanceolatus; Ammodytes*).

pionero, -ra *m. f.* Precursor, adalid, adelantado. 2 BIOL. Grupo de organismos animales o vegetales que inicia la colonización de un nuevo territorio.

pionono *m.* Bizcocho enrollado relleno de crema y cubierto de azúcar.

piorrea *f.* MED. Flujo de pus.

I) pipa *f.* Lengüeta de las chirimías, por donde se echa el aire. 2 Utensilio de distintos tamaños y materias para fumar tabaco picado; consiste en un cañón terminado en un recipiente en que se coloca el tabaco, encendido el cual se aspira el humo por una boquilla del extremo opuesto. 3 Tonel o candiota para transportar o guardar líquidos. 4 Seta casi circular con surcos concéntricos que crece sobre troncos muertos (*Ganoderma lucidum*).

II) pipa *f.* Batracio anuro, sudamericano, que por su cuerpo rechoncho y feo parece más bien un sapo (*Pipa americana*).

pipar *intr.* Fumar en pipa.

piperáceo, -a *adj.-f.* Planta de la familia de las piperáceas. – 2 *f. pl.* Familia de plantas dicotiledóneas, tropicales, de hojas gruesas, flores sin corola, hermafroditas o unisexuales, dispuestas en espigas densas y fruto en baya; como el pimentero.

piperada *f.* Guiso hecho a base de pimientos, huevos y jamón.

piperal *adj.-f.* Planta del orden de las piperales. – 2 *f. pl.* Orden de plantas dicotiledóneas tropicales de hojas simples y flores pequeñas, agrupadas en espigas y sin perianto; a este orden pertenece la familia de las piperáceas.

piperina *f.* Alcaloide obtenido de la pimienta.

pipermín *m.* ANGLIC. Licor de menta o, simplemente, menta.

pipeta *f.* Tubo de cristal graduado, que sirve para transvasar pequeñas porciones de líquido. 2 Tubo de varias formas, cuyo orificio superior se tapa a fin de que la presión atmosférica impida la salida del líquido.

pipí *m.* En el habla infantil, orina: *hacer ~*, orinar.

pipián *m.* Guiso americano de carne con almendra machacada o maní.

pipiar *intr.* Dar voces las aves cuando son pequeñas. ◇ CONJUG. [13] como *desviar*.

pipil *m.* Individuo de las tribus precolombinas de Centroamérica emparentadas con los aztecas, habitantes del trifinio de Guatemala, El Salvador y Honduras. 2 Lengua de estas tribus.

pipiolo *m.* fam. Niño, chiquillo. 2 fam. Hombre novato o inexperto. 3 *Argent.* y *Venez.* Bobo, mentecato. – 4 *m. pl. Amér. Central.* Dinero.

pipirigallo *m.* Planta leguminosa herbácea, pratense, de hojas compuestas de un número impar de hojuelas elípticas, flores encarnadas, olorosas, cuyo conjunto semeja la cresta y carúnculas del gallo, y legumbre con una sola semilla; una de sus variedades se cultiva en los jardines (*Onobrychis sativus*).

pipiritaña *f.* Flautilla que suelen hacer los muchachos con las cañas.

pipirrana *f.* Ensalada confeccionada a base de tomate, cebolla, huevo cocido y algún pescado o carne prieta.

pipistrelo *m.* Murciélago de pequeño tamaño y pelaje pardo muy obscuro, con las orejas y las alas negras. Vive en las ciudades (*Pipistrellus pipistrellus*).

pipón, -pona *adj. Amér.* Lleno, harto.

pipote *m.* Pipa pequeña para encerrar y transportar licores, pescados, etc.

pipudo, -da *adj.* fam. Magnífico, formidable.

I) pique *m.* Resentimiento o disgusto ocasionado de una disputa u otra cosa semejante. 2 Empeño en hacer una cosa por amor propio o por rivalidad. 3 ***Echar a* ~,** hacer que un buque se sumerja en el mar; fig., destruir y acabar una cosa: *echar a* ~ *el matrimonio.*

II) pique *m.* Varenga en forma de horquilla, que se coloca a la parte de proa.

piqué *m.* Tela de algodón que forma grano u otro género de labrado en relieve. ◇ Pl.: *piqués.*

piqueta *f.* Zapapico. 2 Herramienta de albañilería con mango de madera y dos bocas opuestas, una plana como un martillo y la otra aguzada semejante a la punta de un pico. 3 Estaca cilíndrica o rectangular que lleva una punta de hierro en su extremo inferior, para facilitar su hinca.

piquete *m.* Golpe o herida de poca importancia hecha con instrumento agudo o punzante. 2 Agujero pequeño. 3 Jalón pequeño. 4 Pequeño grupo de soldados, empleado en servicios extraordinarios. 5 Grupo de personas que con fines políticos se sitúan ante un edificio para impedir la entrada al mismo en señal de protesta.

piquiña *f.* *Colomb., P. Rico y S. Dom.* Picor, picazón.

piquituerto *m.* Ave paseriforme de pico corto, encorvado por la parte superior, con el cual saca los piñones de las piñas y las parte *(Loxia curvirostra hispana).*

pira *f.* Hoguera en que antiguamente se quemaban los cuerpos de los difuntos y las víctimas de los sacrificios. 2 fig. Hoguera.

pirado, -da *adj.* fam. Loco, chiflado.

piragua *f.* Embarcación larga y estrecha, mayor que la canoa, hecha generalmente de una pieza o con bordas de tabla o cañas; la usan los indios de América y Oceanía.

piragüismo *m.* Deporte olímpico consistente en navegar con kayaks, canoas o piraguas, tripulados por una o varias personas, por aguas mansas o bravas.

piramidal *adj.* De figura de pirámide. – 2 *adj.-m. Músculo* ~, nombre que se da a tres músculos pares del organismo; el del abdomen, pequeño fascículo situado en la parte anterior y baja del recto abdominal, en relación con el pubis; el de la pelvis, pequeño y profundo, en la región glútea y es rotador y abductor del fémur; el de la **nariz, situado en el dorso de la nariz, en el entrecejo y por debajo del frontal. 3 Hueso colocado en el tercer lugar de la primera fila del carpo; **mano.

pirámide *f.* **Sólido que tiene por base un polígono cualquiera, siendo las demás caras triángulos que se juntan en un vértice común. 2 Edificio en forma de pirámide, especialmente regular: *las pirámides de Gizeh.*

pirandón, -dona *m. f.* Persona aficionada a ir de parranda o fiesta.

pirante *m.* Golfante, sinvergüenza, bribón.

piraña *f. Amér.* Pez teleósteo cipriniforme de agua dulce, ancho, chato y muy voraz, que vive en las zonas tropicales de Sudamérica *(Sercasalmo piraya).*

pirar *intr.-prnl.* vulg. Largarse, irse.

pirargirita *f.* Mineral sulfuro cuyos cristales son de gran belleza; es una importante mena de la plata.

pirata *adj.* Clandestino, fraudulento, ilegal: *edición* ~; *emisora* ~. – 2 *m.* Ladrón que recorre los mares para robar: ~ ***del aire,*** persona que, utilizando cualquier tipo de amenazas, obliga a la tripulación de un avión a modificar su ruta. 3 fig. Sujeto cruel que no se compadece de los trabajos de otro. 4 fig. Persona que se apropia del trabajo de los demás; esp., el que copia o plagia obras literarias ajenas.

piratear *intr.* Apresar o robar embarcaciones, especialmente cuando navegan. 2 fig. Robar, hurtar. 3 fig. Copiar o plagiar.

piratería *f.* Ejercicio de pirata. 2 Robo o presa del pirata. 3 fig. Robo o destrucción de los bienes de otro.

pirca *f. Amér. Merid.* Pared de piedra en seco.

pirenaico, -ca *adj.* Perteneciente o relativo a los montes Pirineos.

pireneíta *f.* Granate negro que se encuentra en los Pirineos.

pirético, -ca *adj.* MED. Febril.

piretología *f.* Parte de la patología que trata de las fiebres denominadas esenciales.

pírex *m.* Cristal poco fusible y muy resistente al calor.

pirexia *f.* MED. Estado febril.

pirheliómetro *m.* Aparato que se emplea para medir la radiación solar.

pírico, -ca *adj.* Relativo al fuego, y especialmente a los fuegos artificiales.

piridina *f.* QUÍM. Base orgánica que se halla en el alquitrán y el aceite de huesos.

piriforme *adj.* Que tiene figura de pera.

piripi *adj.* fam. Algo ebrio, achispado.

pirita *f.* Sulfuro de hierro, mineral brillante, de color amarillo de oro, empleado principalmente en la fabricación del ácido sulfúrico. 2 Mineral de brillo metálico en cuya composición entra el azufre y el hierro.

pirobolista *m.* Ingeniero que construye especialmente minas militares.

pirofilita *f.* Mineral transparente o translúcido, de brillo nacarado o graso, a veces utilizado como talco, aunque menos apreciado.

piróforo *m.* Cuerpo que se inflama al contacto del aire.

pirogénico, -ca *adj.* Que resulta de la aplicación de una temperatura elevada.

pirograbado *m.* Dibujo o talla en madera, que se hace mediante un instrumento incandescente.

piroláceo, -a *adj.-f.* Planta de la familia de

las piroláceas. − 2 *f. pl.* Familia de plantas dicotiledóneas reptantes, perennes, con tallos subterráneos o saprófitos y hojas incoloras reducidas a escamas.

piroleñoso, -sa *adj.* QUÍM. *Ácido ~*, el que se extrae de la madera, mediante destilación.

pirolisis *f.* Descomposición química que se obtiene por acción del calor. ◇ Pl.: *pirolisis.*

pirología *f.* Ciencia dedicada al estudio del fuego y de sus aplicaciones.

piromancia, -mancía *f.* Adivinación supersticiosa por el color, chasquido y disposición de la llama.

pirómano, -na *adj.-s.* Que tiene la manía de incendiar.

pirómetro *m.* Instrumento para medir temperaturas muy elevadas.

pirón *m. Amér.* Pasta de cazabe y caldo, que se suele comer con el puchero a guisa de pan.

piropisita *f.* Carbón residual de color pardo y brillo graso.

piropo *m.* Variedad de granate, de color rojo de fuego, muy apreciada como piedra fina. 2 Lisonja, requiebro.

piróscafo *m.* Buque de vapor.

piroscopio *m.* Termómetro diferencial, con una de sus bolas plateada, que se emplea en el estudio de los fenómenos de reflexión y de radiación del calor.

pirosis *f.* Sensación de quemadura, que sube desde el estómago hasta la faringe, producida por la regurgitación de líquido estomacal cargado de ácido. ◇ Pl.: *pirosis.*

pirostato *m.* Dispositivo de seguridad, consistente en un termostato, que en caso de aumento anormal de la temperatura en un lugar, corta la alimentación de combustible e interrumpe el funcionamiento de las instalaciones protegidas por él.

pirotecnia *f.* Arte que trata de toda clase de invenciones de fuego en máquinas militares y en otros artificios para diversión y festejo.

piroxeno *m.* Familia de silicatos de calcio, magnesio y hierro.

pirrarse *prnl.* fam. Desear vehementemente una cosa. ◇ Úsase sólo con la preposición *por.*

pírrico, -ca *adj.* [triunfo o victoria] Que sale muy cara.

pirrófitos *m. pl.* División de vegetales (algas) unicelulares, generalmente flagelados y marinos, o de agua dulce.

pirrol *m.* Substancia que se extrae del alquitrán de hulla.

pirrotina *f.* Sulfuro de hierro que suele presentar magnetismo.

pirueta *f.* Cabriola (brinco y voltereta). 2 Vuelta rápida que se hace dar al caballo, obligándole a alzarse de manos y a girar apoyado sobre los pies.

pirujo, -ja *adj.* Libre y desenvuelto. 2 *Amér. Central.* Escéptico, descreído.

piruleta *f.* Pirulí, caramelo.

pirulí *m.* Caramelo, generalmente de forma cónica, con un palillo que sirve de mango. ◇ Pl.: *pirulíes.*

pis *m.* fam. Orina. ◇ Pl.: *pises.*

pisa *f.* Acción de pisar. 2 Porción de uva o aceituna que se estruja de una vez. 3 fam. Zurra de patadas o coces que se da a uno.

pisada *f.* Acción de pisar. 2 Efecto de pisar. 3 Huella que deja el pie en la tierra.

pisana *f.* Tejido corriente de algodón, tupido, de colores muy sólidos.

pisapapeles *m.* Utensilio que se pone sobre los papeles para sujetarlos con su peso. ◇ Pl.: *pisapapeles.*

pisar *tr.* Poner el pie sobre [alguna cosa]: *~ una alfombra, la tierra,* etc. 2 Apretar o estrujar [una cosa] con los pies o con un instrumento: *~ las uvas, los paños, la tierra,* etc. 3 Apretar con los dedos [las cuerdas de los instrumentos de música]. 4 Cubrir en parte una cosa [a otra]. 5 Cubrir el macho [a la hembra] para la generación, especialmente en las aves. 6 fig. Conculcar, infringir [una ley, orden, etc.]. 7 fig. Adelantarse a otro en la concepción de una idea, ejecución de una obra, etc. − 8 *intr.* En los edificios, estar el piso o suelo de una habitación fabricado sobre otra.

pisasfalto *m.* Variedad de asfalto, de consistencia parecida a la de la pez.

pisaverde *m.* fig. Hombre presumido y afeminado, que sólo se ocupa de acicalarse para vagar en busca de galanteos.

piscar *tr. Méj.* Recolectar [el maíz], pero precisamente arrancando la mazorca de las hojas en que está envuelta la planta. ◇ ** CONJUG. [1] como *sacar.*

piscardo *m.* Pez teleósteo cipriniforme fluvial, de pequeño tamaño, cuerpo fusiforme, alargado y grueso, y coloración variable según la edad y el sexo *(Phoxinus phoxinus).*

piscator *m.* Almanaque con pronósticos meteorológicos.

piscatorio, -ria *adj.* Perteneciente o relativo a la pesca o a los pescadores. 2 Relativo a la égloga o composición poética en que se pinta la vida de los pescadores.

piscicultura *f.* Técnica de dirigir y fomentar la reproducción de peces y mariscos.

piscifactoría *f.* Establecimiento de piscicultura.

pisciforme *adj.* De forma de pez.

piscina *f.* Estanque que se suele hacer en los jardines para tener peces. 2 Estanque destinado al baño, a la natación o a otros ejercicios y deportes acuáticos: *~ climatizada; ~ cubierta; ~ olímpica.* 3 Lugar en que se echan y sumen algunas materias sacramentales; como el agua del bautismo.

piscívoro, -ra *adj.-s.* Ictiófago.

pisco *m. Amér.* Aguardiente de uva muy estimado que se fabrica en Pisco, ciudad del Perú. 2 *Amér.* Botija en que se exporta este aguardiente.

piscolabis *m.* fam. Ligera refacción que se toma generalmente por regalo. ◇ Pl.: *piscolabis.*

pisiforme *adj.* Que tiene figura de guisante. 2 Cuarto hueso de la primera fila del carpo; **mano.

piso *m.* Acción de pisar. 2 Efecto de pisar. 3 Superficie de un terreno. 4 Suelo o pavimento de las diversas habitaciones de las casas: *el ~ es de mosaico.* 5 Suela, o parte de ella que toca en el suelo: *zapatos con ~ de goma.* 6 Alto (suelo): *vivir en el tercer ~.* 7 p. ext. Vivienda de un edificio de varias plantas. 8 MIN. Conjunto de labores subterráneas situadas a una misma profundidad. 9 *Amér.* Derecho a entrada.

pisón *m.* Instrumento pesado y grueso, para apretar la tierra, piedra, etc. 2 Mazo del batán.

pisotear *tr.* Pisar repetidamente [una cosa] maltratándola o ajándola. 2 fig. Humillar, maltratar de palabra [a una persona].

pisotón *m.* Pisada fuerte sobre el pie de otro.

pispajo *m.* Trapajo, pedazo roto de una tela o vestido. 2 Cosa despreciable de poco valor. 3 En sentido despectivo, se aplica a personas desmedradas o pequeñas, especialmente niños.

pista *f.* Huella o rastro que dejan los animales por la tierra por donde han pasado. 2 fig. Conjunto de indicios o señales que pueden conducir a la averiguación de un hecho. 3 Sitio dedicado a las carreras y otros ejercicios, en los hipódromos, **estadios, etc. 4 Camino carretero que se construye provisionalmente para fines militares. 5 Terreno destinado al aterrizaje y despegue de aviones: ~ *de rodaje,* la que conecta la pista de vuelo con la terminal de un **aeropuerto. 6 ~ *sonora,* banda estrecha, generalmente al borde de una película sonora, que lleva la grabación del sonido.

pistache *m.* Dulce o helado que se prepara con pistachos.

pistacho *m.* Alfóncigo.

pistar *tr.* Machacar, aprensar, sacar el jugo [a una cosa].

pistero, -ra *adj.-s. Amér. Central.* [pers.] Muy aficionado al dinero.

pistilo *m.* Carpelo diferenciado en ovario, estilo y estigma, propio de las plantas angiospermas.

pisto *m.* Jugo sacado de la carne de ave; se administra caliente al enfermo que sólo puede tragar líquidos. 2 Fritada de diversos manjares picados y revueltos. 3 fig. Mezcla confusa de especies en un discurso o escrito. 4 *Amér. Central y Perú.* Dinero.

pistola *f.* Arma de fuego corta, que se amartilla, apunta y dispara con una sola mano. 2 Aparato para pintar. 3 Barra pequeña de pan. 4 Martillo neumático de pequeñas dimensiones y escasa potencia que usan los picapedreros y escultores.

pistolera *f.* Estuche habitualmente de cuero en que se guarda la pistola.

pistolerismo *m.* Conjunto de acciones y modos de actuar propios de pistoleros. 2 Conjunto de pistoleros en una sociedad.

pistolero *m.* Delincuente que utiliza a menudo la pistola para atracar, asaltar o realizar mercenariamente atentados personales; esp., el del oeste americano.

pistoletazo *m.* Tiro de pistola. 2 Herida que resulta de él.

pistolete *m.* Arma de fuego más corta que la pistola.

pistón *m.* Émbolo; **automóvil. 2 Parte central de la cápsula, donde está colocado el fulminante. 3 Llave en forma de émbolo que tienen diversos instrumentos músicos de **viento.

pistonudo, -da *adj.* vulg. Formidable, fantástico, imponente.

pistoresca *f.* Arma corta de acero, a manera de puñal o daga.

pistraje, -que *m.* fam. Licor, condimento o bodrio desabrido o de mal gusto.

I) pita *f.* Planta amarilidácea, de hojas radicales grandes, triangulares, carnosas, terminadas en un fuerte aguijón, y flores amarillentas en ramillete sobre un bohordo central; vive en terrenos secos y de sus hojas se extrae una fibra textil *(Agave americana).* 2 Hilo que se hace con fibra de las hojas de esta planta.

II) pita *f.* Voz que se usa repetida para llamar a las gallinas. 2 Gallina (hembra del gallo).

III) pita *f.* Silba, pitada (silbidos).

pitada *f.* Sonido o golpe de pito. 2 Muestra general de desagrado con silbidos y pitos. 3 fig. Salida de tono, impertinencia: *dar una ~.*

pitagorismo *m.* Doctrina de Pitágoras (580-¿500? a. C.). 2 Conjunto de principios y prácticas de los pitagóricos.

pitajaya *f. Amér.* Planta cactácea ramosa, de flores blancas, grandes, que se abren de noche y despiden un olor muy fuerte parecido a la vainilla; de día se cierran las flores y pierden su olor *(Cactus grandiflorus).*

pitanza *f.* Distribución diaria de una cosa, comestible o pecuniaria. 2 Ración de comida distribuida a los que viven en comunidad o a los pobres. 3 Precio o estipendio dado por una cosa. 4 fam. Alimento cotidiano. 5 *Amér.* fam. Ventaja, ganga.

pitar *intr.* Tocar el pito. 2 Tener situación

de preeminencia o autoridad. – **3** *tr.* Pagar (dar). **4** Silbar como signo de desaprobación. **5** DEP. Arbitrar [un encuentro deportivo]. **6** *Amér.* Fumar.

pítcher *m.* DEP. Jugador de béisbol que inicia cada jugada lanzando la pelota.

pitecántropo *m.* Supuesto ser intermedio entre el hombre y el mono, según la teoría darvinista.

pitido *m.* Silbido de pito o de los pájaros.

pitillera *f.* Mujer que tiene por oficio hacer pitillos. **2** Petaca para guardar pitillos.

pitillo *m.* Cigarrillo.

pitiminí *adj. m.* Variedad de rosal de tallos trepadores y flores pequeñas. **2** Rosa que produce dicho rosal. – **3** *loc. adj. De* ~, de escaso tamaño o importancia. **4** *Amér.* Quisquilloso, fútil. ◇ Pl.: *pitiminíes.*

pito *m.* Flauta pequeña, como un silbato, de sonido agudo. **2** Persona que toca este instrumento. **3** p. ext. Claxon del automóvil. **4** Vasija de barro, a modo de cantarillo; llena de agua hasta cierta altura, se sopla por el pico y produce un sonido semejante al gorjeo de los pájaros. **5** fam. Pene, especialmente el del niño. **6** Taba con que juegan los muchachos. **7** Cigarrillo de papel. **8** *Amér.* Pipa de fumar. **9** *Amér. Central.* Botón del cafeto a punto de reventar.

pitoflero, -ra *m. f.* fam. Persona que toca sin habilidad algún instrumento músico. **2** fig. Persona chismosa.

I) pitón *m.* Nombre de varias serpientes no venenosas, pero de gran tamaño, propias de Asia y África, que atacan a los grandes animales y a veces al hombre *(gén. Pyton).* **2** Adivino, mago, hechicero.

II) pitón *m.* Cuerno que empieza a salir a los animales; punta del cuerno del toro. **2** Tubo cilíndrico que arranca de la parte inferior del cuello en los botijos, porrones, etc., y modera la salida del líquido. **3** Renuevo del árbol cuando empieza a abotonar. **4** Especie de clavo que se emplea en alpinismo. **5** fig. Bulto pequeño que sobresale en punta en la superficie de una cosa. **6** *Amér.* Lanza de riego.

pitonazo *m.* Golpe dado con el pitón.

pitonisa *f.* Encantadora, hechicera.

pitorrearse *prnl.* Guasearse o burlarse de otro.

pitosporáceo, -a *adj.-f.* Planta de la familia de las pitosporáceas. – **2** *f. pl.* Familia de plantas, dentro del orden de las saxifragales, leñosas perennifolias, con hojas alternas y coriáceas.

pitósporo *m.* Arbusto perennifolio cuyas flores de color blanco amarillento, olorosas, crecen en inflorescencias *(Pittosporum tobira).*

pitote *m.* Barullo, lío, pendencia.

pitpit *m.* Ave insectívora de plumaje en general ceniciento verdoso, con manchas par-

das, amarillento en la garganta y el pecho y blanco en el abdomen *(Dacnis cayana).* ◇ Pl.: *pitpites.*

pitre *m. Amér.* Lechuguino, petimetre.

pituita *f.* Humor viscoso que segregan varios órganos del cuerpo animal, especialmente las membranas de la nariz y los bronquios.

pituitario, -ria *adj.* Que contiene o segrega pituita. **2** *Membrana pituitaria,* o simplemente *pituitaria,* la que reviste la cavidad de las fosas nasales.

pituso, -sa *adj.-s.* Pequeño, gracioso, refiriéndose a niños.

pívot *com.* DEP. En el juego del baloncesto, jugador de ataque y defensa, cuya misión básica consiste en situarse en las cercanías del tablero para recoger rebotes o encestar.

pivotante *adj.* [raíz central] Que se introduce en la tierra perpendicularmente.

pivotar *intr.* Girar sobre un pivote. **2** DEP. En el juego del baloncesto, girar el jugador manteniendo un pie fijo en el suelo.

pivote *m.* MEC. Extremo cilíndrico o puntiagudo de una pieza, donde se apoya o inserta otra, bien con carácter fijo o bien de manera que una de ellas pueda girar u oscilar con facilidad respecto de la otra.

píxide *f.* Copón o cajita en que se guarda el Santísimo Sacramento o se lleva a los enfermos. **2** BOT. Especie de cápsula cuya parte superior puede levantarse.

pixidio *m.* BOT. Cápsula que se abre transversalmente mediante un opérculo, como la del beleño; **fruto.

pizarra *f.* Roca homogénea de color negro azulado y grano muy fino, que se divide con facilidad en hojas planas y delgadas; procede de una arcilla metamorfoseada por acciones telúricas. **2** Trozo de pizarra obscura, pulimentada, de forma rectangular y ordinariamente con marco de madera en que se escribe o dibuja con pizarrín, yeso o lápiz blanco. **3** p. ext. Encerado (hule, lienzo, etc.).

pizarrero *m.* El que tiene por oficio labrar, pulir y asentar las pizarras en los edificios.

pizarrín *m.* Barrita de lápiz o de pizarra no muy dura, que se usa para escribir o dibujar en las pizarras.

pizca *f.* fam. Porción muy pequeña de una cosa.

pizmiento, -ta *adj.* Atezado, de color de pez II.

pizpereta, -pireta *adj.* fam. [mujer] Viva, pronta y aguda.

pizza *f.* Comida de origen italiano consistente en una torta de harina sobre la que se colocan diversos ingredientes condimentados, cocido todo a la vez en el horno.

pizzería *f.* Establecimiento donde se hacen y venden pizzas.

pizzicato *m.* Modo de producir el sonido en algunos instrumentos de cuerda, punteando simplemente las cuerdas con un plectro o con la punta de los dedos.

placa *f.* Lámina, plancha o película, formada o superpuesta en un objeto. 2 Insignia de alguna de las órdenes caballerescas, bordada o sobrepuesta en el vestido. 3 Anuncio, letrero. 4 Insignia o distintivo de los agentes de la autoridad para acreditar que lo son. 5 Matrícula de los vehículos; **automóvil. 6 Fogón de las cocinas, especialmente de las eléctricas. 7 Lámina de vidrio cubierta en una de sus caras de una substancia alterable por la luz y en la que puede obtenerse una prueba fotográfica negativa. 8 Electrodo de un tubo electrónico. 9 ~ *solar,* dispositivo destinado a almacenar energía solar para producir energía térmica o eléctrica; **casa.

placaje *m.* Sistema empleado en el juego de rugby, para detener al adversario, que consiste en abrazársele a la cintura o piernas.

placear *tr.* Destinar [algunos géneros comestibles] a la venta por menor en el mercado. 2 Publicar o hacer manifestar [una cosa]. 3 *fig.* Ejercitarse el torero en plazas para adquirir experiencia.

placebo *m.* Píldora de azúcar, de valor meramente psicológico; en gral., medicamento sin eficacia terapéutica.

placenta *f.* En los mamíferos, exceptuados los monotremas y marsupiales, masa carnosa esponjosa, adherida al útero, y de la cual nace el cordón umbilical. 2 Parte interna del ovario de la planta a la cual están unidos los óvulos; **flor.

placentación *f.* BOT. Disposición de las placentas, y por consiguiente de los óvulos, en el ovario de los vegetales. 2 ZOOL. Modo de unión de los tejidos maternal y fetal en una placenta.

placentario, -ria *adj.* Perteneciente o relativo a la placenta. – 2 *adj.-m.* Mamífero de la subclase de los placentarios. – 3 *m. pl.* Subclase de mamíferos cuyas hembras tienen placenta, una sola vagina y un solo útero; pertenecen a esta subclase la mayoría de los mamíferos actuales incluidos en los siguientes órdenes: insectívoros, quirópteros, primates, edentados, folidotos, lagomorfos, roedores, hiracoideos, proboscídeos, sirenios, tubulidentados, perisodáctilos, artiodáctilos, carnívoros, pinnípedos y cetáceos.

placentero, -ra *adj.* Agradable, alegre.

I) placer *m.* Banco de arena o piedra en el fondo del mar, llano y de bastante extensión. 2 Arenal aurífero. 3 Pesquería de perlas en las costas de América.

II) placer *m.* Contento del ánimo. 2 Sensación agradable. 3 Diversión, entretenimiento; lo que causa placer. 4 Voluntad, consentimiento, beneplácito.

III) placer *tr.* Agradar o dar gusto: *me place verte bueno.* ◇ ** CONJUG. [76].

plácet *m.* Aprobación, beneplácito.

plácido, -da *adj.* Quieto, sosegado. 2 Grato, apacible.

plácito *m.* Parecer, dictamen, juicio.

placodermo *adj.-m.* Pez de la subclase de los placodermos. – 2 *m. pl.* Subclase de peces fósiles que estaban cubiertos por una gruesa armadura ósea.

placozoo *adj.-m.* Animal del tipo de los placozoos. – 2 *m. pl.* Tipo de parazoos que carecen de tejidos, órganos y simetría; son microscópicos y se desplazan por reptación sobre un substrato.

plafón *m.* Lámpara aplicada directamente, o encajada, en el sofito o en el techo.

plaga *f.* Calamidad grande que aflige a un pueblo, a la agricultura, que sobreviene a una persona: *las siete plagas de Egipto; una ~ de langostas; su enfermedad es una ~.* 2 *fig.* Infortunio, pesar o contratiempo. 3 *fig.* Abundancia de una cosa nociva o, dicho impropiamente, beneficiosa: *una ~ de bandidos; habrá ~ de trigo.*

plagado, -da *adj.* Herido o castigado.

plagar *tr.-prnl.* Llenar o cubrir [a alguna persona o cosa] de algo nocivo o no conveniente. ◇ ** CONJUG. [7] como *llegar.*

plagiar *tr.* Copiar en lo substancial [ideas, palabras, obras, etc., de un autor], dándolas como propias. 2 *Amér.* Apoderarse [de una persona] para obtener rescate por su libertad. ◇ ** CONJUG. [12] como *cambiar.*

plagioclasas *f. pl.* Grupo mineral que forman los feldespatos.

plagiotrema *adj.-m.* Escamoso.

plagiotropismo *m.* Forma de tropismo en que la planta o el órgano tiende a crecer en dirección oblicua o perpendicular a la del excitante.

plaguicida *adj.-s.* Agente que combate las plagas del campo.

plan *m.* Altitud o nivel. 2 Intento, proyecto que se tiene de realizar una cosa. 3 Programa detallado de una obra, acción, etc., y conjunto de disposiciones tomadas para llevarla a cabo: ~ *económico,* el que, a partir del conocimiento de las magnitudes de una economía, pretende establecer determinados objetivos a corto, medio y largo plazo; ~ *de estudios,* conjunto de enseñanzas que han de cursarse para cumplir un ciclo de estudios u obtener un título; ~ *de pensiones,* método adoptado por una empresa u otra organización para el pago de una pensión al trabajador que contemple su equiparación con el índice del costo de la vida; ~ *de trabajo,* serie de materias o trabajos en los que se divide una actividad. 4 Extracto o escrito en que por mayor se apunta una cosa. 5 *fig. y fam.* Amistad frívola y banal.

6 MAR. Parte inferior y más ancha del fondo de un buque en la bodega. 7 *Amér.* Planicie. 8 *Amér. Central* y *Venez.* Plano de las armas blancas.

plana *f.* Cara o haz de una hoja de papel. 2 Escrito que hacen los niños en una cara del papel o en que aprenden a escribir. 3 IMPR. Conjunto de líneas ya ajustadas, de que se compone cada página. 4 Porción extensa de país llano: *la ~ de Vic.* 5 ~ *mayor,* en una escuadra, el conjunto de generales, jefes, oficiales y marinería que, sin formar parte de la dotación en ninguno de sus buques, está afecto al de la insignia; conjunto de los jefes y otros individuos de un regimiento o batallón que no pertenecen a ninguna compañía.

planazo *m. Amér.* Cintarazo, sablazo de plano.

plancton *m.* Conjunto de los seres pequeñísimos que se hallan en suspensión en el mar o en las aguas dulces.

plancha *f.* Lámina de metal llana y delgada respecto de su tamaño: *carne a la ~.* 2 Utensilio de metal con forma triangular, cuya cara inferior, muy lisa y acerada, se calienta generalmente por una resistencia eléctrica; en la parte superior tiene un asa por donde se coge para planchar. 3 Conjunto de ropa planchada. 4 Hoja de madera, delgada y de grueso uniforme. 5 Reproducción estereotípica o galvanoplástica preparada para la impresión. 6 Tejido hecho con hilos, ya teñidos, especialmente los de algodón. 7 Postura horizontal del cuerpo en el aire, sin más apoyo que el de las manos asidas a un barrote. 8 fig. Desacierto o error que hace quedar en situación desairada o ridícula al que la comete: *hacer una ~.*

planchada *f.* Tablazón que, apoyada en la costa del mar o de un río, sirve de puente para el embarco y desembarco.

planchado, -da *m. f.* Acción de planchar. 2 Efecto de planchar. 3 Conjunto de ropa blanca por planchar o ya planchada. – 4 *adj.* fam. Sin dinero.

planchar *tr.* Pasar la plancha caliente [sobre la ropa blanca algo húmeda, o sobre otras prendas] para estirarlas, asentarlas o darles brillo. 2 Quitar las arrugas a la ropa por procedimientos mecánicos. 3 *Amér.* Adular.

planchear *tr.* Cubrir [una cosa] con planchas de metal.

plancheta *f.* Instrumento de topografía formado por un tablero montado horizontalmente sobre un trípode, y en cuya superficie se trazan con lápiz las visuales dirigidas por medio de una alidada a los diferentes puntos del terreno.

planchita *f.* Pez marino teleósteo perciforme de pequeño tamaño, de color marrón o verdusco, con numerosas manchas más o menos bien definidas y alineadas *(Symphodus quinquemaculatus; Crenilabrus q.).*

planeador *m.* **Avión sin motor, que vuela utilizando las corrientes de aire de la atmósfera: ~ *deportivo;* ~ *de transporte.* 2 Vehículo de transporte **submarino, ligero, y de forma hidrodinámica.

planear *tr.* Trazar o formar el plan [de una obra]. 2 Hacer o forjar planes. – 3 *intr.* Sostenerse en el aire o descender lentamente el avión con el motor parado; hacer lo mismo el planeador. 4 Volar las aves con las alas extendidas sin moverlas.

planeta *m.* Astro opaco que sólo brilla por la luz que refleja del Sol, alrededor del cual se mueve describiendo órbitas elípticas; **solar (sistema). 2 En astrología, planeta dominante en el signo u horóscopo de una persona, y por extensión, destino, sino, hado.

planetario, -ria *adj.* Perteneciente o relativo a los planetas. 2 Mundial, relativo a toda la tierra. – 3 *m.* Aparato que representa los planetas del sistema solar y reproduce sus movimientos respectivos. 4 Mecanismo del diferencial de automóvil.

planga *f.* Ave rapaz falconiforme diurna, especie de águila de color blanco negruzco con manchas blancas, de pico grueso, finamente dentado en los bordes *(Sula basana).*

planificación *f.* Elaboración de un plan general, científicamente organizado y frecuentemente de gran amplitud, para obtener un objetivo determinado, tal como el desarrollo económico, la investigación científica, el funcionamiento de una industria, etc. 2 ~ *familiar,* conjunto de medios empleados para fijar el número y cadencia de los hijos de una pareja.

planificar *tr.* Someter a plan detallado el desarrollo de cualquier actividad: *economía planificada;* ~ *una explotación agrícola.* ◇ ** CONJUG. [1] como *sacar.*

planilla *f. Amér.* Cuenta, liquidación, ajuste de pagos; esp., hoja de declaración que se llena para el pago de impuestos.

planimetría *f.* Parte de la topografía que enseña a representar en una superficie plana una porción de la terrestre. 2 Arte de medir las superficies planas.

planímetro *m.* Instrumento para medir áreas de figuras planas.

planipenne *adj.-m.* Insecto del orden de los planipennes. – 2 *m. pl.* Orden de insectos pterigotas de tamaño medio o grande y con el cuerpo alargado, similar al de las libélulas de las que se diferencian por presentar las alas sobre el abdomen.

planisferio *m.* Carta en que la esfera celeste o la terrestre está representada por un plano.

plano, -na *adj.* Llano, liso, sin estorbos ni tropiezos. 2 Relativo al plano: *dar de ~,* dar con lo ancho de un instrumento cortante o con la mano abierta. 3 ****Músculo** ~, el fino, delgado y aplanado. – 4 *m.* Superficie plana: ~ *de nivel,* TOPOGR., el paralelo al nivel del mar, que se elige para contar desde él las alturas de los diversos puntos del terreno; ~ *geométrico;* ~ *horizontal,* el que, pasando por la vista, es perpendicular a la tabla y paralelo al horizonte; ~ *vertical,* PERS., el que, pasando por la vista, es perpendicular a la vez al plano horizontal y a la tabla; ~ *inclinado,* MEC; el resistente que forma ángulo agudo con el horizonte y por medio del cual se facilita la elevación de pesos o el descenso de pesos y otras cosas. 5 Elemento de una película cinematográfica, fotografiado de una vez. 6 TOPOGR. Representación gráfica en una superficie, de un terreno, o de la planta de un campamento, plaza, fortaleza, etc.

planta *f.* Parte inferior del **pie con que se pisa, y sobre la cual se sostiene el **cuerpo. 2 Vegetal (ser orgánico). 3 Árbol u hortaliza que, sembrada y nacida en alguna parte, está dispuesta para trasplantarse en otra. 4 Diseño en que se da idea para la fábrica o formación de una cosa: *la ~ y alzada de un edificio.* 5 Proyecto o disposición hecha para asegurar el acierto o buen logro de un negocio o pretensión. 6 Central productora de energía. 7 Complejo o instalación industrial. 8 Piso de un edificio. 9 ARQ. Figura que forman sobre el terreno los cimientos de un edificio o la sección horizontal de las paredes en cada uno de los diferentes pisos; **islámico (arte); **románico.

plantación *f.* Acción de plantar. 2 Conjunto de lo plantado. 3 Gran explotación agrícola o forestal.

plantagináceo, -a *adj.-f.* Planta de la familia de las plantagináceas. – 2 *f. pl.* Familia de plantas dicotiledóneas, herbáceas, con tallo aéreo o rizoma, hojas casi siempre estrechas, flores solitarias o en espiga y fruto en caja; como la zaragatona.

plantar *tr.* Meter en tierra [una planta, o un vástago o esqueje, etc.] para que arraigue. 2 Poblar de plantas [un terreno]. 3 fig. Fijar y poner enhiesta o derecha [una cosa]: ~ *una cruz.* 4 fig. y intens. Colocar [una cosa] en el lugar que le corresponde o donde debe ser utilizada: ~ *un mueble.* 5 Plantear (trazar y ejecutar). 6 Dejar [a uno] aturdido a copia de dicterios e injurias. 7 Dejar [a uno] burlado, abandonarle. 8 Tratándose de golpes, darlos: ~ *un bofetón.* 9 fig. Fundar; establecer: ~ *la fe.* 10 fig. Poner [a uno] en alguna parte contra su voluntad: ~ *a uno en la calle, en la cárcel.* – 11 *prnl.* fig. Ponerse uno de pie firme ocupando un lugar o sitio. 12 p. anal. Pararse un animal y resistirse a avanzar. 13 en gral. Resolverse a no hacer o a resistir alguna cosa. 14 En algunos juegos de cartas, no querer más de las que se tienen. 15 fig. Trasladarse a un lugar en poco tiempo: *plantarse en Cádiz; tr., le planté en Cádiz.* 16 fam. No confesar la edad, a partir de cierto número de años. 17 *Amér.* Arreglarse, ataviarse.

plante *m.* Concierto entre varias personas que hacen vida común para exigir o rechazar airadamente alguna cosa. 2 Falta a una cita o compromiso.

plantear *tr.* Trazar o estudiar el plan [de una cosa] para alcanzar el acierto en ella. 2 Tratándose de sistemas, instituciones, reformas, etc., establecerlos o ponerlos en ejecución. 3 Tratándose de problemas o cuestiones, presentarlos, proponerlos. 4 fig. Enfocar la solución de un problema, lléguese o no a obtenerla.

plantel *m.* Criadero (lugar). 2 fig. Lugar o reunión de gente en que se forman personas hábiles en algún ramo del saber, profesión, etc.

plantificar *tr.* Plantear (ejecutar). 2 fig. y fam. Plantar (poner y golpear). – 3 *prnl. Amér. Central* y *Méj.* Engalanarse, ataviarse. ◊ ** CONJUG. [1] como *sacar.*

plantígrado, -da *adj.-s.* Cuadrúpedo que al andar apoya en el suelo toda la planta de los pies; como el oso.

plantilla *f.* Suela sobre la cual los zapateros arman el calzado. 2 Pieza de badana, corcho, palma, etc., con que interiormente se cubre la planta del calzado. 3 Pieza de hierro terminada en arco de círculo, para dar a las llantas de los carruajes la curvatura conveniente. 4 Tabla o plancha que ha de tener la misma superficie de una pieza a la que sirve de patrón para cortarla y labrarla; **dibujo. 5 Plano reducido, o porción del plano total, de una obra. 6 Relación ordenada por categorías de las dependencias y empleados de una oficina, servicios públicos o privados, etc., cuya dotación está prevista en los presupuestos económicos. 7 *Amér.* Especie de bizcocho delgado.

plantillazo *m.* DEP. En el juego del fútbol, colocación antirreglamentaria de la planta del pie delante del de otro jugador en el momento en que éste va a efectuar un chut.

plantío, -a *adj.* [tierra o sitio] Plantado o que se puede plantar. – 2 *m.* Acción de plantar. 3 Terreno plantado recientemente de vegetales. 4 Conjunto de estos vegetales.

plantón *m.* Pimpollo o arbolito nuevo que ha de ser trasplantado. 2 Estaca o rama plantada para que arraigue. 3 Persona que guarda la puerta exterior de una casa, oficina, etc. 4 Soldado que está de guardia más tiempo del regular, por castigo de un exceso.

plántula *f.* BOT. Embrión que nace.

planudo, -da *adj.* [buque] Que puede navegar en poca agua por tener adecuado su fondo.

plañidera *f.* Mujer que se contrataba para llorar en los entierros.

plañir *intr.-tr.* Gemir y llorar sollozando o clamando: *plañía a su hijo; plañían sin cesar.* ◇ ** CONJUG. [40] como *muñir.*

plaqué *m.* Chapa muy delgada, de oro o plata, que recubre la superficie de otro metal de menos valor. ◇ Pl.: *plaqués.*

plaqueta *f.* Elemento en forma de disco oval o redondeado, constituyente de la sangre de los vertebrados, y que interviene en la coagulación de la sangre; **circulación.

I) plasma *m.* BIOL. Parte líquida de la sangre, que contiene en suspensión los elementos sólidos componentes de ésta. 2 BIOL. Líquido que resulta de suprimir de la sangre sus elementos sólidos. 3 BIOL. Linfa privada de sus células.

II) plasma *m.* FÍS. Estado gaseoso de la materia que contiene, prácticamente, el mismo número de electrones que de iones positivos; es un buen conductor eléctrico; constituye el estado de la materia que se presenta con más frecuencia en el universo.

plasmar *tr.* Figurar, hacer o formar [una cosa], especialmente de barro. 2 fig. Dar forma concreta [a un proyecto, idea, etc.] por medio de fórmulas, palabras, esquemas, etc.

plasmodesmo *m.* BIOL. Filamento citoplasmático que actúa de puente entre los protoplasmas de dos **células vecinas.

plasta *f.* Cosa blanda, como barro, masa, etc. 2 Cosa aplastada. 3 fig. Lo que está hecho sin regla ni método. – 4 *com.* fam. Persona pesada y fastidiosa.

plaste *m.* Masa de yeso mate y agua de cola, para llenar los agujeros y hendeduras de lo que se ha de pintar.

plastecer *tr.* Llenar, cerrar, cubrir con plaste. ◇ ** CONJUG. [43] como *agradecer.*

plastia *f.* Operación quirúrgica con la cual se pretende restablecer, mejorar o embellecer la forma de una parte del cuerpo, o modificar favorablemente una alteración morbosa subyacente a ella.

plástica *f.* Arte de plasmar o formar cosas de barro, yeso, etc.

plasticidad *f.* Calidad de plástico. 2 Cualidad de algunos sólidos de cambiar de forma por presión o modelado. 3 Propiedad de ciertos líquidos orgánicos, como la sangre o la linfa, de alimentar los tejidos, originando su crecimiento.

plástico, -ca *adj.* Perteneciente o relativo a la plástica: *artes plásticas.* 2 Formativo: *fuerza plástica.* 3 Dúctil, blando, que se deja modelar fácilmente. 4 fig. [estilo o frase] Que por su concisión, exactitud y fuerza expresiva da mucho realce a las ideas o especies mentales. – 5 *adj.-s.* Cuerpo químico, obtenido generalmente por síntesis, de estructura macro-

molecular, que sirve para distintos usos; fibras, objetos de cocina, medicina, etc.; como el plexiglás, nilón, celuloide, caucho, etc.

plastificar *tr.* Recubrir, con una lámina de material plástico, papeles, documentos, telas, gráficos, etc. ◇ ** CONJUG. [1] como *sacar.*

plasto *m.* Orgánulo dotado de vitalidad propia, que se encuentra en la **célula vegetal.

plastrón *m.* Corbata muy ancha que cubre el centro de la pechera de la camisa.

plata *f.* Metal blanco brillante, sonoro, dúctil y maleable, muy usado en la fabricación de monedas y objetos preciosos. Su símbolo es *Ag.* 2 Nombre de varios compuestos y aleaciones de plata: ~ *gris,* mineral cristalino, brillante, de color gris obscuro, compuesto de plata y azufre. 3 fig. Dinero, riqueza. 4 fig. Alhaja que conserva su valor intrínseco aunque pierda la hechura o adorno. – 5 *adj.* Plateado, de color semejante al de la plata.

plataforma *f.* Máquina para señalar y cortar los dientes de las ruedas de engranaje. 2 Tablero horizontal, descubierto y elevado sobre el suelo, donde se colocan personas o cosas. 3 Especie de azotea de las torres, reductos y otras obras. 4 Vagón descubierto y con bordes de poca altura en sus cuatro lados. 5 Parte anterior y posterior de los tranvías, autobuses, etc., en que van el conductor y, de pie, determinado número de viajeros. 6 Programa o conjunto de reivindicaciones o exigencias que presenta un partido político, sindicato, etc., o una personalidad política; conjunto de personas, normalmente representativas, que dirigen un movimiento reivindicativo. 7 fig. Apariencia, pretexto, colorido. 8 GEOL. Estructura terrestre en la que las capas sedimentarias tienen una pendiente muy ligera y las ondulaciones del terreno un radio considerablemente grande: ~ *continental,* zona marina de hasta 200 metros que bordea los continentes y se extiende desde el límite de la bajamar hasta la plataforma submarina; ~ *submarina,* conjunto de los fondos oceánicos de superficie casi horizontal, cubiertos de depósitos de lodos finos.

platanáceo, -a *adj.-f.* Planta de la familia de las platanáceas. – 2 *f. pl.* Familia de plantas dicotiledóneas que incluye árboles de hojas alternas, palmeadas y lobuladas, sin estípulas, flores monoicas agrupadas sobre receptáculos globosos y frutos en nuececilla coriácea; como el plátano (árbol).

platanal, -nar *m.* Terreno poblado de plátanos.

platanaria *f.* Planta acuática, erecta y perenne, cuyas hojas tienen sección triangular, y de flores amarillentas y verdosas *(Sparganium erectum).*

plátano *m.* Árbol platanáceo, de tronco recto, corteza blanquecina que se desprende en placas irregulares, hojas partidas en lóbulos dentados, flores en cabezuelas unisexuales y frutos rodeados de largos pelos en su base y agrupados en bolas pendientes de un largo pedúnculo *(Platanus orientalis).* 2 Planta musácea de tallo arbóreo, grandes hojas divididas y flores rojizas reunidas en espiga, que dan un fruto largo, triangular, cubierto de una piel correosa, blando, por lo común sin semilla, de olor agradable y gusto delicado *(Musa paradisiaca).* 3 Fruto de esta planta.

platea *f.* Patio del teatro. 2 Palco situado en la planta baja.

plateado, -da *adj.* Bañado de plata. 2 De color parecido al de la plata. – 3 *m.* Acción de platear.

platear *tr.* Dar o cubrir de plata [un retablo, un marco, etc.].

platelminto *adj.-m.* Gusano del tipo de los platelmintos. – 2 *m. pl.* Clase de gusanos, generalmente hermafroditas y parásitos, de cuerpo aplanado, desprovisto de apéndices, con la cavidad general rellena de una masa de tejido conjuntivo; está formado por tres clases: turbelarios, trematodos y cestodos.

plateñismo *m.* Vocablo, giro o modo de expresión propio de los países del Río de la Plata.

plateresco, -ca *adj.* Propio o relativo al estilo español de ornamentación empleado por nuestros plateros del s. XVI, aprovechando elementos de las arquitecturas clásica y ojival. – 2 *adj.-s.* Estilo arquitectónico desarrollado en España en el s. XVI, de carácter híbrido y gran fastuosidad, a cuya formación contribuyeron elementos renacentistas italianos, góticos preciosistas, temas de arte popular y las innovaciones constructivas de la época.

I) platero, -ra *m. f.* Artífice que labra la plata. 2 Persona que tiene por oficio vender objetos labrados de plata u oro, o joyas con pedrería.

II) platero *m.* Mueble generalmente de madera en el que se pone la vajilla.

plática *f.* Conversación; acto de hablar entre sí dos o más personas. 2 Discurso o sermón breve para exhortar a los actos de virtud, instruir en la doctrina cristiana, etc.

platicar *intr.-tr.* Hablar unos con otros, conferir o tratar de un negocio o materia: *platicaban la madre y la hija; platiqué con él la cuestión.* ◇ ** CONJUG. [1] como *sacar.*

platija *f.* Pez marino teleósteo pleuronectiforme semejante al lenguado, pero de escamas más fuertes y unidas y de color pardo con manchas amarillas en la parte superior *(Pleuronectes platessa).*

platillo *m.* Pieza, especialmente pequeña, de figura semejante al plato: ~ *para recoger limosna;* ~ *de una máquina; los platillos de una balanza.* 2 Chapa metálica circular que, junto

a otra igual, forma un instrumento de **percusión, usado para acompañamiento. Se hacen chocar una con otra sujetándolas, una en cada mano, mediante una correa en forma de anillo fija en el centro de cada uno de los platillos. 3 Guisado compuesto de carne y verduras picadas. 4 fig. Objeto o asunto de murmuración: *hacer,* o *ser, el* ~. 5 ~ *volador* o *volante,* supuesto objeto volante, cuyo origen y naturaleza se desconoce, pero al que se atribuye con frecuencia procedencia extraterrestre.

platina *f.* Parte del microscopio en que se coloca el objeto que se quiere observar. 2 Plato giradiscos provisto de un mecanismo de arrastre y de un brazo móvil. 3 Magnetófono de casetes que se conecta a una cadena de sonido.

platino *m.* Metal muy pesado, de color de plata, muy duro, menos dúctil que el oro e inatacable por los ácidos, a excepción del agua regia. Su símbolo es *Pt.* – 2 *m. pl.* Contactos del ruptor, en los motores de automóvil.

platinoide *m.* Aleación de cobre, níquel y cinc.

platinotipia *f.* Procedimiento fotográfico que da imágenes positivas sobre papel sensibilizado con sales de platino. 2 Prueba así obtenida.

platirrino *adj.-m.* Primate del infraorden de los platirrinos. – 2 *m. pl.* Infraorden de primates antropoides del Nuevo Continente, caracterizados por tener los orificios nasales separados por un ancho tabique membranoso; como el tití.

plato *m.* Vasija baja y redonda, con una concavidad en medio y borde generalmente plano alrededor, empleada en las mesas para servir las viandas, comer en ellas y otros usos. 2 Vianda o manjar que se sirve en los platos. 3 Manjar preparado para ser comido. 4 Comida u ordinario que cada día se gasta en comer. 5 Gran piñón de **bicicleta. 6 Giradiscos.

plató *m.* Escenario de un estudio de cine o televisión. ◇ Pl.: *platós.*

platón *m. Amér.* Jofaina, palangana.

platonismo *m.* Escuela y sistema filosófico de Platón (428-347 ó 348 a. C.), según la cual el conocimiento que proviene de la percepción de los sentidos es mudable y no da certeza; sólo los conceptos son inmutables, y su formación en el alma humana es un acto de recuerdo que demuestra la preexistencia y la inmortalidad del alma.

plausible *adj.* Digno de aplauso. 2 Atendible, admisible, recomendable.

playa *f.* Ribera del mar o de un río grande, formada de arenales en superficie casi plana; **costa. 2 *Argent., Parag., Urug.* y *Venez.* Cancha o espacio ancho y despejado destinado a usos determinados en los poblados y en las industrias de mucha superficie. 3 *Argent.* Sitio donde acostumbra a pernoctar el ganado.

play-back *m.* Grabación del sonido antes de impresionar la imagen.

play-boy *m.* Hombre joven de físico agradable que lleva una vida ociosa y de seductor.

playero, -ra *m. f.* Persona que conduce de la playa el pescado para venderlo. – 2 *adj.* [prenda] Usado en la playa. – 3 *f.* Sandalia de material plástico que consta de una suela y dos tirillas unidas, en la parte delantera, entre el dedo gordo y los demás, y sujeta a cada uno de los lados del pie a la altura de los tobillos. – 4 *adj.-s. Amér. Merid.* [toro] Corniabierto y mal armado.

playo, -ya *adj.-s. Argent., Méj., Parag.* y *Urug.* Aplanado en su forma, en oposición a hondo.

plaza *f.* Lugar ancho y espacioso dentro de un poblado. 2 ~ *de abastos,* lugar donde se venden los mantenimientos y se tiene el trato común de los vecinos y comarcanos, y donde se celebran las ferias, los mercados y fiestas públicas. 3 ~ *de toros,* circo donde lidian **toros. 4 Lugar fortificado con muros, reparos, baluartes, etc. 5 Población en que se hacen operaciones considerables de comercio por mayor, y especialmente de giro. 6 Gremio o reunión de negociantes de una plaza de comercio. 7 Espacio, sitio o lugar: *vehículo de cinco plazas.* 8 Oficio, ministerio, puesto o empleo: *una ~ vacante.* 9 Asiento hecho en los libros acerca del que voluntariamente se presenta para servir de soldado.

plazo *m.* Término o tiempo señalado para una cosa. 2 Vencimiento del término. 3 Parte de una cantidad pagadera en dos o más veces.

plazoleta *f.* Espacio a manera de plazuela, que suele haber en jardines y alamedas.

ple *m.* Juego de pelota en que se arroja ésta contra la pared.

pleamar *f.* Fin de la marea creciente del mar. 2 Tiempo que ésta dura.

plebe *f.* Estado llano. 2 Populacho.

plebeyo, -ya *adj.-s.* Propio de la plebe o relativo a ella. 2 [pers.] Que no es noble ni hidalgo. 3 Ordinario, grosero, soez.

plebiscito *m.* Resolución tomada por todo un pueblo por mayoría de votos. 2 Consulta al voto popular directo para que apruebe la política de poderes excepcionales.

plecóptero *adj.-m.* Insecto del orden de los plecópteros. – 2 *m. pl.* Orden de insectos pterigotas con las alas membranosas y más largas que el abdomen; sus larvas son acuáticas.

plecténquima *m.* BIOL. Conjunto de células con aspecto de tejido que realmente no lo es, propio de algunos vegetales.

plectro *m.* Púa o pequeña pieza de marfil, hueso, madera, etc., que sirve para tocar ciertos instrumentos de cuerda.

plegadera *f.* Instrumento a manera de cuchillo, a propósito para plegar o cortar papel.

plegamiento *m.* GEOL. Deformación de los estratos de la corteza terrestre.

plegar *tr.* Hacer pliegues [en una cosa]: ~ *una falda; plegarse la tela.* 2 esp. Doblar [los pliegos] de que se compone un libro que se ha de encuadernar. 3 En el arte de la seda, revolver [la urdimbre] en el plegador. – 4 *prnl.* fig. Doblarse, ceder, someterse. ◊ ** CONJUG. [48] como *regar.*

plegaria *f.* Deprecación o súplica humilde y ferviente para pedir una cosa. 2 Señal que al mediodía se hace en las iglesias con la campana para que todos los fieles hagan oración.

plegonero *m.* Pez marino teleósteo gadiforme semejante a la faneca, pero de mayor tamaño y con el cuerpo menos alto *(Merlangius merlangus).*

pleistoceno, -na *adj.-m.* Período geológico base de la era cuaternaria y terreno a él correspondiente. – 2 *adj.* Perteneciente o relativo a dicho período.

pleita *f.* Faja o tira de esparto entretejido, para hacer esteras, sombreros, etc.

pleitear *tr.* Litigar o contender judicialmente [sobre una cosa]: ~ *con,* o *contra, alguno.* 2 Discutir, disputar.

pleitesía *f.* lit. Homenaje, cortesía que se debe a una persona: *tributar, rendir, hacer ~.*

pleito *m.* Discusión y resolución en juicio de una diferencia entre partes y, en general, proceso o cuerpo de autos sobre cualquier causa. 2 Contienda, diferencia, especialmente disputa o pendencia doméstica o privada.

plementería *f.* Conjunto de materiales que forman la cubierta de una bóveda de crucería, independientemente de los nervios.

plemento *m.* Paño formado por la plementería en una **bóveda de crucería.

plenario, -ria *adj.* Lleno, entero, completo, total. – 2 *m.* Pleno, reunión o junta general de una corporación.

plenilunio *m.* Luna llena.

plenipotencia *f.* Poder pleno que se concede a otro para ejecutar, concluir o resolver una cosa.

plenipotenciario, -ria *adj.-s.* [pers.] Que cuenta con la plenipotencia conferida por un soberano o por la república, para tratar, concluir o ajustar intereses en un congreso o en un estado extranjero.

plenitud *f.* Totalidad, integridad o calidad de pleno. 2 Abundancia o exceso de un humor en el cuerpo.

pleno, -na *adj.* Entero, completo. – 2 *m.* Reunión o junta general de una corporación.

pleocroísmo *m.* Propiedad que tienen ciertos minerales coloreados por transparencia de ofrecer colores distintos según la dirección en que se les observa.

pleon *m.* ZOOL. Abdomen de los crustáceos, formado por varios segmentos.

pleonasmo *m.* GRAM. Figura de construcción que consiste en emplear, enfáticamente, más palabras de las necesarias: *lo he visto con mis propios ojos.*

plepa *f.* Aquello que tiene muchos defectos en lo físico o en lo moral.

plesímetro *m.* Instrumento sobre el cual se golpea para explorar por percusión las cavidades naturales del organismo.

plesiosauro *m.* Género de reptiles marinos gigantescos que vivieron en la era secundaria y de los cuales se han hallado algunos restos fósiles.

pletismógrafo *m.* Aparato para registrar gráficamente las variaciones de volumen de una parte del organismo.

plétora *f.* Sobreabundancia de sangre o de otros humores en todo el organismo o en una parte de él. 2 fig. Abundancia excesiva de alguna cosa.

pleura *f.* Membrana serosa, una a cada lado del pecho, que recubre las paredes de la cavidad torácica y los pulmones: ~ *costal;* ~ *pulmonar.*

pleuresía *f.* Inflamación de la pleura.

pleuritis *f.* Inflamación crónica y seca de la pleura. ◊ Pl.: *pleuritis.*

pleuronectiforme *adj.-m.* Pez del orden de los pleuronectiformes. – 2 *m. pl.* Orden de peces teleósteos bentónicos con el cuerpo plano y asimétrico y los dos ojos en el mismo costado; como el lenguado y el rodaballo.

pleuroto *m.* Seta relativamente grande, cuyo sombrero es de color variable según la edad, y de pie excéntrico y blanco *(Pleurotus ostreatus).*

plexiglás *m.* Substancia plástica, transparente e incolora, formada por metacrilato de metilo.

plexo *m.* Red formada por varios filamentos nerviosos o vasculares entrelazados: ~ *solar,* red nerviosa que rodea la arteria aorta ventral y procede especialmente del gran simpático y del neumogástrico.

pléyade *f.* fig. Grupo de personas señaladas, que florecen por el mismo tiempo: ~ *literaria.*

plica *f.* Sobre cerrado y sellado en que se reserva algún documento que no debe publicarse hasta fecha u ocasión determinada. 2 Enfermedad del cabello en que éste se enreda y aglutina.

pliego *m.* Porción o pieza de papel de forma cuadrangular y doblada por medio, de lo cual toma nombre. 2 p. ext. Hoja de papel que no se expende ni se usa doblada. 3 Conjunto de páginas de un libro o folleto cuando, en el tamaño de fábrica, no forman más que un pliego. 4 *Pliegos cordel,* romances, novelas cortas, vidas de santos y obras populares,

impresas en pliegos sueltos; suelen venderse colgados de unos bramantes puestos en los portales y tiendas. 5 Comunicación importante que se envía, cerrada, de una persona a otra; documento. 6 Conjunto de papeles contenidos en un mismo sobre o cubierta.

pliegue *m.* Doblez que resulta en cualquiera de aquellas partes en que una cosa flexible deja de estar lisa o extendida. 2 Doblez hecho artificialmente por adorno: *los pliegues de una falda.* 3 GEOL. Ondulación del terreno, que consta de dos partes: anticlinal y sinclinal.

plinto *m.* Cuadrado sobre el que se asienta la base de la columna; **órdenes; **románico. 2 Especie de taburete, usado en ejercicios **gimnásticos, cuya superficie está almohadillada.

plioceno, -na *adj.-m.* Período geológico que sigue al mioceno, con que finaliza el neógeno y, por tanto, la era terciaria, y terreno a él correspondiente. – 2 *adj.* Perteneciente o relativo a dicho período.

plisar *tr.* Hacer por adorno cierto número de pliegues [en prendas de vestir, visillos, etc.].

plomada *f.* Estilo o barrita de plomo que usan los artífices para señalar o reglar una cosa. 2 Pesa de metal que, colgada de una cuerda, sirve para señalar la línea vertical. 3 Conjunto de plomos puestos en la red para pescar. 4 Azote de correas en cuyo remate había unas bolas de plomo; **armas.

plomero *m.* El que trabaja o fabrica cosas de plomo. 2 *Amér.* Fontanero.

plomizo, -za *adj.* Que tiene plomo. 2 De color de plomo. 3 Parecido al plomo en alguna de sus cualidades.

plomo *m.* Metal pesado, dúctil, maleable, blando, fusible, de color gris ligeramente azulado, que al aire se empaña con facilidad y que con los ácidos forma sales venenosas. Su símbolo es *Pb.* 2 Nombre de varios compuestos o mezclas naturales o artificiales en que el elemento principal es el plomo: ~ *corto,* el mezclado con arsénico que se usa en la fabricación de perdigones. 3 Bala (proyectil). 4 Plomada (pesa): *a* ~, verticalmente. 5 Fusible. 6 fig. Pieza o pedazo de plomo como los que se ponen en las redes y otras cosas para darles peso. 7 Persona pesada y molesta.

pluma *f.* Excrecencia epidérmica córnea de que está cubierto el cuerpo de las **aves, formada por un cañón inserto en la piel y un astil guarnecido de barbas. 2 Conjunto de plumas: *una almohada de* ~. 3 Pluma que sirve de adorno o adorno hecho de pluma. 4 Pluma de ave que, cortada convenientemente en la extremidad del cañón, servía para escribir. 5 Instrumento análogo, hecho de una pequeña lámina de metal, colocada al extremo de un mango de madera, hueso, etc.: ~ *estilográfica,* la de mango hueco lleno de tinta que fluye a las puntas de ella. 6 Estilo o manera de escribir: *libro escrito con ~ elocuente, mordaz,* etc. 7 Escritor: *escribió el artículo la mejor ~ del país.* 8 Concha del calamar; **moluscos. 9 Mosca, cebo para pescar. 10 Técnica de dibujo que emplea pluma y tinta, produciendo generalmente trazos muy finos; normalmente en negro. 11 Mástil de una grúa. – 12 *adj.-m.* DEP. Peso (categoría) del boxeo, que comprende a los deportistas que pesan hasta 57,152 kgs. (los profesionales) ó 57 kgs. (los aficionados).

plumada *f.* Acción de escribir una cosa corta. 2 Rasgo o letra adornada, hecho sin levantar la pluma del papel.

plumaje *m.* Conjunto de plumas que adornan y visten al ave. 2 Penacho de plumas puesto por adorno en los sombreros, morriones y cascos.

plumazo *m.* Colchón o almohada grande lleno de pluma. 2 Trazo fuerte de pluma, especialmente el que se hace para tachar lo escrito.

plumbagináceo, -a *adj.-f.* Planta de la familia de las plumbagináceas. – 2 *f. pl.* Familia de plantas dicotiledóneas que incluye hierbas y matas de hojas alternas, vellosas a veces, flores actinomorfas, pentámeras y con el cáliz tubular; como la belesa.

plúmbeo, -a *adj.* De plomo. 2 fig. Que pesa como el plomo.

plumear *tr.* PINT. Sombrear [un dibujo] formando líneas con el lápiz o la pluma.

plumero *m.* Mazo de plumas, generalmente atadas a un mango de madera torneado, que sirve para quitar el polvo. 2 Plumaje (penacho). 3 Vaso o caja donde se ponen las plumas.

plumier *m.* GALIC. Estuche de lápices, plumas, etc., que usan los escolares.

plumín *m.* Pequeña lámina de metal que se pone en el extremo de las plumas para escribir.

plumón *m.* Pluma delgada y sedosa que tienen las aves debajo del plumaje exterior. 2 Colchón lleno de esta pluma.

plúmula *f.* Parte del embrión de una planta, contenido en la semilla, que corresponde al rudimento del tallo.

plural *adj.* Variado. – 2 *adj.-s.* Número plural.

pluralidad *f.* Multitud, número grande de algunas cosas. 2 Calidad de ser más de uno.

pluralismo *m.* Multiplicidad. 2 Sistema por el cual se acepta o reconoce la pluralidad de doctrinas o métodos en materia política, económica, etc.

pluralizar *tr.* GRAM. Dar número plural [a palabras que ordinariamente no lo tienen]. 2 Atribuir a dos o más sujetos [una cosa que es peculiar de uno]. ◊ ** CONJUG. [4] como *realizar.*

pluricelular *adj.* Formado por más de una célula.

pluridisciplinar *adj.* Que concierne o engloba a varias disciplinas.

pluriempleo *m.* Ejercicio o desempeño de varios empleos u ocupaciones por una persona.

plurilingüe *adj.* [pers.] Que habla varias lenguas. 2 [libro] Escrito en diversos idiomas.

plurilocular *adj.* Dividido en varios compartimientos o lóculos.

pluripartidismo *m.* Coexistencia de varios partidos.

plurivalente *adj.* Que tiene varios valores.

plurívoco, -ca *adj.* LING. [morfema] Que presenta, según los contextos, varios sentidos.

plus *m.* Gratificación, remuneración adicional o sobresueldo. 2 Forma prefija usada en varios compuestos: *plusvalía.* ◊ Pl.: *pluses.*

pluscuamperfecto *adj.-s.* GRAM. Pretérito cuya acción es anterior a otra también pretérita. En español se llama así a las formas *había cantado* y *hubiera* o *hubiese cantado.* V. ** VERBO (uso de los tiempos).

plusmarca *f.* En los deportes, marca.

plusmarquista *com.* Persona que obtiene una marca deportiva.

plusvalía *f.* Aumento de valor que por circunstancias ajenas recibe una cosa, independientemente de cualquier mejora hecha en ella. 2 Impuesto que grava este aumento de valor. 3 En la doctrina marxista, diferencia entre el salario del trabajador y el valor de los bienes producidos.

plúteo *m.* Cajón o tabla de un estante o armario de libros.

plutocracia *f.* Gobierno del estado en que el poder está en manos de los ricos. 2 Clase más rica de un país, que goza de poder o influencia a causa de su riqueza.

Plutón *m.* Planeta menor que la Tierra y distante del **Sol cuarenta y nueve veces más que ella.

plutonio *m.* QUÍM. Elemento radiactivo que no se encuentra en la naturaleza y se obtiene por reacción nuclear entre el isótopo 238 del uranio y los neutrones. Se emplea como combustible nuclear. Su símbolo es *Pu.*

pluviometría *f.* Ramo de la climatología que trata de la distribución geográfica de las lluvias y su medición en función del tiempo.

pluviosidad *f.* Cantidad de lluvia que recibe un sitio en un período determinado de tiempo.

población *f.* Acción de poblar. 2 Efecto de poblar. 3 Número de habitantes de un pueblo, provincia, nación, etc.: *~ flotante,* la que no está avecindada en una ciudad determinada. 4 Conjunto de edificios y espacios de una ciudad. 5 Conjunto limitado de individuos o elementos de la misma especie sometidos a un estudio estadístico.

poblada *f. Amér.* Muchedumbre, gentío.

poblado *m.* Población.

poblador, -ra *adj.-s.* Que puebla. 2 Fundador de una colonia.

poblar *tr.* Fundar uno o más pueblos y, más propiamente, ocupar con gente un sitio para que habite en él; p. ext., se dice de animales y cosas: *~ una sierra de árboles.* – 2 *intr.* Procrear mucho: *estas razas pueblan rápidamente.* – 3 *prnl.* Recibir en gran cantidad; esp., llenarse los árboles de hojas y ramas: *poblarse de gente; los cauces se han poblado.* ◇ ** CONJUG. [31] como *contar.*

pobre *adj.-s.* Que no tiene, o que tiene con mucha escasez, lo necesario para vivir. – 2 *adj.* [pers.] Que reúne las circunstancias exigidas por la ley para concederle los beneficios de la defensa gratuita en el enjuiciamiento civil o criminal. 3 Escaso, que carece de algo para su entero complemento: *un alimento ~ en vitaminas.* 4 fig. Humilde, de poco valor o entidad. 5 fig. Infeliz, desdichado y triste. 6 fig. Pacífico, quieto; corto de ánimo y espíritu. – 7 *m.* Mendigo.

pobretear *intr.* Comportarse como pobre.

pobreza *f.* Calidad de pobre (escaso). 2 Escaso haber de la gente pobre. 3 Dejación voluntaria de todo lo que se posee, de la cual hacen voto solemne los religiosos el día de su profesión. 4 fig. Falta de magnanimidad, de gallardía, de nobleza de ánimo.

pocero *m.* El que tiene por oficio fabricar pozos o trabajar en ellos. 2 El que tiene por oficio limpiar los pozos o depósitos de las inmundicias.

pocilga *f.* Establo para ganado de cerda. 2 fig. Lugar sucio y hediondo.

pocillo *m.* Tinaja o vasija empotrada en la tierra para recoger un líquido; como el aceite y vino en los molinos y lagares.

pócima *f.* Cocimiento medicinal de materias vegetales. 2 fig. Bebida medicinal.

poción *f.* Bebida, especialmente la medicinal preparada según prescripción médica.

poco, -ca *adj.-pron. indef.* Denota, como indefinido cuantitativo, escaso, limitado, corto en cantidad: *hay poca gente; tengo pocos libros; pocos de los presentes lo sabían; tengo manzanas, pero pocas.* 2 Precedido del artículo indefinido *un,* hace el oficio de partitivo y significa cantidad corta o escasa: *un ~ de agua; tengo unas pocas manzanas; he tomado un ~, una poca, unas pocas.* – 3 *adv. c.* Con escasez, en corto grado: *escribe ~.* 4 Con verbos que expresan idea de tiempo, y similares, denota corta duración o espacio de tiempo transcurrido: *tardó ~ en llegar; hace ~ hablé con él.* 5 Antepónese a otros adverbios denotando idea de comparación: *~ antes; ~ menos.*

pochismo *m. Amér.* Modo peculiar de ser de los mejicanos de California, en Estados Unidos, que hablan inglés sin olvidar el castellano. 2 *Amér.* Giro bárbaro español hablado por los californianos de origen mejicano, debido a la fuerza atractiva del idioma dominante.

pocho, -cha *adj.* Descolorido, quebrado de color. 2 fig. *y* fam. Débil, triste, sin ilusión. – 3 *f. Ál., Ar., Nav. y Logr.* Judía blanca temprana.

pocholo, -la *adj.* Hermoso, guapo.

podadera *f.* Herramienta de corte curvo, para podar. 2 Al. *jardinería.

podar *tr.* Cortar o quitar las ramas superfluas [de los árboles, vides y otras plantas] para que fructifiquen con más vigor.

podas *m.* Pez teleósteo marino, de cuerpo muy comprimido, y con los ojos situados sobre el mismo costado *(Bothus podas).*

I) poder *m.* Dominio, imperio, facultad y jurisdicción que uno tiene para mandar o ejecutar una cosa: *~ ejecutivo,* en los gobiernos representativos, el que tiene a su cargo gobernar el estado y hacer observar las leyes; *~ legislativo,* aquel en que reside la potestad de hacer y reformar las leyes; *~ judicial,* la administración de justicia. 2 Fuerzas de un estado, especialmente las militares. 3 Facultad que uno da a otro para que en su lugar y representándole pueda ejecutar una cosa, y acto o instrumento en que consta dicha facultad: *tengo poderes por escrito; revestido de plenos poderes.* 4 Posesión actual de una cosa: *obra en mi ~ su escrito.* 5 Fuerza, vigor, capacidad, poderío. 6 Suprema potestad rectora y coactiva del estado.

II) poder *tr.* Tener expedita la facultad o potencia de hacer [una cosa]: *~ saber la verdad; intr., no puedo con la carga.* 2 Tener facilidad, tiempo, lugar, autorización, de hacer [una cosa]: *no puedo salir; ¿se puede pasar?; podré ir a las siete.* – 3 *unipers.* Ser contingente o posible que suceda una cosa: *puede que llueva mañana.* ◇ ** CONJUG. [77].

poderío *m.* Facultad de hacer o impedir una cosa. 2 Vigor, facultad o fuerza grande. 3 Poder, dominio, imperio. 4 Hacienda, bienes y riquezas. 5 TAUROM. Fuerza del toro.

poderoso, -sa *adj.-s.* Que tiene poder: *~ a,* o *para, triunfar.* 2 Muy rico; colmado de bienes de fortuna: *~ en hacienda.* – 3 *adj.* Grande, excelente en su línea. 4 Activo, eficaz: *un ~ reconstituyente.*

podicipitiforme *adj.-m.* Ave del orden de los podicipitiformes. – 2 *m. pl.* Orden de aves acuáticas con la cola rudimentaria y las alas cortas aunque vuelan con facilidad; como el somormujo y el zampullín.

podio *m.* Pedestal largo en que estriban varias columnas. 2 Pedestal al que sube el triunfador en las pruebas deportivas. 3 Tarima o pequeña plataforma: *~ de director de orquesta; ~ de piscina.*

podocarpáceo, -a *adj.-f.* Planta de la familia de las podocarpáceas. – 2 *f. pl.* Familia de plantas dentro del orden de las coníferas que incluye árboles o arbustos, con hojas escuamiformes o aciculares, propios de los bosques tropicales y subtropicales del hemisferio austral.

podofolio *m.* Hierba perenne de unos 30 cms. de altura, flores blancas y fruto en baya, de cuyos rizomas se extrae una substancia de propiedades medicinales *(Podophyllum peltatum)*.

podología *f.* Ciencia y técnica de las dolencias y deformaciones de los pies.

podómetro *m.* Aparato en forma de reloj de bolsillo para contar el número de pasos que da la persona que lo lleva.

podredumbre *f.* Calidad dañosa que pudre las cosas. 2 Pus. 3 fig. Sentimiento interior y no comunicado.

podzol *m.* Suelo ceniciento, propio de países fríos y húmedos.

poema *m.* Obra en verso, generalmente de alguna extensión: *un ~ épico, lírico.* 2 Obra en prosa, pero análoga a un poema por su fondo o estilo: *los poemas en prosa de Juan Ramón Jiménez.*

poemario *m.* Conjunto o colección de poemas.

poesía *f.* Expresión artística de la belleza por medio de la palabra, sujeta a la medida y cadencia de que resulta el verso. 2 Género o subgénero de obras en verso: ~ *anacreóntica, bucólica, ditirámbica, dramática, eclógica, elegíaca, épica, epigramática, epitalámica, erótica, genetlíaca, heroica, idílica, lírica, satírica.* 3 Arte de componer versos y obras en verso. 4 Obra en verso, y especialmente la que pertenece al género lírico. 5 Producción de un poeta o poetas, o conjunto de obras en verso de una lengua: *la ~ de Villamediana; la ~ griega.* 6 Conjunto de cualidades que deben caracterizar el fondo de este género de producción, independientemente de la forma externa. 7 Encanto indefinible que en personas, obras de arte, etc., halaga y suspende el ánimo: *la ~ de la vida, de una pintura.*

poeta *com.* Persona que hace poesías. 2 Persona que está dotado de las facultades necesarias para componerlas.

poética *f.* Poesía (arte). 2 Ciencia que se ocupa del lenguaje poético y, en general, literario. 3 Obra o tratado sobre los principios y reglas de la poesía, en cuanto a su forma y esencia.

poético, -ca *adj.* Perteneciente o relativo a la poesía. 2 Propio o característico de la poesía; apto para ella.

poetisa *f.* Poeta.

poetizar *intr.* Componer versos u obras poéticas. – 2 *tr.* Embellecer [alguna cosa], con el encanto de la poesía; darle carácter poético. ◇ ** CONJUG. [4] como *realizar.*

pogoníasis *f.* Exceso de pelo en la barba. 2 Crecimiento de pelo en la barba de la mujer. ◇ Pl.: *pogoníasis.*

pogonóforo *adj.-m.* Gusano del tipo de los pogonóforos. – 2 *m. pl.* Tipo de gusanos celomados marinos de aguas profundas y cuyas dimensiones oscilan entre 10 y 100 cms. de largo por sólo 1 mm. de ancho; viven en el interior de tubos quitinosos que fijan al substrato.

poíno *m.* Codal que sirve de encaje y sustenta las cubas en las bodegas.

poiquilotermo, -ma *adj.-s.* Animal que no puede regular la temperatura de su medio interno por lo que ésta es variable y semejante a la del medio en que vive.

poiseville *m.* Unidad de viscosidad dinámica.

polacada *f.* Desafuero o favoritismo abusivo cometido por la autoridad.

polaco, -ca *adj.-s.* De Polonia, nación de Europa central. – 2 *m.* Lengua de los polacos, una de las eslavas.

polacra *f.* Buque de cruz, de dos o tres palos enterizos y sin cofas.

polaina *f.* Especie de media calza de paño o cuero, que cubre la pierna hasta la rodilla y a veces la abotona o abrocha por la parte de afuera; **calzado.

polar *adj.* Relativo a los polos, o situado en ellos.

polaridad *f.* Propiedad que tienen algunos agentes físicos de acumular sus efectos en puntos opuestos de ciertos cuerpos. 2 Condición de un cuerpo por la cual muestra propiedades opuestas en partes o direcciones opuestas.

polarizar *tr.* FÍS. Acumular los efectos de un agente físico en puntos o direcciones opuestas de un cuerpo. 2 FÍS. Modificar [los rayos luminosos] por medio de refracción o reflexión, de tal manera que queden incapaces de refractarse o reflejarse en ciertas direcciones. 3 fig. Atraer, concentrar. – 4 *prnl.* fig. Concentrar la atención o el ánimo en una cosa. ◇ ** CONJUG. [4] como *realizar.*

polaroid *m.* Materia plástica transparente que polariza la luz. – 2 *f.* Cámara fotográfica de revelado instantáneo; **fotografía.

polavisión *f.* Técnica de revelado instantáneo de películas en color.

polca *f.* Baile de origen polaco en compás de dos por cuatro, ejecutado por parejas, de movimiento moderado. 2 Música de este baile.

pólder *m.* En los Países Bajos, terreno pantanoso ganado al mar y que una vez desecado se dedica al cultivo.

polea *f.* Rueda móvil alrededor de un eje,

con una canal o garganta en su circunferencia, por donde pasa una cuerda o cadena a cuyos extremos se aplican respectivamente una potencia y una resistencia; sirve para levantar y mover pesos: ~ *fija,* la que no muda de sitio, y también la que, estando fija sobre un eje, gira con él; ~ *móvil,* la que cambia de sitio, bajando o subiendo; ~ *simple,* la que funciona sola e independiente; **campana.

poleadas *f. pl.* Gachas o puches. – 2 *f. Argent.* Sopa muy clara.

polémica *f.* Arte que enseña los ardides con que se debe ofender o defender cualquier plaza: ~ *ofensiva;* ~ *defensiva.* 2 Teología dogmática. 3 Controversia por escrito sobre materias teológicas, políticas, literarias, etc. 4 fam. Disputa, querella.

polémico, -ca *adj.* Relativo a la polémica: *zona polémica.*

polemizar *intr.* Sostener o entablar una polémica. ◇ ** CONJUG. [4] como *realizar.*

polemoniáceo, -a *adj.-f.* Planta de la familia de las polemoniáceas. – 2 *f. pl.* Familia de plantas dicotiledóneas que incluye hierbas o arbustos de hojas enteras o profundamente partidas, flores generalmente en corimbo, corola de cinco pétalos soldados por la base, y fruto capsular; como el polemonio.

polemonio *m.* Planta herbácea polemoniácea de jardín, de tallos rojizos, asurcados y ramosos, hojas sentadas, partidas en gajos estrechos, y flores olorosas, azules, moradas o blancas (gén. *Polemonium).*

polen *m.* Polvillo fecundante contenido en la antera de los estambres de las **flores.

polenta *f.* Gachas de harina de maíz.

poleo *m.* Planta herbácea labiada, de tallos ramosos, algo velludos, hojas pequeñas descoloridas, y flores azuladas o moradas en verticilos; toda la planta tiene olor agradable y se usa en infusión como estomacal *(Mentha pulegium).* 2 fam. Jactancia y vanidad en el andar o hablar. 3 fam. Viento frío y recio.

poliadelfo, -fa *adj.* BOT. [**flor, androceo] Que tiene los estambres soldados por los filamentos en varios hacecillos.

poliandria *f.* Régimen familiar en que se permite a la mujer la unión conyugal con varios hombres. 2 Estado o calidad de la mujer que practica dicho régimen familiar.

poliaquenio *m.* Fruto constituido por numerosos aquenios.

poliarquía *f.* Gobierno de muchos.

policárpico, -ca *adj.* [planta] Que florece varias veces.

policía *f.* Organización y reglamentación interna de un estado, y especialmente leyes u ordenanzas establecidas para el mantenimiento del orden y de la seguridad públicas. 2 Cuerpo encargado de vigilar el cumplimiento de estas leyes a las órdenes de las autoridades políticas: ~ *judicial,* la que actúa a las órdenes de juzgados y tribunales para la averiguación de los delitos y persecución de los delincuentes; ~ *militar,* unidad que desempeña misiones de seguridad y mantenimiento de disciplina; ~ *urbana* o *municipal,* la que cuida de la vía pública en general y está encomendada a los ayuntamientos. 3 Cortesía y urbanidad en el trato y costumbres. – 4 *com.* Agente de policía.

policíaco, -ca, -ciaco, -ca *adj.* Perteneciente o relativo a la policía. 2 [obra literaria o cinematográfica] Que narra delitos o crímenes y el procedimiento seguido por policías o detectives para su esclarecimiento: *género* ~; *novela policíaca.*

policitación *f.* Promesa que no ha sido aceptada todavía.

policlínica *f.* Consultorio de varias especialidades médicas.

policotiledóneo, -a *adj.* Que tiene más de dos cotiledones.

policromar *tr.* Pintar de varios colores, especialmente estatuas y relieves: *imágenes policromadas.*

polideportivo, -va *adj.* Que practica diversos deportes. – 2 *adj.-m.* Lugar, instalaciones, etc., destinado al ejercicio de varios deportes.

polidipsia *f.* Necesidad de beber con frecuencia y abundantemente.

poliedro *m.* Sólido de más de tres caras.

poliéster *m.* Cuerpo que forma parte de ciertas materias plásticas y de las fibras sintéticas.

polietileno *m.* QUÍM. Polímero termoplástico del etileno sólido y traslúcido.

polifacético, -ca *adj.* Que tiene varias facetas. 2 p. ext. [pers.] De variada condición o de múltiples aptitudes.

polifagia *f.* Ingestión considerable de alimentos, debida a sensación imperiosa de hambre.

polifásico, -ca *adj.* De varias fases.

polifonía *f.* MÚS. Conjunto de varias partes melódicas en que cada una expresa su idea musical y forma con las demás un todo armónico.

polígala *f.* Hierba poligalácea, de tallos delgados, hojas ovaladas, flores azules, violáceas o róseas, en espiga; fruto capsular aplastado y raíz amarga y aromática que se usa contra el reumatismo *(Polygala amara).*

poligaláceo, -a *adj.-f.* Planta de la familia de las poligaláceas. – 2 *f. pl.* Familia de plantas dicotiledóneas que incluye hierbas o arbustos de hojas sencillas, flores cigomorfas y fruto en cápsula o drupa; como la polígala.

poligamia *f.* Régimen familiar en que se permite al varón unirse a varias esposas legítimas. 2 Estado o calidad de polígamo.

polígamo, -ma *adj.-s.* Hombre que tiene a un tiempo varias mujeres en calidad de esposas. **2** p. ext. El que sucesivamente las tuvo. **3** Planta que tiene flores hermafroditas y unisexuales en un mismo pie. **4** Animal que se junta con varias hembras de su especie.

poligenismo *m.* Doctrina que admite variedad de orígenes en la especie humana.

poliginia *f.* Condición de la flor que tiene muchos pistilos.

políglota *com.* Polígloto.

poliglotía *f.* Conocimiento práctico de varios idiomas.

polígloto, -ta, poligloto, -ta *adj.-s.* [pers.] Versado en varias lenguas. – **2** *adj.* Escrito en varias lenguas.

poligonáceo, -a *adj.-f.* Planta de la familia de las poligonáceas. – **2** *f. pl.* Familia de plantas dicotiledóneas que incluye hierbas o arbustos de tallos y ramos nudosos, hojas sencillas y alternas, flores hermafroditas o unisexuales y frutos en nuececilla o cariópside; como el ruibarbo.

poligonales *f. pl.* Orden de plantas dicotiledóneas de flores actinomorfas y fruto en núcula; incluye sólo la familia de las poligonáceas.

polígono *m.* Porción de plano limitado por varias rectas, especialmente por más de cuatro. **2 Unidad constituida por una superficie de terreno, delimitada, para fines de valoración catastral, ordenación urbana, planificación industrial, comercial, residencial, etc.

poligrafía *f.* Arte de escribir por diferentes modos secretos, de suerte que lo escrito no sea inteligible sino para quien pueda descifrarlo. **2** Arte de descifrar los escritos de esta clase.

polilla *f.* Mariposa nocturna, cenicienta, con alas horizontales y estrechas, cabeza amarillenta y antenas casi verticales; su larva destruye los tejidos, papel, pieles, etc. *(Trichophaga trapetzella).* **2** Larva de este insecto. **3** fig. Lo que menoscaba o destruye insensiblemente una cosa.

polillera *f.* Planta escrofulariácea anual, de hojas dentadas y arrugadas, flores amarillas o blancas, aisladas en las axilas de cada bráctea, y fruto capsular *(Vervascum blattaria).*

polimatía *f.* Multiplicidad de conocimientos.

polimerizar *tr.-prnl.* Convertir [una substancia] en otra de la misma composición, pero de un peso molecular doble, triple, etc. ◇ ** CONJUG. [4] como *realizar.*

polímero *m.* Substancia obtenida de otra al polimerizarla.

polimétrico, -ca *adj.* [poema] Escrito con variedad de metros.

polimorfismo *m.* QUÍM. Propiedad de los cuerpos que pueden cambiar de forma sin cambiar su naturaleza. **2** LING. Coexistencia en una misma época o lugar de formas pertenecientes a sistemas distintos. **3** ZOOL. Presencia de distintas formas individuales en una sola especie.

polimorfo, -fa *adj.* Que puede tener varias formas.

polín *m.* Trozo de madera prismática que sirve para levantar del suelo diversos objetos.

polinesio, -sia *adj.-s.* De las islas de Polinesia, en Oceanía. – **2** *m.* Lengua hablada en la Polinesia.

polinia *f.* Masa de granos de polen unidos por una substancia pegajosa, y transportada como un todo en la polinización.

POLÍGONOS

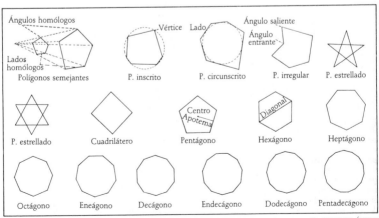

V. CUADRILÁTERO

polinización f. Transporte del polen desde el saco polínico de la antera hasta el estigma del pistilo.

polinomio m. Expresión algebraica que consta de varios términos.

poliomielitis f. Enfermedad contagiosa originada por un virus que se fija en los centros nerviosos y produce atrofia de los músculos y parálisis. ◇ Pl.: *poliomielitis*.

polípero m. Formación concrecionada calcárea, muchas veces arborescente, fija a las rocas, producida por colonias de pólipos que viven en ella.

polipétalo, -la adj. [flor o corola] Que tiene varios pétalos.

poliplacóforo adj.-m. Molusco de la clase de los poliplacóforos. – 2 m. pl. Clase de moluscos marinos de cuerpo elíptico cubierto por ocho placas imbricadas y móviles.

poliploide m. BIOL. Célula u organismo cuyas células presentan cada cromosoma diferente repetido más de dos veces.

pólipo m. Animal celentéreo, de cuerpo más o menos cilíndrico, hueco, cerrado por un extremo, por el cual está fijo a las rocas o al fondo del mar, y abierto por el otro en una boca rodeada de tentáculos. 2 MED. Tumor pediculado producido por la hipertrofia de la membrana mucosa en las fosas nasales, útero, etc.

polipodiáceo, -a adj.-f. Planta de la familia de las polipodiáceas. – 2 f. pl. Familia de plantas que incluye helechos de rizoma cubierto de escamas, frondas ornamentales, arrolladas en espiral cuando jóvenes, soros protegidos por un indusio; como el helecho común.

polipodio m. Helecho de rizoma reptante, cubierto de escamas pardas y frondes de 40 cms. de longitud, que se encuentra entre las rocas (*Polypodium vulgare*).

políptico m. Cuadro compuesto de varios tableros pintados.

poliqueto adj.-m. Gusano de la clase de los poliquetos. – 2 m. pl. Clase de gusanos anélidos con el cuerpo cubierto de quetas, sexos diferenciados y fecundación externa; la mayoría de las especies son marinas y viven en el interior de tubos calcáreos o córneos.

polisacáridos m. pl. Hidratos de carbono formados mediante la unión de varias moléculas de azúcar.

polisemia f. Pluralidad de significados en una palabra.

polisépalo, -la adj. [flor o cáliz] Que tiene varios sépalos.

polisílabo, -ba adj.-s. Palabra que consta de más de una sílaba.

polisíndeton m. GRAM. y RET. Figura que consiste en emplear repetidamente las conjunciones para dar fuerza o energía a la expresión de los conceptos.

polisintético, -ca adj. [idioma] Que une diversas partes de la frase formando palabras de muchas sílabas.

polisón m. Armazón que, atada a la cintura, se ponían las mujeres para que abultasen las faldas por detrás.

polispermo, -ma adj. [fruto] Que contiene varias semillas.

polistilo, -la adj. Que tiene muchas columnas. 2 BOT. Que tiene muchos estilos.

politécnico, -ca adj. Que abraza muchas ciencias o artes.

politeísmo m. Religión o doctrina teológica que afirma la existencia de muchos dioses.

política f. Ciencia y arte de gobernar, que trata de la organización y administración de un estado en sus asuntos interiores y exteriores. 2 p. ext. Manera de conducir un asunto para alcanzar un fin determinado. 3 Actividad de los que rigen o aspiran a regir los asuntos públicos. 4 Actividad del ciudadano cuando interviene en los asuntos públicos con su opinión, su voto o de otro modo. 5 Cortesía y buen modo de portarse.

político, -ca adj.-s. Versado en la política y que se ocupa en ella: *los políticos de la oposición*. – 2 adj. Relativo a la política: *un partido* ~. 3 Cortés, urbano. 4 Aplicado a un nombre significativo de parentesco por consanguinidad, denota el correspondiente parentesco por afinidad: *padre* ~, suegro; *hermana* ~, cuñada, etc.

politiquear intr. desp. Inmiscuirse en cosas de política, o introducir fuera de sazón en la plática asuntos o noticias políticas. – 2 tr. Bastardear [los fines] de la actuación política. – 3 intr. Amér. Hacer política de intrigas y bajezas.

politizar tr.-prnl. Dar una formación política [a alguien]. 2 Comprometer [a alguien] en la vida política. 3 Conferir un carácter político [a algo]. ◇ ** CONJUG. [4] como *realizar*.

politólogo, -ga adj.-s. Comentarista político. 2 Especialista en ciencia política.

politraumatismo m. Conjunto de varias lesiones graves causadas de manera simultánea.

poliuretano m. Materia plástica utilizada sobre todo en la preparación de barnices, adhesivos y aislantes térmicos.

polivalente adj. Que tiene varios valores. 2 Que tiene múltiples funciones. 3 Que puede ser utilizado con distintos fines: *una herramienta* ~. 4 [pers.] Capaz de desempeñar distintos cometidos o funciones.

polivalvo, -va adj. [testáceo] Que tiene más de dos conchas.

póliza f. Libranza en que se da orden para cobrar dinero. 2 Guía que acredita ser legítimos, y no de contrabando, los géneros que se llevan. 3 Documento justificativo del contrato en seguros, fletamentos, etc. 4 Sello suelto con que se satisface el impuesto del timbre en determinados documentos.

polizón *m.* Sujeto ocioso que anda de corrillo en corrillo. – 2 *com.* Persona que se embarca clandestinamente.

polje *m.* Vasta depresión de forma ovalada, debida a la presencia de una fosa tectónica, que se encuentra en las regiones de relieve calcáreo.

I) polo *m.* Extremidad del eje de rotación de una esfera o cuerpo redondeado dotado de este movimiento en realidad o imaginariamente, y especialmente, cualquiera de las dos intersecciones, sensiblemente fijas, del eje de rotación de la Tierra con la superficie de la misma, y cada uno de los dos extremos del eje imaginario alrededor del cual parece girar la bóveda celeste; **astronomía; **tierra. 2 En un círculo máximo de la esfera celeste, punto en el cual el diámetro perpendicular al plano del círculo considerado corta a la esfera celeste. 3 Punto opuesto a otro en un cuerpo, en los cuales se acumula en mayor cantidad la energía de un agente físico; como el magnetismo en los extremos de un imán, o la electricidad en los de una pila. 4 ~ *magnético,* punto situado en la región polar, adonde se dirige la aguja imantada. 5 fig. Aquello en que estriba una cosa y sirve como de fundamento a otra. 6 fig. Centro de actividad o interés: *el ~ de la atención; un ~ de desarrollo.*

II) polo *m.* Juego entre dos equipos formados por cuatro jinetes cada uno, que consiste en tratar de introducir la bola, valiéndose de mazas con astiles largos, en la portería contraria.

III) polo *m.* Helado en forma de prisma, tronco de pirámide cuadrangular o cualquier otra, que se chupa cogiéndolo de un palillo hincado en su base. 2 Camisa deportiva de punto.

polodia *f.* Representación gráfica de las posiciones del polo con respecto a la Tierra.

polonesa *f.* Prenda de vestir femenina, a modo de gabán corto guarnecido con pieles. 2 Baile, de origen eslavo, de movimiento moderado y ritmo muy acentuado. 3 Música y canto de este baile. 4 Tejido con urdimbre de seda y trama de algodón, usado para forros de vestidos.

polonio *m.* Elemento radiactivo que se halla en ciertos residuos de tierras raras, asociado a sales de bismuto.

poltrón, -trona *adj.* Perezoso, haragán. – 2 *f.* Butaca ancha y cómoda. 3 desp. Cargo importante.

polución *f.* Efusión del semen. 2 Acto carnal deshonesto. 3 Impurificación, contaminación del agua, aire, etc. 4 En sentido moral, corrupción, profanación.

polucionar *tr.-intr.* Contaminar.

poluto, -ta *adj.* Sucio, inmundo.

polvareda *f.* Cantidad de polvo que se levanta de la tierra. 2 Efecto causado entre las gentes por dichos o hechos que las alteran o apasionan.

polvera *f.* Vaso de tocador, que sirve para contener los polvos y la borla con que suelen aplicarse. 2 Cajita portátil que usan las mujeres para el mismo fin. 3 Marco que encuadra el retablo, guardapolvo.

polvero *m. Amér.* Polvareda. 2 *Amér. Central.* Entre campesinos, pañuelo, moquero.

polvo *m.* Masa de partículas de tierra seca y de otros sólidos que se levanta en el aire y se posa sobre los objetos. 2 Substancia sólida reducida artificialmente a partículas muy menudas. 3 Porción de una cosa pulverizada, que se puede tomar de una vez con las yemas de los dedos pulgar e índice: *tomar un ~ de rapé.* 4 vulg. Cópula sexual. – 5 *m. pl.* Los del almidón, harina, talco, etc., usados como afeite.

pólvora *f.* Mezcla, por lo común en forma de granos, que a cierto grado de calor se inflaman bruscamente desprendiendo gran cantidad de gases; en un principio estaba formada por salitre, azufre y carbón, pero actualmente las hay de composición muy diversa: ~ *de algodón,* la obtenida tratando la borra de esta planta con una mezcla de partes iguales de los ácidos nítrico y sulfúrico. 2 Conjunto de fuegos artificiales que se disparan en una fiesta. 3 fig. Mal genio de uno que con ligero motivo u ocasión se irrita o enfada. 4 fig. Viveza, actividad y vehemencia.

polvorear *tr.* Esparcir polvo o polvos [sobre una cosa].

polvorera *f.* Nube de polvo.

polvoriento, -ta *adj.* Lleno o cubierto de polvo.

polvorilla *com.* Persona irascible.

polvorín *m.* Pólvora muy menuda y otros explosivos para cebar las armas de fuego. 2 Lugar o edificio convenientemente dispuesto para guardar la pólvora, municiones, etc.

polvorón *m.* Torta de harina, manteca y azúcar, que se deshace en polvo al comerla.

polla *f.* Gallina nueva, medianamente crecida, que no pone huevos o que hace poco tiempo que ha empezado a ponerlos. 2 ~ *de agua,* ave gruiforme de los parajes pantanosos, de plumaje rojizo y azulado, que se alimenta de animales acuáticos (*Gallinula chloropus*).

pollastre, pollastro, -tra *m. f.* Pollo o polla algo crecidos. – 2 *m.* fig. Hombre muy astuto.

pollear *intr.* Empezar un muchacho o muchacha a hacer cosas propias de los jóvenes.

pollería *f.* Lugar donde se venden aves comestibles.

pollero, -ra *m. f.* Persona que tiene por oficio criar o vender pollos. 2 Lugar en que se crían los pollos. – 3 *f.* Especie de cesto de mimbres o red, angosto de arriba y ancho de abajo, para criar y guardar los pollos. 4 Artificio de mimbres en forma de campana, en que los niños aprenden a andar sin caerse. 5 *Amér.* Falda externa del vestido femenino.

pollino, -na *m. f.* Asno joven y cerril. 2 p. ext. Borrico. – 3 *adj.-s.* fig. Persona necia o muy ignorante.

pollo *m.* Cría que sacan las aves, y especialmente las gallinas, de cada huevo. 2 Cría de las abejas. 3 Ave que no ha mudado aún la pluma. 4 fig. Persona joven.

poma *f.* Manzana (fruto). 2 Casta de manzana pequeña y chata de color verdoso y de buen gusto. 3 Perfumador (vaso).

pomada *f.* Mixtura hecha con grasa y otros ingredientes, que se emplea como afeite o medicamento.

pomelo *m.* Árbol rutáceo, relativamente grande, de follaje denso, copa redondeada y fruto globoso amarillo pálido *(Citrus paradisi)*. 2 Fruto de este árbol.

pomo *m.* **Fruto polispermo de mesocarpio carnoso, y endocarpio cartilaginoso que forma una cápsula o corazón de varias cámaras donde se alojan las semillas; como la pera y la manzana. 2 Frasco o vaso pequeño de vidrio o metal, para contener y conservar los licores y confecciones olorosas. 3 Extremo de la guarnición de la espada que está encima del puño; **armas. 4 Tirador redondo de metal, madera, etc., que se coloca en puertas y muebles.

pomología *f.* Parte de la agricultura que trata de los frutos comestibles.

pompa *f.* Acompañamiento suntuoso y de gran aparato, que se hace en una ceremonia. 2 Fausto, vanidad y grandeza. 3 Procesión solemne. 4 Burbuja que forma el agua por el aire que se le introduce. 5 Hueco que se forma con la ropa cuando toma aire.

pompón *m.* Bola de lana, o de otro género, con que se adornan extremos de cordones, gorros de niño, de deportistas, etc.

pomposo, -sa *adj.* Ostentoso, magnífico, grave y autorizado. 2 fig. [lenguaje, estilo] Exornado ostentosamente. 3 Hueco, hinchado y extendido circularmente.

pómulo *m.* Hueso de la mejilla. 2 Parte del rostro correspondiente al pómulo; **cabeza.

ponche *m.* Bebida hecha mezclando ron u otro licor espiritoso con agua, limón y azúcar.

poncho *m.* Capote de monte. 2 Capote militar con mangas y esclavina. 3 *Amér.* Especie de capote para montar a caballo.

ponderable *adj.* Que se puede pesar. 2 Digno de ponderación.

ponderación *f.* Atención, reflexión y cuidado con que se dice o hace una cosa. 2 Exageración o encarecimiento de una cosa. 3 Acción de pesar una cosa. 4 Compensación o equilibrio entre dos pesos.

ponderado, -da *adj.* [pers.] Que procede con tacto y prudencia.

ponderar *tr.* Considerar, examinar detenidamente [una cosa]. 2 Contrapesar, equilibrar. 3 Exagerar, encarecer.

ponencia *f.* Cargo de ponente. 2 Informe o dictamen dado por el ponente.

ponente *adj.-com.* Individuo de una asamblea o de un cuerpo colegiado a quien toca hacer relación de un asunto y proponer la resolución. 2 Autor de una ponencia.

poner *tr.* Colocar en un sitio o lugar [a una persona o cosa]: ~ *una joya en el estuche;* ~ *una coma;* **prnl.,** *ponerse de rodillas.* 2 Representar [un espectáculo]; proyectar [una película]: *¿qué ponen hoy en el teatro?* 3 Apostar I: ~ *cien pesetas a que no llega hoy.* 4 Pagar a escote II: ~ *cien pesetas a la subscripción.* 5 Disponer o prevenir [una cosa] con lo que ha menester para algún fin: ~ *la mesa, la olla.* 6 Añadir voluntariamente [una cosa] a la narración: *eso lo pone de su cosecha.* 7 Dejar [una cosa] a la resolución, arbitrio o disposición de otro: *lo pongo en ti.* 8 Dedicar [a uno] a un empleo u oficio: ~ *a uno de carpintero;* ~ *a oficio;* ~ *bajo tutela;* **prnl.,** *ponerse a predicador.* 9 Deponer o soltar [el huevo] las aves: *abs., esta raza pone mucho.* 10 Tratándose [de motes o nombres], aplicarlos a personas o cosas. 11 Escribir una cosa en un papel. 12 Suponer (dar por sentado): *pongamos que esto es así.* 13 Exponer (arriesgar): *puse a mi amigo a un desaire;* **prnl.,** *ponerse a un peligro.* 14 Contar o determinar: *de Madrid a Toledo ponen doce horas.* 15 Aplicar, adaptar. 16 Con la preposición *por* y algunos nombres, valerse o usar para algún fin: ~ *por intercesor.* 17 Con los nombres *ley, contribución,* etc., establecer, imponer. 18 Reducir o precisar [a uno] a que ejecute una cosa. Úsase con la preposición *en:* ~ *a uno en empeño, en ocasión.* 19 Tratar a uno mal de palabra: *¡cómo se pusieron!* ~ *a uno de oro y azul.* 20 Con algunos nombres precedidos de una de las palabras *de, por, cual, como,* tratar [a uno] de cierta manera: ~ *a uno de ladrón, por embustero, cual digan dueñas.* 21 Con ciertos adjetivos o expresiones calificativas, hacer adquirir [a una pers.] cierta condición o estado: ~ *colorado a uno;* ~ *de mal humor;* **prnl.,** *ponerse triste; ponerse bien con Dios.* 22 Preferir, anteponer una cosa; subordinar a ella una u otras. 23 Con la preposición *a* y el infinitivo de otros verbos forma incoativos: ~ *a asar;* **prnl.,** *ponerse a escribir.* 24 Compararse, competir con otro: *me pongo con el más pintado.* – 25 **prnl.** Oponerse a uno; hacerle frente o reñir con él: *ponerse en defensa, en guardia.* 26 Vestirse o ataviarse: *ponte bien, que es día de fiesta.*

27 Mancharse o llenarse: *ponerse de lodo, de tinta.* 28 Hablando de los astros, ocultarse bajo el horizonte. 29 Llegar a un lugar determinado: *se puso en Toledo en seis horas.* ◇ ** CONJUG. [78]. pp. irreg.: *puesto.*

póngido *adj.-m.* Primate de la familia de los póngidos. – 2 *m. pl.* Familia de primates catarrinos desprovistos de cola y de callosidades glúteas; presentan una gran capacidad craneal, tienen costumbres diurnas y son vegetarianos; como el orangután y el gorila.

poni *m.* Caballo de raza de poca alzada y pelo largo.

poniente *m.* Occidente (punto cardinal). 2 Viento que sopla de la parte occidental.

ponor *m.* GEOGR. Formación propia de las regiones kársticas donde los ríos desaparecen de la superficie y se hacen subterráneos.

pontana *f.* Losa que cubre el cauce de un arroyo o de una acequia.

pontear *intr.* Construir puentes: *hoy pontearemos.* – 2 *tr.* Echar puentes [en un río o brazo de mar].

pontederiáceo, -a *adj.-f.* Planta de la familia de las pontederiáceas. – 2 *f. pl.* Familia de plantas sapotáceas americanas formada por el género *Ponteria.*

pontevedrés, -dresa *adj.-s.* De Pontevedra.

pontificado *m.* Dignidad de pontífice. 2 Tiempo en que cada uno de los Sumos Pontífices obtiene esta dignidad. 3 Tiempo en que un prelado permanece en el gobierno de su iglesia.

pontifical *adj.* Perteneciente o relativo a un pontífice, y especialmente al Sumo Pontífice. – 2 *m.* Conjunto de ornamentos que sirven al obispo para la celebración de los oficios divinos.

pontífice *m.* Obispo o arzobispo de una diócesis. 2 p. ant. Prelado supremo de la Iglesia católica romana: *Sumo Pontífice; Pontífice romano.*

ponto *m.* poét. Mar (masa de agua).

pontón *m.* Barco chato para pasar los ríos, construir puentes y limpiar el fondo de los puertos con el auxilio de algunas máquinas. 2 Buque viejo que, amarrado en un puerto, sirve de almacén, hospital o cárcel. 3 Puente formado de maderas o de una sola tabla.

ponzoña *f.* Substancia venenosa o nociva para la salud. 2 fig. Doctrina perjudicial a las buenas costumbres.

ponzoñoso, -sa *adj.* Que tiene ponzoña. 2 fig. Perjudicial a las buenas costumbres.

pop *adj.-m.* Música popular derivada del rock y del folk. 2 ~ *art,* forma de creación plástica que emplea objetos cotidianos, carteles publicitarios, etc.

popa *f.* Parte posterior de las naves; **barca.

popar *tr.* Despreciar [a uno]; ejecutar con él acciones de desprecio. 2 Acariciar o halagar. 3 fig. Tratar con blandura o regalo.

pope *m.* Sacerdote de la iglesia cismática griega. ◇ Pl.: *popes.*

popelina *f.* Tela delgada de algodón, de seda o de una mezcla de algodón y seda o lana y seda.

populachería *f.* desp. Popularidad alcanzada entre el vulgo halagando sus pasiones.

populachero, -ra *adj.* Relativo al populacho. 2 Propio para halagar al populacho y alcanzar popularidad: *discurso ~.*

populacho *m.* desp. Lo ínfimo de la plebe.

popular *adj.* Relativo al pueblo. 2 Que es grato al pueblo. – 3 *adj.-s.* Del pueblo o de la plebe.

popularidad *f.* Aceptación y aplauso que uno tiene en el pueblo.

popularismo *m.* Tendencia o afición a lo popular en formas de vida, arte, literatura, etc.

popularizar *tr.* Extender la fama o el crédito de una [pers. o cosa] entre el público. 2 Dar carácter popular [a algo]. ◇ ** CONJUG. [4] como *realizar.*

populismo *m.* Popularismo. 2 Tendencia política defensora de los intereses y aspiraciones del pueblo.

populoso, -sa *adj.* [provincia, ciudad, villa] Que abunda de gente.

popurrí *m.* Composición musical formada de fragmentos o temas de obras de un mismo autor; de canciones populares, bailes, etc. 2 Miscelánea, mezcla confusa.

poquedad *f.* Escasez, cortedad o miseria; corta porción de una cosa. 2 Timidez, pusilanimidad. 3 Cosa de ningún valor o de poca entidad.

póquer *m.* Juego de envite en que cada jugador recibe cinco naipes; gana el que reúne la combinación superior entre las varias establecidas.

poquitero, -ra *m. f. Guat., Méj.* y *Nicar.* Comerciante que vende al menudeo cosas de poco valor. 2 *Guat., Méj.* y *Nicar.* Jugador que apuesta sumas ínfimas.

por *prep.* Denota el lugar por donde se pasa: *ir a Toledo ~ Illescas.* 2 Indica el tiempo en que una acción se realiza: *~ la mañana; ~ San Juan.* 3 El medio o modo de ejecutar una cosa: *~ señas; ~ poderes; ~ fuerza.* 4 La causa: *~ mí se hizo; pecó ~ ignorancia.* 5 Indica, en concepto de medio o causa, la persona o agente en las oraciones de pasiva: *el mundo fue creado ~ Dios.* 6 Con el infinitivo de algunos verbos, tiene significación final: *salgo con gabán ~ ir más abrigado.* 7 Cuando enlaza los verbos *ir* o *venir* con substantivo o voz substantivada, equivale a la expresión *a traer, a llevar, en busca de: ir ~ leña; ~ vino; vengo ~ el libro; vendrá ~ nosotros.* 8 Denota el precio o la cuantía de valoración: *~ cien duros; ~ docenas; a pichón ~*

barba; esp., la proporción: *a tanto ~ ciento;* la multiplicación: *tres ~ cuatro;* la equivalencia: *váyase lo uno ~ lo otro.* **9** En calidad de: *recibir ~ esposa.* **10** En, o a, favor, o en defensa de: *~ él daré la vida.* **11** En lugar de: *tiene a sus maestros ~ padres.* **12** En juicio u opinión de: *tener ~ santo.* **13** En cambio o trueque de: *doy mi gabán ~ el tuyo.* **14** Como: *dar ~ hecho.* **15** En orden o acerca de: *se alegaron varias razones ~ una y otra sentencia.* **16** Seguida de infinitivo, denota necesidad, disposición para un acto o la inminencia de una acción: *la casa está ~ barrer; estaba ~ decir; estoy ~ salir.* **17** *~ qué,* por cual razón, causa o motivo: *¿~ qué has venido?; No acierto a explicar ~ qué te amo.* ◇ INCOR.: *ir,* o *venir, a por,* en vez de *ir, venir por.*

porcelana *f.* Especie de loza fina, transparente y lustrosa. **2** Vasija de porcelana. **3** Esmalte blanco con una mezcla de azul, que usan los plateros. **4** Color blanco azulado.

porcelanita *f.* Roca compacta, frágil, brillante y listada de diversos colores, que procede de arcillas o pizarras semivitrificadas.

porcentaje *m.* Tanto por ciento.

porcentual *adj.* Expresado o calculado en tanto por ciento: *proporción, cálculo ~.*

porcicultura *f.* Arte de criar cerdos.

porcino, -na *adj.* Perteneciente o relativo al puerco. – *m.* Puerco pequeño.

porción *f.* Cantidad segregada de otra mayor. **2** En algunas catedrales, ración (prebenda). **3** Número considerable e indeterminado de personas o cosas. **4** Cuota individual en cosa que se distribuye entre varios partícipes. **5** fig. Cantidad de vianda que diariamente se da a uno para su alimento, especialmente la que se da en las comunidades.

porcipelo *m.* Cerda fuerte y aguda del puerco.

porche *m.* Soportal, cobertizo. **2** Atrio (espacio cubierto).

pordiosear *intr.* Mendigar, pedir limosna de puerta en puerta. – **2** *tr.* fig. Pedir porfiadamente y con humildad [una cosa].

pordiosero, -ra *adj.-s.* Pobre mendigo que pide limosna, especialmente implorando el nombre de Dios.

porfiado, -da *adj.-s.* Sujeto obstinado y terco en su parecer.

porfiar *intr.* Disputar y altercar obstinadamente y con tenacidad: *~ con,* o *contra, alguno; ~ hasta morir; ~ sobre el mismo tema.* **2** Hacer instancia con repetición y porfía por el logro de una cosa; esp., continuar insistentemente una acción para el logro de un intento: *~ en un empeño.* ◇ ** CONJUG. [13] como *desviar.*

pórfido *m.* Roca formada por cristales de feldespato y cuarzo incluidos en una masa de color rojo obscuro. Es muy estimada para decoración de edificios.

porfirizar *tr.* FARM. Reducir [un cuerpo] a polvo finísimo, desmenuzándolo. ◇ ** CONJUG. [4] como *realizar.*

porfolio *m.* Conjunto de fotografías o grabados de diferentes clases que forman un tomo o volumen encuadernable.

poricida *adj.* BOT. Que realiza la dehiscencia por poros.

porífero *adj.-m.* Parazoo del tipo de los poríferos. – **2** *m. pl.* Tipo de parazoos que tienen el cuerpo cubierto por poros conectados a canales que atraviesan su cuerpo y por los que fluye el agua, haciendo las funciones respiratoria, circulatoria y digestiva; comprende cuatro clases: calcáreas, desmosponjas, esclerosponjas y hexactinélidas.

pormenor *m.* Conjunto de circunstancias menudas y particulares de una cosa: *refirió los pormenores del asunto.* **2** Cosa secundaria.

pormenorizar *tr.* Describir o enumerar [una cosa] minuciosamente. ◇ ** CONJUG. [4] como *realizar.*

pornografía *f.* Tratado acerca de la prostitución. **2** Carácter obsceno de obras literarias o artísticas. **3** Obra pornográfica.

pornográfico, -ca *adj.* Relativo a la pornografía.

poro *m.* Intersticio entre las partículas o moléculas que constituyen un cuerpo. **2** Orificio, por su pequeñez invisible a simple vista, que hay en la superficie de los animales y vegetales, especialmente el que en la piel de los mamíferos constituye la abertura de las glándulas sudoríparas.

pororó *m. Amér. Merid.* Rosetas de maíz.

poroso, -sa *adj.* Que tiene poros.

porque *conj. causal.* Por causa o razón de que: *no pude asistir ~ estaba ausente; ~ es rico no quiere estudiar.* – **2** *conj. final.* Para que.

porqué *m.* Causa, razón o motivo: *te diré el ~ del asunto.* **2** Cantidad, porción, especialmente de dinero: *tiene mucho ~.* ◇ Pl.: *porqués.*

porquera *f.* Lugar o sitio en que habitan los jabalíes en el monte.

porquería *f.* Suciedad, inmundicia o basura. **2** Acción sucia o indecente. **3** Grosería, desatención. **4** Cortedad o cosa de poco valor. **5** Golosina, fruta o legumbre dañosa a la salud.

porqueriza *f.* Pocilga de los puercos.

porra *f.* Cachiporra. **2** Martillo de bocas iguales y mango largo y algo flexible, que se maneja con las dos manos a la vez. **3** Especie de churro grande. **4** fig. Vanidad, jactancia. **5** fig. Sujeto pesado, porfiado. **6** *Argent.* y *Bol.* Mechón de pelos enredados.

¡porra! Interjección con que se denota disgusto o enfado.

porrada *f.* Porrazo. **2** Golpe dado con la mano. **3** Conjunto o montón muy abundante de cosas. **4** fig. Necedad, disparate.

porrazo *m.* Golpe dado con la porra. 2 p. ext. Golpe dado con otro instrumento. 3 fig. El que se recibe por una caída, o por topar con un cuerpo duro.

porredana *f.* Pez marino teleósteo perciforme, de cuerpo ovoide, ligeramente alargado, y coloración muy variable, cambiando con la edad y con otros factores fisiológicos *(Crenilabrus melops; Symphodus m.).*

porreta *f.* Conjunto de hojas verdes del puerro. 2 p. ext. Conjunto de las de ajo, la cebolla o las primeras que brotan de los cereales. – 3 *com.* fam. Aficionado a fumar porros.

porrilla *f.* Martillo con que los herreros labran los clavos. 2 Tumor duro, de naturaleza huesosa, que se forma en las articulaciones de los menudillos de las caballerías y bueyes.

porrina *f.* Estado de las mieses o sembrados muy pequeños y verdes.

I) porro *m.* Puerro. 2 Cigarrillo de hachís o marihuana mezclado con tabaco.

II) porro, -rra *adj.* fig. [pers.] Torpe y necio.

I) porrón *m.* Botijo. 2 Redoma de vidrio, con un pitón largo en la panza, para beber vino a chorro.

II) porrón, -rrona *adj.* fam. Pelmazo, pachorrudo. – 2 *m.* Ave anseriforme buceadora, de plumaje gris y negro el macho, y coloración parda la hembra *(Aythya ferina).*

porta *f.* Abertura practicada en los costados y la popa de los buques para dar luz y ventilarlos.

portaaeronaves *m.* Buque de guerra destinado al transporte de aviones y helicópteros con cubierta dispuesta para que puedan aterrizar y despegar otros. ◇ Pl.: *portaaeronaves.*

portaaviones *m.* Buque de guerra destinado a transportar aviones, con cubierta dispuesta para que de ella puedan despegar y aterrizar éstos. ◇ Pl.: *portaaviones.*

portabandera *f.* Especie de banderola con un seno a manera de cuja, por donde se mete el regatón del asta de la bandera.

portacontenedores *m.* Buque destinado al transporte de contenedores. ◇ Pl.: *portacontenedores.*

portachuelo *m.* Boquete abierto en la convergencia de dos montes.

portada *f.* Ornato arquitectónico en las fachadas principales de los edificios suntuosos. 2 Primera plana de los **libros impresos, en que se pone el título del libro, el nombre del autor y el pie de imprenta. 3 fig. Frontispicio o cara principal de cualquier cosa.

portadilla *adj.-s.* Tabla de madera de sierra. 2 Anteportada de un libro.

portador, -ra *adj.-s.* Que lleva o trae una cosa de una parte a otra. – 2 *m.* Tabla redonda con un mango para cogerla, sobre la cual se llevan los platos de vianda u otra cosa. 3 Tenedor de efectos públicos o valores comerciales, transmisibles sin endoso, por estar emitidos a favor de quienquiera que los posea.

portaequipajes *m.* Parte de un vehículo destinada a transportar los equipajes. ◇ Pl.: *portaequipajes.*

portafirmas *m.* Carpeta donde se ponen los documentos que ha de firmar una persona. ◇ Pl.: *portafirmas.*

portafolio *m.* Carpeta o cubierta para guardar papeles. – 2 *m. pl.* Maletín de mano rectangular y aplanado.

portafusil *m.* Correa que pasa por dos anillos del fusil, y sirve para echarlo a la espalda.

portahelicópteros *m.* Buque de guerra destinado al transporte de helicópteros, con cubierta dispuesta para que de ella puedan despegar y aterrizar éstos. ◇ Pl.: *portahelicópteros.*

portaherramientas *m.* En las máquinas de labrar metales, pieza que sujeta la herramienta. ◇ Pl.: *portaherramientas.*

portal *m.* Primera pieza de la casa, por donde se entra a las demás, y en la cual está la puerta principal. 2 Soportal (pórtico). 3 Pórtico (sitio). 4 Nacimiento, belén.

portalámparas *m.* Casquillo al que se sujetan las bombillas eléctricas. ◇ Pl.: *portalámparas.*

portalón *m.* Puerta grande. 2 Portal grande. 3 Abertura a manera de puerta hecha en el costado del buque.

portamaletas *m.* Maletero del automóvil. ◇ Pl.: *portamaletas.*

portamonedas *m.* Bolsa pequeña o cartera para llevar dinero a mano. ◇ Pl.: *portamonedas.*

portante *adj.* [pers.] Que en las procesiones lleva en andas imágenes. – 2 *adj.-s.* Paso de las caballerías en el cual mueven a un tiempo la mano y el pie del mismo lado. 3 Manera de andar y piernas del hombre.

portañuela *f.* Tira de tela con que se tapaba la abertura anterior de los calzones o pantalones. 2 *Colomb.* y *Méj.* Puerta de carruaje.

portaobjeto, portaobjetos *m.* Lámina rectangular de cristal en la cual se hacen las preparaciones que se han de examinar al microscopio.

portaplumas *m.* Mango en que se coloca la pluma metálica para escribir. ◇ Pl.: *portaplumas.*

portar *tr.* ant. Llevar o traer [una cosa]. 2 Traer el perro al cazador [la pieza cobrada]. – 3 *prnl.* Conducirse, gobernarse: *portarse bien; portarse con falsedad; portarse como rey; se portó como un héroe.*

portarretratos *m.* Marco de metal, madera, cuero u otro material que se usa para colocar retratos en él. ◇ Pl.: *portarretratos.*

portátil *adj.* Movible y fácil de transportarse.

portavoz *m.* Bocina que usan los jefes para mandar la maniobra al tender los puentes militares. – 2 *com.* fig. Persona que, por su autoridad, lleva la voz en una escuela, grupo, partido, etc. – 3 *m.* fig. Periódico que expresa las opiniones de un partido, agrupación, etc. – 4 *com.* Persona autorizada para difundir información y responder a ciertas preguntas.

portazo *m.* Golpe recio que da la puerta. 2 Acción de cerrar la puerta para desairar a uno y despreciarle.

porte *m.* Acción de portear (conducir). 2 Cantidad que se paga por el transporte de una cosa. 3 Conducta, modo de portarse. 4 Aspecto o disposición de una persona en cuanto al modo de vestirse, modales, etc. 5 Nobleza de sangre. 6 Grandeza o capacidad de una cosa.

portear *tr.* Conducir o llevar [una cosa] de una parte a otra por el precio o porte convenido.

portento *m.* Cosa portentosa. 2 fig. Persona muy capaz: *Juan es un* ~.

portentoso, -sa *adj.* Que por su extrañeza o novedad causa admiración o terror.

porteño, -ña *adj.-s.* De una de las diversas ciudades de España y América, en las que hay puerto o se llaman Puerto; como Puerto de Santa María, ciudad de Cádiz, o Buenos Aires.

portería *f.* Pieza del zaguán de algunos edificios, desde donde el portero vigila la entrada y salida de las personas, carruajes, etc. 2 Empleo de portero. 3 Su habitación. 4 DEP. Armazón de tamaño variable formada por tres palos, dos verticales y uno horizontal, por dentro o por encima de la que debe pasar el balón para marcar gol o ganar uno o más puntos en algunos juegos.

portero, -ra *m. f.* Persona que tiene por oficio guardar, cerrar y abrir las puertas del aseo, del portal, de las oficinas públicas, etc. 2 Jugador que en algunos deportes, defiende la portería de su bando. – 3 *f.* Puente del carruaje.

portezuela *f.* Puerta de un vehículo; **automóvil. 2 Entre sastres, cartera, golpe.

porticado, -da *adj.* Que tiene soportales.

pórtico *m.* Sitio cubierto con columnas, construido delante de los edificios suntuosos; **románico. 2 Galería con arcadas o columnas a lo largo de un muro de fachada o de patio; **basílica.

portilla *f.* Paso, en los cerramientos de las fincas rústicas, para carros, ganados o peatones. 2 Abertura pequeña, cerrada con un cristal grueso, hecha en los costados de los buques para dar claridad y ventilación a pañoles, alojamientos, etc.

portillo *m.* Abertura que hay en las murallas, paredes o tapias. 2 Postigo o puerta chica en otra mayor. 3 Camino angosto entre dos alturas. 4 Mella o hueco que queda en una cosa quebrada. 5 fig. Entrada o salida que, para la consecución de alguna cosa, queda abierta por falta de cuidado o de medios. 6 fig. Paso o entrada abierto en un muro, vallado, etc.; **cerradura.

portón *m.* Puerta que divide el zaguán de lo demás de la casa.

portuario, -ria *adj.* Perteneciente o relativo al puerto de mar: *obras portuarias; impuestos portuarios; tráfico* ~.

portugués, -guesa *adj.-s.* De Portugal, nación del oeste de Europa. – 2 *m.* Lengua que se habla en Portugal, el Brasil y antiguas posesiones portuguesas.

portuguesista *com.* Persona versada en la lengua y cultura portuguesas.

portulacáceo, -a *adj.-f.* Planta de la familia de las portulacáceas. – 2 *f. pl.* Familia de plantas angiospermas dicotiledóneas, herbáceos o fruticosas.

portulano *m.* Colección encuadernada de planos de varios puertos.

porvenir *m.* Suceso o tiempo futuro. ◇ No se usa en plural.

¡porvida! Interjección con que se denota ira o amenaza.

posa *f.* Clamor de campanas por los difuntos.

posada *f.* Casa propia de cada uno, donde habita. 2 Antigua fonda para viajeros. 3 Hospedaje. 4 Campamento. 5 Estuche compuesto de cuchara, tenedor y cuchillo, que se lleva cuando se va de camino.

posadero, -ra *m. f.* Mesonero. – 2 *m.* Especie de asiento hecho de espadaña o de soga de esparto, de hechura cilíndrica y plana.

posar *intr.* Alojarse u hospedarse en una posada o casa particular. 2 Descansar, asentarse, reposar. 3 Colocarse ante un pintor o máquina fotográfica. – 4 *intr.-prnl.* Asentarse las aves u otros animales que vuelan en un sitio o lugar: *posar, o posarse en, o sobre, una rama;* p. anal., se extiende a cosas: *posarse un avión en el suelo, el polvo sobre los muebles,* etc. – 5 *tr.* Soltar [la carga que se trae a cuestas] para descansar. – 6 *prnl.* Depositarse en el fondo las partículas sólidas que están en suspensión en un líquido; caer el polvo sobre las cosas o en el suelo.

posavasos *m.* Pieza de formas y materiales diversos, que se pone debajo de los vasos para proteger las mesas.

posdata *f.* Lo que se añade a una carta ya concluida y firmada.

pose *f.* GALIC. Postura, actitud, afectación. 2 En fotografía, exposición.

poseer *tr.* Tener uno en su poder [una cosa]. 2 Saber suficientemente [una cosa, como arte, doctrina, idioma, etc.]. – 3 *prnl.* Dominarse uno a sí mismo. ◇ CONJUG. [61] como *leer*.

poseído, -da *adj.-s.* Poseso: ~ *de temor.* 2 fig. Que ejecuta acciones furiosas o malas.

posesión *f.* Acción de poseer o poseerse. 2 Cosa poseída. 3 Apoderamiento del espíritu del hombre por otro espíritu que obra en él como agente interno y unido a él. 4 Finca rústica o hacienda.

posesionar *tr.* Poner [a uno] en posesión de una cosa.

posesivo *adj.* Que denota posesión. − 2 *adj.-m.* GRAM. Elemento gramatical, especialmente las voces *mío, tuyo, suyo, nuestro, vuestro* y las formas apocopadas *mi, tu, su* , tanto en la función adjetiva como en la pronominal, que expresa posesión o pertenencia. 3 Dominante, acaparador de la voluntad ajena.

poseso, -sa *adj.-s.* Persona que padece posesión (apoderamiento del espíritu).

posguerra *f.* Tiempo que sigue a una guerra, durante el cual se sienten sus consecuencias económicas, morales, etc.

posibilidad *f.* Calidad de posible. 2 Lo que es posible. 3 Medios, caudal o hacienda de uno. 4 Aptitud para hacer o no una cosa.

posibilismo *m.* Tendencia a aprovechar, para la realización de determinados fines o ideales, las posibilidades existentes en doctrinas, instituciones, circunstancias, etc., aunque no sean afines a aquellos.

posibilitar *tr.* Facilitar o hacer posible [una cosa].

posible *adj.* Que puede ser o suceder; que se puede ejecutar. − 2 *m.* Posibilidad, facultad, medios disponibles para hacer algo. − 3 *m. pl.* Bienes, rentas o medios que uno posee.

posición *f.* Postura (situación). 2 Situación o disposición. 3 Punto fortificado o naturalmente ventajoso para los lances de la guerra. 4 Categoría o condición social de cada persona respecto de las demás. ◇ ANGLIC.: su empleo por *puesto, cargo, empleo, influencia,* etc.

posicionar *intr.-prnl.* Tomar una posición, actitud o postura, definirse. − 2 *tr.* Colocar, situar [algo] en la posición adecuada. ◇ Es barbarismo innecesario.

posidonia *f.* Planta angiosperma marina perenne, con rizomas recios y recubiertos de escamas pardas y flores verdosas *(Posidonia oceanica).*

posímetro *m.* Aparato para medir la cantidad de luz globalmente reflejada por un sujeto.

positivar *tr.* Obtener un positivo a partir de un negativo. 2 Revelar los negativos de una filmación.

positivismo *m.* Calidad de positivo. 2 Demasiada afición a comodidades y goces materiales. 3 Sistema filosófico formulado por Comte (1798-1857), que desecha como imposible toda metafísica, es decir, toda investi-

gación sobre la realidad última y sobre el origen y el fin de las cosas porque considera que todo nuestro conocimiento se deriva de los sentidos, es decir, de la experiencia.

positivo, -va *adj.* Cierto, verdadero, que no ofrece duda. 2 Que se atiene únicamente a los hechos, a los resultados de la experiencia; sujeto a comprobación científica: *ciencias positivas.* 3 [derecho, ley] Promulgado, en contraposición del natural. 4 [pers.] Que busca ante todo lo práctico y útil, especialmente en cuanto a los goces y comodidades. 5 GRAM. [adjetivo] Que no está afectado por grados de comparación ni de intensidad. 6 FOT. Prueba que reproduce los claros y obscuros del original sin invertirlos. ◇ INCOR.: su empleo como *sí, cierto.*

posma *f.* fam. Pesadez, flema, cachaza.

posmodernidad *f.* Movimiento cultural de la década de los ochenta desarrollado en algunos países europeos, caracterizado por la atención a las formas, y la carencia de ideología y compromiso social.

posmoderno, -na *adj.-s* Perteneciente o relativo a la posmodernidad. 2 Miembro de este movimiento.

poso *m.* Sedimento del líquido contenido en una vasija. 2 Quietud, reposo.

posología *f.* Parte de la terapéutica que trata de las dosis en que deben administrarse los medicamentos.

posponer *tr.* Poner o colocar [a una persona o cosa] después de otra. 2 fig. Apreciar [a una persona o cosa] menos que a otra. ◇ ** CONJUG. [78] como *poner.* pp. irreg.: *pospuesto.*

posta *f.* Conjunto de caballerías que se apostaban a distancia de dos o tres leguas para que, mudando los tiros, hicieran el viaje con más rapidez los viajeros y especialmente los correos. 2 Casa donde se apostaban estas caballerías. 3 Distancia de una posta a otra. 4 Tajada de carne, pescado, etc. 5 Bala pequeña de plomo, que sirve de munición para cargar las armas de fuego. 6 Tarjetón con un letrero conmemorativo.

postabdomen *m.* ZOOL. Parte estrecha y flexible del abdomen de los escorpiones, que acaba en el aguijón venenoso; **arácnidos.

postal *adj.* Perteneciente o relativo al ramo de correos. − 2 *adj.-f.* Tarjeta postal.

postdiluviano, -na *adj.* Posterior al diluvio universal.

postdorsal *adj.-s.* FON. Consonante cuya articulación se forma principalmente con la parte posterior del dorso de la lengua; como la *h* aspirada.

poste *m.* Madero, piedra o columna colocada verticalmente para servir de apoyo o señal. 2 Palo vertical de cada uno de los dos lados de la portería de fútbol y de otros deportes.

postema *f.* Absceso supurado. 2 fig. Persona pesada o molesta.

póster *m.* Cartel decorativo.

postergar *tr.* Hacer sufrir atraso [a una persona o cosa], ya sea en orden al espacio, ya en relación al tiempo. 2 Perjudicar [a un empleado] dando a otro más moderno el ascenso que correspondía a aquél. ◇ ** CONJUG. [7] como *llegar.*

posteridad *f.* Descendencia o generación venidera. 2 Fama póstuma.

posterior *adj.* Que fue o viene después, o está o queda detrás.

posteriori (a ~) *loc. adv.* FIL. [conocimiento] Que proviene o depende de la experiencia. 2 FIL. En la filosofía escolástica, [razonamiento] que asciende del efecto a la causa o de las propiedades de una cosa a su esencia.

posteta *f.* Porción de pliegos que baten de una vez los encuadernadores. 2 Conjunto de pliegos de papel que los impresores meten unos dentro de otros para empaquetar las impresiones.

postigo *m.* Puerta falsa en sitio excusado de la casa. 2 Puerta chica abierta en otra mayor. 3 Puerta de una sola hoja, la cual se asegura con llave, cerrojo, etc. 4 Puertecilla de una **ventana o puertaventana. 5 Tablero sujeto con bisagras o goznes en el marco de una puerta o ventana, para cubrir cuando conviene la parte encristalada. 6 Puerta secundaria de una villa o ciudad.

postilla *f.* Costra que al secarse forman las llagas o granos.

postillón *m.* Mozo que va a caballo delante de los que corren la posta para guiarlos, o montado en una caballería de las delanteras del tiro de un carruaje, para dirigir el ganado.

postín *m.* fam. Vanidad, presunción, boato.

postiza *f.* Castañuela (instrumento) y por lo común, la más fina y pequeña que las regulares: *tocar las postizas.*

postizo, -za *adj.* Que reemplaza artificialmente una cosa natural; no propio, sino agregado, limitado, fingido o sobrepuesto. – 2 *m.* Añadido o tejido de pelo que suple la falta de éste o permite ciertos peinados.

postmeridiano, -na *adj.* Perteneciente o relativo a la tarde; posterior al mediodía. – 2 *m.* Punto del paralelo de declinación de un astro, a occidente del meridiano del observador.

postmodernismo *m.* Movimiento literario o artístico posterior al modernismo.

postnominal *adj.-s.* GRAM. Palabra que se deriva de un substantivo o de un adjetivo.

postónico, -ca *adj.* GRAM. Que está detrás de la sílaba tónica. V. *sílaba.*

postoperatorio, -ria *adj.* Que se produce o aplica después de una operación quirúrgica.

postor *m.* Persona que ofrece precio en una subasta.

postpalatal *adj.-f.* FON. Consonante que se articula con la parte posterior de la lengua sobre la zona más interna del paladar; como la *k* ante las vocales *e, i.*

postrar *tr.* Rendir, derribar [una cosa]: ~ *los árboles en la ribera.* – 2 *tr.-prnl.* Debilitar, quitar el vigor y fuerzas [a uno]: *postrarse en cama; postrado con,* o *de, la enfermedad; postrado por el trabajo.* – 3 *prnl.* Hincarse de rodillas; humillarse a los pies de otro en señal de respeto o de ruego: *postrarse de dolor; postrarse por el suelo.*

postre *adj.* Postrero. – 2 *m.* Fruta, dulce y otras cosas que se sirven al fin de las comidas.

postrero, -ra *adj.-s.* Último en orden. 2 Que está, se queda o viene detrás.

postrimería *m.* Último período o últimos años de la vida; p. ext., último período de la duración de una cosa: *en las postrimerías de la Edad Media.* ◇ Úsase principalmente en plural.

postsincronizar *tr.* Añadir [algo] a la imagen cinematográfica de la palabra y el sonido, después de filmada. ◇ ** CONJUG. [4] como *realizar.*

postulado *m.* Proposición que, sin ser evidente, se admite como cierta sin demostración.

postulante *adj.-s.* Que postula. – 2 *com.* Persona que aspira ingresar en una congregación.

postular *tr.* Pedir, pretender [una cosa]; esp., [donativos] para fines benéficos o religiosos.

póstumo, -ma *adj.* Que sale a luz después de la muerte del padre o autor: *hijo ~; obra póstuma.*

postura *f.* Situación, actitud o modo en que está puesta una persona, animal o cosa. 2 Precio que el postor ofrece por una cosa que se vende o arrienda en almoneda o subasta. 3 Cantidad que se atraviesa en una apuesta o en el juego. 4 Pacto o concierto, ajuste o convenio. 5 Acción de plantar árboles tiernos o plantas. 6 Planta o árbol tierno que se trasplanta. 7 Acción de poner huevos un ave. 8 Huevo del ave.

postverbal *adj.-s.* GRAM. Palabra que se deriva de un verbo.

pota *f.* Molusco cefalópodo decápodo, parecido al calamar, aunque de mayor tamaño, pues puede medir hasta 1 m. y pesar unos 15 kgs. *(Todarodes sagittatus).*

potable *adj.* Que se puede beber. 2 fam. Admisible, aceptable.

potaje *m.* Caldo de olla u otro guisado. 2 p. ant. Legumbres guisadas para el mantenimiento en los días de abstinencia. 3 Legumbres secas. 4 Bebida en que entran muchos ingredientes. 5 fig. Mezcla de varias cosas inútiles.

potala *f.* Piedra que, atada a la extremidad de un cabo, sirve para hacer fondear los botes o embarcaciones menores. 2 Buque pesado y poco marinero.

potámico, -ca *adj.* Que vive en ríos y arroyos.

potamogetonáceo, -a *adj.-f.* Planta de la familia de las potamogetonáceas. – 2 *f. pl.* Familia de plantas acuáticas con una escama en la base de cada hoja y flores hermafroditas muy reducidas.

potamóquero *m.* Mamífero artiodáctilo parecido al jabalí, con dos prominencias o verrugas córneas a ambos lados de los ojos *(Potamochœrus porcus).*

potamotoco, -ca *adj.* Que vive en el mar y freza en agua dulce; como el salmón, sábalo, etc.

potar *tr.* Igualar y marcar [las pesas y medidas].

potasa *f.* Carbonato de potasio, que se obtiene principalmente de cenizas vegetales.

potasio *m.* Metal de color argentino, blando, ligero e inflamable en contacto del aire y del agua. Su símbolo es *K.*

pote *m.* Vasija de barro u otro material de formas y usos diversos; **cocina. 2 Vasija redonda, generalmente de hierro, con barriga, boca ancha, tres pies y un asa grande en forma de semicírculo, usada para cocer viandas. 3 Puchero de cocina, generalmente metálico. 4 En Galicia y Asturias, comida semejante al cocido de Castilla. 5 Maceta (vaso de barro) en forma de jarra. 6 Pesa o medida que sirve de patrón para arreglar otras.

potencia *f.* Poder para hacer una cosa o producir un efecto. 2 Poder y fuerza de un estado: *la ~ militar y naval de Francia.* 3 Posibilidad (calidad de posible) o existencia posible: *en ~ y en acto.* 4 El que posee fuerza para imponer su autoridad: *las potencias infernales.* 5 esp. Estado soberano: *las potencias centroeuropeas.* 6 Grupo de rayos de luz que en número de tres se ponen en la cabeza de las imágenes de Nuestro Redentor, y en número de dos en la frente de las de Moisés. 7 FIL. Facultad del alma. 8 FÍS. Fuerza motora de una máquina; esp., fuerza que se aplica a una **palanca, polea, torno, etc., para vencer la resistencia. 9 FÍS. Energía que suministra un generador en cada unidad de tiempo. 10 FÍS. Trabajo producido en la unidad de tiempo. 11 MAT. Producto que resulta de multiplicar un número por sí mismo una o varias veces.

potencial *adj.* Que tiene o encierra en sí potencia, o relativo a ella. 2 Posible, que existe en potencia, en contraposición a actual. 3 [cosa] Que tiene la virtud o eficacia de otra y equivale a ella. – 4 *m.* Fuerza o poder disponibles de determinado orden: *~económico.* – 5 *adj.-m.* Modo potencial.

potenciar *tr.* Comunicar fuerza o vigor, aumentar o explotar las energías [en cualquier aspecto de la actividad humana]: *~ los desniveles de los ríos; ~ el entusiasmo juvenil.* 2 Aumentar la eficacia [de algo]. – 3 *prnl.* Ganar en eficacia. ◇ ** CONJUG. [12] como *cambiar.*

potenciómetro *m.* Aparato que se emplea para medir las diferencias de potencial; **cuerda.

potentado *m.* Príncipe o soberano que tiene dominio independiente en una provincia o estado, pero toma investidura de otro príncipe superior. 2 Persona poderosa y opulenta, especialmente en riquezas.

potente *adj.* Que puede, especialmente que puede mucho; que tiene fuerza para producir grandes efectos, poderoso.

potestad *f.* Poder, facultad que se tiene sobre una cosa: *patria ~,* la que legalmente tienen los padres sobre sus hijos no emancipados.

potestativo, -va *adj.* Que está en la facultad o potestad de uno.

potingue *m.* desp. Preparado de botica.

potísimo, -ma *adj.* Muy poderoso o principalísimo.

potista *com.* Bebedor de líquidos alcohólicos.

potito *m.* Alimento preparado y envasado para niños de corta edad.

poto *m. Chile, Ecuad. y Perú.* Vasija para líquidos. 2 *Argent., Bol., Chile y Perú.* Trasero, nalgas.

potosí *m.* fig. Riqueza extraordinaria. ◇ Pl.: *potosíes.*

I) potra *f.* Yegua desde que nace hasta que muda los dientes de leche.

II) potra *f.* vulg. Hernia.

potranco, -ca *m. f.* Caballo que no tiene más de tres años.

potrear *tr.* fig. *y* vulg. Molestar, mortificar [a una persona].

potrera *adj.-f.* Cabezada de cáñamo que se pone a los potros.

potrilla *m.* fig. Viejo que ostenta verdor y mocedad.

potro *m.* Caballo desde que nace hasta que muda los dientes de leche. 2 Aparato de madera en el cual se sentaba a los procesados para darles tormento. 3 fig. Todo lo que molesta o desazona gravemente. 4 Máquina de madera para sujetar a los caballos cuando se resisten a dejarse curar o herrar. 5 Sillón para uso de las parturientas en el acto de alumbramiento. 6 Hoyo que los colmeneros abren en tierra para partir las colmenas. 7 DEP. Aparato de gimnasia formado por cuatro patas y un cuerpo paralelepípedo para efectuar diferentes saltos: *~ con arcos,* el de **gimnasia deportiva sobre el que se evoluciona apoyando las manos en dos aros fijados en su parte superior.

poyata *f.* Vasar, anaquel. 2 Repisa.

poyo *m.* Banco de piedra, yeso u otra materia que ordinariamente se fabrica arrimado a las paredes, junto a las puertas de las casas.

poza *f.* Charca de agua. 2 Pozo de un río, lugar donde éste es más profundo. 3 Balsa o alberca para empozar y macerar el cáñamo o el lino.

pozal *m.* Cubo con que se saca agua del pozo. 2 Brocal del pozo.

pozanco *m.* Poza que queda en las orillas de los ríos después de una avenida.

pozo *m.* Excavación vertical practicada en la tierra hasta encontrar una vena de agua: ~ *artesiano,* pozo que atraviesa una capa acuífera aprisionada entre dos capas impermeables, cuyas aguas, por proceder de un nivel más elevado, tienen la presión suficiente para emerger a un nivel superior a la superficie del suelo. 2 Excavación análoga para bajar a una mina, conservar nieve, etc.: ~ *negro,* el que sirve para depósito de las aguas inmundas de una casa; ~ *de petróleo,* el excavado para extraer petróleo. 3 Hoyo profundo, aunque esté seco. 4 Sitio en donde los ríos tienen mayor profundidad. 5 Depósito para conservar vivos los peces en los barcos. 6 fig. Cosa llana, profunda o completa en su línea: *ser un* ~ *de ciencia.*

pozole *m.* *Amér. Central.* Bebida refrescante hecha de maíz morado y azúcar. 2 *Méj.* Guisado hecho de chile colorado, maíz entero deshollejado y pedazos de carne de cerdo.

prácrito, pracrito *m.* Idioma vulgar de la India, en oposición al sánscrito o lengua clásica.

práctica *f.* Ejercicio de cualquier arte o facultad, conforme a sus reglas. 2 Destreza adquirida con este ejercicio. 3 Ejercicio que bajo la dirección de un maestro tienen que hacer algunos para habilitarse y poder ejercer públicamente su profesión: *hacer dos años de prácticas en el Hospital Clínico.* 4 Aplicación de una idea, doctrina, enseñanza o pensamiento; contraste experimental de una teoría. 5 Uso continuado, costumbre o estilo de una cosa. 6 Modo o método que particularmente observa uno en sus operaciones.

practicable *adj.* Que se puede practicar o poner en práctica. 2 Que se puede pasar por él, transitable; se aplica a caminos, pasos aberturas, etc.: *un sendero* ~ *en verano.*

prácticamente *adv. m.* Con uso y ejercicio de una cosa; experimentalmente. 2 fam. Casi, más o menos, aproximadamente.

practicante *com.* p. us. Persona que en los hospitales hace las curaciones o propina a los enfermos las medicinas ordenadas por el facultativo de visita.

practicar *tr.* Poner en práctica [una cosa] que se ha aprendido o especulado. 2 Usar o

ejercer continuadamente [una cosa]. – 3 *intr.-prnl.* Ejercer algunos profesores la práctica de alguna materia o profesión, bajo la dirección de un maestro: ~ *en una escuela; practicarse en la enseñanza.* ◇ ** CONJUG. [1] como *sacar.*

práctico, -ca *adj.* Relativo a la práctica. 2 [facultad] Que enseña el modo de hacer una cosa. 3 Experimentado, versado y diestro en una cosa: ~ *en cirugía.* – 4 *m.* El que por el conocimiento del lugar en que navega dirige a ojo el rumbo de las embarcaciones.

pradera *f.* Pradería. 2 Prado grande.

pradería *f.* Conjunto de prados.

prado *m.* Tierra muy húmeda o de regadío, en la cual se deja crecer o se siembra la hierba para el pasto de los ganados. 2 Sitio ameno que sirve de paseo en algunas poblaciones.

pragmática *f.* Ley emanada de competente autoridad que se diferenciaba de los reales decretos y órdenes generales en las fórmulas de su publicación. 2 Disciplina que estudia el lenguaje en su relación con los usuarios y las circunstancias de la comunicación.

pragmático, -ca *adj.* Relativo a la acción y no a la especulación. – 2 *adj.-s.* Autor jurista que interpreta o glosa las leyes nacionales. 3 Perteneciente o relativo a la pragmática (disciplina lingüística).

pragmatismo *m.* Doctrina filosófica que considera al hombre, no como un ser pensante, sino como un ser práctico, como un ser de voluntad y de acción, a quien el intelecto le es dado, no para investigar y conocer la verdad pura, sino para orientarse en la realidad y actuar en la vida.

prasma *m.* Ágata de color verde obscuro.

pratense *adj.* Que se produce o vive en el prado.

praticultura *f.* Ciencia y arte del cultivo de los prados.

pravo, -va *adj.* Perverso, malvado.

praxis *f.* Conjunto de actividades cuya finalidad es transformar el mundo. 2 p. ext. Actividad destinada a obtener un resultado. 3 Práctica, en oposición a teoría o teórica. ◇ Pl.: *praxis.*

preacuerdo *m.* Acuerdo entre varias partes aún no ultimado ni ratificado.

preadamismo *m.* Teoría que supone la existencia de antecesores de Adán.

preámbulo *m.* Exordio, prólogo, aquello que se dice antes de entrar en materia. 2 Rodeo o digresión impertinente antes de decir claramente una cosa.

prebenda *f.* Renta aneja a una canonjía o a otro oficio eclesiástico. 2 Beneficio eclesiástico superior de las iglesias, catedrales y colegiatas. 3 fig. Oficio o ministerio lucrativo y poco trabajoso.

prebendar *tr.* Conferir prebenda [a uno]. – 2 *intr.-prnl.* Obtenerla.

preboste *m.* Sujeto que es cabeza de una comunidad.

precámbrico, -ca *adj.-m.* Era geológica más antigua que abarca todos los tiempos anteriores al primario, y terreno correspondiente a ella. – 2 *adj.* Perteneciente o relativo a dicha era.

precampaña *f.* Campaña que se inicia antes de lo normal o establecido: *ha comenzado la ~ electoral.*

precandidato, -ta *m. f.* Posible o probable candidato en una elección o nombramiento.

precario, -ria *adj.* De poca estabilidad o duración.

precarización *f.* Acción de convertir en precaria una situación social o política. 2 Efecto de convertir en precaria una situación social o política.

precaución *f.* Reserva, cautela para evitar o prevenir los inconvenientes.

precautelar *tr.* Poner los medios necesarios para evitar o impedir [un riesgo o peligro].

precaver *tr.-prnl.* Prevenir [un riesgo o peligro] para guardarse de él: *precaverse contra el mal; precaverse del aire.*

precavido, -da *adj.* Que evita o sabe precaver los riesgos.

precedente *adj.* Que precede. – 2 *m.* Antecedente. 3 Resolución anterior en caso igual o semejante; ejemplo; práctica ya iniciada o seguida.

preceder *tr.* Ir delante [de una persona o cosa] en tiempo, orden o lugar; anteceder. 2 fig. Tener una persona o cosa preferencia o superioridad [sobre otra]: *~ a otro en categoría.*

preceptista *adj.-s.* Que da o enseña preceptos y reglas, especialmente, de preceptiva literaria.

preceptivo, -va *adj.* Que incluye o cierra en sí preceptos. – 2 *f.* Conjunto de preceptos aplicables a determinada materia. 3 *Preceptiva literaria,* conjunto de reglas concernientes al arte literario.

precepto *m.* Disposición, mandato: *cumplir con el ~,* cumplir con la Iglesia. 2 Instrucción o regla establecida, junto a otras similares, para el conocimiento de un arte o facultad.

preceptor, -ra *m. f.* Persona que enseña, especialmente como maestro privado.

preceptuar *tr.* Dar o dictar preceptos: *~ el orden de colocación.* ◇ ** CONJUG. [11] como *actuar.*

preces *f. pl.* Versículos tomados de la Sagrada Escritura y uso de la Iglesia, con las oraciones destinadas por ella para pedir a Dios socorro en las necesidades. 2 Oraciones dirigidas a Dios, a la Virgen o a los santos. 3 Ruegos, súplicas.

preciado, -da *adj.* Precioso, de mucha estima. 2 Jactancioso.

preciar *tr.* Apreciar. – 2 *prnl.* Gloriarse, hacer vanidad de una cosa: *preciarse de valiente.* ◇ ** CONJUG. [12] como *cambiar.*

precinta *f.* Pequeña tira, generalmente de cuero o material plástico, que se pone para refuerzo en las esquinas de los cajones. 2 Tira estampada, de papel, que en las aduanas se aplica a las cajas de tabacos de regalía y hace de marchamo en los tejidos.

precintar *tr.* Asegurar y afirmar [los cajones] poniéndoles precintas. 2 Poner precinto o precinta [a los bultos].

precinto *m.* Acción de precintar. 2 Efecto de precintar. 3 Ligadura sellada con que se atan baúles, cajones, fardos, etc., a fin de que no se abran, sino cuando y por quien corresponda.

precio *m.* Valor pecuniario en que se estima una cosa. 2 fig. Estimación, importancia o crédito. 3 fig. Esfuerzo, pérdida o sufrimiento que sirve de medio para conseguir una cosa o que se padece con ocasión de ella.

preciosismo *m.* Especie de culteranismo francés del s. XVII, que busca el efecto, la originalidad y el principio de la belleza en la sutileza de los pensamientos, el refinamiento de las imágenes y expresiones y en la amplitud de la frase, sirviéndose para ello de lo más selecto y precioso del lenguaje. 2 Exagerado atildamiento en el estilo.

precioso, -sa *adj.* Excelente, primoroso, digno de estimación y aprecio. 2 De mucho valor o de elevado coste: *metales preciosos; piedras preciosas.* 3 Chistoso, festivo. 4 fig. Hermoso.

precipicio *m.* Despeñadero o derrumbadero. 2 Caída precipitada y violenta. 3 fig. Ruina temporal o espiritual.

precipitación *f.* Acción de precipitar o precipitarse. 2 Efecto de precipitar o precipitarse. 3 Prisa extremada. 4 Lluvia o nieve: *las precipitaciones han sido abundantes este invierno.*

precipitado, -da *adj.* Atropellado, alocado, irreflexivo. – 2 *m.* Substancia que a consecuencia de un cambio físico o químico se separa del líquido en que estaba disuelta y se posa más o menos rápidamente.

precipitar *tr.* Despeñar o arrojar de un lugar alto: *~ a uno al, o al, el, foso; precipitarse de, desde,* o *por, las almenas.* 2 Atropellar, acelerar [una cosa]: *~ la marcha.* 3 fig. Exponer [a uno] o incitarle a una ruina temporal o espiritual: *el vicio le precipita a la miseria.* 4 QUÍM. Producir en [una disolución] un precipitado. – 5 *prnl.* Arrojarse inconsideradamente a ejecutar o decir una cosa.

precípite *adj.* Puesto en peligro o riesgo de caer o precipitarse.

precisar *tr.* Fijar o determinar [una cosa] de un modo preciso. 2 Obligar, forzar sin excusa a ejecutar una cosa: *~ al reo a confesar la culpa.*

3 Necesitar [algo]. – 4 *intr.-tr.* Ser necesario o imprescindible.

precisión *f.* Calidad de preciso: *tengo ~ de marchar; llegar con la ~ debida; instrumento de ~; la ~ de tus ideas; balanza de ~.*

preciso, -sa *adj.* Necesario, indispensable, que es menester para un fin. 2 Exactamente o estrictamente determinado o definido; puntual, fijo, cierto. 3 Distinto, claro y formal. 4 Conciso y rigurosamente exacto: *lenguaje, estilo ~.* 5 LÓG. Abstraído o separado por el entendimiento.

preclaro, -ra *adj.* Esclarecido, ilustre, famoso.

precocinado, -da *adj.-m.* Comida que se vende preparada y lista para consumirla.

precolombino, -na *adj.* Relativo a América, antes de descubrirla Colón (1451-1506): *civilización precolombina.*

preconcebir *tr.* Establecer previamente y con sus pormenores algún pensamiento o proyecto que ha de ejecutarse. ◊ ** CONJUG. [34] como *servir.*

preconizar *tr.* Tributar elogios públicamente [a una persona o cosa]. 2 fig. Patrocinar [a una persona, proyecto, idea, etc.]. ◊ ** CONJUG. [4] como *realizar.*

preconocer *tr.* Prever o conocer anticipadamente [una cosa]. ◊ ** CONJUG. [44] como *conocer.*

precoz *adj.* [fruto] Temprano, prematuro. 2 fig. [pers.] Que en corta edad muestra cualidades morales o físicas generalmente más tardías; p. ant., que despunta en talento, agudeza, valor de ánimo u otra prenda estimable; p. ext., se dice también de estas mismas cualidades.

precursor, -ra *adj.-s.* Que precede o va delante. 2 fig. Que profesa o enseña doctrinas o acomete empresas que no hallarán acogida sino en tiempo venidero.

predador, -ra *adj.-s.* Saqueador, que saquea. 2 Animal que apresa a otros de distinta especie para comérselos.

predatorio, -ria *adj.* Perteneciente o relativo al acto de hacer presa. 2 [pers., entidad, cosa] Que tiene relación con el pillaje, el merodeo, etc.: *proyectos predatorios.*

predecesor, -ra *m. f.* Antecesor (persona). 2 Ascendiente (individuo).

predecir *tr.* Anunciar por revelación, ciencia o conjetura [algo que ha de suceder]. ◊ ** CONJUG. [79] irreg.: *predicho.*

predestinado, -da *adj.-s.* Elegido por Dios desde la eternidad para lograr la gloria. 2 Destinado para cualquier otra cosa.

predestinar *tr.* Destinar anticipadamente [una cosa] para un fin. 2 TEOL. p. ant. Elegir Dios «ab aeterno» [a los que por medio de su gracia han de lograr la gloria].

predeterminar *tr.* Determinar o resolver con anticipación [una cosa].

prédica *f.* Sermón o plática del ministro de una secta o religión distinta de la católica. 2 p. ext. *y* desp. Perorata, discurso vehemente.

predicación *f.* Acción de predicar. 2 Doctrina que se predica o enseñanza que se da con ella.

predicado *m.* GRAM. Todo lo que se dice del sujeto en una oración: *~ nominal,* el que enuncia una cualidad del sujeto; *~ verbal,* el que denota una acción del sujeto.

predicador, -ra *adj.-s.* Que predica. – 2 *m.* Orador sagrado.

predicamento *m.* Dignidad, opinión, lugar o grado de estimación en que se halla uno y que ha merecido por sus obras.

predicar *tr.* inus. Publicar, hacer patente [una cosa]. 2 p. ant. Pronunciar [un sermón]: *¿quién predica hoy?* 3 Alabar con exceso: *~ sus virtudes por todas partes.* 4 fig. Reprender agriamente [a alguien de un vicio o defecto]: *predicarle que no beba; abs.,* fam., amonestar o hacer observaciones: *le predico y no me hace caso.* 5 LÓG. y GRAM. Afirmar o negar [algo] del sujeto. ◊ ** CONJUG. [1] como *sacar.*

predilección *f.* Cariño especial y preferencia con que se distingue a una persona o cosa.

predilecto, -ta *adj.* Preferido por amor o afecto especial.

predio *m.* Heredad, hacienda, tierra o posesión inmueble.

predisponer *tr.* Disponer anticipadamente el ánimo [de las persona] para un fin determinado. ◊ ** CONJUG. [78] como *poner;* pp. irreg.: *predispuesto.*

predominar *tr.* Prevalecer, preponderar: *el dinero lo predomina todo* o *predomina en todo.* 2 fig. Exceder mucho en altura una cosa [de otra]: *esta casa predomina sobre aquella.*

predominio *m.* El hecho de predominar.

predorsal *adj.* ANAT. Situado en la parte anterior de la espina dorsal. – 2 *adj.-s.* FON. Sonido articulado con la parte anterior del dorso de la lengua.

predorso *m.* Parte anterior del dorso de la lengua.

preeminencia *f.* Privilegio, exención, ventaja que goza uno por razón o mérito especial.

preeminente *adj.* Sublime, superior, honorífico, que está más elevado.

preescolar *adj.* Anterior a la escolarización en la enseñanza primaria: *edad ~.*

preexistir *intr.* Existir antes o realmente, o con antelación de naturaleza y origen.

prefabricar *tr.* Fabricar en serie las piezas o partes [de un barco, una casa, etc.], de tal manera que su construcción consista sólo en el acoplamiento y ajuste de las piezas prefabricadas. ◊ ** CONJUG. [1] como *sacar.*

prefacio *m.* Prólogo (escrito). 2 Parte de la misa que precede inmediatamente al canon.

prefecto *m.* Entre los romanos, título de

varios jefes militares o civiles. 2 Gobernador de un departamento francés.

preferencia *f.* Primacía, ventaja o mayoría que una persona o cosa tiene sobre otra. 2 Elección de una persona o cosa entre varias; inclinación favorable, predilección hacia ella.

preferente *adj.* Que prefiere o se prefiere.

preferir *tr.* Dar la preferencia a alguna persona o cosa: *preferido de alguno; preferido entre otros.* 2 Exceder, aventajar. ◇ Se construye con *a*: ~ *una persona o cosa a otra*, no con *que*. ◇ ** CONJUG. [35] como *hervir*.

prefigurar *tr.* Representar anticipadamente [una cosa].

prefijación *f.* Formación de palabras por medio de prefijos.

prefijal *adj.* GRAM. Con forma o función de prefijo. 2 Perteneciente o relativo a los prefijos.

prefijar *tr.* Determinar o fijar anticipadamente una cosa: *se reunieron el día prefijado.* 2 GRAM. Anteponer un afijo a una palabra.

prefijo, -ja *adj.-m.* GRAM. En la composición de palabras, afijo que se antepone a un vocablo: *antepuerta, reponer, premeditar.* – 2 *m.* Cifras que indican zona, ciudad o país, y que, para establecer comunicación telefónica automática, se marcan antes del número del abonado a quien se llama.

prefinir *tr.* Señalar o fijar el término o tiempo para ejecutar [una cosa].

prefloración *f.* Disposición de las partes de una flor, unas respecto de otras, antes de la florescencia.

prefoliación *f.* Disposición de unas hojas respecto de otras, dentro de la yema, antes de abrirse ésta.

preformismo *m.* Doctrina filosófica que postula que el organismo humano constituido se halla ya en el germen del individuo.

prefulgente *adj.* Muy resplandeciente y lúcido.

pregón *m.* Promulgación que en voz alta se hace en los lugares públicos de una cosa interesante. 2 Discurso con que se inicia una fiesta o acontecimiento.

pregonar *tr.* Publicar en voz alta [una cosa] para que venga a noticia de todos. 2 esp. Anunciar a voces uno [la mercancía que lleva para vender]. 3 Alabar en público [los hechos o cualidades de una persona]. 4 Proscribir. 5 fig. Publicar [lo que debía callarse].

pregonero, -ra *adj.-s.* Que publica o divulga una cosa que se ignoraba. – 2 *m.* Oficial público que en voz alta da los pregones.

pregunta *f.* Proposición con que expresamos a alguno lo que deseamos saber, rogándole o mandándole a la vez que nos informe de ello. 2 Tema o punto de un cuestionario o programa de exámenes.

preguntar *tr.-prnl.* Hacer preguntas [a uno]: ~ *a uno por el ausente; preguntarse qué ha sucedido; pregunto para saber.* 2 Exponer en

PREHISTORIA (ARTE DE LA)

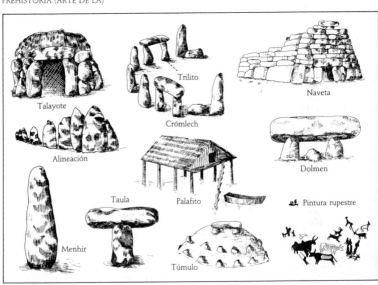

Talayote · Trilito · Naveta · Crómlech · Alineación · Dolmen · Taula · Palafito · Pintura rupestre · Menhir · Túmulo

forma de interrogación una especie para significar duda o para dar énfasis a la expresión: *él se pregunta: ¿será verdad?*

pregustar *tr.* Hacer la salva [de la comida o bebida].

prehelénico, -ca *adj.* Anterior a la Grecia helénica o Grecia propiamente dicha.

**prehistoria *f.* Ciencia que trata de la vida de los hombres con anterioridad a todo documento de carácter histórico. 2 Período en que se gesta un movimiento cultural, político, etc., antes de su plena manifestación.

prehistórico, -ca *adj.* Anterior a los tiempos históricos. 2 fig. Anticuado, viejo.

preincaico, -ca *adj.* En América, lo que es anterior a la dominación incaica.

prejuicio *m.* Acción de prejuzgar. 2 Efecto de prejuzgar.

prejuzgar *tr.* Juzgar [de las cosas] antes de tener de ellas cabal conocimiento. ◇ ** CONJUG. [7] como *llegar*.

prelación *f.* Antelación o preferencia con que una cosa debe ser atendida respecto de otra u otras.

prelado *m.* Superior eclesiástico constituido en una de las dignidades de la Iglesia; como abad, obispo, etc. 2 Superior de un convento o comunidad eclesiástica.

preliminar *adj.* Que sirve de preámbulo o proemio para tratar sólidamente una materia. – 2 *adj.-s.* fig. Que se antepone a una acción, a una empresa, a un litigio, etc. – 3 *m.* Artículo general que sirve de fundamento para el ajuste y tratado de paz definitivo entre las potencias contratantes o sus ejércitos. ◇ En la acepción 3 úsase en plural.

prelucir *intr.* Lucir con anticipación. ◇ ** CONJUG. [45] como *lucir*.

preludiar *intr.-prnl.* Ensayar la voz o un instrumento por medio de notas o escalas antes de comenzar una pieza. – 2 *tr.* fig. Preparar o iniciar [una cosa]; darle entrada. – 3 *intr.-tr.* esp. Ejecutar algún preludio. ◇ ** CONJUG. [12] como *cambiar*.

preludio *m.* Lo que precede y sirve de entrada, preparación o principio de una cosa. 2 Lo que se toca o canta para ensayar la voz o probar los instrumentos antes de comenzar la ejecución de una obra musical. 3 Composición musical independiente o que precede a una representación escénica o a otras obras: *un ~ de Chopin; el ~ de Lohengrin; un ~ y fuga de Bach.*

prematuro, -ra *adj.* Que no está en sazón. 2 Que ocurre antes de tiempo.

premeditación *f.* Acción de premeditar. 2 DER. Circunstancia que agrava la responsabilidad criminal de los delincuentes.

premeditar *tr.* Pensar reflexivamente [una cosa] antes de ejecutarla.

premiar *tr.* Remunerar, galardonar [los méritos o servicios de otro]. ◇ ** CONJUG. [12] como *cambiar.*

premier *m.* Primer ministro británico.

premio *m.* Recompensa o remuneración que se da por algún mérito o servicio. 2 Lote sorteado en la lotería nacional. 3 Aumento de valor dado a algunas monedas o por el curso del cambio internacional. 4 Vuelta, demasía, cantidad añadida al precio o valor por vía de compensación o de incentivo.

premioso, -sa *adj.* Tan ajustado o apretado que dificultosamente se puede mover. 2 Que apremia o estrecha. 3 Gravoso, molesto. 4 fig. [pers.] Falto de expedición, embarazado por la acción o la expresión. 5 fig. Que habla o escribe con mucha dificultad. 6 fig. [lenguaje o estilo] Sin espontaneidad y soltura. 7 fig. Rígido, estricto.

premisa *f.* LÓG. Proposición del silogismo de donde se infiere y saca la conclusión. 2 fig. Señal, indicio por donde se infiere una cosa. 3 Proposición probada anteriormente o dada como cierta, que sirve de base a un argumento.

premiso, -sa *adj.* Prevenido o enviado con anticipación.

premolar *m.* **Diente molar, primero y segundo, que se distingue de los restantes en tener solamente dos tubérculos en la corona.

premonición *f.* Presentimiento, presagio; advertencia moral.

premonitorio, -ria *adj.* Que anuncia o presagia. 2 Que tiene carácter de premonición. 3 [fenómeno o síntoma] Precursor de alguna enfermedad: *estado ~,* el de la persona en que se manifiestan.

premunir *tr.-prnl. Amér.* Proveer de alguna cosa como prevención o cautela para algún fin.

premura *f.* Aprieto, apuro, prisa, urgencia, instancia.

prenatal *adj.* Anterior al nacimiento.

prenda *f.* Cosa mueble que se sujeta especialmente a la seguridad o cumplimiento de una obligación. 2 Alhaja, mueble o enser de uso doméstico, especialmente cuando se dan a vender. 3 Lo que se da o hace en señal o prueba de una cosa. 4 Lo que se ama intensamente; como hijos, mujer, etc. 5 Cualidad del cuerpo o del alma, con que la naturaleza adorna a un sujeto. 6 Parte que, junto a otras, compone el vestido y calzado del hombre o de la mujer. 7 fig. Cosa no material que sirve de seguridad y firmeza para un objeto. – 8 *com.* Persona de dudosa reputación.

prendar *tr.* Sacar [una prenda o alhaja] como garantía de una deuda u obligación. 2 Ganar la voluntad o agrado [de uno]. – 3 *prnl.* Aficionarse, enamorarse de una persona o cosa.

prendedero *m.* Instrumento para prender

o asir una cosa. 2 Broche con que las mujeres prenden las sayas para enfaldarlas. 3 Cinta para asegurar el pelo.

prender *tr.* En estilo noble, asir, agarrar [una cosa]. 2 esp. Asegurar [a una persona] privándola de la libertad, y principalmente ponerla en la cárcel. 3 Hacer presa una cosa [en otra], enredar: *las ramas prendieron el vestido; **intr.**, el vestido prendió en un gancho.* 4 Cubrir (el macho). 5 Adornar, ataviar [a una mujer]: ~ *a la hija con alfileres; prenderse de veintiocho alfileres.* – 6 *intr.* Arraigar la planta en la tierra. 7 Comunicarse el fuego a las cosas; en gral., comunicar su virtud una cosa a otra: ~ *la vacuna, un injerto.* ◇ CONJUG. Para formar los tiempos compuestos utiliza indistintamente el pp. reg.: *prendido* o el pp. irreg.: *preso.*

prendido *m.* Adorno de las mujeres, especialmente el de la cabeza. 2 Patrón o dibujo picado para hacer los encajes.

prenotar *tr.* Notar con anticipación [una cosa].

prensa *f.* Máquina, compuesta de dos elementos rígidos que se aproximan por accionamiento mecánico o hidráulico de uno de ellos, que sirve para comprimir. Tiene muy diferentes aplicaciones: imprimir, **encuadernar libros, estrujar frutos, en metalurgia, en fotografía, etc. 2 Conjunto o generalidad de las publicaciones periódicas y especialmente las diarias: ~ *amarilla,* la de tipo sensacionalista, dada a exagerar unilateralmente los acontecimientos y deformar su sentido; ~ *del corazón,* la dedicada a temas sentimentales, por ejemplo, bodas, escándalos, etc., de personajes famosos, como actores, políticos, princesas, etc. 3 Conjunto de personas que redactan y preparan los contenidos de estas publicaciones.

prensar *tr.* Apretar en la prensa [una cosa].

prensil *adj.* Que sirve para asir o coger.

prensor, -ra *adj.* Que prende, que agarra. – 2 *adj.-f.* Ave tropical, generalmente de bellos colores, que tiene las patas como las trepadoras y el pico muy robusto, con la mandíbula superior curvada desde la base; como el papagayo.

prenupcial *adj.* Anterior al matrimonio.

preñado, -da *adj.* [hembra] Que ha concebido y tiene el feto en el vientre. 2 fig. [pared] Desplomado, que forma como una barriga. 3 fig. Lleno o cargado: *ojos preñados de amenazas.* 4 fig. Que incluye en sí una cosa que no se descubre. – 5 *m.* Feto en el vientre materno.

preñez *f.* Embarazo de la mujer; estado de la hembra preñada.

preocupación *f.* Acción de preocupar o preocuparse. 2 Efecto de preocupar o preocuparse. 3 Ofuscación del entendimiento. 4 Idea preconcebida, generalmente falsa, que

tenemos acerca de una cosa. 5 Anticipación proyectiva de una situación o de la vida en su conjunto, para orientar la conducta.

preocupar *tr.* Ocupar anticipadamente [una cosa] o anticiparse a uno en la adquisición [de ella]. 2 fig. *y* fact. Prevenir el ánimo [de uno] con alguna especie. 3 En general, poner [el ánimo de uno] con cuidado: *mis noticias le preocupan; **prnl.**, se preocupa con,* o *por, la guerra.* – 4 *prnl.* Estar prevenido en favor o en contra de una persona o cosa.

prepalatal *adj.-s.* FON. Sonido articulado en la parte anterior del paladar duro.

preparación *f.* Acción de preparar o prepararse. 2 Efecto de preparar o prepararse. 3 BIOL. Porción de un tejido o de otra substancia orgánica, dispuesta sobre un portaobjeto para su observación microscópica; lente. 4 FARM. Preparado farmacológico.

preparado, -da *adj.-m.* Droga o medicamento preparado.

preparar *tr.* Prevenir, disponer [una cosa] para que sirva a un efecto. 2 Prevenir o disponer [a un sujeto] para una acción que se ha de seguir. 3 FARM. y QUÍM. Hacer [las operaciones necesarias] para obtener un producto. – 4 *prnl.* Disponerse, aparejarse para algún fin determinado.

preparativo *m.* Cosa dispuesta y preparada.

preponderancia *f.* Exceso del peso, o mayor peso, de una cosa respecto de otra. 2 fig. Superioridad de crédito, influencia, autoridad, etc.

preponderar *intr.* Ejercer una persona influjo dominante o decisivo. 2 fig. Prevalecer una opinión u otra cosa.

preponer *tr.* Anteponer o preferir [una cosa] a otra. ◇ ** CONJUG. [78] como *poner;* pp. irreg.: *prepuesto.*

preposición *f.* Palabra invariable que subordina unas palabras a otras dentro de la oración, significando la relación que existe entre los elementos por ella enlazados.

preposicional, prepositivo, -va *adj.* Perteneciente o relativo a la preposición.

prepósito *m.* Primero y principal en una junta o comunidad.

preposterar *tr.* Trastocar el orden [de alguna cosa] con relación a otra u otras.

prepotencia *f.* Poder superior al de otros, o gran poder.

prepucio *m.* Prolongación de la piel del pene, que cubre el bálano.

prerrafaelismo *m.* Arte y estilo pictóricos anteriores a Rafael de Urbino (1483-1520). 2 Estilo pictórico que imita al anterior. 3 Movimiento plástico y literario nacido en Inglaterra en el s. XIX, caracterizado por la vuelta a los primitivos. Espiritualista, y en contra del academicismo predominante, quería hallar la vida en lo medieval e ingenuo, aspirando a instaurar una especie de idealismo estilístico, en contraste con el realismo y el materialismo de la época.

prerrogativa *f.* Privilegio, gracia o exención que se concede a una persona, a un cuerpo político, etc. 2 fig. Atributo de excelencia o dignidad muy honrosa en cosa inmaterial.

presa *f.* Acción de prender o tomar una cosa. 2 Cosa apresada o robada. 3 Acequia. 4 Muro grueso construido a través de un río, arroyo o **canal, para conducir el agua fuera del cauce. 5 Conducto por donde se lleva el agua para mover las ruedas de los molinos, etc. 6 Porción pequeña de una cosa comestible. 7 Colmillo de algunos animales, con el cual agarran fuertemente lo que muerden. 8 Ave prendida por una de rapiña. 9 Uña de un ave de rapiña.

presagiar *tr.* Anunciar o prever [una cosa] induciéndola de presagios o conjeturándola. ◇ ** CONJUG. [12] como *cambiar*.

presagio *m.* Señal que anuncia un suceso futuro. 2 Especie de adivinación de sucesos futuros, por las señales que se han visto o por movimiento interior del ánimo que lo previene.

presbicia *f.* Hipermetropía.

présbita, -te *adj.-com.* [pers.] Que padece presbicia.

presbiterado *m.* Sacerdocio, dignidad u orden del sacerdote.

presbiterianismo *m.* Secta nacida en Escocia en el s. XVI, que sigue rígidamente el calvinismo, sosteniendo que la suprema autoridad eclesiástica reside en el sínodo, o presbiterio, de laicos y ministros delegados de las varias Iglesias.

presbiterio *m.* Área del altar mayor hasta el pie de las gradas por donde se sube a él, y que suele estar cercado con una reja o barandilla; **basílica.

presbítero *m.* Clérigo ordenado de misa, o sacerdote.

presciencia *f.* Conocimiento de las cosas futuras.

prescindir *tr.* Hacer abstracción [de una persona o cosa]; no contar con ella; privarse de ella, evitarla.

prescribir *tr.* Ordenar o determinar: *la ley prescribe nuestros derechos.* 2 Recetar, ordenar remedios: *le prescribió un reposo absoluto.* – 3 *intr.* Concluir o extinguirse una obligación o deuda por el transcurso de cierto tiempo. 4 fig. Perderse o mermarse una cosa por el transcurso del tiempo. ◇ CONJUG.: pp. irreg.: *prescrito.*

presea *f.* Alhaja o cosa preciosa.

preselección *f.* Selección previa. 2 Sistema automático que facilita la selección anticipada

de las diversas funciones de un aparato eléctrico.

presencia *f.* Estado de la persona o cosa que se halla delante de otra u otras o en el mismo paraje que ellas. 2 ~ *de ánimo,* serenidad o tranquilidad del ánimo. 3 Talle, figura y disposición del cuerpo. 4 Representación, pompa, fausto.

presenciar *tr.* Hallarse presente [a un acontecimiento, espectáculo, etc.]. ◇ ** CONJUG. [12] como *cambiar*.

presentación *f.* Acción de presentar o presentarse. 2 Efecto de presentar o presentarse. 3 Aspecto exterior de algo. 4 En las representaciones teatrales, el arte de hacerlas con propiedad y con la mayor perfección. 5 *Amér.* Demanda, súplica, memorial.

presentador, -ra *adj.-s.* Que presenta. – 2 *m. f.* Persona que presenta un programa televisivo, un acto público, etc.

presentar *tr.* Poner [una cosa] en la presencia de uno; mostrarla: ~ *un grabado; el coche se presentó con mal aspecto; presentarse por el lado favorable.* 2 p. anal. Regalar (dar). 3 Proponer [a un sujeto] para una dignidad, oficio o beneficio eclesiástico: ~ *de, o por, candidato.* 4 Introducir [a uno] en la casa o en el trato de otro, a veces recomendándole personalmente: ~ *en la corte.* – 5 *prnl.* Comparecer en algún lugar o acto. 6 esp. Comparecer ante un jefe o autoridad: *presentarse al general.* 7 Ofrecerse voluntariamente para un fin.

presente *adj.* Que está en presencia de algo o alguien. – 2 *adj.-m.* Tiempo en que actualmente está uno cuando se refiere a una cosa. – 3 *m.* Don, alhaja o regalo que una persona da a otra. 4 Tiempo de **verbo que expresa la coincidencia de la acción con el momento en que se habla.

presentir *tr.* Antever, por cierto movimiento interior del ánimo, o por indicios exteriores [lo que ha de suceder]. ◇ ** CONJUG. [35] como *hervir*.

preservar *tr.* Poner a cubierto [a una persona o cosa] de algún daño o peligro. 2 ANGLIC. Conservar.

preservativo, -va *adj.-m.* Que tiene virtud de preservar. – 2 *m.* Envoltura muy fina de goma que, colocada sobre el pene, sirve para recoger el líquido espermático.

presidencia *f.* Acción de presidir. 2 Dignidad, cargo de presidente. 3 Tiempo que dura el cargo. 4 Oficina, morada del presidente, lugar desde donde preside.

presidencialismo *m.* Sistema en el que un presidente elegido por sufragio universal no comparte el poder ejecutivo.

presidente, -ta *m. f.* Persona que preside: ~ *de la República, de un Consejo, de una asamblea.*

presidiario, -ria *m. f.* Penado que cumple en presidio su condena.

presidio *m.* Establecimiento penitenciario en que cumplen sus condenas los penados por graves delitos. 2 Pena señalada por varios delitos, con diversos grados de rigor y de tiempo. 3 fig. Auxilio, ayuda, socorro.

presidir *tr.* Tener el primer lugar [en una asamblea, junta, corporación, etc.]. 2 p. ext. Dirigir las deliberaciones [de una junta, asamblea, etc.]; ser por este motivo el jefe [de una empresa, sociedad, etc.]: ~ *un tribunal por antigüedad; presidido del,* o *por el, jefe;* **intr.,** ~ *en un tribunal.* 3 fig. Tener una cosa principal influjo: *la justicia preside nuestros actos.*

presidium *m.* Comisión política del Comité Central del Partido Comunista de la U.R.S.S.

presilla *f.* Cordón pequeño, en forma de lazo, con que se asegura una cosa. 2 Entre sastres, costurilla de puntos unidos.

presintonía *f.* Dispositivo de un receptor de radio capaz de memorizar la frecuencia de emisión. 2 Emisora de radio memorizada en un receptor.

presión *f.* Acción de apretar o comprimir. 2 Efecto de apretar o comprimir. 3 Fuerza ejercida sobre la unidad de superficie de un cuerpo por un gas, un líquido o un sólido: ~ *atmosférica,* la ejerce la atmósfera sobre todos los puntos de la superície terrestre; ~ *osmótica,* FÍS., la ejercida por una substancia disuelta en virtud del movimiento de sus moléculas; ~ **sanguínea,** la ejercida por la sangre circulante sobre las paredes de los vasos. 4 fig. Coacción ejercida sobre alguien. 5 ~ *fiscal,* porcentaje, individual o general, de los impuestos sobre los ingresos generales.

presionar *tr.* Oprimir, apretar [algo]. 2 fig. Hacer presión, coaccionar [a alguien]. 3 DEP. Atacar insistentemente [un deportista, equipo o jugador a otro].

preso, -sa *adj.-s.* Que sufre prisión.

prest *m.* Haber diario de los soldados. ◇ Pl.: *prestes.*

prestación *f.* Acción de prestar. 2 Efecto de prestar. 3 Cosa o servicio exigido por una autoridad o conmutado por un pacto. 4 Cosa o servicio que un contratante da o promete a otro, en conmutación por lo que en el convenio le favorece. 5 Renta, tributo o servicio pagadero al señor, al propietario o a alguna entidad corporativa. 6 ~ **social,** servicio que el Estado, instituciones públicas o empresas privadas, deben dar a sus empleados. – 7 *f. pl.* Rendimiento de una máquina: *los nuevos modelos de automóviles ofrecen excelentes prestaciones.*

prestamista *com.* Persona que da dinero a préstamo.

préstamo *m.* Acción de prestar o tomar prestado. 2 Efecto de prestar o tomar prestado. 3 Cantidad de dinero u otra cosa prestada. 4 Terreno de donde se excava la tierra necesaria para los terraplenes.

prestancia *f.* Excelencia (superior). 2 Gallardía en los movimientos; despejo en los modales.

prestar *tr.* Entregar a uno [dinero u otra cosa] para que por algún tiempo tenga el uso de ello, con la obligación de restituir igual cantidad o la cosa misma: ~ *dinero sobre prenda.* 2 Con una de las palabras *ayuda, auxilio,* etc., ayudar, asistir. 3 p. anal. Con substantivos como *atención, paciencia, silencio,* etc., tener, guardar lo que estas voces indican. 4 Dar, comunicar: *le presté la noticia.* – 5 *intr.* Aprovechar, ser útil: *esta herramienta presta.* 6 p. anal. Dar de sí extendiéndose: *tu ropa presta mucho.* – 7 *prnl.* Ofrecerse, allanarse a una cosa.

preste *m.* Sacerdote que celebra la misa cantada asistido del diácono y del subdiácono, o el que con capa pluvial preside en función pública de oficios divinos.

presteza *f.* Prontitud, diligencia y brevedad.

prestidigitación *f.* Arte o habilidad para hacer juegos de manos y otros embelecos para distracción del público.

prestigiar *tr.* Dar prestigio o autoridad [a una asamblea, corporación, etc.]: *la presencia del ministro prestigiaba el acto.* ◇ ** CONJUG. [17] como *cambiar.*

prestigio *m.* Ascendiente, influencia, autoridad. 2 Realce, estimación, buen crédito.

presto, -ta *adj.* Pronto, diligente, ligero en la ejecución de una cosa: ~ *a,* o *para, correr;* ~ *en obrar.* 2 Aparejado, dispuesto para ejecutar una cosa o para un fin. – 3 *adv. t.* Luego, al instante, con gran prontitud y brevedad.

presumir *tr.* Sospechar, conjeturar [una cosa]. – 2 *intr.* Vanagloriarse, tener alto concepto de sí mismo: ~ *de rico.* – 3 *tr.-prnl.* Amér. Proveer de alguna cosa como prevención o cautela para algún fin.

presunción *f.* Acción de presumir. 2 Efecto de presumir. 3 DER. Cosa que por ministerio de la ley se tiene como verdad.

presuntivo, -va *adj.* Que se puede presumir o está apoyado en presunción.

presunto, -ta *adj.* Supuesto.

presuntuoso, -sa *adj.-s.* Lleno de presunción y orgullo.

presuponer *tr.* Dar por supuesta y notoria [una cosa] para pasar a tratar de otra. 2 Formar el cómputo [de los gastos o ingresos] en una empresa o negocio público o privado. ◇ ** CONJUG. [78] como *poner;* pp. irreg.: *presupuesto.*

presupuestar *tr.* Establecer [un presupuesto].

presupuesto *m.* Motivo o pretexto con que se ejecuta una cosa. 2 Supuesto o suposición. 3 Cómputo anticipado del coste de una obra, y también de los gastos e ingresos para un período determinado, de una corporación u organismo público.

presura *f.* Opresión, aprieto, congoja. 2 Prisa, prontitud y ligereza. 3 Ahínco, porfía.

presurizar *tr.* Mantener a presión constante [la cabina de un avión, de una nave espacial, etc.]. ◇ ** CONJUG. [4] como *realizar*.

presuroso, -sa *adj.* Pronto, ligero, veloz.

pretender *tr.* Pedir [una cosa] a la cual uno aspira o cree tener cierto derecho; hacer las diligencias necesarias para la consecución de la misma. 2 Procurar (esforzarse): *mi madre pretende persuadirme*. 3 Cortejar a una mujer con la pretensión de mantener un noviazgo. ◇ CONJUG.: pp. reg.: *pretendido*; irreg., inusual como adjetivo: *pretenso*. ◇ Es impropio su uso por *suponer, afirmar: mi maestro pretende que no sé nada*.

pretendiente, -ta *adj.-s.* Que pretende (pide); esp., el que pretende (corteja) a una mujer.

pretensión *f.* Acción de pretender. 2 Derecho que uno juzga tener sobre una cosa. 3 Vanidad, presunción: *tiene pretensiones de elegante, de orador*. ◇ En la acepción 3 se usa especialmente en plural.

pretensioso, -sa *adj.* Que tiene pretensiones, presumido, presuntuoso.

preterición *f.* RET. Figura que consiste en aparentar que se quiere omitir o pasar por alto aquello mismo que se dice o expresa encarecidamente.

preterir *tr.* Hacer caso omiso [de una persona o cosa]. ◇ Verbo defectivo; se usa sólo en los tiempos y personas cuya desinencia contiene la vocal *i: pretería, preteriré, preteriendo*, y lo hace siguiendo la ** CONJUG. [35] como *hervir*.

pretérito, -ta *adj.* Que ya ha pasado o sucedió. – 2 *m.* Tiempo del verbo que denota, en el juicio expresado por éste, la condición de pasado. V. perfecto, imperfecto, pluscuamperfecto, indefinido y anterior; **verbo (uso de los tiempos).

preternatural *adj.* Que se halla fuera del ser y estado natural de una cosa.

preternaturalizar *tr.* Trastornar el ser o estado natural de una cosa. ◇ ** CONJUG. [4] como *realizar*.

pretextar *tr.* Valerse de un pretexto: ~ *que se ha hecho tarde*.

pretexto *m.* Motivo o causa simulada que se alega para hacer una cosa o para excusarse de no haberla ejecutado.

pretil *m.* Murete o vallado que se pone en los puentes y otros parajes para preservar de caídas. 2 *Amér.* Atrio construido ante un templo o monumento.

pretina *f.* Correa o cinta con hebilla y broche para sujetar en la cintura ciertas prendas de ropa. 2 Parte de los calzones, briales, basquiñas, etc., que se ciñe y ajusta a la cintura. 3 fig. Lo que ciñe o rodea una cosa.

pretor *m.* Magistrado romano, inferior al cónsul, que ejercía jurisdicción en Roma o en las provincias.

pretoriano, -na *adj.* Perteneciente o relativo al pretor. – 2 *adj.-m.* Soldado de la guardia de los emperadores romanos.

pretorio *m.* Palacio de los emperadores romanos. 2 Tribunal de los pretores romanos.

preuniversitario, -ria *adj.-m.* Enseñanza preparatoria para el ingreso en la Universidad.

prevalecer *intr.* Sobresalir una persona o cosa; tener alguna superioridad entre otras: *la verdad prevalece sobre la mentira*. 2 Conseguir, obtener en oposición de otros. 3 Arraigar las plantas o semillas; ir creciendo poco a poco. 4 fig. Crecer y aumentar una cosa no material. ◇ ** CONJUG. [43] como *agradecer* ◇ INCOR.: su empleo por *prevalerse; se prevaleció de su inexperiencia*, por *se prevalió*.

prevaricar *intr.* Faltar uno a sabiendas a la obligación del cargo que desempeña, quebrantando la fe, palabra, religión o juramento. 2 En general, cometer uno una infracción en el ejercicio de sus deberes. 3 fam. Desvariar. ◇ ** CONJUG. [1] como *sacar*.

prevención *f.* Acción de prevenir. 2 Efecto de prevenir. 3 Concepto, por lo común desfavorable, que se tiene de una persona o cosa, sin llegar a sospecha, recelo, inquina. 4 Puesto de policía o vigilancia de un distrito, donde se lleva preventivamente a las personas que han cometido algún delito o falta. 5 Preparación que se hace para evitar un riesgo o ejecutar una cosa.

prevenido, -da *adj.* Apercibido, dispuesto para una cosa. 2 Próvido, advertido, cuidadoso. 3 Provisto, abundante, lleno.

prevenir *tr.* Preparar, disponer con anticipación [las cosas necesarias para un fin]. 2 Prever, conocer de antemano [un daño o perjuicio]. 3 p. ext. Precaver, evitar o impedir [una cosa]. 4 Vencer [un inconveniente o dificultad], en general. 5 Advertir, informar a uno [de una cosa]: *te prevengo que ganaremos*. 6 p. ext. Impresionar, preocupar el ánimo [de uno] induciéndole a prejuzgar personalmente las cosas: ~ *a uno contra alguien*. 7 Sobrevenir, acaecer: *previno una tempestad furiosa*. – 8 *prnl.* Prepararse de antemano para una cosa: *prevenirse al, o contra el, peligro; prevenirse de, o con, lo necesario para un viaje; prevenirse en la ocasión*. ◇ ** CONJUG. [90] como *venir*.

preventivo, -va *adj.* Que previene.

prever *tr.* Ver con anticipación; conjeturar [lo que ha de suceder]. ◇ ** CONJUG. [91] como *ver*. pp. irreg.: *previsto*. ◇ Son INCOR. las formas *prevee, preveyendo, preveyó*, etc. por *prevé, previendo, previó*, etc. Es también INCOR. su uso en lugar de *ordenar, disponer, establecer, estipular*, etc. como en *los estatutos prevén dos reuniones al año* en vez de *los estatutos establecen dos reuniones al año*.

previo, -via *adj.* Anticipado, que va delante o que sucede primero. – 2 *m.* Grabación de sonido realizada antes de impresionar la imagen.

previsible *adj.* Que puede ser previsto.

previsor, -ra *adj.-s.* Que prevé.

prez *amb.* Estima, gloria, honor.

priapismo *m.* MED. Erección continua y dolorosa del miembro viril, sin apetito venéreo.

priapúlido *adj.-m.* Gusano del tipo de los priapúlidos. – 2 *m. pl.* Tipo de gusanos marinos cilíndricos y de pequeño tamaño; son carnívoros y capturan sus presas con ayuda de una probóscide retráctil cubierta de espinas.

prieto, -ta *adj.* De color muy obscuro o casi negro. 2 Apretado. 3 fig. Mísero, mezquino.

prima *f.* Respecto de una persona, hija de su tío o tía. 2 Primera de las cuatro partes iguales en que los romanos dividían el día artificial; comprendida desde el principio de la primera hora temporal, a la salida del sol, hasta el fin de la tercera, a media mañana. 3 Una de las siete horas canónicas; se canta en la primera hora de la mañana, después de laudes. 4 En algunos instrumentos de **cuerda, la que es primera en orden; es la más delgada de todas y produce un sonido muy agudo. 5 Precio que el asegurado paga al asegurador. 6 Suma que en ciertas operaciones de bolsa el comprador paga al vendedor por el derecho de rescindir el contrato. 7 Premio concedido por el estado, una empresa, etc., a fin de estimular operaciones que se reputan de conveniencia pública, que interesan al que lo concede, etc.: *la ~ a cada jugador por ganar el mundial es de un millón.*

primacía *f.* Superioridad, ventaja o excelencia de una cosa sobre otra de su especie. 2 Dignidad o empleo de primado.

primado *m.* Primero y más preeminente de todos los arzobispos y obispos de un país o región.

primal, -la *adj.-s.* Res ovejuna o cabría que tiene más de un año y no llega a dos. – 2 *m.* Cordón o trenza de seda.

I) primar *intr.* Prevalecer, predominar, sobresalir.

II) primar *tr.* Conceder o pagar una prima.

primario, -ria *adj.* Principal o primero en orden o grado. 2 Que debe ir primero como preparación o fundamento de algo más elevado: *enseñanza primaria.* 3 [pers.] De corto entendimiento, de pocas luces. 4 [color] Puro, que, mezclado con otro u otros, se utiliza para producir todos los colores. – 5 *adj.-m.* En los transformadores eléctricos, arrollamiento por donde pasa la corriente inductora. 6 Era geológica que sigue a la precámbrica y precede a la secundaria o mesozoica, y terreno corres-

pondiente a ella. – 7 *adj.* Perteneciente o relativo a dicha era.

primate *m.* Personaje distinguido; prócer: *los nobles primates.* 2 Mamífero del orden de los primates. – 3 *m. pl.* Orden de mamíferos placentarios, en su mayoría arborícolas, caracterizados por tener las cuatro extremidades, o sólo las anteriores, con el pulgar oponible a los otros dedos, ojos en posición anterior, dentadura completa y mamas en situación pectoral; incluye dos subórdenes: prosimios y antropoides.

I) primavera *f.* Estación del año que, astronómicamente, principia en el equinoccio del mismo nombre y termina en el solsticio de estío. 2 Época templada del año; en nuestro hemisferio corresponde a los meses de marzo, abril y mayo, y en el austral, a nuestro otoño. 3 Cosa vistosamente varia y de hermoso colorido. 4 Tejido de seda matizado de flores multicolores. 5 Planta primulácea, herbácea, de hojas anchas, largas, arrugadas y tendidas en tierra, y flores amarillas en figura de parasol *(Primula veris).* 6 fig. Tiempo en que una cosa está en su mayor hermosura y vigor. 7 fig. Período en el que parece que están a punto de realizarse grandes esperanzas de liberación económica, cambios políticos, progreso social, etc.: *la ~ de Praga.* – 8 *f. pl.* fig. Año, período de doce meses: *Juan tiene quince primaveras.*

II) primavera *adj.-s.* Persona incauta, que hace el primo.

primaveral *adj.* Perteneciente o relativo a la primavera: *tiempo ~.*

primer *adj.* Apócope de *primero.* ◇ Sólo se utiliza antepuesto al substantivo.

primeramente *adv. o.-t.* Previamente, anticipadamente, antes de todo.

primerizo, -za *adj.-s.* Que hace por primera vez una cosa o es novicio en un arte, profesión o ejecución. – 2 *adj.-f.* Hembra que pare por primera vez.

primero, -ra *adj.-s.* Que precede a los demás de su especie en orden, tiempo, lugar, situación, clase o jerarquía: *~ de,* o *entre, todos.* – 2 *adj.* Excelente, grande, que sobresale y excede a otros. 3 Antiguo, y que antes se ha poseído y logrado: *recobró su autoridad primera.* – 4 *adv. t.* Antes, más bien, de mejor gana, con más o mayor gusto.

primicia *f.* Fruto primero de cualquier cosa. 2 Prestación de frutos y ganados que, además del diezmo, se daba a la Iglesia. 3 fig. Noticia hecha pública por vez primera. – 4 *f. pl.* Principios o primeros frutos que produce cualquier cosa no material.

primigenio, -nia *adj.* Primitivo, originario.

primita *f.* Pez marino teleósteo perciforme, de cuerpo deprimido, cabeza ancha con los ojos en su parte superior y piel desprovista de escamas; presenta dimorfismo sexual *(Callionymus lyra).*

primitivismo *m.* Condición o estado de primitivo. 2 Tosquedad, rudeza, elementalidad. 3 Prerrafaelismo.

primitivo, -va *adj.* Primero en su línea; que no tiene ni toma origen de otra cosa. 2 Propio o relativo a los pueblos aborígenes o de civilización poco desarrollada, o a los individuos que los componen. 3 Rudimentario, elemental, tosco. 4 GRAM. [palabra] Que no se deriva de otra de la misma lengua. – 5 *adj.-s.* ESC. y PINT. Artista y obra artística anteriores al renacimiento clásico.

primo, -ma *adj.* Primero: *materias primas.* 2 Primoroso, excelente. – 3 *adj.-m.* MAT. Número primo. – 4 *adv. m.* En primer lugar. – 5 *m.* Respecto de una persona, hijo de su tío o tía. 6 Persona incauta y simplona.

primogénito, -ta *adj.-s.* Hijo que nace primero.

primor *m.* Habilidad, esmero o excelencia en hacer o decir una cosa. 2 Artificio y hermosura de la obra ejecutada con él.

primordial *adj.* Esencial, fundamental.

primoroso, -sa *adj.* Excelente, hecho con primor. 2 Diestro, hábil.

primuláceo, -a *adj.-f.* Planta de la familia de las primuláceas. – 2 *f. pl.* Familia de plantas dicotiledóneas, herbáceas, de hojas radicales o sobre el tallo; flores hermafroditas, actinomorfas, de cáliz persistente y fruto capsular con muchas semillas; como la primavera.

primulales *f. pl.* Orden de plantas dicotiledóneas herbáceas cuyas flores tienen cinco pétalos soldados y el ovario es súpero.

princesa *f.* Mujer del príncipe. 2 La que tiene soberanía sobre un principado. 3 En España, hija del rey, inmediata sucesora del reino.

principado *m.* Título o dignidad de príncipe. 2 Territorio o lugar sujeto a la potestad de un príncipe. 3 Primacía, ventaja o superioridad de una cosa en relación a otra con la cual se compara.

principal *adj.* Que tiene el primer lugar en estimación o importancia. 2 Ilustre, esclarecido en nobleza. 3 Esencial o fundamental. 4 [pers.] Que es el primero en un negocio. 5 GRAM. [palabra u oración] Que rige o subordina a otra. V. oración ~. – 6 *m.* Jefe de una casa de comercio, fábrica, etc. 7 Capital de una obligación o censo, en oposición a rédito, pensión o canon.

príncipe *m.* El primero y más excelente, superior o aventajado en una cosa: ~ *de,* o *entre, los poetas.* 2 p. ant. Hijo primogénito del rey, heredero de su corona: ~ *de Asturias,* en España; ~ *de Gales,* en Inglaterra. 3 Individuo de familia real o imperial. 4 Soberano de un estado. 5 Título de honor que dan los reyes. 6 Grande de un reino.

principesco, -ca *adj.* Perteneciente o relativo al príncipe: *dignidad principesca.*

principiante, -ta *adj.-s.* Que empieza a estudiar, aprender o ejercer un oficio, arte, facultad o profesión.

principiar *tr.-prnl.* Dar principio [a una cosa], empezar, comenzar: ~ *un escrito con, en,* o *por, una palabra aguda.* ◇ ** CONJUG. [12] como *cambiar.*

principio *m.* Primer instante del ser de una cosa. 2 Punto considerado como primero en una extensión o cosa. 3 Fundamento, razón fundamental sobre la cual se procede discurriendo en cualquier materia. 4 Causa primitiva de una cosa o aquello de que otra cosa procede. 5 Primera proposición o verdad, rudimento o fundamento de una facultad o ciencia. 6 Cosa que entra con otra en la composición de un cuerpo. 7 Idea o máxima particular que sirve para que uno se rija.

pringada *f.* Rebanada de pan empapada en pringue. 2 Trozos de carne, tocino y embutidos que se echan en el cocido.

pringar *tr.* Empapar con pringue [el pan u otro alimento]; estrujar [pan] con algún alimento pringoso. 2 Manchar con pringue: ~ *el papel; prnl., pringarse con,* o *de, grasa.* 3 fam. Herir [a uno] haciendo sangre. 4 fig. *y* fam. Denigrar, poner mala fama [a uno]. – 5 *intr.* fig. *y* fam. Tomar parte en un negocio o dependencia: ~ *uno en todo.* 6 fam. Trabajar; trabajar en demasía. ◇ ** CONJUG. [7] como *llegar.*

pringoso, -sa *adj.* Que tiene pringue.

pringue *amb.* Grasa que suelta el tocino u otra cosa semejante sometida a la acción del fuego. 2 fig. Suciedad que se pega a la ropa o a otra cosa.

prior, -ra *adj.* En lo escolástico, que precede a otra cosa en cualquier orden. – 2 *m. f.* Superior de un convento. 3 En algunas comunidades, segundo prelado, después del abad. – 4 *m.* Dignidad de algunas iglesias catedrales.

priorato *m.* Oficio, dignidad o empleo de prior o de priora. 2 Territorio de la jurisdicción de un prior.

priori (a ~) *loc. adv.* FIL. [conocimiento] Independiente de la experiencia, es decir, ésta supone pero no puede explicar, aunque sea necesario a la posibilidad de la experiencia. 2 FIL. En la filosofía escolástica, [razonamiento] que desciende de la causa al efecto, o de la esencia de una cosa a sus propiedades.

prioridad *f.* Anterioridad de una cosa respecto de otra, en tiempo o en orden. 2 Anterioridad o precedencia de una cosa respecto de otra que depende o procede de ella.

prioritario, -ria *adj.* Preferente, que tiene prioridad respecto de algo.

prisa *f.* Prontitud y rapidez con que sucede o se ejecuta una cosa. 2 Ansia, premura o precisión de hacer o de decir una cosa. 3 Rebato, escaramuza o pelea confusa.

priscal *m.* Lugar en el campo donde se recogen los ganados por la noche.

priscilianismo *m.* Herejía de Prisciliano (¿-385), heresiarca español, que profesaba algunos de los errores de los gnósticos y maniqueos.

prisión *f.* Acción de prender, asir o coger. 2 Cárcel o lugar donde se encierra y asegura a los presos. 3 Atadura con que están presas las aves de caza. 4 Cosa que detiene físicamente. 5 fig. Lo que une estrechamente las voluntades y afectos. 6 DER. Pena de privación de libertad, inferior a la de reclusión y superior a la de arresto: ~ *mayor,* la que dura desde seis años y un día hasta doce años; ~ *menor,* la de seis meses y un día a seis años; ~ *preventiva,* la que sufre el procesado durante la substanciación del juicio. – 7 *f. pl.* Grillos, cadenas, etc., para asegurar los delincuentes.

prisionero, -ra *m. f.* Militar u otra persona que en campaña cae en poder del enemigo. 2 fig. Persona que está como cautiva de un afecto o pasión.

prisma *m.* GEOM. **Sólido terminado por dos caras paralelas e iguales llamadas bases, y por tantos paralelogramos cuantos lados tenga cada base: ~ *recto,* el de caras laterales perpendiculares a la base; ~ *oblicuo,* el de caras laterales no perpendiculares a la base; **cristalografía. 2 Prisma triangular de cristal, usado para producir la reflexión, la refracción y la descomposición de la luz; **fotografía. 3 fig. Lo que nos hace ver las cosas de distinto modo de como son. 4 fig. Punto de vista.

prismático, -ca *adj.* De figura de prisma. – 2 *m. pl.* Anteojos que tienen en su interior una combinación de prismas para ampliar la visión; lente.

prístino, -na *adj.* Antiguo, primitivo. 2 Puro, sin igual.

privación *f.* Acción de despojar, impedir o privar. 2 Pena con que se desposee a uno del empleo, derecho o dignidad que tenía, por un delito que ha cometido. 3 Carencia o falta de una cosa en sujeto capaz de tenerla. 4 fig. Ausencia del bien que se apetece y desea.

privado, -da *adj.* Que se ejecuta a vista de pocos, familiar y domésticamente, sin formalidad ni ceremonia alguna. 2 Particular y personal de cada uno. – 3 *m.* El que tiene privanza.

privanza *f.* Preferencia en el favor y confianza de un príncipe o alto personaje.

privar *tr.* Despojar [a uno] de una cosa que poseía o de que gozaba: ~ *de la capa al soldado; ~ del paseo a un preso.* 2 esp. Desposeer [a uno] de un empleo, ministerio, cargo, etc.: ~ *a uno de la secretaría.* 3 Aplicado al sentido, al juicio, etc., suspenderlo o quitarlo [a uno]: *el golpe le*

privó de la vista. 4 Complacer o gustar extraordinariamente. 5 Prohibir, vedar [una cosa] a uno: *le privaron la carne, el fumar.* – 6 *intr.* Tener privanza: ~ *con el monarca.* 7 Tener general aceptación una persona o cosa: *esta moda es la que priva.* 8 vulg. Beber en demasía. – 9 *prnl.* Renunciar voluntariamente a una cosa agradable o de utilidad: *privarse de ir al cine.*

privativo, -va *adj.* Que causa privación o la significa. 2 Propio y especial de una cosa o persona.

privatizar *tr.* ECON. Confiar al sector privado una actividad del sector público. 2 ECON. Transferir al dominio privado bienes públicos: *se han privatizado muchas empresas estatales.* ◇ ** CONJUG. [4] como *realizar.*

privilegiado, -da *adj.* Que goza de un privilegio (gracia; don natural).

privilegiar *tr.* Conceder privilegio [a alguno]. ◇ ** CONJUG. [12] como *cambiar.*

privilegio *m.* Gracia o prerrogativa concedida a una persona o colectividad, libertándole de una carga o gravamen, concediéndole una exención, etc.: ~ *de invención,* el que concede el derecho de aprovechar exclusivamente, por tiempo determinado, una producción o un procedimiento industrial nuevo o no conocido. 2 Documento en que consta la concesión de un privilegio. 3 fig. Don natural.

pro *amb.* Provecho. – 2 *prep.* En favor de. Se emplea delante de substantivos sin artículo.

proa *f.* Parte delantera de la nave, con la cual corta las aguas; **barca.

probabilidad *f.* Calidad de probable (verosímil).

probabilismo *m.* Doctrina filosófica que concede un grado relativo de probabilidad a toda opinión, y considera que ninguna es totalmente falsa, ni totalmente cierta.

probable *adj.* Verosímil, o que se funda en razón prudente. 2 Que se puede probar. 3 Que hay buenas razones para creer que se verificará o sucederá.

probación *f.* Prueba. 2 En las órdenes regulares, examen y prueba que debe hacerse de la vocación y virtud de los novicios antes de profesar.

probado, -da *adj.* Acreditado por la experiencia. 2 Que ha sufrido con paciencia grandes tribulaciones.

probador, -ra *adj.-s.* Que prueba. – 2 *m.* En los talleres de costura y comercios de ropa confeccionada, aposento en que los clientes se prueban los vestidos.

probar *tr.* Hacer examen y experimento [de las cualidades de persona o cosas]: ~ *su valor.* 2 esp. Examinar si [una cosa] está arreglada a la medida o proporción de otra que se debe ajustar: ~ *un vestido.* 3 p. anal. Gustar una pequeña porción [de un manjar, o líquido]: ~

la carne; **intr.** *, ~ de todo.* **4** Justificar o hacer patente la certeza [de un hecho] o la verdad [de una cosa]. – **5 intr.** Con la preposición *a* y el infinitivo de otros verbos, hacer prueba o intentar una acción: *~ a levantarse.* **6** Ser a propósito o producir una cosa el efecto que se necesita. Regularmente se usa con los adverbios *bien, mal: le prueba bien el clima de montaña.* ◊ ** CONJUG. [31] como *contar.*

probatura *f.* fam. Ensayo, prueba.

probeta *f.* Manómetro de mercurio de poca altura para conocer el grado de enrarecimiento del aire en la máquina neumática. **2** Máquina para probar la calidad y fuerza explosiva de la pólvora. **3** Tubo o vaso de cristal, generalmente graduado, que se usa en los laboratorios para medir líquidos o gases. **4** Muestra de cualquier substancia para probar su elasticidad, resistencia, etc.

probidad *f.* Bondad, moralidad, integridad y honradez en el obrar.

problema *m.* Cuestión (punto controvertible). **2** MAT. Proposición dirigida a averiguar el modo de obtener un resultado cuando ciertos datos son conocidos. **3** Conjunto de hechos o circunstancias que dificultan la consecución de algún fin. **4** Asunto delicado, difícil, que puede admitir varias soluciones. – **5** *m. pl.* Conjunto de dificultades de orden afectivo: *tiene problemas en su matrimonio.*

problemático, -ca *adj.* Dudoso, incierto. – **2** *f.* Conjunto de problemas relativos a una ciencia o actividad determinada.

probóscide *f.* Aparato bucal en forma de trompa o pico, dispuesto para la succión, propio de los insectos dípteros.

proboscídeo *adj.-m.* Mamífero del orden de los proboscídeos. – **2** *m. pl.* Orden de mamíferos placentarios cuya trompa es prensil; como el elefante.

procacidad *f.* Desvergüenza, insolencia, atrevimiento.

procariota *adj.* BIOL. [célula] Carente de núcleo, con un único cromosoma que es circular.

procaz *adj.* Desvergonzado, atrevido.

procedencia *f.* Aquello de que procede una cosa. **2** Punto de donde procede una nave, un tren, una persona, etc. **3** Conformidad con lo moral, la razón o el derecho.

procedente *adj.* Que trae su origen de una persona, cosa o lugar. **2** Arreglado a la prudencia, a la razón o al fin que se persigue. **3** Conforme a derecho, mandato, práctica o conveniencia.

I) proceder *m.* Modo, forma y orden de proceder (comportarse).

II) proceder *intr.* Ir [algunas personas o cosas] unas tras otras guardando cierto orden: *los soldados procedieron a tres de fondo.* **2** Seguirse, originarse una cosa de otra: *su enfer-*

medad procedía de la mala alimentación; tener por punto de partida, venir: *el barco procede de Génova.* **3** Pasar o poner en ejecución una cosa: *~ a la elección de papa.* **4** Continuar, seguir adelante en la ejecución de las cosas: *mi amigo procede en su empeño; ~ con,* o *sin, acuerdo; ~ en justicia; ~ de oficio.* **5** Portarse y gobernar uno sus acciones bien o mal: *~ con método.* **6** Ser conforme a razón, derecho, uso o conveniencia: *tu instancia no procede.* ◊ En la acepción *2* lleva siempre la preposición *de.*

procedimiento *m.* Acción de proceder. **2** Método de ejecutar algunas cosas. **3** DER. Actuación por trámites judiciales o administrativos.

procelariforme *adj.-m.* Ave del orden de los procelariformes. – **2** *m. pl.* Orden de aves marinas con las alas largas y afiladas que les permiten volar con facilidad; como el albatros.

proceloso, -sa *adj.* Borrascoso, tormentoso.

prócer *adj.* Alto, eminente o elevado. – **2** *m.* Persona de la primera distinción o constituida en alta dignidad.

proceroso, -sa *adj.* [pers.] De alta estatura y de aspecto respetable.

procesado, -da *adj.-s.* Declarado y tratado como presunto reo en un proceso criminal.

procesar *tr.* Formar autos y procesos [contra alguno]. **2** Someter alguna cosa a un proceso de elaboración, transformación, etc. **3** DER. Declarar y tratar [a una persona] como presunto reo de delito.

procesión *f.* Acción de proceder una cosa de otra. **2** Acción de ir ordenadamente de un lugar a otro muchas personas con algún fin público y solemne, generalmente religioso. **3** Conjunto de estas personas. **4** fig. Una o más hileras de personas o animales que van de un lugar a otro.

procesionaria *f.* Larva de diferentes especies de lepidópteros; suelen caminar reunidas en filas de gran longitud y constituyen una plaga para el arbolado.

proceso *m.* Progreso (acción). **2** Transcurso del tiempo. **3** Conjunto de las fases sucesivas de un fenómeno o de una serie de fenómenos. **4** Conjunto de los autos y demás escritos en cualquier causa criminal o civil. **5** Causa criminal.

prociónido *adj.-m.* Mamífero de la familia de los prociónidos. – **2** *m. pl.* Familia de mamíferos carnívoros a la que pertenecen los pandas y mapaches.

proclama *f.* Notificación pública: *correr las proclamas,* correr las amonestaciones. **2** Alocución política o militar, de viva voz o por escrito.

proclamar *tr.* Publicar en alta voz [una cosa]. **2** Declarar solemnemente el principio de un reinado, república, etc. 3 Aclamar (dar voces y conferir). 4 fig. Dar señales inequívocas de un afecto o pasión. – 5 *prnl.* Declararse uno investido de un cargo, autoridad, o mérito.

proclisis *f.* GRAM. Unión de una palabra proclítica a la que la sigue. ◇ Pl.: *proclisis.*

proclítico, -ca *adj.-m.* GRAM. Palabra que, por no tener acento propio, se une en la pronunciación a la palabra siguiente, aunque en lo escrito se mantenga separada: *la casa, mi padre, en tren.*

proclive *adj.* Que está inclinado hacia adelante o hacia abajo. 2 Propenso a una cosa, especialmente a lo malo.

procónsul *m.* Entre los romanos, gobernador de una provincia con jurisdicción e insignias consulares.

procordado *adj.-m.* Animal del grupo de los procordados. – 2 *m. pl.* Grupo, sin categoría taxonómica, de animales cordados de organización intermedia entre los invertebrados y los vertebrados; comprende los cefalocordados y los tunicados.

procrear *tr.* Engendrar (dar origen).

proctología *f.* MED. Rama de la medicina que estudia las enfermedades del recto.

procurador, -ra *adj.-s.* Que procura. – 2 *m. f.* Persona que obra por poder que da otro para que, en su nombre, haga o ejecute alguna cosa. 3 Persona que, con la necesaria habilitación legal, ejerce ante los tribunales la representación de cada interesado en un juicio civil o criminal.

procurar *tr.* Hacer diligencias y esfuerzos para conseguir [lo que se desea]. 2 Ejercer el oficio de procurador: *procuro las casas de mi tío.* – 3 *prnl.* Conseguir.

procurrente *m.* Gran pedazo de tierra que se adelanta y avanza mar adentro; como lo es toda Italia.

prodigalidad *f.* Profusión, desperdicio, consumo de la propia hacienda, gastando excesivamente. 2 Copia, abundancia o multitud.

prodigar *tr.* Disipar, gastar con exceso y desperdicio [una cosa]. 2 Dar con profusión y abundancia, en general. 3 fig. Dispensar profusamente [elogios, favores, etc.]. – 4 *prnl.* Excederse indiscretamente en la exhibición o trabajo personal. ◇ ** CONJUG. [7] como *llegar.*

prodigio *m.* Hecho, suceso sobrenatural. 2 Cosa rara o primorosa. 3 Milagro.

prodigioso, -sa *adj.* Maravilloso, que encierra en sí prodigio. 2 Excelente, primoroso, exquisito.

pródigo, -ga *adj.-s.* Disipador, gastador, manirroto; que desperdicia y consume su hacienda en gastos inútiles, sin medida ni razón. – 2 *adj.* Que desprecia generosamente la vida u otra cosa estimable. 3 Muy dadivoso;

que produce o da en abundancia una cosa: ~ *de,* o *en, ofertas.*

pródromo *m.* MED. Malestar que precede a una enfermedad. 2 fig. Principio de una cosa.

producción *f.* Acción de producir. 2 Cosa producida, producto. 3 Acto o modo de producirse. 4 Suma de los productos del suelo o de la industria. 5 Realización material de una película de cine o vídeo, de un programa de radio y televisión. 6 p. ext. Esta película o programa. 7 Organización o departamento encargado de su realización.

producir *tr.* Engendrar, procrear. 2 p. ext. Crear, elaborar [obras del entendimiento]. 3 Dar, rendir [frutos] los terrenos, árboles, etc. 4 Rentar, redituar [interés o beneficio anual] una cosa. 5 Fabricar, elaborar [cosas útiles]. 6 fig. Procurar, originar, ocasionar: *los cambios de temperatura producen enfermedades.* 7 Patrocinar, subvencionar. 8 Proporcionar el equipo y personal necesario para realizar una película de cine o vídeo, de un programa de radio y televisión. – 9 *prnl.* Explicarse, manifestarse, por medio de la palabra: *el orador se produjo en forma violenta.* ◇ ** CONJUG. [46] como *conducir.*

productividad *f.* Calidad de productivo. 2 Capacidad de producción por unidad de trabajo, superficie de tierra cultivada, etc.

productivismo *m.* Sistema económico en el que predomina el interés por producir.

productivo, -va *adj.* Que tiene virtud de producir. 2 ECON. Que arroja un resultado favorable de valor entre precios y costes.

producto *m.* Producción (cosa producida). 2 Caudal que se obtiene de una cosa que se vende o el que ella reditúa. 3 Beneficio. 4 MAT. Cantidad que resulta de la multiplicación.

productor, -ra *adj.* Que produce. – 2 *m. f.* En la organización sindical del trabajo, persona que interviene en la producción. 3 El que organiza la realización de una obra cinematográfica. – 4 *f.* Sociedad financiera para la producción de programas de radio y televisión, o películas de cine.

proejar *intr.* Remar contra la corriente o la fuerza del viento: ~ *contra las olas.*

proel *adj.* Que está cerca de la proa. – 2 *m.* Marinero que va en la proa.

proemio *m.* Prólogo (escrito).

proeza *f.* Hazaña, acción valerosa o heroica.

profanar *tr.* Tratar [una cosa sagrada] sin el debido respeto o aplicarla a usos profanos. 2 fig. Deslucir, deshonrar, prostituir, hacer uso indigno [de cosas respetables].

profano, -na *adj.* Que no es sagrado ni sirve a usos sagrados, sino puramente secular. 2 Que es contra la reverencia debida a las cosas sagradas. 3 Inmodesto, deshonesto en el atavío o compostura. – 4 *adj.-s.* Libertino o muy dado a las cosas del mundo. 5 Que carece de conocimientos y autoridad en una materia.

profecía *f.* Predicción de un profeta (inspirado por Dios). 2 Don sobrenatural de un profeta (inspirado por Dios). 3 Libro canónico del Antiguo Testamento, en que se contiene los escritos de cualquiera de los profetas mayores. 4 fig. Conjetura que se forma de una cosa por las señales que se observan en ella. – 5 *f. pl.* Libro canónico del Antiguo Testamento, en que se contienen los escritos de los doce profetas menores.

proferir *tr.* Pronunciar, decir [palabras]. ◇ ** CONJUG. [30] como *adquirir* ◇ INCOR.: su uso en lugar de *asestar, propinar*, etc.

profesar *tr.* Ejercer [una ciencia, arte u oficio]. 2 esp. Enseñar en la cátedra [una ciencia o arte]. 3 Cultivar [una inclinación, sentimiento o creencia]: ~ *amistad.* 4 Hablando [de principios, doctrinas, etc.], adherirse a ellos: ~ *los principios de Platón.* 5 Creer, confesar [algo]. – 6 *intr.* Obligarse en una orden religiosa a cumplir los votos propios de su instituto: ~ *en los Carmelitas; hoy ha profesado.*

profesión *f.* Acción de profesar. 2 Efecto de profesar. 3 Ceremonia eclesiástica en que alguien profesa en una orden religiosa. 4 Empleo, facultad y oficio que cada uno tiene y ejerce públicamente.

profesional *adj.* Relativo a la profesión en general, y especialmente al magisterio de ciencias y artes. – 2 *adj-com.* Persona que realiza un trabajo con rapidez y eficacia. – 3 *com.* Persona que hace hábito o profesión de alguna cosa.

profesionalidad *f.* Calidad de profesional. 2 Capacidad para realizar el trabajo con rapidez y eficacia.

profesionalismo *m.* Espíritu, ideas, inclinaciones, etc., propias de una profesión. 2 Solidaridad o compañerismo entre los que ejercen la misma profesión. 3 desp. Cultivo de ciertas disciplinas, artes o deportes como medio de lucro.

profesionalizar *tr.-prnl.* Ejercer habitual y remuneradamente una determinada actividad intelectual o manual. 2 Convertir en profesión lucrativa una actividad intelectual o manual. – 3 *tr.* Hacer profesional [a alguien]. 4 Desarrollar con profesionalidad [una actividad]. ◇ ** CONJUG. [4] como *realizar.*

profesor, -ra *m. f.* Persona que ejerce o enseña una ciencia o arte.

profesorado *m.* Cargo de profesor. 2 Cuerpo de profesores.

profeta *m.* El que, inspirado por Dios, habla en su nombre anunciando sucesos futuros. 2 fig. El que por algunas señales conjetura y anuncia sucesos futuros.

profético, -ca *adj.* Perteneciente o relativo a la profecía o al profeta.

profetisa *f.* Mujer profeta.

profetismo *m.* Tendencia de algunos filósofos y escritores de religión, principalmente antiguos, a profetizar.

profetizar *tr.* Anunciar o predecir [las cosas] distantes o futuras en virtud del don de profecía. 2 fig. Conjeturar. ◇ ** CONJUG. [4] como *realizar.*

proficuo, -cua *adj.* Provechoso.

profiláctico, -ca *adj.-m.* Preservativo.

profilaxis *f.* Tratamiento o régimen que preserva de una enfermedad. 2 p. ext. Conjunto de medidas preventivas. ◇ Pl.: *profilaxis.*

prófugo, -ga *adj.-s.* Fugitivo, especialmente el que huye de la autoridad legítima. – 2 *m.* Mozo que se ausenta o se oculta para eludir el servicio militar.

profundamente *adv. m.* Con profundidad. 2 fig. De lo íntimo del ánimo.

profundidad *f.* Calidad de profundo. 2 Honduras. 3 Dimensión de los cuerpos perpendicular a una superficie dada.

profundizar *tr.* Cavar [una cosa] para que esté más honda. 2 fig. Discurrir y examinar detenidamente [una cosa] para llegar a su perfecto conocimiento: ~ *un tema; intr., mi compañero profundiza mucho.* ◇ ** CONJUG. [4] como *realizar.*

profundo, -da *adj.* Que tiene el fondo muy distante de la boca o borde de la cavidad. 2 Que penetra mucho o va hasta muy adentro: *estocada profunda.* 3 Más cavado y hondo que lo regular. 4 Difícil de penetrar o comprender: *doctrina profunda.* 5 Intenso, muy vivo y eficaz: *dolor* ~; *sopor* ~. 6 Extendido a lo largo, o que tiene gran fondo: *bosque* ~. 7 fig. Que penetra o ahonda mucho: *pensamiento* ~; *filósofo* ~; *entendimiento* ~. 8 fig. Humilde en sumo grado: *salutación profunda.*

profusión *f.* Copia, abundancia excesiva.

profuso, -sa *adj.* Abundante con exceso. 2 Superfluo.

progenie *f.* Casta o familia de que desciende una persona.

progenitor, -ra *m. f.* Pariente en línea recta ascendente. – 2 *m. pl.* Padre y madre.

progesterona *f.* Hormona sexual femenina.

prognato, -ta *adj.-s.* [pers.] Que tiene salientes las mandíbulas. 2 ZOOL. Que tiene las partes bucales prominentes.

progradación *f.* Proceso por el que el continente gana terreno al mar por deposición de materiales en la región costera.

programa *m.* Edicto, bando o aviso público. 2 Previa declaración de lo que se piensa hacer en alguna materia u ocasión. 3 Anuncio o exposición de las partes de que se han de componer ciertas cosas. 4 Tema que se da para un discurso, cuadro, etc. 5 Sistema y distribución de las materias de un curso o asignatura, que forman y publican los profesores encargados de explicarlas. 6 Proyecto ordenado de actividades. 7 Serie ordenada de operaciones para llevar a cabo un proyecto. 8 En radio y televisión, unidad temática independiente dentro de una emisión: *programas informativos, musicales, culturales,* etc. 9 Conjunto de instrucciones para la realización de operaciones por parte de una computadora.

programador, -ra *adj.-s.* Que programa. – 2 *m.* Aparato que ejecuta un programa automáticamente. – 3 *adj.-s.* Especialista en la elaboración de programas de computadora.

programar *tr.* Fijar o establecer el programa [de una serie de actividades conducentes a un fin determinado]. 2 Elaborar programas.

progresar *tr.* Hacer progresos o adelantamientos en una materia.

progresión *f.* Acción de avanzar o de proseguir. 2 Serie no interrumpida. 3 MAT. Serie de números o de términos algebraicos en la cual cada tres consecutivos forman proporción continua: ~ *aritmética* o *por diferencia,* aquella en que cada dos términos consecutivos se diferencian en una misma cantidad, llamada diferencia de la progresión; ~ *geométrica* o *por cociente,* aquella en que cada dos términos consecutivos dan un mismo cociente, llamado cociente de la progresión.

progresismo *m.* Ideas y doctrinas progresivas. 2 Partido político que pregona estas ideas.

progresista *adj.* Que procura el progreso político de la sociedad. 2 [pers.] De ideas políticas y sociales avanzadas.

progresivo, -va *adj.* Que procura el avance. 2 Que progresa. 3 Que aumenta continuamente.

progreso *m.* Acción de ir hacia adelante. 2 Adelantamiento, perfeccionamiento. 3 Movimiento de avance de la civilización y de las instituciones políticas y sociales. 4 Desarrollo gradual e indefinido de la sociedad, de sus condiciones materiales de existencia y de sus aptitudes o capacidades intelectuales y morales, no siempre correlativas.

prohibición *f.* Acción de prohibir. 2 Efecto de prohibir.

prohibir *tr.* Vedar o impedir el uso o ejecución [de alguna cosa]. ◇ ** CONJUG. [21].

prohibitivo, -va *adj.* Que prohíbe. 2 Muy costoso, de difícil alcance para la economía de una persona o de la mayoría de los individuos: *la vivienda tiene precios prohibitivos; es un automóvil* ~.

prohijar *tr.* Recibir como hijo, con los requisitos legales [al que no lo es naturalmente]. ◇ ** CONJUG. [15] como *aislar.*

prohombre *m.* En los gremios de los artesanos, maestro de un oficio, que por su probidad y conocimientos se elegía para presidir y gobernar el gremio correspondiente. 2 El que goza de especial consideración entre los de su clase.

proís *m.* Cosa en tierra en la cual se amarra la embarcación. 2 Cabo que se amarra en tierra para asegurar la embarcación.

prójimo *m.* Cualquier hombre respecto de otro. 2 desp. Individuo, sujeto: *¿quién es ese* ~?

prolapso *m.* MED. Descenso de una parte interna del cuerpo.

prole *f.* Hijos o descendencia de uno.

prolegómeno *m.* Escrito preliminar en que se exponen los fundamentos generales de la materia que se ha de tratar después: *los prolegómenos de Kant.* 2 fig. Preparación, introducción excesiva o innecesaria de algo. 3 fig. Momentos inmediatamente anteriores o iniciales de un acontecimiento: *los prolegómenos de la guerra, de un encuentro deportivo.*

prolepsis *f.* RET. Anticipación (figura). ◇ Pl.: *prolepsis.*

proletariado *m.* Clase social constituida por los obreros proletarios.

proletario, -ria *adj.* Perteneciente o relativo al proletariado. – 2 *m. f.* Obrero, persona que no dispone de medios propios de producción y vende su fuerza de trabajo por un salario; p. ext., individuo de la clase pobre de la sociedad.

proliferar *intr.* Reproducirse en formas similares. 2 Multiplicarse.

prolífico, -ca *adj.* Que tiene virtud de engendrar. 2 Que se multiplica rápidamente. 3 fig. [artista] Que tiene una extensa producción.

prolijear *tr.* Extenderse en demasía en explicaciones, digresiones, etc.

prolijo, -ja *adj.* Largo, dilatado con exceso. 2 Demasiadamente esmerado. 3 Impertinente, pesado.

prologar *tr.* Escribir el prólogo [de una obra]. ◇ ** CONJUG. [7] como *llegar.*

prólogo *m.* Escrito antepuesto al cuerpo de la obra en un libro. 2 Discurso que solía preceder al poema dramático y se recitaba ante el público. 3 fig. Lo que sirve como de exordio o principio para ejecutar una cosa.

prologuista *com.* Persona que ha escrito uno o más prólogos para libros ajenos.

prolongadamente *adv. m.-t.* Dilatadamente, largamente.

prolongado, -da *adj.* Más largo que ancho.

prolongar *tr.* Alargar o extender [una cosa] a lo largo. 2 Hacer que dure [una cosa] más tiempo de lo regular. ◇ ** CONJUG. [7] como *llegar.*

promediar *tr.* Repartir [una cosa] en dos

mitades o partes iguales. – 2 *intr.* Mediar (interceder). 3 Llegar a su mitad un espacio de tiempo determinado: *antes de ~ el mes de julio.* ◇ ** CONJUG. [12] como *cambiar.*

promedio *m.* Punto en que una cosa se divide por mitad o casi por la mitad. 2 MAT. Término medio.

promesa *f.* Expresión de la voluntad de dar a uno o hacer por él una cosa. 2 Ofrecimiento hecho a Dios, a la Virgen o a los santos de ejecutar una obra piadosa. 3 fig. Augurio, señal que hace esperar algún bien. 4 DER. Ofrecimiento solemne de cumplir los deberes de un cargo o función.

promesero, -ra *adj.-s.* Argent., Colomb. y Parag. Peregrino.

prometer *tr.* Obligarse [a hacer, decir o dar alguna cosa]: *~ a su hija por esposa; ~ en casamiento.* 2 Asegurar (afirmar). – 3 *intr.* Dar una persona o cosa buenas muestras de sí para lo futuro: *este chico promete.* – 4 *prnl.* Esperar una cosa o mostrar gran confianza de lograrla: *prometerse buen resultado de un negocio.* 5 Ofrecerse uno al servicio de Dios o de sus santos. – 6 *rec.* Darse mutuamente palabra de casamiento.

prometido, -da *m. f.* Persona con la que otra ha concertado promesa de matrimonio.

prometio *m.* Elemento químico que pertenece al grupo de los lantánidos. Su símbolo es *Pm.*

prominencia *f.* Elevación de una cosa sobre lo que está alrededor.

prominente *adj.* Que se eleva sobre lo que está a su alrededor. 2 *Amér.* Ilustre, conspicuo.

promiscuar *intr.* Comer, en los días en que la Iglesia lo prohíbe, carne y pescado en una misma comida. 2 fig. Participar indistintamente en cosas heterogéneas u opuestas. ◇ ** CONJUG. [10] como *adecuar.*

promiscuidad *f.* Mezcla, confusión. 2 Convivencia de personas de sexos y procedencias distintas.

promiscuo, -cua *adj.* Mezclado confusa o indiferentemente. 2 Que tiene dos sentidos o usos equivalentes.

promisión *f.* Promesa (expresión).

promisorio, -ria *adj.* Que encierra en sí promesa.

promoción *f.* Acción de promover. 2 Conjunto de individuos que obtienen un grado o empleo al mismo tiempo. 3 Elevación o mejora de las condiciones de vida, de productividad, intelectuales, etc. 4 Actividad que tiene como fin el dar a conocer o hacer sentir la necesidad de un producto. 5 Venta favorable: *un artículo en ~.*

promocionar *tr.-prnl.* Proporcionar [a alguien] un nivel profesional o cultural, superior al que tenía. 2 Elevar o hacer valer artículos comerciales, cualidades, personas, etc. – 3

intr. DEP. Jugar un equipo unos partidos en una competición en la que se disputa un ascenso o descenso de categoría.

promontorio *m.* Altura muy considerable de tierra. 2 fig. Cosa que por su gran volumen causa mucho estorbo.

promotor, -ra *adj.-s.* Que promueve una cosa, haciendo las diligencias conducentes para su logro.

promover *tr.* Iniciar o adelantar [una cosa] procurando su logro: *~ un pleito, un alboroto.* 2 Elevar [a una persona] a una dignidad o empleo: *~ a uno a jefe.* 3 Convocar, fomentar. ◇ ** CONJUG. [32] como *mover.*

promulgar *tr.* Publicar [una cosa] solemnemente. 2 esp. Publicar formalmente [una ley u otra disposición de la autoridad]. 3 fig. Hacer que [una especie] se divulgue mucho. ◇ ** CONJUG. [7] como *llegar.*

pronación *f.* Movimiento del antebrazo que hace girar la mano de fuera a dentro, de modo que la palma quede hacia abajo.

prono, -na *adj.* Muy inclinado a una cosa. 2 Que está echado sobre el vientre: *decúbito ~.*

pronombre *m.* Parte de la oración que sustituye al substantivo y desempeña sus funciones. Divídese en *demostrativo, indeterminado, personal, posesivo* y *relativo.* ◇ V. Apéndice gramatical.

pronominal *adj.* Perteneciente o relativo al pronombre.

pronosticar *tr.* Conocer por algunos indicios [lo futuro]. ◇ ** CONJUG. [1] como *sacar.*

pronóstico *m.* Acción de pronosticar. 2 Efecto de pronosticar. 3 Juicio que el médico forma acerca del curso, duración y terminación de una enfermedad, por el estudio de los síntomas. 4 Señal por donde se conjetura o adivina una cosa futura. 5 Calendario en que se anuncian los fenómenos astronómicos y meteorológicos.

pronoto *m.* ZOOL. Protórax de algunos insectos.

prontitud *f.* Calidad de pronto (veloz). 2 Viveza de ingenio o de imaginación.

pronto, -ta *adj.* Veloz, rápido, acelerado, que ejecuta las cosas sin retraso: *~ a darse; ~ en las respuestas.* 2 Dispuesto, aparejado para la ejecución de una cosa: *~ de genio; ~ para trabajar.* – 3 *m.* fam. Movimiento repentino a impulsos de una pasión u ocurrencia inesperada. – 4 *adv. m.* Presto, prontamente.

prontuario *m.* Resumen en que se anotan varias cosas a fin de tenerlas presentes cuando se necesiten. 2 Compendio de las reglas de una ciencia o arte. 3 *Amér.* Cédula judicial de la persona detenida.

pronunciado, -da *adj.* GALIC. Abultado, saliente, fuerte.

pronunciamiento *m.* Rebelión militar.

pronunciar *tr.* Emitir y articular [sonidos]

para hablar. **2** p. ext. Hablar públicamente: *pronunció palabras malsonantes; ~ un discurso.* **3** Determinar, resolver: *hemos pronunciado tu venida.* – **4** *prnl.* p. ext. Levantarse, sublevarse: *pronunciarse un regimiento.* **5** Adherirse a una opinión, doctrina, etc.: *me pronuncio en favor de esta tesis.* ◇ ** CONJUG. [12] como *cambiar.*

propaganda *f.* Asociación cuyo fin es propagar doctrinas, opiniones, productos comerciales, etc. **2** p. ext. Trabajos y medios empleados con este fin.

propagar *tr.-prnl.* Multiplicar por reproducción u otra vía de generación: *~ una casta.* **2** fig. Difundir o extender [una cosa o los efectos de ella]: *~ el tifus en, o por, la comarca.* **3** en gral. Extender el conocimiento [de una cosa] o la afición a ella: *~ unas ideas, un juego,* etc.; *~ una especie entre los suyos.* ◇ ** CONJUG. [7] como *llegar.*

propalar *tr.* Divulgar [una cosa oculta].

propano *m.* QUÍM. Hidrocarburo saturado gaseoso, que se utiliza como combustible. Se halla en el petróleo en bruto.

proparoxítono, -na *adj.* Esdrújulo.

propasar *tr.* Pasar [una cosa] más adelante de lo debido. – **2** *prnl.* Excederse uno de lo razonable en lo que hace o dice: *propasarse en la comida.* **3** Cometer un atrevimiento, faltar al respeto; esp., un hombre a una mujer.

propedéutica *f.* Enseñanza preparatoria para el estudio de una disciplina.

propender *intr.* Inclinarse uno a una cosa por especial afición u otro motivo.

propensión *f.* Inclinación de una persona o cosa a lo que es de su gusto o naturaleza. **2** Predisposición a contraer una enfermedad.

propenso, -sa *adj.* Con inclinación a lo que es natural a uno.

propergol *m.* Materia cuya reacción química sirve para mantener el movimiento de un cohete espacial, por medio de gases calientes.

propiciar *tr.* Ablandar, aplacar [la ira o la opinión de uno] haciéndole propicio. **2** Atraer o ganar el favor o beneficencia de alguno. **3** Favorecer la ejecución de algo. **4** *Amér.* Patrocinar, proponer. ◇ ** CONJUG. [12] como *cambiar.*

propicio, -cia *adj.* Benigno, inclinado a hacer bien. **2** Oportuno. **3** Favorable [para que algo se logre].

propiedad *f.* Derecho o facultad de disponer de una cosa, con exclusión del ajeno arbitrio y de reclamar la devolución de ello si está en poder de otro. **2** Cosa que es objeto del dominio, especialmente si es inmueble o raíz. **3** Cualidad peculiar de una persona o cosa. **4** fig. Semejanza o imitación perfecta. **5** GRAM. Significado o sentido peculiar y exacto de las voces o frases.

propietario, -ria *adj.-s.* Que tiene derecho de propiedad sobre una cosa, especialmente sobre bienes inmuebles. – **2** *adj.* Que tiene cargo u oficio que le pertenece.

propileo *m.* Vestíbulo de un templo; peristilo de columnas.

propina *f.* Colación o agasajo que se repartía entre los concurrentes a una junta; después se redujo a dinero. **2** Agasajo que sobre el precio convenido se da por algún servicio. **3** Gratificación pequeña con que se recompensa un servicio eventual.

propinar *tr.* Dar a beber. **2** p. ext. Ordenar, administrar [una medicina]. **3** fig. *e* irón. Dar algo desagradable: *~ una paliza, un mal rato.*

propio, -pia *adj.* Perteneciente al que tiene la facultad exclusiva de disponer de ello. **2** Característico, peculiar de cada persona o cosa: *nombre ~.* **3** Conveniente y a propósito para un fin: *~ al, del,* o *para el, caso.* **4** Natural, en contraposición a postizo o accidental. **5** Mismo: *el ~ interesado debe firmar.*

proponer *tr.* Manifestar con razones [una cosa] para conocimiento de uno o para inducirle a adoptarla. **2** p. ext. Consultar o presentar [a uno] para un empleo o beneficio: *~ a uno en primer lugar para una vacante; ~ por árbitro.* **3** En las escuelas, presentar [los argumentos en pro y en contra] de una proposición. – **4** *tr.-prnl.* Determinar o hacer propósito de ejecutar o no [una cosa]. ◇ ** CONJUG. [78] como *poner;* pp. irreg.: *propuesto.*

proporción *f.* Relación o correspondencia debida a las partes con el todo, o de una cosa con otra, en cuanto a magnitud, cantidad o grado: *las proporciones del cuerpo humano; la ~ entre el delito y la pena.* **2** Disposición u oportunidad para hacer o lograr una cosa. **3** Coyuntura, conveniencia. **4** Tamaño. **5** MAT. Igualdad de dos razones, que se llama *aritmética* o *geométrica,* según sean las razones de una u otra especie.

proporcionado, -da *adj.* Regular, competente o apto para lo que es menester. **2** Que guarda proporción.

proporcionar *tr.* Disponer y ordenar [una cosa] con la debida proporción: *~ la carga; ~ las aspiraciones a las fuerzas; ~ sus gastos a sus ingresos.* **2** Poner a disposición de uno [lo que necesita o le conviene]: *proporcionarle dinero.* – **3** *prnl.* Conseguir.

proposición *f.* Acción de proponer. **2** Efecto de proponer. **3** GRAM. Oración. **4** LÓG. Expresión verbal de un juicio. **5** MAT. Enunciación de una verdad demostrada o que se trata de demostrar.

propósito *m.* Ánimo o intención de hacer o de no hacer una cosa. **2** Objeto, mira. **3** Materia de que se trata o en que se está entendiendo.

propuesta *f.* Proposición o idea que se manifiesta y ofrece a uno para un fin. **2** Consulta de un asunto o negocio a la persona, junta o cuerpo que lo ha de resolver.

propugnar *tr.* Defender, amparar [a una persona o cosa].

propulsar *tr.* Impeler [una cosa] hacia adelante.

propulsión *f.* Acción de propulsar: ~ *a chorro*, sistema para hacer avanzar en el espacio un avión, cohete o proyectil, mediante la reacción producida por una corriente de fluido que sale de la parte posterior del aparato.

prorrata *f.* Cuota o parte proporcional que toca a uno de lo que se reparte entre varios.

prorrateo *m.* Repartición proporcional de una cantidad entre varios.

prórroga *f.* Prorrogación.

prorrogación *f.* Continuación de una cosa por un tiempo determinado.

prorrogar *tr.* Continuar, dilatar [un plazo u otra cosa] por tiempo determinado. 2 en gral. Suspender, aplazar. ◇ ** CONJUG. [7] como *llegar*.

prorrumpir *intr.* Salir con ímpetu una cosa: *el agua prorrumpió de la roca.* 2 fig. Manifestarse uno repentinamente y con violencia por medio de lágrimas, voces, etc.: ~ *en suspiros*.

prosa *f.* Forma que toma naturalmente el lenguaje para expresar los conceptos, no sujetos a la medida y cadencia del verso. 2 Demasía de palabras para decir cosas poco o nada importantes. 3 fig. Aspecto de las cosas que se opone al ideal y a la perfección de ellas: *la ~ del amor.*

prosaico, -ca *adj.* Relativo a la prosa, o escrito en prosa. 2 Que adolece de prosaísmo (defecto). 3 fig. Falto de idealidad o elevación; insulso, vulgar: *una existencia prosaica; una persona prosaica; de pensamientos prosaicos.*

prosaísmo *m.* Defecto de la obra en verso, o de cualquiera de sus partes, que consiste en la falta de armonía o de entonación poéticas, o en la demasiada llaneza de la expresión, o en la insulsez y trivialidad del concepto. 2 fig. Insulsez y trivialidad en el fondo de las obras en prosa.

prosapia *f.* Ascendencia o linaje de una persona.

proscenio *m.* En el antiguo **teatro griego y latino, lugar entre la escena y la orquesta. 2 Parte anterior del escenario, desde el borde de éste hasta el primer orden de bastidores; **teatro.

proscribir *tr.* Echar [a uno] del territorio de su patria, por causas políticas. 2 fig. Excluir, prohibir el uso [de una cosa]. ◇ CONJUG. pp. irreg.: *proscrito* o *proscripto*.

proseguir *tr.-intr.* Continuar, llevar adelante [lo que se tenía empezado]: ~ *con*, o *en, la tarea.* ◇ ** CONJUG. [56] como *seguir*.

proselitismo *m.* Celo de ganar prosélitos.

prosélito *m.* Gentil, mahometano o sectario convertido a la religión católica. 2 fig. Partidario ganado para una colectividad, partido o doctrina.

prosémica *f.* Estudio del espacio y de las distancias como sistema significativo.

prosénquima *m.* Tejido orgánico, de células alargadas, sin espacios intercelulares.

prosificar *tr.* Poner en prosa [una composición poética]. ◇ ** CONJUG. [1] como *sacar*.

prosimio *adj.-m.* Primate del suborden de los prosimios. – 2 *m. pl.* Suborden de primates primitivos dotados de hocico prominente y olfato muy desarrollado; incluye tres familias: lemúridos, daubentónidos y társidos.

prosista *com.* Escritor o escritora de obras en prosa.

prosodema *m.* GRAM. Unidad prosódica.

prosodia *f.* Parte de la gramática que estudia la pronunciación. En las lenguas clásicas comprende, además, las leyes de la cantidad silábica aplicable a la versificación.

prosopografía *f.* RET. Descripción del exterior de una persona o de un animal.

prosopopeya *f.* RET. Figura que consiste en atribuir a las cosas inanimadas, incorpóreas o abstractas, acciones y cualidades propias del ser animado y corpóreo, o las de hombre al irracional, o bien en poner palabras en boca de personas verdaderas o fingidas, vivas o muertas. 2 fam. Afectación de gravedad y pompa.

prospección *f.* Exploración y sondeos previos de un terreno para reconocer sus posibilidades mineras. 2 p. ext. En el comercio, estudio del mercado y búsqueda de clientes.

prospectivo, -va *adj.* Que está en perspectiva. – 2 *f.* Conjunto de investigaciones para prever la evolución social.

prospecto *m.* Exposición o anuncio breve de un espectáculo, libro, mercancía, etc.

prosperar *tr.* Ocasionar prosperidad [a uno]: *Dios te prospere.* – 2 *intr.* Tener o gozar prosperidad: *el negocio prospera.* 3 Triunfar, ser aprobado: *la propuesta española prosperó en la comisión.*

prosperidad *f.* Curso favorable de las cosas; éxito feliz. 2 Bienestar material.

próspero, -ra *adj.* Favorable, propicio, venturoso.

próstata *f.* Glándula pequeña, que tienen los mamíferos de sexo masculino unida al cuello de la vejiga de la orina y a la uretra, y que segrega un líquido blanquecino y viscoso.

prosternarse *prnl.* Postrarse.

prostibulario, -ria *adj.* Perteneciente o relativo al prostíbulo.

prostíbulo *m.* Mancebía (burdel).

prostitución *f.* Acción de prostituir o prostituirse. 2 Efecto de prostituir o prostituirse.

prostituir *tr.-prnl.* Exponer [a uno] públicamente a todo género de torpeza. 2 Prestar una relación sexual por dinero. 3 fig. Deshonrar, vender uno su [empleo, autoridad, etc.]; abusar bajamente de ellos. ◇ ** CONJUG. [62] como *huir.* pp. reg.: *prostituido*; irreg.: *prostituto.*

prostituta *f.* Ramera.

protactinio *m.* Metal radiactivo. Su símbolo es *Pa.*

protagonismo *m.* Condición de protagonista. 2 Tendencia a estar a toda costa en el primer plano de una actividad.

protagonista *com.* Persona principal de cualquier obra literaria, película cinematográfica, programa de radio o televisión, etc., especialmente de carácter dramático. 2 p. ext. Persona que en un suceso cualquiera tiene la parte principal.

protagonizar *intr.* Actuar como protagonista. ◇ ** CONJUG. [4] como *realizar.*

prótalo *m.* Gametofito de las plantas pteridofitas, pequeña lámina verde, de forma acorazonada, fijada al suelo por pelos rizoides, y en cuyo envés se forman los arquegonios y los anteridios; **helecho.

protandro, -dra *adj.* [planta o flor hermafrodita] De estambres maduros antes que los carpelos.

prótasis *f.* Primera parte del poema dramático; exposición. 2 GRAM. En las oraciones condicionales, oración que expresa la condición, a diferencia de la *apódosis* o consecuencia: *si me lo pagan bien* (prótasis)*, venderé mi caballo* (apódosis). ◇ Pl.: *prótasis.*

proteáceo, -a *adj.-f.* Planta de la familia de las proteáceas. – 2 *f. pl.* Familia de plantas dicotiledóneas del hemisferio austral, generalmente árboles y arbustos, de hojas dentadas y coriáceas, flores hermafroditas, en espiga o racimo, y fruto con semilla sin albumen.

protección *f.* Acción de proteger. 2 Efecto de proteger. 3 Socorro. 4 Conjunto de las medidas empleadas por el sistema protector.

proteccionismo *m.* Doctrina o sistema de política económica, opuesto al librecambismo, que protege la producción de un país, excluyendo con prohibición directa, el acceso de determinados productos extranjeros, gravando su importación o favoreciendo por otros medios a los nacionales.

protector, -ra *adj.-s.* Que protege. 2 Que cuida de los derechos o intereses de una comunidad. – 3 *m.* En algunos deportes, como rugby, boxeo, hockey, etc., aparato o prenda de forma y materia variada utilizado para proteger determinadas partes del cuerpo. 4 Cárter, pantalla u otro dispositivo que rodea los engranajes, poleas, correas, etc., de ciertas maquinarias para preservar de accidentes.

protectorado *m.* Dignidad, cargo o función de protector. 2 Parte de soberanía que un estado ejerce en territorio no incorporado plenamente al de su nación y en el cual existen autoridades propias de los pueblos autóctonos. 3 Territorio en que se ejerce esta soberanía compartida.

proteger *tr.-prnl.* Amparar, favorecer, defender [a una persona, animal o cosa]: ~ *a uno en sus designios;* ~ *una planta del frío con cristales.* ◇ ** CONJUG. [5].

protegido, -da *m. f.* Favorito, ahijado.

proteico, -ca *adj.* Que cambia de formas o de ideas. 2 De la naturaleza de las proteínas.

proteína *f.* Nombre genérico de ciertos albuminoides sencillos, de cuya descomposición resultan únicamente aminoácidos.

prótesis *f.* CIR. Operación que consiste en reparar artificialmente la falta de un órgano o parte de él; como un diente, una pierna, etc. 2 Órgano reparado artificialmente o insertado. 3 GRAM. Metaplasmo que consiste en añadir una o más letras al principio de un vocablo: *amatar* por *matar.* 4 Sala o ábside lateral de la **basílica paleocristiana oriental, situada a la izquierda del ábside central, destinada a guardar las ofrendas y a la bendición del pan y del vino. ◇ Pl.: *prótesis.*

protesta *f.* Acción de protestar. 2 Efecto de protestar. 3 Promesa con aseveración de ejecutar una cosa.

protestante *adj.-com.* [pers.] Que sigue cualquiera de las sectas del protestantismo. – 2 *adj.* Perteneciente o relativo a los protestantes o al protestantismo: *culto* ~.

protestantismo *m.* Movimiento religioso nacido en el s. XVI, que se separó de la Iglesia católica y romana, originando gran número de sectas; como el luteranismo, el calvinismo, etc. 2 Conjunto de los protestantes. 3 Doctrina de los protestantes.

protestar *tr.* Declarar uno [su intención en orden a ejecutar una cosa]: ~ *los deseos de trabajar.* 2 Confesar uno públicamente [la fe o creencia] que profesa: *protesto mi cristianismo.* – 3 *intr.* p. ext. Con la preposición *de,* aseverar con ahínco y con firmeza: ~ *de mi inocencia.* – 4 *intr.* Con la preposición *contra,* negar la validez de un acto; tacharlo de vicioso: ~ *contra la calumnia.* 5 en gral. Mostrar disconformidad vehemente: *protesto de, contra,* o *por, estas palabras.* – 6 *tr.* COM. p. ext. Hacer protesto [de una letra de cambio].

protesto *m.* Diligencia que, por no ser aceptada una letra de cambio, se practica bajo fe notarial para que no se perjudiquen los derechos y acciones entre los que han intervenido en el giro o en los endosos de él.

prótido *m.* QUÍM. y BIOL. Tipo de substancia componente de los seres vivos, que forma la parte fundamental de las células, de los órganos y de los líquidos orgánicos; como la sangre, la leche o los jugos vegetales.

protocolario, -ria *adj.* fig. Que se hace con solemnidad no indispensable, pero usual.

protocolo *m.* Ordenada serie de escrituras matrices y otros documentos que un notario o escribano autoriza y custodia con ciertas formalidades. 2 Acta o cuaderno de actas relativas a un acuerdo, conferencia o congreso diplomático. 3 p. ext. Regla ceremonial diplomática o palatina.

protocormófito, -ta *adj.-m.* [vegetal] De organización superior a los talofitos, pero sin alcanzar la de los cormófitos.

protoctistas *m. pl.* Reino que agrupa los microorganismos eucariotas y afines; como las algas, los hongos inferiores y los protozoos.

protofito *adj.-m.* Protoctista del grupo de los protofitos. – 2 *m. pl.* Grupo de protoctistas vegetales, es decir, todos los protoctistas excepto los protozoos.

protógina *adj.* [planta o flor hermafrodita] De carpelos maduros antes que los estambres.

protohistoria *f.* Período de la historia en que faltan la cronología y el documento, y que se basa únicamente en la tradición; constituye la transición entre la prehistoria y la historia propiamente dicha. 2 Estudio de ese período. 3 Obra que versa sobre él.

protolisis *f.* BOT. Descomposición de la clorofila por la luz. ◇ Pl.: *protolisis.*

protón *m.* Núcleo del átomo de hidrógeno de carga eléctrica positiva.

I) protónico, -ca *adj.* GRAM. Que precede a la sílaba tónica. V. sílaba.

II) protónico, -ca *adj.* Relativo al protón.

protonosfera *f.* Zona exterior de la atmósfera terrestre que se encuentra casi totalmente ionizada y donde los protones son más abundantes que el hidrógeno neutro.

protoplasma *m.* Materia organizada y viviente que es la substancia fundamental de la **célula.

protórax *m.* Primer segmento del tórax de los insectos. ◇ Pl.: *protórax.*

protosol *m.* Masa cósmica que dio origen a un sistema planetario.

prototerio *adj.-m.* Mamífero de la subclase de los prototerios. – 2 *m. pl.* Subclase de mamíferos primitivos que junto a caracteres de mamíferos presentan otros propios de reptiles o de aves; son ovíparos, e incluye un solo orden con representantes actuales: los monotremas.

prototipo *m.* Original ejemplar o primer molde en que se fabrica una figura u otra cosa. 2 fig. El más perfecto ejemplar de una virtud, vicio o cualidad.

protozoo *adj.-m.* Animal del subreino de los protozoos. – 2 *m. pl.* Subreino animal que comprende organismos unicelulares y sin diferenciación de tejidos; incluye varios tipos, entre los que destacan: rizópodos, zoomastiginos, actinópodos, foraminíferos, ciliados y esporozoos.

protráctil *adj.* [órgano] Que puede proyectarse mucho hacia afuera.

protuberancia *f.* Prominencia más o menos redonda. – 2 *f. pl.* Grandes masas de vapores incandescentes, que salen del **sol.

proturo *adj.-m.* Insecto del orden de los proturos. – 2 *m. pl.* Orden de insectos apterigotas de menos de 2 mms. de longitud y desprovistos de antenas; viven entre el humus.

proustita *f.* Mineral sulfuro de color rojo y brillo adamantino.

provecto, -ta *adj.* Antiguo, adelantado. 2 Maduro, entrado en días.

PROTOZOOS

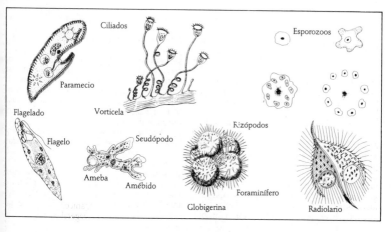

Ciliados
Esporozoos
Paramecio
Vorticela
Flagelado
Flagelo
Seudópodo
Rizópodos
Ameba
Amébido
Foraminífero
Globigerina
Radiolario

provecho *m.* Beneficio o utilidad. 2 Aprovechamiento o adelantamiento en las ciencias, artes o virtudes.

provechoso, -sa *adj.* Que causa provecho: ~ *al,* o *para el, vecindario.*

proveedor, -ra *m. f.* Persona que tiene por oficio proveer de todo lo necesario a una colectividad o casa de gran consumo.

proveer *tr.-prnl.* Prevenir, juntar [las cosas necesarias] para un fin: ~ *lo más conveniente; intr.,* ~ *a la necesidad pública.* 2 p. anal. Suministrar lo necesario para un fin: ~ *la plaza de,* o *con, víveres; proveerse de libros.* 3 Disponer, resolver, dar salida [a un negocio]: ~ *una cuestión en justicia;* ~ *entre partes.* 4 Dar o conferir [una dignidad, empleo, etc.]: ~ *el cargo en el más digno.* ◇ ** CONJUG. [61] como *leer.* Para formar los tiempos compuestos utiliza indistintamente el pp. reg.: *proveído* o el pp. irreg.: *provisto.*

provenir *intr.* Nacer, originarse una cosa de otra como de su principio. ◇ ** CONJUG. [90] como *venir.*

provenzal *adj.-s.* De Provenza, región del sur de Francia. – 2 *m.* Lengua de oc.

proverbial *adj.* Relativo al proverbio o que lo incluye. 2 Muy notorio y conocido.

proverbio *m.* Sentencia, adagio o refrán. 2 Obra dramática cuyo objeto es poner en acción esta sentencia.

providencia *f.* Disposición anticipada o prevención que mira o conduce al logro de un fin. 2 Disposición que se toma en un lance sucedido para componerlo, o remediar el daño que pueda resultar. 3 fig. Previsión y cuidado que Dios tiene de sus criaturas.

providencialismo *m.* Tendencia a explicar los hechos como designio de la Providencia divina, prestando poca atención a sus causas inmediatas.

providente *adj.* Avisado, prudente.

próvido, -da *adj.* Prevenido, cuidadoso y diligente. 2 Propicio, benévolo.

provincia *f.* Gran división de un territorio o estado generalmente sujeta a una autoridad administrativa. 2 Conjunto de casas de religiosos que ocupan determinado territorio. – 3 *f. pl.* Todo un país, menos la capital.

provincial *adj.* Perteneciente o relativo a una provincia. – 2 *m.* Religioso superior de todas las casas de una provincia.

provincialismo *m.* Predilección que generalmente se da a los usos, costumbres, etc., de la provincia en que se ha nacido. 2 Voz o giro que únicamente tiene uso en una provincia.

provincianismo *m.* Manera de ser u obrar propia de un provinciano.

provinciano, -na *adj.-s.* Habitante de una provincia, en contraposición al de la capital.

provisión *f.* Acción de proveer. 2 Efecto de proveer. 3 Prevención de mantenimientos caudales y otras cosas que se guardan para que no hagan falta ni se echen de menos. 4 Mantenimientos o cosas que se previenen y tienen prontas para un fin: ~ *de boca,* víveres, vituallas.

provisional *adj.* Dispuesto o mandado interinamente.

provocación *f.* Acción de provocar. 2 Efecto de provocar. 3 Insulto, desafío.

provocar *tr.* Excitar, inducir [a uno] a que ejecute una cosa: ~ *a uno con malas palabras.* 2 esp. Irritar, enojar [a uno] con palabras u obras. 3 Facilitar, ayudar: *esta medicamento provoca el sueño.* 4 en gral. Mover o incitar: ~ *a risa, a lástima.* [1] como *sacar.*

proxeneta *com.* Persona que, con móviles de lucro, interviene para favorecer relaciones sexuales ilícitas.

próximamente *adv. t.* Pronto, en un futuro próximo, dentro de poco tiempo. – 2 *adv. m.-l.-t.* Con proximidad. – 3 *adv. c.* Aproximadamente.

próximo, -ma *adj.* Cercano, que dista poco en el espacio o en el tiempo: ~ *a mi casa;* ~ *a morir.*

proyección *f.* Acción de proyectar. 2 Efecto de proyectar. 3 Rayos proyectados por un foco. 4 Acción de proyectar una película. 5 fig. Influjo poderoso, influencia.

proyectar *tr.* Lanzar o dirigir [una cosa] hacia adelante o a distancia. 2 Idear, trazar, disponer el plan y los medios para ejecutar [algo]: ~ *una casa;* ~ *un viaje.* 3 Hacer visible por medio de la luz sobre un cuerpo o una superficie plana [la figura o la sombra de otro]: ~ *una fotografía; prnl., la sombra se proyecta en el lienzo.* 4 GEOM. Determinar la intersección con una superficie de las rectas o de la serie de rectas trazadas en una dirección determinada desde [un punto o los distintos puntos de una figura].

proyectil *m.* Cuerpo arrojadizo; como saeta, bala, bomba.

proyectista *com.* Persona dada a hacer proyectos y a facilitarlos.

proyecto *m.* Designio o pensamiento de ejecutar algo. 2 Plan y disposición que se forma para un tratado, o para la ejecución de una cosa de importancia. 3 Conjunto de escritos, cálculos y dibujos, hechos para dar idea de la realización y coste de una obra de arquitectura o de ingeniería.

proyector, -ra *adj.* Que sirve para proyectar la luz. – 2 *m.* Reflector. 3 Aparato que sirve para proyectar imágenes ópticas: ~ *de diapositivas;* **fotografía.

prudencia *f.* Virtud cardinal que consiste en discernir y distinguir lo que es bueno o malo para seguirlo o huir de ello. 2 Discernimiento, buen juicio. 3 Templanza, moderación.

prudente *adj.* Que tiene prudencia.

prueba *f.* Acción de probar. 2 Efecto de probar. 3 Razón, argumento, etc., con que se pretende hacer patente la verdad o falsedad de una cosa. 4 Indicio, señal o muestra que se da de una cosa. 5 Ensayo o experiencia de una cosa. 6 Muestra de la composición tipográfica, sacada para corregir en ella las erratas que tiene. 7 p. ext. Muestra del grabado y de la fotografía. 8 DEP. Competición. 9 DER. Justificación de la verdad de los hechos controvertidos en un juicio, hecha por lo medios que autoriza y reconoce por eficaces la ley. 10 MAT. Operación que se ejecuta para averiguar la exactitud de otra ya hecha. – 11 *f. pl. Amér.* Juego de manos.

pruina *f.* Tenue recubrimiento céreo que presentan las hojas, tallos o frutos de algunos vegetales.

pruniforme *adj.* BOT. En forma de ciruela.

pruriginoso, -sa *adj.* Que escuece.

prurito *m.* Comezón, picor. 2 fig. Deseo vehemente.

prusiano, -na *adj.-s.* De Prusia, antiguo país de Europa.

psaligrafía *f.* Especialidad de retrato en silueta, caracterizado porque los motivos o escenas se recortan en papel o tela, generalmente negro, y se pegan sobre un fondo monocolor.

psatirela *f.* Género de setas pequeñas con el sombrero convexo y de color castaño.

pseudomalaquita *f.* Mineral de la clase de los fosfatos, que cristaliza en el sistema monoclínico, de brillo vítreo.

pseudomonadales *f. pl.* Orden dentro de la clase esquizomicetes, bacterias acuáticas.

pseudomorfismo *m.* Estado de un mineral que afecta la forma característica de un animal o vegetal.

pseudoscopia *f.* ÓPT. Visión estereoscópica invertida, de modo que se observa en hueco lo que tiene relieve, y viceversa.

psicoanálisis *m.* Según Freud (1856-1939), médico vienés, método basado en el análisis de las tendencias afectivas reprimidas que lleva al más exacto conocimiento de la personalidad psíquica del enfermo. ◇ Pl.: *psicoanálisis.*

psicodélico, -ca *adj.* Perteneciente o relativo a la manifestación de elementos psíquicos que en condiciones normales están ocultos, o en la estimulación intensa de potencias psíquicas. 2 Causante de esta manifestación o estimulación, especialmente las drogas; como la marihuana y otros alucinógenos.

psicodrama *m.* Representación teatral de fines psicoterapéuticos.

psicofísica *f.* Rama de la psicología que estudia experimentalmente las relaciones entre los fenómenos psíquicos y los fisiológicos.

psicognostia *f.* Rama de la psicología práctica que se propone conocer por medios científicos y precisos la manera de ser psicológica de un sujeto, estudiando las diversas aptitudes científicas o profesionales del mismo.

psicolingüística *f.* Estudio científico de los comportamientos verbales en sus aspectos psicológicos.

psicología *f.* Disciplina filosófica que estudia el alma y sus manifestaciones o actividades (hechos psíquicos). 2 p. ext. Todo lo que atañe al espíritu. 3 Manera de sentir de una persona o de un pueblo. 4 Síntesis de los caracteres espirituales y morales de un pueblo o nación.

psicológico, -ca *adj.* Perteneciente o relativo al alma o a la psicología.

psicólogo, -ga *m. f.* Persona que por profesión o estudio se dedica a la psicología. 2 Persona que observa y comprende el carácter de los hombres.

psicomotor, -ra *adj.* Relativo a la motilidad y los factores psicológicos que intervienen en ella, condicionando su desarrollo.

psiconeurosis *f.* Conjunto de perturbaciones funcionales psíquicas y somáticas, cuyas causas determinantes son de naturaleza psíquica. ◇ Pl.: *psiconeurosis.*

psicópata *com.* Persona que padece psicopatía.

psicopatía *f.* Enfermedad mental.

psicopedagogía *f.* Rama de la psicología que se ocupa de los fenómenos psicológicos capaces de mejorar los sistemas didácticos y pedagógicos.

psicosis *f.* Enfermedad mental, en general. 2 p. ext. Obsesión pertinaz y constante. ◇ Pl.: *psicosis.*

psicosociología *f.* Estudio psicológico de la vida social.

psicosomático, -ca *adj.* Relativo a cuerpo y alma al mismo tiempo.

psicotecnia *f.* Rama de la psicología práctica que, teniendo en cuenta los resultados conocidos por medio de la psicognostia, pretende tratar y orientar convenientemente a los hombres, acomodándose a sus aptitudes psíquicas individuales.

psicoterapia *f.* Tratamiento de las enfermedades, especialmente nerviosas y mentales, por medios psíquicos; como sugestión, persuasión, hipnotismo, etc.

psicótropo, -pa *adj.* [medicamento] Que actúa sobre el psiquismo.

psique *f.* Espíritu humano, alma.

psiquiatra *com.* Médico especialista en psiquiatría.

psiquiatría *f.* Parte de la medicina que estudia las alteraciones morbosas de los estados de conciencia y de la conducta humana, con el fin de corregirlas.

psíquico, -ca *adj.* Perteneciente o relativo al alma.

psiquismo *m.* Conjunto de los caracteres psíquicos de un individuo.

psitaciforme *adj.-m.* Ave del orden de los psitaciformes. – 2 *m. pl.* Orden de aves de cabeza grande, pico fuerte, lengua gruesa, con dos dedos de las patas dirigidos hacia delante y otros dos hacia atrás, y plumaje muy vistoso; como el loro y el papagayo.

psitacismo *m.* Estado del espíritu en que uno habla sin saber lo que dice. 2 Método de enseñanza basado exclusivamente en el ejercicio de la memoria verbal.

psoas *m.* Músculo abdominal, que, unido a otro, se inserta en la parte anterior de las vértebras lumbares. ◇ Pl.: *psoas.*

psocóptero *adj.-m.* Insecto del orden de los psocópteros. – 2 *m. pl.* Orden de insectos alados o ápteros, de pequeño tamaño, con antenas largas y ojos compuestos grandes.

psoriasis *f.* Enfermedad de la piel que se manifiesta por manchas y descamación. ◇ Pl.: *psoriasis.*

pteridofito, -ta *adj.-f.* Planta del tipo de las pteridofitas. – 2 *f. pl.* Tipo de plantas criptógamas de generación alternante bien manifiesta, con el esporofito diferenciado en raíz y brote y el gametofito en forma de talo; como los helechos.

pterigodio *m.* Órgano masculino de fecundación interna de los seláceos.

pterigoides *adj.-f.* ANAT. Apófisis de la parte inferior de las alas mayores del esfenoides; **cabeza.

pterigota *adj.-m.* Insecto de la subclase de los pterigotas. – 2 *m. pl.* Subclase de insectos alados, o que, aunque no tienen alas, descienden de antepasados alados; como las pulgas y los piojos.

pterodáctilo *m.* Reptil volador de gran tamaño, cuyos restos fósiles se encuentran principalmente en el terreno jurásico.

pterófitos *m. pl.* División de plantas criptógamas vasculares de grandes frondes, a la que pertenecen los helechos.

ptialismo *m.* Secreción excesiva de saliva.

púa *f.* Cuerpo delgado y rígido que acaba en punta aguda. 2 Pincho o espina del erizo, puerco espín, etc. 3 Diente de un peine. 4 Chapa triangular de carey, usada para tocar la bandurria y otros instrumentos de **cuerda. 5 fig. Causa no material de sentimiento y pesadumbre. 6 fig. Persona sutil y astuta: *¡Buena ~ estás hecho!*

pub *m.* ANGLIC. Establecimiento público donde se consumen bebidas alcohólicas, en general con música de fondo, y cuya decoración intenta crear un ambiente de tipo inglés.

púber *adj.-s.* Que ha llegado a la pubertad.

pubertad *f.* Edad en que el hombre y la mujer se manifiestan aptos para la reproducción.

pubescente *adj.* Velloso.

pubis *m.* Parte inferior del vientre; **cuerpo humano. 2 El anterior de los tres **huesos que forman el coxal. ◇ Pl.: *pubis.*

publicación *f.* Acción de publicar. 2 Efecto de publicar. 3 Obra publicada.

publicar *tr.* Hacer [que una cosa] llegue a noticia de todos. 2 esp. Hacer manifiesta al público [una cosa]: *~ una sentencia.* 3 Revelar o decir [lo que estaba secreto y se debía callar]. 4 Dar a luz, poner a la venta [un diario, libro o un impreso cualquiera]. ◇ ** CONJUG. [1] como *sacar.*

publicidad *f.* Calidad o estado de público: *la ~ del caso avergonzó al autor.* 2 Conjunto de medios empleados para divulgar o extender la noticia de las cosas o de los hechos. 3 Divulgación de noticias o anuncios de carácter comercial para atraer a posibles compradores, espectadores, usuarios, etc.

publicista *com.* Persona que escribe para el público, especialmente en diarios y periódicos. 2 Agente o especialista en la publicidad comercial.

publicitar *tr.* Dar a la publicidad. – 2 *intr.* Hacer publicidad.

publicitario, -ria *adj.* Perteneciente o relativo a la publicidad, utilizada con fines comerciales, políticos, etc.

público, -ca *adj.* Notorio, patente, visto o sabido por todos. 2 Del común de la sociedad, en contraposición a privado: *potestad pública; jurisdicción pública; autoridad pública; teléfono ~.* 3 Relativo a todo el pueblo: *el bien ~; la vida pública.* – 4 *m.* Común del pueblo o ciudad: *aviso al ~.* 5 Conjunto de los que participan de unas mismas aficiones, o concurren con preferencia a determinado lugar. 6 Conjunto de los reunidos en determinado lugar para asistir a un espectáculo o con otro fin semejante. 7 Colectivo de personas no matizado.

pucelano, -na *adj.-s.* Vallisoletano.

puco *m. Amér.* Escudilla de barro. 2 *Amér.* Plato de madera.

pucherazo *m.* Golpe dado con un puchero. 2 fam. Fraude electoral que consiste en computar votos no emitidos en una elección.

puchero *m.* Vasija de barro, o de hierro fundido y esmaltado, con asiento pequeño, panza abultada, cuello ancho y una sola asa junto a la boca; sirve generalmente para cocer la comida. 2 Olla (guiso). 3 fig. Alimento diario y regular. 4 fig. Gesto que precede al llanto verdadero o fingido: *hacer pucheros.*

pucho *m. Amér.* Pizca, desperdicio, residuo. 2 *Amér. Merid.* Colilla de cigarro.

pudelar *tr.* Hacer dulce [el hierro colado] quemando su carbono en hornos de reverbero.

pudendo, -da *adj.* Torpe, feo, indecente.

pudibundez *f.* Afectación o exageración del pudor.

púdico, -ca *adj.* Honesto, pudoroso, casto.

pudiente *adj.-s.* Poderoso, rico.

pudinga *f.* Roca formada por fragmentos redondeados de varios tamaños unidos entre sí por un cemento cuarzoso o calcáreo.

pudor *m.* Recato, vergüenza, especialmente hacia el sexo o el propio cuerpo.

pudridero *m.* Lugar en que se pone una cosa para que se pudra. 2 Cámara destinada a los cadáveres antes de colocarlos en el panteón.

pudrir *tr.-prnl.* Corromper [una materia orgánica], dañarla. 2 fig. Molestar, consumir, causar [a uno] suma impaciencia o demasiado sentimiento. – 3 *intr.* Haber muerto, estar

sepultado: *tu amigo pudre en el cementerio.* ◇ CONJUG.: En infinitivo puede usarse *pudrir* o *podrir*; el participio debe ser *podrido*; las restantes formas se flexionan a partir del infinitivo *pudrir*.

puebla *f.* Siembra que hace el hortelano. 2 Posesión del arrendador de una hacienda.

pueble *m.* Conjunto de operarios de una mina.

pueblerino, -na *adj.* Lugareño.

pueblo *m.* Población (ciudad). 2 Población pequeña. 3 Gente común y humilde de una población. 4 Conjunto de personas de un lugar, región o país. 5 Nación (conjunto).

**puente *m.* Fábrica de cemento, madera, hierro, etc., que se construye sobre ríos, fosos, etc., para poder pasarlos: ~ *atirantado,* el que no tiene estructuras intermedias y se halla sus-

PUENTE

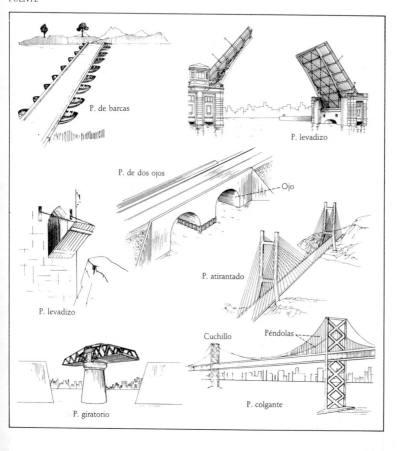

P. de barcas

P. levadizo

P. de dos ojos

Ojo

P. levadizo

P. atirantado

Cuchillo   Péndolas

P. colgante

P. giratorio

pendido de tirantes; ~ *colgante,* el sostenido por cables o cadenas de hierro; ~ *de barcas,* el provisional formado por un suelo de tablas apoyadas sobre barcas, odres, etc.; ~ *elevador,* el que consta de una plataforma que se eleva verticalmente mediante poleas siguiendo unas guías fijas en sendas torres construidas en dos pilas contiguas; **puerto; ~ *levadizo,* el móvil que antiguamente era defensa de **castillos y plazas fuertes, pudiendo levantarse o bajarse sobre el foso a voluntad por medio de poleas y cuerdas o cadenas, y actualmente está formado por dos tableros independientes que giran alrededor de ejes horizontales, para permitir el paso de embarcaciones; ~ *giratorio,* el que por medio de mecanismos apropiados puede tomar un movimiento de giro alrededor de un eje vertical; ~ *aéreo,* comunicación frecuente y continua que, por medio de aviones, se establece entre dos lugares, para facilitar el desplazamiento de personas y mercancías del uno al otro; **romano. 2 Plataforma estrecha y con baranda que, colocada a cierta altura sobre cubierta, va de banda a banda, y desde la cual puede el oficial de guardia comunicar sus órdenes a los diferentes puntos del buque. 3 Tablilla sobre la cual se apoyan las cuerdas en los instrumentos de **cuerda y **arco, y que comunica las vibraciones de éstas a la caja de resonancia. 4 Pieza metálica usada por los dentistas para sujetar los dientes artificiales, sirviéndose de los naturales. 5 Día o días laborables que entre dos festivos se aprovechan para vacación; esta misma vacación: *aprovecharon el puente de San José;* **hacer ~,** considerar como festivo el día intermedio entre dos que lo son realmente. 6 DEP. Ejercicio gimnástico consistente en curvar el cuerpo hacia atrás dejándolo sostenido por pies y manos.

◇ Antiguamente el género era ambiguo. En la lengua culta y literaria se usa hoy como masculino.

puerco, -ca *m. f.* Cerdo (mamífero). 2 ~ *espín* o *espino,* mamífero roedor del norte de África, de cuerpo rechoncho y cabeza pequeña, que tiene el cuello cubierto de fuertes crines y el lomo y costados de púas córneas y gruesas *(Hystrix cristata).* – 3 *adj.* Sucio, desaseado. – 4 *adj.-s.* fig. Cerdo (persona).

puericia *f.* Edad del hombre que media entre la infancia (siete años) y la adolescencia (catorce).

puericultor, -ra *m. f.* Persona dedicada al estudio y práctica de la puericultura.

puericultura *f.* Crianza y cuidado de los niños, en lo físico, durante los primeros años de la infancia.

pueril *adj.* Perteneciente o relativo a la puericia. 2 fig. Fútil, infundado.

puerperio *m.* Sobreparto (tiempo).

puerro *m.* Planta liliácea hortense, de cebolla alargada y sencilla, hojas planas, largas y estrechas y flores en umbela de color blanco rojizo; se come cocida y su bulbo es apreciado como condimento *(Allium porrum).*

****puerta** *f.* Vano de forma regular abierto en pared, cerca o verja, desde el suelo hasta la altura conveniente, para entrar y salir. 2 Agujero que sirve para entrar y salir por él, especialmente en las cuevas. 3 Armazón de madera, hierro u otra materia, engoznada o puesta en el quicio y asegurada con llave, cerrojo u otro instrumento para impedir la entrada y salida. 4 Tributo de entrada que se paga en las ciudades y otros lugares. 5 En algunos juegos, portería, marco. 6 fig. Camino, principio o entrada para entablar una pretensión u otra cosa.

****puerto** *m.* Lugar en la costa, defendido de

PUERTA

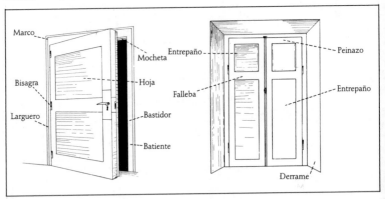

los vientos y dispuesto para seguridad de las naves y para las operaciones de tráfico y armamento. 2 Garganta o boquete que da paso entre montañas. 3 p. ext. Montaña o cordillera con una o varia de estas gargantas. 4 Ciudad o barriada construida junto a un puerto. 5 fig. Asilo, amparo, refugio.

puertorriqueño, -ña *adj.-s.* De Puerto Rico, isla del archipiélago de las Antillas.

pues *conj. caus.* Denota generalmente causa, motivo o razón: *sufre la pena, ~ cometiste la culpa.* 2 Sin perder totalmente el sentido causal toma carácter de condicional: *~ el mal es irremediable, llévalo con paciencia;* continuativa: *repito, ~, que hace lo que debe;* ilativa: *¿no quieres oír mis consejos? ~ tú lo llorarás algún día.* 3 Empléase a principio de cláusula, ya para apoyarla, ya para encarecer o esforzar lo que en ella se dice: *~ como iba diciendo; ¡~ no faltaba más!* 4 fam. Con interrogación se emplea también sola para preguntar lo que se duda equivaliendo a *¿cómo?* o *¿por qué?*: *esta noche no iré a la tertulia -¿pues?* 5 fam. Equivale al adverbio *sí* empleada como respuesta: *¿conque habló mal de mí? -pues.*

puesta *f.* Acción de ponerse un astro. 2 En algunos juego de naipes, cantidad que pone la persona que pierde, para que se dispute en la mano o manos siguientes. 3 Acción de poner huevos las aves.

puestero, -ra *m. f. Amér.* Persona que tiene o atiende un puesto (tiendecilla). 2 *R. de la Plata.* Persona que tiene animales que cría y beneficia por su cuenta.

puesto, -ta *adj.* Con los adverbios *bien* o *mal,* bien o mal vestido, ataviado o arreglado. – 2 *m.* Sitio o espacio que ocupa una cosa. 3 Lugar o paraje señalado para la ejecución de una cosa. 4 Tiendecilla, generalmente ambulante, o lugar en que se vende al por menor. 5 Empleo, dignidad, oficio o ministerio. 6 Lugar ocupado por tropa o policías en actos del servicio. 7 fig. Estado o disposición en que se halla una cosa, física o moralmente. – 8 *loc.*

PUERTO

conj. causal ~ que, pues: *hagáseme la cura, ~ que no hay otro remedio.*

puf *m.* Asiento en forma de almohadón.

¡puf! Interjección con que se denota asco o repugnancia.

púgil *m.* Boxeador.

pugilato *m.* Contienda a puñetazos. 2 Boxeo. 3 fig. Disputa en que se extrema la porfía.

pugna *f.* Batalla, pelea. 2 Oposición de persona a persona o entre naciones, bandos o parcialidades.

pugnar *intr.* Batallar, contender: *~ con,* o *contra, uno; ~ en defensa de otro.* 2 fig. Solicitar con ahínco; procurar con eficacia. 3 en gral. Porfiar con tesón para el logro de una cosa: *~ para, o por, escaparse.*

puja *f.* Acción de pujar (aumentar). 2 Efecto de pujar (aumentar). 3 Cantidad que un postor ofrece.

pujamen *m.* MAR. Orilla inferior de una vela.

pujanza *f.* Fuerza grande o robusta para ejecutar una acción.

I) pujar *tr.* Hacer fuerza para pasar adelante o proseguir [una acción]: *~ un proyecto con,* o *contra, los obstáculos.* – 2 *intr.* Tener dificultad para hablar; no llegar a explicar una cosa. 3 Vacilar en la ejecución de una cosa: *~ por lo largo de la cuesta.* 4 fam. Hacer gestos y ademanes para prorrumpir en llanto.

II) pujar *tr.* Aumentar los postores [el precio puesto a una cosa que se arrienda o se vende].

pujo *m.* Sensación muy penosa que consiste en la gana continua o frecuente de hacer cámaras o de orinar, con gran dificultad de lograrlo y acompañada de dolores. 2 Deseo eficaz o ansia de lograr un propósito. 3 fig. Gana violenta de prorrumpir en un afecto exterior, como risa o llanto.

pul *m. Amér.* ANGLIC. Influencia, valimiento, privanza, aldabas, padrinos.

pulcritud *f.* Calidad de pulcro.

pulcro, -cra *adj.* Aseado, esmerado en el

Grúa flotante · Dique seco · Oficinas · Cámara frigorífica · Puente elevador
Muelle para el carbón · Silo · Almacén · Dique flotante · Remolcador · Embarcadero · Hospital · Puerto pesquero · Lonja de pescado · Rompeolas · Muelle · Muelle de pasajeros · Observatorio meteorológico · Depósito tanques de petróleo

adorno de su persona, en la ejecución de las cosas, en la conducta, etc. 2 Ejecutado o arreglado con pulcritud. ◇ SUPERL.: *pulquérrimo.*

pulchinela *m.* Personaje burlesco de las farsas y pantomimas italianas.

pulenta *f. Amér.* Polenta, guiso.

pulga *f.* Insecto sifonáptero, de metamorfosis complicada, ojos sencillos, boca chupadora, cuerpo comprimido y patas saltadoras, que vive de la sangre de otros animales; esp., el que chupa la sangre del hombre *(Pulex irritans).* 2 ~ *de agua,* crustáceo cladócero, diminuto, que pulula en las aguas estancadas y nada como a saltos *(Daphnia pulex).*

pulgada *f.* Medida de longitud equivalente a unos 23 mms., o sea, la duodécima parte del pie.

pulgar *adj.-m.* Dedo pulgar; **mano. – 2 *m.* Parte de sarmiento que con algunas yemas se deja en las vides al podarlas, para que por ellas broten los vástagos.

pulgón *m.* Nombre de varias especies de insectos hemípteros, de cuerpo ovoide, negro o verdoso, cuyas hembras son ápteras y viven, lo mismo que sus larvas, apiñadas en gran número sobre las hojas y partes tiernas de ciertas plantas, a las que causan grave daño.

pulicaria *f.* Hierba compuesta, de tallos rastreros, hojas alternas, pubescentes y oblongas, y cabezuelas florales amarillas en corimbos. Se utiliza en medicina como astringente *(Pulicaria dysenterica).*

pulido, -da *adj.* Agraciado, bello; pulcro, primoroso.

pulimentar *tr.* Pulir (alisar).

pulir *tr.* Alisar o dar tersura y lustre [a una cosa]. 2 Perfeccionar [una cosa] dándole la última mano. 3 Adornar, aderezar, componer: *pulirse para ir de paseo.* 4 fig. Quitar [a uno] la rusticidad instruyéndole en el trato civil y cortés.

pulmón *m.* Órgano de la **respiración, generalmente doble, de los vertebrados que viven o pueden vivir fuera del agua. En el hombre los pulmones son dos masas esponjosas y extensibles, situadas en la cavidad torácica, una a la izquierda y otra a la derecha, cada una suspendida en la extremidad de un bronquio, el cual se ramifica dentro del pulmón hasta terminar en una multitud de vesículas. 2 Órgano respiratorio en forma de cámara o saco, propio de algunos arácnidos y moluscos.

pulmonado *adj.-m.* Animal de la subclase de los pulmonados. – 2 *m. pl.* Subclase de gasterópodos adaptados a la vida terrestre que respiran por medio de un saco o pulmón; como el caracol y la babosa.

pulmonar *adj.* Perteneciente o relativo a los pulmones: *arteria ~; vena ~;* **circulación.

pulmonaria *f.* Hierba boraginácea, de tallos vellosos, hojas ovales, ásperas, de color verde con manchas blancas; flores rojas en racimos terminales y fruto formado por cuatro nuececillas; su cocimiento se emplea como pectoral *(Pulmonaria officinalis).* 2 Liquen coriáceo, de color pardo y superficie con ampollas, semejante a un pulmón cortado; vive parásito sobre el tronco de diversos árboles *(Sticta pulmonacea).*

pulmonía *f.* Inflamación del pulmón o de una parte de él.

pulpa *f.* Parte mollar de las carnes o carne pura. 2 Carne de la fruta. 3 Medula de las plantas leñosas. 4 Tejido, con numerosos nervios y vasos sanguíneos, contenido en el interior de los **dientes. 5 En la industria conservera, la fruta fresca, una vez deshuesada y triturada. 6 En la industria azucarera, residuo de la remolacha después de extraer el jugo azucarado, y que, bien en fresco, bien disecado, sirve para piensos.

pulpejo *m.* Parte carnosa y mollar de un miembro pequeño del cuerpo humano; **mano; **pie. 2 Sitio blando y flexible que tienen los cascos de las **caballerías.

pulpería *f.* Tienda, en América, donde se venden bebidas, comestibles, mercería y otros géneros muy variados.

púlpito *m.* Plataforma pequeña con antepecho y tornavoz, que hay en las iglesias en lugar adecuado, para desde ella predicar, cantar la epístola y el evangelio, etc.

pulpo *m.* Molusco octópodo, de carne comestible, muy voraz, con el cuerpo oval, sin vestigio de concha interior *(Octopus vulgaris).*

pulque *m.* Bebida fermentada usada en América.

pulsación *f.* Acción de pulsar. 2 Latido de una arteria. 3 Movimiento periódico de un fluido.

pulsador *m.* Botón que, al ser pulsado, pone en función un aparato o mecanismo, como el del timbre eléctrico.

pulsar *tr.* Tocar, golpear. 2 Tocar, tañer cualquier instrumento de teclado o de cuerda, a excepción de los de arco. 3 Reconocer el estado del pulso: *~ a un enfermo.* 4 fig. Tantear [un asunto] para descubrir el medio de tratarlo. – 5 *intr.* Latir la arteria o el corazón y, en general, cualquier cosa que tenga movimiento sensible.

púlsar *f.* ASTRON. Objeto astronómico de pequeñas dimensiones y relativamente cercano a la Tierra que emite radiaciones muy breves y de gran regularidad.

pulsear *intr.* Probar dos personas, asida mutuamente la mano derecha y puestos los codos en lugar firme, quién de ellas logra derribar el brazo de la otra.

pulsera *f.* Guedeja que cae sobre la sien. 2 Brazalete que se pone en la muñeca.

pulso *m.* Serie de pulsaciones que se perciben en una parte del cuerpo: ~ *débil;* ~ *fuerte;* ~ *febril.* 2 Parte del cuerpo donde se percibe el pulso, especialmente la muñeca. 3 Seguridad o firmeza en la mano para ejecutar una acción con acierto. 4 fig. Tiento o cuidado en un negocio.

pultáceo, -a *adj.* Que es de consistencia blanda. 2 Que tiene apariencia de podrido o gangrenado o que lo está.

pulular *intr.* Empezar a brotar y echar renuevos y vástagos un vegetal. 2 Provenir o nacer una cosa de otra. 3 Abundar, multiplicarse brevemente en un paraje los insectos, sabandijas, etc. 4 en gral. Abundar o bullir en un paraje personas o cosas.

pulverizador *m.* Aparato para pulverizar un líquido.

pulverizar *tr.-prnl.* Reducir a polvo [una cosa sólida]. 2 Reducir [un líquido] a partículas muy tenues, a manera de polvo. 3 fig. Aniquilar, matar. 4 fig. Sobrepasar en mucho: ~ *un récord.* ◇ ** CONJUG. [4] como *realizar.*

pulverulento, -ta *adj.* Que tiene aspecto de polvo.

pulviniforme *adj.* [planta] Con aspecto de almohadilla.

pulla *f.* Palabra o dicho obsceno. 2 Dicho con que indirectamente se zahiere a una persona. 3 Expresión aguda y picante.

pullover *m.* Jersey ligero cerrado y con el escote en pico.

¡pum! Onomatopeya usada para expresar ruido, explosión o golpe.

puma *m.* Mamífero carnívoro de América, parecido al tigre, pero de pelo suave y leonado *(Felis concolor).*

¡pumba! Voz que remeda la caída ruidosa. 2 *m.* Juego de naipes que gana el jugador que antes logre descartarse de los que le hayan correspondido, habiendo obligación de avisar cuando sólo queda una carta.

puna *f. Amér. Merid.* Tierra alta próxima a la cordillera de los Andes. 2 *Amér. Merid.* Páramo.

punción *f.* CIR. Operación consistente en atravesar con un instrumento los tejidos hasta llegar a una cavidad, para reconocer o vaciar el contenido de ésta.

puncha *f.* Púa, espina, punta delgada y aguda.

pundonor *m.* Estado en que, según la común opinión de los hombres, consiste la honra o crédito de uno. 2 Sentimiento de la dignidad personal, delicado en extremo y susceptible.

pungir *tr.* Punzar. 2 fig. Herir las pasiones [el ánimo o el corazón]. ◇ ** CONJUG. [6] como *dirigir.*

punible *adj.* Que merece castigo.

punir *tr.* Castigar [a alguien].

punk *adj.-s.* Perteneciente o relativo a un movimiento contracultural juvenil de carácter violento de la segunda mitad de los años setenta y principios de los ochenta; propugnaba lo antiestético y los placeres inmediatos como respuesta a las frustraciones provocadas por la crisis económica. – 2 *com.* Miembro de dicho movimiento.

punta *adj.-com.* Puntero (lo más avanzado o destacado): *velocidad* ~, la mayor que puede alcanzar un vehículo. – 2 *f.* Extremo agudo de un **arma u otro instrumento con que se puede herir. 3 Extremo de una cosa: ~ *de un **arco* (varilla, instrumento). 4 Lengua de tierra, generalmente baja y de poca extensión, que penetra en el mar. 5 Pequeña porción de ganado que se separa del hato. 6 Cantidad considerable e indeterminada de personas, animales o cosas. 7 Espacio de tiempo durante el cual una actividad o fenómeno adquiere su mayor intensidad: *hora* ~. 8 Sabor que va tirando a agrio en una cosa. 9 fig. Tratándose de cualidades morales o intelectuales, algo, muy poco: *tiene una* ~ *de tonto; tener sus puntas de artista.* 10 BLAS. Tercio inferior de la superficie del campo del escudo. 11 TAUROM. Asta de toro. – 12 *f. pl.* Encaje que forma ondas o puntas en una de sus orillas. 13 Primeras vertientes o parajes en donde tiene origen un caudal de agua. ◇ GRAM. Construido en la primera acepción como aposición, actúa como adjetivo posterior.

puntada *f.* Agujero hecho con la aguja, lezna, etc., cuando se va cosiendo. 2 Acción de pasar la aguja o instrumento análogo, a través de un tejido, cuero, etc., por cada uno de estos agujeros. 3 Efecto de pasar la aguja o instrumento análogo, a través de un tejido, cuero, etc., por cada uno de estos agujeros. 4 Espacio que media entre dos de estos agujeros próximos entre sí. 5 Porción de hilo que ocupa este espacio. 6 Dolor penetrante. 7 Pinchazo producido por asta de toro. 8 fig. Palabra dicha como al descuido para recordar una especie o hablar de ella.

puntal *m.* Madero hincado en firme, para sostener la pared desplomada, o el edificio o parte de él que amenaza ruina. 2 Prominencia de un terreno, que forma como punta. 3 Madero grueso que se utiliza en la entibación de las minas. 4 fig. Elemento principal. 5 fig. Apoyo, fundamento. 6 MAR. Altura de la nave desde su parte inferior hasta la cubierta superior.

puntapié *m.* Golpe dado con la punta del pie.

puntar *tr.* Poner en las escrituras de las lenguas hebrea y árabe, los puntos o signos con que se representan [las vocales].

puntazo *m.* Herida hecha con la punta de un arma o de otro instrumento punzante. 2

Herida penetrante menor que una cornada, causada por una res vacuna al cornear. 3 fig. Pulla, indirecta con que se zahiere a una persona.

puntear *tr.* Marcar puntos [en una superficie]. 2 esp. Dibujar, pintar o grabar con puntos. 3 Trazar la trayectoria de un móvil a partir de alguno de sus puntos. 4 Coser o dar puntadas: ~ *un vestido.* 5 Tocar [la guitarra u otro instrumento semejante] hiriendo las cuerdas con un dedo. – 6 *tr. Argent.* y *Urug.* Levantar la tierra con la punta de la pala. 7 *Argent.* y *Urug.* Marchar a la cabeza de un grupo de personas o animales.

puntera *f.* Remiendo, en el calzado, y renovación, en las medias y calcetines, de la parte que cubre la punta del pie. 2 Sobrepuesto o contrafuerte de piel que se coloca en la punta de la pala del calzado. 3 Punta del pie.

puntería *f.* Acción de apuntar un arma arrojadiza o de fuego. 2 Dirección del arma apuntada. 3 Destreza del tirador para dar en el blanco.

I) puntero, -ra *adj.* Que tiene buena puntería (destreza). – 2 *m.* Punzón, palito o vara con que se señala una cosa para llamar la atención sobre ella. 3 Estaca del carro. 4 Aguja del reloj. 5 DEP. Persona o equipo que aventaja a los otros.

II) puntero, -ra *adj.-s.* Que es el más avanzado o destacado entre los de su género o especie.

puntiagudo, -da *adj.* Que tiene aguda la punta.

puntilla *f.* Encaje muy angosto hecho en puntas, para guarnecer pañuelos, escotes, etc. 2 Instrumento que, en lugar de lápiz, usan los portaventaneros para trazar. 3 Cachetero (puñal). 4 Tachuela, clavo pequeño.

puntillismo *m.* Sistema de pintura usado por los neoimpresionistas, consiste en descomponer los tonos por pinceladas separadas.

puntillo *m.* Cosa, leve por lo regular, en que una persona nimiamente pundonorosa repara o hace consistir el honor o estimación.

puntilloso, -sa *adj.* [pers.] Que tiene mucho puntillo.

puntista *m.* Jugador de pelota, en la especialidad de cesta punto.

punto *m.* Señal de dimensiones poco o nada perceptibles que se hace natural o artificialmente en una superficie. 2 Nota ortográfica que se pone sobre la *i* y la *j.* 3 Signo ortográfico con que se indica el fin de un período o de una sola oración; también se pone después de las abreviaturas; **puntuación. 4 ~ *y coma,* signo ortográfico [;] con que se indica pausa mayor que con la coma y menor que con los dos puntos. 5 *Puntos suspensivos,* signo ortográfico [.] con que se denota quedar incompleto el sentido de una oración o cláusula.

Úsase también después de oración o cláusula de sentido cabal, para indicar temor o duda, o lo inesperado y extraño de lo que ha de expresarse después, y, por último, cuando se copia algún texto o autoridad que no hace al caso insertar íntegros, para indicar las omisiones. 6 *Dos puntos,* signo ortográfico [:] con que se indica haber terminado completamente el sentido gramatical, pero no el lógico. Pónese también antes de toda cita de palabras ajenas intercaladas en el texto. 7 Parte en que se divide el pico de la pluma de escribir por efecto de la abertura o aberturas que tiene a lo largo. 8 Agujero que tienen a trechos ciertas piezas para sujetarlas, como los de la correa de un cinturón, etc. 9 Puntada de una obra de costura; p. ext., en cirugía, las de una sutura. 10 Lazadilla o nudito del tejido de las medias, elásticos, etc.: *géneros, tejidos, de* ~. 11 Rotura en un tejido de punto por soltarse algunas de dichas lazadillas. 12 Manera de enlazar entre sí los hilos que forman ciertas telas: ~ *de aguja, de malla, de encaje;* ~ *de tafetán,* el que imita el tejido de esta clase de tela. 13 Granito de metal que situado cerca de la boca de ciertas armas de fuego, sirve de mira. 14 Unidad de tanteo en algunos juegos y en otros ejercicios; como exámenes, oposiciones, etc. 15 Valor de un naipe o de una cara del dado. 16 Grado de una escala, especialmente aquel en que tiene lugar alguna cosa; en física, temperatura a que empieza a producirse un cambio de estado o un fenómeno: ~ *de fusión, de solidificación;* ~ *de ebullición.* 17 Hablando de calidades morales buenas o malas, extremo o grado a que éstas pueden llegar. 18 Límite mínimo de la extensión que se considera sin longitud, latitud ni profundidad: ~ *de intersección de dos rectas;* ~ *de vista,* aspecto con que puede ser considerado un asunto; ~ *cardinal,* el que con otros tres divide el horizonte en cuatro partes iguales; su posición está determinada por la del polo septentrional (Norte), por la del sol a la hora de mediodía (Sur), y por la salida y puesta de este astro en los equinoccios (Este y Oeste). 19 ~ *de apoyo,* lugar fijo sobre el cual estriba una palanca u otra máquina, para que la potencia pueda vencer a la resistencia. 20 Cosa muy corta, parte mínima de una cosa. 21 Sitio o lugar: ~ *de reunión;* ~ *de partida,* fig., lo que se toma como antecedente y fundamento para tratar o deducir una cosa: *el* ~ *de partida de una conferencia.* 22 Lugar señalado en la carta de marear, que indica la situación de la nave. 23 Porción pequeñísima de tiempo, momento. 24 Ocasión oportuna, momento favorable: *llegó a* ~ *de conseguir el empleo.* 25 Estado actual de cualquier especie o negocio. 26 Estado perfecto que llega a tomar cualquier cosa que se elabora al fuego: *el almíbar está al* ~. 27 En los instrumentos músicos, tono determinado de consonancia para que estén acordes. 28 Asunto o materia de que se trata en cada una de las partes de un sermón, discurso, conferencia, etc. 29 Lo substancial o principal en un asunto. 30 Fin o intento de cualquier acción. 31 vulg. Hombre listo. 32 ~ *muerto,* punto de la circunferencia descrita por la manivela de un motor, en el cual la manivela y la biela están en línea recta.

puntuación *f.* Acción de puntuar. 2 Efecto de puntuar. 3 Conjunto de los signos que sirven para puntuar. ◇ V. Apéndice gramatical.

puntual *adj.* Pronto, diligente, exacto en la ejecución de las cosas; esp., lo que se cumple a la hora o plazo convenidos. 2 Indubitable, cierto. 3 Conforme, conveniente. 4 Que sólo concierne a un elemento de un conjunto. 5 Aislado, concreto, específico: *una decisión* ~. ◇ En las acepciones 4 y 5 es barbarismo innecesario.

puntualidad *f.* Calidad de puntual.

puntualizar *tr.* Grabar con exactitud [una cosa] en la memoria. 2 Referir [un suceso] o describir [una cosa] sin olvidar detalle. 3 Dar la última mano [a una cosa], perfeccionarla. ◇ ** CONJUG. [4] como *realizar.*

puntualmente *adv. m.* Con puntualidad. 2 Con diligencia y exactitud, pormenorizadamente.

puntuar *tr.* Poner [en un escrito] los signos ortográficos necesarios para señalar las pausas y otros matices de sentido y entonación que el lector ha de tener en cuenta para interpretar debidamente el texto. 2 Sacar puntos en una competición, etc. ◇ ** CONJUG. [11] como *actuar.*

puntura *f.* Herida con instrumento o cosa que punza.

punzada *f.* Herida o picada de punta. 2 fig. Dolor agudo, repentino y pasajero, pero que suele repetirse de tiempo en tiempo. 3 fig. Sentimiento interior que causa una cosa que aflige el ánimo.

punzar *tr.* Herir sutilmente con un alfiler, espina, etc. 2 fig. Pinchar, zaherir. 3 fig. Avivarse un dolor de cuando en cuando. 4 fig. Hacerse sentir interiormente [una cosa que aflige al ánimo]. ◇ ** CONJUG. [4] como *realizar.*

punzón *m.* Instrumento de hierro que remata en punta. 2 Instrumento de acero durísimo, que en la boca tiene de realce una figura, la cual, hincada por presión o percusión, queda impresa en el troquel de medallas, monedas, botones, etc.

puñado *m.* Porción de cualquier cosa que se puede contener en el puño. 2 fig. Cortedad de una cosa de que debe o suele haber cantidad.

puñal *m.* **Arma corta, de acero, ofensiva, que sólo hiere de punta.

puñalada *f.* Golpe dado de punta con el puñal u otra arma semejante: *coser a puñaladas a uno,* fig., darle muchas. 2 Herida que resulta de este golpe. 3 fig. Pesadumbre grande dada de repente.

puñeta *f.* Bocamanga bordada de las togas. 2 Persona o cosa molesta.

¡puñeta! Interjección con que se denota admiración, sorpresa, enojo.

puñetazo *m.* Golpe dado con el puño (mano cerrada).

puñetería *f.* Cosa que sin ser provechosa produce molestias o dificultades.

puño *m.* Mano cerrada. 2 Parte de las prendas de vestir que rodea la muñeca. 3 Adorno que se pone en la bocamanga. 4 Mango de algunas **armas blancas. 5 Parte por donde suele cogerse el bastón, el **paraguas o la sombrilla, generalmente guarnecida de una pieza de materia diferente. 6 Esta misma pieza. 7 fig. Cortedad o estrechez en lo que no debe haberla. 8 fig. Fuerza, valor.

pupa *f.* Erupción en los labios. 2 Postilla de grano. 3 Lesión cutánea bien circunscrita, que puede ser de muy variado origen. 4 Voz infantil que indica dolor, herida, etc. 5 Crisálida.

pupar *intr.* Convertirse en pupa, crisálida.

pupila *f.* Mujer de la mancebía. 2 Orificio situado en el centro del iris, por donde penetra la luz en la cámara posterior del **ojo.

pupilaje *m.* Estado o condición del pupilo o de la pupila. 2 Estado del que está sujeto a la voluntad de otro porque le da de comer. 3 Pensión (casa; precio). 4 Cuidado de vehículos de motor.

pupilo, -la *m. f.* Persona que se hospeda en casa particular por precio ajustado. 2 Alumno o alumna que permanece en el colegio hasta la noche, haciendo en él la comida del mediodía. 3 DEP. fig. Deportista, en relación con su entrenador.

pupitre *m.* Mueble de madera, con tapa en forma de plano inclinado, para escribir sobre él.

pupusa *f. Amér. Central.* Empanada de maíz y queso.

puquio *m. Amér. Merid.* Manantial de agua.

purana *m.* Poema sánscrito que, junto con otros diecisiete, contiene la teogonía y cosmogonía de la antigua India.

purasangre *adj.-s.* Animal que desciende de individuos de la misma raza, en especial los caballos de carreras.

puré *m.* Pasta de legumbres u otras cosas comestibles, cocidas y pasadas por colador. 2 Sopa de esta pasta desleída en caldo. ◇ Pl.: *purés.*

pureza *f.* Calidad de puro. 2 fig. Virginidad, doncellez. 3 fig. Casticismo en el lenguaje.

purga *f.* Medicina que se toma para descargar el vientre. 2 fig. Residuos de algunas operaciones industriales. 3 fig. Eliminación de aquellas personas consideradas sospechosas o indeseables por ciertos partidos políticos.

purgación *f.* Acción de purgar o purgarse. 2 Efecto de purgar o purgarse. 3 Líquido purulento que se produce en la uretra.

purgar *tr.* Limpiar, purificar [una cosa] quitándole todo aquello que no le conviene. 2 p. anal. Dar [al enfermo] una medicina para exonerar el vientre: *purgarse con acíbar.* 3 Evacuar [un humor]: ~ *una llaga; la llaga purga,* o *se purga.* 4 Satisfacer con una pena lo que uno merece [por su culpa o delito]: ~ *una fechoría;* **intr.,** ~ *por un robo.* 5 esp. Padecer el alma las penas del purgatorio para purificarse [de las reliquias del pecado] y poder entrar en la gloria: ~ *los pecados;* **intr.,** ~ *por los pecados.* 6 fig. Purificar, acrisolar [una cosa no material]: ~ *el estilo.* 7 fig. Corregir, moderar [las pasiones]. – 8 *prnl.* Libertarse de cualquier cosa no material que causa gravamen. ◇ ** CONJUG. [7] como *llegar.*

purgatorio *m.* En la religión católica, lugar donde las almas no condenadas al infierno purgan sus pecados antes de ascender al cielo. 2 fig. Lugar donde se vive con trabajo y penalidad. 3 fig. Esta misma penalidad.

puridad *f.* Pureza (calidad). 2 Secreto.

purificar *tr.* Quitar [de una cosa] lo que es extraño, lo que se opone a su pureza; dejarla en estado de pureza o perfección. 2 Limpiar de toda imperfección [una cosa no material]: ~ *el alma.* 3 fig. Limpiar de toda mancha moral. ◇ ** CONJUG. [1] como *sacar.*

purina *f.* Compuesto orgánico que abunda en los núcleos de las células y constituyen la base de ciertos alcaloides.

purista *adj.-com.* Que escribe o habla con pureza. 2 Extremadamente riguroso en evitar o censurar toda palabra o giro de origen extranjero. 3 Exigente sobre la calidad técnica de algo.

puritanismo *m.* Secta y doctrina protestante, separada de la iglesia anglicana, que intentaban dar al anglicanismo un contenido más de acuerdo con el principio reformador, oponiéndose a cualquiera interposición material entre Dios y el hombre aceptando la Biblia inglesa como norma de fe, pero con la libre interpretación según el juicio individual. 2 p. ext. Escrupulosidad exagerada en el proceder.

puritano, -na *adj.-s.* Partidario del puritanismo. 2 fig. [pers.] Que real o afectadamente profesa con rigor las virtudes públicas o privadas y hace alarde de ello; rígido, austero.

puro, -ra *adj.* Libre y exento de toda mezcla de otra cosa. 2 Casto. 3 fig. Libre y exento de imperfecciones. 4 fig. [lenguaje o estilo] Correcto, exacto, que sigue las leyes gramaticales, exento de voces o construcciones extrañas o viciosas; [pers.] que se ajusta a ellos: *prosa pura; escritor* ~. 5 fig. Mero, solo, no acompañado de otra cosa. 6 fig. Que no incluye ninguna condición, excepción o restricción ni plazo. 7 fig. Que procede con desinterés en el desempeño de un empleo o en la administración de justicia. – 8 *adj.-m.* Cigarro puro.

púrpura *f.* Molusco gasterópodo marino, de branquias pectiniformes, el cual segrega un líquido amarillento que, por oxidación, se transforma en rojo o violado, muy usado antiguamente en tintorería y pintura (gén. *Murex; Purpura*). 2 Tinte que los antiguos preparaban con la tinta de este molusco o de otros parecidos. 3 Tela, comúnmente de lana, que formaba parte de las vestiduras propias de sumos sacerdotes, cónsules, reyes, emperadores, etc. 4 fig. Prenda de vestir del color de la púrpura que forma parte del traje característico de emperadores, reyes, real, cardenales, etc. 5 fig. Dignidad imperial, real, consular, cardenalicia, etc. – 6 *adj.-m.* Color rojo subido que tira a violado. – 7 *adj.* De color púrpura.

purpurar *tr.* Teñir de púrpura [una cosa]. 2 Vestir de ella [a una persona].

purpúreo, -a *adj.* De color de púrpura.

purpurina *f.* Substancia colorante roja, extraída de la raíz de la rubia. 2 Polvo finísimo de bronce o de metal blanco, usado en la pintura.

purria *f.* desp. Gentuza, chusma.

purriela *f.* desp. Cosa despreciable o de mala calidad.

purulento, -ta *adj.* Que tiene pus.

pus *m.* Humor espeso, blanco amarillento, que secretan accidentalmente los tejidos inflamados y fluye con más o menos abundancia de los diviesos, llagas, etc. ◇ Se usa mucho como femenino. ◇ Pl.: *puses.*

pusilánime *adj.-s.* Falto de ánimo, cobarde o tímido.

pústula *f.* Vejiguilla de la piel, llena de pus.

puta *f.* Ramera.

putada *f.* vulg. Faena, mala pasada.

putañear *intr.* fam. Tener trato frecuente con prostitutas.

putativo, -va *adj.* Reputado o tenido por padre, hermano, etc., no siéndolo.

putear *tr.* Fastidiar, jorobar.

puto, -ta *adj.* Calificación denigratoria: *no tengo una puta peseta;* aunque por antífrasis puede resultar encarecedor. 2 Necio, tonto. – 3 *m.* Sodomita.

putrefacción *f.* Acción de pudrir o pudrirse. 2 Efecto de pudrir o pudrirse. 3 Podredumbre.

putrefacto, -ta *adj.* Podrido, corrompido.

putrescencia *f.* Estado en que se encuentra un cuerpo en vías de putrefacción.

pútrido, -da *adj.* Putrefacto. 2 Acompañado de putrefacción.

puya *f.* Punta acerada en una extremidad de las varas o garrochas, para estimular o castigar a las reses.

puyar *tr. Amér. Central.* Molestar, cucar. – 2 *tr.-prnl. Amér.* Herir [al animal] con puya.

puzolana *f.* Roca silícea de origen volcánico que, molida y mezclada con cal, forma un mortero hidráulico.

Q

Q, q *f.* Cu, vigésima letra del alfabeto español que con la *u* constituye el dígrafo *qu*, utilizado delante de *e, i* para representar gráficamente la consonante oclusiva, velar y sorda.

quantum *m.* Fís. Cuanto (cantidad de energía). ◊ Pl.: *quanta.*

quásar *f.* ASTRON. Sistema aparentemente estelar, a una enorme distancia de la Tierra, que emite una gran cantidad de energía, y que se mueve a una velocidad casi igual a la de la luz.

I) que *pron. relat.* Equivale a *el, la,* o *lo, cual* y *los,* o *las, cuales;* tiene como antecedente, expreso o callado, un nombre o pronombre y conviene a todos los géneros y números; puede ir precedido de artículo, construcción necesaria en los casos de anfibología. **2** Cuando no va precedido de preposición hace el oficio de sujeto o complemento directo y alguna vez de complemento circunstancial de tiempo: *el muchacho ~ escribe; la casa ~ compras; el día ~ llegó Pedro;* pero *el año en ~ murió.* **3** Precedido de preposición hace el oficio de complemento indirecto o circunstancial: *el oficio a ~ te destinan; la casa en ~ vives; el perro sin él ~,* o *el cual, no salgo nunca.* ◊ Sólo puede substituirse por *el, la cual* en las proposiciones adjetivas explicativas; ****puntuación.**

II) que *conj.* Sirve principalmente para enlazar oraciones substantivas (enunciativas, desiderativas, dubitativas y de temor) en función de sujeto, complemento directo o de término de una preposición: *se dice ~ no llegarán; deseo ~ vengas; dudo ~ venga; acostúmbrale a ~ se lave; no salgo nunca sin ~ le encuentre;* el verbo de la oración principal se sobrentiende en expresiones como: *~ vengas pronto; ~ buena ventura os dé Dios; vive Dios ~ no puedo sufrirlo; ¿~ tú eres la hermosa Dorotea?* **2** En oraciones coordinadas puede hacer los oficios de conjunción copulativa: *justicia pido, ~ no gracia;* disyuntiva: *~ sea el Rey, ~ sea el Papa;* causal: *lo hará sin duda, ~ ha prometido hacerlo.* **3** En oraciones adverbiales puede hacer el oficio de conjunción final: *dio voces al huésped ~ le ensillase el caballo;* condicional: *la verdad ~ diga, las narices de aquel escudero me tienen atónito;* concesiva: *a mí me hizo llorar, ~ no suelo ser muy llorón;* comparativa en correlación con *más, menos, mejor, menor, diferente, distinto,* etc.: *es más bueno ~ el pan; acaban de comer con diferentes costumbres ~ empiezan;* consecutiva en correlación con *tanto, tan, tal, así,* etc.: *tal me habló, ~ no supe qué responder;* y en las formas de modo que, de manera que, expresas o elípticas: *yo le castigaré de modo ~ no se desmande; toca la guitarra ~ la hace hablar.* **4** Tiene sentido frecuentativo de encarecimiento equivaliendo a *y más* en *dale ~ dale,* y denota el progreso y eficacia de la acción del verbo en *corre ~ corre.* **5** Llevando como antecedente una preposición, adverbio, participio u otra palabra o grupo de palabras, forma parte de muchos modos conjuntivos: *antes ~, después ~, hasta ~, para ~, visto ~, a pesar de ~,* etc. ◊ INCOR.: *te prometo de ~ nadie lo sabrá,* por *te prometo ~ nadie lo sabrá,* pues *te prometo un libro* no lleva preposición. En cambio es buena construcción: *me alegro de ~ vengas,* pues *me alegro de la noticia,* lleva preposición. ◊ INCOR.: *¡qué bien ~ estás!,* por *¡qué bien estás!*

qué *pron. interr.* Solo o precedido de preposición equivale a *cuál, cuán* o *cuánto,* especialmente en frases interrogativas o admirativas; precede a la palabra a que se refiere: *¿~ gente es ésa?; ¡~ de pobres!; ¿con ~ hombres alternas?* **2** Como neutro equivale a *¿qué cosa?: ¿~ haré?* **3** Une oraciones con el valor de la conjunción *que* en su primera acepción denotando interrogación indirecta: *dime ~ camino he de seguir; mira ~ triste viene; no sé ~ hacer.*

quebrada *f.* Abertura estrecha y áspera entre montañas. **2** *Amér.* Arroyo o riachuelo.

quebradizo, -za *adj.* Fácil de quebrarse, frágil. **2** fig. Delicado en la salud. **3** [voz] Ágil para hacer quiebros en el canto. **4** fig. Quisquilloso: *humor ~.*

quebrado, -da *adj.-s.* Que ha hecho quiebra (en el pago). **2** Que padece quebradura o hernia. **– 3** *adj.* Quebrantado, debilitado: *~ de color.* **4** [terreno o camino] Desigual y tortuoso. **– 5** *m. pl.* Trechos rayados y trechos sin rayas que hay en una de las diferentes clases de papel pautado en que aprenden a escribir los niños.

quebradura *f.* Hendedura, rotura o abertura. 2 Hernia.

quebrantado, -da *adj.* Roto, dolorido.

quebrantahuesos *m.* Ave rapaz falconiforme, la mayor de Europa, de color pardo obscuro y leonado, con la cabeza blanca, pico rodeado de cerdas y tarsos cortos y emplumados *(Gypœtus barbatus).* 2 fig. Sujeto impertinente, pesado y molesto. ◇ Pl.: *quebrantahuesos.*

quebrantapiedras *f.* Planta paroniquiácea que se ha usado contra el mal de piedra *(Herniaria cinerea).* ◇ Pl.: *quebrantapiedras.*

quebrantar *tr.-prnl.* Cascar o hender [una cosa] poniéndola en estado de que se rompa. – 2 *tr.* Romper, separar con violencia [las partes de un todo]; esp., moler, machacar [una cosa]. 3 fig. Violar o profanar [algún sagrado, seguro o coto]. 4 fig. Forzar, romper [los impedimentos que embarazan para la libertad]: *quebrantó la prisión.* 5 fig. Traspasar, violar [una ley, palabra u obligación]. 6 fig. Suavizar, templar el exceso [de una cosa, especialmente del calor o del frío]. 7 fig. Causar lástima, mover a piedad: *me quebrantó el corazón;* p. anal., molestar, fatigar, causar pesadumbre: *me quebranta los huesos.* 8 fig. Persuadir, mover; ablandar [el rigor o la ira]: *quebrantó sus intenciones; quebrantó su furor.* – 9 *prnl.* Experimentar las personas algún malestar a causa de accidente, enfermedad, fatiga, etc.: *quebrantarse con,* o *por, el esfuerzo; quebrantarse de angustia.*

quebranto *m.* Acción de quebrantar o quebrantarse. 2 Efecto de quebrantar o quebrantarse. 3 fig. Decaimiento, desaliento. 4 fig. Lástima, conmiseración. 5 fig. Grande pérdida o daño. 6 fig. Aflicción, dolor o pena grande. 7 fig. *y* ant. *Duelos y quebrantos,* huevos con torreznos.

quebrar *tr.* Quebrantar (romper y violar). 2 fig. Estorbar [la continuación de una cosa no material]: ~ *el curso de las ideas.* 3 fig. Quebrantar, templar, moderar la fuerza o rigor de una cosa: ~ *el color.* 4 fig. Vencer [una dificultad material o limitación]. 5 DEP. Esquivar [a un jugador contrario] haciendo un quiebro con el cuerpo. – 6 *tr.-prnl.* Doblar o torcer: ~ *el cuerpo.* 7 fig. Ajar, deslustrar [el color natural del rostro]. – 8 *intr.* fig. Romper la amistad de uno; disminuirse la relación o correspondencia: ~ *con un amigo.* 9 fig. Ceder, flaquear: *los muelles del coche quiebran.* 10 fig. Cesar en el comercio por sobreseer en el pago corriente de las obligaciones y no alcanzar el activo a cubrir el pasivo: ~ *en un millón de pesetas.* – 11 *prnl.* Formársele hernia a uno. 12 Interrumpirse la continuidad en alguno de los aspectos de la superficie de la tierra: *la cordillera se quie-*

bra a pocos kilómetros. 13 fig. Flaquear, ceder moralmente: *quebrarse el ánimo con,* o *por, las desgracias.* – 14 *tr.* Argent. Domar [un potro]. ◇ ** CONJUG. [27] como *acertar.*

queche *m.* Embarcación pequeña, de igual figura por la proa que por la popa, usada en los mares del Norte.

quécher *m.* En el juego de béisbol, jugador que se coloca detrás del bateador.

quechua *m.* Lengua de los indios del Perú y otros países andinos.

quechuismo *m.* Vocablo, giro o modo de expresión propio de la lengua quechua.

queda *f.* Hora de la tarde o de la noche, a partir de la cual la población civil tiene prohibido el libre tránsito; es una medida propia del estado de guerra o excepción.

quedado, -da *adj.* Desprovisto de iniciativa.

quedar *intr.* Detenerse, permanecer o subsistir algo real o figurado, por entero o parcialmente, o en un aspecto determinado. 2 Detenerse realmente en un paraje, no partir: *quedó en el teatro; prnl., se quedó en Toledo;* hacer mansión, hospedarse: *nos quedaremos en esta fonda.* 3 fig. Cesar, terminar, una actividad o un propósito; convenir: *la conversación quedó aquí; quedamos conformes;* ~ *con un amigo en volver luego.* 4 Subsistir en un aspecto o en una posición o forma determinados: ~ *la carta sin,* o *por, contestar;* ~ *por cobarde; prnl., quedarse en pie; prnl., quedarse sin blanca;* ~ *para contarlo; prnl., quedarse para tía;* ~ *a deber una cantidad;* ~ *uno bien* o *mal.* 5 Rematarse o dejar a favor de uno algo que se subasta o vende: *los muebles quedaron por Juan.* 6 Subsistir o permanecer parte de alguna cosa, restar: *me quedan tres pesetas; sólo quedan cenizas; quitando seis quedan cuatro.* – 7 *prnl.* Retener alguna cosa propia o ajena: *quedarse con los libros.* 8 Faltar (tiempo o una acción): *queda mucho que hacer; quedaba una deuda importante sin saldar.* 9 Permanecer, suceder: ~ *heredero;* ~ *de alcalde.* 10 Disminuir el viento su fuerza o el mar su oleaje, ponerse quietos. – 11 **auxiliar** Seguido de participio, forma frases de significado perfectivo: ~ *convencido, satisfecho, establecido, enterado.*

quedo, -da *adj.* Quieto. – 2 *adv. m.* Con voz baja o que apenas se oye. 3 Con tiento. 4 *De* ~, o ~ *a* ~, poco a poco, despacio.

quehacer *m.* Ocupación, negocio: *tener muchos quehaceres.*

quemada *f.* Bebida caliente originaria de Galicia, que se prepara quemando aguardiente de orujo con limón y azúcar.

queja *f.* Expresión de dolor, pena o sentimiento. 2 Resentimiento, desazón.

quejar *tr.* Aquejar. – 2 *prnl.* Expresar con palabras o gritos el dolor que se siente. 3 Manifestar uno su resentimiento: *quejarse a uno de otro.*

quejica *adj.-s.* Que se queja con frecuencia.

quejido *m.* Exclamación lastimosa motivada por un dolor o pena.

quejigo *m.* Árbol cuprífero de tronco grueso y copa recogida que da bellotas parecidas a las del roble *(Quercus lusitanica).* 2 Roble que aún no ha alcanzado su desarrollo regular.

quejo *m.* Mandíbula, quijada.

quejoso, -sa *adj.* Que tiene queja de otro.

quejumbroso, -sa *adj.* Que se queja con poco motivo, o por hábito.

quela *f.* En los artrópodos, apéndice cuya penúltima articulación está ensanchada y modificada, formando un órgano prensil.

quelado, -da *adj.* [artrópodo] Que tiene quela.

quelicerado *adj.-m.* Artrópodo del subtipo de los quelicerados. – 2 *m. pl.* Subtipo de artrópodos caracterizados por carecer de antenas y apéndices masticadores y presentar un par de quelíceros al lado de la boca; su cuerpo está dividido en cefalotórax y abdomen; a este grupo pertenecen tres clases: picnogónidos, merostomas y arácnidos.

quelícero *m.* Órgano que en los **arácnidos y algunos artrópodos substituye a las antenas y tiene generalmente forma de uña, con dos artejos, uno fijo y otro movible.

quelonio *adj.-m.* Reptil del orden de los quelonios. – 2 *m. pl.* Orden de reptiles con cuatro extremidades cortas, mandíbulas córneas y sin dientes, y cuerpo protegido por una concha dura que cubre la espalda y el pecho; a este orden pertenecen doscientas especies conocidas por tortugas y galápagos.

quelvacho *m.* Especie de tiburón de color gris pardusco o violáceo, ojos grandes, desprovisto de aleta anal, y de una longitud de 1.50 m *(Centrophorus granulosus).*

quema *f.* Acción de quemar o quemarse. 2 Efecto de quemar o quemarse. 3 Incendio, fuego, combustión.

quemado, -da *adj.* Que ha sido consumido o afectado por el fuego, o que se quema: *huele a* ~. – 2 *m.* Rodal de monte consumido por un incendio.

quemador, -ra *adj.-s.* Que quema. 2 Incendiario (que incendia). – 3 *m.* Aparato que facilita la combustión del carbón o de los carburantes líquidos en el hogar de las calderas, mechero.

quemadura *f.* Descomposición de un tejido orgánico, producida por el contacto del fuego o de una substancia cáustica o corrosiva. 2 Señal, llaga o ampolla que causa este contacto. 3 Desprendimiento de la corteza y decaimiento de las hojas y partes tiernas de las plantas, debidos a cambios grandes y repentinos de temperatura.

quemar *tr.* Consumir, destruir con fuego: ~ *un leño.* 2 Calentar con mucha actividad: *el*

sol quema. 3 Abrasar (secar). 4 Causar algo una sensación ardiente, hacer señal o ampolla o destruir como el fuego: *esta lejía quema la ropa; el pimiento quema la boca.* 5 Destilar [vinos]. 6 fig. Malbaratar [una cosa] o venderla a menos de su precio. – 7 *tr.-prnl.* fig. Impacientar o desazonar: *quemarse con, de, o por, alguna palabra.* – 8 *intr.* Estar demasiadamente caliente una cosa: *esta sopa quema.* – 9 *prnl.* Padecer o sentir mucho calor. 10 fig. Padecer la fuerza de una pasión o afecto. 11 fig. Estar muy cerca de acertar o hallar una cosa. 12 fig. Deteriorarse el prestigio [de una persona o colectividad] por el continuado ejercicio de una actividad pública. – 13 *tr. Amér. Central.* Denunciar o delatar. 14 *Méj.* Herir con bala.

quemarropa (a ~) *loc. adv.* A poca o ninguna distancia: *disparar a* ~.

quemasangres *adj.-com.* [pers.] Proclive a causar disgusto a otra hasta exasperarla. ◇ Pl.: *quemasangres.*

quemazón *f.* Calor excesivo. 2 fig. Comezón. 3 fig. Dicho picante con que se zahiere a uno para sonrojarle, y sentimiento que causa. 4 MIN. Espuma de metal ligera, hoyosa y chamuscada, que es una de las señales de la veta.

quena *f. Amér.* Flauta de caña que usan los indios.

quenopodiáceo, -a *adj.-f.* Planta de la familia de las quenopodiáceas. – 2 *f. pl.* Familia de plantas dicotiledóneas, herbáceas o fruticosas, de hojas alternas u opuestas, flores generalmente en racimo y fruto monospermo con pericarpio de consistencia muy variada; como la acelga y la barrilla.

quepis *m.* Gorra militar, ligeramente cónica y con visera horizontal. ◇ Pl.: *quepis.*

queratina *f.* Albuminoide existente en gran cantidad en las formaciones epidérmicas de los vertebrados terrestres.

querella *f.* Queja (lamento). 2 Discordia, pendencia. 3 DER. Acusación ante el juez o tribunal competente contra una persona a la que se acusa de un delito cuyo castigo se pide.

querellarse *prnl.* Quejarse (manifestar dolor y resentimiento). 2 DER. Presentar querella contra uno.

querencia *f.* Acción de querer (amar). 2 Tendencia del hombre y de ciertos animales a volver al sitio donde se han criado o tienen costumbre de acudir. 3 Este mismo sitio. 4 Tendencia hacia alguna cosa. 5 TAUROM. En la plaza, lugar adonde el toro se dirige más frecuentemente.

querendón, -dona *adj.* [pers.] Muy cariñoso, afectivo.

I) querer *m.* Cariño, amor.

II) querer *tr.* Tener voluntad o determinación de obtener [alguna cosa] para sí o para otro; desear, pretender, procurar: *quiere un* *traje; quiere un traje para su hijo.* 2 p. anal. Amar, tener cariño o voluntad [a una persona o cosa]: *te quiero, Ana.* 3 Tener voluntad o determinación [de realizar algo o de que otro realice algo]; resolver, determinar: *quiero salir; quiero que vengas; **abs.** ejercitar la voluntad pura: *yo quiero.* 4 Conformarse [al intento de otro] o aceptar [su parecer]: *quiero que haya sucedido de esta manera.* 5 Ser conveniente [una cosa] a otra; pedirla, requerirla: *estas plantas quieren más agua.* 6 Dar uno ocasión [para que se ejecute algo contra él]: *éste quiere que le rompan la cabeza.* 7 Aceptar [el envite del juego]. – 8 ***unipers.*** Estar próxima a ser o verificarse una cosa: *quiere llover.* ◇ ** CONJUG. [80].

querido, -da *m. f.* Hombre, respecto de la mujer, o mujer, respecto del hombre, con quien tiene relaciones amorosas ilícitas.

quermes *m.* Insecto hemíptero que vive en la coscoja, produciendo unas agallas que dan un color rojo (gén. *Quermes*). 2 Mezcla de óxido y sulfuro de antimonio, de color rojizo, que se emplea como medicamento en las enfermedades del aparato respiratorio. ◇ Pl.: *quermes.*

querochar *intr.* Poner las abejas y otros insectos la cresa.

queroseno *m.* Fracción de petróleo natural, obtenida por refinación y destilación, que se destina al alumbrado y se usa como combustible.

querquera *f.* Mariposa diurna diminuta, de color pardo con puntos marginales rojos en el reverso de las alas posteriores *(Nordmannia esculi).*

querubín *m.* Ángel caracterizado por la plenitud de ciencia con que contempla la belleza divina. 2 fig. Serafín; persona, especialmente niño, de gran hermosura.

quesadilla *f.* Pastel de queso y masa. 2 Pastelillo relleno de almíbar, conserva u otro manjar. 3 *Amér.* Tortilla de maíz rellena de queso y azúcar, cocida en comal.

quesera *f.* Sitio donde se fabrica el queso. 2 Mesa a propósito para hacerlo. 3 Vasija en que se guarda. 4 Plato para servirlo a la mesa.

quesero, -ra *adj.* Relativo al queso: *comercio ~; industria quesera.* – 2 *m. f.* Persona que tiene por oficio hacer o vender queso.

queso *m.* Masa que se obtiene cuajando la leche, exprimiéndola para que deje suero y echándole sal para que se conserve: *~ de Roquefort; ~ de bola; ~ **manchego**, el de pasta compacta, algo dura, crudo, de leche de oveja. 2 fam. Pie.

quesquémil *m. Méj.* Especie de pañoleta que cubre la espalda y pecho de la mujer.

queta *f.* Seda de algunos anélidos.

quetoforales *f. pl.* Orden de plantas dentro de la clase de las clorofíceas; son algas provistas de apéndices sedosos.

quetognato *adj.-m.* Animal del tipo de los quetognatos. – 2 *m. pl.* Tipo de metazoos celomados marinos de entre 0,5 y 15 cms.; se caracterizan por presentar uno o dos pares de aletas laterales además de una caudal, pero carecen de aparato circulatorio, respiratorio y excretor.

I) quetzal *m.* Unidad monetaria de Guatemala.

II) quetzal *m.* Ave trogoniforme de América central, de unos 42 cms. de longitud, de plumaje suave, verde tornasolado y muy brillante, rojo en el pecho y abdomen *(Pharomacrus mocinno).*

quevedos *m. pl.* Anteojos que se sujetan solamente en la nariz; lente.

¡quia! Interjección con que se denota incredulidad o negación.

quianti *m.* Vino común, muy estimado, que se elabora en la Toscana.

quiaquia *f. Amér. Central.* Especie de matraca hecha comúnmente de un caparazón de tortuga.

quiasma *m.* Entrecruzamiento en forma de equis, de dos estructuras anatómicas: *~ de los nervios ópticos;* **ojo.

quiasmo *m.* Inversión del orden de las partes simétricas de dos oraciones o de dos elementos de una oración.

quibla *f.* Punto del horizonte o muro de la mezquita orientado hacia La Meca, al cual se dirigen las oraciones de los fieles musulmanes.

quicial *m.* Madero que asegura las puertas y ventanas, por medio de pernios y bisagras.

quicio *m.* Parte de las puertas y ventanas en que entra el espigón del quicial.

quico *m.* Grano de maíz tostado y salado.

quiché *adj.-com.* Indígena de Guatemala. 2 *adj.* Perteneciente o relativo a estos indios y a su idioma. – 3 *m.* Lengua de estos indígenas.

quid *m.* Esencia, razón, porqué de una cosa: *el ~ de la cuestión.*

quídam *m.* desp. Sujeto designado indeterminadamente: *es un ~.* ◇ No tiene plural.

quiebra *f.* Rotura de una cosa. 2 Hendedura de la tierra en los montes o causada en los valles por demasiadas lluvias. 3 Pérdida o menoscabo. 4 Acción de quebrar (cesar en el pago). 5 Efecto de quebrar (cesar en el pago).

quiebro *m.* Ademán hecho con el cuerpo, como quebrándolo por la cintura. 2 MÚS. Inflexión acelerada, dulce y graciosa de la voz. 3 TAUROM. Lance en que el torero hurta el cuerpo, con rápido movimiento de la cintura, al embestirle el **toro.

quien *pron. relat.* Se refiere a persona concertando en número con el antecedente; pero puede referirse también a cosas más o menos personificadas. Conviene a ambos géneros y no puede construirse con el artículo: *los hom-*

bres a ~ te diriges; los siete sabios la ~ tanto venera Grecia. 2 Con carácter indefinido, equivale a *la persona que, aquel que,* careciendo de antecedente expreso, y rara vez se usa en plural; puede ser sujeto y complemento: *yo le traeré ~ se las diga; yo te diré a ~ te has de dirigir; con ~ has de hablar.* ◇ V. ** ACENTO y ** CONCORDANCIA . ◇ Pl.: *quienes.* ◇ El plural *quienes* se formó en el el siglo XVI, pero aún hoy quedan supervivencias de *quien* con antecedente plural.

quién *pron. interr.* En frases interrogativas directas o indirectas y admirativas equivale a *cuál,* pero, a diferencia de éste, no puede adquirir valor adjetivo: *¿~ llamá?, ¡~ lo hubiera dicho!; ¿~ de ellos , o entre tantos, lo hará?; dime a ~ buscas.* 2 Se usa con valor distributivo y con carácter de indefinido en la fórmula *quién... quién,* equivaliendo a *uno... otro : ~ aconseja la retirada, ~ morir peleando.* ◇ V. ** ACENTO y ** CONCORDANCIA. ◇ Pl.: *quiénes.*

quienquiera *pron. indef.* Persona indeterminada, alguno, sea el que fuere: *~ que seas; dilo a ~.* ◇ Antepuesto al verbo va acompañado del relativo *que.* ◇ Pl.: *quienesquiera,* es poco usado.

quiescente *adj.* Que está quieto, pudiendo tener movimiento propio.

quietismo *m.* Inacción, quietud, inercia. 2 Doctrina religiosa que hace consistir la suma perfección del alma humana en el puro amor y contemplación de Dios.

quieto, -ta *adj.* Que no tiene o no hace movimiento. 2 fig. Pacífico, sosegado.

quietud *f.* Falta de movimiento. 2 fig. Sosiego, reposo.

quif *m.* En el lenguaje de la droga, hachís.

quijada *f.* Hueso de la cabeza del animal en que están encajados los dientes y muelas; **caballo.

quijera *f.* Hierro que guarnece el tablero de la ballesta. 2 Correa de la cabezada del caballo que va de la frontalera a la muserola.

quijotada *f.* Acción propia de un quijote.

I) quijote *m.* Pieza del arnés que cubre y defiende el muslo; **armadura. 2 Parte superior de las ancas de las caballerías.

II) quijote *m.* fig. Hombre exageradamente grave y serio o puntilloso. 2 fig. Hombre que pugna con los usos corrientes, que quiere ser juez o defensor de cosas que no le atañen, por excesivo amor a lo ideal.

quijotería *f.* Modo de proceder con quijotismo.

quijotesco, -ca *adj.* Que obra con quijotería. 2 Que se ejecuta con quijotería.

quijotismo *m.* Condición de quijote (hombre).

quilate *m.* Unidad de peso para las perlas y piedras preciosas, equivalente a 205 mgs., o sea, una ciento cuarenteava parte de una onza. 2 Pesa de un quilate. 3 Unidad en que se expresa la riqueza en oro en una aleación del mismo, equivalente a una parte de oro puro en veinticuatro de aleación. 4 fig. Grado de perfección en cualquier cosa no material: *su conciencia vale muchos quilates.*

quilífero, -ra *adj.-m.* Vaso linfático que absorbe el quilo de los intestinos y lo conduce al canal torácico.

quilificar *tr.-prnl.* Convertir en quilo [el alimento]. ◇ ** CONJUG. [1] como *sacar.*

quilo *m.* Líquido que el intestino elabora con el quimo formado en el estómago con los alimentos, y que es llevado a la sangre por los vasos quilíferos y el canal torácico.

quilópodo *adj.-m.* Miriápodo de la clase de los quilópodos. – 2 *m. pl.* Clase de miriápodos con el tronco formado por numerosos segmentos, provistos cada uno de un par de apéndices acabados en una uña; como la escolopendra y el ciempiés.

quilla *f.* Pieza de madera o hierro, que va de popa a proa por la parte inferior del barco y en que se asienta toda su armazón. 2 Parte saliente y afilada que tiene la cola de algunos peces. 3 Esternón de las **aves o parte saliente del mismo.

quimba *f. Amér.* Contoneo, garbo. 2 *Amér.* Calzado rústico.

quimera *f.* MIT. Monstruo fabuloso que vomitaba llamas, y tenía cabeza de león, vientre de cabra y cola de dragón. 2 Creación imaginaria del espíritu tomada como realidad. 3 Organismo cuyos tejidos son de dos o más clases genéticamente distintas. 4 Pez marino elasmobranquio abisal *(Chimaera monstrosa).*

quimérico, -ca, quimerino, -na *adj.* Fabuloso, fingido o imaginario sin fundamento.

química *f.* Ciencia que estudia la composición íntima de las substancias y sus transformaciones recíprocas: ~ *biológica,* la que se aplica al estudio de los seres vivos; ~ *orgánica,* la que estudia los derivados de los hidrocarburos y de los hidratos de carbono; ~ *mineral,* la que estudia todos los demás cuerpos simples y compuestos.

químico, -ca *adj.* Relativo a la química. 2 Por contraposición a físico, concerniente a la composición de los cuerpos. – 3 *m. f.* Persona que por profesión o estudio se dedica a la química.

quimificar *tr.* Convertir en quimo [el alimento]. ◇ ** CONJUG. [1] como *sacar.*

quimil *m. Méj.* Lío de ropa.

quimioluminiscencia *f.* QUÍM. Producción de luz sin acompañamiento de calor en algunas reacciones químicas.

quimioterapia *f.* Método curativo o profiláctico de las enfermedades infecciosas por medio de productos químicos desinfectantes o paralizadores de los microbios.

quimo *m.* Masa que resulta de la digestión estomacal de los alimentos.

quimono *m.* Túnica japonesa, o hecha a su semejanza, que usan las mujeres. 2 Tela de algodón, de fabricación japonesa.

quimosina *f.* Cuajo, materia para cuajar la leche.

quina *f.* Corteza del quino, muy usada en medicina. 2 Líquido confeccionado con la corteza de dicho árbol.

quincalla *f.* Conjunto de objetos de metal de escaso valor.

quince *adj.* Diez y cinco; **numeración. 2 Decimoquinto. – 3 *m.* Guarismo del número quince. 4 En el juego del tenis y otros juegos de pelota, primer tanto de un juego ganado por un jugador o pareja.

quincena *f.* Espacio de quince días. 2 Paga recibida cada quince días.

quincenal *adj.* Que se repite cada quincena. 2 Que dura una quincena.

quincuagenario, -ria *adj.-s.* Cincuentón.

quincuagésimo, -ma *adj.-s.* Parte que, junto a otras cuarenta y nueve iguales, constituye un todo; **numeración.

quincha *f. Amér.* Trama o enrejado de juncos, cañas, varillas, etc., que suele recubrirse de barro o cemento, con que se afianza una construcción.

quindenio *m.* Espacio de quince años.

quinesia *f.* Trastorno orgánico pasajero originado por los movimientos de un barco, avión, etc.

quinésica *f.* Disciplina que estudia el significado de los movimientos y gestos.

quinesiología *f.* Disciplina que estudia la actividad muscular del cuerpo humano. 2 MED. Conjunto de procedimientos terapéuticos para restablecer la normalidad de los movimientos del cuerpo humano, y conocimiento científico de ellos.

quiniela *f.* Juego de pelota que gana el pelotari que vence a sus cinco contrarios en partidos sucesivos. 2 Juego público de apuestas en que se premian con diversas cantidades los boletos que aciertan los resultados de una determinada competición deportiva. 3 Boleto para efectuar dichas apuestas.

quinielista *adj.-s.* Que hace quinielas, apuestas.

quinientista *adj.* Relativo al siglo XVI.

quinientos, -tas *adj.* Cinco veces ciento; **numeración.

quinina *f.* Alcaloide que se extrae de la quina, algunas de cuyas sales se emplean como antisépticas y febrífugas.

quino *m.* Árbol rubiáceo de América e Indonesia, de hojas opuestas ovales, flores en panoja y fruto capsular, cuya corteza es la quina *(Cinchona officinalis).* 2 Zumo solidificado que se obtiene de varios vegetales exóticos y se usa como astringente. 3 Quina, corteza del quino.

quínola *f.* En cierto juego de naipes, lance principal que consiste en reunir cuatro cartas de un palo. 2 fig. *y* fam. Rareza, extravagancia.

quinorrinco *adj.-m.* Gusano del tipo de los quinorrincos. – 2 *m. pl.* Tipo de gusanos marinos de reducido tamaño y vida libre; tienen la cabeza cubierta de espinas y el cuerpo cilíndrico.

quinqué *m.* Lámpara, generalmente alimentada con petróleo, que consta de depósito, mecha, tubo de cristal y, a menudo, también pantalla. ◇ Pl.: *quinqués.*

quinquenal *adj.* Que se repite cada quinquenio. 2 Que dura un quinquenio.

quinquenio *m.* Período de cinco años.

quinqui *com.* Delincuente.

quinta *f.* Casa de recreo en el campo. 2 Reemplazo o conjunto de hombres que ingresan cada año en el servicio militar.

quintaesencia *f.* Última esencia de una cosa.

quintaesenciar *tr.* Refinar, apurar, alambicar [una cosa]. ◇ ** CONJUG. [12] como *cambiar.*

quintal *m.* Medida de peso, equivalente en Castilla a 46 kgs., o sea, cien libras o cuatro arrobas. 2 Pesa de cien libras, o sea, cuatro arrobas. 3 ~ *métrico,* medida de peso, equivalente a 100 kgs.

quintar *tr.* Sacar por suerte [uno] de cada cinco. 2 Sacar por suerte los nombres [de los que han de ser soldados]. 3 Dar la quinta y última vuelta de arado [a las tierras].

quinteto *m.* Combinación métrica de cinco versos de arte mayor aconsonantados y ordenados como los de la quintilla. 2 En el lenguaje deportivo, conjunto de cinco individuos. 3 MÚS. Composición a cinco voces o instrumentos.

quintilla *f.* Combinación métrica de cinco versos octosílabos aconsonantados; riman generalmente el primero y cuarto, y el segundo, tercero y quinto. 2 Toda combinación de cinco versos de arte menor con dos consonancias.

quintillizo, -za *m. f.* Persona nacida en un parto de cinco.

quinto, -ta *adj.-s.* Parte que, junto a otras cuatro iguales, constituyen un todo. – 2 *adj.* Que ocupa el último lugar en una serie ordenada de cinco. – 3 *m.* Derecho de veinte por ciento. 4 Parte de dehesa o tierra, aunque no sea la quinta. 5 Soldado, mientras recibe la instrucción militar. 6 Botellín de cerveza de 20 cls.

quintuplicar *tr.* Multiplicar por cinco [una cantidad]. 2 Hacer [una cosa] cinco veces mayor. ◇ ** CONJUG. [1] como *sacar.*

quíntuplo *adj.-m.* Que contiene un número cinco veces exactamente.

quiñar *tr. Amér.* Herir con la punta del trompo [la cabeza de otro].

quiñón *m.* Parte que uno tiene con otros en algo productivo. 2 Porción de tierra de labor.

quiosco *m.* Templete o pabellón de estilo oriental y generalmente abierto por todos lados, que se construye en azoteas, jardines, etc. 2 Pabellón pequeño construido en parajes públicos: *un ~ de periódicos, de refrescos.*

quiqui *m.* Peinado que se hace a los niños, componiendo el pelo en forma semejante a la cresta de un gallo.

quiquiriquí *m.* Onomatopeya del canto del gallo. 2 fig. Persona que quiere sobresalir y gallear. ◇ Pl.: *quiquiriquíes.*

quirófano *m.* Recinto destinado a operaciones quirúrgicas.

quirógrafo *m.* Diploma autorizado por la firma de un elevado personaje.

quiromancia, -mancía *f.* Adivinación supersticiosa por medio de las rayas de la mano.

quiróptero *adj.-m.* Mamífero del orden de los quirópteros. – 2 *m. pl.* Orden de mamíferos placentarios voladores, de miembros anteriores muy desarrollados, con el pulgar oponible a los cuatro dedos restantes, que son muy largos y sirven de soporte a una membrana en forma de ala que se extiende por ambos lados del cuerpo y abarca los miembros posteriores y la cola.

quirúrgico, -ca *adj.* Perteneciente o relativo a la cirugía.

quiscudo, -da *adj. Amér.* De pelo cerdoso y duro.

quisicosa *f.* fam. Enigma u objeto de pregunta muy dudosa y difícil de averiguar.

quisquilla *f.* Reparo o dificultad de poco momento. 2 Camarón.

quisquilloso, -sa *adj.-s.* Que se para en quisquillas. 2 Demasiado delicado en el trato común.

quiste *m.* Vejiga membranosa que se desarrolla anormalmente en distintas regiones del cuerpo y contiene una substancia líquida de diversa naturaleza. 2 BIOL. Membrana resistente e impermeable que envuelve a un animal o vegetal de pequeño tamaño, manteniéndolo completamente aislado del medio.

quitamanchas *com.* Persona que tiene por oficio quitar manchas de la ropa. 2 *m.* Substancia empleada para ello. ◇ Pl.: *quitamanchas.*

quitamiedos *m.* Protección vertical colocada a lo largo de algunas **carreteras para dar seguridad en lugares peligrosos. ◇ Pl.: *quitamiedos.*

quitanieves *adj.-s.* Máquina que sirve para limpiar de nieve las calles, carreteras, ferrocarriles, etc. ◇ Pl.: *quitanieves.*

quitapón *m.* Adorno con borlas que suele ponerse a las caballerías. ◇ Pl.: *quitapones.*

quitar *tr.* Libertar [de cargas], redimir [empeños o deudas], desembarazar a uno [de una obligación]: *~ un censo.* 2 Separar o apartar [una cosa] de un sitio: *quita este libro del medio; quita un párrafo a lo escrito.* 3 Hurtar: *nos ha quitado el dinero.* 4 Despojar, privar [de una cosa]: *~ la vida.* 5 Impedir, obstar o estorbar: *me quitó ir al teatro; lo cortés no quita lo valiente;* prohibir, vedar: *les quitaré el trasnochar.* 6 Derogar, abrogar [una ley, sentencia, etc.]: *la orden ha sido quitada;* librar a uno [de una pena o cargo]; suprimir [un empleo u oficio]: *le quitaron la plaza.* 7 fig. Apartar, separar, en general: *~ trabajo a uno;* **prnl.,** quitarse de enredos. – 8 **prnl.** Dejar una cosa o apartarse totalmente de ella. 9 Irse, separarse de un lugar.

quitasol *m.* Objeto plegable parecido a un gran paraguas y fijado a un soporte, que se instala en un lugar para protegerse del sol: *~ de una terraza de café; ~ de jardín, de playa.*

quite *m.* Acción de quitar o estorbar. 2 Suerte que ejecuta un torero, generalmente con el capote, para librar a otro de la acometida del **toro.

quitina *f.* Substancia de que está formado generalmente el revestimiento exterior del cuerpo de los artrópodos, así como ciertos órganos de otros invertebrados.

quito, -ta *adj.* Libre, exento.

quitón *m.* Molusco marino poliplacóforo cuyo tronco y cabeza se hallan cubiertos dorsalmente por el manto, provisto de cutícula y de placas calcáreas (*Chiton olivaceus*).

quizá, quizás *adv. d.* Denota la posibilidad de aquello de que se habla: *~ llueva mañana.*

quórum *m.* Número mínimo de votos necesarios en casos determinados para dar validez a una elección o a un acuerdo. ◇ Pl.: *quórum.*

R

R, r *f.* Erre, vigésima primera letra del alfabeto español que representa gráficamente a la consonante fricativa, alveolar, vibrante simple y sonora cuando se escribe una sola *r*; y a la consonante fricativa, alveolar, vibrante múltiple y sonora cuando la *r* va al principio de palabra (*roncar*), tras una sílaba terminada en *b, l, n* o *s: subrepticio, malrotar, enredo, Israel,* y cuando se escribe *rr.*

raba *f.* Cebo que emplean los pescadores, hecho con huevas de bacalao.

rabada *f.* Cuarto trasero de las reses después de matarlas.

rabadán *m.* Mayoral que cuida todos los hatos de ganado de una cabaña, y manda a los pastores.

rabadilla *f.* Extremidad del espinazo, formada por la última vértebra del sacro y todas las del cóccix. 2 En las aves, extremidad movible en donde están las plumas de la cola.

rabanero, -ra *adj.* fig. [vestido] Corto, especialmente el de las mujeres. 2 fig. [además, modo de hablar] Desvergonzado. – 3 *m. f.* Persona que vende rábanos.

rabanillo *m.* Hierba crucífera, dañosa y muy común en los sembrados, de hojas ásperas y partidas en lóbulos dentados, flores blancas o amarillas y raíz fusiforme, de color blanco rojizo (*Raphanus raphanistrum*). 2 fig. Sabor del vino repuntado. 3 fig. y fam. Deseo vehemente e inquieto de hacer una cosa.

rabaniza *f.* Simiente del rábano. 2 Hierba crucífera de los terrenos incultos, de tallo ramoso, hojas radicales, partidas en lóbulos agudos, flores blancas y silicuas ensiformes (*Diplotaxis erucoides*).

rábano *m.* Hierba crucífera hortense, de tallo ramoso y velludo, hojas ásperas y grandes, flores blancas, amarillas o purpurinas en racimos terminales, silicua estriada y raíz carnosa, casi redonda, roja (*Raphanus sativus*). 2 Raíz de esta planta. 3 fig. Cosa de poca importancia: *me importa un ~.*

rabdomancia, -mancía *f.* Adivinación, valiéndose de una varita mágica.

rabel *m.* Antiguo instrumento músico parecido al laúd, pero con sólo tres cuerdas, que se toca con un arco. 2 Juguete que consiste en una caña y un bordón, entre los cuales se coloca una vejiga llena de aire. Se hace sonar con un arco.

rabelesiano, -na *adj.* Que tiene afición a los placeres de la mesa o a la alegría libre y satírica.

rabera *f.* Parte posterior de cualquier cosa. 2 Zoquete de madera que se pone en los carros de labranza, con que se une y traba la tablazón de su asiento.

raberón *m.* Extremo superior del tronco de un árbol separado del resto.

rabí *m.* Entre los judíos, sabio de su ley. ◇ Pl.: *rabíes.*

rabia *f.* Enfermedad infecciosa animal, especialmente del perro, que se transmite por mordedura a otros o al hombre, al inocularse en ellos el virus contenido en la baba del animal enfermo. 2 fig. Ira, enojo, enfado grande. 3 Roya que padecen los garbanzos y que suele desarrollarse cuando, después de haber llovido, calienta fuertemente el sol.

rabiar *intr.* Padecer o tener el mal de rabia. 2 fig. Impacientarse o enojarse con muestras de cólera y enfado: *~ con,* o *contra, alguno.* 3 fig. Padecer uno vehemente dolor que obliga a prorrumpir en quejidos: *~ de hambre.* 4 fig. Exceder en mucho a lo usual u ordinario: *pica que rabia; rabiaba de tonto.* 5 fig. Con la preposición *por,* desear una cosa con vehemencia: *~ por un libro.* ◇ ** CONJUG. [12] como *cambiar.*

rabiatar *tr.* Atar por el rabo [a dos animales].

rabieta *f.* fig. y fam. Impaciencia o enfado grande y de poca duración.

rabihorcado *m.* Ave pelecaniforme de los países tropicales, de cola ahorquillada, alas grandes, pico largo, encorvado por la punta, y buche grande y saliente (*Fregata aquila*).

rabil *m.* Pez marino teleósteo perciforme de gran tamaño (*Germo albacora; Thynnus a.*).

rabilargo, -ga *adj.* [animal] Que tiene largo el rabo. – 2 *m.* Ave paseriforme de costumbres parecidas a las de la urraca, de unos 40 cms. de largo, con plumaje negro brillante en la cabeza, azul claro en las alas y la cola, y leonado en el resto del cuerpo (*Pica cyanea*).

rabillo *m.* Pecíolo. 2 Tira resistente de tela doble, para apretar o aflojar la cintura de los pantalones.

rabino *m.* Maestro hebreo que interpreta la Sagrada Escritura.

rabión *m.* Corriente impetuosa del río en los parajes estrechos o de mucho declive.

rabioso, -sa *adj.-s.* Que padece rabia. – 2 *adj.* fig. Colérico, airado. 3 fig. Vehemente, excesivo. 4 fam. [sabor] Muy picante.

rabisalsera *adj.-f.* fam. Mujer muy viva y desenvuelta.

rabiza *f.* Punta de la caña de pescar, en la que se pone el sedal. 2 Terreno arenoso y falso. 3 Ramera.

rabo *m.* Cola (parte del cuerpo), especialmente la de los cuadrúpedos. 2 Rabillo (pecíolo y pedúnculo). 3 fig. Cosa que cuelga a semejanza de la cola de un animal. 4 vulg. Pene.

rabón, -bona *adj.* [animal] Que tiene el rabo más corto de lo regular o que carece de él. – 2 *f. Amér.* Mujer que suele acompañar a los soldados en las marchas y en campaña.

rabosear *tr.* Ajar, deslucir, rozar levemente [una cosa].

raboso, -sa *adj.* Que tiene rabos o partes deshilachadas en la extremidad.

rabotada *f.* fam. Expresión destemplada o injuriosa con ademanes groseros.

rábula *m.* desp. Abogado indocto y charlatán.

racamento *m.* MAR. Especie de anillo que sujeta las vergas a sus palos o masteleros respectivos, para que puedan correr fácilmente a lo largo de ellos.

racanear *intr.* Gandulear, rehuir el trabajo.

rácano, -na *adj.-s.* Poco trabajador, vago, gandul, perezoso. 2 Tacaño, avaro, mezquino. 3 Artero, taimado.

racemiforme *adj.* En forma de racimo.

racer *m.* Caballo de carreras, muy veloz. 2 Barco de vela muy rápido.

racial *adj.* Étnico (de una nación o raza).

racimo *m.* Grupo formado por las uvas (fruto) unidas a los pedicelos resultantes de la ramificación de un eje principal, que pende del sarmiento; p. ext., grupo análogo de otras frutas: ~ *de ciruelas.* 2 fig. Conjunto de cosas menudas dispuestas con alguna semejanza de racimo. 3 fig. Conjunto de cosas o personas. 4 BOT. **Inflorescencia racimosa de ejes secundarios más o menos largos sobre un eje principal alargado.

racimoso, -sa *adj.* Que echa o tiene racimos. 2 BOT. **Inflorescencia racimosa,** aquella en que el eje principal crece indefinidamente y los ejes secundarios son todos brotes de primer orden nacidos directamente del principal.

raciocinar *intr.* Usar de la razón sacando argumentos de una premisa o principio para conocer y juzgar una cosa.

raciocinio *m.* Facultad de raciocinar. 2 Argumento o discurso.

ración *f.* Parte que se da para alimento en cada comida a personas o a animales. 2 Porción de comida que se sirve en bares, tabernas, restaurantes, etc., y que tiene precio fijo en cada establecimiento. 3 Prebenda en alguna iglesia catedral o colegial.

racionado, -da *adj.* [cosa] Que se distribuye dando cierta cantidad a cada persona y no se puede adquirir libremente: *alimentos racionados.*

racional *adj.-s.* Dotado de razón. – 2 *adj.* Relativo a la razón. 3 Arreglado a ella.

racionalismo *m.* Doctrina epistemológica que considera a la razón como la fuente principal y única base de valor del conocimiento humano en general. 2 Sistema de teología natural en oposición a la teología revelada.

racionalizar *tr.* Organizar [algo] según razonamientos o cálculos. 2 Obtener mayor rendimiento con menor trabajo. 3 MAT. Operación de eliminar raíces del denominador de una fracción. ◇ ** CONJUG. [4] como *realizar.*

racionar *tr.* Distribuir raciones o proveer de ellas, especialmente [a las tropas]. 2 Limitar las autoridades la cantidad [de algún artículo, combustible, etc.] que puede adquirirse.

racismo *m.* Exaltación de la superioridad de la raza propia; programa o doctrina de dominación y diferenciación étnica. 2 fig. Hostilidad hacia un grupo profesional o social.

racista *adj.* Relativo al racismo. – 2 *adj.-com.* Partidario de él.

rack *m.* Armario para equipos electrónicos.

racor *m.* Accesorio que se emplea en las instalaciones eléctricas para conectar aparatos a la red. 2 Pieza que se enchufa sin rosca para unir dos tubos.

racha *f.* Ráfaga (movimiento). 2 fig. Período breve de fortuna o desgracia.

racheado, -da *adj.* [viento] Que sopla por rachas.

rad *m.* Unidad de dosis absorbida de radiación ionizante, que equivale a la energía de cien ergios por gramo de materia irradiada.

rada *f.* Bahía, ensenada.

radar *m.* Dispositivo, o conjunto de dispositivos, que, por medio de la emisión de ondas especiales de altísima frecuencia reflejadas en un obstáculo (avión, costas, edificios, astros, etc.), descubre su presencia juntamente con su contorno, y fija su distancia. ◇ Pl.: *radares.*

radiación *f.* FÍS. Emisión de partículas de energía. 2 FÍS. Elemento de una onda electromagnética o luminosa.

radiactividad *f.* Calidad de radiactivo. 2 Energía de los cuerpos radiactivos.

radiactivo, -va *adj.* [cuerpo] Que emite

radiaciones invisibles e impalpables, procedentes de la desintegración espontánea del átomo y dotadas de una actividad particular.

radiado, -da *adj.* Formado por rayos divergentes. 2 BOT. Que tiene sus diversas partes situadas simétricamente alrededor de un punto o un eje. 3 BOT. [planta compuesta] De cabezuela formada por flósculos en el centro y por semiflósculos en la circunferencia. – 4 *adj.-m.* Celentéreo.

radiador *m.* Aparato de calefacción compuesto de uno o más cuerpos para facilitar la radiación, a través de los cuales pasa una corriente de agua o vapor a elevada temperatura. 2 Serie de tubos por los cuales circula el agua destinada a refrigerar los cilindros de algunos motores de explosión; **automóvil.

radial *adj.* Relativo al radio, especialmente al hueso de este nombre: *arteria, vena ~;* **circulación. 2 De disposición análoga a la de los radios de una rueda.

radián *m.* GEOM. Unidad angular que corresponde a un arco de longitud igual a su radio.

radiante *adj.* fig. Brillante, resplandeciente. 2 fig. Que siente y manifiesta gozo o alegría grandes. 3 FÍS. Que radia.

radiar *intr.* Irradiar. – 2 *tr.* Emitir [sonidos, música, noticias, etc.] por radio. 3 FÍS. Emitir energía en forma de ondas electromagnéticas. 4 *Amér.* Echar o eliminar a alguien de un empleo, sociedad, agrupación, etc. ◇ ** CONJUG. [12] como *cambiar*.

radical *adj.* Relativo a la raíz. 2 [parte de una planta] Que nace inmediatamente de la raíz: *hoja ~.* 3 fig. Fundamental. 4 fig. Que afecta a la raíz o al principio de una cosa. 5 fig. Extremoso, tajante, intransigente. – 6 *adj.-m.* GRAM. Parte de una palabra variable que se conserva en todas las formas de la misma. 7 MAT. Signo [√] con que se indica la operación de extraer raíces. 8 QUÍM. Cuerpo que, combinado con el oxígeno, da un óxido básico o un anhídrido.

radicalismo *m.* Conjunto de ideas y doctrinas de los que pretenden reformar total o parcialmente el orden político, científico, moral o religioso. 2 p. ext. Modo extremado de tratar los asuntos.

radicalizar *tr.-prnl.* Hacer que alguien adopte una actitud radical. 2 Hacer más radical una postura o tesis. ◇ ** CONJUG. [4] como *realizar*.

radicalmente *adv. m.* De raíz; fundamentalmente. 2 Con radicalismo, con vehemencia radical.

radicar *intr.-prnl.* Arraigar. – 2 *intr.* Estar o encontrarse ciertas cosas en determinado lugar: *la escritura radica en la notaría.* – 3 *prnl.* Establecerse, domiciliarse. ◇ ** CONJUG. [1] como *sacar*.

radicícola *adj.* [animal, vegetal] Que vive parásito sobre las raíces de una planta.

radicoma *m.* BOT. Conjunto de las raíces de un vegetal.

radicular *adj.* Relativo a las raíces.

radiestesia *f.* Facultad de percibir las radiaciones electromagnéticas. 2 Prospección geofísica.

I) radio *m.* Segmento rectilíneo comprendido entre el centro de un círculo o una esfera y cualquier punto de la **circunferencia del círculo o de la superficie de la esfera. 2 Varilla que une el eje de una rueda con la llanta; **bicicleta. 3 Espacio circular definido por su radio: *en un ~ de 300 metros.* 4 Espacio a que se extiende la eficacia o influencia de una cosa: *~ de acción.* 5 Pieza que sostiene la parte membranosa de las aletas de los peces. 6 **Hueso contiguo al cúbito con el cual forma el antebrazo. 7 *~ medular,* BOT., banda radical de tejido parenquimatoso que en la sección transversal del **tallo o de la **raíz aparece situada entre los hacecillos conductores.

II) radio *m.* Metal blanco muy raro, intensamente radiactivo, que se parece al bario en sus propiedades químicas. Su símbolo es *Ra*.

III) radio *f.* Apócope de radiodifusión. 2 Radiorreceptor.

radioaficionado, -da *adj.-s.* Persona que se pone en comunicación con otras, por medio de una emisora de radio privada.

radiobaliza *f.* Señalización de una ruta marítima o aérea, por medio de un procedimiento radioeléctrico.

radiobiología *f.* Parte de la biología que estudia la incidencia de la radiactividad en los organismos.

radiocanal *m.* Banda de frecuencia asignada a una emisora de radio.

radiocasete *m.* Conjunto combinado de magnetófono de casetes y receptor de radio del que se puede grabar directamente el sonido.

radiocomunicación *f.* Telecomunicación realizada por medio de las ondas radioeléctricas.

radiocontrol *m.* Control a distancia por medio de ondas radioeléctricas.

radiodifusión *f.* Emisión radiotelefónica destinada al público. 2 Conjunto de procedimientos o instalaciones destinados a esta emisión.

radiodirigir *tr.* Dirigir [un objeto] mediante ondas radioeléctricas. ◇ ** CONJUG. [6] como *dirigir*.

radioelectricidad *f.* Energía eléctrica manifestada en forma de ondas hertzianas. 2 Ciencia que estudia las ondas hertzianas y los fenómenos que de ellas se originan.

radioeléctrico, -ca *adj.* Relativo a la radioelectricidad.

radioenlace *m.* Sistema de transmisión de señales de radio o de televisión desde los centros de producción de programas hasta los centros de emisión. 2 Sistema de enlace entre dos emisoras, o entre una unidad móvil de radio o televisión y el centro emisor.

radiofaro *m.* Emisora que en la navegación marítima o aérea señala la ruta.

radiofonía *f.* Parte de la física que trata de los fenómenos acústicos producidos por la energía radiante.

radiofónico, -ca *adj.* Relativo a la radiofonía. 2 Relativo a la radiodifusión.

radiófono *m.* Aparato que transforma la energía radiante en energía mecánica sonora.

radiofotografía *f.* Procedimiento de transmisión de fotografías a través de ondas radioeléctricas.

radiofrecuencia *f.* ELECTR. Frecuencia que supera los 10.000 ciclos por segundo.

radiografía *f.* Obtención de una imagen, especialmente de un órgano interior o de un objeto oculto a la vista, por la impresión de una superficie sensible mediante los rayos X. 2 Imagen así obtenida.

radiografiar *tr.* MED. Obtener radiografías [de cuerpos ocultos a la vista]. ◇ CONJUG. [13] como *desviar*.

radioisótopo *m.* Elemento radiactivo artificial que se obtiene al someter los elementos químicos ordinarios al bombardeo de neutrones en las pilas o reactores nucleares o de partículas cargadas en los aceleradores.

radiolario *adj.-m.* Protozoo del orden de los radiolarios. – 2 *m. pl.* Orden de **protozoos actinópodos, dotados de un esqueleto interno generalmente silícico, con los seudópodos finos, sostenidos a veces por espículas especiales.

radiología *f.* Estudio de las aplicaciones médicas de los rayos X.

radiometría *f.* FÍS. Parte de la física que trata de la medición de la intensidad de las radiaciones. 2 Técnica para determinar las dimensiones de estructuras y órganos del cuerpo por rayos X.

radionovela *f.* Narración de tipo melodramático especialmente concebida para ser emitida a través de la radio en forma seriada.

radiorreceptor *m.* En radiotelegrafía o radiotelefonía, aparato que recoge y transforma en señales o sonidos las ondas emitidas por el radiotransmisor.

radioscopia *f.* Examen del interior del cuerpo humano y, en general, de los cuerpos opacos mediante la imagen que proyectan en una pantalla al ser atravesados por los rayos X.

radiosonda *f.* Globo sonda que transporta un conjunto de aparatos registradores automáticos que transmiten informaciones meteorológicas.

radiotaxi *m.* Taxi provisto de un radioteléfono.

radiotecnia *f.* Técnica relativa a la radio.

radiotelefonía *f.* Sistema de comunicación telefónica por medio de ondas hertzianas.

radiotelefónico, -ca *adj.* Relativo a la radiotelefonía.

radioteléfono *m.* Teléfono sin hilos. 2 Conjunto de transmisor y receptor de radiotelefonía provisto de un microteléfono.

radiotelegrafía *f.* Sistema de comunicación telegráfica por medio de ondas hertzianas.

radiotelegráfico, -ca *adj.* Relativo a la radiotelegrafía.

radiotelegrafista *com.* Persona ocupada en el servicio radiotelegráfico, especialmente la que manipula los aparatos transmisores y receptores.

radiotelemecánica *f.* Disciplina que estudia los sistemas accionados por ondas radioeléctricas para el control de aparatos electromecánicos.

radiotelescopio *m.* Aparato para captar las radiaciones de los cuerpos celestes.

radiotelevisión *f.* Radio y televisión. 2 Transmisión y recepción de imágenes y sonidos a distancia mediante ondas electromagnéticas.

radioterapia *f.* Empleo terapéutico de los rayos X y del radio.

radiotransmisor *m.* En radiotelefonía y radiotelegrafía, aparato que produce y envía las ondas portadoras de señales y sonidos.

radiotransmitir *tr.* Transmitir [algo] por radio.

radioyente *com.* Persona que oye lo que se transmite por la radiotelefonía.

radón *m.* Elemento químico radiactivo; es el más pesado de los gases nobles. Su símbolo es *Rn*.

rádula *f.* Cutícula provista de numerosos dientes quitinosos que recubre la lengua de ciertos moluscos.

raedera *f.* Instrumento para raer.

raedura *f.* Parte menuda que se rae de una cosa.

raer *tr.* Raspar [la superficie de una cosa] con un instrumento cortante; esp., quitar [los pelos, vello, etc.]. 2 Rasar (igualar). 3 fig. Extirpar enteramente [una cosa no material]: ~ *un vicio;* ~ *una costumbre.* ◇ ** CONJUG. [81].

rafa *f.* Raza (grieta). 2 Cortadura hecha en el quijero de la acequia o brazal a fin de sacar agua para el riego. 3 Macho que se injiere en una pared para reforzarla o reparar una grieta.

ráfaga *f.* Movimiento violento del aire, generalmente de poca duración, que hiere repentinamente. 2 Nubecilla de poco cuerpo o densidad, que aparece especialmente cuando varía o debe variar el tiempo. 3 Golpe de luz vivo e instantáneo. 4 Serie de disparos que hace sin interrupción una ametralladora o arma análoga.

rafe *m.* Línea prominente que, situada en la parte media del cuerpo, parece formada por la unión de dos mitades laterales de un órgano.

rafidióptero *adj.-m.* Insecto del orden de los rafidiópteros. – 2 *m. pl.* Orden de insectos pterigotas y depredadores, de pequeño tamaño, con la cabeza y el tórax muy alargados.

raflesiáceo, -a *adj.-f.* Planta de la familia de las raflesiáceas. – 2 *f. pl.* Familia de plantas parásitas sin hojas ni clorofila, que viven de los alimentos que toman de las raíces de otros vegetales mediante haustorios.

raglán *adj.* [abrigo, chaqueta, etc.] De mangas cortadas y clavadas de modo que se arranque por la parte superior llega hasta el cuello. 2 [manga] De dicha forma.

ragtime *m.* Género de música negra bailable, muy popular a principios del s. xx, de ritmo binario sincopado, precursor del jazz. ◇ Se pronuncia *ragtaim*.

ragú *m.* GALIC. Guiso de carne cortada en trozos regulares, generalmente con patatas y alguna verdura.

rahez *adj.* Vil, despreciable.

raicilla *f.* Fibra o filamento que nace del cuerpo principal de una raíz (de plantas).

raid *m.* Incursión, irrupción armada: *las tropas efectuaron un ~ contra las tribus rebeldes.* 2 En el lenguaje deportivo, vuelo a gran distancia; viaje atrevido y peligroso.

raído, -da *adj.* Muy deteriorado por el uso, especialmente el vestido o la tela. 2 fig. Desvergonzado, descarado.

raigal *adj.* Relativo a la raíz. 2 Extremo del madero que corresponde a la raíz del árbol.

raigambre *f.* Conjunto de raíces de los vegetales, unidas y trabadas entre sí. 2 fig. Conjunto de antecedentes, intereses, hábitos o afectos que hacen firme y estable una cosa o impiden su reemplazo o su enmienda aunque tenga defectos.

raigón *m.* Raíz de las muelas y los dientes.

raíl, rail *m.* Carril (barras paralelas).

**raíz *f.* En las plantas cormofitas, parte del aparato vegetativo, desprovista de hojas, que crece en dirección inversa a la del tallo y sirve para fijar la planta al suelo o a otros cuerpos y absorber de aquél o de éstos las substancias nutritivas. 2 Parte de la **nariz situada entre las cejas. 3 fig. Parte inferior o pie de cualquier cosa. 4 fig. Parte oculta de una cosa de la cual procede lo que está manifiesto; esp., porción de un órgano por la cual se implanta en otro. 5 Origen o principio de que procede una cosa. 6 ANAT. Parte de los **dientes de los vertebrados que está engastada en los alveolos. 7 GRAM. Parte históricamente irreductible de una palabra, de la cual proceden otras voces. 8 MAT. Valor que puede tener la incógnita de una ecuación. 9 MAT. Cantidad que, tomada como factor cierto número de veces, da como producto una cantidad determinada.

raja *f.* Parte de un leño que resulta de abrirlo al hilo con hacha, cuña, etc. 2 Hendedura, abertura o quiebra de una cosa. 3 Pedazo que se corta a lo largo o a lo ancho de un melón, sandía, queso, etc.

rajá *m.* Soberano índico. ◇ Pl.: *rajaes*.

rajadillo *m.* Confitura de almendras rajadas y bañadas de azúcar.

rajado, -da *adj.-s.* Persona que falta a su palabra.

rajante *adj.* Argent. Rápido, inmediato.

RAÍZ

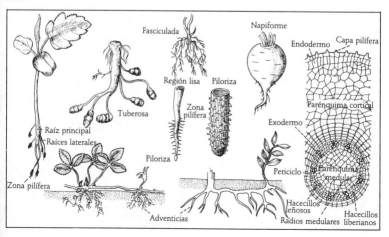

rajar *tr.* Dividir [una cosa] al hilo. 2 en gral. Hender o partir [una cosa]. 3 *fam.* Herir con arma blanca. – 4 *intr.* fig. Jactarse de valiente contando muchas mentiras. 5 en gral. Hablar mucho. 6 Hablar mal [de alguien], desacreditar [a alguien]. – 7 *prnl.* Desistir de un empeño; desdecirse de lo prometido. 8 *fam.* Acobardarse. – 9 *Amér.* Gastar excesivamente.

rajatabla (a ~) *loc. adv.* Por completo, con todo rigor.

rajón, -jona *adj.-s. Amér. Central y Méj.* Que no mantiene su palabra. 2 *Amér. Central.* Fanfarrón, valentón. 3 *Amér. Central.* Ostentoso, espléndido.

rajuela *f.* Piedra delgada y sin labrar.

ralea *f.* Especie, género, calidad.

ralear *intr.* Hacerse rala una cosa. 2 No granar enteramente los racimos de las vides. 3 Descubrir uno en su porte su mala ralea. – 4 *intr.-prnl.* Separarse los individuos de un grupo de personas o cosas.

ralentí *m.* En cinematografía, cámara lenta. 2 En automovilismo, marcha con el mínimo de gases en el motor.

ralentizar *tr.* Lentificar. ◇ ** CONJUG. [4] como *realizar.*

ralo, -la *adj.* Muy separado: *cabello ~.*

rallador *m.* Utensilio de **cocina con el cual se frota o raspa el pan, el queso, etc., para desmenuzarlos.

ralladura *f.* Surco que deja el rallador; p. ext., cualquier surco menudo. 2 Lo que queda rallado.

rallar *tr.* Desmenuzar [una cosa] restregándola con el rallador. 2 fig. *y* fam. Molestar, fastidiar [a uno] con importunidad.

rallo *m.* Rallador. 2 Lima de dientes muy gruesos.

rally *m.* Competición deportiva consistente en una carrera, con cualquier medio de locomoción, en la cual se han de realizar además diversas pruebas. ◇ Pl.: *rallys.* Se pronuncia *rali, ralis.*

rama *f.* Parte en que se divide y subdivide el tronco o **tallo principal de la planta, especialmente la que nace del mismo tronco. 2 fig. Serie de personas que traen su origen de un mismo tronco. 3 Parte secundaria de una cosa que se deriva de otra principal. 4 Parte de una ciencia.

ramadán *m.* Noveno mes del año lunar de los mahometanos; durante su curso observan riguroso ayuno.

ramaje *m.* Conjunto de ramas o ramos.

ramal *m.* Cabo de que se componen las cuerdas, sogas, pleitas y trenzas. 2 Ronzal asido al cabezón de una bestia. 3 Tramo de una escalera que concurre junto con otros en un mismo rellano. 4 Parte que arranca de la línea principal de un camino, acequia, mina, cordillera, etc. 5 fig. División que resulta de

una cosa con relación y dependencia de ella, como rama suya.

ramalazo *m.* fig. Señal que sale al cuerpo por un golpe o por enfermedad. 2 fig. Dolor que, aguda e improvisadamente, acomete a lo largo de una parte del cuerpo. 3 fig. Adversidad que sobrecoge y sorprende. 4 fig. Enajenación repentina, ataque pasajero de locura. 5 fig. Apariencia de homosexual.

ramazón *f.* Conjunto de ramas separadas de los árboles.

rambla *f.* Lecho natural de las aguas pluviales, cuando caen copiosamente. 2 Suelo por donde corren éstas. 3 Avenida o paseo de ciertos lugares, que tiene su origen en una rambla arenosa. 4 *Amér.* Andén a orillas del mar, muelle.

rameado, -da *adj.* [dibujo o pintura] Que representa ramos, especialmente en tejidos, papeles, etc.

rameal, rámeo, -a *adj.* Relativo a la rama: *hojas rámeas.*

ramera *f.* Mujer que, por oficio, mantiene relaciones sexuales con hombres a cambio de dinero o intereses materiales. 2 Mujer lasciva.

ramificación *f.* Acción de ramificarse. 2 Efecto de ramificarse. 3 fig. Conjunto de consecuencias necesarias de algún hecho. 4 División y extensión de las venas, arterias o nervios. 5 fig. Subdivisión en general.

ramificarse *prnl.* Esparcirse y dividirse en ramas una cosa. 2 fig. Extenderse las consecuencias de un hecho o suceso. ◇ ** CONJUG. [1] como *sacar.*

ramillete *m.* Ramo pequeño formado artificialmente. 2 fig. Plato de dulces, que forman un conjunto vistoso. 3 fig. Colección de especies exquisitas y útiles en una materia. 4 BOT. Inflorescencia que forma una cima o copa contraída.

ramiza *f.* Conjunto de ramas cortadas. 2 Lo que se hace de ramas.

ramnáceo, -a *adj.-f.* Planta de la familia de las ramnáceas. – 2 *f. pl.* Familia de plantas dicotiledóneas, de hojas simples y estipuladas, flores solitarias o en racimo y fruto capsular o drupáceo; como la aladierna.

ramo *m.* Rama de segundo orden, que nace de la principal. 2 Rama cortada del árbol. 3 Conjunto natural o artificial de flores, ramas o hierbas. 4 Ristra (de ajos o cebollas). 5 fig. Parte en que se considera dividida una ciencia, arte, industria, etc. 6 fig. Enfermedad incipiente o poco determinada.

ramojo *m.* Conjunto de ramas cortadas de los árboles, especialmente las pequeñas y delgadas.

ramón *m.* Ramojo con que se apacentan los ganados en tiempo de muchas nieves. 2 Ramaje que resulta de la poda.

ramonear *intr.* Cortar las puntas de las

ramas de los árboles: *hoy ramoneamos.* 2 p. ext. Pacer los animales las hojas y las puntas de las ramas de los árboles.

ramoso, -sa *adj.* Que tiene muchos ramos o ramas.

rampa *f.* Plano inclinado dispuesto para subir y bajar por él.

rampaina *f.* Crustáceo parecido a la langosta, pero sin antenas y cabeza algo acorazada, propio del Mediterráneo.

rampante *adj.* ARQ. [arco] Que tiene sus arranques a distinta altura.

ramplón, -plona *adj.* [calzado] Tosco, de suela muy gruesa y ancha. 2 fig. Tosco, vulgar, desaliñado.

rampollo *m.* Rama que se corta del árbol para plantarla.

rana *f.* Género de **anfibios anuros de piel lisa, cabeza grande, ojos prominentes, cuerpo algo deprimido y patas traseras largas, a propósito para saltar, que vive en agua dulce y se mantiene de insectos, y cuya carne se considera manjar delicioso *(Rana sculenta).* 2 Juego que consiste en introducir desde cierta distancia una chapa o moneda por la boca abierta de una rana de metal.

rancajada *f.* Desarraigo, acción de desarraigar (arrancar de raíz).

rancajo *m.* Punta o astilla que se clava en la carne.

rancio, -cia *adj.* [vino y comestible grasiento] Que con el tiempo adquiere sabor y olor más fuerte, mejorándose o echándose a perder. 2 fig. [objeto] Antiguo; [pers.] apegado a cosas antiguas: *de rancia nobleza.* – 3 *m.* Suciedad grasienta de los paños mientras se trabajan o cuando se han trabajado mal.

ranchera *f.* Baile popular de ritmo ternario originario de Argentina. 2 Música y canto de este baile. 3 Automóvil cuyo espacio interior está diseñado para aumentar la capacidad de personas o carga.

ranchería *f.* Conjunto de ranchos o chozas que forman como un lugar. 2 En los cuarteles, cocina donde se guisa el rancho.

ranchero, -ra *m. f.* Persona que guisa el rancho y cuida de él. 2 Persona que gobierna un rancho. – 3 *adj. Méj.* Entendido en las faenas del campo.

rancho *m.* Comida hecha para muchos en común; generalmente se reduce a un solo guisado: *~ de la tropa, de los presos.* 2 Conjunto de personas que toman a un tiempo esta comida. 3 Lugar fuera de poblado donde se albergan diversas familias o personas. 4 fig. Unión familiar de algunas personas que se juntan para tratar algún negocio particular. 5 fig. Choza fuera de poblado, con techumbre de ramas o paja. 6 MAR. Provisión de comida que embarca el comandante o los individuos que forman rancho. 7 MAR. División que se

hace de la marinería para el buen orden y disciplina de los buques de guerra. 8 *Amér.* Finca rústica, granja de caballos y otros cuadrúpedos.

randa *f.* Especie de encaje, labrado con aguja o tejido; es más grueso y de nudos más apretados que los hechos con palillos.

ranfla *f. Amér.* Rampa.

ranglán *adj.* Raglán.

rango *m.* Jerarquía, clase, categoría, calidad. 2 TECN. Amplitud de la variación de un fenómeno entre un límite menor y uno mayor claramente especificados. 3 *Amér.* Situación social elevada.

ranilla *f.* Parte del casco de las **caballerías, de forma piramidal, más blanda y flexible que el resto, situada entre los dos pulpejos o talones.

ranino, -na *adj.-f.* ZOOL. Perteneciente o relativo a la superficie situada debajo de la lengua: *arteria ranina; vena ranina.*

ranking *m.* ANGL. Clasificación, rango.

ránula *f.* Tumor blando, lleno de un líquido glutinoso, que suele formarse debajo de la lengua.

ranún *m. Argent., Parag. y Urug.* Pillo, taimado, vivaracho.

ranunculáceo, -a *adj.-f.* Planta de la familia de las ranunculáceas. – 2 *f. pl.* Familia de plantas dicotiledóneas, de hojas alternas, simples y cortadas de varios modos, flores de colores brillantes, actinomorfas o cigomorfas, solitarias o en racimo o en panoja, y fruto seco o carnoso; como la peonia.

ranúnculo *m.* Planta ranunculácea de los terrenos húmedos, de tallo hueco y ramoso, hojas partidas en tres lóbulos, flores amarillas y fruto seco *(Ranunculus acris).*

ranura *f.* Canal estrecho y largo que se abre en un madero, piedra u otro material, para hacer un ensamble, guiar una pieza movible, etc.

I) raña *f.* Instrumento para pescar pulpos, formado por una cruz de madera o hierro erizada de garfios.

II) raña *f.* Terreno de monte bajo.

raño *m.* Garfio de hierro con mango largo de madera, usado para arrancar de las peñas las ostras, lapas, etc.

raó *m.* Pez marino teleósteo perciforme, de cuerpo muy comprimido de color rosa, más o menos marcado de verde y de gris *(Xyrichtys novacula).*

rapa *f.* Flor del olivo.

rapapolvo *m.* fam. Represión severa. ◇ Pl.: *rapapolvos.*

rapar *tr.-prnl.* Afeitar. 2 p. anal. Cortar el pelo al rape: *~ la cabeza.*

rapavelas *m.* vulg. Sacristán, monaguillo u otro dependiente de una iglesia. ◇ Pl.: *rapavelas.*

I) rapaz *adj.* Inclinado al robo o a la rapiña. 2 Adaptado para coger y sujetar una presa; como las patas anteriores de una mantis. – 3 *f. pl.* Aves depredadoras con los rasgos anatómicos perfectamente adaptados a este tipo de dieta; tienen la vista muy aguda, el pico y las garras fuertes y afilados, y vuelan a gran velocidad. Algunas tienen hábitos diurnos (rapaces diurnas); como las falconiformes, y otras nocturnos (rapaces nocturnas); como las estrigiformes.

II) rapaz, -za *m. f.* Muchacho de corta edad.

I) rape *m.* fam. Rasura o corte de la barba hecho de prisa y sin cuidado: *dar un ~.* 2 *Al ~*, a la orilla o casi a raíz.

II) rape *m.* Pez marino teleósteo lofiforme, comestible, de cabeza enorme, redonda y aplastada, con tres apéndices superiores largos y movibles; boca grandísima, cuerpo pequeño y fusiforme; carece de escamas y es de color obscuro por el lomo y blanco por el vientre *(Lophius piscatorius).*

rapé *adj.-s.* Tabaco de polvo más grueso y obscuro que el ordinario, elaborado con hoja cortada algún tiempo después de madurar. 2 Tabaco en polvo para tomarlo por las narices.

rapidez *f.* Movimiento acelerado o velocidad impetuosa.

rápido, -da *adj.* Veloz, pronto, acelerado. – 2 *Amér.* [campo] Calmo y monótono, sin sombra ni edificios.

rapiña *f.* Robo o saqueo que se ejecuta violentamente.

rapiñar *tr.* fam. Hurtar o quitar [una cosa] como arrebatándola.

rapón *m. Argent.* Lana de los corderos de dos a tres meses de edad.

rapónchigo *m.* Planta campanulácea, de tallos estriados, hojas oblongas, flores azules en panojas terminales, fruto capsular y raíz blanca fusiforme, carnosa y comestible *(Campanula rapunculus).*

raposear *intr.* Usar de ardides o trampas como la raposa.

raposo, -sa *m. f.* Zorro (mamífero y persona afectada).

rapsoda *m.* En la antigua Grecia, persona que iba de pueblo en pueblo recitando poemas.

rapsodia *f.* Fragmento de un poema épico que se suele recitar de una vez. 2 Pieza musical formada con fragmentos de otras obras o con trozos de aires populares.

raptar *tr.* Cometer el delito de rapto: *~ a una mujer.*

rapto *m.* Impulso, acción de arrebatar. 2 Delito que consiste en llevarse de su domicilio por el engaño, la violencia o la seducción a alguien. 3 Éxtasis (estado del alma).

raptor, -ra *adj.-s.* Que comete el delito de rapto.

raque *m.* Acto de recoger los objetos perdidos en las costas por algún naufragio o echazón.

raquear *intr.* Andar al raque; buscar restos de naufragios.

raqueta *f.* Bastidor de madera, con mango, que sujeta una red o pergamino, o ambas cosas; se emplea como pala en el juego de la pelota, del tenis, etc. 2 Juego de pelota en que se emplea la pala. 3 Calzado parecido al cuerpo de una raqueta, que sirve para andar por la nieve. 4 Utensilio de madera en forma de raqueta, que se usa en las mesas de juego para mover el dinero de las posturas.

raquídeo, -a *adj.* Relativo al raquis: *bulbo ~.*

raquila *f.* BOT. Eje que brota del raquis principal, con flores o folíolos.

raquis *m.* Columna vertebral. 2 Nervio principal de una hoja. 3 Pecíolo común de una inflorescencia o de una hoja compuesta. ◇ Pl.: *raquis.*

raquítico, -ca *adj.-s.* Que padece raquitismo. 2 fig. Exiguo, mezquino, débil, endeble.

raquitismo *m.* Enfermedad de la nutrición ósea, que se manifiesta principalmente en la infancia, caracterizada por deformaciones óseas, localizadas sobre todo en los miembros y en el tronco.

raramente *adv. m.* Por maravilla, rara vez. 2 Con rareza, de un modo extravagante.

rarear *tr.-intr.* Espaciar, hacer menos frecuente.

rarefacer *tr.* Enrarecer. ◇ ** CONJUG. [73] como *hacer*; pp. irreg.: *rarefacto.*

rareza *f.* Calidad de raro. 2 Cosa rara. 3 Acción de la persona rara o extravagante.

rarificar *tr.* Enrarecer. ◇ ** CONJUG. [1] como *sacar.*

raro, -ra *adj.* Que tiene poca densidad y consistencia, especialmente los gases enrarecidos. 2 Poco común o frecuente: *un fenómeno ~.* 3 Escaso en su clase o especie: *un libro ~.* 4 Insigne, excelente en su línea: *sus raras dotes literarias.* 5 Extravagante de genio, propenso a singularizarse.

ras *m.* Igualdad en la superficie o altura de las cosas.

rasa *f.* Abertura que, al menor esfuerzo, se hace en las telas endebles sin que se rompan la trama ni la urdimbre. 2 Llano alto y despejado de un monte.

rasamente *adv. m.* Clara y abiertamente.

rasante *f.* Línea de una calle o camino considerada en su inclinación respecto del plano horizontal: *cambio de ~*, en una **carretera, horizonte que marca un cambio de pendiente. – 2 *adj.* Que pasa rasando: *vuelo* o *tiro ~*, cercano al suelo.

rasar *tr.* Igualar con el rasero [las medidas

de trigo, cebada, etc.]. 2 Pasar rozando ligeramente un cuerpo [con otro]: *la bala rasó la pared.* – 3 **prnl.** Ponerse rasa y limpia una cosa; como el cielo sin nubes.

rasca *f.* fam. Hambre. 2 fam. Frío. 3 fam. Borrachera.

rascacielos *m.* Edificio muy alto y de muchos pisos. ◇ Pl.: *rascacielos.*

rascacio *m.* Pez marino teleósteo perciforme, de cabeza gruesa y espinosa, vientre grande, de color gris pardusco o rojizo, y de unos 30 cms. de longitud *(Scorpaena porcus).*

rascador *m.* Instrumento para rascar la superficie de un metal, de una piel, etc. 2 Instrumento de hierro para desgranar el maíz y otros frutos.

rascar *tr.* Refregar [la piel] con una cosa aguda y por lo regular con las uñas. 2 Arañar (rasgar). 3 Limpiar con rascador o rasqueta [alguna cosa]. 4 Producir sonido estridente al tocar con el arco un instrumento de cuerda. ◇ ** CONJUG. [1] como *sacar.*

rascatripas *com.* desp. Mal tocador de instrumento de arco, especialmente de violín. ◇ Pl.: *rascatripas.*

rascazón *f.* Comezón o picazón.

rascón, -cona *adj.* Áspero o raspante al paladar. – 2 *m.* Ave gruiforme de pico largo rojo y plumaje pardo oliváceo con flancos listados de blanco y negro, parecida a la fúlica *(Rallus aquaticus).*

rasear *tr.* En el juego del fútbol, lanzar [la pelota] a ras de tierra.

rasera *f.* Paleta de metal, generalmente con agujeros, que se emplea en la cocina.

rasero *m.* Palo cilíndrico para rasar las medidas de los áridos.

rasgado, -da *adj.* Que se abre mucho y tiene mucha luz, especialmente el balcón o la ventana. 2 fam. Desenvuelto.

rasgar *tr.* Romper o hacer pedazos sin el auxilio de ningún instrumento [cosas de poca consistencia, tejidos, papel, etc.]: ~ *un pergamino; rasgarse las ropas.* ◇ ** CONJUG. [7] como *llegar.*

rasgo *m.* Línea de adorno trazada con la pluma, especialmente la hecha para adornar las letras al escribir. 2 Facción del rostro: *sus rasgos me son familiares.* 3 Carácter, peculiaridad: *los rasgos distintivos de un estilo artístico.* 4 fig. Acción notable en cualquier concepto, propia del afecto o disposición de ánimo de que se origina: *un ~ caritativo, de heroísmo.* 5 ~ **pertinente, distintivo** o **diferencial**, LING., el que sirve para distinguir un fonema de otro u otros de la misma lengua.

rasgón *m.* Rotura de un vestido o tela.

rasguear *tr.* Tañer [la guitarra] rozando con cierta velocidad varias cuerdas a la vez con las puntas de los dedos. – 2 **intr.** Hacer rasgos con la pluma.

rasguñar *tr.* Arañar o rascar [una cosa] con las uñas o con algún instrumento cortante.

rasguño *m.* Arañazo. 2 Dibujo en apuntamiento o tanteo.

rasilla *f.* Tela de lana delgada. 2 Ladrillo delgado.

raso, -sa *adj.-s.* Plano, liso, sin estorbos. – 2 *adj.* Que no tiene un título u otro adherente que le distinga: *soldado ~.* 3 [asiento] Que no tiene respaldar. 4 Que pasa o se mueve a poca altura del suelo. 5 [atmósfera] Libre de nubes y nieblas: *al ~,* en el campo, a cielo descubierto. – 6 *m.* Tela de seda lustrosa, de cuerpo entre el tafetán y el terciopelo.

raspa *f.* Arista (filamento). 2 Espina de algunos pescados. 3 fam. Espina dorsal. 4 BOT. Eje principal o pedúnculo común de las flores y frutos de un racimo o una espiga. 5 *Amér.* fam. Reproche, reprimenda.

raspado, -da *m.* Acción de raspar. 2 MED. Operación que consiste en legrar ciertos tejidos enfermos, especialmente del útero.

raspador *m.* Instrumento para raspar, especialmente el usado para raspar lo escrito; **dibujo.

raspajo *m.* Escobajo de uvas.

raspallón *m.* Pez marino teleósteo perciforme, pequeño, de cuerpo oval comprimido, de color gris amarillento con brillo plateado, y labios finos, parecido al sargo *(Diplodus annularis).*

raspar *tr.* Raer ligeramente la superficie [de una cosa]. 2 Picar el vino u otro licor [al paladar]: *el orujo raspa la garganta;* **abs.,** *este vino raspa.* 3 Hurtar, quitar [una cosa]. 4 Rasar (pasar rozando). 5 *Amér.* Reprender [a alguien].

raspear *tr.* Reprender, reconvenir [a alguien].

raspilla *f.* Planta boraginácea, de tallos casi tendidos, angulares, con espinitas revueltas hacia abajo, hojas ásperas, estrechas por la base, aovadas por la parte opuesta, y flores azules, llamadas *nomeolvides (Asperugo procumbens; Myosotis arvensis).*

rasponazo *m.* Lesión o erosión superficial causada por un roce violento.

rasposo, -sa *adj.* Que es áspero al tacto. 2 Que tiene abundantes raspas. 3 fig. De trato desapacible. 4 *Argent.* y *Urug.* Deteriorado, especialmente las prendas de vestir. 5 *Argent.* y *Urug.* [pers.] Desaliñado.

rastra *f.* Rastro (instrumento y vestigio). 2 Grada (instrumento). 3 Recogedor (de labranza). 4 Cosa que va colgando y arrastrando. 5 Seno de cabo que se arrastra por el fondo del mar para buscar y sacar cierta clase de objetos sumergidos. 6 Sarta de fruta seca.

rastrear *tr.* Seguir el rastro o buscar [alguna cosa] por él. 2 Llevar arrastrando [por el fondo del agua] una rastra o arte de pesca. 3 Inquirir, averiguar [una cosa] discurriendo por conjeturas o señales. – 4 **intr.** Hacer alguna labor con el rastro. 5 Ir por el aire, pero casi tocando el suelo.

rastreo *m.* Acción de rastrear.

rastrero, -ra *adj.* Que va arrastrando. 2 fig. Bajo, vil y despreciable. 3 Que va por el aire, pero casi tocando el suelo. 4 BOT. [tallo] Que crece tendido por el suelo y echa raicillas de trecho en trecho.

rastrillar *tr.* Limpiar [el lino o cáñamo] de la arista o estopa. 2 Recoger con el rastro [la parva en las eras o la hierba segada en los prados]. 3 p. anal. Limpiar [de hierba] con el rastrillo [las calles de los parques y jardines]. 4 *Amér.* Descerrajar un arma de fuego. 5 *Argent.* Preparar el fusil para disparar.

rastrillo *m.* Tabla con muchos dientes de alambre grueso sobre los que se pasa el lino o cáñamo para apartar la estopa y separar bien las fibras. 2 Compuerta levadiza formada con una reja fuerte y espesa, que defiende las puertas de las plazas de armas; **castillo. 3 Estacada, verja o puerta de hierro que defiende la entrada de una fortaleza o de un establecimiento penal. 4 Guarda perpendicular a la tija de la llave. 5 Planchita encorvada dentro de la cerradura. 6 Rastro (instrumento; azada); **jardinería.

rastro *m.* Instrumento para recoger hierba, paja, broza, etc., compuesto de un mango largo y delgado cruzado en un extremo por un travesaño armado de púas. 2 Especie de azada para extender piedra partida y otros usos análogos, que en vez de pala tiene dientes fuertes y gruesos. 3 Vestigio o indicio que deja una cosa de haber acontecido o pasado por un lugar cualquiera. 4 fig. Señal, reliquia, vestigio que queda de una cosa. 5 ant. Lugar destinado en las poblaciones para vender en ciertos días de la semana la carne al por mayor. 6 p. ext. Mercadillo periódico de objetos, generalmente usados.

rastrojar *tr.* Arrancar el rastrojo [de un campo].

rastrojear *intr.* Pastar [el ganado] entre rastrojos, o andar rebuscando en ellos.

rastrojera *f.* Conjunto de tierras que han quedado de rastrojo. 2 Temporada en que los ganados pastan los rastrojos. 3 Conjunto de estos mismos pastos o rastrojos.

rastrojo *m.* Residuo de las cañas de la mies, que queda en la tierra después de segar. 2 Campo después de segada la mies y antes de recibir nueva labor.

rasurar *tr.* Afeitar (raer el pelo). 2 Raspar, raer.

I) rata *f.* Mamífero roedor, de unos 36 cms. de largo; de cabeza pequeña, hocico puntiagudo, orejas tiesas, patas cortas, cola delgada y rala, y pelaje gris obscuro *(Rattus rattus).* 2 Nombre común a varias especies de roedores de la misma familia que el anterior: ~ **almizclada,** rata acuática grande, de cola larga, patas traseras anchas, con cinco dedos y las delanteras con cuatro, provistos de uñas fuertes y gruesas *(Ondrata zibethica).* 3 Hembra del ratón. 4 Pez marino teleósteo perciforme, de cuerpo alargado de color gris pardusco marcado de claro, cabeza fuerte, acorazada, y la boca casi vertical *(Uranoscopus scaber).* – 5 *m.* Ratero.

II) rata *f.* Tasa, precio; salario. 2 Proporción. 3 fam. Tacaño.

ratafía *f.* Rosolí en que entra zumo de frutas, principalmente de cerezas o de guindas.

ratania *f.* Arbusto americano poligaláceo, con tallos ramosos y rastreros *(Krameria triandra).* 2 Raíz de esta planta.

I) ratear *tr.* Disminuir o rebajar la proporción o prorrata [de una cosa]. 2 Distribuir, repartir proporcionalmente [una cosa].

II) ratear *tr.* Hurtar con destreza [cosas pequeñas].

III) ratear *intr.* Andar arrastrando con el cuerpo pegado a la tierra.

I) ratería *f.* Hurto de cosas de poco valor. 2 Acción de hurtarlas con maña y cautela.

II) ratería *f.* Vileza, ruindad en los tratos.

ratero, -ra *adj.-s.* Ladrón que hurta con maña y cautela cosas de poco valor, o de los bolsillos.

raticida *adj.-m.* [producto] Que se emplea para exterminar las ratas.

ratificar *tr.-prnl.* Aprobar o confirmar una cosa [que se ha dicho o hecho]. ◇ ** CONJUG. [1] como *sacar.*

ratio *f.* Relación entre dos magnitudes.

rato *m.* Espacio de tiempo, especialmente cuando es corto: *hace un ~ que lo espero.* 2 Trecho o distancia: *de Málaga a Barcelona hay un buen ~.* 3 Gusto o disgusto; en este sentido va siempre acompañado de los adjetivos *bueno, malo* u otros análogos.

ratón *m.* Mamífero roedor, semejante a la rata, pero más pequeño *(Mus musculus).* 2 Dispositivo que tienen algunos terminales de ordenador para hacer dibujos y dar ciertas órdenes.

ratonar *tr.* Morder o roer los ratones [pan, queso, ropa, etc.].

ratonera *f.* Trampa en que se cogen o cazan los ratones. 2 Agujero que hace el ratón en las paredes, arcas, etc., para entrar y salir por él. 3 Madriguera de ratones. 4 fig. Local, reunión, campo de deportes, etc., con un ambiente manifiestamente hostil. 5 Arbusto perenne pequeño, de hojas dentadas alternas, lanudas y con los bordes espinosos *(Forsskahlea angustifolia).*

ratonero, -ra *adj.* Relativo a los ratones.

– 2 *m.* Perro para cazar ratones. 3 Ave falconiforme de unos 55 cms. de longitud, alas anchas, cuello corto y cola amplia y redondeada *(Buteo buteo).*

raudal *m.* Copia de agua que corre arrebatadamente. 2 fig. Abundancia de cosas que de golpe concurren o se derraman.

raudo, -da *adj.* lit. Rápido, violento, precipitado.

raviolis *m. pl.* Emparedados de masa con carne picada que se sirven con salsa y queso rallado.

I) raya *f.* Señal larga y estrecha que se hace o forma natural o artificialmente en un cuerpo cualquiera: *las rayas del pentagrama; señaló una ~ con el estilete; una corbata a rayas azules y blancas.* 2 GRAM. Guión largo [—] usado para separar oraciones incidentales o indicar el diálogo en los escritos. 3 Señal que resulta en la cabeza de dividir los cabellos con el peine. 4 Estría que se hace en el ánima de las armas de fuego para que el proyectil corra forzado por ellas y tenga mayor alcance. 5 Término, límite de una nación, región, provincia, distrito o predio extenso. 6 Término que en lo físico o moral, se pone a una cosa. 7 Pliegue del pantalón. 8 En el lenguaje de la droga, dosis de cocaína o heroína en polvo para ser esnifada.

II) raya *f.* Pez marino seláceo rayiforme, comestible, de cuerpo aplastado, romboidal, liso o armado de aguijones, y cola larga y delgada *(Raja clavata).* 2 Seláceo de la familia de los rayidos, en general.

rayadillo *m.* Tela de algodón rayada parecida al dril.

rayado *m.* Conjunto de rayas o listas de una tela, papel, etc.

rayano, -na *adj.* Que confina o linda con una cosa. 2 Que está en la raya que divide dos territorios. 3 fig. Cercano, con semejanza que se aproxima a igualdad.

rayar *tr.* Hacer o tirar rayas: *~ un papel.* 2 p. anal. Tachar [lo manuscrito o impreso] con rayas. 3 Subrayar. 4 Estropear o deteriorar una superficie lisa o pulida con rayas o incisiones. – 5 *intr.* Confinar una cosa con otra: *~ con Aragón; ~ en lo sublime.* 6 p. anal. *y* fig. Asemejarse una cosa a otra, acercarse a igualarla: *~ con los primeros.* 7 fig. Sobresalir entre otros en prendas o acciones: *~ a gran altura.* 8 Con las voces *alba, día, luz,* etc., amanecer, alborear.

ráyido *adj.-m.* Pez de la familia de los ráyidos. – 2 *m. pl.* Familia de peces rayiformes que presentan el cuerpo dividido en disco y cola; como la raya.

rayiforme *adj.-m.* Pez del orden de los rayiformes. – 2 *m. pl.* Orden de peces seláceos con el cuerpo aplanado en forma de escudo o disco, dada su adaptación a la vida bentónica; como la raya y el torpedo.

rayo *m.* FÍS. Línea recta según la cual se propaga una forma cualquiera de energía radiante: *~ de luz, de calor.* 2 Línea de luz que procede de un cuerpo luminoso, y especialmente las que vienen del Sol. 3 Chispa eléctrica de gran intensidad producida entre dos nubes o entre una nube y la tierra. 4 fig. Cosa que tiene gran fuerza o eficacia en la acción. 5 fig. Sentimiento intenso y pronto de un dolor en parte determinada del cuerpo. 6 fig. Persona muy viva y pronta de ingenio o acciones. 7 fig. Estrago, infortunio o castigo imprevisto y repentino. – 8 *m. pl. Rayos catódicos,* emisión de electrones libres con carga negativa que parte del cátodo, cuando se produce una descarga disruptiva a través del vacío o de un gas sumamente enrarecido. 9 *Rayos X* o *Roentgen,* ondas electromagnéticas de corta longitud derivadas de los rayos catódicos, cuando éstos, en su propagación, inciden sobre la materia.

rayón *m.* Seda artificial.

¡rayos! Interjección con que se denota sorpresa o admiración.

rayoso, -sa *adj.* Que tiene rayas.

rayuela *f.* Juego en el que, tirando monedas o tejos a una raya hecha en el suelo y a cierta distancia, gana el que la toca o se acerca más a ella. 2 Juego de muchachos que consiste en empujar un tejo a la pata coja por los dibujos geométricos trazados en el suelo, sin pisar las rayas y sin que el tejo se detenga en ellas.

raza *f.* Casta. 2 Calidad del origen o linaje; hablando de los hombres, se toma a veces en mala parte. 3 Calidad de algunas cosas, especialmente la que contraen en su formación. 4 Grupo en que se subdividen algunas especies zoológicas y cuyos caracteres diferenciales, que son muy secundarios, se perpetúan por generación: *razas humanas,* grupos de seres humanos que por el color de la piel y otros caracteres se distinguen en raza blanca, amarilla, cobriza y negra.

II) raza *f.* Rayo de luz que penetra por una abertura. 2 Grieta, hendedura. 3 Lista de la tela en que el tejido está más claro que en el resto.

razia *f.* Incursión o correría sin más objeto que el botín. 2 Redada de policía.

razón *f.* Facultad de discurrir. 2 Acto de discurrir el entendimiento. 3 Palabras con que se expresa el discurso. 4 Argumento o demostración que se aduce en apoyo de alguna cosa. 5 Motivo o causa. 6 Orden y método en una cosa. 7 Justicia, rectitud en las operaciones, o derecho para ejecutarlas. 8 Equidad en las compras y ventas. 9 Cuenta, relación, cómputo. 10 fam. Recado, mensaje, aviso. 11 MAT. Resultado de la comparación entre dos cantidades.

razonable *adj.* Arreglado, justo, conforme

a razón. 2 fig. Mediano, regular, bastante en calidad o en cantidad.

razonamiento *m.* Acción de razonar. 2 Efecto de razonar. 3 Serie de conceptos encaminados a demostrar una cosa.

razonar *intr.* Discurrir, manifestando lo que se discurre, o hablar dando razones para probar una cosa: ~ *sobre un punto.* 2 en gral. Hablar de cualquier modo que sea: ~ *con alguno.* 3 esp. Tratándose de dictámenes, cuentas, etc., exponer las razones o documentos en que se apoyan.

re *m.* Nota musical, segundo grado de la escala fundamental. ◇ Pl.: *res.*

reabrir *tr.-prnl.* Volver a abrir lo que estaba cerrado. ◇ pp. irreg.: *reabierto.*

reacción *f.* FÍS. Acción que un cuerpo sujeto a la acción de otro ejerce en sentido opuesto. 2 fig. Acción en sentido contrario provocada por otra en el terreno personal, literario, religioso, político, etc. 3 fig. En política, tendencia tradicionalista opuesta a las innovaciones. 4 fig. Conjunto de sus valedores y partidarios. 5 MED. Acción orgánica que tiende a contrarrestar la de un agente morbífico o que responde a la aplicación de un remedio. 6 QUÍM. Acción recíproca entre dos o más cuerpos, de la cual resultan otro u otros diferentes de los primitivos.

reaccionar *intr.* Responder una persona o animal a un estímulo; ejercer una reacción. 2 Modificarse un cuerpo por la acción de un reactivo. 3 Mejorar uno en su salud o funciones vitales. 4 Defenderse. 5 Oponerse a algo. 6 Producir un cuerpo fuerza igual y contraria a la que sobre él actúa.

reaccionario, -ria *adj.* Opuesto a las innovaciones. 2 Que propende a establecer lo abolido, a operar una reacción política. – 3 *adj.-s.* Partidario de la reacción.

reacio, -cia *adj.* Terco, porfiado, desobediente.

reactancia *f.* FÍS. Oposición al paso de una corriente alterna que ofrece una inductancia pura o una capacidad en un circuito, expresada en ohmios.

reactivar *tr.* Dar más actividad [a algo].

reactivo, -va *adj.-m.* Que produce reacción. 2 Substancia que, por su capacidad de provocar determinadas reacciones, sirve en los ensayos y análisis químicos para revelar la presencia o medir la cantidad de otra substancia.

reactor *m.* Motor de reacción. 2 Avión que usa motor de reacción. 3 Lugar o dispositivo donde se efectúa una reacción química. 4 Sistema o estructura en que se puede mantener y controlar una reacción de fisión en cadena.

readal *adj.-f.* Hierba del orden de las readales. – 2 *f. pl.* Orden de hierbas con flores hermafroditas reunidas en racimos, y cuyo fruto casi siempre es seco.

readaptar *tr.-prnl.* Adaptar de nuevo [a una persona o cosa].

readmitir *tr.* Volver a admitir [a alguien].

reafirmar *tr.* Afirmar de nuevo; ratificar.

reagravar *tr.-prnl.* Volver a agravar o agravar más [una cosa].

reagrupar *tr.* Agrupar de nuevo.

reajustar *tr.* Ajustar de nuevo. 2 eufem. Aumentar la cuantía, subir [precios, salarios, impuestos, etc.].

reajuste *m.* Ajuste, acuerdo. 2 Reorganización.

I) real *adj.* Que tiene existencia verdadera y efectiva. 2 Que se refiere a las cosas.

II) real *adj.* Relativo al rey o a la realeza. 2 Muy bueno. – 3 *m.* Campo donde se celebra una feria. 4 Antigua moneda española de níquel, que equivalía a 0,25 ptas.

realce *m.* Adorno o labor que sobresale en la superficie de una cosa: *bordar de* ~. 2 fig. Lustre, estimación, grandeza sobresaliente.

realengo, -ga *adj.* [pueblo] Que no era de señorío ni de las órdenes, sino que dependía directamente del rey. 2 [terreno] Perteneciente al estado.

realeza *f.* Dignidad o soberanía real.

realidad *f.* Existencia real de una cosa. 2 Verdad, sinceridad, ingenuidad.

I) realismo *m.* Doctrina epistemológica y ontológica que afirma la existencia de objetos reales independientes de la conciencia y asequibles a nuestras facultades cognoscitivas. 2 Doctrina estética que hace consistir la belleza artística en la imitación de la naturaleza. 3 Conducta o manera de ser del que se atiene a los hechos más que a los principios o razones, en oposición a idealismo.

II) realismo *m.* Doctrina u opinión favorable a la monarquía. 2 Partido que profesa esta doctrina.

I) realista *adj.* Relativo al realismo filosófico o estético. – 2 *adj.-com.* Partidario de este realismo o que lo practica. 3 Persona o colectividad que se ajusta a la realidad más que a la abstracción.

II) realista *adj.* Relativo al realismo o monarquismo. – 2 *adj.-com.* Partidario del rey o de la monarquía.

realización *f.* Acción de realizar o realizarse. 2 Efecto de realizar o realizarse. 3 Trabajo, rendimiento o funcionamiento efectivo de un motor, máquina, etc., en relación con lo que se desea o espera de ellos. 4 LING. Manifestación concreta de un fonema. ◇ En la acepción 3 se usa a menudo en plural: *las realizaciones de este avión son: techo 9.500 m., velocidad 900 kms., etc.*

realizador, -ra *m. f.* Director de cine o de una emisión televisada.

realizar *tr.-prnl.* Hacer real o efectiva [una cosa]: ~ *una promesa.* 2 COM. Vender, convertir en dinero [mercaderías o cualesquiera otros bienes]; esp., en la venta a bajo precio. – 3 **prnl.** Alcanzar la plenitud física o moral [una persona]. ◇ ** CONJUG. [4].

realmente *adv. m.* Efectivamente, en realidad, de verdad.

realquilar *tr.* Subarrendar [un inmueble].

realzar *tr.* Levantar o elevar [un cosa] más de lo que estaba. 2 fig. Ilustrar o engrandecer [a una persona]. 3 PINT. Tocar de luz [una cosa]. ◇ ** CONJUG. [4] como *realizar.*

reanimar *tr.* Confortar, restablecer las fuerzas: *el aire nos reanima.* 2 Hacer que vuelva la actividad respiratoria o cardíaca normal de una persona asfixiada, ahogada, desmayada, etc. 3 fig. Infundir ánimo y valor [al que está abatido].

reanudar *tr.-prnl.* fig. Renovar o continuar después de interrumpido [trato, estudio, conferencia, trabajo, etc.].

reaparecer *intr.* Volver a aparecer o mostrarse. ◇ ** CONJUG. [43] como *agradecer.*

reapertura *f.* Acción de abrir de nuevo un establecimiento, una actividad, etc.

rearmar *tr.* Equipar o reforzar con nuevo armamento [un ejército, país, etc.].

rearme *m.* Actividad creciente de un país en la adquisición de armas para sus fuerzas armadas.

reaseguro *m.* Contrato por el cual un asegurador toma a su cargo, total o parcialmente, un riesgo ya cubierto por otro asegurador, sin alterar lo convenido entre éste y el asegurado.

reasumir *tr.* Volver a tomar [lo que antes se tenía o se había dejado]: ~ *el cargo.* 2 Tomar una autoridad superior [las facultades de los demás]. ◇ CONJUG.: pp. reg.: *reasumido;* irreg.: *reasunto.* ◇ INCOR.: por *resumir, concretar:* ~ *la cuestión.*

reasunción *f.* Acción de reasumir. 2 Efecto de reasumir.

reata *f.* Cuerda o correa que ata y une dos o más caballerías para que vayan en hilera una detrás de otra. 2 Hilera de caballerías que van de reata. 3 fig. Que sigue a otro incondicionalmente.

reatar *tr.* Volver a atar o atar apretadamente [una cosa]. 2 Atar [dos o más caballerías] para que vayan de reata.

reavivar *tr.* Volver a avivar o avivar intensamente: ~ *el fuego.*

rebaba *f.* Porción de materia sobrante que forma resalto en los bordes o en la superficie de un objeto cualquiera.

rebaja *f.* Disminución o descuento en una cosa, especialmente en la cantidad o precio.

rebajar *tr.* Hacer más bajo el nivel o la altura [de una cosa]. 2 Disminuir, descontar [parte de una cantidad o precio]. 3 Añadir agua u otro líquido a un preparado culinario para disminuir su sazonamiento, densidad o

color. 4 ARQ. Disminuir la altura [de un arco o bóveda] a menos de lo que corresponde por semicírculo. 5 PINT. Declinar [el claro] hacia el obscuro. – 6 *tr.-prnl.* fig. Humillar, abatir. – 7 *prnl.* Quedar dispensado de algún servicio militar.

rebajo *m.* Entalladura practicada en una superficie de madera.

rebalaje *m.* Corriente de las aguas.

rebalsar *tr.* Recoger [el agua u otro líquido] de modo que haga balsa: ~ *una corriente; esta corriente rebalsa,* o *se rebalsa.*

rebanada *f.* Porción delgada, ancha y larga que se saca de una cosa, especialmente del pan.

rebanar *tr.* Hacer rebanadas [de alguna cosa, especialmente el pan]. 2 en gral. Cortar [una cosa] de una parte a otra.

rebañar *tr.* Recoger [alguna cosa] sin dejar nada. 2 Apurar los residuos de comida [de un plato].

rebaño *m.* Hato grande de ganado, especialmente del lanar. 2 fig. Congregación de los fieles respecto de sus pastores espirituales.

rebasar *tr.* Pasar o exceder [de ciertos límites].

rebatir *tr.* Rechazar o contrarrestar [la fuerza o violencia de uno]. 2 Impugnar, rechazar [las razones de otro]. 3 Volver a batir [una cosa]; batir mucho. 4 Redoblar, reforzar [una cosa]. 5 Rebajar una suma [una cantidad] que no debió comprenderse en ella.

rebato *m.* Convocatoria de los vecinos de uno o más pueblos, hecha por medio de campana u otra señal, con el fin de defenderse de un peligro. 2 fig. Alarma o conmoción ocasionada por un acontecimiento repentino y temeroso.

rebautizar *tr.* Reiterar el sacramento del bautismo. ◇ ** CONJUG. [4] como *realizar.*

rebeca *f.* Jersey de manga larga, que se cierra por medio de botones.

rebeco *m.* Gamuza (rumiante).

rebelarse *prnl.* Levantarse faltando a la obediencia debida a un superior o a la autoridad legítima. 2 Retirarse o extrañarse de la amistad o correspondencia que se tenía. 3 fig. Oponer resistencia.

rebelde *adj.-s.* Que se rebela (levanta). 2 Indócil, desobediente. 3 fig. Que no se rinde a los obsequios o que no cede a la razón: *corazón, voluntad* ~; *pasiones rebeldes.*

rebeldía *f.* Calidad de rebelde. 2 Acción propia de rebelde.

rebelión *f.* Acción de rebelarse. 2 Efecto de rebelarse. 3 DER. Delito contra el orden público, penado por la ley ordinaria y por la militar.

rebenque *m.* Látigo de cuero o cáñamo embreado, con el cual se castigaba a los galeotes. 2 *Amér.* Látigo recio de jinete.

reblandecer *tr.* Ablandar [una cosa]; ponerla tierna. ◇ ** CONJUG. [43] como *agradecer.*

rebobinar *tr.* Volver a enrollar el hilo de una bobina. 2 Arrollar hacia atrás [el carrete de una película o de una cinta].

rebollo *m.* Árbol cupulífero de tronco grueso, copa ancha, corteza ceniciente, hojas oblongas y, por fruto, bellotas solitarias y sentadas, o dos o tres sobre un pedúnculo corto *(Quercus cerris).*

reborde *m.* Faja estrecha y saliente a lo largo del borde de alguna cosa.

reborujar *tr. Méj.* Mezclar [algo] con desorden.

rebosadero *m.* Orificio de desagüe que llevan las bañeras, lavabos, fregaderos, piscinas, etc., para evacuar el agua cuando alcance el nivel en donde está practicado.

rebosar *intr.-prnl.* Derramarse un líquido por los bordes de un recipiente en que no cabe: ~ *la leche;* no poder un recipiente contener un líquido: ~ *una jarra de cerveza.* 2 fig. Dar a entender de algún modo y con viveza algún sentimiento: ~ *de alegría.* – 3 *intr.-tr.* fig. Abundar con demasía una cosa: *le rebosan los bienes;* ~ *de,* o *en, agua.*

reboso *m. Amér.* Conjunto de inmundicia que la marea arrastra a la playa.

rebotado, -da *adj.-s.* Sacerdote o religioso que ha abandonado sus hábitos. 2 p. ext. Persona que llega a alguna profesión después de haber fracasado en otras.

rebotar *intr.* Botar repetidamente un cuerpo elástico al chocar con otro cuerpo. 2 esp. Botar la pelota en la pared después de haber botado en el suelo. – 3 *tr.* Rechazar (un cuerpo). 4 Redoblar o volver la punta [de una cosa aguda]: ~ *un clavo.* – 5 *tr.-prnl.* Alterar el color o calidad [de una cosa]. 6 Conturbar, poner fuera de sí [a una persona], dándole motivos de agravio, pesar, temor, etc.

rebote *m.* Acción de rebotar (botar repetidamente). 2 Efecto de rebotar (botar repetidamente). 3 Bote que después del primero da el cuerpo que rebota. 4 Desviación de la trayectoria de un proyectil cuando éste tropieza oblicuamente con un obstáculo. 5 DEP. En el juego del baloncesto, bote que da el balón en el aro o en el tablero. 6 DEP. En el juego del baloncesto, acción de coger el balón después de dicho bote.

rebotica *f.* Pieza que está detrás de la principal de la botica, y le sirve de desahogo.

rebozar *tr.-prnl.* Cubrir [casi todo el rostro] con la capa o el manto. – 2 *tr.* fig. Bañar [una vianda] en huevo batido, harina, miel, etc. 3 fig. Disimular un propósito, una idea, etc. ◇ ** CONJUG. [4] como *realizar.*

rebozo *m.* Modo de llevar la capa o manto cuando con él se cubre casi todo el rostro. 2 fig. Simulación, pretexto.

rebrotar *tr.* Retoñar.

rebufe *m.* Bufido del toro.

rebufo *m.* Expansión del aire alrededor de la boca del arma de fuego al salir el tiro.

rebujado, -da *adj.* Enmarañado, enredado; en desorden.

rebujina, -jiña *f.* fam. Alboroto, bullicio popular.

rebujo *m.* Envoltorio hecho con desaliño.

rebullir *intr.-prnl.* Empezar a moverse lo que estaba quieto. ◇ ** CONJUG. [13] como *mullir.*

reburujar *tr.-prnl.* Mezclar, confundir.

rebuscado, -da *adj.* Afectado.

rebuscamiento *m.* Exceso de atildamiento que degenera en afectación, en las maneras y porte de las personas o en el lenguaje y estilo.

rebuscar *tr.* Escudriñar o buscar [una cosa] repetidamente o con mucha minuciosidad. 2 Recoger [el fruto que queda en los campos] después de alzadas las cosechas. ◇ ** CONJUG. [1] como *sacar.*

rebuzno *m.* Voz del asno.

recabar *tr.* Alcanzar, conseguir con instancias o súplicas [lo que se desea]: ~ *una cosa con,* o *de, alguno.* 2 Pedir, solicitar.

recadero, -ra *m. f.* Persona que tiene el oficio de llevar recados.

recado *m.* Mensaje o respuesta que de palabra se da o se envía a otro. 2 Memoria o recuerdo de la estimación que se tiene a una persona. 3 Provisión que para el surtido de las casas se lleva diariamente del mercado o de las tiendas. 4 Conjunto de objetos necesarios para hacer ciertas cosas: ~ *de escribir.* 5 Precaución, seguridad. 6 *Amér.* Conjunto de piezas que componen la montura de los campesinos.

recaer *intr.* Volver a caer. 2 Caer nuevamente enfermo de la misma dolencia el que estaba convaleciendo. 3 Reincidir en los vicios, errores, etc.: ~ *en la falta.* 4 Venir a parar en uno o sobre uno beneficios o gravámenes: ~ *la elección en el más digno;* ~ *sobre uno la responsabilidad.* ◇ ** CONJUG. [67] como *caer.*

recalar *tr.-prnl.* Penetrar poco a poco un líquido por los poros [de un cuerpo seco], dejándolo húmedo o mojado. – 2 *intr.* MAR. Llegar un buque a la vista de un punto de la costa como fin de viaje o para continuar después su navegación. 3 Llegar el viento o la mar a un lugar determinado. 4 Bucear. 5 fig. Aparecer por algún sitio una persona.

recalcar *tr.* Apretar mucho [una cosa] con otra o sobre otra. 2 Llenar mucho [de una cosa] un receptáculo, apretándola para que quepa más cantidad de ella. 3 fig. Decir [las palabras] con lentitud y énfasis exagerado. – 4 *prnl.* fig. *y* fam. Repetir una cosa muchas veces saboreándose en las palabras. ◇ ** CONJUG. [1] como *sacar.*

recalcitrante *adj.* Terco, obstinado en la resistencia.

recalcitrar *intr.* Retroceder, volver atrás los pies. 2 fig. Resistir con tenacidad a quien se debe obedecer.

recalentar *tr.* Volver a calentar o calentar demasiado [una cosa]. – 2 *tr.-prnl.* Excitar el apetito venéreo [en las personas o los animales]. – 3 *prnl.* Echarse a perder el tabaco, el trigo, las aceitunas, etc., por el excesivo calor. 4 Tomar una cosa más calor del que conviene para su uso. ◇ ** CONJUG. [27] como *acertar*.

recalmón *m.* Súbita disminución en la fuerza del viento y, en ciertos casos, de la marejada.

recalzo *m.* Reparo que se hace en los cimientos de un edificio ya construido.

recamado *m.* Bordado de realce.

recámara *f.* Cuarto después de la cámara, destinado para guardar los vestidos o alhajas. 2 Sitio en el interior de una mina, destinado a contener los explosivos. 3 En las armas de fuego, lugar del ánima del cañón opuesto a la boca, en el cual se coloca el cartucho. 4 fig. Cautela, reserva, segunda intención.

recambiar *tr.* Hacer segundo cambio o trueque [de una cosa]. 2 Reemplazar en una máquina, aparato o instrumento alguna de sus piezas o componentes por otra igual o semejante. ◇ ** CONJUG. [12] como *cambiar*.

recambio *m.* Acción de recambiar. 2 Efecto de recambiar. 3 Pieza o componente que puede substituir a otro igual en una máquina, motor, aparato, instrumento, etc.: *ruedas de ~*.

recapacitar *tr.* Recorrer en la memoria [los distintos puntos de un asunto], reflexionar acerca [de los mismos]: ~ *la cuestión, o sobre la cuestión*.

recapitular *tr.* Recordar sumaria y ordenadamente [lo que se ha manifestado con alguna extensión].

recargable *adj.* Que se puede recargar: *encendedor ~*.

recargado, -da *adj.* Cargado otra vez o en exceso. 2 Puesto encima. 3 fig. Exagerado, excesivo.

recargar *tr.* Volver a cargar. 2 Aumentar la carga, cargar demasiado. 3 Hacer nuevo cargo o reconvención. 4 Agravar [una cuota de impuesto]. 5 fig. Adornar con exceso [a una persona o cosa]. ◇ ** CONJUG. [7] como *llegar*.

recargo *m.* Nueva carga o aumento de carga. 2 Nuevo cargo que se hace a uno. 3 Aumento de calentura.

recatado, -da *adj.* Circunspecto, cauto. 2 Honesto, modesto.

recatar *tr.* Encubrir u ocultar [lo que no se quiere que se vea o se sepa]: *recataba su pobreza; recatarse de las gentes*. – 2 *prnl.* Mostrar recelo en tomar una resolución.

recato *m.* Cautela, reserva. 2 Honestidad, modestia.

recauchutar *tr.* Reparar el desgaste [de un neumático, cubierta, etc.] recubriéndolo con una disolución de caucho.

recaudación *f.* Acción de recaudar. 2 Cantidad recaudada. 3 Oficina para la entrega de caudales públicos.

recaudar *tr.* Cobrar o percibir [caudales o efectos]. 2 Asegurar, poner o tener en custodia [una cosa].

recaudería *f.* *Méj.* Pequeño comercio donde se venden verduras y frutas.

recaudo *m.* Recaudación (acción). 2 Precaución, cuidado. 3 Caución, fianza. 4 *A buen ~*, o *a ~*, bien custodiado, con seguridad. 5 *Amér.* Legumbres surtidas.

recazo *m.* Guarnición o parte intermedia comprendida entre la hoja y la empuñadura de la espada y de otras armas blancas. 2 Parte del cuchillo opuesta al filo. 3 Taza de la candileja.

recebo *m.* Arena o piedra muy menuda que se extiende sobre el firme de una carretera. 2 Cantidad de líquido que se echa en los toneles que han sufrido alguna merma.

recelar *tr.* Temer, desconfiar, sospechar: *recelo vuestros pasos; ~, o recelarse, de la suerte*.

recensión *f.* Reseña (narración; exposición crítica).

recental *adj.-s.* V. cordero y ternero recentales.

recentar *tr.* Poner [en la masa del pan] la porción de levadura. – 2 *prnl.* Renovarse. ◇ ** CONJUG. [27] como *acertar*.

recepción *f.* Acción de recibir. 2 Efecto de recibir. 3 Admisión en un empleo, oficio o sociedad. 4 Reunión con carácter de fiesta que se celebra en algunas casas particulares. 5 Lugar destinado en un establecimiento de hostelería para recibir a los huéspedes. 6 Escucha, copia, grabación, o visualización de cualquier forma de emisión.

recepcionista *com.* Persona encargada de atender al público en una oficina de recepción.

receptáculo *m.* Cavidad en que se contiene o puede contenerse cualquier substancia. 2 Extremo del pedúnculo de la **flor donde se asientan los verticilos florales. 3 Dilatación del eje de la **inflorescencia de las plantas compuestas, donde se asientan las flores. 4 Acogida, asilo, refugio.

receptar *tr.* Ocultar o encubrir [delincuentes o cosas que son materia de delito]. 2 Recibir, acoger.

receptividad *f.* Cualidad de receptivo. 2 Estado o condición del organismo que no dispone de suficientes defensas orgánicas contra la invasión de un agente morbífico.

receptivo, -va *adj.* Que recibe o es capaz de recibir.

receptor, -ra *adj.-s.* Que recepta o recibe. 2 [motor] Que recibe la energía de un generador instalado a distancia. 3 [aparato] Que, en telegrafía, con hilos o sin ellos, telefonía o televisión, recibe la corriente eléctrica y la convierte en sonidos o señales visibles. – 4 *m. f.* Persona que recibe el mensaje en un acto de comunicación. 5 MED. Persona a la que se le ha transplantado un órgano.

recesión *f.* Acción de retroceder. 2 ECON. Aminoramiento de la actividad económica, con la consiguiente falta de dinero.

recesivo, -va *adj.* ECON. Que tiende a la recesión o la provoca.

receso *m.* Separación, apartamiento, desvío. 2 Intermedio, pausa en un espectáculo. 3 Suspensión, cesación temporal de actividades en los cuerpos colegiados, asambleas, etc. 4 Tiempo que dura esta suspensión. 5 Descanso momentáneo que uno se toma.

receta *f.* Prescripción o fórmula facultativa. 2 Nota escrita de esta prescripción. 3 fig. Nota que comprende la fórmula de composición de un producto y el modo de prepararlo. 4 fig. Memoria de cosas que se piden.

recetar *tr.* Prescribir [un medicamento] con expresión de su dosis, preparación y uso: ~ *una droga; abs., ~ con acierto.*

recetario *m.* Apuntamiento de lo que el médico ordena que se suministre al enfermo. 2 En los hospitales, libro para poner estos asientos. 3 Libro en que los farmacéuticos asientan las recetas despachadas. 4 Libro que contiene fórmulas para la preparación de diversos productos: ~ *doméstico, de cocina, de barnices y pinturas.*

recial *m.* Corriente recia o impetuosa de los ríos.

reciario *m.* Gladiador que lanzaba una red sobre su adversario a fin de envolverle e impedirle cualquier movimiento.

recibí *m.* Expresión con que en los recibos u otros documentos se declara haber recibido aquello de que se trata.

recibidor, -ra *adj.-s.* Que recibe. – 2 *m.* Recibimiento (antesala; pieza que da entrada).

recibimiento *m.* Recepción (acción y efecto). 2 Acogida buena o mala hecha al que viene de fuera. 3 Antesala. 4 Pieza que da entrada a cada uno de los cuartos habitados por una familia. 5 Visita general en que una persona recibe a todas las de su amistad y estimación con algún motivo.

recibir *tr.* Tomar uno [lo que le dan o le envían]: ~ *un regalo;* esp., llegarle a las manos [lo que le envían]: *recibí tu carta.* 2 Percibir: ~ *una cantidad a,* o *en, cuenta.* 3 Admitir dentro de sí una cosa [a otra]: *el mar recibe los ríos.* 4 Aprobar, aceptar [una especie]: ~ *una opinión.* 5 Padecer uno [algún daño]: ~ *una estocada.* 6 Admitir uno [a otro] en su compañía o comunidad: ~ *a uno de criado;* ~ *por esposa.* 7 esp. Admitir visitas una persona, generalmente en

día determinado: *hoy le ha recibido; abs., recibe los martes.* 8 Salir a encontrarse [con uno] cuando viene de fuera: *voy a ~ a mi esposo.* 9 Sustentar, sostener un cuerpo [a otro]: *el mástil recibe las velas.* 10 Asegurar con yeso u otro material [un cuerpo que se introduce en la fábrica]: ~ *un marco de ventana.* 11 Esperar o hacer frente [al que acomete]. 12 TAUROM. esp. Esperar el matador la acometida [del toro] sin mover los pies al dar la estocada. – 13 *prnl.* Tomar uno la investidura o el título para ejercer alguna facultad o profesión: *recibirse de abogado.*

recibo *m.* Recepción (acción y efecto). 2 Recibimiento. 3 Escrito o resguardo firmado en que se declara haber recibido dinero u otra cosa.

reciclar *tr.* Someter repetidamente una materia a un mismo ciclo, para ampliar o incrementar los efectos de éste. 2 Transformar o aprovechar algo para un nuevo uso o destino: ~ *el vidrio, el papel.* – 3 *tr.-prnl.* Proporcionar una formación complementaria o nueva para mejorar o cambiar la situación de alguien: ~ *a los profesionales de más de cuarenta años.*

reciedumbre *f.* Fuerza o vigor.

recién *adv. t.* Inmediatamente antes. – 2 *adv. m.* Solamente. ◇ Úsase siempre antepuesto a los participios pasivos: ~ *llegado.* ◇ INCOR.: el uso vulgar americano con otras formas verbales, en frases como ~ *venga, lo vi* ~ *que llegó.*

reciente *adj.* Nuevo, fresco o acabado de hacer.

recinchar *tr.* Fajar [una cosa] con otra ciñéndola.

recinto *m.* Espacio comprendido dentro de ciertos límites.

recio, -cia *adj.* Fuerte, robusto, vigoroso. 2 Grueso, gordo o abultado. 3 Áspero, duro de genio. 4 Duro, grave, difícil de soportar. 5 [terreno] Grueso, substancioso, de mucha miga. 6 [tiempo] Riguroso, rígido. 7 De mucho cuerpo, sin elegancia, especialmente el vino. 8 Veloz, impetuoso.

recipiendario, -ria *m. f.* Persona que es recibida solemnemente en una corporación para formar parte de ella. ◇ INCOR.: *recipendario, recipiendiario.*

recipiente *adj.* Que recibe. – 2 *m.* Utensilio que puede hacerse de diversas materias, destinado a guardar o conservar algo.

reciprocar *tr.-prnl.* Hacer que [dos cosas] se correspondan. – 2 *tr.* Responder a [una acción] con otra semejante. ◇ ** CONJUG. [1] como **sacar.**

reciprocidad *f.* Correspondencia mutua.

recíproco, -ca *adj.* Igual en la correspondencia de uno a otro.

recital *m.* Concierto en que un artista ejecuta varias obras musicales con un solo instrumento; p. ext., lectura de composiciones poéticas. 2 fig. Actuación plena de maestría y destreza.

recitar *tr.* Referir o decir en voz alta [versos, discursos, lecciones, etc.]. 2 Pronunciar [una cosa] que se sabe de memoria.

recitativo, -va *adj.* Que tiene forma de recitado. 2 Que emplea el recitado: *estilo ~.*

reclamación *f.* Acción de reclamar. 2 Efecto de reclamar. 3 Oposición o impugnación que se hace a una cosa.

reclamar *intr.* Clamar contra una cosa; oponerse a ella de palabra o por escrito: ~ *contra un fallo; ~ un pariente; ~ ante un tribunal; ~ en juicio; ~ por bien.* – 2 *tr.* Clamar o llamar [a uno] con repetición y mucha instancia. 3 Pedir o exigir con derecho o con instancia [una cosa]: ~ *una deuda, o de, un amigo; ~ una cosa para sí; ~ atención; ~ el precio de un trabajo.*

reclamo *m.* Ave amaestrada que se lleva a la caza para que con su canto atraiga otras de su especie. 2 Voz con que un ave llama a otra de su especie. 3 Instrumento para llamar a las aves de caza imitando su voz. 4 Sonido de este instrumento. 5 Voz o grito con que se llama a uno. 6 Llamada (en un escrito). 7 Propaganda, anuncio, publicidad, especialmente de espectáculos, artistas o artículos comerciales. 8 fig. Cosa que atrae o convida.

reclinar *tr.-prnl.* Inclinar [el cuerpo o parte de él] apoyándolo sobre alguna cosa: *reclinarse en, o sobre, la almohada.* 2 Inclinar [una cosa] apoyándola sobre otra.

reclinatorio *m.* Cosa dispuesta para reclinarse. 2 Mueble acomodado para arrodillarse y orar.

recluir *tr.* Encerrar o poner en reclusión. ◇ ** CONJUG. [12] como *huir.*

reclusión *f.* Encierro o prisión voluntaria o forzada. 2 Lugar en que uno está recluso.

recluso, -sa *m. f.* Preso.

recluta *m.* El que libre o voluntariamente sienta plaza de soldado. 2 p. ext. Mozo alistado para el servicio militar obligatorio. 3 p. ext. Soldado muy bisoño.

reclutar *tr.* Alistar reclutas: ~ *un reemplazo.* 2 p. ext. Alistar personas para algún fin: ~ *obreros; ~ prosélitos.* 3 *Argent.* Reunir el ganado disperso.

recobrar *tr.* Volver a tomar o adquirir [lo que antes se poseía]: ~ *las alhajas; la salud.* – 2 *prnl.* Repararse un daño recibido. 3 Desquitarse, reintegrarse de lo perdido. 4 Volver en sí de la enajenación del ánimo o de los sentidos o de una enfermedad.

recocer *tr.* Volver a cocer o cocer mucho [una cosa]. 2 Caldear [los metales] para que adquieran ductilidad o el temple que suelen perder al trabajarlos. 3 Calentar un cuerpo y enfriarlo después lentamente. – 4 *prnl.*

Cocerse mucho una cosa. 5 fig. Atormentarse interiormente por la vehemencia de una pasión. ◇ ** CONJUG. [54] como *cocer.*

recochinearse *prnl.* vulg. Regodearse.

recocho, -cha *adj.-s.* Muy cocido: *ladrillo ~.*

recodar *intr.-prnl.* Recostarse o descansar sobre el codo.

recodo *m.* Ángulo que forman las calles, caminos, ríos, etc., torciendo notablemente la dirección que traían.

recogedor, -ra *adj.* Que recoge o da acogida a uno. – 2 *m.* Instrumento de labranza consistente en una tabla inclinada, arrastrada por una caballería, para recoger la parva de la era. 3 Utensilio para recoger del suelo la basura que se amontona al barrer.

recogepelotas *com.* Muchacho encargado de recoger las pelotas que salen fuera de un terreno de juego. ◇ Pl.: *recogepelotas.*

recoger *tr.* Volver a coger; tomar por segunda vez [una cosa]. 2 Reforzando la significación de coger, hacer la recolección [de los frutos]; coger la cosecha. 3 Guardar, alzar o poner en cobro [una cosa]: *recoge esta plata.* 4 Suspender el uso o curso [de una cosa]: ~ *una publicación.* 5 Juntar o congregar [personas o cosas dispersas]. 6 Ir juntando o guardando poco a poco, especialmente [el dinero]. 7 Encoger, estrechar o ceñir: ~ *las velas, una cortina.* 8 Dar asilo, acoger [a uno]. 9 esp. Encerrar [a uno] por loco o insensato. 10 Disponer con orden [los objetos]. 11 Reunir ordenadamente [cualquier objeto]. 12 Retirar la correspondencia. 13 Remangarse las prendas que cuelgan cercan del suelo. 14 Ceñirse o peinarse. – 15 *prnl.* Retirarse, acogerse a una parte. 16 p. anal. Separarse de la demasiada comunicación y comercio de las gentes. 17 Retirarse a dormir o descansar. 18 Retirarse a casa: *Juan se recoge temprano.* 19 fig. Abstenerse el espíritu de todo lo terreno para entregarse a la meditación o contemplación: *recogerse en sí mismo.* ◇ ** CONJUG. [5] como *proteger.*

recogido, -da *adj.* Que tiene recogimiento y vive retirado del trato y comunicación de las gentes. 2 [animal] Que es corto de tronco. – 3 *adj.-f.* Mujer que vive retirada en determinada casa, con clausura voluntaria o forzosa.

recolección *f.* Acción de recolectar. 2 Efecto de recolectar. 3 Recopilación, resumen o compendio. 4 Cosecha de los frutos. 5 Cobranza, recaudación.

recolectar *tr.* Recoger [la cosecha].

recoleto, -ta *adj.-s.* Religioso que vive con retiro y abstracción o viste modestamente. – 2 *adj.* Relativo al convento o casa en que se observa este retiro y abstracción.

recomendación *f.* Acción de recomendar o recomendarse. 2 Efecto de recomendar o recomendarse. 3 Encargo o súplica hecha a otro. 4 Consejo. 5 Alabanza de un sujeto para introducirlo con otro. 6 Autoridad, representación o calidad por que se hace más apreciable y digna de respeto una cosa.

recomendar *tr.* Encomendar o pedir a uno que tome a su cargo [una persona o negocio]. 2 Hablar o empeñarse [por uno] elogiándole. – 3 *tr.-prnl.* Hacer recomendable a uno. ◇ ** CONJUG. [27] como *acertar.*

recomenzar *tr.* Volver a comenzar [algo]. ◇ ** CONJUG. [4] como *realizar.*

recompensar *tr.* Compensar. 2 Retribuir o remunerar [un servicio]. 3 Premiar [un beneficio, favor o mérito]: ~ *un beneficio con otro.*

recomponer *tr.* Componer de nuevo, reparar. ◇ ** CONJUG. [78] como *poner;* pp. irreg.: *recompuesto.*

reconcentrar *tr.* Introducir, internar [una cosa] en otra. 2 Reunir en un punto [las personas o cosas] que estaban esparcidas. 3 fig. Disimular o callar profundamente un sentimiento o afecto: *reconcentrarse el odio en el corazón.* – 4 *prnl.* Fijar intensamente la atención en la conciencia o pensamientos propios; ensimismarse.

reconciliar *tr.-prnl.* Restablecer la concordia entre [los que estaban desunidos]. 2 Restituir al gremio de la Iglesia [a uno que se había separado de sus doctrinas]. 3 Oír el confesor [al penitente] en una ligera y breve confesión. 4 Bendecir [un lugar sagrado] por haber sido violado. – 5 *prnl.* Confesarse de algunas culpas ligeras u olvidadas en otra confesión reciente. ◇ ** CONJUG. [12] como *cambiar.*

reconcomerse *prnl.* Concomerse en demasía.

reconcomio *m.* Prurito, deseo. 2 fig. Recelo o sospecha. 3 fam. Ira y rencor ocultos.

recóndito, -ta *adj.* Muy escondido, reservado y oculto.

reconfortar *tr.* Confortar de nuevo o con energía y eficacia [a alguien].

reconocer *tr.* Distinguir, confesar que [una persona o cosa] es la misma que por cualquier circunstancia uno tenía ya olvidada o confundida. 2 p. ext. Examinar con cuidado [a una persona o cosa] para establecer su identidad, para completar el juicio sobre ella, etc. 3 esp. Examinar el médico [al paciente] para averiguar su estado de salud. 4 Aplicado al acto mental de conocer, confesar [la certeza de lo que otro dice o la obligación de gratitud que se le debe por sus beneficios]. 5 Confesar [la dependencia o vasallaje] en que se está respecto a otro o [la legitimidad de la jurisdicción] que ejerce; construido con la preposición *por,* acatar esa jurisdicción o superioridad: ~ *por presidente.* 6 Dar uno por suya, confesar que es legítima [una obligación en que suena su nombre]: ~ *una firma, una deuda.* 7 Construido con la preposición *por,* conceder [a

uno], con la conveniente solemnidad, la relación de parentesco que tiene con el que hace la declaración: ~ *a uno por hijo.* 8 Dar la palabra [a un orador] en un acto público. 9 En las relaciones internacionales, aceptar [un nuevo estado de cosas]. – 10 *prnl.* Dejarse comprender por ciertas señales una cosa. 11 Confesarse culpado de un error, falta, etc. 12 Hablando de mérito, fuerzas, etc., tenerse uno a sí propio por lo que es en realidad. ◇ ** CONJUG. [44] como *conocer.*

reconocido, -da *adj.* [pers.] Que reconoce el beneficio o favor recibido. 2 Agradecido.

reconocimiento *m.* Acción de reconocer o reconocerse. 2 Efecto de reconocer o reconocerse. 3 Gratitud, agradecimiento.

reconquista *f.* Acción de reconquistar. 2 Efecto de reconquistar. 3 p. ant. Lucha de los cristianos contra los moros en la Península Ibérica, hasta la expulsión total de éstos en 1492.

reconquistar *tr.* Volver a conquistar [una plaza, un reino]. 2 fig. Recuperar [la opinión, el afecto, etc.].

reconsiderar *tr.* Volver a considerar [un asunto, proposición, tema, etc.]. 2 Someter [algo] a un examen crítico; tratarlo según nuevos puntos de vista.

reconstituir *tr.* Volver a constituir, rehacer [una cosa]. 2 MED. Dar o volver [al organismo] sus condiciones normales. ◇ ** CONJUG. [62] como *huir.*

reconstituyente *adj.-m.* Remedio que tiene virtud de reconstituir.

reconstruir *tr.* Volver a construir [una cosa]. 2 fig. Unir, allegar en la memoria [todas las circunstancias de un hecho] para completar su conocimiento. ◇ ** CONJUG. [62] como *huir.*

reconvención *f.* Acción de reconvenir. 2 Cargo o argumento con que se reconviene.

reconvenir *tr.* Hacer cargo [a uno] arguyéndole generalmente con su propio hecho o palabra: ~ *al hijo con, de, por,* o *sobre, alguna cosa.* ◇ ** CONJUG. [90] como *venir.*

reconversión *f.* Adaptación [de alguien o algo] a una situación nueva: ~ *industrial.*

reconvertir *tr.* Hacer que vuelva a su ser, estado o creencia [lo que había sufrido un cambio]: ~ *a un renegado;* ~ *la economía de guerra.* 2 Proceder a la reconversión. 3 Reestructurar. ◇ ** CONJUG. [35] como *hervir.*

recopilación *f.* Compendio, resumen o reducción breve de una obra o un discurso. 2 Colección de escritos diversos.

recopilar *tr.* Juntar en compendio, recoger o unir [diversas cosas, especialmente escritos literarios].

récord *m.* Hazaña deportiva que excede a las realizadas anteriormente en el mismo género: ~ *de velocidad;* **establecer un** ~, alcanzar en una prueba el mejor resultado obtenido hasta el momento en determinadas condiciones. 2 p. ext. Hecho que sobrepasa todo lo registrado hasta entonces referente a un aspecto determinado.

recordar *tr.* Traer a la memoria [una cosa]: ~ *la juventud.* 2 p. ext. Excitar a uno a que tenga presente [una cosa que tomó a su cuidado]: *recuérdele usted que escriba; recuerde usted con qué interés trabajaba.* – 3 *intr.-prnl. Ast., León, Extr.* y *Amér.* Despertar al que está dormido: *mañana recuérdeme; ya no recordaré tan temprano.* – 4 *intr.* Volver en sí el que está desmayado. ◇ ** CONJUG. [31] como *contar.*

recordatorio *m.* Aviso, comunicación u otro medio para hacer recordar alguna cosa; esp., estampa religiosa con motivo de primera comunión, fallecimiento o aniversario.

recordman *m.* GALIC. Hombre que ha conseguido realizar un récord deportivo.

recordwoman *f.* GALIC. Mujer que ha conseguido realizar un récord deportivo. ◇ Se pronuncia *recorduoman.*

recorrer *tr.* Atravesar de un cabo a otro [un espacio determinado]: *recorrió doce kilómetros;* ~ *la distancia de Madrid a Alcalá;* andar, transitar [por una región, provincia, etc.]: *recorrió toda España.* 2 p. ext. Registrar, reconocer [una cosa] para averiguar algo: *hemos recorrido toda la biblioteca.* 3 Repasar o leer ligeramente [un escrito]. 4 Reparar [lo que estaba deteriorado].

recorrido *m.* Espacio que recorre o ha de recorrer una persona o cosa. 2 Acción de reparar lo que está deteriorado.

recortado, -da *adj.* [hoja o parte de una planta] Que tiene muchas y muy señaladas desigualdades en los bordes. – 2 *m.* Figura recortada de papel. 3 *Argent.* Pistola, trabuco.

recortar *tr.* Cortar o cercenar [lo que sobra de una cosa]. 2 Cortar con arte [el papel u otra cosa en varias figuras]: ~ *la tela,* o ~ *figuras en una tela.*

recorte *m.* Acción de recortar. 2 Efecto de recortar. 3 Suelto o noticia breve de un periódico. 4 Disminución: ~ *de las pensiones, del presupuesto.* – 5 *m. pl.* Porciones o cortaduras excedentes de cualquier materia recortada.

recostar *tr.-prnl.* Reclinar [la parte superior del cuerpo] el que está de pie o sentado: ~ *a uno en,* o *sobre, la cama.* 2 Reclinar [una cosa]. ◇ ** CONJUG. [31] como *contar.*

recova *f.* Comercio de huevos, gallinas y otras cosas semejantes. 2 *Argent.* Corredor cubierto frente a una casa; portal.

recoveco *m.* Vuelta y revuelta de un callejón, pasillo, arroyo, etc. 2 fig. Fingimiento o rodeo de que uno se vale para conseguir un fin. 3 *Méj.* Adorno muy complicado y excesivo.

recreación *f.* Diversión.

recrear *tr.-prnl.* Divertir, alegrar o deleitar:

~ *a los presentes; recrearse con el dibujo; recrearse en leer.*

recreativo, -va *adj.* Que recrea o es capaz de causar diversión.

recrecer *tr.-intr.* Aumentar, acrecentar [una cosa]: ~ *el caudal de agua; el caudal recrece.* – 2 *intr.* Ocurrir u ofrecerse una cosa de nuevo: *recreció su encuentro con la fiera.* – 3 *prnl.* Reanimarse, cobrar bríos. ◇ ** CONJUG. [43] como *agradecer.*

recreo *m.* Recreación. 2 Lugar dispuesto para diversión.

recriar *tr.* Dar [a un ser] nuevos elementos de vida y fuerza para su completo desarrollo. ◇ ** CONJUG. [13] como *desviar.*

recriminar *tr.* Responder [a cargos y acusaciones] con otros u otras. 2 Reprender, censurar [a una persona su comportamiento], echarle en cara [su conducta].

recrudecer *intr.-prnl.* Tomar nuevo incremento un mal físico o moral o un afecto o cosa desagradable. ◇ ** CONJUG. [43] como *agradecer.*

rectal *adj.* Relativo al intestino recto.

rectamente *adv. m.* Con rectitud.

rectangular *adj.* Relativo al ángulo recto: *coordenadas rectangulares.* 2 Relativo al rectángulo: *una cara* ~. 3 Que tiene uno o más ángulos rectos. 4 Que contiene uno o más rectángulos.

rectángulo, -la *adj.* Rectangular: *triángulo* ~; *paralelepípedo* ~. – 2 *m.* GEOM. Paralelogramo que tiene los cuatro ángulos rectos y los lados contiguos desiguales; **cuadrilátero.

rectificar *tr.* Corregir [una cosa] para que sea más exacta o perfecta. 2 Procurar uno corregir [los dichos y hechos que se le atribuyen] para reducirlos a la conveniente exactitud y certeza. 3 Contradecir [a otro] en lo que ha dicho, por considerarlo erróneo. 4 ELECTR. Convertir [la corriente] alterna en continua. – 5 *prnl.* Enmendar uno sus actos o su proceder. ◇ ** CONJUG. [1] como *sacar.*

rectilíneo, -a *adj.* Que se compone de líneas rectas. 2 fig. [pers.] De carácter recto, a veces con exageración.

rectitud *f.* Distancia más breve entre dos puntos. 2 fig. Calidad de recto o justo. 3 Recta razón o conocimiento práctico de lo que debemos hacer o decir. 4 Exactitud o justificación de las operaciones.

recto, -ta *adj.* Que no se inclina a un lado ni a otro. 2 fig. Justo, severo y firme en sus resoluciones. 3 fig. Relativo al sentido primitivo y literal de las palabras, a diferencia del traslaticio o figurado. 4 fig. [folio o plana de un **libro o cuaderno] Que, abierto, cae a la derecha del que lee. – 5 *adj.-m.* ANAT. Última porción del intestino grueso que empieza en el colon y termina en el ano; **digestivo (aparato); **moluscos. – 6 *f.* Línea recta.

rector, -ra *adj.-s.* Que rige o gobierna. – 2 *m. f.* Superior encargado del gobierno y mando de una comunidad, hospital o colegio. 3 Superior académico de una universidad y su distrito.

rectorado *m.* Oficio y oficina del rector. 2 Tiempo que se ejerce.

rectoral *adj.* Relativo al rector: *sala ~.*

rectriz *f.* Pluma fuerte de la cola de las aves, usada como timón con otras iguales. ◇ Pl.: *rectrices.*

recua *f.* Conjunto de animales de carga, que sirve para trajinar. 2 fig. Muchedumbre de personas o cosas que van o siguen unas detrás de otras.

recuadro *m.* Compartimiento o división en forma de cuadro o cuadrilongo, en un paramento u otra superficie. 2 En los periódicos, espacio encerrado por líneas para hacer resaltar una noticia.

recuelo *m.* Lejía muy fuerte, según sale del cernedero. 2 Café cocido por segunda vez.

recuento *m.* Segunda cuenta que se hace de una cosa. 2 Escrutinio.

recuerdo *m.* Imagen o complejo de imágenes a través de las cuales se reiteran en nuestra mente personajes, cosas, situaciones o escenas que hemos percibido con anterioridad, con alusión al tiempo de su percepción. 2 fig. Cosa que se regala en testimonio de buen afecto. – 3 *m. pl.* Memorias (saludo).

recuestar *tr.* Demandar o pedir [una cosa].

recular *intr.* Cejar o retroceder. 2 fig. y fam. Ceder en su dictamen u opinión.

recuperar *tr.* Recobrar, especialmente [materiales usados] para someterlos de nuevo a operaciones industriales. – 2 *prnl.* Recobrar (volver en sí).

recurrente *adj.* Que recurre. 2 [fenómeno] Que vuelve a su punto de partida.

recurrir *intr.* Acudir a un juez o autoridad con una demanda o petición. 2 Acogerse, en caso de necesidad, al favor de uno; emplear medios no comunes para el logro de un objeto. 3 Volver una cosa al lugar de donde salió: *la pelota ha recurrido al agujero.* 4 Entablar recurso contra una resolución.

recursividad *f.* Propiedad de lo que puede repetirse indefinidamente.

recurso *m.* Acción de recurrir. 2 Efecto de recurrir. 3 Vuelta y retorno de una cosa al lugar de donde salió. 4 Memorial, solicitud, petición por escrito. 5 Medio para conseguir algo en caso de apuro. 6 DER. Acción que concede la ley al interesado en un juicio o en otro procedimiento para reclamar contra las resoluciones. – 7 *m. pl.* Bienes, medios de subsistencia. 8 Conjunto de elementos disponibles para resolver una necesidad o llevar a cabo una empresa. 9 fig. Expedientes, arbitrios para salir airoso de una empresa.

recusar *tr.* Negarse a admitir [a una persona o cosa], tachándola de inepta, parcial o falsa.

rechazar *tr.* Resistir un cuerpo [a otro] obligándole a retroceder en su curso o movimiento. 2 p. anal. Resistir [al enemigo] obligándole a ceder. 3 fig. Contradecir [lo que otro expresa] o no admitir [lo que propone u ofrece]. 4 MED. Reaccionar [el organismo] en contra de un órgano transplantado de otro individuo. ◇ ** CONJUG. [4] como *realizar.*

rechazo *m.* Acción de rechazar. 2 Efecto de rechazar. 3 MED. Reacción de intolerancia de un organismo respecto a un trasplante.

rechifla *f.* Burla.

rechinar *intr.* Hacer una cosa un sonido desapacible por frotar con otra. 2 fig. Aceptar o hacer una cosa con repugnancia.

rechoncho, -cha *adj.* fam. [pers., animal] Grueso y de poca altura.

rechupado, -da *adj.* Flaco, enjuto.

red *f.* Aparejo hecho con hilos, cuerdas o alambres trabados en forma de mallas, dispuesto para pescar, cazar, cercar, etc. 2 Labor o tejido de mallas. 3 Redecilla (para el pelo). 4 Verja o reja. 5 fig. Ardid o engaño con que uno atrae a otro. 6 fig. Conjunto de calles afluentes a un mismo punto. 7 fig. Conjunto sistemático de caños, hilos conductores, vías de comunicación, agencias, etc.: *~ de ferrocarriles; ~ telefónica; ~ de agencias de transporte.* 8 fig. Conjunto y trabazón de cosas que obran en favor o en contra de un fin o de un intento. 9 DEP. Malla que cierra por detrás la portería en ciertos juegos; como el fútbol, balonmano, hockey, etc. 10 DEP. Malla que separa el terreno en dos partes iguales en ciertos juegos; como el tenis, balonvolea, pimpón, etc.

redacción *f.* Acción de redactar. 2 Efecto de redactar. 3 Lugar u oficina donde se redacta. 4 Conjunto de redactores de un periódico, casa editorial, libro, etc.

redactar *tr.* Poner por escrito [relatos, noticias o una cosa pensada o acordada].

redactor, -ra *adj.-s.* Que redacta. – 2 *m. f.* Persona que forma parte de una redacción en una revista, periódico, casa editorial, etc.

redada *f.* fig. Conjunto de personas o cosas cogidas de una vez: *una ~ de contrabandistas, de contrabando.*

redaño *m.* Mesenterio. – 2 *m. pl.* Fuerzas, brío, valor.

redargüir *tr.* Convertir [el argumento] contra el que lo hace. ◇ ** CONJUG. [63] como *argüir.*

redecilla *f.* Tejido de mallas de que se hacen las redes. 2 Prenda de malla, en figura de bolsa, y con cordones o cintas, usada para recoger el pelo o adornar la cabeza. 3 Segunda de las cuatro cavidades del estómago de los rumiantes.

rededor *m.* Contorno (líneas): *al* , o *en, ~,* alrededor.

redención *f.* Acción de redimir o redimirse. 2 Efecto de redimir o redimirse. 3 fig. Remedio, recurso, refugio.

redentor, -ra *adj.-s.* Que redime. – 2 *m.* p. ant. Jesucristo.

redhibir *tr.* Deshacer el comprador [la venta] por no haberle manifestado el vendedor el vicio o gravamen de la cosa vendida.

redicho, -cha *adj.* [pers.] Que habla pronunciando las palabras con una perfección afectada.

¡rediez! Interjección ¡rediós!

redil *m.* Aprisco circuido con un vallado de estacas y redes, o de trozos de barrera armados con listones.

redimir *tr.* Rescatar o sacar de esclavitud [al cautivo] mediante precio. 2 Comprar de nuevo [una cosa que se había poseído y vendido]. 3 Dejar libre [una cosa hipotecada, empeñada o sujeta a otro gravamen]. 4 Librar, en general [de una obligación] o extinguirla. 5 fig. Poner término [a un vejamen, dolor u otra adversidad o molestia].

redingote *m.* Capote de poco vuelo y con mangas ajustadas.

¡rediós! Interjección con que se denota asombro, sorpresa, enfado, dolor, etc.

redistribuir *tr.* Distribuir algo de nuevo. 2 Distribuir algo de forma diferente a como estaba. ◇ ** CONJUG. [62] como *huir.*

rédito *m.* Renta, utilidad o beneficio renovable que rinde un capital.

redituar *tr.* Rendir o producir [una cosa] utilidad periódica o renovadamente. ◇ ** CONJUG. [11] como *actuar.*

redivivo, -va *adj.* Aparecido, resucitado. [pers.] Fornido y no muy alto. 2 [cosa] Más grueso o resistente que de ordinario.

redoblar *tr.-prnl.* Doblar (aumentar). – 2 *tr.* Volver [la punta del clavo o cosa semejante] en dirección opuesta a la de su entrada. 3 Repetir, volver a hacer [una cosa]. – 4 *intr.* Tocar redobles en el tambor.

redoble *m.* Toque vivo y sostenido que se produce hiriendo rápidamente el tambor con los palillos.

redoma *f.* Vasija de vidrio, ancha en su fondo, que va angostándose hacia la boca.

redomado, -da *adj.* Muy cauteloso y astuto.

redonda *f.* Comarca: *el labrador más rico de la ~.* 2 *A la ~,* en torno, alrededor. 3 MÚS. Figura musical que equivale a cuatro tiempos en un compás menor.

redondear *tr.* Poner redonda [una cosa]. 2 fig. Sanear [un caudal, un negocio, una finca], liberándolos de gravámenes, deudas, etc. 3 Quitar o añadir [a una cantidad, a una cifra] las fracciones o unidades que sobren o falten para un número determinado. – 4 *prnl.* fig. Adquirir uno bienes o rentas que le permitan

vivir holgadamente. 5 p. anal. Descargarse de toda deuda o cuidado, limitándose a vivir de lo propio.

redondel *m.* Círculo (porción de plano; circunferencia). 2 Espacio destinado a la lidia en las plazas de **toros.

redondilla *f.* Combinación métrica de cuatro versos octosílabos; riman el primero y cuarto, y el segundo y tercero.

redondo, -da *adj.* De figura circular o esférica o semejante a ellas. 2 [terreno] Adehesado y que no es de propiedad comunal. 3 fig. [pers.] De calidad originaria igual por sus cuatro costados. 4 Claro, sin rodeo. 5 fig. Perfecto, completo, bien logrado. – 6 *adj.-m.* ANAT. **Músculo, mayor y menor, del borde externo del omóplato, cuya función es desplazar hacia atrás y hacia adentro el brazo. – 7 *m.* Cosa de figura circular o esférica. 8 Carne del cuarto trasero de buey o ternera.

redor *m.* Esterilla redonda.

redrojo *m.* Racimo pequeño que van dejando atrás los vendimiadores. 2 Fruto o flor tardía que echan las plantas y que, por ser fuera de tiempo, no suele llegar a sazón. 3 fig. Muchacho desmedrado.

reducción *f.* Acción de reducir o reducirse. 2 Efecto de reducir o reducirse.

reducido, -da *adj.* Estrecho, pequeño.

reducir *tr.* Volver [una cosa] al lugar o al estado que tenía. 2 Mudar [una cosa] en otra: *el fuego redujo el edificio a cenizas.* 3 Dividir [un cuerpo] en partes menudas: *~ el grano a polvo.* 4 Comprender, incluir bajo cierto número o cantidad: *lo hemos reducido a dos palmos; se reducirá a cuatro pesetas.* 5 Disminuir o minorar; estrechar o ceñir: *~ un jubón.* 6 p. anal. Resumir [un discurso, narración, etc.]. 7 Hervir una salsa, un caldo, etc., para hacerlo más substancioso por la evaporación producida. 8 Persuadir o atraer [a uno] con razones o argumentos. 9 fig. Sujetar a la obediencia [al que se había separado de ella]. 10 MAT. Expresar el valor [de una cantidad] en unidades de especie distinta de la dada: *~ pesetas a reales.* – 11 *tr.-intr.* Disminuir la fuerza o potencia de un vehículo o máquina, dándole menos gas, poniendo una marcha menor, etc. – 12 *prnl.* Moderarse o ceñirse en el modo de vida o porte: *reducirse a lo más preciso; reducirse en los gastos.* 13 Resolverse por motivos poderosos a ejecutar una cosa: *me he reducido a callar.* ◇ ** CONJUG. [46] como *conducir.*

reducto *m.* Obra de campaña, cerrada, que ordinariamente consta de parapeto y una o más banquetas. 2 fig. País, lugar o grupo social que conserva una ideología o tradición en desuso. 3 fig. Paraje natural en el que se conservan especies raras o en extinción.

redundancia *f.* Sobra o demasiada abundancia; esp., exceso de palabras.

redundar *intr.* Rebosar, salirse una cosa de sus bordes por demasiada abundancia. 2 Resultar, venir a parar una cosa en beneficio o daño de alguno.

reduplicar *tr.* Redoblar (doblar; repetir). 2 Repetir [la sílaba radical] en el pretérito de los verbos arios. ◇ ** CONJUG. [1] como *sacar*.

reedificar *tr.* Volver a edificar o construir de nuevo: ~ *un palacio.* ◇ ** CONJUG. [1] como *sacar.*

reeditar *tr.* Volver a editar [una obra].

reeducar *tr.* Volver a enseñar el uso [de los órganos o miembros] perdido o viciado. Aplícase especialmente [a los mutilados] que han de llevar aparatos ortopédicos. ◇ ** CONJUG. [1] como *sacar.*

reelegir *tr.* Volver a elegir: ~ *a uno diputado por un distrito;* ~ *un diputado.* ◇ ** CONJUG. [55] como *elegir.*

reembolsar *tr.* Volver [una cantidad] a poder del que la había desembolsado o causahabiente suyo. – 2 *prnl.* COM. Cobrar.

reembolso *m.* Acción de reembolsar o reembolsarse. 2 Efecto de reembolsar o reembolsarse. 3 *A*, o *contra* ~, envío de una mercancía cuyo importe debe pagar el destinatario en el momento de recibirla.

reemplazar *tr.* Poner en lugar [de una cosa] otra que haga sus veces. 2 Suceder [a uno] en el cargo o empleo que tenía, o hacer accidentalmente sus veces: ~ *a una persona con otra;* ~ *a uno en un empleo.* ◇ ** CONJUG. [4] como *realizar.*

reemplazo *m.* Acción de reemplazar. 2 Efecto de reemplazar. 3 Renovación parcial de contingente del ejército activo en los plazos establecidos por la ley.

reemprender *tr.* Reanudar.

reencontrar *tr.-prnl.* Volver a encontrar. – 2 *prnl.* Recobrar una persona cualidades, facultades, hábitos, etc., que había perdido. ◇ ** CONJUG. [31] como *contar.*

reenganchado *m.* Soldado que, antes de su licenciamiento, obtiene la permanencia por más tiempo en el ejército.

reestrenar *tr.* Volver a representar una obra teatral o proyectar una cinematográfica pasado algún tiempo de su estreno.

reestructurar *tr.* Modificar la estructura [de algo]. 2 Reorganizar la utilización [de algo]: ~ *el campus universitario.* – 3 *tr.-prnl.* Reorganizar [algo].

reexpedir *tr.* Expedir [una cosa que se ha recibido]. ◇ ** CONJUG. [34] como *servir.*

reexportar *tr.* COM. Exportar [lo que se había importado].

refacción *f.* Alimento moderado que se toma para reparar las fuerzas. 2 fam. Lo que en una venta se da al comprador sobre la medida exacta, por añadidura.

refajo *m.* Falda que usan las mujeres como prenda interior o encima de las enaguas.

refectorio *m.* Habitación destinada en las comunidades y en algunos colegios para reunirse a comer.

referencia *f.* Narración o relación de una cosa. 2 Relación, dependencia o semejanza de una cosa respecto de otra. 3 Remisión (indicación). 4 Informe que acerca de la probidad, solvencia, etc., de tercero, da una persona a otra: *tenemos buenas referencias de los clientes.* ◇ En la acepción 4 se usa generalmente en plural.

referéndum *m.* Consulta por voto directo que se hace al pueblo sobre asuntos de interés común. ◇ Pl.: *referéndums.*

referente *adj.* Que hace referencia a una cosa.

referir *tr.* Expresar de palabra o por escrito [un hecho verdadero o ficticio]. 2 Dirigir o encaminar [una cosa] a cierto fin u objeto: *lo referiremos a tu asunto.* 3 Relacionar (poner en relación). – 4 *prnl.* Remitir (indicar). 5 Aludir. 6 *Amér. Central.* Decir una injuria. ◇ ** CONJUG. [35] como *hervir.*

refilón (de ~) *loc. adv.* Oblicuamente. 2 fig. De paso.

refinado, -da *adj.* fig. Sobresaliente, muy fino. 2 fig. Astuto, malicioso.

refinamiento *m.* Esmero, buen gusto. 2 Ensañamiento.

refinar *tr.* Hacer [una cosa] más fina y pura: ~ *el azúcar, el alcohol.* 2 fig. Perfeccionar [una cosa]: ~ *un escrito.* – 3 *prnl.* Pulirse, perder la rudeza o vulgaridad.

refinería *f.* Complejo industrial donde se refina un producto: ~ *de azúcar;* ~ *de petróleo.*

refino, -na *adj.* Muy fino y acendrado.

refirmar *tr.* Apoyar [una cosa] sobre otra; estribar. 2 Confirmar, ratificar [una especie].

refitolero, -ra *adj.-s.* [pers.] Afectado, redicho. 3 fig. Entremetido, cominero.

reflectar *tr.* FÍS. Reflejar [la luz, el calor, etc.].

reflector, -ra *adj.-s.* Cuerpo que refleja. – 2 *m.* Aparato para reflejar los rayos luminosos: ~ *de imagen,* foco que ilumina el escenario de un **teatro. 3 ~ *de antena,* superficie parabólica que se coloca detrás de una antena para concentrar las ondas muy cortas en un haz estrecho y dirigirlas en determinada dirección.

reflejar *tr.-prnl.* Hacer retroceder o cambiar de dirección [la luz, el calor, el sonido, etc.], oponiéndoles una superficie lisa: *el espejo refleja los rayos del sol; la luz se refleja en,* o *sobre, el espejo.* – 2 *tr.* Manifestar o hacer patente [una cosa]: ~ *los sentimientos.* – 3 *prnl.* Dejarse ver una cosa en otra: *reflejarse el alma en el semblante.*

reflejo, -ja *adj.* Que ha sido reflejado. 2 *pasiva refleja,* v. pasiva. 3 [acto] Que obedece a excitaciones no percibidas por la conciencia:

movimientos reflejos. 4 [conocimiento o consideración] Que se forma de una cosa para reconocerla mejor. – 5 *m.* Luz reflejada. 6 Representación, imagen, muestra. 7 p. ext. Reacción rápida ante un suceso imprevisto.

réflex *m.* Sistema de visor de algunas cámaras que corrige el error de paralaje; **fotografía. ◇ Pl.: *réflex.*

reflexión *f.* Acción de reflejar (hacer retroceder). 2 Efecto de reflejar (hacer retroceder). 3 Acción de reflexionar. 4 Efecto de reflexionar. 5 fig. Advertencia o consejo con que uno intenta persuadir o convencer a otro. 6 GRAM. Manera de efectuarse la acción de los verbos reflexivos.

reflexionar *tr.* Considerar nueva o detenidamente [una cosa]: ~ *en, o sobre, la materia.*

reflexivo, -va *adj.* Que refleja o reflecta. 2 Acostumbrado a hablar y a obrar con reflexión.

reflorecer *intr.* Volver a florecer los campos o a echar flores las plantas. 2 fig. Recobrar una cosa inmaterial el lustre que tuvo. ◇ ** CONJUG. [43] como *agradecer.*

reflotar *tr.* Volver a poner a flote [una nave sumergida o encallada]. 2 fig. Sanear la economía de una empresa con dificultades financieras para que vuelva a funcionar con normalidad.

refluir *intr.* Volver hacia atrás o hacer retroceso un líquido. 2 fig. Redundar (resultar). ◇ ** CONJUG. [62] como *huir.*

reflujo *m.* Movimiento de descenso de la marea. 2 Retroceso, acción de refluir.

refocilar *tr.-prnl.* Recrear, alegrar: ~ *a la gente.* 2 Dar calor o rigor [una cosa]. – 3 *prnl.* Regodearse, recrearse en algo grosero.

reforma *f.* Acción de reformar. 2 Efecto de reformar. 3 Lo que se propone, proyecta o ejecuta como innovación o mejora en alguna cosa. 4 Religión reformada o protestantismo.

reformar *tr.* Volver a formar, rehacer. 2 p. ext. Reparar, restaurar, reponer: ~ *un mueble.* 3 Arreglar, corregir, poner en orden: ~ *las costumbres.* 4 esp. Restituir a su primitiva disciplina [una orden religiosa u otro instituto]. 5 Extinguir, deshacer [un establecimiento o cuerpo]. 6 Privar [del ejercicio de un empleo]. 7 Cercenar, rebajar [una cosa] en el número o cantidad. – 8 *prnl.* Enmendarse, corregirse en las costumbres o porte: *reformarse en el vestir.* 9 Contenerse, moderarse uno en lo que dice o ejecuta.

reformatorio, -ria *adj.* Que reforma o arregla. – 2 *m.* Establecimiento penitenciario en donde, por medios educativos especiales, se trata de recuperar socialmente a delincuentes menores de edad.

reformismo *m.* Tendencia o doctrina que procura el cambio y las mejoras de una situación política, social, religiosa, etc., sin cambios radicales.

reforzar *tr.* Engrosar o añadir nuevas fuerzas [a una cosa]. 2 Fortalecer o reparar [lo que padece ruina o detrimento]. – 3 *tr.-prnl.* Animar, alentar, dar espíritu. ◇ ** CONJUG. [50] como *forzar.*

refracción *f.* Acción de refractar o refractarse. 2 Efecto de refractar o refractarse.

refractar *tr.-prnl.* Hacer que cambie de dirección [un rayo de luz o una radiación cualquiera] que pasa oblicuamente de un medio a otro de diferente densidad.

refractario, -ria *adj.* [pers.] Que rehúsa cumplir una promesa u obligación. 2 Opuesto, rebelde a aceptar una idea, opinión o costumbre. 3 [cuerpo] Que resiste la acción del fuego sin cambiar de estado ni descomponerse: *arcilla refractaria.*

refrán *m.* Dicho agudo y sentencioso de uso común.

refranero *m.* Colección de refranes.

refrangible *adj.* Que puede refractarse.

refregar *tr.* Estregar [una cosa] con otra. 2 fig. *y* fam. Dar en cara a uno [con una cosa que le ofende], insistiendo en ella. ◇ ** CONJUG. [48] como *regar.*

refreír *tr.* Volver a freír, o freír mucho o bien [una cosa]. 2 Freírla demasiado. ◇ ** CONJUG. [37] como *reír.* Para formar los tiempos compuestos utiliza indistintamente el pp. reg.: *refreído;* o el pp. irreg., usad. también como adjetivo y substantivo: *refrito.*

refrenar *tr.* Sujetar o reducir [al caballo] con el freno. – 2 *tr.-prnl.* Contener, reprimir o corregir: ~, o *refrenarse, las pasiones.*

refrendar *tr.* Autorizar [un despacho u otro documento] por medio de la firma de persona hábil para ello; esp., poner un ministro su firma debajo de la del jefe del estado. 2 Revisar [un pasaporte] y anotar su presentación. 3 fig. *y* fam. Volver a ejecutar o repetir [la acción que se había hecho]: ~ *una comida o bebida.*

refrendo *m.* Acción de refrendar. 2 Efecto de refrendar. 3 Testimonio que acredita haber sido refrendada una cosa.

refrescar *tr.* Moderar o rebajar el calor [de una cosa]. 2 fig. Renovar, reproducir [una acción]: ~ *la lid.* 3 Renovar [un sentimiento, recuerdo, costumbre, etc.]. – 4 *intr.* Tomar fuerzas o aliento: *refrescamos un poco con el descanso.* 5 Templarse, moderarse el calor del aire: *el tiempo refresca.* – 6 *intr.-prnl.* Tomar el fresco. 7 Beber alguna cosa refrescante. ◇ ** CONJUG. [1] como *sacar.*

refresco *m.* Alimento moderado que se toma para fortalecerse y continuar en el trabajo. 2 Bebida fría o del tiempo; esp., la no alcohólica elaborada con extractos vegetales. 3 Agasajo de bebidas, dulces, etc., que se da en las visitas u otras concurrencias.

refriarse *prnl.* Enfriarse, acatarrarse. ◇ ** CONJUG. [13] como *desviar.*

refriega *f.* Reencuentro o combate de menos importancia que la batalla.

refrigerador, -ra *adj.-s.* Que refrigera. 2 Aparato e instalación para refrigerar. – 3 *m.* Nevera.

refrigerar *tr.-prnl.* Refrescar (moderar o moderarse el calor; tomar fuerzas). ◇ Usado especialmente en lenguaje técnico o culto.

refrigerio *m.* Beneficio o alivio que se siente con lo fresco. 2 *fig.* Alivio en cualquier apuro, incomodidad o pena. 3 *fig.* Corto alimento que se toma para reparar las fuerzas.

refringente *adj.* [cuerpo] Que refracta la luz.

refrito *m.* Aceite frito con ajo, cebolla y otros ingredientes, que se añade caliente a algún guisado. 2 *fig.* Cosa rehecha o de nuevo aderezada; esp., refundición de una obra dramática u otro escrito.

refuerzo *m.* Mayor grueso dado a una cosa, como a los cañones de las armas de fuego, cilindros de máquinas, etc., para hacerla más resistente. 2 Reparo para fortalecer una cosa que puede flaquear o amenazar ruina. 3 Ayuda que se presta en ocasión o necesidad. – 4 *m. pl.* Tropas que se suman a otras para aumentar su fuerza.

refugiado, -da *adj.-s.* Persona que a causa de guerras, revoluciones, etc., busca asilo en país extranjero.

refugiar *tr.-prnl.* Acoger o amparar [a uno]: *refugiarse a, bajo, o en, sagrado.* ◇ ** CONJUG. [12] como *cambiar.*

refugio *m.* Asilo, acogida o amparo. 2 Andén situado en medio de la calzada, de una calle o plaza, donde los peatones pueden detenerse al resguardo de los vehículos. 3 Hermandad dedicada al servicio y socorro de los pobres. 4 Abrigo situado en la montaña. 5 Construcción, generalmente subterránea, destinada a proteger de las bombas: **atómico**, construcción preparada para permanecer largo tiempo en su interior, destinada a proteger de la radiactividad producida por una explosión atómica.

refulgente *adj.* Que emite resplandor.

refulgir *intr.* Resplandecer, emitir fulgor. ◇ ** CONJUG. [6] como *dirigir.*

refundar *tr. fig.* Reorganizar la estructura [de una institución, asociación, organización, partido político, etc.] para que vuelva a funcionar con normalidad.

refundir *tr.* Volver a fundir o liquidar [los metales]. 2 *fig.* Dar nueva forma o disposición [a una obra de ingenio, comedia, discurso, etc.]. 3 *fig.* Comprender o incluir: ~ *una poesía en un texto; refundirse dos obras.* – 4 *intr. fig.* Redundar: *el trabajo refundió a su favor.* – 5 *prnl. Amér.* Extraviarse, perderse.

refunfuñar *intr.* Emitir voces confusas o palabras mal articuladas en señal de enojo o desagrado.

refutar *tr.* Contradecir, impugnar con argumentos o razones [lo que otros dicen].

regadera *f.* Vasija portátil a propósito para regar; **jardinería.

regadío, -a *adj.-m.* Terreno que se puede regar. – 2 *m.* Terreno dedicado a cultivos que se fertilizan con riego.

regaifa *f.* Piedra circular y con un canal en su contorno, por donde, en los molinos de aceite, corre el líquido que sale de la prensa.

regala *m.* Tablón que forma el borde de la embarcaciones; **barca.

regalado, -da *adj.* Suave o delicado. 2 Agradable, deleitoso.

regalar *tr.* Dar a uno graciosamente [una cosa] en muestra de afecto, consideración, etc. 2 Halagar, acariciar [a uno]. 3 Recrear o deleitar: ~ *a uno con buenos vinos; regalarse en dulces memorias.* – 4 *prnl.* Tratarse bien, procurando tener toda suerte de comodidades.

regalía *f.* Preeminencia, prerrogativa o excepción particular y privativa que, en virtud de suprema potestad, ejerce un soberano en su estado. 2 *fig.* Privilegio o excepción privativa o particular.

regaliz *m.* Planta leguminosa, de tallos casi leñosos, hojas puntiagudas, flores pequeñas azuladas y fruto con pocas semillas *(Glycyrrhiza glabra).* 2 Zumo de la raíz de esta planta.

regalo *m.* Dádiva hecha voluntariamente o por costumbre. 2 Gusto o complacencia. 3 Conveniencia, comodidad, descanso que se procura en orden a la persona. 4 Comida o bebida delicada y exquisita.

regañadientes (a ~) *loc. adv.* De mala gana, refunfuñando.

regañar *intr.* Demostrar el perro su saña gruñendo sin gritar y mostrando los dientes. 2 *p. anal.* Dar muestras de enfado una persona con palabras y gestos. 3 Reñir (contender). 4 *fig.* Abrirse el hollejo o corteza de algunas frutas, castañas, ciruelas, etc., cuando maduran. – 5 *tr. fam.* Reprender, reconvenir.

regaña *f.* Regaño, represión.

regaño *m.* Descomposición del rostro generalmente acompañada de palabras ásperas, con que se muestra enfado o disgusto.

regar *tr.* Esparcir agua sobre una superficie [de tierra o plantas] para beneficiarla; [de una calle o sala] para limpiarla o refrescarla. 2 Atravesar un río o canal [un territorio]. 3 *fig.* Esparcir, desparramar [alguna cosa] a semejanza de la siembra. ◇ ** CONJUG. [48].

I) regata *f.* Reguera pequeña en las huertas y jardines.

II) regata *f.* Competición deportiva en que un grupo de embarcaciones de la misma clase, vela, motor o remo, deben recorrer un itinerario preestablecido en el menor tiempo posible.

regate *m.* Movimiento rápido que se hace

apartando el cuerpo. 2 fig. Escape o efugio hábilmente buscado en una dificultad. 3 DEP. En algunos deportes, movimiento rápido que hace un jugador apartando el balón del contrario.

I) regatear   *tr.* Debatir el comprador y el vendedor el precio de una cosa puesta en venta]. 2 Vender por menor [los comestibles que se han comprado por mayor]. 3 fig. Escasear o rehusar [la ejecución de una cosa]. – 4 *intr.* Hacer regates.

II) regatear   *intr.* Hacer regatas las embarcaciones. 2 *Colomb., Cuba* y *P. Rico.* p. ext. Contender dos o más caballos o carruajes en la carrera.

regatón   *m.* Especie de contera que se pone en el extremo inferior de las lanzas, bastones, etc., para mayor firmeza; **armas. 2 Hierro de figura de ancla que tienen los bicheros en uno de sus extremos.

regatonear   *tr.* Comprar [comestibles] por mayor para vender por menor.

regazo   *m.* Enfaldo de la saya, que hace seno desde la cintura hasta la rodilla. 2 Parte del cuerpo correspondiente a ese enfaldo. 3 fig. Cosa que acoge a otra, dándole amparo o consuelo.

regencia   *f.* Acción de regir o gobernar. 2 Empleo de regente. 3 Gobierno de un estado durante la menor edad, ausencia o incapacidad de su legítimo príncipe. 4 Tiempo que dura tal gobierno.

regeneracionismo   *m.* Movimiento ideológico que tuvo lugar en España a fines del siglo XIX y principios del XX, motivado por la pérdida de las colonias en 1898. Su finalidad era el mejoramiento de la vida nacional en todos los terrenos.

regenerar   *tr.-prnl.* Dar nuevo ser [a una cosa que degeneró]; restablecerla, mejorarla.

regentar   *tr.* Desempeñar temporalmente [ciertos cargos o empleos]. 2 esp. Ejercer un cargo de mando u honor. 3 Dirigir sin ser el dueño [una farmacia, imprenta, etc.].

regente   *com.* Persona que desempeña una regencia (gobierno). 2 Persona que, sin ser dueña, rige una farmacia, imprenta, etc. 3 Persona que presidía una audiencia territorial. 4 *m.* Pastelillo de hojaldre, relleno de mermelada de fruta, crema pastelera, etc., con forma de media luna.

regiamente   *adv. m.* Con grandeza real. 2 fig. Suntuosamente.

regicida   *adj.-com.* [pers.] Que mata a un rey o reina, o que atenta contra la vida del soberano, aunque no consume el hecho.

regidor, -ra   *adj.* Que rige (gobierna). – 2 *m. f.* Concejal. 3 Persona que en el teatro, el cine y la televisión, cuida del orden y realización de los movimientos y efectos escénicos dispuestos por la dirección.

régimen   *m.* Modo de gobernarse en una cosa, de regir algo: *un severo ~ de educación; el ~ de un hospicio.* 2 Forma de gobierno: *~ monárquico, republicano.* 3 Constituciones, reglamentos o prácticas de un gobierno en general o de una de sus dependencias. 4 Condiciones regulares y duraderas que provocan o acompañan una sucesión de fenómenos determinados: *~ tormentoso, de lluvias.* 5 GRAM. Relación de dependencia que guardan entre sí las palabras en la oración; esp., preposición que pide un verbo o adjetivo, o caso que pide una preposición. 6 MEC. Funcionamiento de un motor, en las mejores condiciones de rendimiento. 7 MED. Uso metódico de todos los medios necesarios para el sostenimiento de la vida: *~ alimenticio,* dieta. ◇ Pl.: *regímenes.*

regimiento   *m.* Acción de regir o regirse. 2 Efecto de regir o regirse. 3 Unidad orgánica de una misma arma, cuyo jefe es un coronel.

regio, -gia   *adj.* Relativo al rey o a la realeza, real. 2 fig. Suntuoso, magnífico.

región   *f.* Porción de territorio determinado por caracteres étnicos o circunstancias especiales de clima, producción, topografía, gobierno, etc. 2 fig. Espacio que se imagina ser de mucha capacidad. 3 Espacio determinado del cuerpo. 4 Circunscripción militar, aérea o naval, a cuyo mando hay un general. 5 fig. Meta a la que se llega en el estudio de una ciencia.

regional   *adj.* Relativo a una región.

regionalismo   *m.* Doctrina política, según la cual cada región de un estado debe ser administrada y gobernada atendiendo especialmente a su modo de ser, a sus aspiraciones, etc. 2 Palabra, giro o modo de expresión de carácter o empleo regional. 3 Amor o apego a las cosas características de la propia región.

regionalización   *f.* Descentralización mediante la transferencia de competencias a organismos de carácter regional. 2 Limitación en el espacio: *la ~ del hambre.*

regir   *tr.* Dirigir, gobernar: *~ un estado, una industria, una imprenta.* 2 p. anal. Guiar o conducir: *~ un navío.* 3 GRAM. Expresar la subordinación de unas palabras a otras dentro de la oración; esp., pedir una palabra [determinada preposición, caso o modo verbal, etc.]. – 4 *intr.* Estar vigente: *esta ley rige en Francia.* 5 Funcionar bien un artefacto u organismo. ◇ ** CONJUG. [55] como *elegir.*

registrado, -da   *adj.* [marca o modelo] Que ha pasado por la formalidad del registro para preservarlo de imitaciones o falsificaciones.

registrador, -ra   *adj.* Que registra. – 2 *adj.-s.* Aparato destinado a señalar o inscribir determinados fenómenos físicos, operaciones, etc.: *~ de la corriente eléctrica; cilindro ~ de un* *movimiento ondulatorio; caja registradora; barómetro ~.*

registrar *tr.* Mirar, examinar [una persona o cosa] con cuidado y diligencia para encontrar algo que pueda estar oculto: *el coche sospechoso fue registrado en la aduana; la policía registró las casas del barrio en busca de los secuestradores.* 2 p. ext. Copiar y notar a la letra en los libros de registro [despachos, cédulas, privilegios y, en general, toda clase de documentos oficiales o públicos]. 3 Poner una señal o registro [entre las hojas de un libro]; en gral., anotar, señalar. 4 Inscribir o señalar los instrumentos adecuados [determinados fenómenos físicos]: *el sismógrafo registra un terremoto a 2.000 kms de distancia; se registran depresiones atmosféricas.* 5 Grabar el sonido o la imagen en una cinta o disco, o en una película fotosensible. – 6 *prnl.* Presentarse, matricularse. 7 Producirse, suceder ciertas cosas que pueden catalogarse o cuantificarse: *se han registrado intensas lluvias.*

registro *m.* Acción de registrar. 2 Libro, cuaderno, etc., en que se anotan regularmente cierto orden de cosas: ~ **civil,** aquel en que se hacen constar los nacimientos, matrimonios, defunciones y demás hechos relativos al estado civil de las personas. 3 Lugar, edificio en donde se registra. 4 Asiento que queda de lo que se registra. 5 Pieza en el reloj u otra máquina para disponer o modificar su movimiento. 6 Pieza movible del órgano, próxima a los teclados, por medio de la cual se modifica el timbre o la intensidad de los sonidos. 7 Género de voces del órgano. 8 En el clave, piano, etc., mecanismo para esforzar o apagar los sonidos. 9 Abertura con su tapa, para reparar, conservar o examinar lo que está subterráneo o empotrado.

regla *f.* Instrumento de materia rígida, generalmente delgado y de sección rectangular, usado principalmente para trazar líneas rectas; **dibujo. 2 Pauta. 3 Razón que debe servir de medida y a que se han de ajustar las acciones para que resulten rectas. 4 Moderación, templanza, medida, tasa. 5 Ley universal que comprende lo substancial que debe observar un cuerpo religioso: *la ~ de San Benito.* 6 Ley básica, estatuto, constitución de una cosa: *la ~ de un colegio.* 7 Precepto, principio o máxima en las ciencias o artes; modo de ejercer o de ejecutar una cosa: *las reglas de la lógica, de la arquitectura, de la pintura; reglas de urbanidad.* 8 MAT. Método de hacer una operación: *~ de oro, de proporción o de tres.* 9 Orden inmutable de las cosas naturales. 10 Menstruación.

reglado, -da *adj.* Parco en comer o beber. 2 Sujeto a precepto, ordenación o regla.

reglaje *m.* Reajuste que se efectúa en las piezas de un mecanismo, a fin de conservarlo en buen estado de funcionamiento.

reglamentación *f.* Acción de reglamentar. 2 Efecto de reglamentar. 3 Conjunto de reglas.

reglamentar *tr.* Sujetar a reglamento [un instituto o materia determinada].

reglamentario, -ria *adj.* Relativo al reglamento.

reglamento *m.* Colección ordenada de reglas o preceptos dada por autoridad competente para la ejecución de una ley, para el régimen de una corporación, etc.

reglar *tr.* Tirar o hacer líneas o rayas derechas valiéndose generalmente de una regla: ~ *un papel.* 2 Sujetar a reglas [una cosa]. 3 Medir u ordenar [las acciones] conforme la regla. – 4 *prnl.* Templarse, moderarse, reducirse: *reglarse a lo justo; reglarse por lo que se ve en otro.*

reglón *m.* Regla grande que usan los albañiles y soladores.

regocijar *tr.* Alegrar, festejar [a uno]. – 2 *prnl.* Recrearse, recibir gusto o júbilo interior.

regocijo *m.* Júbilo. 2 Acto con que se manifiesta la alegría.

regodearse *prnl.* fam. Deleitarse, complacerse, deteniéndose en lo que se goza: ~ *con,* o *en, alguna cosa.* 2 fam. Hablar o estar de chacota.

regojo *m.* Pedazo de pan que queda de sobra en la mesa.

regoldar *intr.* vulg. Eructar. ◇ ** CONJUG. [31] como *contar.*

regolfar *intr.-prnl.* Retroceder el agua contra su corriente haciendo un remanso. 2 p. anal. Cambiar la dirección del viento por el choque con algún obstáculo.

regordete, -ta *adj.* fam. [pers. o parte de su cuerpo] Pequeño y grueso.

regresar *intr.* Volver al lugar de donde se partió.

regresión *f.* Retroceso (acción y efecto).

regresivo, -va *adj.* Que hace volver hacia atrás.

regreso *m.* Acción de regresar.

reguera *f.* Canal hecho en la tierra a fin de conducir el agua para el riego. 2 *Amér. Merid.* Cable o ancla de un buque.

reguero *m.* Corriente, a modo de chorro o de arroyo pequeño, de una cosa líquida. 2 Señal continuada que queda de una cosa que se va vertiendo.

regulador, -ra *adj.* Que regula. – 2 *m.* Mecanismo para ordenar o normalizar el movimiento o los efectos de una máquina o de alguna de sus piezas.

l) regular *adj.* Ajustado y conforme a regla: *por lo ~,* común o regularmente. 2 Ajustado, medido, arreglado en las acciones y modo de vivir. 3 GEOM. [figura] En la cual todos los elementos de la misma categoría, lados, ángulos, etc., son iguales entre sí. 4 GRAM. [vocablo] Derivado, o formado de otro vocablo, según la regla de formación seguida generalmente por los de su clase. **5** GRAM. [forma de expresión] Que se ajusta a una regla general: *verbo* ~; *plural* ~; *femenino* ~; *construcción* ~. – **6** *m. pl.* Unidad del ejército español originaria de los cuerpos militares integrados por marroquíes durante el protectorado. – **7** *adj.* ANGL. Asiduo, habitual, puntual.

II) regular *tr.* Medir, ajustar o poner en orden [una cosa] según ciertas reglas: ~ *un caudal de agua;* ~ *los gastos.*

regularidad *f.* Calidad de regular. **2** Exacta observancia de la regla o instituto religioso. **3** Puntualidad. **4** Justa proporción.

regularmente *adv. m.* Comúnmente, ordinariamente. **2** Medianamente.

régulo *m.* Dominante o señor de un estado pequeño. **2** Parte más pura de los minerales, después de separadas las impuras.

regurgitar *intr.* Expeler por la boca, sin vómito, lo contenido en el esófago o en el estómago.

regusto *m.* Gusto o sabor que queda de la comida o bebida. **2** Sensación o evocación que producen las vivencias pasadas. **3** Impresión de analogía, semejanza, etc. que evocan algunas cosas.

rehabilitar *tr.-prnl.* Habilitar de nuevo o restituir [una persona o cosa] a su antiguo estado.

rehacer *tr.* Volver a hacer [lo que se había deshecho]. **2** Reponer, reparar [lo disminuido o deteriorado]. – **3** *prnl.* Reforzarse o tomar nuevo brío. **4** fig. Serenarse, dominar una emoción. ◇ ** CONJUG. [73] como *hacer;* pp. irreg.: *rehecho.*

rehala *f.* Rebaño de ganado lanar formado por el de diversos dueños y conducido por un solo mayoral. **2** Jauría o agrupación de perros de caza mayor.

rehecho, cha *adj.* De estatura mediana, grueso o robusto.

rehén *com.* Persona capturada por alguien para obligar a cumplir a un tercero determinadas exigencias. **2** *m.* Lo que se pone por fianza o seguro.

rehenchir *tr.* Volver a henchir [una cosa]. **2** Rellenar de cerda, pluma, lana, etc. [algún colchón, almohada o mueble de tapicería]. ◇ ** CONJUG. [34] como *servir.*

reherir *tr.* Rebatir, rechazar [a una persona o cosa]. ◇ ** CONJUG. [35] como *hervir.*

rehervir *intr.-prnl.* Volver a hervir. **2** fig. Enardecerse o cegarse a causa de una pasión. – **3** *prnl.* Fermentarse las conservas, agriarse. ◇ CONJUG. [35] como *hervir.*

rehilamiento *m.* GRAM. Vibración que se produce en el lugar de articulación de algunas consonantes y que suma su sonoridad a la originada por la vibración de las cuerdas vocales.

rehilar *tr.* Hilar demasiado o torcer mucho [lo que se hila]. – **2** *intr.* Moverse una persona

o cosa como temblando. **3** Zumbar por el aire ciertas armas arrojadizas; como la flecha. **4** *tr.-intr.* GRAM. Pronunciar con rehilamiento ciertas consonantes sonoras: mismo, esbelto, juzgar, etc. ◇ ** CONJUG. [15] como *aislar.*

rehogar *tr.* Sazonar [una vianda] a fuego lento, sin agua y muy tapada, en manteca o aceite y otros condimentos. ◇ ** CONJUG. [7] como *llegar.*

rehoyo *m.* Barranco u hoyo profundo.

rehuir *tr.* Evitar o apartar [una cosa] por algún temor, sospecha o recelo: ~ *la lucha; mi hermano rehúye,* o *se rehúye, ante el peligro.* **2** Repugnar o excusar [el admitir algo]. ◇ ** CONJUG. [62] como *huir.* V. **acentuación.

rehusar *tr.* Rechazar o no aceptar [una cosa]. ◇ ** CONJUG. [18].

reiforme *adj.-m.* Ave del orden de los reiformes. – **2** *m. pl.* Orden de aves americanas incapaces de volar pero buenas corredoras; como el ñandú.

reimplantar *tr.* Volver a implantar.

reimportar *tr.* Importar en un país [lo que se había exportado de él].

reimpresión *f.* Acción de reimprimir. **2** Efecto de reimprimir. **3** Conjunto de ejemplares reimpresos de una vez.

reimprimir *tr.* Volver a imprimir o repetir la impresión [de una obra o escrito]. ◇ CONJUG.: Para formar los tiempos compuestos utiliza el pp. reg.: *reimprimido* o, preferiblemente el pp. irreg.: *reimpreso.*

reina *f.* Esposa del rey. **2** La que ejerce la potestad real por derecho propio. **3** En el juego de ajedrez, pieza más importante después del rey y única en su bando que puede moverse como cualquiera de las demás, exceptuando el caballo. **4** fig. Mujer, animal o cosa del género femenino que por su excelencia sobresale entre las demás de su clase. **5** En los insectos sociales, hembra fecunda: *abeja* ~.

reinado *m.* Espacio de tiempo en que gobierna un rey o una reina. **2** p. ext. Espacio de tiempo en que predomina alguna cosa: *el* ~ *de los miriñaques.*

reinal *m.* Cuerdecita muy fuerte de cáñamo compuesta de dos ramales retorcidos.

reinar *intr.* Regir un rey o príncipe un estado: ~ *sobre muchos pueblos;* ~ *en España.* **2** Dominar o tener predominio una persona o cosa sobre otras. **3** fig. Prevalecer o persistir continuándose o extendiéndose una cosa: ~ *una costumbre, una enfermedad;* ~ *el terror entre las gentes.*

reincidencia *f.* Reiteración de una misma culpa o defecto.

reincidir *intr.* Volver a caer o incurrir en un error, falta o delito. **2** Recaer en una enfermedad.

reincorporar *tr.-prnl.* Volver a incorporar: ~ *a uno a su trabajo.*

reingresar *intr.* Volver a ingresar.

reino *m.* Territorio o estado con sus habitantes sujetos a un rey. 2 Provincia de un estado que antiguamente tuvo su rey propio y privativo. 3 Denominación taxonómica que incluye a todos los seres naturales: protoctistas, hongos, animales, vegetales y minerales.

reinsertar *tr.-prnl.* Reintegrar, dar [a alguien] los medios necesarios para adaptarse a la vida social: ~ *a un criminal;* ~ *a un drogadicto.*

reinstalar *tr.* Volver a instalar.

reintegrar *tr.* Restituir o satisfacer íntegramente [una cosa]: ~ *a un huérfano en sus bienes.* 2 Reconstituir la mermada integridad [de una cosa]. 3 Poner a un documento las pólizas que legalmente son obligatorias. – 4 *prnl.* Recobrarse enteramente de lo que se había perdido o dejado de poseer. 5 Volver a ejercer una actividad, incorporarse de nuevo a una colectividad o situación socioeconómica.

reintegro *m.* Pago (entrega). 2 En la lotería, premio igual a la cantidad jugada.

reír *intr.-prnl.* Manifestar alegría y regocijo mediante ciertos movimientos de la boca, la mirada y otras partes del rostro, acompañados de la emisión de una serie de sonidos explosivos e inarticulados. 2 fig. Hacer burla o zumba de una persona o cosa: *ríe,* o *se ríe, de vosotros.* 3 fig. Mostrar [algo] una expresión o aspecto alegre, festivo o gracioso capaz de infundir alegría: *el alba, el agua, el prado ríen.* – 4 *tr.* Celebrar con risa [alguna cosa]: ~ *unos chistes.* ◇ ** CONJUG. [37].

reiterar *tr.-prnl.* Volver a decir o ejecutar; repetir una cosa.

reiterativo, -va *adj.* Que tiene la propiedad de reiterarse. 2 Que denota reiteración.

reivindicar *tr.* DER. Recuperar uno [lo que de derecho le pertenece]. 2 en gral. Reclamar, exigir uno [aquello a que tiene derecho]. ◇ ** CONJUG. [1] como *sacar.*

I) reja *f.* Pieza de hierro del arado, para romper y revolver la tierra. 2 fig. Labor o vuelta dada a la tierra con el arado.

II) reja *f.* Red formada de barras de hierro de varios tamaños y figuras, que se pone en diversas aberturas para seguridad o adorno. 2 *Méj.* Zurcido en la ropa.

rejego, -ga *adj. Amér.* Remiso, manso, especialmente el ganado vacuno. 2 *Amér. Central* y *Méj.* Indomable.

rejera *f.* Cable, boya o ancla con que se procura mantener fijo o en posición conveniente un buque.

rejilla *f.* Celosía, red de alambre, tela metálica, tabla calada, etc., que suele ponerse en las ventanillas de los confesonarios, en el ventanillo de la puerta exterior de las casas, etc. 2 p. ext. Abertura pequeña cerrada con rejilla (celosía). 3 Tejido claro hecho con tiritas de

los tallos de ciertas plantas, como el bejuco, para respaldos y asientos de sillas y para otros usos. 4 Armazón de barras de hierro que sostiene el combustible en el hogar de las hornillas, hornos, etc. 5 Pantalla que se coloca entre el cátodo y el ánodo de la televisión, para regular el flujo electrónico.

rejo *m.* Punta o aguijón: *un ~ de hierro; el ~ de una abeja.* 2 Tentáculo de los cefalópodos. 3 Hierro puesto en el cerco de las puertas. 4 Tira de cuero. 5 Soga, cuerda. 6 Parte del embrión de la planta que al desarrollarse constituye la raíz. 7 fig. Robustez o fortaleza. 8 *Amér.* Látigo, azote.

rejón *m.* Barra o barrón de hierro cortante que remata en punta. 2 Asta de madera para rejonear, de metro y medio de largo aproximadamente, con una moharra en la punta y una muesca cerca de ella. 3 Púa del trompo.

rejonear *tr.* En el toreo a caballo, herir con el rejón [al toro] quebrándolo en el cuerpo del animal por la muesca que tiene cerca de la punta.

rejuntar *tr.* Escoger [algo], juntarlo. – 2 *prnl.* Amancebarse.

rejuvenecer *tr.-intr.-prnl.* Remozar, dar [a uno] la fortaleza y el vigor propios de la juventud: *ha rejuvenecido a sus compañeros; mi padre rejuvenece,* o *se rejuvenece.* – 2 *tr.* Renovar, dar actualidad [a lo desusado o postergado]. ◇ ** CONJUG. [43] como *agradecer.*

relación *f.* Acción de referir o referirse (expresar; dirigir). 2 Efecto de referir o referirse (expresar; dirigir). 3 Fragmento largo que dice el personaje de un poema dramático. 4 Lista de personas o cosas. 5 Conexión, correspondencia, trato de una persona o cosa con otra: *mantener buenas relaciones con los amigos; las relaciones comerciales.* 6 *Relaciones públicas,* actividad profesional cuyo fin es informar sobre personas, instituciones, empresas, tratando de aumentar su prestigio y ganar partidarios; *com.,* persona que desempeña dicha actividad. 7 GRAM. Enlace entre oraciones o entre palabras de una misma oración.

relacionar *tr.* Hacer relación [de un hecho], referirlo o relatarlo. 2 Poner en relación [personas o cosas]. – 3 *prnl.* fig. Hacer amistad con alguien.

relajación *f.* Acción de relajar o relajarse. 2 Efecto de relajar o relajarse. 3 Dominio de las funciones y actividades psicológicas. 4 Terapia activa de reposo muscular y nervioso.

relajar *tr.* Aflojar, laxar, ablandar: ~ *una cuerda.* 2 fig. Hacer menos severa y rigurosa [la observancia de leyes, estatutos, etc.]. 3 fig. Esparcir o divertir [el ánimo] con algún descanso. 4 GRAM. Aflojarse la tensión muscular con que se pronuncian los sonidos: *vocales relajadas.* – 5 *tr.-prnl.* Descansar, reposar. – 6 *prnl.* Laxarse o dilatarse una parte del cuerpo por debilidad o por una violencia que se hizo: *relajarse del lado izquierdo*. 7 fig. Viciarse o estragarse en las costumbres: *relajarse en la conducta*.

relajo *m.* Holganza, laxitud en el cumplimiento de las normas. 2 Degradación de costumbres. 3 *Cuba, Méj.* y *P. Rico.* Alboroto, desorden, barullo, escándalo: *la fiesta terminó con el gran ~*.

relamer *tr.* Volver a lamer [una cosa]. – 2 *prnl.* Lamerse los labios una y muchas veces. 3 fig. Afeitarse o componerse demasiadamente el rostro. 4 fig. Gloriarse o jactarse de lo que se ha ejecutado. 5 fig. Saborear una cosa por anticipado.

relamido, -da *adj.* Afectado, demasiadamente pulcro.

relámpago *m.* Resplandor muy vivo e instantáneo producido en las nubes por una descarga eléctrica. 2 fig. Fuego o resplandor repentino. 3 fig. Cosa que pasa ligeramente o es pronta en sus operaciones. 4 fig. Especie viva e ingeniosa.

relampaguear *impers.* Haber relámpagos. – 2 *intr.* fig. Arrojar luz, o brillar mucho con algunas intermisiones, especialmente los ojos muy vivos e iracundos.

relanzar *tr.* Dar nuevos impulsos a una actividad. 2 Repeler, rechazar [una cosa]. ◇ ** CONJUG. [4] como *realizar*.

relapso, -sa *adj.-s.* Que reincide en un pecado de que ya había hecho penitencia, o en una herejía de que había abjurado. – 2 *m.* Recaída en una enfermedad tras una cura aparente.

relatar *tr.* Referir (expresar).

relatividad *f.* Calidad de relativo. 2 FÍS. *Teoría de la ~*, conjunto de teorías formuladas por el físico alemán Alberto Einstein (1879-1955), sobre la imposibilidad de encontrar un sistema de referencia absoluto, lo que hace a los conceptos de tiempo y espacio relativos.

relativismo *m.* Doctrina epistemológica que niega la existencia de toda verdad absoluta, universalmente válida, según la cual la validez del conocimiento depende de aquellos lugares, tiempos, épocas históricas, ciclos de cultura u otras condiciones externas en los cuales este conocimiento se efectuó.

relativizar *tr.* Conceder [a algo] un valor o importancia menor. ◇ ** CONJUG. [4] como *realizar*.

relativo, -va *adj.* Que hace relación a una persona o cosa: *~ a la guerra; ~ al Papa.* 2 No absoluto: *valor ~; felicidad relativa.* – 3 *adj.-m.* GRAM. Palabra que enlaza o relaciona una oración subordinada que califica o determina a un elemento de la oración principal, el cual se llama antecedente. Realizan esta función siempre los pronombres relativos *que, el cual,*

quien, cuyo y en determinadas circunstancias los adverbios relativos *donde, cuando, cuanto, como.* 4 GRAM. Elemento sintáctico que hace referencia a algo ajeno a sí mismo: *pronombre ~; oración de ~.*

relato *m.* Acción de relatar (referir). 2 Narración, cuento.

relator, -ra *adj.-s.* Que relata o refiere una cosa.

relax *m.* Relajamiento físico o psíquico producido por ejercicios adecuados o por comodidad, bienestar u otra causa. ◇ Pl.: *relax.*

relazar *tr.* Enlazar o atar [una cosa] con varios lazos o vueltas. ◇ ** CONJUG. [4] como *realizar*.

releer *tr.* Leer de nuevo [una cosa]. ◇ ** CONJUG. [61] como *leer*.

relegar *tr.* Desterrar (expulsar). 2 fig. Apartar, posponer: *~ una cosa.* ◇ ** CONJUG. [7] como *llegar*.

releje *m.* Sarro que se cría en los labios o en la boca.

relente *m.* Humedad que en noches serenas se nota en la atmósfera. 2 fig. Sorna, frescura.

relevación *f.* Acción de relevar. 2 Efecto de relevar. 3 Alivio o liberación de la carga que se debe llevar o de la obligación que se debe cumplir. 4 DER. Exención de una obligación o un requisito.

relevante *adj.* Sobresaliente, excelente. 2 Importante o significativo.

relevar *tr.* Hacer de relieve o saliente [una cosa]. 2 fig. Exaltar, engrandecer [una cosa]: *~ demasiadamente una novela.* 3 Exonerar [de un peso o gravamen y también de un empleo o cargo]. 4 en gral. Reemplazar o substituir [a una persona] con otra en cualquier empleo. 5 Remediar o socorrer: *~ a uno con dinero.* 6 Absolver, perdonar: *~ a uno de sus culpas.* 7 MIL. esp. Mudar [un centinela o cuerpo de tropa] que da una guardia o guarnece un puesto. – 8 *rec.* Trabajar alternativamente, reemplazarse mutuamente.

relevista *adj.-com.* DEP. [pers.] Que practica algún deporte de relevos.

relevo *m.* MIL. Acción de relevar (reemplazar). 2 Persona o grupo que releva. 3 MIL. Cambio de guardia. 4 MIL. Soldado o guardia que releva. 5 DEP. Distancia recorrida por un deportista en una carrera de relevos. 6 DEP. Deportista que participa en dicha carrera. – 7 *Carrera de relevos,* o simplemente *relevos,* DEP., competición deportiva por equipos, generalmente formados por cuatro componentes, los cuales se suceden a cada tramo prefijado del recorrido.

relicario *m.* Lugar donde están guardadas las reliquias. 2 Caja o estuche, generalmente precioso, para custodiar reliquias. 3 *Amér.* Medallón.

relieve *m.* Labor o figura que resalta sobre

el plano. 2 Conjunto de los diferentes niveles que se hallan en la superficie de un país. 3 fig. Mérito, renombre. 4 *Alto, medio*, o *bajo* ~, ESC., aquel en que las figuras salen del plano más de la mitad, la mitad, o menos de la mitad de su bulto, respectivamente.

religión *f.* Conjunto de creencias o dogmas, normas éticas y morales de comportamiento social e individual, y prácticas rituales de oración o sacrificio que relacionan al hombre con la divinidad. 2 Virtud que nos mueve a dar a Dios el culto debido. 3 Profesión y observancia de la doctrina religiosa. 4 Obligación de conciencia, cumplimiento de un deber. 5 Orden, instituto religioso.

religiosamente *adv. m.* Con religión. 2 Con puntualidad y exactitud: *pagó* ~ *cuanto debía*.

religiosidad *f.* Práctica y esmero en cumplir las obligaciones religiosas. 2 Puntualidad, exactitud en hacer, observar o cumplir una cosa.

religioso, -sa *adj.-s.* Que ha tomado hábito en una orden religiosa regular. – 2 *adj.* Relativo a la religión o a los que la profesan. 3 Que tiene religión y particularmente que la profesa con celo. 4 Fiel y exacto en el cumplimiento del deber. 5 Moderado, parco.

relinchar *intr.* Emitir con fuerza su voz el caballo.

relincho *m.* Voz del caballo.

relinga *f.* Cuerda o soga en que van colocados los plomos y corchos de las redes. 2 Cabo con que se refuerzan las orillas de las velas.

relingar *tr.* MAR. Izar [una vela] hasta poner tirantes sus relingas de caída. ◇ ** CONJUG. [7] como *llegar*.

reliquia *f.* Residuo que queda de un todo. 2 Parte del cuerpo de un santo, o lo que por haberle tocado es digno de veneración. 3 fig. Vestigio de cosas pasadas.

****reloj** *m.* Instrumento para medir el tiempo o dividir el día en horas, minutos y segundos; un peso o un muelle produce, por lo común, el movimiento, que se regula con un péndulo

RELOJ

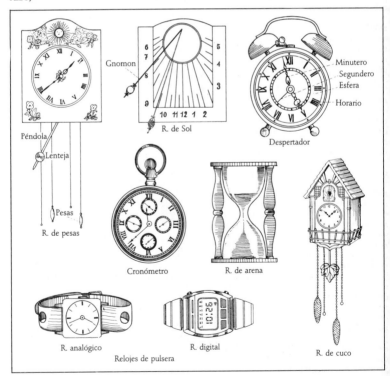

Gnomon

Minutero
Segundero
Esfera
Horario

R. de Sol

Despertador

Péndola
Lenteja

Pesas

R. de pesas

Cronómetro

R. de arena

R. analógico

R. digital

Relojes de pulsera

R. de cuco

o volante, y se transmite a unas manecillas indicadoras movidas sobre un disco o esfera por medio de varias ruedas dentadas; ~ **eléctrico,** aquel cuyo mecanismo es accionado y regulado por electricidad; ~ **digital,** el electrónico con pantalla de cristal líquido, que indica el tiempo mediante cifras; ~ **de pesas,** aquel cuyo movimiento se regula por las oscilaciones de un péndulo; ~ **analógico,** el tradicional de manecillas, con prestación analógica de la hora; ~ **de pulsera,** el que se lleva en la muñeca formando parte de la pulsera; ~ **de cuco,** cucú. 2 Artificio en general ideado para medir el tiempo o señalar las horas: ~ **de arena,** el compuesto de dos ampolletas unidas por el cuello y en que se mide el tiempo por medio de la arena que va cayendo de una a otra; ~ **de agua,** el que mide el tiempo por medio del agua que va cayendo de un vaso a otro; ~ **de sol** o **solar,** el que señala las diversas horas del día, por medio de la variable iluminación de un cuerpo expuesto al sol. 3 **Contra** ~, [hacer una cosa o resolver un asunto] en un plazo de tiempo perentorio o demasiado corto.

relojería *f.* Arte de hacer relojes. 2 Establecimiento del relojero.

relojero, -ra *m. f.* Persona que tiene por oficio hacer, componer o vender relojes.

relucir *intr.* Despedir o reflejar luz una cosa resplandeciente, o lucir o resplandecer mucho una cosa. 2 fig. Resplandecer uno en alguna cualidad excelente o por hechos loables. ◇ ** CONJUG. [45] como *lucir.*

reluctancia *f.* ELECTR. Resistencia que ofrece un circuito al flujo magnético.

reluctante *adj.* Reacio, opuesto.

relumbrar *intr.* Dar una cosa viva luz o alumbrar con exceso.

relumbro, -brón *m.* Golpe de luz vivo y pasajero.

rellano *m.* Descansillo. 2 Llano que interrumpe la pendiente de un terreno.

rellenar *tr.* Volver a llenar o llenar enteramente [una cosa]. 2 Llenar de carne picada u otros ingredientes [un ave u otro manjar]. – 3 *tr.-prnl.* fig. *y* fam. Dar de comer hasta la saciedad.

relleno, -na *adj.* Muy lleno. – 2 *m.* Acción de rellenar o rellenarse. 3 Efecto de rellenar o rellenarse. 4 Picadillo sazonado de carne, hierbas, etc., con que se llenan aves, hortalizas, o se acompaña el cocido. 5 fig. Parte superflua que alarga una oración o escrito.

rem *m.* Unidad de medida de los efectos de emisiones radiactivas.

remachar *tr.* Machacar la punta o la cabeza [del clavo ya clavado]; esp., percutir el extremo [del roblón colocado en el correspondiente taladro] hasta que forme cabeza. 2 Sujetar con remaches (roblones). 3 fig. Con-

firmar [lo que se ha dicho o hecho].

remache *m.* Acción de remachar. 2 Efecto de remachar. 3 Roblón (clavija).

remanecer *intr.* Aparecer de nuevo e inopinadamente. ◇ ** CONJUG. [43] como *agradecer.*

remanente *m.* Residuo de una cosa.

remanguillé (a la ~) *loc.* fam. Dañado, estropeado, en mal estado. 2 En completo desorden, revuelto, patas arriba.

remansarse *prnl.* Detenerse o suspenderse el curso o la corriente de un líquido.

remanso *m.* Detención de la corriente de un líquido; **río. 2 Lugar tranquilo. 3 fig. Pachorra, lentitud.

remar *intr.* Mover convenientemente el remo para impeler la embarcación. 2 fig. Trabajar con grande afán en una cosa.

remarcar *tr.* Volver a marcar [una cosa]. 2 GALIC. Notar, darse cuenta [de algo]. ◇ ** CONJUG. [1] como *sacar.*

rematadamente *adv. m.* Totalmente.

rematado, -da *adj.* [pers.] Que se halla en tan mal estado, que es imposible, o punto menos, su remedio. 2 Condenado por fallo ejecutorio a alguna pena.

rematante *com.* Persona a quien se adjudica la cosa subastada.

rematar *tr.* Poner fin a la vida [de la persona o del animal] que está en trance de muerte: ~ *al toro.* 2 Acabar, concluir o finalizar [una cosa]. 3 Hacer remate [de un objeto] en una subasta. 4 En el juego del fútbol, tirar a gol. 5 Terminar o fenecer. – 6 *prnl.* Perderse, acabarse o destruirse una cosa.

remate *m.* Fin o cabo, extremidad o conclusión de una cosa. 2 Lo que en las construcciones arquitectónicas, muebles, etc., se sobrepone para coronarlos o adornar su parte superior; **gótico. 3 Postura que logra la adjudicación en subasta para compraventas, arriendos, obras o servicios. 4 Adjudicación de los bienes vendidos en subasta al comprador de mejor puja y condición. 5 DEP. En el juego del fútbol, disparo a gol.

remecer *tr.* Mover reiteradamente [una cosa] de un lado a otro. ◇ ** CONJUG. [2] como *mecer.*

remedar *tr.* Imitar o contrahacer [una cosa]. 2 Seguir uno las mismas huellas y ejemplos [de otro] o llevar el mismo método [que él]. 3 esp. Hacer uno, por burla, las mismas acciones o visajes [que otro].

remediar *tr.-prnl.* Poner remedio [al daño], repararlo. 2 en gral. Corregir o enmendar [una cosa]. 3 Socorrer [una necesidad o urgencia]. 4 Librar, apartar de un riesgo [a una persona o cosa]. 5 Evitar o estorbar [que se ejecute una cosa de que se sigue daño]: *no he podido ~ que se fugara.* ◇ ** CONJUG. [12] como *cambiar.*

remediavagos *m.* Libro o manual que

resume una materia en poco espacio, para facilitar su estudio. 2 Procedimiento destinado a hacer una cosa con el mínimo esfuerzo. ◇ Pl.: *remediavagos*.

remedio *m.* Medio que se toma para reparar un daño o inconveniente: *poner ~ a las preocupaciones.* 2 Cosa que en las enfermedades sirve para producir un cambio favorable. 3 Enmienda o corrección. 4 Recurso, auxilio o refugio.

remembranza *f.* Recuerdo de una cosa pasada.

rememorar *tr.* Recordar, traer a la memoria [una cosa].

remendar *tr.* Reforzar con remiendo [lo que está viejo o roto]. 2 en gral. Corregir, enmendar: *~ un escrito.* 3 Aplicar una cosa [a otra] para suplir lo que le falta: *remendó el guiso con una salsa.* ◇ ** CONJUG. [27] como *acertar*.

remera *f.* Pluma larga y rígida con que terminan las alas de las **aves.

remero, -ra *m. f.* Persona que rema. – 2 *m.* ZOOL. Insecto hemíptero acuático.

remesa *f.* Envío que se hace de una cosa de una parte a otra. 2 La cosa enviada en cada vez.

remesonero, -ra *adj.* *Argent.* [caballería] De galope irregular.

remeter *tr.* Volver a meter o meter más adentro [una cosa].

remiendo *m.* Pedazo de tela que se cose a lo que está viejo o roto. 2 Obra de corta entidad que se hace en reparación de un desperfecto parcial. 3 fig. Composición, enmienda o añadidura que se introduce en una cosa. 4 fig. En la piel de los animales, mancha de distinto color que el fondo.

rémige *f.* Pluma mayor de las alas.

remigio *m.* Juego de naipes consistente en combinar diez cartas antes que ningún otro jugador, y exponerlas de una sola vez, de acuerdo con unas determinadas jugadas.

remilgarse *prnl.* Repulirse y hacer gestos y ademanes con el rostro. 2 *And.* Remangarse, alzarse [una prenda de vestir]. ◇ ** CONJUG. [7] como *llegar*.

reminiscencia *f.* Acción de representarse u ofrecerse a la memoria la especie de una cosa casi olvidada. 2 Aquello que en una obra recuerda algo de otras obras, especialmente en literatura y música. 3 Lo que sobrevive de una cosa y sirve para recordarla: *el carnaval es una ~ de las Saturnales.* 4 FIL. Facultad del alma con que traemos a la memoria aquellas especies que no tenemos presentes.

remirar *tr.* Volver a mirar o reconocer con reflexión [lo que se había visto]. – 2 *prnl.* Esmerarse mucho en lo que se hace o resuelve: *remirarse en la copia.* 3 Mirar o considerar una cosa complaciéndose en ella: *remirarse los libros; remirarse en el espejo.*

remisión *f.* Acción de remitir o remitirse. 2 Efecto de remitir o remitirse. 3 Indicación en un escrito, del lugar del mismo o de otro escrito a que se remite al lector.

remisivo, -va *adj.* Que remite o sirve para remitir.

remiso, -sa *adj.* Flojo, irresoluto, tímido. 2 [calidad física] Que tiene escasa actividad.

remisorio, -ria *adj.* Que tiene virtud o facultad de remitir o perdonar.

remite *m.* Nota que suele ponerse en el sobre, paquete, etc., para indicar el nombre y señas del remitente.

remitente *adj.-s.* Que remite.

remitido *m.* Artículo o noticia que un particular envía a un periódico para su publicación.

remitir *tr.* Enviar (dirigir). 2 esp. Indicar en un mismo o en otro escrito [un lugar que tenga relación con lo que se trata]: *el texto remite a la página siguiente.* 3 Perdonar, alzar [la pena], libertar [de una obligación]. 4 en gral. Diferir o suspender. 5 Ceder o perder [una cosa] parte de su intensidad: *remitiremos el ataque; el ataque remite,* o *se remite.* – 6 *prnl.* Atenerse a lo dicho o hecho o a lo que ha de decirse o hacerse por uno mismo o por otra persona: *remitirse a su propio acuerdo.*

remo *m.* Instrumento de madera en forma de pala larga y estrecha, que sirve para mover las embarcaciones haciendo fuerza en el agua; **barca. 2 Brazo o pierna, en el hombre y en los cuadrúpedos. 3 En las aves, ala, en número de dos. 4 fig. Trabajo grande y continuado. 5 DEP. Modalidad deportiva con embarcaciones impulsadas con remo (instrumento).

remodelar *tr.* Modificar, transformar, mejorar: *~ la fachada de un edificio.* 2 Reorganizar, reestructurar: *el presidente remodeló el gobierno.*

remojar *tr.* Empapar en agua [una cosa]. 2 fig. Celebrar uno [cualquier asunto feliz] convidando a beber a sus amigos: *remojaremos el nacimiento del niño.* 3 *Amér.* Dar propina.

rémol *m.* Pez marino teleósteo pleuronectiforme, parecido al rodaballo aunque de menor tamaño, más alargado, y de color gris amarillento o pardusco (*Scophthalmus rhombus*).

remolacha *f.* Planta herbácea quenopodiácea, de tallo derecho, hojas grandes, flores pequeñas, y raíz grande, carnosa, fusiforme, generalmente encarnada, comestible, de la cual se extrae azúcar (*Beta vulgaris*). 2 Raíz de la remolacha.

remolcador, -ra *adj.-s.* Que sirve para remolcar. 2 Embarcación potente que se usa para ayudar a los navíos en sus maniobras; **puerto.

remolcar *tr.* MAR. Llevar una embarcación [a otra] sobre el agua tirando de ella con un cable, cadena, etc. **2** p. anal. Llevar por tierra un vehículo [a otro]. **3** fig. Arrastrar, convencer. ◊ ** CONJUG. [1] como *sacar*.

remolido *m.* Mineral menudo que ha de someterse al lavado para purificarlo.

remolinar *intr.-prnl.* Hacer o formar remolinos una cosa; arremolinarse: *el agua remolina o se remolina.* **2** fig. Apiñarse, amontonarse.

remolinear *tr.* Mover [una cosa] alrededor en forma de remolino: ~ *el agua.*

remolino *m.* Movimiento giratorio y rápido del aire, el agua, el polvo, el humo, etc. **2** Retorcimiento del pelo en redondo, que se forma en una parte del cuerpo del hombre o del animal. **3** fig. Amontonamiento de gente, confusión de unos con otros. **4** fig. Disturbio, inquietud o alteración. – **5** fam. Persona inquieta.

I) remolón *m.* Colmillo de la mandíbula superior del jabalí. **2** Punta con que termina la corona de las muelas de las caballerías.

II) remolón, -lona *adj.-s.* Flojo, perezoso y que huye del trabajo maliciosamente.

remolonear *intr.-prnl.* Resistirse a hacer o admitir una cosa por flojedad y pereza.

remolque *m.* Acción de remolcar. **2** Efecto de remolcar. **3** Cabo que se da a una embarcación para remolcarla. **4** Cosa que se lleva remolcada. **5** Vehículo remolcado por otro.

remonta *f.* Compostura del calzado cuando se le pone de nuevo el pie o las suelas. **2** Parche de paño o de cuero que, puesto al pantalón de montar, evita su desgaste en el roce con la silla. **3** MIL. Compra, cría y cuidado de los caballos para proveer al ejército.

remontar *tr.* Ahuyentar o espantar [especialmente la caza que se retira al monte]. **2** Elevar [una cosa] por el aire. **3** fig. Elevar, encumbrar: ~ *a un poeta;* **prnl.,** *remontarse en alas de la poesía; remontarse sobre todos.* **4** Subir una pendiente, sobrepasarla. **5** Navegar aguas arriba. **6** Superar algún obstáculo o dificultad. – **7** *prnl.* Enojarse, irritarse. **8** Subir o volar muy alto las aves: *remontarse hasta el, o al, cielo; remontarse por los aires.* **9** fig. Subir hasta el origen de una cosa: *el historiador se remonta hasta el siglo X.* ◊ INCOR.: *remontar a tal época,* por *remontarse.*

remoquete *m.* Moquete o puñada. **2** fig. Dicho agudo y satírico. **3** fam. Cortejo o galanteo.

rémora *f.* Pez marino teleósteo, de cuerpo fusiforme, que tiene sobre la cabeza un disco oval provisto de láminas cartilaginosas movibles para adherirse fuertemente a otros peces y a objetos flotantes *(Echeneis remora; Remora r.).* **2** fig. Obstáculo que se opone al progreso de alguna cosa o lo dificulta.

remorder *tr.* Volver a morder o morderse [uno a otro]: *el perro nos ha remordido.* **2** fig. Inquietar, desasosegar interiormente una cosa

[a uno]; punzar un escrúpulo: *le remuerde la conciencia; esta acción me remuerde.* – **3** *prnl.* Descubrir o revelar con una acción algún sentimiento interior reprimido. ◊ ** CONJUG. [32] como *mover.*

remordimiento *m.* Pesar interno que queda después de ejecutar una mala acción.

remotamente *adv. l. t.* Lejanamente, apartadamente. **2** fig. Sin verosimilitud ni probabilidad de que exista o sea cierta una cosa; sin proximidad de que se verifique. **3** Confusamente.

remoto, -ta *adj.* Distante, apartado o lejano. **2** fig. Que no es verosímil, o está muy distante de suceder.

remover *tr.* Trasladar [una cosa de un lugar a otro]: ~ *una cosa de su puesto.* **2** Conmover, alterar [alguna cosa o asunto]: *lo ha removido todo.* **3** Quitar, apartar [un obstáculo]. **4** Destituir [a uno] de su empleo o destino. ◊ INCOR. y ANGLIC.: su uso con el significado de extraer o sacar. ◊ ** CONJUG. [32] como *mover.*

remozar *tr.-prnl.* Dar o comunicar cierta lozanía propia de la juventud: *lo has remozado; se remoza.* ◊ ** CONJUG. [4] como *realizar.*

remudar *tr.* Reemplazar [a una persona o cosa con otra]. **2** Trasplantar. – **3** *prnl.* Mudarse de ropa interior.

remuneración *f.* Acción de remunerar. **2** Efecto de remunerar. **3** Lo que se da o sirve para remunerar.

remunerar *tr.* Recompensar, premiar, pagar [a uno por alguna cosa]: ~ *un trabajo;* ~ *a su ayudante.*

renacentista *adj.* Relativo al Renacimiento. – **2** *adj.-com.* Persona que cultiva los estudios propios del Renacimiento.

renacer *intr.* Volver a nacer: *las flores renacen en el jardín;* ~ *a la vida.* **2** fig. Adquirir por el bautismo la vida de la gracia: ~ *con,* o *por, la gracia;* ~ *en Jesucristo.* **3** fig. Recobrar fuerzas. ◊ ** CONJUG. [42] como *nacer.*

renacimiento *m.* Acción de renacer. **2** Movimiento cultural que comienza a mediados del siglo XV y finaliza con el siglo XVI, caracterizado por el estudio de la antigüedad clásica griega y latina, una concepción libre y activa de la vida, un sentido prepotente del hombre considerado como personalidad creadora, el renacer de los valores terrenos y una revalorización del arte desnuda de preocupaciones moralizadoras y de postulados teológicos. **3** Época en que se produce dicho movimiento. **4** Nueva actividad dada a las artes, a las letras, a las ciencias, a la economía, etc.

renacuajo *m.* Larva de la rana, mientras conserva la cola y respira por branquias; **anfibios. 2** Larva de cualquier batracio. **3** fig. Muchacho contrahecho o enclenque y a la vez antipático o molesto.

renal *adj.* Relativo al riñón: *arteria, vena* ~.

rencilla *f.* Cuestión o riña de que queda algún encono.

renco, -ca *adj.-s.* Cojo por lesión de las caderas.

rencor *m.* Resentimiento tenaz.

rencoroso, -sa *adj.* Que tiene rencor.

rendaje *m.* Conjunto de riendas y demás correas de que se compone la brida de las cabalgaduras.

rendibú *m.* Acatamiento, agasajo. ◇ Pl.: *rendibúes.*

rendición *f.* Acción de rendir o rendirse. 2 Efecto de rendir o rendirse. 3 Rendimiento o utilidad.

rendido, -da *adj.* Sumiso, obsequioso, galante. 2 Muy cansado.

rendija *f.* Hendedura que se produce naturalmente en cualquier cuerpo sólido y lo atraviesa de parte a parte.

rendimiento *m.* Rendición, cansancio, debilidad. 2 Sumisión, humildad. 3 Expresión obsequiosa de acatamiento. 4 Producto o utilidad que da una cosa. 5 Trabajo útil: ~ *de un motor;* ~ *de una jornada de trabajo.*

rendir *tr.* Vencer, obligar [a las tropas, plazas fuertes enemigas, etc.] a que se entreguen. 2 Sujetar, someter [una cosa] al dominio de uno: ~ *el caballo a mi voluntad; prnl., rendirse el caballo a la destreza.* 3 MIL. Hacer [con ciertas cosas] actos de sumisión o respeto: ~ *armas;* ~ *la bandera.* 4 Cansar, fatigar: ~ *a uno de tanto correr;* ~ *al caballo con la carga; prnl., rendirse de tanto trabajar.* 5 Dar a uno [lo que le toca]; restituirle [aquello de que se le había desposeído]: *le rendiremos el sueldo entero;* en gral., dar o entregar: ~ *las llaves.* 6 p. anal. Dar [fruto o utilidad] una cosa: *esta hacienda rinde mucho trigo; abs., es un trabajo que no rinde.* 7 Con ciertos nombres forma perífrasis verbales que duplican con eufemismo los verbos en que la significación de aquellos nombres está contenida: ~ *gracias,* agradecer; ~ *obsequios,* obsequiar. – 8 *prnl.* Romperse un palo, mastelero o verga. 9 Someterse, entregarse al vencedor. – 10 *intr. Amér.* Cundir, durar una cosa más de lo regular. ◇ ** CONJUG. [34] como *servir.*

renegado, -da *adj.-s.* Que renuncia la ley de Jesucristo. 2 p. ext. Que renuncia (hacer dejación, despreciar) sus creencias o ideología. 3 fig. Persona desabrida y maldiciente.

renegar *tr.* Negar con instancia [una cosa]. 2 Detestar, abominar: ~ *de un antiguo amigo.* – 3 *intr.* Pasarse de una religión o culto a otro. 4 fig. *y* fam. Decir injurias y baldones contra uno. ◇ ** CONJUG. [48] como *regar.*

renegociar *tr.* Negociar con el fin de introducir modificaciones [en algo ya acordado]: ~ *un convenio.* ◇ ** CONJUG. [12] como *cambiar.*

renegrido, -da *adj.* [color] Cárdeno muy obscuro, especialmente hablando de contusiones.

renglón *m.* Serie de palabras o caracteres escritos o impresos en línea recta. 2 fig. Parte de renta, utilidad o beneficio que uno tiene, o del gasto que hace. – 3 *m. pl.* fig. Escrito o impreso.

reniforme *adj.* De forma de riñón.

renio *m.* Elemento muy raro, que se encuentra en los minerales de platino, hierro, molibdeno, etc. Su símbolo es *Re.*

renitente *adj.* Que se resiste a hacer o admitir una cosa.

reno *m.* Mamífero rumiante cérvido, propio de los países septentrionales, de astas ramosas, pelaje espeso y pezuñas gruesas y curvadas *(Rangifer tarandus).*

renombrado, -da *adj.* Célebre, famoso.

renombre *m.* Apellido o sobrenombre propio. 2 Epíteto de gloria. 3 Celebridad que adquiere uno por sus hechos gloriosos o por haber dado muestras de ciencia y talento.

renovar *tr.-prnl.* Hacer como de nuevo [una cosa] o volverla a su primer estado: ~ *un vestido; la primavera renueva el verdor de los campos.* 2 Restablecer o reanudar [una relación u otra cosa] que se había interrumpido: ~ *el trabajo;* ~ *una amistad.* – 3 *tr.* Remudar o reemplazar [una cosa]. 4 Trocar [una cosa vieja o que ya ha servido] por otra nueva: ~ *la cera, la plata.* 5 Reiterar o publicar de nuevo: ~ *la expresión de un afecto.* ◇ ** CONJUG. [31] como *contar.*

renquear *intr.* Andar como renco, meneándose a un lado y a otro; cojear. 2 fig. No acabar de decidirse el que ejecuta un acto o toma una resolución. 3 fig. Tener dificultades en alguna empresa, negocio, quehacer, etc.

renta *f.* Utilidad o beneficio que rinde anualmente una cosa, o lo que de ella se cobra. 2 Lo que paga en dinero o en frutos un arrendatario. 3 Deuda pública o títulos que la representan.

rentabilizar *tr.* Hacer rentable, beneficioso, ventajoso [algo]. ◇ ** CONJUG. [4] como *realizar.*

rentable *adj.* Que produce renta suficiente o remuneradora.

rentar *tr.* Producir [una cosa] renta o beneficio. 2 ANGL. Alquilar o arrendar.

rentista *com.* Persona que tiene conocimiento o práctica en materias de hacienda pública. 2 Persona que recibe renta procedente de papel del estado. 3 Persona que principalmente vive de sus rentas.

renuencia *f.* Repugnancia a hacer una cosa.

renuente *adj.* Indócil, remiso.

renuevo *m.* Vástago que echa el árbol después de podado o cortado.

renunciar *tr.* Hacer dejación voluntaria [de una cosa que se tiene o del derecho o acción que se puede tener]: ~ *una herencia en su hermano.* 2 p. anal. No querer admitir o aceptar [una cosa]: ~ *un ofrecimiento.* 3 Despreciar, abandonar: ~ *a un proyecto; ~ al mundo.* 4 Faltar a las leyes de algunos juegos de naipes por no servir el palo que se juega. ◇ ** CONJUG. [12] como *cambiar.*

renuncio *m.* fig. Mentira o contradicción en que se coge a uno.

renvalso *m.* CARP. Rebajo hecho en el canto de las hojas de puertas y ventanas para que encajen en el marco o unas con otras.

reñidero *m.* Lugar destinado a la riña de algunos animales, especialmente a la de los gallos.

reñido, -da *adj.* Que está enemistado con otro. 2 De mucha rivalidad, con poca diferencia entre contrincantes: *un encuentro de fútbol ~; unas oposiciones reñidas; unas elecciones reñidas.*

reñir *intr.* Contender o disputar de obra o de palabra. 2 Pelear (batallar). 3 Desavenirse, enemistarse. – 4 *tr.* Reprender o corregir [a uno] con algún rigor. 5 Ejecutar, llevar a efecto [una batalla, desafío, pelea, etc.] ◇ ** CONJUG. [36] como *ceñir.*

I) reo *com.* Persona que, por haber cometido una culpa, merece castigo.

II) reo *m.* Vez, turno.

III) reo, -a *adj.* Criminoso, culpado.

reoca *f.* fam. Extraordinario: *es la ~.* ◇ Se usa con el verbo *ser.*

reómetro *m.* Aparato para medir la cantidad de agua que lleva una corriente.

reordenar *tr.* Ordenar de nuevo.

reorganizador, -ra *adj.* Relativo a la reorganización. – 2 *m. f.* Persona que reorganiza.

reorganizar *tr.* Volver a organizar [una cosa]. ◇ ** CONJUG. [4] como *realizar.*

reorientar *tr.* fig. Dar una orientación nueva: ~ *las negociaciones; ~ a los estudiantes hacia otras carreras.*

reóstato *m.* Instrumento para medir y hacer variar la resistencia en un circuito eléctrico. ◇ INCOR.: *reostato.*

repantigarse *prnl.* Arrellanarse. ◇ ** CONJUG. [7] como *llegar.*

reparación *f.* Acción de reparar (remediar). 2 Efecto de reparar (remediar). 3 Desagravio, satisfacción completa de una ofensa, daño o injuria.

reparado, -da *adj.* Reforzado, proveído. 2 Bizco o que tiene otro defecto en los ojos.

I) reparar *tr.* Componer o enmendar el menoscabo que ha sufrido [una cosa]. 2 en gral. Enmendar o corregir: ~ *los errores del libro.* 3 Desagraviar, satisfacer al ofendido: ~ *una injuria.* 4 Remediar o precaver [un daño o perjuicio]: ~ *las pérdidas con la victoria;* **prnl.,** *repararse del daño.* 5 Restablecer [las fuerzas]; dar aliento y vigor: ~ *el ánimo.* 6 Mirar con cui-

dado, notar, advertir [una cosa]: ~ *un barco en el horizonte;* **intr.,** *repare usted en esto.* 7 en gral. Atender, considerar, reflexionar: *repáralo bien.*

II) reparar *tr.* Oponer una defensa [contra un golpe] para librarse de él. 2 *Amér.* Encabritarse el caballo.

reparo *m.* Restauración o remedio. 2 Obra hecha para componer una fábrica o edificio deteriorado. 3 Advertencia, nota, observación sobre una cosa. 4 Duda, dificultad o inconveniente. 5 Cosa que se pone por defensa o resguardo.

repartimiento *m.* Acción de repartir. 2 Efecto de repartir. 3 Sistema de repoblación por el que se distribuían las casas y heredades de las poblaciones reconquistadas entre los que habían tomado parte en su conquista.

repartir *tr.* Distribuir entre varios [una cosa] dividiéndola por partes: ~ *una cosa a,* o *entre, algunos; ~ en porciones iguales.* 2 esp. Cargar [una contribución o gravamen] por partes. 3 Dar [a cada cosa] su colocación o destino conveniente. 4 Clasificar, ordenar. 5 Señalar o atribuir partes a un todo. 6 Extender o distribuir una materia sobre una superficie. 7 Adjudicar los papeles de una obra dramática a los actores.

reparto *m.* Repartimiento. 2 Distribución de papeles entre actores teatrales o cinematográficos.

repasar *tr.* Volver a pasar por un mismo sitio o lugar: ~ *un camino;* **intr.,** ~ *por un camino.* 2 Volver a mirar o registrar [una cosa]: ~ *las habitaciones.* 3 esp. Esponjar y limpiar [la lana] para cardarla después de teñida. 4 Examinar [una obra] para corregir sus imperfecciones. 5 Reconocer muy por encima [un escrito]. 6 Volver a explicar [la lección]. 7 Releer [lo que se ha estudiado] para retenerlo mejor en la memoria: ~ *un examen.*

repatear *tr.* fam. Fastidiar, molestar, desagradar mucho.

repatriar *tr.* Hacer [que uno] regrese a su patria: ~ *a los soldados; los soldados se repatrían.* ◇ ** CONJUG. [14] como *auxiliar.*

repecho *m.* Cuesta bastante pendiente y no larga.

repeinado, -da *adj.* Peinado de nuevo. 2 fig. [pers.] Aliñado con afectación y exceso, especialmente de rostro y cabeza.

repeinar *tr.* Volver a peinar, o peinar por segunda vez [a alguien]. – 2 *prnl.* Peinarse con mucho esmero.

repelar *tr.* Tirar del pelo [a uno] o arrancarlo. 2 Hacer dar al caballo [una carrera corta]. 3 Cortar las puntas [a la hierba]. 4 fig. Cercenar, disminuir: ~ *las uñas.*

repelencia *f.* *Amér.* Asco, repugnancia.

repelente *adj.* Que repele (arroja). 2 Que produce repulsión. 3 fam. [pers.] Que resulta antipática por creerse superior a los demás.

repeler *tr.* Arrojar, echar de sí [una cosa] con impulso o violencia. 2 Rechazar, contradecir [una idea o aserto]. 3 Causar repugnancia o aversión.

repelo *m.* Lo que no va al pelo. 2 Parte pequeña de cualquier cosa que se levanta contra lo natural. 3 Conjunto de fibras torcidas de una madera. 4 fig. Riña o encuentro ligero. 5 fig *y* fam. Repugnancia que se muestra al ejecutar una cosa.

repelón *m.* Tirón que se da del pelo. 2 En las medias, hebra que, saliendo, encoge los puntos que están inmediatos. 3 fig. Porción que se toma de una cosa, como arrancándola. 4 fig. Carrera impetuosa que da el caballo.

repelús *m.* Escalofrío producido por temor, desagrado o repugnancia.

repeluzno *m.* fam. Escalofrío.

repellar *tr.* Arrojar pelladas [de yeso o cal] a la pared.

repensar *tr.* Volver a pensar [una cosa] con reflexión. ◇ ** CONJUG. [27] como *acertar*.

repente *m.* fam. Movimiento súbito de personas o animales. 2 *De ~,* prontamente, sin preparación.

repentino, -na *adj.* Pronto, impensado, no prevenido.

repentizar *intr.* Ejecutar a la primera lectura piezas de música. 2 Improvisar en general. ◇ ** CONJUG. [4] como *realizar*.

repercutir *intr.* Retroceder o mudar de dirección un cuerpo al chocar con otro. 2 Reflejarse el sonido. 3 Trascender, causar efecto una cosa en otra ulterior: *el valor del dólar ha repercutido en los precios.*

repertorio *m.* Libro en que sucintamente se hace mención de cosas notables, remitiéndose a lo que se expresa más extensamente en otros escritos. 2 Lista de obras teatrales o musicales que una persona, compañía o empresa tiene estudiadas y preparadas para representar o ejecutar. 3 Colección de obras o de noticias de una misma clase.

repescar *tr.* fig. Admitir nuevamente al que ha sido eliminado en un examen, en una competición, etc. 2 Recuperar [a una persona o cosa] que se había dejado a un lado, u olvidado. ◇ ** CONJUG. [1] como *sacar*.

repetidor, -ra *adj.* Que repite. – 2 *m.* Amplificador de señal utilizado en las telecomunicaciones.

repetir *tr.* Volver a hacer [lo que se había hecho] o decir [lo que se había dicho]. – 2 *intr.* Venir a la boca el sabor de lo que se ha comido o bebido. 3 Volver al mismo curso, por no haberlo aprobado. – 4 *prnl.* Insistir un artista en sus obras, en las mismas actitudes, perspectivas, grupos, etc. ◇ ** CONJUG. [34] como *servir*.

repetitivo, -va *adj.* Que se repite.

repicar *tr.* Picar [una cosa]; reducirla a partes muy menudas. 2 Volver a picar o punzar. 3 Tañer o sonar repetidamente [las campanas] en señal de fiesta o regocijo; p. ext., sonar [otros instrumentos]: *las campanas repican muy alegres; repica el tambor.* – 4 *prnl.* Preciarse, presumir de una cosa. ◇ ** CONJUG. [1] como *sacar*.

repicotear *tr.* Adornar [un objeto] con picos, ondas o dientes.

repintar *tr.* Pintar [sobre lo ya pintado]: *~ un cuadro, una pared.* – 2 *prnl.* Pintarse o usar de afeites con esmero o cuidado.

repipi *adj.* fam. Cursi, afectado.

repique *m.* Acción de repicar o repicarse. 2 Efecto de repicar o repicarse. 3 fig. Altercado ligero.

repiquete *m.* Repique vivo y rápido de campanas. 2 Lance o reencuentro.

repiquetear *tr.-intr.* Repicar con mucha viveza [las campanas u otro instrumento sonoro]: *las castañuelas repiquetean.*

repisa *f.* Especie de ménsula de más longitud que vuelo, para sostener un objeto de utilidad o adorno, o servir de piso a un balcón. 2 Estante, anaquel.

replantar *tr.* Volver a plantar [en sitio que ha estado plantado]. 2 Trasplantar.

replantear *tr.* Trazar en el suelo o sobre el plano de cimientos [la planta de una obra ya proyectada]. 2 Volver a plantear [un problema o asunto].

replay *m.* Repetición de imágenes, generalmente en televisión. ◇ Se pronuncia *repléi*.

replegar *tr.* Plegar o doblar muchas veces [una cosa]. – 2 *tr.-prnl.* Retirarse en buen orden las tropas avanzadas. 3 DEP. Retroceder en sus líneas un equipo. ◇ ** CONJUG. [48] como *regar*.

repleto, -ta *adj.* Muy lleno; esp., [pers.] muy lleno de comida.

réplica *f.* Acción de replicar. 2 Expresión, argumento con que se replica. 3 Copia de una obra artística que reproduce con igualdad la original.

replicar *intr.* Instar o argüir contra la respuesta o argumento. – 2 *intr.-tr.* Poner objeciones a lo que se dice o manda: *los niños no replican; no repliques mis órdenes.* ◇ ** CONJUG. [1] como *sacar*.

repliegue *m.* Pliegue doble. 2 Acción de replegarse las tropas. 3 Efecto de replegarse las tropas.

repoblación *f.* Acción de repoblar o repoblarse. 2 Efecto de repoblar o repoblarse. 3 Conjunto de árboles o especies vegetales en terrenos repoblados.

repoblar *tr.* Volver a poblar: *~ un país.* 2 Poblar los lugares de los que se ha expulsado a los pobladores anteriores, o que han sido abandonados. 3 Plantar árboles: *~ un monte.* ◇ ** CONJUG. [31] como *contar*.

repollar *intr.-prnl.* Formar repollo; esp., ciertas plantas y sus hojas.

repollo *m.* Grumo o cabeza más o menos redonda que forman, apiñándose o apretándose unas contra otras, las hojas de algunas plantas; como la lombarda y cierta especie de lechugas. 2 Variedad de col, de hojas firmes, comprimidas y abrazadas tan estrechamente, que forman entre todas, antes de echar el tallo, a manera de una cabeza *(Brassica oleracea capitata)*.

reponer *tr.* Volver a poner, colocar [a una persona o cosa] en el empleo, lugar o estado que antes tenía. 2 p. ext. Completar [lo que falta o lo que se había sacado] de alguna parte. 3 Replicar, oponer [alguna razón o especie]. 4 Repetir en otra temporada la representación [de una obra teatral] o la proyección [de una película]. – 5 *prnl.* Recobrar la salud o la hacienda. 6 Serenarse, tranquilizarse. ◇ ** CONJUG. [78] como *poner.*; pp. irreg.: *repuesto.*

reportación *f.* Sosiego, serenidad, moderación.

reportaje *m.* Reporte, información o conjunto de noticias, más o menos glosadas, que se publica en los periódicos, en el cine o en la televisión.

I) reportar *tr.-prnl.* Refrenar o moderar [una pasión del ánimo o al que la tiene]. 2 Alcanzar, lograr [una cosa] o sacar provecho de ella: *reportaron con su trato grandes ventajas.* 3 Traer o llevar: ~ *una noticia.* 4 Retribuir, proporcionar, recompensar.

II) reportar *tr.* *Amér. Central.* ANGL. Denunciar, acusar; informar, notificar.

reporte *m.* Noticia (suceso). 2 Chisme (noticia).

reportero, -ra *adj.-s.* Periodista que tiene por oficio reunir reportes o noticias.

reposacabezas *m.* Dispositivo que sirve para apoyar la cabeza en determinados asientos. ◇ Pl.: *reposacabezas.*

reposado, -da *adj.* Sosegado, quieto, tranquilo.

reposapiés *m.* Banquillo o tarima pequeña que se coloca delante de quien está sentado para que descanse los pies. 2 Especie de estribo situado a ambos lados de las motocicletas para apoyar los pies. ◇ Pl.: *reposapiés.*

reposar *intr.* Descansar: ~ *después de comer; tr.,* ~ *la comida.* 2 Descansar durmiendo un breve sueño. 3 Permanecer en quietud y paz una persona o cosa. 4 Estar enterrado, yacer. – 5 *intr.-prnl.* Tratándose de líquidos, posarse.

repostada *f.* *And.* y *Amér.* Respuesta descortés y áspera.

repostar *tr.-prnl.* Reponer [provisiones, combustible, etc.].

repostería *f.* Establecimiento del repostero. 2 Conjunto de provisiones e instrumentos del

repostero. 3 Gente empleada en este oficio. 4 Lugar donde se guarda lo perteneciente al servicio de mesa. 5 Arte del repostero.

repostero, -ra *m. f.* Persona que tiene por oficio hacer o vender pastas, dulces, fiambres y algunas bebidas.

reprender *tr.* Corregir, amonestar [a uno] vituperando lo que ha dicho o hecho.

reprensible *adj.* Digno de reprensión.

reprensión *f.* Acción de reprender. 2 Expresión o razonamiento con que se reprende.

represa *f.* Acción de represar o recobrar. 2 Detención o estancación que se hace de una cosa, especialmente del agua. 3 fig. Detención de algunas cosas no materiales.

represalia *f.* Derecho que se arrogan los enemigos para causarse recíprocamente igual o mayor daño que el que han recibido: *las represalias contra la población civil.* 2 Retención de los bienes de una nación con la cual se está en guerra, o de sus individuos. 3 Medida o trato de rigor que adopta un Estado contra otro, sin llegar a ruptura violenta de relaciones. 4 p. ext. Mal que un particular causa a otro en venganza o satisfacción de un agravio.

represaliar *tr.-intr.* Tomar represalias. ◇ ** CONJUG. [12] como *cambiar.*

represar *tr.* Detener o estancar [el agua corriente]. 2 fig. Contener, reprimir: ~ *la multitud.*

representación *f.* Acción de representar o representarse. 2 Efecto de representar o representarse. 3 Antiguo nombre de la obra dramática; número de veces que se presenta al público: *la comedia ha logrado cincuenta representaciones.* 4 Figura, imagen o idea que substituye a la realidad. 5 Autoridad, dignidad, carácter de la persona. 6 Conjunto de personas que representan a una entidad, colectividad o corporación.

representante *com.* Persona que representa a otra o a un cuerpo o comunidad. 2 Agente que representa a una casa comercial fuera de la localidad donde aquélla está establecida.

representar *tr.-prnl.* Hacer presente [una persona o cosa] en la imaginación por medio de palabras o figuras: *les representé el peligro que corrían; se representó a su madre; se representó el cuadro en la imaginación.* – 2 *tr.* Informar, declarar, referir: *me representó el incidente con todos sus detalles.* 3 esp. Manifestar uno [el afecto de que está poseído]: *representaba su dolor con los ademanes.* 4 Ser imagen o símbolo [de una cosa] o imitarla perfectamente: *la paloma representa a la paz; este cuadro representa la batalla de Lepanto.* 5 p. ext. Recitar o ejecutar en público [una obra dramática]. 6 Substituir [a uno] o hacer sus veces: ~ *al rey.* 7 Aparentar una persona [determinada edad]: *representa 40 años.*

representativo, -va *adj.* Que representa o sirve para representar [a alguien o algo]. 2 Que tiene condición ejemplar o de modelo.

represión *f.* Acción de represar o represarse. 2 Efecto de represar o represarse. 3 Acción de reprimir o reprimirse. 4 Efecto de reprimir o reprimirse. 5 Acto, o conjunto de actos, ordinariamente desde el poder, para contener, detener o castigar con violencia actuaciones políticas o sociales.

represivo, -va *adj.* Que reprime. 2 fig. Autoritario.

reprimenda *f.* Reprensión vehemente y prolija.

reprimir *tr.-prnl.* Contener, refrenar o templar: ~ *el alboroto;* ~ *una pasión; reprimirse sin cesar.*

reprís *m.* Capacidad de aceleración del motor de un automóvil desde la posición de parado.

reprivatizar *tr.* Transferir de nuevo al sector privado lo que anteriormente se había expropiado. ◇ ** CONJUG. [4] como *realizar.*

reprobar *tr.* No aprobar [a una persona o cosa], dar por malo. ◇ ** CONJUG. [31] como *contar.*

réprobo, -ba *adj.-s.* Condenado a las penas eternas. 2 [pers.] Condenado por su heterodoxia religiosa. 3 Malvado.

reprochar *tr.* Reconvenir, echar en cara [una cosa]: ~ *a uno una mala acción.*

reproducción *f.* Acción de reproducir o reproducirse. 2 Efecto de reproducir o reproducirse. 3 Cosa reproducida.

reproducir *tr.-prnl.* Volver a producir o producir de nuevo [una cosa]. 2 En los seres vivos, propagarse o conservarse las especies. 3 Imitar, copiar: *reproduce sus ademanes;* ~ *un cuadro de Velázquez.* 4 Volver a hacer presente [lo que antes se dijo o alegó]. ◇ ** CONJUG. [46] como *conducir.*

reproductor, -ra *adj.-s.* Que reproduce. – 2 *m. f.* Animal destinado a mejorar su raza. – 3 *m.* Aparato utilizado para reproducir escritos por cualquiera de los procedimientos conocidos.

reprografía *f.* Técnica de reproducción mediante procedimientos lumínicos, caloríficos, eléctricos, etc. 2 Conjunto de medios utilizados en dicha técnica.

repromisión *f.* Promesa repetida.

reps *m.* Tela de seda o de lana fuerte y bien tejida, usada en obras de tapicería. ◇ Pl.: *reps.*

reptar *intr.* Andar arrastrándose como los reptiles. 2 Adular, cometer bajezas para congraciarse con los poderosos.

reptil *adj.-m.* Animal de la clase de los reptiles. – 2 *m. pl.* Clase de vertebrados ovíparos, poiquilotermos, de circulación doble pero incompleta, respiración pulmonar, piel cubierta de escamas y miembros atrofiados o dispuestos de tal modo que obligan al animal a caminar casi rozando el suelo con el vientre; comprende cinco órdenes: quelonios, cocodrilos, rinocéfalos, saurios y ofidios. – 3 *adj.-s.* fig. [pers.] Rastrero, vil. ◇ La Academia admite la acentuación *réptil.*

república *f.* Estado (cuerpo político). 2 Forma de gobierno representativo en que la soberanía reside en una asamblea del pueblo o en un senado; el poder ejecutivo, no hereditario, reside en un presidente. 3 ~ *bananera,* desp., país, especialmente de América, políticamente inestable, gobernado por una dictadura militar, y sometido a los intereses de empresas multinacionales.

republicanismo *m.* Condición de republicano. 2 Sistema político de los republicanos (partidos). 3 Amor a la república (forma de gobierno).

republicano, -na *adj.* Relativo a la república (forma de gobierno). – 2 *adj.-s.* Ciudadano de una república. 3 Partidario de la república (gobierno).

repudiar *tr.* Desechar, repeler [la mujer propia]. 2 Renunciar (no admitir). ◇ ** CONJUG. [12] como *cambiar.*

repudio *f.* Acción de repudiar. 2 Efecto de repudiar. 3 Renuncia. 4 Afrenta, oprobio.

repuesto, -ta *adj.* Apartado, retirado, escondido. – 2 *m.* Prevención de cosas para cuando sean necesarias: *de ~,* de prevención. 3 Aparador o mesa en que está preparado lo necesario para el servicio de la comida o cena. 4 Recambio.

repugnancia *f.* Oposición o contradicción entre dos cosas. 2 FIL. Incompatibilidad de dos atributos o cualidades de una misma cosa. 3 Asco, aversión. 4 Aversión que se siente o resistencia que se opone a consentir o hacer una cosa.

repugnar *tr.* Ser opuesta una cosa [a otra]. 2 FIL. Entrañar contradicción o no concertar una cosa o cualidad [con otra]. 3 Contradecir o negar [una cosa]: *repugnaba todo lo que yo decía.* 4 Rehusar, admitir, con dificultad o hacer de mala gana [una cosa]: *repugna toda clase de trabajo.* – 5 *intr.* Causar asco o disgusto una cosa: *este manjar repugna; me repugna el juego.*

repujar *tr.* Labrar a martillo [chapas metálicas] de modo que en una de las caras resulten figuras de relieve. 2 p. ext. Hacer resaltar figuras [en cuero u otra materia adecuada].

repulgo *m.* Dobladillo (pliegue). 2 Borde labrado que hacen a las empanadas o pasteles alrededor de la masa. 3 Excrecencia en las heridas de los árboles. – 4 *m. pl.* Melindres, miramientos, escrúpulos ridículos.

repulir *tr.-prnl.* Volver a pulir [una cosa]. 2 Acicalar, componer [a una persona] con demasiada afectación.

repulsa *f.* Acción de repulsar. 2 Efecto de repulsar. 3 Reprimenda.

repulsar *tr.* Desechar o despreciar [una cosa]. 2 Denegar [lo que se pide o pretende].

repulsión *f.* Acción de repeler. 2 Efecto de repeler. 3 Repulsa. 4 Repugnancia, aversión.

repulsivo, -va *adj.* Que tiene acción o virtud de repulsar.

repullo *m.* Movimiento violento del cuerpo, especie de salto dado por sorpresa o susto. 2 fig. Demostración exterior y violenta de la sorpresa que causa una cosa inesperada.

repunta *f.* Punta o cabo de tierra más saliente que otros inmediatos. 2 fig. Indicio o primera manifestación de alguna cosa. 3 fig. *y* fam. Desazón, contienda.

repuntar *intr.* MAR. Empezar la marea para creciente o para menguante. – 2 *prnl.* Empezar a volverse el vino; tener punta de vinagre. 3 fig. Indisponerse levemente una persona con otra. – 4 *intr. Amér.* Empezar a manifestarse alguna cosa, como enfermedad, cambio de tiempo, etc. 5 *Amér.* Volver a subir un río que estaba bajando. – 6 *tr. Amér.* Reunir los animales que están dispersos en un campo.

repunte *m.* ECON. Pequeña subida de un índice económico tras un período de descenso. 2 *Argent., Parag. y Urug.* Alza de precios.

reputación *f.* Fama (opinión y gloria).

reputar *tr.* Estimar o hacer concepto de las calidades o estado [de una persona o cosa]: ~ *a alguno por honrado.* 2 Apreciar (estimar): *reputo en mucho tus luces.*

requebrar *tr.* Volver a quebrar en piezas más menudas [lo que estaba ya quebrado]. 2 fig. Lisonjear [a una mujer] alabando sus atractivos. 3 en gral. Adular, lisonjear. ◇ ** CONJUG. [27] como *acertar.*

requemar *tr.-prnl.* Volver a quemar o tostar con exceso [una cosa]. 2 Privar de jugo [a las plantas] haciéndoles perder su verdor: *el sol requema los sembrados.* 3 fig. Encender [la sangre] excesivamente. – 4 *prnl.* Sentirse o resentirse interiormente sin darlo a conocer.

requerir *tr.* Intimar [a uno] o hacerle saber una cosa con autoridad pública: ~ *a los revoltosos que se presenten.* 2 en gral. Solicitar, pretender: ~ *el auxilio de alguno.* 3 p. anal. Reconocer o examinar [una cosa] con cierta autoridad: *requirió las cuentas una a una.* 4 Inducir, persuadir: *nos requirió con mucha elocuencia y bondad.* 5 Necesitar o ser necesaria [una cosa]: *esta lucha requiere mucho tacto; prnl., requerirse algo en, o para, un negocio.* ◇ ** CONJUG. [35] como *hervir.*

requesón *m.* Masa blanda y mantecosa de la leche cuajada. 2 Cuajada que se saca de la leche después de hecho el queso.

requeté *m.* Agrupación militar del partido tradicionalista. 2 Individuo que pertenece a esta agrupación.

requiebro *m.* Acción de requebrar. 2 Efecto de requebrar. 3 Dicho con que se requiebra.

réquiem *m.* Composición musical que se canta con el texto litúrgico de la misa de difuntos, o parte de él. ◇ Pl.: *réquiems.*

requintar *tr.* Sobrepujar, aventajar mucho: *tu hermano requinta a los demás.* 2 *Amér.* Apretar mucho, atirantar.

requisa *f.* Revista o inspección de las personas o de las dependencias de un establecimiento. 2 Requisición.

requisar *tr.* Hacer requisición [de caballos, vehículos, alimentos, etc.] para el servicio militar. 2 fam. Apropiarse de cosa ajena.

requisición *f.* Recuento y embargo de caballos, vehículos, alimentos, etc., para el servicio militar.

requisito *m.* Condición necesaria para una cosa.

res *f.* Animal cuadrúpedo de ciertas especies domésticas, como el ganado vacuno, lanar, etc., o de los salvajes, como venados, jabalíes, etc.

resabiar *tr.* Hacer, tomar un vicio o mala costumbre: *sus amigos lo han resabiado.* – 2 *prnl.* Disgustarse un alimento, desazonarse: *resabiarse un guiso.* 3 Saborear (percibir y apreciar). ◇ ** CONJUG. [12] como *cambiar.*

resabio *m.* Sabor desagradable que deja una cosa. 2 Vicio, mala costumbre o inclinación que perdura o reaparece.

resaca *f.* Movimiento en retroceso de las olas después que han llegado a la orilla. 2 Limo o residuos que el mar o los ríos después de la crecida dejan en la orilla. 3 Malestar que se sufre al día siguiente de la borrachera. 4 *Amér. Central y Colomb.* Aguardiente de la mejor calidad.

resaltar *intr.* Rebotar (botar repetidamente). 2 Saltar (botar). 3 Sobresalir en parte un cuerpo de otro, especialmente en los edificios. 4 fig. Distinguirse o sobresalir mucho una cosa entre otras: *este color resalta más que el otro.*

resalto *m.* Acción de resaltar (sobresalir). 2 Efecto de resaltar (sobresalir).

resarcir *tr.* Indemnizar, reparar [un daño o agravio]. ◇ ** CONJUG. [3] como *zurcir.*

resbaladizo, -za *adj.* Que resbala fácilmente. 2 [paraje] Que puede provocar un resbalón. 3 fig. [cosa] Que expone a incurrir en algún desliz.

resbalar *intr.-prnl.* Escurrirse, deslizarse: ~ *con, en, o sobre, el hielo; resbalarse de, o de entre, las manos; resbalarse por la pendiente.* 2 fig. Incurrir en un desliz.

resbalavieja *f.* Planta anual de hojas lanceoladas dispuestas en roseta basal, con flores en espiga cilíndrica *(Plantago bellardii).* ◇ Pl.: *resbalaviejas.*

resbalón *m.* Acción de resbalar o resbalarse. 2 Efecto de resbalar o resbalarse.

rescatar *tr.* Recobrar por precio o por fuerza [una persona o cosa], especialmente [lo que el enemigo ha cogido]. 2 Trocar oro u otros objetos preciosos [por mercaderías ordinarias]. 3 fig. Recobrar [el tiempo o la ocasión perdidos]. 4 fig. Librar [a uno] de trabajo, vejación o contratiempo. 5 *Amér.* Traficar yendo de un lado para otro.

rescate *m.* Acción de rescatar. 2 Efecto de rescatar. 3 Dinero con que se rescata, o que se pide para ello.

rescindir *tr.* Dejar sin efecto [un contrato, obligación, etc.].

rescisión *f.* Acción de rescindir. 2 Efecto de rescindir.

rescoldo *m.* Brasa menuda resguardada por la ceniza. 2 fig. Escozor, recelo o escrúpulo.

I) resecar *tr.-prnl.* Secar mucho [una cosa]. ◇ ** CONJUG. [1] como *sacar*.

II) resecar *tr.* Efectuar la resección [de un órgano]. ◇ ** CONJUG. [1] como *sacar*.

resección *f.* CIR. Operación que consiste en separar el todo o parte de uno o más órganos.

reseco, -ca *adj.* Demasiadamente seco. 2 Seco (flaco). – 3 *m.* Parte seca del árbol o arbusto. 4 Sensación de sequedad en la boca.

reseda *f.* Planta resedácea de jardín, de tallos ramosos, hojas alternas, y flores amarillentas y olorosas *(Reseda odorata)*. 2 Flor de esta planta. ◇ INCOR.: *resedá*.

resedáceo, -a *adj.-f.* Planta de la familia de las resedáceas. – 2 *f. pl.* Familia de plantas dicotiledóneas, herbáceas, de hojas alternas, enteras o hendidas, con estípulas glandulosas, flores cigomorfas en racimo o espiga, y fruto capsular; como la reseda.

resentido, -da *adj.-s.* Persona que guarda algún resentimiento.

resentimiento *m.* Acción de resentirse. 2 Efecto de resentirse.

resentirse *prnl.* Empezar a flaquear o sentirse una cosa: ~ *del,* o *en el, costado.* 2 fig. Tener sentimiento o enojos por una cosa: ~ *con,* o *contra, alguno; de,* o *por, alguna cosa.* ◇ ** CONJUG. [35] como *hervir*.

reseña *f.* Revista que se hace de la tropa. 2 Nota que se toma de las señales más distintivas del cuerpo de una persona, de un animal o de otra cosa, para conocerlo fácilmente. 3 Narración sucinta. 4 Exposición crítica o literaria en un periódico o revista.

reseñar *tr.* Hacer la reseña [de una cosa].

reserva *f.* Guarda, custodia o prevención que se hace de una cosa. 2 Cautela para no descubrir algo. 3 Discreción, circunspección, comedimiento. 4 Parte del ejército o armada de una nación que no está en servicio activo. 5 Cuerpo de tropas que no toma parte en una campaña o en una batalla hasta que se considera conveniente su auxilio. 6 Acción de reservar [plaza en un hotel, tren, avión, etc.].

7 Efecto de reservar [plaza en un hotel, tren, avión, etc.]. 8 En juntas o asambleas, observación explícita que hace alguno de sus miembros para condicionar o restringir el significado y alcance de su voto: *el delegado de los trabajadores se adhirió, con reservas, a la proposición.* 9 Vino que posee una crianza mínima de tres años en envase de roble y botella. 10 Parque nacional. 11 En ciertos países, territorio reservado a los indígenas. 12 ECON. Conjunto de fondos o valores guardados por un agente económico en previsión de eventuales necesidades o por razones legales. – 13 *f. pl.* Recursos, elementos disponibles para resolver una necesidad o realizar una empresa. – 14 *com.* DEP. Jugador suplente de un equipo.

reservado, -da *adj.* Cauteloso, reacio en manifestar su interior. 2 Comedido, discreto, circunspecto. – 3 *m.* Compartimiento de un coche, ferrocarril, estancia de un edificio, etc., destinado a personas o a usos determinados.

reservar *tr.* Guardar para más adelante o para cuando sea necesaria [una cosa]: ~ *un pan para mañana.* 2 p. anal. Dilatar para otro tiempo [lo que se podía o se debía ejecutar al presente]: ~ *una venganza.* 3 Destinar [un lugar o una cosa] de un modo exclusivo para uso o persona determinados: ~ *una mesa en un restaurante.* 4 p. anal. Separar uno [algo de lo que se distribuye] reteniéndolo para sí o para otro: ~ *un pan.* 5 Exceptuar, dispensar [a uno] de una ley común: *mi hijo fue reservado del servicio militar.* 6 Retener o no comunicar [una cosa] o el ejercicio o conocimiento de ella: *reservó la noticia para sí.* 7 En gral. Encubrir, ocultar, callar [una cosa]: *los vecinos reservaron el robo.* 8 Retener con anticipación [plaza en un hotel, tren, avión, etc.]. – 9 *prnl.* Conservarse o irse deteniendo para mejor ocasión. 10 Cautelarse, guardarse, desconfiar de uno.

reservista *adj.-com.* Militar perteneciente a la reserva.

resfriado *m.* Catarro, constipado. 2 Destemple general del cuerpo, ocasionado por interrumpirse la transpiración. 3 Riego que se da a la tierra cuando está seca y dura, para poderla arar.

resfriar *tr.* Enfriar. 2 fig. Entibiarse, templar el ardor o fervor: ~ *el entusiasmo.* – 3 *intr.* Empezar a hacer frío. – 4 *prnl.* Contraer resfriado. ◇ ** CONJUG. [13] como *desviar*.

resguardar *tr.* Defender o reparar [una cosa]. – 2 *prnl.* Cautelarse o prevenirse contra un daño: *resguardarse con el muro; resguardarse de los fríos.*

resguardo *m.* Guardia, seguridad que se pone en una cosa. 2 Seguridad que por escrito se hace en las deudas o contratos.

residencia *f.* Acción de residir. 2 Efecto de residir. 3 Lugar en que se reside. 4 Edificio donde una autoridad o corporación tiene su domicilio o donde ejerce sus funciones. 5 Casa donde, sujetándose a determinada reglamentación, residen y conviven personas afines por la ocupación, el sexo, la edad, etc.

residencial *adj.* Reservado para viviendas de gran calidad y bienestar: *zona, barrio* ~.

residir *intr.* Estar de asiento en un lugar. 2 esp. Hallarse uno personalmente en determinado lugar por razón de su empleo, dignidad, etc.: *los reyes residen en la capital.* 3 fig. Estar, hallarse en una persona cualquier cosa inmaterial: ~ *mucha inteligencia en uno.* 4 fig. Radicar en un punto o en una cosa el quid de la cuestión: *en el cálculo reside la dificultad.*

residual *adj.* Relativo al residuo. 2 Que sobra o queda como residuo.

residuo *m.* Parte o porción que queda de un todo. 2 Lo que resulta de la descomposición o destrucción de una cosa: ~ *nuclear* o *radiactivo,* objeto radiactivo inutilizable que queda tras la fisión nuclear.

resignación *f.* Entrega voluntaria que uno hace de sí poniéndose en las manos de otro. 2 Conformidad (tolerancia).

resignar *tr.* Entregar una autoridad el mando a otra en circunstancias excepcionales. – 2 *prnl.* Conformarse, entregar su voluntad, condescender: *resignarse con su suerte.*

resina *f.* Substancia orgánica, principalmente de origen vegetal, sólida o semisólida, transparente y translúcida, soluble en el alcohol y en los aceites esenciales, insoluble en el agua, que arde produciendo humo. 2 esp. La que se obtiene del pino.

resinar *tr.* Sacar resina [a ciertos árboles] haciendo incisiones en el tronco.

resinoso, -sa *adj.* Que tiene resina. 2 Que participa de alguna de las cualidades de la resina.

resistencia *f.* Acción de resistir o resistirse. 2 Efecto de resistir o resistirse. 3 Capacidad para resistir. 4 Causa que se opone a la acción de una fuerza: ~ *eléctrica,* oposición que presenta un conductor al paso de la corriente eléctrica; ~ *pasiva,* aquella que en una máquina dificulta su movimiento y disminuye su efecto útil. 5 Fuerza que se opone a la acción de una máquina y ha de ser vencida por la potencia; como el peso del cuerpo que se quiere mover mediante una **palanca, una polea, un torno, etc. 6 Cuerpo poco conductor, o conductor de mucha longitud, que se intercala en un circuito para que obre por su resistencia eléctrica. 7 fig. Renuncia en hacer alguna cosa.

resistir *intr.-prnl.* Oponerse un cuerpo o una fuerza a la acción o violencia de otra. 2 en gral. Rechazar, repeler: ~ *a la violencia.* 3 Rechazar, contradecir: *el muchacho resiste a mis razones.* – 4 *tr.* Tolerar, aguantar [una cosa]: *la columna resiste mucho peso.* 5 Combatir las pasiones, apetitos, etc.: ~ *la tentación de comer.* – 6 *prnl.* Bregar, forcejear: *se resiste con ímpetu.*

resma *f.* Conjunto de 20 manos de papel.

resol *m.* Reverberación del sol.

resolución *f.* Acción de resolver o resolverse. 2 Efecto de resolver o resolverse. 3 Ánimo, valor, arresto. 4 Actividad, prontitud, viveza. 5 Decreto, providencia, auto o fallo de autoridad gubernativa o judicial. 6 Fidelidad [del sonido reproducido al original]. 7 Definición [de una imagen].

resolutivo, -va *adj.* [método] Analítico. – 2 *adj.-m.* Que tiene virtud de resolver.

resoluto, -ta *adj.* Resuelto. 2 Versado, diestro, expedito. 3 Compendioso, abreviado, resumido.

resolutorio, -ria *adj.* Que tiene, motiva o denota resolución.

resolver *tr.* Tomar una resolución decisiva: *el rey resolvió la paz.* 2 Dar solución [a una dificultad o duda]. 3 Hallar la solución [a un problema]. 4 Deshacer, destruir; esp., deshacer un agente natural [alguna cosa]: *las aguas resuelven los cantos en arenas; prnl., el agua se resuelve en oxígeno e hidrógeno.* 5 Analizar, dividir física o mentalmente [un compuesto] en sus elementos: *Tales resolvía todos los seres en agua.* 6 Resumir, recapitular: *el autor resuelve sus puntos de vista en una página.* – 7 *prnl.* Atreverse a decir o hacer una cosa: *resolverse por tal partido.* 8 Reducirse, venir a parar una cosa en otra: *el agua se resuelve en vapor.* ◊ ** CONJUG. [32] como *mover;* pp. irreg.: *resuelto.*

resollar *intr.* Respirar. 2 Respirar fuertemente y con algún ruido. ◊ ** CONJUG. [31] como *contar.*

resonancia *f.* Prolongación del sonido, que se va disminuyendo por grados. 2 Sonido producido por repercusión de otro. 3 Sonido elemental que acompaña al principal y le comunica un timbre particular. 4 fig. Gran divulgación que adquiere un hecho o las cualidades de una persona.

resonar *intr.* Hacer sonidos por repercusión, o sonar mucho; úsase en poesía como transitivo. 2 Ser muy sonoro. 3 fig. Divulgarse. ◊ ** CONJUG. [31] como *contar.*

resoplar *intr.* Dar resoplidos.

resoplido, resoplo *m.* Resuello fuerte.

resorte *m.* Muelle (pieza elástica). 2 Fuerza elástica de una cosa. 3 fig. Medio para lograr un fin.

I) respaldar *m.* Respaldo (parte del asiento). 2 Derrame de jugos producido en el tronco de los árboles por golpes violentos.

II) respaldar *tr.* Proteger, guardar: *sus amigos le respaldan.* – 2 *prnl.* Inclinarse de espaldas o arrimarse al respaldo de un asiento: *respaldarse en la silla; respaldarse con,* o *contra, la pared.* – 3 *tr.* Amér. Afianzar el cumplimiento [de una obligación].

respaldo *m.* Parte de la silla o banco en que descansan las espaldas. 2 Espaldera para apoyar una planta. 3 fig. Apoyo, amparo, protección.

respectar *intr.* Tocar, decir relación, atañer: *por lo que respecta a la guerra.* ◇ Verbo defectivo; se usa sólo en la tercera persona del singular.

respectivamente *adv. m.* Con relación, proporción o consideración a una cosa. 2 Según la relación o conveniencia necesaria a cada caso.

respectivo, -va *adj.* Relativo a persona o cosa determinada. 2 [miembro o conjunto de miembros de una serie] Que tiene correspondencia con un miembro o conjunto de miembros de otra serie por unidades o conjuntos.

respecto *m.* Razón, relación o proporción de una cosa con otra.

résped, réspede *m.* Lengua de la culebra o de la víbora. 2 Aguijón de la abeja o de la avispa. 3 fig. Intención malévola de las palabras.

respetable *adj.* Digno de respeto. 2 Considerable en número, en tamaño. – 3 *m.* Público que asiste a un espectáculo.

respetar *tr.* Tener respeto: ~ *a su padre;* ~ *las leyes.*

respeto *m.* Consideración sobre la excelencia de alguna persona o cosa, sobre la superior fuerza de algo, que nos conduce a no faltar a ella, a no afrontarla: *el* ~ *a las leyes, a la religión; el* ~ *a la palabra dada; infundir* ~ *por la fuerza.* 2 Miramiento, atención, deferencia: *el* ~ *a los ancianos.* 3 Cosa de prevención o repuesto: *carroza de* ~.

respetuoso, -sa *adj.* Que causa veneración y respeto. 2 Que observa veneración y respeto.

réspice *m.* Respuesta desabrida. ◇ Pl.: *réspices.*

respingar *intr.* Sacudirse la bestia y gruñir. ◇ ** CONJUG. [7] como *llegar.*

respingo *m.* Sacudida violenta del cuerpo. 2 fig. Expresión o ademán con que uno muestra repugnancia a ejecutar lo que se le manda.

**respiración *f.* Acción de respirar. 2 Efecto de respirar. 3 Aire que se respira. 4 Entrada y salida del aire en un lugar cerrado.

respiradero *m.* Abertura por donde entra y sale el aire. 2 Lumbrera, tronera. 3 fig. Respiro, descanso.

respirar *intr.* Absorber el aire los seres vivos y expelerlo sucesivamente para mantener las funciones vitales de la sangre. – 2 *tr.* Absorber cualquier clase [de substancia gaseosa] por los pulmones: ~ *el aire viciado, cloroformo.* 3 Realizar el organismo aeróbico la absorción del oxígeno propia de la respiración seguida de la expulsión de anhídrido carbónico. 4 p. anal. Vivir: *aún respira.* 5 fig. Tener

salida o comunicación con el aire externo o libre un fluido que está encerrado: *el aire del balón,* o *el balón, respira.* 6 fig. Despedir de sí un olor: *sus vestidos respiran, y no a ámbar.* 7 fig. Animarse, cobrar aliento: *al oír al doctor hemos respirado.* 8 esp. Descansar, cobrar aliento después de un trabajo: *al concluir respiraremos un poco.* 9 fig. y fam. Hablar (darse a entender), especialmente con negación: *el chico no respiró.* 10 esp. Dar noticia de sí la persona ausente. 11 fig. Manifestar una pasión que rebosa: ~ *saña.* 12 fig. Gozar de un ambiente más fresco, cuando en un lugar o tiempo hace mucho calor.

respiratorio, -ria *adj.* Que sirve para la respiración o la facilita.

respiro *m.* Respiración (acción y efecto). 2 fig. Rato de descanso en el trabajo. 3 Alivio de una fatiga, pena o dolor. 4 Prórroga que obtiene el deudor.

resplandecer *intr.* Despedir rayos de luz o lucir mucho una cosa. 2 fig. Sobresalir, aventajarse. ◇ ** CONJUG. [43] como *agradecer.*

resplandor *m.* Luz muy clara que despide un cuerpo luminoso. 2 fig. Brillo de algunas cosas. 3 fig. Esplendor o lucimiento.

responder *tr.* Contestar, satisfacer a lo que se pregunta: ~ *algo; no sé qué* ~; *abs., tu hermano no responde.* 2 esp. Contestar uno [al que le llama o toca a la puerta]: *tu hermano no me responde.* 3 Contestar [al billete o carta que se ha recibido]. 4 Satisfacer [al argumento, duda, dificultad, etc.]: *el profesor responderá a tu duda.* 5 Replicar [a un pedimento o alegato]. 6 Cantar o recitar en correspondencia [con lo que otro canta o recita]. 7 Corresponder con su voz los animales, especialmente las aves [a la de los otros de su misma especie]. – 8 *intr.* Corresponder, repetir el eco. 9 Corresponder, mostrarse agradecido. 10 fig. Dicho de las cosas inanimadas, surtir el efecto que se desea o pretende. 11 esp. Rendir o fructificar: *este campo responde.* 12 Corresponder con una acción a la realizada por otros. 13 esp. Replicar, ser respondón. 14 Estar uno obligado a la pena y resarcimiento correspondientes a un daño causado: *tú responderás con tu cabeza.* 15 p. anal. Asegurar una cosa como garantizando de la verdad de ella: *respondo de su buen comportamiento.* 16 esp. Garantizar el valor de una cosa: ~ *de una operación de banca.* 17 Corresponder, guardar proporción una cosa con otra: *la silla responde a la mesa.* 18 esp. Mirar, estar situado, un lugar, edificio, etc., hacia una parte determinada: *esta sala responde más al norte.* ◇ CONJUG.: INDIC.: Pret. indef.: *respondí* o *repuse.* Partic.: *respondido;* ant.: *respuesto.*

respondón, -dona *adj.-s.* Que tiene el vicio de replicar irrespetuosamente.

responsabilidad *f.* Calidad de responsable; obligación de responder de una cosa. 2

Cargo u obligación moral que resulta para uno del posible yerro en cosa o asunto determinado.

responsabilizar *tr.* Hacer a una persona responsable de alguna cosa. – 2 *prnl.* Asumir la responsabilidad de alguna cosa, responder por ella. ◇ ** CONJUG. [4] como *realizar.*

responsable *adj.* Que responde [está obligado; garantiza; sale fiador]. 2 Serio, eficaz [en el comportamiento o en el trabajo]: *una persona ~.* – 3 *com.* Persona que ocupa un puesto de responsabilidad: *el ~ del personal del ayuntamiento.*

responsablemente *adv. m.* Con sentido o conciencia de la propia responsabilidad.

responso *m.* Oración que, separada del rezo, se dice por los difuntos.

respuesta *f.* Acción de responder. 2 Aquello con que se responde a una pregunta, objeción, acusación, etc.: *la ~ a su carta; su ingenio tiene respuestas para todo; preguntas y respuestas.* 3 Réplica. 4 Refutación (acción y efecto; argumento). 5 Acción con que uno corresponde a la de otro.

resquebrajar *tr.-prnl.* Hender ligeramente [algunos cuerpos duros]; producir grietas.

resquemar *tr.* Causar algunas substancias [en la boca] calor picante y mordaz: *la guindilla resquema la lengua; abs., esta salsa resquema.* 2 fig. Escocer (el ánimo). – 3 *tr.-prnl.* Requemar (privar de jugo).

resquemo *m.* Acción de resquemar o resquemarse. 2 Efecto de resquemar o resquemarse. 3 Sabor y olor desagradables que adquieren los alimentos por la acción del fuego.

resquemor *m.* Escozor (sentimiento). 2 Resentimiento.

resquicio *m.* Abertura entre el quicio y la puerta. 2 p. ext. Hendedura pequeña. 3 fig. Coyuntura u ocasión que se proporciona para un fin. 4 *Amér.* Huella, vestigio.

resta *f.* Operación de restar.

restablecer *tr.* Volver a establecer [una cosa]; ponerla en el estado que antes tenía. – 2 *prnl.* Recobrar la salud, repararse de cualquier daño. ◇ ** CONJUG. [43] como *agradecer.*

restallar *intr.* Chasquear la honda o el látigo. 2 Crujir, hacer fuerte ruido.

restante *m.* Residuo de una cosa.

restañar *tr.-intr.-prnl.* Estancar, detener el curso [de un líquido, especialmente la sangre]:

RESPIRACIÓN

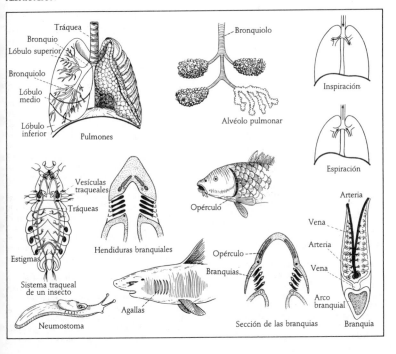

Tráquea
Bronquio
Lóbulo superior
Bronquiolo
Lóbulo medio
Lóbulo inferior
Pulmones
Bronquiolo
Alvéolo pulmonar
Inspiración
Espiración
Vesículas traqueales
Tráqueas
Estigmas
Sistema traqueal de un insecto
Neumostoma
Hendiduras branquiales
Opérculo
Opérculo
Branquias
Agallas
Sección de las branquias
Arteria
Vena
Arteria
Vena
Arco branquial
Branquia

~ *la herida,* o *la sangre de la herida; la sangre* *restaña,* o *se restaña.*

restar *tr.* Separar o sacar [una parte] de un todo y hallar el residuo que queda. 2 esp. Substraer [una cantidad, substraendo], de otra, minuendo, hallando la diferencia entre las dos. 3 Disminuir, cercenar: ~ *fuerzas al enemigo.* 4 Devolver el resto [la pelota] al saque. – 5 *intr.* Faltar o quedar: *en todo lo que resta de año.*

restauración *f.* Acción de restaurar. 2 Efecto de restaurar. 3 Restablecimiento en un país del régimen político que existía y que había sido substituido por otro. 4 Período histórico que comienza con este restablecimiento.

restaurante *adj.-s.* Que restaura. – 2 *m.* Establecimiento donde se sirven comidas.

restaurar *tr.* Recuperar o recobrar: *mi hijo restauró su confianza en los estudios.* 2 Reparar, volver a poner [una cosa] en aquel estado o estimación que antes tenía: ~ *el prestigio, las costumbres, la fe.* 3 esp. Reparar [una pintura, escultura, etc.] del deterioro que haya sufrido.

restiforme *adj.* En forma de cordón.

restinga *f.* Banco de arena de situación muy superficial, que en algunos casos emerge formando islotes.

restituir *tr.* Volver [una cosa] a quien la tenía antes. 2 p. anal. Restablecer [una cosa] en el estado que antes tenía: ~ *una cosa por entero; restituido en sus estados.* – 3 *prnl.* Volver uno al lugar de donde había salido: *restituirse a su casa.* ◇ ** CONJUG. [62] como *huir.*

restitutorio, -ria *adj.* Que restituye, o se da, o se recibe, por vía de restitución.

resto *m.* Residuo (parte; diferencia). 2 Cantidad consignada en los juegos de envite para jugar y envidar. 3 Jugador que devuelve la pelota al saque. 4 Sitio desde donde se resta (la pelota). 5 Acción de restar (la pelota). – 6 *m. pl.* **Restos mortales,** el cuerpo humano después de muerto. ◇ GALIC.: por *lo demás, lo restante.*

restregar *tr.* Estregar mucho y con ahínco [una cosa]. ◇ ** CONJUG. [48] como *regar.* Se considera vulgar la conjugación regular.

restricción *f.* Limitación o modificación.

restrictivo, -va *adj.* Que tiene virtud o fuerza para restringir y apretar. 2 Que restringe, limita o coarta.

restricto, -ta *adj.* Limitado, ceñido o preciso.

restringir *tr.* Ceñir, circunscribir, reducir a menores límites [generalmente cosas no materiales]: ~ *la libertad, los gastos, el sentido.* 2 Astringir. ◇ ** CONJUG. [6] como *dirigir.*

resucitar *tr.* Volver la vida [a un muerto]. 2 fig. Restablecer, dar nuevo ser a una cosa. – 3 *intr.* Volver uno a la vida: *Cristo resucitó.*

resudar *intr.* Sudar ligeramente. 2 Perder

los troncos tendidos de los árboles el exceso de humedad antes de ser sometidos a la labra.

resuelto, -ta *adj.* Audaz, arrojado y libre. 2 Pronto, diligente, expedito.

resuello *m.* Respiración, especialmente la violenta.

resulta *f.* Efecto, consecuencia. 2 Lo que últimamente se resuelve en una deliberación o conferencia.

resultado *m.* Efecto y consecuencia de un hecho, operación o deliberación.

resultar *intr.* Nacer, originarse, ser consecuencia una cosa de otra: *esto resulta de las operaciones realizadas.* 2 p. anal. Aparecer, manifestarse o comprobarse una cosa: *la casa resulta pequeña.* 3 Salir (venir a ser; tener éxito): *resultó vencedor; los esfuerzos resultaron vanos.* 4 p. ext. Redundar, venir a parar una cosa en provecho o daño de una persona o de algún fin: *el negocio resultó bien,* o *resultó.* 5 fam. Agradar: *el libro no me resulta.*

resultón, -tona *adj.-s.* Que tiene buena presencia física, agradable: *fulano es ~; una casa resultona.*

resumen *m.* Acción de resumir o resumirse. 2 Efecto de resumir o resumirse. 3 Exposición resumida de un asunto o materia; **periódico.

resumir *tr.* Reducir a términos breves y precisos lo esencial [de un asunto o materia]: ~ *un libro; la cuestión se resume en estas líneas.* 2 Repeler el actuante [el silogismo del contrario]. – 3 *prnl.* Convertirse, resolverse una cosa en otra: *resumirse el azúcar en alcohol.* ◇ INCOR.: por *reasumir.*

resurgencia *f.* Reaparición de un curso subterráneo de agua.

resurgir *intr.* Surgir de nuevo, volver a aparecer. 2 Resucitar (revivir). ◇ ** CONJUG. [6] como *dirigir.*

resurrección *f.* Acción de resucitar. 2 Efecto de resucitar. 3 Pascua (fiesta cristiana).

resurtir *intr.* Retroceder un cuerpo de resultas del choque con otro.

retablo *m.* Conjunto o colección de figuras pintadas o de talla, que representan en serie una historia o suceso. 2 Obra de arquitectura que compone la decoración de un altar.

retacear *tr.* Recortar. 2 *Argent., Parag.* y *Urug.* Escatimar, disminuir con intención mezquina lo que se da a otros material o moralmente.

retaco *m.* Escopeta corta muy reforzada en la recámara. 2 En el juego de trucos y billar, taco más corto que los regulares. 3 fig. Persona rechoncha.

retaguarda, -dia *f.* Último cuerpo de tropa, que cubre el movimiento de un ejército en marcha o en operaciones: *a retaguardia,* en la retaguardia; rezagado, postergado. 2 DEP. Línea de defensa de un equipo.

retahíla *f.* Serie de muchas cosas que van una tras otra: *citó una ~ de autores.*

retajar *tr.* Cortar en redondo [una cosa].

retal *m.* Pedazo sobrante de una tela, piel, chapa, etc. 2 Desperdicio de piel, que sirve para hacer la cola que usan los pintores.

retama *f.* Mata leguminosa papilionácea con muchas ramas delgadas, largas, flexibles; hojas pequeñas lanceoladas; flores amarillas, y legumbre oval *(Spartium junceum).*

retar *tr.* Desafiar, provocar a duelo, batalla o contienda: ~ *a uno de muerte;* ~ *de traidor.* 2 fam. Reprender, echar en cara.

retardar *tr.* Diferir, detener, entorpecer: ~ *la marcha; los obreros retardan su trabajo.*

retazo *m.* Retal de una tela. 2 fig. Fragmento de un discurso, escrito, etc.

retén *m.* Prevención que se tiene de una cosa. 2 Tropa que se tiene dispuesta para reforzar uno o más puestos militares.

retención *f.* Acción de retener. 2 Efecto de retener. 3 Parte o totalidad retenida de un haber. 4 Atasco de tráfico en una carretera.

retener *tr.* Conservar, guardar en sí, no devolver [una cosa]: ~ *un libro;* no dejar que se separe [una persona]: ~ *a un amigo.* 2 p. anal. Conservar en la memoria [una cosa]: ~ *una poesía;* **abs.,** *esto es fácil de* ~. 3 Conservar el empleo [que se tenía] cuando se pasa a otro. 4 Suspender en todo o en parte el pago [del haber que uno ha devengado] y reservar la cantidad para el pago de alguna deuda. 5 Imponer prisión preventiva, arrestar. ◇ ** CONJUG. [87] como *tener.*

retentar *tr.* Volver a amenazar la enfermedad o accidente [que el enfermo padeció ya]. ◇ ** CONJUG. [27] como *acertar.*

retentiva *f.* Memoria, facultad de acordarse.

retentivo, -va *adj.-s.* Que tiene virtud de retener.

reticencia *f.* Efecto de no decir sino en parte, o de dar a entender que se oculta algo que pudiera decirse.

reticente *adj.* Que usa reticencias. 2 Que incluye reticencia.

reticular *adj.* De figura de redecilla o de red: *aparejo* ~.

retículo *m.* Tejido en forma de red: ~ *endoplásmico,* sistema de membranas contenido en el interior del citoplasma celular cuya función es la secreción y transporte de substancias de un punto a otro de la **célula. 2 Conjunto de dos o más hilos cruzados o paralelos que se ponen en el foco de ciertos instrumentos ópticos y sirve para precisar la visual o para efectuar mediciones delicadas; lente.

retina *f.* Membrana interior del **ojo, que cubre la coroides hasta el iris, formada esencialmente por expansiones del nervio óptico y en la cual se reciben las impresiones luminosas.

retinte, -tintín *m.* Sensación persistente en el oído del sonido de una campana u otro cuerpo de sonido agudo. 2 fig. Tonillo y modo de hablar, por lo común para zaherir a uno o dar a entender más de lo que se dice.

retinto, -ta *adj.-m.* Color castaño muy obscuro como el de ciertos animales. – 2 *adj.* De color retinto.

retirada *f.* Acción de retirarse. 2 Efecto de retirarse. 3 Acción de retroceder en orden apartándose del enemigo. 4 Terreno que queda en seco cuando cambia el cauce natural de un río. 5 Lugar que sirve de acogida segura. 6 Retreta (toque militar).

retirado, -da *adj.* Distante, apartado, desviado. – 2 *adj.-s.* Militar que deja oficialmente el servicio, conservando algunos derechos.

retirar *tr.* Apartar o separar [una persona o cosa] de otra o de un sitio. 2 Obligar [a uno] a que se retire, expulsarle. 3 esp. Apartar de la vista [una cosa]; ocultarla. – 4 *prnl.* Apartarse o separarse del trato o amistad: *retirarse del mundo; retirarse a la soledad.* 5 Jubilarse.

retiro *m.* Acción de retirarse. 2 Efecto de retirarse. 3 Situación del militar retirado. 4 Haber que disfruta. 5 Lugar distante del concurso de la gente. 6 Ejercicio piadoso que consiste en practicar ciertas devociones retirándose de las ocupaciones ordinarias. 7 Recogimiento, apartamiento.

reto *m.* Acción de retar. 2 Efecto de retar. 3 Amenaza. 4 *Amér.* Regaño, insulto.

retobar *tr. Amér.* Forrar o cubrir con cuero. – 2 *prnl. Amér.* Enojarse, enfadarse con reserva taimada.

retocar *tr.* Volver a tocar o tocar repetidamente [una cosa]. 2 fig. Dar [a un dibujo, cuadro o fotografía] ciertos toques para quitarle imperfecciones. 3 esp. Restaurar [las pinturas] deterioradas. 4 en gral. Dar la última mano [a cualquier obra]. ◇ ** CONJUG. [1] como *sacar.*

retoñar *intr.* Volver a echar vástagos la planta. 2 fig. Reproducirse lo que había dejado de ser o estaba amortiguado.

retoño *m.* Vástago que echa de nuevo la planta. 2 fig. *y* fam. Hablando de personas, hijo, especialmente el de corta edad.

retoque *m.* Pulsación repetida y frecuente. 2 Última mano dada a cualquier obra. 3 Amago de un accidente o de ciertas enfermedades.

retor *m.* Tela de algodón fuerte y ordinaria, en que la trama y urdimbre están muy torcidas.

retorcer *tr.* Torcer mucho [una cosa] dándole vueltas alrededor, especialmente el hilo cuando se fabrica. 2 fig. Dirigir [un argumento] contra el mismo que lo hace. 3 Interpretar siniestramente [una cosa]. ◇ ** CONJUG. [54] como *cocer.*

retorcido, -da *adj.* fig. [pers.] Que tiene malas intenciones. 2 *m.* Especie de dulce de frutas.

retórica *f.* Arte de bien decir, de dar al lenguaje eficacia bastante para deleitar, persuadir o conmover. 2 Estudio de las propiedades de los discursos. 3 desp. Artificio excesivo, rebuscamiento en el lenguaje. − 4 *f. pl.* Sofisterías o razones que no son del caso.

retoricismo *m.* Afición a la retórica y uso excesivo de sus recursos de expresión.

retórico, -ca *adj.* Relativo a la retórica. − 2 *adj.-s.* Versado en retórica.

retornar *tr.* Devolver, restituir. 2 Volver a torcer [una cosa]. 3 esp. Hacer que [una cosa] vuelva atrás: ~ *el carro.* − 4 *intr.-prnl.* Volver al lugar o a la situación en que se estuvo: *retornó, o se retornó, a sus costumbres; retornó, o se retornó, a su país.*

retornelo *m.* MÚS. Frase que sirve de preludio a una composición y que después se repite en medio de ésta o al final.

retorno *m.* Acción de retornar. 2 Efecto de retornar. 3 Cambio o trueque. 4 Pago o recompensa del beneficio recibido.

retorta *f.* Vasija con cuello largo encorvado usado en la destilación. 2 Tela de hilo, con la trama y urdimbre muy torcidas.

retortero *m.* Vuelta alrededor. 2 *Al ~,* alrededor; *andar al ~,* andar sin sosiego de acá para allá.

retortijón *m.* Ensortijamiento de una cosa. 2 Demasiado torcimiento de ella. 3 ~ *de tripas,* dolor breve y vehemente que se siente en ellas.

retostado, -da *adj.* De color obscuro.

retozar *intr.* Saltar y brincar alegremente. 2 Travesear unos con otros, personas o animales. 3 fig. Excitarse en lo interior algunas pasiones. ◇ ** CONJUG. [4] como *realizar.*

retracción *f.* Acción de retraer. 2 Efecto de retraer. 3 Reducción persistente de volumen en ciertos tejidos orgánicos.

retractar *tr.-prnl.* Revocar expresamente [lo que se ha dicho]; desdecirse de ello.

retráctil *adj.* Que puede avanzar o adelantarse y, después, retraerse o esconderse: *pieza* ~. 2 ZOOL. Que puede encogerse o retroceder quedando oculto al exterior: *órgano* ~; *uñas retráctiles.*

retraer *tr.* Volver a traer [una cosa]. 2 Echar en cara, reprochar: ~ *una falta.* − 3 *tr.-prnl.* Apartar o disuadir [a uno] de un intento: *le retrajimos; se retrajo del empeño.* − 4 *prnl.* Acogerse, guarecerse: *se retraen a nuestra casa.* 5 Retirarse, retroceder: *se retrajo al ver al enemigo.* 6 Hacer vida retirada: *se retrae mucho.* 7 esp. Apartarse deliberadamente un partido de sus funciones políticas. ◇ ** CONJUG. [88] como *traer.*

retraído, -da *adj.* Que gusta de la soledad. 2 fig. Poco comunicativo, corto, tímido.

retranca *f.* Correa ancha, a manera de ataharre. 2 fig. Intención disimulada, oculta.

retransmitir *tr.* Volver a transmitir [algo]: ~ *un telegrama.* 2 Transmitir desde una emisora de radiodifusión [lo que se ha transmitido a ella desde otro lugar].

retrasar *tr.-prnl.* Diferir o suspender la ejecución [de una cosa]: ~ *la paga, el viaje.* 2 esp. Hablando del reloj, quedarse atrás las agujas; tocar el registro para que marche más despacio; hacer que señale un tiempo ya pasado. − 3 *intr.-prnl.* Andar menos aprisa que lo debido. − 4 *intr.* Ir atrás o a menos en alguna cosa: ~ *en la hacienda, en los estudios.* − 5 *tr.* DEP. Enviar un jugador [la pelota, el balón, la bola, etc.] hacia la defensa o el portero de su propio equipo.

retratar *tr.* Hacer el retrato [de una persona o cosa] por medio del dibujo, fotografía, escultura, etc. 2 p. anal. Hacer el retrato por medio de la descripción y, en general, describir con fidelidad [una persona o cosa]: *Cervantes retrata magistralmente; prnl., con estas palabras se retrata.* 3 Imitar, asemejarse: *retrata siempre a su hermano.*

retratista *com.* Persona que tiene por oficio hacer retratos.

retrato *m.* Representación de una persona o cosa mediante la pintura, el **dibujo, la fotografía, la escultura, etc.: ~ *robot,* imagen de un individuo realizada a través de la descripción de otra u otras personas, p. ext., imagen ideal o conjunto de rasgos de un individuo o de una categoría de personas, de acuerdo con ciertas características; *el ~ robot de un político español.* 2 Descripción de la figura o carácter de una persona. 3 fig. Lo que se asemeja mucho a una persona o cosa.

retrechar *intr.* Retroceder, recular el caballo.

retrechero, -ra *adj.* fam. Que con artificios mañosos trata de eludir algo. 2 Que tiene mucho atractivo.

retreparse *prnl.* Echar hacia atrás la parte superior del cuerpo. 2 Recostarse en la silla de tal modo que ésta se incline hacia atrás.

retreta *f.* Toque militar para marchar en retirada, y para avisar a la tropa que se recoja por la noche al cuartel.

retrete *m.* Recipiente de loza esmaltada en forma de taza para orinar y evacuar el vientre. 2 Habitación donde está instalado.

retribución *f.* Recompensa o pago de una cosa.

retribuir *tr.* Recompensar o pagar [un servicio o favor, etc.]. 2 *Amér.* Corresponder [al favor o al obsequio] que uno recibe. ◇ ** CONJUG. [62] como *huir.*

retributivo, -va *adj.* Que tiene virtud de retribuir.

retro *adj.* Que se inspira en el pasado, o lo recuerda: *moda* ~.

retroactivo, -va *adj.* Que obra o tiene fuerza sobre lo pasado.

retroceder *intr.* Volver hacia atrás: ~ *a,* o *hacia, tal parte;* ~ *de un sitio a otro;* ~ *en el camino.*

retroceso *m.* Acción de retroceder. 2 Efecto de retroceder. 3 Golpe que da un arma de fuego al dispararla.

retrocuenta *f.* Acción de contar de número mayor a menor.

retrodatar *tr.* Poner [en un documento] una fecha anterior a la real.

retroflejo, -ja *adj.* Doblado hacia dentro. – 2 *adj.-s.* FON. Sonido que se articula levantando el dorso lingual hacia el paladar duro.

retrógrado, -da *adj.* Que retrocede. – 2 *adj.-s.* fig. Partidario de instituciones políticas o sociales propias de tiempos pasados.

retronar *intr.* Producir un estruendo retumbante. ◇ ** CONJUG. [31] como *contar.*

retropropulsión *f.* Producción de un movimiento por reacción.

retrospección *f.* Mirada retrospectiva.

retrospectivo, -va *adj.* Que se refiere a tiempo pasado. – 2 *f.* Exposición que muestra las obras antiguas de un artista, una escuela o una época.

retrotraer *tr.* Fingir, especialmente para efectos legales, que [una cosa] sucedió en un tiempo anterior a aquel en que realmente ocurrió. ◇ ** CONJUG. [88] como *traer.*

retrovisor *m.* Espejo pequeño que llevan algunos vehículos, especialmente los **automóviles y motocicletas, para que el conductor pueda ver lo que está detrás de él.

retrucar *intr.* En los juegos de billar y de trucos, retroceder la bola rechazada por la banda y herir a la otra que le causó el movimiento. ◇ ** CONJUG. [1] como *sacar.*

retruécano *m.* Inversión de los términos de una proposición o cláusula en otra subsiguiente para que el sentido de esta última forme contraste o antítesis con el de la anterior. 2 Figura retórica que consiste en esta inversión de términos: *ni dice lo que siente, ni siente lo que dice.*

retumbante *adj.* fig. Ostentoso, pomposo.

retumbar *intr.* Resonar mucho o hacer gran estruendo una cosa.

retundir *tr.* Igualar [el paramento] de una obra de fábrica.

reuma, reúma *amb.* Reumatismo. ◇ Entre gente culta es mayoritario el uso como masculino.

reumatismo *m.* en gral. Conjunto de afecciones articulares o musculares caracterizadas por dolor y, a veces, tumefacción, con incapacidad funcional o sin ella.

reumatología *f.* Parte de la medicina referente a las afecciones reumáticas.

reunificar *tr.-prnl.* Volver a unir [algo o alguien]. ◇ ** CONJUG. [1] como *sacar.*

reunión *f.* Acción de reunir o reunirse. 2 Efecto de reunir o reunirse. 3 Conjunto de personas reunidas.

reunir *tr.-prnl.* Volver a unir: ~ *las familias.* 2 en gral. Juntar, congregar: *reunió muchos libros.* ◇ ** CONJUG. [19].

revalidar *tr.* Ratificar, dar nuevo valor y firmeza [a una cosa]. – 2 *prnl.* Sufrir el examen para obtener un grado académico.

revalorización *f.* Acción de revalorizar. 2 Efecto de revalorizar. 3 Procedimiento de regulación económica en situaciones de inestabilidad monetaria.

revalorizar *tr.* Aumentar el valor [de una cosa]: ~ *las tierras con el riego.* 2 Conceder su justo valor [a algo o alguien]. ◇ ** CONJUG. [4] como *realizar.*

revaluación *f.* Acción de hacer una nueva estimación o avalúo.

revancha *f.* GALIC. Desquite.

revanchismo *m.* Actitud agresiva provocada por un deseo de revancha o venganza.

reveillón *m.* Cena y fiesta de nochevieja.

revejecer *intr.-prnl.* Avejentarse antes de tiempo. ◇ CONJUG. [43] como *agradecer.*

revelación *f.* Acción de revelar. 2 Efecto de revelar. 3 Manifestación de una verdad oculta. 4 p. ant. Manifestación divina.

revelado, -da *adj.* Comunicado por la revelación. – 2 *m.* Operación de revelar una fotografía.

revelar *tr.* Descubrir, manifestar [un secreto]. 2 Proporcionar indicios o certidumbre de algo. 3 esp. Manifestar Dios a los hombres por inspiración sobrenatural [lo futuro u oculto]. 4 Hacer visible la imagen impresa [en la placa fotográfica].

revellín *m.* Obra exterior que cubre la cortina de un fuerte. 2 Saliente que sirve de vasar en la campana de la chimenea.

revenar *intr.* Echar brotes los árboles por la parte en que han sido desmochados.

revender *tr.* Vender uno [lo que otra persona le ha vendido].

revenir *intr.* Volver a retornar algo a su estado propio. – 2 *prnl.* Encogerse, consumirse una cosa poco a poco: *la madera se ha revenido.* 3 Acedarse o avinagrarse: *se ha revenido la compota.* 4 Escupir una cosa hacia afuera la humedad que tiene: *revenirse la pared; revenirse la pintura; revenirse la sal.* 5 Ponerse una masa o pasta blanda y correosa con la humedad y el calor: *revenirse el pan.* 6 fig. Ceder en lo que se afirmaba con tesón y porfía: ~ *uno de sus principios.* ◇ ** CONJUG. [90] como *venir.*

reventa *f.* Acción de revender. 2 Efecto de revender. 3 Centro autorizado para vender con recargo, generalmente entradas para espectáculos.

reventadero *m.* Aspereza de un terreno dificultoso. 2 fig. Trabajo penoso.

reventador, -ra *m. f.* fam. Persona que va al teatro, u otro espectáculo, dispuesta a mostrar desagrado de modo ruidoso.

reventar *intr.-prnl.* Abrirse una cosa por impulso interior. 2 esp. Deshacerse en espuma las olas del mar. 3 en gral. Brotar o salir con ímpetu: *reventó una fuente en la roca.* 4 fig. Estallar (una pasión). 5 fig. Tener deseo vehemente de una cosa: ~ *de risa;* ~ *por hablar.* 6 fig. Sentir un afecto del ánimo, generalmente la ira. 7 fam. Cansarse, fatigarse. – 8 *tr.* Deshacer, romper o abrir [una cosa con violencia]. 9 en gral. Molestar, cansar: *tu amigo me revienta.* 10 Hacer enfermar o morir [a un caballo] por exceso de carrera. 11 p. anal. *y* fig. Fatigar mucho [a uno], con exceso de trabajo. ◇ ** CONJUG. [27] como *acertar.*

reventón, -tona *adj.* Que revienta o parece que va a reventar, especialmente cosas muy repletas: *claveles reventones.* – 2 *m.* Acción de reventar una cosa. 3 Efecto de reventar una cosa. 4 fig. Cuesta muy pendiente y dificultosa de subir. 5 fig. Fatiga que se da o se toma en un caso urgente o por un trabajo excesivo. 6 fig. Aprieto grave en que uno se halla.

rever *tr.* Volver a ver o examinar con cuidado [una cosa]. ◇ ** CONJUG. [91] como *ver;* pp. irreg.: *revisto.*

reverberación *f.* Acción de reverberar. 2 Efecto de reverberar. 3 Prolongación del tiempo de duración de un sonido, a consecuencia de las reflexiones del mismo.

reverberar *intr.* Hacer reflexión la luz en un cuerpo bruñido.

reverbero *m.* Cuerpo de superficie bruñida en que la luz reverbera. 2 Farol que hace reverberar la luz. 3 *Amér.* Cocinilla, infiernillo.

reverdecer *intr.-tr.* Cobrar nuevo verdor los campos: *la tierra reverdece; la lluvia reverdece la pradera.* 2 fig. Renovarse o tomar nuevo vigor. ◇ ** CONJUG. [43] como *agradecer.*

reverencia *f.* Respeto que tiene una persona a otra. 2 Inclinación del cuerpo en señal de respeto.

reverenciar *tr.* Respetar o venerar [a Dios, a los santos, cosas sagradas, o a una persona, ideal, etc.]. ◇ ** CONJUG. [12] como *cambiar.*

reverencioso, -sa *adj.* [pers.] Que hace muchas inclinaciones o reverencias. 2 [pers.] Afectado y demasiado protocolario.

reverendo, -da *adj.* Digno de reverencia. 2 fam. Demasiadamente circunspecto. 3 fam. Enorme, muy grande. – 4 *adj.-s.* Se aplica como tratamiento a las dignidades eclesiásticas y a los prelados y graduados de las órdenes religiosas.

reversible *adj.* Que puede volver a un estado o condición anterior. – 2 *m.* Prenda de abrigo que puede usarse por ambos lados.

reversión *f.* Restitución de una cosa al estado que tenía.

reverso, -sa *m.* Revés (parte opuesta). 2 En las monedas y medallas, haz opuesto al anverso.

reverter *intr.* Rebosar o salir una cosa de sus términos o límites. ◇ ** CONJUG. [28] como *entender.*

revertir *intr.* DER. Volver una cosa a la propiedad del dueño que antes tuvo. 2 Volver una cosa al estado o condición que tuvo antes. 3 Venir a parar una cosa en otra. ◇ CONJUG. [35] como *hervir.*

revés *m.* Espalda o parte opuesta de una cosa: *al* ~, al contrario o invertido el orden regular; a la espalda o a la vuelta. 2 Golpe dado a otro con la mano vuelta. 3 fig. Infortunio, desgracia o contratiempo. 4 En los deportes que se juegan con raqueta, golpe dado con ésta partiendo del lado del brazo libre en dirección a la pelota. 5 fig. Vuelta o mudanza en el trato o en el genio. 6 fig. Derrota.

revesa *f.* Corriente derivada de otra principal y de distinta dirección a la de ésta.

revesado, -da *adj.* Intrincado, enrevesado o difícil de entender. 2 fig. Travieso, indomable.

revestido, -da *adj.* Que está cubierto [con algo].

revestimiento *m.* Capa o cubierta con que se resguarda o adorna una superficie.

revestir *tr.* Cubrir con un revestimiento [una cosa]: ~ *una caja.* 2 Disfrazar, disimular [una cosa o acción]. 3 Atribuir, conceder: ~ *a uno con,* o *de, facultades;* **prnl.,** *revestirse con,* o *de.* 4 fig. Presentar una cosa [determinado aspecto, cualidad o carácter]: ~ *importancia, gravedad.* 5 Vestir [una ropa] sobre otra: *revestirse el sacerdote.* – 6 *prnl.* Poner a contribución, en trance difícil, aquella condición del ánimo que viene al caso: *revestirse de paciencia, de resignación, de valor.* 7 fig. Imbuirse o dejarse llevar con fuerza de una especie. 8 Engreírse o envanecerse. ◇ ** CONJUG. [34] como *servir.*

revezar *intr.* Reemplazar, substituir a otro. ◇ ** CONJUG. [4] como *realizar.*

revigorizar *tr.* Dar [a algo] nuevo vigor. ◇ ** CONJUG. [4] como *realizar.*

revirar *tr.-prnl.* Desviar una cosa de su posición o dirección habitual. 2 Replicar, sublevar.

revisar *tr.* Ver con atención y cuidado [una cosa]. 2 Rever. 3 Someter una cosa a nuevo examen para corregirla, enmendarla o repararla.

revisionismo *m.* Actitud de los que propugnan la revisión de una doctrina, ley, estatuto político, etc.

revisor, -ra *adj.* Que revé o examina con cuidado una cosa. – 2 *m.* El que tiene por oficio revisar o reconocer; esp., en los ferrocarriles, el que comprueba los billetes de los viajeros.

revista *f.* Segunda vista, o examen hecho con cuidado. 2 Inspección que un jefe hace de las personas o cosas sometidas a su autoridad o cuidado. 3 Formación de las tropas para que un jefe las inspeccione. 4 Examen que se hace y publica de producciones literarias, representaciones teatrales, etc. 5 Publicación periódica por cuadernos, con escritos sobre varias materias, o especialmente sobre una sola. 6 Publicación ilustrada de información general. 7 Espectáculo teatral de carácter frívolo, en el que alternan números dialogados y musicales.

revistero, -ra *m. f.* Persona encargada de escribir revistas en un periódico. 2 Persona que actúa en una revista teatral. – 3 *m.* Mueble para colocar revistas.

revitalizar *tr.* Dar nueva vida [a algo o alguien]. ◇ ** CONJUG. [4] como *realizar*.

revival *m.* Movimiento que trata de revalorizar estilos y modas pasados.

revivificar *tr.* Vivificar, reavivar: ~ *a un enfermo*. ◇ ** CONJUG. [1] como *sacar*.

revivir *intr.* Resucitar. 2 Volver en sí el que parecía muerto. 3 fig. Renovarse o reproducirse una cosa: *revivió la discordia*. 4 fig. Volver a cocer a fuego lento una vianda.

revocar *tr.* Dejar sin efecto [una concesión, un mandato, una resolución]. 2 Apartar, disuadir [a uno] de un designio. 3 Hacer retroceder [ciertas cosas]: *el viento revoca el humo; intr., el humo revoca*. 4 Enlucir o pintar de nuevo [las paredes exteriores] de un edificio. ◇ ** CONJUG. [1] como *sacar*.

revolada *f.* Vuelo en círculo de ciertas aves antes de posarse.

revolcar *tr.* Derribar [a uno] y darle vueltas por el suelo. 2 fig. Vencer [al adversario] en controversia; esp., reprobar, suspender en un examen. – 3 *prnl.* Echarse sobre una cosa refregándose en ella: *revolcarse en el fango; revolcarse por el suelo*. 4 fig. Obstinarse en una especie. ◇ ** CONJUG. [49] como *trocar*.

revolear *intr.* Volar haciendo tornos y giros.

revolotear *intr.* Revolear en poco espacio. 2 Venir una cosa por el aire dando vueltas. – 3 *tr.* Arrojar [una cosa] a lo alto con ímpetu de modo que parezca que dé vueltas.

revoltijo *m.* Conjunto de muchas cosas desordenadas. 2 Conjunto de tripas de alguna res. 3 fig. Confusión o enredo. 4 fig. Guiso a manera de pisto.

revoltoso, -sa *adj.-s.* Sedicioso, alborotador. – 2 *adj.* Travieso, enredador, revuelto. 3 Que tiene muchas vueltas y revueltas; intrincado.

revolución *f.* Acción de revolver y revolverse. 2 Efecto de revolver y revolverse. 3 Movimiento de un cuerpo que describe una trayectoria cerrada alrededor de otro cuerpo, de un centro o de un eje; esp., el de un astro alrededor de otro. 4 Movimiento de rotación de un cuerpo alrededor de un eje, y vuelta completa que da un cuerpo con este movimiento. 5 Cambio violento en las instituciones políticas de la nación. 6 p. ext. Inquietud, alboroto, sedición. 7 fig. Mudanza o nueva forma en el estado o gobierno de las cosas. 8 Conmoción y alteración del estado fisiológico.

revolucionar *tr.* Sublevar, soliviantar; esp., alterar, perturbar el orden [de un país] como consecuencia de una subversión de las ideas. 2 Producir una alteración [en las ideas]. 3 Imprimir más o menos revoluciones [a un motor].

revolucionario, -ria *adj.* Relativo a la revolución. – 2 *adj.-s.* Partidario de ella. 3 Alborotador, turbulento.

revoluto, -ta *adj.* BOT. Enrollado hacia la cara inferior: *hoja revoluta*.

revolver *tr.* Menear, agitar [una cosa] de un lado a otro, alrededor o de arriba abajo. 2 Mirar o registrar, moviendo y separando [algunas cosas]. 3 en gral. Alterar el buen orden [de las cosas]. 4 p. ext. Inquietar, causar disturbios: ~ *una familia*. 5 Producir náuseas. 6 Meter [a uno] en pendencia, pleito, etc.: ~ *a uno con otro*. 7 Discurrir [en varias cosas] reflexionándolas: ~ *algo en la mente*; ~ *algo entre sí*. – 8 *tr.-prnl.* Envolver [una cosa] en otra. 9 Volver [la cara] al enemigo: *revolverse al, contra, o sobre, el enemigo*. 10 en gral. Dar [una cosa] vuelta entera. – 11 *tr.-intr.-prnl.* Volver el jinete [al caballo] en poco terreno y con rapidez: ~ *el caballo; el jinete revolvió, o se revolvió*. 12 p. anal. Volver a andar [lo andado]. – 13 *prnl.* Moverse de un lado a otro: *no nos podíamos ~ en aquella habitación tan pequeña*. 14 Hacer mudanza el tiempo, ponerse borrascoso. ◇ ** CONJUG. [32] como *mover*; pp. irreg.: *revuelto*.

revólver *m.* Pistola de cilindro giratorio con varias recámaras, que pasan sucesivamente por delante del cañón del arma. 2 Montura giratoria que lleva los distintos objetivos de un microscopio. ◇ Pl.: *revólveres*.

revoque *m.* Acción de revocar (enlucir). 2 Efecto de revocar (enlucir). 3 Capa de cal y arena u otro material análogo con que se revoca.

revuelo *m.* Segundo vuelo que dan las aves. 2 Vuelta y revuelta del vuelo. 3 fig. Turbación de algunas cosas o agitación e inquietud entre las personas.

I) revuelta *f.* Segunda vuelta o repetición de la vuelta.

II) revuelta *f.* Revolución (cambio; inquietud). 2 Riña, pendencia. 3 Punto en que una cosa empieza a cambiar su dirección, y este mismo cambio: *las revueltas de un camino, del río*. 4 Vuelta o mudanza de un estado a otro, o de un parecer a otro.

revuelto, -ta *adj.* [caballo] Que se vuelve en poco terreno. 2 Revoltoso (travieso). 3 Intrincado, revesado.

revulsivo, -va, revulsorio, -ria *adj.-s.* [medicamento] Que produce la revulsión. 2 Que provoca un cambio o reacción brusca: *el nuevo jugador fue el ~ del equipo.*

rexistasia *f.* GEOL. Período de fuerte erosión por falta de cubierta vegetal.

rey *m.* Monarca o príncipe soberano de un reino. 2 En el juego del ajedrez, pieza principal y única en su banda, que se mueve en todas direcciones de un escaque a otro contiguo, excepto en el enroque. 3 Carta de la baraja que tiene pintada la figura de un rey. 4 fig. Hombre, animal o cosa del género masculino, que por su excelencia sobresale entre los demás de su clase o especie.

reyerta *f.* Contienda, disputa.

reyezuelo *m.* Rey de poca importancia. 2 Ave paseriforme insectívora, de plumaje vistoso por la variedad de sus colores *(Regulus regulus)*. 3 Pez marino teleósteo perciforme, nocturno y de pequeño tamaño *(Apogón imberbis)*.

rezagar *tr.* Dejar atrás [una cosa]. 2 Atrasar, suspender la ejecución [de una cosa]. – 3 *prnl.* Quedarse atrás. ◇ ** CONJUG. [7] como *llegar.*

rezar *tr.* Orar mentalmente o de palabra [oraciones usadas o aprobadas por la Iglesia]: *~ un padrenuestro; abs., ~ a los santos; ~ por los difuntos.* 2 fam. Decir o decirse en un escrito [una cosa]: *el calendario reza agua; el libro lo reza.* – 3 *intr.* fig. y fam. Gruñir, refunfuñar. ◇ ** CONJUG. [4] como *realizar.*

rezno *m.* Garrapata. 2 Larva del estro desarrollada en el estómago de los rumiantes o solípedos.

rezo *m.* Acción de rezar. 2 Oficio eclesiástico que se reza diariamente. 3 Conjunto de los oficios particulares de cada festividad.

rezón *m.* **Ancla pequeña, de cuatro uñas y sin cepo.

rezongar *intr.* Gruñir, refunfuñar a lo que se manda o propone. ◇ ** CONJUG. [7] como *llegar.*

rezumar *intr.-prnl.* Transpirar un líquido por los poros de un recipiente: *el cántaro rezuma, o se rezuma; el agua rezuma, o se rezuma, por la cañería.* – 2 *prnl.* Translucirse o divulgarse una especie.

Rh (factor ~) Antígeno de la superficie de los glóbulos rojos que permite la clasificación de los tipos de sangre.

ría *f.* Parte del río próxima a su entrada en el mar hasta donde llegan las mareas y se mezcla el agua dulce con la salada. 2 Ensenada amplia en la que vierten al mar aguas profundas.

riacho, -chuelo *m.* Río pequeño y de poco caudal.

riada *f.* Avenida, inundación. 2 fig. Bandada, multitud.

rial *m.* Unidad monetaria del Irán.

ribazo *m.* Porción de tierra con alguna elevación y declive. 2 Talud entre dos fincas que están a distinto nivel. 3 Caballón que divide dos fincas o cultivos. 4 Caballón que permite dirigir los riegos, y andar sin pisar la tierra de labor.

ribeiro *m.* Vino ácido y de baja graduación originario de Ribeiro, comarca de Orense.

ribera *f.* Margen y orilla del mar o río. 2 p. ext. Tierra cercana a los ríos. 3 Huerto cercado que linda con un río.

ribereño, -ña *adj.* Relativo a la ribera o propio de ella.

riberiego, -ga *adj.* [ganado] Que no es trashumante. – 2 *adj.-s.* Dueño de este género de ganado.

ribero *m.* Vallado hecho a la orilla de las presas para que no se derrame el agua.

ribete *m.* Cinta o cosa análoga con que se guarnece la orilla del vestido, calzado, etc. 2 Añadidura, acrecentamiento. 3 fig. Adorno que en la conversación se añade a algún caso, refiriéndolo con alguna circunstancia de reflexión o de gracia. – 4 *m. pl.* fig. Asomo, indicio.

ribetear *tr.* Echar ribetes: *~ un vestido.*

ribonucleico, -ca *adj. Ácido ~,* ácido nucleico que forma parte de la célula viva, constituido por el ácido fosfórico en forma de éster y ribosa.

ricacho, -cha, -chón, -chona *m. f.* fam. Persona acaudalada, vulgar en su trato.

ricamente *adv.* Opulentamente, con abundancia. 2 Preciosamente. 3 Muy a gusto.

riciforme *adj.* Que tiene forma de grano de arroz.

ricino *m.* Planta euforbiácea, de cuyas semillas se extrae un aceite purgante y lubricante *(Ricinus communis).*

ricinúleo *adj.-m.* Arácnido del orden de los ricinúleos. – 2 *m. pl.* Orden de arácnidos tropicales sin ojos y de aspecto similar a las arañas.

rico, -ca *adj.-s.* Adinerado, acaudalado: *~ con, o por, su fortuna.* 2 Abundante, opulento, pingüe: *país ~ en cereales; ~ en ganados.* 3 Gustoso, sabroso. 4 Muy bueno en su línea: *mineral ~; ~ de virtudes.* 5 fig. Guapo, agradable, simpático.

rictus *m.* Gesto de aquel cuyos labios se abren dejando ver los dientes; es manifestación de dolor y también se observa en ciertos espasmos nerviosos. 2 fig. Aspecto del rostro que manifiesta un estado de ánimo generalmente penoso o desagradable. ◇ Pl.: *rictus.*

ridiculizar *tr.* Burlarse [de una persona o cosa] por las extravagancias o defectos que tiene. ◇ ** CONJUG. [4] como *realizar.*

ridículo, -la *adj.* Que por grotesco, raro, extravagante, etc., mueve a risa: ~ *en su porte;* ~ *por su traza.* 2 Escaso, de poca estimación. 3 Extraño y de poco aprecio. 4 Nimiamente delicado. – 5 *m.* Situación ridícula en que cae una persona.

riego *m.* Acción de regar. 2 Efecto de regar. 3 Agua disponible para regar. 4 ~ *sanguíneo,* cantidad de sangre que nutre los órganos o la superficie del cuerpo.

riel *m.* Barra pequeña de metal en bruto. 2 Carril (de tren). 3 Varilla metálica sobre la cual corre una cortina.

rielar *intr.* poét. Brillar con luz trémula. 2 Temblar.

rienda *f.* Correa que, unida por uno de sus extremos a las camas del freno, lleva asida por el otro el que gobierna la caballería. 2 fig. Sujeción, moderación en acciones o palabras. – 3 *f. pl.* fig. Gobierno, dirección de una cosa: *lleva las riendas del negocio.*

riesgo *m.* Contingencia o proximidad de un daño. 2 Contingencia que puede ser objeto de un contrato de seguro.

rifa *f.* Juego que consiste en sortear una cosa entre varios.

rifar *tr.* Efectuar el juego de la rifa, sortear: ~ *un objeto.* – 2 *prnl.* MAR. Romperse una vela. – 3 *intr.* *Méj.* Sobresalir, distinguirse.

rifirrafe *m.* fam. Contienda o bulla ligera.

rifle *m.* Fusil de alma rayada de origen americano.

rigidez *f.* Calidad de rígido. 2 fig. Rectitud, integridad.

rígido, -da *adj.* Inflexible, tieso. 2 fig. Riguroso, severo: ~ *con, para,* o *para con, su familia;* ~ *de carácter;* ~ *en sus acciones.*

rigodón *m.* Contradanza de movimiento vivo, ejecutada por cuatro o más parejas. 2 Música de esta contradanza.

rigor *m.* Severidad nimia y escrupulosa. 2 Aspereza, dureza en el genio o trato. 3 Intensión, vehemencia: *el ~ del invierno.* 4 Último término a que pueden llegar las cosas. 5 Propiedad y precisión. 6 MED. Tiesura o rigidez de los músculos, tendones, etc., que impide los movimientos del cuerpo. 7 *And.* y *Sal.* Fuerza física.

rigorismo *m.* Exceso de severidad, especialmente en materias morales o legales. 2 Sistema o doctrina en que domina una moral severa.

riguroso, -sa *adj.* Áspero y acre. 2 Muy severo. 3 Austero, rígido. 4 Extremado, inclemente.

rija *f.* Pendencia o alboroto.

rijo *m.* Conato o propensión a lo sensual.

rijoso, -sa *adj.* Pendenciero. 2 Lujurioso. 3 Inquieto y alborotado a la vista de la hembra.

rilar *intr.* Temblar, tiritar. – 2 *prnl.* Estremecerse.

rima *f.* Semejanza o igualdad entre los sonidos finales del verso, a contar desde la última vocal acentuada: ~ *perfecta,* la consonante; ~ *imperfecta* o *media* ~, la asonante. 2 Composición en verso, del género lírico: *Rimas de Espinel, de Góngora.* 3 Conjunto de consonantes de una lengua, o el de los consonantes y asonantes empleado en una composición: *diccionario de la ~; la ~ de esta composición es pobre, variada, fácil.* 4 **Octava** ~, forma de composición poética en que cada estrofa es una octava real. ◇ En la acepción 2 suele usarse en plural.

rimar *intr.* Componer en verso. 2 Hacer rima, encontrarse en una poesía haciendo rima: *riman las palabras frío y albedrío; el primer verso rima con el tercero.* – 3 *tr.* Hacer el poeta [una palabra asonante o consonante de otra].

rimaya *f.* Grieta vertical profunda que aparece en la superficie de las lenguas glaciares por fusión parcial del hielo.

rimbombante *adj.* irón. y desp. Ostentoso, llamativo.

rimbombar *intr.* Retumbar, resonar mucho.

rímel *m.* Cosmético que usan las mujeres para embellecer los ojos.

rimero *m.* Conjunto de cosas puestas unas sobre otras.

rin *m.* Pieza circular con que se ajustan las llantas desmontables sobre las ruedas del automóvil.

rincocéfalo, -la *adj.* De cabeza prolongada en forma de pico. – 2 *adj.-m.* Reptil del orden de los rincocéfalos. – 3 *m. pl.* Orden de

RÍO

reptiles con forma de lagarto pero de organización muy primitiva.

rincón *m.* Ángulo entrante formado en el encuentro de dos superficies, especialmente de dos paredes. 2 Espacio pequeño. 3 Escondrijo o lugar retirado. 4 fig. Domicilio de cada uno con abstracción del trato de las gentes.

rinconera *f.* Mesita, armario o estante pequeños, que se colocan en un rincón. 2 Parte de la pared comprendida entre un ángulo de la fachada y el hueco más próximo.

ring *m.* DEP. En el boxeo, cuadrilátero de lona rodeado de tres filas de cuerdas, donde se disputan los combates.

ringlera *f.* Fila de cosas puestas unas tras otras.

ringlete *m. Amér.* Persona muy activa.

rinitis *f.* Inflamación de la mucosa nasal. ◇ Pl.: *rinitis.*

rinoceronte *m.* Mamífero perisodáctilo ungulado, de Asia y África, de piel muy gruesa y rígida, muy corpulento, de patas cortas y terminadas en tres dedos, cabeza estrecha con el hocico puntiagudo y uno o dos cuernos sobre la línea media de la nariz *(Rhinoceros unicornis; Diceros bicornis).*

rinofaringe *f.* Parte de la faringe contigua a las fosas nasales.

rinología *f.* Especialidad médica en enfermedades de la nariz.

riña *f.* Pendencia, cuestión.

riñón *m.* Órgano glandular situado en la región lumbar, uno a cada lado de la columna vertebral, el cual segrega la orina. 2 fig. Interior o centro de un terreno, sitio, asunto, etc. 3 ARQ. En un **arco o bóveda, zona comprendida entre el primer y el segundo tercio de su flecha o altura. – 4 *m. pl.* Parte del cuerpo que corresponde a los lomos; **caballo.

**río *m.* Corriente natural de agua continua que va a desembocar en otra o en el mar; **costa. 2 Grande abundancia de una cosa.

rioja *m.* Vino originario de la comarca de La Rioja.

riojano, -na *adj.-s.* De La Rioja, provincia, región y comarca españolas.

rioplatense *adj.-s.* Del Río de la Plata, o relativo a la región que abarca su cuenca.

riostra *f.* Pieza que, puesta oblicuamente, asegura la invariabilidad de forma de una armazón.

ripia *f.* Tabla delgada, desigual y sin pulir.

ripio *m.* Residuo que queda de una cosa. 2 Desecho de materiales de obra de albañilería, usados para rellenar huecos. 3 Palabra superflua usada con el solo objeto de completar un verso. 4 Conjunto de palabras inútiles en discursos o escritos. 5 *Amér.* Casquijo que se usa para pavimentar.

riqueza *f.* Calidad de rico. 2 Abundancia de bienes. 3 Abundancia relativa de cualquier

cosa: ~ *de anécdotas.* 4 Copia de cualidades o atributos excelentes.

risa *f.* Acción de reír (manifestar alegría). 2 Lo que mueve a reír. 3 ~ **sardesca, sardonia** o **sardónica,** contracción de los músculos de la cara, de que resulta un gesto como cuando uno se ríe; fig., risa afectada y que no nace de alegría interior.

riscadillo *m. Amér.* Lienzo de algodón.

riscal *m.* Sitio de muchos riscos.

risco *m.* Peñasco alto y escarpado. 2 Fruta de sartén, hecha con pedacitos de masa rebozados en miel.

risible *adj.* Capaz de reírse. 2 Que causa risa.

risorio *m.* Músculo pequeño, que se halla fijo en las comisuras de los labios.

risotada *f.* Carcajada.

ristra *f.* Trenza hecha de los tallos de ajos o cebollas con un número de ellos o de ellas. 2 fig. Conjunto de cosas colocadas en fila.

ristre *m.* Hierro del peto de la armadura, donde se afianzaba el cabo de la manija de la lanza.

ristrel *m.* Listón grueso de madera.

risueño, -ña *adj.* Que muestra risa en el semblante. 2 Que con facilidad se ríe. 3 fig. De aspecto deleitable, o capaz de infundir gozo o alegría: *campo* ~. 4 fig. Próspero, favorable: *un porvenir* ~.

ritidoma *m.* En el tallo de las plantas leñosas, conjunto de tejidos muertos que forman parte exterior de la corteza que se resquebraja y desprende.

ritmar *tr.* Sujetar a ritmo.

rítmico, -ca *adj.* Relativo al ritmo.

ritmo *m.* En una sucesión de sonidos, sílabas, latidos, etc., forma de sucederse y alternar fuertes y débiles, largas y breves, especialmente cuando se produce de manera periódica en una frase musical, verso, pulsación, etc.: *el* ~ *de unas seguidillas; el* ~ *del corazón.* 2 Metro o verso: *mudar de* ~. 3 fig. Orden acompasado en la sucesión o acaecimiento de las cosas. 4 MÚS. Proporción guardada entre el tiempo de un movimiento y el de otro diferente.

rito *m.* Costumbre o ceremonia. 2 Conjunto de reglas establecidas para el culto y ceremonias religiosas.

ritornelo *m.* MÚS. Trozo instrumental, situado antes o después de uno de canto. 2 fam. Repetición, estribillo.

ritual *adj.* Relativo al rito. – 2 *m.* Conjunto de ritos de una religión o una iglesia. 3 fig. Ceremonial.

ritualismo *m.* Apego a los ritos.

rival *com.* Competidor.

rivalidad *f.* Oposición entre dos o más personas que aspiran a obtener una misma cosa. 2 Competencia (disputa). 3 Enemistad.

rivalizar *intr.* Competir. ◇ ** CONJUG. [4] como *realizar*.

rivera *f.* Arroyo.

rizadura *f.* GEOL. Ondulación o surco producido en arenas, barro o nieve, por el agua corriente o por el viento.

rizar *tr.* Formar artificialmente rizos [en el pelo]. 2 p. anal. Hacer [en las telas, papel, etc.] dobleces menudos. 3 Mover el viento [la mar] formando olas pequeñas. – 4 *prnl.* Ensortijarse el pelo naturalmente. ◇ ** CONJUG. [4] como *realizar*.

I) rizo *m.* Pedazo de cabo que pasa por los ollaos de las velas para acortarlas.

II) rizo, -za *adj.* Ensortijado o hecho rizos naturalmente. – 2 *m.* Mechón de pelo que artificial o naturalmente tiene forma de sortija, bucle o tirabuzón. 3 Tejido de algodón que forma unos anillos largos que sobresalen por una o ambas caras; con él se fabrican toallas, albornoces de baño, etc. – 4 *m. pl.* En el avión, vuelta de campana.

rizófago, -ga *adj.* [animal] Que se alimenta de raíces.

rizófito, -ta, rizofito, -ta *adj.-s.* Vegetal provisto de raíces. – 2 *f. pl.* Orden de estas plantas.

rizoforáceo, -a *adj.-f.* Planta de la familia de las rizoforáceas. – 2 *f. pl.* Familia de plantas dicotiledóneas que incluye árboles o arbustos intertropicales con muchas raíces aéreas, hojas simples, opuestas y estipuladas, flores de cáliz persistente y fruto indehiscente con una sola semilla; como el mangle.

rizoide *adj.-s.* Pelo o filamento que hace las veces de raíz en ciertas plantas que carecen de ella.

rizoma *m.* Tallo horizontal y subterráneo que por un lado echa ramas aéreas verticales, y por el otro raíces.

rizón *m.* **Ancla de tres uñas.

rizópodo *adj.-m.* Protozoo del tipo de los rizópodos. – 2 *m. pl.* Tipo de **protozoos capaces de emitir seudópodos; como las amebas.

roano, -na *adj.* [caballería] Que tiene el pelo mezclado de blanco, gris y bayo.

róbalo, robalo *m.* Lubina.

robaperas *com.* Persona que no tiene un modo honrado de ganarse la vida. 2 Persona sin importancia, de condición social irrelevante. ◇ Pl.: *robaperas*.

robar *tr.* Tomar para sí con violencia [lo ajeno] o hurtar de cualquier modo que sea. 2 esp. Raptar. 3 Llevarse las corrientes de agua [parte de la tierra] por donde pasan. 4 Redondear [una punta] o achaflanar [una esquina]. 5 Tomar del monte [naipes] en ciertos juegos de cartas, y [fichas] en el del dominó. 6 fig. Captar la voluntad o afecto: ~ *el corazón, el alma*.

roble *m.* Árbol cupulífero, de hojas caedizas, flores masculinas en amentos largos y femeninas en amentos reducidos; bellotas por fruto, y madera dura, muy apreciada para construcciones *(Quercus robur).* 2 Madera de roble. 3 fig. Persona o cosa muy fuerte y resistente.

roblizo, -za *adj.* Fuerte, duro.

roblón *m.* Clavija de metal dulce con cabeza en un extremo, que después de pasada por los taladros de las piezas que ha de asegurar, se remacha por el extremo opuesto. 2 Clavo especial destinado a remacharse. 3 Lomo que en el tejado forman las tejas por su parte convexa.

robo *m.* Acción de robar. 2 Efecto de robar. 3 Cosa robada.

roborar *tr.* Dar fuerza y firmeza [a una cosa].

robot *m.* Autómata. ◇ Pl.: *robots*.

robótico, -ca *adj.* Propio o relativo al robot. – 2 *f.* Ciencia que estudia la construcción de robots.

robotizar *tr.* Dotar de robots: ~ *una cadena de producción*. ◇ ** CONJUG. [4] como *realizar*.

robusto, -ta *adj.* Fuerte, vigoroso. 2 Que tiene fuertes miembros y firme salud.

roca *f.* Materia mineral que en cantidades considerables forma parte de la corteza terrestre. 2 Masa concreta, muy sólida, de esta materia, especialmente la que se levanta en la superficie de la tierra o en el fondo del mar. 3 fig. Cosa muy dura, firme y constante.

rocadero *m.* Armazón en forma de piña que en la parte superior de la rueca sirve para poner el copo que se ha de hilar. 2 Envoltura con que en esta parte se asegura el copo.

rocalla *f.* Conjunto de piedrecillas desprendidas de las rocas. 2 Abalorio grueso.

rocambola *f.* Planta liliácea hortense que se usa como condimento *(Allium controversum).*

rocambolesco, -ca *adj.* Inverosímil, fantástico: *una aventura rocambolesca.*

roce *m.* Acción de rozar o rozarse. 2 Efecto de rozar o rozarse. 3 fig. Disensión leve.

rociada *f.* Acción de rociar. 2 Efecto de rociar. 3 Rocío. 4 fig. Conjunto de cosas que se esparcen al arrojarlas. 5 fig. Represión áspera.

rociador *m.* Brocha o escobón para rociar la ropa. 2 Instrumento, utensilio o dispositivo para rociar, regar o pulverizar; **jardinería.

rociar *impers.* Caer sobre la tierra el rocío o la lluvia menuda. – 2 *tr.* Esparcir en menudas gotas un líquido [sobre alguna cosa]. 3 en gral. *y* fig. Arrojar [cosas] de manera que se dispersen al caer. ◇ ** CONJUG. [13] como *desviar*.

rocín *m.* Caballo de mala raza y de poca alzada. 2 Caballo de trabajo. 3 fig. Hombre tosco e ignorante.

rocinante *m.* fig. Rocín, matalón.

rocío *m.* Vapor que con la frialdad de la noche se condensa en la atmósfera en gotas muy menudas. 2 Las mismas gotas perceptibles a la vista. 3 Lluvia corta y pasajera. 4 fig. Gotas menudas esparcidas sobre una cosa para humedecerla.

rock *m.* fam. Abreviación de rock and roll.

rock and roll *m.* Estilo musical fundamentado en un ritmo binario, fuerte y reiterativo creado en la década de los cincuenta.

rococó *adj.-s.* Estilo arquitectónico y decorativo posterior al barroco, que floreció especialmente en Francia bajo el reinado de Luis XV (1710-1774), caracterizado por sus frisos leves y curvos, la decoración de interiores y del mobiliario, la aplicación de dorados y tintas claras, además de guirnaldas, festones y conchas, consiguiendo con todo ello una gran elegancia.

rocódromo *m.* Construcción artificial para practicar el alpinismo.

rochela *f.* Amér. Bullicio, algazara.

roda *f.* Pieza gruesa y curva que forma la proa de la nave.

rodaballo *m.* Pez marino teleósteo pleuronectiforme, de cuerpo aplanado y carne muy estimada *(Scophthalmus maximus).* 2 fig. Hombre taimado y astuto.

rodada *f.* Señal que deja la rueda en la tierra por donde pasa.

rodado, -da *adj.* [caballería] Que tiene manchas más obscuras que el color general de su pelo. 2 [vehículo] Que tiene ruedas. 3 [transporte] Que se hace con vehículo con ruedas: *tráfico ~.* 4 [piedra] Que ha adquirido una forma redondeada por desgaste: *canto ~.* 5 Que se distingue por su fluidez o facilidad: *período ~; cláusula rodada; frase rodada.* 6 Que ya ha pasado su período de prueba. 7 fig. [pers.] Acostumbrado [a algo], experimentado: *Juan está muy ~ en esas cuestiones.*

rodaja *f.* Pieza circular y plana, de madera, metal, etc. 2 Estrella de la espuela.

rodaje *m.* Conjunto de ruedas. 2 Acción de rodar una película cinematográfica. 3 Impuesto o arbitrio sobre los vehículos. 4 Situación de un automóvil en período de prueba.

rodal *m.* Lugar o espacio pequeño que, por alguna circunstancia, se distingue de lo que le rodea. 2 Carro de ruedas que no tiene radios.

rodamiento *m.* MEC. Cojinete que consta de dos cilindros entre los que se coloca un juego de rodillos o bolas, que pueden girar libremente.

rodamina *f.* Materia colorante roja.

rodapié *m.* Paramento con que se cubren alrededor los pies de las **camas, mesas y otros muebles. 2 Tabla, celosía o enrejado que se pone en la parte inferior de la barandilla de los balcones.

rodar *intr.* Dar vueltas un cuerpo alrededor de su eje. 2 esp. Moverse una cosa por medio de ruedas: *~ un coche.* 3 Caer dando vueltas por una pendiente, escalera, etc.: *~ de lo alto; ~ por tierra.* 4 fig. No tener una cosa colocación fija. 5 fig. Ir una persona de un lado para otro sin fijarse en sitio determinado. 6 esp. Andar inútilmente en pretensiones: *he rodado por todas las tiendas.* 7 fig. Suceder unas cosas a otras: *los acontecimientos van rodando.* – 8 *tr.* Hacer que rueden [ciertas cosas]: *~ un aro.* 9 Filmar o impresionar [una película cinematográfica]. 10 Pasar o proyectar [la película] por medio del proyector. 11 Hacer que [un automóvil] marche sin rebasar las velocidades prescritas para el rodaje. ◇ ** CONJUG. [31] como *contar.*

rodear *intr.* Andar alrededor: *rodead por la carretera nueva.* 2 esp. Ir por camino más largo que el ordinario: *rodearon por el bosque; el camino rodea por el bosque.* 3 fig. Usar de rodeos en lo que se dice: *no rodees con tus argumentos.* – 4 *tr.* Cercar [una cosa]: *~ la ciudad; las murallas rodean la ciudad.* 5 Hacer dar vuelta [a una cosa]: *no pudo rodear la mula ni a un lado ni a otro.* – 6 *prnl.* Revolverse, rebullirse: *se rodea en su lecho sin cesar.* – 7 *tr.* Amér. Recoger [un hato de ganado], circundándolo y dirigiéndolo.

rodela *f.* Escudo redondo y delgado; **armadura.

rodeno, -na *adj.* Rojo (color de sangre).

rodeo *m.* Acción de rodear. 2 Camino más largo o desvío del camino derecho. 3 Vuelta o regate para librarse de quien persigue. 4 fig. Manera indirecta de hacer alguna cosa, a fin de eludir las dificultades que presenta. 5 fig. Manera de decir una cosa, valiéndose de circunloquios. 6 fig. Efugio para disimular o para eludir algo. 7 Sitio donde se reúne el ganado mayor para sestear, pasar la noche, ser vendido, contado, etc. 8 Reunión del ganado mayor para reconocerlo, contarlo, etc.

rodera *f.* Camino abierto por el paso de los carros a través de los campos.

rodete *m.* Rosca que con las trenzas del pelo se hacen las mujeres en la cabeza. 2 Rosca de lienzo, paño, etc., que se pone en la cabeza para llevar un peso. 3 Chapa circular de la cerradura, que permite girar únicamente la llave cuyas guardas se ajustan a ella. 4 Pieza giratoria cilíndrica achatada y de canto plano, sobre la cual pasan las correas sin fin en diferentes maquinarias.

rodil *m.* Prado situado entre tierras destinadas al cultivo.

rodilla *f.* Región constituida por la rótula y la articulación del fémur con la tibia, junto con las partes blandas circunyacentes; **cuerpo humano. 2 En los cuadrúpedos, unión del antebrazo con la caña; **caballo. 3 Paño basto que sirve para limpiar.

rodillera *f.* Lo que se pone para comodidad, defensa o adorno de la rodilla. 2 Remiendo en la parte de los calzones que cubre la rodilla.

rodillo *m.* Madero redondo y fuerte que se hace rodar por el suelo para llevar sobre él una cosa de mucho peso. 2 Cilindro muy pesado que se hace rodar para trillar, allanar, apretar la tierra y para otros usos. 3 Pieza de metal, cilíndrica y giratoria, que forma parte de diversos mecanismos. 4 Cilindro de madera con pequeño mango en cada uno de sus extremos, que se usa en la **cocina para estirar la masa. 5 Cilindro giratorio de tela o esponja y provisto de un mango, que se usa para pintar. 6 fig. Actuación prepotente de un ejército, partido, grupo, etc., que no da posibilidad de oposición a su adversario.

rodio *m.* Metal raro, de color blanco de plata, difícilmente fusible y al que no atacan los ácidos. Su símbolo es *Rh.*

rodocrosita *f.* Mineral de color rosado, rojizo o pardo, con brillo vítreo, explotado como mena del manganeso.

rododendro *m.* Arbolillo ericáceo de hojas coriáceas persistentes y flores sonrosadas o purpúreas en corimbos terminales (gén. *Rhododendron*).

rodofíceo, -a *adj.-f.* Alga de la clase de las rodofíceas. – 2 *f. pl.* Clase de algas de color rojo, violeta o púrpura.

rodomiel *m.* Miel rosada.

rodonita *f.* Mineral de color rosado, rojizo o castaño, con brillo vítreo, utilizado como piedra semipreciosa y para fabricar objetos de adorno.

rodrigón *m.* Vara o caña que se clava al pie de una planta para sostener sus tallos y ramas.

rodríguez *m.* fig. *y* fam. Hombre que permanece en su domicilio y lugar de trabajo habituales, mientras su mujer e hijos pasan las vacaciones en otro sitio.

roedor, -ra *adj.* Que roe. – 2 *adj.-m.* Mamífero del orden de los roedores. – 3 *m. pl.* Orden de mamíferos placentarios, generalmente de pequeño tamaño, unguiculados, vegetarianos, desprovistos de caninos, con dos largos incisivos curvos en cada mandíbula con los cuales roen moviendo la mandíbula inferior de delante atrás y viceversa; como la rata.

roela *f.* Disco de oro o de plata en bruto.

roentgen *m.* Unidad de radiación de los rayos X.

roer *tr.* Cortar, descantillar menuda y superficialmente con los dientes [una cosa dura]: *los ratones roen la madera;* fig., ~ *el hierro con la lima.* 2 esp. Quitar con los dientes [a un hueso] la carne que se le quedó pegada. 3 fig. Gastar, desgastar superficialmente y poco a poco [una cosa]: *el agua roe las rocas.* 4 fig. Molestar o atormentar interiormente: ~ *un crimen la conciencia.* ◇ ** CONJUG. [82].

rogar *tr.* Pedir por gracia [una cosa]. 2 Instar con súplicas: ~ *por los pecadores.* ◇ ** CONJUG. [52] como *colgar.*

rogativa *f.* Oración pública para implorar de Dios el remedio de una grave necesidad: *rogativas para pedir lluvia.* ◇ Úsase generalmente en plural.

roído, -da *adj.* fig. Corto, dado con miseria.

rojal *adj.* Que tira a rojo. 2 [pers.] Que tiene el pelo rojizo.

rojear *intr.* Mostrar una cosa el color rojo que en sí tiene. 2 Tirar a rojo.

rojizo, -za *adj.* Que tira a rojo.

rojo, -ja *adj.-m.* Color parecido al de la sangre arterial; es el primero del espectro solar: *al* ~, [materia] que toma el color rojo por efecto de una alta temperatura: del más obscuro al más claro se distinguen los matices de ~ *cereza;* ~ *vivo;* ~ *blanco.* – 2 *adj.-s.* fig. Partidario de las tendencias de izquierda en política; radical, revolucionario. – 3 *adj.* De color rojo. 4 [pelo] Rubio, casi colorado.

rol *m.* Nómina o catálogo, en la cual consta la lista de la marinería que lleva. 2 GALIC. Papel: *desempeñar un gran* ~ *en una representación teatral; tener un* ~ *importante en la política, en la sociedad.* ◇ Pl.: *roles.*

rolar *intr.* MAR. Dar vueltas en círculo. 2 MAR. Ir variando la dirección del viento. 3 *Amér.* Alternar, relacionarse, tener trato o relaciones.

roldana *f.* Rodaja de un motón o garrucha.

roleo *m.* Motivo decorativo en forma de voluta o espiral; frecuentemente referido a vegetales.

rolla *f.* Trenza de espadaña forrada con que se ajusta el yugo a las colleras de las caballerías.

rollista *adj.-com.* Persona latosa, pesada. 2 Persona fantasiosa o cuentista.

rollizo, -za *adj.* Redondo, cilíndrico. 2 Robusto y grueso. – 3 *m.* Madero en rollo.

rollo *m.* Objeto que toma forma cilíndrica por rodar (dar vueltas). 2 Porción de tejido, papel, etc., dispuesta dando, o como dando, una o más vueltas alrededor de un eje central: ~ *de la pianola, de película.* 3 Bollo o pan en forma de rosca. 4 Carne picada con ajo, perejil, etc., amasada con leche, huevo y harina, y guisado en salsa después de frito. 5 Rodillo que se emplea para triturar alimentos, alisar masas en cocina, pastelería, etc. 6 Madero redondo descortezado, pero sin labrar. 7 Película fotográfica enrollada en forma cilíndrica. 8 fam. Persona o cosa que resulta pesada, fastidiosa. 9 fam. Cuento, patraña, embuste. 10 fig. *y* vulg. Ambiente en que se desenvuelve una persona. 11 vulg. Asunto, tema.

romadizo *m.* Inflamación de la mucosa de la nariz.

romaico, -ca *adj.-m.* Lengua griega moderna.

romana *f.* Instrumento para pesar, compuesto de una palanca de primer género, de brazos muy desiguales, con el fiel sobre el punto de apoyo; un pilón o peso constante puede correr sobre el brazo mayor, donde se halla trazada la escala de los pesos.

romance *adj.-m.* Lengua moderna derivada del latín. – 2 *m.* Idioma español. 3 Libro de caballerías. 4 Combinación métrica que consta de una serie indefinida de versos, generalmente octosílabos, asonantados los pares y sin rima los impares. 5 Composición poética escrita en romance. ◇ ANGLIC.: por *aventura amorosa, idilio.* GALIC.: por *novela.*

romancear *tr.* Traducir al romance: ~ *un libro latino.*

romancero, -ra *m. f.* Persona que canta romances. – 2 *m.* Colección de romances.

romanear *tr.* Pesar [una cosa] con la romana. 2 MAR. Trasladar pesos de un lado a otro [del buque] para equilibrar la estiba. 3 Hablando de cornúpetas, levantar o sostener en vilo [a una persona, animal o cosa]. – 4 *intr.* Hacer una cosa contrapeso.

romaní *com.* Gitano. ◇ Pl.: *romaníes.*

**románico, -ca *adj.-s.* Estilo arquitectónico que dominó en Europa desde los siglos IX al XIII, caracterizado por dar gran importancia a la columna y al arco, para aliviar las paredes y contrarrestar el empuje de las bóvedas

ROMÁNICO (ARTE)

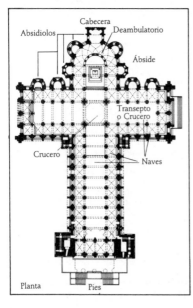

Planta

sobre aquéllas; inventar el triforio y tomar de los bizantinos la bóveda de pechinas. Las paredes, enormes y con pocas luces, se estriban con sólidos contrafuertes. Las naves son estrechas y el plan de la basílica romana se modifica, tomando la forma de cruz. Los arcos, puertas y aberturas adoptan, generalmente, el medio punto.

romanismo *m.* Conjunto de instituciones, cultura o tendencias políticas de Roma.

romanista *adj.-com.* [pers.] Que por profesión o estudio se dedica al derecho romano. 2 [pers.] Versado en las lenguas romances y en sus correspondientes literaturas.

romanística *f.* Estudio del derecho romano. 2 Estudio de las lenguas romances y sus correspondientes literaturas.

romanizar *tr.-prnl.* Difundir [en un país] o adoptar la civilización romana o la lengua latina. ◇ ** CONJUG. [4] como *realizar.*

**romano, -na *adj.-s.* De Roma, ciudad de Italia, o de cada uno de los estados antiguos y modernos de que ha sido metrópoli: *escudo ~; **armadura.* 2 De uno de los países que componían el antiguo imperio romano. – 3 *adj.-m.* Lengua latina. – 4 *adj.* Relativo a la religión católica.

romanticismo *m.* Movimiento artístico e intelectual que produjo un gran cambio en la orientación general de la cultura, principalmente en toda Europa, desde fines del s. XVIII al primer tercio del XIX, y que dura gran parte de este siglo. Sus caracteres son: subjetivismo, exaltación de la personalidad individual, oposición a las normas clásicas, valoración de la Edad Media y de las tradiciones nacionales. 2 Época de la cultura occidental en que prevaleció la escuela literaria surgida de este cambio. 3 vulg. Sentimentalismo, predominio de la fantasía y ausencia de espíritu práctico.

romántico, -ca *adj.-s.* Escritor que en sus obras refleja los caracteres del romanticismo. 2 Partidario del romanticismo. – 3 *adj.* Relativo al romanticismo o que participa de sus calidades. 4 Sentimental, generoso, fantaseador.

romantizar *tr.* Dar un aspecto o carácter romántico [a algo o a alguien]. ◇ ** CONJUG. [4] como *realizar.*

romanza *f.* Aria de carácter sencillo y tierno. 2 Composición instrumental del mismo carácter.

romaza *f.* Hierba poligonácea cuyas hojas se comen como potaje *(Rumex patientia).*

rómbico, ca *adj.* **CRIST. [sistema cristalino] De forma holoédrica con tres ejes binarios rectangulares y no equivalentes, tres planos de simetría y centro. 2 Perteneciente o relativo a este sistema.

rombo *m.* GEOM. Paralelogramo de lados iguales y ángulos oblicuos; **cuadriláteros.

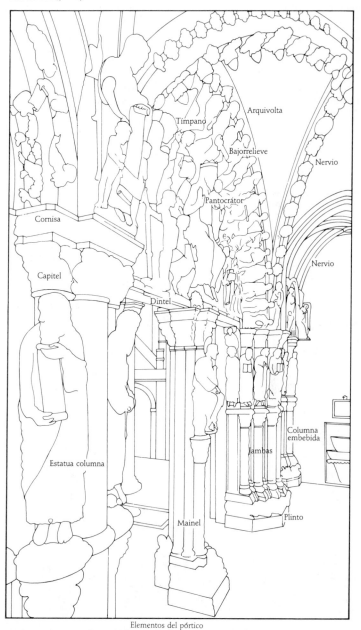

Elementos del pórtico

rombododecaedro *m.* **CRIST. Forma cristalina perteneciente al sistema cúbico, limitada por rombos en número de doce.

romboedro *m.* GEOM. Paralelepípedo cuyas caras son rombos; **cristalografía; **sólidos.

romboide *m.* GEOM. Paralelogramo de ángulos oblicuos cuyos lados contiguos son desiguales; **cuadriláteros.

I) romeo *adj.-m.* Galán enamoradizo.

II) romeo, -a *adj.-s.* Griego bizantino.

romería *f.* Viaje o peregrinación, especialmente la hecha por devoción a un santuario. 2 Fiesta popular que se celebra en el campo inmediato a un santuario el día de la festividad religiosa del lugar. 3 fig. Gran número de gentes que afluyen a un sitio.

romeriego, -ga *adj.* Amigo de andar en romerías.

romerillo *m.* Pez marino teleósteo perciforme, grande, de cuerpo oblongo, color negro azulado o pardusco, y aletas más obscuras que el cuerpo *(Centrolophus niger)*.

I) romero *m.* Arbusto labiado de hojas aromáticas, lineares, con los márgenes doblados y flores azules *(Rosmarinus officinalis)*.

II) romero, -ra *adj.-s.* Peregrino que va en romería con bordón y esclavina. – 2 *adj.* [caballo] Tordillo de matiz sonrosado.

romo, -ma *adj.* Obtuso y sin punta. 2 De nariz pequeña y poco puntiaguda.

rompecabezas *m.* Arma ofensiva compuesta de dos bolas de metal sujetas a los extremos de un mango corto y flexible. 2 fig. Problema o acertijo de difícil solución. 3 fig. Pasatiempo que consiste en componer determinada figura combinando cierto número de pedacitos en cada uno de los cuales hay una parte de la figura. ◇ Pl.: *rompecabezas*.

rompedera *f.* Punzón grande enastado como un martillo.

ROMANO

Cávea o gradas
Casetón
Anfiteatro
Arena
Panteón
Torre funeraria
Escultura
Acueducto
Puente
Ático
Acrotera
Tímpano
Frontón
Columna conmemorativa
Arco de triunfo
Compluvio
Templo
Cárcel
Cávea
Espina
Orquesta
Gradas
Escena
Arena
Atrio
Impluvio
Circo
Teatro
Casa

rompegalas *com.* fig. Persona desaliñada. ◇ Pl.: *rompegalas.*

rompehielos *m.* Buque acondicionado para navegar por mares donde abunda el hielo. 2 Espolón que hay en algunos barcos y que les ayuda a abrirse paso entre el hielo. ◇ Pl.: *rompehielos.*

rompeolas *m.* Dique avanzado en el mar para proteger a un **puerto o rada. ◇ Pl.: *rompeolas.*

romper *tr.* Separar con violencia las partes [de un todo] deshaciendo su unión: ~ *una rama, una cuerda.* 2 en gral. Quebrar o hacer pedazos [una cosa]: ~ *un vaso.* 3 p. ext. Gastar, destrozar: ~ *unos pantalones.* 4 Hacer una abertura [en un cuerpo] o causarla hiriéndolo: ~ *las carnes.* 5 Desbaratar o deshacer [un cuerpo de gente armada]: ~ *un batallón por medio.* 6 fig. Abrir espacio suficiente [en una cosa] para pasar por un sitio obstruido: ~ *el cerco.* 7 esp. Dejarse ver la luz venciendo [la niebla, la nube, etc.]. 8 fig. Traspasar [el coto o límite] que está puesto: ~ *la frontera.* 9 fig. Quebrantar la observación [de la ley, contrato u otra obligación]. 10 fig. Cortar la continuidad [de un fluido] en el acto de pasar por él un cuerpo: ~ *el aire, el agua.* 11 p. anal. Interrumpir la continuidad [de algo no material]: ~ *el silencio, el hilo de un discurso; ~ filas,* deshacer la formación militar. – 12 *intr.* Reventar las olas. 13 fig. Prorrumpir o brotar: ~ *en llanto.* 14 esp. Abrirse las flores. 15 en gral. Intensivo de empezar (tener principio): ~ *el día; ~ a hablar; ~ la marcha.* 16 fig. Resolverse a la ejecución de una cosa en que se halla dificultad. 17 ~ *el servicio,* DEP., en el juego del tenis, ganar el juego en que no se tiene el saque. ◇ CONJUG.: pp. irreg.: *roto,* aunque el pp. reg.: *rompido* no ha desaparecido totalmente.

rompesacos *m.* Planta graminácea que produce granos bermejos, puntiagudos por ambas extremidades *(Aegilops triunciales).* ◇ Pl.: *rompesacos.*

rompesquinas *m.* fig. Valentón que se pone en las esquinas de las calles como en espera. ◇ Pl.: *rompesquinas.*

rompetechos *com.* fig. y fam. Persona baja de estatura. ◇ Pl.: *rompetechos.*

rompiente *m.* Bajo, escollo o costa donde, cortado el curso de la corriente de un río o el de las olas, rompe y se levanta el agua.

rompimiento *m.* Acción de romper. 2 Efecto de romper. 3 Porción del fondo de un cuadro, donde se pinta una abertura que deja ver un objeto lejano. 4 Espacio abierto en un cuerpo sólido, o quiebra que se reconoce en él. 5 fig. Desavenencia o riña.

ron *m.* Licor alcohólico sacado de una mezcla fermentada de melazas y zumo de caña de azúcar. ◇ Pl.: *rones.*

roncador, -ra *adj.-s.* Que ronca. – 2 *m.* Pez marino de color gris negruzco, con veinte o más líneas obscuras que corren desde las agallas hasta la cola *(Pomadasis incisus).*

roncadora *f.* Amér. Espuela vaquera de rodaja grande y sonante.

roncamente *adv. m.* Tosca o groseramente.

roncar *intr.* Hacer ruido bronco con el resuello cuando se duerme. 2 esp. Llamar el gamo a la hembra cuando está en celo. 3 fig. Hacer un ruido sordo o bronco el mar, el viento, etc. ◇ ** CONJUG. [1] como *sacar.*

roncear *intr.* Entretener la ejecución de alguna cosa por hacerla de mala gana. 2 fam. Halagar para lograr un fin. 3 MAR. Ir tarda y perezosa la embarcación. 4 Amér. Espiar con cautela. – 5 *tr.* Argent. y Chile. Voltear, ronzar, mover una cosa pesada ladeándola con las manos o por medio de palancas.

ronco, -ca *adj.* Que padece ronquera. 2 [voz o sonido] Áspero y bronco.

roncón *m.* Tubo de la gaita gallega unido al cuero; forma el bajo del instrumento.

I) roncha *f.* Lesión cutánea sobreelevada y pruriginosa, característica de la alergia inmediata o provocada por picaduras de un insecto. 2 fig. Daño recibido en materia de dinero cuando se lo sacan a uno con engaño.

II) roncha *f.* Tajada delgada, cortada en redondo.

ronda *f.* Acción de rondar. 2 Grupo de personas que andan rondando. 3 Espacio entre la parte interior del muro y las casas de una plaza fuerte. 4 Camino inmediato al límite de una población. 5 Paseo o calle que, en conjunto, circunda una ciudad o la parte antigua de ella. 6 En varios juegos de naipes, vuelta o suerte de todos los jugadores. 7 Reunión nocturna de mozos para tocar y cantar por las calles. 8 fam. Distribución de copas de bebida o tabaco a personas reunidas en corro. 9 DEP. Carrera ciclista en etapas. 10 MIL. Patrulla destinada a rondar las calles o a recorrer los puestos exteriores de una plaza.

rondalla *f.* Cuento, patraña o conseja. 2 Ronda (reunión nocturna).

rondana *f.* Rodaja de plomo o cuero engrasado, agujereada en el centro, que se utiliza para asiento de tuercas y cabezas de tornillos.

rondar *intr.-tr.* MIL. Visitar los diferentes puestos de una plaza fuerte o campamento para vigilar el servicio. 2 Andar de noche vigilando una población. 3 en gral. Andar de noche paseando por las calles. 4 esp. Pasear los mozos las calles donde viven las mozas a quienes galantean. – 5 *tr.* Dar vueltas alrededor [de una cosa]: *la mariposa ronda la luz.* 6 fig. Andar [tras de uno] para conseguir de él una cosa. 7 fig. Amagar, retentar [a uno] una cosa: *me anda rondando un catarro.*

rondel *m.* Composición poética corta. 2 Disco metálico que refuerza algunas partes de la **armadura.

rondeña *f.* Canción parecida al fandango.

rondó *m.* Composición musical cuyo tema principal se repite varias veces alternando con otros secundarios. ◇ Pl.: *rondoes.*

I) ronquear *intr.* Estar ronco.

II) ronquear *tr.* Trocear, partir [atunes y otros animales parecidos].

ronquera *f.* Afección de la laringe que cambia el timbre de la voz haciéndolo bronco.

ronquido *m.* Ruido que se hace roncando. 2 fig. Ruido bronco.

ronronear *intr.* Producir el gato una especie de ronquido en demostración de contento. 2 p. anal. Producir ruido la hélice de los aviones, la trepidación de los motores, etc.

ronzal *m.* Cuerda que se ata al pescuezo o a la cabeza de las caballerías para sujetarlas.

I) ronzar *tr.* Mascar [las cosas duras] quebrantándolas con ruido. ◇ ** CONJUG. [4] como *realizar.*

II) ronzar *tr.* MAR. Mover [una cosa pesada] por medio de palancas. ◇ ** CONJUG. [4] como *realizar.*

roña *f.* Moho de los metales. 2 Sarna del ganado lanar. 3 Porquería pegada fuertemente. 4 fig. Daño moral que se comunica de unos en otros. – 5 *com.* Persona roñosa (tacaña). – 6 *f.* Farsa, treta, maula. 7 Corteza del pino. 8 Enfermedad de la vid.

roñería *f.* fam. Miseria, tacañería.

roñica *com.* fam. Persona roñosa.

roñoso, -sa *adj.* Oxidado o cubierto de orín. 2 Que tiene o padece roña. 3 Puerco, sucio. 4 fig. Miserable, tacaño.

ropa *f.* Todo género de tela, con variedad de hechuras, para el uso o adorno de las personas o las cosas. 2 Vestido (conjunto de piezas).

ropaje *m.* Vestido u ornato exterior del cuerpo. 2 Vestidura larga de gala o de autoridad. 3 Conjunto de ropas. 4 fig. Forma de expresión, lenguaje.

ropavejero, -ra *m. f.* Persona que tiene por oficio vender ropas, baratijas y otras cosas usadas.

ropero, -ra *m. f.* Persona que tiene por oficio vender ropa hecha. 2 Persona que cuida de la ropa de una comunidad. – 3 *m.* Armario o cuarto donde se guarda la ropa. 4 Asociación benéfica destinada a distribuir ropas entre los necesitados.

ropeta, ropilla *f.* Vestidura corta con mangas y brahones, que se vestía sobre el jubón.

ropón *m.* Ropa larga, generalmente puesta sobre los demás vestidos. 2 Acolchado que se hace cosiendo unas telas gordas sobre otras, o poniéndolas dobladas.

roqueda *f.* Lugar abundante en rocas.

roquedo *m.* Peñasco o roca.

roquefort *m.* Queso francés de aspecto y sabor particulares, hecho con leche de oveja y pan enmohecido.

roqueño, -ña *adj.* [paraje] Lleno de rocas. 2 Duro como una roca.

I) roquero, -ra *adj.* Relativo a las rocas o edificado sobre ellas: *castillo* ~.

II) roquero, -ra *adj.* Perteneciente o relativo al rock and roll. – 2 *adj.-s.* Seguidor o cantante de rock and roll.

roqueta *f.* Atalaya construida dentro del recinto de una plaza fuerte.

I) roquete *m.* Sobrepelliz de mangas estrechas que visten los obispos y ciertos dignatarios eclesiásticos.

II) roquete *m.* Hierro de la lanza de torneo, que terminaba con tres o cuatro puntas separadas.

rorcual *m.* Cetáceo mistacoceto con pliegues epidérmicos en la garganta, aleta dorsal pequeña y cabeza aplanada (gén. *Balaenoptera).*

rorro *m.* fam. Niño pequeñito.

ros *m.* Especie de chacó pequeño, de fieltro, y más alto por delante que por detrás. ◇ Pl.: *roses.*

rosa *f.* Flor del rosal. 2 Lazo de cinta o cosa semejante que se forma en hojas con la figura de rosa. 3 Cosa formada con alguna semejanza a esta figura. 4 Mancha redonda de color rosado, que suele salir en el cuerpo. 5 Fruta de sartén hecha con masa de harina. 6 Flor del azafrán. 7 ~ *de los vientos* o ~ *náutica,* círculo que tiene marcados alrededor los 32 rumbos en que se divide la vuelta al horizonte. – 8 *f. pl.* Rosetas de maíz. – 9 *adj.-m.* Color encarnado parecido al de la rosa. – 10 *adj.* De color rosa.

rosáceo, -a *adj.* De color parecido al de la rosa. – 2 *adj.-f.* Planta de la familia de las rosáceas. – 3 *f. pl.* Familia de plantas dicotiledóneas que incluye árboles, arbustos y hierbas de hojas alternas con estípulas, flores completas actinomorfas y fruto de diversa forma con semillas sin albumen; como el almendro y el rosal.

rosacruz *com.* Orden o fraternidad de carácter gnóstico, que pretende unir ciertas concepciones religiosas orientales con otras derivadas del cristianismo. 2 Persona perteneciente a esa orden. ◇ Pl.: *rosacruces.*

I) rosado, -da *adj.* Del color de la rosa. 2 Compuesto con rosas: *miel rosada.* – 3 *adj.-m.* Vino procedente de uvas tintas o de mezcla de uvas tintas y blancas, cuyos mostos han fermentado sin los orujos.

II) rosado, -da *adj.* [bebida helada] Que está a medio cuajar.

rosal *m.* Arbusto rosáceo de tallo ramoso, provisto de aguijones, hojas imparipinnadas, flores hermosas de colores muy variados y fruto carnoso (gén. *Rosa).*

rosario *m.* Rezo de la iglesia católica, en que se conmemoran los quince misterios de la Virgen Santísima, recitando después de cada uno un padrenuestro, diez avemarías y un gloria patri, seguido todo de la letanía. 2 Sarta de cuentas, separadas de diez en diez por otras de distinto tamaño para hacer ordenadamente el rezo del mismo nombre. 3 fig. Sarta, serie: *un ~ de penas.* 4 Junta de personas que rezan el rosario. 5 Este mismo acto colectivo de devoción. 6 Máquina para elevar agua, especie de noria. 7 fig. Columna vertebral.

rosbif *m.* Carne de vaca soasada. ◇ Pl.: *rosbifs.*

rosca *f.* Máquina compuesta de tornillo y tuerca. 2 Vuelta de una espiral, o el conjunto de ellas. 3 Resalto helicoidal de un tornillo, o estría helicoidal de una tuerca. 4 Faja de material que, sola o con otras concéntricas, forma un arco o bóveda. 5 Cosa redonda y rolliza que, cerrándose, forma un círculo u óvalo, dejando en medio un espacio vacío. 6 Pan o bollo en forma de rosca (cosa redonda). 7 Carnosidad que rebosa a las personas gruesas, especialmente a los niños, alrededor del cuello, las muñecas y las piernas. 8 *Argent.* y *Chile* Pelea, discusión entre muchos.

rosco *m.* Roscón o rosca de pan. 2 fam. Nota desfavorable, cero.

roscón *m.* Bollo en forma de rosca grande.

róseo, -a *adj.* De color de rosa.

roséola *f.* Erupción cutánea, caracterizada por pequeñas manchas rosáceas.

roset *m.* Pez marino muy pequeño, parecido al chanquete, con una mancha roja negruzca en la base de la aleta caudal *(Pseudaphya ferreri).*

roseta *f.* Objeto en forma de rosa. 2 Arete o zarcillo adornado con una piedra preciosa a la que rodean otras pequeñas. 3 Pieza de metal fija en el extremo de la barra de la romana. 4 Ensanchamiento de los cuernos de los cérvidos en forma de anillo rugoso más ancho que aquéllos. – 5 *f. pl.* Granos de maíz que al tostarse se abren en forma de flor. – 6 *f. Amér.* Rodaja movediza con púas de hierro en que remata la espuela.

rosetón *m.* Ventana circular calada, con adornos; **gótico. 2 Adorno circular que se coloca en los techos.

rosicler *m.* Color rosado de la aurora.

rosillo, -lla *adj.* Rojo claro. 2 [caballería] De pelo mezclado de blanco, negro y castaño.

I) roso *adj.* Raído, sin pelo.

II) roso, -sa *adj.* Rojo.

rosol, rosolí *m.* Licor compuesto de aguardiente, azúcar, canela, anís, etc.

rosquete *m.* Rosquilla de masa, algo mayor que las regulares.

rosquilla *f.* Fruta de sartén en figura de rosca pequeña. 2 Larva de varias especies de insectos, dañinos para los vegetales.

rosticería *f. Méj.* y *Nicar.* Establecimiento donde se asan y venden carnes.

rostrado, -da *adj.* Que remata en una punta semejante al pico del pájaro o al espolón de la nave.

rostrizo *m.* Tostón, cochinillo asado.

rostro *m.* Pico del ave. 2 p. ext. Cosa en punta, parecida a él. 3 Cara (cabeza). 4 fam. Caradura, aprovechado.

I) rota *f.* Tribunal de la curia romana donde se deciden en apelación las causas eclesiásticas de todo el orbe católico.

II) rota *f.* Palma pequeña de cuyo tallo, delgado, sarmentoso y fuerte, se hacen bastones *(Calamus caesius).*

rotáceo, -a *adj.* De forma de rueda.

rotacismo *m.* Conversión de la *s* en *r,* frecuente en la fonética indoeuropea; p. ext., transformación en *r* de otras consonantes, como la *l* o la *d.*

rotativo, -va *adj.* Que da vueltas. – 2 *adj.-f.* Máquina que con movimiento seguido y a gran velocidad imprime los ejemplares de un periódico. – 3 *m.* p. ext. Periódico impreso en estas máquinas.

rotatorio, -ria *adj.* Que tiene movimiento circular.

rotífero *adj.-m.* Animal del tipo de los rotíferos. – 2 *m. pl.* Tipo de animales acuáticos, de cuerpo pequeñísimo, con una corona de pestañas vibrátiles en su parte anterior, y en la posterior una especie de cola terminada en pinza.

roto, -ta *adj.-s.* Andrajoso. – 2 *adj.* [pers.] Licencioso, de costumbres y vida licenciosa. – 3 *m.* fam. *y* desp. *Argent.* y *Perú.* Chileno.

rotonda *f.* Edificio o sala de planta circular. 2 Plaza circular.

rotor *m.* Fís. Parte giratoria de una máquina electromagnética o de una turbina. 2 Aspas giratorias de un helicóptero; **avión.

rótula *f.* **Hueso flotante, de forma discoidal, situado delante de la articulación del fémur con la tibia y destinado a impedir que la pierna se doble hacia atrás.

rotulador, -ra *adj.-s.* Que rotula o sirve para rotular. – 2 *f.* Máquina para rotular. – 3 *m.* Instrumento para escribir o dibujar con tinta grasa cuya punta es de fibra.

rotular *tr.* Poner un rótulo [en alguna cosa o en alguna parte].

rotulista *com.* Persona que diseña y confecciona rótulos y carteles.

rótulo *m.* Título, encabezamiento, letrero, etiqueta. 2 Letrero con que se indica el contenido, objeto o destino de una cosa. 3 Cartel público para dar aviso o noticia de una cosa.

rotundo, -da *adj.* Redondo. 2 fig. [lenguaje] Lleno y sonoro. 3 fig. Completo, preciso y terminante.

roturar *tr.* Arar por primera vez [las tierras eriales o los montes descuajados].

roulotte *f.* Caravana (remolque): *una ~ de circo.* ◇ Se pronuncia *rulot.*
round *m.* DEP. Asalto de boxeo. 2 DEP. Eliminatoria de una competición: *el tercer ~ de la copa de Europa.* 3 fig. Etapa [de una negociación]: *el primer ~ de las conversaciones sobre desarme.* ◇ Se pronuncia *raund.*
roya *f.* Honguillo parásito a manera de polvo amarillento, que se cría en varios cereales y en otras plantas *(gén. Puccinia).*
royalty *m.* Derecho pagado al titular de una patente por utilizarla y explotarla comercialmente. ◇ Pl.: *royalties.* Se pronuncia *royalti, royaltis.*
roza *f.* Acción de rozar. 2 Efecto de rozar. 3 Tierra rozada para sembrar en ella. 4 Surco o canal abierto en una pared o techo para empotrar tuberías, cables, etc.
rozadura *f.* Acción de ludir una cosa con otra y señal que deja. 2 Efecto de ludir una cosa con otra y señal que deja. 3 Enfermedad de los árboles por desprenderse del líber la corteza. 4 Herida superficial de la piel.
rozagante *adj.* [vestido] Vistoso y muy largo. 2 fig. Vistoso, ufano.
rozamiento *m.* Roce. 2 Resistencia que se opone a la rotación o al resbalamiento de un cuerpo sobre otro.
rozar *tr.* Limpiar [la tierra] de las hierbas y matas inútiles. 2 en gral. Raer la superficie [de las paredes, del suelo, etc.]. 3 Cortar [leña menuda o hierba] para aprovecharse de ella. 4 Cortar los animales con los dientes [la yerba para comerla]. 5 ALBAÑ. Abrir algún hueco o canal [en un paramento]. – 6 *intr.-tr.* Pasar una cosa tocando la superficie [de otra]. – 7 *prnl.* Tropezarse o herirse un pie con otro. 8 fig. Tratarse o tener entre sí dos o más personas familiaridad y confianza. 9 fig. Tener una cosa semejanza o conexión con otra. ◇ ** CONJUG. [4] como *realizar.*
rozno *m.* Borrico pequeño.
rozón *m.* Especie de guadaña, corta y gruesa, para rozar árgoma, zarzas, etc.
rúa *f.* Calle de un pueblo. 2 Camino carretero.
ruán *m.* Tela de algodón estampada en colores.
ruana *f.* Tejido de lana. 2 Manta raída.
ruano, -na *adj.* Que tiene forma de rueda o la hace.
rubefacción *f.* Enrojecimiento de la piel.
rubelana *f.* Mica de color pardo rojizo que se encuentra asociada con rocas efusivas.
rúbeo, -a *adj.* Que tira a rojo.
rubéola *f.* Enfermedad parecida al sarampión, que provoca erupciones cutáneas, pero más benigna y de menor duración.
rubí *m.* Piedra preciosa, variedad roja del corindón. ◇ Pl.: *rubíes.*
rubia *f.* Planta rubiácea, cuya raíz sirve para

preparar una materia colorante roja muy usada en tintorería *(Rubia tinctorum; R. cordifolia).* 2 Raíz de esta planta. 3 Pececillo, muy común en los ríos y arroyos de España. 4 fam. Peseta que no es de plata, sino de metal dorado.
rubiáceo, -a *adj.-f.* Planta de la familia de las rubiáceas. – 2 *f. pl.* Familia de plantas dicotiledóneas de hojas enteras, opuestas, con estípulas; flores actinomorfas, hermafroditas o unisexuales y fruto en cápsula, baya o drupa; como la rubia.
rubial *m.* Tierra donde se cría la rubia. – 2 *adj.* [tierra, planta] Que tira al color rubio.
rubicán, -cana *adj.* [caballería] De pelaje mezclado de blanco y rojo.
rubicundo, -da *adj.* Rubio que tira a rojo. 2 [pers.] De buen color y aspecto saludable. 3 [pelo] Que tira a colorado.
rubidio *m.* Metal parecido al potasio, aunque más blando y más pesado. Su símbolo es *Rb.*
rubificar *tr.* Poner colorada [una cosa] o teñirla de color rojo. ◇ ** CONJUG. [1] como *sacar.*
rubio, -bia *adj.-m.* Color rojo claro parecido al del oro. – 2 *adj.-s.* [pers.] De cabellos rubios. – 3 *adj.* De color rubio. – 4 *m.* Pez marino teleósteo perciforme de cabeza fuerte, lisa en la garganta, de cuerpo alargado acorazado con placas óseas y armado de fuertes espinas, de color rosa carmín *(Trigla lastovisza).*
rublo *m.* Unidad monetaria de la Unión Soviética.
rubor *m.* Color encarnado o rojo muy encendido. 2 Color que la vergüenza saca al rostro y que lo pone encendido. 3 fig. Empacho y vergüenza.
ruborizarse *prnl.* Teñirse de rubor el semblante. 2 Sentir vergüenza. ◇ ** CONJUG. [4] como *realizar.*
rúbrica *f.* Rasgo o rasgos de figura determinada, que como parte de la firma pone cada cual después de su nombre o título. 2 Epígrafe o rótulo.
rubricar *tr.* Poner uno su rúbrica [en un escrito], vaya o no precedida del nombre de la persona que la hace. 2 Subscribir [un despacho o papel] y ponerle el sello. 3 fig. Subscribir o dar testimonio [de una cosa]. ◇ ** CONJUG. [1] como *sacar.*
rubro, -bra *adj.* Encarnado, rojo. – 2 *m.* *Amér.* Título o rótulo.
rucio, -cia *adj.-s.* Bestia de color pardo claro, blanquecino o canoso. – 2 *m. f.* Asno.
ruco, -ca *adj.* *Amér. Central.* Viejo, inútil; esp., las caballerías.
ruda *f.* Planta rutácea, de hojas muy divididas, con numerosas glándulas esenciales y flores amarillas en corimbo; se usa en medicina *(Ruta graveolens).*

rudimentario, -ria *adj.* Relativo al rudimento o a los rudimentos.

rudimento *m.* Embrión o estado primordial informe de un ser orgánico. 2 Parte de un ser orgánico imperfectamente desarrollada. – 3 *m. pl.* Primeros elementos de un arte o ciencia.

rudo, -da *adj.* Tosco, sin pulimento. 2 Descortés, grosero. 3 Que no se ajusta a las reglas del arte. 4 Que tiene dificultad grande para percibir o aprender lo que estudia. 5 Riguroso, violento, impetuoso.

rueca *f.* Instrumento para hilar, compuesto de una vara delgada con un rocadero en la extremidad superior. 2 *fig.* Vuelta o torcimiento de una cosa.

rueda *f.* Máquina elemental, en forma circular y de poco grueso respecto a su radio, que puede girar sobre un eje: ~ *de* ***bicicleta;* ~ *del* ***automóvil;* ~ *de apoyo;* ~ **catalina** o **de Santa Catalina,** la de dientes agudos y oblicuos que hace mover el volante de ciertas clases de **relojes; ~ *de molino,* muela (disco); ~ *hidráulica,* la de álabes, cangilones o paletas, que transforma en energía mecánica la energía disponible de un pequeño salto de agua. 2 Círculo o corro. 3 Tajada circular de ciertas frutas, carnes o pescados. 4 Turno, vez, orden sucesivo. 5 ~ *de prensa* o *informativa,* coloquio que una personalidad sostiene con periodistas convocados por ella para informarles de algún asunto o responder a las preguntas que le hagan.

ruedo *m.* Acción de rodar. 2 Parte colocada alrededor de una cosa. 3 Contorno, límite, término. 4 Círculo o circunferencia de una cosa. 5 Redondel en las plazas de toros. 6 Esterilla redonda. 7 Corro, juego de muchachos.

ruego *m.* Súplica, petición.

rufián *m.* El que hace tráfico de mujeres públicas. 2 *fig.* Hombre sin honor, perverso.

rufianesco, -ca *adj.* Relativo a los rufianes.

rufo, -fa *adj.* Rubio, rojo o bermejo. 2 Que tiene el pelo ensortijado. 3 Achulado, rufianesco.

rugby *m.* Juego entre dos equipos formados por quince jugadores cada uno, que consiste en tratar de lograr un ensayo, o de hacer pasar un balón, ovoide, valiéndose de pies y manos, a través de la portería contraria.

rugido *m.* Voz del león. 2 *fig.* Bramido. 3 *fig.* Estruendo, retumbo.

ruginoso, -sa *adj.* Mohoso, o con orín.

rugir *intr.* Bramar el león. 2 p. anal. Dar bramidos (gritos). 3 Crujir o rechinar o hacer ruido fuerte. 4 *fig. y fam.* Oler mal. – 5 *unipers.* Sonar una cosa: *durante la tempestad el mar ruge.* 6 Empezarse a decir o saberse lo que estaba ignorado. ◇ ** CONJUG. [6] como *dirigir.*

rugosidad *f.* Calidad de rugoso. 2 Arruga.

ruibarbo *m.* Planta poligonácea, de hojas anchas y rizoma grueso que se usa como purgante *(Rheum rhabarbarum).* 2 Raíz de esta planta.

ruido *m.* Sonido inarticulado y confuso. 2 *fig.* Litigio, pendencia, alboroto. 3 *fig.* Apariencia grande en cosas sin substancia. 4 *fig.* Novedad o extrañeza que inmuta el ánimo. 5 Señales extrañas y no deseadas que surgen en cualquier parte de un sistema de transmisión.

ruidoso, -sa *adj.* Que causa mucho ruido. 2 *fig.* [acción o lance] Notable y de que se habla mucho.

ruin *adj.* Vil. 2 [pers.] De malas costumbres y procedimientos. 3 [costumbre y procedimiento] Malo. 4 [animal] De malas mañas. 5 Mezquino y avariento. 6 Pequeño, desmedrado y humilde. – 7 *m.* Extremo de la cola de los gatos.

ruina *f.* Acción de caer o destruirse una cosa. 2 *fig.* Pérdida grande de los bienes de fortuna. 3 *fig.* Destrozo, perdición, decadencia. 4 *fig.* Causa de esta caída, decadencia o perdición, así en lo físico como en lo moral. – 5 *f. pl.* Restos de uno o más edificios arruinados.

ruindad *f.* Calidad de ruin. 2 Acción de ruin.

ruinoso, -sa *adj.* Que se empieza a arruinar o amenaza ruina: *edificio* ~. 2 Pequeño, desmedrado. 3 Que arruina y destruye: *negocio* ~.

ruipóntico *m.* Planta poligonácea de raíz semejante a la del ruibarbo *(Rheum rhaponticum).*

ruiseñor *m.* Ave paseriforme de plumaje pardo rojizo, notable por la belleza de su canto *(Luscinia megarhynchos).*

rular *intr.-tr.* Rodar. 2 Marchar, funcionar, ir bien. 3 Deambular sin rumbo fijo.

ruleta *f.* Juego de azar en el que se lanza una bola pequeña sobre una rueda horizontal que gira en sentido contrario, dividida en 36 casillas radiales, numeradas y pintadas alternativamente de negro y rojo, y colocada en el centro de una mesa, en cuyo tablero están pintados los mismos números; decide el resultado de la apuesta el número y color del compartimiento en que finalmente se para la bola y, por consiguiente, ganan los que en la mesa han apuntado al mismo: ~ *rusa,* juego suicida que se practica con un revólver cargado con una sola bala, disparándose tras haber hecho girar el tambor; acción suicida en la que el conductor de un automóvil circula intencionadamente por el carril contrario en un cambio de rasante.

rulo *m.* Bola gruesa u otra cosa redonda que rueda fácilmente. 2 Piedra de figura de cono truncado, que gira con movimientos de rotación y traslación en los molinos de **aceite y en los de yeso. 3 Rodillo: ~ *de allanar la tierra, para pintar.* 4 Rodillo para dar forma al pelo, cuando está húmedo. 5 Rizo de pelo.

rumano, -na *adj.-s.* De Rumanía, nación de la Europa oriental. – 2 *m.* Lengua rumana.

rumba *f.* Baile cubano, de origen africano, de ritmo binario y complejo, en el que abundan los contratiempos y las síncopas. 2 Música y canto de este baile.

I) rumbo *m.* Dirección considerada o trazada en el plano del horizonte, y especialmente cualquiera de las comprendidas en la rosa náutica. 2 Camino que uno se propone seguir en lo que intenta o procura. 3 *Argent.* Tajo en la cabeza.

II) rumbo *m.* fig. *y* fam. Pompa, ostentación y aparato costoso. 2 fig. *y* fam. Garbo, desinterés, desprendimiento.

rumboso, -sa *adj.* fam. Pomposo y magnífico. 2 fam. Desprendido, dadivoso.

rumiante *adj.-m.* Mamífero del suborden de los rumiantes. – 2 *m. pl.* Suborden de mamíferos ungulados artiodáctilos, herbívoros, que rumian los alimentos y tienen el estómago dividido en cuatro cavidades.

rumiar *tr.* Masticar por segunda vez los animales herbívoros, volviendo a la boca [el alimento] que estuvo en una de las cavidades del estómago. 2 fig. *y* fam. Considerar despacio y pensar con madurez [una cosa]. 3 fig. *y* fam. Rezongar, refunfuñar. ◇ ** CONJUG. [12] como *cambiar.*

rummy *m.* Juego de naipes muy parecido al remigio, con la diferencia de que los jugadores pueden ir exponiendo sus combinaciones.

rumor *m.* Voz que corre entre el público. 2 Ruido confuso de voces. 3 Ruido sordo y continuado: ~ *del río.* 4 fig. Noticia no confirmada y sin fuente precisa.

rumorear *unipers.* Circular un rumor (voz). – 2 *intr.* Producir rumor (ruido).

rumoroso, -sa *adj.* Que causa rumor.

runfla, -flada *f.* fam. Multitud de cosas de una misma especie. 2 *Amér.* fam. Multitud de personas.

runrún *m.* Zumbido, ruido o sonido continuado y bronco.

runrunear *intr.-prnl.* Susurrar. 2 Hacer correr un runrún o murmullo.

runruneo *m.* Acción de runrunear o runrunearse. 2 Runrún, ruido confuso e insistente de algo.

rupescente *adj.* Que crece sobre paredes y rocas.

rupestre *adj.* Relativo a las rocas: *plantas rupestres; pinturas, dibujos rupestres;* **prehistoria.

rupia *f.* Unidad monetaria de la India, Indonesia, Nepal y otras naciones de Asia y África. 2 fig. *y* fam. Peseta.

ruptor *m.* Dispositivo electromagnético o mecánico que cierra y abre sucesivamente un circuito eléctrico. 2 Dispositivo que, al funcionar, produce la chispa en la bujía de un motor de explosión.

ruptura *f.* fig. Rompimiento (acción; espacio; riña).

rural *adj.* Relativo al campo y a las labores de él. 2 fig. Tosco, rústico.

rusel *m.* Tejido de lana asargado.

rusiente *adj.* Que se pone rojo o candente con el fuego.

rusificar *tr.* Comunicar las costumbres rusas: ~ *la música.* – 2 *prnl.* Tomar estas costumbres. ◇ ** CONJUG. [1] como *sacar.*

ruso, -sa *adj.-s.* De Rusia, antiguo imperio zarista, cuyo territorio coincide con el de la actual Unión Soviética. 2 De Rusia, república de la Unión Soviética. 3 Soviético. – 4 *adj.-m.* Lengua oficial de la Unión Soviética.

rusticano, -na *adj.* Silvestre: *rábano ~.*

rusticar *intr.* Salir al campo o habitar en él. ◇ ** CONJUG. [1] como *sacar.*

rústico, -ca *adj.* Relativo al campo: *finca rústica.* 2 fig. Tosco, grosero: *modales rústicos.* – 3 *m.* Hombre del campo.

ruta *f.* Derrota de un viaje. 2 Itinerario para él. 3 fig. Derrotero (camino).

rutáceo, -a *adj.-f.* Planta de la familia de las rutáceas. – 2 *f. pl.* Familia de plantas dicotiledóneas que incluye árboles, arbustos o hierbas, casi todos glandulosos, de hojas alternas u opuestas, flores generalmente actinomorfas y fruto muy variado; como la ruda y el naranjo.

rutenio *m.* Metal muy parecido al osmio. Su símbolo es *Ru.*

rutilante *adj.* Que rutila.

rutilar *intr.* poét. Brillar como oro, o resplandecer y despedir rayos de luz.

rútilo, -la *adj.* De color rubio subido, o de brillo como el oro; resplandeciente.

rutilo *m.* Mineral de color rojo, castaño o negro, con brillo adamantino, explotado como mena del titanio.

rutina *f.* Costumbre inveterada, hábito adquirido de hacer las cosas por mera práctica y sin razonarlas. 2 Habilidad que es únicamente producto de la costumbre.

rutinario, -ria *adj.* Que se hace o practica por rutina.

S

S, s *f.* Ese, vigésima segunda letra del alfabeto español que representa gráficamente a la consonante fricativa, alveolar y sorda. 2 Símbolo del segundo. 3 Abreviatura de Sur. 4 Abreviatura de san o santo. 5 Abreviatura de siglo.

sábado *m.* Séptimo y último día de la semana.

sabalera *f.* Rejilla de hierro, o bóveda calada, donde se coloca el combustible en los hornos de reverbero. 2 Arte de pesca, parecido a la jábega, para pescar sábalos.

sábalo *m.* Pez teleósteo clupeiforme que vive en el mar y remonta los cursos de agua bastante arriba para la freza; de cuerpo en forma de lanzadera, azulado verdoso por el dorso, y plateado en el resto, con una mancha obscura junto a las aberturas branquiales *(Clupea alosa; Alosa a.).*

sabana *f.* Llanura dilatada de América y África cuya vegetación está formada fundamentalmente por hierbas y algunas plantas leñosas aisladas.

sábana *f.* Pieza de lienzo que se pone en la cama.

sabandija *f.* Reptil pequeño o insecto, especialmente los asquerosos y molestos. 2 fig. Persona despreciable.

sabanear *intr. Amér.* Recorrer una sabana vigilando el ganado. 2 *Amér. Central.* Coger, prender, asir. 3 *Amér. Central.* Lisonjear.

sabanilla *f.* Pieza pequeña de lienzo; como pañuelo, toalla, etc.

sabañón *m.* Rubicundez, hinchazón o ulceración de la piel, generalmente de los pies, manos y orejas, con ardor y picazón, causada por el frío excesivo.

sabático, -ca *adj.* Perteneciente o relativo al sábado. – 2 *adj.-s.* Séptimo año, en que los hebreos dejaban descansar sus tierras, viñas y olivares. 3 p. ext. Año de licencia con sueldo que algunas universidades conceden a su personal docente y administrativo.

sabedor, -ra *adj.* Instruido o noticioso de una cosa.

sabelotodo *com.* fam. Sabidillo. ◇ Pl.: *sabelotodo.*

I) saber *m.* Sabiduría (conocimiento). 2 Ciencia o facultad.

II) saber *tr.* Tener conocimiento o noticia [de una cosa]: ~ *lo que ha pasado;* ~ *dónde está el libro;* ~ *quién hay;* ~ *de trabajos.* 2 Ser docto [en alguna cosa]: ~ *latín, matemáticas,* etc. 3 esp. Haber aprendido de memoria [una cosa]: *ya sé la lección.* 4 en gral. Tener habilidad [para una cosa]: *sabe coser, barrer,* etc. – 5 *intr.* Ser muy sagaz y advertido: *sabe más que Merlín* o *que Lepe.* 6 Tener una cosa proporción o aptitud para lograr un fin. 7 Estar al tanto de la existencia, paradero o estado de una persona o cosa: *no sé de mi hermano.* 8 esp. Sujetarse o acomodarse a una cosa: *yo sabré economizar.* 9 Conocer el camino para ir a alguna parte: *sé ir a su casa.* 10 Tener sapidez una cosa: *esto sabe a café.* 11 fig. Tener una cosa semejanza con otra: *esto sabe a revolución.* – 12 *prnl.* Con los adverbios *bien, mal* y otros, gustar, agradar o no algo. – 13 *intr. Amér.* Soler, acostumbrar. ◇ ** CONJUG. [83].

sabidillo, -lla *adj.-s.* desp. Que presume de docto o enterado sin serlo y sin venir a cuento.

sabiduría *f.* Prudencia. 2 Conocimiento profundo en ciencias, letras o artes. 3 Noticia, conocimiento.

sabiendas (a ~) *loc. adv.* De un modo cierto. 2 Con conocimiento y deliberación.

sabihondo, -da *adj.-s.* irón. *y* desp. Que presume de sabio sin serlo.

sabina *f.* Género de plantas arbustivas cupresáceas, de hojas menudas, escamosas e imbricadas, piña pequeña de color negro azulado y madera encarnada y olorosa *(gén. Juniperus).*

sabio, -bia *adj.-s.* Persona que posee la sabiduría: ~ *en su profesión.* – 2 *adj.* [cosa] Que instruye o que contiene sabiduría. 3 [animal] Que tiene muchas habilidades.

sablazo *m.* Golpe dado con sable. 2 Herida hecha con él. 3 fig. *y* fam. Acto de sacar dinero a uno pidiéndoselo, por lo general, con habilidad o insistencia y sin intención de devolverlo.

sable *m.* **Arma blanca parecida a la espada, pero algo corva y por lo común de un solo corte.

sablear *intr.* fig. Dar sablazos, sacar dinero

con maña, especialmente pidiéndolo prestado y sin intención de devolverlo.

sablón *m.* Arena gruesa.

saboga *f.* Pez teleósteo clupeiforme que vive en el mar y remonta los cursos de agua bastante arriba para la freza; es de color pardusco, con los flancos plateados, más delgado y pequeño que el sábalo *(Alosa fallax).*

sabor *m.* Propiedad que tienen ciertos cuerpos de afectar el órgano del gusto. 2 Sensación que producen estos cuerpos mediante el órgano del gusto. 3 fig. Impresión que una cosa produce en el ánimo. 4 fig. Propiedad que tienen algunas cosas de parecerse a otras con las cuales se las compara: *una novela de ~ romántico.*

saborear *tr.* Dar sabor y gusto [a las cosas]. – 2 *tr.-prnl.* Percibir detenidamente y con deleite el sabor [de una cosa]: *~ un dulce; saborearse con el dulce.* 3 fig. Apreciar con deleite [aquello que causa placer]: *~ la música; saborearse con la música.*

sabotaje *m.* Destrucción intencionada de máquinas y medios de trabajo; p. ext., entorpecimiento malicioso de cualquier actividad.

sabotear *tr.* Realizar un sabotaje.

sabroso, -sa *adj.* Sazonado y grato al sentido del gusto. 2 fig. Delicioso, agradable. 3 fam. Algo salado. 4 *Amér.* Sabrosón, hablador.

sabrosón, -sona *adj. Amér.* [pers.] Hablador, expresivo, simpático.

sabrosura *f. Amér.* Calidad de lo sabroso; dulzura, fruición, deleite.

sabueso, -sa *adj.-s.* V. perro sabueso. – 2 *m.* fig. Pesquisidor, persona que sabe indagar.

sábulo *m.* Arena gruesa y pesada.

saburra *f.* Secreción mucosa, espesa, que en ciertos trastornos gástricos se acumula en las paredes del estómago. 2 Capa blanquecina que cubre la región dorsal de la lengua, por efecto de dicha secreción.

I) saca *f.* Acción de sacar. 2 Efecto de sacar. 3 Exportación de frutos o géneros. 4 MIN. Parte rica de una veta. 5 *Amér. Central* y *Colomb.* Movilización del ganado.

II) saca *f.* Costal muy grande de tela fuerte, más largo que ancho.

sacabocado, -dos *m.* Instrumento con boca hueca y cortes afilados, que sirve para taladrar. 2 fig. Medio eficaz con que se consigue una cosa.

sacacorchos *m.* Instrumento para quitar los tapones de corcho a los frascos y botellas. ◇ Pl.: *sacacorchos.*

sacadinero, -ros *m.* fam. Espectáculo o cosa de poco valor, pero de buena apariencia. – 2 *com.* fam. Persona que tiene arte para sacar dinero al público con cualquier engañifa o artificio.

sacamuelas *com.* Persona que tiene por oficio sacar muelas. Pl.: *sacamuelas.*

sacapuntas *m.* Cortalápices. ◇ Pl.: *sacapuntas.*

sacar *tr.* Extraer [una cosa]; ponerla fuera de otra en que estaba metida: *~ una muela; ~ maderas de un bosque; ~ una cosa a pulso.* 2 esp. Desenvainar: *~ la espada.* 3 Volver a lavar [la ropa] después de pasarla [por la colada]: *~ la ropa, la colada.* 4 Alargar, adelantar [una cosa]: *~ el pecho al andar.* 5 Mostrar, manifestar [una cosa]: *por último ha sacado el libro.* 6 Copiar o trasladar [lo que está escrito]: *~ una copia en limpio.* 7 Apuntar aparte [las citas o notas] de un texto. 8 Citar, nombrar: *los pedantes sacan cuanto saben.* 9 Elegir por sorteo o por pluralidad de votos. 10 Ganar por suerte [una cosa]: *~ un premio de la lotería.* 11 Quitar [a una persona o cosa] del sitio o condición en que se halla: *~ al niño de la escuela; ~ las gavillas de la era; ~ de un apuro; ~ una cosa a plaza* o *a la plaza; ~ de entre infieles.* 12 Con la preposición *de* y los pronombres personales, hacer perder el juicio: *esta pasión te saca de ti.* 13 Con la misma preposición y un substantivo o adjetivo, librar a uno de lo que éstos significan: *~ de apuros.* 14 Extraer de una cosa [algunos de los principios o parte que la componen]: *~ aceite de almendras.* 15 en gral. Conseguir, obtener [una cosa]: *he sacado lo que quería.* 16 Producir, inventar, imitar [una cosa]: *~ una máquina, una moda, un bordado.* 17 Aplicar, atribuir [motes, apodos, faltas, etc.]. 18 Exceptuar, excluir, restar: *saca a los jóvenes de veinte años; de siete, sacando tres, quedan cuatro.* 19 Quitar, separar: *~ una mancha.* 20 Averiguar, resolver [una cosa] por medio del estudio: *~ la cuenta; ~ el resultado por consecuencia.* 21 Conocer, descubrir [una cosa] por señales e indicios: *~ la verdad por el rostro.* 22 Hacer con fuerza o maña que uno diga o dé [una cosa]: *~ dinero.* 23 DEP. Poner en movimiento [la pelota, el balón, la bola, etc.] después de haberse cometido una falta. ◇ ** CONJUG. [1].

sacárido *m.* QUÍM. Nombre genérico de los azúcares y sus derivados.

sacarificar *tr.* Convertir por hidratación [las substancias sacarígenas] en azúcar. ◇ ** CONJUG. [1] como *sacar.*

sacarígeno, -na *adj.* [substancia] Capaz de convertirse en azúcar mediante la hidratación.

sacarimetría *f.* Procedimiento para determinar la proporción de azúcar contenido en un líquido.

sacarina *f.* Substancia blanca, pulverulenta, que puede endulzar tanto como 234 veces su peso de azúcar.

sacarino, -na *adj.* Que tiene azúcar. 2 Que se asemeja al azúcar.

sacarosa *f.* cientif. Azúcar.

sacatrapos *m.* Espiral de hierro atornillado en el extremo de la baqueta, para sacar los cuerpos blandos del ánima de las armas de fuego. ◇ Pl.: *sacatrapos.*

sacerdocio *m.* Dignidad y estado del sacerdote. 2 Ejercicio y ministerio del sacerdote. 3 Conjunto de sacerdotes. 4 fig. Consagración activa y celosa al desempeño de una profesión o ministerio elevado y noble.

sacerdotal *adj.* Perteneciente o relativo al sacerdote.

sacerdote *m.* Hombre dedicado y consagrado a ofrecer sacrificios. 2 En la ley de gracia, hombre consagrado a Dios, ungido y ordenado para celebrar y ofrecer el sacrificio de la misa.

sacerdotisa *f.* Entre los gentiles, mujer dedicada a ofrecer sacrificios a ciertas deidades y cuidar de sus templos.

saciar *tr.-prnl.* Hartar y satisfacer de comida y de bebida: ~ *de viandas; saciarse un poco.* 2 fig. Hartar y satisfacer en las cosas del ánimo: *saciarse de poesía.* ◇ ** CONJUG. [12] como *cambiar.*

saciedad *f.* Hartura producida por satisfacer con exceso el deseo de una cosa.

saco *m.* Receptáculo de tela, cuero, papel, etc., por lo común de forma rectangular, abierto por uno de sus lados. 2 Lo que cabe en él. 3 Cavidad orgánica, a veces muy pequeña o microscópica, de los vegetales: ~ *polínico,* en los antófitos, recipiente en el que se contienen los granos de polen; **flor. 4 Vestidura tosca de paño burdo. 5 Saqueo. 6 fig. Cosa que en sí incluye muchas otras. Tómase por lo común en mala parte: *es un ~ de mentiras.* 7 MAR. Bahía, ensenada y, en general, entrada del mar en la tierra. 8 *Can.* y *Amér.* Chaqueta (prenda). 9 *Amér.* Bolso femenino.

sacón, -cona *adj. Amér. Central.* Acusón, soplón.

sacra *f.* Hoja que en su correspondiente tabla se suele poner en el altar para que el sacerdote pueda leer algunas partes de la misa sin recurrir al misal.

sacralizar *tr.* Atribuir carácter sagrado [a alguien o algo]. ◇ ** CONJUG. [4] como *realizar.*

sacramentado, -da *m. f.* Persona que ha recibido la extremaunción.

sacramental *adj.* Perteneciente o relativo a los sacramentos. 2 Relativo a los remedios que tiene la Iglesia para sanar el alma: el agua bendita, las indulgencias y el jubileo. 3 Consagrado por la ley o la costumbre: *palabras sacramentales.* – 4 *m.* Individuo de una especie de cofradía. – 5 *f.* Cofradía dedicada a dar culto al Sacramento del altar. 6 Cofradía que tiene por principal fin enterrar a sus cofrades en terreno de su propiedad.

sacramentar *tr.* En la religión católica, convertir totalmente [el pan] en el cuerpo de Nuestro Señor Jesucristo en el sacramento de la Eucaristía. 2 Administrar a un enfermo el viático y la extremaunción.

sacramento *m.* En la religión católica, signo sensible de un efecto espiritual que Dios obra en nuestras almas y es causante de la gracia. Los sacramentos son siete: bautismo, confirmación, penitencia, eucaristía, extremaunción, orden y matrimonio.

sacre *m.* Ave rapaz falconiforme, muy parecida al gerifalte (gén. *Falco).*

sacrificar *tr.* Ofrecer o dar [una cosa] en reconocimiento de la divinidad: ~ *el cordero pascual;* **abs.,** hacer sacrificios: ~ *a los ídolos.* 2 fig. Matar, degollar [las reses] para el consumo. 3 Poner [a alguna persona o cosa] en algún riesgo o trabajo para algún fin elevado. – 4 *prnl.* Dedicarse, ofrecerse a Dios. 5 Sujetarse con resignación a una cosa violenta o repugnante: *sacrificarse por un compañero.* ◇ ** CONJUG. [1] como *sacar.*

sacrificio *m.* Ofrenda a una deidad en señal de homenaje o expiación. 2 En el culto cristiano, acto del sacerdote al ofrecer en la misa el cuerpo de Cristo bajo las especies de pan y vino. 3 fig. Peligro o trabajo graves a que se somete una persona. 4 fig. Acto de abnegación inspirado por la vehemencia de un ideal o de un afecto. 5 fig. Acción a que uno se sujeta con gran repugnancia por razones que a ello le mueven.

sacrilegio *m.* Profanación de cosa, persona o lugar sagrados.

sacrílego, -ga *adj.* Que comete o contiene sacrilegio. 2 Relativo al sacrilegio.

sacristán, -tana *m. f.* Persona que en las iglesias tiene a su cargo ayudar al sacerdote en el servicio del altar y cuidar de los ornamentos y de la limpieza y aseo de la iglesia y sacristía. 2 Pastelito de hojaldre con almendras tostadas, propio para acompañar el té.

sacristía *f.* Lugar, en las iglesias, donde se revisten los sacerdotes y están guardados los objetos pertenecientes al culto.

sacro, -cra *adj.* Sagrado. – 2 *adj.-m.* **Hueso formado por la extremidad de la columna vertebral, antes del cóccix.

sacrosanto, -ta *adj.* Que reúne las calidades de sagrado y santo.

sacudidor, -ra *adj.-s.* Que sacude. – 2 *m.* Instrumento con que se sacuden y limpian colchones, alfombras, etc.

sacudir *tr.* Mover violentamente [una cosa] a una y otra parte. 2 esp. Golpear [una cosa] o agitarla en el aire para quitarle el polvo, enjugarla, etc. 3 en gral. Golpear, dar golpes: ~ *a uno;* ~ *un palo, un latigazo.* 4 p. ext. Arrojar [una cosa] o apartarla violentamente de sí. – 5 *prnl.* Apartar de sí con aspereza a una persona o rechazar una acción o proposición con astucia o despego. 6 fam. Dar dinero.

sáculo *m.* Parte en que se halla dividida la

sección del laberinto membranoso del **oído que corresponde al vestíbulo; comunica con el caracol.

sachar *tr.* Escardar [la tierra] sembrada para quitar las malas hierbas.

sádico, -ca *adj.-s.* Con caracteres de sadismo.

sadismo *m.* Deleite anormal en la crueldad. 2 fig. Crueldad refinada, con placer de quien la ejecuta.

sadomasoquismo *m.* Coexistencia del sadismo y del masoquismo en una persona.

saduceo, -a *adj.-s.* Individuo de cierta secta de judíos que negaba la inmortalidad del alma y la resurrección del cuerpo. – 2 *adj.* Relativo a los saduceos.

saeta *f.* Arma arrojadiza consistente en un asta delgada y ligera, con punta afilada en uno de sus extremos y que se dispara con un arco. 2 Manecilla del reloj. 3 Punta del sarmiento que queda en la cepa cuando se poda. 4 Planta anual y acuática, de tallos florales áfilos emergidos con verticilos de flores blancas y hojas ovales en la mayoría flotantes *(Damasonium alisma).* 5 Quetognato de cuerpo estrecho y transparente, de 1 ó 2 cms. de longitud, con un par de aletas laterales. Se encuentra en el plancton en alta mar *(Sagitta).* 6 Copla breve y devota que se canta en Andalucía en la iglesia o en las calles durante ciertas solemnidades religiosas.

saetera *f.* fig. Ventanilla estrecha.

saetí *m.* Tejido de raso.

safari *m.* Cacería, expedición de caza mayor: ~ *fotográfico,* expedición a un lugar con muchos animales para fotografiarlos en su ambiente natural. 2 Lugar donde se produce.

safena *adj. Vena* ~, la que va a lo largo de la pierna, una por la parte interior y otra por la exterior.

sáfico, -ca *adj.-m.* Verso de la versificación clásica. 2 Endecasílabo de la poesía española acentuado en la cuarta y octava sílaba. – 3 *adj.* fam. Relativo a la homosexualidad femenina.

I) saga *f.* Leyenda poética basada sobre las primitivas tradiciones heroicas y mitológicas de Escandinavia.

II) saga *f.* Mujer que se finge adivina y hace encantos o maleficios.

sagacidad *f.* Calidad de sagaz.

sagatí *m.* Especie de estameña, tejida como sarga. ◇ Pl.: *sagatíes.*

sagaz *adj.* Avisado, astuto, prudente. 2 [perro] Que saca por el rastro la caza.

sagita *f.* GEOM. Porción de radio comprendida entre el punto medio de un arco de **circunferencia y el de su cuerda.

sagitado, -da *adj.* De figura de saeta: **hoja sagitada.

sagitaria *f.* Planta alismácea, propia de los terrenos aguanosos, de hojas sagitadas y flores blancas *(Sagittaria sagittifolia).*

sagrado, -da *adj.* Que, según rito, está dedicado a Dios o al culto divino. 2 Que por alguna relación con lo divino es venerable. 3 fig. Que por su destino o uso es digno de veneración y respeto. – 4 *m.* Asilo (lugar seguro).

sagrario *m.* Parte interior del templo en que se reservan o guardan las cosas sagradas. 2 Lugar donde se guarda y deposita a Cristo sacramentado. 3 En algunas iglesias catedrales, capilla que sirve de parroquia.

sagú *m.* Palmera tropical cuya médula es abundante en fécula *(Metroxylon rumphii).* 2 Fécula amilácea que se obtiene de esta planta. 3 p. ext. Nombre que se da a varias féculas obtenidas de los tubérculos de otras plantas. ◇ Pl.: *sagúes.*

sah *m.* Rey de Persia o del Irán.

saharaui *adj.-s.* Del Sáhara occidental.

sahariana *f.* Prenda de vestir semejante a una chaqueta, de tela ligera, con bolsillos sobrepuestos y cinturón.

sahariano, -na *adj.* Del Sáhara o relativo a este territorio.

sahumado, -da *adj.* fig. [cosa] Que, siendo buena por sí, resulta más estimable por la adición de otra que la mejora. 2 *Amér.* fam. Ahumado, achispado.

sahumar *tr.-prnl.* Dar humo aromático [a una cosa]. ◇ ** CONJUG. [16] como *aunar.*

sahumerio *m.* Acción de sahumar o sahumarse. 2 Efecto de sahumar o sahumarse. 3 Humo con que se sahúma. 4 Substancia que produce humo aromático.

saín *m.* Grosura de un animal. 2 Grasa y suciedad de los sombreros y otras cosas.

sainar *tr.* Engordar [a los animales]. ◇ ** CONJUG. [15] como *aislar.*

sainete *m.* Salsa que se pone a ciertos manjares para hacerlos más apetitosos. 2 Pieza dramática jocosa en un acto y, por lo común, de carácter popular. 3 fig. Bocadito delicado y gustoso. 4 fig. Sabor suave y delicado de un manjar. 5 fig. Lo que aviva o realza el mérito de una cosa.

sajadura *f.* Cortadura hecha en la carne.

sajar *tr.* Hacer sajaduras: ~ *un músculo.*

sajón, -jona *adj.-s.* De un antiguo pueblo germánico que habitaba en la desembocadura del Elba y parte del cual se estableció en Inglaterra en el s. v.

sake *m.* Aguardiente hecho a base de arroz, originario de Japón.

sal *f.* Cloruro de sodio, substancia blanca, cristalina, muy soluble en el agua, que abunda en la naturaleza, formando grandes masas sólidas o disueltas en las aguas del mar y en las de algunas lagunas y manantiales; se usa como condimento, para conservar los manjares, para la obtención del sodio y sus compuestos, etc. 2 fig. Lo que preserva de la corrupción o del error. 3 fig. Agudeza, chiste en el habla. 4 fig. Garbo, gentileza en los ademanes. 5 fig. Lo que rompe la monotonía o aridez de una cosa. 6 Lo que se hace respirar a alguien, a fin de reanimarlo. 7 Substancia cristaloide perfumada que se mezcla con el agua del baño. 8 QUÍM. Compuesto formado por la substitución parcial o total del hidrógeno de un ácido por un metal o un radical básico.

sala *f.* Pieza principal de la casa, donde se reciben las visitas de cumplimiento. 2 Mobiliario de dicha pieza. 3 Aposento de grandes dimensiones. 4 Pieza donde se constituye un tribunal de justicia para celebrar audiencia. 5 Conjunto de los jueces que forman un tribunal de jurisdicción especial. 6 Local destinado a un espectáculo o a un servicio público: ~ *de fiestas,* local recreativo donde se sirven bebidas, y a veces comidas, dotado de pista de baile y en el que se exhiben espectáculos ligeros. 7 Público que está en este local. 8 En un buque, espacio acotado destinado al personal de dotación o aparatos que se expresen: ~ *de máquinas.*

salacot *m.* Sombrero de forma elipsoidal, usado en los países orientales, hecho de un tejido de tiras de palma, caña, etc. ◇ Pl.: *salacots.*

saladar *m.* Lagunajo en que se cuaja la sal en las marismas. 2 Terreno estéril por abundar en él las sales.

saladero *m.* Lugar destinado para salar carnes o pescados.

saladillo, -lla *adj.-s.* Tocino fresco poco salado. 2 Almendra, avellana, garbanzo, etc., tostados y salados. – 3 *m.* Pastita salada para el té.

salado, -da *adj.* [terreno] Estéril por demasiado salitroso. 2 [manjar] Con más sal de la necesaria. 3 fig. Gracioso, agudo o chistoso. 4 *Amér.* Desgraciado, infortunado. 5 *Argent.* y *Chile.* fig. Caro, costoso: *precios salados.*

salamandra *f.* Anfibio urodelo, de forma parecida a la un lagarto, y piel lisa, negra con manchas amarillas *(Salamandra salamandra).* 2 Ser fantástico considerado como el espíritu elemental del fuego. 3 Estufa de combustión lenta en que suele quemarse antracita.

salamanquesa *f.* Reptil saurio, de cuerpo comprimido y ceniciento, piel tuberculosa y dedos terminados en discos; vive en las grietas de los edificios y se alimenta de insectos *(Tarentola mauritanica).*

salame *m. Amér.* Embutido hecho con carne vacuna y carne grasa de cerdo, picadas y mezcladas. 2 *Argent.* y *Parag.* fig. Tonto, persona de escaso entendimiento.

salar *tr.* Echar en sal, curar con sal [carnes,

pescados, etc.]. 2 Sazonar con sal [un manjar]. 3 esp. Echar más sal de la necesaria. 4 *Amér.* Desgraciar, echar a perder [algo]; dar mala suerte.

salariado *m.* Organización del pago del trabajo del obrero por medio del salario exclusivamente.

salarial *adj.* Relativo a los salarios o a los asalariados: *compensación ~ por familia numerosa; aumento ~.*

salario *m.* Estipendio, remuneración de un servicio o trabajo. 2 p. ext. Estipendio con que se retribuyen servicios personales.

salaz *adj.* Muy inclinado a la lujuria.

salazón *f.* Acción de salar (echar en sal). 2 Efecto de salar (echar en sal). 3 Acopio de carnes o pescados salados. 4 Industria y tráfico hecho con estas conservas.

salbanda *f.* Capa que separa el filón de la roca estéril.

salcochar *tr.* Cocer [carnes u otras viandas] sólo con agua y sal.

salchicha *f.* Embutido, en tripa delgada, de carne de cerdo magra y gorda, bien picada; se consume en fresco.

salchichón *m.* Embutido de jamón, tocino y pimienta en grano, prensado y curado.

saldar *tr.* Liquidar enteramente [una cuenta] satisfaciendo el alcance o recibiendo el sobrante que resulte de ella. 2 Vender a bajo precio [una mercancía] para despacharla pronto.

saldista *com.* Persona que compra y vende géneros procedentes de saldos. 2 Persona que salda (vende).

saldo *m.* Pago o finiquito de deuda u obligación. 2 Cantidad que de una cuenta resulta a favor o en contra de uno: ~ *acreedor;* ~ *deudor* 3 fig. Resultado final favorable a alguien o a algo, una vez hechas ciertas comparaciones, deliberaciones, etc. 4 Resto de mercancías que el fabricante o el comerciante venden a bajo precio. 5 fig. Cosa de poco valor, por haberlo perdido o por ser lo que queda después de que se ha escogido lo mejor. 6 Diferencia entre el debe y el haber de una cuenta.

saledizo, -za *adj.-s.* Saliente; que sobresale.

salema *f.* Pez marino teleósteo perciforme, de cuerpo ovoide, con rayas doradas curvilíneas, de carne blanca y poco sabrosa *(Sarpa salpa).*

salep *m.* Hierba orquidácea, de hojas oblongas con manchas carmesíes longitudinales y flores carmesíes en racimos *(Orchis mascula).* 2 Fécula que se extrae de los tubérculos de varias especies de orquídeas. ◇ Pl.: *salepes.*

salero *m.* Vaso para servir la sal en la mesa. 2 Lugar donde se guarda la sal. 3 fig. Gracia, donaire. 4 fig. Persona salerosa.

saleroso, -sa *adj.* fig. Que tiene salero y gracia.

salesa *adj.-f.* Religiosa de la orden de la Visitación de Nuestra Señora, fundada en el s. XVII, en Francia.

salesiano, -na *adj.-s.* [pers.] Del oratorio de san Francisco de Sales (1567-1622), congregación fundada por san Juan Bosco (1815-1888) en el s. XIX, para la educación de la juventud.

salicáceo, -a *adj.-f.* Planta de la familia de las salicáceas. – 2 *f. pl.* Familia de plantas dicotiledóneas que incluye árboles o arbustos dioicos de hojas sencillas y alternas, flores en amento y fruto capsular con muchas semillas sin albumen; como el álamo.

salicaria *f.* Planta herbácea litrácea, usada en medicina como astringente *(Lythrum salicaria).*

salicílico *adj.-s.* Ácido sólido cristalino, antiséptico, que se obtiene de la salicina.

salicina *f.* Glucósido cristalizable, de color blanco y sabor amargo, que se extrae de la corteza del sauce.

salicor *m.* Arbusto quenopodiáceo erecto, de ramas opuestas cortas, que vive en los saladares *(Salicornia europaea).*

salicornia *f.* Género de plantas quenopodiáceas, de tallos articulados, hojas enteras y sésiles y flores, imperceptibles a primera vista, dispuestas en espigas (gén. *Salicornia).*

salicultura *f.* Explotación de las salinas; industria salinera.

salida *f.* Acción de salir. 2 Efecto de salir. 3 Acción de salir un astro, cuerpo celeste. 4 Instante en que se produce dicha acción. 5 Parte por donde se sale fuera de un lugar. 6 Parte que sobresale en alguna cosa. 7 Despacho de los géneros. 8 Partida de data o de descargo en una cuenta. 9 fig. Escapatoria, pretexto. 10 fig. Medio o razón con que se vence un argumento, dificultad o peligro: ~ *de tono,* dicho destemplado e inconveniente. 11 fig. Ocurrencia (pensamiento). 12 DEP. En algunos deportes, punto o lugar desde el que se inicia una carrera, competición, etc. 13 ECON. Transferencia por parte de una empresa de una cantidad de dinero al exterior. 14 TAUROM. Dirección que toma el toro cuando el torero remata un lance o pase. 15 TECNOL. Parte de una máquina, canalización, circuito eléctrico, horno, etc., por donde salen las piezas o productos, los fluidos, las corrientes eléctricas, etc.

salidizo *m.* Parte del edificio que sobresale fuera de la pared maestra en la fábrica.

salido, -da *adj.* Que sobresale en un cuerpo más de lo regular. 2 fam. Relativo a la hembra de algunos animales cuando está en celo.

salificable *adj.* [substancia] Capaz de combinarse con un ácido o una base para formar una sal.

salificar *tr.* QUÍM. Convertir en sal [una substancia]. ◇ ** CONJUG. [1] como *sacar.*

salina *f.* Mina de sal. 2 Establecimiento donde se beneficia la sal de las aguas.

salinidad *f.* Calidad de salino.

salino, -na *adj.* Que naturalmente contiene sal. 2 Que participa de los caracteres de la sal. 3 [res vacuna] Manchado de pintas blancas.

salir *intr.* Pasar de la parte de adentro a la de afuera: ~ *a la calle.* 2 p. anal. Desembarazarse o librarse de algún lugar estrecho o peligroso: *salimos del barrizal.* 3 Libertarse, desembarazarse de algo que ocupa o molesta: ~ *de dudas, de apuros.* 4 Cesar en un oficio o cargo: *pronto saldré de tutor.* 5 Acabarse las estaciones y otras partes del tiempo: *hoy sale el verano.* 6 Ir a parar: *esta calle sale a la plaza.* 7 Tratándose de manchas, desaparecer. 8 Con la preposición *de* y algunos nombres como *juicio, sentido,* etc., perder el uso de lo que los nombres significan. 9 Con la misma preposición, apartarse de una cosa o faltar a ella: ~, o *salirse, de la regla.* 10 Deshacerse de una cosa vendiéndola o despachándola: *ya he salido de todo mi grano.* 11 Aparecer, manifestarse, descubrirse: ~ *el sol.* 12 Descubrir, mostrar uno su índole, carácter, utilidad, etc.: ~ *muy travieso, muy juicioso.* 13 Demostrarse los sentimientos, especialmente las culpas: ~ *a,* o *en, la cara.* 14 Manifestarse, a favor o en contra: ~ *contra alguno;* ~ *a favor de alguno.* 15 Darse al público, publicarse [algo] periódicamente: ~ *el periódico.* 16 p. anal. Nacer, brotar [algo]: *empieza a* ~ *el trigo.* 17 Proceder, traer su origen [una cosa de otra]: *de su conducta salió la idea de alejarle.* 18 Acaecer, surgir, presentarse de nuevo una ocasión, oportunidad, etc.: ~ *un empleo.* 19 Venir a ser, quedar: ~ *vencedor; la sospecha salió falsa.* 20 Ser elegido o sacado por suerte: *Antón ha salido alcalde.* 21 Aparecer [alguien] citado en una publicación o en una obra propia. 22 Aparecer [alguien] en una película, obra, etc. – 23 *abs.* En ciertos juegos, ser uno el primero que juega. 24 Partir de un lugar a otro: *los reyes salieron de Madrid para Barcelona; el tren sale a las seis.* 25 Sobresalir: *esta cornisa sale demasiado.* 26 Tratándose de cuentas, resultar que están bien ajustadas. 27 Tener buen o mal éxito una cosa. 28 Costar una cosa que se compra: *me sale a,* o *por, veinte pesetas.* 29 Parecerse, asemejarse: *este niño ha salido a su padre.* Se usa con la preposición *a.* 30 Con la preposición *con,* decir o hacer una cosa inesperada o intempestiva: *¿ahora sale usted con eso?* 31 Con la misma preposición y ciertos nombres, lograr o conseguir lo que los nombres significan: ~, o *salirse, con la pretensión.* 32 Con las preposiciones *a* o *por,* obligarse a satisfacer algún gasto u otra responsabilidad, especialmente pecuniaria: ~ *a uno en una cosa;* ~ *por fiador.* – 33 *prnl.* Derramarse por una rendija o rotura el contenido de un receptáculo: *el agua se sale.* 34

Rebosar un líquido al hervir: *la leche se ha salido.* ◇ ** CONJUG. [84].

salitre *m.* Nitro, nitrato potásico. 2 Substancia salina, especialmente la que aflora en tierras y paredes.

salitroso, -sa *adj.* Que tiene salitre.

saliva *f.* Humor alcalino, acuoso, algo viscoso, segregado por glándulas, cuyos conductos secretores se abren en la cavidad de la boca; sirve para humedecer la membrana mucosa y preparar los alimentos para la digestión.

salival, salivar *adj.* Relativo a la saliva: *glándulas salivales.*

salivar *intr.* Arrojar saliva.

salivoso, -sa *adj.* Que expele mucha saliva. 2 Semejante a la saliva.

salmantino, -na *adj.-s.* De Salamanca.

salmear *intr.* Rezar o cantar los salmos.

salmer *m.* ARQ. Piedra del machón o muro, cortada en plano inclinado, de donde arranca un **arco adintelado o escarzano.

salmerón *adj.* [trigo] Que tiene la espiga grande.

salmo *m.* Composición o cántico que contiene alabanzas a Dios.

salmodia *f.* Canto usado en la Iglesia para los salmos. 2 fig. Canto monótono. ◇ INCOR.: *salmodía.*

salmodiar *intr.* Salmear. – 2 *tr.* Cantar [algo] con cadencia monótona. ◇ ** CONJUG. [12] como *cambiar.*

salmón *m.* Pez teleósteo clupeiforme de carne muy estimada, que vive cerca de las costas y remonta los ríos en la época de la cría *(Salmo salar).* – 2 *adj.-m.* Color rojizo como el de la carne de este pez. – 3 *adj.* De color salmón.

salmonelosis *f.* Infección causada por microorganismos del género *Salmonella*; su entrada en el organismo se efectúa siempre por el aparato digestivo mediante la ingestión de alimentos y líquidos contaminados. ◇ Pl.: *salmonelosis.*

salmonero, -ra *adj.* Relativo o perteneciente al salmón. – 2 *m.* Espinel corto de flote que se larga a popa de una embarcación y se deja arrastrar por la corriente. – 3 *f.* Red para la pesca del salmón. 4 Rampa que se construye en las cascadas de los ríos para facilitar la subida de los salmones.

salmonete *m.* Pez marino teleósteo perciforme, comestible, de color rojizo, con dos barbillones en la mandíbula inferior *(Mullus barbatus; M. surmuletus).*

salmónido *adj.-m.* Pez de la familia de los salmónidos. – 2 *m. pl.* Familia de peces clupeiformes de cuerpo alargado cubierto de escamas muy adherentes; viven en el mar aunque se trasladan a las aguas frías de los ríos para desovar; como el salmón.

salmorejo *m.* Salsa de agua, vinagre, aceite, sal y pimienta. 2 fig. Reprimenda, escarmiento. 3 *And.* Especie de gazpacho que se hace con pan, huevo, tomate, pimiento, ajo, sal, agua, vinagre y aceite; todo ello muy desmenuzado y batido para que resulte un puré.

salmuera *f.* Agua cargada de sal. 2 Agua que sueltan las cosas saladas. 3 Líquido preparado con sal y, a veces, otros condimentos en el que se conservan pescados, carne, etc. 4 En la refrigeración, disolución de cloruro de calcio u otras sales, empleada por su bajo punto de congelación en instalaciones frigoríficas.

salobre *adj.* Que por su naturaleza tiene sabor de sal: *aguas salobres.*

salobridad *f.* Calidad de salobre.

saloma *f.* Canto cadencioso con que acompañan los marineros y otros operarios su faena.

salón *m.* Pieza de grandes dimensiones para visitas y fiestas en las casas particulares. 2 p. ext. Mobiliario de esta pieza. 3 Pieza donde celebra sus actos públicos una corporación. 4 Comedor de gala en hoteles, restaurantes, etc. 5 Casa o local donde se proporcionan ciertos servicios al público: ~ *de té;* ~ *de belleza.* 6 Galería destinada a exponer obras de arte. – 7 *loc. adj. De ~,* TAUROM., [toreo] que se ejercita frente a un toro imaginario; p. ext., bonito o plausible externamente, pero sin ánimo de comprometerse a la hora de la verdad: *toreo de ~; político de ~.* – 8 *m. Amér.* Establecimiento lujoso donde se venden dulces, licores y refrescos.

salpa *f.* Animal procordado, tunicado, de cuerpo cilíndrico y con sólo dos hendiduras branquiales *(gén. Salpa).*

salpicadero *m.* Tablero que llevan algunos carruajes para preservar de salpicaduras de lodo al conductor. 2 Tablero situado en los vehículos automóviles delante del conductor, en el que se hallan algunos mandos y aparatos indicadores.

salpicadura *f.* Acción de salpicar. 2 Efecto de salpicar. – 3 *f. pl.* Consecuencias indirectas de algún suceso: *las salpicaduras de la guerra entre los neutrales.*

salpicar *tr.* Rociar, esparcir en gotas [una cosa líquida]: ~ *el aceite.* 2 Caer gotas de un líquido [en una persona o cosa]: *le salpicó el barro la ropa; le salpicó la ropa de,* o *con, barro.* 3 fig. Esparcir, diseminar como rociando [cosas materiales o inmateriales]: ~ *de chistes la conversación;* ~ *el valle de árboles.* 4 fig. Pasar de unas cosas a otras sin orden, dejando otras en medio o sin acabar: ~ *la lectura de un libro.* ◇ ** CONJUG. [1] como *sacar.*

salpicón *m.* Fiambre de carne, pescado o marisco desmenuzado y condimentado con pimienta, sal, aceite, vinagre y cebolla. 2 fig. Cosa hecha pedazos.

salpimentar *tr.* Adobar [una cosa] con sal y pimienta. 2 *fig.* Amenizar, hacer sabrosa [una cosa] con palabras o hechos. ◇ ** CONJUG. [27] como *acertar*.

salpimienta *f.* Mezcla de sal y pimienta.

salpresar *tr.* Aderezar con sal [una cosa] prensándola para que se conserve.

salpullido *m.* Erupción cutánea leve y pasajera. 2 Señales que dejan en el cutis las picaduras de las pulgas.

salpullir *tr.* Levantar salpullido. – 2 *prnl.* Llenarse de salpullido. ◇ ** CONJUG. [41] como *mullir*.

salsa *f.* Mezcla de varias substancias comestibles desleídas, que se hace para aderezar o condimentar la comida. 2 *fig.* Cosa que excita el gusto. 3 *fam.* Sal, gracia. 4 Baile surgido entre los inmigrantes caribeños de Nueva York. 5 Música y canto de este baile.

salsera *f.* Vasija en que se sirve salsa.

salsero, -ra *adj.* [tomillo] Que sirve para condimento. 2 *fam.* Entremetido.

salsifí *m.* Planta compuesta, de raíz fusiforme, blanca y comestible *(Tragopogon pratense)*. ◇ Pl.: *salsifíes*.

saltabanco, -cos *com.* Charlatán que en la vía pública expone y vende drogas, confecciones, etc. 2 Saltimbanqui.

saltacaballo *m.* Parte de una dovela, que monta sobre la hilada horizontal inmediata; **arco.

saltacercas *f.* Mariposa diurna de color leonado vivo, con un enrejado negro característico *(Lasiommata megera)*. ◇ Pl.: *saltacercas*.

saltadero *m.* Lugar a propósito para saltar. 2 Salto de agua que forma un arroyo en una garganta estrecha.

saltador, -ra *adj.* Que salta. – 2 *m. f.* Persona que salta por oficio o ejercicio. – 3 *m.* Comba (cuerda).

saltamontes *m.* Insecto ortóptero saltador, de 5 a 6 cms. de largo, color verde amarillento o pardo y patas posteriores muy robustas; es una de las langostas de España *(Stauronotus maroccanus)*. ◇ Pl.: *saltamontes*.

saltar *intr.* Levantarse del suelo con el impulso de las piernas, ya verticalmente para dejarse caer en el mismo sitio, ya oblicuamente pasando a otro. 2 Arrojarse desde una altura para caer de pie: ~ *en tierra.* 3 Arrojarse al agua desde un trampolín. 4 Lanzarse con paracaídas desde una aeronave. 5 Perder el contacto, levantarse una cosa por propio impulso y con violencia, pasando de un lugar a otro: ~ *una pelota, una chispa.* 6 Salir un líquido hacia arriba con ímpetu. 7 Cambiar rápida o bruscamente la dirección del viento. 8 en gral. Romperse o quebrarse violentamente una cosa. 9 Desprenderse una cosa de donde estaba unida y fija. 10 *fig.* Hacerse reparable o sobresalir mucho [una cosa]: *la*

moldura *salta demasiado;* ~ *a la vista,* ser evidente, ser comprensible. 11 *fig.* Ofrecerse repentinamente una especie a la imaginación o a la memoria. 12 *fig.* Demostrar o dar a entender [alguien] vivamente que está picado o resentido, o que siente gran alegría: *está que salta;* ~ *de gozo.* 13 esp. *y fig.* Decir una cosa que no viene al intento de lo que se trata, o responder intempestivamente aquel con quien no se habla: ~ *con una simpleza.* 14 Dejar uno contra su voluntad el puesto o cargo que desempeñaba: ~ *del ministerio.* 15 Ascender a un puesto más alto que el inmediatamente superior sin haber ocupado éste. 16 Hacerse notar una cosa por su extremada limpieza. – 17 *tr.* Salvar de un salto un espacio: ~ *la corriente, la pared;* **intr.,** ~ *por la cerca.* 18 Cubrir el macho a la hembra, en ciertas especies de cuadrúpedos. 19 Pasar de una cosa a otra dejando [las que debían suceder por orden]: ~ *las cuestiones; hemos saltado varias puertas.* 20 esp. *y fig.* Omitir voluntariamente o por inadvertencia [parte de un escrito]. 21 En algunos juegos como el ajedrez, mover una pieza por encima [de las figuras que están sentadas]. 22 En el juego del monte, apuntar a una de las cuatro cartas contra las otras tres: ~ *un duro al rey.* – 23 *prnl.* Infringir una ley, un precepto, etc.

saltarín, -rina *adj.-s.* Que danza o baila. 2 *fig.* [mozo] Inquieto y de poco juicio. – 3 *m.* Colémbolo. 4 Pez marino teleósteo perciforme, de unos 20 cms. de longitud, con las aletas pectorales en forma de patas que le sirven para desplazarse *(Periophthalmus barbarus)*.

salteador, -ra *m. f.* Persona que saltea (roba); esp., la que asaltaba a los viajeros por los caminos.

saltear *tr.* Salir [a los caminos] y robar [a los pasajeros]. 2 en gral. Asaltar, acometer. 3 Hacer [una cosa] con interrupciones o dejarla comenzada y pasando a otra. 4 *fig.* Sorprender [el ánimo] con una impresión fuerte y viva. 5 Sofreír [un manjar] a fuego vivo en manteca o aceite hirviendo. 6 Tomar una cosa anticipándose [a otro].

salterio *m.* Libro de coro que contiene sólo los salmos. 2 Instrumento músico que consiste en una caja prismática de madera, provista de **cuerdas metálicas.

saltígrado, -da *adj.* [animal] Que anda a saltos.

saltimbanqui *com.* Jugador de manos, titiritero; esp., el que va por pueblos y ciudades.

salto *m.* Acción de saltar: ~ *de campana,* vuelta que da en el aire el torero volteado por el toro; ~ *mortal,* el que se da lanzándose de cabeza y tomando vuelta en el aire para caer de pie. 2 Lugar que se ha de pasar saltando. 3 Despeñadero muy profundo. 4 Trecho salvado al saltar. 5 *fig.* Omisión de una parte de un escrito, leyéndolo o copiándolo. 6 fig. Tránsito de una cosa a otra sin tocar las intermedias. 7 fig. Ascenso a puesto superior sin pasar por los del medio. 8 fig. Diferencia acusada de intensidad, cantidad, etc. 9 Palpitación violenta del corazón. 10 Acción de lanzarse con paracaídas desde una aeronave. 11 ~ *de cama,* bata casera de mujer. 12 DEP. Prueba de atletismo consistente en saltar determinada altura o longitud: ~ *de altura;* ~ *de pértiga;* ~ *de longitud.* 13 DEP. En esquí, prueba en la que se realiza un vuelo en longitud mediante el impulso tomado desde una pista en trampolín.

saltón, -tona *adj.* Que anda a saltos o salta mucho. 2 Que sobresale más de lo regular: *ojos saltones.*

salubre *adj.* Saludable.

salubridad *f.* Calidad de salubre. 2 Estado general de la salud pública: *la* ~ *ha mejorado en los últimos meses.*

salud *f.* Estado del ser orgánico que ejerce normalmente todas las funciones. 2 Estado de gracia espiritual. 3 Libertad o bien público o particular de cada uno. ◇ No se usa en plural.

¡salud! fam. Interjección con que se saluda a uno o se le desea un bien.

saludable *adj.* Que sirve para conservar o restablecer la salud corporal. 2 [pers.] Que goza de buena salud. 3 fig. Provechoso para un fin.

saludar *tr.* Dirigir [a otro] palabras de cortesía, deseándole salud, o hacerle alguna demostración de benevolencia o respeto generalmente aceptada por la costumbre. 2 esp. Enviar saludos. 3 Usar de fórmulas supersticiosas para curar [ciertos males]. 4 fig. Adquirir las primeras nociones de una materia.

saludo *m.* Acción de saludar. 2 Efecto de saludar. 3 Palabra, gesto o fórmula para saludar: ~ *con,* o *sin, armas.*

salutación *f.* Saludo.

salva *f.* Prueba que se hace de los manjares servidos a los reyes y señores. 2 Saludo, bienvenida. 3 Serie de cañonazos consecutivos y sin bala disparados en señal de honores o saludos: ~ *entera.* 4 Prueba temeraria que hacía uno de su inocencia exponiéndose a un grave peligro, p. ej., poner la mano en el fuego. 5 Juramento, promesa solemne. 6 ~ *de aplausos,* aplausos nutridos en que prorrumpe una concurrencia.

salvación *f.* Acción de salvar o salvarse. 2 Efecto de salvar o salvarse. 3 Consecución de la gloria y bienaventuranza eternas.

salvado *m.* Cáscara del grano desmenuzada por la molienda.

salvadoreñismo *m.* Locución, giro o modo de expresión propio de los salvadoreños. 2 Amor o apego a las cosas características de El Salvador.

salvadoreño, -ña *adj.-s.* De El Salvador, nación de la América central.

salvaguardar *tr.* Defender, proteger.

salvaguardia *m.* Guarda que se pone para la custodia de una cosa. – 2 *f.* Papel o señal dado a uno para que no sea detenido o estorbado en lo que va a hacer. 3 fig. Custodia, amparo, garantía.

salvajada *f.* Dicho o hecho propio de un salvaje.

salvaje *adj.* [planta] Silvestre. 2 [terreno] Montuoso, inculto. 3 [animal] Que no es doméstico. 4 fig. *y* fam. [pers.] Que se porta sin consideración con los demás, o de manera cruel e inhumana. 5 fig. *y* fam. Violento, incontenible, o que hace ostentación de fuerza. 6 fig. Que se desarrolla al margen de las normas o reglas preestablecidas: *la edificación* ~ *en la costa.* 7 fig. Incontrolado, indisciplinado: *huelga* ~. – 8 *adj.-com.* Natural de un país no civilizado.

salvajismo *m.* Modo de ser o de obrar propio de los salvajes.

salvamanteles *m.* Pieza que se pone en la mesa debajo de las fuentes, botellas, vasos, etc. ◇ Pl.: *salvamanteles.*

salvamento, -miento *m.* Acción de salvar o salvarse. 2 Efecto de salvar o salvarse.

salvar *tr.* Librar de un riesgo o peligro; poner en seguro: ~ *a los náufragos;* ~ *un objeto del incendio; salvarse a nado* o *en el esquife; salvarse por pies.* 2 esp. Dar Dios la gloria y bienaventuranza eterna. 3 Evitar [un inconveniente, dificultad o riesgo]. 4 Vencer [un obstáculo] pasando por encima de él: *la avenida salvó el pretil del puente.* 5 Rebasar una altura elevándose por encima de ella: *la torre salva las copas de los árboles.* 6 Exceptuar [una cosa] de lo que se dice o se hace: *mis compañeros, salvando a los presentes, me han abandonado.* 7 Poner al fin de lo escrito una nota para que valga [lo enmendado]; indicar al fin de un libro [las erratas que contiene] y su corrección. 8 Probar jurídicamente la inocencia o libertad [de una persona o cosa]. – 9 *prnl.* Alcanzar la gloria eterna, ir al cielo.

salvariego *m.* Pez marino perciforme venenoso, parecido a la araña, aunque más pequeño, de color amarillento o pardusco, con numerosas manchas en el dorso *(Trachinus vipera).*

salvavidas *m.* Aparato insumergible o embarcación empleados en el salvamento de náufragos, capaces de mantenerlos a flote: *bote, chaleco* ~; *al caer al agua le echaron un* ~. 2 Aparato colocado delante de las ruedas de los tranvías, con la intención de evitar desgracias en casos de atropello. ◇ Pl.: *salvavidas.*

salve *f.* Oración que se reza a la Virgen.

¡salve! poét. Interjección usada para saludar.

salvedad *f.* Advertencia que excusa o limita

el alcance de lo que se dice o hace. 2 Nota por la cual se salva una enmienda en un documento.

salvia *f.* Mata labiada, común en los terrenos áridos, de hojas oblongas o lanceoladas y flores grandes, violáceas *(Salvia officinalis)*.

salvilla *f.* Bandeja con una o varias encajaduras para asegurar las copas o tazas.

salvo, -va *adj.* Ileso, librado de un peligro. 2 Exceptuado, omitido. – 3 *adv. m.* Excepto.

salvoconducto *m.* Documento expedido por una autoridad para que el que lo lleva pueda transitar sin riesgo por donde aquélla es reconocida. 2 fig. Libertad para hacer algo sin temor de castigo.

sámago *m.* Albura o parte más blanda de las maderas, que no es conveniente para la construcción; **tallo. 2 Interior del cuerpo de los animales.

sámara *f.* Aquenio alado; **fruto.

samarugo *m.* Pez de pequeño tamaño que vive en la albufera, charcas y acequias del levante español; el macho tiene el cuerpo con bandas transversales obscuras y la hembra presenta bandas longitudinales grises *(Valencia hispanica)*.

samaruguera *f.* Red de mallas pequeñas.

samba *f.* Baile típico de Brasil, de origen africano, compás binario y acompañamiento obligatoriamente sincopado. 2 Música y canto de este baile.

sambenito *m.* Capotillo o escapulario que se ponía a los penitentes reconciliados por el tribunal de la Inquisición. 2 Letrero que se ponía en las iglesias con el nombre y castigo de los penitenciados. 3 fig. Mala nota que queda de una acción. 4 fig. Difamación, descrédito.

samotana *f. Amér. Central.* Zambra, jaleo, bulla.

samovar *m.* Utensilio de origen ruso para preparar el té, generalmente de cobre, provisto de hornillo para calentar agua y de chimenea interior.

sampán *m.* Embarcación pequeña propia de las costas de China, provista de una vela y un toldo, propulsada a remo y empleada para pesca, navegación fluvial y, a veces, como habitación flotante.

samsonita *f.* Mineral muy poco frecuente de la clase de los sulfuros, que cristaliza en el sistema monoclínico, de color negro y brillo metálico.

samurái *m.* En la primitiva organización feudal del Japón, clase noble y militar; miembro de esta clase. ◇ Pl.: *samuráis*.

san *adj.* Apócope de *santo*.

sanar *tr.* Restituir [a uno] la salud que había perdido. – 2 *intr.* Recobrar la salud: ~ *de la enfermedad; ~ por ensalmo*.

sanatorio *m.* Establecimiento dispuesto para que en él residan los enfermos sometidos a cierto régimen curativo.

sanción *f.* Estatuto o ley. 2 Acto solemne por el que el jefe del estado confirma una ley. 3 Aprobación dada a cualquier acto, uso o costumbre. 4 Pena que la ley establece para el que la infringe. 5 Mal dimanado de una culpa.

sancionar *tr.* Dar fuerza de ley [a una disposición]. 2 Aprobar cualquier acto, uso o costumbre. 3 Penar, imponer pena [a alguien o a un acto].

sanco *m. Amér.* Guiso hecho de harina de maíz o trigo con sangre de res, sal y algún condimento.

sancochar *tr.* Cocer a medias [la vianda] sin sazonar.

sancocho *m.* Vianda a medio cocer. 2 *Can. y Amér.* Cocido hecho con carne, yuca, plátano u otros ingredientes. 3 *Amér. Central.* fig. Embrollo, lío.

sancta *m.* Parte anterior del tabernáculo de los judíos: **gente, casa, palabra,** etc., *non* ~, mala, depravada.

sanctasanctórum *m.* Parte interior y más sagrada del tabernáculo de los judíos. 2 fig. Lo que para una persona es de singularísimo aprecio. 3 fig. Lo muy reservado y misterioso. ◇ Pl.: *sanctasanctórum*.

sanctus *m.* Parte de la misa, después del prefacio y antes del canon. ◇ Pl.: *sanctus*.

sandalia *f.* **Calzado compuesto de una suela que se asegura con correas o cintas. 2 p. ext. Zapato ligero y muy abierto, usado en tiempo de calor.

sándalo *m.* Árbol santaláceo de madera olorosa empleada en ebanistería *(Santalum album)*. 2 Madera de este árbol. 3 En perfumería, esencia obtenida por destilación de la madera de dicho árbol.

sandáraca *f.* Resina amarillenta que se usa principalmente para hacer barnices y se obtiene del enebro y otras coníferas.

sandez *f.* Calidad de sandio. 2 Despropósito, necedad, vaciedad, simpleza.

sandía *f.* Planta cucurbitácea, de tallo tendido, flores amarillas y fruto grande, casi esférico, de pulpa encarnada comestible, con muchas pepitas *(Citrullus lanatus)*. 2 Fruto de esta planta.

sandinismo *m.* Movimiento político nicaragüense de carácter populista, partidario de las ideas de Augusto César Sandino (1895-1934).

sandio, -dia *adj.-s.* Necio o simple.

sandunga *f.* fam. Gracia, donaire. 2 *Amér.* Bureo, zambra, jolgorio.

sandwich *m.* ANGL. Emparedado, bocadillo.

saneado, -da *adj.* Que está libre de cargas, descuentos, etc.; p. ext., que produce buenos beneficios: *economía saneada; bienes saneados*.

saneamiento *m.* Acción de sanear. 2 Efecto

de sanear. 3 Conjunto de obras, técnicas y dispositivos encaminados a establecer, mejorar o mantener las condiciones de salubridad de las poblaciones, edificios, etc.

sanear *tr.* Asegurar o garantizar [el reparo] del daño que puede sobrevenir. 2 Reparar o remediar [una cosa]: ~ *la hacienda*. 3 esp. Dar condiciones de salubridad [a un terreno, edificio, etc.]. 4 Cuidar de que la economía, bienes y rentas den beneficios.

sanedrín *m.* Consejo supremo de los judíos. 2 Junta o reunión para tratar de algo que se quiere dejar oculto.

sanfermines *m. pl.* Festejos que se celebran en Pamplona durante una semana, que se inicia el 7 de julio, festividad de San Fermín.

sanfrancisco *m.* Combinado de grosella y otras frutas, generalmente sin acompañamiento de licor.

sangradera *f.* Lanceta. 2 Vasija para recoger la sangre de una sangría. 3 fig. Caz o acequia secundaria de riego. 4 fig. Compuerta por donde se da salida al agua sobrante de un caz.

sangrar *tr.* Abrir una vena [a un enfermo] y dejar salir determinada cantidad de sangre. 2 p. anal. Dar salida al líquido contenido [en un recipiente] abriendo conducto por donde corra. 3 Resinar. 4 En las turbinas de gas, extraer el aire [de un compresor]. 5 fig. Hurtar, sisar: ~ *un costal de trigo*. 6 IMPR. Empezar [un renglón] más adentro que los otros de la plana. – 7 *intr.* Arrojar sangre.

sangre *f.* Líquido coagulable que lleva en suspensión células de distintas formas y funciones y **circula por un sistema de vasos que se extiende por todas partes del cuerpo de los animales, sirviendo de intermediario entre los elementos anatómicos y el medio exterior, en los cambios nutritivos del organismo. 2 fig. Linaje o parentesco. 3 fig. ~ *azul*, sangre o linaje noble. 4 fig. ~ *fría*, serenidad, tranquilidad de ánimo.

sangría *f.* Acción de sangrar. 2 Efecto de sangrar. 3 Corte somero hecho en un árbol para que fluya la resina. 4 fig. Hurto de una cosa por pequeñas partes. 5 fig. Bebida refrescante a base de vino, limón y trozos de fruta, con un poco de ron, coñac y especias.

sangriento, -ta *adj.* Que echa sangre. 2 Teñido en sangre o mezclado con sangre. 3 Sanguinario. 4 Que causa efusión de sangre. 5 fig. Que ofende gravemente.

sanguificar *tr.* Hacer que se críe sangre [en un organismo]. ◇ ** CONJUG. [1] como *sacar*.

sanguijuela *f.* Anélido hirudíneo de boca chupadora que vive en las aguas dulces y se utilizaba en medicina para conseguir evacuaciones sanguíneas *(Hirudo medicinalis).* 2 fig. Persona que va poco a poco sacando a uno el caudal.

sanguina *f.* Lápiz rojo obscuro fabricado

con hematites. 2 Dibujo hecho con este lápiz. 3 Variedad de naranja.

sanguinaria *f.* Piedra semejante al ágata, de color de sangre.

sanguinario, -ria *adj.* Feroz, vengativo, cruel.

sanguíneo *adj.* De sangre. 2 Que contiene sangre o abunda en ella. 3 [temperamento o complexión] Que tiene caracteres fisiológicos definidos.

sanguino, -na *adj.* Sanguíneo. 2 De color parecido al de la sangre: *naranja sanguina*.

sanguinolento, -ta *adj.* Sangriento.

sanícula *f.* Género de plantas umbelíferas, común en los sitios frescos, algunas de cuyas especies son medicinales (gén. *Sanicula).*

sanidad *f.* Calidad de sano. 2 Salubridad. 3 Conjunto de servicios ordenados para preservar la salud pública de una comunidad: ~ *militar, marítima; cuerpo de* ~.

sanitar *tr.* ANGL. Sanear.

sanitario, -ria *adj.* Perteneciente o relativo a la sanidad. 2 MAR. Perteneciente o relativo a las instalaciones de agua de mar empleada para limpieza y usos higiénicos. – 3 *m. f.* Empleado de los servicios de Sanidad. – 4 *m.* Retrete. – 5 *m. pl.* Aparatos de higiene instalados en cuartos de baño; como la bañera, el lavabo, etc.

sanjuanada *f.* Fiesta campestre que se celebra el día de San Juan Bautista o los días próximos a éste. 2 Días próximos al de San Juan.

sanjuanear *tr. Méj.* Zurrar, golpear.

sanjueña *f.* Arbusto caprifoliáceo, de hojas opuestas y pilosas, flores blancas, dispuestas por parejas, y bayas rojas, no comestibles *(Lonizera xylosteum).*

sanmartín *m.* Época próxima a la fiesta de San Martín, 11 de noviembre, en que suele hacerse la matanza del cerdo. 2 Dicha matanza.

sanmiguelada *f.* Últimos días de septiembre próximos a la fiesta de San Miguel, en que tradicionalmente terminan ciertos contratos de arrendamiento, trabajo, etc.

sano, -na *adj.* Que goza de perfecta salud. 2 Saludable. 3 fig. Entero, no roto ni estropeado. 4 fig. Sin daño o corrupción. 5 fig. Libre de error o vicio. 6 fig. Sincero, de buena intención.

sánscrito, -ta, sanscrito, -ta *adj.* Perteneciente o relativo a la antigua lengua de los brahmanes, que sigue siendo la sagrada del Indostán, y lo referente a ella: *literatura sánscrita; alfabeto* ~. – 2 *m.* Lengua sánscrita.

sansevieria *f.* Planta rizomatosa ornamental de hojas radicales lanceoladas *(Sansevieria trifasciata).*

sansimonismo *m.* Doctrina de tendencias reformadoras liberales de Saint-Simon (1760-1825), sobre la cual sus discípulos construyeron el socialismo. Conforme a esta doctrina, cada uno debe ser clasificado según su capacidad y remunerado según sus obras.

sansirolé *com.* fam. Bobalicón, papanatas.

sansón *m.* fig. Hombre muy forzudo.

santabárbara *f.* Pañol destinado en las embarcaciones para custodiar la pólvora y municiones.

santaláceo, -a *adj.-f.* Planta de la familia de las santaláceas. – 2 *f. pl.* Familia de plantas dicotiledóneas, herbáceas o leñosas, de hojas gruesas, sin estípulas, generalmente alternas; flores pequeñas apétalas, con el cáliz petaloide y fruto en drupa; como el gordolobo.

santanderino, -na *adj.-s.* De Santander.

santateresa *f.* Insecto dictióptero muy voraz, de coloración verde, pajiza o achocolatada, según donde se posa. El fémur y la tibia del primer par de patas están provistos de fuertes espolones y espinas, entre los cuales quedan cogidas las víctimas *(Mantis religiosa)*.

santería *f.* Calidad de santero; santurronería, beatería. 2 *Argent.* Tienda en que se venden imágenes de santos y otros objetos religiosos.

santero, -ra *adj.* Que tributa a las imágenes un culto supersticioso. – 2 *m. f.* Persona que cuida de un santuario. 3 Persona que pide limosna, llevando de casa en casa la imagen de un santo. 4 Persona que pinta o esculpe santos, y también la que los vende. 5 fam. Persona que informa a los ladrones sobre el lugar donde van a robar.

santiagués, -guesa *adj.-s.* De Santiago de Compostela.

santiaguiño *m.* Crustáceo decápodo marchador que carece de pinzas y tiene el cuerpo de color rojo pardo. Su carne es muy apreciada *(Scyllarus arctus).*

santiamén (en un ~) *loc. adv.* fig. En un instante.

santidad *f.* Calidad de santo. 2 Tratamiento honorífico dado al Papa.

santificar *tr.-prnl.* Hacer [a uno] santo por medio de la gracia. – 2 *tr.* Dedicar a Dios [una cosa]: ~ *las fiestas.* 3 Hacer venerable [una cosa] por la presencia o contacto de lo que es santo. 4 Honrar [a un santo]. 5 fig. *y* fam. Abonar, disculpar [a uno]. ◇ ** CONJUG. [1] como *sacar.*

santiguar *tr.-prnl.* Hacer con la mano la señal de la cruz desde la frente al pecho y desde el hombro izquierdo al derecho. – 2 *tr.* Hacer supersticiosamente cruces [sobre uno] diciendo ciertas oraciones. 3 fig. *y* fam. Castigar o maltratar [a uno] de obra: *le santiguó las espaldas con el palo.* – 4 *prnl.* fig. Persignarse, hacerse cruces. ◇ ** CONJUG. [10] como *adecuar.*

santimonia *f.* Santidad (calidad). 2 Planta compuesta erecta, muy olorosa, con cabezuelas florales de color amarillo dorado *(Chrysanthemum segetum).*

santo, -ta *adj.* Perfecto y libre de toda culpa. Con toda propiedad se aplica sólo a Dios, que lo es esencialmente; por gracia, privilegio y participación, aplícase a los ángeles y los hombres. – 2 *adj.-s.* [pers.] A quien la Iglesia declara tal, y manda que se le dé culto universalmente. 3 [pers.] De especial virtud y ejemplo. – 4 *adj.* Consagrado especialmente a Dios. 5 Venerable por algún motivo de religión. 6 Conforme a la ley de Dios. 7 Sagrado, inviolable. 8 [cosa] Que trae al hombre especial provecho. 9 Con ciertos nombres, encarece el significado de éstos: *recibió una santa bofetada; hace su santa voluntad;* úsase también en superlativo: *esperé toda la santísima tarde.* – 10 *m.* Imagen de un santo. 11 fam. Viñeta, grabado, estampa: *mirar los santos de un libro.* 12 Respecto de una persona, festividad del santo cuyo nombre lleva. ◇ Ante los nombres propios de santos se usa la forma apocopada *san,* salvo ante los de *Tomás,* o *Tomé, Toribio* y *Domingo.*

santón *m.* El que profesa vida austera y penitente fuera de la religión cristiana, especialmente si es mahometano. 2 fig. Hombre hipócrita que aparenta santidad. 3 fig. Persona muy autorizada e influyente en una colectividad determinada.

santónico *m.* Planta compuesta, olorosa y amarga, cuyas cabezuelas tienen propiedades vermífugas *(Artemisia cina).* 2 Cabezuela de esta planta y de otras del mismo género, de las que se extrae la santonina.

santonina *f.* Substancia neutra blanca, cristalina, amarga y acre, usada en medicina como vermífugo.

santoral *m.* Libro que contiene vidas de santos 2 Libro de coro que contiene los introitos y antífonas de los oficios de los santos. 3 Lista de los santos cuya festividad se conmemora en cada uno de los días del año.

santuario *m.* Templo o lugar en que se venera la imagen o reliquia de un santo de especial devoción, una divinidad pagana o un espíritu de los antepasados o de la naturaleza. 2 fig. Asilo, lugar sagrado e inviolable. 3 fig. Lugar que se utiliza de protección o asilo: *el ~ de los terroristas.* 4 fig. Lugar que se defiende a toda costa. 5 fig. Intimidad.

santurrón, -rrona *adj.-s.* Nimio en los actos de devoción. – 2 *adj.* Gazmoño, hipócrita que aparenta ser devoto.

saña *f.* Furor, enojo ciego. 2 Intención rencorosa y cruel.

sañudo, -da *adj.* Propenso a la saña, o que tiene saña.

sapelli *m.* Árbol meliáceo cuyo tronco alcanza hasta 30 m. de altura, de madera muy apreciada en ebanistería *(Entandrophragma cylindricum)*. 2 Madera de este árbol.

sapenco *m.* Caracol terrestre con rayas pardas transversales; alcanza una pulgada de longitud y es muy común en la Europa meridional *(Cepaea nemoralis; C. arvensis)*.

sapiencia *f.* Sabiduría.

sapindáceo, -a *adj.-f.* Planta de la familia de las sapindáceas. – 2 *f. pl.* Familia de plantas dicotiledóneas exóticas, arbóreas o sarmentosas, de hojas casi siempre alternas, agrupadas de tres en tres, flores en espiga con un anillo nectarífero entre los estambres y la corola, y fruto capsular; como el jaboncillo.

I) sapo *m.* Anfibio anuro, parecido a la rana, pero de cuerpo más grueso, y con la piel llena de verrugas *(Bufo sp.)*.

II) sapo, -pa *adj. Amér.* Astuto, disimulado. – 2 *adj.-s.* fig. [pers.] Que se mueve con torpeza. – 3 *m. Amér.* Juego consistente en introducir una moneda por la boca abierta de una figura en forma de rana, puesta sobre la mesa.

saponificar *tr.-prnl.* Convertir en jabón [un cuerpo graso]. ◇ ** CONJUG. [1] como *sacar.*

saponita *f.* Silicato del grupo de los filosilicatos, que cristaliza en el sistema monoclínico, de tacto untoso y color blanco gris, amarillo, pardo, rojizo o verde y brillo graso.

sapotáceo, -a *adj.-f.* Planta de la familia de las sapotáceas. – 2 *f. pl.* Familia de plantas dicotiledóneas que incluye árboles y arbustos tropicales provistos de tubos lactíferos, con hojas alternas enteras y coriáceas, flores pequeñas axilares y fruto en baya o drupa con semillas oleosas; como el zapote.

saprófago, -ga *adj.* [animal o planta] Que se alimenta de materiales orgánicos en putrefacción.

saprófito, -ta *adj.* [animal o planta] Que vive sobre materia orgánica en descomposición. 2 MED. [microbio] Que vive en el organismo, especialmente en el tubo digestivo a expensas de las materias en putrefacción.

saprógeno, -na *adj.* [organismo] Capaz de pudrir la materia orgánica.

saque *m.* Acción de sacar. 2 Raya o sitio desde el cual se saca la pelota. 3 El que saca la pelota. 4 DEP. Jugada en la que el jugador pone la pelota en movimiento en un lugar determinado.

saquear *tr.* Apoderarse violentamente los soldados u otras gentes [de lo que hallan en un paraje]: ~ *una casa;* ~ *los muebles, el ganado,* etc., *de una casa.* 2 fig. Apoderarse de todo o la mayor parte [de aquello de que se habla]: ~ *un texto.*

saqueo *m.* Acción de saquear. 2 Efecto de saquear.

sarampión *m.* Enfermedad febril contagiosa que se manifiesta por síntomas catarra-

les, seguidos de la aparición de una multitud de manchitas rojas en la piel.

sarao *m.* Reunión nocturna cuyo objeto es divertirse con baile y música. 2 vulg. Jaleo, follón.

sarape *m. Guat.* y *Méj.* Especie de frazada de lana o colcha de algodón tejida en forma de cordoncillo, de colores muy vivos, que suele tener una abertura en el centro.

sarasa *m.* fam. Hombre afeminado, marica.

sarazo, -za *adj. And.* y *Amér.* Que empieza a madurar, especialmente el maíz y algunos otros frutos.

sarcasmo *m.* Burla sangrienta, ironía mordaz.

sarcástico, -ca *adj.* Que denota sarcasmo; relativo a él. 2 [pers.] Propenso a emplearlo.

sarcófago *m.* Sepulcro (monumento).

sarcolema *m.* Vaina transparente de un haz primitivo estriado de fibras **musculares.

sarcoma *m.* Tumor del tejido conjuntivo que tiende a proliferar abundantemente.

sarcótico, -ca *adj.* Que favorece la regeneración del tejido muscular.

sardana *f.* Baile popular en corro, propio de Cataluña. 2 Música de este baile.

sardina *f.* Pez teleósteo marino clupeiforme, comestible, de hasta 26 cms. de longitud, que presenta las aletas ventrales por detrás del inicio de la dorsal, lo que la diferencia del boquerón *(Clupea sardina)*.

sardinel *m.* ARQ. Obra hecha de ladrillos sentados de canto y de modo que coincida en toda su extensión la cara de uno con la de otro; **chimenea. 2 *And.* Escalón de entrada de una casa o habitación.

sardinero, -ra *adj.* Relativo a las sardinas. – 2 *m. f.* Persona que vende sardinas o trata en ellas. – 3 *m.* Arte de pesca que tiene la forma de una gran herradura.

I) sardo, -da *adj.* [ganado vacuno] Que tiene mezcla de negro, blanco y colorado; p. ext., que tiene manchas o pecas de diverso color.

II) sardo, -da *adj.-s.* De Cerdeña, isla italiana. – 2 *m.* Lengua de los sardos, perteneciente al grupo de las neolatinas.

sardonia *f.* Ranúnculo de hojas lampiñas y flores cuyos pétalos apenas son más largos que el cáliz; su jugo produce en los músculos de la cara una contracción que imita la risa *(Ranunculus sceleratus)*.

sardónica, -ce *f.* Ágata de color amarillento con zonas más o menos obscuras.

sardónico, -ca *adj.* Relativo a la sardonia. V. risa sardónica. 2 *Amér.* Irónico, sarcástico.

I) sarga *f.* Tela de lana o estambre, cuyo tejido forma unas líneas diagonales. 2 Tela pintada para adornar o decorar las paredes.

II) sarga *f.* Arbusto salicáceo de ramas mimbreñas que crece a orillas de los ríos *(Salix triandra)*.

sargadilla *f.* Planta quenopodiácea, de tallo rojizo y ramoso, y hojas carnosas, agudas y terminadas por un pelo blanquecino *(Chenopodium splendens).*

sargazo *m.* Género de algas feofíceas de tallo diferenciado en falsos tallos y falsas hojas que flotan en los mares cálidos y cubren una gran superficie del Atlántico llamada el mar de los Sargazos *(gén. Sargassum).*

sargento *m.* Militar del cuerpo de suboficiales con empleo superior al de cabo; bajo la inmediata dependencia de los oficiales, cuida del orden, administración y disciplina de una compañía o parte de ella: ~ *primero,* suboficial con grado superior al de sargento e inferior al de brigada. 2 fig. *y* fam. Persona autoritaria y de modales bruscos.

sargo *m.* Pez marino teleósteo perciforme de color plateado con fajas transversales negras *(Sargus rondeletii).*

sari *m.* Traje femenino usado en la India. 2 Tela ligera de algodón con la cual se confeccionan estos vestidos.

sarmentar *intr.* Coger los sarmientos podados. ◊ ** CONJUG. [27] como *acertar.*

sarmentera *f.* Lugar donde se guardan los sarmientos. 2 Acción de sarmentar.

sarmentoso, -sa *adj.* Que tiene semejanza con los sarmientos: *tallo ~; dedos sarmentosos.*

sarmiento *m.* Vástago de la vid, largo, delgado, flexible y nudoso. 2 Tallo leñoso, largo, delgado y flexible, capaz de apoyarse o enredarse en un soporte.

sarna *f.* Enfermedad cutánea debida al arador y caracterizada por una multitud de vesículas y pústulas diseminadas por el cuerpo, las cuales producen una viva picazón.

sarnoso, -sa *adj.-s.* Que tiene sarna.

sarraceniáceo, -a *adj.-f.* Planta de la familia de las sarraceniáceas. – 2 *f. pl.* Familia de plantas dicotiledóneas, herbáceas, carnívoras, con las hojas basales plegadas a modo de tonel provisto de un opérculo a modo de tapa; en su interior quedan atrapados los insectos.

sarraceno, -na *adj.-s.* De la Arabia Feliz, u oriundo de ella. 2 Mahometano.

sarracina *f.* Pelea entre muchos, especialmente la confusa o tumultuaria. 2 p. ext. Riña o pendencia en que hay heridas o muertes. 3 fam. Destrozo o escabechina grandes.

sarria *f.* Género de red basta para transportar paja. 2 *Ar., La Mancha y Murc.* Espuerta grande.

sarro *m.* Sedimento que dejan en las vasijas algunos líquidos que llevan substancias en suspensión o disueltas. 2 Substancia amarillenta, de naturaleza calcárea, que se adhiere al esmalte de los dientes.

sarta *f.* Serie de cosas metidas por orden en un hilo, cuerda, etc. 2 fig. Porción de gentes o de cosas que van unas tras otras. 3 fig. Serie de sucesos o cosas no materiales, iguales o análogas.

sartén *f.* Vasija circular, más ancha que honda, de fondo plano y con mango largo; **cocina. ◊ INCOR.: su uso como masculino.

sartenada *f.* Lo que de una vez se fríe en la sartén; lo que cabe en ella.

sarteneja *f.* Grieta que se forma con la sequía en algunos terrenos; hoyo o depresión que dejan las aguas al evaporarse en las marismas y vegas bajas.

sartorio *adj.-m.* ANAT. **Músculo del muslo que se extiende oblicuamente a lo largo de sus caras anterior e interna, cuya función es la de flexionar la pierna sobre el muslo, éste sobre la pelvis y efectuar la abducción y rotación del muslo.

sasafrás *m.* Árbol lauráceo americano, de corteza lisa y pardusca, hojas lanceoladas, flores amarillas y fruto en forma de baya *(Sassafras officinale).* ◊ Pl.: *sasafrases.*

sastre, -tra *m. f.* Persona que tiene por oficio cortar y coser trajes. 2 En un teatro, la que ayuda a los actores a vestirse y cuida de sus trajes. – 3 *m.* Crustáceo decápodo cuyo primer par de patas se ha transformado en grandes pinzas; las demás patas están cubiertas de espinas y son de color pardo; el cuerpo es rojo con líneas azules transversales *(Galathea strigosa).*

sastrería *f.* Oficio y obrador de sastre.

satánico, -ca *adj.* Relativo a Satanás; propio y característico de él. 2 fig. Extremadamente perverso.

satanismo *m.* fig. Perversidad, maldad satánica.

satélite *m.* Cuerpo celeste opaco que gira alrededor de un planeta primario. 2 irón. Persona o cosa que depende de otra y la sigue o acompaña de continuo. 3 ~ *artificial,* vehículo, tripulado o no, que se coloca en órbita alrededor de la Tierra o de otro astro, y que lleva aparatos apropiados para recoger información y retransmitirla: ~ *de comunicación;* ~ *de exploración.* – 4 *adj.-s.* Estado dominado política y económicamente por otro más poderoso.

satén *m.* Raso.

satinar *tr.* Dar [al papel o a la tela] tersura y lustre por medio de la presión.

sátira *f.* Composición poética o en prosa para censurar acremente o poner en ridículo. 2 Discurso o dicho agudo y mordaz, dirigido a igual fin.

satírico, -ca *adj.* Relativo a la sátira. 2 Relativo al sátiro. 3 Inclinado a la mordacidad.

satirio *m.* Mamífero roedor, que habita a orillas de los arroyos y nada muy bien.

satirismo *m.* MED. Anomalía sexual en que el sujeto se siente impulsado a cometer agresiones, generalmente nocturnas, contra mujeres solas que se encuentran en inferioridad de condiciones.

satirizar *intr.* FÁB. Escribir sátiras. – 2 *tr.* Zaherir o motejar [a uno]. ◇ ** CONJUG. [4] como *realizar*.

sátiro *m.* FÁB. Monstruo o semidiós silvestre, con el cuerpo velludo y patas de macho cabrío, muy dado a la lascivia. 2 fig. Hombre lascivo. 3 Mariposa diurna de color pardo grisáceo, cuyas larvas se alimentan de varias gramíneas *(Hipparchia semele)*.

satisfacción *f.* Acción de satisfacer. 2 Efecto de satisfacer. 3 Pago, con obras de penitencia, de la pena debida por nuestras culpas. 4 Razón o acción con que se responde enteramente a una queja. 5 Presunción, vanagloria. 6 Confianza o seguridad del ánimo. 7 Cumplimiento del deseo o del gusto. 8 Reparación de una acción injusta o punible, cumpliendo absolutamente las obligaciones que pesan sobre el deudor.

satisfacer *tr.* Pagar enteramente [lo que se debe]: *he satisfecho mis deudas.* 2 p. anal. Hacer una obra que merezca el perdón [de la pena debida]: *he satisfecho la penitencia por mis pecados; abs., he satisfecho por mis pecados.* 3 Premiar con equidad [los méritos] que se tienen hechos. 4 Deshacer [un agravio u ofensa]; ser suficiente [lo que se hace para ello]. 5 Aquietar [las pasiones del ánimo]: ~ *la ira.* 6 Saciar [un apetito, pasión, etc.]: ~ *la sed de sabiduría.* 7 Dar solución [a una duda o a una dificultad]; cumplir, llenar [ciertos requisitos o exigencias]. – 8 *intr.* Gustar, agradar a una persona algo o alguien. – 9 *prnl.* Aquietarse o persuadirse con una razón eficaz. 10 Estar conforme uno con algo o alguien. ◇ ** CONJUG. [85]; pp. irreg.: *satisfecho*.

satisfactorio, -ria *adj.* Que puede satisfacer una cosa debida. 2 Que puede satisfacer una duda o una queja, o deshacer un agravio. 3 Grato, próspero. 4 Que es suficiente o bastante bueno para lo que se pretende.

satisfecho, -cha, *adj.* Presumido o pagado de sí mismo: ~ *consigo;* ~ *de sí.* 2 Complacido, contento. 3 Harto de comida.

sativo, -va *adj.* Que se cultiva, a distinción de lo silvestre.

sátrapa *adj.-m.* fig. Hombre ladino. 2 fig. *y* fam. Hombre que lleva una vida fastuosa.

saturación *f.* Acción de saturar o saturarse. 2 Efecto de saturar o saturarse. 3 p. ext. Exceso en el mercado de alguna mercancía, hasta el punto de impedir la admisión del mismo artículo. 4 En la televisión cromática, proporción en la que un color está mezclado con el blanco.

saturado, -da *adj.* QUÍM. [compuesto químico orgánico] De enlaces, por lo general entre átomos de carbono, de tipo sencillo.

saturar *tr.* Saciar. 2 Hacer que [una cosa] llegue a estar completamente penetrada o impregnada por otra. 3 Disolver hasta el límite de capacidad una substancia en otra. 4 QUÍM. Satisfacer la afinidad [de una substancia] o combinar [dos o más cuerpos] en las proporciones atómicas máximas en que pueden unirse. – 5 *tr.-prnl.* Impregnar de otro cuerpo [un fluido] hasta el punto de no poder éste admitir mayor cantidad de aquél.

saturnino, -na *adj.* [pers.] De genio triste y taciturno. 2 Relativo al plomo. 3 [enfermedad] Que se produce por intoxicación con una sal de plomo.

Saturno *m.* Planeta algo menor que Júpiter, cuya órbita está comprendida entre la de este último y la de Urano; tiene ocho satélites y está rodeado por un doble anillo luminoso; **solar (sistema).

sauce *m.* Árbol salicáceo, de ramas erectas, hojas angostas, lanceoladas y sedosas, flores en amento y fruto capsular *(Salix alba).*

saúco *m.* Arbolillo caprifoliáceo, de hojas imparipinnadas, flores olorosas, blancas o amarillentas en cimas corimbiformes, cuyo cocimiento se usa en medicina *(Sambucus nigra).* 2 Segunda tapa de que se componen los cascos de las caballerías.

saudade *f.* Nostalgia, añoranza.

saudí *adj.* Relativo a la dinastía de Ibn Saud (1880-1953) o al territorio sobre el que gobierna. – 2 *adj.-s.* De Arabia Saudí, nación de Oriente Medio. ◇ Pl.: *saudíes*.

sauna *f.* Baño de calor, a muy alta temperatura, que produce una rápida y abundante sudoración, y que se toma con fines higiénicos y terapéuticos. 2 Local en que se pueden tomar esos baños.

saurio *adj.-m.* Reptil del orden de los saurios. – 2 *m. pl.* Orden de reptiles escamosos plagiotremas, generalmente de cuatro patas y con cola larga, párpados libres, boca no dilatable y esternón; como el lagarto y la lagartija.

sauzgatillo *m.* Arbusto verbenáceo, propio de los lugares frescos, de ramas abundantes, mimbreñas y flores pequeñas, azules y en racimos *(Vitex agnuscastus).*

savarín *m.* Pastel en forma de corona, de pasta de levadura, empapado en jarabe de ron.

savia *f.* Líquido que circula por los elementos conductores de las plantas: ~ *ascendente* o *bruta,* la que asciende por los vasos leñosos, formada por el agua absorbida que lleva en disolución materias minerales; ~ *descendente* o *elaborada,* la ascendente que, después de sufrir determinados cambios químicos, se transforma en jugo nutricio, que se distribuye a toda la planta por medio del tejido liberiano. 2 fig. Energía, elemento vivificador.

saxátil *adj.* H. NAT. Que se cría entre peñas o adherido a ellas.

saxífraga *f.* Planta saxifragácea, propia de los lugares frescos, de tallo ramoso y velludo, flores grandes en corimbo, de pétalos blancos, fruto capsular y raíz bulbosa *(gén. Saxifraga).*

saxifragáceo, -a *adj.-f.* Planta de la familia de las saxifragáceas. – 2 *f. pl.* Familia de plantas dicotiledóneas, herbáceas o leñosas, de hojas alternas u opuestas, flores hermafroditas de cinco pétalos y fruto en cápsula o baya; como la saxífraga o la hortensia.

saxo, saxofón, saxófono *m.* Instrumento músico de **viento compuesto de un tubo cónico de metal encorvado en forma de U de palos desiguales, varias llaves y una boquilla de madera y caña.

saya *f.* Falda que usan las mujeres. 2 Vestidura talar antigua, especie de túnica. ◊ En la primera acepción se usa con frecuencia en plural.

sayal *m.* Tela de lana burda.

sayo *m.* Casaca hueca, larga y sin botones. 2 Vestido amplio y de hechura simple, en general.

I) sayón *m.* En la Edad Media, ministro de justicia que hacía las citaciones y ejecutaba los embargos. 2 Verdugo que ejecutaba las penas a que eran condenados los reos. 3 fig. Hombre de aspecto feroz.

II) sayón *m.* Mata quenopodiácea, ramosa, de color ceniciento, hojas lanceoladas, flores en espiga y brácteas fructíferas soldadas, simulando una cápsula *(Obione portulacoides).*

sazón *f.* Punto o madurez de las cosas, o estado de perfección en su línea. 2 Ocasión, tiempo oportuno o coyuntura: *a la* ~, entonces. 3 Estado conveniente de la tierra para sementeras y labores. 4 Gusto y sabor que se percibe en los manjares. – 5 *m. Amér.* Buen gusto, buena manera de cocinar.

sazonado, -da *adj.* [dicho] Substancioso y expresivo.

sazonar *tr.* Dar sazón [al manjar, a la tierra, a los frutos]. – 2 *tr.-prnl.* Poner [las cosas] en el punto y madurez que deben tener. – 3 *prnl.* Adquirir sazón la tierra.

scout *adj.-s.* ANGL. Miembro de una organización juvenil cuyo fin es la formación por medio de actividades al aire libre; explorador. ◊ Pl.: *scouts.* Se pronuncia *escaut.*

scherzo *m.* Canción profana a varias voces, o pieza instrumental de forma libre en el s. XVI. 2 Movimiento en tres tiempos, que entró a formar parte de la sinfonía, de la sonata y del cuarteto. ◊ Se pronuncia *esquerzo.*

I) se *pron. pers.* Forma reflexiva y recíproca de 3ª persona en ambos géneros para el objeto directo e indirecto. No admite preposición y puede usarse proclítico o enclítico: ~ *peina el cabello;* ~ *viste con tiento;* ~ *quieren;* ~ *mandan avisos;* ~ *cae; cáese;* sirve, además, para formar oraciones impersonales y de pasiva: ~ *dice;* ~ *llenó el local;* **pronombre.

II) se *pron. pers.* Forma de 3ª persona para el objeto indirecto en combinación con el directo en género masculino o femenino y número singular o plural: *dióselo;* ~ *las dio.*

sebáceo, -a *adj.* Perteneciente o relativo al sebo: *glándula sebácea,* la que, situada junto a los folículos pilosos, segrega la grasa que lubrica el pelo y el cutis.

sebo *m.* Grasa sólida y dura que se saca de los animales herbívoros. 2 Substancia de naturaleza grasa o cérea, incluso mineral, que presenta un punto de fusión igual al del sebo animal. 3 Gordura. 4 Suciedad grasienta. 5 fig. Borrachera.

seborrea *f.* Aumento patológico de la secreción de las glándulas sebáceas de la piel.

seboso, -sa *adj.* Que tiene sebo. 2 Untado de sebo o de otra cosa mantecosa o grasa. 3 fam. Mugriento, sucio.

seca *f.* Sequía. 2 Período en que se secan las pústulas de ciertas erupciones cutáneas. 3 Infarto de una glándula.

secadero *m.* Lugar destinado a secar natural o artificialmente ciertos frutos u otros productos. 2 Aparato o instalación utilizados para el secado de sólidos: ~ *de tabaco.*

secadillo *m.* Dulce hecho de almendras machacadas, corteza de limón, azúcar y clara de huevo.

secado *m.* Acción de secar. 2 Efecto de secar. 3 Operación que consiste en separar total o parcialmente, por diversos medios, el líquido que acompaña a un sólido.

secador, -ra *m. f.* Nombre de diversos aparatos y máquinas destinados a secar las manos, el cabello, la ropa, etc.

secamente *adv. m.* Con pocas palabras, o sin pulimento o adorno. 2 Ásperamente, sin atención ni urbanidad.

secano *m.* Tierra de labor que no tiene riego. 2 Banco de arena que no está cubierto por el agua, o islita árida próxima a la costa. 3 Cosa que está muy seca.

secansa *f.* Juego de naipes parecido al de la treinta y una. 2 Reunión, en este juego, de dos cartas de valor correlativo. 3 Reunión, en el juego de los cientos, de las tres cartas del mismo palo y de valor correlativo.

I) secante *adj.-s.* Que seca. 2 Fastidioso, molesto. – 3 *m.* Papel secante. 4 DEP. Jugador que intercepta el juego de un contrario. 5 Substancia que, añadida a las pinturas, acelera su desecación.

II) secante *adj.* [línea o superficie] Que corta a otra línea o superficie: **circunferencias secantes.* – 2 *f.* GEOM. Recta que corta a una curva o a una superficie en uno o más puntos; **circunferencia;* ~ *de un ángulo,* ** TRIG., la del arco que sirve de medida al ángulo; ~ *de* *un arco*, parte de la recta secante que pasa por el centro del círculo y por un extremo del arco, comprendido entre dicho centro y el punto donde encuentra a la tangente tirada por el otro extremo del mismo arco.

secar *tr.* Extraer [la humedad] o hacer que se exhale [de un cuerpo mojado]: ~ *el sudor,* o *el rostro, con un paño.* 2 Ir consumiendo el jugo [en los cuerpos]: ~ *higos al aire.* 3 fig. Fastidiar, aburrir: *está secando a sus compañeros.* 4 DEP. Interceptar el juego [de un contrario]. – 5 *prnl.* Enjugarse la humedad de una cosa evaporándose. 6 esp. Perder una planta su verdor o lozanía. 7 Quedarse sin agua un río, una fuente, etc. 8 Enflaquecer y extenuarse una persona o animal. 9 fig. Tener mucha sed: *secarse de sed.* 10 Dicho del corazón o del ánimo, embotarse, hacerse insensible. 11 Cerrarse, por haberse curado, una herida, úlcera, etc. ◇ ** CONJUG. [1] como *sacar.*

sección *f.* Cortadura (división). 2 GEOM. Figura que resulta de la intersección de una superficie o de un sólido con otra superficie: *secciones cónicas,* elipse, parábola e hipérbola. 3 Figura que resultaría si se cortara un cuerpo por un plano: ~ *horizontal de una máquina;* ~ *vertical de un terreno.* 4 Parte o grupo distinto en que se divide un todo continuo o un conjunto de cosas o personas: ~ *de camisería en un almacén.* 5 En las empresas, conjunto homogéneo de unidades de trabajo. 6 BIOL. Corte delgado de materia vegetal o animal, para ser examinado al microscopio. 7 BIOL. Unidad intermedia entre el género y la especie. 8 MIL. Grupo mandado por un oficial en que se divide la compañía o escuadrón.

seccionar *tr.* Fraccionar, cortar, dividir en secciones.

secesión *f.* Acto de separarse de una nación parte de su pueblo y territorio. 2 Apartamiento de los negocios públicos. 3 Separación de un grupo de personas, de una corriente artística, literaria, etc., o de un organismo político.

secesionismo *m.* Tendencia u opinión favorable a la secesión pública.

seco, -ca *adj.* Que carece de jugo o humedad. 2 Falto de agua. 3 Sin caldo: *guiso* ~. 4 Sin lluvia: *tiempo, país, clima* ~. 5 [fruto] De cáscara dura. 6 [fruto] Al que se ha quitado la humedad para que se conserve. 7 Falto de verdor o lozanía. 8 [vegetal] Muerto, marchito. 9 Flaco o de muy pocas carnes. 10 fig. Riguroso, estricto. 11 fig. Áspero, poco cariñoso en el modo o trato. 12 fig. [vino] Que tiene escasos azúcares reductores residuales. 13 fig. [sonido] Ronco, áspero. 14 fig. [golpe] Fuerte, rápido y que no resuena. – 15 *m.* Amér. Golpe que se da en un trompo con la púa de otro. 16 *Amér.* Coscorrón, puñetazo.

secreción *f.* Apartamiento, separación. 2

FISIOL. Elaboración de un producto específico por actividad de una glándula. 3 FISIOL. Substancia producida por secreción.

secretar *tr.* Segregar (las glándulas).

secretaría *f.* Destino o cargo de secretario. 2 Oficina donde despacha los negocios. 3 Cargo del máximo dirigente de un partido político. 4 Lugar donde despacha. 5 En algunos estados, cargo de ministro.

secretariado *m.* Secretaría, destino o cargo de secretario. 2 Conjunto de personas que desempeñan la función de secretario. 3 Organismo central de un movimiento artístico, cultural, social, etc., que coordina y dirige la acción de las diversas entidades que dependen de él. 4 Estudios para ser secretario o secretaria.

secretario, -ria *m. f.* Persona encargada de escribir la correspondencia, extender las actas, custodiar los documentos, etc., en una oficina, asamblea o corporación. 2 Persona que está al servicio de otra persona para redactarle la correspondencia, custodiar sus documentos, etc. 3 Persona que se halla al frente de una secretaría o despacho ministerial. 4 Máximo dirigente de algunos partidos políticos. 5 En algunos países, ministro, jefe de los departamentos de Estado.

secretear *intr.* Hablar en secreto una persona a otra.

secreter *m.* GALIC. Escritorio (para papeles).

I) secreto *m.* Lo que cuidadosamente se tiene reservado y oculto. 2 Reserva, sigilo. 3 Conocimiento que exclusivamente alguno posee de la virtud o propiedades de una cosa. 4 Escondrijo que tienen algunos muebles. 5 Misterio. 6 MÚS. Tabla armónica del órgano, del piano, etc.

II) secreto, -ta *adj.* Oculto, ignorado. 2 Callado, reservado.

secretorio, -ria *adj.* Que segrega.

secta *f.* Conjunto de seguidores de una parcialidad religiosa o política. 2 Doctrina religiosa o ideológica que se diferencia e independiza de otra. 3 Conjunto de creyentes en una doctrina particular o de fieles a una religión que el hablante considera falsa. 4 Sociedad secreta, en especial política.

sectario, -ria *adj.-s.* Que profesa y sigue una secta. 2 Secuaz, fanático e intransigente de un partido o de una idea.

sectarismo *m.* Celo propio de sectario.

sector *m.* Porción de **círculo comprendida entre un arco y los dos radios que pasan por sus extremidades. 2 fig. Parte de una clase o colectividad que presenta caracteres peculiares: *un* ~ *de la opinión pública;* ~ **privado,** ECON., conjunto de las unidades de producción que en un país determinado son propiedad de particulares y están gestionadas por ellos; ~ **público,** ECON., conjunto de las unidades de producción que en una nación son propiedad del Estado y son gestionadas por éste. **3** Conjunto de escaños del hemiciclo parlamentario donde se sientan individuos de una misma ideología. **4** Parte de una ciudad o de un sitio y sus ocupantes. **5** Parte o sección en que se considera dividido un conjunto importante o complejo: *la avería dejó a obscuras un ~ de la ciudad; en la Bolsa estuvo encalmado el ~ de valores mineros.* **6** Sección interconectada con otras en que se subdivide una red de distribución de energía eléctrica. **7** Línea de distribución de energía eléctrica de baja tensión.

sectorial *adj.* Perteneciente o relativo a un sector o sección de una colectividad con caracteres particulares. **2** Organizado a través de sectores. **3** Que se refiere o pertenece al sector.

secuaz *adj.-com.* [pers.] Que sigue el partido, doctrina u opinión de otro.

secuela *f.* Consecuencia o resulta de una cosa. **2** Trastorno o lesión que persiste tras la curación de una enfermedad o un traumatismo, y que es consecuencia de los mismos.

secuencia *f.* En cinematografía, serie de imágenes o escenas que forman un conjunto. **2** Continuidad, sucesión ordenada. **3** Serie o sucesión de cosas que guardan entre sí cierta relación. **4** LING. Orden que siguen las palabras en la frase.

secuenciar *tr.* Establecer una serie o sucesión de cosas que guardan entre sí cierta relación. ◇ ** CONJUG. [12] como *cambiar.*

secuestrador, -ra *adj.-s.* Que secuestra.

secuestrar *tr.* Depositar judicial o gubernativamente [un objeto] en poder de un tercero hasta que se decida a quién pertenece. **2** Embargar (retener). **3** Aprehender [a una persona] exigiendo dinero o el cumplimiento de determinadas condiciones para su rescate. **4** Tomar por las armas vehículos (aviones, barcos, etc.) con violencia sobre la tripulación y pasaje, a fin de exigir como rescate una suma de dinero, la concesión de ciertas reivindicaciones políticas, etc.

secuestro *m.* Acción de secuestrar. **2** Efecto de secuestrar: ~ *aéreo,* modificación del vuelo de un avión mediante amenazas. **3** Bienes secuestrados.

secular *adj.* Seglar. **2** Que sucede o se repite cada siglo. **3** Que dura un siglo, o desde hace siglos. – **4** *adj.-s.* Clero o sacerdote que vive en el siglo, a distinción del que vive en clausura.

secularidad *f.* Condición de vida de los individuos que componen un instituto secular. **2** Condición común del hombre que vive en el mundo.

secularización *f.* Acción de secularizar. **2** Efecto de secularizar. **3** Fenómeno cultural caracterizado por la desaparición de los paradigmas mítico-religiosos.

secularizar *tr.* Hacer secular [lo que era eclesiástico]; esp., incautarse el estado de los bienes eclesiásticos. **2** esp. Autorizar [a un religioso] para que pueda vivir fuera de la clausura. ◇ ** CONJUG. [4] como *realizar.*

secundar *tr.* Ayudar, favorecer: ~ *una empresa;* ~ *a uno en sus empresas.*

secundario, -ria *adj.* Segundo en orden: *enseñanza secundaria.* **2** No principal, accesorio. – **3** *adj.-m.* Era geológica que sigue a la era primaria o paleozoica y precede a la terciaria o cenozoica, y terreno correspondiente a ella. – **4** *adj.* Perteneciente o relativo a dicha era.

secuoya *f.* Árbol cupresáceo gigantesco, de América, que alcanza hasta 150 m. de altura (gén. *Sequoia*).

sed *f.* Gana y necesidad de beber. **2** fig. Necesidad de agua o de humedad que tienen ciertas cosas. **3** fig. Apetito o deseo ardiente de una cosa: ~ *de justicia.* ◇ Pl.: *sedes,* poco usado.

seda *f.* Secreción viscosa en forma de hebras muy flexibles, con que forman sus capullos diferentes larvas de insectos. **2** Hilo fino, suave y lustroso, formado por varias de estas hebras producidas por el gusano de seda y a propósito para coser o tejer. **3** Obra o tela hecha de seda. **4** Cerda de algunos animales, especialmente del jabalí.

sedal *m.* Hilo o cuerda que se ata por un extremo al anzuelo y por el otro a la caña de pescar.

sedán *m.* Vehículo automóvil de carrocería cerrada.

sedante *adj.-m.* [fármaco] Que calma los dolores o disminuye la excitación nerviosa. **2** fig. Que calma o sosiega el ánimo: *esta música es un ~ para mí.*

sedar *tr.* Apaciguar, sosegar: ~ *a los contrincantes;* ~ *la disputa.* **2** Suministrar un sedante (fármaco) [a alguien].

sede *f.* Asiento o trono de un prelado que ejerce jurisdicción. **2** Capital de una diócesis. **3** Jurisdicción y potestad del Papa, llamada también Santa Sede. **4** fig. Lugar donde se halla la dirección o el núcleo principal de cualquier actividad, doctrina, etc.: *Atenas,* ~ *del saber antiguo; Barcelona,* ~ *del sindicalismo.*

sedentario, -ria *adj.* [oficio, vida] De poco movimiento. **2** [especie animal o grupo humano] Cuyos individuos no salen de la región donde han nacido.

sedente *adj.* Que está sentado.

sedeño, -ña *adj.* De seda o semejante a ella. **2** Que tiene sedas o cerdas.

sedición *f.* Tumulto, levantamiento popular contra autoridad que gobierna. **2** fig. Sublevación de las pasiones.

sedicioso, -sa *adj.-s.* Que promueve una sedición o toma parte en ella. – 2 *adj.* [acto o palabra] Realizado o dicho por la persona sediciosa.

sediento, -ta *adj.-s.* [pers.] Que tiene sed. 2 fig. [campo, tierra o planta] Que necesita de humedad o riego. 3 fig. Que desea una cosa con ansia.

sedimentar *tr.* Depositar sedimento un líquido: *el agua sedimenta el limo.* – *prnl.* Formar sedimento las materias suspendidas en un líquido: *el limo se sedimenta en el fondo del mar.* 3 Sosegarse [el ánimo o los ánimos].

sedimentívoro, -ra *adj.-s.* Que se alimenta de sedimentos: *peces sedimentívoros.*

sedimento *m.* Materia que, habiendo estado suspensa en un líquido, se posa en el fondo. 2 Depósito natural de origen lacustre o continental, que se halla en el fondo del mar. 3 fig. Huella, marca que deja una cosa al pasar de un estado a otro.

sedoso, -sa *adj.* Parecido a la seda.

seducir *tr.* Persuadir suavemente al mal: *el diablo nos seduce con sus mañas.* 2 Cautivar, atraer la voluntad: *~ a una mujer.* ◇ ** CONJUG. [46] como *conducir.*

seductor, -ra *adj.-s.* Que seduce.

sefardí *adj.-com.* Judío oriundo de España, o que acepta las prácticas religiosas especiales que en el rezo mantienen los judíos españoles. – 2 *m.* Dialecto judeoespañol. ◇ Pl.: *sefardíes.*

segadera *f.* Hoz para segar.

segador, -ra *adj.* Que siega. – 2 *m. f.* Persona que siega. – 3 *m.* Araña pequeña, de patas muy largas, con el cuerpo redondeado y el vientre aovado y comprimido *(gén. Phalangium).* – 4 *f.* Máquina para segar.

segar *tr.* Cortar [mieses o hierbas] con la hoz, la guadaña o con máquina a propósito. 2 Cortar [cualquier cosa] de un golpe y especialmente lo que está más alto y sobresale: *~ la cabeza.* 3 fig. Cortar, impedir desconsiderada o bruscamente el desarrollo [de algo]: *~ las vidas humanas.* ◇ ** CONJUG. [48] como *regar.*

seglar *adj.* Relativo a la vida, estado o costumbre del siglo o mundo. – 2 *adj.-com.* Lego (sin órdenes clericales).

segmentación *f.* Acción de segmentar o segmentarse. 2 Efecto de segmentar o segmentarse. 3 División en fragmentos. 4 BIOL. División de la célula huevo de animales y plantas, en virtud de la cual se constituye un cuerpo pluricelular, que es la primera fase del embrión. 5 INFORM. Técnica de división de un programa en partes denominadas segmentos a fin de no requerir la presencia simultánea de la totalidad del programa a la memoria del ordenador.

segmentado, -da *adj.* [animal] Cuyo cuerpo consta de partes dispuestas en serie lineal.

segmentar *tr.-prnl.* Hacer segmentos [algo], dividirlo.

segmento *m.* Pedazo o parte cortada de una cosa. 2 Parte de una recta comprendida entre dos puntos; **línea. 3 Parte del **círculo comprendida entre un arco y su cuerda. 4 fig. Parte de un todo. 5 Parte del cuerpo de ciertos animales que se halla separada por un surco profundo, como en los insectos, crustáceos y miriápodos. 6 LING. Signo o conjunto de signos que pueden aislarse en la cadena oral mediante una operación de análisis.

segoviano, -na *adj.-s.* De Segovia.

segregación *f.* Acción de segregar. 2 Efecto de segregar. 3 En la vida social, acción de segregar o apartar de la convivencia común determinados grupos raciales, religiosos, etc. 4 En la vida social, efecto de segregar o apartar de la convivencia común determinados grupos raciales, religiosos, etc.

segregacionismo *m.* Régimen jurídico o práctica consuetudinaria de la segregación racial, religiosa, etc., en determinados países.

segregar *tr.* Separar o apartar [una cosa]: *~ un pueblo del distrito a que antes pertenecía, de una provincia.* 2 FISIOL. Elaborar y despedir ciertos órganos, denominados glándulas, de los animales y plantas [determinadas substancias; como saliva, sudor, jugo gástrico, etc.]. ◇ ** CONJUG. [7] como *llegar.*

segueta *f.* Sierra de marquetería.

seguidilla *f.* Estrofa formada por versos heptasílabos y pentasílabos, muy usual en la poesía popular y en el género festivo. – 2 *f. pl.* Aire popular español. 3 Baile de este aire.

seguido, -da *adj.* Continuo, sucesivo, sin intermisión de lugar o tiempo. 2 Que está en línea recta.

seguidor, -ra *adj.-s.* Que sigue a una persona o cosa.

seguir *tr.* Ir después o detrás [de uno]. 2 Dirigir la vista hacia [un objeto] que se mueve y mantener la visión de él. 3 p. anal. Ir en busca [de una persona o cosa]. 4 Perseguir, acosar [a uno]: *~ una fiera de cerca.* 5 Ser del dictamen o parcialidad [de una persona]: *sigo a mi hermano en su intento.* 6 Imitar o hacer una cosa por el ejemplo [de otro]: *~ a los buenos autores.* 7 Ir una persona o cosa [por un camino]: *~ la carretera.* 8 Dirigir la conducta [por un método o procedimiento adecuado]: *sigo mis inspiraciones; ~ un consejo; ~ el método de Cajal.* 9 Proseguir [lo empezado]: *~ el viaje; intr., ~ con la empresa.* 10 Tratar o manejar [un negocio o pleito]: *~ una causa.* 11 Profesar o ejercer [una ciencia, arte o estado]: *~ las matemáticas.* – 12 *tr.-prnl.* Inferirse o ser consecuencia una cosa de otra: *seguirse una cosa a, o de, otra.* 13 Suceder una cosa a otra por orden, o ser continuación de ella. ◇ ** CONJUG. [56].

seguiriya *f.* Cante flamenco con copla de cuatro versos, el tercero de los cuales es de once sílabas, de contenido triste.

según *prep.* Conforme, con arreglo a: ~ *la ley;* ~ *arte.* 2 Con carácter de adverbio conjuntivo significa: como, con arreglo, en conformidad a lo que: ~ *veamos;* ~ *se encuentre el enfermo;* con correspondencia a: *se te pagará* ~ *lo que trabajes;* de la misma suerte que: *todo queda* ~ *estaba;* por el modo en que: *sus cabellos parecían sortijas de oro,* ~ *eran rubios y enrizados.* 3 Precediendo inmediatamente a nombres o pronombres personales significa con arreglo a lo que opinan las personas de que se trata: ~ *él;* ~ *Aristóteles.* 4 Con carácter adverbial y en frases elípticas indica eventualidad: *iré o me quedaré,* ~.

segunda *f.* En las cerraduras y llaves, vuelta doble. 2 Segunda intención: *me lo dijo con* ~.

segundar *intr.* Ser segundo o seguirse al primero.

segundero *m.* Manecilla que señala los segundos en el **reloj.

segundo, -da *adj.* Que ocupa el último lugar en una serie ordenada de dos; **numeración. – 2 *m. f.* Persona que en una institución sigue en jerarquía al principal. – 3 *m.* Sexagésima parte del minuto.

segundón *m.* Hijo segundo de la casa. 2 p. ext. Hijo no primogénito.

segur *f.* Hacha que formaba parte de cada una de las fasces de los lictores romanos. 2 Hacha grande para cortar. 3 Hoz (instrumento).

seguridad *f.* Calidad de seguro. 2 Garantía o conjunto de ellas que se da a alguien sobre el cumplimiento de un acuerdo. 3 ~ *social,* conjunto de instituciones jurídicas y sociales destinadas a la prevención y remedio de los riesgos que puedan presentarse para la salud y la economía individual. – 4 *loc adj. De* ~, [mecanismo] que asegura algún buen funcionamiento; que evita, en caso de fallo de otros, que se produzca un accidente o daño: *válvula de* ~; *cerradura de* ~. 5 *De* ~, perteneciente a un ramo de la administración pública cuyo fin es asegurar el orden: *agente de* ~. – 6 *loc. adv. Con* ~, sin riesgo; seguramente, con certeza.

seguro, -ra *adj.* Exento de todo peligro o riesgo. 2 Cierto, que no admite duda: *corre a una muerte segura.* 3 Firme (estable). 4 Relativo a la persona o cosa en que se puede confiar en absoluto. 5 Que cree poder confiar en alguno o en alguna cosa: *estoy* ~ *de que vendrá.* – 6 *m.* Sitio exento de todo peligro: *sobre* ~, sin aventurarse a ningún riesgo. 7 Seguridad, certeza, confianza. 8 Contrato por el cual se garantiza a una persona o cosa contra algún riesgo: ~ *sobre la vida;* ~ *de incendios; compañía de seguros.* 9 Muelle en algunas armas de fuego para evitar que se disparen por el juego de la llave. 10 Dispositivo que impide que un objeto, utensilio o máquina se abra involuntariamente o con facilidad. – 11 *adv. m.* Ciertamente, sin duda.

seis *adj.* Cinco y uno; **numeración. 2 Sexto (lugar). – 3 *m.* Guarismo del número seis. 4 Naipe que tiene seis señales.

seisavo, -va *adj.-m.* Sexto (parte).

seiscientos, -tas *adj.* Seis veces ciento; **numeración. – 2 *m.* Guarismo del número seiscientos. 3 Arte, literatura, historia y, en general, cultura del siglo XVII.

seise *m.* Niño de coro que, vestido con traje de seda azul y blanca, baila y canta en algunas catedrales, en determinadas festividades.

seísmo *m.* Temblor de tierra, terremoto.

seláceo *adj.-m.* Pez de la infraclase de los seláceos. – 2 *m. pl.* Infraclase de peces elasmobranquios que incluye dos órdenes: escualiformes y rayiformes.

selección *f.* Elección de una persona o cosa entre otras. 2 Conjunto de cosas escogidas. 3 En la radio, separación de las ondas parásitas recibidas por una antena. 4 ~ *natural,* teoría de Darwin (1809-1882) que pretende explicar la desaparición de determinadas especies animales y vegetales y su substitución por otras de condiciones superiores. 5 DEP. Conjunto de deportistas escogidos para participar en una competición en representación de una federación, región, país, etc.

seleccionador, -ra *adj.* Que selecciona o escoge. – 2 *m.* En las agrupaciones deportivas, el encargado de escoger los jugadores que han de formar un equipo.

seleccionar *tr.* Elegir, escoger: ~ *las aves.*

selectividad *f.* Función de seleccionar o elegir. 2 Conjunto de pruebas mediante las cuales se seleccionan los alumnos que pueden acceder a la Universidad. 3 Capacidad que tienen los aparatos radiorreceptores para aislar una banda de frecuencia alternando todas las demás.

selectivo, -va *adj.* Que implica selección. 2 [aparato radiorreceptor] Que permite escoger una onda de longitud determinada sin interferencias de otras ondas próximas. 3 [curso] Que precede a una carrera técnica especial.

selecto, -ta *adj.* Lo mejor entre otras cosas de su especie.

selector, -ra *adj.* Que selecciona o escoge. – 2 *m.* Dispositivo de contacto que al mover el disco de llamada, efectúa la conexión entre dos teléfonos. 3 En las motocicletas, pedal para accionar el cambio de velocidades. 4 Dispositivo de sintonía empleado principalmente para la recepción de canales en los receptores de televisión.

selenio *m.* Metaloide de color pardo rojizo y brillo metálico, de propiedades parecidas a las del azufre. Su símbolo es *Se.*

selenita *com.* Supuesto habitante de la Luna. – 2 *adj.* Perteneciente o relativo a la Luna. – 3 *f.* Espejuelo (yeso).

seleniuro *m.* Compuesto de selenio y otro elemento.

selenografía *f.* Parte de la astronomía que trata de la descripción de la Luna.

selfservice *m.* ANGL. Autoservicio.

selva *f.* Terreno extenso, inculto y muy poblado de árboles. 2 fig. Abundancia desordenada de alguna cosa; confusión, cuestión intrincada.

selvático, -ca *adj.* Relativo a las selvas. 2 fig. Rústico, falto de cultura.

sellar *tr.* Imprimir el sello [a una cosa]. 2 fig. Dejar señalada [una cosa] en otra o comunicar determinado carácter. 3 Cerrar, tapar, cubrir: ~ *un pozo.* 4 fig. Concluir, poner fin [a una cosa].

sello *m.* Utensilio para estampar las armas, divisas o cifras en él grabadas. 2 Lo que queda estampado, impreso y señalado con el mismo sello. 3 Disco de metal o de cera que, estampado con un sello, se ponía pendiente de ciertos documentos de importancia. 4 Trozo pequeño de papel, con timbre oficial, que se pega a ciertos documentos y a las cartas para franquearlas o certificarlas. 5 Carácter distintivo comunicado a una cosa. 6 ANGL. Firma, marca comercial. ◇ INCOR.: ~ *discográfico* por *marca, casa discográfica.*

sema *m.* FILOL. Unidad mínima de significación.

semáforo *m.* Poste indicador con luces verde, naranja o roja que regula el tránsito en las vías públicas. 2 Aparato de señales de ferrocarril. 3 Telégrafo óptico de las costas para comunicarse con los buques; **puerto.

semana *f.* Serie de siete días naturales consecutivos, comenzando por el domingo y acabando por el sábado: ~ **grande, mayor** o **Santa,** la última de la Cuaresma desde el domingo de Ramos hasta el de Resurrección. 2 fig. Salario ganado en una semana. 3 Período septenario de tiempo, sea de días, meses, años o siglos.

semanal *adj.* Que sucede o se repite cada semana. 2 Que dura una semana o a ella corresponde.

semanario, -ria *adj.* Semanal. – 2 *m.* Periódico que se publica semanalmente.

semantema *m.* LING. En algunas escuelas lingüísticas, unidad léxica provista de significación.

semántica *f.* Parte de la lingüística que estudia la significación de las palabras.

semasiología *f.* Semántica. 2 Estudio semántico de las designaciones que parte del signo y de sus relaciones, para llegar a la determinación del concepto.

semblante *m.* Conjunto de las facciones en cuanto revelan el estado de ánimo de la persona. 2 p. ext. Cara. 3 fig. Apariencia o aspecto de las cosas, sobre el cual formamos el concepto de ellas.

semblanza *f.* Bosquejo biográfico.

sembrado, -da *adj.* Cubierto de cosas esparcidas. – 2 *m.* Tierra sembrada.

sembrar *tr.* Esparcir [las semillas en la tierra] preparada para este fin: ~ *trigo;* ~ *un campo; abs.,* ~ *en la arena;* ~ *entre piedras.* 2 fig. Desparramar, esparcir: ~ *dinero.* 3 Colocar sin orden una cosa para adorno [de otra]: ~ *el camino con,* o *de, flores.* 4 fig. Dar motivo o principio [a una cosa]: ~ *la discordia.* 5 fig. Preparar o hacer [algunas cosas] de que se ha de seguir fruto: ~ *la fe en los corazones; abs.,* ~ *con provecho.* 6 esp. Esparcir o divulgar [una especie]. ◇ ** CONJUG. [27] como *acertar.*

semejante *adj.-s.* Parecido, análogo a una persona o cosa: *un libro* ~ *a otro en todo; éste es el* ~. 2 GEOM. esp. [figura] Que tiene la misma forma, pero es de diferente magnitud: **polígonos semejantes.* 3 Denota ponderación o comparación: *no es lícito valerse de semejantes medios.* 4 Con carácter demostrativo equivale a *tal.* – 5 *m.* Prójimo.

semejanza *f.* Calidad de semejante. 2 GEOM. Transformación geométrica que conserva la alineación y los ángulos, alterando la distancia según un factor de proporcionalidad.

semejar *intr.-prnl.* Parecerse una cosa a otra.

semema *m.* LING. En algunas escuelas lingüísticas, significado que corresponde a cada morfema en una lengua determinada.

semen *m.* Fluido producido por los órganos reproductivos masculinos de los animales, que contiene los espermatozoides. 2 Simiente, semilla.

semental *adj.* Relativo a la siembra o sementera. – 2 *adj.-s.* Animal macho que se destina a padrear.

sementera *f.* Acción de sembrar. 2 Efecto de sembrar. 3 Tierra sembrada. 4 Cosa sembrada. 5 Tiempo a propósito para sembrar. 6 fig. Semillero (origen).

sementero *m.* Saco en que se llevan los granos para sembrar.

semestral *adj.* Que sucede o se repite cada semestre. 2 Que dura un semestre o a él corresponde.

semestre *adj.* Semestral. – 2 *m.* Espacio de seis meses. 3 Renta, sueldo, etc., que se cobra o que se paga al fin de cada semestre. 4 Conjunto de los números de un periódico o revista publicado durante un semestre.

semicilindro *m.* Mitad del cilindro limitada por un plano que pase por su eje.

semicírculo *m.* Mitad del **círculo separada por un diámetro.

semicircunferencia *f.* Mitad de la circunferencia.

sémico, -ca *adj.* Concerniente al sema, o al significado.

semiconductor, -ra *adj.-s.* ELECTR. Material de resistencia apreciablemente más alta que la de los buenos conductores e inferior a la de los aisladores, la cual decrece al aumentar la temperatura. – 2 *m.* Cuerpo dotado de una débil conductividad eléctrica, considerablemente inferior a la de los metales.

semiconsonante *adj.-s.* Vocal *i* o *u* que forma diptongo con una vocal siguiente. Su articulación es entonces tan cerrada, que se acerca a la de una consonante fricativa: *sabio, tiempo, guapo, bueno.*

semicorchea *f.* MÚS. Nota musical cuyo valor es la mitad de una corchea.

semicultismo *m.* FILOL. Palabra influida por el latín, o por la lengua culta, que no ha realizado por completo su evolución fonética normal.

semidiós, -diosa *m. f.* FÁB. Ser medio divino, por ser hijo de una deidad y un mortal. 2 Ser humano divinizado, generalmente por sus actos heroicos.

semidulce *adj.* [vino] Con algunos azúcares reductores residuales.

semieje *m.* Árbol que transmite el movimiento del diferencial a cada una de las ruedas motrices.

semifinal *f.* Penúltima competición del campeonato deportivo que se gana por eliminación del contrario y no por puntos.

semifusa *f.* MÚS. Nota musical cuyo valor es la mitad de una fusa.

semilunar *adj.* Que tiene figura de media luna. – 2 *adj.-m.* Segundo hueso de la primera fila del carpo; **mano.

semilla *f.* Parte del **fruto que, puesto en condiciones adecuadas, da origen a una nueva planta; es el óvulo fecundado y maduro. 2 fig. Cosa que es causa u origen de que procedan otras. – 3 *f. pl.* Granos que se siembran, exceptuados el trigo y la cebada. 4 p. ext. Fragmento de vegetal provisto de yemas, como tubérculos, bulbos, etc.

semillero *m.* Lugar donde se siembran los vegetales que después han de trasplantarse. 2 Lugar donde se conservan, para estudio, colecciones de diversas semillas. 3 fig. Origen de que nacen o se propagan algunas cosas: ~ *de mentiras.*

semimembranoso, -sa *adj.-m.* ANAT. **Músculo de la cara interna del muslo cuya parte superior es tendinosa y sólo es carnosa la inferior; su principal función es la flexión de la pierna.

seminal *adj.* Relativo al semen o a la semilla.

seminario *m.* Casa o lugar destinado para educación de niños y jóvenes. 2 En las universidades, trabajo de investigación científica anejo a las cátedras, y local donde se realiza. 3 Reunión de especialistas consagrada al estudio de un problema concreto.

seminarista *m.* Alumno de un seminario eclesiástico.

seminífero, -ra *adj.* ZOOL. Que produce o contiene semen. 2 BOT. Que produce o contiene semillas.

seminívoro, -ra *adj.-s.* ZOOL. Animal que come semillas.

semiología *f.* Ciencia que estudia los sistemas de signos; como lenguas, códigos de señales, señalización vial, etc. 2 Estudio de los signos dentro de la vida social.

semiótica *f.* Teoría general de los signos. 2 Semiología, estudio de los signos en la vida social. 3 Estudio de todos los signos que sirven para la comunicación. 4 Parte de la medicina, que trata de los signos de las enfermedades.

semiplano *m.* GEOM. Parte de un plano cortado o dividido en dos por una recta.

semisuma *f.* Resultado de dividir por dos una suma.

I) semita *adj.-com.* De una familia etnográfica y lingüística que comprende los diversos pueblos que hablan o hablaron lenguas de flexión de caracteres especiales: arameo, caldeo, asirio, hebreo, árabe y otras.

II) semita *m.* Especie de bollo o galleta.

semitendinoso, -sa *adj.-m.* ANAT. **Músculo de la cara posterior e interna del muslo, más superficial que el semimembranoso y de similares funciones que éste.

semítico, -ca *adj.* Perteneciente o relativo a los semitas.

semitismo *m.* Conjunto de las tendencias, instituciones, etc., de los pueblos semíticos. 2 Vocablo, giro o modo de expresión propio de las lenguas semíticas. 3 Estudio o ciencia de las lenguas, literaturas, instituciones, etc., de los pueblos semíticos.

semitono *m.* MÚS. Mitad del intervalo de un tono.

semivocal *adj.-s.* Vocal *i* o *u* que forma diptongo con una vocal precedente. Su articulación es entonces más cerrada que la que les corresponde cuando son vocales plenas: *aire, peinar, maula, Europa.*

sémola *f.* Trigo candeal desnudo de su corteza. 2 Trigo quebrantado a modo del farro. 3 Pasta para sopa, de harina de flor reducida a granos muy menudos.

sempervirente *adj.* Relativo a la vegetación cuyo follaje se conserva verde todo el año.

sempiterno, -na *adj.* Que durará siempre; que, habiendo tenido principio, no tendrá fin.

sena *f.* Conjunto de seis puntos señalados en una de las caras del dado.

senado *m.* Asamblea de patricios que formaba el Consejo supremo de la antigua

Roma. 2 En ciertos estados modernos que cuentan con dos cuerpos legislativos, el formado por personas cualificadas, elegidas por sufragio directo o bien designadas por razón de su cargo, posición, título, experiencia, etc. 3 Edificio o lugar donde los senadores celebran sus sesiones. 4 fig. Junta o concurrencia de personas graves y respetables.

senador, -ra *m. f.* Personà que es miembro del senado.

sencillo, -lla *adj.* Que no tiene artificio ni composición. 2 Que tiene menos cuerpo que otras cosas de su especie. 3 Que carece de ostentación y adornos. 4 fig. Incauto, sin malicia. 5 Ingenuo en el trato.

senda *f.* Camino más estrecho que la vereda. 2 fig. Camino (modo de obrar).

senderar, senderear *tr.* Guiar o encaminar [a uno] por el sendero. 2 Abrir senda: ~ *un bosque.* – 3 *intr.* fig. Echar por caminos extraordinarios en el obrar o el discurrir.

sendero *m.* Senda.

sendos, -das *adj. pl.* Uno o una para cada cual de dos o más personas o cosas. ◇ INCOR.: por *grande, extraordinario, ambos: recibió ~ disgustos; tuve dos accidentes, de ~ accidentes salí ileso.*

senectud *f.* Edad senil, que comúnmente empieza a los sesenta años.

senegalés, -lesa *adj.-s.* Del Senegal, nación de África occidental.

senescal *m.* En algunos países, mayordomo mayor de la casa real. 2 Jefe o cabeza principal de la nobleza, que la gobernaba, especialmente en la guerra.

senescente *adj.* Que empieza a envejecer.

senil *adj.* Relativo a los viejos o a la vejez.

senilidad *f.* Disminución natural y progresiva de las facultades físicas y mentales, propia de la vejez. 2 Calidad de senil.

sénior *adj* [pers.] De más edad entre dos que llevan el mismo nombre. – 2 *adj.-s.* DEP. Categoría que engloba a deportistas que han pasado de 21 años, edad límite para los juniores.. – 3 *com.* Deportista perteneciente a esta categoría. ◇ Pl.: *seniores.*

seno *m.* Concavidad o hueco. 2 Parte interna de alguna cosa: *el ~ de la tierra; en el ~ de una sociedad.* 3 Pecho humano. 4 Espacio hueco que queda entre el vestido y el pecho: *llevaba una medalla en el ~.* 5 fig. Regazo (que acoge). 6 ANAT. Cavidad o espacio hueco existente en el espesor de un hueso o formado entre las superficies articulares de dos o más huesos: ~ *frontal,* el excavado en la porción inferior del frontal, sobre el dorso de la **nariz; ~ *esfenoidal,* el formado en el espesor del cuerpo del esfenoides; **nariz. 7 MAR. Curvatura que hace una vela o cuerda cuando no está tirante. 8 **TRIG. ~ *de un arco,* en la perpendicular tirada al radio que pasa por un

extremo del arco desde el otro extremo de éste, parte comprendida entre este punto y dicho radio. 9 **TRIG. ~ *de un ángulo,* el del arco que le sirve de medida.

sensación *f.* Impresión que las cosas producen en el alma por medio de los sentidos. 2 Emoción producida en el ánimo por un suceso o noticia de importancia.

sensacional *adj.* Que causa sensación. 2 fig. Que llama poderosamente la atención.

sensacionalismo *m.* Condición de sensacional. 2 Práctica publicitaria, encaminada a producir sensación entre el público.

sensato, -ta *adj.* Prudente, de buen juicio.

sensibilidad *f.* Facultad de sentir, propia de los seres animados. 2 Propensión natural del hombre a dejarse llevar de los afectos de compasión, humanidad y ternura. 3 Calidad de sensible (que cede). 4 Grado o medida de la eficacia de ciertos aparatos científicos, ópticos, etc. 5 Capacidad de respuesta a muy pequeñas excitaciones, estímulos o causas. 6 FOT. Calidad de una película para ser impresionada por la luz.

sensibilización *f.* Acción de sensibilizar. 2 Efecto de sensibilizar. 3 Proceso por el cual un organismo se vuelve sensible y reacciona visiblemente frente a una determinada agresión física, química o biológica.

sensibilizar *tr.* Hacer sensible; representar de forma sensible. 2 Hacer sensibles a la acción de la luz [ciertas materias] usadas en fotografía. 3 en gral. Aumentar o excitar la sensibilidad física o moral; hacer sensible: *la música sensibiliza el oído.* 4 Atraer la atención [con un fin determinado]: ~ *la opinión pública.* 5 MED. Producir reacciones de hipersensibilidad. ◇ **CONJUG. [4] como *realizar.*

sensible *adj.* Capaz de sentir física o moralmente: ~ *a la injuria.* 2 Que puede ser percibido por los sentidos. 3 Perceptible, manifiesto, patente al entendimiento. 4 Que causa sentimiento de pena o de dolor. 5 [pers.] Que se deja llevar fácilmente del sentimiento. 6 [cosa] Que cede fácilmente a la acción de ciertos agentes naturales. 7 [aparato] Que puede acusar, registrar o medir fenómenos de muy leve intensidad, o diferencias muy pequeñas.

sensiblería *f.* Sentimentalismo exagerado, trivial o fingido.

sensitiva *f.* Planta mimosácea, originaria del Brasil, llamada así por la sensibilidad que manifiesta doblando y abatiendo las hojas al recibir un golpecito o al chamuscarla *(Mimosa pudica).*

sensitivo, -va *adj.* Perteneciente o relativo a los sentidos corporales. 2 Capaz de sensibilidad. 3 Que excita la sensibilidad. – 4 *adj.-s.* [pers.] Extraordinariamente sensible o impresionable. – 5 *adj.* ANGL. Sensible.

sensitometría *f.* Medición de los efectos de la luz sobre materiales fotográficos.

sensor *m.* Aparato que sirve para determinar los valores de una dimensión física; como temperatura, sonido o intensidad de luz. 2 ELECTR. Dispositivo que por medio del tacto gobierna la acción de un circuito, como la selección de canales en un receptor de televisión.

sensorial *adj.* Sensorio (de la sensibilidad). 2 Perteneciente o relativo a la sensibilidad (facultad). – 3 *m.* Centro común de todas las sensaciones.

sensorio, -ria *adj.* Perteneciente o relativo a la sensibilidad (facultad). – 2 *m.* Centro común de todas las sensaciones. 3 Imagen teórica del cerebro, considerado como centro de las funciones sensitivas.

sensual *adj.* Sensitivo (de los sentidos). 2 Propio o relativo a los gustos y deleites de los sentidos, a las cosas que los incitan o satisfacen y a las personas aficionadas a ellos. 3 Relativo al apetito carnal.

sensualidad *f.* Calidad de sensual. 2 Propensión excesiva a los placeres de los sentidos.

sensualismo *m.* Empirismo radical que, no descubriendo en la experiencia interna más que sensaciones brutas o transformadas, sitúa a la sensación exterior como fuente única del conocimiento humano.

sentada *f.* Acción de protesta o en apoyo de una petición, que consiste en permanecer sentadas en el suelo un grupo de personas, en un lugar determinado y por un largo período de tiempo.

sentado, -da *adj.* Juicioso, quieto. 2 [pan] Que se mastica con dificultad. 3 [órgano animal o vegetal] Que posee una amplia base de implantación.

sentador, -ra *adj. Argent., Chile y Parag.* [prenda de vestir] Que sienta bien.

sentar *tr.* Colocar [a uno] en silla, banco, etc., de manera que quede apoyado sobre las nalgas. 2 fig. Dar por supuesta o por cierta alguna cosa. 3 Alisar una cosa, apisonándola o planchándola. 4 fig. Fundamentar una teoría, doctrina, etc., en un razonamiento, expresión de datos, etc. – 5 *intr.* Cuadrar, convenir una cosa a otra o a una persona: *esta levita no sienta o sienta mal; el hablar modesto le sienta bien.* 6 Agradar [a uno] una cosa: *tu consejo no le sentó, o le sentó mal; la poesía le ha sentado bien.* – 7 *prnl.* Asentarse: *sentarse a la mesa; sentarse de cabecera; sentarse en la silla; sentarse sobre un cofre.* 8 Posarse un líquido. 9 Con referencia a ciertas cosas, como por ejemplo el tiempo, estabilizarse después de haber estado revuelto o variable. – 10 *tr. Argent., Colomb., Chile y Ecuad.* Refrenar [el caballo], pararlo en firme. ◇ ** CONJUG. [27] como *acertar.*

sentencia *f.* Dictamen o parecer que uno tiene o sigue. 2 Opinión, especialmente filosófica o teológica, expresada dogmáticamente. 3 Dicho grave y sucinto que encierra doctrina o moralidad. 4 Declaración del juicio y resolución del juez. 5 Decisión de cualquier controversia que da la persona a quien se ha hecho árbitro de ella. 6 FILOL. Oración gramatical.

sentenciar *tr.* Dar o pronunciar sentencia [contra uno]: ~ *un condenado a destierro;* ~ *uno por estafa;* **abs.,** ~ *en justicia;* ~ *según la ley.* 2 en gral. *y* fig. Expresar el dictamen [sobre una cuestión] a favor de una de las partes contendientes. 3 fig. Destinar [una cosa] para un fin: ~ *un libro a la hoguera.* 4 fig. Intimidar a uno anunciándole venganza. ◇ ** CONJUG. [12] como *cambiar.*

sentencioso, -sa *adj.* Que encierra una sentencia: *dicho, escrito* ~. 2 [tono] De afectada gravedad.

sentido, -da *adj.* Que incluye o explica un sentimiento: *un pésame muy* ~. 2 Que se ofende con facilidad; que se resiente o es muy sensible a una prueba de falta de estimación. – 3 *m.* Facultad de recibir estímulos externos e internos mediante los órganos receptores que los transmiten al sistema nervioso central; los sentidos son cinco: el de la vista, el del oído, el del gusto, el del olfato y el del tacto: *sexto* ~, intuición o sensibilidad especial que tiene una persona para una determinada actividad o asunto. 4 Entendimiento o razón, en cuanto discierne las cosas: *tener* ~ *de la estética;* ~ *común,* facultad interior en la cual se reciben e imprimen todas las especies e imágenes de los objetos que envían los sentidos exteriores; facultad, atribuida a la generalidad de las personas, de juzgar razonablemente las cosas. 5 Modo particular de entender una cosa. 6 Significación cabal de una proposición o cláusula. 7 Significado o acepción de las palabras. 8 Interpretación que puede admitir un escrito. 9 fig. Expresión, realce de su finalidad. 10 Inteligencia o conocimiento con que se ejecutan algunas cosas. 11 Razón de ser, finalidad. 12 GEOM. Dirección opuesta a otra en que puede suponerse descrita una línea, superficie, etc., por el movimiento de un punto, de una línea, etc.

sentimental *adj.* Que expresa o excita sentimientos tiernos. 2 Propenso a ellos. 3 Que afecta sensibilidad de un modo ridículo o exagerado.

sentimentalismo *m.* Doctrina ética, según la cual sólo los sentimientos mueven la voluntad moral. 2 Calidad de sentimental.

sentimiento *m.* Acción de sentir o sentirse. 2 Efecto de sentir o sentirse. 3 Impresión que causan en el ánimo las cosas espirituales. 4 Estado del ánimo afligido por un suceso triste.

sentina *f.* Cavidad inferior de la nave, en la que se reúnen las aguas que se filtran por los costados y cubiertas. 2 fig. Lugar lleno de inmundicias.

I) sentir *m.* Sentimiento. 2 Dictamen, parecer.

II) sentir *tr.* Experimentar la sensación corporal [de una cosa]: ~ *el frío;* ~ *el contacto de un hierro.* 2 p. ant. Percibir con el sentido del oído, oír: *siento pasos.* 3 Experimentar [los movimientos afectivos] del ánimo: ~ *miedo.* 4 p. ant. Experimentar aflicción [por alguna cosa]: ~ *una desgracia.* 5 esp. Hermanar en la expresión [la palabra] con el ademán, el gesto, la entonación, etc.: ~ *una poesía.* 6 p. anal. Juzgar, opinar: *digo lo que siento.* 7 Presentir, barruntar: ~ *un cambio en las costumbres.* – 8 *prnl.* Experimentar uno la sensación física o moral de hallarse de una manera determinada; juzgarse, considerarse: *sentirse enfermo; sentirse feliz; sentirse obligado.* 9 esp. Con la preposición *de,* experimentar una sensación física desagradable en alguna parte del cuerpo: *sentirse de la cabeza.* ◇ ** CONJUG. [35] como *hervir*. ◇ Impropio por *oler: sentí un olor desagradable.*

seña *f.* Nota o indicio para dar a entender una cosa. 2 Lo que de concierto está determinado entre dos o más personas para entenderse: **hacer señas,** indicar uno con gestos o ademanes lo que piensa o quiere. 3 Señal (signo y vestigio). 4 MIL. Palabra que, acompañada del santo, se da en la orden del día para que sirva de reconocimiento al recibir las rondas. – 5 *f. pl.* Indicación del lugar y el domicilio de una persona.

señal *f.* Marca que se pone o hay en una cosa para darla a conocer y distinguirla de otras. 2 Signo usado para acordarse después de una especie: *poner una* ~ *en un libro.* 3 Signo, imagen o representación de una cosa: *bandera a media asta en* ~ *de duelo.* 4 Vestigio, impresión que queda de una cosa. 5 Cicatriz. 6 Parte de precio que se adelanta en algunos contratos y autoriza para rescindirlos, perdiéndola el que la dio, o devolviéndola duplicada el que la había recibido. 7 Prodigio o cosa extraordinaria. 8 Aviso, comunicación que se da, de cualquier modo que sea, según convenio, costumbre o ley: ~ *de marcha; el faro hacía señales; código de señales en la Marina.* 9 Fís. Onda eléctrica para transmitir información.

señalado, -da *adj.* Insigne, famoso.

señalar *tr.* Poner marca o señal [en una cosa] para hacerla visible y distinguirla de otras. 2 esp. Rubricar (un despacho o papel). 3 Hacer una herida que deje cicatriz: *le ha señalado con la espada.* 4 Llamar la atención [sobre una persona o cosa], especialmente designándola con la mano. 5 Hacer el amago [de una cosa] sin ejecutarla: ~ *una estocada.* 6 Hacer señal para dar noticia [de alguna cosa]: ~ *unos barcos en el horizonte.* 7 Nombrar o determinar [persona, lugar, día, hora, etc.] para algún fin. 8 *Argent., Chile, Parag.* y *Urug.* Hacer una señal en la oreja de las reses. – 9

prnl. Distinguirse o singularizarse: *señalarse en la guerra; señalarse por discreto.*

señalización *f.* Acción de señalizar. 2 Efecto de señalizar. 3 Conjunto de señales; **carretera.

señalizar *tr.* Colocar señales para regular la circulación [en una calle, carretera, vía férrea, etc.]. ◇ ** CONJUG. [4] como *realizar*.

señera *f.* Bandera oficial de Cataluña.

señero, -ra *adj.* Solo, solitario. 2 Único, sin par.

señor, -ra *adj.-s.* Dueño de una cosa. – 2 *adj.* Noble y propio de señor. 3 Antepuesto a algunos nombres, encarece el significado de los mismos: *tiene un* ~ *edificio.* – 4 *m.* p. ant. Dios (Ser Supremo): *casa del Señor; ministro del Señor.* 5 Jesús en el sacramento eucarístico. 6 Amo (de los criados). 7 Poseedor de estados y lugares: ~ *feudal.* 8 Título nobiliario. 9 Varón respetable que ya no es joven. 10 Término de cortesía que se aplica a cualquier hombre. ◇ GRAM. En la acepción *10* su empleo supone distinción o respeto por parte del que habla: *ha pasado un* ~*; ¡venga* ~*!* V. caballero. Como tratamiento se antepone al nombre común (*Sr. Cura, Sr. Profesor*) o al apellido (*Sr. Martínez*); al *don* que precede al nombre, *Sr. D. Luis;* en América, al nombre seguido de apellido, *Sr. Luis Martínez;* y en el uso popular al nombre solo, *Sr. Luis.* En las direcciones de cartas y documentos con nombre y apellido, se usa siempre acompañado de *don: Sr. D. Juan López.* Las mismas observaciones son aplicables al tratamiento de *señora.*

¡señor! Interjección con que se denota sorpresa o enojo.

señora *f.* Mujer del señor. 2 La que de por sí posee un señorío. 3 **Nuestra Señora,** la Virgen María. 4 Ama (de los criados). 5 Mujer (esposa). 6 Mujer respetable que ya no es joven. 7 Término de cortesía que se aplica a una mujer. ◇ GRAM. En la acepción *7* se antepone al apellido de una mujer casada o viuda, *Sra. Jiménez;* a *doña* seguido del nombre, *Sra. Da. María;* al nombre seguido de apellido *Sra. María Jiménez;* y en el uso popular al nombre solo *Sra. María.*

señorear *tr.* Dominar o mandar [en una cosa] como dueño de ella. 2 en gral. Mandar uno imperiosamente. 3 esp. Apoderarse [de una cosa]; sujetarla a su dominio: ~ *una ciudad; prnl., señorearse de una ciudad.* 4 fam. Dar [a uno] importunamente el tratamiento de señor. 5 fig. Sujetar uno [las pasiones] a la razón. 6 fig. Estar una cosa en situación superior [a otra]. – 7 *prnl.* Usar de gravedad y mesura en el porte.

señoría *f.* Tratamiento dado a las personas a quienes compete por su dignidad. 2 Persona a quien se da este tratamiento. 3 Señorío (dominio). 4 Soberanía de ciertos estados par-

señorial 1062

ticulares que se gobernaban como repúblicas: *la ~ de Venecia.*

señorial *adj.* Relativo al señorío. 2 Majestuoso, noble.

señorío *m.* Dominio o mando sobre una cosa. 2 Territorio perteneciente al señor. 3 Dignidad de señor. 4 fig. Gravedad y mesura en el porte o en las acciones. 5 Dominio y libertad en obrar, sujetando las pasiones a la razón. 6 Conjunto de personas de distinción.

señorita *f.* Hija de un señor. 2 Término de cortesía que se aplica a la mujer soltera. 3 Tratamiento de cortesía que se da a maestras de escuela, profesoras, o también a otras mujeres que desempeñan algún servicio; como secretarias, empleadas de la administración o del comercio, etc. ◇ GRAM. En las acepciones 2 y 3 puede anteponerse al nombre de pila o al apellido *Srta. María; Srta. Juana; Srta. Sanz.*

señorito *m.* Hijo de un señor. 2 desp. Joven acomodado y ocioso.

señuelo *m.* Cosa que sirve para atraer a las aves. 2 fig. Cosa para atraer o inducir, con alguna falacia.

sépalo *m.* Hoja que forma el cáliz de una **flor.

separación *f.* Acción de separar. 2 DER. Interrupción de la vida conyugal por conformidad de las partes o fallo judicial, sin extinguirse el vínculo matrimonial. 3 DER. *~ de bienes,* sistema o régimen de bienes en el matrimonio, en virtud del cual cada uno de los cónyuges conserva sus bienes propios, usándolos y administrándolos sin intervención del otro.

separar *tr.* Poner [a una persona o cosa] fuera del contacto o proximidad de otra. 2 Formar grupos homogéneos de cosas que estaban mezcladas con otras. 3 Considerar aisladamente cosas que estaban juntas o fundidas. 4 Distinguir unas de otras [cosas o especies]: *~ los buenos de los malos; ~ los conceptos.* 5 Destituir de un empleo o cargo [al que lo servía]. 6 Forzar a dos o más personas o animales que riñen, para que dejen de hacerlo. – 7 *prnl.* Tomar caminos distintos personas, animales o vehículos que iban juntos o por el mismo camino. 8 Dejar de convivir los esposos. 9 Renunciar a la asociación que se mantenía con otra u otras personas y que se basaba en una actividad, creencia o doctrina común. 10 Dicho de una comunidad política, hacerse autónoma respecto de otra a la cual pertenecía. 11 Retirarse uno de algún ejercicio u ocupación.

separata *f.* Tirada aparte de un artículo publicado en una revista.

separatismo *m.* Doctrina política que propugna la separación de algún territorio, comunidad u organización, para alcanzar su independencia o anexionarse a otros. 2 Tendencia o movimiento político favorable a esta doctrina.

sepelio *m.* Acción de inhumar la Iglesia a los fieles. 2 en gral. Entierro.

sepia *f.* Jibia. 2 Materia colorante sacada de la jibia. – 3 *adj.-m.* Color de esa materia, marrón tirando a rojo claro.

sepiolita *f.* Silicato del grupo de los filosilicatos, que cristaliza en el sistema rómbico.

sepsia *f.* Alteración en el organismo por introducción en él de gérmenes patógenos.

septenario, -ria *adj.* Que consta de siete elementos, unidades o guarismos. – 2 *m.* Tiempo de siete días.

septenio *m.* Período de siete años.

septentrión *m.* Norte. 2 Viento del norte.

septentrional *adj.* Relativo al septentrión. 2 Que cae al norte.

septicemia *f.* Infección general del organismo con circulación de gérmenes patógenos en la sangre.

septicida *adj.* BOT. Que anula o deshace los disepimentos.

séptico, -ca *adj.* Relativo a la sepsia. 2 Producido por la putrefacción o por gérmenes patógenos. 3 Que produce putrefacción.

septiembre *m.* Noveno mes del año.

septífraga *adj.* BOT. Que rompe los disepimentos.

séptimo, -ma *adj.-s.* Parte que, junto a otras seis iguales, constituye un todo; **numeración. – 2 *adj.* Que ocupa el último lugar en una serie ordenada de siete.

septingentésimo, -ma *adj.-s.* Parte que, junto a otras seiscientas noventa y nueve iguales, constituye un todo; **numeración. – 2 *adj.* Que ocupa el último lugar en una serie ordenada de setecientos.

septo *m.* H. NAT. Pared que separa dos cavidades o dos masas de tejido.

septuagenario, -ria *adj.-s.* Que tiene setenta años de edad y no ha llegado a los ochenta.

septuagésimo, -ma *adj.-s.* Parte que, junto a otras sesenta y nueve iguales, constituye un todo; **numeración. – 2 *adj.* Que ocupa el último lugar en una serie ordenada de setenta.

septuplicar *tr.* Multiplicar por siete [una cantidad]. ◇ ** CONJUG. [1] como *sacar.*

sepulcral *adj.* Relativo al sepulcro. 2 fig. Fúnebre, sombrío.

sepulcro *m.* Obra que se construye levantada del suelo, para dar en ella sepultura al cadáver de una persona.

sepultar *tr.* Poner en la sepultura [a un difunto]; enterrar [un cuerpo]. – 2 *tr.-prnl.* fig. Ocultar [alguna cosa] como enterrándola. 3 fig. Sumergir, abismar, dicho del ánimo: *sepultarse en el dolor.*

sepultura *f.* Acción de sepultar. 2 Efecto de

sepultar. 3 Hoyo hecho en tierra para enterrar un cadáver. 4 Lugar en que está enterrado un cadáver.

sepulturero *m.* El que tiene por oficio abrir las sepulturas y sepultar a los muertos.

sequedad *f.* Calidad de seco. 2 fig. Dicho o ademán áspero y duro.

sequía *f.* Tiempo seco de larga duración.

sequillo *m.* Bollo o rosquilla de masa azucarada.

séquito *m.* Agregación de gente que acompaña y sigue a una persona.

I) ser *m.* Esencia o naturaleza. 2 Ente (que existe). 3 Valor o estimación de las cosas: *en eso está todo el ~ del negocio.* 4 Modo de existir.

II) ser *v. copul.* Simple nexo entre el sujeto y el atributo, atribuye cualidades consideradas como permanentes: *Sócrates era filósofo; es soltero; es moreno; es carpintero; es ágil.* 2 El atributo puede llevar la preposición *de*: *este jardín es de mi padre; este proceder no es de caballero; es de la Academia; es de Madrid.* – 3 *v. auxiliar* Con los participios sirve para formar la voz pasiva de los verbos: *es querido por todos; el discurso fue muy aplaudido; la noticia ha sido comentada en la ciudad.* 4 Con la preposición *de* y algunos verbos de percepción y entendimiento en infinitivo forma a menudo frases verbales pasivas que denotan generalmente disposición, inclinación, proximidad relativa de la acción expresada por el infinitivo: *es de creer; es de ver; era de esperar.* – 5 *intr.* Existir, tener realidad: *Dios es; esto no es.* 6 Suceder, acontecer: *¿cómo fue ese caso?; ¿qué ha sido de él?* 7 Con la preposición *para,* servir, aprovechar, contentar: *no soy para eso; la seriedad no era para aquella ocasión.* 8 Valer: *¿a cómo es la merluza?* ◇ CONJUG. [86]. ◇ Concurre en este uso copulativo con el verbo *estar,* del cual se diferencia en su carácter imperfectivo, que lo hace apto para atribuir cualidades consideradas como permanentes, a diferencia del carácter transitorio de las atribuidas con *estar;* V. estar. Compárese *~ guapa* con *estar guapa.* Los pormenores de estas diferencias entre los dos verbos copulativos se explican en las gramáticas.

sera *f.* Espuerta grande, generalmente sin asas.

seráfico, -ca *adj.* Relativo o parecido al serafín. 2 fig. Pobre, humilde. 3 fig. *y* fam. Pacífico, bondadoso, plácido.

serafín *m.* Espíritu bienaventurado que se distingue por el perenne ardor con que ama las cosas divinas; forma el segundo coro. 2 fig. Persona de singular hermosura.

serafina *f.* Tela de lana semejante a la bayeta.

serbal, -bo *m.* Árbol rosáceo, de hojas imparipinnadas, flores blancas en corimbo y fruto en pomo, comestible cuando está pasado *(Sorbus domestica).* 2 Madera de este árbol.

serena *f.* Composición poética o musical de los trovadores, que solía cantarse de noche.

serenar *tr.-prnl.* Aclarar, sosegar [una cosa]: *el viento serena la tarde; la tarde ha serenado, o se ha serenado.* 2 fig. Apaciguar [disturbios]. 3 fig. Templar o cesar en el enojo: *~ el corazón.* 4 Enfriar [agua] al sereno. 5 Sentar o aclarar [los licores] que están turbios. – 6 *prnl.* Sosegarse, tranquilizarse.

serenata *f.* Música al aire libre y durante la noche, para festejar a una persona. 2 Composición poética o musical destinada a este objeto. 3 fig. Molestia, lata.

serenera *f. Amér.* Abrigo contra el sereno.

serenidad *f.* Calidad de sereno (apacible). 2 Título de honor de algunos príncipes.

I) sereno *m.* Humedad de que durante la noche está impregnada la atmósfera. 2 Guarda encargado de rondar de noche para velar por la seguridad del vecindario.

II) sereno, -na *adj.* Claro, despejado de nubes o nieblas. 2 fig. Apacible, sosegado.

serial *m.* Novela radiofónica o televisada por episodios.

seriar *tr.* Poner en serie, formar series. ◇ ** CONJUG. [12] como *cambiar.*

sericicultura *f.* Industria que tiene por objeto la producción de la seda.

sericígeno, -na *adj.* Que origina la seda.

serie *f.* Conjunto de cosas relacionadas entre sí y que se suceden unas a otras. 2 Conjunto de cosas sin considerar si están relacionadas entre sí. 3 Relato dividido en partes concebidas para su emisión por radio o televisión. 4 En filatelia, conjunto de sellos u otros valores postales que forman parte de una misma emisión. 5 ELECTR. Sistema de conexión de dos o más elementos de un circuito eléctrico, de forma tal que por todos ellos circule la misma corriente. 6 FON. Conjunto de fonemas de una lengua caracterizados por un mismo modo de articulación. – 7 *loc. adv.* **En ~,** mediante una técnica de producción de muchos objetos iguales, según un mismo patrón; sin originalidad.

seriedad *f.* Calidad de serio.

serigrafía *f.* Sistema de impresión por medio de una pantalla de seda o tela metálica muy fina.

serijo *m.* Asiento para una persona, sin patas, ni brazos, ni respaldo, de forma cilíndrica, hecho de esparto abierto con una piel por encima.

serio, -ria *adj.* Que en sus acciones y maneras da importancia a las cosas. 2 Que obra reflexiva y concienzudamente, sin bromear, sin tratar de engañar. 3 Severo en el semblante, en el modo de mirar o hablar. 4 Grave, importante, que preocupa. 5 Contrapuesto a jocoso o bufo.

sermón *m.* Discurso pronunciado en

público por un sacerdote, para edificación de los asistentes. 2 fig. Amonestación o reprensión.

sermonear *intr.* Predicar, echar sermones. – 2 *tr.* Amonestar o reprender [a uno].

seroja *f.* Hojarasca seca que cae de los árboles. 2 Residuo o desperdicio de la leña.

serología *f.* Tratado de los sueros.

serón *m.* Sera más larga que ancha.

serosidad *f.* Líquido albuminoideo que lubrica ciertas membranas. 2 Humor que se acumula en las ampollas de la epidermis.

seroso, -sa *adj.* Relativo al suero o a la serosidad. 2 Que produce serosidad.

serovacunación *f.* MED. Tratamiento mixto de una enfermedad infecciosa en que se emplean conjuntamente un suero inmune y una vacuna.

serpentario *m.* Ave rapaz falconiforme de hasta 1 m. de longitud, plumaje blanco y negro, y patas muy largas que le permiten ser una buena corredora; se alimenta de reptiles *(Serpentarius serpentarius)*.

serpenteado, -da *adj.* Que tiene ondulaciones.

serpentear *intr.* Moverse o extenderse formando vueltas y tornos como las serpientes.

serpentín *m.* Tubo largo en espiral, para facilitar el enfriamiento de la destilación en los alambiques. 2 Pieza de acero en las llaves de las armas de fuego y chispa.

serpentina *f.* Tira de papel arrollada que en días de carnaval se arrojan unas personas a otras, sujetándola por un extremo. 2 Piedra de color verdoso con manchas o venas que le dan una semejanza con la piel de una serpiente.

serpentón *m.* Instrumento músico de viento de tonos graves; consiste en un tubo de madera delgada forrado de cuero, encorvado en forma de S, más ancho por el pabellón que por la boca. 2 Instrumento músico de viento compuesto de un tubo de madera encorvado en forma de U y de un pabellón de metal que figura una cabeza de serpiente.

serpiente *f.* Reptil ofidio, especialmente el de gran tamaño. 2 ~ *de verano,* noticia intrascendente o sin fundamento real. 3 ~ *monetaria,* fluctuación, dentro de unos límites establecidos, del valor de las monedas europeas.

serpol *m.* Tomillo de tallos rastreros *(Thymus serpyllum).*

serpollo *m.* Rama nueva que brota al pie de un árbol o en la parte por donde se le ha podado. 2 Retoño de una planta.

sérpula *f.* Género de anélidos marinos que viven en un tubo calcáreo, cerrado por un opérculo (gén. *Serpula*).

serrado, -da *adj.* Que tiene dientecillos semejantes a los de la sierra.

serrallo *m.* Lugar en que los mahometanos

tienen sus mujeres. 2 fig. Sitio donde se cometen graves desórdenes obscenos.

serrana *f.* Composición poética parecida a la serranilla. 2 Canción andaluza, variedad del cante hondo, originaria de la serranía de Ronda.

serranía *f.* Terreno compuesto de montañas y sierras.

serranilla *f.* Composición lírica del siglo xv, generalmente en versos cortos, derivada de las antiguas cánticas de serrana.

serrano, -na *adj.-s.* Que habita en una sierra o nacido en ella. 2 Perteneciente o relativo a las sierras o a sus moradores. 3 fam. Hermoso: *cuerpo* ~. – 4 *m.* Pez marino teleósteo perciforme, hermafrodita, de cuerpo oblongo y cabeza en forma de cuña, con opérculos armados por tres espinas *(Serranus scriba; Paracentropristis s.).*

serrar *tr.* Cortar [madera u otras materias] con la sierra. ◇ ** CONJUG. [27] como *acertar.*

serrato *adj.-m.* ANAT. **Músculo de la cara anterior del tórax con forma de dientes de sierra cuya función es elevar el muñón del hombro.

serrería *f.* Taller mecánico para aserrar maderas.

serreta *f.* Mediacaña de hierro, con dentecillos, que se sujeta al cabezón sobre la nariz de las caballerías. 2 Ave anseriforme de cuerpo delgado, cabeza y cuello negros con reflejos verdes metálicos; el dorso también es negro y el vientre blanco rosado. Se alimenta de peces *(Mergus merganser).*

serrijón *m.* Sierra de montes de poca extensión.

serrín *m.* Conjunto de partículas desprendidas de la madera cuando se sierra.

serrucho *m.* Sierra de hoja ancha y con sólo una manija.

serventesio *m.* Composición moral, política o satírica de la poética provenzal. 2 Cuarteto en que riman el primer verso con el tercero, y el segundo con el cuarto.

servicial *adj.* Que sirve con cuidado y diligencia. 2 Pronto a complacer y servir a otros.

servicio *m.* Acción de servir: ~ *militar* o simplemente ~, el que se presta siendo soldado. 2 Efecto de servir. 3 Organización y personal destinado a cuidar intereses o satisfacer necesidades del público o de alguna entidad oficial o privada: ~ *telefónico.* 4 Prestación desempeñada por estas organizaciones y su personal. 5 Obsequio en beneficio de alguien. 6 Mérito que se hace sirviendo. 7 Estado de criado o sirviente. 8 Servidumbre (criados). 9 Utilidad o provecho que a uno resulta de lo que otro hace en su favor. 10 Cubierto (servicio de mesa). 11 Conjunto de viandas que se ponen a un mismo tiempo en la mesa. 12 Conjunto de vajillas y otras cosas, para servir la comida, el café, el té, etc. 13 En el juego del tenis, saque de pelota. 14 Urinario. 15 Retrete, cuarto de aseo o baño. ◇ En la acepción *15* se usa también en plural.

servidor, -ra *m. f.* Persona que sirve como criado. 2 Persona adscrita al manejo de un arma, de una maquinaria o de otro artefacto. 3 Nombre que por cortesía y obsequio se da a sí misma una persona respecto de otra.

servidumbre *f.* Trabajo propio del siervo. 2 Condición de siervo. 3 Conjunto de criados de una casa. 4 Sujeción grave u obligación inexcusable. 5 fig. Sujeción causada por las pasiones o afectos, que coarta la libertad.

servil *adj.* Relativo a los siervos y criados. 2 Humilde y de poca estimación. 3 Rastrero, que obra con servilismo.

servilismo *m.* Ciega y baja adhesión a los poderosos.

servilleta *f.* Pedazo de tela o papel que usa cada comensal para limpiarse la boca y los dedos, y también para proteger el vestido. 2 *And.* Paño, mantel.

servilletero *m.* Aro, bolsa o utensilio que sirve para guardar la servilleta.

servio, -via *adj.-s.* De Servia, república de Yugoslavia. – 2 *adj.-m.* Servocroata.

serviola *f.* MAR. Pescante muy robusto instalado en las proximidades de la amura; **ancla. 2 Vigía establecido de noche cerca de este pescante.

servir *intr.* Aprovechar, valer, ser de utilidad: *tus palabras servirán de consuelo; tu hijo sirve para el caso.* 2 esp. Ser un instrumento o máquina a propósito para un fin: *mis tijeras no sirven.* 3 Estar al servicio de otro o sujeto a él: *muchos esclavos sirven en aquella casa; ~ con armas y caballo; sirvió en palacio; ~ por la comida; ~ sin sueldo; ~ a un amo benévolo.* 4 esp. Asistir a la mesa trayendo los manjares o las bebidas. 5 p. ext. Ejercer un cargo o empleo: *~ en hacienda;* **tr.,** *~ una portería* o *el cargo de portero.* 6 Hacer las veces de otro en un oficio u ocupación: *~ de mayordomo.* 7 Ser soldado en activo: *~ en infantería;* **tr.,** *~ al rey* o *a la patria;* **abs.,** estar sirviendo. 8 Asistir con naipes del mismo palo a quien ha jugado primero. 9 En determinados juegos o deportes, sacar o restar la pelota para que se pueda jugar. – 10 **tr.** Dar culto o adoración [a Dios o a los santos]. 11 Obsequiar [a uno] o hacer una cosa en su favor. 12 Hacer plato o llenar el vaso [al que va a comer o beber]: *le serviré a usted;* **prnl.,** *sírvase usted mismo.* 13 Suministrar alguna mercancía a un cliente. 14 Atender a los clientes en un comercio. – 15 **prnl.** Tener a bien hacer alguna cosa: *se ha servido venir.* 16 Valerse de una persona o cosa para el uso propio de ella: *servirse de alguno en,* o *para, un lance.* ◇ ** CONJUG. [34].

servita *adj.-s.* Que profesa la orden tercera fundada por San Felipe Benicio en el siglo XIII. – 2 *adj.* Perteneciente o relativo a esta orden.

servocroata *m.* Lengua eslava, hablada principalmente en la república de Yugoslavia.

servodirección *f.* Mecanismo auxiliar que sirve al conductor de un vehículo para multiplicar su esfuerzo en el manejo de la dirección.

servofreno *m.* Mecanismo auxiliar que sirve al conductor de un vehículo para multiplicar su esfuerzo en el manejo del freno.

sesámeo, -a *adj.-f.* Planta de la familia de las sesámeas. – 2 *f. pl.* Familia de plantas dicotiledóneas, por lo común cubiertas de polvillo, de raíz blanca y fusiforme, hojas generalmente simples, opuestas o alternas; flores axilares solitarias, de cáliz persistente y corola tubular, y fruto en cápsula; como el ajonjolí.

sésamo *m.* Alegría (ajonjolí y nuégado). 2 Simiente de esta planta. 3 Pasta de nueces, almendras o piñones con ajonjolí.

sesamoideo, -a *adj.* De forma parecida a la semilla del sésamo.

sesear *intr.* Pronunciar la *c* ante *e, i,* o la *z,* como *s.*

sesenta *adj.* Seis veces diez; **numeración. 2 Sexagésimo (lugar). – 3 *m.* Guarismo del número sesenta.

seseo *m.* Acción de sesear. 2 Efecto de sesear.

sesera *f.* Parte de la cabeza del animal en que están los sesos. 2 Seso (cerebro). 3 fam. Cabeza. 4 fam. Inteligencia, entendimiento.

sesgar *tr.* Cortar o partir en sesgo [una cosa]. 2 Torcer a un lado o atravesar [una cosa] hacia un lado. 3 *Argent.* Renunciar a un propósito. ◇ ** CONJUG. [7] como *llegar.*

sesgo *adj.* Torcido, cortado o situado oblicuamente. 2 fig. Grave o torcido en el semblante. – 3 *m.* Oblicuidad o torcimiento de una cosa hacia un lado. 4 fig. Medio término tomado en los negocios dudosos. 5 p. ext. y fig. Curso o rumbo que toma un negocio.

sésil *adj.* Sentado (planta y animal). 2 [organismo] Que vive fijado a una estructura, como una roca, una concha u otro organismo.

sesión *f.* Junta de una corporación. 2 fig. Conferencia o consulta entre varios para determinar una cosa. 3 Acto, proyección, representación, etc., que se realiza para el público en cierto espacio de tiempo: *~ numerada.*

I) seso *m.* Cerebro. 2 fig. Prudencia, madurez: *perder uno el ~,* fig., perder el juicio. – 3 *m. pl.* Masa encefálica.

II) seso *m.* Piedra o hierro con que se calza la olla.

sesquiáltero, -ra *adj.* Que contiene la unidad y una mitad de ella.

sesquidoble *adj.* Que contiene dos veces y media un número o cantidad.

sesquiplano *m.* Biplano con una de las alas mucho menor que la otra.

sestear *intr.* Pasar la siesta durmiendo o descansando. 2 Recogerse el ganado durante el día en paraje sombrío. 3 fam. Vaguear.

sestercio *m.* Antigua moneda romana de plata, equivalente a dos ases y medio.

sesudo, -da *adj.* Que tiene seso; prudente, sensato. 2 Inteligente. 3 Sabio; sabihondo.

set *m.* En algunos juegos, fase principal en que, junto a otras, se divide un partido; como en el tenis, el pimpón y el balonvolea. 2 Plató cinematográfico.

seta *f.* Hongo (aparato esporífero): ~ *de cardo,* la de sombrero de color gris rojizo con las láminas gruesas y de color blanco. Es comestible *(Pleorotus eryngii);* ~ *de cura,* la de sombrero de color verde amarillento; las láminas y el pie son blancos. Es comestible *(Russula virescens);* ~ *de chopo,* la de sombrero pardo con grietas. Es comestible y cultivada *(Agrocybe cylindracea).*

setecientos, -tas *adj.* Siete veces ciento; **numeración. – 2 *m.* Guarismo del número setecientos.

setenado, -da *adj.* Castigado con pena superior a la culpa. – 2 *m.* Período de siete años.

setenta *adj.* Siete veces diez; **numeración. – 2 *m.* Guarismo del número setenta.

seto *m.* Cercado hecho de palos o varas entretejidas.

seudo *adj.* Supuesto, falso.

seudoescorpión *adj.-m.* Arácnido del orden de los seudoescorpiones. – 2 *m. pl.* Orden de arácnidos de tamaño muy reducido y aspecto similar al de los escorpiones pero desprovistos de cola.

seudohermafrodita *adj.-com.* Individuo que tiene la apariencia, más o menos completa, del sexo contrario, conservando la gónada de su sexo verdadero.

seudónimo, -ma *adj.* [autor] Que oculta con un nombre falso el suyo verdadero. 2 Relativo a la obra de este autor. – 3 *m.* Nombre empleado por un autor en vez del suyo verdadero.

seudópodo *m.* Prolongación protoplásmica que emiten ciertos **protozoos y células libres, mediante la cual efectúan su locomoción y capturan sus alimentos.

severidad *f.* Calidad de severo.

severo, -ra *adj.* Que no tiene indulgencia por las faltas o por las debilidades: *un maestro* ~ *con, para,* o *para con, los alumnos;* ~ *de semblante;* ~ *en sus juicios.* 2 Exacto, puntual en la observancia de una ley o regla: *un juez muy* ~. 3 Grave, serio: *estilo* ~; *porte* ~.

sevicia *f.* Crueldad excesiva. 2 Malos tratos.

sevillanas *f. pl.* Modalidad de baile flamenco propia de Andalucía, adaptación de la seguidilla tradicional castellana. 2 Música y canto de este baile.

sevillano, -na *adj.-s.* De Sevilla.

sexagenario, -ria *adj.-s.* Que tiene sesenta años de edad y no ha llegado a los setenta.

sexagesimal *adj.* [sistema] Que cuenta o subdivide de 60 en 60.

sexagésimo, -ma *adj.-s.* Parte que, junto a otras cincuenta y nueve iguales, constituye un todo; **numeración. – 2 *adj.* Que ocupa el último lugar en una serie ordenada de sesenta.

sex-appeal *m.* ANGL. Atractivo físico y sexual de una persona. ◇ Se pronuncia *sexapil.*

sexenal *adj.* Que se repite cada seis años. 2 Que dura un sexenio.

sexenio *m.* Período de seis años.

sexi *adj.* [pers.] Físicamente atractivo, erótico, sensual. 2 [cosa] Que hace resaltar dicho atractivo.

sexismo *m.* Tendencia a valorar a las personas según su sexo. 2 Actitud discriminatoria en materia sexual.

sexista *com.* Partidario del sexismo. 2 Machista.

sexmero *m.* Encargado de los negocios y derechos de un sexmo.

sexmo *m.* División territorial que comprende cierto número de pueblos asociados para la administración de bienes comunes.

sexo *m.* Condición orgánica que distingue al macho de la hembra. 2 Conjunto de los individuos de uno u otro sexo: *el* ~ *femenino; el* ~ *masculino.* 3 Órganos sexuales.

sexología *f.* Disciplina que estudia los fenómenos relacionados con la vida sexual.

sexta *f.* Tercera de las cuatro partes iguales en que dividían los romanos el día artificial.

sextante *m.* Instrumento usado en navegación para medir la altura de los astros, consistente en un sector de círculo graduado de sesenta grados con dos reflectores y un anteojo.

sexteto *m.* Composición para seis instrumentos o seis voces. 2 Conjunto de estos instrumentos o voces. 3 Composición poética de seis versos de arte mayor.

sextilla *f.* Combinación métrica de seis versos de arte menor.

sextina *f.* Composición poética que consta de seis estrofas de seis versos endecasílabos cada una, y de otra que sólo se compone de tres. 2 Esta estrofa de seis versos. 3 Combinación métrica de seis endecasílabos, formada por un serventesio y un pareado.

sexto, -ta *adj.-s.* Parte que, junto a otras cinco iguales, constituye un todo; **numeración. – 2 *adj.* Que ocupa el último lugar en una serie ordenada de seis.

sextuplicar *tr.* Hacer séxtupla [una cosa]; multiplicar por seis [una cantidad]. ◇ ** CONJUG. [1] como *sacar.*

séxtuplo, -pla *adj.-s.* Que incluye en sí seis veces una cantidad.

sexuado, -da *adj.* [planta o animal] Que tiene órganos sexuales bien desarrollados y aptos para funcionar.

sexual *adj.* Perteneciente o relativo al sexo. 2 H. NAT. [modo de reproducción] Que consiste en la fusión íntima de dos células procedentes de órganos distintos y especiales en una sola célula cuya multiplicación da origen al nuevo individuo.

sexualidad *f.* Conjunto de condiciones anatómicas y fisiológicas que caracterizan a cada sexo. 2 Actividad sexual, propensión al placer carnal.

shérif *m.* En Norteamérica y ciertas regiones o condados británicos, representante de la justicia o del poder central, que se encarga de hacer cumplir la ley. ◇ Pl.: *shérifs.* Se pronuncia *chérif, cheris.*

sherry *m.* Vino de Jerez.

shock *m.* MED. Choque, colapso, conmoción. ◇ Se pronuncia *choc.*

short *m.* Pantalón muy corto usado para hacer deporte, o en tiempo de calor. ◇ Se pronuncia *chort.*

show *m.* Número de un espectáculo de variedades que se representa en un cabaret, teatro, etc. ◇ Se pronuncia *chou.*

I) si *conj. condic.* Introduce la condición o suposición necesaria (prótasis) para que se verifique algo (apódosis): ~ *corres le alcanzarás.* 2 En ciertos casos introduce una aseveración terminante: ~ *ayer lo aseguraste aquí mismo, ¿cómo lo niegas hoy?* 3 En otros, una circunstancia dudosa: *ignoro ~ es soltero o casado.* 4 Puede usarse en expresiones de ponderación o encarecimiento: *es atrevido, ~ los hay.* 5 A principio de frase refuerza las expresiones de duda, deseo o aseveración: *¿~ será verdad lo del testamento?* 6 Empléase a menudo con elipsis de verbo anteriormente expresado: ~ *hay ley,* ~ *razón,* ~ *justicia, no sucederá lo que temes;* algunas veces la elipsis puede ser de una frase entera: *te lo digo por ~ te interesa (por ~ lo que te digo,* etc.). 7 Precedido del adverbio *como* o la conjunción *que,* se emplea en conceptos comparativos cuando constituyen oración: *andaba Rocinante como ~ fuera asno de gitano (como asno de gitano); se quedó más contento que* ~ *le hubieran dado un millón (que con un millón).* 8 Toma carácter de conjunción distributiva cuando se emplea repetida para contraponer una cláusula a otra: *malo, ~ uno habla; ~ no habla, peor.* 9 Con el adverbio de negación *no,* forma expresiones elípticas que equivalen a de otra suerte, en caso diverso: *pórtate como hombre de bien; ~ no, deja de frecuentar mi casa.* 10 ~ *bien,* aunque, pero: *las letras tienen amargas las raíces, ~ bien son dulces los frutos.* ◇ Es afectado: *si que también,* por *pero también.*

II) si *m.* MÚS. Nota musical, séptimo grado de la escala fundamental. ◇ Pl.: *sis.*

I) sí *pron. pers.* Forma reflexiva de 3ª persona en ambos géneros y números que, siempre precedido de preposición, se usa para todos los complementos: *habla de ~ mismo; en* ~ *hallarán la paz;* **pronombre. 2 Usado con la preposición *con* forma la voz *consigo.* 3 En el objeto directo e indirecto con la preposición *a* es a veces pleonástico: *se quiere a ~ mismo; se lee la carta a ~ mismo.* ◇ INCOR.: *apenas volví en sí* por *apenas volví en mí.*

II) sí *adv. afirm.* Respondiendo a una pregunta equivale a una oración afirmativa: *¿has leído el periódico? -Sí.* 2 En ciertos casos da especial énfasis a las aseveraciones, siendo como una repetición de las mismas: *conozco a tu protector, ~; iré, ~, aunque pierda la vida; esto* ~ *que es portarse bien.* – 3 *m.* Consentimiento, permiso: *tengo el ~ de mi padre.* ◇ Pl.: *síes.*

sial *m.* En la corteza terrestre, parte superficial y sólida, formada especialmente por rocas cristalinas, y que tiene unos 100 kms. de espesor.

sialis *f.* Insecto megalóptero con alas de color ahumado y sin bifurcación notoria en su borde *(Sialis lutaria).* ◇ Pl.: *sialis.*

siamés, -mesa *adj.-s.* De Siam, nación de Asia meridional; actualmente Tailandia. 2 Hermano mellizo unido al otro por alguna parte de su cuerpo debido a una segmentación imperfecta del óvulo fecundado. 3 Raza de gatos, procedente de Siam, de aspecto rollizo y pelaje suave de color marrón, que goza de gran prestigio y cotización. – 4 *m.* Idioma siamés.

sibarita *adj.-com.* Muy dado a regalos y placeres.

sibaritismo *m.* Género de vida del sibarita.

siberiano, -na *adj.-s.* De la Siberia, región de Asia.

sibil *m.* Pequeña despensa en las cuevas, para conservar frescas las provisiones. 2 Concavidad subterránea.

sibila *f.* Mujer sabia a quien los antiguos atribuyeron espíritu profético.

sibilante *adj.* Que silba o suena a manera de silbo. 2 FON. [consonante] Que se pronuncia produciendo una especie de silbido, como la *s.*

sibilino, -na, sibilítico, -ca *adj.* Perteneciente o relativo a la sibila. 2 fig. Misterioso, obscuro, con apariencia de importante. 3 Relativo a las expresiones a las que se atribuye un sentido profético o que encierran un sentido oculto.

sic *adv.* Se usa en impresos y manuscritos para dar a entender que una palabra es textual aunque pueda parecer inexacta.

sicalíptico, -ca *adj.* Obsceno, erótico.

sicario *m.* Asesino asalariado.

siciliano, -na *adj.-s.* De Sicilia, isla italiana del Mediterráneo.

sicofanta, -te *m.* Impostor, calumniador.

sicomoro *m.* Árbol moráceo de Egipto; especie de higuera con las hojas parecidas a las de la morera *(Ficus sycomorus).*

sicón *m.* Porífero de organización intermedia entre la del ascón y el leucón.

sicono *m.* **Fruto compuesto resultante de una inflorescencia comprimida que se desarrolla dentro de un receptáculo carnoso y hueco; como el higo.

sicote *m. Amér.* Mal olor de los pies.

sida *m.* Enfermedad de transmisión sexual o intravenosa, que afecta al sistema inmunológico y propicia la aparición de enfermedades diversas.

sidecar *m.* Cochecillo que algunas motocicletas llevan unido al lado. ◊ Pl.: *sidecares.*

sideración *f.* Abolición brusca y total de la actividad de un organismo, como consecuencia, generalmente, de un accidente.

sideral *adj.* Perteneciente o relativo a los astros.

siderita *f.* Mineral de la clase de los carbonatos, que cristaliza en el sistema trigonal, clase ditrigonal escalenoédrica; de color blanco amarillento, verde, gris o pardo amarillento y de brillo vítreo o nacarado. 2 Planta labiada con flores amarillas con el labio superior blanco (gén. *Sideritis*).

sideronatrita *f.* Mineral de la clase de los sulfatos, que cristaliza en el sistema rómbico; de color anaranjado claro, amarillo o pardo.

siderotecnia *f.* Arte de extraer y labrar el hierro.

siderurgia *f.* Arte de extraer el hierro y de trabajarlo.

sidra *f.* Bebida alcohólica, obtenida por la fermentación del zumo de las manzanas.

siega *f.* Acción de segar las mieses. 2 Efecto de segar las mieses. 3 Tiempo en que se siegan. 4 Mieses segadas.

siembra *f.* Acción de sembrar. 2 Efecto de sembrar. 3 Tiempo en que se siembra. 4 Sembrado. 5 Técnica de laboratorio, consistente en la colocación de microorganismos en medios de cultivo y ambiente adecuado para su crecimiento.

siemens *m.* Unidad física de conductancia eléctrica en el sistema internacional de unidades.

siempre *adv. t.* En todo o cualquier tiempo. 2 En toco caso o cuando menos: *quizá no logre mi intento, pero ~ me quedará la satisfacción de haber hecho lo que debía.* 3 *Amér.* Sin duda alguna. ◊ INCOR.: por *todavía, aún: ¿vives ~ en la misma casa?*

sien *f.* Parte lateral de la **cabeza, comprendida entre la frente, la oreja y la mejilla; **cuerpo humano.

siena *adj.-m.* Color amarillo obscuro. – 2 *adj.* De color siena.

sienita *f.* Roca compuesta de feldespato, anfíbol y algo de cuarzo.

sierpe *f.* Serpiente. 2 fig. Persona muy fea o muy feroz. 3 Cosa que se mueve con rodeos a manera de sierpe. 4 Vástago que brota de las raíces leñosas.

sierra *f.* Herramienta que consiste en una hoja de acero con dientes agudos y triscados en el borde, sujeta a un mango o a una armazón adecuada; sirve para dividir madera y otros cuerpos duros: ~ *de ballesta* o *de bastidor,* la de hoja sostenida por dos listones unidos por una cuerda cuya tensión se regula por medio de una tarabilla; ~ *circular,* la movida mecánicamente cuya hoja es un disco de borde dentado que da vueltas a gran velocidad; ~ *continua* o *de cinta,* la movida mecánicamente cuya hoja tiene la forma de una correa sin fin; ~ *eléctrica,* la que incorpora un motor y no exige esfuerzo humano; **jardinería (herramientas). 2 Herramienta para dividir piedras duras con el auxilio de arena y agua. 3 Cordillera de montes o peñascos cortados; **montaña.

siervo, -va *m. f.* Esclavo. 2 Nombre que una persona se da a sí misma respecto de otra para mostrarle obsequio y rendimiento. 3 Persona profesa en orden o comunidad religiosa de las que por humildad se denominan así: ~ *de María.* 4 fig. Persona mandada despóticamente por otra o enteramente sometida a ella.

sieso *m.* Parte inferior del intestino recto.

siesta *f.* Tiempo después del mediodía en que aprieta más el calor. 2 Tiempo destinado para dormir o descansar después de comer. 3 Sueño después de comer.

siete *adj.* Seis y uno; **numeración. 2 Séptimo (lugar). – 3 *m.* Guarismo del número siete. 4 Naipe que tiene siete señales. 5 ~ *y media,* juego de naipes consistente en sumar un número determinado de puntos, sin sobrepasarlo. 6 fam. Rasgón de forma angular.

sietemesino, -na *adj.-s.* Criatura que nace a los siete meses de engendrada. 2 fam. Jovencito que presume de persona mayor. 3 fig. Raquítico, enclenque, desmirriado.

sífilis *f.* Enfermedad venérea infecciosa. ◊ Pl.: *sífilis.*

sifón *m.* Tubo encorvado para trasegar líquidos. 2 Tubo doblemente acodado en que el agua detenida dentro de él impide la salida de los gases de las cañerías al exterior. 3 Botella cerrada herméticamente con un sifón, cuyo tubo tiene una llave para abrir o cerrar el paso del agua cargada de ácido carbónico que aquélla contiene. 4 ZOOL. Tubo largo que tienen ciertos **moluscos lamelibranquios.

sifonales *f. pl.* Orden de plantas dentro de las clorofíceas, algas unicelulares generalmente; su célula es gigantesca, de 0,5 m. de longitud, y consta de muchos núcleos y demuestra su organización cenocítica.

sifonáptero *adj.-m.* Insecto del orden de los sifonápteros. – 2 *m. pl.* Orden de insectos pterigotas de tamaño muy pequeño y que han perdido las alas; son ectoparásitos y hematófagos; como la pulga.

sifonocladales *f. pl.* Orden de plantas dentro de las clorofíceas, algas que tienen las células provistas de varios núcleos; pueden ser unicelulares o coloniales.

sifonóforo *adj.-m.* Animal de la subclase de los sifonóforos. – 2 *m. pl.* Subclase de cnidarios hidrozoos que forman colonias complejas con pólipos y medusas.

sigilo *m.* Secreto que se guarda de una cosa o noticia.

sigilografía *f.* Estudio de los sellos empleados para autorizar documentos, cerrar pliegos, etc.

sigla *f.* Letra inicial usada como abreviatura. 2 Rótulo o denominación que se forma con varias siglas. 3 Abreviatura formada por las letras iniciales de nombres propios.

siglo *m.* Espacio de cien años. 2 Muy largo tiempo indeterminado: *hace un ~ que te escribí.* 3 Seguido de la preposición *de* y un nombre de persona o cosa, tiempo en que floreció o en que sucedió o se inventó algo notable: *el ~ de César; el ~ de las luces.* 4 Comercio y trato de los hombres en cuanto a la vida común y política: *María deja el ~ para hacerse monja.*

sigma *f.* Decimoctava letra del alfabeto griego equivalente a la *s.*

signar *tr.* Hacer, poner o imprimir el signo: *~ unos ladrillos; ~ un documento el notario.* 2 Firmar (poner la firma). – 3 *tr.-prnl.* Hacer la señal de la cruz [sobre una persona o cosa]. 4 Hacer con los dedos índice y pulgar de la mano derecha, cruzados, tres cruces, la primera en la frente, la segunda en la boca y la tercera en el pecho.

signatario, -ria *adj.-s.* Firmante.

signatiforme *adj.-m.* Pez del orden de los signatiformes. – 2 *m. pl.* Orden de peces teleósteos de aspecto atípico, que tienen hocico tubular y placas óseas por el cuerpo; como el caballito de mar.

signatura *f.* Señal (marca), especialmente la de números y letras puesta a un libro o documento para indicar su colocación dentro de una biblioteca o archivo. 2 Tribunal supremo de casación con respecto a la rota, compuesto por seis cardenales dirigidos por un cardenal prefecto. 3 Acto de signar o firmar algún documento importante o solemne, y firma que se estampa en él: *mañana se efectuará la ~ del concordato.* 4 IMPR. Señal, generalmente puesta en números, al pie de la primera página de cada pliego, para gobierno del encuadernador.

significación *f.* Acción de significar. 2 Efecto de significar. 3 Sentido de una palabra o frase. 4 Objeto que se significa. 5 Importancia.

significado, -da *adj.* Conocido, importante, reputado. – 2 *m.* LING. Concepto que, como tal, o asociado con determinadas connotaciones, se une al significante para constituir un signo lingüístico.

significante *m.* LING. Fonema o secuencia de fonemas que, asociados con un significado, constituyen un signo lingüístico.

significar *tr.* Ser una cosa signo, representación o indicio [de otra]. 2 esp. Ser una palabra o frase expresión o signo [de una idea o de una cosa material]. 3 p. ext. Manifestar o hacer saber [una cosa]. – 4 *intr.* Representar, tener importancia. – 5 *prnl.* Hacerse notar o distinguirse por alguna cualidad o circunstancia. 6 Manifestar una persona ciertas ideas, generalmente políticas o religiosas. ◇ ** CONJUG. [1] como *sacar.*

significativo, -va *adj.* Que da a entender con propiedad una cosa. 2 Que tiene importancia por representar o significar algún valor.

signo *m.* Cosa que evoca en el entendimiento la idea de otra. 2 Elemento representante de algo, con independencia de su relación con lo representado: *~ lingüístico,* unidad mínima de la oración, constituida por un significante y un significado. 3 Carácter empleado en la escritura y en la imprenta. 4 Carácter con que se escribe la música, especialmente el que indica el tono natural de un sonido. 5 Señal hecha por modo de bendición. 6 Parte que, junto a otras once iguales, constituye el Zodiaco. 7 Alteración objetiva que produce una enfermedad en el organismo, que se puede poner de manifiesto durante la exploración médica. 8 MAT. Señal usada en los cálculos para indicar la naturaleza de las cantidades o las operaciones que se han de ejecutar con ellas.

siguemepollo *m.* Cinta que, como adorno, llevaban las mujeres, dejándola pendiente a la espalda.

siguiente *adj.* Ulterior, posterior en orden, calidad, espacio o tiempo.

sílaba *f.* Sonido o conjunto de sonidos articulados que constituyen un solo núcleo fónico entre dos depresiones sucesivas de la emisión de voz: *~ aguda* o *tónica,* aquella en que carga el acento prosódico; *~ átona,* la que no tiene acento prosódico; *~ breve,* la que no es larga, o sea, la de menos duración; *~ larga,* la que no es breve, o sea, la de mayor duración; *~ libre,* la que termina en vocal, como las dos de *paso; ~ trabada,* la que termina en consonante, como las dos de *postor.* ◇ V. Apéndice gramatical.

silabación *f.* División en sílabas, tanto en

la pronunciación como en la escritura. 2 Pronunciación lenta y clara de una palabra, con pausas entre las sílabas.

silabear *intr.-tr.* Ir pronunciando separadamente cada sílaba: ~ *un párrafo.*

silábico, -ca *adj.* Perteneciente o relativo a la sílaba. 2 Que puede formar sílaba o que puede ser centro de una sílaba.

silampa *f. Amér. Central.* Llovizna, lluvia menuda.

silbar *intr.* Dar o producir silbos o silbidos. 2 Agitar el aire produciendo un sonido como el silbo: ~ *las balas.* – 3 *intr.-tr.* fig. Manifestar desagrado el público con silbidos u otras manifestaciones ruidosas: ~ *a un actor, una comedia.*

silbato *m.* Instrumento pequeño y hueco que produce un silbo agudo soplando en él. 2 Rotura pequeña por donde escapa el aire o se rezuma un líquido.

silbido *m.* Silbo: ~ *de oídos,* el que se percibe en los oídos por diversas causas. 2 Oscilación continua de frecuencia acústica, producida en un circuito telefónico.

silbo *m.* Sonido agudo que hace el aire. 2 Sonido agudo que resulta de hacer pasar con fuerza el aire por la boca con los labios fruncidos o con los dedos colocados en ella convenientemente. 3 Sonido de igual clase que se hace soplando con fuerza en un cuerpo hueco. 4 Voz aguda y penetrante de algunos animales, como la de la serpiente.

silbón *m.* Ave palmípeda anseriforme, semejante a la cerceta *(Anas penelope).*

silenciador *m.* Dispositivo que se aplica a los tubos de escape de los motores de explosión y a las toberas de los de reacción, o al cañón de algunas armas de fuego, para amortiguar el ruido. 2 Circuito empleado en los receptores de radio para eliminar los ruidos parásitos que perturban la recepción.

silenciar *tr.* Guardar silencio [sobre algo]. 2 Pasar por alto intencionadamente [alguna cosa] en la conversación o escrito. 3 Hacer cesar el fuego de [las armas enemigas]. 4 *Amér.* Acallar, imponer silencio. ◇ ** CONJUG. [12] como *cambiar.*

silenciario, -ria *adj.* Que guarda continuo silencio. – 2 *m.* Persona destinada a cuidar del silencio en la casa o templo.

silencio *m.* Abstención de hablar. 2 fig. Efecto de no hablar por escrito: *el ~ de los periódicos ante el crimen;* ~ **administrativo,** DER., desestimación tácita de una petición o recurso por el mero vencimiento del plazo que la administración pública tiene para resolver. 3 Falta de ruido. 4 MÚS. Pausa.

silencioso, -sa *adj.* Que calla. 2 Que no hace ruido. 3 [lugar o tiempo] En que hay o se guarda silencio.

silene *f.* Planta perenne cariofilácea de flores

blancas con el cáliz globular y los nervios muy marcados *(Silene vulgaris).*

silepsis *f.* Figura de construcción que consiste en quebrantar la concordancia gramatical atendiendo al significado más que a las palabras: *acudieron a la ciudad multitud de gentes,* por *acudió.* 2 Figura retórica que consiste en usar a la vez una misma palabra en sentido recto y figurado: *poner a uno más suave que un guante.* ◇ Pl.: *silepsis.*

sílex *m.* Piedra muy dura constituida esencialmente por sílice. 2 Utensilio prehistórico confeccionado con esa piedra. ◇ Pl.: *sílex.*

sílfide *f.* Ninfa del aire. 2 fig. Joven esbelta y graciosa.

silfo *m.* Ser fantástico, espíritu elemental del aire.

silicato *m.* Sal o éster del ácido silícico.

sílice *f.* Anhídrido de silicio, SiO_2, que entra en la composición de diversos minerales.

silícico, -ca *adj.* Relativo a la sílice: *Ácido* ~, $Si(OH)_4$, sílice hidratada.

silicio *m.* Metaloide que se obtiene por reducción del cuarzo. Su símbolo es *Si.*

silicona *f.* Nombre que se aplica a varios compuestos de carácter orgánico que contienen átomos de silicio reemplazando los de carbono.

silicosis *f.* Enfermedad respiratoria producida por el polvo de la sílice. ◇ Pl.: *silicosis.*

silicua *f.* **Fruto en caja, alargado, bicarpelar, entre cuyas placentas se desarrolla un falso tabique membranoso.

silo *m.* Lugar convenientemente seco y preparado para guardar el trigo u otras semillas o forrajes. 2 fig. Lugar subterráneo, profundo y obscuro. 3 fig. Base de misiles balísticos.

silogismo *m.* LÓG. Razonamiento que consta de tres proposiciones, la última de las cuales se deduce necesariamente de las otras dos.

silogizar *intr.* Argüir con silogismos o hacerlos. ◇ ** CONJUG. [4] como *realizar.*

silueta *f.* **Dibujo sacado siguiendo los contornos de la sombra de un objeto. 2 Forma que presenta a la vista la masa de un objeto más obscuro que el fondo sobre el cual se proyecta.

siluetear *tr.* Dibujar [un objeto, persona, etc.] en silueta.

siluriano, -na, silúrico, -ca *adj.-m.* Período geológico de la era primaria o paleozoica que sigue al ordovícico y precede al devónico, y terreno a él correspondiente. – 2 *adj.* Perteneciente o relativo a dicho período.

siluriforme *adj.-m.* Pez del orden de los siluriformes. – 2 *m. pl.* Orden de peces teleósteos, por lo general de agua dulce, con la piel desnuda o cubierta por placas óseas y la boca rodeada de barbillones; como el siluro.

siluro *m.* Pez teleósteo siluriforme de agua dulce, parecido a la anguila, que presenta barbillones alrededor de la boca *(gén. Silurus).*

silva *f.* Colección de varias materias o especies, escritas sin método. 2 Combinación métrica que consta de una serie indefinida de versos heptasílabos y endecasílabos, aconsonantados al arbitrio del **poeta. 3 Composición poética escrita en silva.

silvestre *adj.* Que se cría naturalmente en selvas y campos. 2 Inculto, agreste y rústico.

silvícola *adj.* Que habita en la selva.

silvicultura *f.* Cultivo de los bosques y montes. 2 Ciencia que trata de este cultivo.

silvina *f.* Cloruro potásico, muy parecido a la sal común, usado para preparar abonos potásicos.

silla *f.* Asiento individual con respaldo y, por lo común, con cuatro patas: ~ *eléctrica,* la empleada en algunos estados norteamericanos para ejecutar mediante electrocución a los condenados a muerte; condena consistente en dicha ejecución. 2 Dignidad de papa y otras eclesiásticas. 3 Aparejo para montar a caballo: ~ *jineta,* la que sirve para montar a la jineta. 4 Pieza de carne de ternera que va desde las costillas hasta la punta del anca. 5 ~ *de manos,* antiguo vehículo con asiento para una persona, a manera de caja de coche, el cual era llevado por hombres, sostenido en dos varas largas. 6 ~ *de posta,* coche en que se corría la posta. 7 ~ *turca,* escotadura en forma de silla que presenta el hueso esfenoides.

sillar *m.* Piedra labrada que forma parte de una construcción. 2 Parte del lomo de la caballería donde sienta la silla.

I) sillería *f.* Conjunto de sillas iguales o de sillas, sillones y canapés de una misma clase con que se amuebla una habitación. 2 Conjunto de asientos unidos a otros, como los del coro de las iglesias. 3 Taller donde se fabrican sillas. 4 Tienda donde se venden. 5 Oficio de sillero.

II) sillería *f.* Fábrica hecha de sillares (piedras). 2 Conjunto de estos sillares.

silleta *f.* Silla, asiento. 2 Prominencia de terreno.

sillín *m.* Jamuga cómoda y lujosa. 2 Asiento de la **bicicleta, la **motocicleta y otros vehículos análogos.

sillón *m.* Silla de brazos, mayor y más cómoda que la ordinaria.

I) sima *f.* Cavidad grande y muy profunda en la tierra.

II) sima *m.* En el globo terrestre, parte comprendida entre el nife y el sial, formada especialmente por silicatos ferromagnésicos.

simarubáceo, -a *adj.-f.* Planta de la familia de las simarubáceas. – 2 *f. pl.* Familia de plantas angiospermas dicotiledóneas que incluye árboles o arbustos con las hojas alternas o pinnadas y las flores pequeñas y unisexuales.

simbiosis *f.* H. NAT Asociación íntima de organismos de especies diferentes que se favorecen mutuamente en su desarrollo. 2 fig. Mezcla. 3 fig. Asociación de personas, entidades, etc., que se apoyan o ayudan mutuamente. 4 fig. Fusión, unión. ◇ Pl.: *simbiosis.*

simbiótico, -ca *adj.* Que tiene carácter de simbiosis: *agrupación simbiótica.*

simbólico, -ca *adj.* Relativo al símbolo o expresado por medio de él.

simbolismo *m.* Conjunto de símbolos con que se representan creencias, ideas, etc.: ~ *egipcio;* ~ *patriótico.* 2 En sentido lato, toda forma de arte que se expresa mediante símbolos. 3 Estrictamente, escuela literaria iniciada en Francia y propagada a otros países, la cual, como reacción contra la impersonalidad de la poesía parnasiana, aspira a una expresión más alusiva, y por lo tanto simbólica, que representativa.

simbolizar *tr.* Servir una cosa como símbolo de otra: *la bandera simboliza la patria.* ◇ ** CONJUG. [4] como *realizar.*

símbolo *m.* Cosa sensible que se toma como representación de otra, en virtud de una convención o por razón de alguna analogía que el entendimiento percibe entre ambas. 2 Signo en que la relación de representación es de carácter convencional. 3 Dicho sentencioso. 4 FIL. Representación simbólica de una realidad inaccesible al intelecto. 5 LING. Signo que representa su objeto por convención y funciona basado en un enlace arbitrario entre el significante y el concepto. 6 QUÍM. Letra o letras convenidas con que se designa el átomo o átomo-gramo de un elemento químico.

simbología *f.* Conjunto o sistema de símbolos.

simetría *f.* Proporción adecuada de las partes de un todo. 2 Correspondencia de posición, forma y dimensiones de las partes de un cuerpo o una figura a uno y otro lado de un plano transversal o alrededor de un punto o un eje: ~ *bilateral;* ~ *radial.*

simétrico, -ca *adj.* Relativo a la simetría. 2 Que la tiene.

simiente *f.* Semilla.

simiesco, -ca *adj.* Que se asemeja al simio o es propio de él.

símil *adj.* Semejante, parecido a otro. – 2 *m.* Comparación, semejanza entre dos cosas. 3 RET. Figura consistente en comparar expresamente una cosa con otra, para dar idea viva y eficaz de una de ellas.

similar *adj.* Que tiene semejanza o analogía con una cosa.

similicadencia *f.* Figura retórica que consiste en emplear al fin de dos o más cláusulas, o miembros del período, nombres en el mismo caso de la declinación, verbos en igual modo o tiempo y persona, o palabras de sonido semejante: *los pensamientos van volando* *como mariposas que se queman tras hermosas, de gran lumbre, por rodar por alta cumbre* (Guevara).

similitud *f.* Semejanza.

similor *m.* Aleación de cinc y cobre que tiene el color y el brillo del oro.

simio *m.* Primate antropoide. – 2 *m. pl.* Antropoides.

simonía *f.* Compra o venta de cosas espirituales o de temporales inseparablemente anejas a las espirituales.

simpatía *f.* Conformidad o analogía de sentimientos. 2 Inclinación instintiva que atrae una persona hacia otra. 3 Modo de ser y carácter de una persona que la hacen atractiva y agradable a las demás. 4 Relación de actividad fisiológica o patológica de algunos órganos que no tienen entre sí conexión directa. 5 FÍS. Fenómeno por el que un sonido debido a una onda vibratoria o explosiva provoca otra vibración o explosión de similares características.

simpático, -ca *adj.* Que inspira simpatía (inclinación). 2 MÚS. [cuerda] Que resuena por sí sola cuando se hace sonar otra.

simpatizante *adj.-s.* En política, que se siente atraído por un partido sin pertenecer a él.

simpatizar *intr.* Sentir simpatía. ◇ ** CONJUG. [4] como *realizar*.

simpátrico, -ca *adj.* ZOOL. Que vive en la misma zona que otro.

simpétalo, -la *adj.* BOT. [flor] De corola formada por pétalos soldados en un tubo corolino único, como la petunia.

simple *adj.* Sin composición. Se opone a múltiple, vario, compuesto: **hoja ~. 2 Que no está doblado ni reforzado, sencillo. 3 esp. Relativo a la copia de una escritura o cosa semejante, que se saca sin firmar ni autorizar. 4 fig. Desabrido, falto de sazón. – 5 *adj.-s.* fig. Manso, apacible. 6 esp. Mentecato y de poco discurso.

símplex *m.* En telecomunicación, sistema de transmisión que da paso, en cada momento, a un solo mensaje, en un sentido o en otro. 2 Mensaje transmitido o recibido por este procedimiento. ◇ Pl.: *símplex*.

simpleza *f.* Calidad de simple (mentecato). 2 Dicho o hecho simple. 3 fam. Cosa insignificante o de poco valor.

simplicidad *f.* Sencillez, candor. 2 Calidad de simple (sin composición). 3 ANGL. Referido a personas, llaneza, sencillez.

simplificar *tr.* Hacer más sencilla o más fácil [una cosa]. 2 MAT. ~ *un quebrado*, reducir su expresión dividiendo el numerador y el denominador por un mismo número. ◇ ** CONJUG. [4] como *realizar*.

simplista *adj.-s.* Que simplifica o tiende a simplificar; esp., [pers.] que reduce sus razonamientos o motivos a fórmulas demasiado elementales.

simplocáceo, -a *adj.-f.* Planta de la familia de las simplocáceas. – 2 *f. pl.* Familia de plantas ebenales dicotiledóneas que incluye árboles o arbustos con flores hermafroditas y frutos carnosos (bayas).

simplón, -plona *adj.-s.* Sencillo, ingenuo.

simposio *m.* Reunión de un grupo de personas, que se proponen estudiar un tema determinado, o exponer asuntos relativos a él.

simulación *f.* Acción de simular.

simulacro *m.* Imagen hecha a semejanza de una cosa o persona. 2 Especie que forma la fantasía. 3 Acción de guerra fingida para adiestrar las tropas.

simulado, -da *adj.* Engañoso, ficticio.

simulador, -ra *adj.-s.* Que simula. – 2 *m.* Dispositivo o programa que realiza simulación. 3 Aparato que permite representar el comportamiento [de algo].

simular *tr.* Representar [una cosa] fingiendo lo que no es: ~ *un ataque de nervios*.

simultanear *tr.* Realizar en el mismo espacio de tiempo [dos operaciones o propósitos]. 2 esp. Cursar al mismo tiempo [asignaturas correspondientes a distintos años académicos o a diferentes facultades].

simultáneo, -a *adj.* Que se hace u ocurre al mismo tiempo que otra cosa.

simún *m.* Viento abrasador que suele soplar en los desiertos de África y de Arabia.

sin *prep.* Denota carencia o falta: *estamos ~ pan.* 2 Fuera de, o además de: *llevo tanto en dinero, ~ las alhajas.* 3 Con el infinitivo de un verbo equivale a *no* y al gerundio o participio de dicho verbo: *partió ~ comer*, no habiendo comido. 4 Cuando acompaña a palabras negativas significa afirmación más o menos atenuada.

sinagoga *f.* Congregación o asamblea religiosa de los judíos. 2 Templo de los judíos; casa en que se reúnen para orar y oír la doctrina de Moisés.

sinalefa *f.* Pronunciación en una sola sílaba de la última vocal de una palabra y la primera de la palabra siguiente: *l(a e)strella, est(e ho)mbre.*

sinalgia *f.* PAT. Dolor en un lugar alejado del punto en que se encuentra la lesión que lo provoca.

sinapismo *m.* MED. Tópico hecho con polvo de mostaza. 2 fig. *y* fam. Persona o cosa que molesta o exaspera. 3 fig. *y* fam. Solución o remedio drástico para estimular a alguien.

sinarquía *f.* Gobierno constituido por varios príncipes, cada uno de los cuales administra una parte del Estado. 2 p. ext. Influencia, generalmente decisiva, de un grupo de empresas comerciales o de personas poderosas en los asuntos políticos y económicos de un país.

sinartrosis *f.* MED. Articulación no movible, como la de los huesos del cráneo. ◇ Pl.: *sinartrosis.*

sincárpico, -ca *adj.* BOT. [gineceo de la **flor**] Que tiene los carpelos entresoldados por sus bordes.

sincerar *tr.-prnl.* Justificar la inculpabilidad [de uno]: *sincerarse de la culpa ante un juez.* − 2 *prnl.* Hablar sinceramente: *sincerarse con otro.*

sinceridad *f.* Calidad de sincero.

sincero, -ra *adj.* Que siente o piensa realmente. 2 Veraz, exento de hipocresía o simulación.

sinclinal *m.* GEOL. En un terreno dispuesto en capas paralelas, pliegue hundido.

síncopa *f.* Figura de dicción que consiste en abreviar una palabra suprimiendo una o más letras en medio de ella: *Navidad* por *Natividad.* 2 MÚS. Enlace de dos sonidos iguales, de los cuales el primero se halla en el tiempo o parte débil de un compás y el segundo en el fuerte del mismo compás o de otro contiguo.

sincopado, -da *adj.* [ritmo o canto] Que tiene notas sincopadas. 2 [voz] Que ha sufrido síncopa.

sincopar *tr.* GRAM. y MÚS. Hacer síncopa: ∼ *una palabra;* ∼ *dos notas.* 2 fig. Abreviar (acortar).

síncope *m.* MED. Suspensión repentina de los movimientos del corazón y de la respiración, con pérdida del conocimiento.

sincretismo *m.* Sistema filosófico que trata de conciliar doctrinas diferentes.

sincronía *f.* Serie de acontecimientos en una época determinada de la historia. 2 LING. Método de análisis lingüístico que considera a la lengua en su aspecto estático, en un momento dado de su existencia histórica.

sincrónico, -ca *adj.* Que ocurre o se verifica a la vez que otra cosa. 2 Propio o relativo a la sincronía.

sincronismo *m.* Circunstancia de ocurrir o verificarse dos o más cosas al mismo tiempo. 2 FÍS. Igualdad de fase y período entre los movimientos vibratorios.

sincronizar *tr.* Regularizar dos o más fenómenos para que se produzcan al mismo tiempo: ∼ *las imágenes con los sonidos en una película;* ∼ *dos relojes.* 2 ELECTR. y MEC. Regular o acoplar dos aparatos o máquinas para que funcionen en sincronismo. ◇ ** CONJUG. [4] como *realizar.*

sindéresis *f.* Capacidad natural para juzgar rectamente. ◇ Pl.: *sindéresis.*

sindesmografía *f.* Sutura de los ligamentos.

sindicado, -da *adj.-s.* Que pertenece a un sindicato. 2 *Colomb., Ecuad., Perú y Venez.* Persona acusada de infracción de las leyes penales.

sindical *adj.* Perteneciente o relativo al síndico o al sindicato.

sindicalismo *m.* Sistema de organización obrera o social por medio del sindicato.

sindicalizar *tr.-prnl.* Hacer adeptos de un sindicato. 2 Organizar en sindicatos. 3 Proporcionar una conciencia sindical. ◇ ** CONJUG. [4] como *realizar.*

sindicar *tr.* Acusar o delatar: ∼ *a un compañero.* 2 en gral. Poner una tacha o sospecha [a una persona]. 3 Sujetar [una cantidad de dinero o cierta clase de valores o mercancías] a compromisos especiales. 4 Considerar, incluir. − 5 *tr.-prnl.* Sindicalizar. ◇ ** CONJUG. [1] como *sacar.*

sindicato *m.* Asociación formada para la defensa de intereses económicos comunes a todos los asociados; esp., las asociaciones obreras y agrarias.

síndico *m.* En un concurso de acreedores o en una quiebra, el encargado de liquidar el activo y el pasivo del deudor. 2 Persona elegida por una corporación para cuidar de sus intereses.

síndrome *m.* Conjunto de síntomas característicos de una enfermedad: ∼ *de Estocolmo,* identificación del secuestrado con las ideas de sus secuestradores.

sinécdoque *f.* Figura retórica que consiste en extender, restringir o alterar la significación de las palabras tomando el todo por la parte, o viceversa; el género por la especie, o al contrario, etc.: *el hombre,* por *el género humano.*

sineclisa *f.* Abombamiento negativo (cóncavo) de la corteza terrestre originado por mecanismos térmicos que afectan al manto.

sinecura *f.* Cargo retribuido que ocasiona poco o ningún trabajo.

sinéresis *f.* Pronunciación en una sola sílaba de dos vocales de una palabra que ordinariamente se pronuncian separadas: *crea-dor* por *cre-a-dor; fae-na* por *fa-e-na;* en verso se considera como licencia poética. ◇ Pl.: *sinéresis.*

sinergia *f.* FISIOL. Acción concertada de varios órganos para realizar una función. 2 Incremento de la acción de diversas substancias, cuando actúan conjuntamente.

sinestesia *f.* FISIOL. Sensación secundaria o asociada que se produce en una parte del cuerpo a consecuencia de un estímulo aplicado en otra. 2 RET. Imagen o sensación subjetiva propia de un sentido, determinada por otra sensación que afecta a un sentido diferente: *amarillo chillón.*

sínfilo *adj.-m.* Miriápodo de la clase de los sínfilos. − 2 *m. pl.* Clase de artrópodos miriápodos de sólo unos milímetros de longitud y doce pares de patas.

sinfín *m.* Infinidad, sinnúmero.

sinfonía *f.* Conjunto de voces, de instrumentos o de ambas cosas que suenan a la vez. 2 Composición instrumental en forma de sonata, para orquesta u orquesta y voces. 3 fig. Colorido acorde, armonía de los colores.

singenésico, -ca *adj.* BOT. [planta, **flor, androceo] Que tiene los estambres soldados por las anteras.

singladura *f.* MAR. Distancia recorrida por una nave en 24 horas.

single *m.* MÚS. Disco de corta duración. ◇ Se pronuncia *sínguel.*

singular *adj.* Único, solo. 2 fig. Extraordinario, raro, excelente. – 3 *m.* GRAM. Número singular.

singularizar *tr.* Distinguir o particularizar [una cosa] entre otras. 2 GRAM. Dar número singular a palabras que ordinariamente no lo tienen; como de *rehenes* decir el *rehén.* – 3 *prnl.* Distinguirse o apartarse del común: *singularizarse con alguno; singularizarse entre los suyos por su traje.* ◇ ** CONJUG. [4] como *realizar.*

siniestra *f.* Izquierda.

siniestrado, -da *adj.* Que ha sufrido siniestro (avería): *el buque ~; la casa siniestrada.*

siniestralidad *f.* Propensión a sufrir siniestro (avería): *índice de ~,* cómputo estadístico de accidentes en una determinada actividad o medio de transporte.

siniestro, -tra *adj.* [parte o sitio] Que está a la mano izquierda. 2 fig. Avieso y mal intencionado. 3 fig. Infeliz, funesto. – 4 *m.* Propensión o inclinación a lo malo; resabio o vicio que tiene el hombre o la bestia. 5 Avería grave, destrucción fortuita o pérdida importante que sufren las personas o la propiedad; esp., incendio.

sinnúmero *m.* Número incalculable de personas o cosas.

I) sino *m.* Destino, hado determinado por el influjo de los astros.

II) sino *conj. advers.* Contrapone a un concepto negativo otro positivo con elisión de determinados elementos de la oración: *no lo hizo Juan, ~ Pedro (~ que lo hizo,* etc.). 2 Denota a veces idea de excepción: *nadie lo sabe ~ Antonio.* 3 Suele ir seguida de la conjunción *que* cuando la segunda oración lleva un verbo: *no quiero ~ que me oigan; no sólo respetaré tu interés, ~ que respetaré tus deseos.* 4 Úsase a veces reforzada por la locución adverbial *al contrario: no quiero que vuelva, ~ al contrario, que se vaya más lejos.* 5 Precedido de la locución adverbial *no sólo,* denota la adición de otro u otros miembros de la cláusula: *no sólo por entendido, ~ por afable, merece ser estimado.* ◇ INCOR.: *sinó.* ◇ GRAM. No debe confundirse con *si no: no come si no trabaja,* es muy distinto de *no come, sino trabaja.*

sinocal, sínoco, -ca *adj.-s.* Fiebre sin remisiones bien definidas y que no es grave.

sínodo *m.* Concilio (junta). 2 Junta de eclesiásticos que nombra el ordinario para examinar a los ordenandos y confesores.

sinología *f.* Estudio de la lengua, la literatura y las instituciones de China.

sinonimia *f.* Circunstancia de ser sinónimos dos o más vocablos. 2 RET. Figura consistente en usar adrede voces sinónimas para reforzar la expresión de un concepto.

sinónimo, -ma *adj.* [vocablo o expresión] Que tiene una misma o muy parecida significación, o alguna acepción equivalente; como *voz, vocablo, palabra, dicción, término.*

sinopsis *f.* Compendio de una ciencia expuesto en forma sinóptica. 2 Resumen. ◇ Pl.: *sinopsis.*

sinóptico, -ca *adj.* Que a primera vista presenta con claridad las partes principales de un todo: *cuadro ~.*

sinovia *f.* Líquido transparente y viscoso que lubrica las articulaciones de los huesos.

sinrazón *f.* Acción hecha contra justicia y fuera de lo razonable y debido.

sinsabor *m.* fig. Pesar, desazón.

sintáctico, -ca *adj.* Perteneciente o relativo a la sintaxis.

sintagma *m.* FILOL. Secuencia de elementos que constituyen una unidad aislable dentro de la oración. Para algunos lingüistas, la oración misma es un *sintagma.* Se denomina *nominal, adjetival* o *verbal,* cuando su núcleo respectivo es un nombre, un adjetivo o un verbo, y *preposicional,* cuando es un *sintagma* nominal inserto en la oración mediante una preposición

sintaxis *f.* Ordenación de las palabras en el discurso. 2 Parte de la gramática que estudia la ordenación y relaciones mutuas de las palabras en la oración y el enlace de unas oraciones con otras.

sinterizar *tr.* METAL. Producir piezas de gran resistencia y dureza calentando, sin llegar a la temperatura de fusión, conglomerados de polvo, generalmente metálicos, a los que se ha modelado por presión. ◇ ** CONJUG. [4] como *realizar.*

síntesis *f.* Composición de un todo por la reunión de sus partes. 2 Suma y compendio de una materia. 3 BIOL. Proceso biológico en el que, a partir de moléculas simples, se producen conjuntos y materias más complejas. 4 FIL. Operación mental que consiste en la acumulación de datos diversos que llevan a un resultado de tipo intelectual. 5 QUÍM. Formación de una substancia compuesta mediante la combinación de elementos químicos o de substancias más sencillas. ◇ Pl.: *síntesis.*

sintético, -ca *adj.* Relativo a la síntesis. 2 Que procede componiendo o que pasa de las partes al todo. 3 Obtenido por síntesis.

sintetizador, -ra *adj.* Que sintetiza. – 2 *m.* Dispositivo mediante el que se opera una síntesis electrónica. 3 Aparato electrónico de composición musical capaz de producir un sonido a partir de sus distintos componentes.

sintetizar *tr.* Hacer síntesis: ~ *un discurso.*

sintoísmo *m.* Religión primitiva y popular de los japoneses.

síntoma *m.* Fenómeno revelador de una enfermedad. 2 Indicio que está ligado a su productor: *gritar es* ~ *de enfado.* 3 p. ext. Indicio de una cosa que está sucediendo o va a suceder.

sintomatología *f.* Conjunto de síntomas.

sintonía *f.* Circunstancia de estar el aparato receptor de oscilaciones eléctricas adaptado a la misma longitud de onda que la estación emisora. 2 Música que precede siempre a una emisión de radio o televisión. 3 FÍS. Igualdad de frecuencia o tono entre dos sistemas de vibraciones.

sintonizador, -ra *adj.* Que sintoniza. – 2 *m.* En un receptor de oscilaciones eléctricas, sistema que permite aumentar o disminuir la longitud de onda propia del aparato para ponerlo en sintonía con una estación determinada.

sintonizar *tr.* En radiotelegrafía y radiotelefonía, poner [el aparato receptor] en sintonía con una estación emisora. 2 En radio, adaptar convenientemente las longitudes de onda de dos o más aparatos. – 3 *intr.* Coincidir en gustos, carácter, ideas, etc., dos o más personas. ◇ ** CONJUG. [4] como *realizar.*

sinuoso, -sa *adj.* Que tiene senos, ondulaciones o recodos. 2 fig. Tortuoso, poco claro.

sinusitis *f.* Inflamación de los senos del cráneo. ◇ Pl.: *sinusitis.*

sinvergüenza *adj.-com.* Pícaro, bribón. 2 Persona que comete actos ilegales o que incurre en inmoralidades. – 3 *adj.* Descarado, desvergonzado.

sionismo *m.* Movimiento favorable al Estado de Israel y a la colonización judía de territorios árabes.

sipuncúlido *adj.-m.* Gusano del tipo de los sipuncúlidos. – 2 *m. pl.* Tipo de gusanos celomados marinos, de cuerpo cilíndrico u ovoide, que carecen de segmentos y a menudo presentan tentáculos alrededor de la boca. La región anterior del cuerpo está formada por una trompa retráctil.

siquier, siquiera *conj. advers.* Equivale a *bien que, aunque: hazme este favor, siquiera sea el último.* 2 Como conjunción distributiva equivale a *o, ya* u otra semejante: *siquiera venga, siquiera no venga.* – 3 *adv. c. m.* Por lo menos, tan sólo: *déme usted media paga siquiera;* después de *ni* equivale a *aun: ni siquiera asiento les ofrecieron.*

sir *m.* Señor, caballero, título inglés reservado a caballeros y barones; también se emplea como tratamiento de cortesía. ◇ Pl.: *sires.*

sire *m.* Majestad, tratamiento propio de los reyes en algunos países.

sirena *f.* Ninfa marina con busto de mujer y cuerpo de pez o ave que extraviaba a los navegantes, atrayéndolos con su canto. 2 fig. Mujer que cautiva con sus encantos. 3 Alarma que se oye a mucha distancia y se emplea en los buques, fábricas, etc., para avisar.

sirenio, sirénido *adj.-m.* Mamífero del orden de los sirenios. – 2 *m. pl.* Orden de mamíferos placentarios marinos y herbívoros, de aspecto pisciforme, con las mamas en posición pectoral, sin extremidades posteriores y con los dedos de las anteriores englobados en una piel común; como el manatí.

sirga *f.* Maroma que sirve para tirar las redes, para llevar las embarcaciones desde tierra, principalmente en la navegación fluvial, y para otros usos.

sirgo *m.* Seda torcida. 2 Tela hecha o labrada de seda.

sírice *m.* Insecto himenóptero de color negro con manchas amarillas en el macho y rojas en la hembra *(Urocerus gigas).*

sirimiri *m.* Llovizna.

siringa *f.* Instrumento músico de **viento compuesto de varios tubos que forman escala musical, sobre cuyo orificio superior se aplican directamente los labios.

siringe *f.* Órgano de la voz en las aves, situado en el extremo inferior de la tráquea, donde ésta se bifurca dando nacimiento a los bronquios.

sirio, -ria *adj.-s.* De Siria, nación de Asia occidental. – 2 *m.* Lengua hablada por los antiguos sirios.

sirla *f.* Atraco en que el delincuente amenaza con una navaja u objeto contundente. 2 fam. Navaja.

sirle *m.* Excremento del ganado lanar y cabrío.

siroco *m.* Viento sudeste.

sirope *m.* Jarabe para endulzar bebidas refrescantes.

sirte *f.* Bajo de arena.

sirvienta *f.* Mujer dedicada al servicio doméstico.

sirviente *adj.-s.* Que sirve. – 2 *m.* Criado (empleado).

sisa *f.* Parte que se defrauda o se hurta en la compra diaria y de otras cosas menudas. 2 Sesgadura hecha en las telas de las prendas de vestir para que ajusten bien al cuerpo; esp., corte curvo correspondiente a la parte de los sobacos.

sisal *m.* Fibra vegetal extraída de la pita (planta).

sisar *tr.* Cometer el hurto llamado sisa: ~ *dinero en la compra;* ~ *parte de la tela; intr.,* ~ *de la tela.* 2 Hacer sisas [en las prendas de vestir].

sisear *intr.-tr.* Emitir repetidamente el sonido inarticulado de *s* y *ch* para manifestar desagrado o para llamar: ~ *a un autor.*

siseo *m.* Acción de sisear: *le acogieron con siseos.* 2 Efecto de sisear. 3 FILOL. Timbre específico de la consonante *s* en oposición a otras consonantes semejantes en particular a la θ, gráficamente *z, ce, ci.*

sísmico, -ca *adj.* Relativo al terremoto. 2 De su naturaleza o debido a él.

sismógrafo *m.* Instrumento para registrar, durante un terremoto, la intensidad, duración y otras características de los sacudimientos y oscilaciones de la tierra.

sismología *f.* Parte de la geología que trata de los terremotos.

sisón *m.* Ave zancuda gruiforme, de carne comestible, con el plumaje blanco en el vientre y pardo rayado de negro en el resto del cuerpo *(Otis tetrax).*

sistema *m.* Conjunto de reglas, principios o medidas, enlazados entre sí: ~ *métrico* o *métrico decimal,* el de pesas y medidas que tiene por base el metro; ~ *cegesimal,* el que tiene por unidades fundamentales el centímetro, el gramo y el segundo. 2 Conjunto de cosas o partes coordinadas según una ley, o que, ordenadamente relacionadas entre sí, contribuyen a determinado objeto o función: ~ *planetario* o *solar,* el formado por el Sol y los demás astros que giran a su alrededor; ~ *periódico,* ordenación de los elementos químicos por su número atómico y propiedades; ~ *montañoso,* conjunto de **montañas, apreciable como una unidad; ~ *telefónico automático,* el que permite la conexión directa y automática entre dos abonados al teléfono. 3 Medio o manera usados para hacer una cosa. 4 Manera de estar dispuesto un aparato o utensilio. 5 Conjunto de órganos que intervienen en alguna de las principales funciones vegetativas y animales: ~ *respiratorio;* ~ *nervioso;* ~ *circulatorio;* **circulación. 6 Norma de conducta. 7 LING. La lengua en su totalidad, así como cada uno de sus sectores (fonológico, gramatical, léxico) considerados como conjuntos organizados y relacionados entre sí.

sistemático, -ca *adj.* Que sigue o se ajusta a un sistema. 2 [pers.] Que procede por principios.

sistematizar *tr.* Reducir a sistema: ~ *una ciencia.* ◇ ** CONJUG. [4] como *realizar.*

sistémico, -ca *adj.* Relativo a la totalidad de un sistema general, por oposición a local. 2 MED. Relativo a la circulación general de la sangre. 3 MED. Perteneciente o relativo al organismo en su conjunto.

sístole *f.* Contracción rítmica del corazón y de las arterias, que alterna con la diástole. 2 Licencia poética que consiste en usar como breve una sílaba larga.

sistro *m.* Antiguo instrumento músico de metal en forma de aro o de herradura, atravesado por varillas; **percusión (instrumentos de).

sitar *m.* Instrumento músico de cuerdas indio parecido al laúd, con mango muy alargado. Se tañe con plectro y puede tener hasta siete cuerdas.

sitial *m.* Asiento de ceremonia.

sitiar *tr.* Cercar [un lugar enemigo] para impedir que salgan los que están en él o que reciban socorro: ~ *por mar y tierra.* 2 fig. Acosar [a uno] para cogerle o rendir su voluntad. ◇ ** CONJUG. [12] como *cambiar.*

sitio *m.* Lugar. 2 Paraje o terreno a propósito para alguna cosa. 3 Hacienda de recreo.

sito, -ta *adj.* Situado o fundado.

situación *f.* Acción de situar. 2 Efecto de situar. 3 Disposición de una cosa respecto del lugar que ocupa. 4 Estado o constitución de las cosas y personas. 5 Conjunto de las realidades cósmicas, sociales e históricas en cuyo seno ha de ejecutar un hombre los actos de su existencia personal.

situado, -da *adj.* [pers.] Que disfruta de una buena situación estable, tanto económica como socialmente. – 2 *m.* Salario, sueldo o renta señalados sobre algunos bienes productivos.

situar *tr.* Poner [a una persona o cosa] en determinado sitio o situación: ~ *tropas en un lugar; la casa está bien situada.* 2 Asignar [fondos] para algún pago o inversión. – 3 *prnl.* Lograr una posición social, económica o política privilegiada. ◇ ** CONJUG. [11] como *actuar.*

siux *adj.-com.* Individuo de una tribu india del estado norteamericano de Iowa. ◇ Pl.: *siux.*

skay *m.* ANGL. Materia sintética que imita la piel.

sketch *m.* ANGL. Bosquejo. 2 Pequeña escena o cuadro intercalado en una obra de teatro, cine, radio, televisión.

slálom *m.* DEP. Carrera de habilidad en esquí, disputada a lo largo de un trazado en el que están señalados unos pasos obligados.

smithsonita *f.* Mineral de la clase de los carbonatos, de color blanco, verde o azul, con brillo vítreo; es translúcido.

smog *m.* ANGL. Niebla baja con hollines, humos y polvos en suspensión que cubre grandes extensiones por encima de las urbes industriales.

snack bar *m.* ANGL. Establecimiento que posee bar y restaurante, donde se sirven platos rápidos.

so *prep.* Bajo, debajo de. Úsase con los substantivos *capa, color, pena:* ~ *capa;* ~ *pena;* fuera de estos casos, su empleo es literario arcaizante: ~ *las aguas del mar.*

¡so! Interjección que se emplea para hacer que se paren las caballerías.

soasar *tr.* Medio asar o asar ligeramente: ~ *un cabrito.*

soba *f.* Acción de sobar. 2 Efecto de sobar. 3 fig. Represión dura; zurra, paliza.

sobaco *m.* Concavidad que forma el arranque del brazo con el cuerpo. 2 Axila (punto de unión).

sobado, -da *adj.* Manido, muy usado. – 2 *adj.-s.* Bollo o torta a cuya masa se ha agregado aceite o manteca.

sobajar *tr.* Manosear [una cosa] ajándola. 2 *Amér.* Humillar, abatir, rebajar.

sobaquera *f.* Abertura que se deja en algunos vestidos en la parte del sobaco. 2 Pieza con que se refuerza el vestido por la parte correspondiente al sobaco. 3 Pieza de tela impermeable con que se resguarda del sudor la parte del vestido correspondiente al sobaco. – 4 *adj.-f.* Aceituna que, en el olivo, está al alcance de la mano.

sobaquina *f.* Sudor de los sobacos.

sobar *tr.* Manejar y oprimir [una cosa] repetidamente a fin de que se ablande. 2 fig. Palpar, manosear [a una persona]. 3 Castigar dando algunos golpes. 4 fam. Molestar con trato impertinente. 5 *Amér.* Ensalmar, componer [un hueso dislocado]. 6 *Amér.* Halagar [a alguien] interesadamente.

sobeo *m.* Correa con que se ata al yugo la lanza del carro o el timón del arado.

soberanía *f.* Calidad de soberano (con autoridad). 2 Autoridad suprema del poder público: ~ *nacional,* la que reside en el pueblo y se ejerce por medio de sus órganos constitucionales representativos. 3 Alteza o excelencia no superada en cualquier orden inmaterial. 4 Orgullo, soberbia.

soberano, -na *adj.* [pers. o cosa] Que ejerce o posee la autoridad suprema e independiente: *el ~ de una nación; los poderes soberanos.* 2 Elevado, excelente y no superado. – 3 *m.* Moneda de oro inglesa.

soberbia *f.* Estimación excesiva de sí mismo con menosprecio de los demás. 2 Apetito desordenado de ser preferido a otros. 3 Exceso de magnificencia o suntuosidad, especialmente hablando de edificios. 4 Cólera o ira expresadas de manera descompuesta.

soberbio, -bia *adj.* Que tiene soberbia o se deja llevar de ella: ~ *con, para,* o *para con, los inferiores;* ~ *de índole;* ~ *en palabras.* 2 Altivo, arrogante. 3 fig. Fogoso, orgulloso y violento. 4 Alto, fuerte o excesivo en las cosas inanimadas. 5 Grandioso, magnífico.

sobón, -bona *adj.-s.* fam. Que por sus excesivas caricias y halagos se hace fastidioso. 2 [pers.] Taimado que elude el trabajo.

sobordo *m.* Revisión de la carga de un buque para confrontar las mercancías con la documentación. 2 Libro o documento en que el capitán del barco anota las mercancías del cargamento.

sobornar *tr.* Corromper [a uno] con dádivas.

soborno *m.* Acción de sobornar. 2 Efecto de sobornar. 3 Dádiva con que se soborna. 4 fig. Cosa que mueve el ánimo para inclinarle a complacer a otro.

sobra *f.* Exceso de cualquier cosa sobre su justo ser, peso o valor: *de* ~, abundantemente, con exceso o sin necesidad. 2 Demasía, injuria, agravio. – 3 *f. pl.* Lo que queda de la comida al levantarse la mesa; p. ext., lo que sobra o queda de otras cosas. 4 Desperdicios o desechos.

sobradillo *m.* Guardapolvo de un balcón.

sobrado, -da *adj.* Demasiado, que sobra. 2 Audaz y licencioso. 3 Rico y abundante en bienes. – 4 *m.* Desván.

sobrar *intr.* Haber más de lo que se necesita: *la cosecha de trigo sobrará.* 2 Estar de más: *tu hermano sobra; este adorno sobra.* 3 Quedar, restar: *sobran estos pasteles.*

sobrasada *f.* Embuchado grueso de carne de cerdo muy picada y sazonada con sal y pimiento molido, típico de Mallorca. ◇ INCOR.: *sobreasada.*

sobrasar *tr.* Poner brasas [al pie de la olla] para que cueza mejor.

I) sobre *prep.* Encima: *está ~ la mesa.* 2 Cerca de otra cosa con más altura que ella: *la torre del campanario está ~ el palacio.* 3 Con dominio y superioridad: *el capitán está ~ el teniente.* 4 En prenda de una cosa: ~ *esta alhaja préstame veinte duros.* 5 Denota aproximación en una cantidad o número: *vendré ~ las once.* 6 En el comercio se usa para denotar la persona contra quien se gira una cantidad, o la plaza donde ha de hacerse efectiva. 7 Precedida y seguida de un mismo substantivo, denota idea de reiteración: *crueldades ~ crueldades.* 8 A o hacia: *están ~ Madrid.* 9 Acerca de: ~ *esto no hay nada escrito.* 10 Además de: ~ *la ruina, la enfermedad.*

II) sobre *m.* Cubierta de papel en que se incluyen las cartas o documentos que han de enviarse de una parte a otra. 2 fig. y fam. Cama: *se echó a dormir en el ~.*

sobreabundar *intr.* Abundar mucho.

sobrealiento *m.* Respiración difícil y fatigosa.

sobrealimentación *f.* Acción de sobrealimentar. 2 Efecto de sobrealimentar. 3 Régimen dietético en el que hay un aporte continuo de alimentos excesivamente ricos en calorías, lo que es causa de obesidad.

sobrealimentar *tr.* Dar [a un individuo] más alimento del que ordinariamente toma o necesita.

sobreasar *tr.* Volver a poner a la lumbre [lo que está asado o cocido] para que se tueste.

sobreático *m.* Piso situado encima del ático.

sobrecalentar *tr.-prnl.* Calentar de manera excesiva. 2 METAL. Recalentar. ◇ ** CONJUG. [27] como *acertar.*

sobrecarga *f.* Lo que se añade a una carga regular. 2 Inscripción suplementaria impresa sobre un sello. 3 Soga o lazo que se echa por encima de la carga para asegurarla. 4 fig. Molestia que sobreviene y se añade al sentimiento o pasión del ánimo. 5 TECNOL. Carga suplementaria que puede soportar una construcción, máquina o aparato cualesquiera en algún caso excepcional y que debe haber sido prevista al calcular la resistencia de sus elementos.

sobrecargar *tr.* Cargar con exceso [una cosa]. 2 Coser por segunda vez [una costura] redoblando un borde sobre el otro. ◇ ** CONJUG. [7] como *llegar.*

sobrecargo *m.* El que en los buques mercantes lleva a su cuidado el cargamento. 2 p. ext. Oficial de misión semejante en buques de pasaje. 3 Miembro de la tripulación que en los aviones de pasajeros lleva a su cuidado pasaje y tripulación de cabina.

sobreceja *f.* Parte de la frente inmediata a las cejas.

sobrecincho *m.* Faja o correa que pasa por debajo de la barriga de la cabalgadura y por encima del aparejo.

sobrecoger *tr.* Coger de repente y desprevenido [a uno]. – 2 *prnl.* Sorprenderse, intimidarse. ◇ ** CONJUG. [5] como *proteger.*

sobrecomida *f.* Postre de una comida.

sobrecrecer *intr.* Exceder en crecimiento o crecer excesivamente. ◇ ** CONJUG. [43] como *agradecer.*

sobrecubierta *f.* Segunda cubierta. 2 IMPR. Cubierta que se pone sobre las tapas de un libro.

sobrecurar *tr.* Curar a medias o descuidadamente: ~ *una herida.* 2 Cicatrizar una herida sólo superficialmente.

sobredicho, -cha *adj.* Dicho arriba o antes.

sobredimensionar *tr.* Hacer que algo tenga o parezca tener un tamaño o una importancia superior a los que debería poseer.

sobredorar *tr.* Dorar [los metales], especialmente [la plata]. 2 fig. Disculpar y abonar [algo reprensible].

sobredosis *f.* Dosis excesiva de medicamento. 2 Dosis muy fuerte de substancias alucinógenas que provoca trastornos físicos y mentales, incluso una intoxicación grave y hasta la muerte. ◇ Pl.: *sobredosis.*

sobreexcitar *tr.-prnl.* Aumentar o exagerar la energía vital [de todo el organismo o de una de sus partes]; excitar con exceso.

sobreexponer *tr.* Exponer en exceso a la luz una superficie sensible. ◇ ** CONJUG. [78] como *poner.*

sobrefalda *f.* Falda corta que se coloca como adorno sobre otra.

sobrefaz *f.* Superficie o cara exterior de las cosas.

sobrefusión *f.* Permanencia de un cuerpo en estado líquido a temperatura inferior a la de fusión. 2 Estado de un líquido que presenta dicho fenómeno.

sobrehilar *tr.* Dar puntadas sobre el borde [de una tela cortada] para que no se deshilache.

sobrehueso *m.* Tumor duro que está sobre un hueso. 2 fig. Cosa que molesta o sirve de embarazo o carga. 3 fig. Trabajo, molestia.

sobrehumano, -na *adj.* Que excede a lo humano.

sobreimprimir *tr.* Imprimir dos o más imágenes en el mismo lugar.

sobrejuanete *m.* MAR. Verga que se cruza sobre los juanetes, y vela que se larga en ella.

sobrellave *f.* Segunda cerradura que se añade a la puerta, además de la ordinaria. 2 Llave de esta cerradura.

sobrellenar *tr.* Llenar en abundancia [una cosa].

sobrellevar *tr.* Llevar uno encima [una carga] para aliviar a otro. 2 fig. Ayudar a sufrir [los trabajos o molestias de la vida]. 3 fig. Resignarse [a ellos] con paciencia. 4 fig. Disimular o sufrir [los defectos] de otro.

sobremanera *adv. m.* Excesivamente, en extremo.

sobremesa *f.* Tiempo que se está a la mesa después de haber comido.

sobrenadar *intr.* Mantenerse encima de un líquido sin hundirse.

sobrenatural *adj.* Que excede los términos de la naturaleza. 2 p. ext. Extraordinario, sobrecogedor.

sobrenaturalizar *tr.* Hacer que sea sobrenatural [una cosa]; atribuirle existencia o poder sobrenatural.

sobrenombre *m.* Apodo. 2 Nombre calificativo que se añade al nombre de una persona; como en *Fernando el Católico, Plinio el Viejo.*

sobrentender *tr.-prnl.* Entender [una cosa] que no está expresa, pero que se deduce. ◇ ** CONJUG. [3] como *entender.*

sobrepaño *m.* Lienzo o paño que se pone encima de otro paño.

sobreparto *m.* Tiempo que inmediatamente sigue al parto. 2 Estado delicado de salud que suele ser consiguiente al parto.

sobrepasar *tr.* Exceder, aventajar: ~ *a un compañero.*

sobrepelliz *f.* Vestidura litúrgica de lienzo fino, blanca, con mangas largas, que llega hasta las rodillas y se lleva por encima de la sotana.

sobrepeso *m.* Lo que se añade a la carga. 2 Excesiva acumulación de grasa en el cuerpo.

sobreponer *tr.* Añadir [una cosa] o ponerla encima de otra. – 2 *prnl.* fig. Dominar los impulsos del ánimo o hacerse superior a las adversidades. 3 fig. Obtener o afectar superioridad una persona respecto de otra. ◇ ** CONJUG. [78] como *poner;* pp. irreg.: *sobrepuesto.*

sobrepuesto, -ta *adj.* [bordado] Que se hace suelto y luego se aplica sobre la tela. – 2 *m.* Panal que forman las abejas después de llena la colmena, encima de la obra que hacen primero.

sobrepujar *tr.* Exceder una cosa o persona [a otra] en cualquier línea.

sobrero, -ra *adj.* Sobrante. 2 [toro] Que se tiene de más por si se inutiliza algún otro de los destinados a una corrida.

sobresaliente *adj.-s.* Que sobresale. – 2 *m.* En la calificación de exámenes, nota superior a la de notable. – 3 *com.* fig. Persona destinada a suplir la falta o ausencia de otra.

sobresalir *intr.* Salir, formar un saliente, resaltar, abultar con relación a un plano: *esta cornisa sobresale mucho.* 2 Exceder una persona o cosa a otras en figura, tamaño, etc. 3 Aventajarse uno a otros; distinguirse entre ellos: ~ *en mérito;* ~ *entre todos;* ~ *por su elocuencia.* ◇ ** CONJUG. [84] como *salir.*

sobresaltar *tr.* Saltar, venir a acometer de repente: ~ *una fortaleza.* – 2 *tr.-prnl.* Asustar, alterar [a uno] profundamente: *sobresaltarse con, de,* o *por, la noticia.* – 3 *intr.* Venirse una cosa a los ojos.

sobresalto *m.* Emoción que proviene de un acontecimiento repentino. 2 Temor o susto repentino.

sobrescribir *tr.* Escribir un letrero sobre [una cosa]. ◇ CONJUG.: pp. irreg.: *sobrescrito.*

sobresdrújulo, -la *adj.-m.* Voz que lleva un **acento en la sílaba anterior a la antepenúltima, como *devuélvamelo.*

sobreseer *intr.* Desistir de la pretensión que se tenía. 2 Cesar en el cumplimiento de una obligación. – 3 *intr.-tr.* DER. Dejar sin curso ulterior un procedimiento: ~ *en la causa;* ~ *un proceso.* ◇ CONJUG.: pp. reg.: *sobreseído.*

sobresolar *tr.* Coser una suela nueva [en los zapatos] ya gastados. 2 Echar un segundo suelo [sobre lo solado]. ◇ ** CONJUG. [31] como *contar.*

sobresueldo *m.* Salario o consignación que se añade al sueldo fijo.

sobresuelo *m.* Segundo suelo que se pone sobre otro.

sobretensión *f.* ELECTR. Tensión anormal superior a la de servicio.

sobretodo *m.* Prenda de vestir ancha, larga y con mangas, que se lleva sobre el traje ordinario.

sobrevenir *intr.* Suceder una cosa además o después de otra. 2 en gral. Venir improvisadamente. 3 Venir a la sazón, al tiempo de, etc. ◇ ** CONJUG. [90] como *venir.*

sobrevestir *tr.* Poner [un vestido] sobre el que se lleva. ◇ ** CONJUG. [34] como *servir.*

sobrevivir *intr.* Vivir uno más que otro, o después de determinado suceso o plazo.

sobrevolar *tr.* Volar sobre un lugar, ciudad, territorio, etc. ◇ ** CONJUG. [31] como *contar.*

sobrexceder *tr.* Exceder, aventajar [a otro].

sobriedad *f.* Calidad de sobrio.

sobrino, -na *m. f.* Respecto de una persona, hijo o hija de su hermano o hermana, o de su primo o prima.

sobrio, -ria *adj.* Moderado, especialmente en el comer y el beber: ~ *de palabras;* ~ *en comer.* – 2 *adj.-s.* Que no está borracho. 3 [estilo] Conciso, en oposición a redundante, ampuloso, etc.

socaire *m.* MAR. Abrigo o defensa que ofrece una cosa en su lado opuesto a aquel de donde sopla el viento.

socalce *m.* En la construcción, refuerzo en la parte inferior de un muro de edificio, puente, etc.

socaliña *f.* Ardid o artificio con que se saca a uno lo que no está obligado a dar.

socalzar *tr.* Reforzar por la parte inferior [un edificio o muro]. ◇ ** CONJUG. [4] como *realizar.*

socar *tr.-prnl.* Amér. Central. Apretar [una cosa, una amarra, etc.]. 2 Amér. Central. Molestar, cansar. ◇ ** CONJUG. [1] como *sacar.*

socarrar *tr.-prnl.* Quemar o tostar superficialmente [una cosa].

socarrén *m.* Parte del alero del tejado que sobresale de la pared.

socarrón, -rrona *adj.-s.* Astuto, bellaco, disimulado. 2 intens. Burlón, guasón.

socavar *tr.* Excavar por debajo [alguna cosa] dejándola en falso. 2 fig. Debilitar una cosa, sobre todo moralmente.

socavón *m.* Cueva que se excava en la ladera de un cerro o monte. 2 Bache que se produce por hundimiento del subsuelo. 3 MIN. Labor o galería inclinada que en las minas de carbón parte de la superficie.

sociable *adj.* Naturalmente inclinado a la sociedad.

social *adj.* Perteneciente o relativo a la sociedad, o a las relaciones entre unas y otras clases. 2 Perteneciente o relativo a una compañía o sociedad, a los socios, aliados o confederados.

socialdemocracia *f.* Tendencia moderada dentro de la ideología socialista que acepta la democracia y la economía mixta, y rechaza los métodos revolucionarios.

socialismo *m.* Teoría político-económica que propugna la propiedad y la administración de los medios de producción por parte de las clases trabajadoras con el fin de lograr, mediante una nueva organización de la sociedad, la igualdad política, social y económica de todas las personas. 2 Movimiento político que intenta establecer, con diversos matices, este sistema.

socialista *adj.* Perteneciente o relativo al socialismo. – 2 *adj.-com.* Partidario del socialismo.

socializar *tr.* Transferir al Estado u otro organismo colectivo [las propiedades, industrias, etc.] particulares. 2 Promover las condiciones sociales que, independientemente de las relaciones con el Estado, favorezcan en las personas su desarrollo integral. ◇ ** CONJUG. [4] como *realizar.*

sociedad *f.* Conjunto de seres vivos entre los cuales existen relaciones durables y organizadas, especialmente las del hombre, establecidas en instituciones y garantizadas por sanciones: ~ *de consumo,* la que estimula la adquisición y consumo desmedido de bienes cuando no existe todavía la necesidad de substituir otros en uso. 2 Agrupación de individuos, con el fin de cumplir, mediante la cooperación, todos o algunos de los fines de la vida. 3 Agrupación de personas con fines deportivos, recreativos, culturales, benéficos, etc. 4 COM. Asociación de personas para el ejercicio o explotación de un comercio o industria: ~ *anónima (S. A.),* la que se forma por acciones con responsabilidad circunscrita al capital que éstas representan.

socio, -cia *m. f.* Persona asociada con otra para algún fin. 2 desp. Sujeto, individuo, prójimo: *¿quién es ese ~?; ¡vaya una socia!* 3 fam. Compañero, amigo.

sociocultural *adj.* Perteneciente o relativo al estado cultural de una sociedad o grupo social.

socioeconómico, -ca *adj.* Perteneciente o relativo a lo económico y social a la vez.

sociolecto *m.* Conjunto de los usos lingüísticos que caracterizan a un grupo de hablantes con algún elemento social en común.

sociolingüística *f.* Rama de la lingüística que estudia las relaciones entre las condiciones sociales y los usos lingüísticos de los hablantes.

sociología *f.* Disciplina filosófica que estudia la constitución y desarrollo de las sociedades humanas.

soco, -ca *adj. Amér.* [pers. o animal] Que le falta un miembro del cuerpo.

socolar *tr. Amér. Central, Colomb., Ecuad., Hond.* y *Nicar.* Desmontar, desmalezar [un terreno].

socolor *m.* Pretexto para disimular el motivo de una acción.

socollón *m. Amér. Central* y *Cuba.* Sacudida violenta, estremecimiento.

socorrer *tr.* Ayudar [a uno] en un peligro o necesidad: ~ *a uno con algo; ~ de víveres.* 2 Dar [a uno] a cuenta parte de lo que se le debe, o de lo que ha de devengar.

socorrido, -da *adj.* Que con facilidad socorre la necesidad de otro. 2 Práctico; que abastece abundantemente de lo necesario: *la plaza de Madrid es muy socorrida.* 3 Gastado, trillado, vulgar: *un tema muy ~; excusa socorrida.*

socorrismo *m.* Organización y adiestramiento para prestar socorro en casos de accidente.

socorrista *com.* Persona especialmente adiestrada para prestar socorro en caso de accidente.

socorro *m.* Acción de socorrer: *nave, casa de ~.* 2 Efecto de socorrer. 3 Cosa con que se socorre, como dinero, víveres, etc. 4 Provisión de municiones de boca o de guerra que se lleva a un cuerpo de tropa o a una plaza que la necesita.

socrático, -ca *adj.-s.* Que sigue la doctrina o el método de Sócrates (470-399 a. C.). – 2 *adj.* Relativo a la filosofía de Sócrates.

socrocio *m.* Emplasto en que entra azafrán.

sochantre *m.* Director del coro en los oficios divinos. 2 p. ext. Cantor de una parroquia.

soda *f.* Bebida hecha con agua que contiene ácido carbónico y está aromatizada con un jarabe.

sódico, -ca *adj.* Perteneciente o relativo al sodio.

sodio *m.* Metal blando como la cera, de color y brillo argentinos, muy ligero, que descompone el agua a la temperatura ordinaria. Su símbolo es *Na.*

sodomía *f.* Concúbito entre personas de un mismo sexo, o pecado contra natura.

sodomita *adj.-com.* Que comete sodomía.

sodomizar *tr.* Someter a sodomía. ◇ ** CONJUG. [4] como *realizar.*

soez *adj.* Bajo, grosero.

sofá *m.* Asiento cómodo, con respaldo y brazos, para dos o más personas: ~ *cama,* el que puede transformarse en cama. ◇ Pl.: *sofás.*

sofía *f.* Planta crucífera, anual o bienal, de hojas divididas y grisáceas, y flores pequeñas de color amarillo pálido *(Descurainia sophia).* 2 Mariposa diurna de color naranja que presenta en la parte inferior de las alas unas vistosas manchas plateadas *(Issoria lathonia).*

sofión *m.* GEOL. Emisión natural de vapor de agua a elevada temperatura y presión, el cual contiene ácido bórico, anhídrido carbónico, amoníaco y gases raros.

sofisma *m.* Silogismo vicioso o argumento capcioso con que se pretende hacer pasar lo falso por verdadero.

sofisticado, -da *adj.* [pers.] Que se muestra afectado en sus gustos, modales y lenguaje. 2 [cosa] Desprovisto de naturalidad y sencillez. 3 ANGL. Refinado, sutil, de compleja mecánica, de extraordinaria precisión.

sofisticar *tr.* Adulterar, falsificar con sofismas: ~ *una deducción.* 2 Falsificar en general:

~ *un producto químico.* **3** ANGL. Complicar; utilizar criterios o métodos muy avanzados. ◇ ** CONJUG. [1] como *sacar.*

sófora *f.* Árbol leguminoso de jardín, originario de Oriente, de flores pequeñas amarillas en panojas colgantes *(Sophora japonica).*

sofreír *tr.* Freír un poco o ligeramente [una cosa]. ◇ ** CONJUG. [37] como *reír.* Para formar los tiempos compuestos utiliza indistintamente el pp. rreg.: *sofreído* y el pp. irreg.: *sofrito.*

sofrenar *tr.* Reprimir el jinete [a la caballería] tirando violentamente de las riendas.

sofrito *m.* Condimento que se añade a un guiso, compuesto por diversos ingredientes fritos en aceite.

sofrología *f.* Práctica de la relajación psicológica combinando palabras y música.

sofrosine *f.* Sabiduría, inteligencia.

software *m.* Conjunto de programas de ordenador y técnicas informáticas. ◇ Se pronuncia *sófwer.*

soga *f.* Cuerda gruesa de esparto. **2** Medida de tierra cuya extensión varía según las zonas. **3** ARQ. Parte de un sillar o ladrillo que queda descubierta en el paramento de la fábrica.

soja *f.* Planta leguminosa procedente de Asia, con fruto comestible parecido a la judía *(Glycine soja; G. max; Soja hispida).*

sojuzgar *tr.* Dominar, mandar con violencia: ~ *a un pueblo; sojuzgado de los poderosos; sojuzgado por la plebe.* ◇ ** CONJUG. [7] como *llegar.*

I) sol *m.* Estrella luminosa, centro de nuestro sistema planetario; ******solar (sistema); **eclipse; **astronomía. **2** Luz, calor o influjo directo del sol: *estar al ~; tomar el ~.* **3** Sitio donde da el sol, por oposición a sombra. **4** fig. Día. **5** fig. Estrella fija. **6** TAUROM. Parte de la plaza que no está protegida del sol.

II) sol *m.* MÚS. Nota musical, quinto grado de la escala fundamental. ◇ Pl.: *soles.*

solado *m.* Acción de solar. **2** Revestimiento de un piso con ladrillos, losas u otro material.

solamente *adv. m.* De un solo modo, en una sola cosa, o sin otra cosa.

solana *f.* Paraje donde el sol da de lleno. **2** Corredor o pieza destinada en la casa para tomar el sol; **ventana.

solanáceo, -a *adj.-f.* Planta de la familia de las solanáceas. – **2** *f. pl.* Familia de plantas dicotiledóneas de hojas simples y alternas, flores acampanadas y fruto en cápsula o baya con semillas numerosas; como la tomatera y el tabaco.

solanera *f.* Efecto que produce en una persona el tomar mucho sol. **2** Paraje expuesto sin resguardo a los rayos solares. **3** Solana, parte de la casa destinada a tomar el sol. **4** Exceso de sol en un sitio.

solano *m.* Viento que sopla de donde sale el sol.

solapa *f.* Parte del vestido correspondiente al pecho, y que suele ir doblada hacia fuera sobre la misma prenda de vestir. **2** Prolongación lateral de la cubierta de un libro. **3** En los sobres de carta, parte que sirve para cerrarla. **4** Cartera, tapa de tela, cuero, etc., que cubre la abertura de un bolsillo. **5** en gral. Cosa o parte de ella montada sobre otra, a la que cubre total o parcialmente. **6** fig. Ficción para disimular una cosa.

solapado, -da *adj.* fig. [pers.] Que por costumbre oculta maliciosa y cautelosamente sus pensamientos.

solapar *tr.* Poner solapas [a los vestidos]. **2** fig. Ocultar cautelosamente [la verdad o la intención]. – **3** *intr.* Caer cierta parte del cuerpo de un vestido doblado sobre otra: *este chaleco solapa bien.*

I) solar *adj.-m.* Casa más antigua y noble de una familia. – **2** *m.* Casa, descendencia, linaje noble. **3** Terreno donde se ha edificado o que se destina a edificar en él. **4** Suelo de la era de trillar.

II) **solar *adj.* Relativo al sol: *luz ~; sistema ~.*

III) solar *tr.* Pavimentar. **2** Echar suelas al calzado. **3** Limpiar la solada al olivo. ◇ ** CONJUG. [31] como *contar.*

solariego, -ga *adj.-s.* Relativo al solar de antigüedad y nobleza. **2** Antiguo y noble.

solario *m.* En las piscinas, lugar destinado a tomar el sol. **2** Local donde se tratan ciertas afecciones, por medio de la luz solar.

solaz *m.* Esparcimiento, alivio de los trabajos.

solazar *tr.-prnl.* Dar solaz: ~ *a los niños.* ◇ ** CONJUG. [4] como *realizar.*

soldabilidad *f.* Propiedad que tienen algunos cuerpos de la misma especie de soldarse entre sí.

soldada *f.* Sueldo, salario o estipendio. **2** Haber del soldado. **3** Pez marino teleósteo, similar al lenguado, pero de menor tamaño; de cuerpo grueso, cubierto de ocelos obscuros y piel muy áspera al tacto *(Microchirus ocellatus).*

soldadesco, -ca *adj.* Relativo a los soldados.

soldado *m.* El que sirve en la milicia. **2** Militar sin graduación. **3** fig. Mantenedor, servidor, partidario. **4** fig. El que es esforzado o diestro en la milicia. **5** ZOOL. En algunos insectos sociales, forma con cabeza especialmente grande y mandíbulas adaptadas para defender la comunidad, para luchar y para triturar partículas duras de alimento.

soldador, -ra *m. f.* Persona que tiene por oficio soldar. **2** *m.* Instrumento con que se suelda.

soldadura *f.* Acción de soldar. **2** Efecto de soldar. **3** Lugar de unión de dos cosas soldadas. 4 Material que sirve y está preparado para soldar. 5 fig. Enmienda o corrección de una cosa.

soldanela *f.* Planta convolvulácea, reptante, con hojas reniformes y flores en forma de trompeta de color rosa con listas blancas *(Calystegia soldanella).*

soldar *tr.* Pegar sólidamente [dos cosas] o partes de una misma cosa. 2 esp. Unir entre sí [dos partes o piezas de metal] por medio de una soldadura. 3 fig. Enmendar [un desacierto] con acciones o palabras. ◇ ** CONJUG. [31] como *contar.*

solear *tr.-prnl.* Tener [una cosa] al sol por algún tiempo.

solecismo *m.* Vicio de dicción que consiste en alterar la sintaxis normal de un idioma.

soledad *f.* Carencia de compañía. 2 Pesar y melancolía que se siente por la ausencia, muerte o pérdida de alguna persona o cosa. 3 Lugar desierto o tierra no habitada. 4 Modalidad de baile flamenco en compás de tres por ocho. 5 Música y canto melancólico de este baile.

solemne *adj.* Celebrado o hecho públicamente con pompa o ceremonias extraordinarias: *procesión, exequias, sesión* ~. 2 Formal, válido, acompañado de todos los requisitos necesarios: *declaración, promesa, juramento* ~. 3 Crítico, interesante, de mucha entidad: *ocasión* ~. 4 Majestuoso, imponente. 5 Encarece en sentido peyorativo la significación de algunos nombres: ~ *tontería.*

solemnidad *f.* Calidad de solemne. 2 Acto o ceremonia solemne. 3 Festividad eclesiástica. 4 Formalidad de un acto solemne.

solemnizar *tr.* Celebrar de manera solemne [un suceso]. 2 Engrandecer o encarecer [una cosa]. ◇ ** CONJUG. [4] como *realizar.*

solenodonte *m.* Mamífero insectívoro de hocico muy largo *(Solenodon cubanus).*

solenoide *m.* Alambre arrollado en forma de hélice, que se emplea en varios aparatos eléctricos. Cuando circula una corriente continua se comporta como un imán.

sóleo *adj.-m.* ANAT. **Músculo de la pantorrilla que termina en el tendón de Aquiles, cuya función es la elevación del talón y la extensión del pie.

I) soler *m.* Entablado que tienen las embarcaciones en lo bajo del plan.

II) soler *intr.* Acostumbrar (tener costumbre): *tu padre suele venir los sábados.* 2 Ser frecuente una cosa: *suele llover mucho en este país.* ◇ ** CONJUG. [32] como *mover.* Es defectivo; no se usa en los futuros de indicativo y subjuntivo, ni en el potencial ni en el imperativo.

solera *f.* Madero sobre el que descansan o se ensamblan otros. 2 Piedra plana para sostener pies derechos. 3 Disco de piedra fijo sobre el que gira la muela del molino. 4 Madre o lía del vino. 5 fig. Tradición. 6 MIN. Parte inferior de una galería de mina.

I) solería *f.* Material que sirve para solar. 2 Suelo, solado.

II) solería *f.* Conjunto de cueros para hacer suelas.

SOLAR (SISTEMA)

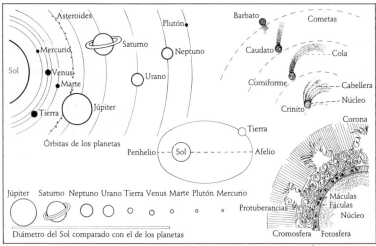

V. ASTRONOMÍA, LUNA y TIERRA

solevantar *tr.-prnl.* Levantar [una cosa] empujando de abajo arriba.

solfa *f.* Arte de solfear. 2 Conjunto de signos con que se escribe la música. 3 fig. Música. 4 fig. Zurra de golpes.

solfatara *f.* Abertura en los terrenos volcánicos, por donde salen vapores sulfurosos.

solfear *tr.* Cantar marcando el compás y pronunciando los nombres de las notas: ~ *una lección*; **abs.**, *está solfeando*. 2 fig. Zurrar [a uno], golpearle. 3 fig. Censurar [algo] con insistencia.

solfeo *m.* Acción de solfear. 2 Efecto de solfear. 3 fig. *y* fam. Tono de voz.

solicitar *tr.* Pretender, pedir o buscar [una cosa] con diligencia: ~ *un negocio con el ministro;* ~ *una gracia del rey.* 2 Gestionar [los negocios propios o ajenos]. 3 Requerir de amores [a una persona].

solícito, -ta *adj.* Diligente, afanoso por servir o atender a una persona o cosa: ~ *con otro;* ~ *en,* o *para, pretender.*

solicitud *f.* Cualidad de solícito. 2 Diligencia o instancia cuidadosa. 3 Documento oficial en que se solicita algo.

solidar *tr.* Consolidar. 2 fig. Establecer o afirmar [una cosa] con razones fundamentales.

solidaridad *f.* Entera comunidad de intereses y responsabilidades. 2 Adhesión circunstancial a la causa o a la empresa de otros. 3 En sociología, característica de la sociabilidad que inclina al hombre a sentirse unido a sus semejantes y a la cooperación con ellos.

solidario, -ria *adj.* Ligado a otros por una comunidad de intereses y responsabilidades. 2 Adherido circunstancialmente a la causa o empresa de otros.

solidarizarse *prnl.* Hacerse solidario. ◇ ** CONJUG. [4] como *realizar.*

solideo *m.* Casquete que usaban los eclesiásticos para cubrirse la corona.

solidez *f.* Calidad de sólido.

solidificar *tr.-prnl.* Hacer sólido [un fluido]. ◇ ** CONJUG. [1] como *sacar.*

**sólido, -da *adj.* Firme, macizo, denso, fuerte. 2 fig. Establecido con razones fundamentales. – 3 *adj.-m.* Cuerpo que, a diferencia de los líquidos y los gases, presenta forma propia y opone resistencia a ser dividido. – 4 *m.* GEOM. Cuerpo (figura); **sólidos.

solifluxión *f.* GEOL. Corrimiento de los materiales de una ladera debido a que éstos son blandos y poco coherentes y además están impregnados de agua.

solífugo *adj.-m.* Arácnido del orden de los

SÓLIDOS

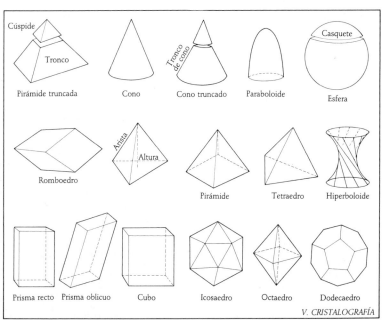

V. CRISTALOGRAFÍA

solífugos. – 2 *m. pl.* Orden de arácnidos con los quelíceros muy desarrollados y los pedipalpos terminados en ventosas; son depredadores y propios de regiones cálidas.

soliloquio *m.* Habla o discurso de una persona que no dirige a otra la palabra. 2 Lo que habla de este modo un personaje de obra dramática.

solimán *m.* Sublimado corrosivo.

solio *m.* Trono, silla real con dosel.

solípedo, -da *adj.-m.* Équido.

solipsismo *m.* Doctrina ontológica, según la cual, el sujeto pensante no puede afirmar ninguna existencia salvo la suya propia.

solista *com.* Persona que ejecuta un solo de una pieza musical.

solitaria *f.* Tenia.

solitario, -ria *adj.* Desamparado, desierto. 2 Solo (sin compañía). – 3 *adj.-s.* Que ama la soledad o vive en ella. – 4 *m.* Diamante grueso que se engasta solo en una joya. 5 Juego que ejecuta una sola persona; especialmente el de naipes.

sólito, -ta *adj.* Acostumbrado; que se suele hacer ordinariamente.

soliviantado, -da *adj.* Inquieto, perturbado, solícito.

soliviantar *tr.* Inducir [a otro] a adoptar una actitud rebelde. 2 Inquietar, alterar el ánimo. 3 Hacer concebir a alguien ilusiones infundadas y deseos insensatos.

solo, -la *adj.* Único en su especie. 2 Que está sin otra cosa o que se mira separado de ella. 3 [pers.] Sin compañía; sin familia o sin amigos. – 4 *m.* Paso de danza que se ejecuta sin pareja. 5 Juego de naipes parecido al tresillo. 6 Composición o parte de ella que canta o toca una persona sola. 7 Café servido sin leche.

sólo, solo *adv.* Solamente. ◇ Únicamente se escribe con **acento cuando se quiere evitar una anfibología.

solomillo *m.* En los animales de matadero, capa muscular que se extiende por entre las costillas y el lomo.

solsticio *m.* **ASTRON. Punto de la eclíptica más alejado del ecuador. 2 **ASTRON. Momento del año en que el Sol, en su movimiento aparente, pasa por uno de estos puntos: ~ *de estío,* hacia el 21 de junio; ~ *de invierno,* hacia el 21 de diciembre.

soltar *tr.-prnl.* Desatar o desceñir: ~ *el pelo.* 2 en gral. Desasir [lo que estaba sujeto]: ~ *la cuerda; soltarse los puntos de una media.* 3 Dar salida [a lo que estaba detenido o confinado]. 4 esp. Dar libertad [al que estaba detenido o preso]. 5 Evacuar [el vientre] con frecuencia. – 6 *tr.* Romper en una señal de afecto interior, como [la risa, el llanto]. 7 fam. Decir, especialmente palabras necias o injuriosas: ~ *un juramento.* – 8 *prnl.* fig. Adquirir agilidad en la

ejecución de las cosas. 9 p. ext. *y* fig. Abandonar el encogimiento, dándose a la desenvoltura. 10 fig. Con la preposición *a,* empezar a hacer algunas cosas, como andar, hablar, etc. ◇ ** CONJUG. [31] como *contar.*

soltería *f.* Estado de soltero.

soltero, -ra *adj.-s.* Persona que no ha contraído matrimonio. – 2 *adj.* Suelto o libre.

solterón, -rona *adj.-s.* Soltero ya entrado en años.

soltura *f.* Acción de soltar. 2 Efecto de soltar. 3 Agilidad, prontitud, expedición. 4 fig. Facilidad y lucidez de dicción. 5 fig. Disolución, libertad o desgarro.

solubilizar *tr.* Volver [algo] soluble. ◇ ** CONJUG. [4] como *realizar.*

soluble *adj.* Que se puede disolver o desleír. 2 fig. Que se puede resolver: *un problema* ~.

solución *f.* Acción de desatar o disolver. 2 Efecto de desatar o disolver. 3 Acción de resolver una duda o dificultad. 4 Efecto de resolver una duda o dificultad. 5 En el drama y poema épico, desenlace. 6 Desenlace o término de un proceso, negocio, etc. 7 Mezcla resultante de disolver un sólido, un líquido o un gas, en un líquido. 8 Estado del cuerpo disuelto en un líquido. 9 Cantidad que satisface las condiciones de un problema o una ecuación. 10 ~ *de continuidad,* interrupción o falta de continuidad; **línea.

solucionar *tr.* Resolver [un asunto], hallar solución o término [a un negocio].

soluto *m.* Substancia que está disuelta en otra.

solvencia *f.* Acción de solventar. 2 Efecto de solventar. 3 Calidad de solvente.

solventar *tr.* Arreglar [cuentas] pagando la deuda a que se refieren. 2 Dar solución [a un asunto difícil].

solvente *adj.* Que desata o resuelve. 2 Libre de deudas. 3 Capaz de satisfacerlas. 4 Capaz de cumplir debidamente un cargo, obligación, etc.

solla *f.* Pez marino teleósteo pleuronectiforme muy parecido al rodaballo, pero se distingue por las manchas anaranjadas que cubren su dorso, por ser de mayor tamaño y peso, y muy ligero *(Pleuronectes platessa).*

sollado *m.* Cubierta inferior del buque.

sollamar *tr.* Socarrar [una cosa] con la llama.

sollastre *m.* Pinche de cocina. 2 fig. Pícaro redomado.

solleta *f.* Pez marino teleósteo pleuronectiforme, parecido al lenguado, de color claro amarillento. Su carne no es muy apreciada *(Citharus linguatula).*

sollozar *intr.* Producir por un movimiento convulsivo varias inspiraciones bruscas, entrecortadas, seguidas de una espiración. ◇ ** CONJUG. [4] como *realizar.*

soma *f.* BIOL. Conjunto de las células de un organismo, con excepción de las germinales.

somanta *f.* Tunda, zurra.

somatar *tr. Amér. Central.* Dar una tunda, zurrar.

somatén *m.* Cuerpo de gente armada no perteneciente al ejército, que se reunía a toque de campana en un momento dado para perseguir a los criminales o defenderse del enemigo; actualmente no desempeña ninguna función y sólo se mantiene por tradición en algunos pueblos de Cataluña. 2 fig. *y* fam. Bulla, alarma, alboroto.

somático, -ca *adj.* Relativo a lo que es material y corpóreo en un ser animado, en oposición a psíquico. 2 [célula] Que se diferencia y forma los tejidos y órganos del cuerpo de un individuo, a diferencia de las que están destinadas a dar origen a un nuevo ser.

somatizar *tr.* Transformar los trastornos psíquicos en síntomas orgánicos y funcionales. ◇ ** CONJUG. [4] como *realizar.*

somatología *f.* Estudio comparativo de la estructura y desarrollo del cuerpo humano.

sombra *f.* Osbcuridad, falta de luz: *las sombras de la noche.* 2 Porción de espacio a la cual la interposición de un cuerpo opaco impide que lleguen los rayos de luz procedentes de un cuerpo luminoso. 3 Imagen obscura que sobre una superficie cualquiera proyecta un cuerpo opaco, al interceptar los rayos directos de la luz: *la ~ de una casa; la ~ de un árbol.* 4 Espectro o aparición de la imagen de una persona ausente o difunta. 5 fig. Obscuridad (en el alma). 6 fig. Asilo, favor, defensa. 7 fig. Apariencia o semejanza de una cosa. 8 fig. Mácula, defecto. 9 fig. Persona que sigue a otra por todas partes. 10 fam. Suerte (circunstancia). 11 fam. Gracia, donaire. 12 fig. Cantidad o parte pequeña de una cosa. 13 fig. Clandestinidad, desconocimiento público. 14 En radiodifusión, lugar en que, a causa de algún obstáculo, no se recibe la señal procedente de una emisora determinada. 15 ~ *de ojos,* producto cosmético de diversos colores que se aplica sobre el párpado. 16 TAUROM. Parte de la plaza que está protegida del sol. 17 *Amér. Central.* Guardapolvo de ventanas o puertas.

sombrajo *m.* Resguardo de ramas, mimbres, etc., para hacer sombra. 2 fam. Sombra que hace uno poniéndose ante la luz y moviéndose de modo que estorbe al que la necesita: *hacer sombrajos.*

sombreado *m.* Efecto de sombras que se obtiene en los dibujos de ciertos tejidos gracias a una trama de un color y la urdimbre de otro.

sombrear *tr.* Dar o producir sombra: ~ *un jardín;* ~ *una pintura.*

sombrerete *m.* Caperuza de una chimenea. 2 Sombrerillo de los hongos.

sombrerillo *m.* BOT. Disco de formas variadas, sostenido por un pedicelo y que constituye el aparato esporífero de muchos hongos.

sombrero *m.* Prenda de vestir, para cubrir la cabeza, que consta de copa y ala: ~ *a la chamberga* o *chambergo,* el de copa más o menos acampanada y de ala ancha levantada por un lado y sujeta con presilla; ~ *calañés* o *de Calañas,* el de ala vuelta hacia arriba y copa baja y más estrecha por la parte superior que por la inferior, usado por labriegos y gente del pueblo; ~ *cordobés,* el de fieltro, de ala ancha y plana, con copa baja cilíndrica; ~ *de candil, de tres candiles* o *tricornio,* el que teniendo levantada y abarquillada el ala por terceras partes, forma en su base un triángulo con tres picos a modo de los que sirven de mecheros en las candilejas; ~ *de tres picos,* el que está armado en forma de triángulo; sombrero de candil; ~ *de copa, de copa alta* o *redondo,* el de ala estrecha y copa alta, casi cilíndrica y plana por encima, generalmente forrado de felpa de seda negra; ~ *flexible,* el de fieltro sin apresto; ~ *gacho,* el de copa baja y ala ancha y tendida hacia abajo; ~ *hongo,* el de fieltro o castor, de copa aovada o chata. 2 Pieza circular de madera, que forma la parte superior del cabrestante.

sombrilla *f.* Quitasol. 2 Pequeño quitasol de mujer. 3 *And.* Paraguas.

sombrío, -a *adj.* Poco iluminado. 2 fig. Tétrico, melancólico.

somero, -ra *adj.* Que está casi encima o muy inmediato a la superficie. 2 fig. Ligero, superficial.

someter *tr.-prnl.* Hacer que una persona o cosa reciba o soporte cierta acción. 2 Sujetar, rendir, subyugar [a una persona, tropa o facción]. 3 Subordinar [su voluntad] a la de otra persona. – 4 *tr.* Proponer a la consideración de uno [razones, reflexiones, etc.]. 5 esp. Encomendar a uno la resolución [de un negocio].

somier *m.* Colchón de tela metálica. ◇ Pl.: *somieres.*

somnífero, -ra *adj.-m.* Que causa sueño; esp., los medicamentos.

somnílocuo, -cua *adj.-s.* Persona que habla durante el sueño.

somnolencia *f.* Pesadez y torpeza de los sentidos, motivada por el sueño. 2 Gana de dormir. 3 fig. Pereza, falta de actividad.

somnoliento, -ta *adj.* Que tiene somnolencia.

somontano, -na *adj.-s.* Terreno o región situados al pie de una montaña.

somonte *m.* Terreno situado en la falda de una montaña. – 2 *adj.* [mosto] Que aún no se ha convertido en vino.

somorgujar *tr.* Sumergir, chapuzar [a uno].

somormujo *m.* Ave podicipitiforme de pico recto y alas cortas que puede mantener por mucho tiempo la cabeza sumergida bajo el agua *(Podiceps cristatus).*

somorrar *tr.* Quemar, chamuscar.

son *m.* Sonido que afecta agradablemente al oído, especialmente el hecho con arte. 2 *fig.* Noticia, fama. 3 Tenor, modo o manera.

sonado, -da *adj.* Famoso (que tiene fama). 2 Divulgado con mucho ruido y admiración. 3 *adj.-m.* [boxeador] Que ha perdido facultades mentales como consecuencia de los golpes recibidos en los combates.

sonaja *f.* Par o pares de chapas de metal que, atravesados por un alambre, se colocan en algunos juguetes o instrumentos para hacerlas sonar agitándolas. – 2 *f. pl.* Instrumento músico rústico formado por un aro de madera delgada con varias sonajas colocadas en otras tantas aberturas.

sonajero *m.* Juguete con sonajas y cascabeles para entretener a los niños de pecho.

sonambulismo *m.* Sueño anormal durante el cual el paciente se levanta, anda y a veces habla.

sonámbulo, -la *adj.-s.* Persona que padece sonambulismo.

I) sonar *intr.* Hacer ruido una cosa: ~ *a hueco;* ~ *en,* o *hacia, tal parte.* 2 esp. Producir una letra un sonido. 3 Mencionarse, citarse: *su nombre no suena en aquella escritura.* 4 Tener una cosa visos o apariencia de algo: *la proposición sonaba a interés.* 5 Ofrecerse vagamente al recuerdo alguna cosa como ya oída anteriormente: *este nombre me suena.* 6 *Argent., Chile* y *Urug.* Morir o padecer una enfermedad mortal. 7 *Argent.* y *Chile.* Perder una posición o empleo, perder en el juego, etc. 8 *Argent.* y *Chile.* Sufrir las consecuencias de algún hecho o cambio. – 9 *tr.* Tocar [un instrumento] con arte y armonía. 10 Limpiar las narices con una espiración violenta: ~ *las narices; prnl., se suena continuamente.* – 11 *unipers.* Susurrarse, esparcirse rumores de una cosa: *por ahí suena,* o *se suena, que te casas.* ◇ ** CONJUG. [31] como *contar.*

II) sonar *m.* Equipo que, merced a la transmisión, reflexión y recepción de ondas sonoras o ultrasonoras, permite la detección y localización de objetos sumergidos, y sirve así de ayuda a la navegación.

sonata *f.* Composición musical para varios instrumentos que comprende varias partes de diferente carácter y movimiento.

sonatina *f.* Sonata corta.

sonda *f.* Acción de sondar. 2 Efecto de sondar. 3 Instrumento mecánico o eléctrico, que se usa para explorar zonas inaccesibles o de acceso difícil. 4 Cohete o globo provistos de instrumentos de medida, que se emplean en el estudio de la atmósfera libre. 5 Barreno que sirve para abrir en los terrenos agujeros de gran profundidad. 6 MAR. Instrumento propio

para medir la profundidad del fondo del mar, o la profundidad a que se hallan los objetos sumergidos en él por medio de ondas sonoras o ultrasonoras. 7 MED. Instrumento largo y delgado, a veces hueco, de material rígido o flexible, usado para explorar cavidades y conductos, para evacuar líquidos o para alimentar artificialmente.

sondaleza *f.* Maroma que se cruza de una a otra orilla de un río, dividida con señales para determinar los lugares en que se han verificado los diferentes sondeos.

sondar *tr.* Echar el escandallo [al agua] para averiguar la profundidad y la calidad [del fondo]. 2 Averiguar la naturaleza [del subsuelo] con una sonda. 3 *fig.* Inquirir con cautela la intención o discreción [de uno], o las circunstancias o estado [de una cosa]. 4 CIR. Introducir [en alguna parte del cuerpo] la sonda.

sondear *tr.* Sondar.

sondeo *m.* Acción de sondar o sondear. 2 Efecto de sondar o sondear. 3 Extracción de muestras de un terreno, mediante máquinas perforadoras, para su posterior examen. 4 Investigación de la atmósfera por medio de globos, aviones o cohetes. 5 Método estadístico de encuesta.

sonecillo *m.* Son que se percibe poco. 2 Son alegre y ligero.

sonería *f.* Conjunto de mecanismos que sirven para hacer sonar un reloj.

sonetillo *m.* Soneto de versos de ocho o menos sílabas.

soneto *m.* Composición poética de catorce versos, generalmente endecasílabos, distribuidos en dos cuartetos que repiten sus rimas y dos tercetos, por lo común encadenados: ~ *caudato,* soneto con estrambote.

sónico, -ca *adj.* Relativo a la velocidad del sonido: *muro* ~, aumento brusco y considerable de la resistencia del aire al avance de un avión, cuando éste, al aumentar su velocidad, alcanza la misma velocidad que tiene el aire en la atmósfera.

sonido *m.* Sensación producida en el órgano del oído por el movimiento vibratorio de los cuerpos, transmitido por un medio elástico, como el aire. 2 Hablando de las palabras, significación y valor literal que tienen en sí. 3 *fig.* Noticia, fama. 4 GRAM. Vocal y consonante que se pronuncia. Las letras son representaciones gráficas de los sonidos.

sonio *m.* FÍS. Unidad acústica usada para medir la sonoridad (sensación auditiva del sonido).

soniquete *m.* Sonecillo. 2 Sonsonete (tonillo).

sonógrafo *m.* Aparato que analiza los sonidos y los representa gráficamente.

sonómetro *m.* FÍS. Instrumento destinado

a medir y comparar los sonidos e intervalos musicales.

sonoridad *f.* Calidad de sonoro. 2 fís. Sensación auditiva del sonido.

sonorizar *tr.* Convertir [algo] en sonoro. 2 Colocar [una instalación] para amplificar los sonidos. 3 Instalar equipos sonoros en lugar cerrado o abierto, necesarios para obtener una buena audición. 4 Ambientar una escena, un programa, etc. mediante los sonidos adecuados. 5 Incorporar sonidos, ruidos, etc., a la banda de imágenes de cine, televisión o vídeo, previamente dispuesta. 6 GRAM. Convertir [una consonante sorda] en sonora: la *s* se sonoriza en la palabra *mismo*; la *t* del latín *rota* se ha sonorizado en *d, rueda*. ◇ ** CONJUG. [4] como *realizar*.

sonoro, -ra *adj.* Que suena o puede sonar. 2 Que suena bien: *voz sonora; período; instrumento ~.* 3 Que refleja el sonido de modo que se oiga bien: *bóveda, sala sonora.* 4 [cine, película] Que tiene sonido incorporado. 5 GRAM. [sonido] Que se produce con vibración de las cuerdas vocales.

sonreír *intr.-prnl.* Reírse levemente. 2 fig. Reír (ante algo). 3 Mostrarse favorable o halagüeño para uno algún asunto, suceso, etc. ◇ ** CONJUG. [37] como *reír*.

sonrisa *f.* Acción de sonreír o sonreírse.

sonrojar, sonrojear *tr.-prnl.* Hacer salir [a uno] los colores al rostro de vergüenza.

sonrosar *tr.* Dar, poner o causar color como de rosa: *el rubor sonrosó su cara.*

sonsacar *tr.* Sacar rateramente [algo] por debajo del sitio en que está. 2 Solicitar secretamente [a uno] para que deje el servicio que tiene y pase a otro. 3 fig. Procurar con maña que uno diga [lo que sabe y reserva]: *le he sonsacado el secreto.* ◇ ** CONJUG. [1] como *sacar*.

sonsonete *m.* Sonido que resulta de los golpecitos repetidos que se dan en alguna parte, imitando un son de música. 2 fig. Ruido, generalmente poco intenso y continuado, y por lo común desapacible. 3 fig. Tonillo o modo especial en la risa o en las palabras, que denota desprecio o ironía. 4 fig. Tonillo monótono del que habla o lee sin expresión.

soñador, -ra *adj.* Que sueña mucho. – 2 *adj.-s.* Que cuenta patrañas o les da crédito fácilmente. 3 fig. Que discurre sin tener en cuenta la realidad.

soñar *tr.* Representar en la fantasía [cosas o sucesos] durante el sueño; *intr., ~ con ladrones; ~ en un viaje.* 2 fig. Discurrir fantásticamente; dar por cierto lo que no lo es. – 3 *intr.* fig. Anhelar persistentemente una cosa: *~ con grandezas.* ◇ ** CONJUG. [31] como *contar*.

soñarrera *f.* fam. Sueño pesado.

soñera *f.* Propensión a dormir.

soñoliento, -ta *adj.* Acometido del sueño o muy inclinado a él. 2 Que está dormitando. 3 Que causa sueño. 4 Tardo o perezoso.

sopa *f.* Pedazo de pan empapado en cualquier líquido. 2 Plato compuesto de un líquido alimenticio y rebanadas de pan: *~ de leche.* 3 Plato compuesto de rebanadas de pan, fécula, arroz, fideos, etc., y el caldo de la olla u otro análogo en que se han cocido. 4 Pasta, fécula o verduras que se mezclan con el caldo en el plato de este mismo nombre. 5 Comida que dan a los pobres en los conventos: *~ boba.* – 6 *f. pl.* Rebanadas de pan que se cortan para echarlas en la sopa.

sopalancar *tr.* Meter la palanca debajo [de una cosa] para moverla. ◇ ** CONJUG. [1] como *sacar*.

sopanda *f.* Madero horizontal, apoyado por ambos extremos en jabalcones, para fortificar otro que está encima de él.

sopapo *m.* Golpe que se da con la mano debajo de la papada. 2 fam. Bofetón (bofetada).

sopeña *f.* Concavidad que forma una peña por su parte inferior.

sopera *f.* Vasija honda en que se sirve la sopa; **cocina.

sopero, -ra *adj.-m.* Plato hondo en que se come la sopa. – 2 *adj.-f.* Cuchara grande que sirve para tomar la sopa. – 3 *adj.* [pers.]. Aficionado a la sopa.

sopesar *tr.* Levantar [una cosa] como para tantear el peso que tiene. 2 fig. Examinar con atención el pro y el contra en un asunto.

I) sopetear *tr.* Mojar repetidas veces [el pan] en el caldo.

II) sopetear *tr.* fig. Maltratar o ultrajar [a uno].

I) sopetón *m.* Pan tostado que en los molinos se moja en aceite.

II) sopetón *m.* Golpe fuerte y repentino dado con la mano. 2 *De ~,* de improviso.

sopicaldo *m.* Caldo con muy pocas sopas.

¡sopla! Interjección con que se denota admiración o ponderación.

sopladero *m.* Abertura por donde sale con fuerza el aire de las cavidades subterráneas.

soplado, -da *adj.* fig. y fam. Demasiadamente pulido y compuesto. 2 fig. y fam. Estirado, engreído, entonado. 3 fam. Ebrio. – 4 *m.* Acción de soplar en la pasta de vidrio. 5 Efecto de soplar en la pasta de vidrio.

soplagaitas *adj.-com.* Tonto, estúpido, majadero. ◇ Pl.: *soplagaitas*.

soplamocos *m.* fam. Golpe que se da a uno en la cara, especialmente tocándole las narices. ◇ Pl.: *soplamocos*.

soplar *intr.-tr.* Despedir aire con violencia por la boca estrechando los labios: *no sople usted.* 2 p. anal. Despedir los fuelles u otros artificios adecuados el aire que han recibido. – 3 *intr.* Correr el viento, haciéndose sentir. – 4 *tr.* Apartar con el viento [una cosa]: *~ el polvo.* 5 Insuflar aire en la pasta de vidrio a fin de obtener las formas previstas. 6 Hinchar (dilatar). 7 fig. Hurtar o quitar [una cosa] a escondidas. 8 fig. Inspirar o sugerir [especies]: *sopla la musa sus versos.* 9 esp. *y* fig. Sugerir o apuntar a uno [la especie que debe decir y no acierta]: *le soplaron una pregunta en el examen.* 10 fig. Acusar, delatar: ~ *lo ocurrido.* – 11 **intr.-prnl.** fig. En el juego de damas y otros, quitar al contrario [la pieza] con que debió comer y no comió. – 12 **prnl.** fig. *y* fam. Beber mucho y a veces también comer.

sopleque *m. Argent.* Presumido, engreído.

soplete *m.* Instrumento constituido esencialmente por un tubo que aplica una corriente gaseosa a una llama para dirigirla sobre objetos que se han de someter a muy elevada temperatura. 2 Canuto de boj por donde se hincha de aire la gaita gallega.

soplillo *m.* Aventador (rueda). 2 Cosa muy delicada o leve. 3 Tela de seda muy ligera. 4 Bizcocho de pasta muy esponjosa.

soplo *m.* Acción de soplar. 2 Efecto de soplar. 3 Instante o brevísimo tiempo. 4 Aviso dado en secreto y con cautela. 5 Delación. 6 fig. Ruido de fondo de una grabación sonora. 7 MED. Ruido peculiar que se aprecia en la auscultación de distintos órganos y que puede ser normal o patológico.

soplón, -plona *adj.-s.* fam. Persona que acusa en secreto y cautelosamente. 2 *Amér. Central.* Apuntador.

soponcio *m.* fam. Desmayo, congoja.

sopor *m.* Estado morboso parecido a un sueño profundo. 2 fig. Adormecimiento, somnolencia.

soporífero, -ra *adj.-s.* Que inclina al sueño o que es propio para causarlo. 2 fig. Cargante, enfadoso.

soportal *m.* Espacio cubierto que en algunas casas precede a la entrada principal. 2 Pórtico a manera de claustro que tienen algunos edificios o manzanas de casas en sus fachadas y delante de las puertas y tiendas que hay en ellas: *los soportales de la plaza.*

soportar *tr.* Sostener o llevar sobre sí [una carga o peso]. 2 fig. Sufrir, tolerar, padecer, aguantar.

soporte *m.* Apoyo o sostén. 2 Utensilio de laboratorio, que consiste en una varilla metálica vertical, con pie suficientemente estable, sobre la cual pueden atornillarse pinzas, aros, etc., para sostener tubos y vasijas diversas.

soprano *m.* MÚS. La más aguda de las voces humanas, propia de las mujeres y niños. – 2 *com.* Persona que tiene voz de soprano.

sopuntar *tr.* Poner uno o varios puntos debajo de [una letra, palabra o frase].

sor *f.* Precediendo al nombre de ciertas religiosas, hermana: ~ *María.* ◇ Pl.: *sores.*

sora *f. Amér. Merid.* Bebida alcohólica que se hace con maíz fermentado en agua.

sorber *tr.* Beber aspirando: ~ *una horchata.* 2 fig. Atraer hacia dentro de sí [algunas cosas] aunque no sean líquidas: *la ciudad ha sorbido a los extranjeros.* 3 fig. Recibir o esconder una cosa hueca o esponjosa [a otra] dentro de sí o en concavidad: *el pan sorbe mucho vino; este cántaro sorbe mucha agua.* 4 fig. Absorber, tragar: *el mar sorbe los restos del naufragio.* 5 fig. Apoderarse del ánimo con avidez [de alguna especie apetecida].

sorbete *m.* Refresco azucarado de zumo de frutas, agua, leche, yemas de huevo, etc., al que se da cierto grado de congelación pastosa.

I) sorbo *m.* Acción de sorber. 2 Porción de líquido que se puede tomar de una vez en la boca. 3 fig. Cantidad pequeña de un líquido.

II) sorbo *m.* Árbol rosáceo, de hojas lobuladas, flores blancas en panículas umbeliformes y frutos ovados pardos *(Sorbus torminalis).*

sordera *f.* Privación o disminución de la facultad de oír.

sordez *f.* GRAM. Calidad de las consonantes sordas o ensordecidas.

sórdido, -da *adj.* Sucio (con manchas). 2 fig. Impuro, indecente. 3 fig. Mezquino, avariento.

sordina *f.* Pieza que puesta en un instrumento músico disminuye la intensidad de su sonido o modifica su timbre. 2 Pieza que para el mismo fin se pone en otros instrumentos. 3 Muelle que sirve en los relojes para impedir que suene la campana.

sordino *m.* Instrumento músico de cuerda parecido al violín.

sordo, -da *adj.-s.* Persona que no oye o no oye bien: ~ *a las voces;* ~ *de un oído.* 2 Callado, silencioso: *a la sorda;* **a lo** ~, o **a sordas,** sin ruido, sin sentir. 3 Que suena poco o sin timbre claro: *ruido* ~. 4 fig. Que no hace caso de las persuasiones y consejos. 5 GRAM. Sonido que se produce sin vibración de las cuerdas vocales; se opone a sonoro. 6 MAR. Mar o marejada que se experimenta en dirección diversa de la del viento reinante.

sordomudo, -da *adj.-s.* Persona que, por ser sordo de nacimiento, no ha aprendido a hablar.

soriano, -na *adj.-s.* De Soria. – 2 *m.* Variante regional del castellano, con influencias riojanas y vascas, hablada en Soria.

sorna *f.* Espacio o lentitud con que se hace una cosa. 2 fig. Disimulo y burla con que se hace o dice una cosa con alguna tardanza voluntaria.

soro *m.* Pequeño grupo de esporangios que se forma en el envés de las frondas de los **helechos.

soroche *m. Amér. Merid.* Malestar que se siente a grandes alturas en las cordilleras por rarefacción del aire.

sorosis *f.* Fruto compuesto, resultante de

una inflorescencia comprimida sobre un receptáculo convexo; como la mora. ◇ Pl.: *sorosis*.

sorprendente *adj.* Que sorprende o admira. 2 Peregrino, desusado, extraordinario.

sorprender *tr.* Coger desprevenido [a uno]: ~ *a uno con alguna noticia;* ~ *en el hecho.* 2 fig. Descubrir [lo que otro ocultaba o disimulaba]: ~ *un secreto.* – 3 *tr.-prnl.* fig. Conmover o maravillar [a uno] con algo imprevisto o raro: *sorprenderse de la bulla.*

sorpresa *f.* Acción de sorprender: *coger a uno de* ~, hallarle desprevenido, sorprenderle. 2 Efecto de sorprender. 3 Cosa que da motivo para que alguien se sorprenda: *en este sobre encontrarás una* ~. 4 Pequeña figura que, introducida en el interior del roscón de Reyes, se cree que da suerte al que le toca en el reparto del roscón.

sorpresivo, -va *adj.* *Amér.* Que envuelve o implica sorpresa.

sorra *f.* Arena gruesa que sirve de lastre. 2 Costado del vientre del atún.

sorrasear *tr.-prnl.* *And.* y *Méj.* Asar a medias en las brasas [algún alimento, especialmente carne].

sorrostrada *f.* Insolencia, descaro.

sortear *tr.* Someter [a persona o cosas] a la decisión de la suerte. 2 Lidiar a pie y hacer suertes [a los toros]. 3 fig. Evitar con maña o eludir [un compromiso, riesgo o dificultad].

sorteo *m.* Acción de sortear.

sortiaria *f.* Adivinación supersticiosa por cédulas o naipes.

sortija *f.* Anillo (joya). 2 Rizo del cabello en figura de anillo. 3 Juego de muchachos que consiste en adivinar a quién ha dado uno de ellos una sortija que hace además de dejar entre las manos de cada uno de los que juegan. 4 Pez marino teleósteo pleuronectiforme, parecido al lenguado de color gris amarillento (*Pegusa lascaris*). 5 *And.* y *P. Rico.* Aro que en los carros refuerza los cubos de las ruedas.

sortijero *m.* Platillo o cajita en que se depositan o guardan las sortijas.

sortilegio *m.* Adivinación que se hace por suertes supersticiosas. 2 Acción realizada por arte de magia. 3 fig. Atractivo irresistible que una persona o cosa ejerce sobre alguien.

sos *m.* Petición de auxilio o socorro hecha por un barco o avión en peligro. 2 p. ext. Petición de auxilio o socorro, en general.

sosa *f.* Óxido de sodio, base salificable muy cáustica.

sosañar *tr.* Denostar, reprender.

sosegado, -da *adj.* Quieto, pacífico por naturaleza o por su genio.

sosegar *tr.* Aplacar, tranquilizar: ~ *el tumulto.* 2 fig. Aquietar [las alteraciones del ánimo]. – 3 *intr.-prnl.* Descansar, aquietarse: *el mar sosiega* o *se sosiega.* – 4 *intr.* Dormir, descansar. ◇ ** CONJUG. [48] como *regar.*

soscgate *m.* *Argent.* y *Urug.* Reprimenda, de palabra o de obra, con que se corrige a una persona para que no continúe en lo que estaba haciendo o no lo repita.

sosera, -ría *f.* Insulsez, falta de gracia y de viveza. 2 Dicho o hecho insulso o sin gracia.

sosia *m.* Persona que tiene parecido con otra hasta el punto de poder ser confundida con ella.

sosiego *m.* Quietud, tranquilidad, serenidad, reposo.

soslayar *tr.* Poner [una cosa] ladeada para pasar una estrechura. 2 fig. Evitar con un rodeo [alguna dificultad]: ~ *la cuestión.*

soso, -sa *adj.* Que no tiene sal o tiene poca. 2 fig. [persona, acción o palabra] Que carece de gracia o viveza.

sosobrejuanete *m.* MAR. Verga que se cruza sobre los sobrejuanetes y vela que es larga en ella.

sospecha *f.* Acción de sospechar. 2 Efecto de sospechar.

sospechar *tr.* Aprehender o imaginar [una cosa] por conjeturas: ~ *infidelidad en alguno.* – 2 *intr.* Desconfiar, dudar: ~ *de un criado.*

sospechoso, -sa *adj.* Que da motivo para sospechar: ~ *a alguno;* ~ *de herejía;* ~ *en la fe;* ~ *por su comportamiento.* 2 Que sospecha. – 3 *m. f.* Individuo de conducta o antecedentes sospechosos.

sosquín *m.* Golpe que se da a traición.

sostén *m.* Acción de sostener. 2 Persona o cosa que sostiene. 3 Apoyo moral, protección. 4 Prenda de vestir interior que usan las mujeres para ceñir el pecho.

sostener *tr.-prnl.* Sustentar, mantener firme [una cosa]: ~ *la pared.* – 2 *tr.* Sustentar o defender [una proposición]. 3 Prestar apoyo o auxilio [a alguno]. 4 esp. Dar [a uno] lo necesario para su manutención: ~ *una familia numerosa.* 5 Realizar una acción durante cierto tiempo, hacerla de determinada manera, tomar una actitud y no variarla. – 6 *prnl.* Mantenerse un cuerpo en un medio sin caer o haciéndolo muy lentamente. ◇ ** CONJUG. [87] como *tener.*

sostenido, -da *adj.* [nota] Cuya entonación es un semitono más alta que la de su sonido natural. 2 fig. Persistente: *esfuerzos sostenidos.* 3 [pieza o figura] Que lleva debajo una pieza o figura unida a ella. – 4 *m.* MÚS. Figura de alteración que indica que la nota a la que precede queda elevada un semitono cromático durante todo el compás en que se encuentra dicha nota. 5 Movimiento de la danza española, que se hace levantando el cuerpo sobre las puntas de los pies y que puede ser más o menos rápido según el compás.

sota *f.* Carta décima de cada palo de la baraja española. 2 Mujer insolente y desvergonzada.

sotabanco *m.* Piso habitable colocado por encima de la cornisa general de la casa. 2 ARQ. Hilada colocada encima de la cornisa para levantar los arranques de un **arco o bóveda.

sotabarba *f.* Barba que se deja crecer por debajo de la barbilla.

sotana *f.* Vestido talar que usan los eclesiásticos y los legos que sirven en las funciones de la iglesia. 2 fig. Estado clerical.

sótano *m.* Pieza subterránea entre los cimientos de un edificio: ~ *de un* ***teatro.*

sotavento *m.* MAR. Costado de la nave opuesto al barlovento.

sotechado *m.* Cobertizo, techado.

soterrar *tr.* Enterrar (bajo tierra). 2 fig. Esconder o guardar [una cosa] de modo que no aparezca. ◇ ** CONJUG. [27] como *acertar.*

sotileza *f.* Parte más fina del aparejo de pescar donde va el anzuelo.

soto *m.* Terreno poblado de árboles y arbustos en las riberas o vegas. 2 Terreno poblado de malezas, matas y árboles.

sotobosque *m.* Vegetación formada por matas y arbustos que crece bajo los árboles de un bosque.

sotreta *f. Argent., Bol. y Urug.* Persona, animal o cosa que tiene muchos defectos.

soufflé *m.* Plato de origen francés, hecho a base de claras de huevo montadas y algún otro ingrediente, como queso, pescado, chocolate, etc. ◇ Se pronuncia *suflé.*

souvenir *m.* Objeto de recuerdo de algún lugar determinado. ◇ Se pronuncia *subenir.*

soviet *m.* Institución política fundamental del régimen comunista ruso, que consiste en una asamblea comunal de todos los ciudadanos que viven de su propio trabajo. 2 Agrupación de obreros y soldados durante la revolución rusa. 3 fig. *y* fam. Servicio o colectividad en que no se obedece a la autoridad jerárquica. ◇ Pl.: *soviets.*

soviético, -ca *adj.* Relativo a los soviets. 2 p. ext. Relativo a la U.R.S.S. – 3 *m.* Ciudadano de la U.R.S.S.

sovietizar *tr.* Someter [un país, una región, etc.] al régimen soviético. ◇ ** CONJUG. [4] como *realizar.*

sparring *m.* DEP. ANGL. Púgil con el que se entrena otro boxeador.

sport *m.* ANGL. Deporte. – 2 *loc. adj. De* ~, [indumentaria] de material y hechuras muy cómodos.

spot *m.* ANGL. Espacio publicitario televisivo.

spray *m.* ANGL. Envase de algunos líquidos mezclados con un gas a presión, de manera que al oprimir una válvula salga el líquido pulverizado.

sprint *m.* DEP. ANGL. Aceleración rápida del corredor o deportista en la carrera.

sprintar *tr.* Realizar un sprint.

sprínter *com.* Deportista especialista en el sprint.

squash *m.* DEP. ANGL. Deporte que se practica en un recinto cerrado entre dos jugadores que deben golpear con sus raquetas una pequeña pelota para que rebote contra cualquier pared y, tras botar en el suelo, quede fuera del alcance del adversario.

staff *m.* ANGL. Conjunto de personas que forman un cuerpo o gabinete de estudio e información.

stand *m.* ANGL. Pabellón, instalación montada en una exposición, feria, etc., para la venta o exhibición de productos.

standing *m.* ANGL. Nivel de vida; lujo, bienestar social.

stárter *m.* ANGL. Dispositivo de arranque del carburador del automóvil.

status *m.* Posición social que una persona ocupa dentro de un grupo o en la sociedad. ◇ Pl.: *status.*

stick *m.* DEP. ANGL. Bastón curvo con el que se practican ciertos deportes; como el hockey.

stock *m.* ANGL. Almacenamiento, existencias, reservas, surtido.

stop *m.* ANGL. Parada. 2 Señal de tráfico para expresar la detención.

stradivarius *m.* Violín de gran valor, fabricado por el italiano Antonio Stradivarius (¿1643?-1737).

strip-tease *m.* ANGL. Espectáculo durante el que se desnuda una persona. ◇ Se pronuncia *estriptís.*

su *adj. poses.* Apócope de los posesivos *suyo, suya,* usado únicamente antes del nombre: ~ *padre;* ~ *madre; sus padres; sus tías;* a veces tiene carácter de indeterminado: *distará sus dos kilómetros.* ◇ Pl.: *sus.*

suarismo *m.* Sistema escolástico contenido en las obras del jesuita español Francisco Suárez (1548-1617).

suasorio, -ria *adj.* lit. Relativo a la persuasión, o propio para persuadir.

suave *adj.* Liso y blando al tacto. 2 Dulce, grato a los sentidos. 3 fig. Tranquilo, manso. 4 fig. Lento, moderado. 5 fig. Dócil, apacible.

suavidad *f.* Calidad de suave.

suavizante *adj.* Que suaviza: *crema* ~. – 2 *m.* Líquido que se echa a las lavadoras automáticas durante el último aclarado para que la ropa quede perfumada y esponjosa.

suavizar *tr.* Hacer suave [una cosa]. ◇ ** CONJUG. [4] como *realizar.*

subacetato *m.* Acetato básico de plomo.

subacuático, -ca *adj.* Que se realiza debajo del agua: *actividades subacuáticas.*

subafluente *m.* Río o arroyo que desagua en un afluente.

subalar *adj.* Situado debajo de las alas de un avión.

subalterno, -na *adj.* Inferior, o que está debajo de una persona o cosa. – 2 *m.* Empleado de categoría inferior. 3 TAUROM.

Torero que forma parte de la cuadrilla de un matador.

subarrendar *tr.* Tomar en arriendo [una cosa] de otro arrendatario de la misma o darla éste en arriendo. ◇ ** CONJUG. [27] como *acertar.*

subasta *f.* Venta pública de bienes o alhajas que se hace al mejor postor. 2 Adjudicación de una contrata, generalmente de servicio público, hecha en la misma forma.

subastar *tr.* Vender [efectos] o contratar [servicios, arriendos, etc.] en pública subasta.

subatómico, -ca *adj.* Que tiene dimensiones inferiores a las del átomo: *partícula subatómica,* la constituyente del átomo.

subcampeón, -ona *adj.-s.* DEP. [deportista o equipo] Que queda en segundo lugar de una competición.

subcampeonato *m.* DEP. Segunda posición en una competición deportiva.

subclase *f.* Grupo taxonómico de animales y plantas que forman una categoría de clasificación entre la clase y el orden.

subclavio, -via *adj.* Situado debajo de la clavícula: *arteria, vena subclavia;* **circulación.

subcomisión *f.* Grupo de individuos de una comisión que tiene cometido aparte.

subconjunto *m.* Conjunto de elementos integrados en otro conjunto más amplio. 2 Parte de un conjunto.

subconsciencia *f.* Actividad mental que escapa a la introspección.

subconsciente *adj.* Que no es consciente. – 2 *m.* Subconsciencia.

subcontinente *m.* Parte amplia y delimitada de un continente con características propias.

subcostal *adj.* Que está debajo de las costillas.

subcultura *f.* Cultura decadente, inferior.

subcutáneo, -a *adj.* Que está o se desarrolla inmediatamente debajo de la piel. 2 Que se introduce debajo de la piel: *inyección subcutánea.*

subdelegado, -da *adj.-s.* Que sirve inmediatamente a las órdenes del delegado o le sustituye en sus funciones.

subdesarrollado, -da *adj.* [país] De economía pobre y atrasada, organización primaria y bajo nivel de vida.

subdesarrollo *m.* Desarrollo incompleto o deficiente con relación a las propias posibilidades o al desarrollo alcanzado por otros. 2 ECON. Situación económica y social propia de los países subdesarrollados.

subdesértico, -ca *adj.* Que se encuentra o manifiesta en los márgenes del desierto. 2 Que presenta características atenuadas de lo desértico.

subdirector, -ra *m. f.* Persona que sirve inmediatamente a las órdenes del director o le substituye en sus funciones.

subdistinguir *tr.* Distinguir en lo ya distinguido. ◇ ** CONJUG. [8] como *distinguir.*

súbdito, -ta *adj.-s.* Sujeto a la autoridad de un superior, con obligación de obedecerle. – 2 *m. f.* Natural o ciudadano de un país en cuanto sujeto a las autoridades políticas de éste.

subdividir *tr.-prnl.* Dividir [una parte de lo que ya ha sido dividido anteriormente].

subducción *f.* GEOL. Proceso por el que la corteza oceánica se hunde bajo la continental.

subduplo, -pla *adj.* MAT. [número o cantidad] Que es mitad exacta de otro u otra.

subecuatorial *adj.* Que se halla entre el ecuador y los trópicos. 2 Propio o relativo a dicha zona.

subemplear *tr.-prnl.* Emplear en unas condiciones inferiores a las normales.

subempleo *m.* ECON. Falta de empleo (de una parte de la mano de obra).

súber *m.* BOT. Variedad de tejido protector o epidérmico, formado por células muertas, que cubre externamente a los vegetales de más de un año; **tallo.

suberificarse *prnl.* Convertirse en corcho la parte externa de la corteza de los árboles. ◇ ** CONJUG. [1] como *sacar.*

suberina *f.* Substancia impermeable de naturaleza grasa, característica del corcho.

suberoso, -sa *adj.* Parecido al corcho.

subespecie *f.* Nueva división de la especie.

subestación *f.* Conjunto de transformadores, convertidores, interruptores, etc., destinados a la alimentación de una red de distribución de energía eléctrica.

subestimar *tr.* Estimar [a una persona o cosa] en menos de lo que merece o vale.

subfebril *adj.* MED. Que tiene una temperatura anormal, comprendida entre 37,5 y 38 grados.

subfusil *m.* Arma de fuego y automática, de culata plegable y uso individual.

subgénero *m.* Grupo taxonómico de animales y plantas que forman una categoría de clasificación entre el género y la especie.

subida *f.* Acción de subir. 2 Efecto de subir. 3 Lugar en declive, que va subiendo. 4 fig. Efecto producido tras el consumo de droga; en gral., pronto (movimiento repentino).

subido, -da *adj.* Perteneciente o relativo a lo más fino y acendrado en su especie. 2 [color u olor] Que impresiona fuertemente la vista o el olfato. 3 Muy elevado, que excede el término ordinario. 4 [planta] Espigado. 5 fig. *y* fam. Envanecido, creído.

subíndice *m.* MAT. Letra o número que se añade a un símbolo para distinguirlo de otros semejantes. Se coloca a la derecha de aquél y algo más abajo.

subinspector, -ra *m. f.* Jefe inmediato después del inspector.

subir *intr.* Pasar de un sitio o lugar a otro superior o más alto: ~ *a un árbol;* ~ *a,* o *en, lo alto de una montaña;* ~ *a,* o *en, el coche;* ~ *de la bodega;* ~ *sobre la mesa.* 2 Cabalgar, montar: ~ *a caballo; sube en un caballo alazán.* 3 Colocarse en un vehículo. 4 Crecer en altura ciertas cosas: *ha subido el río; va subiendo la pared.* 5 Importar una cuenta: *la deuda sube a mil pesetas.* 6 fig. Ascender en dignidad o empleo, o crecer en hacienda. 7 fig. Agravarse o difundirse ciertas enfermedades: ~ *la fiebre;* ~ *la epidemia.* 8 fig. Ir en aumento el efecto de la droga. 9 MÚS. Elevar la voz o el sonido de un instrumento de un tono a otro más agudo. – 10 *tr.* Recorrer [un espacio] yendo hacia arriba; remontar: ~ *una cuesta, una escalera.* 11 Trasladar [a una persona o cosa] a un lugar más alto que el que ocupaba: ~ *a un niño en el coche;* ~ *las pesas del reloj;* **prnl.,** *el niño se sube en el coche; las pesas del reloj se suben.* 12 Hacer más alta [una cosa]; irla aumentando hacia arriba: ~ *una pared.* 13 Enderezar o poner vertical [una cosa que estaba inclinada]: *sube esa cabeza; sube esos brazos.* 14 fig. Dar a las cosas más precio o estimación de la que tenían: *el cosechero ha subido el vino; el vino sube.*

súbito, -ta *adj.* Improviso, repentino. 2 Precipitado o violento en las obras o palabras.

subjefe *com.* Persona que hace las veces de jefe y sirve a sus órdenes.

subjetividad *f.* Calidad de subjetivo.

subjetivismo *m.* Doctrina epistemológica que limita la validez del conocimiento al sujeto que conoce y juzga, ya sea éste el sujeto individual o el individuo humano, ya sea el sujeto general o el género humano. 2 Doctrina ética que declara como fin de la acción moral la realización de un estado subjetivo, del placer o de la felicidad; como el hedonismo y el eudemonismo.

subjetivo, -va *adj.* Perteneciente o relativo al sujeto. 2 Relativo a nuestro modo de pensar o de sentir, y no al objeto en sí mismo.

subjuntivo, -va *adj.* Que se adjunta como elemento subordinado. V. modo subjuntivo; **"verbo** (uso de los modos).

sublevar *tr.-prnl.* Alzar en sedición o motín: ~ *al pueblo; sublevarse los soldados.* – 2 *tr.* fig. Excitar indignación, ira o protesta: *el hecho le sublevó.*

sublimación *f.* Acción de sublimar. 2 Efecto de sublimar.

sublimado *m.* QUÍM. Substancia obtenida por sublimación.

sublimar *tr.* Engrandecer, ensalzar. 2 Volatilizar un cuerpo sólido y volverlo sólido otra vez sin pasar aparentemente por el estado líquido. 3 En el psicoanálisis, resolver un estado o sedimento morboso en una actividad moral o intelectualmente generosa o superior.

sublime *adj.* Excelso, eminente. – 2 *adj.-s.* Emoción estética que nos produce lo bello cuando va acompañado de grandiosidad o elevación inabarcables para el entendimiento. ◇ GALIC.: *el sublime,* por *lo sublime.*

subliminal *adj.* Carácter de aquellas percepciones sensoriales, u otras actividades psíquicas, de las que el sujeto no llega a tener conciencia. 2 Que está por debajo de las posibilidades de percepción visual o sonora del hombre.

sublimizar *tr.* Sublimar, engrandecer, exaltar, ensalzar. ◇ ** CONJUG. [4] como *realizar.*

sublingual *adj.* Situado debajo de la lengua: *glándula* ~; **boca.

**submarinismo *m.* Conjunto de las actividades que se realizan bajo la superficie del mar, con fines científicos, deportivos, militares, etc. 2 Conjunto de conocimientos y técnicas necesarios para practicar tales actividades.

submarinista *adj.-s.* Que practica el **submarinismo. – 2 *adj.* Perteneciente o relativo al submarinismo. – 3 *m.* Individuo de la Armada especializado en el servicio de submarinos.

submarino, -na *adj.* Que está bajo la superficie del mar. 2 Perteneciente o relativo a lo que está o se efectúa debajo de la superficie del mar. – 3 *m.* Buque submarino. 4 fig. Infiltrado.

submaxilar *adj.* Situado debajo de la mandíbula inferior.

submúltiplo, -pla *adj.-s.* Número o cantidad que otro u otra contiene exactamente dos o más veces.

subnesosilicatos *m. pl.* Grupo de silicatos caracterizado por presentar sus tetraedros aislados y por intervenir en su estructura interna aniones extraños.

subnormal *adj.* Inferior a lo normal. – 2 *adj.-com.* Persona afectada de una deficiencia mental de carácter patológico.

subnota *f.* Nota puesta a otra nota de un escrito o impreso.

suboficial *m.* Categoría militar que comprende los grados superiores a los de tropa e inferiores a los de oficial.

suborden *m.* Grupo taxonómico de animales y plantas que forma una categoría de clasificación entre el orden y la familia.

subordinación *f.* Sujeción a la orden o dominio de uno. 2 GRAM. Dependencia en que se hallan ciertos elementos gramaticales con respecto a otros.

subordinado, -da *adj.-s.* [pers.] Sujeto a otra. 2 GRAM. [palabra u oración] Que depende gramaticalmente de otra. V. oración subordinada.

subordinante *adj.-f.* GRAM. Principal (oración). 2 GRAM. ****Conjunción ~,** la que enlaza la oración principal con la subordinada e indica el carácter de esta subordinación.

subordinar *tr.-prnl.* Sujetar [pers. o cosas] a la dependencia de otras. 2 Clasificar [algunas cosas inferiores en orden] respecto de otras. 3 GRAM. Supeditar unos elementos gramaticales a otros: *el verbo subordina a los complementos; los complementos se subordinan al verbo.*

subproducto *m.* Producto que se obtiene en una operación además del principal.

subproletariado *m.* Proletariado de condiciones económicas ínfimas.

subranquial *adj.* Situado debajo de las branquias.

subrayar *tr.* Señalar por debajo con una raya en lo escrito [una letra, palabra, etc.]. Sirve especialmente para indicar que en lo impreso [lo subrayado] se ha de poner en cursiva. 2 fig. Recalcar [las palabras].

subregión *f.* Área geográfica con características propias en el interior de una región más amplia.

subreino *m.* Grupo taxonómico que forma una categoría de clasificación entre el reino y el tipo: protozoos, parazoos y metazoos.

subrepticio, -cia *adj.* Que se hace o toma ocultamente y a escondidas.

subrogar *tr.-prnl.* DER. Sustituir o poner una persona o cosa en lugar [de otra]. ◇ ** CONJUG. [7] como *llegar.*

subsanar *tr.* Remediar [un defecto] o resarcir [un daño]. 2 Resolver o solucionar [una dificultad].

subscapular *adj.-m.* Músculo situado debajo del omóplato.

subscribir *tr.* Firmar al fin [de un escrito]. 2 Obligarse uno a pagar [una parte de un empréstito] o a adquirir [un número de acciones u obligaciones] de una sociedad mercantil. 3 fig. Convenir [con el dictamen] de otro. – 4 *prnl.* Obligarse uno a contribuir como otros al pago de una cantidad para cualquier obra. – 5 *prnl.-tr.* Abonarse para recibir alguna publicación periódica. ◇ También *suscribir.* ◇ CONJUG.: pp. irreg.: *subscrito.*

subscriptor, -ra *m. f.* Persona que subscribe o se subscribe.

subsecretaría *f.* Empleo y oficina del subsecretario. 2 Conjunto de servicios y funciones de un Ministerio dirigidos por un subsecretario.

subsecretario, -ria *m. f.* Persona que hace las veces de secretario. – 2 *m.* En España, jefe superior de un departamento ministerial, después del ministro.

subseguir *intr.-prnl.* Seguir una cosa inmediatamente a otra. ◇ ** CONJUG. [56] como *seguir.*

subsidiar *tr.* Conceder subsidio (socorro) [a una persona o corporación]. ◇ ** CONJUG. [12] como *cambiar.*

subsidiario, -ria *adj.* Que se da en socorro o subsidio a uno. 2 DER. [acción o responsabilidad] Que suple o robustece a otra principal. 3 ANGL. Auxiliar.

subsidio *m.* Socorro o auxilio extraordinario de carácter económico. 2 Contribución impuesta al comercio y a la industria. 3 Ayuda

SUBMARINISMO

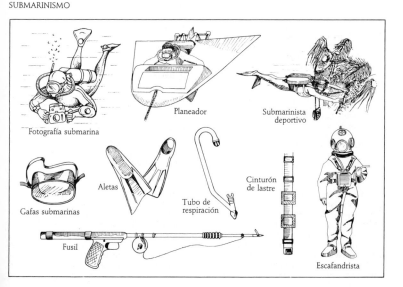

Fotografía submarina

Planeador

Submarinista deportivo

Gafas submarinas

Aletas

Tubo de respiración

Cinturón de lastre

Fusil

Escafandrista

económica, generalmente de carácter oficial, que se otorga para satisfacer determinadas necesidades: ~ *familiar,* suplemento salarial que, generalmente con carácter temporal, concede el Estado en concepto de ayuda, a las familias numerosas; ~ *de paro* o *de desempleo,* aportación económica substitutiva del salario que el Estado entrega a la población activa, o parte de ella, que no tiene trabajo remunerado.

subsiguiente *adj.* Después del siguiente.

subsistencia *f.* El hecho de subsistir. 2 Conjunto de medios necesarios para el sustento de la vida humana: *las subsistencias escasean.*

subsistir *intr.* Permanecer, durar una cosa o conservarse. 2 Vivir, mantener la vida: ~ *del,* o *con el, auxilio ajeno.* 3 FIL. Existir con todas las condiciones propias de su ser o de su naturaleza.

subsolano *m.* Viento del este.

subsolar *tr.* Remover [el suelo] por debajo de la capa arable, o roturar a bastante profundidad, sin voltear la tierra.

subsónico, -ca *adj.* De velocidad inferior a la del sonido.

substancia *f.* Lo que hay de permanente en un ser, a lo cual son inherentes las cualidades, estados y actividades perceptibles. 2 Materia de que están formados los cuerpos; constituyen diversas clases que se distinguen entre sí por un conjunto de propiedades: *una* ~ *mineral; una* ~ *medicinal;* ~ *blanca,* una de las dos de que se compone el encéfalo y la medula espinal, la que tiene este color; ~ *gris,* la que con la blanca forma el encéfalo y la medula espinal; en ésta, la gris ocupa el centro, y en aquél, la periferia. 3 Cosa con que otra se alimenta y nutre y sin la cual se acaba. 4 Parte nutritiva de los alimentos. 5 Jugo que se extrae de ciertas materias alimenticias. 6 Valor y estimación que tienen las cosas: *trabajo de* ~. 7 fig. *y* fam. Juicio, madurez: *hombre sin* ~. 8 FIL. Entidad o esencia que subsiste o existe por sí. 9 LING. Conjunto de elementos materiales de una lengua, tanto en el plano de la expresión como en el del contenido, estudiados, respectivamente, por la fonética y la semántica.

substancial *adj.* Perteneciente o relativo a la substancia. 2 Substancioso. 3 Relativo a lo esencial y más importante de una cosa.

substanciar *tr.* Compendiar, extractar: ~ *un expediente.* ◇ ** CONJUG. [12] como *cambiar.*

substancioso, -sa *adj.* Que tiene substancia (jugo o valor), o que la tiene abundante. 2 Que tiene virtud nutritiva.

substantivar *tr.* GRAM. Dar función y significado de substantivo [a palabras y frases que ordinariamente tienen otro valor].

substantividad *f.* Calidad de substantivo. 2 Existencia real, independencia, individualidad.

substantivo, -va *adj.* Que tiene existencia real, independiente, individual. – 2 *adj.-s.* GRAM. *Nombre* ~, v. nombre. 3 *Verbo* ~, el verbo *ser.* 4 *Oración substantiva,* la que tiene predicado nominal y contiene verbo copulativo: *ser, estar, existir,* etc. ◇ V. Apéndice gramatical.

substituir *tr.* Poner [a una persona o cosa] en lugar de otra: ~ *a uno;* ~ *por alguno;* ~ *una cosa con otra;* ~ *un poder en alguno.* ◇ También *sustituir.* ◇ ** CONJUG. [62] como *huir.*

substitutivo, -va *adj.-m.* Substancia que puede reemplazar a otra en el uso.

substituto, -ta *m. f.* Persona que hace las veces de otra en empleo o servicio. 2 GRAM. Término que desempeña la función gramatical de representante de otra palabra.

substraendo *m.* MAT. Cantidad que ha de restarse de otra.

substraer *tr.* Apartar, separar, extraer: ~ *una parte del todo.* 2 Hurtar, robar fraudulentamente. 3 MAT. Restar. – 4 *prnl.* Faltar al cumplimiento de un deber, de una palabra, desistir de lo que se tenía proyectado, etc.: *substraerse a,* o *de, la obediencia.* ◇ ** CONJUG. [88] como *traer.*

substrato *m.* BIOL. Lugar que sirve de asiento a una planta o animal fijo. 2 FILOL. Lengua que, hablada en un territorio sobre el cual se ha implantado otra lengua, se ha extinguido pero ha legado algunos rasgos a esta última. 3 FILOL. Influencia que ha quedado en un idioma de la lengua que con anterioridad se habló en un mismo territorio: ~ *ibérico;* ~ *celta.* 4 GEOL. Terreno que se halla bajo una capa sobrepuesta. 5 QUÍM. Substancia sobre la que se ejerce la acción de un fermento.

subsuelo *m.* Terreno que está debajo de la capa laborable o, en general, debajo de una capa de tierra. 2 Parte profunda del terreno a la cual no llegan los aprovechamientos superficiales de los predios.

subsumir *tr.* Incluir algo como componente en una síntesis o clasificación más abarcadora. 2 Considerar algo como parte de un conjunto más amplio o como caso particular sometido a un principio o norma general.

subteniente *m.* MIL. Empleo superior del cuerpo de suboficiales.

subterfugio *m.* Efugio, escapatoria.

subterráneo, -a *adj.* Que está debajo de tierra. – 2 *m.* Lugar o espacio que está debajo de tierra. 3 *Argent. y Urug.* Ferrocarril subterráneo.

subtipo *m.* Grupo taxonómico de animales y plantas que forma una categoría de clasificación entre el tipo y la clase.

subtitular *tr.* Poner subtítulo [a una cosa].

subtítulo *m.* Título secundario puesto a veces después del principal; **periódico. 2 En las películas cinematográficas en versión original, escrito superpuesto a las imágenes que traduce los diálogos de los actores.

subtropical *adj.* Que se halla bajo los trópicos.

suburbano, -na *adj.-s.* Edificio, terreno o campo próximo a la ciudad. – 2 *adj.* Perteneciente o relativo a un suburbio. – 3 *m.* Habitante de un suburbio.

suburbio *m.* Barrio, arrabal o aldea cerca de una gran ciudad y dentro de su jurisdicción; esp., el habitado por gente de débil condición económica.

subvalorar *tr.-prnl* Dar o atribuir a una cosa menos valor o importancia de la que en realidad tiene.

subvención *f.* Acción de subvenir. 2 Efecto de subvenir. 3 Cantidad con que se subviene; esp., en lenguaje administrativo, cantidad con que el Estado u otra corporación pública dota una institución, servicio, etc., que no administra directamente.

subvencionar *tr.* Favorecer con una subvención: ~ *una publicación.*

subvenir *tr.* Auxiliar, socorrer: ~ *a las necesidades de uno.* 2 Costear, sufragar el pago de cierta cosa. ◇ ** CONJUG. [90] como *venir.*

subversivo, -va *adj.* Capaz de subvertir, especialmente el orden social o moral establecido, o que tiende a ello.

subvertir *tr.* Trastornar, revolver, destruir. Úsase generalmente en sentido moral: ~ *las costumbres.* ◇ ** CONJUG. [35] como *hervir.*

subyacer *intr.* Yacer o estar echado debajo de otra cosa. ◇ ** CONJUG. [92] como *yacer.*

subyugar *tr.-prnl.* Avasallar, dominar poderosa o violentamente: ~ *a un país.* ◇ ** CONJUG. [7] como *llegar.*

succionar *tr.* Chupar, extraer algún jugo o cosa análoga con los labios. 2 Absorber.

sucedáneo, -a *adj.-m.* Substancia que, por tener propiedades parecidas a las de otra, puede reemplazarla.

suceder *intr.* Estar una persona o cosa en lugar de otra o seguirse a ella: ~ *a Pedro en el empleo.* 2 Entrar como heredero o legatario en posesión de los bienes de un difunto. 3 Descender, proceder. – 4 *unipers.* Efectuarse un hecho: *sucedió con Pedro lo que con Juan.*

sucedido *m.* fam. Suceso, hecho, caso.

sucesión *f.* Acción de suceder. 2 Efecto de suceder. 3 Conjunto de bienes, derechos y obligaciones que, al morir una persona, son transmisibles a sus herederos o a sus legatarios. 4 Prole, descendencia directa. 5 Entrada o continuación de una persona o cosa en lugar de otra. 6 Prosecución, continuación ordenada de personas, cosas, sucesos, etc. 7 MAT. Conjunto ordenado de términos, que cumplen una ley determinada. 8 H. NAT. Proceso ordenado de desarrollo del ecosistema en que las comunidades se van substituyendo a lo largo del tiempo.

sucesivo, -va *adj.* Que sucede o se sigue a otra cosa.

suceso *m.* Cosa que sucede, especialmente si es de alguna importancia. 2 Transcurso del tiempo. 3 Hecho delictivo o accidente desgraciado.

sucesor, -ra *adj.-s.* Que sucede a uno o sobreviene en su lugar.

suciedad *f.* Calidad de sucio. 2 Inmundicia, porquería. 3 Basura, polvo, manchas o cualquier cosa que ensucia. 4 fig. Dicho o hecho sucio.

sucintarse *prnl.* Ceñirse, ser sucinto.

sucinto, -ta *adj.* Recogido o ceñido por abajo. 2 Breve, compendioso.

sucio, -cia *adj.* Que tiene manchas o impurezas. 2 Que se ensucia fácilmente. 3 Que produce suciedad. 4 fig. Manchado con pecados o con imperfecciones. 5 fig. Deshonesto u obsceno. 6 fig. [color] Confuso y turbio. 7 fig. Con daño, infección o impureza. – 8 *adv. m.* fig. Hablando de algunos juegos, sin la debida observancia de sus reglas.

sucre *m.* Moneda ecuatoriana de plata.

súcubo *adj.-s.* Demonio que, según la opinión vulgar, tiene trato pecaminoso con un hombre, bajo la apariencia de mujer.

sucucho *m.* Rincón, ángulo entrante que forman dos paredes.

suculento, -ta *adj.* Substancioso, muy nutritivo.

sucumbir *intr.* Ceder, rendirse, someterse. 2 Morir, perecer.

sucursal *adj.-f.* Establecimiento que sirve de ampliación a otro central del cual depende.

súchil *m.* Árbol apocináceo de buena madera y de flores hermosas y aromáticas *(Talauma plumieri).*

sudación *f.* Exudación. 2 Exhalación del sudor, especialmente la abundante, provocada con fines terapéuticos.

sudadera *f.* Prenda, habitualmente de tejido plástico, que usan ciertos deportistas para favorecer la sudación.

sudadero *m.* Lienzo con que se limpia el sudor. 2 Mandil (paño). 3 Lugar en el baño destinado para sudar.

sudafricano, -na *adj.-s.* De África del sur. 2 De la República de Sudáfrica, nación de África meridional.

sudamericano, -na *adj.-s.* De América del sur.

sudanés, -nesa *adj.-s.* Del Sudán, nación de África central.

sudar *intr.-tr.* Exhalar el sudor: ~ *como un esclavo;* ~ *el agua que se ha bebido.* 2 p. ext. y fig. Destilar las plantas [algunas gotas de jugo]: ~ *las castañas después de tostadas;* ~ *agua y miel.* – 3 *intr.* fig. Destilar agua algunas cosas impregnadas de humedad: ~ *la pared.* 4 fam. Trabajar con fatiga y desvelo. – 5 *tr.* Empapar en sudor: ~ *la ropa.* 6 fig. y fam. Conseguir una cosa con mucho esfuerzo.

sudario *m.* Lienzo que se pone sobre el rostro de los difuntos o en que se envuelve el cadáver.

sudeste *m.* Punto del horizonte entre el sur y el este, a igual distancia de ambos. 2 Viento que sopla de esta parte.

sudista *com.* Persona que, en la guerra de Secesión estadounidense, era partidaria del Sur.

sudoeste *m.* Punto del horizonte entre el sur y el oeste, a igual distancia de ambos. 2 Viento que sopla de esta parte.

sudor *m.* Serosidad clara y transparente secretada por las glándulas sudoríparas de la piel. 2 fig. Jugo que sudan las plantas. 3 fig. Gotas que salen y se destilan de las cosas que contienen humedad. 4 fig. Trabajo y fatiga. – 5 *m. pl.* Curación que se hace en los enfermos aplicándoles medicinas que les obliguen a sudar copiosa o frecuentemente.

sudorífico, -ca *adj.-m.* Medicamento que hace sudar.

sudoríparo, -ra *adj.* Que segrega el sudor: *glándulas sudoríparas.*

sudoroso, -sa *adj.* Que está sudando mucho. 2 Muy propenso a sudar.

sudras *m. pl.* Casta religiosa de la India, a la que pertenecen los obreros y labradores.

sudsudeste *m.* Punto del horizonte que media entre el sur y el sudeste. 2 Viento que sopla de esta parte.

sudsudoeste *m.* Punto del horizonte que media entre el sur y el sudoeste. 2 Viento que sopla de esta parte.

suecia *f.* Piel de calidad muy fina, empleada especialmente para hacer guantes.

sueco, -ca *adj.-s.* De Suecia, nación de la Europa septentrional. – 2 *m.* Idioma sueco, uno de los dialectos del nórdico.

suegro, -gra *m. f.* Padre o madre del marido respecto de la mujer, o de la mujer respecto del marido. – 2 *f.* Parte, en la rosca del pan, que corresponde a los extremos del rollo de masa y suele ser lo más delgado y cocido.

suela *f.* Parte del calzado que toca al suelo. 2 Planta de las pezuñas de las reses. 3 Cuero vacuno curtido. 4 Pedazo de cuero que se pega a la punta del taco con que se juega al billar. 5 Madero puesto debajo de un tabique para levantarlo.

sueldo *m.* Antigua moneda de diversos países, equivalente a la vigésima parte de la libra respectiva. 2 Remuneración asignada a un individuo por el desempeño de un cargo o servicio profesional: *a* ~, mediante retribución fija.

suelo *m.* Superficie de la tierra: ~ *natal,* patria. 2 fig. Tierra o mundo. 3 Territorio (de una nación). 4 Sitio o solar de un edificio. 5 Pavimento. 6 Piso de un cuarto o vivienda. 7 fig. Superficie inferior de algunas cosas: *el* ~ *de una vasija.* 8 DEP. En **gimnasia deportiva y rítmica, superficie tapizada de doce metros cuadrados donde se efectúan diversos ejercicios. – 9 *m. pl.* Grano que, recogida la parva, queda en la era. 10 Paja o grano que queda de un año a otro en los pajares o en los graneros.

suelto, -ta *adj.* Ligero, veloz. 2 Expedito, ágil. 3 Tratándose del lenguaje, estilo, etc., fácil, corriente. 4 Libre, atrevido. 5 [pers.] Que padece diarrea. 6 Poco compacto, disgregado. 7 Separado y que no hace juego ni forma con otras cosas la unión debida: *piezas sueltas de una máquina.* 8 Holgado, no ceñido: *un vestido* ~. 9 No envasado o no empaquetado. – 10 *adj.-m.* Conjunto de monedas fraccionarias de plata o calderilla. – 11 *m.* Escrito inserto en un periódico que no tiene la extensión del artículo ni es mera gacetilla.

sueño *m.* Acto de dormir. 2 Gana de dormir. 3 Acto de representarse en la fantasía de uno, mientras duerme, sucesos o especies. 4 Estos mismos sucesos o especies que se representan. 5 Cosa fantástica y sin fundamento o razón. 6 ~ *dorado,* anhelo, ilusión halagüeña, desiderátum.

suero *m.* Parte acuosa de la sangre y otros líquidos animales que se separa del coágulo de estos humores cuando salen del organismo. 2 MED. Disolución en agua de ciertas sales, o suero del hombre, o de ciertos animales, preparado convenientemente, que se administra en inyecciones.

suerte *f.* Encadenamiento de los sucesos, considerado como fortuito o casual: *lo que la* ~ *dispone.* 2 Circunstancia de ser, por mera casualidad, favorable o adverso lo que sucede: *tuve mala* ~. 3 Suerte favorable: *que la* ~ *te acompañe.* 4 Aquello que ocurre o puede ocurrir para bien o para mal de personas o cosas: *qué nos depara la* ~. 5 Medio casual empleado para adivinar lo por venir; como abrir un libro al azar e interpretar las primeras palabras. 6 Casualidad a que se fía la resolución de una cosa: *elegir por* ~ *a uno.* 7 esp. Sorteo hecho para elegir los mozos destinados a cubrir el cupo del servicio militar. 8 Lance de la lidia taurina: ~ *de varas, de banderillas, de matar.* 9 Estado, condición. 10 Género o especie de una cosa: *toda* ~ *de vinos.* 11 Manera de hacer una cosa: *hay que guardarlo de* ~ *que no se estropee.* 12 Parte de tierra de labor separada de otras por sus lindes.

suéter *m.* Especie de jersey de lana. ◇ Pl.: *suéteres.*

suevo, -va *adj.-s.* De Suevia. 2 Individuo de unas tribus germánicas que en el siglo V invadieron las Galias y parte de España.

suficiencia *f.* Capacidad, aptitud. 2 fig. y desp. Presunción, engreimiento.

suficiente *adj.* Bastante para lo que se necesita. 2 Apto o idóneo. 3 fig. Pedante, que habla con afectación de magisterio.

sufijación *f.* Añadidura de sufijos.

sufijal *adj.* GRAM. Con forma o función de sufijo. 2 Relativo a los sufijos.

sufijar *tr.-prnl.* GRAM. En la derivación de palabras, añadir sufijos.

sufijo, -ja *adj.-m.* GRAM. Afijo que se coloca detrás de las palabras para formar derivados.

sufragáneo, -a *adj.* Que depende de la jurisdicción y autoridad de alguno.

sufragar *tr.* Ayudar o favorecer [a uno]. 2 Costear, satisfacer: ~ *los gastos.* – 3 *intr.* Amér. Dar el voto a un candidato; úsase seguido de la preposición *por.* ◊ ** CONJUG. [7] como *llegar.*

sufragio *m.* Apreciación por la cual uno se muestra favorable a alguien o a algo. 2 Voto (en una asamblea). 3 Sistema electoral para la provisión de cargos: ~ *universal,* aquel en que con contadas excepciones tienen derecho a votar todos los ciudadanos. 4 Obra buena que se aplica para las almas del purgatorio.

sufragista *com.* Persona que, en Gran Bretaña a principios de siglo, se manifestaba a favor de la concesión del sufragio femenino. 2 Persona partidaria del sufragio femenino.

sufrido, -da *adj.* Que sufre con resignación: ~ *en la adversidad.* 2 [color] Que disimula lo sucio. – 3 *adj.-m.* Marido consentidor.

sufrimiento *m.* Hecho de padecer un dolor, físico o moral, más o menos prolongado. 2 Paciencia, conformidad con que se sufre una cosa.

sufrir *tr.* Padecer. 2 Recibir con resignación un daño moral o físico: ~ *los males con paciencia;* ~ *por amor de Dios;* ~ *las impertinencias de uno;* **prnl.,** *estas impertinencias no se sufren.* 3 p. anal. Aguantar, tolerar: ~ *a,* o *de, uno lo que no se sufre a,* o *de, otro.* 4 Permitir, consentir. 5 Sostener, resistir: *la viga sufre todo el peso.* 6 Pagar (un delito con una pena). 7 Oprimir [la parte de una pieza de madera o de hierro] opuesta a aquello en que se golpea. 8 Ser el objeto en que se produce un cambio, acción o fenómeno. 9 Someterse a una prueba o examen.

sugerencia *f.* Acción de sugerir. 2 Lo sugerido.

sugerir *tr.* Hacer entrar o despertar en el ánimo de alguno [una idea o especie]. ◊ ** CONJUG. [35] como *hervir.*

sugestión *f.* Acción de sugerir. 2 Especie sugerida. 3 Acción de sugestionar. 4 Efecto de sugestionar.

sugestionar *tr.* Inspirar una persona [a otra] palabras o actos involuntarios, especialmente cuando es para un fin concreto. 2 en gral. Dominar la voluntad [de una persona] llevándola a obrar en determinado sentido. – 3 *prnl.* Experimentar sugestión.

sugestivo, -va *adj.* Que sugiere o sugestiona. 2 Que se presenta como muy emocionante, atrayente o prometedor.

suicida *com.* Persona que se suicida. – 2 *adj.* fig. [acto o conducta] Que daña o destruye al propio agente.

suicidarse *prnl.* Quitarse violenta y voluntariamente la vida.

suicidio *m.* Acción de suicidarse. 2 Efecto de suicidarse.

suido *adj.-m.* Mamífero de la familia de los súidos. – 2 *m. pl.* Familia de artiodáctilos suiformes de pequeño tamaño y patas delgadas; como el cerdo y el jabalí.

suiforme *adj.-m.* Mamífero del suborden de los suiformes. – 2 *m. pl.* Suborden de mamíferos artiodáctilos con las extremidades cortas y tetradáctilas, que incluye tres familias: súidos, tayásidos e hipopotámidos.

suite *f.* Obra musical en la que se reúnen varias composiciones parecidas para formar un conjunto. 2 En los hoteles, serie de varias habitaciones unidas que se alquilan a una sola persona.

suizo, -za *adj.-s.* De Suiza, nación de la Europa central. – 2 *m.* Bollo especial de harina, huevo y azúcar. 3 Chocolate con nata.

sujeción *f.* Acción de sujetar. 2 Unión con que una cosa está sujeta. 3 RET. Figura que consiste en hacer el orador o el escritor preguntas a que él mismo responde.

sujetador, -ra *adj.-s.* Que sujeta. – 2 *m.* Sostén, prenda interior femenina. 3 Pieza del biquini que sujeta el pecho.

sujetapapeles *m.* Pinza para sujetar papeles. 2 Instrumento de otra forma, destinado al mismo objeto. ◊ Pl.: *sujetapapeles.*

sujetar *tr.* Someter al dominio de alguno: ~ *a uno con maña;* ~ *por los brazos; sujetarse a alguno.* 2 Afirmar o contener [una cosa] con la fuerza. 3 Aplicar [a alguna cosa] un objeto para que no se caiga, desordene, etc.: ~ *el pelo con horquillas.*

sujeto, -ta *adj.* Expuesto o propenso a una cosa. – 2 *m.* Persona innominada, especialmente cuando se alude a ella despectivamente. 3 ~ *activo,* ECON., el que puede exigir el cumplimiento de obligaciones tributarias; únicamente el Estado. 4 ~ *pasivo,* ECON., la persona natural o jurídica obligada a tributar. 5 FIL. El espíritu humano considerado en oposición al mundo externo. 6 GRAM. En la oración, persona o cosa de la cual se dice algo, a diferencia del predicado.

sula *f.* Pez marino teleósteo, pequeño, de color plateado y ojos grandes *(Argentina silus).*

suletino *m.* Grupo de dialectos del vasco extendidos por el valle del Roncal y Tardets.

sulfamida *f.* Substancia química derivada de la sulfonamida, que por su poderosa acción bactericida se emplea en el tratamiento de diversas enfermedades infecciosas.

sulfatar *tr.* Impregnar o bañar con un sulfato [alguna cosa].

sulfato *m.* Sal o éster del ácido sulfúrico.

sulfhídrico, -ca *adj.* Relativo a las combinaciones del azufre con el hidrógeno: *ácido* ~, hidrácido de fórmula H_2S, gaseoso, incoloro, inflamable y tóxico, que huele a huevos podridos.

sulfito *m.* Sal o éster del ácido sulfuroso.

sulfonal *m.* Substancia blanca, cristalina, usada como hipnótico.

sulfonamida *f.* Substancia química en cuya composición entran el azufre, el oxígeno y el nitrógeno, que forma el núcleo de la molécula de las sulfamidas.

sulfurado, -da *adj.* QUÍM. [cuerpo] Que se halla en estado de sulfuro. 2 fig. Irascible.

sulfurar *tr.* Combinar [un cuerpo] con el azufre. – 2 *tr.-prnl.* fig. Irritar, encolerizar.

sulfúreo, -a *adj.* Perteneciente o relativo al azufre. 2 Que tiene azufre.

sulfúrico, -ca *adj. Ácido* ~, SO_4H_2, líquido oleoso, muy cáustico, de muchas aplicaciones industriales de acción deshidratante.

sulfuro *m.* Compuesto de azufre y otro elemento o radical derivados del ácido sulfhídrico.

sulfuroso, -sa *adj.* Sulfúreo. 2 Que contiene azufre.

sultán *m.* Emperador de los turcos. 2 Príncipe o gobernador mahometano.

sulla *f.* Planta leguminosa que se cultiva para forraje *(Dysarum coronarium)*.

suma *f.* Agregado de muchas cosas, y más comúnmente de dinero. 2 Acción de sumar. 3 Resultado de sumar. 4 Lo más substancial e importante de una cosa. 5 Recopilación de todas las partes de una ciencia o facultad. 6 MAT. Cantidad equivalente a dos o más homogéneas.

sumaca *f.* Embarcación pequeña, empleada en la América española y en el Brasil para el cabotaje.

sumador, -ra *adj.-s.* Que suma. – 2 *f.* Máquina utilizada para sumar o restar.

sumando *m.* MAT. Cantidad parcial que ha de añadirse a otra u otras para formar la suma.

sumar *tr.* Recopilar, compendiar [una materia]. 2 MAT. Reunir en una sola [varias cantidades homogéneas]. 3 Componer [varias cantidades] una total. – 4 *prnl.* Adherirse uno a una doctrina u opinión, o agregarse a un grupo.

sumarial *adj.* DER. Relativo al sumario.

sumario, -ria *adj.* Reducido a compendio; breve, sucinto. – 2 *m.* Resumen, compendio o suma. 3 Inscripción al principio de un capítulo, en que se indican los temas a desarrollar. 4 DER. Conjunto de actuaciones encaminadas a preparar el juicio criminal, haciendo constar la perpetración de los delitos con las circunstancias que puedan influir en su calificación, determinar la culpabilidad y prevenir el castigo de los delincuentes.

sumarísimo, -ma *adj.* DER. [juicio] Que tiene una tramitación brevísima según señala la ley.

sumergir *tr.* Meter [una cosa] debajo del agua o de otro líquido. 2 fig. Abismar, hundir: *se sumergió en sus meditaciones.* – 3 *prnl.* fig. Abstraerse, concentrarse. ◇ ** CONJUG. [6] como *dirigir*.

sumerio, -ria *adj.-s.* De Sumeria, antigua región de la baja Mesopotamia. – 2 *m.* Lengua sumeria.

sumersión *f.* Acción de sumergir. 2 Efecto de sumergir.

sumidad *f.* Ápice o extremo más alto de una cosa.

sumidero *m.* Conducto o canal por donde se sumen las aguas. 2 Rejilla para el desagüe, que se coloca en patios y azoteas.

sumiller *m.* Jefe o superior en varias oficinas y ministerios de palacio.

suministrar *tr.* Proveer a uno [de algo que necesita].

suministro *m.* Acción de suministrar. 2 Efecto de suministrar. 3 Provisión de víveres y utensilios para la población, clientela, tropas, penados, etc.

sumir *tr.-prnl.* Hundir o meter debajo de la tierra o del agua: *se sumió en el agujero.* – 2 *prnl.* Hundirse o formar una concavidad anormal alguna parte del cuerpo; como la boca, el pecho, etc. 3 fig. Abatirse.

sumisión *f.* Acción de someter. 2 Efecto de someter. 3 Rendimiento u obsequiosa urbanidad con palabras o acciones.

sumiso, -sa *adj.* Obediente, subordinado. 2 Rendido, subyugado.

súmmum *m.* El colmo, lo sumo.

sumo *adj.* Supremo (altísimo y sin superior). 2 fig. Muy grande, enorme.

súmulas *f. pl.* Sumario que contiene los principios elementales de la lógica.

sunna *f.* Conjunto de preceptos que se atribuyen a Mahoma (h. 570-632), y a los cuatro califas ortodoxos. 2 p. ext. Religión musulmana.

suntuario, -ria *adj.* Relativo al lujo.

suntuoso, -sa *adj.* Magnífico, grande y costoso. 2 [pers.] Magnífico en su gesto y porte.

supeditar *tr.* Subordinar [una cosa a otra]. 2 Condicionar [una cosa al cumplimiento de otra]. – 3 *prnl.* Someterse alguien a una persona o cosa.

súper *adj.* fam. Superior, magnífico, muy bueno o muy completo: *un vino* ~; *ese vestido es* ~. – 2 *m.* fam. Supermercado. – 3 *f.* Gasolina de calidad superior. – 4 *adv.* Estupendamente, muy bien.

superabundar *intr.* Abundar con extremo o rebosar.

superalimentar *tr.* Dar [a alguien] más alimento de lo normal.

superar *tr.* Sobrepujar, exceder. 2 Vencer obstáculos o dificultades. – 3 *prnl.* Hacer alguien una cosa mayor que en ocasiones anteriores.

superávit *m.* En el comercio, exceso del haber o caudal sobre el debe u obligaciones de la caja. 2 En la administración pública, exceso de los ingresos sobre los gastos. 3 p. ext. Abundancia o exceso de algo que se considera necesario. ◇ Pl.: *superávit.*

superbombardero *adj.-s.* Bombardero que tiene gran capacidad de carga, y un extenso campo de acción.

supercarburante *m.* Gasolina comercial de elevada resistencia a la detonación de un carburante.

superciliar *adj.* Perteneciente o relativo a la región de las cejas.

superclase *f.* Grupo taxonómico de animales y plantas que forma una categoría de clasificación entre el subtipo y la clase.

superconductividad *f.* FÍS. Desaparición brusca y total de la resistencia de algunos materiales cuando su temperatura desciende por debajo de un cierto límite.

superconductor *m.* FÍS. [material] Que presenta el fenómeno de la superconductividad.

superchería *f.* Engaño, dolo, fraude.

superdotado, -da *adj.-s.* [pers.] Que posee cualidades que exceden de lo normal, especialmente las condiciones intelectuales.

supereminencia *f.* Elevación o eminente grado.

superestrato *m.* FILOL. Lengua que se extiende por el territorio de otra lengua, y cuyos hablantes la abandonan para adoptar esta última, legando, sin embargo, algunos rasgos a la lengua adoptada. 2 FILOL. Acción por la cual una lengua que se ha difundido por el territorio de otra, comunica a ésta algunos de sus rasgos, si bien desaparece al adoptar sus hablantes la lengua que se hablaba en aquel territorio. 3 FILOL. Rasgo que una lengua invasora lega a otra sobre cuyo territorio se ha extendido, cuando la abandonan sus hablantes para adoptar la que se hablaba en aquel territorio.

superestructura *f.* Parte de una construcción que está por encima del suelo.

superferolítico, -ca *adj.* hum. *y* fam. Sutil, rebuscado: *palabras superferolíticas; elegancia superferolítica.*

superficial *adj.* Perteneciente o relativo a la superficie: *extensión ~.* 2 Que está o se queda en ella: *herida ~.* 3 fig. Aparente, sin solidez. 4 fig. Frívolo, sin fundamento.

superficie *f.* Parte externa de un cuerpo que lo limita por todos lados. 2 fig. Apariencia externa. 3 GEOM. Extensión en que sólo se consideran dos dimensiones.

superfino, -na *adj.* Muy fino; esp., artículos de comercio.

superfluo, -flua *adj.* No necesario, que está de más.

superfosfato *m.* Fosfato ácido de cal que se emplea como abono.

superhombre *m.* Ser superior al hombre actual y a cuyo tipo debe tender la humanidad, según ciertos filósofos.

superintendencia *f.* Suprema administración en un ramo. 2 Empleo, cargo y jurisdicción del superintendente. 3 Oficina del superintendente.

superintendente *com.* Persona a cuyo cargo está la dirección superior de una cosa.

I) superior *adj.* Situado encima de otra cosa o más alto que ella: *el tejado de mi casa es ~ al de la tuya; los pisos superiores de un edificio.* 2 [lugar o país] Situado en la parte superior de la cuenca de los ríos: *el Egipto ~.* 3 fig. Que es más que otra persona o cosa en calidad, cantidad, rango, importancia, etc.: *~ a sus enemigos; ~ en luces; ~ por su ingenio.* 4 fig. Excelente, muy bueno: *paño de calidad ~.* – 5 *m.* Persona que tiene autoridad sobre otra: *mis superiores.*

II) superior, -ra *m. f.* Persona que dirige una congregación o comunidad. 2 Persona que manda y dirige cualquier cosa.

superioridad *f.* Preeminencia, excelencia o ventaja en una persona o cosa respecto de otra. 2 Persona o conjunto de personas de superior autoridad: *elevar una instancia a la ~.*

superlativo, -va *adj.* [cualidad o modificación] Que tiene un grado muy alto o el grado más alto. – 2 *adj.-m.* Adjetivo y adverbio que expresa esta cualidad o modificación.

supermalia *f.* Grupo taxonómico de animales y plantas, inferior al orden y superior a la familia.

supermercado *m.* Tienda donde el cliente puede servirse a sí mismo los diversos productos.

superministro *m.* Ministro con unas competencias más amplias o superiores a las de cualquier otro.

supernova *f.* Etapa final explosiva de la vida de una estrella.

supernumerario, -ria *adj.* Que excede o está fuera del número establecido. – 2 *m. f.* Empleado que trabaja en una oficina pública sin figurar en la plantilla.

superorden *m.* Grupo taxonómico de animales y plantas que forma una categoría de clasificación entre la infraclase o subclase y el orden.

superpetrolero *m.* Petrolero de más de 70.000 toneladas de desplazamiento.

superpoblado, -da *adj.* Poblado en demasía.

superponer *tr.-prnl.* Sobreponer (poner

encima). ◇ ** CONJUG. [78] como *poner;* pp. irreg.: *superpuesto.*

superpotencia *f.* País dotado de una fuerte industria y ejército, en especial con armamento atómico.

superproducción *f.* Exceso de producción. 2 Obra cinematográfica o teatral que se presenta como excepcionalmente importante y de gran costo. 3 Proceso económico en el que se obtienen cantidades superiores a las necesarias de un determinado producto.

superrealismo *m.* Movimiento artístico que se desarrolló en Francia después de la I Guerra Mundial. Tiende a representar, abandonando toda preocupación por el estilo, la vida profunda del subconsciente, la labor del instinto que se desarrolla más allá de los límites de la razón. Sus formas artísticas son inmediatas, irreflexivas y están despojadas de toda referencia a lo real.

supersónico, -ca *adj.* De velocidad superior a la del sonido.

superstición *f.* Propensión, causada por temor o ignorancia, a atribuir carácter sobrenatural u oculto a determinados acontecimientos. 2 Creencia en vanos presagios producidos por acontecimientos puramente fortuitos.

supersticioso, -sa *adj.* Relativo a la superstición. 2 [pers.] Que tiene superstición.

supervalorar *tr.-prnl.* Otorgar [a cosas o personas] mayor valor del que realmente tienen.

supervisar *tr.* Inspeccionar [un trabajo, una empresa, etc.].

supervisor, -ra *adj.-s.* Que supervisa, o inspecciona.

supervivencia *f.* Acción de sobrevivir. 2 Efecto de sobrevivir. 3 Gracia concedida a uno para gozar una renta o pensión después de haber fallecido el que la obtenía. 4 fig. Lo que queda de algo que ya no existe.

supervivir *intr.* Sobrevivir.

superyó *m.* En la doctrina psicoanalítica freudiana, parte más o menos inconsciente del yo, formada por lo que este último considera su ideal.

supinación *f.* Posición de una persona tendida sobre el dorso, o de la mano con la palma hacia arriba. 2 Movimiento del antebrazo que hace volver la mano hacia arriba.

supinador, -ra *adj.-m.* Músculo del brazo que produce la supinación.

supino, -na *adj.* Que está tendido sobre el dorso: *decúbito ~.* 2 Referente a la supinación. 3 Aplicado a ciertos estados de ánimo, acciones o cualidades, necio, estólido. – 4 *m.* Forma nominal del verbo, propia de algunas lenguas indoeuropeas antiguas, especialmente del latín y, entre las actuales, del rumano.

súpito, -ta *adj. Amér.* Alelado, atolondrado, atontado.

suplantar *tr.* Falsificar [un escrito] con palabras o cláusulas que alteren el sentido que antes tenía. 2 Ocupar con malas artes el lugar [de otro].

suplementario, -ria *adj.* Que sirve para suplir una cosa o completarla.

suplemento *m.* Acción de suplir. 2 Efecto de suplir. 3 Complemento (lo que falta añadir). 4 Capítulo o tomo que se añade a un libro; número u hoja adicional de un periódico o revista: *~ ilustrado.* 5 Ángulo suplementario.

suplencia *f.* Acción de suplir una persona a otra. 2 Efecto de suplir una persona a otra. 3 Tiempo que dura esta acción.

suplente *adj.-s.* Que suple: *juez ~; jugador ~ de un equipo.*

supletorio, -ria *adj.* Que suple una falta. 2 Suplementario. – 3 *adj.-m.* Aparato telefónico conectado a uno principal.

suplicar *tr.* Rogar o pedir [una cosa] con humildad: *~ una cosa por alguno.* 2 DER. Recurrir contra el auto del tribunal superior [ante el mismo]: *~ al tribunal de la sentencia; ~ en revista.* ◇ ** CONJUG. [1] como *sacar.*

suplicatorio *adj.* Que contiene súplica. – 2 *m.* Instancia que un juez o tribunal eleva al Senado o al Congreso de los Diputados, pidiendo permiso para proceder en justicia contra algún miembro del respectivo cuerpo colegislador. 3 Escrito dirigido a un órgano superior por otro jerárquicamente inferior, para que, en virtud del auxilio judicial, realice las diligencias necesarias que éste no puede realizar por quedar fuera de su margen de competencia.

suplicio *m.* Lesión corporal o muerte infligida como castigo. 2 fig. Lugar donde el reo padece este castigo. 3 fig. Grave tormento físico o moral.

suplir *tr.* Completar [lo que falta en una cosa], o remediar la carencia [de ella]. 2 Ponerse en lugar [de uno] para hacer sus veces: *~ a uno en actos de servicio.* 3 Disimular uno [un defecto] de otro. 4 GRAM. Dar por supuesto [lo que sólo se contiene implícitamente] en la oración o frase.

I) suponer *m.* fam. Suposición, conjetura.

II) suponer *tr.* Dar por sentada o existente [una cosa]. 2 Traer consigo, importar: *la reforma supone desmedidos gastos.* 3 Conjeturar, calcular [algo] por las señales e indicios que se tienen. – 4 *intr.* Tener autoridad o representación en una comunidad: *su padre supone mucho en el mundo universitario.* ◇ ** CONJUG. [78] como *poner;* pp. irreg.: *supuesto.*

suposición *f.* Acción de suponer. 2 Efecto de suponer. 3 Lo que se supone.

supositorio *m.* Cilindro, cono u ovoide de una materia medicamentosa sólida para ser introducida en el ano, vagina, uretra, etc.

supranacional *adj.* Relativo a un poder u

organismo superiores al gobierno de cada nación.

suprarrenal *adj.* Situado encima de los riñones.

suprasensible *adj.* Que está más allá de los sentidos.

supraspina *f.* Fosa alta del omóplato.

supremacía *f.* Grado supremo en cualquier línea. 2 Preeminencia, superioridad jerárquica.

supremo, -ma *adj.* Altísimo. 2 Que no tiene superior en su línea. 3 Último. 4 [momento, instante] De vital importancia, decisivo.

suprimir *tr.* Hacer cesar, hacer desaparecer: ~ *un empleo;* ~ *un impuesto.* 2 Omitir, pasar por alto: ~ *versos en una comedia.*

supuesto, -ta *adj.* Pretendido, falso, pseudo: *el* ~ *rey.* – 2 *m.* Objeto que no se expresa en la proposición, pero es aquello de que depende la verdad de ella. 3 Hipótesis. – 4 *loc. adv.* **Por** ~, ciertamente.

supurar *intr.* Formar o echar pus.

sur *m.* Punto cardinal diametralmente opuesto al norte. 2 Viento que sopla de esta parte. 3 Lugar de la Tierra o de la esfera celeste que cae del lado del polo antártico, respecto de otro con el cual se compara. ◇ Puede escribirse con letra mayúscula. No se usa en plural.

sura *m.* Lección o capítulo en que se divide el Alcorán.

surá *m.* Tejido de seda flexible y fino.

sural *adj.* ANAT. Perteneciente o relativo a la pantorrilla: *arteria* ~.

surcar *tr.* Hacer surcos [en la tierra]. 2 en gral. Hacer rayas [en alguna cosa] parecidas a los surcos que se hacen en la tierra. 3 fig. Ir o caminar por un fluido cortándolo: ~ *la nave el mar;* ~ *el ave el viento.* ◇ ** CONJUG. [1] como *sacar.*

surco *m.* Hendedura que se hace en la tierra con el arado. 2 Señal o hendedura prolongada que deja una cosa que pasa sobre otra. 3 Arruga profunda o prolongada sobre una superficie o tegumento; **caballo. 4 Huella que se graba en la superficie de un disco.

surcoreano, -na *adj.-s.* De Corea del Sur, nación del este de Asia.

surculado, -da *adj.* [planta] Que no echa más que un tallo.

sureño, -ña *adj.* Habitante del sur de un país.

surf *m.* ANGL. Deporte náutico consistente en dejarse llevar por la cresta de una ola sobre una tabla especial.

surgidero *m.* Paraje donde dan fondo las naves.

surgir *intr.* Surtir, brotar el agua. 2 Dar fondo la nave: ~ *en el puerto.* 3 fig. Alzarse, manifestarse, salir: *entre los reunidos surgió la idea de hacerle un homenaje.* ◇ ** CONJUG. [6]

como *dirigir;* pp. irreg. para la acepción *2 surto.*

suricato *m.* Mamífero carnívoro de pequeño tamaño y pelaje pardo grisáceo con bandas obscuras en la parte superior. Se alimenta de insectos, reptiles y vegetales *(Suricata suricata).*

suripanta *f.* Mujer corista en un teatro. 2 desp. Mujer vulgar, moralmente despreciable.

surmenaje *m.* Exceso de trabajo intelectual que pesa sobre alguien. 2 Sobrefatiga, agotamiento.

surrealismo *m.* Superrealismo.

sursuncorda *m.* fig. *y* fam. Supuesto personaje anónimo de mucha importancia: *no me levanto aunque venga el* ~.

surtido, -da *adj.-s.* Artículo de comercio que se ofrece como mezcla de diversas clases: *botones surtidos; un* ~ *de galletas.*

surtidor, -ra *adj.-s.* Que surte o provee. – 2 *m.* Chorro de agua que brota, especialmente hacia arriba. 3 Aparato que distribuye gasolina.

surtir *tr.-prnl.* Proveer [a alguno] de una cosa: *surtirse de ropa.* – 2 *intr.* Brotar, salir el agua, y más en particular hacia arriba.

susceptible *adj.* Capaz de recibir modificación o impresión. 2 Picajoso, quisquilloso, sentido, delicado.

suscitar *tr.* Levantar, promover: ~ *una contienda.*

susidio *m.* fig. Inquietud, zozobra.

suspender *tr.* Levantar o sostener [una cosa] en alto: ~ *un bastón en el aire;* ~ *un saco de una argolla;* ~ *al náufrago por los cabellos.* 2 Detener por algún tiempo [una acción u obra]: ~ *un trabajo;* prnl., *suspenderse un trabajo.* 3 esp. *y* fig. Privar temporalmente [a uno del sueldo o empleo] que tenía: ~ *el sueldo;* ~ *a uno de empleo y sueldo.* 4 fig. Negar la aprobación [de una disciplina a un examinando] hasta nuevo examen. 5 fig. Causar admiración: *nos suspendía el ánimo.* – 6 prnl. Asegurarse el caballo sobre las piernas con los brazos al aire. ◇ CONJUG.: pp. reg.: *suspendido;* irreg., usado sólo como adjetivo y substantivo: *suspenso.* Recientemente se generaliza la significación pasiva de ser suspendido, tanto con valor intransitivo: *el estudiante suspendió en junio;* como con valor transitivo: *el estudiante suspendió las matemáticas.* No es aconsejable este uso.

suspense *m.* ANGL. Detención momentánea de la acción dramática. 2 Sentimiento angustioso de espera o curiosidad: *película de* ~; *novela de* ~.

suspensión *f.* Acción de suspender. 2 Efecto de suspender. 3 Aquello con que está suspendida alguna cosa. 4 Conjunto de las piezas y mecanismos destinados a hacer elástico el apoyo de la carrocería de un automóvil sobre los ejes de las ruedas. 5 Tensión continuada que se produce en el ánimo del espectador o lector, ante el desarrollo de un argumento. 6 Admiración, asombro. 7 FON. Mantenimiento de la entonación al final de un período. 8 MÚS. Prolongación de una nota que forma parte de un acorde, sobre el siguiente, produciendo disonancia. 9 QUÍM. Estado de un cuerpo, cuyas partículas se mezclan con un fluido, sin deshacerse en él.

suspenso, -sa *adj.* Admirado, perplejo. – 2 *m.* Nota de haber sido suspendido en examen. – 3 *adj.-s.* Alumno suspendido.

suspensores *m. pl. Amér.* Tirantes para suspender de los hombros el pantalón.

suspensorio, -ria *adj.* Que sirve para suspender o levantar en alto.

suspicacia *f.* Calidad de suspicaz. 2 Especie sugerida por la sospecha o desconfianza.

suspicaz *adj.* Propenso a concebir sospechas.

suspirado, -da *adj.* fig. Deseado con ansia.

suspirar *intr.* Dar suspiros: ~ *de pena;* ~ *de amor.*

suspiro *m.* Aspiración profunda seguida de una espiración audible que generalmente es expresión de pena, anhelo, fatiga, alivio, etc. 2 Golosina que se hace de harina, azúcar y huevo. 3 fig. Instante (momento).

sustancia *f.* Substancia.

sustantivo, -va *adj.* Substantivo.

sustentáculo *m.* Apoyo o sostén de una cosa.

sustentar *tr.-prnl.* Mantener. 2 Conservar una cosa en su ser o estado. 3 Sostener una cosa para que no se caiga o tuerza. 4 Defender o sostener una cierta opinión. – 5 *prnl.* Nutrirse, alimentarse. 6 Mantener un cuerpo en un medio, sin caer o haciéndolo muy lentamente.

sustento *m.* Mantenimiento, alimento. 2 Lo que sirve para dar permanencia o vigor a una cosa. 3 Sostén o apoyo.

sustituir *tr.* Substituir. ◇ ** CONJUG. [62] como *huir.*

susto *m.* Impresión repentina de miedo o pavor. 2 fig. Preocupación vehemente por alguna adversidad o daño que se teme.

sustraer *tr.* Substraer. ◇ ** CONJUG. [88] como *traer.*

susurrar *intr.* Hablar quedo produciendo un murmullo sordo. 2 fig. Moverse con ruido suave el aire, el agua, etc. – 3 *impers.-prnl.* Empezarse a divulgar una cosa secreta: *la noticia se susurra.*

susurro *m.* Ruido suave que resulta de hablar quedo. 2 fig. Ruido suave que naturalmente hacen algunas cosas.

sutil *adj.* Delgado, delicado, tenue. 2 fig. Agudo, perspicaz. ◇ INCOR.: la pronunciación *sútil.*

sutileza *f.* Calidad de sutil. 2 fig. Dicho o concepto excesivamente agudo y falto de profundidad o exactitud. 3 fig. Instinto de los animales.

sutilizar *tr.* Adelgazar, atenuar una cosa. 2 esp. Limar, perfeccionar: ~ *una plancha.* 3 fig. Discurrir ingeniosamente: ~ *los argumentos.* ◇ ** CONJUG. [4] como *realizar.*

sutura *f.* ANAT. Línea de unión de dos huesos del cráneo. 2 BOT. Línea de unión de dos márgenes adyacentes. 3 CIR. Costura con que se reúnen los labios de una herida.

suturar *tr.* Efectuar una sutura.

suyo, -ya *adj.-pron. poses.* Forma de 3ª persona que expresa que la cosa no es poseída ni por el que habla ni por el que escucha. Como adjetivo se usa siempre detrás del nombre o se apocopa en *su* si lo precede: *tengo el libro* ~*; tengo su libro;* como pronombre puede usarse en forma absoluta o precedido del artículo: *este libro es* ~*; este libro es el* ~*;* con la terminación del masculino singular se usa también como pronombre neutro: *lo* ~ *me interesa.* ◇ V. posesivo. INCOR.: *delante suyo, detrás suya* por *delante de él, detrás de ella.* ◇ Pl.: *suyos, suyas.*

swing *m.* ANGL. DEP. En boxeo, movimiento semicircular del brazo de abajo arriba, de modo que pueda golpear al adversario con el dorso de la mano en el momento de ascender. 2 DEP. Movimiento del jugador del golf al ir a golpear la pelota. 3 MÚS. Cualidad rítmica característica y primordial en la música de jazz.

switch *m. Amér.* ANGL. Conmutador eléctrico.

T

T, t *f.* Te, vigésima tercera letra del alfabeto español que representa gráficamente a la consonante oclusiva, dental y sorda.

taba *f.* Astrágalo (hueso). 2 Juego en que se tira al aire una taba de carnero, y se gana, se pierde o no hay juego según el lado que al caer quede hacia arriba. 3 *Amér. Merid.* fig. Lata, discurso o conversación fastidiosa.

tabacalero, -ra *adj.* Relativo al cultivo, fabricación y venta del tabaco. – 2 *adj.-s.* Cultivador de tabaco.

tabaco *m.* Planta solanácea, narcótica, de olor fuerte, originaria de América *(Nicotiana tabacum).* 2 Hoja de esta planta, curada y preparada para ser fumada, masticada o aspirada en polvo: ~ *negro,* el que, aderezado con miel, se elabora en forma de mecha retorcida y flexible, para picarlo y fumarlo en papel o pipa; ~ *rubio,* el que resulta de la mezcla de las variedades de color amarillo y cobrizo del estado norteamericano de Virginia y Oriente; el que, aun siendo de otras procedencias, se prepara para que se asemeje al anterior. 3 Polvo a que se reducen las hojas secas de esta planta. 4 Cigarro. 5 Enfermedad de algunos árboles por la que se descompone la parte interior del tronco, convirtiéndose en un polvo rojo pardusco o negro. – 6 *adj.-m.* Color parecido al de las hojas de tabaco. – 7 *adj.* De color tabaco.

tabal *m.* Tambor, tamboril, atabal. 2 Barrica de poca altura en que se conservan las sardinas arenques.

tabalear *tr.* Menear o agitar [una cosa] de una parte a otra. – 2 *intr.* Golpear, acompasadamente con los dedos en una tabla o cosa semejante, imitando el toque del tambor.

tabanco *m.* Puesto o cajón para la venta de comestibles. 2 *Amér. Central.* Desván, buhardilla.

tábano *m.* Insecto díptero parecido a la mosca, que pica a las caballerías, bueyes, etc., para chuparles la sangre *(gén. Tabanus).*

tabanque *m.* Rueda que mueve con el pie el alfarero para hacer girar el torno. 2 Tiendecilla de vendedor ambulante.

I) tabaque *m.* Cestillo de mimbres.

II) tabaque *m.* Clavo poco mayor que la tachuela.

tabaquera *f.* Caja para tabaco en polvo. 2 Receptáculo del tabaco en la pipa de fumar. 3 Petaca o bolsa para llevar en el bolsillo tabaco picado. 4 Erizo de mar, con caparazón esférico cubierto de púas de color rojo pardusco *(Cidaris cidaris).*

tabaquero, -ra *adj.-s.* Persona que tuerce el tabaco, y que lo vende o comercia con él. – 2 *adj.* Perteneciente o relativo al tabaco.

tabaquismo *m.* Intoxicación crónica producida por el abuso del tabaco.

tabardillo *m.* Fiebre grave, con síntomas nerviosos y alteración de la sangre. 2 Insolación (enfermedad). 3 fig. Persona alocada o bulliciosa. 4 fig. Persona pesada, pesadumbre.

tabardo *m.* Prenda de abrigo ancha y larga, de paño tosco. 2 Especie de gabán sin mangas, de paño o de piel.

tabarra *f.* Lata (todo lo que cansa).

tabarro *m.* Tábano (insecto).

tabasco *m.* Salsa muy picante preparada con pimienta del estado mejicano de Tabasco o con ají muy picante.

taberna *f.* Establecimiento público de carácter popular, donde se venden bebidas, principalmente alcohólicas, al por menor y, a veces, se sirven comidas para ser consumidas en el mismo local.

tabernáculo *m.* Lugar donde los hebreos tenían colocada el arca del Testamento. 2 Sagrario (altar).

tabernario, -ria *adj.* Propio de la taberna. 2 fig. Bajo, grosero.

tabernero, -ra *m. f.* Persona que vende vino en la taberna. – 2 *m.* Pez marino teleósteo, de pequeño tamaño, con un característico color pardo rojizo y una mancha negra en el pedúnculo caudal *(Ctenolabrus rupestris; C. suillus).*

tabica *f.* ARQ. Tablilla con que se cubre un hueco.

tabicar *tr.* Cerrar con tabique. 2 fig. Cerrar o tapar [una cosa que debía estar abierta]: *tabicarse las narices.* ◇ ** CONJUG. [1] como *sacar.*

tábido, -da *adj.* Podrido o corrompido. 2 Extenuado por consunción.

tabique *m.* Pared delgada. 2 Separación, división. 3 ANAT. Estructura, parte de tejido

tabla 1104

que separa completa o incompletamente dos cavidades; ****nariz.**

tabla *f.* Pieza de madera, plana, mucho más larga que ancha y de poco grueso. 2 Pieza oblonga de madera, de forma y tamaño variables, utilizada para diversos menesteres del trabajo doméstico: ~ *de **cocina;* ~ *de lavar;* ~ *de planchar.* 3 Pieza plana y de poco espesor de alguna otra materia rígida. 4 Cara más ancha de un madero. 5 Plancha de madera u otro material preparada para poder fijar o colocar sobre ella cualquier cosa. 6 Doble pliegue ancho y plano que se hace en una tela. 7 Pieza plana de madera, corcho, u otro material, de tamaño no muy grande, en que se exponen anuncios, avisos, listas, etc. 8 Índice de materias. 9 Lista o catálogo de cosas puestas en determinado orden. 10 Parte algo plana de ciertos miembros del cuerpo: ~ *del pecho.* 11 Faja de tierra comprendida entre dos filas de árboles. 12 Cuadro de tierra en que se siembran verduras. 13 Bancal de un huerto. 14 Puesto público de carne. 15 Pintura hecha sobre madera. 16 MAT. Cuadro de números de especie determinada, dispuestos en forma adecuada para facilitar los cálculos: ~ *de multiplicar;* ~ *de logaritmos.* – 17 *f. pl.* En el juego de damas, o en el de ajedrez, estado en el cual ninguno de los jugadores puede ganar la partida. 18 Empate o estado de cualquier asunto que queda indeciso: *hacer tablas un asunto; quedar tablas.* 19 Escenario del teatro. 20 fig. Soltura en cualquier actuación ante el público. 21 Barrera de la plaza de toros.

tablado *m.* Entarimado. 2 Suelo de tablas formado en alto sobre un armazón. 3 Pavimento del escenario.

tablaje *m.* Conjunto de tablas. 2 Casa de juego.

tablao *m.* Tarima o escenario usado para un espectáculo flamenco. 2 p. ext. Local donde se desarrolla este espectáculo.

tablar *m.* Conjunto de tablas (cuadro de tierra; bancal de un huerto).

tablazón *f.* Agregado de tablas.

tablero *m.* Tabla (pieza plana rígida). 2 Plancha de material aislante, empleada como soporte de indicadores y controles eléctricos. 3 Tabla cuadrada dividida en cuadritos de dos colores para el ajedrez, las damas y otros juegos.

tableta *f.* Pastilla de chocolate. 2 Pastilla (medicinal).

tablón *m.* Tabla grande: ~ *de anuncios,* tabla o tablero, a veces protegido por un cristal o por tela metálica, en que se fijan anuncios, avisos, noticias, etc.

tabor *m.* En el antiguo Protectorado Español en Marruecos, unidad de tropa regular indígena perteneciente al ejército español y compuesta de varias compañías.

tabú *m.* Prohibición de comer o tocar algún objeto, impuesta por algunas religiones polinesias. 2 p. ext. Cosa que no se puede tocar o decir. – 3 *adj.* LING. [palabra] Que no se puede decir debido a una serie de causas de naturaleza psicológica o social. ◇ Pl.: *tabúes.*

tabuco *m.* desp. Aposento pequeño.

tabulador, -ra *adj.-s.* Que tabula. – 2 *m.* Dispositivo que en las máquinas de escribir sirve para formar columnas de cifras o de palabras.

I) tabular *adj.* De forma de tabla.

II) tabular *tr.* Expresar [valores, magnitudes, conceptos, etc.] por medio de tablas (índices; listas).

taburete *m.* Asiento sin brazos ni respaldo. 2 Asiento con respaldo muy estrecho y guarnecido de vaqueta, terciopelo, etc.

taca *f.* Alacena pequeña. 2 Armario pequeño.

tacada *f.* Golpe dado con el taco a la bola de billar. 2 Serie de carambolas seguidas sin soltar el taco. 3 Conjunto de tacos de madera que sirven para un uso determinado.

tacanear *tr. Argent.* Apisonar, majar, aplastar [algo o a alguien].

tacañear *intr.* Obrar como tacaño.

tacaño, -ña *adj.-s.* Miserable, ruin, mezquino, roñoso.

tacar *tr.* Señalar [algo] haciendo hoyo, mancha u otro daño. – 2 *prnl.* Hartarse. ◇ ** CONJUG. [1] como *sacar.*

tacatá *m.* Andador de niños.

taceta *f.* Calderito de cobre para el trasiego del aceite en los molinos.

tácito, -ta *adj.* Callado, silencioso. 2 Que no se oye o dice formalmente, sino que se supone.

taciturno, -na *adj.* [pers.] Habitualmente callado, silencioso. 2 Triste, melancólico.

taco *m.* Pedazo de madera, metal u otra materia, corto y grueso. 2 Pieza de madera o de plástico, de forma más o menos alargada, que se empotra en la pared para clavar en ella clavos o tornillos con el fin de sostener alguna cosa. 3 En el juego de billar, vara de madera dura con que se impelen las bolas. 4 Volumen de papel formado por las hojas del calendario de pared. 5 fam. Bocado que se toma fuera de las horas de comer. 6 fam. Pedazo de queso, jamón, etc., corto y grueso, que se corta para un aperitivo o una merienda. 7 fam. Trago de vino. 8 fam. Embrollo, lío: *hacerse un* ~. 9 fam. Palabrota, grosería: *soltar tacos.* 10 MAR. Pieza de madera que afianza y reúne dos o más elementos del casco. – 11 *m. pl.* fam. Años de edad: *tiene veinte tacos.* 12 *Amér. Merid.* y *P. Rico.* Tacón del calzado. 13 *Amér. Central* y *P. Rico.* Preocupación, temor, inquietud. 14 *Méj.* Tortilla de maíz enrollada con sólo unos granos de sal.

tacógrafo *m.* Tacómetro que registra la distancia recorrida y la velocidad de un vehículo.

tacómetro *m.* Aparato que indica la velocidad de rotación de un órgano mecánico, generalmente expresada en revoluciones por minuto: *el ~ del automóvil.*

tacón *m.* Pieza semicircular, más o menos alta, unida exteriormente a la suela del calzado en la parte correspondiente al calcañar.

taconear *intr.* Pisar causando ruido, haciendo fuerza con el tacón. 2 fig. Pisar con arrogancia.

táctica *f.* Arte de poner las cosas en orden. 2 Conjunto de reglas a que se sujetan las operaciones militares en el combate. 3 fig. Sistema o habilidad que se emplea para lograr un fin.

táctico, -ca *adj.* Relativo a la táctica.

táctil *adj.* Relativo al tacto.

tacto *m.* Sentido corporal con el cual percibimos la presión o tracción ejercida sobre la piel o una mucosa y conocemos la forma y extensión de los objetos, su aspereza o suavidad, su dureza o blandura, etc. 2 Ejercicio de este sentido. 3 fig. Habilidad para hablar u obrar con acierto, según la oportunidad, conveniencia, etc. 4 MED. Exploración de una superficie orgánica con las yemas de los dedos, oprimiendo suavemente la parte explorada.

tacurú *m. Argent., Parag.* y *Urug.* Hormiguero en forma de montículo cónico de tierra arcillosa, que construye en terrenos húmedos y anegadizos una especie particular de termita. 2 *Argent., Parag.* y *Urug.* Insecto que construye este hormiguero (*Bambusa guadua*).

I) tacha *f.* Falta o defecto en una persona o cosa. 2 Clavo mayor que la tachuela común.

II) tacha *f.* En la fabricación de azúcar, aparato donde se evapora en vacío el jarabe hasta obtener una masa cristalizada.

tachadura *f.* Acción de tachar lo escrito. 2 Efecto de tachar lo escrito.

tachar *tr.* Poner [en una cosa] falta o tacha. 2 Borrar [lo escrito]. 3 Culpar, censurar: *~ a alguno de ligero; ~ por su mala conducta.*

tachismo *m.* Corriente de arte no figurativo generada en París a mediados del s. xx, de postulados semejantes al expresionismo abstracto estadounidense.

tacho *m. Amér.* Vasija de metal de fondo redondeado, que se usa generalmente para calentar agua. 2 *Amér.* Hoja de lata. 3 *Argent., Ecuad., Perú* y *Urug.* Cubo de la basura.

I) tachón *m.* Raya con que se tacha lo escrito. 2 Golpe de galón, cinta, etc., sobrepuesto en la ropa para adornarla.

II) tachón *m.* Tachuela grande, de cabeza dorada o plateada.

tachonar *tr.* Adornar [una cosa], y especialmente clavetear [los cofres] con tachones:

~ de, o *con, florones de oro.* 2 fig. Salpicar: *el cielo se tachona de estrellas.*

I) tachuela *f.* Clavo corto y de cabeza grande.

II) tachuela *f. Méj.* y *Venez.* Taza de metal que se tiene en el tinajero para beber agua.

taekwondo *m.* Deporte de lucha coreano. ◇ Se pronuncia *taecuondo.*

tafetán *m.* Tela delgada de seda, muy tupida.

tafia *f. Amér.* Aguardiente de caña.

tafilete *m.* Cuero bruñido y lustroso, mucho más delgado que el cordobán.

tafurea *f.* Embarcación muy planuda, para el transporte de caballos.

tagalo, -la *adj.-s.* De una raza indígena que vive en la isla de Luzón y otras inmediatas del archipiélago filipino. – 2 *m.* Lengua de los tagalos.

tagarnina *f.* Cardillo. 2 fam. Cigarro puro muy malo.

tagarote *m.* Hombre alto y desgarbado. 2 *Amér. Central.* Hombre de pro. 3 *Amér. Central.* Mañoso, abusivo.

tagarotear *intr.* Escribir con letra airosa y rápida.

tahalí *m.* Tira de cuero que, cruzada desde un hombro hasta el lado opuesto de la cintura, sostiene la espada. 2 p. ext. Pieza de cuero que, pendiente del cinto, sostiene la vaina del puñal, cuchillo, etc. 3 Caja de cuero pequeña para reliquias. ◇ Pl.: *tahalíes.*

taheño, -ña *adj.* [pelo] Bermejo.

tahitiano, -na *adj.-s.* De Tahití, isla de Oceanía. – 2 *m.* Lengua de Polinesia, que pertenece a la familia maya.

tahona *f.* Molino de harina movido con caballería. 2 **Panadería (establecimiento).

tahúr, -hura *adj.-s.* Jugador, fullero. – 2 *m.* El que frecuenta las casas de juego.

taifa *f.* Bandería, parcialidad: *reyes de taifas.* 2 fam. Reunión de personas de mala vida.

taiga *f.* Selva del norte de Rusia y Siberia, de subsuelo helado y formada en su mayor parte de coníferas. 2 Vegetación característica de esta selva.

tailandés, -desa *adj.-s.* De Tailandia, nación de la península asiática de Indochina.

taimado, -da *adj.-s.* Astuto, bellaco, pícaro, disimulado, ladino.

taimería *f.* Picardía, malicia, astucia.

taíno, -na *adj.-s.* De una de las tribus que habitaron en el Alto Orinoco y en las Antillas. – 2 *m.* Lengua de estos indígenas.

taita *m.* En el lenguaje infantil, padre. 2 *Argent., Chile* y *Parag.* Tratamiento que se da al padre o jefe de familia o a los seres que merecen tal consideración.

I) taja *f.* Armazón que se pone sobre el basto para sujetar mejor la carga.

II) taja *f.* Cortadura o repartimiento.

tajada *f.* Porción cortada de una cosa. 2 Trozo de carne en un guisado. 3 fam. Ronquera, tos ocasionada por un resfriado. 4 fam. Borrachera.

tajadera *f.* Cuchilla a modo de medialuna.

tajado, -da *adj.* Cortado verticalmente: *costa tajada.*

tajador, -ra *adj.-s.* Que taja. – 2 *m.* Cuchilla, semejante a un raspador, que se utiliza para cortar materias laminadas blandas, tales como el cuero, cartón, chapa de plomo, etc.

tajamar *m.* Tablón curvo, ensamblado en la parte exterior de la roda, para hender el agua cuando el buque marcha. 2 ARQ. Parte de fábrica que se adiciona a las pilas de los puentes para que corte el agua de la corriente. 3 *Amér. Central y Chile.* Malecón, dique. 4 *Amér.* Presa, balsa. 5 *Argent.* Zanjón en las riberas de los ríos para amenguar el efecto de las crecidas.

tajante *m. adj.* Cortante. 2 *fig.* Completo, total, sin término medio: *separación ~; diferencia ~ entre dos ideas, sistemas.*

tajar *tr.* Dividir, cortar [una cosa] en dos o más partes. 2 Cortar [la pluma de ave] para escribir. – 3 *prnl.* fam. Embriagarse.

tajea *f.* Obra de fábrica, pequeña, para dar paso al agua por debajo de un camino.

tajeadura *f. Amér.* Cicatriz grande.

tajo *m.* Corte hecho con instrumento adecuado. 2 Filo (arista). 3 Escarpa alta y cortada casi a plomo. 4 Pedazo grueso de madera, por lo regular afirmado sobre tres pies, para partir y picar la carne sobre él. 5 Trozo de madera sobre el cual se decapitaba a los condenados. 6 Tarea. 7 Sitio hasta donde llega en su faena la cuadrilla de operarios que trabaja avanzando sobre el terreno.

tajuelo *m.* Asiento rústico, generalmente de tres pies.

tal *adj. pron.* Se aplica indefinidamente a las cosas para determinar en ellas lo que por su correlativo se denota: *~ fin será ~ cual ha sido su principio.* 2 Tanto, tan grande, expresando algún matiz ponderativo o despectivo: *~ falta no la puede cometer un varón.* 3 Igual, semejante [conteniendo siempre una significación implícita de manera]: *~ cosa jamás se ha visto;* tiene también carácter de adjetivo o pronombre demostrativo: *~ origen tuvo su ruina;* como demostrativo neutro equivale a semejante cosa: *no haré yo ~.* 4 Especifica lo no especificado: *haced tales y tales cosas y acertaréis;* aplicado a un nombre propio equivale a poco conocido: *un ~ Cárdenas.* – 5 *pron. indef.* Alguno: *~ habrá que lo sienta así.* – 6 *adv. m.* Así, de esta manera, de tal suerte: *~ estaba con la lectura de estos libros.* 7 Precedido de los adverbios *sí* o *no* en la réplica, refuerza la afirmación o la negación. – 8 *conj.* En correlación con *cual, como, así como,* etc., sirve para enlazar oraciones comparativas de cantidad y equivale a *tanto, tantos,* etc.: *tales riquezas dará, cual nunca un padre dió para sus hijos;* o comparativas de modo en concurrencia con *así* y significando *de igual modo* o *asimismo: cual suele Marte marchar a la guerra, tales iban ellos al combate; ~ como me lo contaron te lo cuento.* 9 En correlación con la conjunción *que* enlaza oraciones consecutivas significando *de ~ manera: ~ me habló que no supe qué responder.*

tala *f.* Juego de muchachos, en el que se hace saltar con un palo un husillo de madera. 2 Este husillo.

talabarte *m.* Cinturón de que cuelgan los tirantes de la espada o el sable.

talabartero *m.* . Guarnicionero que hace talabartes y otros correajes.

taladrador, -ra *adj.-s.* Que taladra. – 2 *m. f.* Máquina o aparato fijo o portátil usado para hacer agujeros en materiales duros mediante una broca.

taladrar *tr.* Horadar [una cosa] con taladro u otra herramienta. 2 *fig.* Herir [los oídos] un sonido muy agudo. 3 Penetrar o desentrañar [una materia obscura o dudosa]. 4 *fig.* Causar [un dolor agudo] un gran sufrimiento [a alguien].

taladro *m.* Instrumento agudo o cortante para taladrar. 2 Agujero hecho con el taladro.

talaje *m. Argent., Chile y Méj.* Lugar destinado a pacer los ganados.

talamifloro, -ra *adj.-f.* Planta de la subclase de las talamifloras. – 2 *f. pl.* Subclase de plantas dicotiledóneas en que los pétalos y estambres aparecen claramente insertos en el receptáculo.

tálamo *m.* Lugar donde antiguamente los novios celebraban sus bodas y recibían los parabienes. 2 Lecho conyugal y de los desposados. 3 Receptáculo de la flor. 4 BIOL. Parte del encéfalo situada en la base del **cerebro.

talán *m.* Onomatopeya del sonido de la campana.

talanquera *f.* Valla, pared, o cualquier lugar que sirve de defensa o reparo. 2 *fig.* Seguridad y defensa.

talante *m.* Modo de ejecutar una cosa. 2 Semblante o disposición personal, o estado o calidad de las cosas. 3 Voluntad, deseo, gusto.

I) talar *adj.* [vestidura] Que llega hasta los talones.

II) talar *tr.* Cortar por el pie [los árboles]. 2 Destruir o quemar violentamente [campos, edificios o poblados].

talasocracia *f.* Dominio de los mares, o preponderancia que en un país ejercen los marinos sobre las demás clases sociales: *la ~ ateniense.*

talasoterapia *f.* Técnica de curación de ciertas enfermedades mediante el clima y los baños marinos.

talayote *m.* Megalito baleárico semejante a una torre de poca altura; **prehistoria.

talco *m.* Silicato de magnesia, blando, suave al tacto, de textura hojosa, que, reducido a polvo, se usa en farmacia. 2 Lámina metálica muy delgada que se emplea en bordados.

talcoso, -sa *adj.* Compuesto de talco o abundante en él.

taled *m.* Pieza de lana, con que se cubren los judíos la cabeza y el cuello en sus ceremonias religiosas. ◇ Pl.: *taledes.*

talega *f.* Bolsa de tela para llevar o guardar las cosas. 2 Lo que se guarda o se lleva en ella. 3 Bolsa con que las mujeres se preservan el peinado. 4 Caudal monetario.

talego *m.* Saco largo y angosto de lienzo basto. 2 fig. Persona muy ancha de cintura. 3 vulg. Cárcel. 4 fig. *y* vulg. Billete de mil pesetas.

taleguilla *f.* Calzón usado por los toreros en la lidia; **toros.

talento *m.* Antigua moneda imaginaria, que equivalía en Grecia a sesenta minas y en Roma a cien ases. 2 fig. Especial aptitud intelectual, capacidad natural o adquirida para ciertas cosas: *hombre de gran ~.* 3 p. ant. Entendimiento.

talero *m.* *Amér.* Látigo.

talgo *m.* Tren ligero con un solo par de ruedas, independientes, por vagón y con el centro de gravedad bajo, lo cual le permite alcanzar velocidades elevadas.

taliforme *adj.* De forma de talo.

talio *m.* Elemento metálico poco común, de color blanco de plata, que se vuelve gris en presencia del aire. Su símbolo es *Tl.*

talión *m.* Pena en que el delincuente sufre un daño igual al que causó.

talismán *m.* Carácter, figura o imagen a la cual se atribuye una virtud sobrenatural. 2 Objeto al que se atribuye un pretendido poder sobrenatural.

talma *f.* Especie de esclavina usada como abrigo.

talmente *adv. m.* De tal manera, así.

talmud *m.* Libro que contiene una vasta compilación de la doctrina tradicional de los judíos.

talo *m.* Cuerpo de una planta de estructura homogénea indiferenciada o con diferencias muy secundarias.

talofito, -ta *adj.-m.* Planta del grupo de los talofitos. – 2 *m. pl.* Grupo de plantas que poseen talo, es decir, las que tienen un conjunto de células sin diferenciar en tejidos; como algas, líquenes y hongos.

I) talón *m.* Calcáñar. 2 Parte del calzado que cubre el calcáñar. 3 Pulpejo. 4 Parte inferior del **arco del violín e instrumentos parecidos. 5 Borde reforzado de la cubierta del neumático, que encaja en la llanta de hierro de la rueda. 6 Documento cortado de un talonario; cheque. 7 Mesón. 8 MAR. Ángulo de inclinación de un buque, respecto de la vertical.

II) talón *m.* Patrón monetario.

talonario *m.* Libro que sólo contiene recibos, cédulas o documentos, de los cuales, cuando se cortan, queda una parte encuadernada para comprobar su legitimidad y para otros efectos. 2 Bloque de hojas impresas, en las que constan determinados datos que a veces han de ser completados por quien las expide, y que pueden separarse de una matriz para entregarlas a otra persona.

taloneador *m.* DEP. En el juego del rugby, jugador encargado de talonear el balón en la melé.

talonear *intr.* Andar a pie con mucha prisa. – 2 *tr.* DEP. En el juego del rugby, dar con los talones [al balón] para sacarlo de la melé. 3 *And.* y *Amér.* Incitar el jinete [a la caballería] picándola con el talón.

talonera *f.* Refuerzo que se coloca en la parte baja del pantalón.

talque *m.* Tierra talcosa muy refractaria, usada para hacer crisoles.

talquita *f.* Roca pizarrosa compuesta principalmente de talco.

talud *m.* Inclinación de un terreno o del paramento de un muro.

talla *f.* Obra de escultura, especialmente en madera. 2 Estatura de la persona: *tiene poca ~.* 3 fig. Altura moral o intelectual. 4 En joyería, acción o efecto de tallar o labrar piedras preciosas. 5 METAL. Procedimiento para labrar los dientes de las ruedas y piñones dentados. 6 TECN. Labra del vidrio.

I) tallar *adj.* Que puede ser talado o cortado: *monte ~.* – 2 *m.* Soto o bosque en que se puede hacer la primera tala. 3 Monte que se está renovando. 4 Clase de peine pequeño.

II) tallar *tr.* Dar forma [a alguna cosa] o elaborarla cortando en ella; hacer obras de talla o escultura: *~ una imagen;* labrar piedras preciosas: *~ un diamante;* abrir metales, grabar en hueco: *~ un grabado.* 2 Tasar, apreciar, valuar: *~ la cosecha.* 3 Medir la estatura [de un hombre]. 4 Llevar [la baraja] en determinados juegos. 5 fam. Llevar la parte principal en una conversación o debate y, por extensión, en cualquier asunto. 6 *Argent.* Charlar, conversar.

tallarín *m.* Tira larga y estrecha de pasta de macarrones cocidos, que se emplean para preparar diversos platos: *tallarines a la cazuela.*

talle *m.* Disposición del cuerpo humano. 2 Cintura y parte del vestido que le corresponde. 3 Forma que se da al vestido, cortándolo y proporcionándolo al cuerpo. 4 Medida tomada para un vestido o traje, comprendida desde el cuello a la cintura, tanto por delante como por detrás. 5 fig. Traza, apariencia.

tallecer *tr.-prnl.* Echar tallos las semillas,

bulbos o tubérculos de las plantas. ◇ ** CON-JUG. [43] como *agradecer*.

taller *m.* Oficina donde se hace un trabajo manual. 2 Departamento o sección de una industria donde se realizan determinadas operaciones, generalmente auxiliares, del proceso de fabricación. 3 Estudio del pintor o escultor. 4 Conjunto de colaboradores de un maestro pintor o escultor. 5 fig. Escuela o seminario de ciencias.

tallerina *f.* Molusco bivalvo de concha pequeña con forma de triángulo isósceles (gén. *Tellina*).

talleta *f. Amér.* Especie de alfajor.

**tallo *m.* Parte del aparato vegetativo de las plantas cormofitas que crece en sentido contrario al de la raíz y lleva las hojas y los órganos reproductores. 2 Parte aérea de la planta cuando empieza a brotar de la semilla, el bulbo o el tubérculo. 3 Trozo confitado de calabaza, melón, etc. 4 *And.* y *Murc.* Churro.

talludo, -da *adj.* Que tiene tallo grande. 2

fig. Crecido y alto. 3 fig. [pers.] Que va pasando de la juventud. 4 fig. [pers.] Que, por estar acostumbrado a una cosa, tiene dificultad en dejarla.

tamal *m. Amér.* Especie de empanada de harina de maíz envuelta en hojas de plátano o de mazorca del maíz.

tamango *m. Amér.* Calzado rústico de cuero.

tamaño, -ña *adj. comp.* Tan grande o tan pequeño como: *tamaña una catedral.* – 2 *adj. superl.* Semejante, tal, usado en sentido ponderativo: *le contó tamañas mentiras.* – 3 *m.* Volumen o dimensión de una cosa.

támara *f.* Palmera de Canarias. 2 Terreno poblado de palmeras. – 3 *f. pl.* Dátiles en racimo. 4 Leña muy delgada.

tamaricáceo, -a *adj.-f.* Planta de la familia de las tamaricáceas. – 2 *f. pl.* Familia de plantas dicotiledóneas que incluye árboles o arbustos de hojas alternas, escamosas y ente-

TALLO

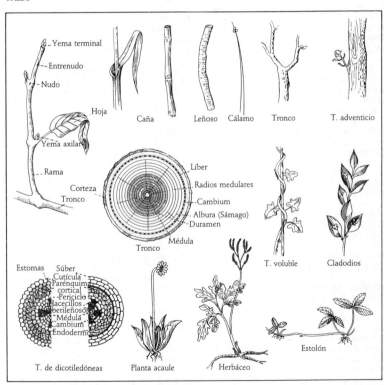

Yema terminal
Entrenudo
Nudo
Hoja
Caña
Leñoso
Cálamo
Tronco
T. adventicio
Yema axilar
Rama
Líber
Radios medulares
Corteza
Cambium
Tronco
Albura (Sámago)
Duramen
Médula
Tronco
T. voluble
Cladodios
Estomas
Súber
Cutícula
Parénquima cortical
Periciclo
Haceciclos perileñosos
Médula
Cambium
Endodermis
T. de dicotiledóneas
Planta acaule
Herbáceo
Estolón

ras; flores pequeñas, blancas o róseas, en racimo, y fruto capsular.

tamarindo *m.* Árbol leguminoso, de hasta 30 m. de altura, cuyo fruto, de sabor agradable, se usa como laxante *(Tamarindus indica).* 2 Fruto de este árbol.

tamarino *m.* Mono platirrino de pelaje de color gris, con la cabeza gris clara y el vientre rojizo, y con unos larguísimos bigotes blancos alrededor de la boca *(Tamarinus imperator).*

tamarisco *m.* Arbusto tamaricáceo que crece a orillas de los ríos, con flores pequeñas, en espigas, de cáliz encarnado y pétalos blancos *(Tamarix gallica).* 2 Fruto de este árbol.

tamarrazquito, -ta, tamarrusquito, -ta *adj.* fam. Muy pequeño.

tambalear *intr.-prnl.* Menearse una cosa por falta de estabilidad.

tambanillo *m.* ARQ. Frontón sobrepuesto a una puerta o ventana.

tambarilla *f.* Arbusto ericáceo perennifolio de flores, de color púrpura, dispuestas en racimos de dos a diez flores, y hojas alargadas con pubescencia por el envés *(Daboecia cantabrica).*

tambarillo *m.* Arca pequeña o caja con tapa redonda y combada.

tambarria *f.* Amér. Holgorio, parranda.

también *adv. m.* De la misma manera, asimismo, igualmente, que otra cosa ya expresada: *la casa es ~ blanca; nosotros ~ trabajamos;* además: *hay ~ una puerta; yo llegaré ~.*

tambo *m.* Amér. Venta, parador, que se encuentra en los caminos. 2 Argent. y Urug. Vaquería.

tambor *m.* Instrumento músico de **percusión, formado por una caja cilíndrica hueca, con ambas bases cubiertas con piel atirantada y que se toca con dos palillos. 2 **com.** Músico que toca este instrumento. 3 *m.* Objeto que por su forma y proporciones recuerda un tambor. 4 Cilindro hueco de hierro para tostar café. 5 Aro de madera sobre el cual se tiende una tela para bordarla. 6 Muro cilíndrico que sirve de base a una cúpula; **cubierta. 7 Tamiz por donde pasan el azúcar los reposteros. 8 Cilindro giratorio donde van las cápsulas de un revólver. 9 fam. Recipiente de forma cilíndrica que se emplea como envase de diversos productos. 10 Pez marino teleósteo, parecido al lenguado, de color pardo dorado y tamaño pequeño *(Buglossidium luteum).* 11 ARQ. Aposentillo que se hace de tabiques dentro de otro aposento. 12 ARQ. Cuerpo central del capitel, más abultado que el fuste de la columna. 13 MEC. Rueda de canto liso, ordinariamente de más espesor que la polea. 14 MEC. Disco de acero acoplado a la cara interior de las ruedas. 15 Argent. Bombona, recipiente de metal, cilíndrico y de poca altura, en el que se guardan gasas y algodones, por lo común esterilizados.

tambora *f.* Bombo o tambor grande.

tamboril *m.* MÚS. Tambor pequeño que se toca con un solo palillo. 2 Pez marino teleósteo tetraodontiforme, de color gris o azulado con puntos negros sobre los flancos, de cuerpo oblongo, fusiforme *(Lagocephalus lagocephalus).*

tamborilear *intr.* Tocar el tamboril. – 2 *tr.* Celebrar mucho [a uno].

tamborilero *m.* El que ejerce el arte de tocar el tamboril.

tambucho *m.* MAR. Escotilla protegida que da acceso a las habitaciones de la tripulación de los barcos. 2 Caja situada encima de las ventanas dentro de la cual se enrollan las persianas.

tamiz *m.* Cedazo muy tupido.

tamizar *tr.* Pasar [una cosa] por tamiz. 2 p. ext. Transparentar. 3 p. ext. Escoger, elegir con cuidado y minuciosidad. ◇ ** CONJUG. [4] como *realizar.*

tamo *m.* Pelusa desprendida del lino, algodón o lana. 2 Polvo o paja menuda de semillas trilladas. 3 Pelusilla que, por falta de aseo, se cría debajo de los muebles.

tampoco *adv. neg.* Sirve para negar una cosa después de haberse negado otra.

tampón *m.* Caja de tamaño reducido, que contiene un trozo de tela u otro material empapado con tinta, usada para entintar sellos. 2 Rollo de algodón o celulosa absorbente que se introduce en la vagina para que absorba el flujo de la hemorragia menstrual.

tam-tam *m.* Especie de tambor africano. 2 Gongo, batintín.

tamuga *f.* Amér. Central. Morral, talego, fardo, red.

tamujo *m.* Mata euforbiácea, con cuyas ramas se hacen escobas *(Colmetroa buxifolia).*

I) tan *m.* Onomatopeya del sonido o eco de golpear el tambor.

II) tan *adv. c.* Encarece la significación del adjetivo, adverbio o locución adverbial al que precede: *no seas ~ malo.* – 2 *adv. correlat.* En correlación con *como* compara denotando igualdad de grado, equivalencia: *~ duro como el hierro.* 3 En oraciones consecutivas se usa en correlación con *cuan* o *como:* ~ *piadoso seréis para querer dar salud, cuan generoso para darla;* en las consecutivas es correlativo de *que: estaba ~ bueno, que me lo comí todo.*

III) tan *m.* Corteza de encina.

tana *f.* Méj. Bolsa de palma tejida.

tanagra *f.* Estatuita de arcilla cocida semejante a las halladas en Tanagra, ciudad de Grecia. 2 Género de pájaros cantores americanos de la familia de los tanágridos, de bello plumaje.

tanate *m.* Amér. Central y Méj. Zurrón de cuero. – 2 *m. pl.* Amér. Central. Cachivaches, trastos.

tanatear *tr.* Amér. Central. Mudarse, marcharse.

tanatofobia *f.* Temor morboso a la muerte.

tanatología *f.* BIOL. Parte de la biología que estudia la muerte, sus causas y sus fenómenos.

tanatorio *m.* Local destinado a servicios funerarios.

tanay *m. Perú.* Zapateo, baile.

tancolote *m. Méj.* Cesto para transportar mercancías.

tanda *f.* Turno. 2 Grupo en que se dividen o alternan las personas o bestias empleadas en algún trabajo. 3 Período de días en que alternativamente se trabaja o descansa en las minas. 4 Número determinado de ciertas cosas de un mismo género: ~ *de azotes.* 5 *Amér.* Sección de una representación teatral. 6 *Argent.* Resabio, mala maña.

tandear *intr.* Distribuir una cosa en o por tandas.

tándem *m.* **Bicicleta para dos personas. 2 Tiro de una caballería entre las limoneras y delante otra con los tirantes enganchados a las puntas de ellas. 3 fig. Unión de dos personas que tienen una actividad común o que combinan sus esfuerzos. 4 p. ext. *y* fig. Conjunto de dos elementos que se complementan. ◇ Pl.: *tándemes.*

tanga *m.* Taparrabo de dimensiones muy reducidas; esp., el usado como bañador.

tángana *f.* Alboroto, escándalo. 2 Engaño, fraude.

tangar *tr.* fam. Engañar, encubrir. – 2 *prnl.* fam. Escaquearse. ◇ ** CONJUG. [7] como *llegar.*

tangencia *f.* Calidad de tangente. 2 Contacto entre dos líneas, o entre un plano o línea y una superficie cuando son tangentes.

tangencial *adj.* [línea o superficie] Que es tangente a otra. 2 fig. [idea, cuestión, problema, etc.] Que toca o atañe al asunto de que se trata sin ser esencial a él.

tangente *adj.* [línea o superficie] Que toca o tiene puntos comunes con otra sin cortarse: ***circunferencias tangentes.* – 2 *f.* GEOM. Recta que toca en un punto a una curva o a una superficie; **circunferencia. 3 **TRIG. ~ *de un ángulo,* la del arco que sirve de medida al ángulo. 4 **TRIG. ~ *de un arco,* parte de la recta tangente trazada por uno de los extremos del arco que está comprendida entre este extremo y la prolongación del radio que pasa por el otro extremo.

tangible *adj.* Que se puede tocar. 2 fig. Que se puede percibir de manera precisa.

tango *m.* Baile de origen argentino en compás de dos por cuatro, de movimiento lento y diversidad de pasos, ejecutado por una pareja enlazada, generalmente con acompañamiento de bandoneón. 2 Música y canto de este baile.

tanguillo *m.* Variante flamenca del tango; esp., la que tiene su origen en las fiestas de carnaval de Cádiz.

tanguista *com.* Cantor o bailarín en ciertas salas de fiesta. – 2 *f.* Bailarina contratada para que baile con los clientes de un local de esparcimiento.

tanificar *tr.* Añadir tanino al vino. 2 Curtir las pieles con tanino. ◇ ** CONJUG. [1] como *sacar.*

tanino *m.* Substancia ácida, muy astringente, que se extrae de algunos vegetales y sirve para curtir las pieles y otros usos.

taninole *m. Méj.* Alimento de batata cocida, o bien de calabaza, con leche.

tanque *m.* Carro de combate. 2 Depósito de agua u otro líquido transportable en un vehículo. 3 Recipiente de gran tamaño, normalmente cerrado, destinado a contener líquidos o gases.

tanqueta *f.* Tanque de guerra, generalmente dotado de mejor movilidad que éste y mayor velocidad, movido por ruedas y no por cadenas.

tantalio *m.* Elemento metálico poco común, que se presenta en general unido al niobio. Su es símbolo *Ta.*

tantalita *f.* Mineral del que se obtiene tantalio.

tántalo *m.* Ave ciconiforme de unos 4 m. de longitud, de patas delgadas, cuello muy largo, cabeza pequeña y casi desnuda, pico alargado y coloración muy vistosa *(gén. Ibis).*

tantarán, tantarantán *m.* Onomatopeya del sonido del tambor o atabal. 2 fig. Golpe violento dado a uno.

tantear *tr.* Medir o parangonar [una cosa] con otra para ver si viene bien. 2 fig. Considerar con reflexión [las cosas] antes de ejecutarlas. 3 fig. Examinar con cuidado [a una persona] para conocer sus cualidades o explorar su ánimo. 4 Calcular aproximadamente [una cantidad, un precio, etc.]. 5 Comenzar un dibujo, trazar sus primeras líneas. 6 Señalar o apuntar los tantos en el juego. – 7 *intr.* Titubear, andar a tientas.

tanteo *m.* Acción de tantear. 2 Efecto de tantear. 3 Número determinado de tantos que se ganan en el juego.

tanto, -ta *pron.-adj. relat.* En correlación con *cuanto* se aplica a la cantidad de una cosa indeterminada o indefinida. – 2 *adj. pron. indef. adv. c.* Comparando y en correlación con *como,* significa la misma cantidad: *tengo tantos libros como tú; dame tantos como ayer; trabajamos ~ como tú.* 3 Comparando implícitamente y en correlación con la conjunción *que,* significa tal cantidad, en tal cantidad: *tiene tantos libros que no los llega a leer; pide tantos que no sé cómo dárselos; trabajamos ~ que apenas podemos dormir;* como pronombre y adverbio y con el mismo significado puede usarse en forma absoluta: *no me des tantos; no trabajes ~.* 4 Como pronombre equivale a *eso,* dándole sentido ponderativo: *a ~ arrastra la codicia.* – 5 **adv. relat. c.** En correlación con *cuanto* significando la misma cantidad: *~ vales cuanto tienes;* y reforzando la comparación de desigualdad, precede a los adjetivos *mejor, peor, mayor, menor* y a los adverbios *más, menos: es ~ mejor que el otro.* 6 Se usa en oraciones comparativas y consecutivas en correspondencia con *cual, cuanto* (que algunas veces substituye a *como*) y *que: tantas riquezas le dará cual nunca un padre dio a sus hijos; cuantos fueron mis años, tantos serán mis tormentos; menudearon sobre don Quijote aventuras tantas, que no se daban vagar unas a otras.* – 7 **m.** Cantidad determinada de una cosa: *¿cuánto vale? - Tanto.* 8 En los juegos, fichas con que se señalan los puntos o unidad de cuenta. 9 Cantidad que se estipula respecto de otra: *el ~ por ciento; ~ por docena.* – 10 **m. pl.** Número que se ignora o no se quiere expresar: *a tantos de julio.*

tañer *tr.* Tocar (hacer sonar). ◇ ** CONJUG. [38].

tañido *m.* Son que se toca en un instrumento. 2 Sonido de la cosa tocada: *el ~ de la campana.*

taoísmo *m.* Religión de la China, inspirada en los libros del filósofo Lao-Tsé (s. VI a. C.). Se basa en una concepción panteísta del mundo y estimula en sus adeptos un quietismo ideológico.

tapa *f.* Pieza que cierra por la parte superior las cajas, cofres, arcas, etc. 2 Cubierta córnea que rodea el casco de las caballerías. 3 Capa de suela del tacón. 4 Cubierta de un libro **encuadernado. 5 Compuerta de una presa. 6 Pedazo de jamón, salchichón o chorizo que se sirve con el vino; p. ext., pequeña porción de manjares variados que se sirven como acompañamiento de la bebida: *una ~ de queso.* 7 Carne de ternera que corresponde al medio de la pierna trasera. 8 *Argent., Chile, Parag.* y *Urug.* Tapón de una vasija.

tapabocas *m.* Bufanda. 2 Taco cilíndrico de madera con que se cierra y preserva el ánima de las piezas de artillería. ◇ Pl.: *tapabocas.*

tapacubos *m.* Tapa metálica que se adapta exteriormente al cubo de la rueda para cubrir el buje de la misma; **automóvil. ◇ Pl.: *tapacubos.*

tapadera *f.* Parte movible que cubre la boca de alguna cavidad. 2 fig. Persona o cosa que encubre algo de otra.

tapadero *m.* Instrumento con que se tapa un agujero o boca de una cosa.

tapadillo *m.* Acción de taparse la cara las mujeres con el manto. 2 Registro del órgano. 3 fam. Disimulo con que se disfraza la verdad.

tapado, -da *adj.-s. Amér.* [animal] Sin mancha ni señal alguna en su capa. – 2 *m. Amér.* Abrigo o capa de señora o de niño.

tapajuntas *m.* Listón que tapa la unión de una puerta o ventana con la pared. ◇ Pl.: *tapajuntas.*

tápalo *m. Méj.* Chal o mantón.

tapanca *f. Amér.* Gualdrapa de caballo.

tapar *tr.* Poner algo para cubrir o llenar [un agujero o cavidad] o para cerrar la comunicación o impedir la salida [en algún objeto o paraje]: *~ una grieta, una botella, un paso.* 2 Poner algo encima [de un objeto] para abrigarlo o protegerlo: *~ los muebles; taparse las espaldas.* 3 fig. Encubrir, ocultar [un defecto]: *~ una fechoría.*

taparrabo, taparrabos *m.* Pedazo de tela u otra cosa, a modo de falda, con que se cubren los pueblos primitivos. 2 Prenda muy sucinta que cubre los órganos sexuales; esp., la utilizada como traje de baño.

tape *com. Argent.* y *Urug.* Indio guaraní. 2 *Argent.* y *Urug.* Persona de tipo aindiado. – 3 *adj. Argent.* y *Urug.* Perteneciente o relativo a los indios guaraníes.

tapera *f. Amér. Merid.* Ruinas de un pueblo, y habitación en ruinas.

tapete *m.* Alfombra pequeña. 2 Paño que se pone, por adorno, encima de algún mueble, especialmente de una mesa.

tapia *f.* Trozo de pared que de una sola vez se hace con tierra amasada, apisonada en una horma y secada al aire. 2 Pared formada de tapias. 3 Muro de cerca.

tapiar *tr.* Cerrar [algo] con tapias. 2 fig. Cerrar [un hueco, una abertura] con un muro o tabique. ◇ ** CONJUG. [17] como *cambiar.*

tapicería *f.* Juego de tapices. 2 Oficina donde se guardan. 3 Arte, obra y tienda del tapicero.

tapicero, -ra *m. f.* Persona que tiene por oficio tejer, aderezar o componer tapices. 2 Persona que tiene por oficio tapizar (con tela).

tapioca *f.* Fécula blanca y granillosa que se extrae de la raíz de la mandioca o yuca, y se usa para sopa. 2 Esta misma sopa.

tapir *m.* Mamífero ungulado perisodáctilo, con cuatro dedos en las patas anteriores, tres en las posteriores, cola rudimentaria y hocico prolongado en forma de pequeña trompa del que hay varias especies: *~ americano,* de unos 2 m. de longitud y 1 m. de altura, el pelaje es de color castaño con una crin muy desarrollada sobre el dorso *(Tapirus terrestris).*

tapiscar *tr. Amér. Central.* Cosechar el maíz, desgranando la mazorca. ◇ ** CONJUG. [1] como *sacar.*

tapiz *m.* Paño de lana o seda, con grandes dibujos, con que se adornan generalmente las paredes de las habitaciones. 2 Alfombra.

tapizar *tr.* Forrar con tela [los muebles o las paredes]. 2 p. ext. Cubrir [la pared o el suelo] con algo que parezca un tapiz. 3 fig. Forrar [una superficie] con algo que se adapte perfectamente a ella. ◇ **CONJUG. [4] como *realizar.*

tapón *m.* Pieza de corcho, madera, etc., que introducida o adaptada al gollete o boca de ciertas vasijas, intercepta la comunicación de su contenido con el exterior. 2 Acumulación de cerumen en el oído, que puede dificultar la audición y producir otros trastornos. 3 Persona u cosa que produce entorpecimiento u obstrucción. 4 Embotellamiento de vehículos. 5 Pieza colocada en una toma de corriente eléctrica, normalmente a rosca o a bayoneta, que contiene en su interior un fusible; extrayéndola o aflojándola, se interrumpe el paso de corriente por el circuito. 6 fig. *y* fam. Persona muy gruesa y pequeña. 7 DEP. En el juego del baloncesto, interceptación (acción y efecto) del balón lanzado a canasta, mientras su trayectoria es ascendente.

taponar *tr.* Cerrar [un orificio, una herida o una cavidad del cuerpo] con tapón. 2 Atascar [algo].

tapsia *f.* Planta umbelífera de cuyas raíces se extrae un jugo usado como revulsivo *(Thapsia garganica)* .

tapujo *m.* Embozo con que uno se tapa para no ser conocido. 2 fig. Reserva o disimulo con que se disfraza la verdad.

taque *m.* Golpe de una puerta al cerrarse con llave. 2 Ruido del golpe con que se llama a una puerta.

taqué *m.* MEC. Vástago que transmite la acción del árbol de levas a las válvulas de admisión y de escape del motor.

taquear *intr. Amér.* Jugar al billar. 2 *Méj.* Comer tortillas de maíz. – 3 *tr.-prnl. Amér.* Llenar, atestar, atiborrar.

taquicardia *f.* MED. Frecuencia excesiva del ritmo de las contracciones cardíacas.

taquigrafía *f.* Arte de escribir tan deprisa como se habla, valiéndose de signos especiales.

taquigrafiar *tr.* Escribir taquigráficamente [un discurso]. ◊ ** CONJUG. [13] como *desviar*.

taquígrafo, -fa *m. f.* Persona que por profesión se dedica a la taquigrafía. – 2 *m.* Aparato registrador de velocidad.

taquilla *f.* Armario para guardar papeles. 2 Casillero para los billetes de teatro, ferrocarril, etc. 3 p. ext. Despacho de billetes. 4 Recaudación obtenida en este despacho. 5 *C. Rica, Chile, Ecuad. y Perú.* Clavillo pequeño, estaquilla.

taquillaje *m.* Venta de billetes.

taquillero, -ra *m. f.* Persona encargada de un despacho de billetes. – 2 *adj.* fig. [espectáculo o artista] Que consigue atraer gran cantidad de público.

taquillón *m.* Mueble popular de diversos estilos, bajo y de mayor longitud que anchura, con puertas y cajones combinados.

taquimecanógrafo, -fa *m. f.* Persona que por profesión se dedica a la taquigrafía y a la mecanografía.

taquimetría *f.* Parte de la topografía que enseña a levantar planos por medio del taquímetro.

taquímetro *m.* Instrumento semejante al teodolito, que sirve para medir rápidamente distancias y ángulos. 2 Aparato que indica la velocidad, generalmente en revoluciones por minuto, de la máquina en que va instalado.

tara *f.* Parte de peso que se rebaja en las mercancías por razón de los embalajes en que están incluidos. 2 Peso sin calibrar que se coloca en un platillo de la balanza para equilibrar la misma, o para realizar determinadas pesadas. – 3 Defecto físico o moral, tacha: ~ *fisiológica.* 4 Defecto o mancha que disminuye el valor de algo.

tarabilla *f.* Zoquetillo clavado al marco de una puerta o ventana de forma que la asegure al girar. 2 Telera del arado. 3 fig. Persona que habla mucho y atropelladamente. 4 fig. Tropel de palabras dichas de este modo. 5 Ave paseriforme cantora, de plumaje negro con el pecho rojizo, que se alimenta de insectos y nidifica entre las hierbas *(Saxicola torquata)*.

tarabita *f.* Palito al extremo de la cincha, por donde se aprieta la correa.

taracea *f.* Labor de incrustación hecha con madera, concha, nácar, etc. 2 Entarimado hecho con maderas finas de diversos colores formando dibujo.

tarado, -da *adj.* Que tiene alguna tara o defecto físico o psíquico. 2 fig. Tonto, bobo; loco, alocado.

tarajallo *adj.-s.* Grandullón.

tarama *f. And. y Extr.* Hojarasca de encina, o de cualquier otro árbol, para la lumbre; leña menuda.

tarambana *com.-adj.* fam. Persona alocada, de poco juicio.

tarantela *f.* Baile de origen italiano de ritmo ternario y movimiento muy vivo, ejecutado por parejas acompañadas de sonajas y panderetas. 2 Música de este baile.

tarantín *m. Amér. Central y Cuba.* Cachivache, trasto.

tarántula *f.* Araña grande de picadura venenosa, aunque no para el hombre; tiene el cuerpo de color gris rojizo con manchas negras *(Lycosa tarantula).*

tarar *tr.* Equilibrar en la balanza el peso [del envase]. 2 Señalar la tara o parte del peso que corresponde al envase.

tarara *f.* Señal o toque de trompeta.

tararear *tr.* Cantar [una canción] sin articular palabras.

tararí *m.* Toque de trompeta.

I) tarasca *f.* Figura de sierpe monstruosa que en algunas partes se saca en la procesión del Corpus. 2 fig. Gomia. 3 fig. Mujer fea y desenvuelta.

II) tarasca *f.* Hembra del cerdo.

tarascada *f.* Mordedura, dentellada. 2 fig. y fam. Respuesta áspera o grosera.

tarascar *tr.* Morder (con los dientes): *el perro le ha tarascado.* ◇ ** CONJUG. [1] como *sacar.*

tarazar *tr.* fig. Molestar, mortificar [a una persona]. ◇ ** CONJUG. [4] como *realizar.*

tarazón *m.* Trozo, tajada: *arrancar un ~.*

tarbea *f.* Sala grande.

tardanaves *m.* Pez marino teleósteo muy parecido a la rémora, aunque de tamaño más pequeño, de color pardo rosado *(Remora brachyptera).* ◇ Pl.: *tardanaves.*

tardanza *f.* Detención, demora.

tardar *intr.-prnl.* Pasar más tiempo del que es necesario: *el tren tarda en llegar; tarda en contestar.* – 2 *tr.* Emplear un tiempo determinado: *tardaré dos días en arreglar este trabajo.*

tarde *f.* Parte del día comprendida entre mediodía y anochecer. 2 Últimas horas del día. – 3 *adv. t.* A hora avanzada del día o de la noche: *levantarse ~; cenar ~.* 4 Después del tiempo considerado oportuno: *llegar ~ al tren.*

tardígrado *adj.* Que anda despacio. – 2 *adj.-m.* Metazoo del tipo de los tardígrados. – 3 *m. pl.* Tipo de metazoos celomados de tamaño microscópico, cuerpo cilíndrico y segmentado y cuatro pares de patas provistas de uñas; son herbívoros.

tardío, -a *adj.* Que tarda en venir a sazón: *melocotones tardíos.* 2 Que sucede fuera de tiempo. 3 Pausado, lento. 4 Que se encuentra en la última fase de su existencia: *latín ~.* 5 fig. y vulg. Ligeramente sordo. – 6 *m.* Sembrado o plantío de fruto tardío: *la lluvia ha favorecido los tardíos.*

tardo, -da *adj.* Lento (pausado). 2 Que sucede después del tiempo oportuno. 3 No expedito en la comprensión o explicación.

tardón, -dona *adj.-s.* Que tarda mucho y gasta mucha flema. 2 Que comprende tarde las cosas.

tarea *f.* Obra, trabajo. 2 Trabajo que debe hacerse en tiempo limitado. 3 fig. Afán, penalidad por un trabajo continuo.

tareco *m. Amér.* Trasto, trebejo, cachivache.

tarifa *f.* Tabla de precios, derechos o impuestos. 2 Precio unitario fijado por el Estado para los servicios públicos realizados a su cargo.

tarifar *tr.* Fijar o aplicar una tarifa [a una cosa o trabajo]. – 2 *intr.* Reñir con uno.

tarima *f.* Entablado movible.

tarja *f.* Escudo grande que cubre y defiende todo el cuerpo; **armadura. 2 Chapa que sirve de contraseña. 3 Golpe o azote.

tarjeta *f.* Adorno plano y oblongo que se figura sobrepuesto a un miembro arquitectónico. 2 Membrete de los mapas y cartas. 3 Pedazo de cartulina rectangular con el nombre, título o cargo y dirección de una persona, con una invitación o con cualquier aviso: *~ de*

visita ; ~ *postal,* pieza rectangular de cartulina resistente que se expide por correo sin sobre, cuyo texto va al descubierto; ~ *de crédito,* medio de pago que permite la compra de bienes y servicios sin necesidad de desembolsar en el acto dinero efectivo; ~ *de embarque,* billete con el número de asiento, que debe poseer un pasajero cuando embarca en un avión o en un barco; ~ *de identidad,* la que sirve para acreditar la personalidad del titular y generalmente va provista de su retrato y firma; ~ *amarilla, roja,* DEP., la que utiliza el árbitro para amonestar y expulsar, respectivamente, a los jugadores en un encuentro de fútbol.

tarjetero *m.* Cartera para tarjetas de visita.

tarlatana *f.* Tejido de algodón, ligero y ralo.

tarmacadam *m.* Pavimentado de carretera formado por piedra machacada que ha sido cubierta con alquitrán, esparcido en una capa de grueso uniforme y bien alisado.

tarot *m.* Naipe más largo que los corrientes, portador de una figura diferente en cada una de las setenta y ocho cartas de que consta la baraja, la cual se utiliza en cartomancia. 2 Juego que se efectúa con estas cartas.

tarpán *m.* Caballo silvestre.

tarquín *m.* Cieno, légamo que las riadas depositan en los campos que inundan.

tarquina *adj.-f.* MAR. Vela trapezoidal que es muy alta de baluma y baja de caída.

tarra *com.* vulg. Persona vieja.

tarraconense *adj.-s.* De la antigua Tarraco, hoy Tarragona, y de Tarragona.

I) tarro *m.* Vasija cilíndrica, generalmente más alta que ancha. 2 fam. Cabeza. 3 Asta o cuerno de algunos cuadrúpedos. 4 *Amér.* fam. Sombrero de copa. 5 *Argent., Chile, Parag., Perú* y *Urug.* Lata para aceite, petróleo o cualquier otro producto.

II) tarro *m.* Pato grande parecido al ganso, de plumaje blanco con la cabeza y cuello negros *(Tadorna tadorna).*

tarsana, társana *f. Amér.* Corteza de un árbol sapindáceo, que se usa para lavar.

társido *adj.-m.* Primate de la familia de los társidos. – 2 *m. pl.* Familia de primates prosimios arborícolas y nocturnos, con los tarsos muy alargados, lo que les permite efectuar grandes saltos. Viven en Filipinas y Sumatra.

tarso *m.* Parte posterior del **pie, entre el metatarso y la pierna; **hueso. 2 Parte más delgada de la pata de las **aves, que une los dedos con la tibia. 3 Artejo terminal de las patas de los **insectos, dividido en varios artejos secundarios.

tarta *f.* Torta rellena con dulces de frutas, crema, etc.

tártago *m.* Planta euforbiácea, de tallos ramificados, hojas de color verde azulado y frutos venenosos; tiene propiedades purgantes y eméticas *(Euphorbia lathyris)*. 2 fig. Suceso infeliz. 3 fig. Chasco pesado. 4 fam. Sofocón producido por cansancio o disgusto.

tartajal *m.* Arbusto muy parecido al tamarisco, pero de menor altura, flores mayores y blancas *(Tamarix africana)*.

tartajear *intr.* Hablar pronunciando las palabras con torpeza o trocando sus sonidos.

tartaleta *f.* Moldecillo de pasta. 2 p. ext. Pastelillo que se hace con él.

tartamudear *intr.* Hablar con pronunciación entrecortada y repeticiones espasmódicas de sílabas y sonidos.

tartamudo, -da *adj.-s.* Que tartamudea.

I) tartán *m.* Tela de lana con cuadros y listas cruzadas de diferentes colores.

II) tartán *m.* Conglomerado de amianto, caucho y materias plásticas, muy resistente, con que se pavimentan las pistas deportivas para mantenerlas en perfectas condiciones de elasticidad.

tartana *f.* Embarcación menor de vela latina y con un solo palo. 2 Carruaje de dos ruedas, con cubierta abovedada y asientos laterales. 3 fig. Cosa vieja e inútil, especialmente los automóviles. 4 MAR. Red de pesca para rastreo a la vela.

I) tártaro *m.* Substancia que forma costra cristalina en el fondo y paredes de la vasija donde fermenta el mosto. 2 Depósito sólido que queda en las paredes interiores de las calderas y demás elementos de calefacción.

II) tártaro, -ra *adj.-s.* De Tartaria, antigua región del centro de Asia. – 2 *m.* Lengua hablada en esta región.

tartera *f.* Fiambrera (cacerola).

tartesio, -sia *adj.-s.* De la Tartéside, antigua región de la Península Ibérica.

tartufo *m.* Persona hipócrita y falsa.

tarugada *f. Méj.* Jugada, diablura, mala acción.

tarugo *m.* Clavija gruesa de madera. 2 Trozo de madera, generalmente en forma de paralelepípedo, que se emplea para formar pavimento.

tas *m.* Yunque pequeño de los plateros. ◇ Pl.: *tases.*

tasa *f.* Acción de tasar. 2 Efecto de tasar. 3 Documento en que consta la tasa. 4 Precio puesto por la autoridad a las mercancías. 5 Medida, regla.

tasación *f.* Valoración. 2 ECON. Fijación de los precios máximos y mínimos de determinados productos por parte del Estado.

tasadamente *adv. m.* Con tasa. 2 Limitada y escasamente.

tasajo *m.* Pedazo de carne acecinado. 2 p. ext. Tajada de carne.

tasar *tr.* Poner tasa (precio) [a las cosas vendibles]. 2 en gral. Graduar el valor [de las cosas]. 3 Regular [lo que uno merece] por su

trabajo. 4 fig. Poner medida: ~ *la comida, el trabajo;* conceder con limitaciones : ~ *la libertad.* 5 fig. Restringir con mezquindad [lo que hay obligación de dar].

tasarte *m.* Pez marino teleósteo, de gran tamaño, flancos plateados y cuerpo relativamente alto y bastante comprimido *(Orcynopsis unicolor).*

tasca *f.* Garito de mala fama. 2 Taberna. 3 fam. Disputa.

tascar *tr.* Espadar. 2 fig. Quebrantar con ruido [la hierba las bestias cuando pacen]. ◇ ** CONJUG. [1] como *sacar.*

tasquear *intr.* Frecuentar tascas o tabernas.

tasquil *m.* Fragmento que salta de la piedra al labrarla.

tastana *f.* Costra producida por la sequía en las tierras de cultivo. 2 Membrana que separa los gajos de ciertas frutas, como la nuez, la naranja, la granada, etc.

tasto *m.* Sabor desagradable de algunas viandas revenidas.

tata *f.* fam. Nombre infantil con que se designa a la niñera.

tatami *m.* Tapiz acolchado sobre el que se ejecutan algunos deportes como el judo y el kárate.

tatarabuelo, -la *m. f.* Tercer abuelo.

tataranieto, -ta *m. f.* Tercer nieto.

tataratear *intr. Amér. Central* y *Venez.* Hacer algo con dificultad.

¡tate! Interjección equivalente a ¡detente! o poco a poco. 2 Denota sorpresa por haber venido en conocimiento de algo que antes no se ocurría.

tatemar *tr. Méj.* Asar [carnes, raíces o frutas].

tatetí *m. Argent.* y *Urug.* Tres en raya, juego de niños.

tato, -ta *adj.* Tartamudo que vuelve la *c* y *s* en *t.*

tatuaje *m.* Acción de tatuar o tatuarse. 2 Efecto de tatuar o tatuarse.

tatuar *tr.-prnl.* Grabar [dibujos indelebles] en la piel, introduciendo materias colorantes bajo la epidermis: *tatuarse el pecho; tatuarse una flecha en el pecho.* ◇ ** CONJUG. [11] como *actuar.*

tau *f.* Decimonovena letra del alfabeto griego equivalente a *t.* – 2 *m.* Última letra del alfabeto hebreo. 3 fig. Divisa, distintivo.

taúca *f. Bol., Ecuad.* y *Perú.* Montón, gran cantidad de cosas agrupadas.

taucar *tr. Bol., Ecuad.* y *Perú.* Colocar unas cosas sobre otras, apilar. ◇ ** CONJUG. [1] como *sacar.*

taujel *m.* Listón de madera, reglón.

taula *f.* Construcción megalítica en forma de mesa, integrada por una gran piedra vertical hincada en el suelo, y otra, asimismo enorme, depositada plana sobre aquella; **prehistoria.

taulaga *f.* Arbusto papilionáceo espinoso y pubescente con las hojas simples y lanceoladas y las flores de color amarillo *(Genista hispanica)*.

taumaturgia *f.* Facultad de realizar prodigios.

taumaturgo, -ga *m. f.* Persona admirable en sus obras; autor de cosas prodigiosas, o autor de milagros.

taurino, -na *adj.* Relativo al toro, o a las corridas de toros.

taurómaco, -ca *adj.* Tauromáquico. – 2 *adj.-s.* Persona entendida en tauromaquia.

tauromaquia *f.* Arte de lidiar toros. 2 Obra o libro que trata de este arte.

tautología *f.* RET. Repetición inútil de un mismo pensamiento expresado en dos o más palabras, una de las cuales define o califica otra que tiene el mismo significado: *reincidir por segunda vez*.

tautomería *f.* QUÍM. Propiedad de los cuerpos en los cuales los mismos átomos dan lugar a la formación de moléculas diferentes que se hallan en el mismo, en estado de equilibrio real o hipotético.

taxáceo, -cea *adj.-f.* Planta de la familia de las taxáceas. – 2 *f. pl.* Familia de plantas arbóreas, gimnospermas, coníferas; como el tejo.

taxativo, -va *adj.* Que limita y reduce un caso a determinadas circunstancias.

taxi *m.* Abreviación de taxímetro (coche).

taxidermia *f.* Arte de disecar los animales.

taxidermista *com.* Persona que tiene por oficio disecar los animales.

taxímetro *m.* Aparato que en los automóviles marca automáticamente la distancia recorrida y la cantidad devengada. 2 Coche de alquiler provisto de un taxímetro.

taxista *com.* Conductor de un taxímetro (coche).

taxodiáceo, -a *adj.-f.* Planta de la familia de las taxodiáceas. – 2 *f. pl.* Familia de plantas gimnospermas, coníferas, de hojas esparcidas, con los conos lignificados.

taxón *m.* Grupo de cualquier clasificación científica.

taxonomía *f.* Ciencia que trata de los principios, métodos y fines de la clasificación, especialmente dentro de la biología. 2 p. ext. Clasificación.

tayacán *m. Amér. Central.* Mozo que guía el arado. 2 *Amér. Central.* Persona de confianza que sirve a otra.

tayásido *adj.-m.* Mamífero de la familia de los tayásidos. – 2 *m. pl.* Familia de artiodáctilos suiformes americanos; como el pécari.

taza *f.* Vasija pequeña, con asa, para tomar líquidos: *una ~ de porcelana*. 2 Lo que cabe en ella: *una ~ de caldo*. 3 Receptáculo redondo donde vacían el agua las fuentes. 4 Receptá-

culo del retrete. 5 Pieza cóncava de metal que forma parte de la guarnición de algunas espadas: *espada de ~;* **armas.

tazar *tr.-prnl.* Rozar [la ropa] por los dobleces. ◇ ** CONJUG. [4] como *realizar*.

tazcal *m. Méj.* Tortilla de maíz.

tazón *m.* Vasija algo mayor que la taza y, generalmente, sin asa.

I) te *f.* Nombre de la letra *t*. 2 Regla que se emplea para dibujar, y que tiene la forma de esta letra. ◇ Pl.: *tes*.

II) te *pron. pers.* Forma de 2ª persona para el objeto directo e indirecto sin preposición en género masculino y femenino y en número singular. Puede usarse como enclítico: *te oyó; te mandó la carta; búscate un libro para instruirte;* **pronombre.

té *m.* Arbolillo teáceo, propio de Asia, de hojas coriáceas, flores blancas axilares y fruto capsular *(Camellia sinensis)*. 2 Hojas de esta planta convenientemente desecadas. 3 Infusión que se hace con estas hojas. 4 Reunión de personas que se celebra por la tarde y en la cual se toma el té como bebida. ◇ Pl.: *tés*.

tea *f.* Astilla o raja de madera impregnada en resina que sirve para dar luz. 2 Borrachera. 3 MAR. Cable con el que se leva desde una lancha.

teáceo, -a *adj.-f.* Planta de la familia de las teáceas. – 2 *f. pl.* Familia de plantas que incluye árboles o arbustos angiospermos dicotiledóneos, de fruto capsular o indehiscente; como la camelia y el té.

teatral *adj.* Relativo al teatro. 2 Amplificado, exagerado.

teatralidad *f.* Calidad de teatral.

teatralizar *tr.* Dar forma teatral o representable a un tema o asunto. 2 fig. Dar carácter espectacular o efectista a una actitud o expresión. ◇ ** CONJUG. [4] como *realizar*.

**teatro *m.* Edificio destinado a la representación de obras dramáticas; **romano. 2 p. ext. Público que asiste a una representación: *los aplausos de todo el ~*. 3 Profesión de actor: *dedicarse al ~*. 4 Arte de componer o representar obras dramáticas: *las reglas del ~*. 5 Conjunto de obras dramáticas de un pueblo, época o autor: *el ~ griego; el ~ de Calderón*. 6 fig. Literatura dramática. 7 fig. Lugar en que ocurren acontecimientos notables: *el ~ de la guerra*.

tebaida *f.* fig. Soledad, desierto.

tebaína *f.* FARM. Alcaloide cristalino y tóxico, contenido en el opio, que produce efectos convulsionantes.

tebeo *m.* Revista infantil recreativa e ilustrada.

I) teca *f.* Árbol verbenáceo, cuyas hojas, grandes y enteras, dan un colorante encarnado; su madera, muy dura, se usa en la construcción de naves *(Tectona grandis)*. 2 Madera de este árbol.

II) teca *f.* Cajita donde se guarda una reliquia. 2 BOT. Mitad de una antera que lleva los sacos polínicos; **flor. 3 Asca. 4 Esqueleto en forma de copa de un hidrozoo o de un pólipo de coral. 5 Caparazón en forma de copa de una comátula.

tecla *f.* Pieza que, por la presión de los dedos, hace sonar ciertos instrumentos músicos o hace funcionar otros aparatos: *una ~ de piano, de la máquina de escribir; ~ de pie.* 2 fig. Materia delicada que debe tratarse con cuidado.

teclado *m.* Conjunto ordenado de teclas de un instrumento: *~ de naturales.*

teclear *intr.* Mover las teclas. 2 fig. Menear los dedos como el que toca las teclas. 3 fig. Intentar diversos caminos o medios para la consecución de algún fin. 4 *Amér.* Estar dando las boqueadas. 5 *Argent., Colomb., Chile, Parag.* y *Urug.* Andar muy mal un negocio.

técnica *f.* Conjunto de procedimientos de que se sirve una ciencia o arte. 2 Habilidad para usar de estos procedimientos. 3 fig. Habilidad para ejecutar cualquier cosa, o para conseguir algo.

tecnicismo *m.* Tecnología (terminología). 2 Término técnico.

técnico, -ca *adj.* Relativo a las aplicaciones de las ciencias y las artes. 2 Propio del lenguaje de un arte, ciencia u oficio: *expresión técnica.* – 3 *m. f.* Persona que posee los conocimientos especiales de una ciencia, arte u oficio.

tecnicolor *m.* Procedimiento que permite reproducir en la pantalla cinematográfica los colores de los objetos.

tecnocracia *f.* Intervención o influencia que los técnicos ejercen en la dirección política de un país. 2 Grupo de técnicos que ejercen este poder.

tecnócrata *com.* Persona que pertenece a la tecnocracia de un país.

tecnografía *f.* Descripción de las artes industriales y de sus procedimientos.

tecnología *f.* Conjunto de los conocimientos propios de una técnica. 2 Tratado de los términos técnicos. 3 Terminología exclusiva de una ciencia o arte.

tecnólogo, -ga *m. f.* Persona que se dedica a la tecnología.

tecomate *m. Amér. Central* y *Méj.* Especie de calabaza de cuello estrecho y corteza dura de la cual se hacen vasijas *(Crescentia alata).*

tectónico, -ca *adj.* Relativo a los edificios u obras de arquitectura. 2 Relativo a la estructura de la corteza terrestre. – 3 *f.* Parte de la Geología que trata de dicha estructura.

tectriz *adj.* BOT. [hoja o pelo de las plantas] Que cubre otros órganos del vegetal o los protege de algún modo.

techar *tr.* Cubrir [un edificio] formando el techo.

techo *m.* Parte interior y superior que cubre o cierra un edificio o habitación. 2 Cara inferior del mismo, superficie que cierra en lo alto una habitación o espacio cubierto. 3 fig. Casa: *acoger a uno bajo su ~.* 4 En aviación, altura máxima que puede alcanzar un aparato determinado: *el ~ de aquellos aviones era de 8.000 metros.* 5 fig. Altura o límite máximo a que puede llegar y del que no puede pasar un asunto, negocio, evolución, etc.

TEATRO

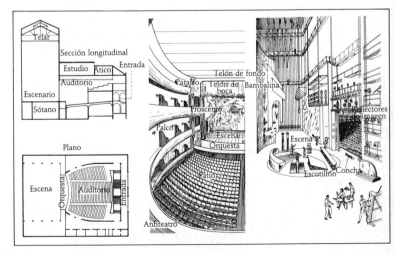

techumbre *f.* Techo (de un edificio). 2 Conjunto de la estructura y elementos de cierre de los techos.

tedéum *m.* Cántico litúrgico católico que se usa para alabar y dar gracias a Dios. ◇ Pl.: *tedéum.*

tediar *tr.* Aborrecer [una cosa] o tener tedio de ella. ◇ ** CONJUG. [12] como *cambiar.*

tedio *m.* Aburrimiento, hastío.

tedioso, -sa *adj.* Aburrido.

tegenaria *f.* Género de arañas de patas muy largas, cefalotórax rojizo y abdomen gris con manchas *(gén. Tegenaria).*

tegmen *m.* ZOOL. Ala anterior correosa de los saltamontes e insectos similares, como la cucaracha.

tegumento *m.* Tejido orgánico que recubre ciertas partes de las plantas y de los animales.

teína *f.* Principio activo del té, químicamente idéntico a la cafeína.

teísmo *m.* Doctrina teológica que afirma la existencia de un Dios personal, creador del universo y gobernador de su evolución gracias a su influencia constante y viviente.

teja *f.* Pieza de barro cocido en forma de canal, para cubrir por fuera los techos. 2 Pastita curvada hecha de harina, azúcar y otros ingredientes, cocida al horno. 3 Sombrero de teja. 4 Hoja de acero que envuelve el alma de la espada. 5 Peineta de gran tamaño. 6 Segmento metálico destinado a sostener los proyectiles o las cargas de proyección, antes de que sean introducidos en el ánima del cañón.

tejadillo *m.* Cubierta de la caja de un coche. 2 CONSTR. Tejado de una sola vertiente adosado a un edificio.

tejado *m.* Cubierta hecha generalmente con tejas; **casa.

tejamaní, tejamanil *m. Amér.* Tabla delgada que se coloca como teja en los techos de las casas.

tejano, -na *adj.-s.* De Tejas, estado de los Estados Unidos de América. − 2 *m. pl.* Pantalón al estilo de Tejas.

I) tejar *m.* Fábrica de tejas, ladrillos y adobes.

II) tejar *tr.* Cubrir de tejas [un edificio].

tejedor, -ra *adj.* Que teje. − 2 *m.* Insecto embióptero de tamaño pequeño o mediano, de cuerpo blando, parduzco, y que vive debajo de las piedras, construyendo redes y túneles sedosos *(Haplohembia solieri; Embia amadorae).* − 3 *f.* Máquina de hacer punto.

tejemaneje *m.* fam. Afán y destreza con que se hace una cosa. 2 fam. Manejos enredosos para algún asunto turbio. ◇ Pl.: *tejemanejes.*

tejer *tr.* Entrelazar hilos [de seda, lana, algodón, etc.], o los nudos o anillos de un solo hilo para formar [telas, trencillas, esteras, etc.]: ~ *la seda;* ~ *una tela;* ~ *unas medias con,* o *de,*

seda; esp., entrelazar, cruzándolos en el telar, los hilos de las dos series llamadas la trama y la urdimbre. 2 Hacer punto a mano o con máquina tejedora; hacer labor de punto. 3 Formar ciertas orugas [su capullo] y las arañas [su tela]. 4 fig. Discurrir o maquinar: ~ *una intriga.* 5 Cruzar o mezclar con orden: ~ *una danza.* 6 fig. Componer, ordenar y colocar con método y disposición una cosa.

tejido *m.* Textura: *el* ~ *de esta tela es flojo.* 2 Cosa tejida: ~ *de* ***algodón.* 3 Asociación de células diferenciadas de un ser orgánico que tienen la misma estructura y análoga función: ~ *adiposo,* el que se encuentra en el interior de los huesos largos y formando una capa continua debajo de la piel, y se caracteriza por almacenar gotas de grasa en su interior; ~ *conjuntivo,* el que sirve de unión a los demás tejidos y para rellenar huecos orgánicos; ~ *cartilaginoso,* el que forma los cartílagos, parecido al conjuntivo, pero con la substancia intercelular sólida, resistente y elástica; ~ *óseo,* el que forma los huesos y está constituido por células especiales con una substancia petrificada por la incrustación de sales calcáreas; ~ *epitelial,* el que forma la piel y las mucosas, formado por células poco modificadas unidas unas a otras por un cemento; ~ *muscular,* el que forma los músculos y está constituido por células contráctiles transformadas en largas fibras asociadas en haces; ~ *nervioso,* el formado esencialmente por células y fibras especiales encargadas de las funciones propias del sistema nervioso.

I) tejo *m.* Pedazo redondo de teja que sirve para jugar. 2 Disco metálico grueso. 3 Pedazo de oro en pasta.

II) tejo *m.* Árbol taxáceo, dioico, siempre verde; sus hojas y semillas son venenosas, aunque éstas tienen un arilo carnoso comestible *(Taxus baccata).*

tejoleta *f.* Pedazo de teja. 2 Pedazo de barro cocido.

tejón *m.* Mamífero carnívoro mustélido de unos 7 dms. de largo, patas y cola cortas, orejas pequeñas y pelaje espeso *(Meles meles).* 2 Piel curtida de este animal.

tejuelo *m.* Cuadrito de piel o de papel pegado al lomo de un libro para poner el rótulo, o el rótulo mismo, aunque no sea sobrepuesto; **encuadernación. 2 Hueso corto y muy resistente que sirve de base al casco de las caballerías.

tela *f.* Obra hecha de muchos hilos, que, entrecruzados en toda su longitud, forman como una lámina: ~ *de punto,* la formada por series alineadas de lazaditas hechas con un mismo hilo; ~ *metálica,* malla hecha con alambre. 2 Tejido que forman algunos animales: ~ *de araña.* 3 Membrana: *las telas del corazón; las telas de la cebolla.* 4 Flor o nata que se cría en la superficie de un líquido. 5 Sitio cerrado dispuesto para lides públicas y otros espectáculos o fiestas. 6 Túnica, en algunas frutas, después de la cáscara o corteza que las cubre. 7 Nubecilla que se empieza a formar sobre la niña del ojo. 8 fig. Asunto, materia: *hay ~ para rato.* 9 vulg. Dinero. 10 fig. Enredo, maraña o embuste. 11 PINT. Lienzo, cuadro, pintura.

telar *m.* Máquina para tejer. 2 Fábrica de tejidos. 3 Aparato en que cosen los libros los **encuadernadores. 4 Parte del escenario de un **teatro de donde suben o bajan los telones y bambalinas. 5 En un estudio de cine o televisión, estructura elevada donde se instalan los focos y desde donde se manipulan las cuerdas del escenario o plató. 6 Parte del vano de una puerta o ventana, más próxima al paramento exterior de la pared.

telaraña *f.* Tela que forma la araña segregando un hilo muy tenue. 2 fig. Cosa sutil, de poca entidad.

tele *f.* fam. Abreviación de televisión y de televisor. – 2 *m.* Abreviación de teleobjetivo.

teleadicto, -ta *adj.* Fiel al seguimiento constante de los programas de televisión.

telecabina *f.* Teleférico de cable único para la tracción y la suspensión, dotado de cabina.

teleclinómetro *m.* Instrumento que se introduce en los pozos de sondeo para medir su inclinación.

teleclub *m.* Lugar de reunión para ver programas de televisión.

telecomunicación *f.* Sistema de comunicación telegráfica, telefónica, radiotelegráfica y demás análogos. 2 Conjunto de dichos medios de comunicación a distancia.

telediario *m.* Noticiario televisivo.

teledifusión *f.* Transmisión de imágenes de televisión mediante ondas electromagnéticas.

teledinámico, -ca *adj.* Que comunica una fuerza o movimiento a distancia.

teledirigir *tr.* Dirigir [un vehículo] desde lejos, generalmente por medio de ondas hertzianas. ◇ ** CONJUG. [6] como *dirigir.*

telefacsímil *m.* Sistema de transmisión telefónica de facsímiles. 2 Facsímil así transmitido.

telefax *m.* Telefacsímil. ◇ Pl.: *telefax.*

teleférico *m.* Transbordador o sistema de transporte en el que los vehículos van suspendidos de un cable de tracción.

telefilme *m.* Filme especialmente concebido y realizado para ser transmitido por televisión.

telefonazo *m.* fam. Llamada telefónica.

telefonear *intr.* Llamar [a alguien] por teléfono, para comunicar con él. – 2 *tr.* Hablar por teléfono. 3 Transmitir mensajes por teléfono.

telefonía *f.* Arte de construir, instalar y

manejar teléfonos. 2 Servicio de comunicaciones telefónicas. 3 Sistema de telecomunicación para la transmisión de sonidos con o sin hilo de conexión entre el emisor y el receptor.

telefónico, -ca *adj.* Relativo al teléfono o a la telefonía. 2 *f.* Administración de la que depende el sistema de comunicación mediante teléfonos. 3 Edificio destinado a este servicio.

telefonista *com.* Persona ocupada en el servicio de teléfonos.

teléfono *m.* Conjunto de aparatos e hilos conductores con que se transmite a distancia el sonido. 2 Aparato para hablar según ese sistema. 3 Número que se asigna a cada uno de esos aparatos. – 4 *m. pl.* Telefonía.

teléfora *f.* Hongo irregular, de aspecto deshilachado y de color pardo, frecuente en los bosques de coníferas *(Thelephora terrestris).*

telefotografía *f.* Arte de tomar y transmitir fotografías a distancia mediante sistemas electromagnéticos. 2 Fotografía así transmitida. 3 Técnica de la fotografía de objetos lejanos, generalmente por medio de teleobjetivos. 4 Fotografía así tomada.

telegenia *f.* Dote natural de algunas personas gracias a la cual resultan muy favorecidas al ser televisadas.

telegrafía *f.* Arte de construir, instalar y manejar los telégrafos. 2 Servicio de comunicaciones telegráficas. 3 Sistema de telecomunicación que permite la transmisión de información entre dos puntos mediante impulsos eléctricos, y utilizando un código preestablecido.

telegrafiar *tr.* Comunicar [algo] por medio del telégrafo. 2 Dictar [comunicaciones] para su expedición telegráfica. ◇ ** CONJUG. [13] como *desviar.*

telegráfico, -ca *adj.* Relativo al telégrafo o a la telegrafía. 2 fig. Conciso, restringido: *estilo ~.*

telégrafo *m.* Conjunto de aparatos destinados a transmitir despachos a larga distancia mediante señales convenidas. – 2 *m. pl.* Administración de la que depende este sistema de comunicación. 3 Edificio destinado a este servicio.

telegrama *m.* Despacho telegráfico. 2 Papel normalizado en que se recibe escrito el mensaje telegráfico. ◇ INCOR.: *telégrama.*

teleinformática *f.* Técnica que utiliza los medios de las telecomunicaciones para la transmisión de datos informatizados.

telejuego *m.* Sistema electrónico que permite desarrollar diversos juegos en la pantalla de un televisor.

telele *m.* fam. Patatús, soponcio.

telemando *m.* Aparato que se utiliza para dirigir una maniobra mecánica a distancia.

telemática *f.* Servicio de telecomunicaciones que permite la transmisión de datos informatizados a través del teléfono.

telemetría *f.* Medición de distancias por medio del telémetro.

telémetro *m.* TOPOGR. Aparato para medir la distancia a que uno se encuentra de un objeto.

telendo, -da *adj.* Vivo, airoso, gallardo.

telengues *m. pl. Amér. Central.* Trebejos, instrumentos.

telenovela *f.* Narración de tipo melodramático especialmente concebida para ser emitida por televisión en forma seriada.

telenque *adj.* Bobo, memo.

teleobjetivo *m.* Objetivo que permite tomar **fotografías a distancia.

teleología *f.* Parte de la metafísica que estudia las causas finales. 2 Doctrina metafísica que considera el Universo, no como una sucesión de causas y efectos, sino como un orden de fines que las cosas tienden a realizar.

teleósteo *adj.-m.* Pez del superorden de los teleósteos. – 2 *m. pl.* Superorden de peces actinopterigios de esqueleto óseo; con escamas y opérculo branquial osificados; vejiga natatoria, línea lateral y cola homocerca o difícerca, que incluye la mayoría de los peces actuales.

telepatía *f.* Coincidencia de pensamientos o sensaciones entre personas generalmente distantes entre sí, que tiene lugar fuera del alcance de los sentidos. 2 Transmisión de contenidos psíquicos entre personas, sin intervención de agentes físicos conocidos.

teleprocesar *tr.* INFORM. Emplear un ordenador a distancia, mediante terminales conectados a él.

telequinesia *f.* En parapsicología, desplazamiento de objetos sin causa física observable, por lo general en presencia de un médium.

telera *f.* Travesaño que sujeta el dental a la cama del arado o al timón. 2 Madero paralelo a otro igual de las prensas de carpinteros, encuadernadores, etc. 3 Redil formado por tablas. 4 Travesaño con que se enlaza la lanza con los largueros de la escalera del carro. 5 Pieza utilizada para reforzar la unión de otras dos a fin de que el conjunto resulte indeformable. 6 Mecanismo auxiliar empleado en las hilaturas para transportar automáticamente, en una especie de cinta sin fin, las fibras entre dos puntos de trabajo.

telero *m.* Palo o estaca de las barandas de los carros. 2 fam. Vendedor ambulante, buhonero.

telerradioscopia *f.* Técnica consistente en reproducir con una cámara de televisión las imágenes de una pantalla de aparato de radiografía.

telescópico, -ca *adj.* Relativo al telesco-

pio. 2 Que sólo es visible con el telescopio: *planetas telescópicos.* 3 Hecho con auxilio del telescopio: *observaciones telescópicas.*

telescopio *m.* Instrumento óptico para observar objetos lejanos, especialmente los cuerpos celestes, que consiste esencialmente en un espejo o lente que concentra los rayos luminosos y produce una imagen del objeto, y una lente que amplía esta imagen.

telesilla *m.* Teleférico aéreo formado por sillas suspendidas de un cable único.

telespectador, -ra *m. f.* Espectador de televisión.

telesquí *m.* Teleférico que se utiliza para que suban los esquiadores. ◇ Pl.: *telesquís.*

teleteca *f.* Colección de registros clasificados de emisiones de televisión ya efectuadas.

teletermografía *f.* Técnica de reproducción fotográfica de las zonas calientes y frías del cuerpo mediante una cámara de televisión y rayos infrarrojos.

teletex *m.* Transmisión de textos informatizados a través del teléfono. ◇ Pl.: *teletex.*

teletipia *f.* Sistema de comunicación telegráfico o radiotelegráfico que permite la transmisión de un texto mecanografiado. 2 Composición tipográfica a distancia, por medio del acoplamiento entre un teletipo y una máquina de componer.

teletipo *m.* Aparato telegráfico para transmitir y recibir mensajes en tipos comunes, por medio de un teclado parecido al de la máquina de escribir.

televidente *com.* Espectador de televisión.

televisar *tr.* Transmitir [imágenes] por televisión.

televisión *f.* Visión de cosas lejanas obtenida mediante las ondas hertzianas. 2 fam. Televisor. 3 Empresa dedicada a transmitir por este medio.

televisivo, -va *adj.* Que tiene buenas condiciones para ser televisado. 2 Propio o relativo a la televisión.

televisor *m.* Aparato receptor de televisión.

télex *m.* Servicio mecanográfico que se efectúa a distancia por medio de teletipos. 2 Mensaje transmitido mediante dicho servicio. ◇ Pl.: *télex.*

telón *m.* Lienzo grande que puede subirse y bajarse en el escenario de un **teatro: ~ *de boca,* el que cierra la embocadura del escenario; ~ *de fondo,* el que cierra la escena formando el frente de la decoración. 2 fig. ~ *de acero,* frontera política e ideológica que separa los países del bloque de influencia soviética de los occidentales.

telonero, -ra *adj.-s.* Artista que, en un espectáculo musical o de variedades, actúa en primer lugar, como menos importante. 2 p. ext. El primero de los oradores que intervienen en un acto público, cuando su importancia es menor que la de quienes han de seguirle en el uso de la palabra. 3 fig. Persona de escasa calidad o mérito dentro de su profesión.

telson *m.* zool. Último segmento del cuerpo de los crustáceos que suele ser laminar y está situado a continuación del pleon.

telúrico, -ca *adj.* Relativo a la Tierra como planeta.

telurio *m.* Metaloide cristalino, muy escaso, de aspecto metálico y color parecido al del estaño. Su símbolo es *Te.*

telurismo *m.* Influjo de la configuración del terreno sobre la vida de sus habitantes.

tema *m.* Proposición, texto o asunto sobre que versa un discurso, discusión, escrito, etc. 2 Asunto de un trabajo escolar, especialmente el texto, para traducir al idioma que se estudia. 3 gram. En las lenguas de flexión, parte del vocablo que recibe las desinencias del caso en la declinación, y las de persona en la conjugación: la radical del verbo *decir* es *dec-;* el tema del perfecto es *dij-.* 4 mús. Idea principal de una composición con arreglo a la cual se desarrolla el resto de ella. ◇ Se abusa del empleo de esta palabra en lugar de *problema, asunto, cuestión,* etc.

temario *m.* Repertorio, programa, lista de temas o asuntos que se tratan en un libro, asamblea, reunión, curso académico, etc.

temático, -ca *adj.* Relativo al tema de cualquier materia; úsase especialmente en gramática con referencia al tema de las palabras. 2 Que se ejecuta o dispone según un tema. – 3 *f.* Conjunto de temas relativos a una ciencia o actividad determinada.

tembladera *f.* Acción de temblar. 2 Efecto de temblar. 3 Vaso ancho con dos asas a los lados, de metal o vidrio y de una hoja tan delgada que fácilmente vibra. 4 Planta graminácea con panoja terminal compuesta de ramitos capilares y flexuosos de las cuales penden unas espigas aovadas *(Briza maxima).*

temblar *intr.* Agitarse una persona con pequeños movimientos rápidos, continuos e involuntarios: ~ *de frío;* ~ *con el susto;* moverse o vacilar un cuerpo de una manera semejante. 2 fig. Tener mucho miedo: ~ *por su vida.* ◇ ** conjug. [3] como *acertar.*

tembleque *m.* Temblor. 2 Persona o cosa que tiembla mucho.

temblequear *intr.* fam. Temblar con frecuencia. 2 fam. Afectar temblor.

temblor *m.* Agitación de lo que tiembla.

tembloroso, -sa, tembloso, -sa *adj.* Que tiembla mucho.

temer *tr.* Tener [a una persona o cosa] por objeto de temor. 2 Recelar [un daño]: *temo que vendrán mayores males.* 3 Sentir [por alguno] temor reverencial parecido al que se siente por Dios. 4 Sospechar, creer: *temo que sea muy antiguo.* – 5 *intr.* Sentir temor: ~ *por sus hijos.*

temerario, -ria *adj.* Imprudente. 2 Que se piensa, dice o hace sin fundamento: *juicio* ~.

temeridad *f.* Calidad de temerario. 2 Acción temeraria. 3 Juicio temerario.

temeroso, -sa *adj.* Que causa temor. 2 Medroso, irresoluto. 3 Que recela un daño.

temible *adj.* Digno de ser temido.

temor *m.* Pasión del ánimo que incita a rehusar las cosas que se consideran dañosas o arriesgadas. 2 Presunción, recelo, especialmente de un daño futuro.

témpano *m.* Piel extendida del pandero, tambor, etc. 2 Bloque o pedazo de hielo. 3 Hoja de tocino, quitados los perniles.

temperado, -da *adj.* Templado.

temperamental *adj.* Que es propio del temperamento o producido por él. 2 [pers.] Que presenta una alternancia de estados de ánimo e intensidades de reacción.

temperamento *m.* Arbitrio para terminar las contiendas o para obviar dificultades. 2 Carácter (modo de ser). 3 fig. *y* fam. Vocación, aptitud particular para un oficio o arte. 4 fisiol. Constitución particular de cada individuo, que resulta del predominio fisiológico de un sistema orgánico.

temperante *adj.* Que posee la virtud de la templanza. 2 Sobrio, frugal.

temperar *tr.* Atemperar. 2 med. Templar o calmar el exceso [de acción o excitación]. – 3 *intr.* Amér. Mudar de aires.

temperatura *f.* Grado de calor en los cuerpos, relacionado con la energía cinética de las moléculas de los mismos. 2 Temperie: ~ *ambiente,* la de la atmósfera que rodea un cuerpo. 3 fam. Estado de calor del cuerpo humano o de los animales.

temperie *f.* Estado de la atmósfera, según los diversos grados de calor o humedad. 2 Temperamento, aspecto de la personalidad.

tempero *m.* Sazón que adquiere la tierra con la lluvia.

tempestad *f.* Fuerte perturbación de la atmósfera acompañada de variaciones en la presión ambiente y de lluvia, nieve o granizo, y frecuentemente de rayos, truenos y relámpagos. 2 Fuerte agitación del mar causada por la violencia de los vientos. 3 fig. Conjunto de palabras ásperas o injuriosas dichas con grande enojo.

tempestear *impers.* Descargar la tempestad. 2 fig. Manifestar enojo grande.

tempestivo, -va *adj.* Oportuno.

tempestuoso, -sa *adj.* Que causa o constituye una tempestad. 2 Expuesto o propenso a tempestades. 3 [ambiente] Tenso y propenso para que se produzca una discusión o altercado.

templa *f.* Mezcla de agua caliente y malta triturada, que se utiliza en el proceso de fabricación de la cerveza.

templado, -da *adj.* Moderado en sus apetitos. 2 [estilo] Entre elevado y vulgar. 3 Ni frío ni caliente. 4 Valiente con serenidad. 5 METAL. Que ha sido sometido al temple. 6 *Amér.* Severo, riguroso, duro. 7 *Amér. Merid.* Enamorado, amartelado. 8 *Amér. Central y Méj.* Listo, competente.

templanza *f.* Virtud cardinal que induce a refrenar la sensualidad y a usar de todas las cosas con moderación. 2 Sobriedad y continencia. 3 Benignidad del clima de un país. 4 PINT. Armonía y buena disposición de los colores.

templar *tr.* Moderar o suavizar la fuerza [de una cosa]. 2 Quitar el frío [de una cosa], calentarla ligeramente: ~ *la leche para preparar un biberón; intr., el tiempo ha templado.* 3 Enfriar bruscamente en agua, aceite, etc., un material calentado por encima de determinada temperatura, con el fin de mejorar ciertas propiedades suyas. 4 Poner en tensión moderada [una cosa]: ~ *una cuerda.* 5 fig. Mezclar [una cosa] con otra para moderar su fuerza: ~ *el vino.* 6 fig. Sosegar [la cólera o enojo], mitigar [el dolor]. 7 MAR. Proporcionar [las velas] al viento. 8 MÚS. Disponer un [instrumento] para que dé las notas con exactitud. 9 PINT. Disponer [los colores] de manera que no desdigan. 10 TAUROM. Ajustar el movimiento de la capa o la muleta a la embestida del toro, para moderarla o alegrarla. – 11 *prnl.* Contener, evitar el exceso: *templarse en comer.* – 12 *tr. And., La Mancha y C. Rica.* Azotar, zurrar [a uno].

templario *m.* Individuo de una orden religiosa y militar fundada hacia el año 1118 y cuyo fin era asegurar los Santos Lugares de Jerusalén.

temple *m.* Punto de dureza o elasticidad dado a un metal, cristal, etc., templándolos. 2 fig. Calidad del genio: *estar de buen,* o *mal,* ~. 3 fig. Arrojo, valentía. 4 fig. Término medio entre dos cosas.

templén *m.* Pieza del telar para regular el ancho de la tela que se teje.

templete *m.* Armazón pequeña en figura de templo que sirve para cobijar una imagen. 2 Pabellón o quiosco.

templo *m.* Edificio destinado públicamente a un culto; **egipcio; **romano. 2 fig. Lugar real o imaginario en que se rinde culto al saber, la justicia, etc.

tempo *m.* MÚS. Tiempo. 2 p. anal. Velocidad relativa con que se habla y mayor o menor rapidez con que sucede la acción novelesca o teatral. 3 fig. Ritmo de una acción.

temporada *f.* Espacio de tiempo formando un conjunto: ~ *de nieves; la mejor* ~ *de mi vida.* 2 Tiempo durante el cual se realiza habitualmente alguna cosa: ~ *del balneario;* ~ *de ferias.*

I) temporal *adj.* Relativo al tiempo, en oposición a perpetuo, eterno. 2 Que dura por algún tiempo. 3 Seglar, profano: *poder* ~. – 4 *adj.-f.* GRAM. *Oración* ~, la compuesta enlazada por una conjunción temporal. 5 GRAM. **Conjunción** ~, la que denota en la subordinada idea de tiempo respecto a la principal; como *cuando, mientras que.* – 6 *m.* Tempestad.

II) temporal *adj.* Relativo a las sienes: *músculos temporales.* – 2 *adj.-m.* ANAT. Hueso irregular y par, que forma la parte lateral e inferior del cráneo y está situado entre el occipital y el esfenoides; **cabeza.

temporalidad *f.* Calidad de temporal (seglar). 2 FIL. Calidad de lo que es en el tiempo.

temporalizar *tr.* Convertir [lo eterno] en temporal. ◇ ** CONJUG. [4] como *realizar.*

temporalmente *adv. t.* Por algún tiempo. – 2 *adv. m.* En el orden de lo temporal (que dura un tiempo) y terreno.

temporero, -ra *adj.-s.* Persona destinada temporalmente al ejercicio de un oficio o empleo. 2 Obrero del campo que se contrata en la temporada de recolección de determinados frutos o cosechas. – 3 *m. f.* Trabajador contratado por un tiempo determinado.

temporizador *m.* ELECTR. Reloj formado esencialmente por una escala que cuenta los impulsos de un oscilador cuya frecuencia es un múltiplo exacto del hercio.

temporizar *intr.* Contemporizar. 2 Ocuparse de alguna cosa por mero pasatiempo. ◇ ** CONJUG. [4] como *realizar.*

tempranal *adj.-m.* Tierra y plantío de fruto temprano.

tempranero, -ra *adj.* Temprano (adelantado).

temprano, -na *adj.* Adelantado, que es antes del tiempo ordinario. – 2 *m.* Sembrado o plantío de fruto temprano: *la recogida de los tempranos.* – 3 *adv. t.* En las primeras horas del día o de la noche. 4 En tiempo anterior al señalado.

ten con ten *m.* fam. Tiento, moderación.

tenacear *intr.* Insistir o porfiar con pertinacia.

tenacidad *f.* Calidad de tenaz. 2 MIN. Propiedad vectorial mecánica definida como la resistencia que opone un mineral a la rotura.

tenacillas *f. pl.* Nombre de varios instrumentos a manera de tenazas pequeñas: ~ *de rizar el pelo;* ~ *de coger el cigarro, los terrones de azúcar, dulces,* etc.

tenaz *adj.* Que se pega o prende con fuerza a una cosa. 2 Que opone mucha resistencia a romperse o deformarse. 3 fig. Firme, terco.

tenaza *f.* Instrumento de metal, compuesto de dos brazos movibles trabados por un eje o enlazados por un muelle semicircular: *arrancar clavos con las tenazas; coger carbón de la lumbre con las tenazas;* **chimenea. 2 Pinzas (órgano prensil). 3 Herramienta para clavar sillares, en la que el propio peso del sillar tiende a cerrar los brazos de aquella, apretándolos contra la piedra. ◇ En las acepciones *1* y *2* se usa generalmente en plural.

tenazmente *adv. m.* Con tenacidad.

tenazuelas *f. pl.* Pinzas depilatorias.

tenca *f.* Pez teleósteo cipriniforme de agua dulce, de unos 35 cms. de longitud y coloración verde o parda *(Tinca tinca).*

tencal *m. Méj.* Caseta para almacenar maíz.

tendal *m.* Toldo (cubierta de tela). 2 Trozo de lienzo en que se recogen las aceitunas al caer de los olivos. 3 Conjunto de cosas extendidas para que se sequen. 4 Secadero de frutos.

tendedero *m.* Sitio donde se tiende algo: ~ *de ropa.*

tendejón *m.* Cobertizo. 2 Tienda pequeña y pobre.

tendel *m.* ALBAÑ. Cuerda horizontal que sirve de guía para sentar con igualdad las hiladas. 2 ALBAÑ. Capa de mortero que se extiende sobre cada hilada.

tendencia *f.* Inclinación, propensión de orden físico o espiritual: ~ *hereditaria, sentimental, política.* 2 Idea religiosa, económica, política, artística, etc., que se orienta en determinada dirección. 3 Fuerza por la cual un cuerpo se inclina hacia otro o hacia alguna cosa.

tendencioso, -sa *adj.* Que manifiesta o implica tendencia hacia un fin determinado, en especial los escritos, discursos, noticias, etc.

tendente *adj.* Que tiende a algún fin.

tender *tr.* Desdoblar, extender [especialmente la ropa mojada] para que se seque; por anal., desplegar [ropa arrugada, doblada, etc.]: ~ *unas cortinas.* 2 Esparcir [una cosa que estaba amontonada]. 3 Echar [a alguien o algo] por el suelo de golpe. 4 Alargar, extender. 5 Suspender, colocar o construir una cosa apoyada entre dos o más puntos: ~ *un puente.* 6 Propender a algún fin, tener una tendencia. 7 Tener alguien o algo una cualidad o característica no muy definida, pero sí aproximada a otra. 8 MAT. Aproximarse progresivamente una variable o función a un valor determinado, sin llegar nunca a alcanzarlo. – 9 *prnl.* Tumbarse a lo largo. 10 Extenderse en la carrera el caballo aproximando el vientre al suelo. 11 Abandonar por negligencia la solicitud de un asunto. 12 Encamarse las mieses y otras plantas. ◇ ** CONJUG. [28] como *entender.*

ténder *m.* Vagón enganchado a la locomotora, que lleva el combustible y agua para alimentarla; ferrocarril.

tenderete *m.* Juego de naipes que consiste en emparejar en puntos o figuras las cartas de la mano con las de la mesa. 2 Puesto de venta al por menor, instalado al aire libre.

tendero, -ra *m. f.* Persona que tiene tienda. 2 Persona que vende al por menor.

tendido, -da *adj.* Relativo al galope del caballo cuando éste se tiende, o a la carrera violenta del hombre o de cualquier animal. 2 TAUROM. [estocada] Que penetra más horizontalmente de lo adecuado en el cuerpo de la res. – 3 *m.* Acción de tender: *el ~ de un cable.* 4 Efecto de tender. 5 Conjunto de cables que constituyen una conducción eléctrica. 6 Gradería próxima a la barrera en las plazas de **toros. 7 Parte del tejado entre el caballete y el alero. 8 Ropa que se tiende para secar. 9 *Amér.* Ropa de cama. – 10 *m. f. And.* Paño, mantel.

tendinoso, -sa *adj.* ZOOL. Que tiene tendones o se compone de ellos. 2 ZOOL. Relativo al tendón.

tendón *m.* ZOOL. Haz de fibras conjuntivas que unen los **músculos a los huesos: ~ *de Aquiles,* ANAT., el que une el talón con la pantorrilla. 2 En el **caballo y otros animales, parte de los tendones flexores del pie que pasa por detrás de la caña.

tenducho, -cha *m. f.* Tienda de mal aspecto, pobremente abastecida.

tenebrario *m.* Candelabro triangular, con 15 velas, que se enciende en los oficios de tinieblas de la Semana Santa.

tenebrio *m.* Insecto coleóptero cuyas larvas son los gusanos de la harina *(Tenebrio molitor).*

tenebrismo *m.* Escuela pictórica barroca que extremaba los contrastes entre luz y sombra.

tenebroso, -sa *adj.* Obscuro, cubierto de tinieblas. 2 fig. Oculto y malévolo.

tenedero *m.* MAR. Paraje del mar donde puede afirmarse el ancla.

tenedor, -ra *m. f.* Persona que tiene una cosa: *el ~ de una letra de cambio.* – 2 *m.* Utensilio de mesa que consiste en un astil con tres o cuatro púas iguales para pinchar o recoger los alimentos sólidos y llevarlos a la boca. 3 Signo de figura de este utensilio que en España sirve para indicar la categoría de los restaurantes o comedores según el número de ellos representado: *restaurante de cuatro tenedores.*

tenencia *f.* Ocupación y posesión de una cosa. 2 Cargo de teniente y oficina en que se ejerce: ~ *de alcaldía.*

tener *tr.* Estar [lo expresado por el complemento directo] en ciertas relaciones, especialmente de posesión, pertenencia o afección con la persona o cosa designada por el sujeto: ~ *una casa;* ~ *padres y abuelos;* ~ *una pierna rota;* ~ *un negocio próspero;* ~ *invitados;* ~ *a mano un objeto;* ~ *algo a la vista;* ~ *algo en, o entre, manos;* ~ *a uno con, o en, cuidado;* ~ *a uno sin sosiego;* ~ *sobre sí una responsabilidad;* ~ *para sí un beneficio;* ~ *calor;* ~ *dolor de muelas;* ~ *mal* *día;* ~ *razón;* ~ *uso de razón.* **2** Asir, mantener asida [una cosa]: *tiene el cabo de la cuerda; tiene el sombrero en la mano.* **3** Detener, parar: ~ *el caballo.* **4** Mantener, sostener: ~ *el freno.* **5** Estar en precisión de hacer una cosa u ocuparse en ella: ~ *consejo;* ~ *junta.* – **6** *tr.-prnl.* Considerarse, juzgar, reputar: ~, o *tenerse, por sabio, por diligente.* **7** Estimar, apreciar: ~, o *tenerse, en poco.* – **8** *prnl.* Afirmarse para no caer: *tente tieso; tenerse bien;* tratándose de cuerpos, hacer asiento uno sobre otro: *tener en el estante.* **9** Atenerse, estar por uno o por una cosa: *me tengo a lo dicho.* – **10** *auxiliar* Con la conjunción *que* o la preposición *de* e infinitivo, estar obligado o precisado a : *tengo que ir; tengo que hacer algo;* usado sólo en 3ª persona, ser importante: *tiene que ver; tiene que oír.* **11** Con la preposición *de* y sólo en 1ª persona toma un sentido de amenaza: *tengo de avergonzarle.* **12** Seguido de participio de verbo transitivo, expresa acción perfectiva: *tengo estudiada esta cuestión.* ◇ INCOR. Y GALIC.: *tener efecto,* por *efectuarse, tener lugar, suceder; tener en mira,* por *llevar la mira, tener a la vista; tener una cosa de otra persona,* por *saberla de ella; tener por objeto,* por *intentar, pretender, buscar,* tratándose de personas. ◇ ** CONJUG. [87].

tenería *f.* Curtiduría.

tenguerengue (en ~) *loc. adv.* Sin estabilidad, en equilibrio inestable.

tenia *f.* Gusano cestodo, de cabeza pequeña y cuerpo largo y segmentado; es parásito del intestino del hombre y de algunos animales (gén. *Tænia*).

teniente, -ta *adj.* [fruto] No maduro. **2** Algo sordo. – **3** *m. f.* Persona que ejerce el cargo o ministerio de otro: ~ *de alcalde,* concejal encargado de ciertas funciones de alcaldía. – **4** *m.* MIL. Oficial inmediatamente inferior al capitán: ~ *coronel,* inmediato jefe después del coronel; ~ *general,* oficial general superior al general de división e inferior al capitán general; ~ *de navío,* en la armada, empleo equivalente a capitán del ejército.

tenis *m.* Deporte que se practica entre dos o cuatro jugadores, consistente en impulsar con una raqueta una pelota por encima de la red que divide en dos una pista rectangular. **2** Espacio convenientemente dispuesto para este juego. **3** Calzado de tipo deportivo. ◇ Pl.: *tenis.*

tenista *com.* Jugador de tenis.

tenita *f.* MIN. Mineral, aleación natural de hierro y níquel, que cristaliza en el sistema cúbico, y que sólo se ha encontrado en meteoritos.

I) tenor *m.* Constitución de una cosa. **2** Contenido literal de un escrito: *a ~ de,* según, conforme a.

II) tenor *m.* La más aguda de las voces usuales del hombre adulto. **2** Voz media entre la de contralto y la de barítono. **3** Persona que tiene esta voz. **4** p. ext. Instrumento cuyo ámbito corresponde a la tesitura de esta voz.

tenora *f.* Instrumento músico de viento, de lengüeta doble como el oboe, de mayor tamaño que éste y con la campana o pabellón de metal.

tenorio *m.* fig. Galanteador audaz y pendenciero.

tenorita *f.* MIN. Mineral de la clase de los óxidos, que cristaliza en el sistema monoclínico, de brillo metálico y color pardo.

tensar *tr.* Atirantar, aumentar la tensión o tirantez [de una cuerda, cable, etc.].

tensión *f.* Estado de un cuerpo sometido a la acción de fuerzas que lo estiran. **2** Reacción que un cuerpo elástico opone a las fuerzas que tienden a deformarlo. **3** Intensidad de la fuerza con que los gases tienden a dilatarse. **4** Tendencia de una carga eléctrica a pasar de un cuerpo a otro de menor potencial. **5** *Alta ~,* la superior a los 650 voltios. **6** ~ *arterial,* presión circulatoria de la sangre. **7** fig. Estado de oposición u hostilidad latente entre personas o grupos humanos como naciones, clases, razas, etc. **8** fig. Estado anímico de excitación, impaciencia, esfuerzo o exaltación producido por determinadas circunstancias o actividades. **9** LING. Segunda fase de la articulación de un sonido, durante la cual los órganos de fonación permanecen inmóviles y tensos una fracción de segundo.

tenso, -sa *adj.* Que se halla en tensión. **2** LING. Que se articula con un alto grado de tensión muscular.

tensón *f.* Composición poética provenzal que consiste en una controversia, generalmente de amores, entre dos o más poetas.

tensor, -ra *adj.-s.* Que tensa u origina tensión. – **2** *m.* Mecanismo que se emplea para estirar algo. – **3** *adj.-m.* Músculo que sirve para desdoblar o extender.

tentación *f.* Persona o cosa que induce a una cosa mala. **2** Estado del que se siente impulsado a hacer una cosa: *caer en la ~.* **3** fam. Picardía (camisón).

tentaculado, -da *adj.* [animal] Provisto de tentáculos.

tentáculo *m.* Apéndice largo y flexible que tienen ciertos animales invertebrados y que les sirve como órgano del tacto y para la presión; **moluscos.

tentadero *m.* Sitio cerrado en que se hace la tienta (de becerros).

tentador, -ra *adj.-s.* Que tienta o que hace caer en la tentación.

tentalear *tr.* Tentar repetidas veces [una cosa]; reconocerla a tientas.

tentar *tr.* Palpar o tocar [una cosa]; reconocerla por medio del tacto. **2** Instigar, inducir: *el diablo nos tienta.* **3** Intentar, procurar:

tentaré el viaje. **4** Examinar, probar: *tentemos el teorema.* ◇ ** CONJUG. [27] como *acertar.*

tentativa *f.* Acción con que se intenta o tantea una cosa. **2** DER. Principio de ejecución de un delito que no llega a realizarse.

tentemozo *m.* Puntal que se aplica a una cosa expuesta a caerse.

tentempié *m.* fam. Refrigerio (alimento). ◇ Pl.: *tentempiés.*

tenue *adj.* Delicado, delgado. **2** De poca importancia. **3** Sencillo (sin ostentación).

teñir *tr.* Dar [a una cosa] un color diferente de su color natural o del que puede tener accidentalmente: ~ *una cosa con, de,* o *en, negro.* **2** fig. Imbuir [a alguno] de una opinión o afecto. **3** PINT. Rebajar [un color] con otro. ◇ ** CONJUG. [36] como *ceñir.*

teocentrismo *m.* Doctrina que considera a Dios como centro y fin de todo el pensamiento y actividad del hombre.

teocracia *f.* Gobierno ejercido directamente por Dios o por los sacerdotes, como representantes suyos.

teocratismo *m.* Clericalismo político, ultramontanismo.

teodicea *f.* Parte de la teología natural que se ocupa en la defensa de la suprema sabiduría de Dios contra las acusaciones lanzadas por la razón en vista de los desórdenes del mundo.

teodolito *m.* Instrumento topográfico de precisión para medir ángulos de distintos planos.

teofanía *f.* Manifestación divina, epifanía.

teofilantropía *f.* Caridad, amor a Dios y a los hombres. **2** Sociedad francesa de finales del siglo XVIII basada en la creencia en un Dios bueno y poderoso, pero sin culto.

teogonía *f.* Tratado sobre el origen y descendencia de los dioses paganos.

teologal *adj.* Teológico: *virtudes teologales,* Fe, Esperanza y Caridad. **2** Que tiene a Dios por objeto.

teología *f.* Doctrina sobre la esencia, existencia y atributos de Dios: ~ *de la liberación,* movimiento teológico cristiano surgido en Sudamérica que propugna una lectura más vivencial que intelectual del Evangelio y la lucha contra la opresión.

teologizar *intr.* Discurrir sobre cuestiones teológicas. ◇ ** CONJUG. [4] como *realizar.*

teólogo, -ga *adj.* Teológico. – **2** *m. f.* Persona que por profesión o estudio se dedica a la teología. **3** Estudiante de teología.

teomanía *f.* Manía consistente en creerse Dios.

teorema *m.* Proposición que afirma una verdad demostrable. **2** esp. Enunciado de una propiedad o proposición seguida de su demostración. **3** MAT. Resultado de un estudio matemático.

teorético, -ca *adj.* Intelectual, especulativo. **2** Relativo al teorema. **3** ANGLIC. Teórico. – **4** *f.* Estudio del conocimiento.

teoría *f.* Síntesis comprensiva de los conocimientos que una ciencia ha obtenido en el estudio de un determinado orden de hechos: ~ *de la música.* **2** Conjunto de razonamientos ideados para explicar provisionalmente un determinado orden de fenómenos: ~ *atómica;* ~ *del conocimiento,* epistemología.

teórico, -ca *adj.* Relativo a la teoría. – **2** *m. f.* Versado en el conocimiento de la teoría de algún arte o ciencia.

teorizar *tr.* Tratar [un asunto] sólo en teoría. – **2** *intr.* Formular una teoría o teorías. ◇ ** CONJUG. [4] como *realizar.*

teoso, -sa *adj.* [madera] Abundante en resina.

teosofía *f.* Doctrina según la cual el hombre podría alcanzar el conocimiento directo de Dios sin necesidad de la revelación. **2** Movimiento religioso moderno fundado en la doctrina oriental de la evolución panteísta y la transmigración, y en la práctica del ocultismo.

tepache *m.* *Méj.* Bebida que se hace con pulque, agua, piña y clavo.

tepalcate *m.* *Guat.* y *Méj.* Cacharro, trasto, chisme inútil, especialmente de barro.

tépalo *m.* Pieza del perianto de una **flor haploclamídea u homoclamídea.

tepe *m.* Pedazo de tierra cubierto de césped y muy trabado por las raíces de esta hierba, el cual, cortado generalmente en forma prismática, sirve para hacer paredes.

tepetate *m.* *Hond.* y *Méj.* Tierra de mina que no tiene metal. **2** *Méj.* Roca formada por un conglomerado plomoso que se emplea en la fabricación de casas.

tequiar *tr.* *Amér. Central.* Dañar, perjudicar, molestar pidiendo o recibiendo servicios. ◇ ** CONJUG. [12] como *cambiar.*

tequila *f.* Bebida semejante a la ginebra que se destila de una especie de maguey.

teralita *f.* Roca intrusiva del grupo de los gabros alcalinos.

terapeuta *com.* Persona que por profesión o estudio se dedica a la terapéutica.

terapéutica *f.* Parte de la medicina que tiene por objeto el tratamiento de las enfermedades.

terapia *f.* MED. Terapéutica.

teratogénesis *f.* Estudio de las condiciones de producción y de desarrollo de las monstruosidades. ◇ Pl.: *teratogénesis.*

teratología *f.* Estudio de las anomalías del organismo animal o vegetal.

tercer *adj.* Apócope de *tercero;* **numeración. **2** ~ *mundo,* conjunto de países, en general antiguas colonias de países europeos, en proceso de desarrollo económico y social. ◇ Sólo se usa delante de substantivos.

tercerilla *f.* Terceto en versos de arte menor.

tercermundista *adj.* Perteneciente o relativo a los países del tercer mundo.

tercero, -ra *adj.-s.* Que ocupa el último lugar en una serie ordenada de tres; **numeración. 2 Que media entre dos o más personas: ~ *en discordia,* el que media para zanjar una desavenencia. – 3 *m.* Alcahuete (proxeneta). 4 Persona que no es ninguna de dos o más de quien se trata o que intervienen en un negocio o una cuestión judicial.

tercerola *f.* Barril de mediana cabida. 2 Flauta más pequeña que la ordinaria y mayor que el flautín.

terceto *m.* Combinación métrica de tres endecasílabos; riman el primero con el tercero, quedando el segundo libre: ~ *encadenado,* aquel cuyo segundo verso rima con el primero y tercero del terceto siguiente. 2 MÚS. Composición para tres voces o instrumentos. 3 MÚS. Conjunto de estas tres voces o instrumentos.

tercia *f.* Segunda de las cuatro partes iguales en que los romanos dividían el día artificial y comprendía desde el fin de la hora tercera, a media mañana, hasta el fin de la sexta, a mediodía. 2 Tercera cava que se da a las viñas. 3 ~ *rima,* tipo de composición poética formado por tercetos encadenados.

terciado, -da *adj.* [azúcar] Que es un poco moreno. 2 [pan] Elaborado con dos tercios de harina de trigo y un tercio de harina de cebada o de centeno. 3 De tamaño intermedio, ni grande ni pequeño. – 4 *m.* Espada de hoja ancha y corta.

terciana *f.* MED. Calentura intermitente que repite al tercer día.

tercianaria *f.* Hierba labiada, lampiña, con hojas ovaladas y lanceoladas, y flores de color violeta azulado *(Scutellaria galericulata).*

terciar *tr.* Poner [una cosa] atravesada al sesgo: ~ *la capa.* 2 Dividir [una cosa] en tres partes. 3 Equilibrar [la carga] repartiéndola a los dos lados de la acémila. 4 Dar la tercera reja [a las tierras de labor]. – 5 *intr.* Mediar en algún ajuste o discordia: ~ *en el debate;* ~ *entre dos.* 6 Completar el número necesario de personas para alguna cosa. 7 Llegar al número de tres. – 8 *prnl. impers.* Venir bien una cosa, haber oportunidad para ella: *si se tercia, le hablaré del asunto; iremos cuando se tercie.* – 9 *tr. Amér.* Echar agua [al vino, a la leche, etc.]. 10 *Argent., Colomb.* y *Méj.* Cargar a la espalda [una cosa].* ◇ ** CONJUG. [12] como *cambiar.*

terciario, -ria *adj.* Tercero en orden o grado. – 2 *adj.-s.* GEOL. Época más antigua de la era cenozoica. Suele dividirse en paleógeno y neógeno. – 3 *adj.-m.* Era geológica que sigue a la secundaria o mesozoica y precede a la cuaternaria, y terreno correspondiente a

ella. – 4 *adj.* Perteneciente o relativo al terciario.

tercio, -cia *adj.* NÚM. Tercero. – 2 *m.* Parte que, junto con otras dos, constituye un todo. 3 Parte del rosario. 4 Fardo con que se carga una acémila. 5 Nombre de los regimientos de infantería española de los siglos XVI y XVII. 6 Cuerpo militar de voluntarios. 7 División de la Guardia Civil. 8 Asociación de los armadores y pescadores de un puerto. 9 Parte más ancha de la media, que cubre la pantorrilla. 10 Botella de cerveza de 33 cls. 11 TAUROM. Parte concéntrica que, junto con otras dos, constituye el ruedo. 12 TAUROM. Etapa que en número de tres, varas, banderillas y muerte, compone la lidia. – 13 *m. pl.* Miembros fuertes y robustos del hombre.

terciopelo *m.* Tela velluda y tupida, de seda o algodón formada por dos urdimbres y una trama. 2 *Amér.* Árbol de frutos pequeños *(Sloaena quadrivalvis).*

terco, -ca *adj.* Pertinaz. 2 fig. Que es más difícil de labrar que lo ordinario en su clase.

terebenteno *m.* Hidrocarburo de aguarrás.

terebinto *m.* Arbolillo anacardiáceo, de madera dura y compacta, que exuda una trementina blanca y olorosa *(Pistacia terebinthus).*

terebra *f.* Aguijón u ovopositor de las hembras de los himenópteros.

terebrante *adj.* [dolor] Que produce sensación semejante a la que resultaría de taladrar la parte dolorida.

tereré *m. R. de la Plata.* Bebida hecha con la infusión en agua fría de la hierba mate.

teresa *adj.-f.* Monja carmelita descalza que profesa la reforma de santa Teresa (1515-1582).

teresiano, -na *adj.* Relativo a santa Teresa de Jesús (1515-1582). 2 [hermana] De votos simples, perteneciente a un determinado instituto religioso.

tergal *m.* Nombre patentado de una fibra textil sintética.

tergiversar *tr.* Forzar [un argumento], relatar [un hecho] o repetir [las palabras de uno] deformándolas intencionadamente. 2 Trastocar, trabucar.

terlenka *f.* Nombre patentado de una fibra textil sintética.

terliz *m.* Tela fuerte de lino o algodón tejida con tres lizos.

termal *adj.* Relativo a las termas. 2 [agua] Que brota del manantial a temperatura superior a la del ambiente.

termalismo *m.* Planificación y explotación de las aguas termales en un país.

termas *f. pl.* Baños públicos de los antiguos romanos.

termes *m.* Insecto isóptero que vive en sociedades jerárquicas muy organizadas *(gén.*

Termes; Calotermes; Reticulitermes). ◇ Pl.: *termes.*

termia *f.* Cantidad de calor necesaria para que una tonelada de agua eleve su temperatura en 1° C. Su símbolo es *th.*

térmico, -ca *adj.* Perteneciente o relativo al calor o a la temperatura. 2 [instrumento] Que da sus indicaciones en función del cambio de temperatura.

termidor *m.* Undécimo mes del año según el calendario republicano francés.

terminación *f.* Acción de terminar. 2 Efecto de terminar. 3 Extremo, conclusión o parte final de una cosa. 4 GRAM. Última parte de una palabra, especialmente la desinencia. 5 MED. Estado en que se halla el enfermo al empezar la convalecencia. 6 MÉTR. Letra o letras que determinan la asonancia o consonancia de unos vocablos con otros.

terminal *adj.* Final, último, que pone término a una cosa. 2 Que está en el extremo de cualquier parte de la planta: *yema ~;* **brote; **tallo. – 3 *f.* Conjunto de inmuebles que en los puertos o **aeropuertos se destinan a viajeros y mercancías. 4 Extremo de una línea de transporte público. – 5 *m.* ELECTR. Borne o hembrilla que se pone en el extremo de un conductor para facilitar las conexiones. 6 INFORM. Dispositivo que permite la entrada de los datos en el ordenador y la comunicación de los resultados del tratamiento.

terminante *adj.* Claro, concluyente.

terminar *tr.* Poner término [a una cosa], acabarla. 2 Acabar (dar el retoque final). – 3 *intr.-prnl.* Tener término una cosa, acabar: ~ *en punta.* 4 Entrar una enfermedad en su último período. – 5 *prnl.* Ordenarse, dirigirse una cosa a otra como a su fin: *las cosas se terminan hacia su Creador.*

terminista *com.* Persona que usa términos rebuscados.

término *m.* Hito (poste). 2 Línea divisoria, fin o límite de una cosa en el espacio o en el tiempo: *el ~ de la vida, de una carrera; poner ~ a una cosa;* ~ *municipal,* territorio sometido a la autoridad de un ayuntamiento. 3 Plazo o tiempo determinado: ~ *perentorio; señalar un ~ de cinco años.* 4 Objeto, fin. 5 Palabra, especialmente la que tiene un sentido rigurosamente peculiar en una ciencia o arte. 6 Modo de portarse o hablar; en relación amigable con una persona: *eso, en buenos términos, es llamarse ignorante.* 7 Punto final o estación terminal de una línea de transporte. 8 En pintura, cine, teatro, espacio o plano en que se considera dividida la escena en relación con el espectador. 9 fig. Grado de importancia que tiene lo que se expresa: *primer ~; último ~.* 10 GRAM. Elemento necesario en la relación gramatical. 11 LÓG. El sujeto y el predicado de un juicio; componente de un silogismo simple. 12 MAT.

Cantidad que compone un polinomio o forma una razón, una progresión o un quebrado: ~ *medio,* cantidad que resulta de sumar otras varias y dividir la suma por el número de sumandos; fig., arbitrio proporcionado para salir de una duda o componer una discordia: *contentarse con un ~ medio.* – 13 *m. pl.* Condiciones con que se plantea un asunto o cuestión o que se establecen en un trato.

terminología *f.* Conjunto de términos, giros o modos de expresión, generalmente técnicos o cultos, característicos de determinada profesión, ciencia o materia, o de un autor o libro concretos.

terminológico, -ca *adj.* Perteneciente o relativo a los términos o vocablos propios de determinada profesión, ciencia o materia, y a su empleo.

termita, -te *f.* Termes.

termitero, -ra *m. f.* Nido de termes.

termo *m.* Vasija formada por dos botellas, colocadas una dentro de la otra, entre las que se ha hecho el vacío, y que sirve para conservar la temperatura de las substancias que en ella se ponen, aislándolas del exterior.

termoaislante *adj.-s.* Substancia empleada como aislante térmico.

termoclina *f.* Línea imaginaria que separa dos masas de agua de temperatura diferente.

termocompresor *m.* Bomba de calor que sirve para vaporizar agua salada, jugos de frutas, etc. 2 MEC. Aparato que aprovecha la energía excedente para comprimir, por dos toberas sucesivas, otro vapor de baja presión.

termodinámica *f.* Parte de la física que trata la acción mecánica del calor.

termoelasticidad *f.* FÍS. Cualidad de los fenómenos térmicos que tienen lugar en los materiales sometidos a deformaciones elásticas.

termoelectricidad *f.* Electricidad producida por la acción del calor. 2 Parte de la física que trata de ella.

termoestable *adj.* Que no se altera fácilmente por la acción del calor. 2 [plástico] Que no pierde su forma por la acción del calor y de la presión.

termófilo, -la *adj.* BIOL. [organismo] Que para su desarrollo normal requiere temperaturas elevadas.

termogénesis *f.* Creación del calor. ◇ Pl.: *termogénesis.*

termógrafo *m.* Aparato que se utiliza para registrar los cambios de temperatura.

termoiónico, -ca *adj.* FÍS. Perteneciente o relativo a la emisión de los electrones provocada por el calor.

termolábil *adj.* QUÍM. Que tiende a descomponerse al ser calentado.

termólisis *f.* Desintegración de los compuestos químicos por medio del calor. ◇ Pl.: *termólisis.*

termología *f.* Parte de la física que estudia el calor.

termoluminiscencia *f.* fís. Luminiscencia producida por el calor.

termomanómetro *m.* Instrumento que se utiliza en las calderas para medir la tensión del vapor.

termometría *f.* Medición de la temperatura. 2 meteor. Parte de la meteorología que estudia la acción del calor sobre la atmósfera.

termométrico, -ca *adj.* Relativo al termómetro o a la termometría.

**termómetro *m.* Instrumento para medir la temperatura, consistente en un tubo capilar de vidrio cerrado y terminado en un pequeño depósito que contiene una cierta cantidad de mercurio o alcohol cuyas variaciones de volumen acusadas por el nivel que el líquido alcanza en el tubo, se leen en una escala graduada: ~ *de máxima, de mínima* y *de máxima* y *mínima,* los que dejan registrada respectivamente la temperatura máxima, la mínima, y la máxima y mínima; ~ *clínico,* el de máxima y de precisión, para tomar la temperatura a los enfermos; ~ *centígrado,* aquel cuya escala ha sido graduada dividiendo en cien partes la distancia entre las señales correspondientes a la temperatura del hielo fundente y la del agua en ebullición; ~ *de Fahrenheit,* aquel en que dicha distancia está dividida en 180 grados, numerados desde el 32 al 212.

termonuclear *adj.* fís. [reacción] En que, mediante una gran elevación de temperatura, se produce la fusión nuclear de dos átomos ligeros, como los de hidrógeno, para una gran cantidad de energía: *explosión ~; bomba ~.*

termopar *m.* Aparato que se utiliza para medir altas temperaturas.

termopausa *f.* Zona de separación entre la ionosfera y la exosfera.

termoplástico, -ca *adj.* [materia] Que se plastifica por acción del calor. 2 [substancia plástica] Que resiste las altas temperaturas sin modificarse. – 3 *m.* Plástico que se ablanda por la acción del calor y puede entonces moldearse mediante presión.

termopropulsión *f.* Impulso de un cuerpo por medio de la energía desprendida sin transformación mecánica previa.

termoquímica *f.* Parte de la química que estudia las cantidades de calor que acompañan a las reacciones químicas.

termorregulador *m.* Instrumento que se usa para regular la temperatura en los hornos, secaderos, etc.

termosifón *m.* Aparato anejo a una cocina que sirve para calentar el agua que luego se distribuye mediante tuberías a los baños, lava-

bos, etc., de la casa. 2 Aparato de calefacción por medio del agua caliente.

termostable *adj.* Que no se descompone por acción del calor.

termostato, termóstato *m.* Aparato que se conecta con una fuente de calor y que, mediante un artificio automático, mantiene constante una temperatura.

termotecnia *f.* Técnica del tratamiento del calor.

termovisión *f.* Sistema de televisión de rayos infrarrojos que capta las imágenes en la obscuridad.

terna *f.* Conjunto de tres personas propuestas para que se designe de entre ellas la que haya de desempeñar un cargo o empleo. 2 taurom. Conjunto de tres diestros que alternan en una corrida.

ternario, -ria *adj.* Compuesto de tres elementos, unidades o guarismos.

terne *adj.-s.* fam. Valentón. – 2 *adj.* fam. Perseverante, obstinado. 3 fam. Fuerte, robusto de salud. – 4 *m.* Argent. y Bol. Facón o navaja grande que usan los gauchos.

ternera *f.* Cría hembra de la vaca. 2 Carne de ternera o de ternero.

ternero *m.* Cría macho de la vaca: ~ *recental,* el de leche o que no ha pastado todavía.

ternilla *f.* Cartílago, especialmente el que forma lámina.

ternilloso, -sa *adj.* Compuesto de ternillas. 2 Parecido a ellas.

TERMÓMETRO

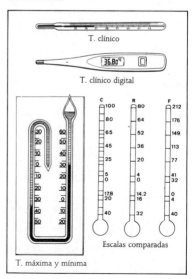

T. clínico

T. clínico digital

Escalas comparadas

T. máxima y mínima

terno *m.* Conjunto de tres cosas de una misma especie. 2 Pantalón, chaleco y chaqueta de una misma tela. 3 Voto, juramento: *echar ternos.*

ternura *f.* Calidad de tierno. 2 Requiebro. 3 Amor, afecto, cariño. 4 Calidad de las cosas que dan una sensación de dulzura.

terquear *intr.* Mostrarse terco.

terquedad *f.* Calidad de terco. 2 Porfía molesta y cansada.

terracota *f.* Arcilla modelada y endurecida al horno. 2 Escultura de arcilla cocida.

terrado *m.* Azotea.

terraja *f.* Tabla recortada para hacer molduras de yeso, estuco o mortero, corriéndola cuando la pasta está blanda. 2 Barra de acero con un agujero en medio, donde se ajustan las piezas que labran las roscas de los tornillos.

terral *adj.-s.* Viento que sopla de tierra.

terramicina *f.* Antibiótico muy activo, que se obtiene a partir del cultivo de la bacteria actinomicetácea *Streptomyces rimosus.*

terraplén *m.* Macizo de tierra con que se rellena un hueco o que se levanta con algún fin. 2 p. ext. Desnivel en el terreno con una cierta pendiente.

terráqueo, -a *adj.* Que está compuesto de tierra y agua: *globo ~.*

terrario, terrarium *m.* Instalación adecuada para mantener vivos y en las mejores condiciones a ciertos animales, como reptiles, etc.

terrateniente *com.* Dueño de tierras o fincas rurales extensas.

terraza *f.* Jarra vidriada de dos asas. 2 Faja de terreno llano que forma escalón en un jardín o a la orilla de un río, lago, etc. 3 Espacio de una **casa descubierto y generalmente elevado. 4 Lugar en una acera situado frente a un café y destinado a colocar mesas. 5 Cubierta plana y practicable de un edificio, provista de barandas o muros.

terrazgo *m.* Pedazo de tierra para sembrar. 2 Renta que paga el labrador al dueño de una tierra.

terrazo *m.* PINT. Terreno representado en un paisaje. 2 Pavimento formado por piedrecitas o trozos de mármol aglomerados con cemento, y cuya superficie se pulimenta.

terrear *intr.* Dejarse ver la tierra en un sembrado.

terregoso, -sa *adj.* [campo] Lleno de terrones.

terremoto *m.* Sacudida de la superficie terrestre debida a dislocaciones de su corteza, a explosiones volcánicas, etc.

terrenal *adj.* Relativo a la tierra en contraposición de lo que pertenece al cielo.

terreno, -na *adj.* Terrestre (relativo a la tierra). – 2 *m.* Espacio de tierra. 3 GEOL. Conjunto de masas minerales que tienen origen común

o cuya formación corresponde a una misma época. 4 fig. Esfera de acción en que pueden mostrarse las cualidades de las personas o cosas. 5 fig. Orden de materias o de ideas de que se trata. 6 fig. Campo de deportes.

térreo, -a *adj.* De tierra. 2 Parecido a ella.

terrera *f.* Terreno escarpado desprovisto de vegetación. 2 Ave paseriforme de pequeño tamaño y plumaje pardo con listas obscuras *(Calandria cinerea).*

terrero, -ra *adj.* Relativo a la tierra. 2 [vuelo de ciertas aves] Rastrero. 3 [caballería] Que levanta poco los brazos al caminar. 4 fig. Bajo y humilde. – 5 *adj.-f.* Espuerta o cesta de mimbre usada para llevar tierra. – 6 *m.* Montón de tierra o de broza. 7 Objeto que sirve de blanco. 8 Depósito de tierras acumuladas por la acción de las aguas.

terrestre *adj.* Relativo a la tierra. 2 Relativo a la tierra en oposición al mar o al aire: *transporte ~.*

terrible *adj.* Que causa terror. 2 Áspero de genio. 3 Atroz (muy grande).

terriblemente *adv. m.* Espantosa, violenta u horriblemente. 2 fam. Extraordinaria o excesivamente.

terrícola *com.* Habitante de la tierra. – 2 *adj.* [vegetal] Que vive en la tierra por oposición al que vive en el agua o en el aire.

terrígeno, -na *adj.* Nacido de la tierra.

territorial *adj.* Relativo al territorio: *audiencia ~.*

territorialidad *f.* Calidad de territorial. 2 Condición de las cosas que, estando fuera del territorio de una nación, se consideran como formando parte de él.

territorio *m.* Extensión de tierra perteneciente a una nación, región, provincia, etc. 2 Término que comprende una jurisdicción. 3 ANAT. Zona o región del organismo humano, irrigada por una arteria, o inervada por un nervio. 4 ZOOL. Terreno o lugar concreto donde vive un determinado animal, o un grupo de animales relacionados por vínculos de familia y que es defendido frente a la invasión de otros congéneres.

terrizo, -za *adj.* Hecho o fabricado de tierra. 2 [suelo] De tierra, sin pavimentar. – 3 *m. f.* Barreño, lebrillo.

terrón *m.* Masa pequeña y apretada de tierra u otras substancias: *~ de azúcar.* 2 Orujo que queda en los capachos después de exprimida la aceituna. – 3 *m. pl.* Hacienda rústica, tierras labrantías.

terror *m.* Miedo extremo, pavor. 2 Persona o cosa que lo infunde.

terrorífico, -ca *adj.* Que aterroriza.

terrorismo *m.* Dominación por el terror. 2 Sucesión de actos de violencia ejecutados para infundir terror. 3 Forma violenta de lucha política, mediante la cual se persigue la destrucción del orden establecido o la creación de un clima de temor e inseguridad susceptible de intimidar a los adversarios o a la población en general.

terrorista *com.* Persona que practica el terrorismo. – 2 *adj.* Perteneciente o relativo al terrorismo.

terroso, -sa *adj.* Que participa de la naturaleza y propiedades de la tierra. 2 Que tiene mezcla de tierra.

terruño *m.* Masa pequeña de tierra. 2 Comarca o tierra, especialmente el país natal. 3 Terreno, especialmente hablando de su calidad. 4 Tierra en la que se trabaja y de la que se vive.

terso, -sa *adj.* Limpio, bruñido. 2 fig. [lenguaje, estilo, etc.] Puro, limado, fluido.

tertulia *f.* Conjunto de personas reunidas habitualmente para conversar o recrearse. 2 Lugar en los cafés destinado a mesas de juego.

tertuliano, -na, tertuliante, tertulio, -lia *adj.-s.* Que concurre a una tertulia.

tesar *tr.* MAR. Atirantar (poner tirante): ~ *un cabo;* ~ *una vela.* – 2 *intr.* Andar hacia atrás los bueyes uncidos.

tesela *f.* Pieza cúbica con que se forman los pavimentos de mosaico.

teselado, -da *m.* Pavimento formado con teselas.

tésera *f.* Tablilla con inscripciones que usaron los romanos como contraseña, distinción honorífica o prenda de un pacto.

tesina *f.* Trabajo de investigación escrito, exigido en algunas Universidades o Facultades para poder acceder a los estudios conducentes al grado de doctor.

tesio *m.* Planta santalácea, de hojas estrechas, lanceoladas y flores blancas, agrupadas en inflorescencias a ambos lados del tallo (*Thesium pyrenaicum*).

tesis *f.* Proposición mantenida con razonamientos. 2 Trabajo de investigación, escrito, exigido para la obtención del grado de doctor. 3 Opinión de alguien sobre algo. ◇ Pl.: *tesis*.

tesitura *f.* MÚS. Conjunto de los sonidos que son propios de cada voz o instrumento. 2 fig. Actitud o disposición del ánimo.

tesla *m.* Unidad de inducción magnética. Su símbolo es *T*.

teso, -sa *adj.* Tieso. – 2 *m.* Cima de un cerro. 3 Pequeña salida en una superficie lisa. 4 Colina baja que tiene alguna extensión llana en la cima.

tesón *m.* Firmeza, inflexibilidad.

tesorería *f.* Cargo y oficina del tesorero. 2 Parte del activo de un comerciante disponible en metálico.

tesorero, -ra *m. f.* Persona encargada de custodiar y distribuir los caudales de una colectividad.

tesoro *m.* Cantidad de dinero, alhajas, etc.,

reunida y guardada. 2 Erario (fisco). 3 fig. Persona o cosa de mucho precio, o digna de estimación. 4 fig. Repertorio lexicográfico por orden alfabético en el que se recogen todas las palabras de una lengua, o de una época, extraídas de un corpus, lo más amplio posible, con las correspondientes definiciones y con citas, extraídas de ese corpus: ~ *de la lengua castellana.* 5 ECON. Denominación que recibe el Estado en cuanto agente de operaciones monetarias y financieras, como acreedor o deudor.

test *m.* Prueba empleada para evaluar grados de inteligencia, capacidad de atención, etc., en pedagogía, psicotecnia, etc. 2 Tipo de examen en el que hay que contestar con una palabra o una señal en la casilla que corresponda a la solución de la pregunta.

testa *f.* Cabeza (parte del cuerpo). 2 Parte anterior de algunas cosas materiales. 3 fig. Entendimiento, capacidad y prudencia. 4 Tegumento exterior o envoltura de las semillas.

testáceo, -a *adj.* [animal] Que tiene concha; esp., los moluscos.

testado, -da *adj.* [pers.] Que ha muerto habiendo hecho testamento. 2 [sucesión] Que ha sido ordenada por testamento.

testaférrea, -ferro *m.* El que presta su nombre en un negocio ajeno.

testamento *m.* Declaración que hace una persona de su última voluntad, disponiendo de sus bienes y asuntos para después de su muerte. 2 Documento en que consta en forma legal esta última voluntad: ~ *político*, declaración que algunos dirigentes políticos escriben antes de su fallecimiento, para indicar las líneas de la política que creen que se debe seguir después de su muerte, y para justificar su actuación. 3 *Antiguo* o *Viejo Testamento*, parte de la Biblia que comprende los escritos de Moisés y todos los demás anteriores a la venida de Jesucristo; *Nuevo Testamento*, parte de la Biblia que contiene los evangelios y otras obras canónicas posteriores al nacimiento de Jesucristo.

I) testar *intr.* Hacer testamento.

II) testar *intr.* Dar con la cabeza, atestar.

testarudo, -da *adj.-s.* Porfiado, terco, entestado.

testera *f.* Frente o principal fachada de una cosa. 2 Adorno para la frente de las caballerías; **armadura. 3 Parte anterior y superior de la cabeza del animal. 4 Pared del horno de fundición.

testero *m.* Testera. 2 Macizo de mineral con dos caras descubiertas. 3 Trashoguero de la chimenea. 4 Pared de una habitación. 5 Cara vertical de una cerradura, con abertura para el paso de los pestillos.

testículo *m.* Glándula productora de espermatozoides; **cuerpo humano.

testifical *adj.* Relativo a los testigos.

testificar *tr.* Probar de oficio [una cosa] con referencia a testigos o documentos auténticos. 2 Deponer como testigo en algún acto judicial: ~ *lo ocurrido.* 3 fig. Declarar con seguridad y verdad [una cosa]. ◊ ** CONJUG. [1] como *sacar.*

testigo *com.* Persona que presencia una cosa o que da testimonio de ella: ~ *de cargo,* el que depone en contra de un procesado. – 2 *m.* Cosa por la que se infiere la verdad de un hecho. 3 Hito de tierra que se deja a trechos en las excavaciones. 4 En los tramos de una vía de comunicación en los que circunstancialmente sólo se permite circular en una dirección, bastón u otro objeto que transporta el conductor del último de los vehículos que marchan en un sentido, para que su entrega al primero de los que aguardan para hacerlo en sentido contrario, señale el comienzo de este movimiento. 5 Extremo de una cuerda que, para indicar que está entera, se deja sin torcer. 6 Pieza de escayola u otro material adecuado que se coloca sobre las grietas de un edificio para comprobar su evolución. 7 DEP. En las carreras de relevos, objeto que en el lugar marcado intercambian los corredores de un mismo equipo, para dar fe de que la substitución ha sido correctamente ejecutada.

testimonial *adj.* Que se hace mediante testimonios; que constituye testimonio. – 2 *f. pl.* Documento que hace fe de lo contenido en él.

testimoniar *tr.* Atestiguar. 2 Dar muestras de algo: *testimonió su condolencia.* ◊ ** CONJUG. [12] como *cambiar.*

testimoniero, -ra *adj.-s.* Que levanta falsos testimonios.

testimonio *m.* Atestación o aseveración de una cosa. 2 Prueba de la certeza de una cosa. 3 Instrumento legalizado en que se da fe de un hecho.

testosterona *f.* Hormona esteroidea que se segrega especialmente en el testículo, pero también, y en menor cantidad, en el ovario y en la corteza suprarrenal.

testudíneo, -a *adj.* Relativo a la tortuga, parecido a ella: *paso ~.*

testudo *m.* MIL. Máquina antigua con que se cubrían los soldados para arrimarse a las murallas. 2 Cubierta que formaban antiguamente los soldados alzando y uniendo los escudos sobre sus cabezas.

testuz *amb.* En algunos animales, frente (parte de la cara); **caballo. 2 En otros, nuca.

teta *f.* Órgano glanduloso y saliente que tienen los mamíferos y sirve en las hembras para la secreción de la leche.

tétano, -nos *m.* Enfermedad infecciosa caracterizada por la contracción convulsiva de los músculos voluntarios.

tetepón, -pona *adj. Méj.* [pers.] Grueso y de baja estatura.

tetera *f.* Vasija para preparar y servir el té.

tetilla *f.* Teta de los machos en los mamíferos. 2 Especie de pezón de goma que se pone al biberón. 3 Planta de la familia de las compuestas *(Carthamus coeruleus).* 4 Queso gallego, elaborado con leche de vaca, de forma cónica, pasta blanda y sabor ligeramente ácido y salado.

tetina *f.* Tetilla (pezón de goma).

tetón *m.* Pedazo de la rama podada unido al tronco.

tetrabranquiado *adj.-m.* Animal de la subclase de los tetrabranquiados. – 2 *m. pl.* Subclase de moluscos cefalópodos con la concha externa y dividida en varias cámaras internas, de las que el animal ocupa sólo la última; incluye especies fósiles, como los ammonites, y un género viviente: el nautilo.

tetrabrik *m.* Envase de cartón impermeabilizado para productos alimenticios líquidos.

tetraciclina *f.* Antibiótico muy activo, que se obtiene a partir del cultivo de la bacteria actinomicetácea *Streptomyces viridifaciens.*

tétrada *f.* Conjunto de cuatro seres o cosas estrecha o especialmente vinculados entre sí. 2 BIOL. Grupo de cuatro células que derivan, por dos divisiones sucesivas, de una misma célula madre.

tetradáctilo, -la *adj.* Que tiene cuatro dedos.

tetradínamo, -ma *adj.* BOT. Que tiene seis estambres, cuatro de ellos más largos que los dos restantes.

tetraedro *m.* GEOM. **Sólido de cuatro caras; **cristalografía.

tetragonal *adj.* Que tiene cuatro ángulos. 2 **CRIST. [sistema cristalino] De forma holoédrica con un eje principal cuaternario y cuatro binarios equivalentes dos a dos. 3 [forma] Perteneciente a este sistema.

tetrágono *m.* Cuadrilátero. – 2 *adj.-s.* Polígono de cuatro lados y cuatro ángulos.

tetragrámaton *m.* Palabra compuesta de cuatro letras. 2 Por excelencia, nombre de Dios.

tetrámero, -ra *adj.* BOT. [verticilo] Formado por cuatro piezas. – 2 *adj.-m.* Coleóptero del grupo de los tetrámeros. – 3 *m. pl.* Antigua clasificación que incluye aquellos coleópteros cuyos tarsos están compuestos de cuatro artejos.

tetramorfo, -fa *adj.* Que tiene cuatro formas cristalinas diferentes.

tetraodontiforme *adj.-m.* Pez del orden de los tetraodontiformes. – 2 *m. pl.* Orden de peces teleósteos tropicales, de tamaño variado aunque no muy grandes, pero de aspecto extraño. Su cuerpo suele estar cubierto de placas óseas; la cabeza es siempre muy grande, pero la boca pequeña; como el pez ballesta.

tetrápodo *adj.-m.* Vertebrado con dos pares de extremidades; como los anfibios, reptiles, aves y mamíferos.

tetráptero, -ra *adj.* [insecto] Que tiene dos pares de alas.

tetrástico, -ca *adj.* [combinación métrica] Que consta de cuatro versos.

tetrástrofo, -fa *adj.* [composición] Que consta de cuatro estrofas; [estrofa] tetrástica: ~ *monorrimo alejandrino,* cuaderna vía.

tétrico, -ca *adj.* De una tristeza deprimente.

teutón, -tona *adj.-s.* De un pueblo de raza germánica que en el siglo II se estableció en las costas del mar Báltico. 2 Alemán.

textil *adj.-s.* Que puede tejerse. 2 Relativo al arte de tejer o a los tejidos: *industria* ~; *obrero* ~; *exportación* ~. ◇ INCOR.: *téxtil.*

texto *m.* Lo dicho o escrito por un autor o en una ley, a distinción de las glosas, notas o comentarios que sobre ello se hacen. 2 Todo lo que se dice en el cuerpo de la obra manuscrita o impresa, a distinción de las portadas, índices, etc. 3 Pasaje citado de una obra literaria. 4 Libro de texto. 5 Enunciado o conjunto de enunciados orales o escritos que el lingüista o el filólogo somete a estudio.

textual *adj.* Propio del texto o conforme a él. 2 [pers.] Que autoriza sus pensamientos con textos. 3 Exacto, preciso.

textura *f.* Disposición de los hilos en una tela. 2 Operación de tejer. 3 fig. Estructura de una obra de ingenio. 4 H. NAT. Manera como están dispuestas las partículas de un cuerpo o substancia.

texturizar *tr.* Tratar los hilos de fibras sintéticas para conferirles buenas propiedades textiles. ◇ ** CONJUG. [4] como *realizar.*

tez *f.* Superficie, especialmente la del rostro humano.

theta *f.* Letra del alfabeto griego, de sonido semejante a la *z* española moderna. Se transcribe por *th.*

ti *pron. pers.* Forma tónica en género masculino y femenino y en número singular, que siempre precedida de preposición se usa para todos los complementos: *a* ~; *hacia* ~; *para* ~; *de* ~; *en* ~; **pronombre. 2 Usado con la preposición *con* forma la voz *contigo.* 3 En el objeto directo e indirecto con la preposición *a* es a veces pleonástico: *te escribe a* ~.

tía *f.* Respecto a una persona, hermana o prima de su padre o madre. La primera se llama *carnal,* y la otra *segunda, tercera,* etc., según los grados. 2 Tratamiento de respeto que se da en algunos lugares a la mujer casada o entrada en edad. 3 fam. *y* vulg. Apelativo para designar a una compañera o amiga; se aplica cuando no se sabe el nombre de la mujer o no se quiere decir. 4 vulg. Mujer.

tiangue *m. Amér. Central* y *Perú.* Mercado pequeño, puestecito de venta.

tiara *f.* Mitra alta, ceñida por tres coronas, usada por el Papa como insignia de su autoridad. 2 Dignidad de Sumo Pontífice.

tiberio *m.* fam. Ruido, confusión.

tibetano, -na *adj.-s.* Del Tíbet, región de Asia central. – 2 *m.* Lengua tibetana.

tibí *m. Amér.* Botón de quita y pon. 2 *Amér.* Gemelos para puños de camisa.

tibia *f.* Flauta. 2 **Hueso principal y anterior de la pierna del hombre y de la extremidad posterior de un animal, entre el tarso y la rodilla; **ave. 3 Artejo de los **insectos, entre el tarso y el fémur.

tibiar *prnl. Amér. Central* y *Venez.* Irritarse, amoscarse, enfadarse por poco tiempo. ◇ ** CONJUG. [12] como *cambiar.*

tibieza *f.* Calidad de tibio. 2 Falta de devoción y piedad.

tibio, -bia *adj.* Templado. 2 fig. Flojo, descuidado, poco fervoroso. 3 *Amér.* fam. Colérico, enojado, irritado.

tibor *m.* Vaso grande de barro, de China o del Japón, decorado exteriormente.

tiburón *m.* Pez marino seláceo escualiforme, muy voraz, de 3 a 5 m. de largo, con el dorso gris azulado y el vientre blanco *(*gén. *Carcharodon).* 2 fig. Persona voraz, en sentido recto y figurado: ~ *de los negocios.*

tic *m.* Movimiento inconsciente habitual. 2 Onomatopeya con que se imita un sonido seco y poco intenso. ◇ Pl.: *tiques.*

tictac *m.* Ruido acompasado que produce el escape de un reloj. ◇ No se usa en plural.

ticholo *m. Argent.* Ladrillo más pequeño que el común.

tiempo *m.* Duración de las cosas sujetas a mudanza: ~ *solar verdadero,* o simplemente *verdadero,* el que se mide por el movimiento aparente del Sol; ~ *muerto,* DEP., en baloncesto y otros deportes, breve suspensión temporal del juego solicitada por un entrenador cuando su equipo está en posesión del balón o el juego se halla detenido; ~ *de reacción,* PSICOL., intervalo que media entre la reacción de un organismo y el estímulo que la provoca. 2 Época durante la cual vive una persona o sucede una cosa: *en* ~ *de Trajano.* 3 Estación (del año). 4 Edad (tiempo vivido o transcurrido). 5 Oportunidad, coyuntura de hacer algo: *ahora no es* ~. 6 Porción de tiempo libre para hacer algo: *no tengo* ~. 7 Parte en que se divide la acción de una cosa: *los tiempos de una maniobra; los tiempos de un compás musical; los tiempos de un motor; los tiempos de la suerte de varas.* 8 Grado de velocidad a que debe ejecutarse una composición musical: ~ *lento;* ~ *moderado.* 9 Estado de la atmósfera en relación con los fenómenos meteorológicos: *hacer buen* ~. 10 GRAM. Accidente del verbo por medio del cual se expresa la época relativa en que ocurre la acción. 11 GRAM. En los paradigmas verbales, división en que se agrupan, uniformada por una misma expresión temporal, la variación de persona y número: ~ *presente, pretérito y futuro;* ~ *simple,* el que se conjuga sin auxilio de otro verbo; ~ *compuesto,* el que se forma con el participio pasado del verbo que se conjuga y un tiempo del auxiliar *haber;* **verbo.

tienda *f.* Armazón de palos hincados en tierra y cubierto con telas o pieles, que sirve de alojamiento: ~ *de campaña.* 2 Toldo de los carros y de algunas embarcaciones. 3 Establecimiento de comercio al por menor: ~ *de comestibles;* ~ *de mercería.* 4 *Amér.* Aquella en que se venden géneros, pero nunca comestibles.

tienta *f.* Operación en que se prueba la bravura de los becerros. 2 Sagacidad o arte para averiguar una cosa.

tientaguja *f.* Barra de hierro para explorar el terreno en que se va a edificar.

tiento *m.* Ejercicio del sentido del tacto. 2 ZOOL. Tentáculo. 3 Pulso (seguridad). 4 Miramiento y cordura en lo que se hace o emprende. 5 Varita que los pintores descansan por un extremo sobre el lienzo, para apoyar en ella la mano con que pintan. 6 MÚS. Ejercicio o prueba que hace el músico para comprobar la afinación del instrumento. – 7 *m. pl.* Modalidad de baile flamenco en compás de tres tiempos y acompañamiento de guitarra. 8 Música y canto de este baile. – 9 *m. Amér.* Tira delgada de cuero sin curtir.

tierno, -na *adj.* Blando, delicado, flexible. 2 fig. Reciente, de poco tiempo. 3 fig. Propenso al llanto. 4 fig. Afectuoso, cariñoso. 5

Chile, Ecuad. y *Guat.* [fruto] Que no ha llegado a la sazón.

**Tierra *f.* Planeta del sistema **solar, tercero en la proximidad al Sol, situado entre Venus y Marte; **astronomía; **eclipse.

tierra *f.* Parte sólida de la superficie de nuestro planeta. 2 Territorio, región, patria. 3 fig. Conjunto de habitantes de un territorio: *apaciguar la* ~ *de Granada.* 4 Suelo, piso: *cayó a* ~. 5 El material más blando de los que forman la superficie terrestre, en oposición a roca viva, metales, etc. 6 Terreno dedicado al cultivo. 7 ELECTR. Suelo, considerado como polo y conductor eléctrico. 8 ELECTR. Conductor enterrado en el suelo que constituye una de las armaduras de un condensador. – 9 *f. pl.* **Tierras raras,** lantánidos.

tierral *m. Amér.* Polvareda, polvo muy grande.

tieso, -sa *adj.* Que con dificultad se dobla o rompe. 2 Tenso, tirante. 3 fig. Terco, tenaz. 4 fig. Robusto de salud. 5 fig. Valiente, animoso. 6 fig. Afectadamente grave y circunspecto. – 7 *adv. m.* Recia o fuertemente: *pisar* ~.

tiesto *m.* Pedazo de vasija de barro. 2 Maceta (pie para ramillete).

tifáceo, -a *adj.-f.* Planta de la familia de las tifáceas. – 2 *f. pl.* Familia de plantas monocotiledóneas, acuáticas, de tallos cilíndricos, hojas alternas y lineares, flores desnudas en espiga y frutos en drupa.

tifoideo, -a *adj.* Relativo al tifus o parecido a este mal.

tifón *m.* Manga (nube). 2 Huracán en el mar de la China.

tifus *m.* Fiebre continua, contagiosa, acompañada de gran postración, desórdenes cere-

TIERRA

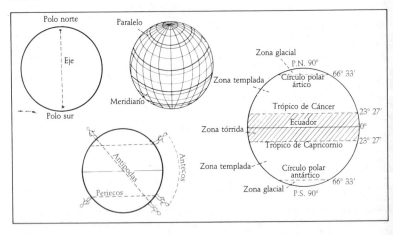

brales y erupción de manchas rojas en algunas partes del cuerpo. ◇ Pl.: *tifus.*

tigana *f.* Ave zancuda de figura de pavo real, aunque más pequeña; tiene el pico más largo que la cabeza y su canto es un silbido lento y quejumbroso *(Euryfrigia helias).*

tigre *m.* Mamífero carnívoro félido, propio de Asia, muy feroz, algo mayor que un león, y con el pelaje amarillento y rayado de negro *(Felis tigris).* 2 fig. Persona cruel y sanguinaria. 3 *Amér.* Jaguar.

tija *f.* Astil de la llave, entre el ojo y el paletón.

tijera *f.* Instrumento para cortar, compuesto de dos hojas de acero, que pueden girar alrededor de un eje que las traba; **cocina; **jardinería (herramientas). 2 fig. Persona murmuradora. 3 fig. Cosa compuesta de dos piezas cruzadas como la tijera (instrumento): *silla, catre de ~.* 4 Zanja de desagüe en tierras húmedas. – 5 *f. pl.* Largueros que forman la escalera del carro. ◇ En la primera acepción se usa generalmente en plural.

tijereta *f.* Zarcillo en los sarmientos de las vides. 2 Insecto dermáptero con el cuerpo aplanado y las alas pequeñas; el abdomen termina en un par de cercos transformados en pinzas que utiliza para intimidar o facilitar la cópula *(Folicula auricularia).*

tijeretazo *m.* Corte hecho de un golpe con las tijeras.

tijeretear *tr.* Dar tijeretazos [a una cosa] especialmente sin arte ni tino. 2 fig. Disponer uno según su arbitrio [en negocios ajenos].

tijereteo *m.* Ruido que hacen las tijeras movidas repetidamente.

tila *f.* Tilo. 2 Flor del tilo. 3 Bebida antiespasmódica de flores de tilo en infusión.

tílburi *m.* Coche con sólo dos ruedas grandes, ligero, sin cubierta y tirado por una sola caballería.

tildar *tr.* Atildar (poner tildes). 2 Tachar [lo escrito]. 3 Señalar con alguna nota denigrativa [a una persona]: *~ de avaro.*

tilde *f.* Acento gráfico y rasgo que se pone sobre la ñ o sobre algunas abreviaturas, o signo análogo. 2 fig. Tacha (falta). 3 Cosa mínima.

tiliáceo, -a *adj.-f.* Planta de la familia de las tiliáceas. – 2 *f. pl.* Familia de plantas dicotiledóneas, de hojas alternas con los nervios muy señalados; estípulas dentadas y caedizas; flores axilares de jugo mucilaginoso, y fruto capsular.

tílico, -ca *adj. Bol.* y *Méj.* fam. Enclenque, flacucho.

tiliche *m. Amér. Central* y *Méj.* Baratija, cachivache.

tilín *m.* Sonido de la campanilla. - *adj. Amér.* Memo.

tilintar *tr. Amér. Central.* Estirar [una cuerda].

tilinte *adj. Amér. Central.* Estirado, guapo, muy elegante.

tilintear *intr.* Resonar la campanilla.

tilo *m.* Árbol tiliáceo de hojas acorazonadas y flores de color blanco amarillento, olorosas y medicinales *(gén. Tilia).*

tilópodo *adj.-m.* Mamífero del infraorden de los tilópodos. – 2 *m. pl.* Infraorden de mamíferos rumiantes desprovistos de pezuñas y con el aparato digestivo más sencillo que el resto de los rumiantes; como los camélidos.

tiloso, -sa *adj. Amér. Central.* Sucio, mugriento.

tímalo *m.* Pez teleósteo clupeiforme de aguas dulces, frías y rápidas, parecido al salmón, de boca pequeña y cabeza aguzada, y que despide un olor parecido al del tomillo *(Thymallus vulgaris).*

timar *tr.* Quitar o hurtar [algo] con engaño. 2 Engañar [a otro] con promesas. – 3 *prnl.* fam. Hacerse guiños los enamorados.

timba *f.* fam. Partida de juego de azar. 2 Casa de juego. 3 *Amér.* Barriga hinchada.

timbal *m.* Tambor consistente en una caja metálica hemisférica, cubierta por una piel tirante; **percusión (instrumentos de). 2 Pastel relleno. 3 Membrana productora del sonido de la cigarra.

timbrar *tr.* Estampar un timbre (sello) [en un papel, documento, etc.].

timbre *m.* Insignia colocada encima del escudo de armas. 2 fig. Acción gloriosa: *~ de gloria.* 3 Sello, especialmente el que se estampa en seco. 4 Renta del Tesoro constituida por el importe de los sellos, papel sellado y otras imposiciones. 5 Aparato de llamada compuesto de un macito que al ser movido por un resorte, la electricidad, etc., hace sonar una campana. 6 fig. Sonido característico de una voz o instrumento músico. 7 *fís.* Cualidad del sonido, resultante de la unión del tono fundamental con los armónicos.

timbrología *f.* Conjunto de conocimientos concernientes a los timbres del papel sellado del Estado.

timeleáceo, -a *adj.-f.* Planta de la familia de las timeleáceas. – 2 *f. pl.* Familia de plantas dicotiledóneas de hojas alternas u opuestas sin estípulas; flores en inflorescencias racimosas, terminales o axilares.

timidez *f.* Calidad de tímido.

tímido, -da *adj.* Temeroso, encogido y corto de ánimo.

I) timo *m.* fam. Acción de timar. 2 fam. Efecto de timar. 3 vulg. Trozo o muletilla que corre de boca en boca durante cierto tiempo.

II) timo *m.* Glándula endocrina situada detrás del esternón, muy desarrollada en los niños y que se atrofia o desaparece en la edad adulta.

timocracia *f.* Forma de gobierno en que ejercen el poder los ciudadanos más ricos.

timón *m.* Palo derecho que sale de la cama del arado en su extremidad. 2 Lanza del carro. 3 Pieza de madera o de hierro, articulada verticalmente sobre goznes en el codaste del buque para gobernarlo; **barca. 4 p. ext. Pieza similar de submarinos, **aviones, etc. 5 Varilla que da dirección y sirve de contrapeso al cohete. 6 fig. Dirección o gobierno de un negocio. 7 *Amér.* Volante de un automóvil.

timonel *m.* El que gobierna el timón de la nave.

timonera *f.* Pluma grande que tienen las **aves en la cola.

timorato, -ta *adj.* Tímido, indeciso, gazmoño.

tímpano *m.* Tamboril. 2 Instrumento músico de percusión compuesto de varias tiras sonoras de vidrio que se tocan con baquetas de corcho. 3 Espacio triangular que queda entre las dos cornisas inclinadas de un frontón y la horizontal de su base; **romano. 4 Superficie delimitada por el dintel de la puerta y las arquivoltas de una portada de iglesia; **románico. 5 Membrana que limita el **oído medio por fuera y lo separa del conducto auditivo externo.

tina *f.* Vasija grande, de forma de caldera o de media cuba que sirve para varios usos.

tinaco *m.* Tina pequeña de madera. 2 *Amér.* Tinaja grande, de barro grueso y fuerte.

tinada *f.* Montón de leña. 2 Cobertizo para recoger el ganado.

tinaja *f.* Vasija grande de barro cocido, mucho más ancha por el medio que por el fondo y la boca. 2 Líquido que cabe en una tinaja.

tinajón *m.* Vasija tosca parecida a la mitad inferior de una tinaja.

tinamiforme *adj.-m.* Ave del orden de los tinamiformes. – 2 *m. pl.* Orden de aves americanas que vuelan con dificultad pero corren con destreza.

tinelo *m.* Comedor de la servidumbre en las casas de los grandes.

tinerfeño, -ña *adj.-s.* De Tenerife, una de las islas Canarias.

tinglado *m.* Cobertizo. 2 Tablado armado a la ligera. 3 fig. Artificio, enredo, maquinación.

tiniebla *f.* Falta de luz: *las tinieblas de la noche.* – 2 *f. pl.* Suma ignorancia. 3 fig. Falta de luz en lo abstracto o moral.

tino *m.* Hábito de acertar a tientas con las cosas que se buscan. 2 Acierto y destreza para dar en el blanco o para calcular a ojo una cosa. 3 fig. Juicio y cordura. 4 fig. Moderación, prudencia en una acción.

tinta *f.* Substancia de color, fluida o viscosa, para escribir, dibujar o imprimir: ~ *china;* ~ *de imprenta.* 2 Líquido que segregan los calamares para protegerse tiñendo el agua. 3 Tinte (acción y efecto). – 4 *f. pl.* Matices de color: *las tintas de la aurora.* 5 PINT. Mezcla de colores que se hace para pintar.

tintar *tr.* Teñir (dar otro color).

tinte *m.* Acción de teñir. 2 Efecto de teñir. 3 Color con que se tiñe. 4 Establecimiento donde se limpia o tiñe. 5 Barniz, cualidad que algo o alguien presenta muy superficialmente. 6 fig. Artificio con que se desfiguran cosas no materiales.

tinterillar *intr. Amér. Central y Colomb.* Litigar judicialmente.

tintero *m.* Vaso o frasco de boca ancha, en que se pone la tinta de escribir. 2 p. ext. Cinta o tampón impregnado de tinta. 3 Depósito que en las máquinas de imprimir recibe la tinta.

tintín *m.* Sonido de la campanilla, timbre, choque de copas, etc.

tintinar, -near *intr.* Producir el sonido del tintín.

tinto, -ta *adj.* V. uva tinta, vino tinto.

tintóreo, -a *adj.* Que es colorante: *planta tintórea; substancia tintórea.*

tintorera *f.* Tiburón de gran tamaño y enorme voracidad, que tiene el cuerpo esbelto de color azul *(Prionace glauca).*

tintorería *f.* Tinte (establecimiento).

tintorro *m.* fam. Vino cubierto, tinto.

tintura *f.* Tinte (acción y efecto; color). 2 Líquido en que se ha disuelto una substancia colorante. 3 Disolución de una substancia medicinal en agua, alcohol o éter: ~ *de yodo.* 4 Afeite en el rostro. 5 fig. Noción superficial de algo.

tiña *f.* Larva que daña a las colmenas. 2 Afección contagiosa de la piel, debida a un parásito vegetal, que produce escamas, costras o la caída del cabello. 3 fig. Miseria, mezquindad.

tiñoso, -sa *adj.-s.* Que padece tiña. 2 Miserable, mezquino.

tío *m.* Respecto a una persona, hermano o primo de su padre o madre. El primero se llama *carnal,* y el otro *segundo, tercero,* etc., según los grados. 2 Tratamiento de respeto que se da en algunos lugares al hombre casado o entrado en edad. 3 fam. Persona digna de admiración: *¡qué ~!; ¡vaya un ~ sabiendo matemáticas!* 4 fam. Hombre cuyo nombre o condición se ignoran o no se quieren decir. 5 vulg. Apelativo equivalente a compañero, colega, amigo. 6 vulg. Hombre.

tiovivo *m.* Plataforma giratoria sobre la que se instalan caballitos, coches, etc., y sirve de diversión. ◇ Pl.: *tiovivos.*

tipario *m.* Conjunto de los tipos de una máquina de escribir.

tipear *tr.-intr. Amér.* Escribir a máquina.

tipejo, -ja *m. f.* desp. Persona ridícula y despreciable.

tipicidad *f.* Calidad de típico. 2 DER. Elemento constitutivo de delito, que consiste en la adecuación del hecho que se considera delictivo a la figura o tipo descrito por la ley.

típico, -ca *adj.* Propio de un tipo, o que es tipo de algo. 2 Peculiar o característico: *costumbres típicas.*

tipificar *tr.* Presentar [una persona o cosa] las características [de una raza, una profesión, un género, etc., cualquiera] a que pertenece. 2 Ajustar varias cosas semejantes a un tipo o norma común. ◇ ** CONJUG. [1] como *sacar.*

tipismo *m.* Calidad de típico. 2 Conjunto de caracteres o rasgos típicos.

tiple *m.* La más aguda de las voces humanas. 2 Guitarrita de voces agudas. 3 Especie de oboe soprano, de dimensiones más reducidas que la tenora, empleado en la cobla de las sardanas. – 4 *com.* Persona que tiene voz de tiple. 5 Persona que toca el tiple.

tipo *m.* Modelo ideal que reúne los caracteres esenciales de todos los seres de igual naturaleza. 2 Símbolo representativo de cosa figurada. 3 Ejemplo característico de una especie, género, etc. 4 Ejemplar individual sobre el que se basa la descripción de una nueva especie o género. 5 Personaje de una obra de ficción. 6 Conjunto de rasgos característicos: *el ~ de una persona;* figura o talle de una persona: *tiene buen ~.* 7 Letra o carácter de imprenta. 8 Hombre, individuo, frecuentemente con matiz despectivo. 9 *~ de cambio,* precio de una moneda extranjera en moneda nacional que sirve de referencia para las transacciones comerciales entre dos países. 10 H. NAT. Categoría de clasificación entre el reino y el subtipo o la clase. 11 NUMIS. Figura principal de una moneda o medalla.

tipografía *f.* Sistema de impresión con formas que contienen los tipos y grabados en relieve, los cuales, una vez entintados, se aplican directamente por presión sobre el papel.

tipoí *m. Argent., Bol. y Parag.* Túnica desceñida, de distintos tipos de algodón, sin cuello ni mangas.

tipología *f.* Estudio y clasificación de tipos que se practica en diversas ciencias. 2 Ciencia que estudia los distintos tipos raciales en que se divide la especie humana. 3 *~ lingüística,* disciplina que compara las lenguas para clasificarlas y establecer entre ellas relaciones, genealógicas o no, según las afinidades de sus sistemas fonológicos, morfológicos y sintácticos, etc.

tipómetro *m.* Instrumento para medir los puntos tipográficos.

típula *f.* Insecto díptero, semejante al mosquito, que se alimenta del jugo de las flores *(Tippula obracea).*

tique, tíquet, tiquete *m.* Billete, boleto, papeleta o cupón, que acredita ciertos derechos.

tiquis miquis, tiquismiquis *m. pl.* Escrúpulos vanos. 2 Expresiones ridículamente afectadas. 3 Discusiones o riñas frecuentes y sin motivo. – 4 *com.* fam. Persona muy remilgada.

tira *f.* Pedazo largo y angosto de una cosa delgada. 2 Parte de un cabo que pasando por un motón se extiende horizontalmente. 3 Reunión de gente pesada. 4 vulg. Gran cantidad de una cosa; esp., con el artículo *la: vino la ~ de gente.* – 5 *m. Amér.* Policía, detective.

tirabeque *m.* Variedad de guisante que es mollar *(Pisum sativum).*

tirabotas *m.* Gancho de hierro para calzarse las botas. ◇ Pl.: *tirabotas.*

tirabuzón *m.* Sacacorchos. 2 fig. Rizo de cabello largo y pendiente en espiral. 3 DEP. Salto en el que el cuerpo del deportista imita con su movimiento la forma de un tirabuzón.

tirachinas, tirachinos *m.* Tirador (horquilla). ◇ Pl.: *tirachinas, tirachinos.*

tirada *f.* Acción de tirar. 2 Acción de imprimir. 3 Efecto de imprimir. 4 Número de ejemplares de una edición: *~ aparte,* impresión por separado de un artículo de revista o capítulo de una obra. 5 Lo que se imprime en un día. 6 Serie de cosas que se dicen o escriben de un tirón: *~ de versos.* 7 Distancia que hay de un lugar a otro, o de un tiempo a otro.

tirado, -da *adj.* [cosa] Que abunda o que se da muy barato. 2 [buque] Que tiene mucha eslora y poca altura de casco. 3 Sencillo, fácil. 4 fam. [pers.] Que lleva mala vida, despreciable, que ha perdido la vergüenza.

tirador, -ra *m. f.* Persona que tira, especialmente si es hábil. 2 Persona que estira. – 3 *m.* Instrumento con que se estira. 4 Asidero, cordón, cadenilla, etc., de que se tira: *~ de una puerta; ~ de una campanilla.* 5 Regla de hierro que usan los picapedreros. 6 Horquilla con mango, con dos gomas unidas por una badana, para disparar piedrecitas, perdigones, etc. – 7 *m. pl. Amér. Merid.* Tirantes de los pantalones.

tirafondo *m.* Tornillo para asegurar en la madera algunas piezas de hierro.

tirafuera *m.* Manga que se usa para pescar desde la orilla.

tiragomas *m. Ast., Logr., Sant. y Sor.* Juguete provisto de una tira de goma, que sirve para tirar piedrecitas. ◇ Pl.: *tiragomas.*

tiralevitas *com.* fam. Adulador, pelotillero. ◇ Pl.: *tiralevitas.*

tiralíneas *m.* Instrumento de metal a modo

de pinzas para trazar líneas de tinta. ◇ Pl.: *tiralíneas*.

tiramira *f.* Cordillera larga y estrecha. 2 Serie continuada de muchas cosas o personas.

tiranía *f.* Gobierno ejercido por un tirano. 2 fig. Abuso de poder o fuerza. 3 fig. Dominio excesivo de una pasión sobre la voluntad.

tiranicidio *m.* Muerte dada a un tirano.

tiránico, -ca *adj.* Propio de un tirano. 2 Relativo a la tiranía. 3 Tirano.

tiranizar *tr.* Gobernar un tirano [un estado]. 2 fig. Dominar tiránicamente. ◇ ** CONJUG. [4] como *realizar*.

tirano, -na *adj.-s.* [pers.] Que se apropia del poder supremo ilegítimamente, o que gobierna contra su derecho. 2 fig. [pers.] Que abusa de su poder o fuerza. – 3 *adj.* fig. [pasión] Que domina el ánimo.

tirante *adj.* Tenso. 2 fig. Que está próximo a romperse: *relación tensa; situación tensa.* – 3 *m.* En los arreos de una caballería, cuerda o correa para tirar del carruaje. 4 Tira elástica que suspende de los hombros el pantalón y otras prendas de vestir. 5 MEC. Pieza que soporta un esfuerzo de tensión: *los tirantes de una caldera.*

tirantez *f.* Calidad de tirante. 2 Distancia mínima entre los extremos de una cosa. 3 Dirección de los planos de hilada de un arco o bóveda. 4 fig. Falta de conformidad en las relaciones entre estados, clases sociales, partidos políticos, amistades, etc.

tirantillo *m.* Tira de cuero o tela, que mantiene en posición más o menos vertical la tapa de una maleta mientras está abierta.

tirar *intr.* Hacer fuerza para traer hacia sí o para llevar tras de sí: ~ *de la cuerda;* ~ *con todas sus fuerzas.* 2 Atraer por virtud natural: *el imán tira del hierro;* fig., atraer por el afecto o la simpatía: *la patria tira siempre.* 3 fig. Torcer, dirigirse a otro lado: ~ *a, hacia,* o *por, la derecha.* 4 fig. Poner los medios disimuladamente para lograr algo: *tira a ser ministro.* 5 fig. Durar, mantenerse trabajosamente una persona o cosa: *el enfermo va tirando.* 6 fig. Tender, propender, inclinarse: *tira a mejorar;* asemejarse una cosa a otra: *tira a verde.* 7 Producir el tiro o corriente de aire a través de un conducto: *la chimenea no tira.* 8 Seguido de la preposición *de* y un nombre de arma o instrumento, sacar: ~ *de la espada.* 9 Esgrimir o manejar ciertas armas según arte: ~ *bien a la espada.* 10 Decorar la cubierta o el lomo de un libro mediante una placa grabada, montada en una prensa de dorar. 11 DEP. En ciclismo, pasar delante del corredor, forzando o manteniendo el ritmo. – 12 *tr.* Despedir de la mano [una cosa]: ~ *el libro;* arrojar [una cosa] en dirección determinada: *tiraba piedras a sus compañeros;* con voces que significan daño corporal, ejecutar la acción significada por estas voces: ~ *un pellizco, un mordisco.* 13 Disparar [un arma de

fuego]: ~ *un cañonazo; intr.:* ~ *al blanco;* ~ *a lo alto.* 14 Derribar, echar abajo: ~ *una casa;* ~ *un árbol.* 15 fig. Malgastar el caudal o malvender la hacienda: ~ *el patrimonio.* 16 Estirar, extender: ~ *las cuerdas de la guitarra;* esp., reducir a hilo [un metal]: ~ *el oro en hebras muy finas.* 17 Hacer o marcar [líneas]: ~ *paralelas.* 18 Imprimir [un dibujo o texto]: ~ *un pliego;* ~ *un grabado.* 19 Abandonar, desechar, arrojar una cosa a la basura. 20 *Amér.* Conducir, transportar, acarrear. – 21 *tr.-prnl.* DEP. Lanzar con fuerza [un balón, pelota, bola, etc.] hacia la portería, canasta, etc., contrarias. – 22 *tr.-intr.* En juegos en que se maneja un instrumento como carta, dado, etc., hacer uso de él un jugador para realizar la jugada. – 23 *prnl.* Abalanzarse: *se tiró a él.* 24 Arrojarse: *tirarse a un pozo.* 25 Echarse, tenderse: *tirarse en la cama.* 26 fam. Poner en obra algo, hacer. 27 fam. Pasar, dejar transcurrir el tiempo [en cierto sitio o de cierta manera]: *se tiró todo el curso sin ir a clase.* 28 vulg. Poseer sexualmente [a una persona].

tirilla *f.* Tira de lienzo en el cuello de las camisas para fijar en ellas el cuello postizo.

tirita *f.* FARM. Marca registrada de una tira de esparadrapo, de tamaños diversos, con un preparado especial en su centro, para desinfectar y proteger heridas pequeñas.

tiritar *intr.* Temblar de frío.

tiritera *f.* Temblor producido por el frío del ambiente o al iniciarse la fiebre.

tiro *m.* Acción de tirar. 2 Efecto de tirar. 3 Señal o impresión que hace lo que se tira. 4 Disparo o estampido de un arma de fuego: *le alcanzó un* ~; *se oyó un* ~; ~ *de gracia,* el que se da para rematar al que está gravemente herido. 5 Trayectoria descrita por el proyectil: ~ *oblicuo;* ~ *rasante.* 6 Cantidad de munición para cargar una vez el arma de fuego: *nos quedaban pocos tiros.* 7 Conjunto de las disciplinas deportivas o los ejercicios basados en hacer blanco con un arma. 8 Corriente de aire que produce el fuego de un hogar. 9 Conjunto de caballerías que tiran de un carruaje. 10 Tirante (cuerda o correa). 11 Tramo de la escalera. 12 Longitud de una pieza de tejido. 13 Holgura entre las perneras del pantalón. 14 Pieza o cañón de artillería. 15 fig. Daño grave. 16 fig. Chasco o burla. 17 fig. Alusión desfavorable a una persona. 18 DEP. Lanzamiento hacia la portería, canasta, etc., contrarias, en los juegos que se practican con pelota, balón, bola, etc.: ~ *libre,* en el juego del baloncesto, castigo a una personal que se efectúa lanzando directamente la pelota a la canasta contraria desde el borde de la zona, sin oposición de los defensores. 19 MIN. Pozo abierto en el suelo de una galería. – 20 *m. pl.* Correas de que pende la espada: *de tiros largos,* fig., con vestido de gala; con lujo y esmero. – 21 *m.*

tomografía *f.* Técnica radiográfica que permite obtener imágenes radiológicas correspondientes a una fina capa de un órgano, de una profundidad conocida.

toná *f.* Modalidad de cante flamenco.

tonada *f.* Composición métrica para cantarse. 2 Música de esta canción. 3 *Amér.* Acento especial del habla; tonillo, dejo.

tonadilla *f.* Canción y música alegres.

tonadillero, -ra *m. f.* Autor o cantante de tonadillas.

tonal *adj.* MÚS. Relativo al tono o a la tonalidad.

tonalidad *f.* Sistema de sonidos que sirve de fundamento a una composición musical. 2 Relación de tonos en una pintura. 3 Matiz, gradación de color. 4 Cualidad de un receptor radioeléctrico que puede reproducir con la máxima fidelidad los sonidos graves y agudos.

tonar *intr.* poét. Tronar o arrojar rayos. ◇ ** CONJUG. [31] como *contar*.

tondo *m.* ARQ. Adorno circular rehundido en un paramento. 2 Obra artística pintada o esculpida de forma redonda, semejante a un medallón. 3 Pintura o relieve de contorno circular.

tonel *m.* Cuba grande: ~ *de vino.* 2 fig. *y* fam. Persona muy gorda.

tonelada *f.* Unidad de peso o de capacidad para calcular el desplazamiento de los buques. 2 ~ *de peso,* unidad de peso equivalente a 20 quintales. 3 ~ *métrica,* unidad de peso equivalente a 1000 kgs. o 10 qms.

tonelaje *m.* Arqueo (cabida de una embarcación). 2 Número de toneladas que mide un conjunto de buques mercantes. 3 Peso de un vehículo. 4 Cabida o capacidad de un vehículo de transporte.

tonelero, -ra *adj.* Relativo al tonel: *industria tonelera.* – 2 *m. f.* Persona que tiene por oficio hacer toneles o venderlos.

tonema *m.* LING. En la entonación, última fase de la curva melódica correspondiente al grupo fónico que caracteriza los diversos tipos del mismo.

tongada *f.* Pila de cosas unas sobre otras.

tongo *m.* Trampa que hace el boxeador, el pelotari, o el jinete en las carreras de caballos, aceptando dinero por dejarse ganar; p. ext., trampa en el juego.

tónico, -ca *adj.-m.* Que entona (el organismo). – 2 *adj.* GRAM. Que se pronuncia acentuado: *vocal tónica; sílaba tónica.* – 3 *adj.-f.* MÚS. Nota o grado inicial de un tono (escala musical). – 4 *adj.-m.* En cosmética, loción ligeramente astringente para limpiar y refrescar el cutis, o para vigorizar el cabello. – 5 *f.* Bebida gaseosa refrescante elaborada con extractos.

tonificante *adj.-s.* Que tonifica.

tonificar *tr.* Entonar (dar vigor). ◇ ** CONJUG. [1] como *sacar*.

tonillo *m.* Tono monótono y desagradable. 2 Modo particular de acentuar los finales de las palabras algunas personas. 3 Tono o entonación reticente o burlona con que se dice algo.

tono *m.* Grado de elevación de un sonido. 2 Modo particular de decir algo. 3 Carácter del estilo de una obra literaria: *de buen* o *mal* ~, de buen o mal gusto. 4 Estado del cuerpo o de una parte de él cuando cumple sus funciones con el debido vigor. 5 Energía, vigor, fuerza. 6 Vigor y relieve de una pintura.

tonsurar *tr.* Cortar el pelo o la lana [a personas o animales]. 2 Dar [a uno] el sacramento por medio del cual entra a formar parte de la clerecía.

tontaina *com.-adj.* fam. Persona tonta.

tontear *intr.* Decir o hacer tonterías. 2 fam. Coquetear, mantener relaciones amistosas o amorosas.

tontedad, tontera, tontería *f.* Calidad de tonto. 2 Dicho o hecho de tonto.

tontina *f.* Sociedad mutua cuyos miembros constituyen un fondo común para repartirlo en una época dada, con los intereses acumulados, entre los socios supervivientes.

tonto, -ta *adj.-s.* Falto o escaso de entendimiento o razón: ~ *de capirote,* muy necio e incapaz. 2 fam. Persona ingenua y sin malicia. 3 fam. Persona muy sentimental y que se conmueve fácilmente. 4 fam. Persona indiscreta, fastidiosa o pesada. 5 fam. Muy mimoso o cariñoso. 6 fam. Estúpido, sin sentido: *equivocación tonta.* 7 Referido al tiempo, inestable. 8 Hecho o dicho propio de un tonto. – 9 *m.* Prenda femenina de vestir, muy amplia y holgada, que suelen usar las mujeres encintas. ◇ En la acepción *5* se emplea con los verbos *estar* o *ponerse*.

topacio *m.* Piedra fina, amarilla, muy dura; es el silicato fluorado de alúmina.

topar *tr.-intr.* Dar una cosa en movimiento [con otra] que halla en su camino: ~ *con, contra,* o *en, un poste;* fig., tropezar o embarazarse con algo: *topamos en muchas dificultades.* 2 Hallar casualmente [a una persona o cosa] o encontrar [lo que se anda buscando]: *topé a mi amigo en la calle.* – 3 *intr.* Querer, aceptar el envite en el juego. 4 fig. Consistir, estribar: *la dificultad topa en esto.* 5 fig. Salir bien una cosa: *veremos si topa.*

tope *m.* Parte por donde pueden topar dos cosas. 2 Pieza circular que, al extremo de una barra horizontal, se pone en el exterior de los vagones de ferrocarril. 3 Pieza para detener el movimiento en un mecanismo; **cerradura. 4 Tropiezo. 5 fig. Reyerta, riña. 6 Punto difícil de una cosa. 7 MAR. Extremo superior de cualquier palo. 8 MEC. Pieza montada generalmente en el extremo de un eje, destinada a soportar un esfuerzo axial. – 9 *adj.* fig. Último, máximo, extremo: *fecha, cifra, precio* ~. – 10 *m. Amér.* Hallazgo, encuentro de dos personas.

topera *f.* Madriguera del topo.

topetada *f.* Golpe que dan con la cabeza los toros, carneros, etc. 2 fig. Golpe que da uno con la cabeza.

topetar, topetear *tr.-intr.* Dar con la cabeza [en alguna cosa]; esp., dar golpes con la cabeza los toros, carneros, etc. 2 Topar, chocar.

topetón *m.* Golpe de una cosa con otra.

tópico, -ca *adj.* Relativo a determinado lugar. – 2 *m.* Medicamento externo. 3 RET. Expresión vulgar o trivial. – 4 *m. pl.* Lugar común que la Retórica antigua convirtió en fórmula o cliché fijo y admitido o en esquema formal o conceptual, de que se sirvieron los escritores con frecuencia. – 5 *m.* ANGLIC. Tema, asunto, cuestión.

topista *com.* Ladrón que para penetrar en una casa, hace saltar la cerradura o las bisagras mediante una palanqueta que introduce entre la puerta y su marco.

topless *m.* Modo de vestir una mujer, cuando deja los pechos desnudos en público. 2 *En* ~, *loc. adv.*, con los pechos desnudos.

I) topo *m.* Mamífero insectívoro de pelaje muy fino, ojos pequeños, casi ocultos bajo la piel, y manos anchas con cinco dedos armados de fuertes uñas con las cuales abre galerías subterráneas donde vive *(Talpa europæa).* – 2 *m.-adj.* fig. Persona que, por cortedad de vista o desatiento natural, tropieza con cualquier cosa. 3 fig. Persona de cortos alcances o que en todo yerra. 4 fig. Persona que, bajo un régimen político represivo, vive en reclusión, por temor a represalias. 5 fig. Infiltrado.

II) topo *m. Amér.* Alfiler grande.

topografía *f.* Arte de describir y representar detalladamente la superficie de un terreno. 2 Conjunto de particularidades que presenta la superficie de un terreno.

topología *f.* Ciencia que se dedica al estudio de los razonamientos matemáticos, prescindiendo de los significados concretos.

topometría *f.* Parte de la topografía concerniente a las medidas efectuadas sobre el terreno.

toponimia *f.* Estudio del origen y significación de los nombres de lugar. 2 Conjunto de los nombres de lugar de un país, época, etc.: ~ *árabe de España.*

topónimo *m.* Nombre propio de lugar.

toque *m.* Acción de tocar. 2 fig. Golpe dado a alguno. 3 Pincelada ligera. 4 Tañido: ~ *de ánimas;* ~ *de diana.* 5 fig. Llamamiento, advertencia: ~ *de atención;* ~ *de queda,* medida que, en circunstancias excepcionales, prohíbe el

tránsito o permanencia en las calles de una ciudad durante determinadas horas, generalmente nocturnas. 6 Ensayo que se hace comparando el efecto que produce el ácido nítrico en dos rayas trazadas sobre una piedra dura, una con un objeto de metal y otra con una barrita de ley conocida. 7 Examen que se hace de algún sujeto. 8 Punto esencial de alguna cosa: *aquí está el* ~ *del negocio.*

toquetear *tr.* Tocar reiteradamente [una cosa].

toquilla *f.* Adorno que se ponía alrededor de la copa del sombrero. 2 Pañuelo, generalmente triangular, que se ponen las mujeres en la cabeza o al cuello, o el de punto que usan para abrigo. 3 *Amér.* Palmera muy fina que proporciona el material para fabricar sombreros de jipijapa *(Carludovica palmate).*

tor *m.* Unidad de presión, equivalente a 1 mm. de mercurio; es la presión ejercida sobre su base por una columna de mercurio de 1 mm. de altura.

tora *f.* Libro de la ley de los judíos.

torada *f.* Manada de toros. 2 Bando de perdices machos.

toral *adj.* Principal, de más fuerza y vigor.

tórax *m.* Pecho (del **cuerpo humano y de cuadrúpedos o aves). 2 Cavidad del pecho. 3 Parte del cuerpo del **insecto comprendida entre la cabeza y el abdomen. ◇ Pl.: *tórax.*

torbellino *m.* Remolino de viento. 2 Masa de agua que da vueltas con rapidez, como un embudo. 3 fig. Abundancia de cosas que concurren a la vez. 4 fig. Persona demasiado viva e inquieta. 5 fig. Lo que dirige las acciones humanas: *el* ~ *de las pasiones.* 6 FÍS. En la mecánica de los fluidos, movimiento definido por una rotación de las partículas fluidas alrededor de un eje, con una velocidad inversamente proporcional a su distancia al mismo.

torbenita *f.* Mineral radiactivo del grupo de las micas de uranio, que cristaliza en el sistema tetragonal, de color verde y brillo nacarado.

torca *f.* GEOL. Embudo o sima circular originada por el hundimiento de una caverna.

torce *f.* Vuelta que da alrededor del cuello una cadena o collar.

torcecuello *m.* Ave piciforme de paso, que anida en los huecos de los árboles frutales *(Jynx torquilla).*

torcedura *f.* Acción de torcer. 2 Efecto de torcer. 3 Distensión de las partes blandas que rodean una articulación. 4 Desviación de un miembro u órgano de su dirección normal.

torcer *tr.* Dar forma helicoidal [a un cuerpo], haciéndolo girar sobre sí mismo sujetando uno de sus extremos, o moviendo un extremo en sentido contrario al otro. 2 Encorvar o doblar [una cosa recta]; en gral., hacer que [una cosa] cambie su dirección o su posición normal o la dirección que lleva en un momento dado: ~ *los ojos; el coche se torció hacia la cuneta; intr., el camino tuerce a la derecha; ~ un brazo.* 3 fig. Mudar [la voluntad o el dictamen de alguno]; en gral., desviar [actos, cualidades, etc.]: *torceré sus intenciones; ~ la justicia.* 4 Elaborar [el cigarro puro], envolviendo la tripa en la capa. 5 fig. Dar diverso y siniestro sentido [a lo que lo tiene equívoco]: ~ *el dictamen.* – 6 **prnl.** Avinagrarse y enturbiarse el vino o cortarse la leche. 7 Dificultarse y frustrarse un negocio. 8 fig. Desviarse del camino recto de la virtud o de la razón. 9 fig. Dejarse un jugador ganar por su contrario, para estafar entre ambos a un tercero. ◇ ** CONJUG. [54] como *cocer.*

torcida *f.* Mecha de los velones, candiles, etc.

torcido, -da *adj.* Que no es recto: ~ *por la punta; ~ de cuerpo.* 2 fig. Que no obra con rectitud: ~ *en sus dictámenes.* – 3 *m.* Hebra gruesa y fuerte de seda torcida. 4 Hilo de algodón de dos cabos y torsión regular. – 5 *adj. Amér. Central.* Desafortunado, desacertado.

torcimiento *m.* Torcedura (acción y efecto). 2 Circunlocución inútil.

torculado, -da *adj.* De forma de tornillo.

tórculo *m.* Prensa de tornillo.

tordo, -da *adj.-s.* Caballería que tiene el pelo mezclado de negro y blanco. – 2 *m.* Ave paseriforme de cuerpo grueso, con el plumaje pardo verdoso en el lomo y blanco amarillento con manchas oscuras en el pecho y vientre *(Turdus philomelos).* 3 Pez marino teleósteo perciforme, carnívoro, de pequeño tamaño, que presenta dimorfismo y dicroísmo sexual *(Symphodus ocellatus).*

torear *intr.-tr.* Lidiar [los toros]. 2 Echar los toros a las vacas. – 3 *tr.* fig. Entretener las esperanzas [de uno] engañándole, o hacerle burla. 4 fig. Fatigar [a uno] llamando su atención a diversas partes. 5 fig. Conducir hábilmente un asunto que se presenta difícil o embarazoso. 6 fig. Evitar algo o a alguien. 7 *Argent. y Chile.* Azuzar [a un animal]. – 8 *intr. Argent., Bol. y R. de la Plata.* Ladrar el perro repetidas veces.

toreo *m.* Acción de torear. 2 Arte de torear.

torero, -ra *adj.* Relativo al toreo: *aire ~; sangre torera.* 2 fig. Airoso, altanero. – 3 *m. f.* Persona que por oficio o afición acostumbra torear (lidiar); ****toros.** – 4 *f.* Chaquetilla que no pasa de la cintura.

torete *m.* fig. Grave dificultad, asunto difícil de resolver. 2 fig. Novedad de que se trata en una conversación.

toréutica *f.* Arte que consiste en trabajar y grabar los metales, la madera o el marfil.

toril *m.* Encierro para los **toros que han de lidiarse; esp., chiquero donde se encierra cada uno de los toros para salir al ruedo.

torilio *m.* Planta umbelífera de pequeño tamaño, provista de flores blancas en umbela y frutos con espinas curvadas *(Torilis arvensis).*

torillo *m.* Espiga que une dos pinas contiguas de una rueda. 2 Ave gruiforme parecida a la codorniz, de la que se diferencia por la presencia de unas manchas rojizas en el pecho rodeadas de puntos negros *(Turnix sylvatica).* 3 Pez marino teleósteo perciforme, de cuerpo alargado, comprimido lateralmente, y con un característico apéndice dérmico plumiforme encima de cada ojo *(Blennius ocellaris).*

toriondo, -da *adj.* [ganado vacuno] Que está en celo, especialmente la vaca.

torita *f.* Silicato hidratado de torio.

tormenta *f.* Tempestad. 2 fig. Adversidad, desgracia. 3 fig. Violenta manifestación del estado de los ánimos enardecidos.

tormentario, -ria *adj.* Relativo a las máquinas de guerra para expugnar o defender fortificaciones. – 2 *f.* Artillería, especialmente la antigua.

tormentilla *f.* Planta rosácea perenne, reptante, de base leñosa, hojas dentadas sin pecíolo, flores amarillas solitarias y rizoma rojizo que se usa como astringente *(Potentilla ercta).*

tormento *m.* Acción de atormentar o atormentarse. 2 Efecto de atormentar o atormentarse. 3 Angustia o dolor físico. 4 Dolor corporal que se causaba al reo para obligarle a declarar. 5 fig. Congoja o aflicción. 6 fig. Cosa que la ocasiona. 7 fam. Persona a la que se quiere.

tormentoso, -sa *adj.* Que ocasiona tormenta: *tiempo ~.* 2 Que amenaza tormenta.

tormo *m.* Terrón de tierra. 2 Pequeña masa suelta de otras substancias.

torna *f.* Acción de tornar (devolver; regresar). 2 Obstáculo puesto en una reguera para cambiar el curso del agua.

tornado *m.* Huracán en el golfo de Guinea. 2 Manga intensa y violenta de gran diámetro, en cuyo eje central existe una fuerte corriente vertical ascendente, capaz de elevar en el aire objetos pesados.

tornapunta *f.* Jabalcón que enlaza los pares con el tirante de una armadura. 2 Puntal (madero). 3 Ménsula de balcón en forma de S.

tornar *tr.* Devolver (restituir). – 2 *tr.-prnl.* Mudar [a una persona o cosa] su naturaleza o estado: *la lluvia tornó el campo en un barrizal; intr., la defensa tornó en acusación.* – 3 *intr.* Regresar, volver: ~ *de Galicia; ~ por el resto.* 4 Seguido de la preposición *a* y otro verbo en infinitivo, volver a hacer lo que éste expresa: ~ *a leer.* ◇ Es antiguo en todas sus acepciones; su empleo es hoy exclusivamente literario.

tornasol *m.* Girasol (planta). 2 Reflejo o

viso de la luz en materias tersas. 3 Materia colorante azul usada como reactivo para reconocer los ácidos que la tornan roja.

tornasolado, -da *adj.* Que tiene o hace tornasoles (reflejos). 2 fig. Servil, adulador. – 3 *m.* Calidad de un tejido conseguida mediante un sistema de pinturas, que consiste en superponer diferentes tonalidades de un mismo color.

tornavía *f.* En los ferrocarriles, aparato giratorio que sirve para cambiar de vía los coches y las locomotoras.

tornavoz *m.* Sombrero del púlpito, concha del apuntador en los teatros, o cualquier cosa que recoge y refleja el sonido. 2 Bocina (para hablar de lejos). 3 Eco, resonancia.

torneadura *f.* Viruta sacada de lo que se tornea.

tornear *tr.* Labrar o redondear [una cosa] al torno. – 2 *intr.* Dar vueltas alrededor o en torno. 3 Combatir o pelear en el torneo. 4 fig. Dar vueltas en la imaginación.

torneo *m.* Combate a caballo entre dos bandos opuestos. 2 Fiesta pública entre cuadrillas de caballeros armados que escaramuceaban alrededor de un palenque. 3 p. ext. Certamen. 4 DEP. En diversos juegos o deportes, competición entre varios participantes.

tornero, -ra *m. f.* El que tiene por oficio hacer obras al torno. 2 El que tiene por oficio hacer tornos.

tornillazo *m.* Media vuelta del caballo. 2 fam. Abandono, deserción.

tornillería *f.* Conjunto de tornillos y piezas semejantes. 2 Fabricación de tornillos. 3 Fábrica de tornillos. 4 Tienda donde se venden.

tornillo *m.* Cilindro de metal, madera, etc., con resalto helicoidal, que entra en la tuerca: ~ *de estrella* o *americano*, el que en su cabeza tiene una cruz para introducir la punta del destornillador; ~ *micrométrico*, el especial de paso extraordinariamente fino y preciso, usado en instrumentos de medida de precisión, para el ajuste de niveles de aparatos topográficos, etc.; lente. 2 Clavo con resalto helicoidal. 3 CARP. Instrumento de hierro, acero o madera, formado por dos topes, uno corredizo o graduable, y el otro fijo, que sirve para sujetar las piezas recién encoladas, hasta que la cola se haya endurecido. 4 fig. Deserción del soldado.

torniquete *m.* Palanca angular de hierro, para comunicar el movimiento del tirador a la campanilla. 2 Torno (máquina con brazos giratorios). 3 Instrumento quirúrgico para contener la hemorragia.

torniscón *m.* fam. Golpe dado con la mano. 2 fam. Pellizco retorcido.

torno *m.* Máquina simple consistente en un cilindro que se hace girar sobre su eje con una rueda o manubrio, y que actúa sobre la resistencia mediante una cuerda que se va arrollando al mismo. 2 Máquina que imprime un rápido movimiento de rotación a una pieza que a ella se sujeta, y a la que tornea con una cuchilla fija. 3 Máquina en que con el pie o por medio de una rueda, manubrio, etc., se hace que una cosa dé vueltas sobre sí misma: ~ *de hilar;* ~ *de alfarero.* 4 Instrumento eléctrico, con un brazo articulado, que emplean los dentistas en la limpieza y acondicionamiento de los dientes. 5 Tambor giratorio con tabique interior vertical y aberturas laterales, empotrado en el hueco de una pared, para pasar objetos de una parte a otra sin que se vean las personas que los dan o reciben, usado especialmente en los conventos de clausura. 6 Máquina con varios brazos que giran sobre un eje para controlar el ingreso de personas a un local. 7 Vuelta alrededor. 8 Recodo de un río.

I) **toro *m.* Mamífero rumiante bóvido, de aproximadamente un metro y medio de alto y dos y medio de largo; cabeza gruesa, armada de dos cuernos; piel dura con pelo corto, y cola larga, cerdosa hacia el remate *(Bos taurus).* – 2 *m. pl.* Fiesta o corrida de toros.

II) toro *m.* Bocel (moldura de sección semicircular). 2 MAT. Cuerpo engendrado por el giro de un círculo alrededor de eje que no pasa por su centro, pero que está situado en su mismo plano.

toronja *f.* Fruto del toronjo.

toronjina *f.* Planta labiada de flores blancas en verticilos, las cuales, así como las hojas, se usan como tónico y antiespasmódico *(Melisa officinalis).*

toronjo *m.* Árbol rutáceo parecido al pomelo, con frutos de 10 a 25 cms. de diámetro, comprimidos y con la corteza lisa de color amarillo claro *(Citrus maxima).*

toroso, -sa *adj.* Fuerte, robusto.

torozón *m.* VETER. Enteritis de algunos animales, con dolores cólicos. 2 Movimiento violento que hacen cuando la padecen. 3 fig. Inquietud, desazón. 4 *Amér.* Trozo, pedazo.

torpe *adj.* Que no tiene movimiento libre o es tardo y pesado. 2 Rudo. 3 Deshonesto.

torpedear *tr.* Atacar [un navío] lanzándole torpedos: ~ *la escuadra enemiga;* ~ *un crucero.* 2 fig. Poner obstáculos [a algo o a alguien], estorbar.

torpedero, -ra *adj.-s.* [buque de guerra] Destinado a lanzar torpedos: *lancha torpedera.* 2 [avión de bombardeo] Adaptado para el lanzamiento de torpedos. – 3 *m.* Especialista en la preparación y lanzamiento de los torpedos.

torpedista *m.* Marinero que se encarga de las maniobras que se han de realizar con los torpedos.

torpedo *m.* Pez seláceo rayiforme, dotado de un par de órganos eléctricos capaces de producir una conmoción a la persona o animal que lo toca *(Torpedo* sp.*).* 2 Máquina de guerra, fusiforme, submarina y dirigible, que contiene una carga explosiva y se lanza contra un buque lejano, al chocar con el cual explota; ****armas.** 3 Tipo de carrocería de automóviles descubiertos, equipada con capota plegable.

torpeza *f.* Calidad de torpe. 2 Acción o dicho torpe.

torrar *tr.* Tostar (secar).

torre *f.* Construcción cilíndrica o prismática, más alta que ancha, aislada o que sobresale de un edificio; **casa: *una ~ almenada; la ~ de una iglesia; la ~ Eiffel; ~* **albarrana,** la separada de la línea de murallas de una fortificación, aunque unida a ésta por un paso inaccesible al enemigo, o por un sistema fácilmente destruible para dejarla aislada como baluarte defensivo; *~ del homenaje,* la más fuerte en que el castellano o gobernador juraba guardar fidelidad y defender la fortaleza; **castillo. 2 En el juego del ajedrez, pieza que, en número de dos por bando, se mueve paralelamente a los lados del tablero. 3 Villa, casa de campo. 4 Edificio, de viviendas o de oficinas, de gran altura. 5 En las líneas de transporte de energía eléctrica, estructura metálica que soporta los cables conductores. 6 *~ de control,* construcción existente en los **aeropuertos, con altura suficiente para dominar las pistas y el área de aparcamiento de los aviones, en la que se encuentran todos los servicios de radionavegación y telecomunicaciones para regular el tránsito de aviones.

torrefacto, -ta *adj.* Tostado: *café ~.*

torrente *m.* Corriente de agua, rápida, impetuosa y no durable; **río. 2 Curso de la sangre en el aparato circulatorio. 3 Fuerza violenta, rápida. 4 fig. Muchedumbre que afluye a un lugar.

torreón *m.* Torre grande, para defensa de una plaza o castillo.

torreta *f.* MIL. Prominencia blindada donde se colocan las armas de una fortaleza, barco de guerra, avión de bombardeo, etc. 2 En telecomunicaciones, estructura situada en una parte elevada, y en la que se concentran los hilos de una red aérea.

torrezno *m.* Pedazo de tocino frito.

tórrido, -da *adj.* Muy ardiente o quemado: *zona tórrida.*

torrija *f.* Rebanada de pan.empapada en vino o leche, frita y endulzada.

torrontero, -ra *m. f.* Montón de tierra que dejan las avenidas impetuosas de las aguas.

tórsalo *m. Amér. Central.* Larva, gusano.

torsiómetro *m.* Instrumento empleado en resistencia de materiales para medir la torsión de una barra metálica.

TOROS

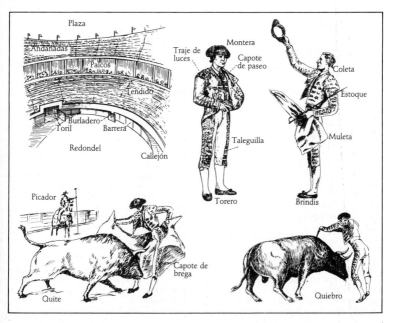

torsión *f.* Acción de torcer o torcerse una cosa en forma helicoidal. 2 Efecto de torcer o torcerse una cosa en forma helicoidal. 3 En la industria textil, característica de los hilos, que viene dada por el número de vueltas que presentan por unidad de longitud.

torso *m.* Tronco del cuerpo humano. 2 Estatua falta de cabeza, brazos y piernas.

torta *f.* Masa de harina, de figura redonda o alargada, cocida a fuego lento. 2 fig. Masa reducida a figura de torta. 3 fig. Bofetada. 4 vulg. Borrachera. 5 vulg. Trastazo. 6 *Argent., Chile* y *Urug.* Tarta, pastel grande de forma generalmente redonda, relleno de frutas, crema, etc.

tortada *f.* Especie de torta grande rellena de carne, huevos, dulce, etc.

tortazo *m.* fig. *y* fam. Bofetada. 2 fig. *y* fam. Accidente aparatoso.

I) tortera *f.* Rodaja en la parte inferior del huso que ayuda a torcer la hebra al hilar.

II) tortera *adj.-s.* Cazuela de barro usada para hacer tortadas.

tortícolis, torticolis *m.* Dolor de los músculos del cuello que obliga a tener éste torcido. ◇ Pl.: *tortícolis.*

tortilla *f.* Fritada de huevo batido en forma de torta: ~ *de cebolla.* 2 *Amér. Central* y *Méj.* Torta de masa de maíz.

tortitas *f. pl.* Juego de niños que consiste en dar palmadas. ◇ Se usa generalmente con el verbo *hacer.*

tórtola *f.* Ave columbiforme de plumaje gris rojizo *(Streptopelia turtur).*

tortolear *tr.* Requebrar, adular.

tortolito, -ta *adj.* Atortolado, sin experiencia.

tórtolo *m.* Macho de la tórtola. – 2 *m. pl.* Pareja de enamorados.

tortor *m.* Palo o hierro con que se aprieta, dándole vueltas, una cuerda atada por sus dos cabos.

tortuga *f.* Reptil del orden de los quelonios, cuyo cuerpo está protegido por un caparazón de placas óseas, tiene patas cortas, cuello retráctil y mandíbulas sin dientes.

tortuoso, -sa *adj.* Que tiene vueltas y rodeos. 2 fig. Solapado, cauteloso.

tortura *f.* Calidad de tuerto (de la vista). 2 Acción de torturar o atormentar. 3 fig. Dolor, aflicción grande.

torturar *tr.* Atormentar. 2 Someter a tortura.

torunda *f.* Pelota de algodón envuelta en gasa.

torva *f.* Remolino de lluvia o nieve.

torvisco *m.* Mata timeleácea de flores blanquecinas, cuya corteza sirve para cauterios *(Daphnœ gnidium).*

torvo, -va *adj.* Fiero, airado y terrible.

torzal *m.* Cordoncillo de seda para coser o bordar. 2 fig. Unión de varias cosas que se hacen como hebra. 3 *Argent., Chile, Nicar., Parag.* y *Urug.* Lazo o maniota formado con una trenza de cuero.

tos *f.* Espiración brusca y ruidosa del aire contenido en los pulmones, producida por la irritación de las vías respiratorias o por la acción refleja de algún trastorno nervioso, gástrico, etc.: ~ *ferina* o *convulsiva,* la que da por accesos intermitentes; suelen padecerla los niños. ◇ Pl.: *toses.*

tosca *f.* Sarro de los dientes.

toscano, -na *adj.-s.* De Toscana, región de Italia central. – 2 *m.* Lengua italiana.

tosco, -ca *adj.* Grosero, basto. – 2 *adj.-s.* fig. Inculto, sin doctrina ni enseñanza.

toser *intr.* Tener y padecer tos. 2 Competir una persona [con otra] en algo, especialmente en valor: *no hay quien le tosa.*

I) tosigoso, -sa *adj.-s.* Envenenado, emponzoñado.

II) tosigoso, -sa *adj.-s.* [pers.] Que padece tos y opresión de pecho.

tosiguera *f.* Tos pertinaz.

tostación *f.* Operación de calentar al aire los minerales sulfurosos para convertirlos en óxidos. 2 Acción de calentar una substancia hasta desecarla u oxidarla sin carbonizarla. 3 Efecto de dicha acción.

tostada *f.* Rebanada de pan tostada y generalmente untada con manteca, miel, etc.

tostadero, -ra *m.* Lugar donde se tuesta. 2 fig. Lugar donde hace mucho calor. – 3 *f.* Útil o máquina que sirve para tostar.

tostado, -da *adj.* De color subido y obscuro. 2 *Méj.* Fastidiado, molesto, disgustado.

tostador, -ra *adj.-s.* Que tuesta. – 2 *m. f.* Instrumento o vasija para tostar: ~ *de café;* ~ *de pan;* **cocina.

tostar *tr.-prnl.* Secar [una cosa] a la lumbre sin quemarla hasta que tome color por haber desaparecido sus elementos volátiles o cambiado su textura. 2 fig. Calentar demasiado. 3 fig. Atezar el sol o el viento [la piel del cuerpo]. 4 *Amér.* Zurrar, vapulear. ◇ ** CONJUG. [31] como *contar.*

tostón *m.* Torrado. 2 Tostada empapada en aceite nuevo. 3 Cosa demasiado tostada. 4 Trozo pequeño de pan frito, generalmente en forma de cubo, que se añade a las sopas, purés, etc. 5 Cochinillo asado. 6 fig. *y* fam. Persona habladora y sin substancia. 7 Planta nictaginácea, de florecitas moradas *(Boerhaarea viscosa; Trianthem monogyma).*

total *adj.* General, universal y que lo comprende todo en su especie. – 2 *m.* MAT. Suma. 3 Totalidad, conjunto de todas las cosas o personas que forman una clase o especie. – 4 *adv.* En resumen: ~, *que no vienes.*

totalidad *f.* Calidad de total. 2 Todo. 3 Conjunto: *la* ~ *de los vecinos.* 4 Período de discusión relativo a una ley o propuesta en que se examina lo esencial de su tendencia antes de pasar a los detalles.

totalitario, -ria *adj.* Que incluye la totalidad de las partes o atributos de una cosa, sin merma ninguna. 2 [régimen político] Que concentra todo el poder en el Estado, con mengua de los derechos individuales; como el fascismo, el nacionalsocialismo, el comunismo y regímenes análogos.

totalitarismo *m.* Doctrina o sistema político totalitarios. 2 Carácter de lo que es totalitario.

totalizar *tr.* Determinar el total [de diversas cantidades]: *el coste de la obra puede totalizarse en 200.000 pesetas.* ◇ ** CONJUG. [4] como *realizar.*

totalmente *adv. m.* Enteramente, del todo.

tótem *m.* Ser animado o inanimado, pero generalmente animal o vegetal, de quien cree descender la tribu y a la cual sirve al mismo tiempo de emblema y de nombre colectivo. 2 Símbolo o representación de un tótem. ◇ Pl.: vacilante entre *tótems* y *tótemes.*

totemismo *m.* Sistema de creencias basado en el tótem.

totoposte *m. Amér. Central* y *Méj.* Torta o rosquilla de harina de maíz, muy tostada.

totorecada *f. Amér. Central.* Simpleza, tontería.

totoreco, -ca *adj. Amér. Central.* Aturdido, atolondrado.

totovía *f.* Ave paseriforme de 15 cms. de longitud; tiene la parte dorsal del cuerpo de color pardo rojizo con estrías negras y la parte inferior blanca *(Lullula arborea).*

tournée *f.* Viaje de recreo. 2 Gira artística de un cantante, compañía de teatro, etc. ◇ Se pronuncia *turné.*

touroperador *m.* Empresa que comercializa viajes organizados. ◇ Se pronuncia *turoperador.*

toxemia *f.* Presencia de una substancia tóxica en la sangre.

toxicidad *f.* Calidad de tóxico.

tóxico, -ca *adj.-m.* Substancia venenosa.

toxicología *f.* Parte de la medicina que trata de los venenos, sus efectos y sus antídotos.

toxicomanía *f.* Hábito patológico de intoxicarse con substancias que procuran sensaciones agradables o que suprimen el dolor.

toxicómano, -na *adj.-s.* Persona que padece toxicomanía.

toxina *f.* Substancia tóxica producida en el cuerpo de los seres vivos por la acción de los microorganismos.

toxoide *m.* Toxina que ha perdido su poder nocivo, aunque no la capacidad de actuar como antígeno.

tozo, -za *adj.* Enano o de baja estatura.

tozudo, -da *adj.* Obstinado, testarudo.

tozuelo *m.* Cerviz gruesa, crasa y carnosa de un animal.

traba *f.* Acción de trabar. 2 Efecto de trabar. 3 Lo que une y sujeta dos cosas entre sí. 4 Ligadura con que se atan los pies a las caballerías. 5 fig. Impedimento o estorbo.

trabado, -da *adj.* [caballería] Que tiene blancas las dos manos, o la mano derecha y el pie izquierdo o viceversa. 2 fig. Robusto, nervudo.

trabajado, -da *adj.* Cansado, molido del trabajo. 2 Lleno de trabajos. 3 [asunto, cosa, estilo literario] Que se ha realizado con mucho cuidado y detenimiento.

trabajador, -ra *adj.* Que trabaja. 2 Muy aplicado al trabajo. – 3 *m. f.* Jornalero, obrero.

trabajar *intr.* Aplicarse uno con desvelo física o mentalmente en la ejecución de alguna cosa o por conseguir algo; esp., ocuparse en un ejercicio o ministerio como función propia o como medio de ganarse la vida: ~ *de sastre;* ~ *a destajo;* ~ *en tal materia;* ~ *para comer;* p. ext., desarrollar su actividad los animales o las cosas: *estos bueyes trabajan mucho; la tierra trabaja con eficacia; su imaginación trabaja continuamente; la polea no trabaja.* 2 fig. Sufrir una cosa o parte de ella la acción de los esfuerzos a que se halla sometida: *esta cuerda trabaja mucho.* 3 Poner conato y fuerza para vencer alguna cosa: *su naturaleza trabaja en vencer la enfermedad.* – 4 *tr.* Someter [una materia] a una acción continua y metódica para darle una forma: ~ *madera.* 5 Batir un preparado para aglutinar sus elementos. 6 Ejercitar y amaestrar [el caballo]. 7 fig. Tratar con esfuerzo y reiteración de convencer a alguien para que actúe como conviene. – 8 *prnl.* Obligarse con empeño en la ejecución de alguna cosa.

trabajera *f.* fam. Trabajo molesto.

trabajo *m.* Acción de trabajar: ~ *físico* o *intelectual.* 2 Esfuerzo humano aplicado a la producción de riqueza: *las luchas entre el capital y el* ~; p. ext., *el* ~ *de los animales;* ~ *de una máquina.* 3 Obra: *los trabajos de defensa; exposición de trabajos.* 4 FÍS. Producto de la fuerza por la distancia que recorre su punto de aplicación y por el coseno del ángulo que forma la una con el otro. – 5 *m. pl.* fig. Penalidades; miserias.

trabajoso, -sa *adj.* Que exige mucho trabajo. 2 Lleno de trabajos o penalidades. 3 *Amér.* Poco complaciente, exigente, desconfiado. 4 *Argent.* Remolón, mañero, remiso.

trabalenguas *m.* Palabra o frase difícil de pronunciar que suele proponerse como juego: *el cielo de Constantinopla está constantinopolizado, el desconstantinopolizador que lo desconstantinopolizare buen desconstantinopolizador será.* ◇ Pl.: *trabalenguas.*

trabanca *f.* Mesa formada por un tablero sobre dos caballetes, usado por los papelistas y otros operarios.

trabar *tr.* Echar trabas para unir [alguna cosa]; en gral., juntar, unir: ~ *una cosa con,* o *de, otra.* 2 Prender, agarrar, asir: *trabaron a los ladrones;* **intr.**, *este gancho no traba.* 3 Triscar (los dientes de la sierra). 4 Espesar o dar mayor consistencia [a un líquido o a una masa]. 5 fig. Dar principio [a una batalla, conversación, etc.]. 6 fig. Enlazar, concordar: ~ *discursos.* 7 fig. Impedir el desarrollo de algo o el desenvolvimiento de alguien. 8 CARP. Poner en contacto o entrecruzar dos o más piezas para formar unión. 9 CONSTR. Rellenar con mortero las juntas de una obra de albañilería, las piedras o los sillares. – 10 *prnl.* Pelear, contender: *trabarse con uno; trabarse de palabras.*

trabazón *f.* Enlace de dos o más cosas. 2 Espesor o consistencia dada a un líquido o masa. 3 fig. Conexión de una cosa con otra.

trabilla *f.* Pequeña tira de tela o cuero que sujeta los bordes del pantalón, polaina, etc., debajo del zapato. 2 Tira de tela que por la espalda ciñe a la cintura una prenda de vestir. 3 Punto que queda suelto al hacer media.

trabón *m.* Argolla de hierro, a la cual se atan por un pie los caballos.

trabucaire *adj.* Valentón, animoso, osado.

trabucar *tr.-prnl.* Trastornar el buen orden [de una cosa]; esp., ponerla boca arriba o boca abajo: *trabucarse en la disputa.* 2 Pronunciar o escribir [unas palabras o letras] por otras. 3 fig. Trastocar y confundir [especies o noticias]. ◇ ** CONJUG. [1] como *sacar.*

trabuco *m.* Arma de fuego más corta y de mayor calibre que la escopeta ordinaria. 2 Taco, canuto de madera que se emplea en juegos. 3 Clase de cigarro puro.

traca *f.* Serie de petardos o cohetes colocados a lo largo de una cuerda y que estallan sucesivamente. 2 Gran estampida final de los mismos.

trácala *f.* *Amér.* Trampa, engaño.

tracamundana *f.* Trueque de cosas de poco valor. 2 Alboroto, confusión, lío.

tracción *f.* Acción de tender a mover una cosa hacia el punto de donde procede el esfuerzo. 2 Efecto de tender a mover una cosa hacia el punto de donde procede el esfuerzo. 3 Acción de arrastrar vehículos sobre una vía. 4 Efecto de arrastrar vehículos sobre una vía. 5 MEC. y METAL. Fuerza o par de fuerzas que actúan axialmente en un cuerpo y tienden a alargarlo.

tracería *f.* Decoración arquitectónica formada por figuras geométricas: ~ *trifoliada;* **gótico.

tracista *adj.-s.* Que dispone el plan de una fábrica. 2 fig. Que es fecundo en tretas y engaños.

tracoma *m.* MED. Conjuntivitis granulosa producida por un micrococo.

tracto *m.* Espacio que media entre dos lugares. 2 Lapso (espacio de tiempo). 3 BIOL. Haz de fibras nerviosas que tienen el mismo origen y la misma terminación y cumplen la misma función fisiológica. 4 BIOL. Formación anatómica que media entre dos lugares del organismo y realiza una función de conducción.

tractocarril *m.* Convoy de locomotora mixta, que puede andar sobre carriles o sin ellos.

tractor *m.* Máquina que produce tracción. 2 Vehículo automóvil cuyas ruedas o cadenas se adhieren fuertemente al terreno, y que se emplea para arrastrar arados, remolques, etc., o para tirar de ellos.

tradición *f.* Transmisión oral de hechos históricos, doctrinas, composiciones literarias, costumbres, etc., hecha de generación en generación. 2 Lo que se transmite de este modo. 3 Doctrina, costumbre, etc., que prevalece de generación en generación.

tradicionalismo *m.* Doctrina filosófica que niega a la razón individual potencia para conocer las verdades morales, como la existencia de Dios, las cuales sólo podemos conocer por la fe o a consecuencia de una revelación primitiva transmitida por la tradición. 2 Sistema político que consiste en mantener o restablecer las instituciones antiguas en la organización del estado y sociedad. 3 Amor o apego a las costumbres, ideas, normas, etc., del pasado.

tradicionista *com.* Narrador, escritor o colector de tradiciones.

traducción *f.* Acción de traducir: ~ *automática,* la que se hace por medio de máquinas especialmente construidas para tal fin; ~ *directa,* la que se hace de un idioma extranjero al idioma del traductor; ~ *inversa,* la que se hace del idioma del traductor a un idioma extranjero; ~ *libre* o *literaria,* la que, siguiendo el sentido del texto, se aparta del original en la elección de la expresión; ~ *literal,* la que sigue palabra por palabra el texto original; ~ *simultánea,* la que se hace oralmente al mismo tiempo que se pronuncia un discurso, conferencia, etc. 2 Efecto de traducir. 3 Obra del traductor. 4 Interpretación que se da a un texto.

traducianismo *m.* Doctrina teológica según la cual las almas existían en germen en Adán y se perpetúan por vía de generación; como los cuerpos.

traducir *tr.* Expresar en una lengua [lo que está expresado antes en otra]: ~ *al,* o *en, castellano;* ~ *del latín.* 2 Representar, expresar, interpretar: *tradujo sus sentimientos con frase conmovedora.* ◇ ** CONJUG. [46] como *conducir.*

traductor, -ra *adj.-s.* Que traduce una obra o escrito. 2 En cibernética, órgano que recibe una señal en forma de una magnitud física, en función de la cual emite otra señal en forma de una magnitud física distinta. – 3 *f.* INFORM. Máquina que obtiene la traducción aproximada de textos simples de un idioma a otro.

traer *tr.* Transportar uno mismo [una cosa] al lugar en donde se halla: ~ *una carta de Francia consigo;* ~ *sobre sí;* transportarla por un medio cualquiera: ~ *un bulto en el coche.* 2 Atraer hacia sí: *la patria trae a sus hijos.* 3 Vestir, tener puesta [una cosa]: *traía,* o *llevaba, un traje muy rico.* 4 Causar, acarrear: *la ociosidad trae estos vicios.* 5 fig. Forma parte de algunas locuciones de significado diverso, matizándolas con su sentido dinámico peculiar: ~ *razones, autoridades, ejemplos,* alegar, aplicar razones, etc.; ~ *a la memoria,* recordar; ~ *un negocio en manos* o *entre manos,* o *traerse algo,* andar haciéndolo ◇ ** CONJUG. [88].

trafagar *intr.* Andar por varios países, correr mundo. 2 p. ext. Divagar con la imaginación o con el pensamiento. 3 Andar con mucho ajetreo, moviéndose constantemente de un lado para otro. ◇ ** CONJUG. [7] como *llegar.*

tráfago *m.* Conjunto de negocios o faenas que ocasiona mucha fatiga. 2 Ajetreo, actividad intensa.

trafallón, -llona *adj.* Que hace las cosas mal o las embrolla.

traficar *intr.* Comerciar, negociar: ~ *con su crédito.* 2 Hacer negocios no lícitos. 3 Trafagar (correr mundo). ◇ ** CONJUG. [1] como *sacar.*

tráfico *m.* Acción de traficar: ~ *de influencias,* uso o aprovechamiento indebido de los conocimientos o informaciones obtenidas en el desempeño de un cargo público. 2 Circulación de vehículos por calles, caminos, etc.: ~ *ferroviario;* ~ *de la calle de Alcalá;* ~ *del puerto.* 3 p. ext. Movimiento o tránsito de personas, mercancías, etc., por cualquier otro procedimiento de transporte.

tragacanto *m.* Arbusto leguminoso de Asia, de cuyo tronco y ramas fluye una goma muy usada en farmacia y en la industria *(gén. Astragalus).* 2 Esta misma goma.

tragaderas *f. pl.* Faringe. 2 fig. Credulidad: *tener buenas* ~. 3 fig. Poco escrúpulo, facilidad para admitir o tolerar cosas inconvenientes.

tragadero *m.* Faringe. 2 Agujero que traga o sorbe algo. 3 Conducción subterránea para dar salida a las aguas de un estanque o embalse.

tragaldabas *com.* fam. Persona muy tragona. 2 fig. Persona extremadamente crédula o indulgente. ◇ Pl.: *tragaldabas.*

tragaleguas *com.* fam. Persona que anda mucho y de prisa. ◇ Pl.: *tragaleguas.*

tragaluz *m.* **Ventana o claraboya, generalmente con derrame hacia el centro.

tragante *m.* METAL. Abertura en la pared superior de los hornos de cuba y los hornos altos.

tragaperras *f.* Caja de música que funciona mediante el peso de una moneda introducida en ella. – 2 *adj.-f.* Máquina o mecanismo que se pone en marcha automáticamente al introducirle una o varias monedas, especialmente las de juego. ◇ Pl.: *tragaperras.*

tragar *tr.* Hacer que [una cosa] pase de la boca al esófago; p. ext., comer mucho. 2 fig. Abismar la tierra o las aguas [lo que está en su superficie]. 3 Dar fácilmente crédito [a las cosas]. 4 Soportar o tolerar [cosa repulsiva]; disimular, no darse por entendido [de una cosa]. 5 Absorber, gastar: *el muro se tragó más piedra de la que se creía.* ◇ ** CONJUG. [7] como *llegar.*

tragasantos *com.* fam. *y* desp. Persona beata que frecuenta mucho las iglesias. ◇ Pl.: *tragasantos.*

tragavirotes *m.* fam. Hombre serio y erguido en demasía. ◇ Pl.: *tragavirotes.*

tragedia *f.* Obra dramática seria en que intervienen generalmente personajes ilustres y en la que el protagonista se ve conducido, por una pasión o por la fatalidad, a un desenlace funesto: *las tragedias de Sófocles.* 2 fig. Suceso funesto, desgraciado o lastimoso de la vida real. 3 Composición lírica destinada a lamentar sucesos infaustos. 4 Género trágico: *prefiero la* ~ *a la comedia.*

trágico, -ca *adj.* Relativo a la tragedia. 2 fig. Infausto, muy desgraciado. – 3 *adj.-s.* Actor que representa papeles trágicos. 4 Autor de tragedias.

tragicomedia *f.* Obra dramática que tiene al par condiciones propias de los géneros trágico y cómico. 2 Obra jocoseria escrita en diálogo y no destinada a la representación teatral: *la* ~ *de Calisto y Melibea.* 3 fig. Suceso que mueve a risa y a piedad.

I) trago *m.* Porción de líquido que se bebe de una vez. 2 fig. Adversidad, infortunio.

II) trago *m.* Prominencia de la oreja, situada delante del conducto auditivo; **oído.

tragón, -gona *adj.-s.* fam. Que come mucho.

traición *f.* Violación de la fidelidad debida. 2 DER. Delito cometido contra la patria por los ciudadanos, o contra la disciplina por los militares.

traicionar *tr.* Hacer traición [a una persona, idea, doctrina, etc.]. 2 Ser [algo o alguien] el motivo del fracaso o fallo de un intento. 3 fig. *y* fam. Delatar uno, de manera involuntaria, una cosa que preferiría que permaneciera ignorada. 4 fig. *y* fam. Ser infiel un hombre a una mujer, o viceversa.

traidor, -ra *adj.-s.* Que comete traición. – 2 *adj.* [animal] Taimado y falso. 3 Que implica y denota traición. 4 fig. *y* fam. [cosa] De apariencia inofensiva, pero dañino. 5 fig. *y* fam. [cosa] Que delata algo que se quería mantener secreto.

tráiler *m.* ANGL. Avance de una película cinematográfica. 2 ANGLIC. Remolque de un camión. 3 p. ext. Camión que lleva dicho remolque.

traílla *f.* Cuerda con que los cazadores llevan atado el perro. 2 Aparato agrícola para allanar un terreno. 3 Cuerda con que algunas veces se echa el hurón en las madrigueras para tirar de él.

traína *f.* Nombre de varias redes de fondo, especialmente la de pescar sardina.

trainera *adj.-f.* Barca que pesca con traína, a veces empleada en competiciones deportivas.

traíña *f.* Red muy espesa que se cala rodeando un banco de sardinas para llevarlas así a la costa.

traje *m.* Vestido peculiar de una clase de personas o de los naturales de un país. 2 Vestido completo: ~ *de etiqueta;* ~ *de noche;* ~ *de luces,* el de seda, bordado de oro o plata, con lentejuelas, que se ponen los toreros para torear; **toros;** ~ *espacial,* el utilizado por los **astronautas** en sus misiones de exploración en el espacio extraterrestre.

trajeado, -da *adj.* [pers.] Arreglado en el vestir: *muy ~; bien ~; mal ~.*

trajín *m.* Acción de trajinar. 2 fig. *y* fam. Ajetreo, movimiento intenso en algún sitio, o gran actividad de alguien.

trajinar *tr.* Acarrear [mercaderías] de un lugar a otro. – 2 *intr.* Andar de un sitio para otro; moverse mucho. – 3 *tr.-intr.-prnl.* vulg. Poseer sexualmente. 4 *Argent. y Chile.* Engañar [a alguien].

tralla *f.* Cuerda más gruesa que el bramante. 2 Trencilla del extremo del látigo. 3 Látigo provisto de esta trencilla.

trama *f.* Conjunto de hilos que, cruzados con los de la urdimbre, forman una tela. 2 Especie de seda para tramar. 3 fig. Confabulación: *una ~ odiosa.* 4 Disposición interna, contextura, especialmente el enredo de una obra dramática o novelesca. 5 fig. Florecimiento y flor de los árboles, especialmente del olivo. 6 BIOL. Conjunto de elementos celulares o fibrilares que constituyen el armazón de un tejido.

tramado, -da *adj. Amér. Central.* [pers.] Valiente; [animal] mañoso. 2 *Amér. Central.* Difícil, intrincado.

tramar *tr.* Atravesar [los hilos de la trama] por entre los de la urdimbre. 2 Preparar con astucia o dolo [un enredo o traición]. 3 Disponer con habilidad [la ejecución de cualquier cosa complicada]. – 4 *intr.* Florecer los árboles, especialmente el olivo.

tramitar *tr.* Hacer pasar [un negocio] por los trámites debidos.

trámite *m.* Paso de una parte o cosa a otra. 2 Estados y diligencias que hay que recorrer en un negocio hasta su conclusión.

tramo *m.* Trozo de terreno separado de los demás por una señal cualquiera. 2 Parte de una escalera comprendida entre dos mesetas. 3 Parte en que está dividido un andamio, camino, etc.

tramontana *f.* Norte (punto cardinal; viento). 2 fig. Vanidad.

tramontar *intr.* Pasar al otro lado de los montes: *el sol ha tramontado.* – 2 *tr.-prnl.* Disponer que [uno] huya de un peligro.

tramoya *f.* Máquina o conjunto de máquinas para efectuar en el teatro los cambios de decorado y efectos especiales. 2 fig. Enredo dispuesto con ingenio. 3 fig. Parte que permanece oculta en una acción o gestión.

trampa *f.* Artificio de caza formado por una tabla que cubre una excavación; p. ext., añagaza que sirve para capturar o matar animales o personas. 2 Infracción maliciosa de las reglas de un juego o de una competición. 3 Contravención disimulada a una ley o convenio, y manera de eludirla con provecho propio. 4 Puerta abierta en el suelo. 5 fig. Ardid para burlar a alguno. 6 fig. Deuda cuyo pago se demora.

trampear *intr.* Arbitrar medios para hacer más llevadera la penuria. – 2 *tr.* fam. Engañar [a alguno] con artificio y cautela.

trampero, -ra *m. f.* Persona que pone trampas para cazar.

trampilla *f.* Ventanilla en el suelo de una habitación para ver lo que pasa en el piso bajo. 2 en gral. Portezuela que se levanta sobre goznes colocados en su parte superior.

trampolín *m.* Plano inclinado u horizontal en que toman impulso el **gimnasta** o el nadador para saltar. 2 Estructura al final de un plano inclinado desde la que se realiza el salto el esquiador. 3 Persona o cosa de que uno se aprovecha para conseguir fines ulteriores.

tramposo, -sa *adj.-s.* Embustero, petardista, mal pagador. 2 Que hace trampas en el juego.

tranca *f.* Palo grueso y fuerte. 2 Palo grueso con que se aseguran puertas y ventanas **cerradas.** 3 vulg. Borrachera.

trancanil *m.* MAR. Serie de maderos fuertes tendidos para ligar los baos a las cuadernas y al forro exterior.

trance *m.* Momento crítico: *un ~ apurado.* 2 Último tiempo de la vida, próximo a la muerte: *último ~; ~ postrero; ~ mortal.* 3 Estado de suspensión de los sentidos durante el éxtasis místico. 4 Estado en que un médium manifiesta fenómenos paranormales.

tranco *m.* Paso largo. 2 Tramo, trozo de terreno.

tranquear *intr.* Remover, empujando y apalancando con trancas o palos.

tranquera *f.* Empalizada de trancas.

tranquero *m.* Piedra con que se forman las jambas y dinteles de puertas y ventanas.

tranquilar *tr.* Señalar con dos rayitas cada una de las partidas de cargo y data de un libro de comercio, hasta donde iguala [la cuenta].
tranquilidad *f.* Quietud, reposo, sosiego.
tranquilizante *adj.* Que tranquiliza. – 2 *adj.-s.* Calmante, sedante.
tranquilizar *tr.-prnl.* Hacer desaparecer la agitación, la inquietud [a una persona o cosa]. ◇ ** CONJUG. [4] como *realizar*.
tranquilo, -la *adj.* No agitado: *el mar estaba* ~. 2 Sin inquietud: *con ánimo* ~.
tranquilón, -lona *adj.-s.* Persona calmosa y que no se preocupa por nada. – 2 *m.* Mezcla de trigo con centeno en la siembra y en el pan.
tranquilla *f.* fig. Especie que se suelta en la conversación para desorientar. 2 Pasador que se pone en una barra.
tranquillo *m.* fig. Hábito especial mediante el cual se hace una cosa con más destreza.
transacción *f.* Acción de transigir. 2 Efecto de transigir. 3 p. ext. Trato, convenio, negocio. 4 DER. Contrato mediante el cual las partes, haciéndose mutuas concesiones, evitan la provocación de un litigio, o ponen fin al ya comenzado.
transalpino, -na *adj.* De las regiones del otro lado de los Alpes. 2 Relativo a ellas.
transandino, -na *adj.* De las regiones del otro lado de los Andes. 2 Relativo a ellas. 3 Que atraviesa los Andes: *ferrocarril* ~ .
transatlántico, -ca *adj.* De las regiones situadas al otro lado del Atlántico. 2 Relativo a ellas: *tráfico* ~. 3 Que atraviesa el Atlántico: *vuelo* ~. – 4 *m.* Buque de grandes proporciones que hace la travesía del Atlántico o de otro gran océano o mar.
transbordador, -ra *adj.* Que transborda. – 2 *m.* Barquilla suspendida en dos cables que marcha entre dos puntos. 3 Buque de grandes proporciones, destinado a transportar automóviles, vagones, etc., de una orilla a otra.
transbordar *tr.* Trasladar [efectos o personas] de un buque a otro, y, por extensión, de un vehículo a otro, o de una orilla de río a la otra; esp., en el viaje por ferrocarril cuando el cambio se hace de un tren a otro.
transcendentalismo *m.* FIL. Apriorismo.
transcribir *tr.* Copiar [un escrito]. 2 Transliterar, escribir con un sistema de caracteres [lo que está escrito en otro]. 3 Representar elementos fonéticos, fonológicos, léxicos o morfológicos de una lengua o dialecto mediante un sistema de escritura. 4 Arreglar para un instrumento [la música escrita para otro u otros]. ◇ También *transcribir*. pp. irreg.: *transcrito*.
transculturación *f.* Influencia o difusión que ejerce una sociedad sobre otra de distinto desarrollo cultural.
transcurrir *intr.* Pasar, correr el tiempo: ~ *los meses.*
transepto *m.* Nave transversal de una igle-

sia que forma el brazo corto de una cruz latina; **románico.
transeúnte *adj.-com.* Que transita por un lugar. 2 [pers.] Que no reside sino transitoriamente en un sitio.
transexual *adj.-com.* Persona tendente a sentirse del sexo opuesto; esp., la que mediante tratamiento hormonal o quirúrgico toma algunos caracteres de otro sexo.
transferencia *f.* Acción de transferir. 2 Efecto de transferir. 3 Operación bancaria que consiste en imponer una cantidad para ser abonada en otra cuenta corriente. 4 Documento que acredita esta operación.
transferir *tr.* Pasar [a alguno] de un lugar a otro para darle nueva estancia, o trasladar [la estancia de uno]: ~ *a un prisionero de una parte a otra;* ~ *el domicilio.* 2 Diferir, retardar: ~ *un pago.* 3 Renunciar en otro [el derecho que se obtiene sobre una cosa]: ~ *el dominio de una finca a,* o *en, otra persona.* 4 Remitir fondos bancarios de una cuenta a otra. ◇ ** CONJUG. [35] como *hervir.*
transfigurar *tr.-prnl.* Hacer cambiar de figura [a una persona o cosa].
transfixión *f.* Acción de herir pasando de parte a parte. 2 CIR. Acción de transportar y cortar en un solo tiempo y de dentro a fuera los tejidos orgánicos.
transflor *m.* Pintura, generalmente verde, sobre metal.
transflorar *intr.* Transparentarse (dejarse ver la luz). – 2 *tr.* Copiar [un dibujo] al trasluz.
transfocador *m.* CINEM. Zoom.
transformación *f.* Acción de transformar o transformarse. 2 Efecto de transformar o transformarse. 3 BIOL. Fenómeno por el que ciertas células adquieren material génico de otras. 4 DEP. En rugby, jugada en la que se patea el balón para que pase por encima de la barra transversal y entre los postes de la portería tras un ensayo. 5 DEP. p. ext. En otros deportes de conjunto, jugada en la que se consigue un tanto en el lanzamiento de una falta. 6 ELECTR. Conversión de una corriente eléctrica en otra de frecuencia, tensión o intensidad diferentes. 7 LING. Operación que establece formalmente una relación sintáctica relevante entre dos frases de una lengua. 8 MAT. En una operación algebraica cualquiera, obtención de otra equivalente, aunque de forma distinta, por medio de una o de varias operaciones determinadas.
transformacional *adj.* LING. Perteneciente o relativo a las transformaciones de los elementos lingüísticos, según la gramática generativa.
transformador, -ra *adj.-s.* Que transforma. – 2 *m.* Aparato que sirve para transformar una corriente eléctrica en otra de mayor tensión y menor intensidad, o al con-

trario. 3 Aparato que se emplea para modificar una imagen que se ha proyectado en otra.

transformar *tr.-prnl.* Hacer cambiar [una cosa] de forma; fig., hacer mudar de porte o de costumbres [a una persona]. 2 Transmutar [una cosa] en otra. 3 DEP. En rugby y otros deportes, llevar a cabo una transformación.

transformismo *m.* Doctrina biológica según la cual las especies animales y vegetales se transforman en otras, por influencia del medio u otras circunstancias. 2 Arte del actor o actriz que hace cambios rapidísimos en sus trajes y en los tipos que representa.

tránsfuga *com.* Persona que huye de una parte a otra. 2 fig. Político que hace transfuguismo.

transfuguismo *m.* Tendencia a pasar de un partido político a otro.

transfundir *tr.* Hacer pasar [un líquido] de un recipiente a otro. 2 Comunicar [una cosa] sucesivamente a diversas personas. 3 Realizar una transfusión.

transfusión *f.* Acción de transfundir. 2 Efecto de transfundir. 3 CIR. ~ *de sangre*, operación cuyo objeto es hacer pasar sangre de un individuo a otro.

transgredir *tr.* Violar (infringir): ~ *un precepto;* ~ *una ley.* ◇ Verbo defectivo; se usa sólo en los tiempos y personas cuya desinencia contiene la vocal *i: transgredía, transgrediré, transgrediendo.*

transgresión *f.* Acción de transgredir. 2 Efecto de transgredir.

transiberiano, -na *adj.* Que atraviesa la región soviética de Siberia.

transición *f.* Acción de pasar de un estado a otro. 2 Efecto de pasar de un estado a otro. 3 Modo de pasar de un razonamiento a otro. 4 Cambio repentino de tono o expresión. 5 Estado intermedio entre uno más antiguo y otro a que se llega en un cambio: *la ~ política en España.* 6 DEP. En el juego del baloncesto, jugada por la cual un equipo lleva el balón de su campo al contrario.

transido, -da *adj.* fig. Angustiado, acongojado: ~ *de dolor.* 2 fig. Escaso y ridículo en el modo de portarse y gastar.

transigencia *f.* Condición del que transige. 2 Lo que se hace o consiente transigiendo.

transigir *intr.* Consentir en parte con lo que repugna, a fin de llegar a una concordia. ◇ ** CONJUG. [6] como *dirigir.*

transilvano, -na *adj.-s.* De Transilvania, región de Rumanía.

transistor *m.* Aparato fundado en las propiedades semiconductoras del germanio y el silicio que, entre otros usos, tiene el de substituir a los tubos electrónicos. 2 p. ext. Aparato radiofónico que consta de transistores.

transitar *intr.* Pasar por la vía pública. 2 Viajar haciendo tránsitos (paradas).

transitivo, -va *adj.* Que pasa o se transfiere de uno a otro. 2 GRAM. *Verbo ~,* el que tiene complemento directo. V. verbo.

tránsito *m.* Acción de transitar, especialmente las personas y vehículos por la vía pública: *calle de mucho ~; de ~,* de paso. 2 Muerte de las personas santas o de vida virtuosa. 3 Lugar de parada y descanso en un viaje. 4 Paso de un estado o empleo a otro. 5 Recorrido que efectúa un envío postal. 6 Núcleo urbano servido postalmente a través de una oficina importante. 7 En casas de comunidad, pasillo o corredor. 8 Paso de un tren por las vías de una estación sin detenerse en ellas.

transitorio, -ria *adj.* Pasajero. 2 Caduco, perecedero. 3 ELECTR. [fenómeno] Que se manifiesta durante el tiempo de transición entre un estado o régimen de funcionamiento a otro.

translimitar *tr.* Pasar inadvertidamente o mediante autorización previa [la frontera de un estado] sin ánimo de violar el territorio. – 2 *tr.-prnl.* Traspasar [los límites de cualquier cosa o cuestión].

transliterar *tr.* Representar los signos de un sistema fonético o gráfico, mediante los signos de otro.

translúcido, -da *adj.* [cuerpo] Que deja pasar la luz, pero que no permite ver lo que hay detrás de él.

transmarino, -na *adj.* De las regiones del otro lado del mar. 2 Relativo a ellas.

transmediterráneo, -a *adj.* Que atraviesa el Mediterráneo.

transmigrar *intr.* Emigrar (personas), especialmente un pueblo o gran parte de él. 2 Según ciertas creencias, pasar un alma de un cuerpo a otro.

transmisión *f.* Acción de transmitir. 2 Efecto de transmitir. 3 Propagación de movimiento entre los órganos. 4 Dispositivo que propaga este movimiento. 5 Conjunto formado por todas las piezas que contribuyen a transmitir el movimiento del motor a las ruedas motrices de un **automóvil. 6 MEC. Órgano que sirve para comunicar el movimiento de una pieza o elemento mecánico a otro. – 7 *f. pl.* En el ejército, servicio que se encarga de los enlaces.

transmisor, -ra *adj.-s.* Que transmite o puede transmitir. – 2 *m.* Aparato que sirve para transmitir las señales eléctricas, telegráficas o telefónicas. 3 En radiocomunicación, conjunto de aparatos que convierten las corrientes oscilantes en ondas electromagnéticas.

transmitir *tr.* Hacer llegar [a alguien algún mensaje]: ~ *una noticia.* 2 Comunicar [una noticia por teléfono, telégrafo o cualquier otro medio de comunicación]: ~ *un telegrama.* 3

Difundir [una estación de radio y televisión la programación]: ~ *una radionovela*. 4 Contagiar [a otro enfermedades o estados de ánimo]. 5 Comunicar [el movimiento de una pieza a otra en una máquina].

transmudar *tr.-prnl.* Trasladar (mudar). 2 Transmutar. 3 fig. Reducir o trocar [los efectos] con persuasiones.

transmutación *f.* Acción de transmutar o transmutarse. 2 Efecto de transmutar o transmutarse. 3 BIOL. Mutación cromosomática o estructural. 4 QUÍM. Conversión de un elemento en otro, espontánea o artificialmente.

transmutar *tr.-prnl.* Convertir (mudar).

transoceánico, -ca *adj.* Del otro lado del océano: *tierras transoceánicas*. 2 Que atraviesa un océano.

transpacífico, -ca *adj.* Del otro lado del Pacífico. 2 Que atraviesa el Pacífico: *buque* ~.

transparencia *f.* Calidad de transparente. 2 Diapositiva. 3 CINEM. Procedimiento técnico que permite rodar en los estudios escenas de exteriores.

transparentarse *prnl.* Dejarse ver la luz u otra cosa a través de un cuerpo transparente. 2 Ser transparente un cuerpo. 3 fig. Clarearse una prenda de vestir. 4 fig. Dejarse adivinar alguna cosa no patente a través de otra que lo es: ~ *un propósito*.

transparente *adj.* [cuerpo] Que permite ver distintamente los objetos a través de su masa. 2 Translúcido. 3 fig. Que se deja adivinar sin manifestarse. – 4 *m.* Tela o papel que, colocado a modo de cortina, sirve para templar la luz; ante una luz artificial, sirve para hacer aparecer en él figuras o letreros. 5 Ventana de cristales que ilumina y adorna el fondo de un altar.

transpirar *intr.-tr.* Emitir una persona o animal a través de su piel [un líquido orgánico] o exhalar una planta [vapor de agua]. 2 fig. Dejarse adivinar y conocer una cosa secreta.

transpirenaico, -ca *adj.* De las regiones del otro lado de los Pirineos. 2 Relativo a ellas. 3 Que atraviesa los Pirineos: *comercio* ~; *locomoción* ~.

transpolar *adj.* Que pasa por un polo terrestre o sus proximidades.

transpondedor *m.* Repetidor de radio que transmite automáticamente señales identificables cuando recibe una interrogación adecuada.

transponer *tr.-prnl.* Poner [a una persona o cosa] en lugar diferente. 2 Trasplantar. 3 Desaparecer alguna persona o cosa [detrás de algún objeto lejano]: ~ *la esquina*. – 4 *prnl.* Ocultarse del horizonte el sol u otro astro. 5 Quedarse uno algo dormido. ◇ ** CONJUG. [78] como *poner*. pp. irreg.: *transpuesto*.

transportador *m.* Círculo graduado para medir o trazar ángulos; **dibujo. 2 Meca-

nismo destinado al transporte continuo de materiales.

transportar *tr.* Llevar [una cosa] de un lugar a otro. 2 MÚS. Trasladar [una composición] de un tono a otro. – 3 *prnl.* fig. Enajenarse de la razón o del sentido.

transporte *m.* Acción de transportar. 2 Efecto de transportar: *el* ~ *de mercancías*. 3 Acción de transportarse. 4 Efecto de transportarse. 5 GEOL. Desplazamiento de los materiales resultantes de la erosión, hasta la cuenca de sedimentación. – 6 *m. pl.* Conjunto de medios destinados al traslado de personas, mercancías, etc.

transposición *f.* Acción de transponer o transponerse. 2 Efecto de transponer o transponerse. 3 En un impreso, inversión de letras, páginas, etc. 4 MAT. Operación de pasar un término de un miembro a otro, en una ecuación o desigualdad. 5 MED. Desviación de ciertos órganos del cuerpo. 6 MÚS. Traslación de un fragmento musical en una tonalidad distinta. 7 RET. Figura que consiste en alterar el orden normal de las voces en la oración.

transubstanciación *f.* Conversión total de una substancia en otra, especialmente la del pan y del vino en cuerpo y sangre de Jesucristo en la Eucaristía.

transuránico, -ca *adj.-m.* Elemento químico obtenido artificialmente y cuyo número atómico es superior al del uranio.

transvasar *tr.* Trasegar (mudar).

transverberación *f.* Transfixión: *la* ~ *del corazón de Santa Teresa*.

transversal *adj.* Que se halla atravesado de un lado a otro. 2 Que lleva una dirección que corta a otra determinada: *calle* ~; *sección* ~.

tranvía *m.* Ferrocarril establecido en una calle o camino por donde pueden transitar al mismo tiempo vehículos ordinarios. 2 Coche de tranvía. 3 Tren tranvía.

I) tranzar *tr.* Cortar, tronchar. ◇ ** CONJUG. [4] como *realizar*.

II) tranzar *tr.* Trenzar (hacer trenzas). ◇ ** CONJUG. [4] como *realizar*.

tranzón *m.* Parte en que, para su aprovechamiento, se divide un monte o un pago de tierras.

I) trapa *f.* MAR. Cabo para cargar una vela. – 2 *f. pl.* Trincas con que se asegura la lancha dentro del buque.

II) trapa *f.* Ruido de los pies, o vocerío grande y alboroto de gente.

trapáceo, -a *adj.-f.* Planta de la familia de las trapáceas. – 2 *f. pl.* Familia de plantas dicotiledóneas que incluye hierbas acuáticas y anuales, con hojas flotantes en roseta y flores tetrámeras; el fruto es parecido a la castaña.

trapacete *m.* Libro en que el comerciante o el banquero asienta las partidas.

trapacista *adj.-com.* Que usa de trapazas.

2 Que con astucias y mentiras pretende engañar a otro.

trapajoso, -sa *adj.* Roto, desaseado. 2 Estropajoso (al hablar).

I) trápala *f.* Ruido y confusión de gente. 2 Ruido acompasado del trote o galope de un caballo.

II) trápala *f.* Embuste, engaño. – 2 *m.* Prurito de hablar. – 3 *com.-adj.* fig. Persona parlanchina. 4 fig. Persona falsa y embustera.

I) trapalear *intr.* Meter ruido con los pies andando en un lado para otro.

II) trapalear *intr.* Decir o hacer cosas propias de un trápala.

trapatiesta *f.* fam. Riña, alboroto.

trapaza *f.* Artificio con que se defrauda a una persona en algún negocio.

trapear *tr. Amér.* Limpiar [el piso de una casa]. 2 *Amér. Central.* Poner [a uno] como un trapo.

trapecio *m.* Palo horizontal suspendido en sus extremos por dos cuerdas paralelas; sirve para ejercicios gimnásticos. 2 **Cuadrilátero que tiene paralelos solamente dos de sus lados. 3 Primer hueso de la segunda fila del carpo; **mano. – 4 *adj.-m.* **Músculo plano y triangular situado en la parte posterior del cuello y superior de la espalda del hombre, cuya función es la elevación y aducción del hombro y el giro e inclinación de la cabeza.

trapecista *com.* Persona que efectúa ejercicios gimnásticos en el trapecio.

trapense *adj.-m.* Religioso de la Trapa, orden de cistercienses reformados, fundada en 1662 en el Monasterio de la Trapa por el abad Rancé (1622-1700); es una de las más austeras de la Iglesia. – 2 *adj.* Relativo a esta orden.

trapero, -ra *m. f.* Persona que tiene por oficio recoger o comprar y vender trapos y otros objetos usados.

trapezoedro *m.* Forma cerrada constituida por seis, ocho, doce o veinticuatro caras dispuestas en dos mitades, superior e inferior, giradas una respecto a la otra. 2 MINER. Cristal formado por veinticuatro caras trapezoidales.

trapezoide *m.* GEOM. **Cuadrilátero que no tiene ningún lado paralelo a otro. – 2 *adj.-m.* Segundo hueso de la segunda fila del carpo; **mano.

trapiche *m.* Molino para extraer el jugo de algunos frutos de la tierra, especialmente la caña de azúcar. 2 MIN. Molino para pulverizar minerales.

trapichear *intr.* Buscar medios o recursos no siempre lícitos, para lograr algún objeto. 2 Comerciar al por menor. – 3 *prnl.* fam. Ponerse o quitarse trapos, vestirse o desvestirse.

trapío *m.* fig. Aire garboso de algunas mujeres. 2 fig. Buena planta de un toro de lidia. 3 fig. Codicia con que acomete.

trapisonda *f.* Bulla o riña con voces o acciones. 2 Embrollo, enredo.

trapista *com. Argent.* Trapero, el que recoge trapos.

trapitos *m. pl.* fam. Trapos, prendas de vestir. 2 Cosas, objetos de primer uso de cada persona.

trapo *m.* Pedazo de tela viejo y roto. 2 Paño, trozo de tela que se usa para quitar el polvo, limpiar, etc. 3 Velamen: *a todo ~,* a toda vela. 4 Telón de un escenario de teatro. 5 Capote de brega. 6 Tela de la muleta del espada. 7 Copo grande de nieve. – 8 *m. pl.* Prendas de vestir, especialmente de la mujer.

traque *m.* Estallido del cohete. 2 Guía de pólvora fina que une las piezas de un fuego de artificio.

tráquea *f.* Conducto **respiratorio, formado por anillos cartilaginosos, que empieza en la **laringe y desciende por delante del esófago hasta la mitad del pecho, donde se bifurca formando los bronquios; **boca. 2 Pequeño tubo ramificado que forma el aparato **respiratorio de la mayor parte de los animales artrópodos.

traqueal *adj.* Perteneciente o relativo a la tráquea (conducto; tubo): *sistema ~;* **respiración.

traquear *intr.* Traquetear. 2 *Argent., C. Rica* y *Méj.* Recorrer y frecuentar [un sitio] las gentes, los animales, los vehículos.

traqueotomía *f.* CIR. Abertura que se hace artificialmente en la tráquea para evitar la sofocación del enfermo.

traquetear *intr.* Hacer ruido o estrépito. – 2 *tr.* Agitar [una cosa] de una parte a otra. 3 fig. Frecuentar, manejar mucho [una cosa].

traquido *m.* Estruendo causado por disparo de un arma de fuego. 2 Chasquido de la madera.

tras *prep.* Después de, aplicado al espacio y al tiempo: *llevaba ~ de sí más de doscientas personas; ~ este tiempo vendrá otro mejor.* 2 Además: *~ de ser malo, es caro.* 3 fig. En busca, en seguimiento de: *se fue ~ los honores.* 4 Detrás de, en situación posterior: *~ una puerta.*

trasandosco, -ca *adj.-s.* Res de ganado menor que tiene algo más de dos años.

trasanteanoche *adv. t.* En la noche de trasanteayer.

trasanteayer, trasantier *adv. t.* El día inmediatamente anterior al de anteayer.

trasañejo, -ja *adj.* De más de tres años.

trasbarrás *m.* Ruido que produce una cosa al caer.

trasbocar *tr. Amér.* Vomitar. ◇ ** CONJUG. [1] como *sacar.*

trasca *f.* Correa fuerte de piel de toro, muy sobada, para hacer arreos.

trascacho *m.* Paraje resguardado del viento.

trascendencia *f.* Penetración, perspicacia.

2 Cualidad de trascendente. 3 Existencia de realidades trascendentales. 4 Consecuencia de índole grave o muy importante.

trascendental *adj.* De gran importancia o gravedad por sus probables consecuencias. 2 FIL. Según el pensamiento filosófico de Kant (1724-1804), [estudio] que tiene por objeto las formas, principios o ideas *a priori* en su necesaria relación con la experiencia. 3 Que es una condición *a priori* y no un dato de la experiencia. 4 [principio empírico] Del que se hace un uso indebido cuando se aplica más allá de los fenómenos que puedan ser el objeto de una experiencia.

trascender *intr.* Exhalar olor vivo y penetrante. 2 Empezar a ser conocido algo que estaba oculto. 3 Hacer sentir sus efectos o tener consecuencias una cosa en lugar o medio distinto de aquel en que se produce. – 4 *tr.* Penetrar, averiguar [alguna cosa que está oculta]. ◇ ** CONJUG. [28] como *entender*.

trascoda *m.* Trozo de cuerda de tripa que en los instrumentos músicos de **arco sujeta el cordal al botón.

trascodificar *tr.* Cambiar de un código a otro. ◇ ** CONJUG. [1] como *sacar*.

trascolar *tr.-prnl.* Colar a través de alguna cosa; como tela, piel, etc. 2 fig. Pasar [desde un lado] al otro. ◇ ** CONJUG. [31] como *contar*.

trasconejarse *prnl.* Quedarse la caza, especialmente los conejos, detrás de los perros que la persiguen. 2 Quedarse el hurón en la madriguera por tener impedida la salida con el conejo que ha matado. 3 Extraviarse una cosa: *se me ha trasconejado tu libro*.

trascordarse *prnl.* Olvidar una cosa o confundirla con otra. ◇ ** CONJUG. [31] como *contar*.

trascoro *m.* Parte de las iglesias situada detrás del coro.

trasdós *m.* ARQ. Superficie exterior de un arco o bóveda. 2 ARQ. Pilastra que está inmediatamente detrás de una columna.

trasegar *tr.* Trastornar, desordenar [las cosas] o mudarlas de un lugar a otro. 2 Mudar las cosas de un lugar a otro y en especial un líquido de una vasija a otra. 3 fig. Beber mucho [vino, licores, etc.]. ◇ ** CONJUG. [48] como *regar*.

traseñalar *tr.* Poner [a una cosa] distinta señal de la que tenía.

trasera *f.* Parte de atrás de un coche, una casa, etc.

trasero, -ra *adj.* Que está detrás. 2 [carro cargado] Que tiene más peso detrás que delante. – 3 *m.* Parte posterior del animal. 4 Culo, asentaderas. – 5 *m. pl.* Ascendientes (familia).

trasfondo *m.* Lo que está o parece estar más allá del fondo visible, o detrás de la apariencia o intención de una acción.

trasgo *m.* Duende (espíritu). 2 fig. Niño vivo y enredador.

trasguear *intr.* Fingir las travesuras que se atribuyen a los trasgos.

trashoguero, -ra *adj.* [pers]. Que se queda en casa, cuando los demás van al trabajo. – 2 *m.* Losa o plancha que están detrás del hogar; **chimenea. 3 Leño grueso que, arrimado a la pared del hogar, conserva la lumbre.

trashumante *adj.* [ganado] Que trashuma.

trashumar *intr.* Pasar el ganado con sus conductores desde las dehesas de invierno a las de verano, y viceversa.

trasijado, -da *adj.* Que tiene los ijares recogidos a causa de no haber comido o bebido en mucho tiempo. 2 Que está muy flaco.

traslación *f.* Acción de trasladar o trasladarse. 2 Efecto de trasladar o trasladarse. 3 Traducción. 4 GRAM. Figura de construcción que consiste en usar un tiempo del verbo fuera de su significación habitual.

trasladar *tr.-prnl.* Mudar [una cosa] de lugar. – 2 *tr.* Hacer pasar [a una persona] de un puesto o cargo a otro de la misma categoría: ~ *a un funcionario de Sevilla a Cádiz*. 3 Hacer que [una junta, función, etc.] se verifique en un tiempo diferente de aquel en que debía verificarse. 4 fig. Expresar de manera comprensible para otros una idea, sentimiento, etc.

traslapar *tr.* Cubrir total o parcialmente una cosa [a otra].

traslaticio, -cia *adj.* [sentido de un vocablo] Que expresa un significado distinto al de su acepción corriente.

traslucir *prnl.* Ser translúcido un cuerpo. – 2 *prnl.-tr.* fig. Conjeturarse una cosa en virtud de algún antecedente o indicio: *traslucirse*, o ~, *un propósito*. ◇ ** CONJUG. [45] como *lucir*.

traslumbrar *tr.* Deslumbrar [a alguno] una luz viva que repentinamente hiere su vista. – 2 *prnl.* Pasar o desaparecer repentinamente una cosa.

trasluz *m.* Luz que pasa a través de un cuerpo translúcido. 2 Luz reflejada de soslayo por un cuerpo.

trasmallo *m.* Arte de pesca formado por tres redes.

trasmano *com.* Segundo en orden de ciertos juegos. – 2 *loc. adv.* A ~, fuera del alcance de la mano; fig., fuera de lo corriente y frecuentado.

trasmañanar *tr.* Diferir [una cosa] de un día para otro.

trasminar *tr.* Minar [la tierra] abriendo camino. – 2 *tr.-prnl.* fig. Penetrar a través de alguna cosa un olor, un líquido, etc.

trasmochar *tr.* Podar [los árboles] excesivamente.

trasmocho, -cha *adj.-m.* Árbol descabezado o cortado a cierta altura de su tronco para que produzca brotes. 2 Monte cuyos árboles han sido descabezados.

trasmonta *f.* Licor elaborado en el lagar, después del prensado, añadiendo orujo y agua a la uva.

trasmundo *m.* La otra vida. 2 fig. Mundo fantástico o de ensueño.

trasnochado, -da *adj.* Echado a perder, tras haber pasado una noche por ello. 2 fig. Desmejorado y macilento. 3 fig. Falto de novedad.

trasnochar *intr.* Pasar uno la noche o gran parte de ella velando sin dormir. – 2 *tr.* Dejar pasar la noche [sobre un asunto]: *trasnochemos la solución.*

trasnominación *f.* Metonimia.

trasojado, -da *adj.* Ojeroso, macilento.

trasoñar *tr.* Imaginar equivocadamente o como un ensueño [alguna cosa]. ◇ ** CONJUG. [31] como *contar.*

trasovada *adj.* BOT. Más ancho por la punta que por la base: *hoja ~.*

traspalar, -lear *tr.* Pasar con la pala [una cosa] de un lugar a otro: *~ trigo.* 2 fig. Mover [una cosa] de un lugar a otro.

traspapelar *tr.-prnl.* Confundirse, desaparecer [un papel] entre otros: *se me ha traspapelado el documento.* – 2 *prnl.* p. ext. Perderse o figurar en sitio equivocado cualquiera otra cosa.

traspasar *tr.* Pasar a la otra parte [de alguna cosa]: *~ el arroyo.* 2 p. ext. Pasar [a una persona o cosa] hacia otra parte: *~ a América.* 3 p. ext. Pasar [una cosa] de un sitio a otro: *~ la mesa de la sala al comedor.* 4 Atravesar de parte a parte [alguna cosa] con una arma o instrumento. 5 fig. Hacerse sentir un dolor físico o moral con extraordinaria violencia: *~ el corazón de dolor.* 6 Ceder, transferir a favor de otro [el derecho o dominio de una cosa]: *~ un negocio a,* o *en, alguno.* – 7 *prnl.* p. ext. Exceder de lo debido en alguna circunstancia o negocio: *traspasarse en el trato.*

traspaso *m.* Acción de traspasar. 2 Efecto de traspasar. 3 Conjunto de géneros traspasados. 4 Precio de la cesión de estos géneros o de un local comercial o industrial.

traspatio *m. Amér.* Segundo patio de las casas de vecindad que suele estar detrás del principal.

traspié *m.* Resbalón, tropezón. 2 fig. Equivocación o indiscreción. ◇ Pl.: *traspiés.*

traspillar *prnl.* Desfallecer, extenuarse.

traspintarse *prnl.* Clarearse por el revés del papel, tela, etc., lo escrito o dibujado por el derecho.

trasplantador, -ra *adj.-s.* Que trasplanta. – 2 *m.* Instrumento que se emplea para trasplantar. 3 Vehículo especial que sirve para transportar un árbol. – 4 *f.* Máquina para trasplantar.

trasplantar *tr.* Trasladar plantas del sitio en que están arraigadas y plantarlas en otro: *~ de una parte a,* o *en, otra.* 2 Trasladar de un lugar a otro una ciudad, institución, etc. 3 CIR. Injertar [una porción de tejido vivo o un órgano] de un individuo a otro, o bien a otra parte del cuerpo del mismo individuo. – 4 *tr.-prnl.* Hacer salir de un lugar o país a personas arraigadas en él, para asentarlas en otro. 5 Introducir en un país o lugar ideas, costumbres, técnicas, tipos de creación artística o literaria, etc., procedentes de otro.

trasplante *m.* Acción de trasplantar. 2 Efecto de trasplantar. 3 CIR. Aplicación de una parte de tejido o de un órgano, tomados de una del mismo cuerpo o de otro. 4 Órgano trasplantado.

traspuesta *f.* Transposición (acción y efecto). 2 Repliegue o elevación del terreno que impide ver lo que hay al otro lado. 3 Fuga u ocultación de una persona. 4 Corral o dependencias traseras de una casa.

traspunte *m.* Apuntador que previene a cada lector cuando ha de salir a escena.

traspuntín *m.* Colchoncito atravesado debajo de los colchones de la cama. 2 Asiento suplementario y plegadizo en algunos coches.

trasquilar *tr.* Cortar el pelo [a alguno] sin orden ni arte. 2 fig. *y* fam. Menoscabar [una cosa].

trasquilimocho, -cha *adj.* fam. Trasquilado a raíz.

trastada *f.* fam. Acción propia de un trasto; mala pasada.

trastazo *m.* fam. Porrazo.

I) traste *m.* Resalto de metal o hueso colocado a trechos en el mástil de la guitarra u otros instrumentos parecidos, para modificar con la presión de los dedos la longitud libre de las **cuerdas.

II) traste *m. And., Extr. y Amér.* Trasto, trebejo. 2 *Dar uno al ~ con una cosa,* destruirla, malbaratarla.

I) trastear *tr.* Poner los trastes [a la guitarra u otro instrumento]. 2 Pisar [las cuerdas de los instrumentos de trastes].

II) trastear *intr.* Revolver o mudar trastos de una parte a otra. 2 fig. Discurrir con viveza y travesura. – 3 *tr.* Dar el espada pases de muleta [al toro] para variar su posición, especialmente antes de entrar a matar. 4 fig. Manejar con habilidad [a una persona o un negocio].

trastejar *tr.* Recorrer o examinar cualquier cosa para aderezarla o componerla; repasar, arreglar o remendar alguna cosa.

trastero, -ra *adj.-m.* Pieza destinada a guardar trastos poco usados.

trastienda *f.* Aposento situado detrás de la tienda. 2 fig. Cautela, astucia.

trasto *m.* desp. Mueble o utensilio doméstico, especialmente si es inútil. 2 fig. Persona inútil o informal. – 3 *m. pl.* Utensilios de un arte: *los trastos de pescar.*

trastocarse *prnl.* Trastornarse, perturbarse la razón. ◇ ** CONJUG. [49] como *trocar.*

trastornarse *tr.* Volver [una cosa] de abajo arriba o de un lado a otro. 2 Invertir el orden regular [de una cosa]. 3 fig. Inquietar, causar disturbios. 4 fig. Inclinar o vencer con persuasiones [el ánimo o dictamen de uno] haciéndole deponer el que antes tenía. 5 fig. Gustarle a uno sobremanera una cosa. 6 fig. Suscitar en otra persona un amor vehemente. – 7 *tr.-prnl.* Peturbar el sentido: *este vino trastorna en seguida.*

trastorno *m.* Acción de trastornar o trastornarse. 2 Efecto de trastornar o trastornarse. 3 Desorden, desarreglo. 4 Alteración leve de la salud.

trastrabillar *intr.* Dar traspiés o tropezones. 2 Tambalear, vacilar. 3 Tartajear, tartamudear.

trastrocar *tr.-prnl.* Mudar el ser o estado [de una cosa]. ◇ ** CONJUG. [49] como *trocar.*

trastulo *m.* Pasatiempo, juguete.

trastumbar *tr.* Dejar caer o echar a rodar [una cosa].

trasudar *tr.* Exhalar trasudor. 2 Empapar de sudor.

trasudor *m.* Sudor tenue.

trasunto *m.* Copia (reproducción textual). 2 Figura o representación que imita con propiedad una cosa.

trasvenarse *prnl.* Extravenarse. 2 fig. Derramarse una cosa.

trasver *tr.* Ver [alguna cosa] a través de otra. 2 Ver mal y equivocadamente [alguna cosa]. ◇ ** CONJUG. [91] como *ver.* pp. irreg.: *trasvisto.*

trasverter *intr.* Rebosar un líquido. ◇ ** CONJUG. [28] como *entender.*

trasvinar *tr.-prnl.* Rezumarse el vino de las vasijas. – 2 *prnl.* fig. Traslucirse. 3 fig. Traspasar, trascender.

trasvolar *tr.* Pasar volando de un extremo al otro [de alguna cosa]. ◇ ** CONJUG. [31] como *contar.*

trata *f.* Tráfico de negros, que consistía en llevarlos a vender como esclavos, de las costas de África a América. 2 ~ *de blancas,* tráfico de mujeres de cualquier raza para forzar su prostitución.

tratable *adj.* Que se puede o deja tratar. 2 Cortés, accesible.

tratadista *com.* Autor que escribe tratados.

tratadística *f.* Conjunto de tratados referentes a una disciplina o a una época determinada.

tratado *m.* Ajuste, convenio, especialmente entre naciones. 2 Escrito o discurso sobre una materia determinada.

tratamiento *m.* Trato (acción y efecto). 2 Título de cortesía; como *merced, excelencia*; en gral., modo de dirigirse a otra persona: *tú, usted, vos.* 3 Vocativo de uso habitual en el coloquio, y referente a categoría social, edad, sexo, cualidades físicas o morales del interlocutor, con diversos matices de respeto o afecto. 4 Sistema de curación. 5 Modo de trabajar ciertas materias para su transformación: ~ *metalúrgico;* ~ *de textos,* proceso informático de textos escritos que permite su redacción, recomposición e impresión de acuerdo a ciertas reglas formales y tipográficas preestablecidas.

tratante *com.* Persona que se dedica a comprar géneros para revenderlos.

tratar *tr.* Manejar una cosa, usar materialmente de ella. 2 Comunicar, relacionarse [con un individuo]: *trató a Juan*; *intr.,* ~ *con Juan*; *prnl.,* *tratarse con Juan*; esp., tener relaciones amorosas. 3 Comunicar o relacionarse de una determinada manera [con un individuo] o asistirlo en tal forma: ~ *bien, mal, con cuidado,* etc., *a alguien*; seguido de la preposición *de,* dar tratamiento: *le trató de señoría, de tú, de usted*; o aplicar [a alguno] un calificativo, generalmente con intención despectiva o injuriosa: *le trató de loco.* 4 Manejar o gestionar [negocios], comerciar: ~ *la venta de una casa*; *intr.,* *trató con fulano*; ~ *en lanas*; ~ *en ganado.* 5 Discurrir o disputar [sobre un asunto]: ~ *una materia difícil*; esp., *intr.,* ~ *de, sobre,* o *acerca, del postulado de Euclides.* 6 QUÍM. Someter [una substancia] a la acción de otra: ~ *el hierro por,* o *con, el ácido sulfúrico.* 7 Someter a tratamiento médico. – 8 *intr.* Con la preposición de e infinitivo, procurar, intentar, el logro de algún fin: ~ *de vivir bien.*

trato *m.* Acción de tratar o tratarse. 2 Efecto de tratar o tratarse. 3 Manera de tratar a alguna persona.

trauma *m.* Traumatismo.

traumatismo *m.* CIR. Lesión de los tejidos por agentes mecánicos. 2 Perturbación psíquica causada por un choque emocional.

traumatología *f.* Parte de la medicina referente a los traumatismos y sus efectos.

travelín *m.* CINEM. Desplazamiento de una cámara montada sobre ruedas con el fin de acercarla al objeto, alejarla de él o seguirle en sus movimientos. 2 CINEM. Plataforma móvil sobre la cual va montada dicha cámara.

travertinos *m. pl.* Rocas sedimentarias de origen químico formadas en ambientes continentales; como grutas, lagos y ríos.

través *m.* Inclinación o torcimiento: *al ~, de ~,* en dirección transversal. 2 fig. Desgracia, fatalidad. 3 ARQ. Pieza de madera en que se afirma el pendolón de una armadura. 4 MAR. Dirección perpendicular a la de la quilla. – 5 *loc. adv. A ~ de,* por intermedio de, por conducto de.

travesaño *m.* ARQ. Pieza que atraviesa de una parte a otra, en general; **ventana. 2 Almohada que ocupa toda la cabecera de la cama. 3 DEP. En algunos deportes, larguero horizontal de la portería.

travesear *intr.* Andar inquieto y revoltoso de una parte a otra. 2 fig. Discurrir con ingenio y viveza. 3 fig. Llevar una vida desenvuelta y viciosa.

travesía *f.* Camino transversal. 2 Callejuela que atraviesa entre calles principales. 3 Parte de la carretera que está dentro de una población. 4 Distancia entre dos puntos de tierra o de mar. 5 Viaje por mar o por tierra; p. ext., viaje por tierra cuya trayectoria entre salida y llegada atraviesa una región, zona extensa, etc. 6 Viento perpendicular a la costa. 7 Modo de estar una cosa al través. 8 DEP. En natación, prueba de resistencia que se disputa en mar abierto, en las aguas interiores de un puerto, en lagos, etc. 9 *Argent. y Bol.* Región vasta, desierta y sin agua.

travesío, -a *adj.* [ganado] Que, sin trashumar, sale de los términos del pueblo donde mora. 2 [viento] De dirección lateral. – 3 *m.* Sitio o terreno por donde se atraviesa.

travestí, travestis *com.* Travestido.

travestido, -da *adj.* Disfrazado o encubierto. – 2 *adj.-s.* Persona que pertenece a un sexo por sus características morfológicas y actúa como si fuese del otro.

travestir *tr.-prnl.* Poner [a una persona] un disfraz propio de otra del sexo contrario. ◇ ** CONJUG. [34] como *servir*.

travestismo *m.* Orientación sexual, generalmente propia de homosexuales, consistente en buscar el placer vistiéndose con ropas del sexo contrario.

travesura *f.* Acción de travesear. 2 Efecto de travesear. 3 fig. Viveza y sutileza de ingenio. 4 Acción maligna o ingeniosa y de poca importancia, hecha por niños.

traviesa *f.* Travesía (distancia). 2 Madero o elemento metálico o de hormigón armado sobre que se asientan los rieles del ferrocarril. 3 Pieza que une los largueros del bastidor de los vagones de los ferrocarriles. 4 ARQ. Cuchillo de una armadura para sostener un tejado.

travieso, -sa *adj.* Puesto de través. 2 fig. Sutil, sagaz. 3 fig. Que se mueve continuamente. 4 fig. Inquieto y revoltoso.

trayecto *m.* Espacio que se recorre de un punto a otro. 2 Acción de recorrerlo.

trayectoria *f.* Línea descrita en el espacio por un punto que se mueve; esp., parábola de un proyectil. 2 fig. Curso que, a lo largo del tiempo, sigue el comportamiento de una persona o de un grupo social en sus actividades intelectuales, morales, artísticas, económicas, etc. 3 GEOM. y MEC. Curva descrita en el plano o en el espacio por un punto móvil, de acuerdo con una ley determinada.

traza *f.* Planta o diseño de una obra. 2 fig. Plan para realizar un fin. 3 fig. Invención, arbitrio, recurso. 4 fig. Modo, apariencias o figura de una cosa. 5 Intersección de una línea o de una superficie con un plano de proyección. 6 Eje de una carreta o ferrocarril. 7 ELECTR. Trayectoria descrita por el punto luminoso en las pantallas de rayos catódicos. 8 GALIC. Huella, vestigio, señal, rastro.

trazado, -da *adj.* Con los adverbios *bien* o *mal,* [pers.] de buena o mala disposición o compostura de cuerpo. – 2 *m.* Recorrido o dirección de un camino, canal, etc., sobre el terreno.

trazar *tr.* Hacer trazos. 2 Delinear la traza (diseño) para la realización [de alguna obra]. 3 fig. Discurrir y disponer los medios oportunos para el logro [de una cosa]. 4 fig. Describir, dibujar, exponer por medio del lenguaje [los rasgos de una persona o asunto]. ◇ ** CONJUG. [4] como *realizar*.

trazo *m.* Delineación de la traza de una obra. 2 Línea, raya, rasgo.

trébede *f.* Habitación o parte de ella que se calienta con paja. – 2 *f. pl.* Aro o triángulo de hierro con tres pies, para poner vasijas al fuego; **chimenea.

trebejo *m.* Instrumento, utensilio: *los trebejos de la cocina.* 2 Juguete con que uno se divierte. 3 Pieza del juego del ajedrez.

trébol *m.* Planta leguminosa, papilionácea, de hojas casi redondas, pecioladas de tres en tres, que se usa como forraje *(Trifolium pratense).* 2 Adorno formado por tres lóbulos ordenados geométricamente. 3 Cruce de carreteras a varios niveles y con empalmes por curvas.

trece *adj.* Diez y tres; **numeración. – 2 *m.* Guarismo del número trece.

treceavo, -va *adj.* Parte que, junto a otras doce iguales, constituye un todo; **numeración.

trecemesino, -na *adj.* De trece meses.

trecenario *m.* Número de trece días dedicado a un mismo objeto.

trechear *tr.* MIN. Transportar de trecho en trecho [una carga].

trechera *f.* Pieza que sujeta el gobierno del molino de viento al fraile.

trecho *m.* Espacio, distancia. 2 Trozo de terreno, campo o huerta. 3 fam. Parte de una cosa que se hace, o sucede, de manera progresiva. 4 *A trechos,* con intermisión de lugar o tiempo.

trefe *adj.* Ligero, flojo. 2 Falso, falto de ley.

trefilar *tr.* Transformar en hilo o alambre [un metal] pasándolo por la hilera.

tregua *f.* Cesación temporal de hostilidades entre los beligerantes. 2 fig. Intermisión, descanso.

treinta *adj.* Tres veces diez; **numeración.

– 2 m. Guarismo del número treinta. 3 DEP. En el juego del tenis, segundo tanto de un juego, ganado por un jugador o pareja. ◇ INCOR.: *treintiún, treintiséis,* etc., por *treinta y uno, treinta y seis,* etc.

treintaidosavo, -va *adj.* Parte que, junto a otras treinta y una iguales, constituye un todo; ****numeración.

treintanario *m.* Número de treinta días dedicados a un mismo objeto.

treintañal *adj.* Que es de treinta años o los tiene.

treintena *f.* Conjunto de treinta unidades.

trematodo *adj.-m.* Gusano de la clase de los trematodos. **– 2 m. pl.** Clase de gusanos platelmintos de cuerpo no segmentado, tubo digestivo ramificado y sin ano, con ventosas o ganchos para fijarse al cuerpo de su hospedador.

tremebundo, -da *adj.* Espantable, que hace temblar.

tremedal *m.* Terreno pantanoso, abundante en turba y cubierto de césped.

tremendismo *m.* Corriente estética desarrollada en España durante el siglo XX entre escritores y artistas plásticos, caracterizada por un realismo exagerado.

tremendo, -da *adj.* Terrible, formidable. 2 Digno de respeto. 3 Muy grande: *disparate* ~.

trementina *f.* Resina medianamente espesa que exudan los pinos, abetos, alerces y terebintos.

tremesino, -na *adj.* De tres meses.

tremó, -mol *m.* Adorno, a manera de marco, que se pone en los espejos que están fijos en la pared. ◇ Pl.: *tremós* y *tremoles.*

tremolar *tr.* Enarbolar [los pendones, banderas, etc.] batiéndolos en el aire.

tremolina *f.* Movimiento ruidoso del aire. 2 fig. Bulla, confusión de voces.

trémolo *m.* MÚS. Sucesión rápida de notas cortas iguales.

trémulo, -la *adj.* Tembloroso: *luz trémula.*

tren *m.* Conjunto de utensilios o máquinas empleadas para una misma operación: ~ *de artillería;* ~ *de aterrizaje;* ~ *de dragado;* ~ *de engranajes;* ~ *de viaje.* 2 Serie de vagones enlazados unos con otros y arrastrados por una locomotora: ~ *correo;* ~ *expreso;* ~ *mixto;* ~ *ómnibus;* ~ *rápido;* ~ *tranvía,* el que se detiene en todas las estaciones y apeaderos del trayecto que recorre; ferrocarril. 3 fig. Modo de vivir con mayor o menor lujo: ~ *de vida.* 4 *Estar como un* ~, fig. *y* fam. tener una persona un buen tipo.

trena *f.* Banda que la gente de guerra usaba como cinturón o tahalí. 2 Plata quemada. 3 fam. Cárcel.

trenca *f.* Palo que atraviesa la colmena para sostener los panales. 2 Raíz principal de una cepa. 3 Abrigo corto, con capucha y de tejido impermeable.

trencilla *f.* Galoncillo de seda, algodón o lana. 2 DEP. fam. Árbitro.

treno *m.* Canto fúnebre, lamentación. 2 p. ext. *y* fam. Juramento, taco, reniego.

trenza *f.* Enlace de tres o más ramales entretejidos: ~ *del pelo.* 2 Adorno empleado en arquitectura, consistente en pequeños filetes entrelazados. 3 *Argent.* Lucha cuerpo a cuerpo.

trenzado *m.* Trenza. 2 En la danza, salto ligero cruzando los pies. 3 Paso que hace el caballo piafando.

trenzadora *f.* Máquina que se utiliza para obtener productos muy variados; como cordones de zapatos, cuerdas, flecos, conductores o hilos telegráficos.

trenzar *tr.* Hacer trenzas: ~ *el cabello.* **– 2 intr.** Hacer trenzados (en la danza; paso de caballo). **– 3 prnl.** *Amér.* Enredarse, acalorarse en una discusión. **– 4 rec.** *Amér.* Luchar dos personas cuerpo a cuerpo. ◇ ** CONJUG. [4] como *realizar.*

treo *m.* MAR. Vela cuadra con que las embarcaciones latinas navegan en popa con vientos fuertes.

I) trepa *m.* Acción de trepar I. 2 Efecto de trepar I. 3 Media voltereta dada apoyando la coronilla en el suelo. **– 4 com.** Trepador, arribista.

II) trepa *m.* Acción de trepar II. 2 Efecto de trepar II. 3 Guarnición que se echa al borde de ciertos vestidos. 4 Aguas de la superficie de algunas maderas labradas. 5 Astucia, malicia, engaño. 6 Castigo de azotes, patadas, etc. 7 En la industria textil, plantilla, para labores de estampado de telas, mediante pulverización de colorante.

I) trepado *m.* Trepa (guarnición). 2 Línea de puntos taladrados a máquina que se hace en el papel. 3 Acción de trepar o agujerear. 4 Efecto de trepar o agujerear.

II) trepado, -da *adj.* Retrepado. 2 [animal] Rehecho y fornido.

trepador, -ra *adj.* [planta] Que trepa: *rosal* ~. 2 [ciclista] Que sube con facilidad las cuestas. **– 3 m.** Sitio por donde se trepa o se puede trepar. 4 Ave paseriforme rechoncha, de cola corta y pico afilado, que trepa a los árboles sin usar la cola como soporte *(Sitta europaea).* **– 5 m. f.** Persona arribista. **– 6 f.** IMPR. Máquina con que se realiza el trepado.

trepanar *tr.* CIR. Horadar [el cráneo u otro hueso] con el trépano.

trépano *m.* Instrumento quirúrgico de corte, usado para horadar el cráneo u otro hueso. 2 MEC. En las taladradoras, herramienta que substituye a la broca cuando se trata de hacer taladros de gran diámetro.

I) trepar *intr.-tr.* Subir [a un lugar] ayudándose de los pies y las manos. **– 2 intr.** Crecer las plantas agarrándose a los árboles u otros objetos. 3 fig. *y* fam. Escalar, intentar subir a una posición económica, social, etc., más elevada.

II) trepar *tr.* Taladrar, horadar [alguna cosa]. 2 Guarnecer [un objeto] con trepa.

treparriscos *m.* Ave paseriforme insectívora de cola corta, pico largo y curvado y plumaje gris con grandes manchas en las alas de color carmesí *(Tichodroma muraria).* ◇ Pl.: *treparriscos.*

trepidar *intr.* Temblar, estremecerse las cosas inanimadas. 2 *Amér.* Vacilar, dudar.

tres *adj.* Dos y uno; **numeración. – 2 *m.* Guarismo del número tres. 3 ~ *cuartos,* vestido más largo que un chaquetón y más corto que un abrigo. ◇ Pl.: *treses.*

tresañal, tresañejo, -ja *adj.* Que tiene tres años.

tresbolillo (a o **al ~)** *loc. adv.* Colocación de las plantas puestas en filas paralelas, de modo que las de cada fila correspondan al medio de los huecos de la fila inmediata, de suerte que forman triángulos equiláteros.

trescientos, -tas *adj.* Tres veces ciento; **numeración. – 2 *m.* Guarismo del número trescientos.

tresdoblar *tr.* Triplicar. 2 Dar [a una cosa] tres dobleces.

tresillo *m.* Juego de naipes entre tres personas, cada una de las cuales recibe nueve cartas; gana la que hace más bazas. 2 MÚS. Conjunto de tres notas de igual valor que se ejecutan en el tiempo correspondiente a dos de ellas, o bien conjunto de más de tres notas cuya suma de valores equivale al de las tres mencionadas. 3 Conjunto de un sofá y dos butacas. 4 Sortija con tres piedras que hacen juego.

tresnal *m.* Conjunto de haces de mies apilados en forma de pirámide.

treta *f.* Artificio ingenioso para conseguir algún intento.

trezna *f.* Huella de un animal de caza mayor.

triaca *f.* fig. Remedio de un mal.

triácido *m.* Cuerpo químico dotado de tres funciones ácidas.

triache *m.* Residuos de granos de café requemados, quebrantados, etc.

tríada *f.* Grupo de tres.

trial *m.* Carrera de habilidad de motocicletas en terreno variado, fuera de carreteras y caminos.

triangulación *f.* Operación que consiste en elegir distintos puntos de una porción de la superficie terrestre y, considerándolos como vértices de triángulos, medir los elementos necesarios para determinar estos triángulos y poder fijar así la posición de los vértices y la distancia que los separa. 2 Conjunto de datos obtenidos mediante esta operación.

I) triangular *adj.* De figura de triángulo o semejante a él. – 2 *adj.-m.* ANAT. *Músculo* ~, pequeño músculo cutáneo de la cara; **nariz.

II) triangular *tr.* Dividir en triángulos, efectuar una triangulación: ~ *un terreno.* 2 Dar [a una cosa] la forma de triángulo. 3 DEP. Efectuar [tres o más jugadores] pases cortos y precisos del balón, especialmente en el juego del fútbol.

****triángulo, -la** *adj.* Triangular. – 2 *m.* Figura formada por tres líneas que se cortan mutuamente, formando tres ángulos: ~ *acutángulo,* el que tiene los tres ángulos agudos; ~ *equilátero,* el que tiene los tres lados iguales; ~ *escaleno,* el que tiene los tres lados desiguales; ~ *esférico,* el trazado en la superficie de la esfera, especialmente el formado por tres arcos de círculo máximo. ~ *isósceles,* el que tiene iguales solamente dos lados; ~ *oblicuángulo,* el que no tiene ángulo recto alguno; ~ *obtusángulo,* el que tiene obtuso uno de sus ángulos; ~ *rectángulo,* el que tiene recto uno de sus ángulos; 3 fig. Relación amorosa, sexual o emocional entre tres personas; esp., la formada por marido, mujer y amante de uno de los cónyuges. 4 Instrumento músico de percusión, formado por una varilla metálica, doblada en forma triangular, que se hace sonar suspendida de un cordón y golpeándola con otra varilla.

triásico, -ca *adj.-m.* Primer período de la era secundaria o mesozoica, y terreno a él correspondiente. – 2 *adj.* Perteneciente o relativo este período.

triatómico, -ca *adj.* [cuerpo] Que tiene tres átomos en cada molécula.

TRIÁNGULO

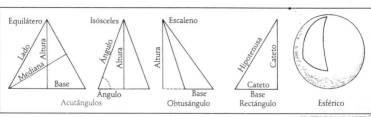

Equilátero · Lado · Mediana · Altura · Base — Isósceles · Ángulo · Altura · Ángulo — Escaleno · Altura · Base — Hipotenusa · Cateto · Cateto · Base — Esférico

Acutángulos · Obtusángulo · Rectángulo

V. TRIGONOMETRÍA

tribásico, -ca *adj.* Que tiene tres funciones básicas.

triboelectricidad *f.* Electricidad que aparece por frotamiento entre dos cuerpos.

tribolio *m.* Insecto coleóptero de color pardo que vive en los graneros y despensas *(Gnathocerus cornutus)*.

tribu *f.* Agrupación en que se dividían algunos pueblos antiguos: *las doce tribus de Israel.* 2 Conjunto de familias nómadas que obedecen a un jefe: *las tribus salvajes de África.* 3 fig. *y* fam. Familia numerosa, pandilla, grupo. 4 H. NAT. Categoría de clasificación, no siempre usada, entre la familia y el género.

tribulación *f.* Congoja, aflicción, tormento. 2 Adversidad.

tribuna *f.* Plataforma elevada, púlpito, etc., desde donde se lee o perora en las asambleas. 2 Galería destinada a los espectadores en estas mismas asambleas o en otros lugares públicos; **estadio. 3 Ventana o balcón en el interior de algunas iglesias, y desde donde se puede asistir a los oficios divinos. 4 fig. Conjunto de oradores políticos de un país, de una época, etc.

tribunal *m.* Lugar destinado a los jueces para administrar justicia. 2 Ministro o ministros que administran justicia y pronuncian la sentencia: ~ *Supremo,* el más alto de justicia ordinaria, cuyos fallos no son recurribles ante otra autoridad; ~ *Constitucional,* órgano institucional, establecido en algunos estados para velar por el respeto a la Constitución, y procurar que las leyes se ajusten al espíritu de ésta. 3 Conjunto de jueces, de un examen, oposición, etc. 4 ~ *de Cuentas,* oficina central de contabilidad del Estado encargada de censurar las cuentas de todas sus dependencias.

tribuno *m.* Magistrado elegido por el pueblo romano para defender sus derechos frente a las magistraturas patricias: ~ *de la plebe;* ~ *militar.* 2 fig. Orador político muy elocuente.

tributar *tr.* Entregar el vasallo al señor en reconocimiento del señorío, o el súbdito al Estado para las atenciones públicas [cierta cantidad en dinero o especie]. 2 fig. Dar muestras [de obsequio, veneración, gratitud, etc.].

tributo *m.* Lo que se tributa. 2 Carga u obligación de tributar. 3 fig. Carga continua. 4 fig. Dedicación, expresión de cierto sentimiento favorable hacia uno: *un ~ de amor.*

tricéfalo, -la *adj.* Que tiene tres cabezas.

tricenal *adj.* Que se repite cada treinta años. 2 Que dura treinta años.

tricentenario *m.* Tiempo de trescientos años. 2 Fecha en que se cumplen trescientos años de algún suceso famoso. 3 Fiestas que se celebran por este motivo. 4 Que dura trescientos años, o lleva trescientos años de duración.

tricentésimo, -ma *adj.-s.* **NÚM. Parte que, junto con otras doscientas noventa y nueve iguales, constituye un todo. – 2 *adj.* Que ocupa el último lugar en una serie ordenada de trescientos.

tríceps *m.* ZOOL. Músculo que tiene tres porciones o cabezas: ~ *branquial;* ~ *espinal;* ~ *femoral.*

triciclo *m.* Vehículo de tres ruedas.

tricípite *adj.* Que tiene tres cabezas.

triclínico, -ca *adj.* **CRIST. [sistema cristalino] De forma holoédrica con el centro como elemento de simetría. 2 Perteneciente a este sistema.

triclinio *m.* Lecho en que los griegos y romanos se reclinaban para comer; **cama.

tricloruro *m.* QUÍM. Cloruro que contiene tres átomos de cloro por uno de otro elemento.

tricocéfalo *m.* Gusano filiforme que habita en el intestino grueso, se fija en la mucosa intestinal y se nutre de sangre *(Trichocephalus dispar).*

tricología *f.* Parte de la dermatología que trata de las enfermedades del cabello.

tricoloma *m.* Seta de sombrero de color gris u obscuro; es comestible (gén. *Tricholoma*).

tricolor *adj.* De tres colores.

triconquido *adj.-s.* Ábside dividido en tres absidiolas.

tricóptero *adj.-m.* Insecto del orden de los tricópteros. – 2 *m. pl.* Orden de insectos pterigotas con las alas cubiertas de escamas y aspecto similar a las mariposas; las larvas son acuáticas.

tricornio *m.* Sombrero de ala dura y doblada formando tres picos, especialmente el de la Guardia Civil española, que tiene dos puntas laterales, una a cada lado de la cabeza.

tricot *m.* GALIC. Género de punto. 2 Tejido de punto fabricado con rayón, que se usa para vestidos y prendas de señora. 3 Vestido hecho de este tejido.

tricota *f. Argent.* Chaleco de punto.

tricotar *intr.* Tejer, hacer punto a mano o con máquina tejedora.

tricotomía *f.* H. NAT. División en tres partes. 2 Método de clasificación lógica en que las divisiones y subdivisiones tienen tres partes. 3 Aplicación de este método; división en tres.

tricotosa *f.* Máquina para hacer tejido de punto.

tricromía *f.* Impresión tipográfica en tres tintas diferentes. 2 Selección y combinación de los tres colores fundamentales para reproducir los colores naturales por televisión.

tricúspide *adj.-f.* De tres cúspides o puntas. 2 *Válvula ~,* la situada en el orificio auriculoventricular derecho del corazón; **circulación.

tridáctilo, -la *adj.* Que tiene tres dedos.

tridente *adj.* De tres dientes.

tridimensional *adj.* Que tiene tres dimensiones, especialmente la geometría euclidiana.

triduo *m.* Ejercicio devoto que dura tres días.

trienio *m.* Período de tres años. 2 Incremento económico de un sueldo o salario correspondiente a cada tres años de servicio activo.

trifásico, -ca *adj.* De tres fases; esp., el sistema de tres corrientes eléctricas de igual período e intensidad, que tienen cada una respecto de la siguiente una diferencia de fase igual a un tercio de período.

trifloro, -ra *adj.* Que tiene tres flores.

trifoliado, -da *adj.* Que tiene tres hojas.

trifolio *m.* Trébol. 2 ARQ. Motivo ornamental propio del estilo gótico, formado por tres lóbulos o porciones de círculo.

trifulca *f.* Aparato para mover los fuelles de los hornos metalúrgicos. 2 fig. Disputa, pelea.

trifurcarse *prnl.* Dividirse una cosa en tres ramales, brazos o puntas. ◇ ** CONJUG. [1] como *sacar.*

triga *f.* Carro de tres caballos. 2 Conjunto de tres caballos de frente que tiran de un carro.

trigal *m.* Terreno sembrado de trigo.

trigémino *adj.* Que ha nacido junto con otros dos.

trigésimo, -ma *adj.-s.* Parte que, junto con otras veintinueve iguales, constituye un todo; **numeración. – 2 *adj.* Que ocupa el último lugar en una serie ordenada de treinta.

tríglifo, triglifo *m.* ARQ. Miembro arquitectónico en forma de rectángulo saliente, surcado por tres canales, que decora el friso del **orden dórico desde el arquitrabe a la cornisa.

trigo *m.* Género de plantas gramináceas, con espigas terminales de cuatro o más carreras de granos, de los cuales se saca, por trituración, la harina con que se hace el pan *(Triticum aestivum);* **cereales. 2 Grano de trigo. 3 fig. *y* fam. Dinero, caudal.

trigonal *m.* Sistema cristalográfico, que para muchos forma parte del hexagonal, y que incluye siete clases de simetría.

****trigonometría** *f.* Parte de las matemáticas que trata de la resolución de los triángulos planos y esféricos por medio del cálculo.

trigueño, -ña *adj.-m.* Color del trigo; entre moreno y rubio. – 2 *adj.* De color trigueño.

triguero, -ra *adj.* Relativo al trigo. 2 Que se cría o anda entre el trigo: *espárrago* ~. 3 [terreno] Que tiene buenas condiciones para el cultivo del trigo. – 4 *m.* Criba para el trigo. 5 Ave paseriforme de 18 cms. de longitud, plumaje pardusco listado y pico rechoncho *(Emberiza calandra).* 6 *And., Ar., Nav. y Tenerife.* Gorrión.

trilátero, -ra *adj.* De tres lados.

triles *m. pl.* vulg. Juego de apuestas callejero fraudulento que consiste en adivinar una carta entre tres que se manipulan.

trilingüe *adj.* Que tiene tres lenguas. 2 Que habla tres lenguas. 3 Escrito en tres lenguas.

trilita *f.* Trinitrotolueno.

trilítero *adj.* De tres letras. 2 Que consta generalmente de tres consonantes; esp., la raíz de las palabras de las lenguas semíticas.

trilito *m.* Dolmen compuesto de dos piedras verticales que sostienen una tercera horizontal; **prehistoria.

trilobites *m.* Crustáceo del grupo de los trilobites. – 2 *m. pl.* Grupo de crustáceos marinos fósiles pertenecientes a la era primaria, con el cuerpo aplanado y dividido en tres lóbulos. ◇ Pl.: *trilobites.*

trilobulado, -da *adj.* Que tiene tres lóbulos.

trilogía *f.* Conjunto de tres obras dramáticas o novelísticas que tienen entre sí cierto enlace.

trilla *f.* Trillo. 2 Acción de trillar. 3 Tiempo en que se trilla. 4 *And., Chile y P. Rico.* fig. *y* fam. Tunda, paliza.

trillado, -da *adj.* [camino] Muy frecuentado. 2 fig. Común y sabido.

trilladora *f.* Máquina agrícola para trillar.

trillar *tr.* Quebrantar [la mies] y separar el grano de la paja. 2 fig. Frecuentar [una cosa] continuamente o de ordinario. 3 fig. Maltratar, quebrantar.

trillizo, -za *adj.-s.* [pers.] Nacido de un parto de tres.

trillo *m.* Instrumento para trillar; consiste en un tablón con pedazos de pedernal o cuchillitas de acero. 2 *Can. y Amér.* Vereda, senda o camino angosto formado comúnmente por el tránsito.

trillón *m.* Un millón de billones; se expresa por la unidad seguida de dieciocho ceros; **numeración.

trimarán *m.* Embarcación de vela que tiene

TRIGONOMETRÍA

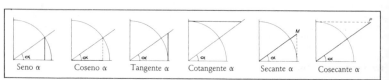

Seno α   Coseno α   Tangente α   Cotangente α   Secante α   Cosecante α

un casco central y otros dos laterales más pequeños.

trimembre *adj.* De tres miembros.

trimensual *adj.* Que sucede o se repite tres veces al mes.

trímero *adj.* [órgano u organismo] Que consta de tres partes o elementos semejantes.

trimestral *adj.* Que sucede o se repite cada tres meses. 2 Que dura tres meses.

trimestre *m.* Espacio de tres meses.

trimotor *adj.-s.* Avión propulsado por tres motores.

trinar *intr.* MÚS. Hacer trinos. 2 Gorjear. 3 fig. Rabiar, impacientarse.

trinca *f.* Junta de tres cosas de igual clase. 2 Conjunto de tres personas que se objetan recíprocamente en las oposiciones. 3 MAR. Cabo para trincar una cosa.

trincado *m.* Embarcación pequeña con el palo caído hacia popa y vela en forma de trapecio.

trincadura *f.* Lancha de dos palos, con velas al tercio.

I) trincar *tr.* Partir o desmenuzar en trozos [alguna cosa]. ◇ ** CONJUG. [1] como *sacar*.

II) trincar *tr.* Atar fuertemente [alguna cosa]. 2 Sujetar [a uno] con los brazos o las manos como amarrándole. 3 vulg. Coger (tomar; apoderarse). 4 MAR. Asegurar o sujetar fuertemente con trincas [los efectos de a bordo]. ◇ ** CONJUG. [1] como *sacar*.

trincha *f.* Ajustador de ciertas prendas para ceñirlas al cuerpo por medio de hebillas o botones.

trinchar *tr.* Partir en trozos [la vianda] para servirla. 2 fig. *y* fam. Disponer [de una cosa]; decidir [en algún asunto] con aire de autoridad.

trinche *m.* Amér. Tenedor para comer.

trinchera *f.* Excavación estrecha y larga para proteger a los soldados del fuego del enemigo. 2 Desmonte hecho en el terreno para un camino y con taludes por ambos lados. 3 Sobretodo impermeable.

trinchero *adj.-m.* [plato] En el que se trinchan los manjares. – 2 *m.* Mueble de comedor sobre el que se trinchan los manjares.

trineo *m.* Vehículo sin ruedas que se desliza sobre el hielo.

trinidad *f.* Misterio de la fe católica, según el cual Dios es uno y trino, es decir, tiene una sola naturaleza aunque subsista realmente en tres personas distintas: Padre, Hijo y Espíritu Santo. 2 fig. Unión de tres personas en algún negocio.

trinitaria *f.* Planta violácea de jardín, con flores de corola irregular formada por cinco pétalos, cuatro superiores, imbricados y dirigidos hacia arriba, y el interior dirigido hacia abajo *(Viola tricolor).* 2 Flor de esta planta.

trinitario, -ria *adj.-s.* Religioso de la orden de la Trinidad.

trinitrotolueno *m.* Derivado del tolueno que constituye la tolita, explosivo muy potente.

I) trino, -na *adj.* Que contiene en sí tres cosas distintas.

II) trino *m.* Gorjeo de los pájaros.

trinomio *m.* Expresión algebraica que consta de tres términos.

I) trinquete *m.* MAR. Palo inmediato a la proa. 2 Verga mayor que se cruza sobre el palo de proa. 3 Vela que se larga en ella. 4 fam. Persona muy alta.

II) trinquete *m.* Garfio que resbala sobre los dientes oblicuos de una rueda para impedir que ésta retroceda.

trinquis *m.* Trago de vino o licor. ◇ Pl.: *trinquis*.

trío *m.* Conjunto de tres personas o cosas. 2 MÚS. Terceto.

triosa *f.* QUÍM. Monosacárido más simple. – 2 *f. pl.* Grupo formado por estos compuestos.

trióxido *m.* QUÍM. Cuerpo resultante de la combinación de un radical con tres átomos de oxígeno.

tripa *f.* Intestino (porción del aparato digestivo). – 2 *f. pl.* Laminillas que se encuentran en lo interior del cañón de las plumas de algunas aves. 3 Partes interiores de algunas frutas. 4 Relleno del cigarro puro. 5 Lo interior de ciertas cosas. 6 Conjunto de documentos que componen un expediente administrativo, y a que se refiere el extracto de él.

tripanosoma *m.* ZOOL. Parásito del hombre y de los mamíferos, que produce varias enfermedades, entre ellas la del sueño.

tripartito, -ta *adj.* Dividido en tres partes, órdenes o clases. 2 [pacto] Celebrado por tres personas o entidades; esp., entre tres naciones.

tripicallos *m. pl.* Callo (guisado).

triplano *m.* Aeroplano cuyas alas están formadas por tres planos superpuestos.

triple *adj.-m.* [número] Que contiene a otro tres veces exactamente. 2 [cosa] Que va acompañada de otras dos semejantes para servir a un mismo fin. 3 DEP. En el juego del baloncesto, enceste que vale tres puntos.

tripleta *f.* Bicicleta que tiene tres asientos. 2 Grupo de tres personas o cosas.

triplete *m.* Objetivo fotográfico que consta de tres lentes.

triplicado *m.* Tercera copia de un escrito.

triplicar *tr.-prnl.* Multiplicar por tres: ~ *número;* ~ *una cantidad.* – 2 *tr.* Hacer tres veces [una misma cosa]. ◇ ** CONJUG. [1] como *sacar*.

trípode *amb.* Mesa, banquillo, etc., de tres pies. – 2 *m.* Armazón de tres pies para sostener ciertos instrumentos; **fotografía.

trípol, -li *m.* Substancia silícea pulverulenta, procedente del caparazón de ciertas algas, empleada para pulimentar.

tríptico *m.* Tablita para escribir, dividida en tres hojas, de las cuales las laterales se doblan sobre la del centro. 2 Pintura, grabado o relieve dividido en igual forma. 3 Libro o tratado que consta de tres partes. 4 Documento que consta de tres hojas, y permite al automovilista pasar la frontera con su coche sin depositar garantía. 5 Conjunto de tres elementos.

triptongo *m.* Conjunto de tres vocales que forman una sola sílaba.

tripudo, -da *adj.-s.* Que tiene tripa muy grande.

tripulación *f.* Conjunto de las personas dedicadas a la maniobra y servicio de una embarcación o vehículo aéreo.

tripular *tr.* Dotar de tripulación [a un barco o a un vehículo aéreo]. 2 Ir de tripulación [en un barco o vehículo aéreo]. 3 Conducir una nave o un avión.

trique *m.* Estallido leve. 2 *Amér.* Juego de tres en raya.

triquina *f.* Gusano nematodo que vive enquistado en la carne del cerdo, de donde puede pasar al intestino del hombre y desarrollarse en él *(Trichinella spiralis).*

triquiñuela *f. fam.* Rodeo, efugio, artería.

triquitraque *m.* Ruido como de golpes desordenados y seguidos. 2 Estos mismos golpes. 3 Rollo de papel con pólvora y atado en varios dobleces, de cada uno de los cuales resulta una pequeña detonación.

tris *m.* Leve sonido de una cosa delicada al quebrarse. 2 Golpe ligero que produce este sonido. 3 fig. Porción muy pequeña; causa u ocasión levísima; poca cosa: *estuvo en un ~; no faltó un ~; al menor ~.* ◇ Pl.: *tris.*

trisar *intr.* Cantar o chirriar las golondrinas y otros pájaros.

trisca *f.* Ruido que se hace con los pies en una cosa que se quebranta. 2 p. ext. Bulla o estruendo.

triscar *intr.* Hacer ruido con los pies. 2 fig. Retozar, travesear. – 3 *tr.* fig. Enredar, mezclar: *el viento trisca el trigo.* 4 fig. Torcer alternativamente a uno y otro lado los dientes [de la sierra]. ◇ ** CONJUG. [1] como *sacar.*

trisemanal *adj.* Que se repite tres veces por semana o cada tres semanas.

trisépalo, -la *adj.* BOT. Que tiene tres sépalos.

trisílabo, -ba *adj.-m.* De tres sílabas.

trispasto *m.* Aparejo compuesto de tres poleas.

triste *adj.* Afligido, melancólico, apesadumbrado: *Juan está ~.* 2 De carácter melancólico: *Antonia es mujer muy ~.* 3 Que denota u ocasiona pesadumbre: *cara ~; noticia ~; habitación ~.* 4 Pesado o hecho con pesadumbre: *día ~;*

vida ~. 5 Deplorable: *pronosticar su ~ fin.* 6 Doloroso, enojoso: *es ~ no poderlos ayudar.* 7 Insignificante, mísero, ineficaz: *~ consuelo; ~ recurso.* – 8 *m. Amér.* Composición poética en décimas que se canta al son de la guitarra.

tristeza *f.* Calidad de triste. 2 Enfermedad de los agrios, causada por un virus, y transmitida por algunos insectos o por los injertos. – 3 *f. pl.* Sucesos tristes o desgraciados.

trisulco, -ca *adj.* De tres puntas. 2 De tres surcos, canales o hendeduras.

tritón *m.* Anfibio urodelo acuático de cola comprimida, con una especie de cresta que se prolonga por encima del lomo *(Molge marmoratus).*

trituradora *f.* Aparato que se emplea para triturar minerales, rocas, etc.

triturar *tr.* Moler, desmenuzar [una materia] sin reducirla a polvo. 2 Mascar, ronzar. 3 fig. Moler, maltratar, molestar gravemente: *este sujeto me tritura.* 4 fig. Desmenuzar, rebatir [aquello que se examina]: *~ un argumento.*

triunfal *adj.* Relativo al triunfo o con carácter de tal.

triunfalismo *m.* Actitud u opinión exageradamente halagüeña que un individuo o una sociedad tienen de sí mismos, o de aquello que se anuncia o comenta. 2 Manifestación pomposa de esta actitud u opinión.

triunfar *intr.* En la antigua Roma, obtener y recibir los honores del triunfo, entrando solemnemente en la ciudad, el vencedor de los enemigos de la república. 2 Quedar victorioso, en la guerra o en cualquier contienda; tener éxito: *~ de los enemigos en la lid.* 3 Gastar mucho y aparatosamente.

triunfo *m.* Acto solemne de triunfar (recibir honores). 2 Victoria. 3 fig. Lo que sirve de trofeo. 4 Acción de triunfar (gastar mucho). 5 Carta del palo preferido en ciertos juegos. 6 fig. Éxito feliz en un empeño dificultoso.

triunvirato *m.* Magistratura de la antigua Roma en que intervenían tres personas. 2 Junta de tres personas.

trivalente *adj.* Que tiene tres valores o triple valor.

trivalvo, -va *adj.* [molusco] Que tiene tres valvas.

trivial *adj.* Relativo al trivio (división del camino). 2 fig. Vulgarizado, sabido de todos. 3 fig. Carente de toda importancia y novedad: *expresión ~.*

trivializar *tr.* Quitar importancia, o no dársela, a una cosa o un asunto. ◇ ** CONJUG. [4] como *realizar.*

trivio *m.* División de un camino en tres ramales y punto en que éstos concurren. 2 Antiguamente, conjunto de las tres artes liberales: gramática, retórica y dialéctica.

triza *f.* Pedazo pequeño o partícula de un cuerpo: *hacer trizas un papel.*

trocaico, -ca *adj.* Relativo al troqueo. – 2 *adj.-m.* Verso de la versificación clásica formado por siete pies, unos troqueos y otros espondeos o yambos.

trocánter *m.* Prominencia en la extremidad superior del fémur para inserción de los músculos. 2 Artejo de las patas de los **insectos, entre la coxa y el fémur. ◇ Pl.: *trocánteres.*

I) trocar *m.* Instrumento de cirugía, a modo de punzón cilíndrico, con punta de tres aristas cortantes, revestido de una cánula.

II) trocar *tr.* Cambiar (permutar; mudar): ~ *una cosa con, en,* o *por, otra;* ~ *de papeles.* 2 Equivocar, tomar o decir [una cosa] por otra: *este chico todo lo trueca.* – 3 *prnl.* Mudarse, variar de vida; mudarse, cambiarse enteramente una cosa. 4 Permutar el asiento con otra persona. ◇ ** CONJUG. [49].

trocatinta *f.* fam. Trueque o cambio equivocado o confuso.

trocatinte *m.* Color de mezcla o tornasolado.

trocear *tr.* Dividir [una cosa] en trozos. 2 Inutilizar un proyectil abandonado haciéndolo explotar.

trocha *f.* Vereda angosta y excusada. 2 Camino abierto en la maleza. 3 Rastro de las aves. 4 *Amér.* Anchura de la vía ferroviaria.

trochemoche (a ~) *loc. adv.* fam. Disparatada e inconsideradamente.

trofeo *m.* Monumento, insignia de una victoria. 2 Despojo del enemigo vencido; p. ext., cabeza disecada de un ciervo, gamuza, etc., que se ha cazado. 3 Adorno formado por un grupo de armas colgadas en la pared. 4 fig. Victoria, triunfo. 5 fig. Objeto obtenido en señal de victoria o triunfo en una competición.

troglodita *adj.-com.* Hombre que habita en cavernas. 2 fig. Hombre bárbaro y cruel, o que es muy comedor.

trogoniforme *adj.-m.* Ave del orden de los trogoniformes. – 2 *m. pl.* Orden de aves arborícolas y tropicales, de vistoso plumaje los machos, aunque vuelan con dificultad. Las patas presentan cuatro dedos, los dos primeros dirigidos hacia atrás y los restantes hacia delante; como el quetzal.

troica *f.* Especie de trineo ruso muy grande, tirado por tres caballos enganchados de frente.

troj, troje *f.* Granero limitado por tabiques.

trola *f.* Engaño, mentira.

trole *m.* Pértiga de hierro para transmitir a los tranvías eléctricos la corriente del cable conductor. 2 Mecanismo que permite la unión eléctrica entre un receptor móvil y un conductor aéreo, mediante un contacto que se desliza o rueda.

trolebús *m.* Vehículo urbano de tracción eléctrica, sin raíles, que cierra circuito por medio de dos troles.

trollista *m.* Ladrón de pisos.

tromba *f.* Manga (nube): ~ *de aire;* ~ *de agua.* 2 p. ext. Hecho o suceso brusco o violento.

trombina *f.* Elemento de la sangre que se utiliza en los estados hemorrágicos.

trombo *m.* Coágulo de sangre, formado en los vasos o en el corazón.

trombocito *m.* Célula pequeñísima, carente de núcleo y de hemoglobina, que existe en la sangre y que contribuye a la coagulación de ésta cuando se extravasa.

trombón *m.* Instrumento músico de viento, de gran flexibilidad sonora: ~ *de pistones;* **de varas,** el de tubo movible para que pueda modificarse la longitud del instrumento y producir los diferentes sonidos; **viento (instrumentos de). – 2 *com.* Músico que toca este instrumento. – 3 *m.* Planta perenne amarilidácea de hojas lineares y acanaladas; las flores son amarillas *(Narcissus pseudonarcissus).*

trombosis *f.* Formación de un coágulo en los vasos, que produce la obstrucción de los mismos. ◇ Pl.: *trombosis.*

trompa *f.* Instrumento músico de **viento, de tubo enroscado circularmente, cuyos sonidos se producen mediante el juego combinado de tres cilindros. 2 Bohordo de la cebolla cortado que hacen sonar los muchachos soplando. 3 Especie de peón hueco, de metal, que suena al girar. 4 Prolongación muscular, tubular, larga y flexible de la nariz del elefante. 5 Hocico prolongado y flexible del tapir. 6 Aparato chupador contráctil de ciertos insectos. 7 fig. Nariz prominente. 8 fig. *y* fam. Borrachera. 9 ANAT. ~ *de Eustaquio,* canal de comunicación entre la faringe y el **oído medio; ~ *de Falopio,* oviducto de los mamíferos. 10 Bóveda voladiza fuera del paramento de un muro; **bizantino. – 11 *com.* Músico que toca la trompa. 12 *Ar., Murc.* y *Amér.* Jeta; boca del hombre cuando tiene labios prominentes.

trompada *f.* Puñetazo, golpazo. 2 Encontrón de dos personas.

trompazo *m.* Golpe recio.

trompeta *f.* Instrumento músico de **viento, de metal, de sonido agudo, consistente en un tubo cilíndrico de curva doble, pabellón acampanado y boquilla cóncava. 2 Clarín (instrumento). – 3 *com.* Trompetista. – 4 *m.* fig. Hombre despreciable. – 5 *f. pl.* Arbusto solanáceo, de hasta 5 m. de altura, de hojas vellosas y flores grandes de color blanco con los nervios verdosos *(Datura arborea).*

trompetilla *f.* Aparato en forma de trompeta que empleaban los sordos para percibir los sonidos, aplicándolo al oído. – 2 *f. pl.* Planta rubiácea de flores sentadas y tubulares de color rosado, dispuestas en ramillete sobre tallos florales que se ramifican en forma dicotómica *(Fedia cornucopiae).*

trompetista *com.* Músico que toca la trompeta.

trompicar *intr.* Tropezar repetidamente. – 2 *tr.* Hacer [a uno] tropezar repetidamente. ◇ ** CONJUG. [1] como *sacar.*

trompicón *m.* Tropezón o paso tambaleante de una persona: *dar un ~; a trompicones,* *loc. adv.,* a tropezones, a empujones, a golpes; con discontinuidad, con dificultades. 2 Porrazo, golpe fuerte.

trompiza *f. Amér.* Riña, pelea a puñetazos.

trompo *m.* Peón (juguete). 2 Peonza. 3 Giro que da un automóvil sobre sí mismo por haber perdido el conductor el control del mismo. 4 Molusco gasterópodo marino de concha cónica y gruesa *(Calliostoma zizyphinum).*

tronado, -da *adj.* Deteriorado por defecto del uso. 2 Arruinado, empobrecido. 3 vulg. Loco, alocado.

tronar *impers.* Sonar truenos. – 2 *intr.* Despedir o causar ruido o estampido. *truena el cañón;* p. ext., hablar o escribir violentamente contra una persona o cosa: *~ contra el vicio.* 3 fig. *y* fam. Blasfemar, jurar, decir desatinos. – 4 *prnl.* fig. Perder uno su caudal, arruinarse: *tu tío se ha tronado.* – 5 *tr. Méj.* Ejecutar [a alguien], fusilarlo, matarlo a tiros. ◇ ** CONJUG. [31] como *contar.*

tronca *f.* Tocón de un árbol.

tronco *m.* GEOM. Cuerpo truncado, especialmente parte de una pirámide o un cono comprendida entre la base y una sección transversal; **sólidos. 2 **Tallo fuerte y macizo de los árboles y arbustos. 3 fig. Persona insensible o inútil. 4 Cuerpo humano o de cualquier animal, prescindiendo de la cabeza y las extremidades. 5 Conducto principal del que salen o al que concurren otros menores: *~ arterial.* 6 fig. Ascendiente común de dos o más ramas, líneas o familias. 7 vulg. Tratamiento amistoso, amigo, compañero. 8 Par de caballerías que tiran de un carruaje. ◇ En la acepción 7 se emplea también el femenino *tronca.*

troncha *f. Amér.* Tajada, loncha, trozo.

tronchar *tr.-prnl.* Partir o romper con violencia [un vegetal] o [el tronco, tallos o ramas] del mismo: *el viento tronchó el árbol, las ramas.* 2 Partir o romper con violencia [cualquier cosa de figura parecida a la de un tronco o tallo]: *~ un bastón, una barra.* 3 fig. Truncar, impedir que se realice una cosa. 4 fam. Rendir a alguien por cansancio. – 5 *prnl.* **troncharse de risa,** reír muy a gusto.

I) troncho *m.* Tallo de las hortalizas.

II) troncho, -cha *adj.* fam. *y* vulg. Persona muy torpe. – 2 *m. f. Argent.* Pedazo, trozo.

tronchudo, -da *adj.* [hortaliza] De troncho grueso o largo: *col tronchuda.*

tronera *f.* Abertura para disparar con

acierto y seguridad los cañones: *la ~ de un buque; la ~ de un parapeto.* 2 Ventana pequeña y angosta; **castillo. 3 Agujero de la mesa de billar. – 4 *com.* Persona desbaratada y de poco juicio.

tronido *m.* Estampido del trueno. 2 fig. Ruina, quiebra, suspensión de pagos.

tronío *m.* vulg. Rumbo, pompa.

tronitoso, -sa *adj.* fam. Que hace ruido semejante al trueno.

trono *m.* Asiento con gradas y dosel de que usan los monarcas y otras personas de alta dignidad, especialmente en actos de ceremonia. 2 Lugar en que se coloca la efigie de un santo cuando se le honra con culto solemne. 3 fig. Dignidad del rey o soberano.

tronzado *m.* Operación consistente en cortar en trozos maderos, barras, tubos metálicos, etc.

tronzar *tr.* Dividir [alguna cosa]; hacerla trozos. 2 Hacer [en las faldas] unos pliegues iguales y muy menudos. 3 fig. Cansar, rendir de fatiga corporal. ◇ ** CONJUG. [4] como *realizar.*

tronzo, -za *adj.* [caballería] Que tiene cortadas una o entrambas orejas como señal de haber sido desechada por inútil.

tropa *f.* Turba, muchedumbre. 2 Gente militar. 3 Conjunto de soldados, cabos y sargentos. 4 *Amér.* Recua, manada. – 5 *f. pl.* Conjunto de cuerpos que componen un ejército, división, guarnición, etc. – 6 *m. Amér. Central* y *Méj.* Plebeyo, mal educado, canalla.

tropel *m.* Movimiento acelerado, ruidoso y desordenado de varias personas o cosas. 2 Conjunto de cosas desordenadas. 3 Aceleramiento confuso: *de,* o *en, ~,* con movimiento acelerado y violento; yendo muchos y sin orden.

tropelía *f.* Aceleración desordenada. 2 Atropellamiento en las acciones. 3 Hecho ilegal. 4 Vejación, atropello.

tropeoláceo, -a *adj.-f.* Planta de la familia de las tropeoláceas. – 2 *f. pl.* Familia de plantas originarias de América, de fruto seco o en baya y flores cigomorfas, con el receptáculo alargado por detrás y formando con los sépalos posteriores una especie de espolón; como la capuchina.

tropezadero *m.* Lugar donde hay peligro de tropezar.

tropezar *intr.* Dar con los pies en un estorbo que pone en peligro de caer: *~ con, contra,* o *en, alguna cosa.* 2 Encontrar una cosa un estorbo que le impide avanzar: *el proyecto tropezó con dificultades;* o advertir uno los defectos o inconvenientes de una cosa : *tropecé en muchos errores.* 3 fig. Hallar casualmente una persona a otra. 4 fig. Reñir con uno u oponerse a su dictamen. 5 fig. Deslizarse en alguna culpa o faltar poco para cometerla: *en* *sus viajes tropezó varias veces.* – 6 **prnl.** Rozarse las bestias una mano con otra. ◇ ** CONJUG. [47] como *empezar.*

tropezón *m.* Tropiezo. 2 fig. *y* fam. Pedazo pequeño de jamón o vianda que se mezcla con las sopas o las legumbres.

tropicalización *f.* Dar el carácter propio de lo tropical [a cosas, ambientes, etc., que de por sí no lo tienen].

trópico *m.* **ASTRON. Círculo imaginario menor paralelo al ecuador y que toca con la eclíptica en los solsticios: ~ *de Cáncer,* el que se encuentra en el hemisferio boreal; ~ *de Capricornio,* el que se encuentra en el austral. 2 Círculo imaginario menor que se considera en la **Tierra en correspondencia con los trópicos de la esfera celeste.

tropiezo *m.* Aquello en que se tropieza. 2 Lo que sirve de estorbo o impedimento. 3 fig. Falta o yerro. 4 fig. Causa de la culpa cometida. 5 fig. Persona con quien se comete. 6 fig. Dificultad en un negocio. 7 fig. Riña o quimera.

tropismo *m.* Tendencia de un organismo a reaccionar de una manera definida a los estímulos exteriores; esp., la que experimentan en su crecimiento los órganos vegetales.

tropo *m.* RET. Figura que consiste en modificar el sentido propio de una palabra para emplearla en sentido figurado; como la metáfora, la metonimia y la sinécdoque.

tropología *f.* Lenguaje tropológico. 2 Mezcla de moralidad y doctrina en el discurso u oración.

tropológico, -ca *adj.* Figurado, expresado por tropos. – 2 *f.* Doctrina moral.

tropopausa *f.* Zona de altitud variable comprendida entre la troposfera y la estratosfera.

troposfera *f.* Región de la atmósfera en contacto con la superficie de la tierra donde se producen los fenómenos meteorológicos.

troquel *m.* Molde empleado en la acuñación de monedas, medallas, etc.

troquelar *tr.* Acuñar. 2 Recortar con troquel piezas de cuero, cartones, etc.

troqueo *m.* Pie de la versificación clásica, una sílaba larga seguida de una breve. 2 Pie de la poesía española, una sílaba tónica seguida de otra átona.

trotaconventos *f.* lit. Alcahueta. ◇ Pl.: *trotaconventos.*

trotamundos *com.* Persona aficionada a viajar y recorrer países. ◇ Pl.: *trotamundos.*

trotar *intr.* Ir el caballo al trote. 2 Cabalgar una persona en un caballo que va al trote. 3 fig. Andar mucho o de prisa.

trote *m.* Modo de caminar de las **caballerías moviendo en un tiempo pie y mano contrapuestos, arrojando sobre ellos el cuerpo con ímpetu. 2 fig. Faena apresurada y fatigosa: *mi*

edad no es para andar en estos trotes. 3 fig. Asunto dificultoso, complicado o irregular.

trotón, -tona *adj.* [caballería] Que acostumbra a andar al trote.

trotona *f.* Señora de compañía.

trotskista *adj.* Relativo al gobierno de Trotsky (1879-1940). – 2 *adj.-com.* Partidario de las ideas de este político.

troupe *f.* Compañía ambulante de artistas de circo o de teatro. ◇ Se pronuncia *trupe.*

trova *f.* Verso (palabra con ritmo). 2 Composición métrica que imita a otra en su método, estilo o consonancia. 3 Composición métrica escrita generalmente para canto. 4 Canción amorosa compuesta o cantada por los trovadores.

trovador, -ra *m.* *f.* Poeta, poetisa. – 2 *m.* Poeta provenzal de la Edad Media que trovaba en lengua de oc. 3 Trovero (poeta popular).

trovar *intr.* Hacer versos; componer trovas. – 2 *tr.* Imitar una composición métrica, aplicándola a otro asunto. 3 fig. Dar [a una cosa] diverso sentido del que lleva.

trovero, -ra *m.* Trovador francés en lengua de oíl. – 2 *m.* *f.* Persona que improvisa y canta trovos. 3 Poeta popular, generalmente repentizador.

trovo *m.* Composición métrica popular, generalmente de asunto amoroso.

troya *f. Amér.* Juego de trompos entre muchachos.

troza *f.* Tronco aserrado por los extremos para sacar tablas.

trozar *tr.* Romper [alguna cosa]; hacerla pedazos. 2 Dividir en trozas [el tronco de un árbol]. ◇ ** CONJUG. [4] como *realizar.*

trozo *m.* Pedazo de una cosa considerado aparte del resto: *un ~ de cielo despejado.*

trucaje *m.* Acción de trucar. 2 Efecto de trucar. 3 CINEM. Técnica que permite obtener efectos especiales manipulando las imágenes filmadas.

trucar *intr.* En los juegos de billar y de trucos, hacer el primer envite. – 2 *tr.* Disponer o preparar algo con ardides o trampas que produzcan el efecto deseado: ~ *el motor de un automóvil;* ~ *una fotografía.* ◇ ** CONJUG. [1] como *sacar.*

truco *m.* Ardid o trampa que se utiliza para el logro de un fin. 2 Ardid o artificio para producir determinados efectos en el ilusionismo, en la fotografía, en la cinematografía, etc. 3 En el juego de billar, lance que consiste en pegar con la bola propia a la del contrario y lanzarla por una tronera o por encima de la barandilla. – 4 *m. pl.* Juego parecido al billar, que se ejecuta en una mesa con tablillas, troneras, barras y bolillo.

truculento, -ta *adj.* Cruel, atroz, excesivo: *un cuadro ~.*

trucha *f.* Pez teleósteo clupeiforme, de

carne muy sabrosa, propio de los ríos y lagos de montaña *(Salmo trutta).* 2 Hojaldre relleno de batata dulce y otros ingredientes. 3 *Amér. Central.* Puesto o tiendecita portátil.

truchimán, -mana *adj.-s.* fam. Persona astuta y poco escrupulosa.

truchuela *f.* Bacalao curado más delgado que el común.

trueno *m.* Ruido que sigue al rayo, debido a la expansión del aire al paso de la descarga eléctrica. 2 Estampido de tiro de cualquier arma o artificio de fuego. 3 fig. Joven atolondrado y alborotador.

trueque *m.* Acción de trocar o trocarse: *a,* o *en, ~,* a cambio. 2 Efecto de trocar o trocarse.

trufa *f.* Variedad muy aromática de criadilla de tierra. 2 Bombón de forma redondeada relleno de nata, almendra, chocolate o cualquier otra cosa. 3 fig. Mentira, patraña.

trufar *tr.* Rellenar de trufas [las aves y otros manjares]. – 2 *intr.* Mentir, contar patrañas.

truhán, -hana *adj.-s.* Malicioso, astuto, sinvergüenza, estafador.

trujal *m.* Prensa para las uvas o para la aceituna. 2 Molino de aceite. 3 Tinaja en que se prepara la barrilla para fabricar el jabón.

trulla *f.* Bulla, jarana. 2 Turba (multitud).

I) trullo *m.* Ave palmípeda, de cabeza negra y con moño, que se alimenta de peces.

II) trullo *m.* Lagar con depósito inferior donde cae el mosto cuando se pisa la uva. 2 fig. *y* vulg. Cárcel, calabozo.

truncado, -da *adj.* Roto, disminuido, especialmente por la punta. 2 GEOM. [cilindro] Terminado por dos planos no paralelos. 3 *Cono ~, pirámide truncada,* tronco de cono o pirámide; **sólidos.

truncar *tr.* Cortar una parte [a alguna cosa], especialmente la cúspide; cortar la cabeza [al cuerpo del hombre o de un animal]. 2 fig. Omitir algunas palabras [en un escrito]; dejar incompleto el sentido de [lo que se escribe o lee] por omisión de algunas palabras. 3 fig. Dejar incompleta [una obra]. – 4 *tr.-prnl.* fig. Quitar [a uno] las ilusiones o esperanzas. ◇ ** CONJUG. [1] como *sacar.*

truque *m.* Juego de envite. 2 Juego variedad de la rayuela.

tse-tsé *f.* Mosca africana portadora de la enfermedad del sueño *(Glossina palpalis).*

tu, tus *adj. poses.* Apócope de los posesivos *tuyo, tuya,* usado únicamente antes del nombre: *tu padre, tu madre; tus padres, tus tías.* ◇ Pl.: *tus.*

tú *pron. pers.* Forma de la 2ª persona para el sujeto en género masculino y femenino y en número singular; **pronombre. 2 *Hablar,* o *tratar, de ~ a uno,* tutearle.

tuareg *m. pl.* Pueblo beréber, de vida nómada.

tuáutem *m.* fam. Persona o cosa que se considera precisa. ◇ Pl.: *tuáutemes.*

tuba *f.* Instrumento músico de **viento de grandes proporciones y de sonoridad voluminosa y grave.

tuberáceo, -a *adj.-f.* Hongo de la familia de las tuberáceas. – 2 *f. pl.* Familia de hongos ascomicetes subterráneos; como la trufa.

tubérculo *m.* BOT. Rizoma engrosado y convertido en órgano de reserva. 2 Pequeña prominencia de la corona de una muela. 3 Pequeña protuberancia que presenta el esqueleto cutáneo de ciertos animales. 4 MED. Producto morboso en la substancia de un órgano, redondeado, duro al principio y que luego se reblandece y se hace purulento.

tuberculosis *f.* Enfermedad originada por el bacilo de Koch, que puede afectar a todos los tejidos determinando la formación de tubérculos. ◇ Pl.: *tuberculosis.*

tuberculoso, -sa *adj.-s.* Que tiene tubérculos. 2 Enfermo de tuberculosis.

tubería *f.* Conducto de tubos para llevar líquidos o gases. 2 Fábrica, taller o comercio de tubos.

tuberosidad *f.* Tumor, hinchazón. 2 Prominencia de un hueso. 3 Parte superior del estómago.

tuberoso, -sa *adj.* Que tiene tuberosidades. 2 [**raíz] Que parece un tubérculo.

tubifex *m.* Gusano oligoqueto de agua dulce que permanece enterrado en el fondo por su parte anterior; la posterior está en constante movimiento y es por donde realiza el intercambio gaseoso *(Tubifex tubifex).* ◇ Pl.: *tubifex.*

tubifloras *f. pl.* Orden de plantas dentro de las dicotiledóneas, caracterizado por presentar los pétalos y los sépalos soldados; las flores son hermafroditas y la mayoría cigomorfas.

tubímetro *m.* Instrumento utilizado para la medición del diámetro interior de los tubos.

tubo *m.* Pieza hueca, generalmente cilíndrica, más larga que gruesa, de diversos materiales y usos: *~ de aspiración; ~ de expulsión; ~ de ensayo,* el de cristal, cerrado por uno de sus extremos, usado para los análisis químicos; *~ de escape,* el que sirve para evacuar los gases producidos por una máquina de vapor o los quemados en un motor de combustión; **automóvil; **motocicleta; *~ de rayos catódicos; ~ de rayos X; ~ fluorescente.* 2 Parte del organismo animal o vegetal constituida a modo de tubo: *~ intestinal.* 3 fam. Auricular del teléfono.

tucán *m.* Ave piciforme americana, de pico grueso, pero ligero y casi tan largo como su cuerpo (gén. *Ramphastos).*

tuciorismo *m.* Doctrina que recomienda atenerse en los puntos discutibles de moral a la opinión más segura y a la más estricta y literal observancia de la ley.

tuco, -ca *adj. Amér. Central, Bol., Ecuad.* y *P. Rico.* Manco o inútil de una mano o de algún dedo. – 2 *m. Amér. Central, Bol., Ecuad.* y *P. Rico.* Trozo, tocón, muñón.

tudel *m.* Tubo de latón encorvado que se adapta al fagot u otros instrumentos parecidos y a cuyo extremo libre se ajusta el estrangul.

tuerca *f.* Pieza con un hueco helicoidal, que ajusta en el filete de un tornillo.

tuercebotas *com.* fam. Pelanas, persona sin importancia. ◇ Pl.: *tuercebotas.*

tuerto, -ta *adj.-s.* Falto de la vista en un ojo.

tuétano *m.* Medula (de los huesos; del tallo). 2 fig. Intimidad de alguien o de algo.

tufarada *f.* Olor vivo y fuerte que se percibe de pronto.

I) tufo *m.* Emanación gaseosa de las fermentaciones y combustiones imperfectas. 2 Olor molesto. 3 fig. Soberbia, vanidad: *tienes muchos tufos.*

II) tufo *m.* Porción de pelo que cae por delante de las orejas.

tugurio *m.* Choza de pastores. 2 fig. Habitación mezquina.

tul *m.* Tejido delgado y transparente de seda, algodón o hilo, de mallas poligonales.

tulífero *m.* Árbol papilionáceo de flores blancas dispuestas en racimos axilares *(Myroxylon balsamum).*

tulio *m.* Elemento químico del grupo de las tierras raras. Su símbolo es *Tm.*

tulipa *f.* Tulipán pequeño. 2 Pantalla de vidrio de forma parecida a la del tulipán.

tulipán *m.* Planta liliácea, bulbosa, de jardín, con flor única de perigonio acampanado y hermosos colores *(gén. Tulipa).* 2 Flor de esta planta.

tulipanero, tulipero *m.* Árbol magnoliáceo de América con las hojas de forma cuadrangular con escotaduras y flores de unos 7 cms. de diámetro *(Liriodendron tulipifera).*

tulpa *f. Amér. Central, Colomb., Ecuad.* y *Perú.* Piedra que, con otras dos, forma el fogón donde suele guisar la gente del campo.

tullido, -da *adj.-s.* Que ha perdido el movimiento del cuerpo o de alguno de sus miembros.

tullidura *f.* Excremento de las aves de rapiña.

tullir *tr.* Maltratar [a uno], hacer que quede tullido. 2 Rendir a uno el cansancio. – 3 *prnl.* Perder uno el uso y movimiento de su cuerpo o de parte de él. ◇ ** CONJUG. [41] como *mullir.*

I) tumba *f.* Sepulcro (para el cadáver). 2 Armazón en forma de ataúd para la celebración de las exequias. 3 Cubierta arqueada de ciertos coches.

II) tumba *f.* Tumbo (vaivén violento). 2 Voltereta (vuelta ligera). 3 *Amér.* Corta, tala de árboles.

tumbacuartillos *com.* fam. Persona que frecuenta mucho las tabernas. ◇ Pl.: *tumbacuartillos.*

tumbadero *m. Cuba* y *Méj.* Burdel, mancebía.

tumbaga *f.* Aleación muy quebradiza de oro y cobre. 2 Sortija hecha de esta aleación.

tumbaollas *com.* fam. Persona glotona. ◇ Pl.: *tumbaollas.*

tumbar *tr.* Derribar, hacer caer [a una persona o cosa]. 2 fig. Turbar o quitar [a uno] el sentido: *el vino nos tumbó.* 3 fig. No aprobar [a alguien] en un examen. – 4 *intr.* Caer, rodar por tierra. – 5 *prnl.* Echarse, especialmente a dormir. 6 fig. Aflojar en un trabajo o desistir de él.

tumbía *f. Amér. Central.* Canasto, cuévano.

tumbilla *f.* Armazón con un braserillo para calentar la cama.

I) tumbo *m.* Vaivén violento. 2 Ondulación de la ola del mar. 3 Ondulación del terreno. 4 Retumbo, estruendo.

II) tumbo *m.* Libro grande de pergamino, donde las iglesias, monasterios y comunidades tenían copiados sus privilegios y demás escrituras.

I) tumbón *m.* Cofre con tapa en forma de tumba.

II) tumbón, -bona *adj.-s.* fam. Socarrón. 2 fam. Perezoso, holgazán. – 3 *f.* Clase de hamaca o silla extensible.

tumefacto, -ta *adj.* Hinchado.

tumor *m.* Masa de tejido anormal que se forma en alguna parte del cuerpo: ~ *benigno;* ~ *maligno.*

tumoración *f.* MED. Tumefacción, bulto. 2 Tumor.

túmulo *m.* Sepulcro levantado en la tierra. 2 Montecillo artificial con que se cubría una sepultura. **prehistoria. 3 Armazón fúnebre que se erige para celebrar las honras de un difunto.

tumulto *m.* Agitación desordenada y ruidosa en una multitud o reunión de personas: *en el teatro se produjo un gran* ~; fig., *el* ~ *de las pasiones, de los negocios.* 2 Motín.

tuna *f.* Vida holgazana, libre y vagabunda: *correr uno la* ~. 2 Estudiantina.

tunal *m.* Chumbera.

tunante, -ta *adj.-s.* Que tuna. 2 Pícaro, bribón, taimado. – 3 *f.* Prostituta, ramera.

tunantear *intr.* Tunear.

tunar *intr.* Andar de lugar en lugar en vida holgazana y libre.

tunco, -ca *adj. Guat., Hond.* y *Méj.* Lisiado, mocho, manco.

tunda *f.* fam. Castigo riguroso de palos, azotes, etc. 2 fig. *y* fam. Trabajo o esfuerzo que agota.

I) tundir *tr.* Igualar con tijera el pelo [de los paños].

II) tundir *tr.* fig. Castigar [a uno] con palos, azotes, etc. 2 fig. *y* fam. Agotar, rendir a uno el cansancio o un esfuerzo.

tundra *f.* Pradera casi esteparia de las regiones polares.

tunear *intr.* Hacer vida de tunante (pícaro). 2 Proceder como tal.

tunecí, -cino, -na *adj.-s.* De Tunicia o Túnez, nación del norte de África. 2 De Túnez, capital de Tunicia.

túnel *m.* Paso subterráneo abierto artificialmente para establecer una comunicación a través de un monte, debajo de un río, etc.

tungsteno *m.* Metal de color gris de acero, muy duro, denso y difícil de fundir. Su símbolo es *w*.

túnica *f.* Vestidura interior usada por los antiguos romanos y griegos. 2 Vestidura exterior, amplia y larga. 3 Telilla pegada a la cáscara en algunas frutas y bulbos. 4 Membrana o capa de tejido que envuelve un órgano o parte del cuerpo. 5 Envoltura de los animales tunicados.

tunicado *adj.-m.* Animal del subtipo de los tunicados. – 2 *m. pl.* Subtipo de animales procordados cuya cuerda dorsal se halla localizada en la cola, caracterizados además por segregar una túnica que los protege.

tunicela *f.* Túnica (vestidura interior).

tunicina *f.* Substancia parecida a la celulosa, de que está formada la túnica de los animales tunicados.

I) tuno *m.* *And., Can., Colomb. y Cuba.* Higo chumbo.

II) tuno, -na *adj.-s.* Tunante. – 2 *m.* Componente de una tuna o estudiantina, grupo musical de estudiantes.

II) tuntún (al ~ o al buen ~) *loc. adv.* Sin reflexión ni previsión; sin conocimiento del asunto.

tuntuneco, -ca *adj. Amér. Central y P. Rico.* Tontaina.

tupamaro, -ra *adj.-s.* Miembro de la organización guerrillera y terrorista uruguaya Tupac Amaru.

tupé *m.* Copete (penacho). 2 fig. Atrevimiento, desfachatez. ◇ Pl.: *tupés.*

tupelo *m.* Árbol caducifolio ornamental de follaje otoñal rojo y amarillo brillante *(Nyssa sylvatica).*

tupí *adj.-com.* Indio que dominaba en las costas de la Guayana francesa y brasileña al llegar allí los portugueses. – 2 *m.* Lengua de los tupís.

tupición *f. Amér.* fig. Confusión, turbación, empacho.

tupido, -da *adj.* Espeso (poco separado): *una tupida arboleda.* 2 fig. Obtuso, torpe: *entendimiento ~.* 3 *Can., Amér. Central y Perú.* Obstruido. – 4 *adv. Amér.* Con frecuencia, con insistencia.

tupir *tr.* Apretar mucho [una cosa] cerrando sus poros o intersticios. – 2 *prnl.* Hartarse de un manjar o bebida. 3 Ofuscarse la inteligencia por el cansancio. 4 *Amér.* Azorarse, correrse.

I) turba *f.* Materia combustible de aspecto terroso debida a la descomposición de restos vegetales en sitios pantanosos. 2 Mezcla que se usa como combustible.

II) turba *f.* desp. Multitud popular.

turbación *f.* Acción de turbar. 2 Efecto de turbar. 3 Confusión, desorden.

turbamulta *f.* desp. Multitud confusa y desordenada.

turbante *m.* Tocado oriental que consiste en una larga faja de tela rodeada a la cabeza. 2 p. ext. Adorno parecido.

turbar *tr.-prnl.* Alterar o interrumpir la continuidad de una acción o estado: *~, o turbarse, el trabajo; ~, o turbarse, el orden, el silencio; ~ a alguno en su reposo o ~ el reposo de alguno; ~ en la posesión de algo.* 2 fig. Alterar [el ánimo de alguno] de modo que no acierte a hablar ni a proseguir en su tarea: *la desgracia nos turbó el ánimo; el estudiante se turbó en el examen.*

turbelario *adj.-m.* Gusano de la clase de los turbelarios. – 2 *m. pl.* Clase de gusanos platelmintos de pequeño tamaño, marinos y libres; son depredadores, hermafroditas y el desarrollo es directo.

túrbido, -da *adj.* Turbio.

turbina *f.* Motor hidráulico consistente en una rueda encerrada en un tambor y provista de paletas curvas sobre las cuales actúa la presión del agua que llega con velocidad de un nivel superior. 2 Máquina de vapor análoga a la turbina hidráulica. 3 Centrifugadora destinada a separar los cristales de azúcar de otros componentes de la melaza.

turbinar *tr.* Purificar el azúcar, utilizando para ello una turbina. 2 Aprovechar el agua de un río, el mar, o una presa, para mover una turbina acoplada a un alternador.

turbinto *m.* Árbol anacardiáceo de América del sur, que da una buena trementina y cuyas bayas, de aproximadamente 8 mms. de diámetro, tienen un olor y sabor parecidos a los de la pimienta *(Schinus molle).*

turbio, -bia *adj.* Mezclado o alterado por una cosa que oscurece o quita transparencia. 2 fig. Revuelto, dudoso, azaroso. 3 fig. Confuso. 4 fig. Deshonesto o de licitud dudosa. – 5 *m. pl.* Hez (sedimento), especialmente la del aceite.

turbión *m.* Chaparrón con viento fuerte. 2 fig. Multitud de cosas que caen de golpe o que vienen juntas y violentamente.

turboalternador *m.* Conjunto de un alternador eléctrico y de la turbina que lo mueve.

turbocompresor *m.* Turbina acoplada a un compresor centrífugo de alta presión, que se destina a la compresión de un fluido.

turbodinamo *m.* Grupo formado por una turbina y una dinamo.

turbogenerador *m.* Generador eléctrico que comprende una turbina de vapor, directamente acoplada a él.

turbonada *f.* Fuerte chubasco acompañado de truenos.

turbopropulsor *m.* Motor de un avión que comprende una turbina de gas unida a una hélice, mediante un reductor de velocidad.

turborreactor *m.* Motor de reacción que comprende una turbina de gas, cuya expansión por medio de toberas produce un efecto de propulsión por reacción.

turbulencia *f.* Alteración de las cosas claras y transparentes. 2 fig. Confusión o alboroto. 3 FÍS. Movimiento desordenado de un fluido en el cual las moléculas, en vez de seguir trayectorias paralelas, describen trayectorias sinuosas y forman torbellinos. 4 FÍS. Extensión en la cual un fluido tiene dicho movimiento.

turbulento, -ta *adj.* Turbio. 2 fig. Confuso, alborotado. 3 FÍS. [corriente fluida] Que tiene turbulencias. – 4 *adj.-s.* [pers.] Que promueve disturbios, discusiones, etc.

turco, -ca *adj.-s.* De Turquía, nación de Europa y Asia. – 2 *m.* Lengua turca.

turcomano, -na *adj.-s.* De cierta rama del pueblo turco, muy numerosa en ciertas regiones de Asia. – 2 *adj.* Relativo a los turcomanos.

turdetano, -na *adj.-s.* De Turdetania, antigua región del sur de España.

túrdiga *f.* Tira de pellejo.

turgente *adj.* lit. Abultado, hinchado; esp., el cuerpo humano o parte de él. 2 fig. [estilo] Elevado, pomposo. 3 MED. [humor] Que produce hinchazón.

turión *m.* Brote que nace de un rizoma.

turismo *m.* Afición a viajar para visitar países y por recreo. 2 Organización de los medios conducentes a facilitar estos viajes. – 3 *adj.-m.* Automóvil destinado al transporte de personas, con capacidad hasta nueve plazas, incluido el conductor.

turmalina *f.* Borosilicato de aluminio que se encuentra en las rocas eruptivas y metamórficas.

túrmix *f.* Batidora eléctrica. ◇ Pl.: *túrmix*.

turnar *intr.-prnl.* Alternar ordenadamente con otras personas en el disfrute de un beneficio, en el desempeño de un cargo o en cualquier trabajo.

turnedó *m.* Pieza de carne que se saca de los extremos del solomillo.

turno *m.* Alternativa u orden sucesivo que se observa entre las personas que turnan.

turolense *adj.-com.* De Teruel.

turón *m.* Mamífero carnívoro mustélido que despide olor fétido *(Putorius putorius)*.

turquesa *f.* Fosfato de aluminio con algo de cobre, muy duro, de color azul verdoso. – 2 *adj.-m.* Color azul verdoso o semejante al de la turquesa. – 3 *adj.* De color turquesa.

turrar *tr.* Tostar o asar [una cosa] en las brasas.

turro, -rra *adj.* *Argent.* Imbécil, estúpido.

turrón *m.* Masa de almendras, avellanas o nueces, tostadas y mezcladas con miel y otros ingredientes. 2 fig. Destino público o beneficio que se obtiene del Estado.

turulato, -ta *adj.* fam. Alelado, estupefacto.

turullo *m.* Cuerno que usan los pastores para llamar y reunir el ganado.

tururú *m.* En algunos juegos, reunir un jugador tres cartas del mismo valor. – 2 *adj.* vulg. Loco, chiflado: *estar ~*. – 3 *adv.* vulg. No, nada, ni hablar.

turuta *m.* MIL. fam. Corneta de un regimiento. – 2 *adj.* fam. Loco, chiflado.

I) tusa *f.* *Amér. Merid.* y *Ant.* Carozo o mazorca de maíz después de desgranada. 2 *Amér. Central* y *Cuba.* Mujer moralmente despreciable.

II) tusa *f.* Paliza, caminata o trabajo penoso.

tusar *tr.* *Ast.* y *Amér.* Trasquilar, esquilar.

tusón, -sona *m.* Vellón (lana; zalea). – 2 *f. Amér. Central.* Ramera. – 3 *m.* *f.* Potro o potranca que no ha llegado a los dos años.

tute *m.* Juego de naipes en que se gana la partida si se reúnen los cuatro reyes o los cuatro caballos. 2 Reunión en este juego de los cuatro reyes o los cuatro caballos. 3 fig. Esfuerzo angustioso que se obliga a hacer a personas o animales en un trabajo o ejercicio: *dar un ~*. 4 fig. Acometida que se da a una cosa en su ejecución, acabándola.

tutear *tr.-rec.* Hablar [a uno] de tú.

tutela *f.* Autoridad que, en defecto de la paterna o materna, se confiere para cuidar de la persona y los bienes de aquel que por minoría de edad, o por otra causa, no tiene completa capacidad civil. 2 Cargo de tutor. 3 fig. Protección.

tutelar *tr.* Encargarse de la tutela [de alguien]. 2 Ejercer la tutela. 3 Patrocinar [una obra, empresa, persona, etc.].

tuteo *m.* Acción de tutear.

tutiplén (a ~) *loc. adv.* En abundancia. 2 A plena satisfacción.

tutor, -ra *m. f.* Persona encargada de la tutela de alguien. 2 fig. Defensor, protector. 3 Profesor encargado de orientar y aconsejar a los alumnos pertenecientes a un curso o a los que estudian una asignatura.

tutoría *f.* Tutela (autoridad). 2 Cargo de tutor. 3 Tiempo dedicado por el profesor a ejercer de tutor.

tutti frutti *m.* Helado o dulce compuesto de varios frutos.

tutú *m.* Vestido típico de bailarina de danza clásica, consistente en un corpiño ajustado y una falda corta y vaporosa, generalmente de tul.

tuturuto, -ta *adj. Amér.* Turulato, lelo. 2 *Amér.* Borracho.

tuturutú *m.* Sonido de la corneta.

tuya *f.* BOT. Árbol conífero americano, de madera de mucha duración y resistencia, hojas escamosas y fragantes, y fruto en piñas pequeñas y lisas *(Thuja occidentalis)*. 2 Madera de este árbol.

tuyo, -ya *adj.-pron. poses.* Forma de 2ª persona que indica que la cosa es poseída por la persona que escucha. Como adjetivo se usa siempre detrás del nombre o se apocopa en *tu* si lo precede: *tengo el libro ~; tu libro;* como pronombre no acompaña al nombre y va siempre precedido del artículo: *el ~;* con la terminación del masculino singular se usa también como pronombre neutro: *lo ~ me interesa.* ◇ V. posesivo. ◇ Pl.: *tuyos, tuyas.*

tweed *m.* Paño escocés de lana virgen, que se caracteriza por ser cálido, fuerte y resistente al desgaste, e impermeable. ◇ Se pronuncia *tuid.*

twist *m.* Baile de origen estadounidense que surgió en 1961 y que se caracteriza por un rítmico balanceo. ◇ Se pronuncia *tuist.*

U

I) U, u *f.* Vigésima cuarta letra del alfabeto español que representa gráficamente a la vocal alta o cerrada y posterior o velar. ◇ Pl.: *úes.*

II) u *conj. disyunt.* Se emplea en substitución de la conjunción *o* cuando precede inmediatamente a otra palabra que empiece por *o*, o por *ho.*

ubicar *intr.-prnl.* Estar en determinado espacio o lugar. – 2 *tr. Amér.* Situar o instalar [a una persona o cosa] en determinado lugar. ◇ ** CONJUG. [1] como *sacar.*

ubicuo, -cua *adj.* Que está presente a un mismo tiempo en todas partes; dícese solamente de Dios. 2 fig. [pers.] Que todo lo quiere presenciar y vive en continuo movimiento.

ubre *f.* Teta de la hembra, en los mamíferos. 2 Conjunto de ellas.

ucase *m.* Decreto del zar. 2 fig. Orden gubernativa injusta y tiránica.

ucraniano, -na *adj.-s.* De Ucrania, república de la Unión Soviética.

ucronía *f.* Utopía aplicada a la historia; historia reconstruida lógicamente de tal modo que habría podido ser y no ha sido.

¡uf! Interjección con que se denota cansancio o repugnancia.

ufanarse *prnl.* Engreírse; jactarse: ~ *con*, o *de, sus hechos.*

ufano, -na *adj.* Orgulloso, engreído. 2 fig. Satisfecho, contento. 3 Que obra con mucho desembarazo.

ufología *f.* Estudio de los objetos voladores no identificados.

ugetista *adj.* Perteneciente o relativo al sindicato UGT (Unión General de Trabajadores). – 2 *com.* Persona afiliada a dicho sindicato.

¡uh! Interjección con que se denota desilusión o desdén.

ujier *m.* Portero en un palacio o tribunal. 2 Empleado subalterno de algunos tribunales.

ukelele, ukulele *m.* Instrumento musical de cuatro cuerdas y un largo mástil, más pequeño que una guitarra.

úlcera *f.* MED. Pérdida de substancia en la piel o en una mucosa que causa desintegración gradual de los tejidos y se acompaña ordinariamente de producción de pus. 2 Daño en la parte leñosa de una planta que se manifiesta por exudación de savia corrompida.

ulcerar *tr.-prnl.* Causar úlcera: ~ *el brazo;* ~ *la piel.*

uliginoso, -sa *adj.* [terreno] Húmedo. 2 [planta] Que crece en terrenos húmedos.

ulmáceo, -a *adj.-f* Planta de la familia de las ulmáceas. – 2 *f. pl.* Familia de plantas dicotiledóneas que incluye árboles o arbustos de ramas alternas, hojas nervudas y aserradas, flores pequeñas en hacecillos y fruto seco en una sola semilla.

úlmico, -ca *adj.* QUÍM. Perteneciente o relativo a un ácido obtenido por la descomposición de materias animales y vegetales.

ulterior *adj.* Que está de la parte de allá de un sitio o territorio. 2 Que se dice, sucede o se ejecuta después de otra cosa: *recibí noticias ulteriores.*

ultílogo *m.* Discurso puesto en un libro después de terminada la obra.

ultimar *tr.* Concluir [una obra o trabajo]; darle los últimos toques. 2 *Amér.* Matar.

ultimátum *m.* Última proposición, precisa y perentoria, que hace una potencia a otra, y cuya falta de aceptación debe causar la guerra. 2 fam. Resolución definitiva. ◇ No suele usarse en plural.

último, -ma *adj.* Posterior a todos los demás en el espacio o en el tiempo: *Don Rodrigo fue el ~ rey de los godos; las últimas páginas de un libro;* ~ *de todos;* ~ *entre todos;* ~ *en la clase; por ~,* finalmente. 2 Remoto, escondido: *la última pieza de la casa.* 3 Más, excelente, superior. 4 [precio] Que se pide como mínimo o se ofrece como máximo. 5 Definitivo, no sujeto a cambios o modificaciones. 6 [fin, propósito] Que es el objetivo de nuestras acciones.

ultra *prep.* Además de. – 2 *adj.-m.* Partido político extremista. – 3 *com.* Militante de un partido político extremista: *los ultras protestaron ruidosamente.*

ultracentrifugadora *f.* Máquina que centrifuga a gran velocidad, usada para la separación de partículas microscópicas.

ultraconservador, -ra *adj.* Perteneciente o relativo a la tendencia política conservadora más radical. – 2 *adj.-s.* Partidario de esa tendencia.

ultracorrección *f.* Establecimiento de una forma no etimológica, por analogía con otras, correctamente obtenidas: *el corredo de Bilbado.*

ultraísmo *m.* Corriente literaria basada en una renovación total del espíritu y la técnica poética, creada a principios de siglo por poetas españoles e hispanoamericanos.

ultrajar *tr.* Injuriar gravemente de obra o de palabra [a una persona o cosa]: ~ *la región;* ~ *con apodos;* ~ *de palabra;* ~ *en la honra.*

ultraje *m.* Injuria grave de obra o de palabra.

ultraligero *m.* Monoplano de reducido tamaño construido con materiales muy poco pesados.

ultramar *m.* País o territorio colonial de allende el mar.

ultramarino, -na *adj.* Que está allende el mar. – 2 *adj.-s.* Género traído de allende el mar, y especialmente comestible que no se altera fácilmente: *tienda de ultramarinos.*

ultramicroscopio *m.* Sistema óptico que permite ver los objetos más pequeños que los que se perciben con el microscopio.

ultramoderno, -na *adj.* Moderno en extremo.

ultramontanismo *m.* Conjunto de doctrinas y opiniones favorables a la autoridad absoluta del Papa en lo concerniente a los asuntos eclesiásticos. 2 p. ext. Clericalismo, teocratismo político.

ultranza (a ~) *loc. adv.* A muerte; resueltamente.

ultrarrápido, -da *adj.* Muy rápido.

ultrarrojo *adj.* Perteneciente o relativo a la parte invisible del espectro solar que se extiende a continuación del color rojo.

ultrasensible *adj.* Que es excesivamente sensible.

ultrasonido *m.* Vibración mecánica de frecuencia superior a la de las que puede percibir el oído.

ultratumba *adv.* Más allá de la tumba. – 2 *f.* Lo que se cree o se supone que existe, material o espiritual, después de la muerte.

ultravioleta *adj.* Perteneciente o relativo a la parte invisible del espectro solar que se extiende a continuación del color violeta.

ulular *intr.* Dar gritos o alaridos. 2 Hacer el viento un sonido semejante.

umbela *f.* **Inflorescencia en que los pedúnculos arrancan de un mismo punto y se elevan a igual altura: ~ *doble,* aquella en que cada pedúnculo se ramifica formando una umbela secundaria. 2 Tejadillo, voladizo.

umbelífero, -ra *adj.-f.* Planta de la familia de las umbelíferas. – 2 *f. pl.* Familia de plantas dicotiledóneas de hojas con pecíolo envainador, flores en umbela y fruto compuesto de dos aquenios; como el apio y el perejil.

umbilicado, -da *adj.* De figura de ombligo. 2 [cáliz o fruto] Que presenta una depresión comparable a la del ombligo.

umbilical *adj.* Perteneciente o relativo al ombligo: *cordón ~,* conducto largo y flexible, formado por una reunión de vasos sanguíneos que va del vientre del feto a la placenta.

umbo *m.* Parte de la concha de un **molusco bivalvo.

umbráculo *m.* Cobertizo para resguardar las plantas del sol.

umbral *m.* Parte inferior de la puerta, contrapuesta al dintel. 2 fig. Primer paso o entrada de cualquier cosa: *estar en los umbrales de la juventud.* 3 Madero atravesado en lo alto de un vano para sostener el muro que hay encima. 4 fig. Mínimo necesario para que un fenómeno sea perceptible.

umbrátil *adj.* Umbroso. 2 fig. Que tiene sombra o apariencia de una cosa.

umbrela *f.* Parte del cuerpo de la medusa que tiene forma de sombrilla.

umbría *f.* Parte del terreno donde apenas toca el sol.

umbrío, -a *adj.* Sombrío (lugar).

umbroso, -sa *adj.* Que tiene sombra (sombrío) o la causa.

un, una Según algunas teorías gramaticales, artículo indeterminado en género masculino y femenino: *un libro; una casa; unos hombres; unas flores.* 2 Úsase enfáticamente para ponderar la personalidad: *¡un Avellaneda competir con un Cervantes!* ◇ V. uno y artículo; **numeración.

unánime *adj.* [conjunto de personas] Que conviene en un mismo parecer. 2 Relativo a este parecer.

unanimidad *f.* Calidad de unánime.

unciforme *adj.-m.* Hueso de la segunda fila del carpo; **mano.

unción *f.* Acción de ungir. 2 Extremaunción. 3 Gracia especial del Espíritu Santo que mueve al alma a la virtud y perfección. 4 Devoción con que se expone una idea, se realiza una obra, etc. 5 MAR. Vela muy pequeña que llevan las lanchas pesqueras y que se iza cuando se arrían las otras. – 6 *f. pl.* Unturas de ungüento mercurial.

uncir *tr.* Atar al yugo [un animal]: ~ *los bueyes al carro;* ~ *macho con mula.* ◇ ** CONJUG. [3] como *zurcir.*

undécimo, -ma *adj.-s.* Parte que, junto con otras diez iguales, constituye un todo; **numeración. – 2 *adj.* Que ocupa el último lugar en una serie ordenada de once.

undécuplo, -pla *adj.-s.* Que contiene un número once veces exactamente.

undulipodio *m.* Flagelo.

ungido *m.* Persona que ha sido signada con el óleo santo.

ungir *tr.* Signar [a una persona] con óleo sagrado: ~ *por obispo.* ◇ ** CONJUG. [6] como *dirigir.*

ungueal *adj.* ANAT. Perteneciente o relativo a las uñas.

ungüento *m.* Lo que sirve para untar. 2 Medicamento que se aplica al exterior, compuesto de substancias grasas. 3 Compuesto de simples olorosos, usado antiguamente para embalsamar cadáveres. 4 fig. Cosa que ablanda el ánimo o la voluntad.

unguiculado, -da *adj.* [animal] Que tiene los dedos provistos de uñas.

unguis *m.* Hueso pequeño situado en el ángulo interno de la órbita del ojo; **cabeza. ◇ Pl.: *unguis*.

ungulado *adj.-m.* Mamífero cuyas extremidades terminan en pezuña y de régimen vegetariano; como los perisodáctilos y artiodáctilos.

uniáxico *adj.* [cristal] Que sólo tiene un eje óptico.

unible *adj.* Que puede unirse.

únicamente *adv. m.* Sola o precisamente.

unicameral *adj.* [organización del Estado] Que tiene una sola cámara legislativa, a diferencia de *bicameral*.

unicaule *adj.* [planta] Que sólo tiene un tallo.

unicelular *adj.* Que consta de una sola célula.

unicidad *f.* Calidad de único.

único, -ca *adj.* Solo y sin otro de su especie: ~ *en su línea;* ~ *entre mil;* ~ *para el objeto.* 2 fig. Singular, extraordinario.

unicolor *adj.* De un solo color.

unicornio *m.* Animal fabuloso de figura de caballo y con un cuerno recto en mitad de la frente. 2 Rinoceronte.

unidad *f.* Propiedad de lo que constituye un todo indivisible: *la* ~ *del alma.* 2 Propiedad de lo que constituye un todo formado de partes concordantes: ~ *de acción, de lugar y de tiempo,* en una obra dramática, el hecho de tener ésta una sola acción principal cuyas partes ocurran en el mismo lugar, sin intervalo de tiempo considerable. 3 Unicidad, en oposición a pluralidad: *la* ~ *de Dios.* 4 Cantidad elegida como término de comparación para medir las demás de su especie: ~ *de longitud;* ~ *de peso.*

unidimensional *adj.* Que sólo tiene una dimensión.

unidireccional *adj.* Que tiene o va en una sola dirección.

unido, -da *adj.* Que tiene unión. 2 [pers.] Que quiere mucho a otra persona o se compenetra con ella.

unifamiliar *adj.* Que corresponde a una sola familia.

unificar *tr.-prnl.* Hacer de [varias cosas] una o un todo. 2 Hacerlas uniformes. ◇ ** CONJUG. [1] como *sacar*.

unifoliado, -da *adj.* Que tiene una sola hoja.

uniformar *tr.* Hacer uniforme [una cosa]. 2 Hacer uniformes [dos o más cosas]: ~ *una cosa a,* o *con, otra.* 3 Vestir [a alguien] con un uniforme.

uniforme *adj.* Que tiene la misma forma, manera de ser, intensidad, etc., en toda su duración o extensión: *vida* ~; *estilo* ~. 2 [cosa] Que tiene la misma forma [que otra]. – 3 *m.* Vestido peculiar y distintivo que usan los individuos pertenecientes a un mismo cuerpo, colegio, etc.

uniformidad *f.* Calidad de uniforme.

uniformizar *tr.* Mezclar suficientemente los componentes [de una masa] para que todas sus porciones tengan la misma composición. ◇ ** CONJUG. [4] como *realizar*.

unigénito, -ta *adj.* [hijo] Único.

unilateral *adj.* Que se refiere solamente a una parte o a un aspecto de alguna cosa: *contrato* ~. 2 [manifestación o acto] Que sólo obliga al que lo hace. 3 BOT. Que está colocado solamente a un lado. 4 LING. [variante de sonido articulado] Cuya característica fisiológica es la emisión del aire por un solo lado de la boca.

unilocular *adj.* De un solo lóculo o cavidad.

unión *f.* Acción de unir o unirse: ~ *del alma y el cuerpo;* ~ *entre hermanos;* ~ *matrimonial;* ~ *del oxígeno y del hidrógeno;* ~ *de dos partidos;* ~ *de los beneficios;* ~ *de la herida;* ~ *de dos sílabas;* ~ *a la comitiva.* 2 Efecto de unir o unirse. 3 Sortija compuesta de dos enlazadas.

uníparo, -ra *adj.* Que da a luz un solo hijo: *género* ~.

unípede *adj.* De un solo pie.

unipersonal *adj.* Que consta de una sola persona. 2 Relativo a una sola persona.

unir *tr.* Juntar [dos o más cosas] entre sí, haciendo de ellas un todo: ~ *la hoja del cuchillo al mango* o *con el mango;* en gral., atar o juntar [cosas materiales o inmateriales]: ~ *dos sílabas;* ~ *las voces.* 2 Acercar física o moralmente [una cosa a otra] para que formen un conjunto y concurran al mismo fin: ~ *dos partidos;* ~ *en la comida el pan y la carne;* fig., concordar [las voluntades o pareceres]: ~ *las opiniones.* 3 Mezclar o poner en contacto [dos o más substancias] para que se uniformicen o constituyan un nuevo cuerpo: ~ *el oxígeno con el hidrógeno.* 4 Agregar [un beneficio] a otro. – 5 *prnl.* Convenirse varios para el logro de algún intento: *unirse en comunidad; unirse a,* o *con, los compañeros.* 6 Estar muy cercana o contigua una cosa de otra: *el jardín se une a la casa.* 7 Agregarse uno a la compañía de otro u otros: *me uní a mi hermano; unirse a la comitiva.*

unisex *adj.* Apto para ambos sexos: *moda* ~. ◇ Pl.: *unisex*.

unisexuado, -da *adj.* Que tiene un solo sexo.

unisexual *adj.* De un solo sexo: *flor* ~.

unisón *m.* MÚS. Conjunto de dos o más voces o instrumentos que interpretan al mismo tiempo la misma nota.

unisonancia *f.* MÚS. Concordancia y condición de dos o más sonidos que tienen el mismo tono. 2 fig. Monotonía, persistencia del orador en un mismo tono de voz.

unisonar *intr.* Sonar al unísono dos o más voces o instrumentos. ◇ ** CONJUG. [31] como *contar.*

unísono, -na *adj.* Que tiene el mismo tono que otra cosa. – 2 *m.* MÚS. Trozo de música en que las varias voces o instrumentos suenan en idéntico tono.

unitario, -ria *adj.* Que propende a la unidad o la conserva.

unitarismo *m.* Secta protestante que acepta la moral de Jesucristo, pero niega su divinidad, y no reconoce en Dios más que una sola persona. 2 Doctrina política favorable a la unidad y centralización. 3 Partido que profesa esta doctrina.

unitivo, -va *adj.* Que tiene virtud de unir.

univalvo, -va *adj.* [concha] De una sola pieza; [molusco] que tiene esta clase de concha. 2 [fruto] Cuya cáscara o envoltura no tiene más que una sutura.

universal *adj.* Que comprende o es común a todos. 2 Que pertenece o se extiende a todo el mundo, a todos los países, a todos los tiempos. – 3 *m. pl.* En la filosofía medieval, las ideas generales, los conceptos, que Aristóteles (384-322 a. C.) había clasificado en cinco grupos: el género, la especie, la diferencia, lo propio y el accidente.

universalismo *m.* Doctrina ética que afirma la comunidad humana o la humanidad como objeto en el que ha de realizarse la acción moral. 2 Doctrina o creencia según la cual todos los hombres pueden eventualmente salvarse.

universalizar *tr.* Hacer universal [una cosa]. ◇ ** CONJUG. [4] como *realizar.*

universidad *f.* Institución de enseñanza superior que comprende diversas escuelas denominadas facultades, colegios, institutos o departamentos, según las épocas y países, y que confiere los grados académicos correspondientes. 2 Edificio destinado a una universidad.

universitario, -ria *adj.* Relativo a la universidad. – 2 *m. f.* Profesor, graduado o estudiante de universidad.

universo *m.* Mundo (lo creado). 2 Conjunto de individuos o elementos cualesquiera en los cuales se consideran una o más características que se someten a estudio estadístico.

unívoco, -ca *adj.-s.* Que tiene igual naturaleza o valor que otra cosa. 2 Que sólo puede tener una significación o tomarse en un sentido. 3 Que se refiere sólo a un aspecto.

uno, una *adj.* [numeral cardinal] Que por adición da origen a todos los de la serie numérica; **numeración. 2 Que no está dividido en sí mismo; íntegro: *España una.* 3 [pers. o cosa] Identificado o unido materialmente con otro: *somos unos; es ~ con su arma.* 4 Idéntico, lo mismo: *esa razón y la que yo digo es una.* 5 Único (solo). – 6 *adj. indef. pl.* Algunos: *unos años después.* 7 Antepuesto a número cardinal, poco más o menos: *valdrá unas mil pesetas.* – 8 *pron. indef.* Con sentido distributivo se usa contrapuesto a otro: *el ~ leía, el otro estudiaba; unos leían, otros estudiaban.* 9 Se usa en singular con el verbo en tercera persona para significar impersonalmente el que habla: ~, *o una, no sabe qué hacer;* se usa en singular o en plural significando una o unas personas: ~ *lo dijo; unos lo contaron anoche.* – 10 *m.* Unidad (cantidad). 11 Signo con que se expresa la unidad. 12 Individuo de cualquier especie.

untar *tr.* Cubrir [algo] con materia grasa: ~ *con, o de, aceite.* 2 fig. Sobornar [a uno] con dones o dinero. – 3 *prnl.* Mancharse con materia untuosa. 4 fig. Quedarse con algo de lo que se maneja.

unto *m.* Materia pingüe a propósito para untar. 2 Craso o gordura del cuerpo animal. 3 Tocino y embutidos de los potes y cocidos.

untuoso, -sa *adj.* Craso, pingüe y pegajoso.

uña *f.* Lámina córnea y dura que nace y crece en las extremidades de los dedos: *cortarse las uñas;* **mano; **pie. 2 Pezuña: *a ~ de caballo,* a todo correr del caballo. 3 Gancho terminal del tarso de los **insectos. 4 Cosa que recuerda por su forma a la uña de los dedos: ~ *del alacrán,* punta de su cola. 5 ~ *de gato,* planta crasulácea de hojas carnosas y casi cilíndricas, y flores de color amarillo pálido o blanco verdoso en cimas arqueadas *(Sedum sediforme).* 6 Espina corva de algunas plantas. 7 Especie de dedal que usan las cigarreras para cerrar y doblar los extremos de los pitillos. 8 Pequeño buril en forma de rombo usado por los cerrajeros y grabadores en metal. 9 BOT. Angostura que tienen algunos pétalos en su parte inferior y que corresponde al pecíolo de la hoja transformada en pétalo. 10 MAR. Punta triangular en que rematan los brazos del **ancla.

uñero *m.* Inflamación en la raíz de la uña. 2 Herida que produce la uña cuando, al crecer viciosamente, se introduce en la carne.

¡upa! Voz para estimular a levantar algo o levantarse.

upar *tr.* Aupar.

uperizar *tr.* Esterilizar un alimento mediante la inyección de vapor muy caliente: *leche uperizada.* ◇ ** CONJUG. [4] como *realizar.*

uralita *f.* Nombre registrado de una mezcla

de cemento y amianto, con la cual se fabrican placas empleadas para cubiertas de construcción y otros usos.

I) uranio *m.* Metal duro, muy denso, de color parecido al del níquel; tiene varios isótopos radiactivos. Su símbolo es *U.*

II) uranio, -nia *adj.* Perteneciente o relativo a los astros y al espacio celeste.

Urano *m.* Planeta mayor que la Tierra, cuya órbita se halla entre las de Saturno y Neptuno. Tiene ocho satélites; **solar (sistema).

uranografía *f.* Cosmografía.

uranometría *f.* Parte de la astronomía que trata de la medición de las distancias celestes.

urbanidad *f.* Cortesía, buenos modales, cortesía, educación.

urbanificación *f.* Ordenación de un terreno según los principios del urbanismo.

urbanismo *m.* Conjunto de estudios, proyectos, etc., referentes a la urbanización o a las reformas y servicios urbanos.

urbanización *f.* Acción de urbanizar. 2 Efecto de urbanizar. 3 Terreno delimitado artificialmente para establecer en él un núcleo residencial urbanizado.

urbanizar *tr.-prnl.* Hacer urbano [a uno]. – 2 *tr.* Abrir calles [en un terreno] y dotarlas de servicios urbanos. ◇ ** CONJUG. [4] como *realizar.*

urbano, -na *adj.* Perteneciente o relativo a la ciudad: *vías urbanas; reformas urbanas.* 2 fig. Cortesano, de buen modo.

urbe *f.* Ciudad, especialmente la muy populosa.

urca *f.* Embarcación grande usada para el transporte.

urceolado, -da *adj.* BOT. De forma de olla.

urceolaria *f.* Género de líquenes comunes en tierra y piedras, entre musgos o hierbas secas, de talo ceniciento verrugoso (gén. *Urceolaria).*

urchilla *f.* Liquen que vive en las rocas marinas *(Roccela tinctoria).* 2 Color violeta que se obtiene de esta planta.

urdemalas *m.* Hombre cauteloso, enredador, mañero.

urdidera *f.* Instrumento a modo de devanadera, donde se preparan los hilos para las urdimbres.

urdido *m.* En la fabricación de tejidos, operación preparatoria que consiste en formar la urdimbre disponiendo paralelamente entre sí cierto número de hilos de igual longitud: ~ *de* **algodón.*

urdiembre, urdimbre *f.* Estambre urdido. 2 Conjunto de hilos paralelos entre los que pasa la trama para formar la tela. 3 fig. Acción de urdir (maquinar).

urdir *tr.* Arrollar [los hilos paralelamente en la urdidera] que han de pasar después al telar. 2 fig. Maquinar y disponer cautelosamente [una cosa].

urea *f.* Substancia nitrogenada, cristalina y muy soluble que es el constituyente sólido más importante de la orina; $CO(NH_2)_2$.

uredinales *f. pl.* Orden de hongos basidiomicetes, parásitos de vegetales, que producen sus esporas bajo la epidermis del hospedador.

uremia *f.* Acumulación en la sangre de substancias que normalmente se eliminan en la orina.

urente *adj.* Que escuece, ardiente.

uréter *m.* [conducto] Que lleva la orina de los riñones a la vejiga.

uretra *f.* Conducto para expeler la orina fuera de la vejiga.

urgencia *f.* Calidad de urgente. 2 Falta apremiante de lo que es menester para algún negocio. 3 Actual obligación de cumplir una ley o precepto. 4 *Servicio de urgencias,* o simplemente *urgencias,* conjunto de instalaciones que existen en los hospitales para atender los casos urgentes.

urgente *adj.* Apremiante, que ha de ejecutarse con prontitud. 2 [carta o telegrama] Que ha de ser enviado con preferencia y entregado al destinatario inmediatamente después de su llegada, para lo cual se paga tarifa especial.

urgir *intr.* Instar una cosa a su pronta ejecución. 2 Obligar actualmente la ley o el precepto. ◇ ** CONJUG. [6] como *dirigir.*

úrico, -ca *adj.* Relativo al ácido úrico. 2 *Ácido* ~, substancia incolora y poco soluble que se halla en la orina. 3 Urinario (de la orina).

urinario, -ria *adj.* Relativo a la orina. – 2 *m.* Lugar para orinar, especialmente el dispuesto para el público.

urna *f.* Vaso o caja que se usaba antiguamente para guardar dinero, los restos o cenizas de los cadáveres, etc. 2 Arquita usada para depositar las cédulas o números en los sorteos y votaciones secretas. 3 Caja de cristales planos para guardar dentro objetos preciosos, resguardados del polvo.

uro *m.* Mamífero rumiante, actualmente desaparecido, del que deriva el buey doméstico *(Bas primigenius).*

urodelo *adj.-m.* Anfibio del orden de los urodelos. – 2 *m. pl.* Orden de anfibios de cuerpo largo, provisto de cola; como la salamandra.

urogallo *m.* Ave galliforme que vive en los bosques y da gritos semejantes al mugido del uro *(Tetrao urogallus).*

urología *f.* Parte de la medicina que trata de las enfermedades del aparato urinario.

uropigio *adj.-m.* Arácnido del orden de los uropigios. – 2 *m. pl.* Orden de arácnidos tropicales provistos de una glándula que segrega un líquido irritante.

urotropina *f.* QUÍM. Producto de condensación del formaldehído con amoníaco.

urraca *f.* Ave paseriforme de plumaje blanco en el vientre y negro iridiscente en el resto del cuerpo. Es domesticable y suele llevarse al nido objetos pequeños *(Pica pica)*. 2 fig. *y* fam. Cotorra (persona muy habladora).

úrsido *adj.-m.* Mamífero de la familia de los úrsidos. – 2 *m. pl.* Familia de mamíferos carnívoros adaptados al régimen vegetariano, plantígrados, de cabeza prolongada y cola corta, que comprende todos los osos.

ursulina *adj.-s.* [religiosa] Que pertenece a la congregación agustiniana fundada por santa Ángela de Brescia (1474-1540), en el s. XVI, para la educación de niñas y el cuidado de enfermos. – 2 *f. pl.* Esta congregación.

urticáceo, -a *adj.-f.* Planta de la familia de las urticáceas. – 2 *f. pl.* Familia de plantas dicotiledóneas que incluye hierbas de hojas sencillas, provistas de pelos que segregan un jugo urente, flores pequeñas generalmente unisexuales, y fruto en nuez o drupa; como la ortiga.

urticaria *f.* Enfermedad inflamatoria de la piel caracterizada por un escozor parecido al que producen las ortigas.

uruguayismo *m.* Vocablo, giro o modo de expresión propio del Uruguay. 2 Amor o apego a las cosas características de Uruguay.

uruguayo, -ya *adj.-s.* De Uruguay, nación de América del sur.

urunday, urundey *m. Amér.* Árbol terebintáceo cuya madera, de color rojo obscuro, se emplea en la construcción de buques y muebles *(Astronium Balansae)*.

usado, -da *adj.* Gastado y deslucido por el uso. 2 Habituado, práctico en alguna cosa.

usanza *f.* Uso (ejercicio; modo; moda).

usar *tr.* Hacer servir [una cosa]: ~ *pluma estilográfica;* **intr.,** ~ *de enredos;* ~ *de mañas.* 2 Disfrutar uno [alguna cosa], sea o no dueño de ella: *uso la propiedad de mi hermano.* 3 Practicar [alguna cosa habitualmente], tener por costumbre: *solía* ~ *bañador en la playa.* 4 Estar de moda, seguir un estilo, gusto, etc.

usía *com.* Vuestra señoría.

usina *f. Amér.* Fábrica de gas o de energía eléctrica.

uso *m.* Acción de usar una cosa: ~ *de razón,* posesión del natural discernimiento adquirido luego de la primera niñez; *estar en buen* ~, no estar estropeada o inservible una cosa. 2 Ejercicio o práctica general de una cosa. 3 Modo habitual de obrar: *los antiguos usos.* 4 Moda.

usted *pron. pers.* Forma de 2ª persona, usada como tratamiento de respeto y cortesía, para el masculino y el femenino; como sujeto pide verbo en 3ª persona: ~ *es muy amable; ustedes dirán;* **pronombre. ◇ Pl.: *ustedes.* ◇ En el habla popular andaluza y de buena parte de Hispanoamérica, *ustedes* ha substituido a

vosotros como plural de *tú.* Por esto se comete a menudo la incorrección de concertar *ustedes* con la 2ª persona plural: *¿sabéis ustedes quién ha venido?; si ustedes dos estáis conformes lo haré.*

usual *adj.* Que común o frecuentemente se usa o practica. 2 [pers.] Sociable y de buen genio. 3 [cosa] Que se puede usar con facilidad.

usuario, -ria *adj.-s.* Que usa ordinariamente una cosa. 2 DER. Que tiene el derecho de usar una cosa ajena con cierta limitación.

usufructo *m.* Derecho a disfrutar bienes ajenos con la obligación de conservarlos, salvo que la ley autorice otra cosa. 2 Utilidades, frutos o provecho.

usufructuar *tr.* Tener el usufructo [de una cosa]. – 2 *intr.* Producir utilidad una cosa. ****CONJUG. [11] como *actuar.***

usufructuario, -ria *adj.-s.* Que usufructúa una cosa.

usura *f.* Interés que se lleva por el dinero o género prestado, especialmente cuando excede del legal o normal. 2 fig. Provecho sacado de una cosa, especialmente cuando es excesivo.

usurario, -ria *adj.* Relativo a los contratos y tratos en que hay usura.

usurero, -ra *m. f.* Persona que presta con usura. 2 p. ext. Persona que en otros contratos obtiene lucro desmedido.

usurpación *f.* Acción de usurpar. 2 Efecto de usurpar. 3 Cosa usurpada. 4 DER. Delito que se comete apoderándose con violencia o intimidación de inmueble o derecho real ajeno.

usurpar *tr.* Apropiarse injustamente [una cosa] de otro: ~ *una hacienda;* ~ *un cargo, una dignidad;* ~ *la gloria del vencedor.*

utensilio *m.* Lo que sirve para el uso manual y frecuente: *los utensilios de cocina.* 2 Instrumento manual para facilitar operaciones mecánicas: *los utensilios de un herrero.*

útero *m.* Matriz (órgano).

I) útil *adj.* Que produce provecho, fruto o interés: ~ *a la patria.* 2 Que puede servir para un fin u objeto.

II) útil *m.* Utensilio o herramienta. ◇ Úsase especialmente en plural.

utilería *f.* Conjunto de útiles o instrumentos que se usan en un oficio o arte. 2 Conjunto de objetos y enseres que se emplean en un escenario teatral o cinematográfico.

utilidad *f.* Calidad de útil. 2 Provecho que se saca de una cosa. – 3 *f. pl.* Ingresos que reporta el trabajo, el capital o el comercio.

utilitario, -ria *adj.* Que antepone a todo la utilidad. – 2 *adj.-m.* Vehículo automóvil pequeño de bajo coste y consumo.

utilitarismo *m.* Doctrina ética que identifica el bien con lo útil, entendiendo por útil lo

que aumenta la dicha o preserva de un dolor.
2 ECON. Identificación del bien con la satisfacción de las necesidades.

utilizar *tr.-prnl.* Emplear de modo útil [una persona o cosa]: *utilizarse con, de o en, alguna cosa;* ~ *un objeto.* ◇ ** CONJUG. [4] como *realizar.*

utillaje *m.* Conjunto de útiles necesarios para una industria o actividad.

utopía, utopia *f.* Plan ideal de gobierno en el que todo está perfectamente determinado, como en la isla de Utopía, descrita por Tomás Moro (1478-1535). **2** fig. Plan o sistema halagüeño, pero irrealizable.

utrero, -ra *m. f.* Novillo o novilla de dos años.

utrículo *m.* Pequeño saco o cavidad; celdilla. **2** Parte del laberinto membranoso del **oído de donde salen los tres conductos semicirculares.

uva *f.* Fruto de la vid: ~ *abejar,* variedad de grano grueso y hollejo duro que apetecen las abejas; ~ *albarazada,* variedad con el hollejo jaspeado; ~ *ligeruela,* uva temprana; ~ *palomina,* variedad negra, de racimos largos y ralos; ~ *tinta,* variedad de zumo negro que sirve para dar color a ciertos mostos. **2** Racimo de uvas. **3** ~ *cana, canilla, de gato, de perro*

o *de pájaro,* hierba crasulácea que se cría en los tejados *(Sedum album).* **4** ~ *de Oregón,* arbusto berberidáceo, de flores amarillas dispuestas en racimos terminales, y fruto en baya negra y pubescente *(Mahonia aquifolium).* **5** ~ *de zorro,* planta liliácea de hojas grandes y flor única con cuatro piezas externas de color verdoso y cuatro internas de color amarillo; el fruto es una baya negra *(Paris quadrifolia).* **6** Enfermedad que produce un tumorcillo en la úvula. **7** Especie de verruga pequeña que se forma en el párpado. **8** fig. *y* fam. *Mala* ~, mal genio; mala intención.

uve *f.* Nombre de la letra *v.*

úvea *adj.-f.* Cara posterior del iris.

úvula *f.* Lóbulo carnoso que pende de la parte media y posterior del velo palatino; **boca.

uvular *adj.* [sonido] Que se articula en la úvula: *la* r *uvular francesa.*

uvularia *f.* Planta herbácea trepadora, de hojas ovales o lanceoladas, situadas en el extremo superior, y flores amarillas, solitarias o apareadas en el ápice de las ramas, provistas de un largo y colgante pedúnculo *(Uvularia grandisflora).*

uxoricidio *m.* Muerte causada a la mujer por su marido.

V, v *f.* Uve, vigésima quinta letra del alfabeto español que representa gráficamente, como la *b*, a la consonante oclusiva, bilabial sonora. 2 *V*, cifra romana equivalente a cinco. ◇ En español no existe la consonante fricativa, labiodental y sonora con que algunos quieren pronunciar lo representado con la *v*, por hipercorrección, afectación o moda extranjerizante.

vaca *f.* Hembra del toro. 2 Carne de vaca o de buey. 3 Cuero de la vaca después de curtido. 4 Dinero que juegan en común varias personas. 5 MAR. Depósito o aljibe de agua dulce para la bebida de la marinería. 6 *Argent., Cuba, Ecuad., Méj., Nicar., P. Rico* y *Venez.* Contrato en que las ganancias se reparten proporcionalmente a lo que cada individuo ha invertido.

vacación *f.* Suspensión del trabajo o del estudio durante algún tiempo. 2 Tiempo que dura dicha suspensión: *las vacaciones de verano; irse de vacaciones.* ◇ En la acepción 2 se emplea generalmente en plural.

vacante *adj.-s.* [cargo, empleo o dignidad] Que está sin proveer. – 2 *f.* Renta devengada en el tiempo que permanece sin proveerse un beneficio o dignidad eclesiástica.

vacar *intr.* Cesar uno por algún tiempo en sus habituales negocios o trabajos: *vacaremos mañana.* 2 Quedar un empleo, cargo o dignidad sin persona que lo desempeñe: *vacará la plaza de portero.* ◇ ** CONJUG. [1] como *sacar.*

vaciante *f.* Tiempo que dura el menguante de las mareas.

vaciar *tr.* Dejar vacío [algún recipiente, local, etc.]: ~ *una botella;* ~ *la sala.* 2 Sacar o verter [el contenido en un recipiente o cosa parecida]: ~ *agua en la calle.* 3 Formar un hueco [en algún cuerpo sólido]: ~ *un molde.* 4 Formar [un objeto] echando en un molde hueco metal derretido o una materia blanda. 5 Trasladar [el contenido de un escrito] a otro escrito. – 6 *intr.* Desaguar, los ríos y corrientes. 7 Menguar el agua en los ríos, en el mar, etc. – 8 *prnl.* fig. y fam. Decir uno sin reparo lo que debía callar: *vaciarse de alguna cosa; vaciarse por la boca.* 9 *Méj.* Perder una tela su consistencia al lavarla. ◇ ** CONJUG. [13]

como *desviar.* En los clásicos la acentuación del presente era *vacío, vacias,* etc. Hoy se acentúa normalmente *vacío, vacías,* en el habla culta; en la vulgar no es raro acentuar *vacio, vacias,* etc.

vacilar *intr.* Moverse indeterminadamente una cosa. 2 Estar poco firme una cosa en su sitio o estado; oscilar ligeramente; temblar: *la mesa vacila; la luz vacila.* 3 fig. Titubear, estar uno perplejo, flaquear: ~ *en la elección; tu memoria vacila;* ~ *entre la esperanza y el temor.* – 4 *tr.-intr.* vulg. Conversar con humor e ironía; divertirse a costa de alguien, tomar el pelo.

vacilón, -lona *adj.* vulg. Burlón, guasón, bromista.

vacío, -a *adj.* Falto de contenido; no ocupado: *estómago* ~*; teatro* ~*; ir, volver de* ~*,* sin carga; sin haber conseguido uno lo que pretendía. 2 Hueco o sin la solidez correspondiente. 3 fig. Vano, presuntuoso. 4 [sitio] Poco concurrido, sin gente. 5 fig. [obra literaria, filme, etc.] Superficial, insubstancial. – 6 *m.* fig. Falta de una persona o cosa que se echa de menos: *hacer el* ~ *a uno,* fig., hacer que los demás se aparten de él. 7 FÍS. Espacio que no contiene ninguna materia. 8 FÍS. Enrarecimiento hasta el mayor grado posible del aire u otro gas contenido en un recipiente cerrado.

vacuidad *f.* Calidad de vacuo. 2 fig. Carencia de contenido o significado: *la* ~ *de sus declaraciones.*

vacuna *f.* Virus extraído de las pústulas originadas en la teta de las vacas por una enfermedad especial, y cuya inoculación preserva al hombre de las viruelas. 2 p. ext. Substancia que inoculada a un individuo le inmuniza contra una enfermedad determinada.

vacunar *tr.* Aplicar una vacuna [a una persona o animal]. 2 fig. Hacer pasar a uno por cierta experiencia que le prepare ante determinada adversidad o dolor.

vacuno, -na *adj.* Perteneciente o relativo al ganado bovino. – 2 *m.* Animal bovino.

vacuo, -cua *adj.* Vacío.

vacuola *f.* Pequeña cavidad o espacio en una **célula o en el tejido de un organismo, llena de aire o de jugo.

vade *m.* Mueble a modo de pupitre, con tapa inclinada, sobre la cual se escribe y en cuyo interior se guardan papeles, documentos, etc.

vadear *tr.* Pasar [una corriente de agua] por un vado. – 2 *prnl.* Manejarse, conducirse.

vademécum *m.* Libro o manual de poco volumen que contiene las nociones elementales de una ciencia o arte y que puede uno llevar consigo para consultarlo con frecuencia.

vado *m.* Paraje de un río con fondo firme y poco profundo, por donde se puede pasar andando, en carruaje o a caballo. 2 En la vía pública, modificación de la acera y bordillo destinada exclusivamente a facilitar el acceso de vehículos a locales sitos en las fincas.

vagabundear *intr.* Andar vagabundo.

vagabundo, -da *adj.* Que anda errante. – 2 *adj.-s.* Holgazán que anda de un lugar a otro sin oficio ni beneficio.

vagancia *f.* Acción de vagar (estar ocioso). 2 Cualidad de vago, poco trabajador. 3 Pereza, falta de ganas de hacer algo.

I) vagar *m.* Tiempo desembarazado y libre para hacer una cosa: *no tengo tanto ~.* 2 Espacio, lentitud, pausa: *lo hace con mucho ~.*

II) vagar *intr.* Estar ocioso, sin oficio ni beneficio. ◇ ** CONJUG. [7] como *llegar.*

III) vagar *intr.* Andar una persona de una parte a otra sin especial detención en ninguna: *~ por el mundo.* 2 Andar libre y suelta una cosa sin el orden que debe tener. 3 Andar por un sitio sin hallar camino o lo que se busca. ◇ ** CONJUG. [7] como *llegar.*

vagaroso, -sa *adj.* Que vaga o que continuamente se mueve de una a otra parte: *céfiro ~.*

vagido *m.* Llanto del recién nacido.

vagina *f.* Conducto que en las hembras de los mamíferos se extiende desde la vulva hasta la matriz.

I) vago, -ga *adj.-s.* Vacío, desocupado, sin oficio.

II) vago, -ga *adj.* Vagabundo (errante); holgazán. 2 [cosa] Sin objeto o fin determinado. 3 Indeciso, indeterminado.

vagón *m.* Carruaje de ferrocarril: *~ de plataea,* el que consta únicamente de una plataforma para el transporte de diversos materiales. 2 Carro grande de mudanzas, para ser transportado sobre una plataforma de ferrocarril.

vagoneta *f.* Vagón pequeño y descubierto,para transporte.

vaguada *f.* Línea que marca la parte más honda de un valle.

vaguear *intr.* Vagar III. 2 Holgazanear.

vaharada *f.* Acción de echar el vaho o aliento. 2 Efecto de echar el vaho o aliento. 3 Golpe de vaho, olor, calor, etc.

vaharina *f.* fam. Vaho, vapor o niebla.

vahear *intr.* Echar de sí vaho.

vahído *m.* Turbación breve del sentido por alguna indisposición.

vaho *m.* Vapor que despiden los cuerpos en determinadas condiciones. 2 Aliento de personas o animales. – 3 *m. pl.* Método curativo que consiste en respirar vapor de agua con alguna substancia balsámica.

vaina *f.* Funda en que se guardan algunas **armas o instrumentos de metal: *la ~ de la espada; la ~ de las tijeras.* 2 Pericarpio tierno de las legumbres y silicuas. 3 ANAT. Envoltura de un órgano, generalmente de estructura laminar, extendida en superficie, o tubular rodeando otra estructura. 4 BOT. En el pecíolo de ciertas **hojas, expansión laminar que abraza al tallo. 5 MAR. Dobladillo con que se refuerza la orilla de una vela. 6 MAR. Jareta del canto vertical de una bandera por donde pasa la driza con que se iza. – 7 *com.* fig. Persona despreciable. – 8 *f. Amér.* fig. *y* fam. Contrariedad, molestia.

vainilla *f.* Planta orquidácea americana de tallos largos y sarmentosos y fruto capsular muy aromático usado como condimento y en perfumería *(Vanilla planifolia).* 2 Fruto de esta planta.

vaivén *m.* Movimiento alternativo de un cuerpo en dos sentidos opuestos. 2 fig. Variedad inestable o inconstancia de las cosas. 3 fig. Encuentro o riesgo que expone a perder lo que se intenta. 4 fig. Sacudida, movimiento brusco.

vajilla *f.* Conjunto de utensilios y vasijas para el servicio de mesa.

valdepeñas *m.* Vino ligero, afrutado y de 11 a 13 grados, originario de la Comarca de Valdepeñas. ◇ Pl.: *valdepeñas.*

I) vale Expresión usada en castellano para despedirse, especialmente en las cartas. 2 Voz que expresa asentimiento o conformidad.

II) vale *m.* Documento por el que se reconoce una deuda u obligación. 2 Nota firmada que se da al que ha de entregar una cosa, para que después acredite la entrega. 3 Envite que con las primeras cartas se hace en algunos juegos de naipes.

valedor, -ra *m. f.* Persona que vale o protege a otra.

valencia *f.* QUÍM. Poder de combinación de un elemento, medido por el número de átomos de hidrógeno, cloro o potasio con que se combina o por el que puede sustituirse un átomo de dicho elemento. 2 BIOL. Poder de un anticuerpo para combinarse con uno o más antígenos. 3 LING. Capacidad combinatoria de las palabras.

valenciano, -na *adj.-s.* De Valencia, ciudad y antiguo reino. – 2 *m.* Dialecto valenciano, variedad del catalán.

valentía *f.* Esfuerzo, aliento, vigor. 2 Gallardía, arrojo.

valentón, -tona *adj.-s.* desp. Arrogante o que se jacta de guapo y valiente.

valentonada *f.* Jactancia, exageración del propio valor.

I) valer *m.* Valor, valía: *el ~ de este hombre no tiene precio.*

II) valer *intr.* Tener una cosa un valor comparable al de otra cosa determinada; equivaler a: *la ficha roja vale cinco mil pesetas.* 2 Tener una cosa por sí misma el valor que se requiere para algún efecto: *este sorteo vale; esta moneda no vale.* 3 Tener una cosa un precio determinado en representación de su valor: *este pantalón vale diez mil pesetas.* 4 Hablando de números, montar, importar: *el producto que buscamos vale quince.* 5 Tener una persona o cosa alguna cualidad que merezca estimación en sí misma o para la consecución o realización de algo: *fulano vale mucho; esta madera no vale para muebles.* 6 Tener una persona autoridad o poder: *el ministro vale para este fin.* 7 Redituar, fructificar: *la finca le vale una renta de cien mil pesetas;* fig., *la tardanza me valió un disgusto.* 8 Ser de eficacia o útil; amparar, proteger: *le valdrá conmigo el parentesco; el cielo nos valga; en aquel caso le valió el casco.* 9 Con el adverbio *más,* y usado unipersonalmente, ser preferible: *vale más callar.* 10 En infinitivo y precedido del verbo *hacer,* como auxiliar, prevalecer: *hizo ~ sus derechos.* – 11 *prnl.* Usar de una cosa o servirse útilmente de ella; recurrir al favor de otro para un intento: *valerse de alguno o de alguna cosa.* 12 Solucionar uno para sí mismo los problemas que se oponen a lo que pretende. ◊ ** CONJUG. [89].

valeriana *f.* Hierba valerianácea de rizoma aromático que se usa como antiespasmódico (*Valeriana officinalis*).

valerianáceo, -a *adj.-f.* Planta de la familia de las valerianáceas. – 2 *f. pl.* Familia de plantas dicotiledóneas que incluye hierbas o matas de hojas opuestas; flores pequeñas en corimbo, con el cáliz persistente y la corola cigomorfa, tubular o acampanada, y fruto en aquenio; como la valeriana.

valeroso, -sa *adj.* Eficaz, que puede mucho. 2 Valiente (esforzado).

valesia *m.* Árbol apocináceo de hasta 10 m. de altura, de hojas enteras, pecioladas y alternas y las flores dispuestas en ramilletes terminales (*Vallesia inedita*).

valía *f.* Valor, aprecio de una cosa: *mayor ~,* plusvalía.

validadora *f.* Máquina de sellado automático para dar validez legal a un gran número de documentos.

validez *f.* Calidad de válido. 2 DER. Facultad de un acto jurídico para producir efectos en derecho, en conformidad con la ley.

valido *m.* El que tiene privanza.

válido, -da *adj.* Firme, que vale legalmente: *un documento ~.*

valiente *adj.* Fuerte, robusto. 2 Eficaz, activo. 3 Excelente, primoroso, especial. – 4 *adj.-s.* Esforzado, que tiene valor.

valija *m.* Maleta (cofre). 2 Saco de cuero, cerrado con llave, donde llevan la correspondencia los correos: *~ diplomática,* la cerrada y precintada, que contiene la correspondencia oficial entre un gobierno y sus agentes diplomáticos en el extranjero y que, por su importancia, no se confía al servicio de correos.

valijero, -ra *m. f.* Persona que conduce las cartas desde la administración principal de correos a los pueblos que de ella dependen. 2 Funcionario que conduce la correspondencia diplomática.

valioso, -sa *adj.* Que vale mucho, que tiene mucha estimación o poder.

valón, -lona *adj.-s.* Del territorio comprendido entre el Escalda y el Lys. – 2 *m.* Idioma valón; es un dialecto del antiguo francés. – 3 *m. pl.* Zaragüelles o greguescos al uso de los valones.

valona *f.* Cuello grande y vuelto, usado antiguamente. 2 *Amér.* Crin convenientemente recortada que cubre el cuello de mulos y asnos.

valonarse *prnl. Amér. Central.* Inclinarse el que está a caballo para agarrar la cola del toro, o coger alguna cosa del suelo.

valor *m.* Cualidad o conjunto de cualidades de una persona o cosa, en cuya virtud es apreciada: *una estatua de gran ~.* 2 Alcance de la significación o importancia de una cosa: *el ~ de una palabra; el ~ de un acto.* 3 Cualidad del alma que mueve a acometer grandes empresas o arrostrar los peligros. 4 Usado en mala parte, osadía, desvergüenza: *tuvo el ~ de negarlo.* 5 Subsistencia y firmeza de algún acto. 6 Precio pecuniario, suma de dinero en que se aprecia una cosa: *el ~ de una hacienda.* 7 FIL. Realidad ideal por cuya participación las cosas adquieren cualidades que nos hacen estimarlas diversamente. Su jerarquización forma la escala de los valores: económicos, vitales, intelectuales, estéticos, éticos y religiosos: *juicio de ~,* juicio en el que se atribuye un valor de manera subjetiva. 8 MAT. Determinación cuantitativa particular: *valores de una variable.* 9 MÚS. Duración relativa de una nota según su figura. – 10 *m. pl.* Títulos representativos de participación en haberes de sociedades, de cantidades prestadas, de fondos pecuniarios que son materia de operaciones mercantiles.

valorar, -rear *tr.* Determinar el valor [de una cosa]; ponerle precio. 2 Aumentar el valor [de una cosa].

valorizar *tr.* Valorar. ◊ ** CONJUG. [4] como *realizar.*

valquiria *f.* Divinidad de la mitología nórdica que en los combates designaba los héroes que habían de morir y en el Valhalla les servía de escanciadora. 2 fig. Joven de los países nórdicos, rubia, alta y fuerte.

vals *m.* Baile de origen alemán en compás de tres por cuatro, ejecutado por parejas, de movimiento animado. 2 Música de este baile. ◇ Pl.: *valses.*

valuar *tr.* Valorar (determinar). ◇ **CONJUG. [11] como *actuar.*

valva *f.* Pieza que constituye la concha de los **moluscos lamelibranquios, de algunos cirrópodos y de los gusanos braquiópodos. 2 p. ext. Concha de una sola pieza de ciertos moluscos.

válvula *f.* Pieza que, colocada en una abertura de paso de un líquido o gas, cierra o abre esta abertura, gracias a un mecanismo, a diferencias de presión, etc.; **automóvil; **bicicleta: ~ *de seguridad,* la que se coloca en las calderas de las máquinas de vapor para que éste se escape automáticamente cuando su presión sea excesiva; ~ *de escape,* v. escape; fig., ocasión, motivo o cosa a la que se recurre para desahogarse de una tensión, trabajo excesivo o de la monotonía de la vida diaria. 2 Repliegue membranoso que impide el retroceso de los líquidos que circulan por los vasos del cuerpo de los animales: ~ *ileocecal,* la que abre o cierra el paso del íleon al ciego; **digestivo (aparato). 3 Bombilla eléctrica de características especiales que desempeñaba funciones diversas en los aparatos de radiotelefonía. 4 Dispositivo que se intercala en un circuito y tiene diversas finalidades, tales como rectificador, amplificador, etc.

valla *f.* Vallado. 2 Cartelera situada a los lados o en las cercanías de los caminos, calles, etc., con fines publicitarios. 3 DEP. En atletismo, obstáculo que el atleta debe saltar a lo largo de algunas carreras.

vallado *m.* Cerco que se levanta para defender o delimitar un sitio e impedir la entrada en él.

vallar *tr.* Cercar [un sitio] con vallado.

valle *m.* Espacio de tierra entre montes o alturas. 2 Cuenca de un río. 3 Conjunto de caseríos o aldeas situadas en un valle. 4 fig. Intensidad mínima en el desarrollo de una actividad o de un fenómeno.

vallisoletano, -na *adj.-s.* De Valladolid.

vallista *com.* DEP. Deportista que compite en las carreras de saltos de vallas. 2 *Amér.* Habitante de un valle.

vallunco, -ca *adj. Amér. Central.* Rústico, burdo, basto, ranchero.

vampiresa *f.* fam. Mujer fatal, nefasta. 2 fam. Mujer que se enriquece por malos medios. – 3 *adj.-f.* Actriz que desempeña papeles de seducción amorosa, especialmente en el cine.

vampirismo *m.* Crédito que se da a la existencia de los vampiros. 2 Codicia de los que se enriquecen por malos medios.

vampiro *m.* Espectro o cadáver que, según el vulgo de ciertos países, va por las noches a chupar la sangre de los vivos. 2 Mamífero quiróptero americano que chupa la sangre de personas y animales dormidos *(Desmodus rufus* y géneros afines).* 3 fig. Hombre que se enriquece por malos medios.

vanadio *m.* Elemento de color y brillo parecido al de la plata, que aliado al acero le da gran dureza. Su símbolo es *V.*

vanagloriarse *prnl.* Jactarse del propio valer u obrar: ~ *de, o por, su estirpe.* ◇ ** CONJUG. [12] como *cambiar.*

vanarse *prnl. Amér.* Malograrse algo, especialmente un fruto, sin llegar a sazonarse.

vandalismo *m.* Devastación propia de los antiguos vándalos. 2 fig. Espíritu de destrucción.

vándalo, -la *adj.-s.* De un pueblo de la antigua Germania que invadió la España romana junto con los suevos y los alanos; se señalaron por su furia destructora. – 2 *m.* fig. El que comete acciones de vandalismo.

vanguardia *f.* Parte de una fuerza armada que va delante del cuerpo principal. 2 fig. Conjunto de ideas, hombres, etc., que se adelantan a su tiempo en cualquier actividad: ~ *literaria;* ~ *de la civilización; de* ~, *loc. adj.,* [movimiento, grupo, persona, etc.] partidario de la renovación, avance y exploración en el campo literario, artístico, político, ideológico, etc. – 3 *f. pl.* Lugares, en los ribazos u orillas de los ríos, donde arrancan las obras de construcción de un puente o de una presa.

vanguardismo *m.* Escuela o tendencia artística que tiene una intención renovadora, de avance y exploración.

vanidad *f.* Calidad de vano. 2 Fausto, pompa vana, ostentación. 3 Palabra inútil o vana. 4 Ilusión, ficción de la fantasía. 5 Orgullo inspirado en un alto concepto de los propios méritos y en un vivo deseo de ser admirado y considerado.

vanilocuencia *f.* Verbosidad inútil e insubstancial.

vano, -na *adj.* Falto de realidad, substancia o entidad. 2 Hueco, vacío, sin solidez. 3 [fruta de cáscara] Falto del meollo. 4 Inútil, infructuoso. 5 Arrogante, presuntuoso. 6 Sin fundamento: *en* ~, inútilmente; sin necesidad, razón o justicia. – 7 *m.* ARQ. Parte del muro o fábrica en que no hay apoyo para el techo o bóveda.

vapor *m.* Gas en que se transforma un líquido o sólido absorbiendo calor; p. ant., el de agua. 2 Buque de vapor.

vaporizador *m.* Aparato para vaporizar.

vaporizar *tr.-prnl.* Hacer pasar o pasar [un cuerpo] del estado líquido al de vapor. 2 Dispersar [un líquido] en gotitas sumamente finas. ◇ ** CONJUG. [4] como *realizar.*

vaporoso, -sa *adj.* Que despide vapores; que los contiene. 2 fig. Tenue, ligero.

vapulear *tr.-prnl.* Azotar. 2 fig. Criticar [a uno].

vaquear *tr.* Cubrir frecuentemente los toros [a las vacas]. 2 *Argent. y Bol.* Buscar [el ganado cimarrón].

vaqueo *m.* Práctica de caza mayor que consiste en esperar a ésta de madrugada, cortándole el camino a su encame diurno.

vaquería *f.* Lugar donde hay vacas o se vende su leche.

vaqueril *m.* Dehesa destinada al pasto de las vacas.

vaqueriza *f.* Lugar donde se recoge el ganado mayor en el invierno.

vaquero, -ra *adj.* Propio de los pastores de ganado bovino. – 2 *m. f.* Pastor o pastora de reses vacunas. – 3 *m. pl.* Pantalón de tela de algodón, generalmente de color azul, muy resistente, y con el cosido largo y muy visible. – 4 *adj.* [prenda de vestir] Que se ha confeccionado con dicha tela.

vaqueta *f.* Cuero de ternera curtido. 2 Pez marino teleósteo perciforme, de tamaño pequeño, color pardusco, a veces con manchas azuladas, y de cuerpo oval algo rechoncho *(Symphodus mediterraneus).*

vaquilla *f. Amér.* Ternera de año y medio.

vaquillona *f. Amér.* Vaca nueva de dos o tres años.

vara *f.* Ramo delgado, largo y sin hojas. 2 Palo largo y delgado: ~ *larga,* especie de pica para picar los toros. 3 Pieza larga de madera, paralela a otra igual, unida por uno de sus extremos al juego delantero de un carro, según su eje longitudinal, que sirve para enganchar la caballería. 4 Bastón de mando: ~ *de alcalde.* 5 Medida de longitud equivalente a 835,9 mms. 6 ~ *de oro,* planta compuesta perenne, de hojas oblongas y flores amarillas en capítulos, que a su vez se agrupan en un racimo erecto *(Solidago virgaurea).*

varadero *m.* Lugar donde varan las embarcaciones para resguardarlas o componerlas. 2 MAR. Plancha de hierro que sirve de protección del costado del buque, donde descansa el ancla.

varado, -da *adj.-s. Amér.* Persona que no tiene recursos económicos, o carece de ocupación fija. 2 *Amér.* Envarado, entumecido.

varal *m.* Vara muy larga y gruesa. 2 Palo redondo donde encajan las estacas que forman el costado del carro. 3 Madero entre los bastidores de los teatros, en el cual se ponen luces para alumbrar la escena. 4 fig. Persona muy alta. 5 MAR. Tablón rectangular de madera sobre el que roza la quilla de la embarcación al vararla.

varapalo *m.* Palo largo a modo de vara. 2 Golpe dado con palo o vara. 3 fig. Daño reci-

bido en los intereses. 4 fig. Desazón grande.

varar *intr.* Encallar la embarcación. 2 fig. Quedar detenido un negocio. 3 *Amér.* Quedarse detenido un vehículo por avería. – 4 *tr.* Sacar a la playa [una embarcación].

varear *tr.* Golpear [algo o a alguien] con vara; esp., derribar con vara [los frutos de ciertos árboles]; herir o picar [a los toros] con vara. 2 Remover con un palo los granos para airearlos o para eliminar los insectos que contengan. 3 Medir [algo] con la vara; p. ext., vender [algo] por varas.

varenga *f.* MAR. Pieza curva atravesada sobre la quilla para formar la cuaderna.

vareta *f.* Palito untado con liga para cazar pájaros. 2 Lista de diferente color que el fondo de un tejido. 3 fig. Expresión picante con que se zahiere a alguien.

varetón *m.* Ciervo joven, cuya cornamenta tiene una sola punta.

varga *f.* Parte más pendiente de una cuesta.

várgano *m.* Palo dispuesto, junto con otros, para construir una empalizada.

varia *m. pl.* Conjunto bibliográfico de obras de distintos temas.

variable *adj.* Que varía o puede variar. 2 Inestable, inconstante y mudable. 3 GRAM. [palabra] Cuya desinencia puede variar. – 4 *f.* MAT. Símbolo que designa un conjunto de números y representa indistintamente a cada uno de ellos.

variación *f.* Acción de variar. 2 Efecto de variar. 3 BIOL. Diferencia entre los hijos de una sola pareja. 4 MAT. Cambio de valor de una magnitud o de una cantidad. 5 MÚS. Imitación melódica, con modificaciones tonales y rítmicas, de un tema.

variante *adj.* Que varía. – 2 *f.* Forma con que se presenta una voz. 3 Variedad o diferencia de lección que hay en los ejemplares o copias de un códice o libro. 4 Desvío o ramal de un camino o **carretera. 5 En las quinielas de fútbol, resultado en que empata o pierde el equipo que juega en su propio terreno.

variar *tr.* Hacer o volver diferente [una cosa] de lo que antes era: ~ *un vestido.* 2 Dar variedad [a series sucesivas de actos o cosas]: *conviene* ~ *sus actividades.* – 3 *intr.* Cambiar una cosa en algún aspecto, modificarse: *el tiempo ha variado; hemos variado de,* o *en, opinión.* 4 Ser una cosa diferente de otra: *este argumento varía.* 5 MAR. Hacer ángulo la aguja magnética con la línea meridiana. ◇ ** CONJUG. [13] como *desviar.*

varice, várice *f.* MED. Dilatación permanente de una vena. ◇ Se emplea generalmente en plural.

varicela *f.* Enfermedad contagiosa caracterizada por una erupción parecida a la de la viruela benigna.

variedad *f.* Calidad de vario. 2 Diferencia

dentro de la unidad. 3 Mudanza o alteración. 4 Variación. 5 h. nat. Grupo que, con otros, divide algunas especies y que se distinguen entre sí por ciertos caracteres muy secundarios. – 6 *f. pl.* Espectáculo formado por varios números de índole diversa.

varilla *f.* Vara larga y delgada. 2 Pieza metálica o de madera que, con otras, forma la armazón del **abanico, del **paraguas, etc. – 3 *f. pl.* Bastidor en que se ponen los cedazos para cerner.

varillaje *m.* Conjunto de varillas (pieza metálica); **paraguas. 2 Armadura de las construcciones en obras de hormigón armado. 3 Conjunto de varillas utilizadas en los trabajos de sondeo para realizar la exploración de terrenos.

vario, -ria *adj.* Diverso o diferente. 2 Inconstante o mudable. 3 Indiferente o indeterminado. 4 Que tiene variedad o está compuesto de diversos adornos o colores. – 5 *adj. pl.* Algunos, unos cuantos. – 6 *m. pl.* Conjunto de libros, folletos, hojas sueltas o documentos de distintos autores, materias y tamaños, reunidos en tomos, legajos o cajas.

variopinto, -ta *adj.* Que ofrece diversidad de colores o de aspecto. 2 Multiforme, mezclado, diverso, abigarrado.

varón *m.* Criatura racional del sexo masculino. 2 Hombre que ha llegado a la edad viril. 3 Hombre de respeto, autoridad u otras prendas. 4 mar. Cabo o cadena que, con otro, permite gobernar cuando se ha perdido la caña del timón.

varonil *adj.* Relativo al varón o propio de él. 2 Esforzado, valeroso y firme.

varvas *f. pl.* Sedimentos de origen glaciar formados por arcillas y arena que se depositan en estratos de poca potencia.

vasallaje *m.* Condición del vasallo. 2 fig. Sujeción, rendimiento. 3 Tributo pagado por el vasallo.

vasallo, -lla *m. f.* Persona sujeta a un señor con vínculo de dependencia y fidelidad a causa de un feudo. – 2 *adj.* Súbdito. 3 fig. [pers.] Que reconoce a otro por superior o depende de él.

vasar *m.* Estante o anaquel que, sobresaliendo en la pared, sirve para poner platos, vasos, etc.

vasco, -ca *adj.-s.* Vascongado. 2 De una parte del territorio francés comprendido en el departamento de los Bajos Pirineos. – 3 *m.* Vascuence (lengua).

vascólogo, -ga *m. f.* Persona versada en estudios vascos, particularmente los relacionados con la lengua vasca.

vascón, -cona *adj.-s.* De la Vasconia, región de la España Tarraconense.

vascongado, -da *adj.-s.* De alguna de las provincias de Álava, Guipúzcoa y Vizcaya. – 2 *m.* Vascuence (lengua).

vascuence *adj.-s.* Lengua hablada por parte de los naturales de las provincias vascongadas, de Navarra y del territorio vasco francés. – 2 *m.* fig. Lo que está tan confuso que no se puede entender.

vascularización *f.* Presencia y disposición de los vasos sanguíneos y linfáticos en un tejido, órgano o región del organismo.

vasectomía *f.* cir. Corte parcial o total de los canales deferentes para conseguir la esterilización masculina.

vaselina *f.* Substancia amarillenta y translúcida, que se obtiene del petróleo y se usa como lubricante y para hacer ungüentos. 2 fig. Cautela, cuidado y prudencia al comunicar una información o noticia desagradable para el que la recibe: *poner* ~, suavizar una situación. 3 dep. En algunos deportes, jugada que consiste en lanzar el balón, suavemente y con una marcada parábola, por encima de uno o varios jugadores contrarios.

vasija *f.* Receptáculo para contener líquidos o cosas destinadas a la alimentación. 2 Conjunto de cubas o tinajas en las bodegas.

vaso *m.* Receptáculo destinado a contener un líquido, especialmente el cilíndrico que sirve para beber. 2 Líquido que cabe en un vaso. 3 Obra de escultura en forma de jarrón que colocada sobre su pedestal sirve para decorar edificios, jardines, etc. 4 bot. Tubo formado por una serie de células superpuestas que han perdido las paredes de separación. 5 zool. Tubo o canal por donde circula un líquido orgánico.

vasoconstricción *f.* pat. Disminución del calibre de un vaso por contracción de sus fibras musculares.

vasodilatación *f.* pat. Aumento del calibre de un vaso por relajación de sus fibras musculares.

vástago *m.* Ramo tierno de un árbol o planta. 2 fig. Persona descendiente de otra. 3 Pieza en forma de varilla que sirve para articular o sostener otras piezas. 4 Barra para dar movimiento el émbolo o transmitir el suyo a algún mecanismo. 5 *Amér.* Tallo del plátano.

vasto, -ta *adj.* Dilatado, muy extenso.

vate *m.* Adivino. 2 Poeta.

vaticinar *tr.* Pronosticar, profetizar.

vatio *m.* Unidad de potencia eléctrica, igual a la potencia capaz de hacer el trabajo de un julio en un segundo.

¡vaya! Interjección con que se denota sorpresa, aprobación, leve enfado, o sirve para excitar o contener. Úsase también repetida.

vecera, -ría *f.* Manada de ganado perteneciente a un vecindario: *vecería de puercos.* 2 Alternancia de buenas y malas cosechas.

vecindad *f.* Calidad de vecino. 2 Conjunto de personas que viven en una misma casa o en un mismo barrio.

vecindario *m.* Conjunto de vecinos de una población. 2 Lista, padrón de los vecinos de un pueblo.

vecino, -na *adj.-s.* Persona que habita con otros en un mismo pueblo, barrio o casa. 2 Persona que tiene casa y hogar en un pueblo y contribuye a las cargas de éste. 3 Persona que ha adquirido derecho de vecindad en un pueblo. 4 fig. Cercano, próximo, inmediato: ~ *al,* o *del, palacio.* 5 fig. Parecido, coincidente.

vector *m.* Representación geométrica de la magnitud vectorial; p. ext., segmento de recta, contado a partir de un punto del espacio, en una dirección determinada y en uno de sus sentidos. 2 BIOL. Agente que transmite el germen de una enfermedad de un huésped a otro.

vectorial *adj.* Relativo al vector. 2 [magnitud] Que actúa en un sentido y dirección determinados, por ejemplo, peso, movimiento, fuerza.

I) veda *f.* Acción de vedar. 2 Efecto de vedar. 3 Espacio de tiempo en que está vedado cazar y pescar. 4 fig. *y* p. ext. Prohibición de realizar un determinado tipo de actividad.

II) veda *m.* Libro sagrado primitivo de los hindúes.

vedado *m.* Terreno acotado donde está prohibido entrar o cazar.

vedar *tr.* Prohibir [una cosa] por ley o mandato. 2 Impedir, estorbar [algo].

vedegambre *m.* Planta liliácea de flores blancas o verdosas en panoja y rizoma oficinal *(Veratrum album).*

vedija *f.* Mechón de lana. 2 Pelo enredado en cualquier parte del cuerpo del animal. 3 Mata de pelo enredada y ensortijada.

vedismo *m.* Religión contenida en los vedas.

veedor, -ra *adj.-s.* Que ve o mira con curiosidad las acciones de los demás.

vega *f.* Tierra baja, bien regada y fértil.

vegetación *f.* Conjunto de vegetales propios de un paraje o terreno, o existentes en él. 2 MED. Formación carnosa de la superficie de las heridas, de la piel o de las mucosas.

vegetal *m.* Ser orgánico viviente que carece de sensibilidad y de movimiento voluntario.

vegetar *intr.-prnl.* Crecer y desarrollarse las plantas. 2 fig. Vivir una persona con vida meramente orgánica. 3 fig. *y* p. anal. Vivir perezosamente y sin cuidados.

vegetarianismo *m.* Régimen alimenticio en el que se suprime el consumo de la carne, y a veces de todos los alimentos de origen animal.

vegetativo, -va *adj.* Que vegeta o es capaz de vegetar; que realiza funciones vitales, salvo las reproductoras: *vértice ~; **brote.

vehemente *adj.* Que mueve o se mueve con ímpetu y violencia. 2 Que se siente o se

expresa con viveza. 3 [pers.] Que obra de modo irreflexivo, y a sus impulsos y sentimientos.

vehicular *tr.* Transmitir, difundir, comunicar.

vehículo *m.* Medio para transportar personas o cosas: ~ *espacial,* nave espacial. 2 fig. Lo que sirve para conducir o transmitir fácilmente una cosa.

veinte *adj.* Dos veces diez; **numeración. – 2 *m.* Guarismo del número veinte.

veinteavo, -va *adj.* Vigésimo.

veintena *f.* Conjunto de veinte unidades.

veinteñal *adj.* Que dura veinte años.

veinticinco *adj.* Veinte y cinco; **numeración. – 2 *m.* Guarismo del número veinticinco.

veinticuatro *adj.* Veinte y cuatro; **numeración. – 2 *m.* Guarismo del número veinticuatro.

veintidós *adj.* Veinte y dos; **numeración. – 2 *m.* Guarismo del número veintidós.

veintinueve *adj.* Veinte y nueve; **numeración. – 2 *m.* Guarismo del número veintinueve.

veintiocho *adj.* Veinte y ocho; **numeración. – 2 *m.* Guarismo del número veintiocho.

veintiséis *adj.* Veinte y seis; **numeración. – 2 *m.* Guarismo de número veintiséis. ◇ Pl.: *veintiséis.*

veintisiete *adj.* Veinte y siete; **numeración. – 2 *m.* Guarismo del número veintisiete.

veintitantos, -tas *adj.* Entre veinte y treinta.

veintitrés *adj.* Veinte y tres; **numeración. – 2 *m.* Guarismo del número veintitrés. ◇ Pl.: V. *tres.*

veintiún *adj.* Apócope de *veintiuno,* que se antepone siempre al substantivo: ~ *libros.*

veintiuna *f.* Juego de naipes o de dados en que gana el que hace veintiún puntos o se acerca más a ellos sin pasar.

veintiuno, -na *adj.* Veinte y uno; **numeración. – 2 *m.* Guarismo del número veintiuno.

vejación *f.* Acción de vejar. 2 Efecto de vejar.

vejamen *m.* Vejación.

vejar *tr.* Molestar, perseguir [a uno], hacer que se sienta humillado.

vejatorio, -ria *adj.* Que veja o puede vejar: *condiciones vejatorias.*

vejestorio *m.* desp. Persona vieja.

vejez *f.* Calidad de viejo. 2 Senectud. 3 fig. Achaques, manías, actitudes propias de la edad de los viejos.

vejiga *f.* Saco membranoso en el cual va depositándose la orina segregada por los riñones. 2 Saco membranoso en los animales lleno de un líquido o de un gas: ~ *natatoria.* 3 Bolsita formada en cualquier superficie y llena de aire u otro gas o de un líquido.

I) vela *f.* Acción de velar (no dormir): *en* ~, sin dormir. 2 Tiempo que se trabaja por la noche: *pasamos las velas leyendo.* 3 Asistencia por horas o turnos delante del Santísimo Sacramento. 4 Cilindro de alguna materia grasa con torcida en el eje para alumbrar. – 5 *f. pl.* fig. *y* fam. Mocos que cuelgan de la nariz, especialmente de los niños.

II) vela *f.* Lona fuerte formada generalmente por diversos trozos cosidos, que se amarra a las vergas de un barco para recibir el viento y hacer adelantar la nave: ~ *al tercio,* la de forma trapezoidal suspendida a un tercio de la longitud de la verga; ~ *de abanico,* la formada por dos o más piezas cortadas al sesgo; ~ *de cruz,* la cuadrada o trapezoidal envergada en vergas que se cruzan sobre el mástil; ~ *de cuchillo,* la envergada en nervio o percha colocada en el plano longitudinal del buque; ~ *de estay,* la de cuchillo izada en un estay; ~ *latina,* la triangular envergada en entena; ~ *mayor,* la principal que va en el palo mayor. 2 fig. Barco de vela.

velación *f.* Ceremonia que consiste en cubrir con un velo a los cónyuges en la misa nupcial celebrada inmediatamente después del casamiento.

velada *f.* Vela (acción). 2 Reunión nocturna de varias personas. 3 Sesión musical, literaria o deportiva que se celebra por la noche: ~ *musical;* ~ *de boxeo.*

velado, -da *adj.* Cubierto por un velo. 2 Sordo: *voz velada.* 3 [imagen fotográfica] De claridad deficiente. 4 [vino] Que tiene sus características encubiertas por el alcohol y la glicerina.

velador, -ra *adj.-s.* Que vela. 2 Persona que cuida de alguna cosa. – 3 *m.* Candelero, generalmente de madera. 4 Mesita de un solo pie, generalmente redonda. 5 *Can. y Amér.* Mesa de noche.

veladura *f.* PINT. Tinta transparente para suavizar el tono de lo pintado. 2 FOT. Técnica para obscurecer o colorear la película fotográfica o cinematográfica mediante iluminación artificial. 3 fig. Disimulo.

velaje, velamen *m.* Conjunto de velas de una embarcación.

I) velar *adj.* Que vela u oscurece. 2 Relativo al velo del paladar. – 3 *adj.-s.* Consonante que se articula en la parte posterior de la cavidad bucal; como *g, j, k.*

II) velar *intr.* Estar sin dormir el tiempo destinado para el sueño. 2 Continuar trabajando después de la jornada ordinaria. 3 Cuidar solícitamente: ~ *por la salud de uno;* ~ *en defensa de los intereses;* ~ *sobre los precios.* – 4 *tr.-intr.* Asistir por horas o turnos delante del Santísimo Sacramento [cuando está manifiesto o en el monumento]. – 5 *tr.* Hacer centinela durante la noche: ~ *la guardia.* 6 Asistir de

noche [a un enfermo o a un difunto]. 7 *Amér.* Pedir con la mirada y con cierto alelamiento.

III) velar *tr.-prnl.* Cubrir con un velo: ~ *la cara.* 2 Celebrar la ceremonia de las velaciones [de los cónyuges]. 3 En fotografía, borrarse la imagen por la acción indebida de la luz. – 4 *tr.* fig. Cubrir, disimular [una cosa]: ~ *un cuadro de espanto.* 5 PINT. Dar veladuras.

velarización *f.* FON. Desplazamiento del lugar de articulación de un sonido hacia la parte posterior de la boca, o zona del velo del paladar.

velarizar *tr.-prnl.* FON. Dar articulación o resonancia velar a vocales o consonantes no velares; convertir en velar el sonido que antes no lo era. ◇ ** CONJUG. [4] como *realizar.*

velarte *m.* Paño negro, tupido y lustroso, que se usaba para prendas de abrigo.

velatorio *m.* Acto de velar a un difunto.

veleidad *f.* Voluntad antojadiza o deseo vano. 2 Inconstancia, ligereza.

velero, -ra *adj.-m.* Embarcación muy ligera o que navega mucho. 2 *m.* Buque de vela. 3 Especie de medusa, con el flotador en forma de vela, de unos 8 cms. de diámetro y de color azulado *(Velella velella).* 4 Avión planeador con características aerodinámicas que le permiten aprovechar las corrientes ascendentes para recuperar la altura perdida durante el vuelo.

veleta *f.* Pieza giratoria que colocada en lo alto de un edificio sirve para indicar la dirección del viento; **casa. 2 Plumilla que los pescadores de caña ponen sobre el corcho para conocer cuándo pica el pez. 3 Banderola de la lanza de los soldados de caballería. – 4 *com.* fig. Persona inconstante y mudable.

veleto, -ta *adj.* [toro o res] De alta cornamenta.

velillo *m.* Tela muy sutil, tejida con hilo de plata.

velo *m.* Tela destinada a ocultar algo a las miradas, especialmente prenda de tela delgada con que las mujeres se cubren la cabeza o el rostro. 2 Lienzo blanco con que se cubre a los esposos en la misa de velaciones. 3 Parte del vestido de las religiosas que cubre su cabeza: *tomar el* ~, profesar una monja. 4 Trozo de tul o gasa con que se guarnecen y adornan algunas mantillas por la parte superior. 5 fig. Cosa ligera que cubre más o menos otra. 6 fig. Lo que impide el conocimiento de una cosa. 7 ~ *del paladar,* pliegue muscular y membranoso suspendido del margen posterior del paladar, que separa parcialmente la **boca de la faringe.

velocidad *f.* Relación entre el espacio recorrido y el tiempo empleado en recorrerlo: ~ *de crucero,* la media que mantiene un vehículo automóvil, barco o avión en un recorrido largo. 2 Cualidad de un movimiento de efectuarse en un tiempo relativamente corto; cualidad del móvil que lo efectúa. 3 MEC. Posición motriz del cambio de velocidades.

velocímetro *m.* Contador de velocidad.

velocípedo *m.* Vehículo ligero con dos o tres ruedas que mueve por medio de unos pedales el que va montado en él; **bicicleta.

velocista *com.* Atleta que participa especialmente en carreras de velocidad.

velódromo *m.* Lugar destinado para carreras en bicicleta.

velón *m.* Lámpara de metal, para aceite común, con uno o varios mecheros, que se sostiene sobre un pie y termina con un asa. 2 *Amér.* Vela de sebo o de cera más grande que la ordinaria.

I) velorio *m.* Reunión para esparcimiento celebrada durante la noche en las casas de los pueblos. 2 Velatorio, especialmente cuando el difunto es un niño. 3 *Ant., Argent.* y *Ecuad.* fig. Fiesta muy poco concurrida, desanimada.

II) velorio *m.* Ceremonia de tomar el velo una religiosa.

veloz *adj.* Dotado de velocidad (cualidad). 2 Ágil y pronto en el movimiento o en lo que se ejecuta o discurre.

vello *m.* Pelo corto y suave que nace en algunas partes del cuerpo humano. 2 Pelusilla de algunas frutas o plantas.

vellón *m.* Lana de carnero u oveja que, esquilada, sale junta. 2 Guedeja de lana.

vellorí, -rín *m.* Paño entrefino de color pardo o de lana sin teñir. ◇ Pl.: *velloríes* y *vellorines* .

vellosilla *f.* Hierba compuesta, de flores amarillas con pedúnculos vellosos *(Hieracium pilosella)*.

velloso, -sa *adj.* Que tiene vello: *~ de cuerpo; ~ en los brazos.*

velludillo *m.* Felpa o terciopelo de algodón, de pelo muy corto.

velludo, -da *adj.* Que tiene mucho vello: *~ de cuerpo; ~ en los brazos.* – 2 *m.* Felpa o terciopelo.

vena *f.* Vaso sanguíneo que, naciendo de la unión de los capilares de los distintos órganos y tejidos, lleva la sangre al corazón: *~ ácigos,* la que pone en comunicación la cava superior con la inferior; *~ cardíaca* o **coronaria,** la que corona la aurícula derecha del corazón; *~ cava,* la mayor del cuerpo, una superior o descendente que recoge la sangre de la mitad superior del cuerpo, y otra inferior o ascendente que la recoge de los órganos situados debajo del diafragma; *~ porta,* la formada por la reunión de las procedentes del bazo, el estómago y el intestino y que se capilariza de nuevo al llegar al hígado; *~ subclavia,* la que se extiende desde cada una de las clavículas hasta la vena cava superior; *~ suprahepática,* la que va del hígado a la cava inferior; *~ yugu-*

lar, la que hay a uno y otro lado del cuello; **circulación; **respiración. 2 *~ de agua,* conducto natural por donde circula el agua en el interior de la tierra. 3 Filón. 4 Faja de tierra o piedra interpuesta entre masas de distinta naturaleza. 5 Lista o raya de distinto color que tienen ciertas piedras o maderas. 6 Inspiración poética: *estar uno en ~,* fig., estar inspirado para componer versos o para realizar algo. 7 Disposición favorable: *coger a uno de ~.* 8 Impulso súbito o irrazonable: *darle a uno la ~.*

venablo *m.* Lanza corta y arrojadiza.

venado *m.* Ciervo.

venal *adj.* Vendible, expuesto a la venta. 2 fig. Que se deja sobornar.

venatorio, -ria *adj.* Perteneciente o relativo a la montería.

I) vencejo *m.* Lazo o ligadura con que se atan las mieses.

II) vencejo *m.* Ave apodiforme insectívora, de cola larga y ahorquillada, parecida a la golondrina *(Apus apus).*

vencer *tr.* Rendir o sujetar [al enemigo o contrario], especialmente en lucha guerrera: *los romanos vencieron a los cartagineses; vencido de,* o *por, los enemigos; venció a su contrincante en las oposiciones.* 2 *abs.* Salir uno victorioso o salir con el intento o efecto en una contienda: *en Cannas venció Aníbal; ha vencido en las oposiciones; ~ a, con,* o *por, traición.* 3 p. ext. Aventajarse o exceder en competencia o comparación [con otros]: *le vence en bravura.* 4 Sujetar o rendir [las pasiones o afectos], y análogamente, sufrir o llevar con paciencia [un dolor o trabajo]: *mi padre vence estos días difíciles.* 5 Superar [las dificultades o estorbos]; esp., subir o superar [la altura o aspereza de un camino]. 6 Atraer o reducir una persona [a otra] de modo que siga su dictamen o deseo. 7 Ser [uno] rendido o dominado por causas físicas o morales: *le venció el frío, el dolor.* – 8 *tr.-intr.-prnl.* Ladear, torcer o inclinar [una cosa]: *el camino vence a,* o *hacia, la izquierda.* – 9 *intr.* Cumplirse un plazo o término: *la letra ha vencido.* 10 p. ext. Quedar anulado un contrato o hacerse exigible una deuda u obligación por cumplirse la condición fijada para ello. – 11 *intr.-prnl.* Refrenar o reprimir los ímpetus del genio o de la pasión. ◇ ** CONJUG. [2] como *mecer.*

vencetósigo *m.* Planta asclepiadácea de raíz medicinal y olor parecido al del alcanfor *(Cynanchum vincetoxicum).*

vencimiento *m.* Acción de vencer. 2 fig. Acción de cumplirse el plazo de una deuda, de una obligación: *el ~ de una letra.* 3 Hecho de ser vencido: *la victoria de unos, el ~ de los otros.* 4 fig. Inclinación o torcimiento de una cosa material.

venda *f.* Tira de lienzo para ligar un miembro o sujetar los apósitos. 2 Tira de lienzo, franela, etc., con que se envuelven las patas de los caballos.

vendaje *m.* Ligadura hecha con vendas o piezas de lienzo adecuadas para sujetar una parte del cuerpo o sostener un apósito.

vendar *tr.* Atar o cubrir con una o varias vendas [una parte del cuerpo]. 2 fig. Poner un impedimento o estorbo al conocimiento para que no aprecie las cosas como son.

vendaval *m.* Viento fuerte que sopla del sur, con tendencia al oeste. 2 p. ext. Viento duro que no sea temporal declarado.

vendehúmos *com.* fam. Persona que ostenta privanza con un poderoso, para vender su favor. ◇ Pl.: *vendehúmos*.

vendeja *f.* Venta pública y común, como en feria.

vendedor, -ra *adj.-s.* Que vende.

vender *tr.* Traspasar a otro la propiedad [de lo que uno posee] a cambio de una cantidad de dinero convenida: *~ una cosa a,* o *en, tal cantidad.* 2 Tener a disposición del público [mercaderías] para el que las quiera comprar. 3 Sacrificar al interés material [cosas que tienen valor moral]: *~ la honra; ~ la justicia.* 4 fig. Faltar uno a la fe o amistad que debe [a otro]; traicionar: *vendió a su amigo.* – 5 *prnl.* Dejarse sobornar. 6 fig. Ofrecerse a todo riesgo y costa en favor de otro: *me vendo por vosotros.* 7 fig. Decir o hacer uno inadvertidamente algo que descubre lo que quisiera tener oculto: *aquel gesto le vendió.* 8 fig. Seguido de la preposición *por,* atribuirse una condición o calidad que no tiene: *venderse por sabio.*

vendí *m.* Certificado de venta extendido por el vendedor. ◇ Pl.: *vendíes.*

vendimia *f.* Recolección de la uva. 2 Tiempo en que se hace. 3 fig. Provecho abundante que se saca de cualquier cosa.

vendimiar *tr.* Recoger el fruto [de las viñas]. 2 fig. Disfrutar [una cosa], especialmente cuando es con violencia o injusticia. ◇ ** CONJUG. [12] como *cambiar.*

veneciano, -na *adj.-s.* De Venecia, ciudad de Italia.

venencia *f.* Especie de bombillo para sacar pequeñas cantidades de vino que contiene una bota.

veneno *m.* Substancia que, introducida en el organismo animal, ocasiona la muerte o graves trastornos. 2 fig. Cosa que puede causar un daño a la salud o a la moral. 3 fig. Afecto de ira, rencor, etc.

venera *f.* Concha semicircular de dos valvas, con dos orejuelas laterales y catorce estrías radiales. Es la concha que llevaban los peregrinos. 2 Cruz que los caballeros de las órdenes militares llevaban colgada al pecho. 3 ARQ. Motivo ornamental formado por una valva convexa parecida a la concha de peregrino; **islámico (arte). 4 BLAS. Concha semicircular con estrías.

venerable *adj.* Digno de veneración, de respeto. 2 Tratamiento aplicable a los prelados. – 3 *adj.-s.* Primer título que la Iglesia concede a los que mueren con fama de santidad. – 4 *m.* Presidente de una logia masónica.

venerar *tr.* Dar culto [a Dios, a los santos o a las cosas sagradas]. 2 Respetar en sumo grado [a una persona o cosa].

venéreo, -a *adj.* Relativo a la sensualidad o al acto sexual y al placer que ocasiona. – 2 *adj.-m.* [enfermedad] Que ordinariamente se contagia por este acto.

venero *m.* Manantial de agua. 2 Raya o línea horaria en los relojes de sol. 3 fig. Origen y principio de donde procede una cosa.

venezolano, -na *adj.-s.* De Venezuela, nación de América del sur.

venganza *f.* Satisfacción que se toma del agravio o daño recibidos, especialmente causando otro daño.

vengar *tr.-prnl.* Tomar satisfacción [de un agravio o daño]: *~ una ofensa; vengarse de una ofensa en el ofensor.* ◇ ** CONJUG. [7] como *llegar.*

vengativo, -va *adj.* Inclinado a tomar venganza de cualquier agravio o daño.

venia *f.* Licencia para ejecutar una cosa. 2 Saludo que se hace inclinando la cabeza. 3 *Amér.* Saludo militar.

venial *adj.* Que se opone levemente a la ley o precepto, y por eso es de fácil remisión: *pecado ~.*

venida *f.* Acción de venir. 2 Regreso. 3 fig. Ímpetu, prontitud o acción inconsiderada.

venidero, -ra *adj.* Que ha de venir o suceder.

venir *intr.* Caminar una persona o moverse una cosa de allá para acá: *la luz viene del sol; ~ a casa; ~ hacia aquí.* 2 Llegar una persona o cosa donde está el que habla: *vino a verme a Madrid; vino de Sevilla; ~ con un criado.* 3 Comparecer una persona ante otra: *quiero que venga.* 4 Acercarse o llegar el tiempo en que una cosa ha de acaecer: *el mes que viene.* 5 Traer origen o tener dependencia una cosa de otra: *viene de linaje de traidores; la palabra «venir» viene del latín;* inferirse, deducirse: *de tal postura viene tal conclusión; su conducta viene de su mala educación.* 6 Pasar el dominio o uso de una cosa de unos a otros: *le vendrá de su padre una hacienda.* 7 Presentarse o iniciarse: *las ideas vienen a la mente; la razón viene a los niños;* empezar a mover un afecto o pasión: *~ gana, deseo de estudiar.* 8 Con los adverbios *bien, mal,* etc., ajustarse, acomodarse: *el vestido le viene bien;* darse o producirse: *la cebada viene bien en este campo.* 9 Con las preposiciones *a, en, con, de* y *sobre* y ciertos nombres o verbos, forma locuciones diversas en que se traduce siempre la significación de movimiento o actividad hacia acá o hacia el momento presente: ~ *a las manos*, reñir; ~ *a la memoria*, recordar; ~ *a menos*, caer en un estado inferior, deteriorarse. – 10 *v. auxiliar* En muchos casos de la acepción *9*, se desposee de su significación propia y pasa a ser verbo auxiliar. Seguido de la preposición *a* + infinitivo, expresa acción que se dirige a su término: *vengo a coincidir con usted; veníamos a estar de acuerdo;* seguido de gerundio denota acción durativa que se acerca hacia un momento dado: *venía solicitando este empleo; se lo vengo diciendo desde hace un año;* seguido de participio, con sentido pasivo, equivale a *ser, estar* + participio: *los cambios de temperatura vienen motivados por los vientos,* por *los cambios de temperatura están motivados por los vientos.* ◇ ** CONJUG. [90].

venta *f.* Acción de vender. 2 Efecto de vender. 3 Cesión mediante un precio convenido: *contrato de ~*. 4 Antigua posada en los caminos o despoblados. 5 Restaurante situado fuera del casco urbano y de poco lujo, en el que se sirven platos típicos de la zona. 6 fig. Sitio desamparado y expuesto a las injurias del tiempo.

ventaja *f.* Lo que da superioridad en cualquier cosa: *la ~ de la experiencia; le dio una ~ de diez puntos en el juego.* 2 Provecho, beneficio.

ventajear *tr. Amér.* Aventajar, tomar ventajas. 2 *Amér.* desp. Sacar ventaja mediante procedimientos reprobables o abusivos.

ventajista *adj.-com.* Jugador de ventaja. 2 Persona que en todos sus asuntos abusa de la ventaja que las circunstancias le dan.

****ventana** *f.* Abertura más o menos elevada sobre el suelo practicada en una pared para dar luz y ventilación. 2 Hoja u hojas de madera o de cristales con que se cierra esa abertura; **casa.

ventanal *m.* **Ventana grande.

ventanilla *f.* Abertura pequeña practicada en una pared o tabique para despachar, cobrar, pagar, etc. 2 Abertura provista de cristal que tienen en sus costados los coches, vagones del tren y otros vehículos. 3 Abertura rectangular, tapada con un papel o material transparente, que llevan algunos sobres para ver la dirección del destinatario, escrito en la misma carta. 4 En una cámara o proyector, lugar en que se dispone la película.

ventanillo *m.* Postigo pequeño de puerta o ventana. 2 Ventanilla o abertura en la puerta exterior de una casa para ver quién llama sin franquear la entrada.

venteadura *f.* Defecto de un material, consistente en la formación de poros u oclusiones de aire en su seno; como en los materiales fundidos, cocidos en hornos, etc.

VENTANA

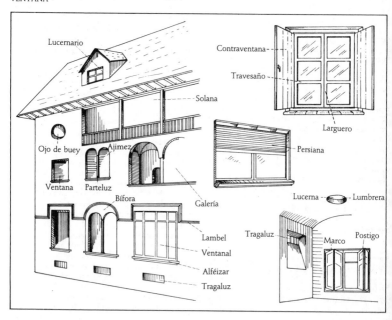

venteamiento *m.* Alteración producida en el vino por la acción del aire.

ventear *impers.* Soplar el viento o hacer aire fuerte. – 2 *tr.* Tomar algunos animales el viento husmeando [alguna cosa]. 3 Sacar [una cosa] al viento para enjugarla o limpiarla. 4 fig. Andar indagando y averiguando [una cosa]: ~ *las pistas de un crimen; abs., hay mujeres que siempre ventean.* – 5 *prnl.* Rajarse o henderse una cosa. 6 Levantarse ampollas en medio de la masa de las tejas o ladrillos al cocerse. 7 Alterarse o estropearse el tabaco y otras cosas por la acción del aire. – 8 *tr. Amér. Central y Méj.* Poner el hierro del comprador [al ganado que se vende]. – 9 *prnl. Amér.* Andar mucho tiempo fuera de casa una persona.

ventilación *f.* Acción de ventilar o ventilarse. 2 Efecto de ventilar o ventilarse. 3 Abertura para ventilar un aposento. 4 Corriente de aire que se establece al ventilarlo.

ventilador *m.* Aparato con un motor situado axialmente o con palas ventiladoras capaz de proporcionar un fuerte flujo de aire paralelo al eje del motor; **automóvil; **avión. 2 Abertura dejada hacia el exterior en una habitación, para renovar el aire sin necesidad de abrir puertas ni ventanas.

ventilar *tr.* Hacer circular el aire [en algún sitio]; esp., hacer entrar el aire del exterior para expeler el viciado. 2 Agitar [una cosa] en el aire; exponerla al viento. 3 fig. Controvertir o dilucidar [una cuestión o duda]. 4 fig. Hacer que trascienda al público [un asunto privado o íntimo]. 5 fig. Matar, asesinar. – 6 *prnl.* fig. Renovar alguien su aspecto, ideas o pensamientos, que ha mantenido inalterables.

ventisca *f.* Borrasca de viento, o viento y nieve, que suele ser más frecuente en los puertos y gargantas de los montes. 2 Viento fuerte.

ventiscar *impers.* Nevar con viento fuerte. 2 Levantarse la nieve por la violencia del viento. ◇ ** CONJUG. [1] como *sacar*.

ventisquero *m.* Ventisca. 2 Altura de los montes más expuesta a las ventiscas. 3 Sitio de los montes, donde se conserva la nieve y el hielo. 4 Masa de nieve o hielo reunida en este sitio.

ventolera *f.* Golpe de viento recio y poco durable. 2 fig. Vanidad, soberbia. 3 fig. Pensamiento o determinación inesperada y extravagante.

ventorrillo *m.* Bodegón en las afueras de una población.

ventorro *m.* desp. Venta (posada) pequeña o mala.

ventosa *f.* Abertura para dar paso al viento. 2 Órgano de ciertos animales que les permite adherirse a los objetos mediante el vacío; **moluscos. 3 Pieza cóncava de material elástico que queda adherida por presión a una superficie lisa al producirse el vacío en su interior.

ventosear *intr.* Expeler del cuerpo los gases intestinales.

ventral *adj.* Relativo al vientre: *aleta ~;* **pez.

ventrecha *f.* Vientre de los pescados.

ventregada *f.* Conjunto de animalitos que han nacido de un parto. 2 fig. Abundancia de cosas que vienen juntas de una vez.

ventrera *f.* Faja que aprieta el vientre. 2 Cincha del caballo.

ventrículo *m.* Cavidad en un órgano; esp., la inferior del corazón que, en número de dos, envía la sangre a las arterias; **circulación. 2 Cavidad del encéfalo que, en número de cuatro, contiene el líquido cefalorraquídeo. 3 ~ *de Morgagni,* espacio que queda entre las cuerdas vocales verdaderas y falsas; **laringe.

ventril *m.* Pieza de madera que equilibra la viga en los molinos de aceite.

ventriloquia *f.* Arte que tienen algunas personas de modificar su voz de manera que parezca venir de lejos e imitar otros tonos y sonidos. ◇ INCOR.: *ventriloquía.*

ventura *f.* Felicidad. 2 Contingencia o casualidad. 3 Buena o mala suerte.

venus *f.* Desnudo escultórico de mujer con que se quiere representar a la diosa Venus. 2 Estatuilla prehistórica femenina de pequeñas dimensiones elaborada en piedra, marfil o hueso. ◇ Pl.: *venus.*

Venus *f.* Planeta cuya órbita está comprendida entre las de Mercurio y la Tierra; **solar (sistema). 2 fig. Mujer muy hermosa.

I) ver *m.* Parecer o apariencia de las cosas: *tener buen ~.*

II) ver *tr.* Percibir la imagen que la luz reflejada por un objeto forma en la retina y, en consecuencia, percibir [los objetos materiales] por el sentido de la vista; *abs., los ciegos no ven; ~ por un agujero.* 2 Observar, examinar: *veamos este detalle.* 3 Someterse a examen, a control de parte de un técnico, experto, etc.: *quiero que me vea un médico.* 4 Comprobar, averiguar: *lo veremos en seguida; veamos si la conclusión es exacta; voy a ver si ha venido ya.* 5 Ser testigo de un hecho, de un acontecimiento: *lo vi con mis propios ojos; ellos no han visto la guerra.* 6 Mirar con atención, reflexionar: *veamos este problema; ve si esto te conviene.* 7 Juzgar: *es su manera de ~ las cosas.* 8 Prever, presentir, prevenir: *estoy viendo que no llegará.* 9 Seguido de la preposición *de* + infinitivo, tratar de realizar lo que éste indica: *veremos de subir por este lado.* 10 DER. Asistir los jueces a la discusión oral [de un pleito o causa]. – 11 *tr.-prnl.* Visitar, encontrar [a alguien]: *he visto a Juan; me he visto con Juan.* – 12 *prnl.* Ser perceptible o patente: *se ve bien; el colorido no se ve; se ve que no lo dirán.* 13 Mirarse, contemplarse: *verse en un espejo.* 14 Hallarse uno en un estado o situación: *verse pobre, agasajado,* etc. 15 Estar o hallarse en un sitio o lance: *cuando se vio en el puerto, no cabía de gozo.* ◇ ** CONJUG. [91]. pp. irreg.: *visto.*

vera *f.* Orilla. – 2 *loc. prep.* fam. *A la ~ de,* junto a, al lado de.

veracidad *f.* Calidad de veraz.

veranda *f.* Galería o balcón cubierto y cerrado con cristales; mirador.

veranear *intr.* Ir a pasar el verano en alguna parte.

veranillo *m.* Tiempo breve de calor en otoño: *~ de San Martín.* 2 *Amér. Central.* En la temporada de lluvias, días en que no llueve.

verano *m.* Estío.

veras *f. pl.* Realidad, verdad en las cosas que se dicen o hacen: *de ~,* con verdad. 2 Eficacia, fervor con que se ejecutan o desean las cosas. ◇ Pl.: *veras.*

veraz *adj.* Que dice o profesa siempre la verdad.

verbal *adj.* Relativo a la palabra o que se sirve de ella: *memoria ~; expresión ~.* 2 Que se hace de palabra y no por escrito: *juicio ~.* 3 Perteneciente o relativo al verbo: *desinencias verbales.* 4 [palabra] Que se deriva de un verbo; como *andador, andadura* de *andar.*

verbalismo *m.* Propensión a dar, en el razonamiento o en la enseñanza, más importancia a las palabras que a los conceptos.

verbalizar *tr.* Expresar [algo] mediante la lengua. ◇ ** CONJUG. [4] como *realizar.*

verbalmente *adv. m.* De palabra.

verbena *f.* Planta verbenácea, de flores terminales en espigas largas y delgadas *(Verbena officinalis).* 2 Velada de regocijo popular que se celebra en la víspera de ciertas festividades: *~ de la Paloma; ~ de San Antón.*

verbenáceo, -a *adj.-f.* Planta de la familia de las verbenáceas. – 2 *f. pl.* Familia de plantas dicotiledóneas, de tallos y ramos generalmente cuadrangulares, hojas opuestas y verticiladas, flores en racimo, cima, espiga o cabezuela, y fruto en cápsula o drupa; como la verbena.

verbenear *intr.* fig. Hormiguear, bullir, agitarse una cosa. 2 Abundar, multiplicarse en un paraje personas o cosas.

verberar *tr.* Azotar, fustigar. 2 fig. Azotar el viento o el agua [en alguna parte].

verbigracia *adv.* Por ejemplo.

I) Verbo *m.* Segunda persona de la Santísima Trinidad.

II) verbo *m.* Palabra. 2 Voto (expresión). 3 Parte de la oración o del discurso que tiene formas personales adaptadas a las circunstancias de voz, modo, tiempo, número y persona, y formas no personales, infinitivo, gerundio y participio, con los caracteres del nombre, el adverbio y el adjetivo respectivamente. En las formas personales el verbo expresa por sí solo, o con las palabras que le acompañan, un juicio

acerca del sujeto: *~ activo,* verbo transitivo; *~ auxiliar,* el que sirve para formar tiempos compuestos *(haber),* o la voz pasiva *(ser),* o ciertas formas modales no incluidas en los paradigmas *(deber, soler, ir, quedar); ~ copulativo,* verbo substantivo; *~ defectivo,* el que sólo se conjuga en determinados modos, tiempos o personas: *abolir, aplacer; ~ factitivo,* verbo o perífrasis verbal cuyo sujeto hace hacer la acción: *dar miedo, horrorizar; ~ frecuentativo,* el que expresa una acción reiterada: *bastonear, berrear, repasar; ~ impersonal,* el que sólo se aplica en el infinitivo y en la 3ª persona del singular: *llover, alborear; ~ intransitivo,* el que en la expresión del juicio no reclama el complemento directo: *ser, crecer, nacer; ~ irregular,* el que se conjuga alterando ya las letras radicales, ya las terminaciones de su paradigma, ya las dos a la vez; *~ neutro,* verbo intransitivo; *~ pasivo,* el que se conjuga en la voz pasiva; *~ pronominal,* el que se conjuga acompañado de un pronombre átono de la misma persona que el sujeto: *me peino, péinate; ~ recíproco,* verbo que expresa, por medio de un pronombre átono, cambio mutuo de acción entre dos o más personas: *se tutean; ~ reflexivo* o *reflejo,* el que tiene por complemento el mismo sujeto expresado por medio de un pronombre átono: *me arrepiento, péinate, nos caemos; ~ regular,* el que se conjuga de acuerdo con su paradigma sin alterar las letras radicales ni las terminaciones; *~ substantivo,* verbo intransitivo *ser* y sus similares: *parecer, estar, quedar,* etc., cuando afirman la existencia o se usan en función de cópula; *~ transitivo,* el que exige un complemento directo, el cual se construye sin preposición, aunque en español reclama en ciertos casos la preposición *a; ~ unipersonal,* verbo o forma verbal que se usa sin referencia a sujeto alguno. Se usa en la 3ª persona del singular o del plural: *se dice, dicen, hay.* ◇ V. Apéndice gramatical.

verborrea *f.* fam. Verbosidad excesiva.

verbosidad *f.* Abundancia de palabras en la locución.

verdad *f.* Adecuación del pensamiento a la cosa: *el error es opuesto a la ~.* 2 Corrección del pensamiento, cualidad del juicio que no se puede negar racionalmente. 3 Conformidad de lo que se dice con lo que se siente o se piensa; veracidad: *faltar a la ~,* mentir. 4 Realidad.

verdadero, -ra *adj.* Que contiene verdad. 2 Real, efectivo. 3 Ingenuo, sincero. 4 Veraz.

verdal *adj.* [fruta] Que tiene color verde aún después de maduro: *ciruela ~.*

verdasca *f.* Vara o ramo delgado, ordinariamente verde.

verde *adj.-m.* Color de la hierba fresca; es el cuarto del espectro solar y se puede obtener mezclando el amarillo y el azul: ~ *mar,* color parecido al del mar; ~ *esmeralda,* color parecido al de la esmeralda. – 2 *adj.* De color verde. 3 [árbol, leña o legumbre] Que aún no está seco. 4 Que aún no está maduro: *fruta* ~. 5 fig. Que está en sus principios: *en mis años verdes,* en mi juventud. 6 fig. Libre, obsceno. – 7 *m.* Hierba segada en verde para alimento del ganado. 8 fam. Billete de mil pesetas. 9 *com.* Simpatizante o militante de los partidos ecologistas.

verdear *intr.* Mostrar una cosa color verde; tirar un color a verde. 2 Empezar a brotar las plantas en los campos o las hojas en los árboles. 3 *Argent.* y *Urug.* Tomar mate.

verdeceladón, verdeceledón *adj.-m.* Color verde claro que se da a ciertas telas. – 2 *adj.* De color verdeceladón.

verdecer *intr.* Reverdecer, verdear, vestirse de verde la tierra o los árboles. ◇ ** CONJUG. [43] como *agradecer.*

verdecillo *m.* Ave paseriforme de unos 12 cms. de longitud, pico rechoncho y plumaje amarillento listado con el obispillo de color amarillo muy vivo *(Serinus serinus).*

verdegambre *m.* Planta liliácea de hojas dispuestas en verticilos de tres unidades y flores blancas por dentro y verdosas por fuera; las raíces despiden un olor muy desagradable. Es una planta muy venenosa *(Veratrum album).*

verdegay *adj.-m.* Color verde claro. – 2 *adj.* De color verdegay.

verdemar *adj.-m.* Color verde mar. – 2 *adj.* De color verdemar.

verdeo *m.* Recolección de las aceitunas antes de que maduren para consumirlas aderezadas o encurtidas.

verderón *m.* Ave paseriforme cantora, del tamaño de un gorrión con el plumaje verdoso *(Carduelis chloris).*

verdevejiga *m.* Compuesto de hiel de vaca y sulfuro de hierro. – 2 *adj.-m.* Color verde obscuro. – 3 *adj.* De color verdevejiga.

verdiales *m. pl.* Baile popular de Andalucía, parecido al fandango, de probable origen morisco. 2 Música y canto de este baile.

verdín *m.* Color verde de las plantas que no han llegado a la sazón. 2 Estas mismas plantas. 3 Capa verde formada por ciertas plantas criptógamas en lugares húmedos y en la superficie de aguas estancadas.

verdinegro, -gra *adj.-m.* Color verde obscuro. – 2 *adj.* De color verdinegro.

verdiseco, -ca *adj.* Medio seco.

verdolaga *f.* Planta portulacácea de hojas carnosas pequeñas y ovaladas, que se comen en ensalada *(Portulaca oleracea).*

verdor *m.* Color verde vivo de las plantas. 2 fig. Vigor, lozanía. 3 fig. Edad de la mocedad.

verdugal *m.* Monte bajo que, después de

quemado o cortado, se cubre de vástagos (ramas).

verdugo *m.* Estoque muy delgado. 2 Azote de materia flexible. 3 Roncha que levanta un verdugo (azote). 4 Funcionario de justicia que ejecuta las penas de muerte. 5 fig. Persona muy cruel o cosa que atormenta mucho.

verdugón *m.* Verdugo (roncha). 2 *Amér.* Rotura de la ropa. 3 *Argent.* y *Bol.* Arruga que hace el calzado; bulto molesto para el pie.

verduguillo *m.* Especie de roncha que se levanta en las hojas de algunas plantas. 2 Navaja estrecha para afeitar. 3 Verdugo (estoque). 4 Listón estrecho en forma de mediacaña.

verdulería *f.* Tienda de verduras. 2 fig. y fam. Calidad de verde o libre, obscenidad.

verdura *f.* Verdor (color de planta). 2 Hortaliza, especialmente la que se come cocida. 3 Representación pictórica del follaje en decoraciones, tapices, etc.

vereda *f.* Camino angosto, formado generalmente por el tránsito de peatones y ganados. 2 *Amér.* Acera de las calles.

veredicto *m.* Definición sobre un hecho dictada por el jurado. 2 p. ext. Parecer, dictamen, juicio emitido reflexiva y autorizadamente.

verga *f.* Miembro genital de los mamíferos. 2 Arco de acero de la ballesta. 3 Palo delgado. 4 Tira de plomo con ranuras en los cantos, que sirve para asegurar los vidrios de las ventanas. 5 MAR. Percha a la cual se asegura el grátil de una vela.

vergajo *m.* Verga del toro que, seca y retorcida, se usa como látigo. 2 p. ext. Azote corto de materia flexible.

vergel *m.* Huerto con flores y árboles frutales.

verglás *m.* Capa de hielo muy fina y transparente, que cubre el suelo o la superficie de los cuerpos sólidos.

vergonzoso, -sa *adj.* Que causa vergüenza. – 2 *adj.-s.* Que se avergüenza con facilidad. – 3 *f.* Arbusto mimosáceo caducifolio de hojas espinosas y flores de color rosado dispuestas en ramilletes *(Mimosa pudica).*

vergüenza *f.* Deshonor humillante, oprobio: *se cubrió de* ~ *con semejante acción.* 2 Turbación del ánimo causada por una falta cometida, por una humillación recibida, o por sentirse objeto de la atención de alguien. 3 Encogimiento o cortedad para ejecutar una cosa. 4 Pundonor: *hombre de* ~. – 5 *f. pl.* Órganos genitales.

verguío, -a *adj.* Flexible y correoso; esp., la madera.

vericueto *m.* Lugar áspero, alto y quebrado, por donde se anda con gran dificultad.

verídico, -ca *adj.* Que dice verdad. 2 Que

la incluye. 3 Verosímil, con gran probabilidad de ser verdadero.

verificación *f.* Acción de verificar o verificarse. 2 Efecto de verificar o verificarse. 3 Examen de la verdad de una cosa. 4 Salir cierto o verdadero lo que se pronosticó.

verificador, -ra *adj.-s.* Que verifica. 2 esp. [pers.] Que tiene a su cargo comprobar la buena marcha de los contadores de gas, agua, electricidad, etc. – 3 *f.* Máquina de fichas perforadas, usada para controlar la exactitud del trabajo realizado por la perforadora de fichas.

verificar *tr.* Probar [que una cosa de la que se dudaba] es verdadera. 2 Comprobar o examinar [la verdad de una cosa]. – 3 *tr.-prnl.* Realizar, efectuar [alguna cosa prevista de antemano]: ~, o *verificarse, la boda, el eclipse,* etc. – 4 *prnl.* Salir cierto o verdadero lo que se pronosticó. ◇ ** CONJUG. [1] como *sacar.*

verigüeto *m.* Molusco lamelibranquio, uno de los mariscos más sabrosos *(Venus verrucosa).*

verismo *m.* Sistema estético que señala lo verdadero como fin de la obra de arte; esp., la novela realista italiana del s. XIX . 2 Cualidad de lo que representa o relata las cosas con verdad.

verja *f.* Enrejado que sirve de puerta, ventana o cerca; **cerradura.

verme *m.* Lombriz intestinal. ◇ Úsase especialmente en plural.

vermiculado, -da *adj.* ARQ. [adorno] De forma irregular, como roeduras de gusanos.

vermiforme *adj.* De figura de gusano.

vermífugo, -ga *adj.-m.* Que mata las lombrices intestinales.

vermis *m.* Parte media del cerebelo, entre los dos hemisferios. ◇ Pl.: *vermis.*

vermú, vermut *m.* Licor aperitivo compuesto de vino blanco, ajenjo y otras substancias amargas y tónicas. 2 p. ext. Aperitivo, conjunto de bebidas y tapas que se toman antes de las comidas. – 3 *f.* Función de cine o teatro por la tarde, celebrada con horario anterior al de las sesiones acostumbradas. ◇ Pl.: *vermús.*

vernáculo, -la *adj.* Propio del país: *idioma ~.*

veronés, -nesa *adj.-s.* De Verona, ciudad de Italia.

verónica *f.* Planta escrofulariácea, de hojas opuestas, elípticas y vellosas, y flores azules en espigas axilares *(Veronica officinalis).* 2 TAUROM. Lance que consiste en recibir y templar el torero la acometida del toro, teniendo la capa extendida con ambas manos enfrente de la res.

verosímil *adj.* Que parece verdadero y puede creerse.

verraco *m.* Cerdo padre.

verraquear *intr.* fig. Gruñir o dar señal de enojo. 2 fig. Llorar un niño con rabia y continuamente.

verriondo, -da *adj.* [animal] Que está en celo; esp., el puerco. 2 Que está marchito, o mal cocido y duro, especialmente las hierbas o cosas parecidas.

verrucaria *f.* Planta erecta y anual boraginácea, con las hojas ovales y vellosas, y las flores de color blanco o lila *(Heliotropium europaeum).*

verruga *f.* Excrecencia cutánea formada por la dilatación de las papilas vasculares y el endurecimiento de la epidermis que las cubre. 2 Abultamiento que la acumulación de savia produce en algún punto en la superficie de una planta. 3 fig. Persona o cosa molesta y fastidiosa. 4 fig. Tacha, defecto. 5 *Amér. Central.* Ganga, prebenda. 6 *Amér. Central.* Ahorro, hucha.

verrugato *m.* Pez marino teleósteo perciforme, parecido a la corvina, de cuerpo alargado, con un barbillón pequeño en la mandíbula como una verruga *(Sciaena cirrosa; Umbrina c.).*

versado, -da *adj.* Práctico, instruido: ~ *en las matemáticas.* – 2 *f. Amér.* desp. Composición en verso, más o menos larga.

versallesco, -ca *adj.* Relativo a las costumbres de la corte francesa en el siglo XVIII. 2 fam. Que es afectadamente cortés: *lenguaje ~; modales versallescos.*

versar *intr.* fig. Tratar de tal o cual materia un libro, un discurso, etc. – 2 *prnl.* Hacerse uno práctico o perito en una cosa.

versátil *adj.* Que se vuelve o puede volver fácilmente. 2 fig. De genio voluble e inconstante. 3 [dedo de las aves] Que puede girar hacia atrás o hacia delante para colocarse así en su posición opuesta a los restantes. ◇ INCOR.: por *dúctil, polifacético, capaz.*

versícula *f.* Lugar donde se ponen los libros de coro.

versículo *m.* Breve división de ciertos libros, especialmente de la Sagrada Escritura. 2 Oración breve formada por una frase y la respuesta, que se dice especialmente en las horas canónicas. 3 Verso de un poema escrito sin rima ni metro fijo y determinado, en especial cuando el verso constituye una unidad de sentido.

versificación *f.* Acción de versificar. 2 Efecto de versificar. 3 Arte de versificar.

versificar *intr.* Hacer versos. – 2 *tr.* Poner en verso: ~ *una leyenda.* ◇ ** CONJUG. [1] como *sacar.*

versión *f.* Traducción (acción y efecto). 2 Modo que tiene cada uno de referir un mismo suceso. 3 Adaptación de una obra (producción del entendimiento) al teatro, al cine, a la televisión o a la música. 4 Operación para cambiar la postura del feto que se presenta mal para el parto.

l) verso *m.* Palabra o conjunto de palabras

sujetas a un ritmo cuyas leyes varían según los tiempos e idiomas; constituye una unidad rítmica dentro de la estrofa: ~ *de arte mayor,* el de más de ocho sílabas; ~ *de arte menor,* el de ocho sílabas o menos.

II) verso *adj.* [folio, plana de un **libro] Vuelto.

versus *prep.* Contra, en lenguaje forense. ◇ ANGLIC. e INCOR.: su empleo por *frente a: capitalismo versus socialismo.*

vértebra *f.* Hueso corto articulado que, junto con otros, forma la columna vertebral.

vertebrado, -da *adj.* Que tiene vértebras. – 2 *adj.-m.* Animal del subtipo de los vertebrados. – 3 *m. pl.* Subtipo de animales cordados dotados de un esqueleto interno, óseo o cartilaginoso, con columna vertebral, que incluye cinco clases: peces, anfibios, reptiles, aves y mamíferos.

vertebrar *tr.* fig. Dar consistencia y estructura internas; dar organización y cohesión.

vertedera *f.* Especie de orejera para voltear la tierra levantada por el arado.

vertedero *m.* Sitio a donde o por donde se vierte algo, especialmente escombros, basuras, etc.

verter *tr.* Hacer salir de un recipiente y esparcir o pasar a otro recipiente [un líquido o cosas como la sal, la harina, etc.]: ~ *el agua del cántaro al suelo, en el jarro.* 2 Inclinar [un recipiente] o volverlo boca abajo para que salga su contenido. 3 Traducir (a otra lengua). 4 fig. Emitir [máximas o conceptos] con la intención de sugerir algo desagradable. – 5 *intr.* Correr un líquido por una pendiente: *el agua vierte hacia el torrente, el río, el mar.* ◇ ** CONJUG. [28] como *entender* ◇ INCOR.: las formas *vertir, virtió, virtieron,* etc.

vertical *adj.* Perpendicular al plano del horizonte. 2 Que organiza el poder, político o sindical, tomando las decisiones en los mandos superiores y transmitiéndolas hacia la base: *sindicato ~.* – 3 *adj.-f.* En figuras, dibujos, escritos, impresos, etc., línea, disposición o dirección que va de la cabeza al pie. – 4 *m.* Semicírculo máximo que se considera en la esfera celeste perpendicular al plano del horizonte.

verticalismo *m.* Organización vertical del poder.

vértice *m.* Punto en que concurren los dos lados de un **ángulo o las caras de un poliedro; **polígonos. 2 Punto de una **curva en que ésta se encuentra con su eje. 3 Cúspide (de pirámide). 4 Parte más elevada de la cabeza humana.

verticilo *m.* Conjunto de tres o más hojas, ramos, inflorescencias u órganos florales dispuestos en un mismo plano alrededor de un eje.

vertiente *amb.* Declive por donde corre o puede correr el agua. – 2 *f.* Pendiente de una **cubierta. 3 fig. Aspecto, punto de vista.

vertiginoso, -sa *adj.* Relativo al vértigo. 2 Que causa vértigo. 3 Que padece vértigo.

vértigo *m.* Trastorno nervioso que produce al enfermo la sensación de que los objetos que le rodean tienen movimiento giratorio u oscilatorio. 2 Turbación del juicio, repentina y generalmente pasajera, ramo de locura. 3 fig. Apresuramiento anormal de la actividad de una persona o colectividad. 4 fig. Sensación semejante al mareo producida por una impresión muy fuerte.

vesania *f.* Demencia, furia. ◇ INCOR.: *vesanía.*

vesicante *adj.-m.* Substancia que produce ampollas en la piel.

vesícula *f.* MED. Ampolla pequeña en la epidermis, llena generalmente de líquido seroso. 2 Pequeña cavidad membranosa en el cuerpo del animal: ~ *biliar;* **digestivo (aparato); *vesículas traqueales;* **respiración. 3 BOT. Pequeña cavidad llena de aire en los tejidos de una planta.

véspero *m.* El planeta Venus como lucero de la tarde. 2 Últimas horas de la tarde, anochecer.

vespertina *f.* Acto literario que se celebraba por la tarde en las universidades. 2 Sermón que se predica por la tarde.

vespertino, -na *adj.* Perteneciente o relativo a las últimas horas de la tarde. 2 [astro] Que transpone el horizonte después de ponerse el Sol. – 3 *m.* Diario de la tarde.

vestíbulo *m.* Atrio o portal en la entrada de un edificio; **basílica. 2 Sala que da paso a las demás piezas de la casa. 3 Sala próxima a la entrada en los hoteles importantes. 4 ANAT. Cavidad central del laberinto óseo del oído interno.

vestido *m.* Lo que sirve para cubrir el cuerpo humano. 2 Conjunto de piezas que sirven para este uso. 3 Prenda de vestir exterior femenina formada por una sola pieza.

vestidor *m.* Dependencia doméstica para arreglarse, tocador.

vestidura *f.* Vestido que, sobrepuesto al ordinario, usan los sacerdotes y sus ministros para el culto divino. ◇ Úsase especialmente en plural.

vestigial *adj.* Escasamente desarrollado.

vestigio *m.* Huella (señal del pie). 2 Señal, memoria que queda de una cosa destruida o pasada: *los vestigios de la civilización romana.* 3 fig. Indicio por donde se infiere algo.

vestimenta *f.* Vestido.

vestir *tr.-prnl.* Cubrir el cuerpo propio o el de otra persona con el vestido: *me visto; visto a mi hijo;* *tr.* p. anal., facilitar [a alguno] el vestido o el dinero para comprarlo: *visto a mis criados;* hacer los vestidos [para otro]: *este sastre* *viste a mi hermano.* – **2 tr.** Llevar [tal o cual vestido]: *visten toscos sayales;* **intr.,** con la preposición *de,* llevar un vestido en tal o cual forma: ~ *de blanco, de etiqueta.* 3 Guarnecer o cubrir [una cosa] con otra: ~ *de acero una puerta.* 4 fig. Exornar [una especie] con galas retóricas: *ha vestido su petición con bellas palabras;* disfrazar o disimular [la realidad de una cosa]: ~ *las malas acciones;* dar [al porte o apariencia exterior] los aspectos de una pasión del ánimo: *vistió su rostro de severidad.* – **5 intr.-prnl.** Ir vestido: ~, o *vestirse, bien;* ~ *a la moda; vestirse con lo ajeno.* – **6 intr.** Ser una prenda, o la materia, o el color de ella, a propósito para el lucimiento de una persona: *la seda viste mucho.* – **7 prnl.** Cubrir la hierba los campos; la hoja los árboles; el pelo o la pluma los animales, etc.: *el prado se viste de flores;* **tr.,** *las flores visten el prado.* 8 Cubrir una cosa a otra: *el cielo se viste de nubes.* 9 Aparentar alguna cualidad o estado: *vestirse de importancia, de humildad.* ◇ ** CONJUG. [34] como *servir.*

vestuario *m.* Vestido (conjunto de piezas). 2 Conjunto de trajes necesarios para una representación escénica. 3 Parte del teatro donde se visten los actores. 4 p. ext. Toda la parte interior del teatro. – **5 m. pl.** En los campos de deportes, piscinas, etc., local destinado a cambiarse de ropa; **estadio.

veta *f.* Franja o lista de una materia que se distingue de la masa en que se halla interpuesta: ~ *de tierra caliza.* 2 Vena (faja de tierra; en piedra o madera). 3 Cinta de algodón, hilo o lana. 4 Propensión a alguna cosa que se menciona: ~ *de loco.*

vetar *tr.* Poner el veto [a una ley].

vetear *tr.* Señalar o pintar vetas [en una cosa].

veterano, -na *adj.-s.* Militar experto en su profesión por haber servido mucho tiempo. 2 fig. Antiguo y experimentado en cualquier profesión.

veterinaria *f.* Disciplina que trata de precaver y curar las enfermedades de los animales.

vetiver *m.* Planta gramínea tropical de cuyos rizomas aromáticos se extrae un aceite usado en perfumería *(Vetiveria zizanioides).* 2 Raíz de esta planta.

veto *m.* Derecho que tiene una persona o corporación para vedar una cosa; esp., un jefe de estado para impedir un proyecto de ley: ~ *presidencial.* 2 p. ext. Acción de vedar. 3 p. ext. Efecto de vedar.

vetusto, -ta *adj.* Muy antiguo, de mucha edad.

vez *f.* Caso en que tiene lugar un acto o acontecimiento susceptible de repetición: *vino dos veces; otra ~ no te valdrá; nevó tres veces este año.* 2 Tiempo u ocasión determinada: ~ *hubo que se quedó en la calle.* 3 Tiempo u ocasión de

hacer una cosa por turno u orden: *le llegó la ~ de entrar.* 4 Realización de un suceso o una acción en momentos y circunstancias distintos: *la primera ~ que vi el mar.*

vía *f.* Camino (tierra hollada): ~ *de comunicación;* ~ *pública,* calle, plaza o lugar por donde transita el público; ~ *férrea,* ferrocarril. 2 Terreno explanado en el que se asientan los carriles de un ferrocarril: *el tren parte de la ~ seis.* 3 Par de carriles sobre los cuales puede correr un ferrocarril, tranvía, etc. 4 Calzada construida para la circulación rodada de todo tipo de vehículos. 5 Ordenamiento procesal: ~ *contenciosa;* ~ *ejecutiva;* ~ *gubernativa;* ~ *sumaria.* 6 MED. Conducto para las funciones fisiológicas: *vías respiratorias;* **por** ~ *oral, loc. adj. adv.,* [medicamento] que se administra por la boca y acción de administrarlo así. 7 Rumbo, dirección en general. En complementos circunstanciales sin preposición, indica la ruta que se sigue en un viaje o el camino o medio de transmisión de mensajes e imágenes: *salió* ~ *Barcelona; televisión* ~ *satélite.* 8 *Cuaderna* ~, estrofa compuesta de cuatro alejandrinos monorrimos.

vía crucis *m.* Camino señalado con representaciones de los pasos de la Pasión de Jesucristo. 2 Conjunto de catorce representaciones de dichos pasos. 3 Ejercicio piadoso en que se conmemoran los pasos del Calvario. 4 Libro en que se contienen los rezos de este ejercicio. 5 fig. Aflicción continuada que sufre una persona. ◇ Pl.: *vía crucis.*

viable *adj.* Que puede vivir. 2 fig. Que tiene probabilidades de llevarse a cabo. ◇ INCOR.: por *transitable,* puesto que no viene de *vía,* sino de *vida.*

viaducto *m.* Obra a manera de puente, para el paso de un camino o calle sobre una hondonada.

viajante *com.* Dependiente comercial que hace viajes para negociar.

viajar *intr.* Hacer viaje: ~ *en tren.* 2 Ser transportada una cosa de un lugar a otro: *las mercancías viajan por cuenta y riesgo de la compañía.* 3 fig. Hallarse bajo los efectos de drogas alucinógenas. – **4 tr.** Recorrer un viajante [diversas localidades] para vender [una mercancía]: ~ *las provincias de Levante;* ~ *calzado, ferretería.*

I) viaje *m.* Ida de una parte a otra, especialmente cuando se va a un lugar notablemente distante. 2 Carga que se lleva de una vez de un lugar a otro. 3 Estado de alucinación causado por estupefacientes.

II) viaje *m.* Corte sesgado que se da a alguna cosa; como las piezas de madera o los paños de las velas. 2 fam. Acometida inesperada, y por lo común a traición, con arma blanca y corta. 3 fam. Movimiento de la mano del plato a la boca para comer.

I) vial *m.* Calle de árboles u otras plantas.

II) vial *m.* Frasquito destinado a contener un medicamento inyectable, del cual se van extrayendo las dosis convenientes.

vialidad *f.* Conjunto de servicios relacionados con las vías públicas. 2 Calidad de transitable: *la ~ invernal de las carreteras.*

vianda *f.* Sustento de los seres humanos. 2 Comida que se sirve a la mesa.

viandante *com.* Persona que va de camino o que pasa lo más del tiempo por los caminos. – 2 *adj.-com.* Peatón (que anda a pie).

viaraza *f.* Flujo de vientre. 2 Acción brusca e irreflexiva.

viático *m.* Subvención que percibe un diplomático, funcionario, etc., para trasladarse al punto de su destino. 2 En la liturgia cristiana, sacramento de la Eucaristía, que se administra a los enfermos que están en peligro de muerte.

víbora *f.* Serpiente venenosa de unos 50 cms. de largo, cabeza triangular y piel gris con manchas negras *(gén. Vipera).* 2 fig. Persona maldiciente. 3 Pez marino teleósteo perciforme con aguijones venenosos, de color pardo amarillento con manchas más obscuras en una hilera longitudinal, que vive en los fondos arenosos enterrado hasta los ojos *(Trachinus radiatus).*

viborán *m. Amér. Central.* Arbusto medicinal, cuyo tallo segrega un jugo lechoso de propiedades vomitivas y vermífugas *(Asclepias curassavica).*

viborera *f.* Planta boraginácea bienal de hojas lanceoladas y de flores azules dispuestas en inflorescencias piramidales densas *(Echium vulgare).*

vibración *f.* Acción de vibrar. 2 Efecto de vibrar. 3 Movimiento de una partícula de un cuerpo vibrante durante un período. 4 Procedimiento de compactación del hormigón, consistente en someter este durante el fraguado a una elevada oscilación mecánica. 5 Movimiento repetido de los órganos de las cavidades productoras del sonido que crea una onda sonora al salir el aire.

vibráfono *m.* Instrumento músico formado por placas metálicas vibrantes.

vibrante *adj.* Que vibra. 2 *adj.-s.* [**sonido] Que se pronuncia con un rápido contacto oclusivo, simple o múltiple, entre los órganos de la articulación.

vibrar *intr.* Moverse rápidamente las partículas de un cuerpo elástico con movimiento alterno a uno y otro lado del punto de equilibrio, o la totalidad de un cuerpo por efecto de este movimiento: *el diapasón vibra.* 2 fig. Conmoverse. – 3 *tr.* Dar un movimiento semejante [a cualquier cosa delgada y elástica]: *~ un resorte.* 4 p. ext. Dar [a la voz] un sonido trémulo.

vibrátil *adj.* Capaz de vibrar. 2 BIOL. Propio o relativo al movimiento que efectúan o que provocan aquellas células que poseen numerosos cilios.

viburno *m.* Arbusto caprifoliáceo de hojas ovales, lanuginosas por el envés, y flores blanquecinas y olorosas *(gén. Viburnum).*

vicaría *f.* Oficio o dignidad de vicario. 2 Oficina o tribunal en que se despacha el vicario: *pasar por la ~,* fig., casarse. 3 Territorio de la jurisdicción del vicario.

vicario, -ria *adj.-s.* Que asiste a un superior en sus funciones o lo substituye: *el ~ de la parroquia; ~ apostólico; ~ de Jesucristo,* el Papa; *~ general; ~ general castrense o de los ejércitos.* – 2 *m. f.* Persona que en las órdenes regulares tiene las veces y autoridad de alguno de los superiores. – 3 *m.* Juez eclesiástico nombrado y elegido por los prelados para que ejerza sobre sus súbditos la jurisdicción ordinaria.

vicealmirante *m.* Oficial general de la armada, inmediatamente inferior al almirante; equivale a general de división en el ejército de tierra.

vicecanciller *m.* El que hace las veces de canciller. 2 Antiguo título del canciller o cardenal presidente de la cancillería apostólica.

vicecónsul *m.* Funcionario inmediatamente inferior al cónsul.

vicediós *m.* Título que se da al Papa como representante de Dios en la tierra.

vicegobernador, -ra *m. f.* Persona que hace las veces de gobernador.

vicenal *adj.* Que sucede o se repite cada veinte años. 2 Que dura veinte años.

vicepresidente, -ta *m. f.* Persona que hace las veces de presidente.

vicerrector, -ra *m. f.* Persona que hace las veces de rector.

vicesecretario, -ria *m. f.* Persona que hace las veces de secretario.

viceptiple *f.* Corista, cantante.

viceversa *adv. m.* Invirtiendo el orden de dos términos; al contrario o por lo contrario.

viciar *tr.-prnl.* Dañar o corromper física o moralmente: *~ el aire;* esp., corromper las buenas costumbres. – 2 *tr.* Falsear o adulterar [los géneros]; p. ext., falsear [un escrito]; fig., torcer [el sentido a una proposición]. – 3 *prnl.* Entregarse uno a los vicios: *viciarse con el, o del, trato de alguno.* 4 Torcerse, combarse una superficie. ◇ ** CONJUG. [12] como *cambiar.*

vicio *m.* Defecto físico, imperfección, especialmente la que altera algo en su esencia: *~ de conformación, de pronunciación.* 2 Frondosidad excesiva y perjudicial: *los sembrados llevan mucho ~.* 3 Hábito de obrar mal; demasiado apetito de una cosa que incita a usar de ella con exceso: *el ~ de beber en demasía.* 4 Libertad excesiva, libertinaje: *vivir en el ~.* 5 Mimo (excesiva condescendencia): *de ~,* sin necesidad o motivo: *quejarse o hablar de ~;* fam.,

estupendo, admirable: *hice un examen de ~*. 6
GRAM. *~ de dicción,* incorrección o defecto en
el empleo del idioma.
vicisitud *f.* Sucesión de unas cosas a otras
muy diferentes. 2 Alternativa de sucesos prósperos y adversos. 3 Accidente, contrariedad,
suceso adverso que puede afectar la marcha o
desarrollo de algo.
víctima *f.* Persona o animal destinado al
sacrificio. 2 fig. Persona que se expone a un
grave riesgo en favor de otra. 3 fig. Persona
que sufre por culpa ajena o por causa fortuita.
victoria *f.* Acción de vencer o ganar en una
guerra, lucha, etc. 2 fig. Vencimiento de los
vicios o pasiones.
victorial *f.* Planta liliácea perenne de hojas
elípticas y flores blanco-verdosas al principio
y amarillentas más tarde, dispuestas en inflorescencias globulares *(Allium victorialis).*
victrola *f.* *Amér.* Fonógrafo de motor eléctrico, tocadiscos.
vicuña *f.* Mamífero rumiante camélido,
parecido a la llama, con el cuerpo cubierto de
pelo largo y fino *(Lama vicunna).* 2 Pelo de este
animal. 3 Tejido hecho con este pelo y, posteriormente, algunas imitaciones fabricadas
con lana fina y algodón.
vichar *tr.* *Amér.* Espiar, avizorar, acechar.
vichoco, -ca *adj.* Argent. y Chile. [pers].
Que por debilidad no puede apenas moverse.
vichy *m.* Tejido fino de algodón con hilos
de colores vivos y sólidos que forman listas y
cuadros.
vid *f.* Arbusto vitáceo, sarmentoso y trepador, de hojas palmeadas con lóbulos dentados,
flores muy pequeñas y fruto en bayas redondeadas y jugosas, agrupadas en racimos *(Vitis
vinifera).*
vida *f.* Fuerza interna substancial mediante
la cual obra el ser que la posee. 2 Carácter que
distingue a los animales y vegetales de los
demás seres y se manifiesta por el metabolismo, crecimiento, reproducción y adaptación al medio ambiente: *~ animal; ~ vegetal.*
3 Estado de actividad de un órgano o ser orgánico: *un cuerpo sin ~; la ~ de las células; **perder
la ~,*** morir. 4 fig. Expresión, viveza: *ojos de
mucha ~.* 5 Espacio de tiempo que transcurre
desde el nacimiento hasta la muerte; p. ext.,
duración de las cosas: *~ corta, larga.* 6 Existencia del alma después de la muerte: *la otra
~; la ~ futura; mejor o ~ eterna; pasar a mejor
~.* 7 Modo de vivir: *~ activa; ~ de soltero; darse
buena ~; abrazar la ~ religiosa.* 8 Alimento
necesario para vivir; medios de subsistencia:
ganarse uno la ~; la carestía de la ~. 9 Ser
humano. 10 Biografía: *escribir la ~ de alguien;
la ~ y milagros de alguno.* 11 fig. Actividad de
un organismo social. 12 fig. Animación, vitalidad de un cuadro, de un relato, de una persona, etc.

vidalita *f.* *Amér.* Canción popular, por lo
general amorosa y triste.
vidente *adj.-s.* Que ve. – 2 *m.* Profeta.
vídeo *m.* Lo relativo a la imagen. 2 Técnica
de grabación, en soporte magnético, de la
imagen y del sonido, y su reproducción. 3
Aparato que sirve para grabar y reproducir
imágenes mediante dicha técnica. 4 ~ *comunitario,* empresa que, por medio de cables u
otros procedimientos, se dedica a la reproducción simultánea en una barriada o ciudad de
un mismo videocasete.
videoarte *m.* Práctica artística llevada a
cabo mediante el recurso a la tecnología propia del vídeo.
videocámara *f.* Sistema compuesto por un
tomavistas y un magnetoscopio portátil.
videocasete *f.* Casete en la que se pueden
grabar y reproducir imágenes.
videocinta *f.* Cinta magnética en que se
graban imágenes con los mismos sistemas que
se emplean en la televisión.
videoclub *m.* Lugar en el que se pueden
alquilar e intercambiar videocasetes ya grabadas, según unas normas establecidas.
videodisco *m.* Disco en el que se pueden
grabar y reproducir imágenes.
videojuego *m.* Aparato que permite simular sobre una pantalla de rayos catódicos
diversos juegos y entretenimientos. 2 Juego
presentado a través de dicho aparato.
videoteca *f.* Colección de grabaciones de
vídeo. 2 Lugar donde se guardan.
videoteléfono *m.* Aparato telefónico con
una pantalla en la que aparece la imagen del
interlocutor.
videotex *m.* Transmisión de textos informatizados a través de la red telefónica y que
aparecen en una pantalla para su lectura. ◇
Pl.: *videotex.*
vidorra *f.* fam. Vida holgada y placentera.
vidriar *tr.* Dar [a las piezas de barro o loza]
un barniz que, fundido al horno, se vitrifica.
– 2 *prnl.* fig. Ponerse vidriosa una cosa. ◇
** CONJUG. [19].
vidriera *f.* Bastidor con vidrios con que se
cierran puertas y ventanas; **casa. 2 Pintura
sobre vidrio, con esmalte, recortando las piezas de acuerdo con las necesidades de la figuración representada y uniéndolas finalmente
entre sí por medio de varillas de plomo;
**gótico. 3 Cristal del escaparate de una
tienda.
vidrio *m.* Substancia transparente o translúcida, dura y frágil a la temperatura ordinaria,
y a la cual pueden darse distintas coloraciones
mediante la adición de óxidos metálicos. 2
Objeto de vidrio. 3 fig. Cosa muy delicada y
quebradiza. 4 fig. Persona de genio muy delicado y que fácilmente se desazona y enoja. 5
Amér. Cristal de las ventanillas del automóvil.

vidrioso, -sa *adj.* Quebradizo como el vidrio. 2 *fig.* [piso] Resbaladizo por haberse helado. 3 *fig.* [material] Que debe manejarse con gran tiento. 4 *fig.* [pers.] Que fácilmente se resiente o desazona. 5 *fig.* [ojo] Vítreo por la cólera, enfermedad grave o muerte.

vieja *f.* Pez marino teleósteo perciforme, de cuerpo oblongo, color gris azulado o violáceo marcado de verde, rojo, pardo o amarillo, con un solo diente corrido en cada mandíbula *(Sparisoma cretense).* 2 Pez marino teleósteo perciforme, de figura alargada y comprimida, cabeza grande y con tentáculos cortos sobre las cejas, y muy voraz *(gén. Blennius).*

viejales *com.* fam. Persona vieja, especialmente de carácter alegre y dicharachero. ◇ Pl.: *viejales.*

viejo, -ja *adj.-s.* [pers.] De mucha edad. 2 [pers.] Que ya no es joven. – 3 *adj.* p. ext. [animal] De mucha edad. 4 Antiguo, del tiempo pasado. 5 Que no es reciente ni nuevo. 6 Deslucido, estropeado por el uso. 7 *Amér.* Voz de cariño que se aplica a los padres, los cónyuges entre sí, etc.

vienés, -nesa *adj.-s.* De Viena, ciudad de Austria. – 2 *m.* Pastelito de chocolate y confitura.

**viento *m.* Corriente de aire, producida en la atmósfera por causas naturales: *vientos ali-sios,* los fijos que soplan de la zona tórrida con inclinación al nordeste o al sudeste, según el hemisferio en que reinan; ~ *maestral* o *mistral,* el que sopla de la parte intermedia entre el poniente y la tramontana; ~ *terral,* el que sopla de la tierra. 2 Rumbo: *la rosa de los vientos.* 3 Aire atmosférico: *bolsa llena de* ~. 4 Olor que como rastro deja una pieza de caza. 5 Olfato de ciertos animales. 6 Cuerda atada a una cosa para mantenerla derecha: *los vientos de la chimenea.* 7 Aire a presión que se inyecta en un horno. 8 *fig.* Vanidad y jactancia.

vientre *m.* Cavidad del cuerpo que contiene el estómago y los intestinos. 2 Región exterior del cuerpo correspondiente al vientre (cavidad); **caballo. 3 Conjunto de las vísceras contenidas en el vientre (cavidad). 4 *fig.* Cavidad grande e interior de una cosa. 5 METAL. Parte central y más ancha de un alto horno en la que se produce la carburación del hierro.

viernes *m.* Sexto día de la semana: *comer de* ~, comer de vigilia. ◇ Pl.: *viernes.*

vierteaguas *m.* Resguardo con que, para escurrir las aguas llovedizas, se cubren los salientes de los paramentos, la parte baja de las puertas exteriores, etc. 2 Reborde en forma de pequeño canal para recoger el agua del techo por encima de las puertas del coche. ◇ Pl.: *vierteaguas.*

VIENTO (INSTRUMENTOS DE)

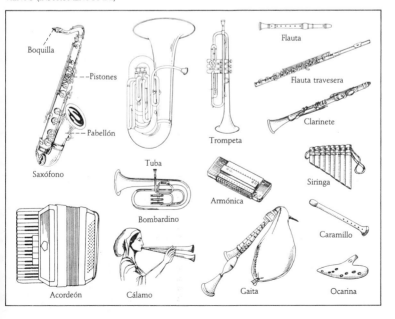

vietnamita *adj.-s.* Del Vietnam, nación del sudeste de Asia. – 2 *m.* Lengua monosilábica hablada en el Vietnam. – 3 *f.* fig. Multicopista rudimentaria y manual que se utiliza, sobre todo, para confeccionar propaganda clandestina.

viga *f.* Madero largo y grueso para formar techos y sostener las fábricas: ~ *maestra,* la que, tendida sobre pilares o columnas, sostiene las cabezas de otros maderos o sustenta cuerpos superiores del edificio. 2 Barra de hierro de igual uso que la viga (madero). 3 Pieza que en algunos coches antiguos enlazaba el juego delantero con el trasero. 4 Prensa compuesta de un gran madero horizontal que puede girar alrededor de uno de sus extremos.

vigente *adj.* [ley, costumbre, etc.] Que está en vigor y observancia.

vigésimo, -ma *adj.-s.* Parte que, junto con otras diecinueve iguales, constituye un todo; **numeración. – 2 *adj.* Que ocupa el último lugar en una serie ordenada de veinte.

vigía *f.* Atalaya (torre). 2 Acción de vigiar. 3 MAR. Escollo que sobresale en el mar. – 4 *com.* Persona destinada a vigiar.

vigiar *tr.* Velar o cuidar de hacer descubiertas desde un lugar adecuado. ◇ ** CONJUG. [13] como *desviar.*

vigilancia *f.* Acción de vigilar. 2 Efecto de vigilar. 3 Servicio ordenado y dispuesto para vigilar.

vigilante *com.* Persona encargada de velar por algo.

vigilar *intr.-tr.* Velar [sobre una persona o cosa], o atenderla cuidadosamente: ~ *en defensa de la ciudad;* ~ *por el bien público;* ~ *sobre sus súbditos.*

vigilia *f.* Acción de estar en vela. 2 Falta de sueño o dificultad de dormirse. 3 Trabajo intelectual, especialmente el que se ejecuta de noche: *el libro es el fruto de sus vigilias.* 4 Víspera de una festividad religiosa. 5 Comida con abstinencia de carne: *día de ~; comer de ~.*

vigor *m.* Fuerza activa del cuerpo o del espíritu. 2 Viveza o eficacia de las acciones y tendencia a aumentar el desarrollo de esta viveza. 3 Fuerza de obligar en las leyes, o duración de las costumbres. 4 fig. Expresión enérgica en las obras artísticas.

vigorizar *tr.* Dar vigor [a una persona o cosa]. 2 fig. Infundir ánimo o valor [a uno]. ◇ ** CONJUG. [4] como *realizar.*

viguería *f.* Conjunto de vigas de un edificio.

vigués, -guesa *adj.-s.* De Vigo, ciudad de Pontevedra.

vigueta *f.* Madero de escuadría variable. 2 Barra de hierro laminado, destinada a la edificación.

vihuela *f.* Antiguo instrumento músico de cuerda, parecido a la guitarra.

vikingo, -ga *adj.-s.* De un pueblo de navegantes escandinavos que entre los siglos VIII y XI realizaron correrías y depredaciones por las islas del Atlántico y por casi toda Europa Occidental.

vil *adj.* Bajo, despreciable. – 2 *adj.-com.* Persona que falta a la confianza que en ella se pone.

vilano *m.* Penacho de pelos o escamitas, procedentes del cáliz que corona el **fruto de muchas plantas compuestas.

vilipendiar *tr.* Despreciar [una cosa], denigrar [a una persona]. ◇ ** CONJUG. [12] como *cambiar.*

vilo (en ~) *loc. adv.* Suspendido; sin el fundamento o apoyo necesarios. 2 fig. Con indecisión, inquietud y zozobra.

vilordo, -da *adj.* Perezoso, tardo.

vilorta *f.* Aro hecho con una vara de madera flexible. 2 Abrazadera de hierro que sujeta al timón la cama del arado. 3 Juego en que, con el vilorto, se lanza por el aire una bola de madera que ha de pasar a través de una fila de estacas.

vilorto *m.* Palo grueso a modo de raqueta, usada para jugar a la vilorta.

villa *f.* Casa de recreo, generalmente en el campo. 2 Población que tiene algunos privilegios. 3 Consistorio (ayuntamiento; lugar).

villagodio *m.* Gran chuleta de entrecot.

villancico *m.* Composición poética popular con estribillo, especialmente de asunto religioso que se canta en las iglesias en Navidad y otras festividades.

villanía *f.* Bajeza de nacimiento, condición o estado. 2 fig. Acción ruin. 3 fig. Expresión indecorosa.

villano, -na *adj.-s.* Vecino del estado llano en una villa o aldea, a distinción de noble o hidalgo. – 2 *adj.* fig. Rústico o descortés. 3 fig. Ruin, indigno.

villorrio *m.* desp. Población pequeña y poco urbanizada.

vimana *f.* Torre piramidal de los templos indios.

vina *f.* Instrumento músico de cuerda, parecido a la cítara, utilizado en la India.

vinagrada *f.* Refresco compuesto de agua, vinagre y azúcar.

vinagre *m.* Líquido agrio y astringente, producido por la fermentación acética del vino: ~ *de yema,* el de en medio de la cuba o tinaja, considerado como el mejor calidad. 2 fig. Persona de genio áspero y desapacible.

vinagrera *f.* Vasija destinada a contener vinagre para el uso de la mesa. – 2 *f. pl.* Utensilio para el servicio de mesa, con dos o más frascos para el aceite y vinagre.

vinagreta *f.* Salsa compuesta de aceite, cebolla y vinagre.

vinagrillo *m.* Vinagre de poca fuerza. 2 Cosmético compuesto de vinagre, alcohol y esencias aromáticas. 3 Vinagre aromático para aderezar el tabaco en polvo.

vinajera *f.* Jarrillo con el que, junto a otro, se sirve en la misa el vino y el agua. – 2 *f. pl.* Conjunto de ambos jarrillos y la bandeja donde se colocan.

vinaza *f.* Vino inferior sacado de los posos y las heces.

vincapervinca *f.* Planta apocinácea, de hojas siempre verdes, flores azules y frutos formados por dos folículos divergentes *(Vinca minor).*

vincular *tr.* Sujetar [los bienes] a vínculo para perpetuarlos en empleo o familia determinados. 2 p. ext. Atar o fundar [una cosa] en otra: ~ *las esperanzas en el favor.* 3 fig. Someter la suerte o el comportamiento de alguien o de algo a los de otra persona o cosa. 4 fig. Sujetar a una obligación. – 5 *tr.-prnl.* Perpetuar o continuar una cosa en el ejercicio de ella: *los lazos de amistad se vincularon.*

vínculo *m.* Unión o atadura de una cosa con otra: ~ *matrimonial.* 2 DER. Sujeción de unos bienes o del ejercicio de ciertos derechos al goce de determinados sucesores, con prohibición de enajenarlos.

vincha *f. Amér.* Apretador, cinta o pañuelo con que se ciñe la cabeza o se sujeta el pelo.

vindicar *tr.-prnl.* Vengar. 2 Defender o exculpar [al que se halla calumniado]: ~, o *vindicarse, de la injuria.* ◇ ** CONJUG. [1] como *sacar.*

vinícola *adj.* Perteneciente o relativo a la fabricación del vino. – 2 *com.* Persona que posee viñas y es práctico en su cultivo.

vinicultura *f.* Elaboración de vinos.

vinificación *f.* Conjunto de operaciones realizadas en el proceso de elaboración de los vinos, a partir de la uva.

vinilo *m.* QUÍM. Derivado del etileno por pérdida de un átomo de hidrógeno.

vino *m.* Zumo de uvas fermentado; esencialmente es una solución acuosa de alcohol etílico con pequeñas cantidades de éteres, ésteres, azúcar y materias colorantes: ~ *abocado* o *embocado,* el que no es seco ni dulce, pero agradable al gusto por su suavidad; ~ *clarete,* especie de vino tinto algo claro; ~ *de cava,* el espumoso que ha sido sometido a elaboración y crianza especiales; ~ *de mesa,* el más común y ligero, que se bebe durante la comida; ~ *de solera,* el añejo, usado para dar vigor al nuevo; ~ *peleón,* el muy ordinario; ~ *rosado,* el que tiene este color; ~ *seco,* el que no tiene sabor dulce; ~ *tinto,* el de color muy obscuro.

vinolento, -ta *adj.* Que bebe vino con exceso.

vinote *m.* Residuo que queda en la caldera del alambique después de destilado el vino.

viña *f.* Terreno plantado de vides.

viñedo *m.* Viña.

viñeta *f.* Adorno puesto en el principio o fin de los capítulos, o como orla de una página. 2 Dibujo o escena humorística impresa en un libro, periódico, etc., que se acompaña de un texto o comentario. 3 IMPR. Plancha o grabado de medias tintas, en las que el fondo va difuminándose.

viola *f.* Instrumento músico de cuerda y arco, de la misma figura del violín, pero de mayor tamaño y de sonoridad melancólica y penetrante: ~ *de amor,* la que tiene siete cuerdas de tripa y debajo de cada una de ellas otra de metal, afinada al unísono de las primeras y que vibra por resonancia al pasar el arco por la superior; **arco (instrumentos de). – 2 *com.* Músico que toca este instrumento.

violáceo, -a *adj.* Violado. – 2 *adj.-f.* Planta de la familia de las violáceas. – 3 *f. pl.* Familia de plantas dicotiledóneas, de hojas alternas y festoneadas, flores axilares, de cinco pétalos, generalmente hermafroditas, y con fruto en cápsula; como la violeta.

violación *f.* Acción de violar. 2 Efecto de violar.

violado, -da *adj.-m.* Color de la violeta; es el séptimo del espectro solar y se puede obtener mezclando el azul y el rojo. – 2 *adj.* De color violado.

violar *tr.* Infringir, quebrantar [una ley o precepto]. 2 Tener acceso carnal por fuerza [con una mujer]. 3 Profanar [un lugar sagrado]. 4 fig. Ajar o deslucir [una cosa].

violencia *f.* Calidad de violento. 2 Acción violenta. 3 Acción de violentar o violentarse. 4 Efecto de violentar o violentarse.

violentar *tr.* Obligar, forzar [a una persona o cosa] por medios violentos. 2 fig. Entrar [en una parte] contra la voluntad de su dueño: ~ *un retiro.* 3 fig. Dar interpretación torcida [a lo dicho o escrito]. – 4 *prnl.* fig. Vencer uno su repugnancia a hacer alguna cosa: *violentarse a,* o *en, algo.* 5 fig. Molestarse, enojarse.

violento, -ta *adj.* Que está fuera de su natural estado, situación o modo. 2 Que obra con ímpetu y fuerza. 3 [acción] Que se realiza con ímpetu y fuerza. 4 Que se hace contra el gusto de uno, por ciertos respetos y consideraciones. 5 [genio] Impetuoso e iracundo. 6 Falso, torcido; esp., la interpretación que se da a lo dicho o escrito. 7 Que se ejecuta contra el modo regular o fuera de justicia. 8 Propio o relativo a una situación o posición embarazosa en que puede hallarse una persona.

violero *m.* Constructor de instrumentos de cuerda.

violeta *f.* Planta violácea de tallos rastreros, hojas con largo pecíolo, flores cigomorfas violadas o blancas, de suave olor, y fruto en cápsula *(Viola odorata).* 2 Materia colorante de color violado. 3 Flor de esa planta. – 4 *adj.-s.* Violado.

violín *m.* Instrumento músico de cuerda y **arco, el más pequeño y agudo de los de su clase. Por su sonoridad y perfeccionada técnica constituye el instrumento más importante de la **orquesta.

violinista *com.* Músico que toca el violín.

violón *m.* Contrabajo.

violonchelo *m.* Instrumento músico de cuerda y **arco, de la misma forma que el contrabajo, pero más pequeño, que se toca estando el ejecutante sentado.

vira *f.* Saeta delgada y de punta aguda. 2 Tira que, para dar fuerza al calzado, se cose entre la suela y la pala.

virador *m.* Líquido empleado en fotografía para virar. 2 MAR. Calabrote u otro cabo grueso para varios usos.

viraje *m.* Acción de virar (mudar de dirección; en fotografía). 2 Efecto de dicha acción. 3 fig. Cambio de orientación en las ideas, intereses, conducta, actitudes, etc. 4 FOT. Tratamiento para virar fotografías.

virar *intr.* Mudar de dirección en su marcha un automóvil, aeroplano, etc. 2 fam. Volver, dar vuelta. 3 fig. Evolucionar, cambiar de ideas o de manera de actuar. 4 MAR. Cambiar de rumbo o de bordada: ~ *a,* o *hacia, la costa; ~ en redondo.* – 5 *tr.* FOT. Someter [el papel impresionado] a la acción de un líquido para fijar el color de la imagen o hacerle tomar otro color. 6 MAR. Dar vueltas [al cabrestante] para levar las anclas o suspender pesos.

virazón *f.* Viento que en las costas sopla de la parte del mar durante el día, alternando con el terral, que sopla de noche. 2 Cambio repentino de viento. 3 fig. Viraje repentino en las ideas, conducta, etc.

virgen *com.-adj.* Persona que no ha tenido relaciones sexuales. – 2 *f.* p. ant. María Santísima, Madre de Dios. 3 Imagen de María Santísima. 4 Título que da la Iglesia a las santas mujeres que conservaron su virginidad. 5 Pie derecho que, con otro, en los lagares guía el movimiento de la viga. – 6 *adj.* Que no ha tenido artificio en su formación: *cera, aceite ~.* 7 fig. Intacto: *tierra ~,* la que nunca ha sido cultivada. 8 [cosa] Que está en su primera entereza y no ha servido aún para aquello a que se destina.

virginal *adj.* Relativo a una virgen. 2 fig. Puro, incólume.

virginia *m.* Tejido de algodón, similar a la cretona.

virginidad *f.* Entereza corporal de la persona virgen. 2 fig. Pureza, candor.

virgo *adj.-s.* Virgen. – 2 *m.* Himen.

virguería *f.* fam. Habilidad extremada. 2 Cosa excelente y extraordinaria; delicada, exquisita: *hacer virguerías,* tener gran habilidad en hacer alguna cosa.

virgulilla *f.* Signo ortográfico en figura de

coma o rasguillo; como el apóstrofo, la cedilla, la tilde de la *ñ.* 2 Rayita o línea corta y muy delgada.

I) viril *m.* Vidrio o campana muy transparente con que se protegen algunas cosas dejándolas a la vista. 2 Custodia pequeña que se pone dentro de la grande.

II) viril *adj.* Varonil.

virilidad *f.* Calidad de viril. 2 Edad viril.

virilismo *m.* Distrofia femenina relacionada con perturbaciones endocrinas, que provoca la aparición de caracteres sexuales masculinos.

viripotente *adj.* Vigoroso, potente.

virola *f.* Abrazadera de metal que se pone en algunos instrumentos, como navajas, espadas, etc. 2 Anillo de hierro colocado en la extremidad de las garrochas, para que la púa no penetre excesivamente en la piel del toro. 3 Contera de bastón, paraguas, etc. 4 En los relojes, casquillo interior de la espiral de un volante, fijado por fricción al eje del mismo. 5 *Argent.* y *Urug.* Rodaja de plata con que se adornan los arreos del caballo.

virología *f.* Estudio de los virus.

virosis *f.* Enfermedad cuyo origen se atribuye a virus patógenos. ◇ Pl.: *virosis.*

virote *m.* Especie de saeta guarnecida con un casquillo. 2 Hierro largo que se colgaba de la argolla sujeta al cuello de ciertos esclavos. 3 Vara cuadrangular de la ballestilla. 4 fig. Mozo soltero, ocioso y preciado de guapo. 5 fig. Hombre erguido y demasiadamente serio. 6 Punta que por broma solía hacerse en el vestido de alguno, introduciendo parte de él en un anillo de esparto o cuerda.

virotismo *m.* Entono, presunción.

virrey *m.* El que, con este título, gobierna en nombre y con autoridad de rey. ◇ Pl.: *virreyes.*

virtual *adj.* Que puede producir un efecto; especialmente en oposición a actual, efectivo o real. 2 Práctico, en oposición a teórico. 3 Implícito, tácito. 4 FÍS. Que tiene existencia aparente y no real: *imagen ~.*

virtualmente *adv. m.* De un modo virtual. 2 Tácitamente, implícitamente. 3 Casi, a punto de, en la práctica, en la realidad.

virtud *f.* Capacidad de producir un efecto determinado: *la ~ medicinal de una planta; en ~ de,* a consecuencia o por resultado de. 2 Disposición habitual del alma para las acciones conformes a la ley moral: *~ cardinal; ~ moral; ~ teologal.* 3 Castidad. – 4 *f. pl.* Espíritus angélicos cuyo nombre indica fuerza indomable para cumplir las operaciones divinas. Forman el quinto coro.

virtuosismo *m.* Alarde de técnica de un arte, especialmente de la música.

virtuoso, -sa *adj.* Que practica la virtud: *hombre ~.* 2 Inspirado por la virtud: *acción virtuosa.* – 3 *m. f.* Persona, especialmente músico, que sobresale en la técnica de su arte.

viruela *f.* Enfermedad contagiosa, febril, caracterizada por una erupción de pústulas con costras que, al caer, acostumbran dejar un hoyo en la piel. 2 Pústula producida por esta enfermedad. 3 fig. Granillo que sobresale en la superficie de ciertas cosas: *viruelas del papel.*

virulé (a la ~) *loc. adv.* Forma de llevar la media arrollada en su parte superior. 2 Desordenado, de mala traza. 3 Estropeado, torcido o en mal estado: *tener el ojo a la ~.* 4 Chiflado.

virulento, -ta *adj.* Ponzoñoso, maligno, ocasionado por un virus. 2 Que tiene pus. 3 fig. [lenguaje] Sañudo o mordaz.

virus *m.* Agente infeccioso, comúnmente invisible y filtrable, de naturaleza mal conocida. 2 fig. Moralmente, lo que es origen de contagio. ◇ Pl.: *virus.*

viruta *f.* Hoja delgada que se saca con el cepillo al labrar la madera o los metales. – 2 *m.* fam. Carpintero.

vis cómica *f.* Fuerza cómica, comicidad. ◇ No se usa en plural.

visado *m.* Acción de visar y diligencia que se pone en el documento que se visa; esp., la que los cónsules estampan en los pasaportes.

visar *tr.* Autorizar [un documento, certificación, etc.] poniéndole el visto bueno. 2 Dirigir la visual [a un lugar]: *los artilleros visaron la cumbre de la montaña.*

víscera *f.* Entraña.

visceral *adj.* Perteneciente o relativo a las vísceras. 2 fig. [impresión, sentimiento, etc.] Intenso, profundo y arraigado: *odio ~.*

viscosidad *f.* Materia viscosa. 2 Resistencia que ofrece un fluido al movimiento relativo de sus moléculas.

viscoso, -sa *adj.* Pegajoso. 2 [fluido o líquido] Que posee viscosidad.

visera *f.* Parte movible del yelmo que cubre y defiende el rostro; **armadura. 2 Ala pequeña de las gorras, chacós, etc., para resguardar la vista. 3 En los automóviles, ala movible colocada sobre el cristal delantero, generalmente en número par, para proteger al chófer y acompañante de los rayos del sol. 4 Anteojera de las guarniciones de las caballerías. 5 En las tiendas de campaña, trozo de tela destinado a proteger la entrada.

visibilidad *f.* Calidad de visible. 2 Grado de transparencia de la atmósfera, que hace más o menos visibles los objetos.

visible *adj.* Que se puede ver: *~ a, entre,* o *para, todos.* 2 Manifiesto, evidente. 3 [pers.] Que llama la atención por alguna singularidad.

visigodo, -da *adj.-s.* De una parte del pueblo godo que, después de diversas incursiones por Grecia, Italia y las Galias, invadió España hacia la mitad del s. v y fundó en ella un reino autónomo. – 2 *adj.* Perteneciente o relativo a los visigodos.

visillo *m.* Cortinilla.

visión *f.* Acción de ver. 2 Efecto de ver. 3 Contemplación inmediata y directa sin percepción sensible. 4 Ilusión que nos representa como reales cosas que sólo existen en nuestra mente. 5 fig. Persona fea y ridícula.

visionar *tr.* Creer o figurarse que son reales las cosas inventadas. 2 Ver [imágenes cinematográficas o televisivas], especialmente de modo crítico.

visir *m.* Ministro de un soberano musulmán. 2 *Gran ~,* primer ministro del sultán de Turquía. ◇ Pl.: *visires.*

visita *f.* Acción de visitar: *hacer una ~; ~ de médico,* fig., la de corta duración. 2 Inspección, examen, reconocimiento: *~ de cárceles; ~ pastoral,* la del obispo a las iglesias de su diócesis. 3 Persona que visita: *recibir las visitas.*

visitador, -ra *adj.-s.* Que visita frecuentemente. – 2 *m.* Juez, ministro o empleado encargado de hacer visitas de inspección. – 3 *m. f.* Persona que presenta a los médicos los productos de un laboratorio farmacéutico y las novedades terapéuticas. 4 Persona, especialmente funcionario público, que suele hacer visitas de inspección y reconocimiento.

visitante *adj.-s.* Que visita. 2 DEP. Que juega en el terreno de su contricante.

visitar *tr.* Ir a ver [a uno en su casa] por cortesía u otro motivo. 2 p. anal. Ir [a un templo] por devoción; acudir frecuentemente [a un lugar]. 3 Ir el médico [a casa del enfermo]. 4 Informarse personalmente [de una cosa]; esp., realizar actos de inspección o reconocimiento yendo [a los lugares] los jueces, autoridades civiles o eclesiásticas, etc. 5 p. anal. Registrar en las aduanas [las mercaderías] para el pago de los derechos. 6 Ir [a algún país, población o lugar, para conocerlos]. 7 TEOL. Enviar Dios [a los hombres algún especial consuelo o trabajo] para su mayor merecimiento. – 8 *prnl.* Acudir a la visita del preso para hacer alguna petición. 9 *Amér.* Hacerse ver por un médico.

vislumbrar *tr.* Ver [un objeto] confusamente por la distancia o falta de luz. 2 fig. Conjeturar por leves indicios [una cosa inmaterial].

vislumbre *f.* Reflejo o tenue resplandor, por la distancia de la luz. 2 fig. Leve semejanza de una cosa con otra. 3 fig. Indicio, conjetura o sospecha: *tener vislumbres de una cosa.* 4 fig. Corta o dudosa noticia.

viso *m.* Reflejo de algunas cosas que parecen ser de color distinto del suyo propio: *hacer visos un tejido.* 2 fig. Apariencia. 3 Destello luminoso que despiden algunas cosas heridas por la luz. 4 Forro de color, o prenda de vestir que se pone debajo de una tela clara para que por ella se transparente. 5 Lugar alto desde donde se ve y descubre mucho terreno.

visón *m.* Mamífero carnívoro mustélido, parecido a la marta *(Mustela lutreola).* 2 Piel de este animal. 3 Prenda hecha de pieles de este animal.

visor *m.* Accesorio de la máquina fotográfica para visar el objeto que se quiere fotografiar. 2 Aparato de televisión, de dimensiones muy reducidas, acoplado a la cámara tomavistas, en el cual el operador puede observar la imagen captada, con el fin de corregir posibles defectos. 3 Telescopio astronómico secundario. 4 MAT. Con respecto a un vector dado, otro vector que se toma como unidad, el cual, estando fijo en el origen, tiene la misma dirección y sentido que el dado.

víspera *f.* Día que antecede inmediatamente a otro determinado. 2 fig. Cosa que antecede a otra, y en cierto modo la ocasiona. 3 fig. Inmediación a una cosa que ha de suceder.

vista *f.* Facultad de ver: *el sentido de la ~; perder la ~; ~ cansada; ~ corta; ~ de lince,* fig., la muy aguda y penetrante. 2 Ojo (órgano de la visión) o conjunto de ambos ojos: *torcer, o trabar, la ~ al mirar.* 3 Lo que se ve desde un punto: *la ~ que se descubre desde allí es espléndida.* 4 Cuadro o estampa que representa un lugar: *una ~ de Venecia.* 5 Parte de una cosa que no se oculta a la visión: *las vistas de una camisa.* 6 Apariencia o relación de unas cosas con otras: *tener buena* o *mala ~ una cosa.* 7 fig. Intento o propósito: *en ~ de,* en consideración a. 8 Encuentro en que uno se ve con otro: *hasta la ~ ; a la ~,* luego, al punto; pagadero a su presentación: *librar una letra a la ~.* 9 fig. Sagacidad para ver una cosa o descubrir algo que otros no ven. 10 DER. Actuación en que se relaciona ante el tribunal, con citación de las partes, un juicio o incidente, para dictar el fallo. – 11 *f. pl.* Aberturas de un edificio: *casa con vistas al mar.* – 12 *m.* Empleado de aduanas que tiene a su cargo el registro de los géneros.

vistazo *m.* Ojeada: *dar un ~,* reconocer algo superficialmente y a bulto.

visto, -ta *adj.* Pasado de moda, llevado por mucha gente. 2 – *bueno,* fórmula que se pone generalmente abreviada, Vº Bº, al pie de ciertos documentos para autorizarlos. 3 *Bien* o *mal ~,* que se juzga bien, o mal, de una acción o cosa; [pers.] que merece, o no, la aprobación de las gentes: *su acción está muy bien vista; es un hombre mal ~.*

vistoso, -sa *adj.* Que atrae mucho la atención.

visual *f.* Línea recta que se considera tirada desde el ojo del espectador hasta el objeto.

visualizar *tr.* Hacer visible [lo que normalmente no aparece a la vista]: *el oscilógrafo visualiza el movimiento ondulatorio; ~ una lesión interna por medio de la radiografía.* 2 Representar mediante imágenes. 3 Hacer que aparezcan en una pantalla los resultados del tratamiento de una información. 4 Hacer comprensible [un concepto abstracto] con imágenes, esquemas, etc. 5 Imaginar con rasgos visibles [algo que no se tiene a la vista]. ◇ ** CONJUG. [4] como *realizar.*

vitáceo, -a *adj.-f.* Planta de la familia de las vitáceas. – 2 *f. pl.* Familia de plantas dicotiledóneas, generalmente leñosas, trepadoras, de hojas palmeadas, flores pequeñas y fruto en baya; como la vid.

vital *adj.* Perteneciente o relativo a la vida. 2 fig. De suma importancia o trascendencia: *cuestión ~.* 3 Que posee un gran impulso o energía para actuar, desarrollarse o vivir.

vitalicio, -cia *adj.* Que dura desde que se obtiene hasta el fin de la vida. 2 Que disfruta de un cargo vitalicio: *senador ~.* – 3 *m.* Póliza de seguro sobre la vida. 4 Pensión duradera hasta el fin de la vida del perceptor.

vitalidad *f.* Calidad de tener vida. 2 Actividad, eficacia de las facultades vitales. 3 fig. Fuerza expansiva de un texto, discurso, etc.

vitalismo *m.* Doctrina biológica y filosófica que explica todas las funciones de los seres vivos como el producto de una fuerza vital esencialmente distinta de las fuerzas físicas, químicas y mecánicas.

vitalizar *tr.* Comunicar fuerza o vigor [a un organismo, corporación, sistema, etc.]. ◇ ** CONJUG. [4] como *realizar.*

vitamina *f.* Substancia indispensable para la vida, que el organismo es incapaz de producir, por lo cual debe ingerirse con los alimentos, y cuya ausencia en la alimentación habitual ocasiona determinadas enfermedades.

vitela *f.* Piel de vaca o ternera, adobada y muy pulida.

vitelina *f.* Membrana que contiene la yema del huevo. 2 Bilis de tono amarillo obscuro.

vitelo *m.* Citoplasma del huevo de los animales.

viticultura *f.* Cultivo de la vid. 2 Arte de cultivar la vid.

vito *m.* Baile popular de Andalucía, muy animado y movido, en compás de tres por ocho. 2 Música y canto de este baile.

vitola *f.* Plantilla para calibrar balas de cañón o de fusil. 2 Marca o medida que diferencia los cigarros puros por su tamaño. 3 Regla de hierro para medir las vasijas en las bodegas. 4 fig. Traza o facha de una persona.

vitolfilia *f.* Costumbre de coleccionar vitolas de cigarros puros.

vítor *m.* Función pública en que se aclama a uno. 2 Cartel público en que se elogia a una persona por alguna hazaña.

vitral *m.* Vidriera de colores.

vítreo, -a *adj.* De vidrio, o que tiene sus propiedades. 2 Parecido al vidrio: *brillo ~,* el que presentan ciertos minerales, semejante al del vidrio.

vitrificar *tr.* Convertir en vidrio [una substancia]. 2 Hacer que [una cosa] adquiera las apariencias del vidrio. 3 Recubrir [un entarimado] con una capa de materia plástica, a fin de protegerlo y darle brillo. 4 Fundir al horno el vidriado de las piezas de loza o de alfarería. ◇ ** CONJUG. [1] como *sacar*.

vitrina *f.* Armario o caja con puertas o tapas de cristales, para tener objetos expuestos a la vista; escaparate.

vitriolo *m.* Sulfato: ~ *azul,* el de cobre; ~ *blanco,* el de zinc; ~ *de plomo,* anglesita. 2 *Aceite de* ~, ácido sulfúrico.

vitro (in ~) *loc. adv.* En medio artificial, en laboratorio: *cultivo de organismos in* ~.

vitualla *f.* Conjunto de cosas necesarias para la comida: *las vituallas del ejército.* 2 fam. Abundancia de comida y, sobre todo, de menestras o verdura.

vituperar *tr.* Censurar, desaprobar [a una persona, acción o cosa].

viuda *f.* Planta dipsacácea de jardín, de flores en ramos axilares, de color morado, casi negro, con las anteras blancas *(variedad de Sacabiosa maritima).* 2 Flor de esta planta. 3 ~ *del paraíso,* ave paseriforme de unos 15 cms. de longitud y cola larga y vistosa; se reproduce de forma parasitaria, al poner los huevos en otros nidos *(Steganura paradisea).* 4 ~ *negra,* araña cuyo cuerpo mide alrededor de 1 cm. de longitud, su veneno es muy peligroso, en algunos casos mortal *(Latrodectes mactans).*

viudedad *f.* Pensión o haber pasivo que percibe el cónyuge superviviente mientras permanezca en estado de viudez. 2 Viudez.

viudez *f.* Estado de viudo o viuda.

viudita *f.* Ave psitaciforme, con el lomo, las alas y la cola de color gris blanquecino *(Taenioptera maesta).*

viudo, -da *adj.-s.* Persona a quien se le ha muerto su cónyuge y no se ha vuelto a casar.

¡viva! Interjección con que se denota alegría y aplauso.

vivalavirgen *m.* Hombre ligero de cascos, despreocupado. – 2 *com.* fam. Persona vividora y desaprensiva, vivales. ◇ No tiene plural.

vivales *com.* fam. Pillo, fresco, pícaro. ◇ Pl.: *vivales.*

vivaque *m.* Refugio de alta montaña. 2 DEP. En montañismo, campamento ligero para pasar la noche. 3 MIL. Campamento militar de noche al raso.

vivaracho, -cha *adj.* fam. Muy vivo de genio; travieso, alegre.

vivaz *adj.* Que vive mucho tiempo. 2 Eficaz, vigoroso. 3 Agudo, perspicaz. 4 [planta] Que tiene órganos aéreos anuales y cuyas raíces viven varios años.

vivencia *f.* Hecho de experiencia que se incorpora a la personalidad del sujeto.

víveres *m. pl.* Provisiones de boca: *compré los* ~ *en el mercado; los* ~ *para una plaza fuerte.*

vivero *m.* Terreno adonde se transplantan, desde la almáciga, los arbolillos, para recriarlos. 2 Lugar donde se mantienen dentro de agua peces, moluscos, etc.

vivérrido *adj.-m.* Mamífero de la familia de los vivérridos. – 2 *m. pl.* Familia de mamíferos carnívoros de costumbres parecidas a las de los mustélidos, pero de caracteres anatómicos distintos; como la jineta y la mangosta.

viveza *f.* Prontitud en las acciones o agilidad en la ejecución. 2 Ardimiento en las palabras. 3 Agudeza de ingenio. 4 Dicho ingenioso. 5 Gracia en la mirada. 6 Esplendor, lustre, especialmente de colores.

vívido, -da *adj.* Lleno de vida, intenso. 2 Agudo, de pronta comprensión. 3 Capaz de suscitar la imagen de lo que describe o narra.

vividor, -ra *adj.-s.* Persona laboriosa que busca medios de vida. – 2 *adj.* Vivaz (que vive). – 3 *m. f.* Persona que vive a expensas de los demás.

vivienda *f.* Morada, habitación.

vivificar *tr.* Dotar de vida [a una cosa]. 2 Hacer más viva, más animada [una cosa], fortalecerla. ◇ ** CONJUG. [1] como *sacar*.

vivíparo, -ra *adj.* [animal] Que tiene su desarrollo embrionario en el interior del cuerpo de la madre. 2 BOT. [planta] Que en lugar de semillas y frutos produce órganos de multiplicación vegetativa, como yemas adventicias, bulbos, etc.

I) vivir *m.* Conjunto de los medios de subsistencia: *tengo un modesto* ~. – 2 *loc. adj. De mal* ~, de mala vida.

II) vivir *intr.* Tener vida: *vive por milagro.* 2 Durar con vida: *vivió setenta años;* fig., durar una persona en la memoria, después de muerta: *su recuerdo vivirá eternamente;* en gral., durar cualquier cosa en la memoria o en la consideración: *aquellos momentos viven en nosotros.* 3 Mantener la vida o ser alimentado: *vivo de mi trabajo; vive de pan;* pasar o llevar cierta clase de vida: ~ *a su gusto, en paz, con los padres;* ~ *bien, mal, santamente;* estar de cierta manera: ~ *descuidado;* ~ *ignorante de algo.* 4 En infinitivo y precedido de verbos como enseñar, saber, etc., acomodarse a las necesidades sociales: *no saben* ~. – 5 *intr.-tr.* Habitar o morar: ~ *sobre la faz de la tierra;* ~ *en una casa durante diez años;* ~ *en Madrid.*

vivisección *f.* Disección de los animales vivos.

vivo, -va *adj.-s.* Que tiene vida: *los vivos y los muertos.* – 2 *adj.* [fuego, llama, etc.] Encendido. 3 fig. Que subsiste en toda su fuerza: *la ley está viva.* 4 fig. Intenso, fuerte: *sentimiento muy* ~; *color muy* ~. 5 fig. Muy expresivo. 6 fig. Sutil, ingenioso; tomado a mala parte, astuto. 7 fig. Diligente, pronto y ágil. 8 fig.

Perseverante, durable en la memoria. – 9 *m.* Borde, canto de alguna cosa. 10 Cordoncillo o tira de tela cortado al sesgo, que se cose en los bordes de las prendas de vestir.

vizcaíno, -na *adj.-s.* De Vizcaya. – 2 *m.* Uno de los ocho principales dialectos del vascuence.

vizcaitarra *adj.-com.* Partidario de la independencia o autonomía de Vizcaya.

vizconde, -desa *m. f.* Título nobiliario inferior al de conde. – 2 *m.* Persona que el conde ponía por teniente o sustituto con sus veces y autoridad.

vocablo *m.* Palabra, como expresión de una idea. 2 Representación de esa palabra.

vocabulario *m.* Diccionario. 2 Conjunto de las palabras de un idioma o dialecto. 3 Conjunto de las palabras de una lengua que se emplean en un ámbito geográfico determinado, en una ciencia, arte, oficio, etc., o que utiliza preferentemente un autor. 4 Catálogo o lista de palabras ordenadas con arreglo a un sistema determinado, con las explicaciones necesarias. 5 fig. *y* fam. Persona que dice o interpreta la mente o dicho de otro.

vocación *f.* Inspiración con que Dios llama a algún estado, especialmente al de religión. 2 Inclinación a cualquier estado, profesión o carrera.

vocal *adj.* Perteneciente o relativo a la voz: *cuerdas vocales; concierto* ~. – 2 *com.* Persona que tiene voz en una junta o consejo. – 3 *f.* Sonido de una lengua que se produce por la simple vibración de las cuerdas vocales y que adquiere un timbre determinado según la posición de los órganos movibles de la boca, sin que le acompañe ninguno de los ruidos característicos de las consonantes: ~ *abierta;* ~ *cerrada.* 4 Letra que representa a un sonido vocal. En español son: *i, e, a, o, u.*

vocalismo *m.* Sistema de vocales de una lengua.

vocalista *com.* Persona que une su voz a la de los instrumentos.

vocalización *f.* En el arte del canto, todo ejercicio que se ejecuta valiéndose de cualquiera de las vocales, al efecto de formar y dar agilidad y flexibilidad a la voz. 2 GRAM. Transformación histórica de una consonante en vocal: la *l* de *salce* en la *u* de *sauce.*

vocalizar *intr.* Solfear sin nombrar las notas. 2 Efectuar ejercicios de vocalización (en canto). 3 Articular con la debida distinción las vocales, consonantes y sílabas de las palabras. 4 Añadir vocales a los textos en lenguajes que ordinariamente escriben sólo las consonantes; como el árabe. – 5 *prnl.* GRAM. Transformarse históricamente una consonante en vocal. ◇ ** CONJUG. [4] como *realizar.*

vocativo *m.* GRAM. Caso de la declinación en que va la palabra que sirve para invocar,

llamar o nombrar a una persona o cosa personificada.

vocear *intr.* Dar voces. – 2 *tr.* Publicar o manifestar con voces [una cosa]: *los vendedores vocean los periódicos.* 3 fig. *y* fam. Publicar [algo que sería más discreto o delicado callar]. 4 Llamar [a uno] dándole voces. 5 Aplaudir o aclamar [a alguno] a voces.

vociferar *intr.* Hablar a grandes voces. – 2 *tr.* Publicar ligera y jactanciosamente [una cosa].

vocinglero, -ra *adj.-s.* Que da muchas voces o habla muy recio. 2 Que habla mucho y vanamente.

vodevil *m.* Género de comedia ligera, generalmente de asunto algo escabroso.

vodka *amb.* Aguardiente de centeno, cebada o maíz, de graduación muy alta, originario de los países de la Europa oriental.

voivoda *m.* Alto dignatario militar o civil, en los países balcánicos y en Polonia.

volada *f.* Vuelo a corta distancia. 2 Vez que se ejecuta. 3 *Can.* y *Amér. Central.* Entre reporteros, noticia inventada. 4 *Argent.* fig. Lance, ocasión favorable.

voladera *f.* Paleta de la rueda hidráulica.

voladero, -ra *adj.* Que puede volar. 2 fig. Que pasa o se desvanece ligeramente.

volado, -da *adj.* IMPR. Relativo al tipo de menor tamaño colocado en la parte superior del renglón. 2 fam. Echado al aire: *un beso* ~. 3 ARQ. [parte de un edificio] Que sobresale del muro o pared que lo sostiene, sin tener ningún otro soporte. – 4 *adj. Méj.* Chiflado, enamorado. – 5 *m. Argent., Parag., Urug.* y *Venez.* Volante, faralá de los vestidos. 6 *Amér. Central.* Rumor, dicho, cuento.

volador, -ra *adj.* Que vuela. 2 Que está pendiente, de manera que el aire lo pueda mover. 3 Que corre o va con ligereza. – 4 *m.* Pez marino teleósteo beloniforme, de aletas pectorales muy desarrolladas que le permiten elevarse sobre el agua y dar pequeños vuelos *(Dactilopterus volitans).* 5 Molusco cefalópodo comestible, parecido al calamar, pero de tamaño mayor y de sabor menos delicado. 6 *Amér. Merid.* Árbol lauráceo corpulento cuya madera se emplea para construcciones navales *(Lagetta linteraria).*

volandas (en ~) *loc. adv.* Por el aire o levantado del suelo. 2 fig. Rápidamente.

volandera *f.* Rodaja de hierro colocada en los extremos del eje del carro, para sujetar las ruedas.

volandero, -ra *adj.* Volantón. 2 Volador (que pende). 3 fig. Casual, imprevisto. 4 fig. Que no hace asiento en ningún lugar.

volando *adv.* fam. Inmediatamente.

volante *adj.* Que no tiene asiento fijo: *ronda* ~. – 2 *m.* Semiesfera pequeña de goma o corcho, con plumas que le dan aspecto de flecha, para jugar al bádminton. 3 Este mismo juego. 4 Rueda que sirve de control de dirección en los **automóviles. 5 p. ext. Deporte automovilístico. 6 Anillo provisto de dos topes que, movidos por la espiral, regulariza el movimiento de un reloj. 7 Hoja de papel en que se manda un aviso, orden, etc. 8 Parte de una hoja de talonario o de un libro matriz, destinada a ser arrancada. 9 Guarnición rizada, plegada o fruncida con que se adornan prendas de vestir o de tapicería.

volantón, -tona *adj.-s.* [pájaro] Que empieza a volar.

volapié *m.* TAUROM. Suerte que consiste en herir de corrida el espada al toro cuando éste se halla parado. 2 Modo de correr algunas aves ayudándose con las alas. 3 Tratándose del paso de un río, laguna, etc., modo de andar trabajosamente.

volapuk *m.* Idioma compuesto artificialmente con elementos latinos, alemanes y especialmente ingleses, por el alemán Schleyer (1831-1912), que en 1879 lo propuso como lengua universal.

volar *intr.* Ir o moverse por el aire las aves, insectos, etc., agitando sus alas: ~ *de rama en rama.* 2 Elevarse en el aire y moverse en él, un aparato propulsado por un motor: ~ *por alto;* ~ *en un trimotor.* 3 Elevarse en el aire y moverse por él un globo, una cometa u otro objeto impulsado por el viento: *prnl., volarse un papel.* 4 fig. Ir por el aire [una cosa] arrojada con gran violencia. 5 fig. Caminar o ir con gran prisa: *el tren volaba;* transcurrir rápidamente: *el tiempo vuela;* p. anal., hacer las cosas con gran prontitud o ligereza: *ha escrito el libro*

volando. 6 fig. Desaparecer [una persona o cosa] rápida e inesperadamente. 7 fig. Sobresalir fuera del paramento de un edificio: *el tejado vuela sobre el jardín.* 8 fig. Propagarse con celeridad una especie entre muchos. – 9 *tr.* fig. Hacer saltar o estallar [en el aire alguna cosa], especialmente por medio de una substancia explosiva. 10 Irritar, picar [a uno]; *prnl.,* encolerizarse, perder los estribos: *aquella pregunta me voló.* 11 IMPR. Levantar [una letra o signo] de modo que resulte volado. 12 *Amér. Central.* Acompañado de un substantivo, indica una acción continuada, o que requiere esfuerzo sostenido: ~ *bala,* tirotear. – 13 *tr.-prnl. Méj.* Enamorar, por vía de diversión. ◇ ** CONJUG. [31] como *contar.*

volatería *f.* Caza de aves hecha con otras, adiestradas para ello. 2 fig. Multitud de especies que vagan en la imaginación. 3 Conjunto de diversas aves.

volátil *adj.-s.* Que vuela o puede volar. 2 fig. Mudable, inconstante. 3 Relativo a las cosas que se mueven ligeramente y andan por el aire. 4 [substancia] Que tiene la propiedad de volatilizarse.

volatilizar *tr.-prnl.* Hacer pasar al estado de vapor o gas [un cuerpo sólido o líquido]. – 2 *prnl.* fam. Desaparecer alguna cosa: *el dinero se volatilizó.* ◇ ** CONJUG. [4] como *realizar.*

volatinero, -ra *m. f.* Persona que anda y voltea por el aire o sobre una cuerda o alambre, y hace otros ejercicios semejantes.

****volcán** *m.* Abertura en la tierra por donde salen de tiempo en tiempo materias ígneas, vapores, etc. 2 fig. El mucho fuego o la vio-

VOLCAN

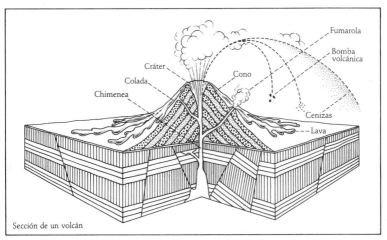

Sección de un volcán

Fumarola

Bomba volcánica

Cono

Cráter

Colada

Chimenea

Cenizas

Lava

lencia del ardor. 3 fig. Pasión ardiente. 4 *Amér.* Torrente de verano, aludes de agua, barro, árboles y cantos rodados.

volcanismo *m.* GEOL. Ciencia que estudia los volcanes.

volcar *tr.* Inclinar hacia un lado o invertir [un objeto o recipiente] de modo que caiga o se vierta el contenido de él: *intr., el carro volcó en la cuesta.* 2 fig. Hacer mudar de parecer [a uno]. 3 fig. Molestar [a uno] con zumba hasta irritarle. – 4 *prnl.* Inclinarse decididamente hacia un bando, grupo u opinión; entregarse a un trabajo o idea. ◇ ** CONJUG. [31] como *trocar.*

volea *f.* Palo labrado a modo de balancín para sujetar en él los tirantes de las caballerías delanteras. 2 Voleo (golpe).

voleibol *m.* Balonvolea.

volear *tr.* Golpear [una cosa] en el aire para impulsarla: ~ *la pelota.* 2 Sembrar a voleo: ~ *el trigo.*

volemia *f.* Volumen de sangre circulante en el organismo.

voleo *m.* Golpe dado en el aire a una cosa antes que caiga al suelo. 2 Movimiento rápido de la danza española, consistente en levantar un pie de frente lo más alto posible. 3 Bofetón que hace rodar por el suelo a quien lo recibe.

volitivo, -va *adj.* FIL. Relativo a los actos y fenómenos de la voluntad.

volován *m.* Pastel de pasta de hojaldre que va relleno de alimento, como marisco, pescado, pollo, etc.

volovelista *com.* Deportista que practica el vuelo a vela o vuelo sin motor.

volquete *m.* Carro formado por un cajón que se puede vaciar girando sobre el eje. 2 Camión automóvil para el mismo uso. ◇ Debe proscribirse el anglicismo innecesario *dumper.*

voltaje *m.* Potencial eléctrico, expresado en voltios.

volteadora *f.* Máquina que revuelve el heno, una vez segado, con el fin de favorecer su secado.

voltear *tr.* Dar vueltas [a una persona o cosa]: ~ *la honda.* 2 Poner [una cosa] al revés de como estaba: ~ *el armario;* p. ext., trastrocar o mudar [una cosa] a otro estado o sitio. 3 Construir [un arco o bóveda]. – 4 *intr.* Dar vueltas una persona o cosa por ajeno impulso o con arte, como lo hacen los volteadores. – 5 *tr. Amér.* Derribar, tumbar, echar por tierra. – 6 *intr. Argent., P. Rico y S. Dom.* Andar de una parte a otra para averiguar algo. – 7 *tr.-prnl. Amér.* Hacer que [otra persona] cambie de parecer.

voltearepas *m. Amér.* Tornadizo, versátil. ◇ Pl.: *voltearepas.*

voltereta *f.* Vuelta del cuerpo en el aire, generalmente apoyando la cabeza y dándose

impulso con las piernas o los brazos. 2 Lance de varios juegos de naipes en el que se descubre una carta para saber qué palo ha de ser triunfo. 3 fig. Transformación brusca, cambio rápido: *la situación política dará una ~.*

volterianismo *m.* Espíritu de incredulidad o impiedad, manifestado con burla o cinismo.

voltímetro *m.* Aparato para medir en voltios la diferencia de potencial eléctrico entre dos puntos de un circuito.

voltio *m.* Unidad de fuerza electromotriz, equivalente a la diferencia de potencial que, aplicada a un conductor cuya resistencia sea un ohmio, produce una corriente eléctrica de un amperio.

voluble *adj.* Que fácilmente se puede mover alrededor. 2 fig. Versátil (de genio). 3 [**tallo] Que crece formando espiras alrededor de los objetos.

volumen *m.* Cuerpo material de un libro. 2 Corpulencia, bulto de una cosa. 3 fig. Importancia o magnitud de un hecho, negocio o asunto: *una empresa de ~.* 4 Intensidad de la voz o de otros sonidos. 5 GEOM. Espacio ocupado por un cuerpo. 6 GEOM. En particular, medida de este espacio.

volumetría *f.* Medida del volumen, especialmente de un edificio. 2 FÍS. Y MAT. Ciencia que se ocupa de la determinación y medida de los volúmenes.

voluntad *f.* Potencia del alma en cuya virtud tendemos en sentido positivo o negativo hacia los objetos propuestos por el conocimiento intelectual: ~ *de hierro,* la muy enérgica e inflexible. 2 Acto de esta potencia. 3 Libre albedrío o determinación. 4 Intención determinada, gana o deseo de hacer una cosa o de que otros la hagan. 5 Consentimiento o aquiescencia. 6 Afición, afecto o benevolencia: *ganarse la ~ de uno; mala ~.*

voluntariado *m.* Alistamiento voluntario para el servicio militar. 2 Conjunto de soldados voluntarios. 3 p. ext. Conjunto de personas inscritas voluntariamente para realizar un cometido.

voluntario, -ria *adj.* Que nace de la voluntad: *acto ~.* 2 Que se hace sin estar obligado a ello: *renuncia voluntaria.* – 3 *m.* Soldado que se alista libremente en el ejército. – 4 *m. f.* Persona que se presta voluntariamente a hacer algo.

voluntarioso, -sa *adj.* Que por capricho quiere hacer siempre su voluntad. 2 Que hace las cosas con voluntad constante: *estudiante ~.*

voluntarismo *m.* Doctrina psicológica, opuesta al intelectualismo, que considera a la voluntad como la actividad esencial del alma humana, de la cual dependen todas las demás y especialmente las intelectivas.

voluptuosidad *f.* Complacencia en los deleites sensuales.

voluta *f.* ARQ. Adorno de figura de espiral en los capiteles de los **órdenes jónico y compuesto.

volva *f.* Velo tenue que suele envolver algunos hongos.

volvaria *f.* Seta con el sombrero parduzco; sus láminas son blancas en un principio y con el tiempo se vuelven asalmonadas *(Volvaria speciosa).*

volvedera *f.* Herramienta que se emplea para dar vueltas a la mies.

volver *tr.* Dar vuelta (movimiento) [a una cosa]: ~ *la hoja del libro, la mesa, el colchón,* etc.; p. anal., entornar o cerrar [la ventana, puerta, etc.]; dar la segunda reja o vuelta [a la tierra]; rechazar o enviar por repercusión o reflexión: *la pared vuelve la voz;* restar [la pelota]; despedir, rechazar [un regalo o don], haciéndolo restituir al que lo envió. 2 Dirigir, encaminar [una cosa] hacia otra: ~ *el corazón a Dios;* ~ *los ojos hacia la puerta.* 3 Devolver, restituir: *le vuelvo el libro;* p. anal., corresponder, pagar: ~ *un favor;* dar el vendedor al comprador [la vuelta (dinero sobrante)]; poner nuevamente [a una persona o cosa] al estado que antes tenía: *volvió el libro al estante.* 4 Mudar, cambiar: *volvió el agua en vino;* **prnl.,** cambiar de aspecto o estado: *volverse blanco, tonto;* mudar el haz [de las cosas]: ~ *un vestido al revés.* – 5 *intr.-prnl.* Regresar (al lugar): ~ *a casa, de la aldea, por tal camino.* – 6 *intr.* Con la preposición *a* y otro verbo en infinitivo, repetir lo que antes se ha hecho: ~ *a salir, a empezar;* p. anal., reanudar el hilo de una historia, tema o negocio: ~ *a lo convenido, a la cuestión.* 7 Restituirse a su sentido o acuerdo el que lo ha perdido por accidente; tranquilizarse, reflexionar: ~ *en sí de un desmayo;* ~ *sobre sí, a su ser.* 8 Torcer o dejar el camino o línea recta: *habrá que* ~ *a la izquierda.* – 9 *prnl.* Inclinar el cuerpo o el rostro en señal de atención, o dirigir la conversación a determinados sujetos. ◇ ** CONJUG. [32] como *mover;* pp. irreg.: *vuelto.*

volvocales *f. pl.* Orden de algas dentro de las clorofíceas, provistas de una mancha ocular roja. Suelen formar colonias heterogéneas.

volvox *m.* Alga clorofícea de agua dulce que vive formando colonias en las que los individuos están unidos entre sí por comunicaciones protoplasmáticas que forman una intrincada red *(Volvox globator).* ◇ Pl.: *volvox.*

vómer *m.* Hueso impar de la cabeza, que contribuye a formar el tabique medio de la nariz.

vómica *f.* MED. Absceso formado en el interior del pecho y en que el pus llega a los bronquios y se evacua por expectoración.

vomipurgante *adj.-s.* [medicamento] Que promueve el vómito y las evacuaciones del vientre.

vomitar *tr.* Arrojar uno violentamente por la boca [lo contenido en el estómago]. 2 Manchar la ropa con vómito. 3 fig. Arrojar de sí una cosa [algo que tiene dentro]: *los cañones vomitan fuego.* 4 fig. Proferir [injurias, maldiciones, etc.].

vomitivo, -va *adj.-m.* [medicamento] Que provoca el vómito.

vómito *m.* Acción de vomitar. 2 Lo que se vomita.

vomitorio *m.* Abertura de los circos o teatros antiguos por donde entraban y salían las gentes. 2 p. ext. En los estadios, plazas de toros, etc., puerta que accede directamente a las gradas.

voracear *tr. Argent.* Desafiar [a alguien] a grandes voces.

vorágine *f.* Remolino impetuoso que hacen en algunos parajes las aguas. 2 fig. Pasión desenfrenada o mezcla de sentimientos muy intensos. 3 fig. Aglomeración confusa de sucesos, de gentes o de cosas en movimiento.

voraz *adj.* Muy comedor y de apetito ansioso: *comían con hambre* ~; fig., *codicia* ~; *usurero* ~. 2 fig. Violento, pronto en consumir una cosa: *fuego* ~.

vorticela *f.* Protozoo ciliado de cuerpo acampanado con un pedúnculo contráctil mediante el cual se fija a las plantas acuáticas *(Vorticella* sp.)

vos *pron. pers.* Forma de 2ª persona usada como tratamiento en género masculino y femenino y en número singular y plural; se usa precedida de preposición en los complementos; **pronombre. 2 Como sujeto pide verbo en plural, pero concierta en singular con el adjetivo que se le refiere: ~, *señor* (o *señora*) *sois caritativo* (o *caritativa*); *trabajo para* ~; *os busco a* ~. ◇ Esta forma de tratamiento, muy general en lo antiguo, hoy sólo tiene uso en España en tono elevado para dirigir la palabra a Dios o a los santos o en poesía. En el habla popular de gran parte de la América hispana substituye al pronombre *tú* como tratamiento de confianza; pero en la culta se tiende a evitar este uso.

vosear *tr.* Dar [a una persona] tratamiento de vos.

voseo *m.* Costumbre de vosear. 2 esp. Empleo hispanoamericano de *vos* por *tú.*

vosotros, -tras *pron. pers.* Forma de la 2ª persona para el sujeto en género masculino y femenino y en número plural; se usa con preposición en los complementos; **pronombre. 2 En el objeto directo e indirecto con la preposición *a* es con frecuencia pleonástico: *os busco a* ~; *os escribo a* ~. ◇ Para el complemento directo o indirecto sin preposición se usa la forma *os.* ◇ En Andalucía e Hispanoamérica se emplea *ustedes* por *vosotros.*

votación *f.* Acción de votar. 2 Efecto de

votar. **3** Conjunto de votos emitidos. **4** Sistema de emisión de votos: ~ **nominal,** la que se hace llamando a cada votante por su nombre; ~ **ordinaria,** la que se hace poniéndose unos votantes de pie y permaneciendo otros sentados, o alzando o dejando de alzar la mano; ~ **secreta,** la que tiene lugar de manera que no permita averiguar la identidad del votante.

votar *intr.-tr.* Hacer voto a Dios o a los santos: *votaron a San José;* ~ *un cirio a la Virgen.* – **2** *intr.* Echar votos o juramentos. – **3** *intr.-tr.* Dar uno su voto o decir uno su dictamen en una reunión o cuerpo deliberante: ~ *con la mayoría, por alguno en el pleito.* – **4** *tr.* Proponer [algo] para aprobarlo por votación.

voto *m.* Promesa hecha a Dios, a la Virgen o a un santo, ya sea por devoción, ya sea para el caso de obtener determinada gracia. **2** Promesa hecha a Dios y que, junto con otras dos, constituye el estado religioso y tiene admitida la iglesia: ~ *de pobreza;* ~ *de castidad;* ~ *de obediencia.* **3** Expresión execratoria, blasfema o irreverente con que se demuestra ira. **4** Deseo, generalmente del bien de otro: *hago votos por tu felicidad.* **5** En una asamblea o elección, manifestación de la voluntad de cada uno en orden a la adopción de un acuerdo o a la designación de la persona o personas que hayan de ser elegidas; ~ *activo;* ~ *consultivo;* ~ *de censura;* ~ *de confianza;* ~ *informativo;* ~ *particular;* ~ *secreto;* ~ *simple;* ~ *solemne.* **6** Facultad de votar (dar su voto): ~*de castigo,* desaprobación que dan los partidarios de una fuerza política a sus dirigentes, votando en unas elecciones a otro partido.

voz *f.* Sonido que, en el hombre y ciertos animales, produce el aire expelido de los pulmones al hacer vibrar las cuerdas vocales. **2** p. ext. Sonido que producen ciertas cosas inanimadas: *la* ~ *del mar; la* ~ *del viento.* **3** Grito: *dar voces; pedir a voces.* **4** Sonido particular o tono correspondiente a las notas en la voz del que canta o en los instrumentos: ~ *aguda;* ~ *grave;* ~ *de tenor;* ~ *de tiple;* ~ *cantante.* **5** Aptitud para cantar: *tener* ~; *estar en* ~. **6** fig. Fama o rumor; opinión o parecer: *corrió la* ~ *de que llegaba tropa.* **7** fig. Acción del espíritu que nos hace sentir o conocer alguna cosa como si algo nos hablase: *la* ~ *de la razón; la* ~ *de la conciencia.* **8** fig. Facultad de hablar, aunque no de votar en una asamblea. **9** fig. Voto o dictamen dado en una junta o asamblea. **10** GRAM. Vocablo, palabra como medio de expresión: *una* ~ *arcaica; de viva* ~, de palabra y no por escrito. **11** GRAM. Accidente gramatical que expresa si el sujeto del verbo es agente o paciente: ~ *activa;* ~ *pasiva.*

vual *m.* Tejido ligero de seda o rayón.

vudú *m.* Conjunto de creencias y prácticas religiosas, que incluye fetichismo, culto a las serpientes, sacrificios rituales y empleo del trance como medio de comunicación con sus deidades, procedente de África.

vuelco *m.* Acción de volcar o volcarse. **2** Efecto de volcar o volcarse. **3** Movimiento con que una cosa se vuelca (inclina).

vuelillo *m.* Adorno de encaje u otra tela ligera, en las bocamangas de algunos trajes.

vuelo *m.* Acción de volar: *el* ~ *de un águila; levantar el* ~, echar a volar; fig., elevar uno el espíritu o la imaginación; engreírse. **2** Espacio que se recorre volando sin posarse: *de, en, un* ~, sin detención, prontamente. **3** Trayecto que recorre un avión, haciendo o no escalas, entre el punto de origen y el destino; trayecto que recorre un cohete. **4** Conjunto de plumas que en el ala del ave sirve principalmente para volar. **5** Amplitud de un vestido en la parte que no se ajusta al cuerpo: ~ *de una falda.* **6** Arbolado de un monte. **7** DEP. ~ *sin motor* o ~ *a vela,* deporte de navegación aérea con un velero, aprovechando las corrientes de aire; ******avión. **8** ~ *libre,* modalidad deportiva del vuelo sin motor realizado con un ala delta.

vuelta *f.* Movimiento de una cosa alrededor de un punto, o girando sobre sí misma, hasta invertir su posición primera, o hasta recobrarla de nuevo: *dar una* ~ *a la tortilla; media* ~, acción de volverse de modo que el cuerpo quede de frente hacia la parte que estaba antes a la espalda; ~ *de campana,* la completa en sentido vertical que da una persona, un avión, etc. **2** Circunvolución de una cosa alrededor de otra a la cual se aplica: *la faja le daba tres vueltas.* **3** Curvatura en un camino: *la carretera da muchas vueltas.* **4** Mudanza de las cosas. **5** fig. Acción o expresión áspera: *ponerlo a uno de* ~ *y media,* injuriarlo. **6** Regreso: *ida y* ~; *a la* ~, al volver. **7** Dinero sobrante de un pago efectuado con una cantidad superior a la debida: *55 pts. de* ~. **8** fig. Parte de una cosa opuesta a la que se tiene a la vista. **9** Labor que se da a la tierra. **10** Paseo corto: *dar una* ~. **11** Tela sobrepuesta en la extremidad de las mangas u otras partes de ciertas prendas de vestir. **12** DEP. En ciclismo y otros deportes, carrera en etapas en torno a un país, región, comarca, etc.

vuelto, -ta *adj.* [folio o plana de un libro o cuaderno] Que, abierto, cae a la izquierda del que lee. – **2** *m.* Can. y Amér. Vuelta, cambio, dinero sobrante de un pago.

vuelvepiedras *m.* Ave caradriforme zancuda, de pico duro y macizo, y plumaje negro en la parte dorsal y blanco en la ventral *(Arenaria interpres).* ◇ Pl.: *vuelvepiedras.*

vuestro, -tra *adj.-pron. poses.* Forma de 2ª persona en número plural en cuanto a los poseedores, y singular o plural en cuanto a la cosa poseída: ~ *padre; las obras vuestras; estos*

vulva

libros son los vuestros; he visto a vuestra hermana. 2 Por ficción o por tratamiento de *vos* el uso autoriza que pueda entenderse un solo poseedor: ~ *proceder os hace despreciable.* 3 En la forma femenina del singular se usa como tratamiento aplicado a una sola persona. En este caso la concordancia del verbo y adjetivo obedece al sentido y no al tratamiento: *vuestra majestad es generoso.* ◇ Pl.: *vuestros, vuestras.*

vulcanicidad *f.* Fenómenos geológicos y meteorológicos ocasionados por la acción de los volcanes en la superficie de la tierra.

vulcanizar *tr.* Combinar azufre [con caucho o gutapercha] para darles mayor elasticidad, impermeabilidad y duración. ◇ ** CONJUG. [4] como *realizar.*

vulcanología *f.* Parte de la geología que estudia los fenómenos volcánicos.

vulgar *adj.* [pers.] Perteneciente o relativo al vulgo. 2 Común, general. 3 Que no tiene especialidad particular en su línea. 4 [lengua] Que se habla por el vulgo, en contraposición a la lengua culta; LING., la románica hablada, frente al latín.

vulgaridad *f.* Calidad de vulgar (del vulgo). 2 Cosa vulgar que carece de novedad e importancia.

vulgarismo *m.* Dicho o frase, especialmente usados por el vulgo. 2 GRAM. Históricamente, palabra de formación romance, en contraposición al cultismo.

vulgarizar *tr.* Hacer vulgar o común [una cosa]; esp., hacer asequible al vulgo [una ciencia o una materia técnica cualquiera]. 2 Traducir [un escrito] a la lengua común o vulgar. – 3 *prnl.* Darse uno al trato de la gente del vulgo o portarse como ella. ◇ ** CONJUG. [4] como *realizar.*

vulgata *f.* Versión de la Sagrada Escritura, recibida como auténtica por la Iglesia.

vulgo *m.* El común de la gente popular. 2 Conjunto de personas que en cada materia no conoce más que la parte superficial.

vulnerar *tr.* fig. Dañar, perjudicar: *con sus reticencias vulneró la reputación de aquella mujer.* 2 Quebrantar [la ley, precepto, etc.].

vulneraria *f.* Planta leguminosa, pubescente, con hojas pinnadas, blancas en el envés, verdes en el haz, y cabezuelas florales generalmente amarillas *(Anthyllis vulneraria).*

vulpino, -na *adj.* Perteneciente o relativo a la zorra. 2 fig. Que tiene sus propiedades.

vultuoso, -sa *adj.* [rostro] Abultado por congestión.

vultúrido, -da *adj.-m.* Ave de la familia de los vultúridos. – 2 *m. pl.* Familia de aves rapaces falconiformes, de garras no retráctiles, con el cuello y cabeza generalmente desnudos; como el buitre.

vulva *f.* Partes que rodean y constituyen la abertura externa de la vagina.

W, w *f.* Uve doble, letra que no pertenece propiamente al alfabeto español y que aparece en voces de origen extranjero; en las palabras incorporadas a nuestra lengua se substituye por *v*: *vagón, vatio;* en las palabras de origen alemán la *w* representa a la consonante fricativa, labiodental y sonora: *Wagner, wagneriano, Westfalia;* y en las de origen inglés a una *u* o la secuencia *gu*: *twist, Windsor, Washington, whisky.*

wagon-lit *m.* Coche cama.

walkie-talkie *m.* ANGL. Aparato receptor y transmisor de ondas de radio que puede ser transportado por una sola persona y funcionar mientras ésta camina.

walkman *m.* ANGL. Reproductor estereofónico portátil de casetes, que sólo se puede oír mediante auriculares.

wamba *f.* Calzado de tela con suela de goma.

washingtoniano, -na *adj.-s.* [pers.] De Washington, ciudad de los Estados Unidos de América.

wáter, water-closet *m.* ANGL. Retrete (recipiente y habitación).

waterpolo *m.* Juego entre dos equipos formados por siete jugadores cada uno, que se practica nadando en una piscina y consiste en tratar de introducir el balón, valiéndose de las manos, en la portería contraria.

wau *f.* En lingüística, nombre que se da a la *u* considerada como semiconsonante explosiva, anterior a una vocal, o bien como semivocal implosiva, posterior a una vocal.

wélter *adj.-m.* DEP. Peso (categoría) del boxeo.

western *m.* Película de aventuras que tiene como tema la conquista del oeste norteamericano por los colonos, en el siglo XIX, y las costumbres de estas regiones en dicha época. 2 Género cinematográfico que constituyen estas películas.

whisky *m.* ANGL. Güisqui.

whist *m.* ANGL. Juego de naipes conocido desde el s. XVIII, precursor del bridge.

wínchester *m.* Fusil de repetición.

windsurf *m.* ANGL. DEP. Tabla especial sobre la que se coloca una vela que dirige el deportista para deslizarse sobre el agua.

windsurfing *m.* ANGL. Deporte náutico del windsurf.

wolframita *f.* Mineral que cristaliza en el sistema monoclínico, de color negro o pardo y brillo submetálico o resinoso.

wulfenita *f.* Mineral que cristaliza en el sistema tetragonal, de color amarillo, anaranjado o rojo y brillo vítreo o adamantino.

X, x *f.* Equis, vigésima sexta letra del alfabeto español que equivale a una *s* cuando va delante de una consonante: *excelente, explosión, extraño;* y a *gs* si va entre vocales: *axioma, examen, óxido.* 2 **X**, cifra romana equivalente a diez. 3 Suple en lo escrito a un nombre que no se quiere dar a conocer. 4 MAT. Signo con que se representa una incógnita.

xantocromía *f.* Coloración amarillenta exagerada de la piel y mucosas.

xantofíceas *f. pl.* Clase de algas dentro de los xantófitos, verdes amarillentas, unicelulares, algunas con undulipodios que les permiten ser móviles; la mayoría son de agua dulce.

xantofila *f.* Pigmento amarillo de ciertas células vegetales.

xantófitos *m. pl.* Tipo de algas constituido por la clase de las xantofíceas.

xantoma *m.* Depósito de colesterol que puede observarse en la piel, huesos y tendones, en forma de nódulos.

xenoblástico, -ca *adj.* GEOL. [roca] Que presenta cristales irregulares, mal formados.

xenofilia *f.* Simpatía a los extranjeros.

xenofobia *f.* Odio a los extranjeros.

xenogamia *f.* BIOL. Fertilización cruzada.

xenón *m.* Elemento gaseoso e inerte, que se encuentra en el aire en pequeñas cantidades. Su símbolo es *Xe* o *X* .

xerocopia *f.* Copia fotográfica obtenida por medio de la xerografía; fotocopia.

xerófilo, -la *adj.* [planta] Que vive en un hábitat seco y presenta una serie de modificaciones como adaptación al mismo, por ejemplo, poder almacenar agua en su parénquima.

xeroftalmía *f.* Desecación de la córnea del ojo, con pérdida de la visión.

xerografía *f.* Sistema electrostático, que se utiliza para imprimir en seco. 2 Fotocopia obtenida por este procedimiento.

xerosfera *f.* Ambiente climático típico de los desiertos.

xi *f.* Decimocuarta letra del alfabeto griego equivalente a la *x*.

xifoides *adj.-s.* Cartílago en que termina el esternón. ◇ Pl.: *xifoides.*

xilófago, -ga *adj.* [insecto] Que roe la madera.

xilófono *m.* Instrumento músico de **percusión, compuesto de una serie de varillas de diferente longitud, que se tocan con dos macillos de madera. ◇ INCOR.: *xilofón.*

xilografía *f.* Arte de grabar en madera. 2 Impresión tipográfica hecha con planchas de madera grabadas.

xiloideo, -a *adj.* Parecido a la madera.

xilópalo *m.* Madera fosilizada cuyas moléculas orgánicas se han substituido por sílice que se ha dispuesto igual que aquellas, por lo que conserva su estructura.

Y

Y, y *f.* I griega o *ye,* vigésima séptima letra del alfabeto español que representa gráficamente a la consonante fricativa, palatal y sonora, salvo cuando va a final de palabra como último elemento de un diptongo o triptongo, en cuyo caso equivale a una *i: rey, buey, hoy, doy.*

y *conj. copul.* Une en la oración términos que hacen el mismo oficio gramatical: *una casa moderna ~ cómoda;* une oraciones que expresan hechos sucesivos o simultáneos, aunque algunas veces, según el significado de las oraciones unidas, denota entre ellas oposición o consecuencia: *le llamé ~ no vino; nieva ~ hace frío de verdad;* empléase en principio de período o cláusula enlazando idealmente con algo supuesto, para dar énfasis a lo que se dice: *¡~ si no llega a tiempo! ¿~ si fuera otra la causa?;* precedida y seguida de una misma palabra denota idea de repetición indefinida: *días ~ días;* o la diferenciación: *hay hombres ~ hombres.* ◇ Se convierte en *e* antes de *i, hi.* V. e II.

ya *adv. t.* En un tiempo pasado: *~ hemos hablado de esto;* en la actualidad: *~ es pobre;* finalmente, por último: *~ es preciso tomar medidas;* luego, inmediatamente: *~ voy;* ahora, concediendo a la vez lo que nos dicen: *~ entiendo;* sin que pase mucho tiempo: *~ nos veremos.* – 2 *conj. distrib.* Ahora, u ora: *~ en la milicia, ~ en las letras.* – 3 *loc. conj. No ~,* no solamente: *no ~ en las letras, sino en las armas.* 4 *~ que,* con sentido causal o consecutivo, una vez que, puesto que: *~ que lo habéis querido, aguantad.*

yacaré *m.* Cocodrilo americano de hasta 2,5 m. de longitud, hocico plano y coloración negruzca *(Caiman latirostris).*

yacer *intr.* Estar echada o tendida una persona. 2 Estar un cadáver en la fosa o en el sepulcro. 3 Pacer de noche las caballerías en el campo. 4 Tener trato carnal con una persona. ◇ ** CONJUG. [92].

yacija *f.* Cama pobre.

yacimiento *m.* Sitio donde se halla naturalmente una roca, un mineral o un fósil.

yagual *m. Amér. Central* y *Méj.* Rodete para llevar pesos sobre la cabeza.

yaguané *m. Amér. Merid.* Mofeta. – 2 *adj. Amér. Merid.* [ganado] Que tiene el pescuezo y los costillares de color diferente al resto del cuerpo, es decir, parecido al mustélido de su nombre.

yaguarondi *m.* Mamífero carnívoro félido de Sudamérica, de hasta 60 cms. de longitud, más 35 cms. de la cola, y pelaje gris pardo *(Felis yaguarondi).*

yaguasa *f. Amér. Central.* Ave anseriforme de unos 50 cms. de longitud, especie de pato silvestre, más pequeño que el común *(Dendrocygna arborea).*

yaguré *m. Amér.* Mofeta (mamífero).

yak *m.* Gran bóvido de las altas montañas asiáticas, de pelaje lanoso y ondulado, que forma grandes rebaños *(Bos grunniensis).*

yambo *m.* Pie de la poesía clásica formado por una sílaba breve y una larga.

yanqui *adj.-s.* Norteamericano. ◇ Pl.: *yanquis.*

yapok *m.* Mamífero marsupial acuático con los pies palmeados, que se alimenta de peces y cangrejos de agua dulce *(Chronectes minimus).*

yapú *m.* Ave paseriforme de América del sur, de color negro, con abdomen y rabadilla castaño rojizos y cola amarilla (gén. *Cassinus).*

yarará *f. Amér. Merid.* Serpiente de gran tamaño, muy venenosa *(Bothrops brasiliensis).*

yaraví *m. Amér.* Canto indígena profundamente triste y monótono.

yarda *f.* Medida inglesa de longitud equivalente a 91 cms.

yare *m. Amér. Central* y *Venez.* Jugo venenoso que se extrae de la yuca amarga.

yatagán *m.* Sable curvo usado por los orientales; **armas.

yate *m.* Embarcación de gala o de recreo.

yaya *f. Amér.* Dolor insignificante. 2 *Amér.* Herida pequeña; cicatriz. 3 *Amér. Central* y *Colomb.* Llaga.

yaz *m.* Jazz.

ye *f.* Nombre de la letra *y.*

yedra *f.* Hiedra.

yegua *f.* Hembra del caballo. 2 *Amér. Central.* Colilla de cigarro. – 3 *adj. Amér. Central* y *P. Rico.* Estúpido, bruto.

yeguada *f.* Rebaño de ganado caballar. 2

Amér. Central y *P. Rico.* fig. *y* fam. Burrada, disparate.

yeísmo *m.* Pronunciación de la *elle* como *ye.*

yelmo *m.* Parte de la **armadura que cubre y defiende la cabeza y el rostro. Se componía de *morrión, visera* y *babera.* 2 ~ **erizado,** molusco gasterópodo provisto de una concha de hasta 10 cms. de longitud, con grandes tubérculos sobre las espiras. Se utiliza para la fabricación de objetos de adorno *(Cassidaria echinophora).*

yema *f.* Rudimento de brote en que los extremos aún no se han desarrollado y las hojas se hallan imbricadas unas sobre otras: ~ *axilar;* ~ *lateral;* ~ *terminal;* **brote; **tallo. 2 Masa esferoidal amarilla, formada por el vitelo, que ocupa la parte central del huevo del **ave. 3 Dulce hecho con azúcar y yema de huevo. 4 fig. Medio de una cosa: ~ *del invierno.* 5 fig. Lo mejor de una cosa. 6 ~ **del dedo,** parte de la punta de él, opuesta a la uña; **mano.

yen *m.* Unidad monetaria del Japón. ◇ Pl.: *yenes.*

yeral *m.* Terreno sembrado de yeros.

yerba *f.* Hierba.

yerbatero, -ra *m. f. Amér.* Curandero. 2 *Amér.* Vendedor de yerba.

yerbear *intr. Argent.* y *Urug.* Tomar mate.

yermo, -ma *adj.* Inhabitado. – 2 *adj.-s.* Inculto (sin cultivo). – 3 *m.* Terreno inhabitado.

yerno *m.* Respecto de una persona, marido de su hija.

yeros *m. pl.* Hierba leguminosa que se cultiva para alimento del ganado *(Ervum ervilia).* 2 Fruto de esta hierba.

yerro *m.* Falta o delito cometido por ignorancia o malicia: ~ **de imprenta,** errata. 2 Equivocación por descuido o inadvertencia.

yersey, yersi *m. Amér.* Jersey (chaqueta y tejido).

yerto, -ta *adj.* Tieso, rígido o áspero: *el cadáver está* ~; *quedó* ~ *de frío.*

yesca *f.* Materia seca y muy inflamable preparada generalmente con la pulpa de un hongo *(Polyporus fomentarius).* 2 fig. Cosa que excita una pasión o la sed. 3 fig. Lo que está sumamente seco y dispuesto a encenderse.

yesería *f.* Establecimiento donde se fabrica o vende yeso. 2 Obra hecha de yeso. 3 Sistema decorativo que se obtiene tallando o grabando formas diversas sobre una superficie enlucida.

yeso *m.* Sulfato de calcio hidratado que, deshidratado por la acción del fuego y molido, se endurece rápidamente si se le amasa con agua; se emplea en la construcción y en escultura. 2 Obra de escultura vaciada en yeso.

yesquero *m.* Encendedor que utiliza la yesca como materia combustible.

yeta *f. Argent.* y *Urug.* Mala suerte.

yeti *m.* Ser gigantesco parecido al hombre que, según la leyenda, habita en las nieves del Himalaya.

ye-yé *adj.-s.* Género de música con acompañamiento vocal y baile correspondiente, de moda durante los años sesenta. 2 Moda y comportamiento propios de la juventud de esa época.

yeyuno *m.* Sección del intestino delgado que principia en el duodeno y acaba en el íleon; **digestivo (aparato).

yezgo *m.* Planta herbácea caprifoliácea, semejante al saúco, pero de olor fétido y con las hojuelas más estrechas y largas y provistas de estípulas *(Sambucus ebulus).*

yiddish *m.* Lengua de los judeoalemanes.

yiu-yitsu *m.* Sistema de lucha sin armas, a base de golpes.

yo *pron. pers.* Forma de la 1ª persona para el sujeto en género masculino y femenino y en número singular; **pronombre. 2 *m.* FIL. Sujeto pensante y consciente de las propias modificaciones, en oposición al mundo o naturaleza exterior en general.

yod *f.* En lingüística, todo sonido de *i, y,* o consonante palatal, que cierra el timbre de las vocales precedentes.

yodación *f.* QUÍM. Substitución de átomos de hidrógeno por otros de yodo.

yodo *m.* Metaloide halógeno, sólido, cristalino y brillante, que fácilmente desprende vapores de color azul violeta. Su símbolo es *I.*

yodoformo *m.* Compuesto de yodo, hidrógeno y carbono, que se usa como antiséptico, CHI_2.

yoduro *m.* Compuesto de yodo y otro elemento o radical.

yoga *m.* Doctrina filosófica hindú que se basa en las prácticas ascéticas, el éxtasis, la contemplación y la inmovilidad absoluta, para llegar al estado perfecto. 2 Sistemas que se practican modernamente para obtener mayor eficacia de la concentración anímica mediante procedimientos análogos a los que usan los yoguis en la India.

yogui, yoghi *m.* Asceta hindú que alcanza la perfección mediante la práctica del yoga. – 2 *com.* Persona que practica alguno o todos los ejercicios físicos del yoga.

yogur *m.* Leche fermentada. ◇ Pl.: *yogures.*

yogurtera *f.* Aparato electrodoméstico para la preparación del yogur; **cocina.

yola *f.* Embarcación ligera movida a remo y vela.

yonqui *com.* En el lenguaje de la droga, toxicómano que consume drogas duras.

yóquey, yoqui *m.* Jinete profesional de las carreras de caballos.

yoyó, yoyo *m.* Juguete hecho de dos tapas redondas unidas por una pieza que permite enrollar un cordón en medio de ellas.

yperita *f.* Gas asfixiante utilizado por los alemanes.

yubarta *f.* Mamífero cetáceo de hasta 15 m. de longitud, con enormes aletas pectorales y el cuerpo cubierto de nudosidades *(Megaptera novaeangliae)*.

yuca *f.* Planta liliácea americana de hojas ensiformes, flores blancas en panícula, y raíz gruesa, de la que se saca una harina alimenticia *(Manihot; Jatropha; Yucca aloifolia)*. 2 *Amér.* Nombre vulgar de algunas especies de mandioca. 3 *Amér. Central* y *Bol.* fig. Embuste.

yucateco, -ca *adj.-s.* De Yucatán, estado de Méjico.

yudo *m.* Deporte de origen japonés consistente en una lucha cuerpo a cuerpo, de carácter defensivo, en la que se intenta vencer aprovechando la fuerza y el impulso del contrario en beneficio propio.

yudogui *m.* Traje amplio y de lona fuerte con el que se practica el yudo.

yudoka *com.* Persona que practica el yudo.

yugada *f.* Espacio de tierra de labor que puede arar una yunta en un día.

yugar *intr. Argent.* y *Urug.* Vivir a costa de trabajos pesados. 2 *Argent.* y *Urug.* Trabajar mucho. ◇ ** CONJUG. [7] como *llegar*.

yugo *m.* Instrumento de madera al cual se uncen las mulas o los bueyes, y en el que se sujeta la lanza del carro, el timón del arado, etc. 2 fig. Ley o dominio superior que obliga a obedecer. 3 fig. Carga pesada, prisión o atadura. 4 En la antigua Roma, especie de horca por debajo de la cual hacían pasar, sin armas, a los enemigos vencidos. 5 Armazón de madera de la que cuelga la **campana.

yugoeslavo, -va *adj.-s.* De Yugoeslavia, nación del sudeste de Europa.

I) yugular *adj.* Perteneciente o relativo a la garganta: *vena ~*. – 2 *f.* Pieza de la armadura antigua que defiende la cara y el cuello y se ata por debajo de la barba.

II) yugular *tr.* Degollar. 2 fig. Dominar, detener el desarrollo [de un negocio, proyecto, etc.]. 3 fig. Detener súbita o rápidamente una enfermedad por medios terapéuticos.

yunque *m.* Prisma de hierro acerado que utilizan los herreros encajado en un tajo de madera, o que llevan consigo los segadores para reparar la guadaña. 2 Pieza del martillo pilón o de otra máquina que, apoyada en el

suelo, recibe los golpes. 3 fig. Persona firme y paciente en las adversidades. 4 Huesecillo existente en el **oído medio.

yunta *f.* Par de animales que sirven en la labor del campo o en los acarreos. 2 *P. Rico, Urug.* y *Venez.* Gemelos, juego de dos botones iguales. ◇ En la acepción 2 es más usado en plural.

yupatí *m.* Pequeño marsupial de pelaje obscuro que vive en los bosques sudamericanos desde Nicaragua hasta la Argentina *(Metachirus nudicaudatus)*.

yuppie *adj.-s.* Perteneciente o relativo al grupo social integrado por jóvenes profesionales muy activos, de formación universitaria, de altos ingresos económicos e ideología conservadora. – 2 *com.* Miembro de dicho grupo. ◇ Se pronuncia *yupi*.

yurumí *m. Amér.* Oso hormiguero.

yusera *f.* Piedra circular o conjunto de dovelas que sirve de suelo en el alfarje de los molinos de aceite.

yusivo, -va *adj.* GRAM. Que expresa un mandato o una orden, especialmente el modo subjuntivo.

yute *m.* Planta tiliácea tropical que se cultiva por la fibra textil que se obtiene de sus tallos *(Corchorus capsularis; C. olitorius)*. 2 Materia textil que se obtiene de esta planta. 3 ~ *chino*, planta malvácea de hojas acorazonadas y flores amarillas, también cultivada para la obtención de fibras empleadas en la industria textil *(Abutilon theophrasti)*.

yuto, -ta *adj. Argent.* y *Bol.* Rabón, sin cola.

yuxtalineal *adj.* [traducción] Que acompaña a su original. 2 [cotejo de textos] Dispuesto a dos columnas de modo que se correspondan línea por línea.

yuxtaponer *tr.-prnl.* Poner [una cosa] junto a otra. ◇ ** CONJUG. [78] como *poner*. pp. irreg.: *yuxtapuesto*.

yuxtaposición *f.* Acción de yuxtaponer o yuxtaponerse. 2 Efecto de yuxtaponer o yuxtaponerse. 3 GRAM. Sucesión de oraciones sin palabras que expresen el enlace.

yuyo, -ya *adj. Amér. Central.* Que tiene ampollas o granos en los pies. – 2 *m. Amér. Central.* Vejiga o ampolla que se forma entre los dedos de los pies. 3 *Amér. Central.* Hierba inútil.

Z

Z, z *f.* Zeta o zeda, vigésima octava, y última, letra del alfabeto español que representa gráficamente a la consonante fricativa interdental y sorda. ◇ La Real Academia Española también considera correcta la pronunciación predorsal seseante de algunas zonas del español.

zabazala *m.* Encargado de dirigir la oración pública en la mezquita.

zabordar *intr.* Encallar un barco en tierra.

zacapín *m.* Mozo encargado de cortar y preparar el forraje para las caballerías.

zacate *m. Amér. Central* y *Méj.* Nombre de varias gramináceas útiles como alimento del ganado (gén. *Andropogon; Chrisopogon; Panicum*). 2 *Méj.* Estropajo.

zacatín *m.* Plaza o calle donde se venden ropas.

zacatón *m. C. Rica, Méj.* y *Nícar.* Hierba alta de pasto.

zacear *intr.* Cecear (pronunciar *s* como *c*).

zafacoca *f. And.* y *Amér.* Alboroto, zafarrancho, pendencia.

zafado, -da, *adj. And., Can.* y *Amér.* Atrevido, descarado.

zafaduría *f. Argent., Chile, Parag.* y *Urug.* Desvergüenza.

zafanarse *prnl. Amér. Central.* Desasirse, soltarse.

zafar *tr.* MAR. Desembarazar, quitar [los estorbos de una cosa]. – 2 *prnl.* Escaparse o esconderse para evitar un encuentro o riesgo: *zafarse de una persona.* 3 fig. Excusarse de hacer una cosa; librarse de una molestia: *zafarse de un compromiso.* 4 Salirse del canto de la rueda la correa de una máquina. 5 *Amér.* Dislocarse. – 6 *intr. Amér.* Incurrir en un desliz. 7 *Argent.* y *P. Rico.* Faltar a otro, no guardarle respeto.

zafarrancho *m.* Acción de desembarazar una parte de la embarcación, disponiéndola para determinada faena: ~ *de limpieza.* 2 Efecto de dicha acción. 3 fig. Riña.

zafio, -fia *adj.* Tosco, inculto, grosero.

zafiro *m.* Piedra fina, variedad azul del corindón. 2 ~ *blanco,* corindón incoloro y transparente. ◇ INCOR.: *záfiro.*

zafo, -fa *adj.* MAR. Libre, desembarazado.

I) zafra *f.* Vasija de metal en que se ponen a escurrir las medidas para el **aceite. 2 Vasija de metal para guardar el **aceite.

II) zafra *f.* Cosecha de la caña dulce. 2 Fabricación del azúcar de caña, y por extensión, del de remolacha. 3 Tiempo que dura esta fabricación.

III) zafra *f.* MIN. Escombro (de una mina).

zafre *m.* Óxido de cobalto mezclado con cuarzo con que se da color azul a la loza y al vidrio.

zaga *f.* Parte posterior de algunas cosas. 2 Carga que se acomoda en la trasera de un carruaje. 3 DEP. Línea de defensa de un equipo. – 4 *m.* El postrero en el juego. – 5 *loc. adv. A la, a, o en, ~,* atrás o detrás.

zagal *m.* Muchacho adolescente, mozo: *un ~ robusto.* 2 Pastor mozo a las órdenes del rabadán. 3 Mozo que ayudaba al mayoral en los coches de camino.

zagala *f.* Muchacha soltera. 2 Pastora joven.

zagalejo *m.* Refajo que usan las lugareñas.

zagalón, -lona *m. f.* Adolescente.

zagual *m.* Remo corto con pala plana que no se apoya en la embarcación.

zaguán *m.* Pieza cubierta a modo de vestíbulo en la entrada de una casa.

zaguanete *m.* Aposento de palacio donde está la guardia del príncipe. 2 Escolta de guardia que acompaña a pie a las personas reales.

zaguero, -ra *adj.* Que va en zaga. 2 [carro] Que lleva exceso de carga en la parte de atrás. – 3 *m.* DEP. Jugador que se coloca detrás en el juego de pelota. 4 DEP. Jugador de la defensa de un equipo.

zahareño, -ña *adj.* [pájaro] Bravo, difícil de amansar. 2 fig. Desdeñoso, intratable.

zaherir *tr.* Reprender [a uno] dándole en rostro con alguna acción o beneficio. 2 Mortificar [a uno] con represión maligna. ◇ ** CONJUG. [35] como *hervir.*

zahína *f.* Planta graminácea, de granos mayores que los cañamones, que se usan para alimento de las aves y para hacer pan (*Sorghum bicolor*). 2 Grano de esta planta. – 3 *f. pl.* Gachas o puches de harinas que no se dejan espesar.

zahón *m.* Calzón de cuero o paño con perniles abiertos atados a los muslos: *los zahones de los cazadores.*

zahonado, -da *adj.* [pies y manos de una res] Que tienen distinto color por delante.

zahondar *tr.* Ahondar [un hoyo] en la tierra. – 2 *intr.* Hundirse los pies en ella.

zahorí *com.* Persona a quien el vulgo atribuye la propiedad de ver lo que está oculto, especialmente veneros de agua subterránea y yacimientos minerales. 2 *fig.* Persona perspicaz y escudriñadora. ◇ Pl.: *zahoríes.*

zahúrda *f.* Pocilga.

zaida *f.* Ave gruiforme de la familia de las grullas, de unos 97 cms. de altura, y con grandes mechones de plumas blancas detrás de cada ojo *(Anthropoides virgo).*

zaino, -na *adj.* Traidor, falso. 2 [caballería] De color castaño obscuro. 3 [res] De color negro.

zalagarda *f.* Emboscada. 2 *fig.* Lazo para cazar animales. 3 *fig.* Astucia maliciosa para engañar a otro. 4 *fig.* Alboroto repentino, reyerta, pendencia.

zalamería *f.* Demostración de cariño afectada y empalagosa.

zalea *f.* Cuero de oveja o carnero curtido, de modo que conserve la lana. 2 *Méj.* y *P. Rico.* Pelliza para cubrir el aparejo de la bestia.

zalema *f.* Reverencia en muestra de sumisión. 2 Zalamería. 3 Variedad de uva, utilizada en la elaboración de vinos blancos de mesa y generosos.

zaleo *m.* Tela vieja o destrozada.

zallar *tr.* Hacer rodar o resbalar [una cosa] hacia la parte exterior de la nave.

zamacuco, -ca *m. f.* Persona tonta y bruta. 2 Persona solapada, que calla y hace su voluntad. – 3 *m. fig.* Embriaguez o borrachera.

zamacueca *f. Amér. Merid.* Baile popular de Chile, de música lenta, en compás de seis por ocho, que termina con un zapateado vivo; se baila por parejas y con figuras que consisten en vueltas y cortesías. 2 Música y canto de este baile.

zamarra *f.* Especie de chaqueta hecha de piel con su lana o pelo. 2 Piel de carnero. 3 Masa redonda de hierro esponjoso que se obtiene en los hornos de pudelar.

zamarrear *tr.* Sacudir a un lado y a otro [la res o presa asida con los dientes] como hacen los lobos, perros, etc. 2 *fig.* Tratar mal [a uno trayéndolo con violencia o a golpes] de una parte a otra. 3 *fig.* Apretar [a uno en la disputa] poniéndolo en apuro.

zamarrilla *f.* Planta labiada de flores blancas o encarnadas en cabezuelas vellosas *(Tencrium polium).*

zamarro *m.* Piel de cordero. 2 Calzón ancho, hecho con cuero de borrego y de chivo. 3 *fig.* Hombre tosco, lerdo, pesado. 4 *fig.* Hombre astuto, pícaro, bribón. – 5 *m. pl. Amér.* Especie de zahones o pantalones holgados, de piel o de caucho, que se usan para montar a caballo.

zamba *f. Argent.* Zamacueca.

zambarco *m.* Correa ancha que ciñe el pecho de las caballerías de tiro.

zambardo *m. Argent.* Chiripa, en el juego de billar. 2 *Argent.* y *Chile* Torpeza, avería, estropicio.

zambo, -ba *adj.-s.* [pers.] Que tiene juntas las rodillas y separadas las piernas hacia fuera. – 2 *m.* Mono americano de cola prensil *(Ateles hybridus).* – 3 *adj.-s. Amér.* Descendiente de negro e india.

zamboma *f.* Instrumento músico rústico formado por una especie de vasija de forma cilíndrica, cerrada por un extremo con una piel tensa, que tiene en el centro, bien sujeto, un carrizo, que, frotado con la mano, produce un sonido fuerte y monótono.

¡zambomba! *fam.* Interjección con que se manifiesta sorpresa.

zambombazo *m.* Porrazo, golpazo. 2 Explosión, estampido.

zambombo *m. fig. y fam.* Hombre grosero y tosco.

zamborotudo, -da, zamborrotudo, -da *adj. fam.* Tosco, grueso, mal formado. – 2 *adj.-s. fig. y fam.* Que hace las cosas toscamente.

I) zambra *f.* Fiesta morisca o gitana con bulla y baile. 2 *fig.* Algarada, ruido.

II) zambra *f.* Especie de barco morisco.

zambrote *m. Amér. Central.* Revoltijo, baturrillo.

zambucar *tr.* Esconder rápidamente [una cosa] entre otras. ◇ ** CONJUG. [1] como *sacar.*

zambullir *tr.* Meter [a una persona o cosa] debajo del agua con ímpetu: ~, o *zambullirse, en el agua.* – 2 *prnl. fig.* Esconderse en alguna parte o cubrirse con algo. 3 *fig.* Introducirse de súbito en alguna actividad o asunto. ◇ ** CONJUG. [41] como *mullir.*

zamburiña *f.* Molusco lamelibranquio con una concha de hasta 8 cms. parecida a la concha de peregrino *(Chlamys varia).*

zamorano, -na *adj.-s.* De Zamora.

zampa *f.* Estaca que se clava en un terreno para hacer un zampeado.

zampar *tr.* Meter [una cosa en otra de prisa y de suerte que no se vea]. 2 Comer descompuesta y excesivamente [alguna cosa]. 3 Asestar, propinar. – 4 *prnl.* Meterse de golpe en alguna parte: *zamparse en la sala.*

zampatortas *com. fam.* Persona que come con exceso y brutalidad. 2 *fig. y fam.* Persona falta de capacidad y buena crianza. ◇ Pl.: *zampatortas.*

zampeado *m.* ARQ. Firme de cadenas de madera y macizos de mampostería para edificar sobre terrenos falsos.

zampón, -pona *adj.-s. fam.* Comilón, tragón.

zampoña *f.* Instrumento músico rústico de

viento, a modo de flauta, o compuesto de varias flautas. 2 *fig. y* fam. Dicho trivial o sin substancia.

zampullín *m.* Somormujo pequeño, de trasero romo, y cuello y pico cortos *(Podiceps ruficollis).*

zanahoria *f.* Planta umbelífera, de raíz fusiforme, amarilla o rojiza, jugosa y comestible *(Daucus carota).* 2 Esta misma raíz. – 3 *adj.-s. Argent.* fam. Simple, tonto.

zanate *m. Amér.* Ave paseriforme cantora, de color café ceniciento *(Quiscalus macrourus).*

zanca *f.* Pierna larga de las aves desde el tarso hasta la articulación del muslo. 2 fig. Pierna del hombre o de un animal, especialmente cuando es larga y delgada. 3 ARQ. Madero inclinado que sirve de apoyo a los peldaños de una escalera.

zancada *f.* Paso largo.

zancadilla *f.* Acción de cruzar uno su pierna con la de otro para derribarle. 2 fig. Ardid con que se procura perjudicar a uno.

zancajear *intr.* Andar mucho y aceleradamente.

zancajera *f.* Parte del estribo del coche, donde se pone el pie.

zancajo *m.* Parte del pie donde sobresale el talón. 2 Parte del zapato o media que cubre el talón.

zancajoso, -sa *adj.* Que tiene los pies torcidos hacia afuera. 2 [caballo] Que tiene los corvejones anormalmente juntos.

zancarrón *m.* Hueso de la pierna descarnado.

zanco *m.* Palo alto y dispuesto con una horquilla para afirmar el pie, utilizado, con otro, para andar por lugares pantanosos o hacer ejercicios gimnásticos. 2 Parte inferior del faldón de la armadura de un tejado.

zancón, -cona *adj.* fam. Zancudo (de zancas largas). 2 *Amér.* [traje] Demasiado corto. 3 *Amér. Central.* Desgarbado y larguirucho.

zancudero *m. Amér. Central, Ant., Méj. y Venez.* Nube de mosquitos.

zancudo, -da *adj.* Que tiene las zancas largas. – 2 *adj.-f.* Ave, generalmente de ribera o pantano, que tiene muy largos los tarsos; como la grulla. – 3 *m. Amér.* Mosquito.

zanfonía *f.* Antiguo instrumento músico de **cuerda, que se tocaba haciendo dar vueltas con un manubrio a un cilindro armado de púas.

zangala *f.* Tela de hilo muy engomada.

zanganada *f.* fam. Impertinencia, inoportunidad.

zangandullo, -lla, -dungo, -ga *m. f.* Persona inhábil, desmañada, holgazana.

zanganear *intr.* Andar vagando de una parte a otra sin trabajar. 2 fam. Decir o hacer cosas inconvenientes o inoportunas.

zángano, -na *m.* Macho de la abeja reina.

– 2 *m. f.* fig. *y* fam. Persona holgazana. 3 fig. Persona floja, desmañada y torpe.

zangarrear *intr.* fam. Rasguear sin arte la guitarra.

zangarria *adj.-s.* Trompo saltador.

zango *m. Amér.* Especie de puré preparado con yuca o plátano, o con harina de maíz tostado.

zangolotear *tr.* fam. Mover continua y violentamente [una cosa]. – 2 *intr.* fig. Moverse una persona de una parte a otra sin concierto ni propósito. – 3 *prnl.* Moverse ciertas cosas por estar flojas o mal encajadas.

zangón *m.* Muchacho alto, desvaído y ocioso.

zanguanga *f.* Ficción de una enfermedad para no trabajar: *hacer la* ~.

zanguango, -ga *adj.-s.* Indolente, embrutecido por la pereza. – 2 *m. f.* Persona alta y desvaída. 3 Persona mal educada o falta de gracia. – 4 *m.* Plato típico manchego, a base de moje de patatas, bacalao, tomates y pimientos, y aderezado con ajo, aceite y nueces.

zanichelliáceo, -a *adj.-f.* Planta de la familia de las zanichelliáceas. – 2 *f. pl.* Familia de plantas monocotiledóneas, helobiales, acuáticas sumergidas, con las flores unisexuales y pequeñas.

zanja *f.* Excavación larga y angosta en la tierra. 2 *Amér.* Arroyada o surco producido por el agua corriente.

zanjar *tr.* Abrir zanjas [en un terreno]. 2 fig. Resolver de modo expeditivo [un asunto]. ◇ Impropio por *conciliar, componer:* ~ *las desavenencias.*

zanquear *intr.* Torcer las piernas al andar. 2 Zancajear.

zanquilargo, -ga *adj.-s.* fam. Que tiene largas las zancas o piernas.

zanquilla, -ta *com.* fig. Persona muy pequeña o con las piernas delgadas y cortas.

zanquivano, -na *adj.-s.* fam. Que tiene largas y muy flacas las piernas.

I) zapa *f.* Pala herrada de la mitad abajo, con un corte acerado, que usan los zapadores. 2 Excavación de galería o de zanja.

II) zapa *f.* Lija (piel seca). 2 Piel labrada que forma grano como la lija. 3 Labor que en obras de metal imita los granitos de la lija.

zapador *m.* Soldado destinado a obras de excavación.

zapallada *f. Argent.* Chiripa, acto afortunado y casual.

zapallo *m. Amér.* Nombre de numerosas especies de calabazas. 2 *Argent. y Chile.* fig. Chiripa, fortuna inesperada. – 3 *adj. Amér. Central y Colomb.* Soso, bobalicón.

zapapico *m.* Herramienta a modo de pico con dos bocas, una puntiaguda y la otra de corte angosto.

zapar *intr.* Trabajar con la zapa (pala). 2 p. ext. Excavar en algún sitio.

zaparrastrar *intr.* fam. Llevar arrastrando los vestidos: *ir zaparrastrando.*

zapata *f.* Calzado que llega a media pierna. 2 Pedazo de cuero que se pone debajo del quicio de la puerta para que no rechine. 3 Parte de la raíz del olivo que queda al descubierto. 4 Pez marino de cuerpo oval, cabeza grande, color rosa vinoso punteado de azul sobre el dorso y los flancos, y que puede alcanzar 1 m. de largo *(Sparus ehrembergii; S. caeraleosticus).* 5 Chapa o ensanchamiento dispuesto en los pies de un trípode para evitar que, al apoyarse en el suelo, se hinquen en éste. 6 Solera sobre la que descansa un pie derecho. 7 Dispositivo mediante el cual un tractor eléctrico recoge la corriente de un raíl conductor. 8 Superficie de fricción renovable de un freno, o sea, las partes de éste que se oprimen contra la superficie interna del tambor. 9 MAR. Tablón protector que se clava en la cara inferior de la quilla. 10 MAR. Pedazo de madera que se pone en la uña del ancla. 11 *Colomb., Cuba* y *P. Rico.* Zócalo de fábrica en que se apoya una pared de madera.

zapateado *m.* Baile, en general sin acompañamiento instrumental y para un solo bailarín, que lo ejecuta con diversos ritmos, percutiendo vigorosamente los tacones de los zapatos en el suelo. 2 Música de este baile.

zapatear *tr.* Golpear [alguna cosa] con el zapato. 2 Dar golpes [en el suelo] con los pies descalzos; esp., *abs.,* acompañar al tañido siguiendo el compás con los pies y dando palmadas. 3 Golpear el conejo rápidamente [la tierra con las manos] al huir. 4 Toparse o alcanzarse [las manos] la caballería cuando anda o corre. 5 fig. Traer [a uno] a mal traer. – 6 *intr.* Moverse el caballo aceleradamente sin mudar de sitio.

zapatería *f.* Establecimiento donde se hacen o venden zapatos. 2 Oficio de zapatero.

zapatero, -ra *adj.* fig. [legumbre] Que se encrudece al echar agua fría en la olla cuando se está cociendo. 2 fig. [manjar] Que se pone correoso por estar guisado con demasiada anticipación. – 3 *m. f.* Persona que tiene por oficio hacer o vender zapatos: ~ *remendón,* el que los compone. – 4 *m.* Insecto hemíptero que se desliza a gran velocidad sobre la superficie de las aguas mediante las largas patas centrales *(Gerris lacustris).* 5 *Amér. Merid.* Pez marino teleósteo de unos 25 cms. de largo, plateado, de cola ahorquillada y muy abierta, que vive en los mares de América tropical *(Chorinemus quiebra).* – 6 *adj.-f.* Aceituna añejada y de mal gusto.

zapateta *f.* Golpe dado en el pie o zapato, brincando al mismo tiempo. – 2 *f. pl.* Golpes que se dan con el zapato en el suelo en ciertos bailes.

zapatiesta *f.* Riña, alboroto, jaleo.

zapatilla *f.* Zapato ligero, generalmente de comodidad o abrigo para estar en casa; **calzado. 2 **Calzado especial para practicar determinados deportes: *una ~ de tenis.* 3 Casco de los animales de pata hendida. 4 Rasgo horizontal que suelen llevar por adorno los trazos y rectos de las letras. 5 Pieza de cuero, goma, etc., que sirve para mantener herméticamente adheridas dos partes diferentes, que están en comunicación, como cañerías, grifos, depósitos, etc. 6 Suela del taco de billar. 7 Zapata del freno en una **bicicleta.

zapato *m.* **Calzado que no pasa del tobillo, con la suela de cuero, goma, etc. y lo demás de piel, tela, plástico, etc.

zapatón *m. Amér.* Chanclo o zapato de goma.

zapatudo, -da *adj.* Asegurado o reforzado con una zapata.

¡zape! Interjección para ahuyentar a los gatos. 2 Denota también extrañeza, miedo o precaución.

zapear *tr.* Espantar [al gato] con la interjección ¡zape! 2 fig. *y* fam. Ahuyentar [a uno].

zapotazo *m. Guat.* y *Méj.* Batacazo, golpe.

zapote *m.* Árbol americano de unos 10 m. de altura, de fruto comestible y una semilla gruesa, negra y lustrosa (gén. *Vitellaria).* 2 Fruto de este árbol. 3 Árbol americano sapotáceo, de unos 20 m. de altura, flores blancas en umbelas, fruto en drupa con pulpa rojiza muy suave y azucarada *(Manilkara zapota).*

zapoyol *m. Amér. Central* y *Méj.* Hueso o semilla del zapote.

zapoyolito *m. Amér. Central.* Ave trepadora, especie de perico muy pequeño *(Botogenis tovi).*

zapupe *m. Amér.* Especie de pita, cultivada por la fibra de sus hojas *(Agave zapupe).*

zaque *m.* Odre pequeño.

zaquear *tr.* Trasegar [un líquido] de un zaque a otro. 2 Transportar [un líquido] en zaques.

zaquizamí *m.* Desván, buhardilla. 2 fig. Cuarto pequeño, poco limpio y desacomodado. ◇ Pl.: *zaquizamíes.*

zar, -rina *m. f.* Título del emperador de Rusia. – 2 *m.* Soberano de Bulgaria.

zarabanda *f.* Antiguo baile que se usó en Europa durante los siglos XVI y XVII, de movimiento vivo. 2 Música y canto de este baile. 3 fig. Cosa que causa ruido estrepitoso, alboroto o molestia.

zaragalla *f.* Carbón vegetal menudo.

zaragata *f.* fam. Gresca, alboroto, tumulto. 2 Zalamería. – 3 *m.* El que entre un número y otro de circo efectúa payasadas, entorpeciendo el trabajo de los demás. En la acepción 2 es más usado en plural.

zaragate *com. Amér.* Persona despreciable, zascandil.

zaragatona *f.* Hierba plantaginácea, cuyo pixidio contiene numerosas semillas pequeñas, de las cuales se extrae una substancia mucilaginosa *(Plantago psillium).* 2 Semilla de esta planta.

zaragozano, -na *adj.-s.* De Zaragoza.

zaragüelles *m. pl.* Especie de calzones anchos y afollados en pliegues. 2 fig. Calzones muy anchos, largos y mal hechos. 3 Planta gramínea de cañas débiles y flores en panoja compuesta de espiguillas colgantes.

zarambeque *m.* Tañido y danza alegre y bulliciosa, frecuente entre los negros.

zaramullo *m. Amér.* Zascandil. – 2 *adj. Amér. Central* y *Colomb.* Remilgado, presumido.

zaranda *f.* Criba. 2 Cedazo rectangular con fardo de red de tomiza, usado en los lagares. 3 Pasador metálico para colar jalea.

zarandajas *f. pl.* Cosas menudas, sin valor.

zarandar *tr.* Limpiar [el grano o la uva] pasándolos por la zaranda. 2 Colar [el dulce] con la zaranda. 3 fig. Mover [una cosa] con ligereza y facilidad.

zarandear *tr.* Zarandar. – 2 *prnl.* fig. Ajetrearse, azacanarse. 3 Contonearse. 4 Burlarse de uno, tratarle sin consideración. – 5 *tr. Argent., Guat., Méj., Nicar.* y *Urug.* Ridiculizar e insultar a una persona en público.

zarandillo *m.* Zaranda pequeña. 2 fig. Persona viva y ágil.

zarapinto *m.* Planta crucífera, de hojas dentadas, flores pequeñas blancas o lilas en cabezuelas y frutos casi redondos con alas *(Iberis amara).*

zarapito *m.* Ave caradriforme del tamaño de un gallo, con pico largo, delgado y encorvado por la punta *(Numenius arquatus).*

zaratán *m.* Cáncer de los pechos, en la mujer.

zaratita *f.* Mineral de la clase de los carbonatos, que cristaliza en el sistema cúbico, de color verde esmeralda.

zaraza *f.* Tela de algodón, muy ancha, muy fina y con listas o flores estampadas.

zarazas *f. pl.* Veneno para matar perros y otros animales.

zarcear *tr.* Limpiar [los conductos y las cañerías] introduciendo en ellos unas zarzas largas. – 2 *intr.* Entrar el perro en los zarzales para buscar la caza. 3 fig. Andar de una parte a otra cruzando con diligencia un sitio.

zarcero *m.* Ave paseriforme de pequeño tamaño, insectívora, cuyo plumaje es de color gris pardo con matices verdes por encima y amarillo vivo por debajo *(Hippolais polyglotta).*

zarcillo *m.* Pendiente (arete). 2 **Hoja o brote modificado en forma de filamento voluble, que sirve a ciertas plantas para trepar. 3 Señal con que se marca el ganado y que consiste en un corte que se da en la oreja para que quede colgando un pedazo.

zarco, -ca *adj.* De color azul claro: *ojos zarcos; aguas zarcas.*

zarevitz *m.* Hijo del zar, especialmente el primogénito. ◇ Pl.: *zarevitz.*

zarigüeya *f.* Mamífero marsupial americano, de aspecto parecido a una rata, con el hocico alargado y la cola prensil *(Didelphys marsupialis).* 2 Piel curtida de este animal.

zarismo *m.* Forma de gobierno absoluto, propio de los zares.

I) zarpa *f.* Acción de zarpar. 2 Mano con dedos y uñas de ciertos animales: *la ~ del león.* 3 vulg. Mano del hombre.

II) zarpa *f.* ARQ. Parte que en la anchura de un cimiento excede a la del muro levantado sobre él.

zarpar *tr.-intr.* Levar anclas, hacerse a la mar: *la escuadra zarpó del puerto.* – 2 *intr.* Partir o salir embarcado.

zarpazo *m.* Golpe dado con la zarpa.

zarpear *tr.-prnl. Amér. Central* y *Méj.* Salpicar de barro, llenar de zarpas o cazcarrias.

zarracatería *f.* Halago fingido.

zarramplín *m.* Hombre chapucero, de poca habilidad. 2 Pelagatos, pobre diablo. 3 Entrometido, chisgarabís.

zarrapastroso, -sa *adj.-s.* fam. Desaliñado, desaseado.

I) zarria *f.* Cazcarria. 2 Pingajo, harapo.

II) zarria *f.* Tira de cuero que se mete entre los ojales de la abarca para asegurarla con la calzadera.

zarza *f.* Arbusto rosáceo de tallos sarmentosos provistos de aguijones; hojas de cinco folíolos, flores blancas o róseas y fruto en eterio de drupas *(Rubus fruticosus).*

zarzaganillo *m.* Cierzo que causa tempestades.

zarzahán *m.* Tela de seda, delgada como el tafetán, con listas de colores.

zarzamora *f.* Fruto de la zarza. 2 Zarza.

zarzaparrilla *f.* Arbusto saxifragáceo de Sudamérica que se cultiva por sus frutos comestibles *(Ribes punctatum).* 2 Arbusto liliáceo americano, de tallos delgados y volubles y raíces cilíndricas y fibrosas *(Smilax aristolochiaefolia).* 3 Depurativo o bebida refrescante preparado con esta planta.

zarzo *m.* Tejido plano hecho con cañas, varas o mimbres. 2 Conjunto de piezas de madera con que se cierran los carros y las carretas por delante y por detrás.

zarzuela *f.* Obra dramática y musical en la que alternan el canto y la declamación. 2 Letra o música de la misma obra. 3 Plato consistente en varias clases de pescado y marisco condimentado con una salsa.

¡zas! Onomatopeya que expresa el sonido de un golpe, o el golpe mismo. Indica también la brusquedad con que se hace una cosa, o la rapidez con que sucede algo.

zascandil *m.* fam. Hombre despreciable, ligero y enredador. 2 Hombre que va de un lado a otro sin hacer nada de provecho.

zascandilear *intr.* Portarse como un zascandil.

zata, zatara *f.* Especie de balsa para transportes fluviales.

zeda *f.* Nombre de la letra *z.*

zegris *f.* Mariposa diurna con las alas de color blanco y amarillo, que, a diferencia de otras especies afines, tiene una sola generación anual *(Zegris euphem).*

zéjel *m.* Composición estrófica, de la métrica popular hispanoárabe, propagada también a la poesía castellana. ◇ Pl.: *zéjeles.*

zen *adj.-m.* Secta religiosa budista que renuncia a toda especulación intelectual y profundización cognoscitiva.

zendavesta *m.* Colección de los libros sagrados de los persas, escrita en zendo.

zendo, -da *adj.-m.* Idioma indoeuropeo usado antiguamente en las provincias septentrionales de Persia.

zeolita *f.* Silicato natural, procedente de algunas rocas volcánicas. – 2 *f. pl.* Grupo de tectosilicatos que químicamente son silicatos de aluminio, sodio y calcio con agua.

zepelín *m.* Globo dirigible.

zeta *f.* Sexta letra del alfabeto griego. 2 Zeda.

zeugma *f.* Figura de construcción que consiste en sobrentender un verbo o un adjetivo cuando se repite en construcciones homogéneas y sucesivas: *era seco de carnes, enjuto de rostro, gran madrugador,* etc.

zifio *m.* Mamífero cetáceo odontoceto, de unos 8 m. de longitud y uno o dos pares de dientes *(Ziphius cavirostri).*

zigodáctilo *adj.* [pers. o animal] Que tiene dos dedos unidos o soldados.

zigodonto *adj.* Que tiene las cúspides de los dientes molares unidos en pares.

zigurat *m.* Construcción caldea o babilónica, en forma de torre escalonada con terraza, que se hallaba en los templos.

zigzag *m.* Serie de líneas que forman alternativamente ángulos entrantes y salientes. ◇ Pl.: *zigzagues* o *zigzags.*

zinc *m.* Cinc. ◇ Pl.: *cines* o *zines.*

zipizape *m.* fam. Riña ruidosa o con golpes.

¡zis, zas! fam. Voz con que se expresa repetición de un golpe. 2 Zigzag.

zoantropía *f.* Monomanía en que el enfermo se cree convertido en un animal.

zoca *f.* Plaza. 2 *And.* y *Amér.* Retoño que da el tocón después de cortada la caña de azúcar.

zócalo *m.* Preparación a base de pan de arroz o de gelatina. 2 ARQ. Cuerpo inferior de un edificio, para elevar los basamentos a un mismo nivel; **casa. 3 ELECTR. Portalámparas fijo que tienen los aparatos electrónicos, para

enchufar en ellos las lámparas o tubos electrónicos. 4 ELECTR. Parte fija o base de los enchufes, cortocircuitos, etc., en cuyas hembrillas penetran las clavijas. 5 IMPR. Tarugo de madera o metálico, sobre el cual se montan los fotograbados o clisés para ponerlos al mismo nivel que los tipos.

zocato, -ta *adj.-s.* fam. Zurdo. – 2 *adj.* [fruto] Que se pone acorchado y amarillo. – 3 *f.* Chatarra que, atacada con vinagre, da un tinte utilizado para teñir el cuero.

zoclo *m.* Zueco, chanclo.

zocolar *tr. Amér.* Desmalezar, hacer una roza ligera [en un terreno].

zocotroco *m. Amér.* Cosa grande, pedazo informe. 2 *Amér.* Persona grande y pesada.

zodíaco *m.* Zona de la esfera celeste, de 16° de anchura, ocho a cada lado de la eclíptica, dividida en doce partes iguales, llamadas *signos del zodíaco* . 2 Representación material del zodíaco.

zoidiofilia *f.* Polinización por los animales.

zoilo *m.* fig. Crítico presumido, maligno, censurador o murmurador de las obras ajenas.

zoisita *f.* Silicato que cristaliza en el sistema rómbico, de color gris, gris verdoso, pardo o amarillento y brillo vítreo o nacarado.

zoísmo *m.* Conjunto de características que determinan la clasificación de un organismo vivo entre los animales.

zombi, zombie *com.* Muerto reanimado mediante un rito mágico. – 2 *adj.* fig. Atontado.

zompo, -pa *adj.-s.* Torpe, tonto.

zompopo *m. Amér. Central.* Hormiga de cabeza grande, que se alimenta de las hojas de las plantas *(Atta cephalote).* – 2 *adj. Amér. Central.* Tontón, simplón.

zona *f.* Lista o faja. 2 Extensión considerable de terreno. 3 p. ext. Demarcación establecida a ciertos efectos: ~ *azul,* conjunto de calles en el interior de una población, en las cuales los vehículos sólo pueden aparcar por un tiempo determinado durante el día; ~ *de ensanche,* la que en la cercanía de las poblaciones está destinada para que se extiendan la edificación y los servicios urbanos; ~ *fiscal,* aquella en que rigen preceptos excepcionales en materia de tributos; ~ *neutra,* espacio que separa los polos de un imán; ~ *urbana,* casco de población; ~ *verde,* terreno que en una ciudad se destina a arbolado o parques. 4 Parte en que, con otras cuatro, se considera dividida la superficie de la **Tierra por los trópicos y los círculos polares: ~ *glacial,* la comprendida dentro de un círculo polar; ~ *templada,* la comprendida entre un círculo polar y un trópico; ~ *tórrida,* la comprendida entre ambos trópicos y dividida por el ecuador en dos partes iguales. 5 Afección caracterizada por una erupción vesicular acompañada de gran ardor.

6 DEP. Parte de un campo de baloncesto más próxima a las canastas, en forma de trapecio o rectángulo. **7** DEP. Infracción que comete un jugador de baloncesto al permanecer más de tres segundos dentro de la zona contraria sin estar en posesión del balón. **8** DEP. Sistema defensivo en el que los jugadores de un equipo cubren el terreno de juego por áreas.

zoncear *intr. Amér.* Tontear.

zoncha *f. Amér. Central.* Cabeza, especialmente cuando está rapada.

zonchiche *m. Amér. Central y Méj.* Zopilote.

zonda *m. Argent. y Bol.* Viento cálido e impetuoso de la región andina.

zonificar *tr.* Dividir [un terreno] en zonas. ◇ ** CONJUG. [1] como *sacar.*

zontear *tr. Amér. Central.* Desorejar [un animal]. **2** *Amér. Central.* Romper el asa [de una vasija].

zonzo, -za *adj.-s.* [pers.] Soso.

zonzoreno, -na *adj. Amér. Central.* Soso, tonto.

zoo *m.* Abreviatura de parque zoológico.

zoobiología *f.* Biología del mundo animal.

zoófago, -ga *adj.* Que se alimenta de materias animales: *insecto* ~.

zoofilia *f.* Amor por los animales.

zoófito *m.* Animal que tiene aspecto de planta.

zoofobia *f.* Temor enfermizo que se siente ante ciertos animales.

zoogenia *f.* Parte de la zoología que estudia el desarrollo de los animales.

zoogeografía *f.* Ciencia que estudia la distribución geográfica de los animales.

zoografía *f.* Parte de la zoología que tiene por objeto la descripción de los animales.

zooide *m.* ZOOL. Individuo que forma parte de un cuerpo con organización colonial y cuya estructura es variable, según el papel fisiológico que deba desempeñar en el conjunto.

zoolatría *f.* Adoración, culto de los animales.

zoolito *m.* Parte petrificada del cuerpo de un animal.

zoología *f.* Parte de la historia natural que trata de los animales.

zoológico, -ca *adj.* Relativo a la zoología: *parque* ~.

zoom *m.* Sistema óptico de distancia focal variable que permite el cambio de planos, utilizado en cámaras fotográficas, cinematográficas y de televisión. **2** Objetivo con dicho sistema; **fotografía. 3** Efecto de acercamiento o alejamiento de la imagen obtenido en cine y televisión mediante dicho objetivo. ◇ Se pronuncia *zun.*

zoomastigino *adj.-m.* Protozoo del tipo de los zoomastiginos. – **2** *m. pl.* Tipo de protozoos provistos de uno o muchos undulipodios; pueden ser libres o parásitos.

zoometría *f.* Estudio de las dimensiones de los animales.

zoomorfo, -fa *adj.* Que tiene forma de animal.

zoónimo *m.* LING. Nombre de animal.

zoopaleontología *f.* Rama de la paleontología que estudia los animales fósiles.

zooplancton *m.* Conjunto de organismos exclusivamente animales que forman parte del plancton.

zoopsia *f.* Visión alucinante de los animales que causan miedo.

zoosemiótica *f.* Disciplina que estudia los sistemas de comunicación de los animales.

zoospermo *m.* Espermatozoide.

zoospora *f.* Espora que no está cerrada en un quiste, y en cuya superficie lleva órganos filiformes a modo de cilios o flagelos que le sirven para nadar.

zootaxia *f.* Ordenación o clasificación metódica del reino animal.

zootecnia *f.* Arte de la cría de los animales domésticos.

zootomía *f.* Anatomía de los animales.

zootoxina *f.* Toxina o veneno de origen animal, como los de ciertos ofidios, escorpiones, arácnidos, etc.

zopas *com.* burl. Persona que cecea mucho. ◇ Pl.: *zopas.*

zopenco, -ca *adj.-s.* Tonto, abrutado.

zopilote *m.* Ave falconiforme americana, de unos 60 cms. de longitud, con el cuerpo de color negro y pardo rojizo obscuro en las regiones desnudas de la cabeza y el cuello (*Coragyps atratus*).

zopilotera *f.* Amér. Central. Partida de zopilotes. **2** *Amér. Central.* Grupo de gente codiciosa.

zopisa *f.* Brea. **2** Resina de pino.

zopo, -pa *adj.* [pie o mano] Contrahecho. **2** [pers.] Que tiene contrahechos pies o manos.

zoque *m.* Gazpacho muy espeso, propio de Málaga.

zoqueta *f.* Especie de guante de madera para resguardar la mano izquierda de los cortes de la hoz al segar.

zoquete *m.* Taco que queda sobrante al labrar un madero. **2** fig. Pedazo de pan grueso e irregular. **3** fig. *y* fam. Hombre de mala traza, pequeño y gordo. – **4** *adj.-com.* Persona ruda y tarda para entender.

zoquetudo, -da *adj.* Basto o mal hecho.

zorcico *m.* Baile popular en compás de cinco por ocho, propio del País Vasco. **2** Música y canto de este baile.

zoroastrismo *m.* Mazdeísmo.

zorollo *adj.* Blando, tierno. **2** Que no ha llegado a madurar por completo. **3** [trigo] Que se siega antes de su completa madurez.

zorongo *m.* Pañuelo doblado que llevan a

la cabeza los aragoneses y navarros. 2 Moño ancho y aplastado. 3 Baile popular de Andalucía, de movimiento muy vivo. 4 Música y canto de este baile.

I) zorra *f.* Mamífero carnívoro cánido, de hocico estrecho, orejas derechas y cola larga y gruesa *(Vulpes vulpes)*. 2 Hembra de esta especie. 3 fig. Mujer astuta y solapada.

II) zorra *f.* Carro bajo y fuerte para transportar grandes pesos.

III) zorra *f.* fig. *y* fam. Ramera.

zorral *adj. Amér. Central y Colomb.* Inoportuno.

zorrastrón, -trona *adj.-s.* fam. Pícaro, astuto y cauteloso.

zorreado, -da *adj.* [caza] Que percibe el peligro y se aleja cautelosamente de él.

zorrera *f.* Cueva de zorros. 2 fig. Habitación llena de humo.

zorrería *f.* Astucia y cautela de la zorra. 2 fig. Astucia y cautela del que busca su utilidad en lo que hace.

I) zorrero, -ra *adj.-m.* Perro raposero. – 2 *adj.* fig. Astuto, capcioso. – 3 *m.* Persona encargada de limpiar de alimañas los bosques.

II) zorrero, -ra *adj.* Relativo a la embarcación pesada en navegar. 2 fig. Que se retrasa en seguir a los demás.

zorrilla *f.* Vehículo que se desliza sobre los carriles y se destina a la inspección de la vía férrea.

zorrillo, -lla *m. Amér.* Mofeta (mamífero). 2 *Méj.* Dulce de leche cortada. – 3 *adj. Méj.* Remolón, disimulado, medroso.

zorro *m.* Macho de la zorra. 2 ~ *azul,* el propio de los países glaciales, cuyo pelaje espeso, largo, suave y de color gris azulado, es muy estimado en peletería. 3 fig. Hombre que afecta simpleza o insulsez, especialmente para no trabajar: **hacerse el** ~, aparentar ignorancia o distracción. 4 fig. El muy taimado y astuto. 5 Piel de la zorra, curtida de modo que conserve el pelo. 6 ~ **marino,** tiburón de hasta 6 m. de largo, provisto de una larga aleta caudal asimétrica, con la cual efectúa fuertes movimientos para entontecer a sus víctimas *(Alopias vulpinus)*. – 7 *m. pl.* Utensilio para sacudir el polvo, formado por tiras de orillo, piel, etc., puestas en un mango. – 8 *m. Amér.* Mofeta (mamífero).

zorronglón, -glona *adj.-s.* fam. Que hace refunfuñando las cosas que le mandan.

zorzal *m.* Ave paseriforme de unos 22 cms. de longitud, con el plumaje de color pardo, salvo en el pecho, que es amarillento con manchas pardas *(Turdus philomelus)*. 2 Pez teleósteo de unos 20 cms. de largo, cabeza grande y lisa y hocico puntiagudo. Es de color más o menos obscuro según las estaciones del año, y se cría en mares de España *(Labrus turdus)*. – 3 *adj.-s.* fig. Astuto, sagaz. 4 *Amér.* Tonto, papanatas.

zostera *f.* Planta angiosperma vivaz marina que vive totalmente sumergida; sus hojas son acintadas *(Zostera marin)*.

zote *adj.* Zoquete (persona).

zozobra *f.* Acción de zozobrar. 2 Efecto de zozobrar. 3 Oposición de los vientos que ponen al barco en riesgo de naufragar. 4 fig. Inquietud, aflicción, congoja.

zozobrar *intr.* Peligrar la embarcación por la fuerza y contraste de los vientos. 2 fig. estar en gran riesgo y muy cerca de perderse una cosa; sentir gran vacilación y acongojarse en un trance difícil. – 3 *intr.-prnl.* Perderse o irse a pique: ~ *en la tormenta.* – 4 *tr.* Hacer zozobrar: *el capitán zozobra el barco; zozobraré el negocio.*

zuavo *m.* Soldado argelino de infantería al servicio de Francia. 2 Soldado francés uniformado como el anterior.

zubia *f.* Lugar por donde corre mucha agua.

zueco *m.* Zapato de madera de una pieza; **calzado. 2 Zapato de cuero con suela de corcho o de madera.

zulaque *m.* Betún en pasta para tapar las juntas de los arcaduces y para otras obras hidráulicas.

zulo *m.* Agujero o pequeña habitación oculta que se usa para esconder a alguien o algo.

zulú *adj.-s.* De un pueblo de raza negra de África austral, de lengua bantú. 2 fig. [pers.] Inculto, salvaje. ◇ Pl.: *zulúes.*

zulla *f.* Hierba leguminosa que sirve de pasto para el ganado *(Hedysarum coronarium).*

zumacar *tr.* Adobar [las pieles] con zumaque. ◇ ** CONJUG. [1] como *sacar.*

zumaque *m.* Arbusto anacardiáceo, cuya corteza contiene mucho tanino y se emplea como curtiente *(Rhus coriaria)*. 2 Madera de este árbol, de fácil pulimento, que puede teñirse mediante tratamiento, empleada en marquetería. 3 Piel curtida con el tanino de dicho árbol. 4 fam. Vino de uva.

zumba *f.* Cencerro grande. 2 Bramadera (juguete). 3 fig. Vaya, chanza ligera. 4 *Amér.* Tunda, zurra.

zumbador, -ra *adj.* Que zumba. – 2 *m.* Timbre eléctrico que al funcionar produce un zumbido sordo. 3 *Amér.* Bramadera (juguete).

zumbar *intr.* Hacer una cosa ruido continuado y bronco. 2 Producirse un zumbido dentro de los oídos. 3 fig. *y* fam. Estar una cosa tan inmediata que falte poco para llegar a ella: *le zumban los setenta años.* – 4 *tr.* fam. Dar [un golpe]; causar [un daño]: *le zumbó una bofetada.* – 5 *tr.-prnl.* fig. Dar broma o chasco [a uno]: *zumbarse de las majaderías.* – 6 *tr. Amér.* vulg. Arrojar, lanzar, echar fuera.

zumbel *m.* Cuerda que se arrolla al peón para hacerle bailar.

zumbido *m.* Acción de zumbar. 2 Efecto de

zumbar. 3 fam. Golpe o porrazo dado a alguien.

zumbo *m.* Zumbido. 2 Cencerro de gran tamaño.

zumbón, -bona *adj.-s.* Cencerro que lleva el cabestro y que suena más fuerte que los demás. 2 fig. Que frecuentemente anda burlándose.

zumiento, -ta *adj.* Que arroja zumo.

zumo *m.* Líquido que se extrae de las flores, hierbas, frutos, etc. 2 fig. Utilidad y provecho que se saca de una cosa.

zuna *f.* Ley tradicional mahometana, sacada de los dichos y sentencias de Mahoma (h. 570-632).

zunchar *tr.* Reforzar [una cosa] con zunchos.

zuncho *m.* Abrazadera o anillo de metal, usado como refuerzo. 2 Refuerzo metálico, generalmente de acero, para juntar y atar elementos constructivos de un edificio en ruinas. 3 CONSTR. Armadura helicoidal en una columna de hormigón armado.

I) zuñir *tr.* Igualar los plateros las desigualdades y asperezas de la filigrana, frotándola contra una pizarra.

II) zuñir *intr.* Zumbar, especialmente los oídos.

zupia *f.* Poso del vino. 2 Vino turbio por estar revuelto con el poso. 3 Líquido de mal aspecto y sabor. 4 fig. Lo más inútil y despreciable de cualquier cosa.

zurcido *m.* Unión o costura de las cosas zurcidas.

zurcir *tr.* Coser [la rotura de una tela] de modo que la unión resulte disimulada; suplir con puntadas entrecruzadas [lo que falta en el agujero de un tejido]. 2 fig. Unir sutilmente [una cosa] con otra. 3 fig. Combinar [varias mentiras] para dar apariencia de verdad a lo que se relata. ◇ ** CONJUG. [3].

zurdazo *m.* Amér. Golpe dado con la mano izquierda. 2 DEP. En el juego del fútbol, disparo con la pierna izquierda.

zurdear *intr.* Argent., Colomb., Méj. y Nicar. Hacer con la mano izquierda lo que generalmente se hace con la derecha.

zurdo, -da *adj.-s.* Que usa de la mano izquierda del modo y para lo que las demás personas usan la derecha. – 2 *f.* fig. Mano izquierda. – 3 *adj.* Relativo a la mano zurda.

zurear *intr.* Hacer arrullos la paloma.

zurito, -ta *adj.* Zuro (palomo).

I) zuro *m.* Raspa de la mazorca de maíz después de desgranada. 2 Albac., And., Ar., La Mancha y Murc. Corcho del alcornoque.

II) zuro, -ra *adj.* [palomo] Silvestre.

zurra *f.* Acción de zurrar las pieles. 2 Continuación del trabajo en cualquier materia. 3

fig. Reyerta, pendencia, riña. 4 fig. Castigo, paliza, tunda.

zurracapote *m.* Bebida popular que en varias regiones de España se hace con vino y diversos ingredientes.

zurrapa *f.* Brizna o sedimento formado en el poso de los líquidos. 2 fig. Cosa vil y despreciable.

zurrapiento, -ta, zurraposo, -sa *adj.* Que tiene zurrapas.

zurrar *tr.* Curtir y adobar [las pieles]. 2 fig. Castigar [a uno] especialmente con golpes; traer [a uno] a mal traer en una riña. 3 fig. Censurar [a uno] con dureza.

zurria *f.* Amér. Central y Colomb. Zurra, azotaina.

zurriaga *f.* Pez marino de cuerpo muy alargado de color blanquecino, que tiene el hábito de introducirse y vivir en la cavidad visceral de las holoturias (Carapus dentatus).

zurriagazo *m.* Golpe dado con el zurriago o con otra cosa flexible. 2 fig. Desgracia o mal suceso inesperado. 3 fig. Mal trato o desdén de quien no se esperaba.

zurriago *m.* Látigo con que se castiga. 2 Correa con que los muchachos hacen bailar la peonza. 3 fig. Hombre torpe y de poco valor.

zurriar *intr.* Zurrir. ◇ ** CONJUG. [13] como desviar.

zurriburri *m.* Conjunto de personas de la ínfima plebe o de malos procederes. 2 Barullo, confusión.

I) zurrido *m.* Sonido bronco, desapacible y confuso.

II) zurrido *m.* Golpe, especialmente con palo.

zurrir *intr.* Sonar bronca y confusamente una cosa.

zurrón *m.* Bolsa grande de pellejo o cuero, como la usada por los pastores. 2 Bolsa formada por las membranas que envuelven el feto y el líquido que le rodea. 3 Cáscara primera y más tierna en que están encerrados algunos frutos. 4 Hierba quenopodiácea, con hojas triangulares de margen ondulado, y flores de color pardo rojizo en espigas (Chenopodium bonus-henricus).

zurronero *m.* Cazador furtivo.

zurrucatuna *f.* Plato de bacalao deshilachado, y patatas rehogadas con pimentón.

zurullo *m.* Pedazo rollizo de materia blanda. 2 p. ext. y fam. Mojón [excremento]. 3 fig. Miedo, pánico.

zutano, -na *m. f.* Voz usada como complemento o en contraposición de fulano y mengano, en la misma acepción que éstos y siempre después del primero y antes o después del segundo.

Apéndice Gramatical

ACENTO

En toda palabra polisílaba hay una sílaba que pronunciamos con más fuerza que las demás de la misma palabra. De esta sílaba decimos que es acentuada, tónica, o que sobre ella carga el acento prosódico.

Las palabras que tienen este acento en la última sílaba se llaman AGUDAS; las que lo tienen en la penúltima, LLANAS O GRAVES; las que lo tienen en la antepenúltima, ESDRÚJULAS, y las que lo tienen antes de la antepenúltima, SOBRESDRÚJULAS.

En la escritura, el acento prosódico de algunas palabras se indica con una tilde, o acento ortográfico (´), que se pone sobre la vocal de la sílaba acentuada. Si en vez de una vocal sola hay un diptongo o triptongo (V. **sílaba**), la tilde se coloca sobre la vocal abierta —que no sea *u, i*—, o sobre la segunda, si se trata de un diptongo homogéneo formado por las vocales cerradas *u, i*.

El empleo de la tilde se rige por las siguientes reglas:

REGLAS GENERALES

Las palabras ESDRÚJULAS y las formas SOBRESDRÚJULAS se acentúan todas: *miércoles, regímenes, exámenes, resúmenes*.
Las palabras AGUDAS se acentúan si terminan en vocal, n o s: *sofá, bisturí, amaré, sinfín, melón, cafés, Galdós*.
Las palabras GRAVES O LLANAS llevan tilde si no acaban en vocal, n o s: *útil, débil, fútil, césped, mármol*.
Los MONOSÍLABOS no llevan tilde: *fe, la, ti, no, a, da, pues, bien, di*, aunque hay unas pocas excepciones, expuestas en las REGLAS ESPECIALES.
También son monosílabos y no llevan tilde las formas verbales: *fue, fui, vio* y *dio*, según señalan las últimas normas académicas.

REGLAS ESPECIALES

1. Para distinguir entre sí los siguientes MONOSÍLABOS HOMÓNIMOS, unos llevan tilde y otros no:

él	pronombre	*trabajo con él*	**el**	artículo	*tengo el lápiz*
tú	pronombre	*tú lo sabes*	**tu**	posesivo	*vi a tu padre*
mí	pronombre	*piensa en mí*	**mi**	posesivo	*vi a mi padre*
			mi	nota musical	*toca el mi*
sí	pronombre	*dice para sí*	**si**	conjunción	*si lo ves, calla*
sí	adverbio	*sí, lo quiero*	**si**	nota musical	*sonata en si*
más	adverbio	*no iré más*	**mas**	conjunción	*callo, mas no cedo*
sé	vbo. saber y ser	*lo sé todo, sé bueno*	**se**	pronombre reflexivo	*se ha pinchado*
dé	vbo. dar	*no me lo dé*	**de**	preposición	*casa de madera*
té	nombre	*el té me gusta*	**te**	letra	*la te es consonante*
			te	pronombre	*te llamo*

No todos los monosílabos homónimos se distinguen por el acento: *sol* (astro y nota musical); *la* (artículo, pronombre y nota musical); *di* (imperat. de *decir* y pretérito de *dar*); *ve* (imperat. de *ir* y presente de indicativo de *ver*). ‖ Obsérvese que la conjunción *o* no lleva acento entre letras, pero sí entre cifras: *dos o tres; 2 ó 3*. En cambio: *de dos a tres* y *2 a 3; siete u ocho* y *7 u 8*.

2. La Real Academia Española en su *Ortografía* (1974) dice: «La partícula *aun* llevará tilde (*aún*) y se pronunciará como bisílaba cuando pueda sustituirse por *todavía* sin alterar el sentido de la frase: *aún está enfermo*. En los demás casos, es decir, con el significado de *hasta, también, inclusive* (o *siquiera*, con negación), se escribirá sin tilde: *aun los sordos han de oírme; ni hizo nada por él ni aun lo intentó*.»
Y con respecto a la palabra *solo* señala: «La palabra *solo*, en función adverbial, podrá llevar acento ortográfico si con ello se ha de evitar una anfibología: *le encontrarás solo en casa* (en soledad, sin compañía); *le encontrarás sólo en casa* (solamente, únicamente).»

3. Para distinguir algunos PRONOMBRES DEMOSTRATIVOS de los adjetivos demostrativos (determinantes demostrativos), los pronombres pueden llevar tilde:

éste — *Con éste me conformo. ¿Cuál quieres? Éste.*	**este** — *En este papel. Dame este libro.*
ése — *Dame ése. En ése no hay nada escrito.*	**ese** — *Con ese martillo no harás nada.*
aquél — *Se quedó con aquél. Lo ha hecho aquél* (señalándolo), *a quien no conozco. No me des éste sino aquél, que es el que te he pedido.*	**aquel** — *Aquel piso. Aquel árbol. Aquel que ama se salvará. Aquel cuyo nombre me das no es apto. Aquel por quien te interesas, ha sido admitido.*

Igual ocurre con sus plurales y femeninos. Se podrá prescindir de la tilde cuando no exista riesgo de confusión. Las formas neutras *esto, eso, aquello* nunca llevan tilde.

4. En oraciones INTERROGATIVAS directas o indirectas (y dubitativas), DISYUNTIVAS, EXCLAMATIVAS, por SUBSTANTIVACIÓN, con sentido DISTRIBUTIVO, por ÉNFASIS y razones análogas, llevan tilde, según los casos, algunas palabras que por lo común van sin ella.

qué — Interr. directa. *¿Qué quieres? ¿Por qué callas?* ‖ Interr. indirecta. *No sé qué quieres. Dime qué quieres.* ‖ Exclamativa. *¡Qué día! ¡Qué triste viene! ¡Qué de gente! ¡Pues qué!* ‖ Énfasis. *Sin qué ni para qué.* ‖ Substantivación. *El qué dirán.*	**cuánto** — Interr. dir. *¿Cuánto vale?* ‖ Interr. ind. *No sé cuánto vale.* ‖ Exclamativa. *¡Cuánto llueve!*
	cuanto — *Le dio cuanto tenía.*
que — *Lo que quieras. La casa que he comprado. El que te guste más. Deseo que* (conj.) *vengas. Que quiera, que no quiera.*	**cuán** — Interr. ind. *Yo sé cuán desgraciado soy.* ‖ Exclamativa. *¡Cuán rápidamente caminan las malas nuevas!*
	cuan — *Se tendió cuan largo era. Cuan hermosa era, así fue desdichada.*

quién — Interr. dir. *¿Quién llega? ¿A quién temes?* ‖ Interr. ind. *Dime quién llega. No comprendo a quién temes. Sospecho quién es. Dudo de quién sea.* ‖ Exclamativa. *¡Quién lo hubiera dicho!* ‖ Disyuntiva. *Quién aconseja la retirada, quién morir peleando* (o sea: unos aconsejan..., otros morir...).

quien — *El hombre a quien hablas. Quien así lo crea, se engaña.*

cuál — Interr. dir. *¿Cuál es el mejor?* ‖ Interr. ind. *Ignoro cuál escoge.* ‖ Exclamativa. *¡Si supieras cuál tengo! ¡Cuál (de qué modo) se veían los pobres!* ‖ Disyuntiva. *Todos contribuyeron, cuál más, cuál menos. Cuáles de historia, cuáles de poesía.*

cual — *Es la pluma con la cual escribes.*

cúyo — Interr. dir. *¿Cúyo es el libro?* ‖ Interr. ind. *Ignoro cúyo es el libro.* ‖ Énfasis. *No hay cúyo posible en la atribución de esta obra.* El uso de *cúyo* interrogativo es frecuente en los clásicos, pero en la actualidad es muy raro.

cuyo — *El caballero cuya hija murió ayer.*

cuándo — Interr. dir. *¿Cuándo llegarás?* ‖ Interr. ind. *Ignoro cuándo llegará.* ‖ Exclamativa. *¡Cuándo volverá, Dios mío!* ‖ Disyuntiva. *Siempre está riñendo, cuándo con motivo, cuándo sin él.* ‖ Substantivación. *El cuándo es lo que no puedo determinar.*

cuando — *Cuando vayas, visítale. De cuando en cuando.*

cómo — Interr. dir. *¿Cómo te encuentras? ¿Cómo no fuiste a la boda?* ‖ Interr. ind. *Cuenta cómo sucedió. No sé cómo no le maté.* ‖ Exclamativa. *¡Cómo llueve! ¡Cómo!* ‖ Substantivación. *El cómo y el cuándo.*

como — *Hazlo como te digo. Sabrás como (o que) hemos llegado.*

dónde — Interr. dir. *¿Dónde vives?* ‖ Interr. ind. *No sé dónde vives.* ‖ Exclamativa. *¡Dónde vives, Dios mío!* ‖ Substantivación. *Sin más dónde que éste.*

donde — *La casa donde vivo.*

porqué — Substantivación. *Ignoro el porqué.* ‖ En la interr. dir. e ind. se escribe *por qué* (V. **qué**).

porque — *No viene porque está enfermo.*

OBSERVACIÓN: para los casos *por qué/porqué; donde/adonde; dónde/adónde* V. los artículos **que** y **donde**.
ADVERTENCIA: Pueden aparecer las palabras anteriores en oraciones interrogativas y exclamativas sin tilde, porque no poseen acento de intensidad: se pregunta o se destacan otras palabras de la frase. Ejemplo: *¿Me lo darás cuando cobres?*

5. Las formas verbales con pronombres ENCLÍTICOS conservan la tilde si antes la tenían: *déme, dispónte, manténte, estáte.* También llevan tilde cuando del conjunto resultan supuestas palabras esdrújulas o sobresdrújulas: *dáselo, dímelo, decídnoslo* (en contraste con *da, di, decid*), *antójasele, dijérasemelo, repítemelo.* Son incorrectas formas como *dále, dióme, pónte, dióse, héme, vióse, dénles,* pues *da, pon, dio, he, vio, den* no llevan tilde.

DIPTONGOS Y TRIPTONGOS. HIATO
(V. en **sílaba** y en los correspondientes artículos estos conceptos)

Como se ha expuesto al principio de este cuadro, las palabras polisílabas con sílaba tónica formada por un diptongo o triptongo se rigen por las reglas generales y llevan la tilde en la vocal que no sea *i, u,* o en la segunda en los diptongos *ui, iu.* Ejemplos: agudas: *después, también, sepáis, hacéis, lidió, averiguó, averigüé, benjuí, interviú* (regla II); llanas: *huésped, estiércol, alféizar* (regla III); esdrújulas: *viésemos, miércoles, piénsalo, cuádruple, porciúncula, lingüística* (regla I); ejemplos con triptongos: *despreciéis, amortiguáis, averigüéis.*

ADVERTENCIA: palabras como *liáis, actuéis,* etc. no forman triptongo, llevan tilde por ser agudas como *sepáis* o *hacéis.*

Se llama hiato al encuentro de vocales sin formar diptongo o triptongo. La vocal tónica en hiato lleva tilde de acuerdo con las normas generales: *le-ón, to-re-ó, tra-éis, a-rrá-ez, po-é-ti-co* (vocales abiertas). Pero, si la vocal tónica en hiato es *i* o *u* (vocales cerradas), se acentúa sin atenerse a las reglas de acentuación; con esta tilde diacrítica se señala que no hay diptongo o triptongo y se ayuda, a veces, a una correcta pronunciación. Ejemplos: *ha-cí-a, re-ú-no, re-í-an, hu-í, o-ír, re-ír, pro-hí-be, re-hú-so, rí-o, ri-ó, fri-ó, gui-ón, tru-hán, com-pren-dí-ais, te-ní-ais, de-cí-ais.*

La combinación *ui* sigue las reglas generales cualquiera que sea su pronunciación, pues ésta es muy vacilante según los usos regionales y personales; por lo tanto: *hu-í, hu-ís, flu-í* (bisílabos agudos terminados en vocal o *s*); *atribuí, construí* (polisílabos agudos terminados en vocal); *lingüístico, casuístico* (esdrújulos); *atribuir, huir, jesuita, circuito* (sin tilde: agudas y llanas que no cumplen las reglas generales).

OBSERVACIONES:
— Las palabras agudas terminadas en *ay, uay, ey, iey, uey, oy, uy; au, eu, ou,* se escribirán sin tilde: *taray, Paraguay, virrey, curiey, maguey, convoy, Espeluy; Aníbau, Bayeu, Palou.* Los onomásticos y patronímicos de origen catalán terminados en *iu* o *ius* (con la *i* tónica) se escriben también sin tilde por respeto a su forma catalana: *Rius, Codorniu, Arderius,* etc. La Academia señala que *Túy* (bisílabo y llano) lleva tilde en la *u.*
— La *h* entre dos vocales no impide que éstas formen diptongo: *de-sahu-cio,* por lo tanto, cuando alguna de dichas vocales, por virtud de la regla correspondiente, haya de ir con tilde por ser tónica, se pondrá como si no existiera esa *h*: *prohíbe, cohíbe, rehúso, búho,* etc.
— Con respecto a las terminaciones *uo, ua, ue,* la Academia en su *Ortografía* dice que cuando ninguna de sus vocales es tónica (*averiguó, acentúa, acentúe*), se consideran siempre diptongo a efectos ortográficos, cualquiera que sea su pronunciación real. Se entiende, pues, que son llanas y no deben llevar tilde en la vocal tónica tanto palabras como *agua, ambiguo, antiguo, exiguo, fragua, exangüe, bilingüe,* que siempre se pronuncian con diptongo, como *congrua, ingenuo, superfluo,* donde la pronunciación vacila entre el diptongo y el hiato.

Notas:
1.ª MAYÚSCULAS (V. MAYÚSCULAS, 13). La Academia en su *Ortografía* dice: «el uso de mayúsculas no quita la obligatoriedad de las normas».
2.ª Se escriben sin tilde la preposición *a* y las conjunciones *e, u.*
3.ª Las palabras agudas terminadas en *n* o *s* precedida de otra consonante se exceptúan de la regla general: *Milans, Mayans, Almorox* (pronunciado Almoro**ks**); por lo tanto, las palabras llanas que terminan en consonante seguida de *n* o *s* llevan tilde, a pesar de las reglas generales: *fórceps, biceps, trémens, fénix.*

ADJETIVO

OFICIOS QUE DESEMPEÑA

Califica o determina al substantivo:

Sin verbo copulativo*: *prado verde, verde prado.**** — Con el verbo copulativo *ser***: *el papel es blanco, esta casa era mía.* — Con un verbo de estado (predicado de complemento según la Academia)**: *el gobernador quedó satisfecho, le dejé dormido.*

Se substantiva:

Haciendo de sujeto: *buenos y malos se alegrarán de su victoria.* — Como término de una preposición: *nada tiene de bueno, sabio entre ignorantes.* — Como complemento directo e indirecto: *a mediodía comimos caliente, no lo dijo a sordo ni a perezoso.* — Con el artículo masculino o neutro: *el vacío, lo útil.*
Se adverbializan un número limitado de adjetivos: *hablan claro; jugaban limpio.* Forman locuciones adverbiales: *a obscuras, a tontas y a locas.*

MODIFICACIONES DEL ADJETIVO

La cualidad se modifica intensivamente por medio de:

Adverbios de cantidad: *casi blando, demasiado pequeño.* — Aumentativos y diminutivos: *grandón, bajito.* — Comparativos y superlativos: *más dulce que, menos dulce que, tan dulce como, el más dulce de.* — Repetición del adjetivo con *que* enfático: *tonto que tonto, terco que terco.*

La cualidad se modifica cualitativamente o se determina:

Con adverbios de modo: *groseramente serio, neciamente avaro.* — Con substantivos, pronombres o infinitivos precedidos de preposición****: *Bravo hasta la muerte, bondadoso para todos, harto de esperar.*

Notas:
* Algunas Gramáticas llaman a este oficio *atributo.*
** Algunas Gramáticas llaman a este oficio *complemento predicativo.*
*** El adjetivo va detrás o delante del substantivo según leyes lógicas y estilísticas que se estudian en la Gramática.
**** Se pueden construir, en general, con toda clase de preposiciones; pero ciertos adjetivos reclaman preposiciones determinadas, las cuales se encontrarán indicadas en los artículos correspondientes a cada uno de estos adjetivos.

ADVERBIO

OFICIOS QUE DESEMPEÑA

Califica o determina al:

Verbo: *trabaja bien, viene hoy, estudia mucho.* — Adjetivo: *muy blanco, tristemente célebre.* — Adverbio: *demasiado tarde, demasiado bien.*

MODIFICACIONES DEL ADVERBIO

La cualidad se modifica intensivamente por medio de:

Adverbios de cantidad: *casi bien, demasiado temprano.* — Comparativos y superlativos: *más tarde que, peor que, menos tarde que, tan tarde como, lo más tarde que, muchísimo.* — Diminutivos: *tempranito, despacito.* — Repetición del adjetivo con *que* copulativo: *bien que bien, mejor que mejor.*

La cualidad se modifica cualitativamente, o se determina:

Con adverbios de modo: *totalmente mal, desgraciadamente aprisa.* — Con substantivos, pronombres, infinitivos o adverbios precedidos de preposición: *ayer por la tarde, fuera de casa / fuera de sí, tarde para salir, cerca de aquí.*

ADVERBIOS MÁS COMUNES

De lugar: aquí/ahí/allí; acá/allá; aquende/allende; cerca/lejos; encima/debajo; arriba/abajo; dentro/adentro; fuera/afuera; junto, delante, enfrente, detrás, donde, adonde; dondequiera, doquier.

De tiempo: hoy, ayer, anteayer, mañana, pasado mañana; hogaño/antaño; ahora/antes/después/luego; entonces, recientemente; tarde/temprano; siempre/nunca, jamás/alguna vez; ya, mientras, aún, todavía.

De modo: bien/mal; mejor/peor; como, tal, cual, así; apenas; despacio/aprisa; adrede, aposta; sólo, solamente; quedo; recio; paso. ‖ Muchos adverbios en -*mente*. ‖ Varios adjetivos masculinos singular: fuerte, bajo, alto, caro, ligero, etc.

De orden: primeramente, sucesivamente, últimamente. ‖ Algunos adjetivos numerales adverbializados: primero (*hablaré primero*).

DE CANTIDAD: mucho (muy)/poco, algo; todo/nada; más/menos; bastante, demasiado, casi, harto; tan, tanto, cuan, cuanto. ‖ *Medio* cuando significa *medianamente* y es invariable: *medio viva.*

DE AFIRMACIÓN, NEGACIÓN Y DUDA: sí, no, ni; también, tampoco; cierto, ciertamente, efectivamente, claro, pues, seguro, seguramente; nunca, jamás; acaso, quizá, quizás, tal vez.

CORRELATIVOS

Concepto:	Interrogativos:	Demostrativos:	Relativos:
LUGAR	¿Dónde?	Aquí, ahí, etc.	Donde.
TIEMPO	¿Cuándo?	Entonces, ahora, etc.	Cuando.
MODO	¿Cómo?	Así, bien, mal, etc.	Como.
CANTIDAD	¿Cuál?	Tal.	Cual.
	¿Cuánto? ¿Cuán?	Tanto, tan poco, etc.	Cuanto, cuan.

ADVERBIOS EN -MENTE

1) Los adverbios en *-mente* se forman añadiendo esta terminación a la forma femenina del adjetivo si la tiene, *claro/a > claramente; limpio/a > limpiamente; cortés > cortésmente; puntual > puntualmente; fácil > fácilmente.*
2) Cuando van seguidos varios adverbios en *-mente* sólo el último lleva esta terminación: *hablé clara y serenamente.*
3) Los adverbios en *-mente* conservan la acentuación gráfica de los adjetivos originarios: *fácilmente, cortésmente.*
4) Algunos adverbios admiten diminutivos (*cerquita; tempranito*) y superlativos (*muchísimo*).

LOCUCIONES ADVERBIALES

Son los conjuntos de dos o más palabras que hacen oficio de adverbio. El idioma español es riquísimo en locuciones adverbiales: *a sabiendas, a hurtadillas*, etc. Este DICCIONARIO reúne las principales en sus correspondientes artículos.

V. el artículo **adverbio.**

CONCORDANCIA

REGLAS GENERALES

Las reglas generales de concordancia de la lengua española se reducen a dos: **La palabra determinante** (artículo, adjetivo o pronombre) **concuerda en género y número con el substantivo** al que determina*: *el caballo, la mujer, este niño, los míos, hombre severo, árboles altos, la blanca nieve, lo bueno.* — El adjetivo calificativo antepuesto a varios nombres concuerda en general con el primero de éstos: *noble paseo, árboles y jardín.* — **Los nombres y pronombres,** en función de sujeto, **concuerdan en número y persona con el verbo** o con el predicado nominal. En este caso el adjetivo concuerda en género y número con el sujeto y en número con el verbo: *yo escribo, vosotros leéis, ellos volverán, mis hermanos cantan, tú eres bueno, mi madre es buena, estos libros son bonitos.*

* Las palabras femeninas que empiezan por *a* o *ha* tónica requieren la forma masculina del artículo (*el agua, el hacha*) pero no la del demostrativo (*esta agua*). V. **este.**

CASOS ESPECIALES

Suelen presentarse en función del sujeto, que puede ofrecer formas muy variadas. Para la solución de estos casos debe tenerse en cuenta: *a)* si concurren dos o más nombres o pronombres de diverso género, se da la preferencia al masculino; *b)* si concurren diversas personas gramaticales, se da la preferencia a la primera sobre la segunda y a la segunda sobre la tercera.

Enlace copulativo de varios sujetos

Verbo en plural, adjetivo del predicado nominal en plural y en masculino: *mi padre y mi madre escriben, el perro y el lobo son enemigos, mi padre y mi madre son cariñosos.* — Verbo y adjetivo en plural y masculino: *las ovejas y los corderos son pacíficos, aquella madre y sus hijos son piadosos.* — Verbo en plural o en el número del sujeto más próximo: *no le sedujo* (o *sedujeron*) *el oro ni las riquezas, no le sedujeron las riquezas ni el oro.* — Los sujetos son verbos en infinitivo. El predicado va en singular si los verbos del sujeto no se contraponen como en el segundo ejemplo: *comer poco y cenar poco es saludable, holgazanear y aprender son incompatibles.*

Sujetos sin enlace

Verbo en singular o en plural. Adjetivo en el género y número del sujeto más próximo, o en masculino plural: *una palabra tuya, un recuerdo tuyo es consolador* (o *son consoladores*)*; un recuerdo tuyo, una palabra tuya, es consoladora* (o *son consoladores*)*; Dios, nuestros intereses, la conciencia, nos imponen este sacrificio.*

Enlace disyuntivo de varios sujetos

La misma concordancia del caso precedente: *el hermano o la hermana estará enferma* (o *estarán enfermos*), *la hermana o el hermano estará enfermo* (o *estarán enfermos*), *él o ella vendrá* (o *vendrán*).

Sujeto con un complemento enlazado por la preposición *con*

Verbo en singular o en plural: *llegará* (o *llegarán*) *la madre con sus hijos, la madre con sus hijos está muy contenta* (o *están muy contentos*).

Varios sujetos resumidos por uno de ellos

Verbo y atributo concuerdan con el sujeto que los resume todos: *consejos, súplicas, amenazas, todo fue infructuoso, riquezas, gloria, honores, nada bastó a su ambición.*

Nombre o vocablo colectivo en singular, como sujeto

El verbo concierta en singular pero puede concertar en plural, atendiendo al sentido: *una multitud de enemigos atacó* (o *atacaron*) *a nuestros soldados, otra mucha gente de casa le pellizcaron, escasísima cantidad de obras maestras tiene una fama que jamás se marchita.* — El verbo concuerda con *doce dueñas*, no con *cantidad: comenzaron a entrar por el jardín adelante hasta candidad de doce dueñas.* — El verbo concierta con *los que: que obligó a que por entonces ninguno de los que escuchándole estaban le tuviesen por loco.*

Concordancia de sentido

En masculino a pesar de *majestad: S. M. es muy bondadoso.* — En 1.ª pers. pl. a pesar de *el obispo: Nos, el obispo, mandamos.* — En masculino o femenino según el género de la persona: *usted es generoso o generosa.* — En masculino a pesar de *esa criatura: ¿veis esa repugnante criatura? Chato, pelón, etc.*

Concordancia deliberada

En el habla coloquial, discordancia del sujeto singular y el plural del verbo para mostrar afecto o para disminuir la responsabilidad: *¿cómo estamos?, la hemos hecho.* — Plural de modestia: *decimos, creemos, pensamos...* — Plural mayestático: *Nos, el Rey mandamos...* — Se utilizan demostrativos neutros refiriéndose a personas con intención despectiva: *¡mira esto!, ¿qué es aquello?*

Atracción del predicado

El verbo concierta con el predicado por un fenómeno de atracción debido a la proximidad o a la intensidad de éste. *Soledad, por ej., está muy lejos de son y setecientas leguas,* etc.; es una expresión muy intensa: *la soledad inmensa que aflige el alma son setecientas leguas de arena y cielo, la demás chusma del bergantín son negros y turcos, la renta de mi tío son ochocientas mil pesetas, todos los operarios era gente medrosa.*

CONCORDANCIA DEL PRONOMBRE RELATIVO

Los pronombres relativos *que* y *cual,* cuando llevan artículo, concuerdan en género y número con el antecedente: *los individuos con los que tratas, son malos; las personas a las cuales te diriges no vienen aquí.* — El relativo *quien* concuerda en número con su antecedente. — *Quien* con antecedente en plural es un caso anticuado de concordancia (v. artículo **quien**): *el caballero* (o *la señora*) *de quien hablas, murió; son los muchachos a quienes enseñaste; las personas a quien amas.* — El relativo *cuyo* concuerda con el nombre que le sigue, el cual expresa la cosa poseída: *el sol cuyos rayos iluminan la tierra es una estrella fija.* — El verbo puede concertar en 2.ª pers. (*tú, vosotros*), o en tercera (*el niño, los hombres*): *tú eres el que lo hizo* (o *hiciste*); *vosotros sois quienes gritáis* (o *gritan*).

CONJUGACIÓN

MODELO DE LAS TRES CONJUGACIONES REGULARES

(AMAR - TEMER - PARTIR)

VOZ ACTIVA

Formas no personales

Simples	Compuestas
Infinitivo: am-*ar*, tem-*er*, part-*ir*	*haber* amado, temido, partido
Gerundio: am-*ando*, tem-*iendo*, part-*iendo*	*habiendo* amado, temido, partido
Participio: am-*ado*, tem-*ido*, part-*ido*	El participio no tiene compuesto

Formas personales

MODO INDICATIVO

Tiempos simples

Presente
(Bello: Presente)
am-*o, -as, -a; -amos, -áis, -an*
tem-*o, -es, -e; -emos, -éis, -en*
part-*o, -es, -e; -imos, -ís, -en*

Pretérito imperfecto
(Bello: Copretérito)
am-*aba, -abas, -aba; -ábamos, -abais, -aban*
tem⎫
part⎭ *-ía, -ías, -ía; -íamos, -íais, -ían*

Pretérito indefinido
—Pretérito perfecto simple—
(Bello: Pretérito)
am-*é, -aste, -ó; -amos, -asteis, -aron*
tem⎫
part⎭ *-í, -iste, -ió; -imos, -isteis, -ieron*

Futuro imperfecto
—Futuro—
(Bello: Futuro)
amar ⎫
temer ⎬ *-é, -ás, -á; -emos, -éis, -án*
partir ⎭

Potencial simple
—Condicional—
(Bello: Pospretérito)
amar ⎫
temer ⎬ *-ía, -ías, -ía; -íamos, -íais, -ían*
partir ⎭

Tiempos compuestos

Pretérito perfecto
—Pretérito perfecto compuesto—
(Bello: Antepresente)
he, has, ha; hemos, habéis, han
  amado, temido, partido

Pretérito pluscuamperfecto
(Bello: Antecopretérito)
había, habías, había;
habíamos, habíais, habían
  amado, temido, partido

Pretérito anterior
(Bello: Antepretérito)
hube, hubiste, hubo;
hubimos, hubisteis, hubieron
  amado, temido, partido

Futuro perfecto
(Bello: Antefuturo)
habré, habrás, habrá;
habremos, habréis, habrán
  amado, temido, partido

Potencial compuesto
—Condicional perfecto—
(Bello: Antepospretérito)
habría, habrías, habría;
habríamos, habríais, habrían
  amado, temido, partido

MODO SUBJUNTIVO

Presente
(Bello: Presente)
am-*e, -es, -e; emos, -éis, -en*
tem⎫
part⎭ *-a, -as, -a; -amos, -áis, -an*

Pretérito imperfecto
(Bello: Pretérito)
am { *-ara, -aras, -ara; -áramos, -arais, -aran* o
    { *-ase, -ases, -ase; -ásemos, -aseis, -asen*

tem { *-iera, -ieras, -iera; -éramos, -ierais, -ieran* o
part { *-iese, -ieses, -iese; -iésemos, -ieseis, -iesen*

Futuro imperfecto
—Futuro—
(Bello: Futuro)
am-*are, -ares, -are; -áramos, -areis, -aren*
tem⎫
part⎭ *-iere, -ieres, -iere; -iéremos, -iereis, -ieren*

Pretérito perfecto
(Bello: Antepresente)
haya, hayas, haya;
hayamos, hayáis, hayan
  amado, temido, partido

Pretérito Pluscuamperfecto
(Bello: Antepretérito)
hubiera, hubieras, hubiera;
hubiéramos, hubierais, hubieran, o
hubiese, hubieses, hubiese;
hubiésemos, hubieseis, hubiesen
  amado, temido, partido

Futuro perfecto
(Bello: Antefuturo)
hubiere, hubieres, hubiere;
hubiéremos, hubiereis, hubieren
  amado, temido, partido

MODO IMPERATIVO*

Presente

am -a, -e; -emos, -ad, -en
tem -e, -a; -amos, -ed, -an
part -e, -a; -amos, -id, -an
(El imperativo no tiene compuesto)

---

* El imperativo en español no tiene más formas propias que las segundas personas: *ama* (tú), *amad* (vosotros). Las demás personas proceden del presente de subjuntivo.

CONJUGACIÓN DE LOS VERBOS PRONOMINALES

Verbo pronominal es el que se conjuga con un pronombre personal en función de complemento, coincidiendo en persona con el sujeto.

El pronombre personal *(me, te, se, nos, vos, se)* se antepone al verbo en todos los tiempos y personas de los modos indicativo y subjuntivo y se pospone al verbo formando una sola palabra (pronombre enclítico) en todas las formas del modo imperativo y en las formas no personales (infinitivo y gerundio).

OBSERVACIONES: El pronombre puede ser enclítico también en los modos indicativo y subjuntivo, pero el uso más extendido en estos casos es la anteposición del pronombre.

En los tiempos compuestos el pronombre enclítico se une al verbo auxiliar.

Formas no personales

Simples

Infinitivo: *lavarse*
Gerundio: *lavándome*
          lavándote
          lavándose...

Compuestas

haberse lavado
habiéndome lavado
habiéndote lavado
habiéndose lavado...

Formas personales

MODO INDICATIVO

Tiempos simples

Presente
(yo) *me lavo*
(tú) *te lavas*
(él, ella) *se lava*
(nosotros) *nos lavamos*
(vosotros) *os laváis*
(ellos/as) *se lavan*

MODO IMPERATIVO

Presente
lávate (tú)
lávese (él, ella)
lavémonos (nosotros)
lavaos (vosotros)
lávense (ellos)

V. ACENTO y PRONOMBRE

Tiempos compuestos

Pretérito Perfecto
(yo) *me he lavado*
(tú) *te has lavado*
(él, ella) *se ha lavado*
(nosotros) *nos hemos lavado*
(vosotros) *os habéis lavado*
(ellos) *se han lavado*

VOZ PASIVA

La voz pasiva se construye con el verbo *ser* conjugado en cualquiera de sus formas y el participio del verbo conceptual. Debe tenerse en cuenta que ésta es la única perífrasis verbal en que el participio concuerda en género y número con el sujeto (paciente).

Formas no personales

Simples

Infinitivo: *ser lavado* o *lavada*
Gerundio: *siendo lavado* o *lavada*

Compuestas

haber sido lavado o *lavada*
habiendo sido lavado o *lavada*

Formas personales

MODO INDICATIVO

Presente

soy lavado o *lavada*
eres lavado o *lavada*
es lavado o *lavada*
somos lavados o *lavadas*
sois lavados o *lavadas*
son lavados o *lavadas*

Pret. Perfecto

he sido lavado o *lavada*
has sido lavado o *lavada*
ha sido lavado o *lavada*
hemos sido lavados o *lavadas*
habéis sido lavados o *lavadas*
han sido lavados o *lavadas*

MODELOS DE CONJUGACIÓN IRREGULAR

Variaciones gráficas

En la conjugación de algunos verbos se presentan una serie de modificaciones que no deben ser consideradas como irregularidades, sino que se deben a reglas puramente ortográficas.

Dichas modificaciones son las siguientes:

apéndice gramatical

1. SACAR (la *c* se convierte en *qu* delante de *e*)

	INDICATIVO				SUBJUNTIVO			IMPERATIVO
Presente	**Indefinido**	**Futuro**	**Potencial**	**Presente**	**Imperfecto**	**Futuro**		
	saqué			*saque*				saca (tú)
	sacaste			*saques*				*saque* (él)
	sacó			*saque*				*saquemos*
	sacamos			*saquemos*				(nosotros)
	sacasteis			*saquéis*				sacad
	sacaron			*saquen*				(vosotros)
								saquen (ellos)

2. MECER (la *c* se convierte en *z* delante de *a* y *o*)

	INDICATIVO				SUBJUNTIVO			IMPERATIVO
Presente	**Indefinido**	**Futuro**	**Potencial**	**Presente**	**Imperfecto**	**Futuro**		
mezo				*meza*				mece (tú)
meces				*mezas*				*meza* (él)
mece				*meza*				*mezamos*
mecemos				*mezamos*				(nosotros)
mecéis				*mezáis*				meced
mecen				*mezan*				(vosotros)
								mezan (ellos)

3. ZURCIR (la *c* se convierte en *z* delante de *a* y *o*)

	INDICATIVO				SUBJUNTIVO			IMPERATIVO
Presente	**Indefinido**	**Futuro**	**Potencial**	**Presente**	**Imperfecto**	**Futuro**		
zurzo				*zurza*				zurce (tú)
zurces				*zurzas*				*zurza* (él)
zurce				*zurza*				*zurzamos*
zurcimos				*zurzamos*				(nosotros)
zurcís				*zurzáis*				zurcid
zurcen				*zurzan*				(vosotros)
								zurzan (ellos)

4. REALIZAR (la *z* se convierte en *c* delante de *e*)

	INDICATIVO				SUBJUNTIVO			IMPERATIVO
Presente	**Indefinido**	**Futuro**	**Potencial**	**Presente**	**Imperfecto**	**Futuro**		
	realicé			*realice*				realiza (tú)
	realizaste			*realices*				*realice* (él)
	realizó			*realice*				*realicemos*
	realizamos			*realicemos*				(nosotros)
	realizasteis			*realicéis*				realizad
	realizaron			*realicen*				(vosotros)
								realicen (ellos)

5. PROTEGER (la *g* se convierte en *j* delante de *a* y *o*)

	INDICATIVO				SUBJUNTIVO			IMPERATIVO
Presente	**Indefinido**	**Futuro**	**Potencial**	**Presente**	**Imperfecto**	**Futuro**		
protejo				*proteja*				protege (tú)
proteges				*protejas*				*proteja* (él)
protege				*proteja*				*protejamos*
protegemos				*protejamos*				(nosotros)
protegéis				*protejáis*				proteged
protegen				*protejan*				(vosotros)
								protejan (ellos)

6. DIRIGIR (la *g* se convierte en *j* delante de *a* y *o*)

	INDICATIVO				SUBJUNTIVO			IMPERATIVO
Presente	**Indefinido**	**Futuro**	**Potencial**	**Presente**	**Imperfecto**	**Futuro**		
dirijo				*dirija*				dirige (tú)
diriges				*dirijas*				*dirija* (él)
dirige				*dirija*				*dirijamos*
								(nosotros)

dirigimos				*dirijamos*			*dirigid*
dirigís				*dirijáis*			*(vosotros)*
dirigen				*dirijan*			*dirijan*
							(ellos)

7. LLEGAR (la *g* se convierte en *gu* delante de *e*)

	INDICATIVO				SUBJUNTIVO			IMPERATIVO
Presente	**Indefinido**	**Futuro**	**Potencial**	**Presente**	**Imperfecto**	**Futuro**	
	llegué			*llegue*			llega (tú)
	llegaste			*llegues*			*llegue* (él)
	llegó			*llegue*			*lleguemos*
	llegamos			*lleguemos*			(nosotros)
	llegasteis			*lleguéis*			llegad
	llegaron			*lleguen*			(vosotros)
							lleguen (ellos)

8. DISTINGUIR (la *gu* se convierte en *g* delante de *a* y *o*)

	INDICATIVO				SUBJUNTIVO			IMPERATIVO
Presente	**Indefinido**	**Futuro**	**Potencial**	**Presente**	**Imperfecto**	**Futuro**	
distingo				*distinga*			distingue (tú)
distingues				*distingas*			*distinga* (él)
distingue				*distinga*			*distingamos*
distinguimos				*distingamos*			(nosotros)
distinguís				*distingáis*			distinguid
distinguen				*distingan*			(vosotros)
							distingan
							(ellos)

9. DELINQUIR (la *qu* se convierte en *c* delante de *a* y *o*)

	INDICATIVO				SUBJUNTIVO			IMPERATIVO
Presente	**Indefinido**	**Futuro**	**Potencial**	**Presente**	**Imperfecto**	**Futuro**	
delinco				*delinca*			delinque (tú)
delinques				*delincas*			*delinca* (él)
delinque				*delinca*			*delincamos*
delinquimos				*delincamos*			(nosotros)
delinquís				*delincáis*			delinquid
delinquen				*delincan*			(vosotros)
							delincan
							(ellos)

Los verbos terminados en *-jar*, *-jer* y *-jir* conservan la *j* en todos los tiempos y personas.

Modificaciones en la acentuación

Verbos terminados en *-uar* o *-iar*

La *u* o la *i* pueden permanecer átonas en toda la conjugación y, por tanto, no llevar nunca tilde o, por el contrario, acentuarse en algunos tiempos y personas. Aparte de esta peculiaridad, estos verbos son regulares en su conjugación.

10. ADECUAR* (*u* átona)

	INDICATIVO				SUBJUNTIVO			IMPERATIVO
Presente	**Indefinido**	**Futuro**	**Potencial**	**Presente**	**Imperfecto**	**Futuro**	
adecuo				adecue			
adecuas				adecues			adecua (tú)
adecua				adecue			adecue (él)
adecuamos				adecuemos			adecuemos
adecuáis				adecuéis			(nosotros)
adecuan				adecuen			adecuad
							(vosotros)
							adecuen
							(ellos)

11. ACTUAR (*ú* acentuada en determinados tiempos y personas)

INDICATIVO				SUBJUNTIVO			IMPERATIVO
Presente	Indefinido	Futuro	Potencial	Presente	Imperfecto	Futuro	
actúo				*actúe*			
actúas				*actúes*			
actúa				*actúe*			*actúa* (tú)
actuamos				actuemos			*actúe* (él)
actuáis				actuéis			actuemos
actúan				*actúen*			(nosotros)
							actuad
							(vosotros)
							actúen (ellos)

12. CAMBIAR* (*i* átona)

INDICATIVO				SUBJUNTIVO			IMPERATIVO
Presente	Indefinido	Futuro	Potencial	Presente	Imperfecto	Futuro	
cambio				cambie			
cambias				cambies			
cambia				cambie			cambia (tú)
cambiamos				cambiemos			cambie (él)
cambiáis				cambiéis			cambiemos
cambian				cambien			(nosotros)
							cambiad
							(vosotros)
							cambien
							(ellos)

13. DESVIAR (*í* acentuada en determinados tiempos y personas)

INDICATIVO				SUBJUNTIVO			IMPERATIVO
Presente	Indefinido	Futuro	Potencial	Presente	Imperfecto	Futuro	
desvío				*desvíe*			
desvías				*desvíes*			
desvía				*desvíe*			*desvía* (tú)
desviamos				desviemos			*desvíe* (él)
desviáis				desviéis			desviemos
desvían				*desvíen*			(nosotros)
							desviad
							(vosotros)
							desvíen (ellos)

14. AUXILIAR (la *i* puede ser átona o tónica)

INDICATIVO				SUBJUNTIVO			IMPERATIVO
Presente	Indefinido	Futuro	Potencial	Presente	Imperfecto	Futuro	
auxilío				*auxilíe*			
auxilías				*auxilíes*			
auxilía				*auxilíe*			*auxilía* (tú)
auxiliamos				auxiliemos			*auxilíe* (él)
auxiliáis				auxiliéis			auxiliemos
auxilían				*auxilíen*			(nos.)
o				o			auxiliad (vos.)
auxilio				auxilie			*auxilíen* (ellos)
auxilias				auxilies			o
auxilia				auxilie			auxilia (tú)
auxiliamos				auxiliemos			auxilie (él)
auxiliáis				auxiliéis			auxiliemos
auxilian				auxilien			(nos.)
							auxiliad (vos.)
							auxilien (ellos)

* Verbo regular. Se incluye como modelo de conjugación para diferenciarlo de los otros verbos que rompen el diptongo en determinados tiempos y personas.

Verbos con diptongo en la raíz.

Algunos verbos rompen el diptongo y, por tanto, la *u* y la *i* llevan tilde en determinados tiempos y personas.

15. AISLAR (*i* acentuada en determinados tiempos y personas)

INDICATIVO				SUBJUNTIVO			IMPERATIVO
Presente	Indefinido	Futuro	Potencial	Presente	Imperfecto	Futuro	
aíslo				*aísle*			
aíslas				*aísles*			
aísla				*aísle*			*aísla* (tú)
aislamos				aislemos			*aísle* (él)
aisláis				aisléis			aislemos (nosotros)
aíslan				*aíslen*			aislad (vosotros)
							aíslen (ellos)

16. AUNAR (*ú* acentuada en determinados tiempos y personas)

INDICATIVO				SUBJUNTIVO			IMPERATIVO
Presente	Indefinido	Futuro	Potencial	Presente	Imperfecto	Futuro	
aúno				*aúne*			
aúnas				*aúnes*			
aúna				*aúne*			*aúna* (tú)
aunamos				aunemos			*aúne* (él)
aunáis				aunéis			aunemos (nosotros)
aúnan				*aúnen*			aunad (vosotros)
							aúnen (ellos)

17. DESCAFEINAR (*i* acentuada en determinados tiempos y personas)

INDICATIVO				SUBJUNTIVO			IMPERATIVO
Presente	Indefinido	Futuro	Potencial	Presente	Imperfecto	Futuro	
descafeíno				*descafeíne*			
descafeínas				*descafeínes*			
descafeína				*descafeíne*			*descafeína* (tú)
descafeinamos				descafeinemos			*descafeíne* (él)
descafeináis				descafeinéis			descafeine- mos (nos.)
descafeínan				*descafeínen*			descafeinad (vosotros)
							descafeínen (ellos)

18. REHUSAR (*ú* acentuada en determinados tiempos y personas)

INDICATIVO				SUBJUNTIVO			IMPERATIVO
Presente	Indefinido	Futuro	Potencial	Presente	Imperfecto	Futuro	
rehúso				*rehúse*			
rehúsas				*rehúses*			
rehúsa				*rehúse*			*rehúsa* (tú)
rehusamos				rehusemos			*rehúse* (él)
rehusáis				rehuséis			rehusemos (nosotros)
rehúsan				*rehúsen*			rehusad (vosotros)
							rehúsen (ellos)

19. REUNIR (*ú* acentuada en determinados tiempos y personas)

INDICATIVO				SUBJUNTIVO			IMPERATIVO
Presente	Indefinido	Futuro	Potencial	Presente	Imperfecto	Futuro	
reúno				*reúna*			
reúnes				*reúnas*			
reúne				*reúna*			*reúne* (tú)
reunimos				reunamos			*reúna* (él)
reunís				reunáis			reunamos (nosotros)
reúnen				*reúnan*			reunid (vosotros)
							reúnan (ellos)

20. AMOHINAR (*í* acentuada en determinados tiempos y personas)

INDICATIVO				SUBJUNTIVO			IMPERATIVO
Presente	Indefinido	Futuro	Potencial	Presente	Imperfecto	Futuro	
amohíno				*amohíne*			
amohínas				*amohínes*			
amohína				*amohíne*			*amohína* (tú)
amohinamos				amohinemos			*amohíne* (él)
amohináis				amohinéis			amohinemos
amohínan				*amohínen*			(nosotros)
							amohinad
							(vosotros)
							amohínen
							(ellos)

21. PROHIBIR (*í* acentuada en determinados tiempos y personas)

INDICATIVO				SUBJUNTIVO			IMPERATIVO
Presente	Indefinido	Futuro	Potencial	Presente	Imperfecto	Futuro	
prohíbo				*prohíba*			
prohíbes				*prohíbas*			
prohíbe				*prohíba*			*prohíbe* (tú)
prohibimos				prohibamos			*prohíba* (él)
prohibís				prohibáis			prohibamos
prohíben				*prohíban*			(nosotros)
							prohibid
							(vosotros)
							prohíban
							(ellos)

Variaciones gráficas y cambios en la acentuación

En este grupo incluimos aquellos verbos que presentan los dos tipos de modificación a la vez.

22. AVERIGUAR (*u* átona, *gu* pasa a *gü* delante de *e*)

INDICATIVO				SUBJUNTIVO			IMPERATIVO
Presente	Indefinido	Futuro	Potencial	Presente	Imperfecto	Futuro	
	averigüé			*averigüe*			
	averiguaste			*averigües*			
	averiguó			*averigüe*			averigua (tú)
	averiguamos			*averigüemos*			*averigüe* (él)
	averiguasteis			*averigüéis*			*averigüemos*
	averiguaron			*averigüen*			(nosotros)
							averiguad
							(vosotros)
							averigüen
							(ellos)

23. AHINCAR (*í* acentuada en determinados tiempos y personas, la *c* se convierte en *qu* delante de *e*)

INDICATIVO				SUBJUNTIVO			IMPERATIVO
Presente	Indefinido	Futuro	Potencial	Presente	Imperfecto	Futuro	
ahínco	*ahinqué*			*ahínque*			
ahíncas	ahincaste			*ahínques*			
ahínca	ahincó			*ahínque*			*ahínca* (tú)
ahincamos	ahincamos			*ahínquemos*			*ahínque* (él)
ahincáis	ahincasteis			*ahinquéis*			*ahínquemos*
ahíncan	ahincaron			*ahínquen*			(nosotros)
							ahincad
							(vosotros)
							ahínquen
							(ellos)

24. ENRAIZAR (*í* acentuada en determinados tiempos y personas, *z* se convierte en *c* delante de *e*)

INDICATIVO				SUBJUNTIVO			IMPERATIVO
Presente	Indefinido	Futuro	Potencial	Presente	Imperfecto	Futuro	
enraízo	*enraicé*			enraíce			
enraízas	enraizaste			*enraíces*			
enraíza	enraizó			*enraíce*			*enraíza* (tú)
							enraíce (él)

enraizamos	enraizamos		*enraicemos*	*enraicemos*
enraizáis	enraizasteis		*enraicéis*	(nosotros)
enraízan	enraizaron		*enraícen*	enraizad
				(vosotros)
				enraícen
				(ellos)

25. CABRAHIGAR (*i* acentuada en determinados tiempos y personas, la *g* se convierte en *gu* delante de *e*)

INDICATIVO				SUBJUNTIVO			IMPERATIVO
Presente	**Indefinido**	**Futuro**	**Potencial**	**Presente**	**Imperfecto**	**Futuro**	
cabrahígo	*cabrahigué*			*cabrahígue*			
cabrahígas	cabrahigaste			*cabrahígues*			*cabrahíga* (tú)
cabrahíga	cabrahigó			*cabrahígue*			*cabrahígue*
cabrahiga-mos	cabrahigamos			*cabrahíguemos*			(él)
							cabrahíguemos
cabrahigáis	cabrahigasteis			*cabrahiguéis*			(nosotros)
cabrahígan	cabrahigaron			*cabrahíguen*			cabrahigad
							(vosotros)
							cabrahíguen
							(ellos)

26. HOMOGENEIZAR (*i* acentuada en determinados tiempos y personas, *z* se convierte en *c* delante de *e*)

INDICATIVO				SUBJUNTIVO			IMPERATIVO
Presente	**Indefinido**	**Futuro**	**Potencial**	**Presente**	**Imperfecto**	**Futuro**	
homogeneízo	*homogeneicé*			*homogeneíce*			
homogeneí-zas	homogenei-zaste			*homogeneíces*			*homogeneíza* (tú)
homogeneíza	homogeneizó			*homogeneíce*			*homogeneíce*
homogenei-zamos				*homogeneícemos*			(él)
homogenei-záis	homogeneizamos						*homogenei-cemos* (nos.)
	homogeneizasteis			*homogeneicéis*			homogenei-zad (vos.)
homogeneí-zan	homogeneizaron			*homogeneícen*			*homogeneí-cen* (ellos)

Verbos de irregularidad sistemática

En este grupo incluimos aquellos verbos que presentan los siguientes tipos de irregularidad:
- Diptongación de la vocal de la raíz en sílaba tónica.
- Debilitación de la vocal de la raíz.
- Pérdida de la vocal de la desinencia por influencia de la consonante de la raíz.
- Adición de una consonante a la consonante final de la raíz.

Existe, en estos casos, una correlación de irregularidades que resumimos en el siguiente cuadro:

> Pres. Indic. → Pres. Subj. → Pres. Imperat.
> Indef. Indic. → Imperf. Subj. → Futuro Imperf. Sub.
> Fut. Imperf. Indic. → Potencial simple.

27. ACERTAR (la *e* diptonga en *ie* en sílaba tónica)

INDICATIVO				SUBJUNTIVO			IMPERATIVO
Presente	**Indefinido**	**Futuro**	**Potencial**	**Presente**	**Imperfecto**	**Futuro**	
acierto				*acierte*			
aciertas				*aciertes*			*acierta* (tú)
acierta				*acierte*			*acierte* (él)
acertamos				acertemos			acertemos
acertáis				acertéis			(nosotros)
aciertan				*acierten*			acertad
							(vosotros)
							acierten (ellos)

28. ENTENDER (la *e* diptonga en *ie* en sílaba tónica)

	INDICATIVO				SUBJUNTIVO			IMPERATIVO
Presente	**Indefinido**	**Futuro**	**Potencial**	**Presente**	**Imperfecto**	**Futuro**		
entiendo				*entienda*				
entiendes				*entiendas*				*entiende* (tú)
entiende				*entienda*				*entienda* (él)
entendemos				entendamos				entendamos (nosotros)
entendéis				entendáis				entended (vosotros)
entienden				*entiendan*				*entiendan* (ellos)

29. DISCERNIR (la *e* diptonga en *ie* en sílaba tónica)

	INDICATIVO				SUBJUNTIVO			IMPERATIVO
Presente	**Indefinido**	**Futuro**	**Potencial**	**Presente**	**Imperfecto**	**Futuro**		
discierno				*discierna*				
disciernes				*disciernas*				*discierne* (tú)
discierne				*discierna*				*discierna* (él)
discernimos				discernamos				discernamos (nosotros)
discernís				discernáis				discernid (vosotros)
disciernen				*disciernan*				*disciernan* (ellos)

30. ADQUIRIR (la *i* diptonga en *ie* en sílaba tónica)

	INDICATIVO				SUBJUNTIVO			IMPERATIVO
Presente	**Indefinido**	**Futuro**	**Potencial**	**Presente**	**Imperfecto**	**Futuro**		
adquiero				*adquiera*				
adquieres				*adquieras*				*adquiere* (tú)
adquiere				*adquiera*				*adquiera* (él)
adquirimos				adquiramos				adquiramos (nosotros)
adquirís				adquiráis				adquirid (vosotros)
adquieren				*adquieran*				*adquieran* (ellos)

31. CONTAR (la *o* diptonga en *ue* en sílaba tónica)

	INDICATIVO				SUBJUNTIVO			IMPERATIVO
Presente	**Indefinido**	**Futuro**	**Potencial**	**Presente**	**Imperfecto**	**Futuro**		
cuento				*cuente*				
cuentas				*cuentes*				*cuenta* (tú)
cuenta				*cuente*				*cuente* (él)
contamos				contemos				contemos (nosotros)
contáis				contéis				contad (vosotros)
cuentan				*cuenten*				*cuenten* (ellos)

32. MOVER (la *o* diptonga en *ue* en sílaba tónica)

	INDICATIVO				SUBJUNTIVO			IMPERATIVO
Presente	**Indefinido**	**Futuro**	**Potencial**	**Presente**	**Imperfecto**	**Futuro**		
muevo				*mueva*				
mueves				*muevas*				*mueve* (tú)
mueve				*mueva*				*mueva* (él)
movemos				movamos				movamos (nosotros)
movéis				mováis				moved (vosotros)
mueven				*muevan*				*muevan* (ellos)

33. DORMIR (la *o* diptonga en *ue* en sílaba tónica o se convierte en *u* en determinados tiempos y personas)

INDICATIVO				SUBJUNTIVO			IMPERATIVO
Presente	Indefinido	Futuro	Potencial	Presente	Imperfecto	Futuro	
duermo	dormí			*duerma*	*durmiera*	*durmiere*	
duermes	dormiste			*duermas*	*durmieras*	*durmieres*	*duerme* (tú)
duerme	*durmió*			*duerma*	*durmiera*	*durmiere*	*duerma* (él)
dormimos	dormimos			*durmamos*	*durmiéramos*	*durmiéremos*	*durmamos*
dormís	dormisteis			*durmáis*	*durmierais*	*durmiereis*	(nosotros)
duermen	*durmieron*			*duerman*	*durmieran*	*durmieren*	dormid
					o		(vosotros)
					durmiese		*duerman*
					durmieses		(ellos)
					durmiese		
					durmiésemos		
					durmieseis		
					durmiesen		

34. SERVIR (la *e* debilita en *i* en determinados tiempos y personas)

INDICATIVO				SUBJUNTIVO			IMPERATIVO
Presente	Indefinido	Futuro	Potencial	Presente	Imperfecto	Futuro	
sirvo	serví			*sirva*	*sirviera*	*sirviere*	
sirves	serviste			*sirvas*	*sirvieras*	*sirvieres*	*sirve* (tú)
sirve	*sirvió*			*sirva*	*sirviera*	*sirviere*	*sirva* (él)
servimos	servimos			*sirvamos*	*sirviéramos*	*sirviéremos*	*sirvamos*
servís	servisteis			*sirváis*	*sirvierais*	*sirviereis*	(nosotros)
sirven	*sirvieron*			*sirvan*	*sirvieran*	*sirvieren*	servid
					o		(vosotros)
					sirviese		*sirvan* (ellos)
					sirvieses		
					sirviere		
					sirviéremos		
					sirviereis		
					sirvieren		

35. HERVIR (la *e* diptonga en *ie* en sílaba tónica o se convierte en *i* en determinados tiempos y personas)

INDICATIVO				SUBJUNTIVO			IMPERATIVO
Presente	Indefinido	Futuro	Potencial	Presente	Imperfecto	Futuro	
hiervo	herví			*hierva*	*hirviera*	*hirviere*	
hierves	herviste			*hiervas*	*hirvieras*	*hirvieres*	*hierve* (tú)
hierve	*hirvió*			*hierva*	*hirviera*	*hirviere*	*hierva* (él)
hervimos	hervimos			*hirvamos*	*hirviéramos*	*hirviéremos*	*hirvamos*
hervís	hervisteis			*hirváis*	*hirvierais*	*hirviereis*	(nosotros)
hierven	*hirvieron*			*hiervan*	*hirvieran*	*hirvieren*	hervid
					o		(vosotros)
					hirviese		*hiervan* (ellos)
					hirvieses		
					hirviese		
					hirviésemos		
					hirvieseis		
					hirviesen		

36. CEÑIR (la *i* de la desinencia se pierde absorbida por la *ñ* y la *e* se convierte en *i* en determinados tiempos y personas)

INDICATIVO				SUBJUNTIVO			IMPERATIVO
Presente	Indefinido	Futuro	Potencial	Presente	Imperfecto	Futuro	
ciño	ceñí			*ciña*	*ciñera*	*ciñere*	
ciñes	ceñiste			*ciñas*	*ciñeras*	*ciñeres*	*ciñe* (tú)
ciñe	*ciñó*			*ciña*	*ciñera*	*ciñere*	*ciña* (él)
ceñimos	ceñimos			*ciñamos*	*ciñéramos*	*ciñéremos*	*ciñamos*
ceñís	ceñisteis			*ciñáis*	*ciñerais*	*ciñereis*	(nosotros)
ciñen	*ciñeron*			*ciñan*	*ciñeran*	*ciñeren*	ceñid
					o		(vosotros)
					ciñese		*ciñan* (ellos)
					ciñeses		
					ciñese		
					ciñésemos		
					ciñeseis		
					ciñesen		

37. REÍR (sigue el modelo de *ceñir* con la diferencia de que la pérdida de la *i* no se debe a la influencia de ninguna consonante)

	INDICATIVO				SUBJUNTIVO		IMPERATIVO
Presente	Indefinido	Futuro	Potencial	Presente	Imperfecto	Futuro	
río	reí			ría	riera	riere	
ríes	reíste			rías	rieras	rieres	ríe (tú)
ríe	rió			ría	riera	riere	ría (él)
reímos	reímos			riamos	riéramos	riéremos	riamos
reís	reísteis			riáis	rierais	riereis	(nosotros)
ríen	rieron			rían	rieran	rieren	reíd
					o		(vosotros)
					riese		rían (ellos)
					rieses		
					riese		
					riésemos		
					rieseis		
					riesen		

38. TAÑER (la *i* de la desinencia se pierde absorbida por la *ñ*, en determinados tiempos y personas)

	INDICATIVO				SUBJUNTIVO		IMPERATIVO
Presente	Indefinido	Futuro	Potencial	Presente	Imperfecto	Futuro	
	tañí				tañera	tañere	
	tañiste				tañeras	tañeres	
	tañó				tañera	tañere	
	tañimos				tañéramos	tañéremos	
	tañisteis				tañerais	tañereis	
	tañeron				tañeran	tañeren	
					o		
					tañese		
					tañeses		
					tañese		
					tañésemos		
					tañeseis		
					tañesen		

39. EMPELLER (la *i* de la desinencia se pierde absorbida por la *ll* en determinados tiempos y personas)

	INDICATIVO				SUBJUNTIVO		IMPERATIVO
Presente	Indefinido	Futuro	Potencial	Presente	Imperfecto	Futuro	
	empellí				empellera	empellere	
	empelliste				empelleras	empelleres	
	empelló				empellera	empellere	
	empellimos				empelléramos	empelléremos	
	empellisteis				empellerais	empellereis	
	empelleron				empelleran	empelleren	
					o		
					empellese		
					empelleses		
					empellese		
					empellésemos		
					empelleseis		
					empellesen		

40. MUÑIR (la *i* de la desinencia se pierde absorbida por la *ñ* en determinados tiempos y personas)

	INDICATIVO				SUBJUNTIVO		IMPERATIVO
Presente	Indefinido	Futuro	Potencial	Presente	Imperfecto	Futuro	
	muñí				muñera	muñere	
	muñiste				muñeras	muñeres	
	muñó				muñera	muñere	
	muñimos				muñéramos	muñéremos	
	muñisteis				muñerais	muñereis	
	muñeron				muñeran	muñeren	
					o		
					muñese		
					muñeses		
					muñese		
					muñésemos		
					muñeseis		
					muñesen		

41. MULLIR (la *i* de la desinencia se pierde absorbida por la *ll* en determinados tiempos y personas)

	INDICATIVO				SUBJUNTIVO		IMPERATIVO
Presente	Indefinido	Futuro	Potencial	Presente	Imperfecto	Futuro	
	mullí				mullera	mullere	
	mulliste				mulleras	mulleres	
	mulló				mullera	mullere	
	mullimos				mulléramos	mulléremos	
	mullisteis				mullerais	mullereis	
	mulleron				mulleran	mulleren	
					o		
					mullese		
					mulleses		
					mullese		
					mullésemos		
					mulleseis		
					mullesen		

42. NACER (la *c* se convierte en *zc* delante de *a* y *o*)

	INDICATIVO				SUBJUNTIVO		IMPERATIVO
Presente	Indefinido	Futuro	Potencial	Presente	Imperfecto	Futuro	
nazco				nazca			
naces				nazcas			nace (tú)
nace				nazca			nazca (él)
nacemos				nazcamos			nazcamos
nacéis				nazcáis			(nosotros)
nacen				nazcan			naced
							(vosotros)
							nazcan (ellos)

43. AGRADECER (la *c* se convierte en *zc* delante de *a* y *o*)

	INDICATIVO				SUBJUNTIVO		IMPERATIVO
Presente	Indefinido	Futuro	Potencial	Presente	Imperfecto	Futuro	
agradezco				agradezca			
agradeces				agradezcas			agradece (tú)
agradece				agradezca			agradezca (él)
agradecemos				agradezcamos			agradezcamos
agradecéis				agradezcáis			(nosotros)
agradecen				agradezcan			agradeced
							(vosotros)
							agradezcan
							(ellos)

44. CONOCER (la *c* se convierte en *zc* delante de *a* y *o*)

	INDICATIVO				SUBJUNTIVO		IMPERATIVO
Presente	Indefinido	Futuro	Potencial	Presente	Imperfecto	Futuro	
conozco				conozca			
conoces				conozcas			conoce (tú)
conoce				conozca			conozca (él)
conocemos				conozcamos			conozcamos
conocéis				conozcáis			(nosotros)
conocen				conozcan			conoced
							(vosotros)
							conozcan
							(ellos)

45. LUCIR (la *c* se convierte en *zc* delante de *a* y *o*)

	INDICATIVO				SUBJUNTIVO		IMPERATIVO
Presente	Indefinido	Futuro	Potencial	Presente	Imperfecto	Futuro	
luzco				luzca			
luces				luzcas			luce (tú)
luce				luzca			luzca (él)

lucimos				luz*camos*			luz*ca* (él)
lucís				luz*cáis*			luz*camos*
lucen				luz*can*			(nosotros)
							lucid
							(vosotros)
							luz*can* (ellos)

46. CONDUCIR (la *c* se convierte en *zc* delante de *a* y *o* y el pretérito indefinido es irregular)

INDICATIVO				SUBJUNTIVO			IMPERATIVO
Presente	Indefinido	Futuro	Potencial	Presente	Imperfecto	Futuro	
condu*zco*	conduje			condu*zca*	condujera	condujere	
conduces	condujiste			condu*zcas*	condujeras	condujeres	conduce (tú)
conduce	condujo			condu*zca*	condujera	condujere	condu*zca* (él)
conduci-mos	conduji-mos			condu*zca*-mos	condujéra-mos	condujére-mos	condu*zcamos* (nosotros)
conducís	condujisteis			condu*zcáis*	condujerais	condujereis	conducid
conducen	condujeron			condu*zcan*	condujeran	condujeren	(vosotros)
					o		condu*zcan*
					condujese		(ellos)
					condujeses		
					condujese		
					condujésemos		
					condujeseis		
					condujesen		

Verbos de irregularidad sistemática con variación gráfica

En este grupo incluimos aquellos verbos que participan de alguna de las irregularidades del grupo anterior y también de variaciones gráficas.

47. EMPEZAR (la *e* diptonga en *ie* en sílaba tónica y la *z* se convierte en *c* delante de *e*)

INDICATIVO				SUBJUNTIVO			IMPERATIVO
Presente	Indefinido	Futuro	Potencial	Presente	Imperfecto	Futuro	
emp*ie*zo	empe*cé*			emp*ie*ce			
emp*ie*zas	empezaste			emp*ie*ces			emp*ie*za (tú)
emp*ie*za	empezó			emp*ie*ce			emp*ie*ce (él)
empeza-mos	empezamos			empe*cemos*			empe*cemos* (nosotros)
empezáis	empezasteis			empe*céis*			empezad (vosotros)
emp*ie*zan	empezaron			emp*ie*cen			emp*ie*cen (ellos)

48. REGAR (la *e* diptonga en *ie* en sílaba tónica y la *g* se convierte en *gu* delante de *e*)

INDICATIVO				SUBJUNTIVO			IMPERATIVO
Presente	Indefinido	Futuro	Potencial	Presente	Imperfecto	Futuro	
r*ie*go	re*gué*			r*ie*gue			
r*ie*gas	regaste			r*ie*gues			r*ie*ga (tú)
r*ie*ga	regó			r*ie*gue			r*ie*gue (él)
regamos	regamos			re*guemos*			re*guemos* (nosotros)
regáis	regasteis			re*guéis*			regad (vosotros)
r*ie*gan	regaron			r*ie*guen			r*ie*guen (ellos)

49. TROCAR (la *o* diptonga en *ue* en sílaba tónica y la *c* se convierte en *qu* delante de *e*)

INDICATIVO				SUBJUNTIVO			IMPERATIVO
Presente	Indefinido	Futuro	Potencial	Presente	Imperfecto	Futuro	
tr*ue*co	tro*qué*			tr*ue*que			
tr*ue*cas	trocaste			tr*ue*ques			tr*ue*ca (tú)
tr*ue*ca	trocó			tr*ue*que			tr*ue*que (él)
trocamos	trocamos			tro*quemos*			tro*quemos* (nosotros)
trocáis	trocasteis			tro*quéis*			trocad (vosotros)
tr*ue*can	trocaron			tr*ue*quen			tr*ue*quen (ellos)

50. FORZAR (la *o* diptonga en *ue* en sílaba tónica y la *z* se convierte en *c* delante de *e*)

	INDICATIVO			SUBJUNTIVO			IMPERATIVO
Presente	**Indefinido**	**Futuro**	**Potencial**	**Presente**	**Imperfecto**	**Futuro**	
fuerzo	*forcé*			*fuerce*			
fuerzas	forzaste			*fuerces*			*fuerza* (tú)
fuerza	forzó			*fuerce*			*fuerce* (él)
forzamos	forzamos			*forcemos*			*forcemos*
forzáis	forzasteis			*forcéis*			(nosotros)
fuerzan	forzaron			*fuercen*			forzad
							(vosotros)
							fuercen (ellos)

51. AVERGONZAR (la *o* diptonga en *ue* en sílaba tónica; la *g* se convierte en *gü* y la *z* en *c* delante de *e*)

	INDICATIVO			SUBJUNTIVO			IMPERATIVO
Presente	**Indefinido**	**Futuro**	**Potencial**	**Presente**	**Imperfecto**	**Futuro**	
avergüenzo	*avergoncé*			*avergüence*			
avergüenzas	avergonzaste			*avergüences*			*avergüenza*
avergüenza	avergonzó			*avergüence*			(tú)
avergonza-	avergonzamos			*avergoncemos*			*avergüence* (él)
mos							*avergoncemos*
avergonzáis	avergonzasteis			*avergoncéis*			(nosotros)
avergüen-	avergonzaron			*avergüencen*			avergonzad
zan							(vosotros)
							avergüencen
							(ellos)

52. COLGAR (la *o* diptonga en *ue* en sílaba tónica y la *g* se convierte en *gu* delante de *e*)

	INDICATIVO			SUBJUNTIVO			IMPERATIVO
Presente	**Indefinido**	**Futuro**	**Potencial**	**Presente**	**Imperfecto**	**Futuro**	
cuelgo	*colgué*			*cuelgue*			
cuelgas	colgaste			*cuelgues*			*cuelga* (tú)
cuelga	colgó			*cuelgue*			*cuelgue* (él)
colgamos	colgamos			*colguemos*			*colguemos*
colgáis	colgasteis			*colguéis*			(nosotros)
cuelgan	colgaron			*cuelguen*			colgad
							(vosotros)
							cuelguen
							(ellos)

53. JUGAR (la *u* diptonga en *ue* en sílaba tónica y la *g* se convierte en *gu* delante de *e*)

	INDICATIVO			SUBJUNTIVO			IMPERATIVO
Presente	**Indefinido**	**Futuro**	**Potencial**	**Presente**	**Imperfecto**	**Futuro**	
juego	*jugué*			*juegue*			
juegas	jugaste			*juegues*			*juega* (tú)
juega	jugó			*juegue*			*juegue* (él)
jugamos	jugamos			*juguemos*			*juguemos*
jugáis	jugasteis			*juguéis*			(nosotros)
juegan	jugaron			*jueguen*			jugad
							(vosotros)
							jueguen (ellos)

54. COCER (la *o* diptonga en *ue* en sílaba tónica y la *c* se convierte en *z* delante de *a* y *o*)

	INDICATIVO			SUBJUNTIVO			IMPERATIVO
Presente	**Indefinido**	**Futuro**	**Potencial**	**Presente**	**Imperfecto**	**Futuro**	
cuezo				*cueza*			
cueces				*cuezas*			*cuece* (tú)
cuece				*cueza*			*cueza* (él)
cocemos				*cozamos*			*cozamos*
cocéis				*cozáis*			(nosotros)
cuecen				*cuezan*			coced
							(vosotros)
							cuezan (ellos)

55. ELEGIR (la *e* se convierte en *i* en determinados tiempos y personas y la *g* en *j* delante de *a* y *o*)

	INDICATIVO				SUBJUNTIVO		IMPERATIVO
Presente	Indefinido	Futuro	Potencial	Presente	Imperfecto	Futuro	
elijo	elegí			*elija*	*eligiera*	*eligiere*	
eliges	elegiste			*elijas*	*eligieras*	*eligieres*	*elige* (tú)
elige	*eligió*			*elija*	*eligiera*	*eligiere*	*elija* (él)
elegimos	elegimos			*elijamos*	*eligiéramos*	*eligiéremos*	*elijamos*
elegís	elegisteis			*elijáis*	*eligierais*	*eligiereis*	(nosotros)
eligen	*eligieron*			*elijan*	*eligieran*	*eligieren*	elegid
					o		(vosotros)
					eligiese		*elijan* (ellos)
					eligieses		
					eligiese		
					eligiésemos		
					eligieseis		
					eligiesen		

56. SEGUIR (la *e* se convierte en *i* en determinados tiempos y personas y la *gu* en *g* delante de *a* y *o*)

	INDICATIVO				SUBJUNTIVO		IMPERATIVO
Presente	Indefinido	Futuro	Potencial	Presente	Imperfecto	Futuro	
sigo	seguí			*siga*	*siguiera*	*siguiere*	
sigues	seguiste			*sigas*	*siguieras*	*siguieres*	*sigue* (tú)
sigue	*siguió*			*siga*	*siguiera*	*siguiere*	*siga* (él)
seguimos	seguimos			*sigamos*	*siguiéramos*	*siguiéremos*	*sigamos*
seguís	seguisteis			*sigáis*	*siguierais*	*siguiereis*	(nosotros)
siguen	*siguieron*			*sigan*	*siguieran*	*siguieren*	seguid
					o		(vosotros)
					siguiese		*sigan* (ellos)
					siguieses		
					siguiese		
					siguiésemos		
					siguieseis		
					siguiesen		

57. ERRAR (la *e* se convierte en *ye* en sílaba tónica)

	INDICATIVO				SUBJUNTIVO		IMPERATIVO
Presente	Indefinido	Futuro	Potencial	Presente	Imperfecto	Futuro	
yerro				*yerre*			
yerras				*yerres*			
yerra				*yerre*			*yerra* (tú)
erramos				erremos			*yerre* (él)
erráis				erréis			erremos
yerran				*yerren*			(nosotros)
							errad
							(vosotros)
							yerren (ellos)

58. AGORAR (la *o* diptonga en *ue* en sílaba tónica y la *g* se convierte en *gü* delante de *e*)

	INDICATIVO				SUBJUNTIVO		IMPERATIVO
Presente	Indefinido	Futuro	Potencial	Presente	Imperfecto	Futuro	
agüero				*agüere*			
agüeras				*agüeres*			
agüera				*agüere*			*agüera* (tú)
agoramos				agoramos			*agüere* (él)
agoráis				agoréis			agoremos
agüeran				*agüeren*			(nosotros)
							agorad
							(vosotros)
							agüeren (ellos)

59. DESOSAR (la *o* se convierte en *hue* en sílaba tónica)

	INDICATIVO				SUBJUNTIVO		IMPERATIVO
Presente	Indefinido	Futuro	Potencial	Presente	Imperfecto	Futuro	
deshueso				*deshuese*			
deshuesas				*deshueses*			
deshuesa				*deshuese*			*deshuesa* (tú)
							deshuese (él)

desosamos				desosemos		desosemos (nosotros)
desosáis				desoséis		desosad (vosotros)
deshuesan				*deshuesen*		*deshuesen* (ellos)

60. OLER (la *o* se convierte en *hue* en sílaba tónica)

INDICATIVO				SUBJUNTIVO			IMPERATIVO
Presente	**Indefinido**	**Futuro**	**Potencial**	**Presente**	**Imperfecto**	**Futuro**	
huelo				**hue**la			
hueles				**hue**las			**hue**le (tú)
huele				**hue**la			**hue**la (él)
olemos				olamos			olamos (nosotros)
oléis				oláis			oled (vosotros)
huelen				**hue**lan			**hue**lan (ellos)

61. LEER (la *i* de la desinencia se convierte en *y* delante de *o* y *e*)

INDICATIVO				SUBJUNTIVO			IMPERATIVO
Presente	**Indefinido**	**Futuro**	**Potencial**	**Presente**	**Imperfecto**	**Futuro**	
	leí				*leyera*	*leyere*	
	leíste				*leyeras*	*leyeres*	
	leyó				*leyera*	*leyere*	
	leímos				*leyéramos*	*leyéremos*	
	leísteis				*leyerais*	*leyereis*	
	leyeron				*leyeran*	*leyeren*	
					o		
					leyese		
					leyeses		
					leyese		
					leyésemos		
					leyeseis		
					leyesen		

62. HUIR (la *i* se convierte en *y* delante de *a, e* y *o*)

INDICATIVO				SUBJUNTIVO			IMPERATIVO
Presente	**Indefinido**	**Futuro**	**Potencial**	**Presente**	**Imperfecto**	**Futuro**	
huyo	huí			*huya*	*huyera*	*huyere*	
huyes	huiste			*huyas*	*huyeras*	*huyeres*	*huye* (tú)
huye	*huyó*			*huya*	*huyera*	*huyere*	*huya* (él)
huimos	huimos			*huyamos*	*huyéramos*	*huyéremos*	*huyamos* (nosotros)
huís	huisteis			*huyáis*	*huyerais*	*huyereis*	huid (vosotros)
huyen	*huyeron*			*huyan*	*huyeran*	*huyeren*	*huyan* (ellos)
					o		
					huyese		
					huyeses		
					huyese		
					huyésemos		
					huyeseis		
					huyesen		

63. ARGÜIR (la *i* se convierte en *y* delante de *a, e* y *o*, y la *gü* en *gu* delante de *y*)

INDICATIVO				SUBJUNTIVO			IMPERATIVO
Presente	**Indefinido**	**Futuro**	**Potencial**	**Presente**	**Imperfecto**	**Futuro**	
arguyo	argüí			*arguya*	*arguyera*	*arguyere*	
arguyes	argüiste			*arguyas*	*arguyeras*	*arguyeres*	*arguye* (tú)
arguye	*arguyó*			*arguya*	*arguyera*	*arguyere*	*arguya* (él)
argüimos	argüimos			*arguyamos*	*arguyéramos*	*arguyéremos*	*arguyamos* (nosotros)
argüís	argüisteis			*arguyáis*	*arguyerais*	*arguyereis*	argüid (vosotros)
arguyen	*arguyeron*			*arguyan*	*arguyeran*	*arguyeren*	*arguyan* (ellos)
					o		
					arguyese		
					arguyeses		
					arguyese		
					arguyésemos		
					arguyeseis		
					arguyesen		

apéndice gramatical

Verbos irregulares

Por último, reunimos en este grupo los verbos irregulares propiamente dichos, cuyas irregularidades son de distintos tipos y no pueden agruparse en una sola de las clasificaciones previstas.

64. ANDAR

INDICATIVO				SUBJUNTIVO			IMPERATIVO
Presente	Indefinido	Futuro	Potencial	Presente	Imperfecto	Futuro	
	anduve				anduviera	anduviere	
	anduviste				anduvieras	anduvie-res	
	anduvo				anduviera	anduviere	
	anduvimos				anduviéra-mos	anduviére-mos	
	anduvisteis				anduvierais	anduviereis	
	anduvieron				anduvieran	anduvieren	
					o		
					anduviese		
					anduvieses		
					anduviese		
					anduviése-mos		
					anduvieseis		
					anduviesen		

65. ASIR

INDICATIVO				SUBJUNTIVO			IMPERATIVO
Presente	Indefinido	Futuro	Potencial	Presente	Imperfecto	Futuro	
asgo				asga			
ases				asgas			ase (tú)
ase				asga			asga (él)
asimos				asgamos			asgamos (nosotros)
asís				asgáis			asid (vosotros)
asen				asgan			asgan (ellos)

66. CABER

INDICATIVO				SUBJUNTIVO			IMPERATIVO
Presente	Indefinido	Futuro	Potencial	Presente	Imperfecto	Futuro	
quepo	cupe	cabré	cabría	quepa	cupiera	cupiere	
cabes	cupiste	cabrás	cabrías	quepas	cupieras	cupieres	cabe (tú)
cabe	cupo	cabrá	cabría	quepa	cupiera	cupiere	quepa (él)
cabemos	cupimos	cabremos	cabríamos	quepamos	cupiéramos	cupiéremos	quepamos
cabéis	cupisteis	cabréis	cabríais	quepáis	cupierais	cupiereis	(nosotros)
caben	cupieron	cabrán	cabrían	quepan	cupieran	cupieren	cabed (vosotros)
					o		quepan (ellos)
					cupiese		
					cupieses		
					cupiese		
					cupiésemos		
					cupieseis		
					cupiesen		

67. CAER

INDICATIVO				SUBJUNTIVO			IMPERATIVO
Presente	Indefinido	Futuro	Potencial	Presente	Imperfecto	Futuro	
caigo	caí			caiga	cayera	cayere	
caes	caíste			caigas	cayeras	cayeres	cae (tú)
cae	cayó			caiga	cayera	cayere	caiga (él)
caemos	caímos			caigamos	cayéramos	cayéremos	caigamos
caéis	caísteis			caigáis	cayerais	cayereis	(nosotros)
caen	cayeron			caigan	cayeran	cayeren	caed (vosotros)
					o		caigan (ellos)
					cayese		
					cayeses		
					cayese		
					cayésemos		
					cayeseis		
					cayesen		

68. DAR

	INDICATIVO				SUBJUNTIVO		IMPERATIVO
Presente	Indefinido	Futuro	Potencial	Presente	Imperfecto	Futuro	
doy	**di**			**dé**	diera	diere	
das	diste			des	dieras	dieres	da (tú)
da	dio			**dé**	diera	diere	**dé** (él)
damos	dimos			demos	diéramos	diéremos	damos
dais	disteis			deis	dierais	diereis	(nosotros)
dan	dieron			den	dieran	dieren	dad
					o		(vosotros)
					diese		den
					dieses		(ellos)
					diese		
					diésemos		
					dieseis		
					diesen		

69. DECIR

	INDICATIVO				SUBJUNTIVO		IMPERATIVO
Presente	Indefinido	Futuro	Potencial	Presente	Imperfecto	Futuro	
digo	**dije**	**diré**	**diría**	**diga**	dijera	dijere	
dices	**dijiste**	**dirás**	**dirías**	**digas**	dijeras	dijeres	**di** (tú)
dice	**dijo**	**dirá**	**diría**	**diga**	dijera	dijere	**diga** (él)
decimos	**dijimos**	**diremos**	**diríamos**	**digamos**	dijéramos	dijéremos	**digamos**
decís	**dijisteis**	**diréis**	**diríais**	**digáis**	dijerais	dijereis	(nosotros)
dicen	**dijeron**	**dirán**	**dirían**	**digan**	dijeran	dijeren	decid
					o		(vosotros)
					dijese		**digan** (ellos)
					dijeses		
					dijese		
					dijésemos		
					dijeseis		
					dijesen		

70. ERGUIR

	INDICATIVO				SUBJUNTIVO		IMPERATIVO
Presente	Indefinido	Futuro	Potencial	Presente	Imperfecto	Futuro	
irgo, yergo	erguí			**irga, yerga**	irguiera	irguiere	
irgues,	erguiste			**irgas,**	irguieras	irguieres	**irgue, yergue**
yergues				**yergas**			(tú)
irgue,	**irguió**			**irga, yerga**	irguiera	irguiere	**irga, yerga**
yergue							(él)
erguimos	erguimos			**irgamos**	irguiéramos	irguiére-	**irgamos**
erguís	erguisteis					mos	(nosotros)
irguen,	**irguieron**			**irgáis**	irguierais	irguiereis	erguid
yerguen				**irgan,**	irguieran	irguieren	(vosotros)
				yergan	o		**irgan, yergan**
					irguiese		(ellos)
					irguieses		
					irguiese		
					irguiésemos		
					irguieseis		
					irguiesen		

71. ESTAR

	INDICATIVO				SUBJUNTIVO		IMPERATIVO
Presente	Imperfecto	Indefinido	Futuro	Potencial	Presente	Imperfecto	Futuro	
estoy	estaba	**estuve**	estaré	estaría	esté	**estuviera**	**estuviere**	
estás	estabas	**estuviste**	estarás	estarías	estés	**estuvieras**	**estuvieres**	está (tú)
está	estaba	**estuvo**	estará	estaría	esté	**estuviera**	**estuviere**	esté (él)

estamos	estábamos	estuvimos	estaremos	estaríamos	estemos	estuviéramos	estuviéremos	estemos (nosotros)
estáis	estabais	estuvisteis	estaréis	estaríais	estéis	estuvierais	estuviereis	estad (vosotros)
están	estaban	estuvieron	estarán	estarían	estén	estuvieran	estuvieren	estén (ellos)
						o		
						estuviese		
						estuvieses		
						estuviese		
						estuviésemos		
						estuvieseis		
						estuviesen		

72. HABER

INDICATIVO					SUBJUNTIVO			IMPERATIVO
Presente	Imperfecto	Indefinido	Futuro	Potencial	Presente	Imperfecto	Futuro	
he	había	hube	habré	habría	haya	hubiera	hubiere	
has	habías	hubiste	habrás	habrías	hayas	hubieras	hubieres	he (tú)
ha	había	hubo	habrá	habría	haya	hubiera	hubiere	haya (él)
hemos	habíamos	hubimos	habremos	habríamos	hayamos	hubiéramos	hubiéremos	hayamos (nosotros)
habéis	habíais	hubisteis	habréis	habríais	hayáis	hubierais	hubiereis	habed (vosotros)
han	habían	hubieron	habrán	habrían	hayan	hubieran	hubieren	hayan (ellos)
						o		
						hubiese		
						hubieses		
						hubiese		
						hubiésemos		
						hubieseis		
						hubiesen		

73. HACER

INDICATIVO				SUBJUNTIVO			IMPERATIVO
Presente	Indefinido	Futuro	Potencial	Presente	Imperfecto	Futuro	
hago	hice	haré	haría	haga	hiciera	hiciere	
haces	hiciste	harás	harías	hagas	hicieras	hicieres	haz (tú)
hace	hizo	hará	haría	haga	hiciera	hiciere	haga (él)
hacemos	hicimos	haremos	haríamos	hagamos	hiciéramos	hiciéremos	hagamos
hacéis	hicisteis	haréis	haríais	hagáis	hicierais	hiciereis	(nosotros)
hacen	hicieron	harán	harían	hagan	hicieran	hicieren	haced (vosotros)
					o		hagan (ellos)
					hiciese		
					hicieses		
					hiciese		
					hiciésemos		
					hicieseis		
					hiciesen		

74. IR

INDICATIVO					SUBJUNTIVO			IMPERATIVO
Presente	Imperfecto	Indefinido	Futuro	Potencial	Presente	Imperfecto	Futuro	
voy	iba	fui			vaya	fuera	fuere	
vas	ibas	fuiste			vayas	fueras	fueres	ve (tú)
va	iba	fue			vaya	fuera	fuere	vaya (él)
vamos	íbamos	fuimos			vayamos	fuéramos	fuéremos	vayamos
vais	ibais	fuisteis			vayáis	fuerais	fuereis	(nosotros)
van	iban	fueron			vayan	fueran	fueren	id (vosotros)
						o		vayan (ellos)
						fuese		
						fueses		
						fuese		
						fuésemos		
						fueseis		
						fuesen		

75. OÍR

INDICATIVO				SUBJUNTIVO			IMPERATIVO
Presente	Indefinido	Futuro	Potencial	Presente	Imperfecto	Futuro	
oigo	oí			oiga	oyera	oyere	
oyes	oíste			oigas	oyeras	oyeres	oye (tú)
oye	oyó			oiga	oyera	oyere	oiga (él)
oímos	oímos			oigamos	oyéramos	oyéremos	oigamos
oís	oísteis			oigáis	oyerais	oyereis	(nosotros)
oyen	oyeron			oigan	oyeran	oyeren	oíd
					o		(vosotros)
				oyese			oigan (ellos)
				oyeses			
				oyese			
				oyésemos			
				oyeseis			
				oyesen			

76. PLACER

INDICATIVO				SUBJUNTIVO			IMPERATIVO
Presente	Indefinido	Futuro	Potencial	Presente	Imperfecto	Futuro	
plazco	plací			*plazca*	placiera	placiere	
places	placiste			*plazcas*	placieras	placieres	place (tú)
place	plació, **plugo**			*plazca,*	placiera,	placiere,	*plazca* (él)
				plegue	**pluguiera**	**plugiere**	*plazcamos*
placemos	placimos			*plazcamos*	placiéramos	placiéremos	(nosotros)
placéis	placisteis			*plazcáis*	placierais	placiereis	placed
placen	placieron, **pluguieron**			*plazcan*	placieran	placieren	(vosotros)
					o		*plazcan* (ellos)
				placiese			
				placieses			
				placiese,			
				pluguiese			
				placiésemos			
				placieseis			
				placiesen			

77. PODER

INDICATIVO				SUBJUNTIVO			IMPERATIVO
Presente	Indefinido	Futuro	Potencial	Presente	Imperfecto	Futuro	
*pue*do	**pude**	*podré*	*podría*	*pueda*	pudiera	**pudiere**	
*pue*des	**pudiste**	*podrás*	*podrías*	*puedas*	pudieras	**pudieres**	*pue*de (tú)
*pue*de	**pudo**	*podrá*	*podría*	*pueda*	pudiera	**pudiere**	*pueda* (él)
podemos	**pudimos**	*podremos*	*podríamos*	podamos	pudiéramos	**pudiéremos**	podamos
podéis	**pudisteis**	*podréis*	*podríais*	podáis	pudierais	**pudiereis**	(nosotros)
*pue*den	**pudieron**	*podrán*	*podrían*	*puedan*	pudieran	**pudieren**	poded
					o		(vosotros)
				pudiese			*puedan* (ellos)
				pudieses			
				pudiese			
				pudiésemos			
				pudieseis			
				pudiesen			

78. PONER

INDICATIVO				SUBJUNTIVO			IMPERATIVO
Presente	Indefinido	Futuro	Potencial	Presente	Imperfecto	Futuro	
pongo	puse	pondré	pondría	ponga	pusiera	pusiere	
pones	pusiste	pondrás	pondrías	pongas	pusieras	pusieres	pon (tú)
pone	puso	pondrá	pondría	ponga	pusiera	pusiere	ponga (él)
ponemos	pusimos	pondre-mos	pondría-mos	pongamos	pusiéramos	pusiére-mos	pongamos (nosotros)
ponéis	pusisteis	pondréis	pondríais	pongáis	pusierais	pusiereis	poned
ponen	pusieron	pondrán	pondrían	pongan	pusieran	pusieren	(vosotros)
					o		pongan
				pusiese			(ellos)
				pusieses			
				pusiese			
				pusiésemos			
				pusieseis			
				pusiesen			

79. PREDECIR

	INDICATIVO				SUBJUNTIVO		IMPERATIVO
Presente	Indefinido	Futuro	Potencial	Presente	Imperfecto	Futuro	
predigo	predije			prediga	predijera	predijere	
predices	predijiste			predigas	predijeras	predijeres	predice (tú)
predice	predijo			prediga	predijera	predijere	prediga (él)
predecimos	predijimos			prediga-	predijéramos	predijére-	predigamos
				mos		mos	(nosotros)
predecís	predijisteis			predigáis	predijerais	predijereis	predecid
predicen	predijeron			predigan	predijeran	predijeren	(vosotros)
					o		**predigan**
					predijese		(ellos)
					predijeses		
					predijese		
					predijésemos		
					predijeseis		
					predijesen		

80. QUERER

	INDICATIVO				SUBJUNTIVO		IMPERATIVO
Presente	Indefinido	Futuro	Potencial	Presente	Imperfecto	Futuro	
quiero	quise	querré	querría	quiera	quisiera	quisiere	
quieres	quisiste	querrás	querrías	quieras	quisieras	quisieres	quiere (tú)
quiere	quiso	querrá	querría	quiera	quisiera	quisiere	quiera (él)
queremos	quisimos	querremos	querríamos	queramos	quisiéramos	quisiéremos	queramos
queréis	quisisteis	querréis	querríais	queráis	quisierais	quisiereis	(nosotros)
quieren	quisieron	querrán	querrían	quieran	quisieran	quisieren	quered
					o		(vosotros)
					quisiese		quieran (ellos)
					quisieses		
					quisiese		
					quisiésemos		
					quisieseis		
					quisiesen		

81. RAER

	INDICATIVO				SUBJUNTIVO		IMPERATIVO
Presente	Indefinido	Futuro	Potencial	Presente	Imperfecto	Futuro	
rao, **raigo**, **rayo**	raí			**raiga, raya raigas,**	rayera	rayere	rae (tú)
raes	raíste			**rayas**	rayeras	rayeres	**raiga, raya** (él)
	rayó			**raiga, raya**			
rae	raímos			**raigamos, rayamos**	rayera	rayere	**raigamos,**
raemos				**raigáis,**	rayéramos	rayéremos	**rayamos** (nosotros)
	raísteis			**rayáis**	rayerais	rayereis	raed
raéis				**raigan,**			(vosotros)
	rayeron			**rayan**	rayerais		
raen					rayeran	rayeren	**raigan, rayan** (ellos)
					o		
					rayese		
					rayeses		
					rayese		
					rayésemos		
					rayeseis		
					rayesen		

82. ROER

	INDICATIVO				SUBJUNTIVO		IMPERATIVO
Presente	Indefinido	Futuro	Potencial	Presente	Imperfecto	Futuro	
roo, **roigo**, **royo**	roí			roa, **roiga**, **roya**	royera	royere	roe (tú)
roes	roiste			roas, **roigas royas**	royeras	royeres	roa, **roiga, roya** (él)
roe	**royó**			roa, **roiga, roya**	royera	royere	

roemos	roímos			roamos, roigamos, royamos	royéramos	royéremos	roamos, **roigamos,** **royamos**
roéis	roísteis			roáis, roigáis, royáis	royerais	royereis	(nosotros) roed (vosotros)
roen	**royeron**			roan, **roigan,** **royan**	royeran o royese royeses royese royésemos royeseis royesen	royeren	roan, **roigan,** **royan** (ellos)

83. SABER

	INDICATIVO				SUBJUNTIVO		IMPERATIVO
Presente	**Indefinido**	**Futuro**	**Potencial**	**Presente**	**Imperfecto**	**Futuro**	
sé	**supe**	*sabré*	*sabría*	**sepa**	**supiera**	**supiere**	
sabes	**supiste**	*sabrás*	*sabrías*	**sepas**	**supieras**	**supieres**	sabe (tú)
sabe	**supo**	*sabrá*	*sabría*	**sepa**	**supiera**	**supiere**	**sepa** (él)
sabemos	**supimos**	*sabremos*	*sabríamos*	**sepamos**	**supiéramos**	**supiéremos**	**sepamos**
sabéis	**supisteis**	*sabréis*	*sabríais*	**sepáis**	**supierais**	**supiereis**	(nosotros)
saben	**supieron**	*sabrán*	*sabrían*	**sepan**	**supieran** o **supiese** **supieses** **supiese** **supiésemos** **supieseis** **supiesen**	**supieren**	sabed (vosotros) **sepan** (ellos)

84. SALIR

	INDICATIVO				SUBJUNTIVO		IMPERATIVO
Presente	**Indefinido**	**Futuro**	**Potencial**	**Presente**	**Imperfecto**	**Futuro**	
salgo		**saldré**	**saldría**	**salga**			
sales		**saldrás**	**saldrías**	**salgas**			**sal** (tú)
sale		**saldrá**	**saldría**	**salga**			**salga** (él)
salimos		**saldre-** **mos**	**saldríamos**	**salgamos**			**salgamos** (nosotros)
salís		**saldréis**	**saldríais**	**salgáis**			salid (vosotros)
salen		**saldrán**	**saldrían**	**salgan**			**salgan** (ellos)

85. SATISFACER

	INDICATIVO				SUBJUNTIVO		IMPERATIVO
Presente	**Indefinido**	**Futuro**	**Potencial**	**Presente**	**Imperfecto**	**Futuro**	
satisfago	**satisfice**	**satisfaré**	**satisfaría**	**satisfaga**	**satisficiera**	**satisficiere**	
satisfaces	**satisficiste**	**satisfa-** **rás**	**satisfarías**	**satisfagas**	**satisficieras**	**satisficie-** **res**	**satisfaz,** sa- tisface (tú)
satisface	**satisfizo**	**satisfará**	**satisfaría**	**satisfaga**	**satisficiera**	**satisficiere**	**satisfaga** (él)
satisface- mos	**satisfici-** **mos**	**satisfa-** **remos**	**satisfaría-** **mos**	**satisfaga-** **mos**	**satisficiéra-** **mos**	**satisficié-** **remos**	**satisfagamos** (nosotros)
satisfacéis	**satisficis-** **teis**	**satisfa-** **réis**	**satisfaríais**	**satisfagáis**	**satisficierais** **satisficieran**	**satisficie-** **reis**	satisfaced (vosotros)
satisfacen	**satisficie-** **ron**	**satisfa-** **rán**	**satisfarían**	**satisfagan**	o **satisficiese** **satisficieses** **satisficiese** **satisficiése-** **mos** **satisficieseis** **satisficiesen**	**satisficie-** **ren**	**satisfagan** (ellos)

86. SER

	INDICATIVO					SUBJUNTIVO		IMPERATIVO
Presente	Imperfecto	Indefinido	Futuro	Potencial	Presente	Imperfecto	Futuro	
soy	era	fui	seré	sería	sea	fuera	fuere	
eres	eras	fuiste	serás	serías	seas	fueras	fueres	**sé** (tú)
es	era	fue	será	sería	sea	fuera	fuere	sea (él)
somos	éramos	fuimos	seremos	seríamos	seamos	fuéramos	fuéremos	seamos
sois	erais	fuisteis	seréis	seríais	seáis	fuerais	fuereis	(nosotros)
son	eran	fueron	serán	serían	sean	fueran	fueren	sed
						o		(vosotros)
						fuese		sean (ellos)
						fueses		
						fuese		
						fuésemos		
						fueseis		
						fuesen		

87. TENER

	INDICATIVO				SUBJUNTIVO		IMPERATIVO
Presente	Indefinido	Futuro	Potencial	Presente	Imperfecto	Futuro	
tengo	tuve	tendré	tendría	tenga	tuviera	tuviere	
tienes	tuviste	tendrás	tendrías	tengas	tuvieras	tuvieres	**ten** (tú)
tiene	tuvo	tendrá	tendría	tenga	tuviera	tuviere	**tenga** (él)
tenemos	tuvimos	tendre-mos	tendría-mos	tengamos	tuviéramos	tuviére-mos	**tengamos**
							(nosotros)
tenéis	tuvisteis	tendréis	tendríais	tengáis	tuvierais	tuviereis	tened
tienen	tuvieron	tendrán	tendrían	tengan	tuvieran	tuvieren	(vosotros)
					o		**tengan** (ellos)
					tuviese		
					tuvieses		
					tuviese		
					tuviésemos		
					tuvieseis		
					tuviesen		

88. TRAER

	INDICATIVO				SUBJUNTIVO		IMPERATIVO
Presente	Indefinido	Futuro	Potencial	Presente	Imperfecto	Futuro	
traigo	traje			traiga	trajera	trajere	
traes	trajiste			traigas	trajeras	trajeres	trae (tú)
trae	trajo			traiga	trajera	trajere	**traiga** (él)
traemos	trajimos			traigamos	trajéramos	trajéremos	**traigamos**
traéis	trajisteis			traigáis	trajerais	trajereis	(nosotros)
traen	trajeron			traigan	trajeran	trajeren	traed
					o		(vosotros)
					trajese		**traigan** (ellos)
					trajeses		
					trajese		
					trajésemos		
					trajeseis		
					trajesen		

89. VALER

	INDICATIVO				SUBJUNTIVO		IMPERATIVO
Presente	Indefinido	Futuro	Potencial	Presente	Imperfecto	Futuro	
valgo		valdré	valdría	valga			
vales		valdrás	valdrías	valgas			vale (tú)
vale		valdrá	valdría	valga			**valga** (él)
valemos		valdre-mos	valdría-mos	valgamos			valgamos
							(nosotros)
valéis		valdréis	valdríais	valgáis			valed
valen		valdrán	valdrían	valgan			(vosotros)
							valgan (ellos)

90. VENIR

	INDICATIVO				SUBJUNTIVO		IMPERATIVO
Presente	Indefinido	Futuro	Potencial	Presente	Imperfecto	Futuro	
vengo	vine	vendré	vendría	venga	viniera	viniere	**ven** (tú)
vienes	viniste	vendrás	vendrías	vengas	vinieras	vinieres	**venga** (él)
viene	vino	vendrá	vendría	venga	viniera	viniere	**vengamos**
venimos	vinimos	vendre-mos	vendría-mos	vengamos	viniéramos	viniére-mos	(nosotros)
							venid
venís	vinisteis	vendréis	vendríais	vengáis	vinierais	viniereis	(vosotros)
vienen	vinieron	vendrán	vendrían	vengan	vinieran	vinieren	**vengan** (ellos)
					o		
					viniese		
					vinieses		
					viniese		
					viniésemos		
					vinieseis		
					viniesen		

91. VER

	INDICATIVO				SUBJUNTIVO		IMPERATIVO
Presente	Indefinido	Futuro	Potencial	Presente	Imperfecto	Futuro	
veo	vi				viera	viere	
ves	viste				vieras	vieres	**ve** (tú)
ve	vio				viera	viere	vea (él)
vemos	vimos				viéramos	viéremos	veamos
veis	visteis				vierais	viereis	(nosotros)
ven	vieron				vieran	vieren	**ved** (vosotros)
					o		vean (ellos)
					viese		
					vieses		
					viese		
					viésemos		
					vieseis		
					viesen		

92. YACER

	INDICATIVO				SUBJUNTIVO		IMPERATIVO
Presente	Indefinido	Futuro	Potencial	Presente		Futuro	
yazco, yaz-go, yago				yazca, yazga, yaga			
yaces				yazcas, yazgas, yagas			yace, **yaz** (tú)
yace				yazca, yazga, yaga			**yazca, yazga, yaga** (él)
yacemos				yazcamos, yazgamos, yagamos			**yazcamos, yazgamos, yagamos**
yacéis				yazcáis, yazgáis, yagáis			(nosotros)
yacen				yazcan, yazgan, yagan			yaced (vosotros)
							yazcan, yazgan, yagan (ellos)

Los verbos defectivos se hallan conjugados en los artículos correspondientes.
Los gerundios y participios irregulares también se indican en el artículo correspondiente.

CONJUNCIONES Y NEXOS CONJUNTIVOS

COORDINANTES

Adversativas

Denotan oposición o diferencia entre las oraciones enlazadas: *mas, pero, empero, aunque, sino, sin embargo, no obstante, con todo, más bien,* etc.

Copulativas*

Denotan simple enlace sin matices especiales: *y, e, ni, que.*

Distributivas

Cada una de las disyuntivas que se reitera. También ejercen esta función muchas palabras que se repiten o se oponen: *bien... bien; ya... ya; aquí... allá; este... aquel; ora... ora; uno... otro; que... que,* etc.

Disyuntivas**

Expresan contradicción: *o, u.*

SUBORDINANTES

Causales

Indican que una de las oraciones es causa o motivo de la otra: *que, porque, pues, pues que, puesto que, ya que, como, supuesto que, como quiera que, como que, por cuanto, visto que, en vistas de que,* etc. Algunas de estas conjunciones, lo mismo que las consecutivas, ofrecen matices intermedios coordinantes y subordinantes.

Comparativas

Denotan idea de comparación: *así como, así también, de modo que, tal como, mejor que, cual... tal, cuanto... tanto, igual... que, lo mismo que,* etc. Muchas de ellas tienen también valor CONSECUTIVO.

Concesivas

Expresan en la subordinada una objeción o dificultad para que se efectúe lo que indica la principal, pero este obstáculo no impide la realización del hecho: *aunque, por más que, a pesar (de) que, así, si bien, mal que, sea como sea, en caso que, con sólo que, siempre que, ya que, como, cuando,* etc.

Condicionales

Denotan que en la subordinada existe la condición para que se realice lo que se dice en la principal: *si, con tal que, a condición (de) que, en caso (de) que, con solo que, siempre que, ya que, como, cuando,* etc.

Consecutivas

Presentan una oración como consecuencia de la otra: *pues, por (lo) tanto, por consiguiente* (éstas se emplean como nexos CONTINUATIVOS), *luego, conque, por esto* (o *eso*), *así que, así pues* (todas las anteriores se llaman también ILATIVAS); *tanto, tan... que; tal... que; así... que, de modo que, de manera que, en grado que, que* (sin el antecedente *modo, manera*), etc.

Finales

Expresan en la subordinada el fin de la principal: *a que, para que, a fin de que,* etc.

Modales

Entra en su composición un adverbio de modo: *conforme, como, según, de modo que, de manera que, así como,* etc.

Temporales

Denotan idea de tiempo. Entra en la composición de algunas un adverbio o expresión de tiempo: *cuando, aun no, no bien, desde que, luego que, antes que, después que, mientras (que), entretando (que),* etc.

La conjunción *que* enlaza subordinadas substantivas.

* V. los artículos **y**, II) **e** del DICCIONARIO.
** V. los artículos **o**, II) **u** del DICCIONARIO.

GÉNERO

DE LOS SUBSTANTIVOS
Clasificación por la significación

Son **masculinos**:

a) Los substantivos propios y comunes de varones o animales machos y los que se refieren a oficios, empleos, etc., ejercidos por hombres (*Jaime, elefante, albañil*).

b) Los nombres de ríos y montes (*Ebro, Everest*).

Son **femeninos**:

a) Los substantivos propios y comunes de mujeres o animales hembras y los que se refieren a oficios, empleos, etc., ejercidos por mujeres (*María, gallina, nodriza*).

b) Los de las letras del alfabeto.

c) Los de ciencias, artes y profesiones (*arquitectura*).

d) Los de las figuras gramaticales y retóricas (*metáfora*).

Clasificación por las terminaciones

Excluidos todos los substantivos que por corresponder a personas o animales adaptan su género al sexo, suelen ser:

Masculinos:	**Femeninos:**

a) Los terminados en *e* (con muchas excepciones), en *i* o *í*, *o* (excepto *mano*), *u* o *ú*: *talle, alcalí, rubí, cabello, espíritu, tisú.*

b) Los terminados en *j* (excepto *troj*), *l, n* (con muchas excepciones de los terminados en *ón*), *r, s* (salvo los nombres de origen griego), *t, x: boj, abedul, almacén, collar, anís, acímut, fémur.*

a) Los terminados en *a: cabeza.* (Se exceptúan *día* y especialmente los nombres de origen griego, como *anagrama, problema*).

b) Los terminados en *d* (con bastantes excepciones como *abad, adalid,* etc.) y *z* (con excepciones como *arroz, barniz,* etc.): *bondad, codorniz.*

Las particularidades acerca del género de los substantivos están indicadas en cada uno de los artículos del Diccionario.

DE LOS ADJETIVOS

Son de dos terminaciones:	**Son de una terminación:**

a) Los gentilicios que acaban en consonante o en *o*.

b) Los otros adjetivos que terminan en *o: bueno; ote, ete: grandote, regordete; an, ón: haragán, comilón; or: roedor* (exceptuando las voces como *mejor, peor, exterior,* etc.).

a) Los que no estando comprendidos en las series de dos terminaciones acaban en *a, e, i: agrícola, alegre, marroquí;* en *n, l, r, s, z: común, fiel, familiar, cortés, capaz.* Los gentilicios terminados en *ú: hindú, zulú.*

b) Los participios activos: *estudiante, creyente,* con algunas excepciones, como *sirviente.*

Para formar el femenino, los adjetivos de dos terminaciones cambian la vocal final en *a (bueno, buena; grandote, grandota)* o añaden una *a* si el adjetivo termina en consonante *(haragán, haragana; español, española).*

INFINITIVO

El infinitivo es un substantivo verbal. Puede desempeñar en la oración todos los oficios que corresponden al substantivo; mas no por ello deja de tener cualidades y empleos propios del verbo, con la única restricción de no poder expresar por sí mismo tiempos y personas.

El infinitivo como nombre puede ser:

a) Sujeto: *El saber siempre es útil.*

b) Atributo*: *El reino de Dios no es de comer y beber.*

c) Complemento directo: *Deseo salir.*

d) Complemento indirecto**: *Venga a, o para, charlar.*

e) Complemento circunstancial: *Se marchó sin pagar.*

El infinitivo como verbo

a) Puede ser activo o pasivo: *No me gusta esperar; no me gusta ser esperado.*

b) Admite pronombres enclíticos: *He venido a verte; no quiero repetirlo.*

c) Tiene sujeto tácito o expreso:
   1. Sujeto indeterminado: *Querer es poder.* 2. Sujeto expresado por la preposición *de* (genitivo subjetivo) o por un posesivo: *El dulce lamentar de dos pastores; su reir me agrada.* 3. El sujeto del infinitivo es el mismo del verbo principal: *Pelearemos hasta morir.* 4. El sujeto del infinitivo y del verbo principal son diferentes: *Por no saber yo nada me sorprendieron.*

d) Con ciertas preposiciones adquiere significados especiales que lo hacen equivalente a una oración subordinada. He aquí los casos más frecuentes:
   1. Preposición *a* + *el* + infinitivo (significado temporal): *Volveremos al ponerse el sol.*
   2. Preposición *a* o *de* + infinitivo (significado condicional): *A no ser cierto, buen chasco llevaríamos; de seguir así, acabarás mal.*
   3. Preposición *con* + infinitivo (significado concesivo): *Con ser tan pobre, favorece a muchos.*

e) Precedido de verbos auxiliares, forma frases verbales (o perífrasis verbales) de significación progresiva, es decir, que indican la marcha de la acción hacia su realización. Los matices, que son muchos, se estudian en las gramáticas. Ejemplos:

    ir a   + infinitivo: *voy a escribir* (incoativo)
    venir a   + infinitivo: *viene a costar 100 ptas.* (aproximativo)

llegar a + infinitivo: *los tomates llegaron a costar 200 ptas.* (perfectivo)
acabar de + infinitivo: *Antonio acaba de comer* (perfectivo)
volver a + infinitivo: *vuelve a hacer calor* (reiterativo)
haber de + infinitivo: *he de darte una sorpresa* (obligativo)
haber que + infinitivo: *hay que tener vergüenza* (obligativo)
tener que + infinitivo: *tengo que salir* (obligativo)
deber de + infinitivo: *deben de ser las siete* (hipotético) (V. el artículo **deber**)

Notas:

* También se llama COMPLEMENTO PREDICATIVO.

** Algunos gramáticos consideran que con las preposiciones *a* o *para* los infinitivos equivalen a una subordinada final, y tienen el mismo sujeto del verbo de que dependen.

GERUNDIO

OFICIOS DEL GERUNDIO EN LA ORACIÓN

1. El *gerundio* tiene en español las funciones siguientes:
De adverbio: *no me hables gritando.*
De adjetivo: *vi a Juana paseando,* esto es, *que paseaba.*
Aspecto durativo del verbo: *la fortuna va guiando nuestros pasos. Ir guiando* es un aspecto, el aspecto durativo del verbo *guiar.* El gerundio puede ir acompañado de los verbos *ir, estar, quedar, venir, andar* y *seguir.*
Construcción absoluta o conjunta: *estando tú ausente, estudiaré mejor; arando un labrador, se encontró una moneda de oro;* subordinadas circunstanciales con relativa independencia oracional.

EL GERUNDIO COMO ADVERBIO O ADJETIVO

2. En su función de adjetivo (esto es, referido al objeto), únicamente es correcto usarlo con los verbos de percepción (*sentir, oír, ver, observar, distinguir* y *hallar*) o de representación (*pintar, grabar, representar*) y siempre aplicado al complemento directo: *¿ves al jefe blasonando que tiene el cuerpo cosido de heridas?* ‖ Son incorrectas por lo tanto las construcciones: *te envío una caja conteniendo libros,* una caja que contiene, o una caja con libros; *se dictó una ley prohibiendo el juego,* que prohíbe el juego o prohibitiva del juego.

3. No es aceptable el uso del gerundio en oraciones que expresan acciones perfectivas sucesivas y que por lo mismo pueden coordinarse: *cayó del caballo, rompiéndose una pierna;* es mejor decir: *cayó del caballo y se rompió una pierna.*

4. En la construcción «vi a Juana paseando» se producirá equívoco si el que pasea es el sujeto. En este caso se ha de decir: *paseando vi a Juana.*

5. En su función de adverbio y de adjetivo, el gerundio admite la forma diminutiva: *se llega callandico y pasito a pasito por las espaldas de Melisendra.*

EL GERUNDIO ABSOLUTO

6. En sus funciones modal, durativa y absoluta, el gerundio se comporta como un verbo. Puede ser simple o compuesto y tiene los mismos complementos que el verbo: *estaba cogiendo flores, dando limosna a unos pobres, paseando por el jardín; interponiéndose por otros se arruinó.*

7. El gerundio absoluto puede equivaler a oraciones adverbiales de diversas clases: Modal: *allí manaba una fuente cuyas aguas se deslizaban formando manso arroyo.* ‖ Temporal: *arando un labrador, se encontró una moneda de oro.* ‖ Causal: *siendo él tan buen estudiante, por sí mismo subirá a la cumbre.* ‖ Condicional: *favoreciéndome el cielo, en pocos días me veré rey de algún reino.* ‖ Concesivo: *poco más de tres días has tardado en ir y venir, habiendo de aquí allá más de treinta leguas.*

8. La oración adverbial de gerundio muchas veces se puede transformar en oración de verbo personal con una conjunción, o en oración de infinitivo con una preposición. — En los anteriores ejemplos se observan las equivalencias siguientes: *Mientras araba un labrador,* o *al arar un labrador...* ‖ *Porque es él tan buen estudiante,* o *por ser él tan buen estudiante...* ‖ *Si el cielo me favorece,* o *de favorecerme el cielo...* ‖ *Poco más de tres días has tardado en ir y venir, aunque hay de aquí allá más de treinta leguas,* o *con haber de aquí allá más de treinta leguas.*

9. El gerundio con la preposición *en* denota anterioridad inmediata: *en callando yo* (o *después de callar yo*), *callaron todos los alumnos de la clase.*

10. En la construcción absoluta el sujeto debe ir detrás del gerundio: *arando un labrador...* Si el gerundio es compuesto, y el sujeto es un pronombre personal, éste puede colocarse entre el auxiliar y el participio: *habiendo yo dado alguna ventaja a Crisóstomo...*

11. La oración de gerundio en la construcción absoluta puede colocarse antes o después de la oración principal y también intercalada a ella: *en pocos días me veré rey de algún reino, favoreciéndome el cielo; favoreciéndome el cielo, en pocos días me veré rey de algún reino; en pocos días, favoreciéndome el cielo, me veré rey de algún reino.*

MAYÚSCULAS

Se escriben con letra inicial mayúscula:

1. La primera palabra de un escrito y la que vaya después de punto.

2. Después de dos puntos, en la primera de las palabras que se citan de otro, como: *Jesús dijo:* «*Mi reino no es de este mundo*». En los otros casos en que se usan dos puntos se escribe indistintamente después de ellos mayúscula o minúscula.

3. Los nombres propios, apodos y renombres: *Platón, Alfonso el Sabio.*

4. Los atributos divinos, los títulos y los nombres de dignidad: *Creador, Duque de Osuna, el Papa,* etc., siempre que se designe con ellos a Dios o a personalidad concreta. En la frase común o con significado general se escribirán con minúscula: *los reyes, papas, duques,* etc., *están sujetos a morir.*

5. Los tratamientos, y especialmente si están abreviados: *Sr. D. (Señor Don), V.S. (Usía), Ud.* o *Vd. (usted),* etc. Usted, cuando se escribe con todas sus letras, no debe llevar mayúsculas, a no ser que se dé el caso primero.

6. Ciertos nombres colectivos cuando representan en la expresión un cuerpo determinado, como el Reino, el Clero, etc.

7. Los substantivos y adjetivos que componen el nombre de una institución, de un cuerpo o establecimiento: *el Colegio Naval, la Real Academia de la Historia.* Es potestativo escribir con mayúscula o minúscula los substantivos y adjetivos que entran en el título de cualquier obra: *Historia de la Literatura Española,* o *Historia de la literatura española.*

8. En los documentos oficiales, todas las palabras que expresan autoridad o cargo importante: *Rey, Gobernador, Alcalde, Monarquía, Justicia, Secretario, Jefe,* etc.

9. La primera letra de cada verso (versales). Hoy es muy frecuente encabezar los versos con minúscula.

10. La numeración romana.

11. No es preceptivo, pero responde a uso personal frecuente, iniciar con mayúscula palabras representativas de seres o conceptos que quien escribe desea destacar por veneración, respeto o énfasis: *Él, Ella,* referidos a Dios o a la Virgen, para un católico; como denotación de disciplinas científicas, la *Geografía;* al designar fechas iniciales de cómputos cronológicos, nombres de épocas históricas, movimientos religiosos, políticos o culturales, etc.: la *Héjira,* la *Edad Media,* la *Reforma,* el *Renacimiento.* La mayúscula orienta al lector respecto al significado que ha de dar a la palabra.

12. Cuando no encabecen párrafo o escrito, o no formen parte de un título, se recomienda escribir con minúscula inicial los nombres de los días de la semana, de los meses, de las estaciones del año y de las notas musicales.

13. Se recomienda que en las publicaciones que incluyen listas de términos no se utilicen mayúsculas, o si se hace, se mantengan las acentuaciones ortográficas, con el propósito de evitar confusiones. **El empleo de mayúsculas no exime de poner tilde según las normas de acentuación.**

14. En las letras dobles *ch* y *ll* solamente se escribe con mayúsculas la primera.

En las portadas de los libros impresos, en los títulos de sus divisiones y en las inscripciones monumentales, lo más común es usar mayúsculas, todas, generalmente, de igual tamaño.

NUMERACIÓN

SISTEMA ARÁBIGO O DECIMAL

El sistema arábigo o decimal de numeración consta de diez signos, que son: 1 (uno), 2 (dos), 3 (tres), 4 (cuatro), 5 (cinco), 6 (seis), 7 (siete), 8 (ocho), 9 (nueve) y 0 (cero).

Dichos signos o números se agrupan según series de diez, llamadas decenas o décadas. Dos decenas equivalen a veinte (20), tres, a treinta (30), hasta diez decenas, que se llaman cien, centena o ciento (100); los cientos se agrupan hasta diez cientos, que constituyen el mil (1.000); los miles o millares, por decenas de millar (10.000), centenas de millar (100.000) y mil millares, que se denomina millón (1.000.000); un millón de millones es un billón, y así sucesivamente.

Toda cifra colocada a la izquierda de otra representa un orden superior, de modo que de derecha a izquierda aparecen, sucesivamente, las *unidades, decenas, centenas, millares,* etc. El número escrito se lee siempre de izquierda a derecha. La carencia de un grupo determinado se denota por cero. Así, el número compuesto de *seis millares, ocho centenas, dos decenas y siete unidades,* será *6.827,* leyéndose *seis mil ochocientos veintisiete.*

La *numeración cardinal* es la que considera cada uno de los números en abstracto, como *siete, cien, mil,* etc.; la *numeración ordinal* es la que los considera expresando ideas de orden o sucesión, como *segundo, sexto, décimo,* etc. Los *números partitivos* son los que expresan la división de un todo en partes: *medio, tercio, cuarto,* etc.

Algunas particularidades

1. *Uno,* delante de un substantivo masculino, y *ciento,* delante de cualquier substantivo o de un cardinal al cual multiplica, toman las formas *un* y *cien: un libro, cien hombres, veintiún alumnos.*

2. Todos los cardinales menos *uno* pueden emplearse como ordinales. Sin embargo, de *2* a *10,* hablando de reyes, capítulos, etc., se emplean preferentemente los ordinales: *capítulo segundo; Alfonso décimo.*

3. *Un* (masc.) es la única forma posible ante *mil* (masc.): *cincuenta y un mil pesetas* y no *cincuenta y una mil pesetas.*

4. *Uno* no toma la forma *un* ante substantivos femeninos: *veintiún alumnas,* sino *veintiuna alumnas;* a menos que el substantivo femenino comience por /a/ tónica: *veintiún amas de casa.*

5. Generalmente los cardinales van delante del substantivo, pero cuando se emplean como ordinales se ponen después: *dos libros; capítulo quince.*

6. Los cardinales *uno, doscientos, trescientos,* etc., hasta *novecientos,* y los formados con ellos, así como todos los ordinales, concuerdan con los substantivos que determinan: *una casa; doscientos hombres; trescientas veinte pesetas.*

7. Los ordinales *primero, tercero, postrero* pierden la última letra cuando preceden al substantivo masculino, aunque se intercale otro adjetivo: *el primer síntoma, el primer claro síntoma.* Esto no ocurre si los adjetivos se unen con *y: mi primero y único deseo.* Ante substantivos femeninos, no pierden la *-a;* luego son incorrectas: *la primer ministra, la tercer candidata.*

8. Los treinta primeros números cardinales se escriben con letras en los textos no especializados, excepto en las fechas. El resto se escribe con cifras.

9. No es aconsejable comenzar párrafo con un numeral escrito con cifras.

10. Es un error frecuente emplear los partitivos en lugar de los ordinales (*onceavo piso* por *undécimo piso*).

11. Los ordinales del *13.º* al *19.º,* tienen dos formas femeninas: *dicimocuarta* o *decimacuarta.*

12. Cuando los guarismos *1, 2, 3, 4,... 0* son substantivos, su género es masculino: *un uno, un (número) uno, este uno.* Forman el plural normalmente: *uno-s, cuatro-s, dos-es, tres-es;* pero se evita el plural *seis-ses.*

13. Son vulgares las formas *ventiuno* (veintiuno); *ventitrés* (veintitrés); *nuevecientos* (novecientos).

NÚMERO

SUBSTANTIVO Y ADJETIVO

1. **Formación del plural.** Se forma añadiendo una de las dos desinencias *s* o *es.*

Añaden *s*	Añaden *es*
a) Todos los substantivos o adjetivos que terminan en vocal no acentuada: *casa, casas; blanco, blancos.*	a) Todos los substantivos o adjetivos que terminan en *á, í, ú* acentuadas: *bajá, bajaes.* Se exceptúan: *papá, mamá* y algunos más que toman *s,* y *maravedí,* que puede hacer *maravedís, -íes, -ises.**
b) Todos los que terminan en *é* y *ó* acentuadas: *café, cafés; rondó, rondós.*	b) Los substantivos y adjetivos que acaban en consonante, excepto los polisílabos acabados en *s: atril, atriles; mes, meses; capaz, capaces.* Pero *lunes, atlas,* no varían en el plural.

* Los polisílabos agudos terminados en *-á, -í, -ú,* sobre todo los nombres de mayor uso (*sofá, esquí, champú,* etc.), forman también el plural en *-s* (*sofás, esquís, champús*). Estas formas resultan más familiares y espontáneas, mientras que las formas en *-es* gozan de mayor prestigio literario.

2. **Voces extranjeras.** Forman el plural siguiendo las reglas de la lengua española: *frac* (o *fraque*), hace *fraques; lord, lores; cinc* o *zinc, cines* o *zines.* Hay en ello gran vacilación, según que la consonante final de la voz extranjera se use o no como final en la lengua española. En las palabras de introducción relativamente reciente, existe fuerte tendencia a añadirles simplemente una *s: campings, blocs.* Algunas terminan con forma española: *carné, carnés* (fr. *carnet*). Las palabras latinas como *ultimátum, déficit, fiat, exequátur,* pueden muy bien quedar invariables.

3. **Nombres propios.** Cuando un nombre propio ha de ser usado en plural, se pluraliza siguiendo las reglas generales de la lengua española, excepto los patronímicos acabados en *z* (Sánchez, López, etc.), los terminados en *s* con acentuación aguda (Valdés, Solís, etc.) y los que no son de origen castellano empleados en español (Bécquer, Llorens, etc.), que son invariables. Es incorrecto decir: *los Padilla,* en vez de *los Padillas.*

4. **Nombres compuestos.** Forman el plural según la cohesión de sus componentes. La desinencia puede tomàrla:

el primer elemento en la composición incompleta como	*los dos elementos* en la composición imperfecta como	*el último elemento* en la composición perfecta
ojo de buey, ojos de buey	*ricahembra, ricashembras*	*bocacalle, bocacalles*
casa de campo, casas de campo	*mediacaña, mediascañas*	*primogénito, primogénitos*
		pero *hijodalgo* hace *hijosdalgo; cualquiera, quienquiera,* hacen *cualesquiera* y *quienesquiera*

5. Defectivos de número. *a)* Los substantivos o adjetivos polisílabos que en singular acaban en *s* no sufren alteración en plural: *el lunes, los lunes*. *b)* Algunos se usan sólo en plural: *creces, albricias*. *c)* Muchos nombres por su naturaleza no suelen usarse en plural: son los abstractos, como *inmortalidad, caridad,* etc.; los terminados en *ismo*, como *vandalismo*; los de ciencias y artes como *gramática, teología*; los de institutos militares como *infantería, caballería*, pero pueden formarlo de acuerdo con las reglas generales.

Nota. En los artículos del DICCIONARIO se indican las particularidades acerca del número de las palabras que no se atienen a las normas generales.

ORTOGRAFÍA

ALGUNAS DIFICULTADES ORTOGRÁFICAS CONCRETAS
Dificultad b/v

Estas dos letras no pueden distinguirse fonéticamente porque representan un mismo sonido.

Se escribe **b** al final de sílabas o palabra y ante consonante: Job, sub-sa-nar, ob-te-ner, ob-je-to; abrir, blanco, biblioteca, brasa.

Sin embargo *ovni* se escribe con **v** porque procede de una sigla (*Objeto Volador No Identificado*).

En todos los demás casos, las grafías **b** y **v** se alternan, según la palabra de que se trate, sin que se puedan dar normas fijas. Pero en determinadas terminaciones y raíces es más frecuente una que otra. Obsérvense las siguientes listas.

Palabras terminadas en: **-ava, -avo, -ave; -eva, -eve, -evo; -iva, -ive, -ivo:** activo, breve, clave, cueva, doceavo, huevo.
Pero: árabe, monosílabo

Palabras que empiezan por: **adv-:** adverbio, adversario, advertencia, adviento.

Palabras que empiezan por: **abo-, abu-:** abofetear, abogado, aborrecer, abortar, abuelo, abundancia, aburrir, abusar.
Pero: avocar, avutarda.

Palabras que empiezan por: **alb-:** alba, albañil, albaricoque, albóndiga, albornoz, albúmina.
Pero: alvéolo.

Palabras que terminan en: **-ba, -bas, -ba, -bamos, -bais, -ban** (del pretérito imperfecto de indicativo): amaba, callaba, daba, estaba, iba.

Palabras que empiezan por: **bien-:** bienal, bienestar, bienvenido.
Pero: viento, vientre.

Palabras que terminan en: **-bilidad:** amabilidad, habilidad, responsabilidad, sociabilidad, viabilidad.
Pero: movilidad.

Palabras que terminan en: **-bir** (verbos): concebir, escribir, percibir, recibir, subir, suscribir, transcribir.
Pero: hervir, servir, vivir.

Homófonos

baca *(de coche)*	vaca *(animal)*
bacilo *(microbio)*	vacilo *(dudo)*
bario *(metal)*	vario *(diverso)*
barón *(título)*	varón *(de sexo masculino)*
basto *(burdo)*	vasto *(extenso)*
bello *(hermoso)*	vello *(pelo)*
botar *una pelota*	votar *en las elecciones*
bota *(calzado; del v. botar)*	vota *(del v. votar)*
bote *(embarcación; lata de conservas)*	vote *(del v. votar)*
cabe *(del v. caber)*	cave *(del v. cavar)*
cabo *(accidente geográfico; militar)*	cavo *(del v. cavar)*
grabar *(una cinta; una piedra)*	gravar *(con impuestos)*
grabe *(del v. grabar)*	grave *(serio; de gravedad)*
haber *estado aquí*	a ver *si vienes*
hierba *(césped)*	hierva *(del v. hervir)*
rebelar[se]	revelar *(un secreto; una fotografía)*
sabia *(fem. de sabio)*	savia *(de las plantas)*
tubo *(cilindro hueco)*	tuvo *(del v. tener)*

Dificultad g/j

Es bastante fácil la ortografía de estas letras ante las vocales **a, o, u** porque cada una de ellas tiene un sonido muy distinto y definido para estos casos: bajo, jamás, judío, ahogar, galgo, gusano.

Sin embargo, ante las vocales **e, i** se complica su uso: la **g**, para conservar el mismo sonido que tenía en **ga, go, gu,** se escribe poniendo una **u** entre esta consonante y la vocal **i, e:** guerra, juguete, guía, guisante.

La **u** en estos casos se convierte en una «letra muda», y, si queremos indicar que debe pronunciarse, cuando va entre **g** y una vocal **i, e,** hemos de colocar sobre ella la diéresis: antigüedad, cigüeña, lingüista, pingüino.

La **j** suena igual delante de todas las vocales; por otra parte, la **g** inmediatamente seguida de **e, i** suena como **j**. Así pues, la dificultad se presenta a la hora de elegir entre **g** o **j** para formar las combinaciones **ge, gi, je, ji**. El uso de una u otra grafía (para el sonido) depende, en la mayoría de los casos, de la grafía que aparece en la raíz de la palabra o en los sufijos que intervienen en su composición. Sin embargo, existen numerosas excepciones y, por ello, no se puede dar un regla fija. Obsérvense las siguientes listas de palabras agrupadas por estas grafías:

Palabras que terminan en: **-ger, -gir:** coger, deterger, emerger, proteger, recoger, afligir(se), corregir, dirigir, elegir, fingir, mugir, sumergir, surgir, regir.

Palabras que terminan en: **-jer, -jir:** entretejer, mujer, tejer, crujir.

Palabras que terminan en: **-ge:** auge, cónyuge, falange, faringe, Jorge, meninge.

Palabras que terminan en: **-je:** aprendizaje, canje, carruaje, coraje, conserje, encaje, hereje, mensaje, paraje, peritaje, porcentaje, reportaje, traje, viaje.

Palabras que terminan en: **-gia** o **-gía:** arqueología, cefalalgia, estrategia, hemorragia, ideología, zoología.

Palabras que terminan en: **-jía:** bujía, hemiplejía, lejía.

Palabras que empiezan por: **inge-:** ingeniar, ingente, ingerir, ingenuo.

Palabras que empiezan por: **inj-:** injerencia, injertar.

Palabras que empiezan por: **geo-, ges-:** geofísica, geografía, geología, geometría, gesta, gestación, gesticular, gestión, gesto.
Pero: jesuita, Jesús.

Palabras que empiezan por: **age-, hege:** agencia, agenciar, agenda, agente; hegemonía.

Palabras que empiezan por: **aje-, eje-:** ajedrez, ajenjo, ajeno, ajetreo; eje, ejecutar, ejercer, ejercicio, ejercitar, ejército.

Dificultad h

No representa esta grafía sonido alguno. Es imposible, por tanto, establecer referencias fonéticas. Las razones etimológicas que nos llevarían a la comprensión de algunos aspectos de su uso serían largas de exponer y requerirían a veces conocimientos ajenos a la materia que nos ocupa. Ofrecemos aquí una serie de palabras agrupadas por prefijos y los homófonos que más se prestan a confusión.

Palabras que empiezan por: **hie-:** hiel, hiena, hierático, hierba, hierro.

Palabras que empiezan por: **hidr-:** hidratar, hidráulico, hidroavión, hidrógeno, hidrografía, hidroplano, hidróxido.

Palabras que empiezan por: **hiper-:** hipérbaton, hipérbola, hipermetropía, hipersensibilidad, hipertrofia.

Palabras que empiezan por: **hipo-:** hipo, hipocentro, hipocresía, hipódromo, hipogeo, hipoteca, hipotenusa, hipótesis.

Palabras que empiezan por: **hue-:** hueco, huelga, huella, huérfano, hueso, huésped, huevo.

Palabras que empiezan por: **hui-:** huida, huidizo, huir.

Homófonos

a *(preposición)*	ha *(del v. haber)*
	¡ah! *(interjección)*
ala *(de ave)*	¡hala! *(interjección)*
abría *(del v. abrir)*	habría *(del v. haber)*
¡ay! *(interjección)*	hay *una casa*
aya *(de niños)*	haya *(del v. haber)*
	haya *(árbol)*
aré *(del v. arar)*	haré *un viaje*
aremos *la tierra*	haremos *una excursión*
as *de la baraja*	has *de hacer esto*
asta *(cuerno)*	hasta *aquel árbol*
ato *(del v. atar)*	hato *(bulto)*
e *(conjunción copulatuva)*	he *de ir mañana*
echa *(del v. echar)*	hecha *(del v. hacer)*
echo *(del v. echar)*	hecho *(del v. hacer)*
errar *(equivocarse)*	herrar *(poner una herradura)*
izo *(del v. izar)*	hizo *(del v. hacer)*
o *(conjunción)*	¡oh! *(interjección)*
ojear *(echar un vistazo)*	hojear *(pasar hojas)*
ola *de agua*	¡hola! *(saludo)*
onda *(ondulación)*	honda *(profunda; tirachinas)*
ora *(conjunción disyuntiva; del v. orar)*	hora *(sesenta minutos)*
uso *(del v. usar)*	huso *(instrumento para hilar)*
yerro *(error)*	hierro *(metal)*

Dificultad m/n

Ante **b** y **p** se escribe siempre **m**: ámbar, ambiguo, ambos, ambulancia, bamba, bomba, bombilla, embudo, embuste, hambre, hombre, imbécil, rombo, rumbo, también, trombón, tumbona; amparar, amplio, ampuloso, Ampurias, amputar, emperador, empezar, imperio, imposible, rampa, romper, siempre, trampa, trompa.

Ante **f** y **v** se escribe siempre **n**: anfiteatro, áncora, circunferencia, circunvalación, confusión, enfermo, infancia, infierno; enviar, envoltorio, invariable, invento, invierno, invitado, involuntario.

Delante de **n** puede escribirse **m**: alumno, columna, gimnasia, indemnizar, solemne, solemnizar; circunnavegar, connatural, ennegrecer, innato, innoble, innovar, perenne, sinnúmero.

En ciertas palabras la **m** es letra inicial que precede inmediatamente a la **n**: mnemotecnia, mnemónico, mnemotécnico; en tales palabras puede simplificarse la grafía y escribirse: nemotecnia, nemónico, nemotécnico.

Dificultad s/x (ante consonante)

Teóricamente estas dos letras representan dos sonidos distintos pero en la práctica se funden en uno solo (el que en principio era propio de **s**) y debe, por tanto, conocerse cada palabra para darle la escritura apropiada.

Palabras que empiezan por: **extra-**: extra, extracción, extracto, extraer, extralimitarse, extramuros, extranjero, extrañar, extraoficial, extraordinario, extravagante, extravertido.

Palabras que empiezan por: **estra-**: estrabismo, estrada, estrafalario, estrago, estrambótico, estrangular, estraperlo, estratagema, estrategia, estratificar, estrato, estratosfera.

Palabras que empiezan por: **extre-**: extremar, extremaunción, extremidad, extremista.

Palabras que empiezan por: **estre-**: estrechar, estrella, estrellar, estremecer, estrenar, estrépito, estreptomicina.

Palabras que empiezan por: **expl-**: explicación, explícito, explorar, explosión, explotación.

Palabras que empiezan por: **expr-**: exprés, expresar, exprimir, expropiar.

Palabras que empiezan por: **espl-**: esplendor, espléndido, espliego.

Palabras que empiezan por: **exp-**: expansión, expectación, expedición, expediente, expedir, expensas, experiencia, experimentar, experto, expirar, exponer, exposición, expósito.

Palabras que empiezan por: **esp-**: espabilar, espacio, espada, espalda, esperanza, espirar, espiral, espontáneo.

Homófonos

expirar *(morir)*	espirar *(echar aire)*
expiar *los pecados*	espiar *a alguien*
extirpe *(v. extirpar)*	estirpe *(tronco de una familia)*

PALABRAS JUNTAS Y SEPARADAS

Se escribe junto: adelante, adentro, afuera, anoche, aparte, apenas, arriba, conmigo, conque (conjunción), contigo, debajo, dondequiera, encima, enfrente.

Se escribe separado: a pie, a veces, a ver, de balde, de donde, de pie, de pronto, en cuanto a, en derredor, en donde, en fin, ex profeso, no obstante, sin embargo.

Para cualquier duda debe consultarse el cuerpo central de este DICCIONARIO, donde hay mayor abundancia de términos.

Las palabras compuestas se escriben juntas: anteanoche, antebrazo, antepasado, bienestar, bienhechor, contratiempo, cumpleaños, enhorabuena, entresuelo, limpiabotas, mediodía, pararrayos, pasaporte, sacamuelas, sinvergüenza, sobrehumano.

PARTICIPIO

El participio es un adjetivo verbal. A causa de esta doble naturaleza, puede construirse como adjetivo independiente, o entrar en construcciones total o parcialmente asimilables a las del verbo conjugado.

Por su forma puede ser: **regular**, cuando termina en *-ado, -ido (abandonado, tenido, pulido)*; **irregular**, si tiene otra terminación *(abierto, escrito, hecho)*. Numerosos verbos han formado un participio regular y otro irregular, p. ej.: de *abstraer, abstraído y abstracto*; de *expresar, expresado y expreso*; de *oprimir, oprimido y opreso*. En estos casos, el participio irregular se emplea como adjetivo y el regular para formar los tiempos compuestos con el verbo *haber*, p. ej.: *agua bendita* y *el obispo ha bendecido a los fieles*. Se exceptúan *frito, impreso, preso, provisto y roto*, los cuales se usan para formar tiempos compuestos, con más frecuencia que los regulares *freído, imprimido, prendido, proveído y rompido*.

Participio independiente. Tiene todos los oficios que corresponden al adjetivo:

a) ATRIBUTO de un substantivo, con o sin verbo copulativo: *árbol caído, leña partida; el muchacho es agradecido, la casa está abandonada.**

b) PREDICADO DE COMPLEMENTO, en el que el atributo se refiere a la vez al verbo y al sujeto: *viene entusiasmado; este hombre habla dormido.***

c) Puede substantivarse de modo permanente o transitorio: *el herido, la herida, el preso, los suprimidos, los resueltos.*

SIGNIFICACIÓN. — Los participios procedentes de verbos transitivos tienen significación **pasiva**: *edificado, amado, temido.*

Los que proceden de verbos intransitivos o reflexivos tienen significación **activa**: *porfiado, atrevido, arrepentido.*

Hay un grupo numeroso de participios de significación activa, aunque provienen de verbos transitivos, porque se han formado sobre la acepción reflexiva de mismo verbo, o por analogía: *encogido* (de ánimo), *callado, precavido,* aplicados a personas.

Participio con verbos auxiliares:

a) Con *haber* forma los tiempos compuestos: *habían estudiado.****
b) Con *ser* expresa la voz pasiva: *era querido por todos.*
c) Con *llevar, tener, traer, quedar, dejar* y *estar* forma frases verbales de sentido perfectivo: *llevo conocidos muchos hombres como ése; tenía estudiada la lección; ya traía escritas varias cartas cuando él llegó; queda demostrado el teorema; le dejaron convencido; el cuadro está colocado en el salón.*

En construcción absoluta. Adquiere cierta independencia y equivale a una oración subordinada de sentidos diversos. He aquí los más frecuentes:

a) TEMPORAL: *Cesado el tumulto, mandó Druso leer las cartas de su padre.*
b) CAUSAL: *El muchacho, fatigado de tanto correr, se dejó caer al suelo.*
c) MODAL: *Ella misma, vueltos sus ojos al suelo, se lo rogó angustiada.*

Participio activo. Termina en *-ante* en los verbos de la primera conjugación; en *-ente* o *-iente,* en los de la segunda y tercera: *participante, fascinante; permanente, condescendiente; conducente, conveniente.*

Son relativamente pocos los verbos que pueden formarlos. En la mayoría de los casos, se han adjetivado de modo permanente: *amante, obediente, oyente.* Otros han llegado a substantivarse: *estudiante, presidente, sirviente, asistente.* Algunos de éstos, muy pocos, admiten terminación femenina: *sirvienta, asistenta.*

* Algunas Gramáticas denominan COMPLEMENTO PREDICATIVO al oficio que desempeñan el adjetivo y el participio con verbo copulativo u otros intransitivos: *Juan es estimado; Esperanza viene cansada.* El participio pasivo también puede ser complemento predicativo, referente al sujeto o al complemento directo, con verbos transitivos o pronominales: *dijo irritado aquellas palabras; la dejé agradecida.* Estas Gramáticas reservan el nombre de ATRIBUTO para las construcciones del tipo *árbol caído, leña partida.*
** A este PREDICADO DE COMPLEMENTO algunas Gramáticas lo llaman COMPLEMENTO PREDICATIVO.
*** En este caso permanece invariable, no concuerda ni en género ni en número.

PRONOMBRE PERSONAL

Clasificación de formas por el acento.

Persona	FORMAS FUERTES O TÓNICAS		FORMAS DÉBILES O ÁTONAS	
	singular	plural	singular	plural
1.ª	*yo, mí* *conmigo*	*Nos, nosotros -as*	*me*	*nos*
2.ª	*tú, ti* *contigo*	*Vos, vosotros -as*	*te*	*os*
3.ª	*él, ella* *ello*	*Ellos, ellas*	*le, la,* *lo, se*	*les, las,* *los, se*
reflexivo	*sí, consigo*	*sí, consigo*	*se*	*se*

Clasificación de las formas tónicas por su oficio en la oración.

SUJETO

Yo, tú, él, ella; nosotros, vosotros, ellos, ellas.

COMPLEMENTOS CON PREPOSICIÓN

Mí, ti, sí, nosotros -as, vosotros -as, él, ella, ellos, ellas, ello y los compuestos *conmigo, contigo, consigo: trabaja para mí; voy con ellos; pienso en vosotros.*

Clasificación de las formas átonas por su oficio en la oración.

Sólo con función de complemento directo

lo, la, los, las. Lo he buscado = *He buscado el libro.*

Con función de complemento directo o complemento indirecto

me, te, nos, os, se (reflexivo). *Me quiere* (compl. dir.). *Me compra un anillo* (compl. ind.).

Sólo con función de complemento indirecto

le, les. En las combinaciones de dos pronombres *le-lo; le-la; les-lo; les-la; les-los; les-las,* se emplea el *le* personal *se-lo; se-la; se-los; se-las.* — *Se lo mandaré* (el libro), en vez de: *le lo mandaré.* = *Mandaré el libro a mi hermano.*

Laístas, leístas y loístas. V. artículos respectivos.

El pronombre SE. Aparte de los oficios de reflexivo y dativo, puede usarse como impersonal: *se dice,* y en voz pasiva: *se leyó la carta = la carta fue leída.*

Colocación de los pronombres personales ÁTONOS **en la frase:**

a) **Se posponen** con imperativo, gerundio e infinitivo: *dame, diciéndole, observarnos.* En las formas compuestas del gerundio y del infinitivo, se posponen al verbo auxiliar: *habiéndole visto, haberos complacido.*
Cuando el infinitivo y el gerundio están subordinados a otro verbo, los pronombres enclíticos pueden separarse de ellos y pasar, atraídos, al verbo principal: *quieren molestarte,* o *te quieren molestar; iban diciéndole* o *le iban diciendo.*

b) Pueden **anteponerse** o **posponerse** con las demás formas verbales: *lo veía,* o *veíalo; me encontró o encontróme.* Pero, en general, la posposición se siente como afectada en la lengua hablada, sobre todo en las formas compuestas del verbo *(habíamos dicho)* y en las de los tiempos presente y futuro *(paréceme, verémoslo).*

Metaplasmos en la afijación de pronombres. Se dice *unámonos* (no *unámosnos), hagámoselo* (no *hagámosselo), sentaos* (no *sentados), suplicámoos* (no *suplicámosos).*

Orden de colocación. Cuando concurren varios pronombres, tienen la prioridad el de segunda persona, luego el de primera y por último el de tercera: *te me quieren arrebatar; nos lo dirá; te lo llevarán.* El reflexivo precede a todos: *se les escapó.* Son extremadamente vulgares las expresiones *me se ha caído el pañuelo; te se conoce en la cara* por *se me, se te.*

V. el artículo **usted,** V. **declinación** y los artículos dedicados a cada pronombre en el DICCIONARIO.

PUNTUACIÓN

COMA (,)

Nombres en vocativo.	*Todos, Señor, invocamos tu nombre. Todos invocamos tu nombre, Señor. Señor, todos invocamos tu nombre.*
Enumeración sin conjunción. Excepto entre los dos últimos elementos, si llevan *y (e),* o *(u), ni.*	*Juan, Pedro, Antonio y Tomás son hermanos.*
Oraciones enumerativas: distributivas, copulativas.	*Todos debemos morir, bien seamos ricos, bien seamos pobres.*
Oración de paréntesis o intercalada.	*La verdad, dice un político, siempre se abre paso.*
Oración explicativa de relativo; coma antes y después.	*Los Alpes, que son las montañas más altas de Europa, separan Suiza de Italia.*
Proposición de participio explicativa.	*Los alumnos, abrumados por los exámenes, se deprimen.*
La subordinada, antes de la principal. Excepto si son cortas.	*Después de haber llovido, el tiempo refrescó.*
Adversativas o consecutivas cortas.	*Pienso, luego existo.*
Complemento circunstancial largo al principio de la frase.	*Con un hierro en la punta de un largo bastón, llegó a la ventana.*
Nombre en aposición a otro nombre.	*Galdós, autor de innumerables obras, murió ciego.*
Adjetivos opuestos.	*El juez, íntegro como siempre, dictó sentencia. Airada, cerró violentamente.*
Antes de *que* (precedido por *tanto, tal, tan)* en proposiciones consecutivas.	*Mentía tantas veces, que ya nadie confiaba en él.*
Detrás, generalmente, de la proposición condicional encabezada por *si.*	*Si lo compras, no te arrepientas después.*
Por elisión de un verbo común a varias oraciones.	*Antonio estudia primero; Fernando, tercero.*
Oraciones de gerundio en construcción absoluta.	*Estudiando desde el principio, los resultados son mejores.*
Expresiones enfáticas.	*Yo, naturalmente, me negué. Nosotros, sin embargo, admitimos otras opiniones. Por último, no venga más por aquí. Dime, entonces, qué es lo que hago.*
Los insultos o increpaciones.	*Imbécil, ¡dámelo!*

COMAS INCORRECTAS

La coma no debe colocarse entre el sujeto y su verbo.	**Los alumnos de primero, son los más revoltosos.*

Entre el verbo y su atributo (predicativo).

Los alumnos de primero son, los más revoltosos.

Antes del primer elemento de una serie.

Los escritores, Unamuno, Azorín, Baroja pertenecen a la generación del 98.

PUNTO Y COMA (;)

Entre oraciones de un período largas y sin enlace.

Durante la primavera, el cielo está siempre claro y sereno; el campo se llena de mil variadas y olorosas flores; los árboles se cubren de verde follaje.

Adversativas largas.

Los expedicionarios buscaron por todas partes; pero no hallaron el camino.

Consecutivas largas.

Sopla el viento del norte; por consiguiente, tendremos algunos días muy fríos.

Entre dos partes completas de un período, vayan o no enlazadas por conjunción.

Los niños, en la plazoleta, a la sombra de unos grandes árboles, jugaban sin preocupación alguna; y desde el balcón la madre, con el cesto de la ropa al lado, los miraba embelesada.

Entre los términos de una enumeración que ya tienen comas.

La ley considera: primero, la vida de la madre; segundo, la vida del que va a nacer.

Entre oraciones que se oponen.

El profesor explica; los alumnos no dejan de hablar.

Regularmente, entre las proposiciones yuxtapuestas.

El colegio es de todos; cuida, pues, de él. / Llueve; llévate el paraguas. / Fui a su casa; la encontré mala.

Entre los elementos de una enumeración o serie compleja de ejemplos introducidos por expresiones como *por ejemplo* (p. ej.); *verbigracia* (v.gr.), etc., más los dos puntos (o simplemente tras los dos puntos).

Debes pintarlos de varios colores, por ejemplo: la cabeza, las alas y la cola, verdes; el pico y las patas, marrones; el vientre, blanco; y el resto, rojo.

DOS PUNTOS (:)

Ampliación o desarrollo de una proposición general.

No aflige a los mortales vicio más pernicioso que el juego: por él gentes muy acomodadas han dado en la mayor miseria; por él las más grandes reputaciones, etc.

Sentencia final que resume una exposición. Causa y consecuencia.

Colón, aquel que regaló a España un Mundo; aquel que fue amigo de reyes y poseyó tantas riquezas y títulos, murió perseguido y en el mayor abandono: ¡cuán inconstante es la fortuna de los hombres! No fui: no lo aguanto.

Cita textual.

Jesús dijo: «Mi reino no es de este mundo».

En exposiciones, instancias, sentencias, edictos, etc.

Expone: ruega: suplica: ordeno y mando: vengo en decretar: fallo:

Salutación de las cartas.

Muy Sr. mío: Distinguido Sr.:

Ejemplos o casos que se anuncian.

Por ejemplo: verbigracia: a saber: son las siguientes: como sigue:

Precede a una enumeración que explica un término anterior.

Asistieron cuatro representantes: dos profesores y dos alumnos.

En las construcciones de estilo directo.

Le dije: «espere un momento».

Según la Real Academia Española, tras los dos puntos se escribe indistintamente con letra mayúscula o minúscula el vocablo que sigue. No obstante, la mayúscula se reservará para la cita textual si ésta comienza con mayúscula, y para la salutación de las cartas; en los demás casos se aplican las normas para el uso de las mayúsculas.

PUNTO (.)

Después de oración, cláusula o período que tiene sentido completo.

Estudiad. La Experiencia es madre de la ciencia. Algunos hombres poseen grandes riquezas; no son, sin embargo, felices.

En las abreviaturas.

Sr. D. Excmo. Sr.

Tras las unidades de millar, millón, billón, etc.

1.000 / 20.000 / 300.000 / 3.000.000 / 400.532.200.000 / 7.000.000.000.000

Nota: No se coloca punto en los números de los años compuestos por cuatro cifras.

En los diálogos, las intervenciones de los personajes en estilo directo van en línea separada y acaban en punto y aparte.

Don Gonzalo: Yo soy Ulloa.
Don Juan: Yo iré sin falta.
Don Gonzalo: Yo lo creo, adiós.

El punto y seguido se usa al final de la oración u oraciones que desarrollan una idea. Se continúa en el mismo renglón, o en el siguiente sin el espaciado del punto y aparte. El punto y aparte se usa para separar párrafos (el texto continúa en otro renglón más entrado o más saliente que el resto de la página). El punto final es el que marca el fin de un escrito o de un apartado importante del texto (parte, capítulo, etc.).

PUNTOS SUSPENSIVOS (...)

Suspensión por el temor, la duda, etc.

¿Le diré que ha muerto su padre?... No tengo valor para tanto.

Suspensión enfática.

A buen entendedor...

Omisión de palabras innecesarias o fáciles de sobreentender. Para evitar palabras malsonantes.

...es el arte de hablar y escribir correctamente. Un quintal tiene... / Es una p... / Por c...

En una enumeración, para señalar que podrían añadirse más términos (en este caso, los puntos alternan su uso con *etc.*).

Él es un cínico, falso, hipócrita...

Se usan entre corchetes para indicar la supresión de fragmentos en la copia de algún texto.

«En un lugar de la Mancha [...] no ha mucho tiempo que vivía un hidalgo [...]»

Los puntos suspensivos son tres

INTERROGACIÓN (¿ ?)

Los signos de interrogación se ponen al principio y al final de la frase que deba llevarlos.

Signo de interrogación en estilo directo. Énfasis.

¿Volverás mañana? ¿Dónde vas? ¿Qué has hecho estos días?

Abarcan la parte interrogativa del período.

Dicho esto, ¿qué más queréis? Al verlo, ¿no sentiste miedo?

Las interrogativas no difieren de otras oraciones en la puntuación. Según sea ésta, se pondrá mayúscula o minúscula. Si son varias, breves y seguidas, se escriben en minúscula, excepto la primera. También se escriben en minúscula cuando son elementos no iniciales de una oración.

Y yo me pregunto: ¿Quién va a pagar la expropiación? ¿Cuánto va a costar a cada uno de los españoles? ¿Piensa el gobierno en nuevas expropiaciones? / ¿Quién será elegido?, ¿cómo?, ¿por quién? / ¿Quién lo ha hecho?, preguntó el profesor. / Si la vida sigue subiendo, ¿quién podrá comprar un piso?

Incertidumbre de un dato.

Dicen que nació en 1978 (?) / Gengis Kan (¿1155-1227?). / David, rey hebreo (1015 a.J.C.-¿975?)

OBSERVACIONES:
1.ª No se emplean los signos de interrogación en las interrogativas indirectas: *me gustaría saber más de usted; averigua quién fue* (V. **acento**, 4).
2.ª No se escribe punto tras el segundo signo de interrogación.
3.ª No sobra insistir en que la lengua española exige el uso de los dos signos.

EXCLAMACIÓN (¡ !)

En toda clase de frases exclamativas, ponderativas, etc.

¡Fuego! ¡Bendito seas! ¡Cuán inconstante es la fortuna de los hombres!

Interrogación y exclamación combinadas.

¿Qué persecución es ésta, Dios mío! ¡Por favor, quieren callarse?

Ironía o asombro.

Es tan valiente (!) que a sí mismo se causa pavor.

En cuanto a la puntuación y al uso de mayúscula o minúscula en las exclamativas, sirve, igualmente, el tercer caso de la interrogación y las advertencias 2.ª y 3.ª; amén de que hay que tener en cuenta que los determinantes y pronombres exclamativos llevan siempre tilde.

PARÉNTESIS [( )]

Aclaración intercalada sin conexión gramatical con el resto de la frase.

Avellaneda, queriendo competir con Cervantes (a tanto llega la locura de los hombres), sólo consiguió remedarle.

Datos complementarios, textos en lengua original, etc.

Perdió Boabdil a Granada el año de la héjira 897 (1492). Dicen los ingleses que el tiempo es oro (Time is money).

Indicación de lo que falta y se incluye con certeza. Explicación de abreviaturas, siglas, acrónimos, etc.

Imp(eratori) Caes(ari); B.U.P. (Bachillerato Unificado Polivalente).

En las acotaciones teatrales.

Don Rosario.—(Ya junto a la puerta del foro, para salir.) Buby.—(Golpeando.)

Para remitir a una nota a pie de página. ·

(1)(*)

La puntuación dentro del paréntesis es independiente del resto del período en que va inserto. Los signos de puntuación correspondientes a la frase en la que se intercala una frase parentética se colocan detrás del paréntesis. El punto final de los apartes va colocado dentro del paréntesis.

CORCHETES ([ ])

De función esencialmente análoga a los paréntesis, se utilizan en casos especiales.

Para enmarcar los puntos suspensivos que indican la supresión de algún fragmento en la copia de un texto.

«En un lugar de la Mancha [...] no ha mucho tiempo que vivía un hidalgo [...]»

Para intercalar dentro de un período parentético otro elemento del mismo tipo.

Los orígenes de la crisis (subida del precio del petróleo, regreso de los emigrantes, muerte de Franco [1975]).

En fonética, para encerrar las transcripciones.

Pájaro [páxaro].

Para indicar en la copia de códices o inscripciones lo que falta y se suple conjeturalmente.

Nervae Aug[usto] Firmana infas, an[ima] dulcis.

Para hacer una aclaración ajena a una cita textual.

«Lo terrible históricamente es que tan altas empresas [las del siglo XVIII] quedaran truncadas casi como las del siglo XVI.» (Américo Castro).

Para enmarcar la palabra latina *sic,* que significa *así,* cuando se copia un texto con errores o vocablos antiguos de diferente grafía a la actual. También para indicar que se emplea intencionadamente una palabra de una determinada forma o significado.

[sic] La ley prohibe [sic] [prohíbe].
Era muy soberbio e de seso libiano. [sic] [liviano].
El director detenta [sic] el cargo. [Lo ocupa ilegalmente, no queremos decir simplemente que lo ocupa (V. detentar)].

Para señalar correcciones.

porque preveen [prevén] una tirada.

En cuanto a la puntuación, sirve lo dicho para el paréntesis.

COMILLAS (« »)

Para citar palabras textuales.

Dijo Américo Castro: «¡Vulgarismo, popularismo! [...], son dos pestes embutidas en los flancos de nuestro pueblo.»

Palabras extranjeras, que se quieren destacar o se usan irónicamente.

El «flirt» de la princesa fue el «boom» del año. Se consideró «contrarrevolucionaria» la campaña antiturística.

En sobrenombres, en nombres propios de animales o cosas, en apodos. Temas de conferencias, artículos.

Lope de Vega, «Monstruo de la Naturaleza»; el perro «Nerón»; la finca «Villa Julia»; Luis «el Gitano»; «La información hoy»; «Sobre los ángeles».

OBSERVACIONES:
1.ª No se utilizan las comillas en el estilo indirecto, en los resúmenes o síntesis de un autor.
2.ª Si el nombre del autor o fuente no se coloca al principio, se intercala entre guiones o comas.
3.ª Las comillas simples ('' o ') se usan dentro de un texto entrecomillado. También para señalar que una palabra se emplea en su valor conceptual o como definición de otra: *«Expirar* 'morir' no significa lo mismo que *"espirar"* el aire.
V. el artículo **comilla** para los distintos tipos de comillas.
4.ª Cuando se mezclan palabras de un autor con palabras propias, se encierran entre comillas las palabras ajenas.
5.ª Si el texto que se reproduce es muy extenso, se colocan comillas invertidas (») al comienzo del segundo párrafo y siguientes.
6.ª En la letra impresa existe la tendencia a usar la cursiva para los nombres o títulos de obras literarias y artísticas, periódicos, programas científicos, entidades comerciales, formaciones políticas, calles, plazas, esto es, cuando una mayúscula sirve como signo diferenciador. Pero no deja de verse también la solución de las comillas.
7.ª En cuanto a la puntuación, las opiniones son diversas; pero las más generales son: el punto se pone dentro de las comillas finales cuando el texto entrecomillado comienza párrafo o va después de un punto; la coma, el punto y coma y los dos puntos se escriben siempre después de las comillas; en resumen, la estructura de la frase es la que obliga a una determinada puntuación. Todos estos pequeños problemas de las comillas se resuelven, como es hoy práctica común en tipografía, componiendo el texto citado en cuerpo menor que el empleado en el resto del texto, es decir, dejando más margen a derecha e izquierda de la página; pues esta forma de transcripción no emplea las comillas.

GUIÓN MAYOR O RAYA (—)

En los diálogos, tanto si las intervenciones van en renglones distintos, como si van seguidos. En las obras teatrales no se usa la raya, porque el nombre del personaje que habla la hace innecesaria.

—¿De quién es la imagen que hay en la moneda?
—Del César.
—Vengo a ver mi examen. —Ahora no puedo.

Separa los diálogos de los comentarios del narrador.

—He sido yo —dijo Ana—. Y lo haré más.
—Yo te creo, Ana. —Coge sus manos—. ¿Me crees tú a mí?
—No te creo, Juan —repuso Ana al instante.

En las citas textuales para separar la expresión que indica el narrador.

«Mi historiografía —dijo Américo Castro— aspira a ser explicativa y no demoledora.»

Para insertar incisos, aclaraciones, comentarios o aposiciones a un término ya nombrado; equivalentes al paréntesis.

La revista Juvenalia —su mismo título lo anuncia— está pensada para los jóvenes.
Los nuevos medios —vídeos, computadores, bancos de datos, etc.— están cambiando la vida.

Para indicar la palabra que se ha de entender suplida en un mismo renglón o en renglones diferentes.

Padecer del riñón. —de vesícula. —de hígado
Verbos: irregulares Pérez Galdós: Marianela
—regulares —Misericordia

Observaciones:
1.ª No hay que abusar de este signo, por moda, en detrimento de las comas y el paréntesis: la raya traba más que las comas y el paréntesis más que las rayas; además, las rayas, a la vez que aíslan, realzan la expresión que encierran, pero si no se abusa de ellas.
2.ª Cuando en una frase entre comillas se hace un inciso se usan las rayas.
3.ª Hay que procurar que no quede al final o principio de línea, ni dividir palabras con guiones cerca de las rayas.
4.ª Las rayas —como el paréntesis— no guardan espacio con lo que se escribe dentro de ellas, sí lo guardan con la palabra que le antecede y le sigue (si la hay).
5.ª Para la puntuación dentro y fuera de las rayas es válido lo dicho para el paréntesis. No obstante, se suele suprimir la segunda raya («por razones estéticas»), cuando sigue punto y aparte o punto final. Si hay punto antes del inciso, éste comienza con mayúscula (V. el segundo caso).

IGUAL O DOS RAYAS (=)
a) Se usa en las copias para señalar que en el original se pasa a párrafo distinto.
b) Es el símbolo matemático de igualdad.
c) Puede encontrarse fuera de textos matemáticos con valor de igualdad: *El Brocense (= Francisco Sánchez de las Brozas); un duro (= cinco pesetas).*
d) Para aclarar enmiendas: *lo raspado = Insuficiente; lo interlineado = a veces.*

GUIÓN (-)
Se usa este signo cuando al final de un renglón no cabe una palabra entera. Dado este caso, se observan estas reglas:

1. No se pueden separar las letras que forman sílaba (V. **sílaba**). Hay que tener presente:
   a) Una consonante entre vocales forma sílaba con la que le sigue: *a-le-ro, bo-ca.*

   b) Un grupo de dos consonantes entre vocales: cada consonante se junta con la vocal inmediata: *al-ma, in-me-dia-to.*

   c) Los grupos de consonantes formados por *p, b, c, g, f,* seguidos de *l* o *r,* y *d, t* agrupadas con *r,* forman sílaba con la vocal siguiente: *plo-mo, pron-to.*

   d) Si hay tres o cuatro consonantes entre dos vocales, las dos primeras van con la vocal precedente: *instante, ins-trucción.* Pero téngase en cuenta el apartado *c.*

   e) No deben separarse las letras que forman un diptongo o triptongo: *tiem-po, a-ve-ri-güéis.* Igualmente no deben separarse dos vocales, aunque formen sílaba diferente: *atra-er, po-esía,* ni las vocales iniciales y finales de palabra que constituyan sílaba por sí solas: *á-guila, e-clipse, i-luso, o-cho, u-ña.*

   f) Es recomendable no separar las palabras de forma que se produzcan «voces malsonantes» o resulten enunciados impropios: *puta-/ tivo, ex-/ pedito; el malestar causado por la pro-/ vocación de los ladrones; las in-/ justicias del paro.*

   g) Las palabras que tienen una *h* precedida de una consonante se dividen, al final de renglón, separándolas: *in-humano, Al-hambra.*

   h) Las consonantes *ch, ll* y *rr* no se separan.

2. Separación de compuestos:
   a) Cuando un compuesto está formado de palabras que por sí solas tienen uso en la lengua o de un prefijo y una de estas palabras, se puede separar el compuesto separando sus componentes, o bien por sílabas: *nos-otros/no-sotros; des-aliento/de-saliento.*

   b) Se unen con guión los gentilicios de dos pueblos o territorios en que los elementos componentes aparecen en oposición o contraste: *guerra franco-prusiana; convenio postal hispano-luso-americano.* Cuando el compuesto designa una realidad geográfica o política en que los componentes se integran con nuevo significado, se escribirá sin guión: *hispanoamericano, checoeslovaco* o *checoslovaco.* Si el segundo elemento de un compuesto comienza por sílaba formada por una sola vocal, no debe quedar esta sílaba al final de la línea.

BARRA DIAGONAL (/)
Es un signo emparentado, en su utilización, con el guión.

Principales usos:
1) La barra contrasta o une palabras y conceptos, a la vez que ofrece varias posibilidades de lectura:
   un sobrino natural/intelectual del escritor
   el cadáver está verde/hígado
   lo demás es fascismo de derecha/izquierda

2) Para separar los versos escritos en línea, y para señalar el final de línea cuando se copia o transcribe un texto:

en tu jardín, morena,/ planté claveles,/ y ortigas se volvieron/ por tus desdenes./

3) Equivale a *por* en la expresión *km/h* y similares.

4) En Fonología se emplea para encerrar los fonemas: /ɵ/, /p/...

5) Separa los números de las publicaciones, decretos, leyes, etc., del año de publicación: *20/1982*. También separa los capítulos o apartados de un libro de las páginas de referencia: *7/4*.

OBSERVACIONES:
   1.ª Es incorrecto el uso de la barra en la combinación *y/o*.
   2.ª Como signo de puntuación que es, no debe leerse. Es por tanto, incorrecto decir «el decreto cuarenta y ocho barra ochenta y tres».

LA DIÉRESIS O CREMA (¨)

Se colocan estos dos puntos sobre la *u* en las combinaciones *gue, gui,* para indicar que se pronuncia esa vocal: *lingüística, argüir, sinvergüenza.*
En la poesía se emplea para dar al verso una sílaba más. Se coloca la diéresis sobre la primera vocal de un diptongo: *rüido, fïel.*

ASTERISCO (*)

Es una estrellita que se pone sencilla, doble o triple en ciertas palabras de un texto, como llamada a nota que va encabezada también por ese signo. Para la misma función se emplean números, letras o cualquier otro signo, en lugar del asterisco.
Se emplea en filología para indicar formas o estructuras hipotéticas.
En este DICCIONARIO se emplea según se explica en la lista de **abreviaturas.**

APÓSTROFO (')

Antiguamente se empleaba en la poesía para indicar la omisión o elisión de una vocal: *d'aquel,* por *de aquel; qu'es,* por *que es.*
Recientemente, y para evitar dudas al lector, se ha restablecido en algunas reimpresiones de textos antiguos, donde aparecen palabras de este tipo como si de una sola se tratara: *ques, deste.*

PÁRRAFO (§)

En otros tiempos sirvió para distinguir los distintos apartados de un texto, y como signatura de pliegos impresos. Actualmente se utiliza en lo impreso, seguido del número que le corresponda, para indicar divisiones internas de los capítulos: § 2, § 10.

LLAVE ({ })

Se emplea en las fórmulas matemáticas y para abrazar miembros de un cuadro sinóptico o similar que deben considerarse agrupados y unidos para determinado fin.

SÍLABA

La sílaba se llama *abierta* o *libre* cuando termina en vocal; p. ej.: todas las de las palabras *sólido, remedio, apremiaba.* Si termina en consonante, se llama *cerrada* o *trabada;* p. ej.: todas las sílabas de *antes, marfil, observar.*

LEYES DE LA AGRUPACIÓN SILÁBICA
Sílabas formadas por vocales y consonantes

Una sola consonante entre vocales forma sílaba con la segunda vocal: *re-ba-ño, me-cá-ni-ca.*
Los grupos *pr, pl, br, bl, fr, fl, tr, dr, cr, cl, gr* y *gl* forman sílaba con la vocal que les sigue: *re-pri-mir, co-pla, pue-blo, a-tre-vi-do, re-cla-ma, a-grio, bra-mi-do, fri-o, dra-ma, cre-ma, si-gla.*
En cualquier otra combinación de dos consonantes, iguales o diferentes, la primera se agrupa con la vocal anterior y la segunda con la siguiente: *res-pi-ra, ob-ser-var, in-na-to, hon-ra.*
Entre tres consonantes, las dos primeras forman sílaba con la vocal que precede y la tercera con la que sigue: *ins-tin-to, obs-tá-cu-lo, pers-pi-caz.*
Si en el grupo de tres o más consonantes las dos últimas son *pr, pl, br, bl, fr, fl, tr, dr, cr, cl, gr, gl,* éstas se juntan a la vocal siguiente y las demás a la precedente: *com-pra, tem-plo, en-tre, ins-tru-men-to, abs-trac-to, cons-crip-to.*

Diptongos

Cuando dos vocales se pronuncian en una sola sílaba, forman un *diptongo.* Los diptongos pueden estar constituidos por toda clase de vocales; pero en sentido estricto suele darse esta denominación a las agrupaciones silábicas en que entra una de las vocales *cerradas* (también llamadas *extremas* o *débiles*): *i, u.*
Las vocales *a, e, o,* se llaman *abiertas, intermedias* o *fuertes.*
Si empieza por vocal abierta el diptongo es *decreciente: peine, pausado.* En este caso la *i* y la *u* son *semivocales.*
Si comienza por vocal cerrada, el diptongo es *creciente: bien, guapo.* La *i* y la *u* son *semiconsonantes.*

Decrecientes			*Crecientes*
Vocal abierta tónica o átona + vocal cerrada átona			Vocal cerrada átona + vocal abierta tónica o átona
ai o *ay*	*aire, hay, caimán*	*ia*	*diablo, rabia*
au	*causa, aurora*	*ua*	*cual, guapeza*
ei o *ey*	*veis, ley, peinar*	*ie*	*pie, cambie*
eu	*feudo, Europa*	*ue*	*fuerza, huevero*
oi u *oy*	*sois, soy, boicot*	*io*	*rubio, axioma*
ou	*bou*	*uo*	*cuota, cuotidiano*

Los diptongos *iu, ui* se pronuncian con acento en la primera o en la segunda vocal, según los casos. En general domina la tendencia a acentuar prosódicamente la segunda. Para la ortografía, la combinación *ui* en sílaba tónica solamente llevará tilde, que se pondrá sobre la *i,* cuando sean palabras agudas de más de una sílaba y terminen en vocal o consonante *s: huí, fluí, huís, construí;* o esdrújulas: *lingüístico, casuístico.*

Triptongos

Vocal cerrada átona + vocal abierta tónica + vocal cerrada átona.

iai	*apreciáis*
iei	*despreciéis*
uai, uay	*amortiguáis, guay*
uei, uey	*amortiguéis, buey*

Hiato. — Cuando dos vocales están juntas y no forman sílaba, se dice que están en *hiato.*

a) Se produce hiato en la combinación vocal cerrada + vocal abierta y viceversa: *ve-ní-a, ba-úl.* Este hiato se distingue ortográficamente por la tilde.

b) Fuera de las condiciones del párrafo anterior, la lengua española tiende al diptongo de un modo general; pero hay numerosos casos de hiato que dependen de la tradición particular de cada palabra y no puede encerrarse en normas fijas. Las principales causas de estas vacilaciones son:

1. La pronunciación lenta favorece el hiato: *ru-i-na, ru-i-do, cru-el,* frente a *rui-na, rui-do, cruel,* del habla rápida.

2. La analogía con formas acentuadas; p. ej.: *fi-a-dor, cri-a-tu-ra,* por analogía con *fi-ar, cri-ar (fía, cría).*

3. La etimología: *a-nu-al, pri-or, gra-tu-i-to, di-ur-no.*

4. Las exigencias de la versificación pueden favorecer el diptongo o el hiato: V. **sinalefa, sinéresis** y **diéresis** en los correspondientes artículos.

Observaciones:

1.ª Las palabras en español terminan de un modo casi exclusivo en vocal o en *d, z, s, n, l, r.* En palabras extranjeras, onomatopéyicas, antiguas, etc., se pueden dar otras terminaciones: *club, rosbif, zigzag, boj, álbum.*

2.ª La Real Academia Española simplificó en 1956 ciertos grupos de consonantes: *gn-, mn-* y *ps-; gneis* y *neis, mnemotecnia* y *nemotecnia, psíquico* y *síquico.* Da como válidas las dos, pero prefiere la primera.

3.ª El español antepone una *e-* a toda palabra que comienza con un grupo de dos consonantes si la primera es *s,* cualquiera que sea su procedencia y fecha de incorporación: *escena, esmoquin, esplín.* En otras no se ha producido ortográficamente (sí fonéticamente): *snob* (pero *esnobismo*), *slogan.*

4.ª Es una grave falta de prosodia decir *ad-erir, ad-esión* en lugar de *a-derir, a-desión,* porque se piense o se vea la *h (adherir, adhesión)* presente en la grafía de estas palabras y otras semejantes.

5.ª En casos de palabras como *deshierba* o *deshuesar,* la consonante *s* en que termina la primera sílaba de una y otra palabra precede a las semiconsonantes *[j]* y *[w],* escritas como *hi* y *hu,* respectivamente.

SUBSTANTIVO

Funciones	Construcción	Ejemplos
Sujeto	Sin signo gramatical	*El niño jugaba en el jardín.*
Atributo*	Sin signo gramatical	*Mi hermano es médico.*
Complementos de verbo:		
a) directo	Sin preposición.	*He comprado este libro.*
	Con preposiciones *a*	*He visto a tu padre.*
b) indirecto	Con las preposiciones *a* o *para*	*Pondremos un collar al perro.*
c) circunstancial	Con cualquier preposición	*Trabaja con entusiasmo.*
	A veces sin preposición	*Mi hijo ha llegado esta tarde.*
Complemento de otro substantivo:		
a) aposición	Explicativa (yuxtaposición con pausa)	*Madrid, capital de España.*
	Especificativa (yuxtaposición sin pausa)	*El profeta rey.*
b) relación preposicional	Con cualquier preposición	*Amor de madre. Viaje en tren.*

Complemento de un adjetivo:	Con preposiciones que exige cada adjetivo	*Apto para el mando. Deseoso de dinero. Obsequioso con las damas.*
Vocativo	*Al principio, en medio o al final de la oración, separado por pausa. Puede llevar interjección*	*Le aseguro, amigo, que no fue así. ¡Oh, cielos!, amparadme.*

Observaciones:

1. El substantivo en aposición puede tener género y número distintos: *Vivía con sus tres hijas, báculo de su vejez.*

2. Los objetos que se designan con nombre genérico y nombre específico, van en oposición especificativa: *el río Guadalquivir, los montes Pirineos.* Cuando se trata de islas, cabos, estrechos, etc., y de ciudades, calles, plazas, meses, años, o de edificios e instituciones, es muy española la construcción del nombre específico con la prep. *de: la isla de Cuba, el estrecho de Gibraltar, la ciudad de Sevilla, la calle de Alcalá, mes de mayo, año de 1952, teatro de Apolo.* En la actualidad hay tendencia a suprimir la preposición en algunos de esos casos: *año 1952, teatro Calderón.*

3. En la oración *La llegada de la madre me conmovió,* el sujeto de *la llegada* es *la madre* (genitivo subjetivo: en *La contemplación de la madre me conmovió, la madre* es el objeto de la contemplación, cuyo sujeto es *yo* (genitivo objetivo).

* También se llama Complemento predicativo.

VERBO

USO DE LOS MODOS

Indicativo. Acción estimada, por parte del que habla, como real, con existencia objetiva. Se usa en oraciones independientes o subordinadas: *los niños juegan en el jardín; me han dicho que los niños juegan en el jardín.*

Subjuntivo. El que habla sólo atribuye a la acción que enuncia existencia en su propia mente, pero no en la realidad objetiva. Considera las acciones como dudosas o posibles *(subjuntivo potencial),* necesarias o deseadas *(subjuntivo optativo).* He aquí el cuadro general de sus empleos principales:

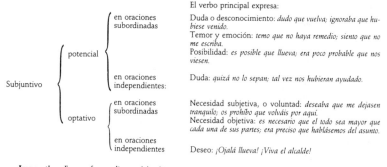

El verbo principal expresa:

Subjuntivo

potencial

en oraciones subordinadas

Duda o desconocimiento: *dudo que vuelva; ignoraba que hubiese venido.*

Temor y emoción: *temo que no haya remedio; siento que no me escriba.*

Posibilidad: *es posible que llueva; era poco probable que nos viesen.*

en oraciones independientes:

Duda: *quizá no lo sepan; tal vez nos hubieran ayudado.*

optativo

en oraciones subordinadas

Necesidad subjetiva, o voluntad: *deseaba que me dejasen tranquilo; os prohíbo que volváis por aquí.*

Necesidad objetiva: *es necesario que el todo sea mayor que cada una de sus partes; era preciso que hablásemos del asunto.*

en oraciones independientes

Deseo: *¡Ojalá llueva! ¡Viva el alcalde!*

Imperativo. Es una forma directa del subjuntivo optativo de deseo: *¡Ven! ¡Entrad pronto!* En oraciones negativas se emplea el subjuntivo: *¡No vengas! ¡No entres!* Es incorrecto, por tanto, decir: *¡No entrad! ¡No comprad sin visitar esta casa,* en vez de *no entréis, no compréis.*

Para las formas no personales del verbo, véanse los cuadros gramaticales sobre el **gerundio, infinitivo** y **participio.**

USO DE LOS TIEMPOS
Indicativo

Presente:	actual	*Leo este libro* (ahora mismo).
	habitual	*Me levanto a las siete* (por costumbre, no ahora).
	histórico	*Colón descubre América en el año 1492* (por *descubrió*).
	futuro	*El domingo vamos de excursión* (por *iremos*).
	de mandato	*Sales a la calle y me compras el periódico* (sustituye al imperativo).
Pretérito imperfecto:	acción durativa	*Era la primavera* (con verbos imperfectivos).
	acción reiterada	*Las niñas saltaban a la comba* (con verbos perfectivos).
	coexistente	*Le saludé cuando iba a la escuela* (los dos pretéritos coinciden).
	conato	*Salía cuando tú llegaste* (acción pasada que no se consuma).
	cortesía	*Quería pedirle un favor* (la realización depende del interlocutor).

PRETÉRITO INDEFINIDO:
(Pretérito perfecto simple) pasado
   absoluto .... *Salió el tren; la industria prosperó mucho.*

PRETÉRITO PERFECTO:
(Pretérito perfecto compuesto): pasado re-
   lacionado con el presente .... *Ha salido el tren; la industria ha prosperado mucho.*

PRETÉRITO PLUSCUAMPERFECTO: pasado in-
   mediatamente anterior a otro pasado ..... *Mirábamos las casas que habían construido en aquel barrio.*

PRETÉRITO ANTERIOR: pasado inmediatamen-
   te anterior a otro pasado .... *Cuando hubo pagado se marchó.*

FUTURO IMPERFECTO (Futuro): acción veni-
   dera absoluta .... *Volveremos otro día.*
   de mandato .... *No matarás.*
   de probabilidad .... *Serán las 12* (supongo que son).
   de sorpresa .... *¡Si será tonto!*

FUTURO PERFECTO: futuro anterior a otro
   futuro .... *Cuando llegues habremos cenado.*

CONDICIONAL: futuro del pasado .... *Dijo que volvería* (cuando *dijo,* la acción de volver era futura).
           de probabilidad .... *Tendría 50 años* (supongo que los tenía).
           condicional (apódosis) .... *Si tuviese dinero compraría esta casa.*
           de cortesía .... *Me gustaría verlo otra vez.*

CONDICIONAL PERFECTO: futuro del pasado,
                pero con ante-
                rioridad a otra
                acción .... *Aseguraban que cuando volviésemos habrían terminado su tarea.*
                probabilidad .... *Habría cumplido 50 años* (supongo que los había cumplido).
                de cortesía .... *Habría querido hablar usted.*

Subjuntivo

EQUIVALENCIA DE LOS TIEMPOS DE SUBJUNTIVO CON LOS DEL INDICATIVO:

Indicativo	Subjuntivo	
Creo que *llega*	No creo que	
Creo que *llegará*	No creo que	} *llegue*
Creo que *llegó*	No creo que	
Creí que *llegaba*	No creí que	} *llegara o llegase*
Creía que *llegaría*	No creía que	
Creo que *ha llegado*	No creo que	
Creo que *habrá llegado*	No creo que	} *haya llegado*
Creía que *había llegado*	No creía que	
Creía que *habría llegado*	No creía que	} *hubiera o hubiese llegado*

    Los futuros *llegare* y *hubiere llegado* se emplearon con alguna frecuencia en los clásicos, pero apenas tienen uso en la lengua moderna.
    El significado temporal de las formas del subjuntivo es, por lo tanto, el siguiente:

Subjuntivo	Indicativo
Presente	Presente y futuro.
Pretérito imperfecto	Pretérito indefinido, Pretérito imperfecto y condicional.
Pretérito perfecto	Pretérito perfecto y futuro perfecto.
Pretérito pluscuamperfecto	Pretérito pluscuamperfecto y condicional perfecto.

Correspondencia de los tiempos en la oración subordinada

(Véase USO DE LOS MODOS)

    VERBO SUBORDINADO EN INDICATIVO: Puede usarse cualquier tiempo en el verbo subordinado, tanto si el principal está en presente como si está en pasado o futuro:

Dice, ha dicho
Decía, dijo, había dicho } que Juan *viene, venía, vino, ha venido, había venido, vendrá, habrá venido, vendría, habría venido.*
Dirá, habrá dicho, diría, habría dicho

    Excepción: Los verbos de percepción sensible necesitan coexistir temporalmente con su subordinado, a no ser que se altere el significado de verbo principal: *veo que llueve; veía, vi, había visto que llovía; veré que llueve* (presente futuro), *lloverá.*

    VERBO SUBORDINADO EN SUBJUNTIVO:

    a) Con verbos de voluntad, el subordinado puede hallarse en cualquier tiempo posterior al del verbo principal: *me mandaron que estudie, que estudiase* (pero no que *hubiese estudiado,* por ser anterior a *mandaron*).

b) Con los demás verbos en presente o futuro, el subordinado puede hallarse en cualquier tiempo: *no creo, no creeré que venga, que viniese, que haya venido, que hubiese venido.* Si el subordinante está en pasado, el subordinado debe hallarse también en pasado (imperfecto o pluscuamperfecto): *no creí, no creía, no había creído que viniese, que hubiese venido.*

Notas:

La Real Academia española en su *Esbozo de una nueva gramática de la lengua española* ha modificado la nomenclatura de algunos tiempos verbales. En este cuadro se incluye entre paréntesis la nueva terminología.

El modo potencial desaparece, y sus tiempos: *potencial simple* y *potencial compuesto* se denominan *condicional* y *condicional perfecto,* respectivamente.

La nueva terminología es la recomendada por el Ministerio de Educación y Ciencia para su empleo en la educación general básica.

En los cuadros de la conjugación del Diccionario, figura, además, la terminología del gramático Andrés Bello, vigente en algunos países hispanoamericanos.

Tabla de prefijos y sufijos

PREFIJOS

Prefijo	Significado	Ejemplo
a-, an-	negación, privación	*anormal* *anuria*
a-, ad-	valores de la preposición *a*	*acometer* *admirar*
ab-, abs-	separación, origen	*abjurar* *absceso*
ana-	conforme, arriba, atrás, vuelta, negación, contra	*analogía* *anapesto* *anacrónico* *anafilaxis* *anatema*
anfi-	alrededor, a ambos lados doble	*anfiteatro* *anfibología*
ante-	anterioridad en tiempo y espacio	*antecapilla* *anteayer*
apo-	lejos, separado	*apofonía*
archi-, arz-	preeminencia	*archiduque* *arzobispo*
bis-, bi-	dos, doble	*bisabuelo*
cata-	debajo, extensión, contra	*cataplasma*
circum-, circun-	alrededor	*circumpolar* *circunlocución*
cis-, citra-	parte de acá	*cisalpino* *citramontana*
co-, con-	unión, compañía	*coadjutor* *contertulio*
contra-	contrario, opuesto refuerzo segundo lugar en categoría	*contraveneno* *contraventana* *contraalmirante*
de-	valores de la preposición *de*	*decaer* *deducir*
des-	privación, inversión de la acción fuera de, exceso	*desconfiar* *destierro* *deslenguado*
di-	oposición, contrariedad origen dilatación	*disentir* *dimanar* *difundir*
dia-	separación, entre a través de	*diacrítico* *diacronía*
dis-	oposición, contrariedad	*disconforme*
en-, em-	valores de la preposición *en*	*endulzar*
entre-, entro-	situación, calidad intermedia	*entrever* *entrefino*

Prefijo	Significado	Ejemplo
es-	fuera, más allá	*estirar*
ex-	fuera, más allá negación, privación	*extender* *excomunión* *exministro*
extra-	fuera de	*extraordinario*
in-, i-, im-	valores de la preposición *en* privación, negación	*incomunicar* *irrealizable*
inter-	entre	*interponer*
intro-	dentro	*introducir*
ob-	por causa, en virtud de oposición	*obtener* *obliterar*
para-, pará-	exterior y próximo a la vez	*paratifoidea*
per-, por-	intensifica la significación	*perdurar* *porfiar*
pos-, post-	después de	*poscafé* *postdata*
pre-	antelación, prioridad encarecimiento, superioridad	*prefijar* *preclaro* *prepotente*
pro-	en vez de progreso delante, ante	*pronombre* *promover* *proclamar*
proto-	prioridad	*protocolo*
re-, rete-, requete-	repetición aumento, encarecimiento negación, oposición, contrariedad	*recaer, rehacer* *requetebueno* *reprobar* *repugnar*
retro-	hacia atrás tiempo anterior	*retroceder* *retrovender*
sin-	unión, simultaneidad	*sincronía*
sin-	valores de la preposición *sin*	*sinrazón*
so-	bajo, debajo atenuación	*soterrar,* *sofreír*
sobre-	aumenta la significación valores de la preposición *sobre*	*sobresalto* *sobremesa*
sota-	bajo, debajo	*sotabanco*
sub- (za-, so-, zam-, sus-)	debajo, bajo acción secundaria inferior orden posterior	*subacuático* *subarrendar* *subdirector* *subseguir*
trans-, tras-	al otro lado a través de cambio	*transatlántico* *transparente* *trasbordar*
vice-, viz-	que suple, que hace las veces de	*vicecónsul*

SUFIJOS

Sufijo	Significado	Ejemplo
-áceo, -acea	pertenencia, semejanza	*herbáceo*
-aco, -aca	despectivo, gentilicio	*libraco, austríaco*
-ado, -ada	(adj.) posesión, semejanza (m.) empleo, lugar, tiempo (f.) conjunto, abundancia ingrediente, golpe	*barbado, azafranado* *doctorado, reinado* *estacada, riada* *limonada, cornada*
-aico, -aica	cualidad, condición	*algebraico, judaico*
-aje	acción y efecto conjunto derechos que se pagan	*abordaje* *ramaje* *hospedaje*
-ajo, -aja	diminutivo, despectivo	*migaja, colgajo*
-al	(adj.) relación, pertenencia (m.) conjunto, abundancia	*arbitral* *peñascal*
-alla	colectivo, despectivo	*metralla, canalla*
-amen	colectivo	*maderamen, certamen*
-áneo, -ánea	pertenencia, condición relación	*instantáneo* *sufragáneo*
-ano (-án), -ana	cualidad origen, pertenencia doctrina, secta profesión	*liviano, cercano* *toledano, serrano* *luterano* *escribano, capellán*
-anza (-ancia)	acción y efecto persona que la realiza cualidad	*ganancia, alabanza* *ordenanza* *fragancia, templanza*
-ar	condición, pertenencia conjunto, abundancia	*muscular* *pajar, tejar*
-ardo, -arda	aumentativo, despectivo	*moscarda, bastardo*
-ario, -aria	(adj.) con la cualidad de (m. f.) profesión, lugar	*fraccionario* *bibliotecario* *campanario*
-ático, -ática	condición, cualidad dignidad, empleo	*acuático, fanático* *catedrático*
-ato, -ata	dignidad, oficio cría de animales	*decanato* *ballenato*
-azgo	dignidad, empleo estado acción y efecto	*almirantazgo* *noviazgo* *hallazgo*
-azo, -aco	aumentativo despectivo o afectuoso golpe origen, materia	*perrazo* *padrazo, buenazo* *porrazo* *gallinaza*
-ble	capacidad, actitud	*combustible, amable*
-bundo, -bunda	intensidad, duración	*tremebundo* *meditabundo*

Sufijo	Significado	Ejemplo
-cico, -cillo, -cito, -zuelo	diminutivo	*calorcillo*
-dad	cualidad de	*viudedad, barbaridad*
-dero, -dera	(adj.) actitud activa/pasiva (m.) lugar (f.) instrumento (f. pl.) medios, capacidad	*hacedero* *matadero* *regadera* *entendederas*
-dor, -dora	agente instrumento lugar	*acusador* *apisonadora* *mostrador*
-dura	acción y efecto	*bordadura*
-ececico, -ececillo, -ececito, -ecezuelo	diminutivo	*piececito*
-ecer	verbos incoativos	*favorecer*
-ecico, -ecillo, -ecito, -ezuelo	diminutivo	*solecito*
-encia	acción, actitud cualidad cargo, dignidad	*docencia* *prudencia* *presidencia*
-eno, -ena	ordinal, colectivo parecido, propensión	*noveno, docena* *moreno*
-ento, -enta	manera o condición de	*amarillento* *sanguinolento*
-ero (-er), -era	oficio, empleo pertenencia o relación	*aduanero, mercader* *dominguero, abejera*
-estre	relativo, perteneciente	*campestre*
-ez	cualidad	*vejez*
-eza (-ez) (-icia)	cualidad	*aspereza, dejadez* *avaricia*
-ezno	diminutivo, cría animal	*lobezno*
-ía	local, tienda, lugar acción, actividad profesión, dignidad reunión cualidad, estado	*secretaría* *panadería, geología* *capitanía* *cofradía* *hombría, alegría*
-ico, -illo, -ito, -uelo	diminutivo	*pajarito*
-il	(adj.) pertenencia, condición aspecto	*femenil, viril* *cerril*
-íneo (-eño), -ínea (-eña)	condición, carácter forma	*sanguíneo* *aguileño*
-ino (-ín), -ina	diminutivo materia, origen, pertenencia (f.) acción y efecto	*pequeñín, neblina* *ambarino, alicantino* *dañino* *degollina*
-ío, -ía	(adj.) intensivo relación, pertenencia (m.) grupo, colectivo	*bravío* *cabrío* *caserío, gentío*
-ismo	doctrina, sistema partido	*platonismo* *comunismo*

Sufijo	Significado	Ejemplo
-ista	profesión, escuela	*almacenista* *helenista*
-ivo, -iva	(adj.) significación activa	*laxativo, nutritivo*
-izo, -iza	posesión, semejanza propensión, aptitud	*enfermizo, calizo* *arrojadizo*
-menta (-mienta)	colectivo	*vestimenta*
-mente	forma adv. m. a partir del adj. f.	*rigurosamente*
-mento (-miento)	acción y efecto	*fundamento* *fingimiento*
-o	nombres de acción acción momentánea	*abono, refino* *entreno* *suspiro, estornudo*
-ón, -ona	aumentativo falta, negación edad hábito, instinto (m.) acción brusca	*barrigón* *pelón, rabón* *cincuentón* *acusón* *apretón*
-or, -ora	agente, instrumento cualidad acción y efecto	*revisor, compresor* *amargor* *temblor*
-orio, -oria	significación activa o resultado de la acción	*casorio* *mortuorio*
-oso, -osa	abundancia significación activa	*mentiroso* *resbaloso*
-ote, -ota	aumentativo o diminutivo despectivo	*islote, picota* *blancote*
-sco (-zco), -sca (-zca)	pertenencia o relación	*peñasco, marisco* *pedrusco, picaresco* *blancuzco*
-tad	calidad de	*amistad, lealtad*
-tor, -tora	agente	*doctor*
-triz	agente f. de algunos en **-dor** y **-tor**	*emperatriz, actriz*
-uco, -uca	diminutivo despectivo	*hermanuco, ventanúco*
-udo, -uda	posesión, aumentativo	*barbudo*
-ulento, -ulenta	tendencia activa	*flatulento* *fraudulento*
-umbre	repetición, cantidad dimensión de	*muchedumbre* *mansedumbre*
-uno, -una	pertenencia o relación	*boyuno*
-ura	cosa hecha que sirve para abstracto o concreto	*configura* *abreviatura* *bravura, abertura*
-uzo, -uza	despectivo	*gentuza*

ELEMENTOS PREFIJALES

Elemento prefijal	Significado	Ejemplo
aceto-, aceti-	vinagre, ácido acético	*acetimetría*
acro-	altura, extremo	*acrofobia*
actino-	rayo, radio relativo al actinismo	*actinomorfo* *actinología*
adeno-, adeni-	glándula	*adenología*
aero-	aire aviación	*aerometría* *aeronáutica*
agro-, agri-	campo	*agronomía* *agricultura*
alcoho(lo)-	alcohol	*alcohotest* *alcoholoscopia*
alo-	distinto, otro	*alopatía*
ambli-	obtuso	*ambligonio*
amilo-	fécula	*amilogénesis*
ampelo-	vid	*ampelografía*
anemo-	viento	*anemómetro*
anglo-, angli-	inglés	*anglofilia*
aniso-	desigual	*anisopétalo*
anti-	contra, en lugar de	*antiaéreo*
arbori-	árbol	*arboricultura*
archi-	muy	*archimillonario*
aristo-	excelente, el mejor	*aristócrata*
arqueo-	antiguo	*arqueología*
arterio-	arteria	*arterioscopia*
artro-	articulación	*antrópodo*
astro-	astro	*astrología*
atmo-	aire	*atmósfera*
audio-, audi-	sonido, oído	*audiometría*
auto-	mismo, propio	*autocrítica*
bacteri-, bacterio-	bacteria	*bactericida* *bacteriología*
bari-, bario-	peso, presión, gravedad	*baricentro* *barómetro*
bato-, bati-	profundidad	*batimetría*
bi-	dos, dos veces, doble	*biáxico*
biblio-	libro	*bibliografía*
bradi-	lento	*bradicardia*

Elemento prefijal	Significado	Ejemplo
braqui-	corto	*braquicéfalo*
brio-	musgo	*briofito*
bromato-	alimento	*bromatología*
bronco-	bronquios	*bronconeumonía*
caco-	mal	*cacofonía*
calci-	cal, calcio	*calciterapia*
calco-	cobre	*calcografía*
cali-, calo-	bello	*calocéfalo*
canceri-, cancero-	cáncer	*cancerígeno* *cancerofobia*
carcino-	cáncer cangrejo	*carcinógeno* *carcinología*
carto-	carta, mapa	*cartografía*
centi-	cien	*centilitro*
cinema-, cinemato-	movimiento	*cinematografía*
cino-	perro	*cinomorfo*
clepto	robo	*cleptomanía*
cloro-	verde, cloro	*clorofila* *cloroformo*
condro-	articulación, cartílago	*condrografía*
conquilio-	concha	*conquiliología*
copro-	excremento	*coprocultivo*
cosmo-	mundo	*cosmología*
craneo-	cráneo	*craneotomía*
crio-	frío	*criobiología*
cripto-	oculto	*criptografía*
cuatri-, cuadri-	cuatro	*cuatrisílabo*
deca-, deci-	diez	*decámetro*
demo-	pueblo	*democracia*
di-	dos, doble	*dibranquial*
digiti-	dedo	*digitigrado*
dinamo-	fuerza	*dinamómetro*
dipso-	sed	*dipsomanía*
dis-	mal, difícil	*dislalia*
dodeca-	doce	*dodecaedro*
dolico-	alargado	*doliocéfalo*
eco-	casa	*ecología*
eco-	eco, resonancia	*ecografía*

Elemento prefijal	Significado	Ejemplo
ecto-	fuera, externo	*ectoplasma*
electro-	eléctrico	*electrostática*
endeca-	once	*endecasílabo*
endo-	dentro, interno	*endoscopia*
enea-	nueve	*eneasílabo*
eno-	vino	*enografía*
entomo-	insecto	*entomología*
epi-	sobre, exterior	*epidermis*
equi	igual	*equiángulo*
escato-	último	*escatología*
esfigmo-	pulso	*esfigmógrafo*
espectro-	imagen	*espectroscopia*
esquizo-	dividir, escindir	*esquizofrenia*
esteno-	estrecho	*estenocardia*
estereo-	sólido, cúbico	*estereofonía*
esteto-	pecho	*estetoscopio*
etno-	pueblo	*etnografía*
eu-	bueno, bien	*eutanasia*
euro-	europeo	*eurocomunismo*
exo-	fuera	*exocrino*
extra-	fuera de	*extraterrestre*
fanero-	manifiesto, visible	*fanerógamo*
ferro-, ferri-	hierro	*ferrotipia*
fico-	alga	*ficología*
fisio-	naturaleza	*fisionomía*
flebo-	vena	*flebotomía*
foto-	luz	*fotoeléctrico*
freno-	alma, mente	*frenopatía*
galo-, gali-	francés	*galófilo*
gastro-	estómago	*gastroenteritis*
geo-	tierra	*geografía*
glipto-	grabado	*gliptografía*
gluco-	azúcar	*glucogénesis*
hagio-	santo	*hagiografía*
halo-	sal	*halobiótico*

Elemento prefijal	Significado	Ejemplo
hecto-	cien	*hectómetro*
helio-	sol	*heliodinámica*
hemo-, hemato-	sangre	*hemofilia* *hematología*
hemi-	medio, mitad	*hemiciclo*
hepato-	hígado	*hepatología*
hepta-	siete	*heptasílabo*
hetero-	diferente, vario	*heteromorfo*
hexa-	seis	*hexaedro*
hidro-	agua	*hidrología*
higro-	húmedo	*higroscopio*
himeno-	membrana	*himenóptero*
hiper-	exceso, superioridad	*hipermetropía*
hipo-	inferioridad, falta	*hipotermia*
hipo-	caballo	*hipódromo*
hipso-	altura	*hipsómetro*
histo-	tejido	*histología*
holo-	todo, entero	*holoedro*
homeo-	semejante, parecido	*homeopatía*
homo-	igual, el mismo	*homosexual*
icono-	símbolo, imagen	*iconología*
icosa-	veinte	*icosaedro*
ictio-	pez	*ictiología*
idio-	peculiar	*idiosincrasia*
igni-	fuego	*ignífugo*
infra-	debajo de	*infrahumano*
inter-	entre	*intercelular*
intra-	dentro de	*intravenoso*
iso-	igual	*isomorfismo*
kili-, kilo-	mil	*kiliárea* *kilómetro*
lameli-	lámina	*lamelibranquio*
laringo-	laringe	*laringotomía*
lépido-	escama	*lepidóptero*
leuco-	blanco	*leucocito*
ligni-	madera	*lignícola*

Elemento prefijal	Significado	Ejemplo
magneto-	magnético	*magnetófono*
masto-	mama	*mastozoología*
mecano-	máquina	*mecanografía*
melo-	música	*melodía*
meso-	medio	*mesocéfalo*
meta-	más allá, después cambio	*metafísica metamorfismo*
micro-	pequeño	*microbiología*
mili-	milésima parte	*milímetro*
mio-	músculo	*miopatía*
miso-	odiar	*misógino*
mono-	único, uno solo	*monolingüe*
moto-	motor	*motonave*
multi-	multiplicidad	*multicopista*
naso-	nariz	*nasofaringe*
necro-	muerto	*necrófago*
nefro-	riñón	*nefrología*
neumo-	pulmón	*neumología*
neo-	nuevo	*neobarroco*
neuro-	nervio	*neurología*
noso-	enfermedad	*nosología*
octa-, octo-	ocho	*octaedro octosílabo*
oftalmo-	ojo	*oftalmología*
oleo-	aceite	*oleómetro*
oligo-	poco, escaso	*oligotrofia*
omni-	totalidad, todos	*omnívoro*
oo-	huevo	*oogonio*
opisto-	parte de atrás	*opistobranquio*
opo-	jugo, savia	*opoterapia*
opso-	comida, manjar	*opsofagia*
ornito-	pájaro	*ornitología*
oro-	montaña	*orografía*
orto-	regular, correcto	*ortodoncia*
oto-	oído	*otología*

Elemento prefijal	Significado	Ejemplo
ovo-, ovi-	huevo	*ovíparo*
oxi-	óxido	*oximetría*
paleo-	antiguo, viejo	*paleontología*
pan-, panto-	todo	*panamericano* *pantocrátor*
penta-	cinco	*pentágono*
peri-	alrededor	*perímetro*
petro-	piedra	*petrografía*
pio-	pus	*piogenia*
pireto-	fiebre	*piretología*
piro-	fuego	*pirómano*
pisci-	pez	*piscívoro*
pleni-	lleno	*plenilunio*
plesi-	golpear	*plesímetro*
pluri-	pluralidad	*plurilingüe*
pluvio-	lluvia	*pluviómetro*
poli-	pluralidad, mucho	*poliedro*
prosopo-	cara, figura	*prosopografía*
proto-	prioridad	*protoplasma*
psico-	alma, mente	*psicología*
pueri-	niño	*puericultura*
quinque-	cinco	*quinquelingüe*
quiro-	mano	*quiromancia*
radio-, radi-	radio, radiación	*radioeléctrico* *radiología*
reo-	corriente	*reómetro*
rupi-	roca	*rupícola*
rodo-	rosa	*rododendro*
sacari-	azúcar	*sacarímetro*
sapro-	podrido	*saprofito*
sarco-	carne	*sarcófago*
seleno-	luna	*selenografía*
sema-	signo, señal	*semáforo*
semi-	medio, casi	*semicírculo* *semiconsonante*
septi-	que pudre	*septicemia*

Elemento prefijal	Significado	Ejemplo
servo-	mecanismo auxiliar	*servofreno*
seudo-	falso	*seudópodo*
sialo-	saliva	*sialografía*
sider(o)-	hierro	*siderurgia*
sin-	unión	*sindáctilo*
super-	sobre, preeminencia demasía, abundancia	*superestrato* *supermercado*
supra-	sobre, arriba, más allá	*supranacional*
sud-	sur	*sudamericano*
talaso-	mar	*talasoterapia*
tanato-	muerte	*tanatología*
taqui-	rápido	*taquicardia*
tauto-	lo mismo	*tautología*
tele-	distancia, lejos	*teléfono*
teo-	dios	*teología*
terato-	anomalía, monstruo	*teratogénesis*
tetra-	cuatro	*tetrasílabo*
topo-	lugar	*topografía*
traqueo-	tráquea	*traqueotomía*
tri-	tres	*tricolor*
tribo-	roce, fricción	*tribómetro*
turbo-	con turbina	*turbogenerador*
udo-	lluvia	*udómetro*
ultra-	al otro lado, más allá en extremo	*ultratumba* *ultrasonido*
uni-	uno, uno solo	*unifamiliar*
vermi-	gusano	*vermífugo*
video-	por televisión, de la vista	*videocinta*
xanto-	amarillo	*xantocromía*
xeno-	extranjero, extraño	*xenofobia*
xero-	seco	*xerografía*
xilo-	madera	*xilófono*
yuxta-	junto	*yuxtaposición*

ELEMENTOS SUFIJALES

Prefijo	Significado	Ejemplo
-agogía, -agogia	conducción, guía	*pedagogía* *demagogia*
-agogo, -a	conductor, guía	*pedagogo*
-algia	dolor	*cefalalgia*
-arca, -arquía	jefe, guía gobierno	*monarca* *monarquía*
-cele	tumor	*hidrocele*
-cida, -cidio	que mata	*insecticida* *parricidio*
-cola	que cultiva que vive	*agrícola* *arborícola*
-crata, -cracia	autoridad, gobierno	*demócrata* *democracia*
-cultor, -ra	cultivador	*agricultor*
-cultura	cultivo	*piscicultura*
-doxo, -xa, -doxia	opinión, doctrina	*heterodoxo* *ortodoxia*
-dromo	carrera	*hipódromo*
-ectasia	dilatación	*cardiectasia*
-edro, -edra	cara, plano	*hexaedro*
-emia	sangre	*alcoholemia*
-fano	visible, manifiesto	*diáfano*
-fero, -ra	que lleva, que produce	*melífero*
-fobo, -ba, -fobia	temor, aversión	*xenófobo* *hidrofobia*
-forme	forma, manera	*multiforme*
-foro, -ra	que lleva, portador	*electróforo*
-fugo, -ga	que huye	*ignífugo*
-iatra, -iatría	médico especialista especialidad médica	*pediatra* *pediatría*
-itis	inflamación	*cistitis*
-látero	lado	*equilátero*
-latra, -latría	lado que adora, adoración	*equilátero* *idolatría*
-lisis	disolución	*catálisis*
-mancia, -mancía	adivinación	*quiromancia*
-oidal, -oide(o)	semejante a aspecto, forma	*antropoide* *elipsoidal*
-oma	tumor	*fibroma*

Elemento sufijal	Significado	Ejemplo
-opía, -ope, -opsia	ojo, vista, visión	*hipermetropía* *miope* *biopsia*
-orama	lo que se ve, espectáculo	*panorama*
-orexia	apetito	*anorexia*
-paro, -ra	que pare, parir	*multiparto*
-pedia	educación	*ortopedia*
-pepsia	digestión	*dispepsia*
-piteco	mono	*antotropopiteco*
-plasma	formación	*citoplasma*
-plastia	modelado	*galvanoplastia*
-pnea	respiración	*braquipnea*
-polis	ciudad	*metrópolis*
-rea	flujo	*diarrea*
-ragia	ruptura, erupción, flujo	*hemorragia*
-scopio, -a, -scopo	observar, examinar	*microscopio*
-sofía	ciencia, saber	*filosofía*
-stasia	detención	*hemostasia*
-teca	depósito	*hemeroteca*
-terapia	tratamiento, curación	*quimioterapia*
-tomía, -tomo	corte, incisión cortante	*apendicectomía* *microtomo*
-voro, -ra	que come, que se alimenta	*granívoro*

ELEMENTOS PREFIJALES Y SUFIJALES

Elemento prefijal y sufijal	Significado	Ejemplo
acanto-, -acanto	espina	*acantocéfalo* *braquiacanto*
andro-, -andro, -andria	hombre, varón masculino, estambre	*andromorfo* *poliandria*
anto-, -anto	flor	*antófago* *helianto*
antropo-, ántropo -antropía	hombre, ser humano	*antropología* *filántropo* *zoantropía*

Elemento prefijal y sufijal	Significado	Ejemplo
aritmo-, -aritmo	número	*aritmómetro* *logaritmo*
bio-, -bio	vida	*biología* *anaerobio*
blasto-, -blasto	germen, embrión	*blastodermo* *condroblasto*
cardio-, -cardia	corazón	*cardiología* *taquicardia*
carpo-, -carpo	fruto	*carpología* *monocarpo*
cefalo-, -céfalo	cabeza	*cefalotórax* *bicéfalo*
ciclo-, -ciclo	círculo	*ciclomotor* *hemiciclo*
cisto-, -cisto	vejiga	*cistotomía* *macrocisto*
cito-, -cito	célula	*citología* *leucocito*
cromo-, -cromo, cromato-	color, pigmentación	*cromotipografía* *monocromo*
crono-, -crono, -cronía	tiempo	*cromatografía* *cronología* *isócrono*
dactilo-, -dáctilo	dedo	*dactilografía* *perisodáctilo*
dendro-, -dendro	árbol	*dendrometría* *rododendro*
dermo-, -dermo, dermato-, -dermis	piel	*dermopatía* *dermatología* *epidermis*
estomat(o)-, -stoma, -stomo	boca	*estomatología* *micróstomo*
fago-, -fago, -fagia	comer, que come	*fagocito* *antropófago* *disfagia*
farmaco-, -fármaco	medicamento	*farmacología* *alexifármaco*
filo-, -filo, -filia	amante, aficionado tendencia, afición	*filología* *anglófilo* *bibliofilia*
filo-, -filo, -fila	hoja	*filoxera* *clorofilia*
fito-, -fito	planta vegetal	*fitotecnia* *zoofito*
flori-, -floro, -ra	flor	*floricultura* *multifloro*
fono-, -fono, -fonía	sonido	*fonología* *gramófono* *eufonía*

Elemento prefijal y sufijal	Significado	Ejemplo
gamo-, -gamo, -gamia	unido, soldado unión, enlace	*gamopétalo* *polígamo* *monogamia*
geno-, -geno, -genia -génesis	que engendra o produce origen, principio	*genopatía* *zoogenia* *antropogénesis*
gineco-, -gino	mujer	*ginecología* *andrógino*
gonio-, -gono	ángulo	*goniómetro* *polígono*
grafo-, -grafo, -grafía -grama	que escribe o describe escritura, descripción	*grafología* *cismógrafo* *paleografía* *telegrama*
lito-, -lito	piedra, roca	*litografía* *monolito*
logo-, -logo, -logía	estudioso, especialista ciencia, tratado	*logodédalo* *monólogo* *citología*
mero-, -mero	parte, porción	*merostoma* *isómero*
metro-, -metro, -metría	medida, espacio duración, regla	*metrología* *termómetro* *trigonometría*
miceto-, -miceto	hongo	*micetología* *ascomiceto*
morfo-, -morfo, -morfía -morfismo	forma, figura	*morfología* *heterómorfo* *antropomorfismo*
odonto-, -odonte	diente	*odontología* *mastodonte*
onoma(to)-, -ónimo -onimia	nombre	*onomatopeya* *hiperónimo* *sinonimia*
pato-, -patía	enfermedad, dolencia	*patología* *cardiopatía*
pedi-, -pedo	pie	*pedipalpo* *velocípedo*
podo-, -podo	pie	*podología* *cirrópodo*
ptero-, -ptero	ala	*pterodáctilo* *acróptero*
rino-, -rino	nariz	*rinología* *platirrino*
rizo-, -rizo	raíz	*rizofita* *marorriza*
soma(to)-, -soma	cuerpo	*somatología* *cromosoma*
termo-, -termo, -termia	caliente, calor temperatura	*termómetro* *isotermia*

Elemento prefijal y sufijal	Significado	Ejemplo
tipo-, -tipo, -tipia	molde, letra, arte de imprimir	*tipología* *linotipia*
uro-, -uria	orina	*urología* *albuminuria*
uro-, -uro	cola, rabo	*urodelo* *anuro*
zoo-, -zoo	animal	*zoología* *hidrozoo*

Guía para consultar este diccionario

Entrada

> **alga** *f.* Planta del grupo de las algas. – 2 *f. pl.* Grupo de plantas talofitas provistas de clorofila y generalmente acuáticas. ◇ Para evitar la cacofonía, utiliza la forma masculina del artículo: *el alga,* pero no la del demostrativo: esta alga.

Categoría gramatical

> **algaida** *f.* Bosque o terreno lleno de maleza.
> **algalia** *f.* Substancia untuosa, de color fuerte y sabor acre, que se extrae de una bolsa que tiene cerca del ano el gato de algalia. – 2 *m.* Gato de algalia.

> **algarabía** *f.* Lengua árabe. 2 fig. Lengua o escritura ininteligible. 3 Manera de hablar atropelladamente. 4 Gritería confusa.

Indicación de nivel de lengua

Definición

> **algarrobo** *m.* Árbol leguminoso papilionáceo, propio de las regiones marítimas templadas, de hojas persistentes, cuyo fruto es una vaina azucarada y comestible con semillas pequeñas y duras *(Ceratonia siliqua).*

> **álgebra** *f.* Parte de las matemáticas que trata de la cantidad en general, valiéndose para representarla de letras u otros símbolos. ◇ Para evitar la cacofonía, utiliza la forma masculina del artículo: *el álgebra,* pero no la del demostrativo: **esta álgebra.**

Nota gramatical

Gentilicios

> **algecireño, -ña** *adj.-s.* De Algeciras, ciudad de Cádiz.

> **barbilla** *f.* Punta de la barba; **cuerpo humano. 2 Corte dado oblicuamente en la cara de un madero para que encaje en el hueco de otro.

Envío a ilustración

Envío a ilustración

> **barca** *f.* Embarcación pequeña para pescar o navegar en las costas o en los ríos. 2 Canasto de tablas de madera empleado para envases y transporte de fruta.

> **barco** *m.* Construcción de madera o metal, dispuesta para flotar y correr por el agua, impulsada por el viento por remos o por ruedas o hélices movidas por un motor: ~ *cisterna;* ~ *escuela.* 2 Barranco poco profundo.

Ejemplos